CB056678

HERNANDES DIAS LOPES

COMENTÁRIO EXPOSITIVO DO NOVO TESTAMENTO

VOLUME 2 | *Atos e Epístolas Paulinas*

hagnos

© 2019 por Hernandes Dias Lopes

1ª edição: outubro de 2019
2ª reimpressão: outubro de 2024

Revisão: Josemar de S. Pinto, Andrea Filatro e Raquel Fleischner
Diagramação: Sonia Peticov
Capa: Douglas Lucas
Editor: Aldo Menezes
Coordenador de produção: Mauro Terrengui
Impressão e acabamento: Imprensa da Fé

As opiniões, interpretações e conceitos desta obra são de responsabilidade de quem a escreveu e não refletem necessariamente o ponto de vista da Hagnos.

Todos os direitos desta edição reservados à
Editora Hagnos Ltda.
Rua Geraldo Flausino Gomes, 42, conj. 41
CEP 04575-060 — São Paulo, SP
Tel.: (11) 5990-3308

E-mail: hagnos@hagnos.com.br | Home page: www.hagnos.com.br

Editora associada à Associação Brasileira de Direitos Reprográficos (ABDR)

Dados Internacionais de Catalogação na Publicação (CIP)

Lopes, Hernandes Dias
Comentário Expositivo do Novo Testamento: Atos e Epístolas Paulinas / Hernandes Dias Lopes. – São Paulo: Hagnos, 2019. (Volume 2)

ISBN 978-85-7742-260-9 (volume 2)

1. Bíblia. NT: Comentários. 2. Bíblia NT: Atos: Comentários 3. Epístolas Paulinas: Comentários I. Título

19-1332   CDD 225.7

Índices para catálogo sistemático:
1. Bíblia. NT: Comentários 225.7

Angélica Ilacqua CRB-8/7057

DEDICO ESTA OBRA, ao meu sogro Sinval Pimentel e
a minha sogra Leopoldina Rosa Pimentel (*In memória*).
Eles são os pais de minha amada esposa. Exemplo de vida
simples e piedosa. Amigos e intercessores. Conselheiros
e consoladores. Vasos de honra nas mãos do Senhor.
Exemplo dos fiéis.

Hernandes Dias Lopes

Sumário

Prefácio 13

Introdução 17
1. Cristo vai, o Espírito Santo vem (At 1.1-26) 31
2. O Pentecostes: o derramamento do Espírito Santo (At 2.1-47) 47
3. A manifestação do poder de Deus (At 3.1-26) 65
4. As marcas de uma igreja cheia do Espírito Santo (At 4.1-31) ... 78
5. A igreja sob ataque (At 4.32–5.42) 93
6. Transformando crises em oportunidades (At 6.1-15) 111
7. A defesa e o martírio de Estêvão (At 7.1-60) 124
8. Evangelização que transpõe fronteiras (At 8.1-40) ... 136
9. A conversão mais importante da história (At 9.1-31) 152
10. A conversão de Cornélio, um soldado graduado (At 9.32–10.48) 166
11. A igreja alarga suas fronteiras (At 11.1-30) 176
12. Quando tudo parece perdido, Deus reverte a situação (At 12.1-25) 187
13. Semeando com lágrimas, colhendo com júbilo (At 13–14) 202
14. O Concílio de Jerusalém, um divisor de águas na história da igreja (At 15.1-35) 219
15. A chegada do evangelho à Europa (At 15.36–16.40) ... 233
16. Igrejas estratégicas plantadas na Macedônia (At 17.1-15) 253
17. Um pregador do evangelho na terra dos deuses (At 17.16-34) ... 268
18. Uma igreja em Corinto, a capital da Acaia (At 18.1-28) 285
19. Uma igreja em Éfeso, a capital da Ásia Menor (At 19.1-41) 299
20. Paulo rumo a Jerusalém (At 20.1-38) 316
21. A saga de Paulo em Jerusalém (At 21–22) 335
22. O julgamento de Paulo em Jerusalém e Cesareia (At 23–24) 349
23. Paulo diante do governador Festo e do rei Agripa (At 25–26) ... 364
24. Paulo a caminho de Roma (At 27–28) 377

Romanos

1. Introdução à carta aos Romanos (Rm 1.1) — 399
2. O evangelho, a igreja e o apóstolo (Rm 1.1-13) — 417
3. A singularidade do evangelho (Rm 1.14-17) — 432
4. A depravação da sociedade gentílica (Rm 1.18-32) — 447
5. Os críticos moralistas sob julgamento (Rm 2.1-16) — 466
6. A presunção dos judeus é derrubada (Rm 2.17–3.8) — 482
7. A depravação total da humanidade (Rm 3.9-20) — 498
8. A justificação, ato exclusivo de Deus (Rm 3.21-31) — 512
9. A justificação pela fé exemplificada (Rm 4.1-25) — 529
10. Os benditos frutos da justificação (Rm 5.1-11) — 543
11. Dois homens, dois destinos (Rm 5.12-21) — 557
12. O reinado da graça (Rm 6.1-23) — 571
13. A libertação da lei (Rm 7.1-25) — 587
14. A nova vida em Cristo (Rm 8.1-17) — 603
15. A gloriosa segurança dos salvos (Rm 8.18-39) — 619
16. A soberania de Deus na salvação (Rm 9.1-33) — 638
17. A desobediência do povo de Deus (Rm 10.1-21) — 655
18. O plano de Deus para o Seu povo (Rm 11.1-36) — 671
19. Vidas transformadas, relacionamentos transformados (Rm 12.1-21) — 699
20. O relacionamento do cristão como cidadão de dois mundos (Rm 13.1-14) — 718
21. O relacionamento entre irmãos que pensam diferente (Rm 14.1–15.13) — 735
22. As excelências do ministério de Paulo (Rm 15.14-33) — 753
23. A importância dos relacionamentos na igreja (Rm 16.1-27) — 771

1 Coríntios

1. Igreja, o povo chamado por Deus (1Co 1.1-31) — 791
2. As glórias do evangelho (1Co 2.1-16) — 811
3. As imagens da igreja (1Co 3.1-23) — 825
4. As marcas do ministro da igreja (1Co 4.1-21) — 838

5. O exercício da disciplina na igreja (1Co 5.1-13) — 851
6. Como lidar com as demandas interpessoais e as paixões intrapessoais (1Co 6.1-20) — 866
7. Princípios de Deus para o casamento (1Co 7.1-40) — 879
8. Como lidar com a liberdade cristã (1Co 8.1-13) — 896
9. A liberdade da graça (1Co 9.1-27) — 911
10. O uso sábio da liberdade cristã (1Co 10.1-33) — 924
11. A postura da igreja no culto (1Co 11.1-34) — 936
12. O propósito de Deus para os dons espirituais (1Co 12.1-31) — 953
13. A superioridade do amor em relação aos dons (1Co 13.1-13) — 966
14. Variedade de línguas e profecias na igreja (1Co 14.1-40) — 979
15. A suprema importância da ressurreição de Cristo (1Co 15.1-58) — 992
16. Como usar sabiamente a mordomia cristã (1Co 16.1-24) — 1006

2 Coríntios

1. O vigoroso testemunho de um homem de Deus (2Co 1.1-11) — 1017
2. Como se defender das críticas (2Co 1.12–2.1-11) — 1034
3. O segredo de uma vida vitoriosa (2Co 2.12–3.1-3) — 1050
4. A superioridade da nova aliança (2Co 3.4-18) — 1068
5. O ministério da nova aliança (2Co 4.1-18) — 1084
6. Não estamos a caminho do fim, estamos a caminho do céu (2Co 5.1-10) — 1100
7. A reconciliação, uma obra de Deus (2Co 5.11-21; 6.1,2) — 1112
8. Uma tempestade de problemas (2Co 6.3-13) — 1129
9. Realidades inegociáveis na vida cristã (2Co 6.14–7.1-16) — 1143
10. Uma filosofia bíblica acerca da contribuição cristã (2Co 8.1-24) — 1156
11. A contribuição pela graça (2Co 9.1-15) — 1169
12. O ministério como um campo de batalha (2Co 10.1-18) — 1182
13. A defesa do apostolado de Paulo (2Co 11.1-33) — 1196
14. As glórias e os sofrimentos da vida cristã (2Co 12.1-21) — 1213
15. Exortações pastorais (2Co 13.1-13) — 1228

Gálatas

1. Uma introdução à Carta aos Gálatas (Gl 1.1) — 1243
2. A defesa do apostolado e do evangelho de Paulo (Gl 1.1-5) — 1258
3. A defesa do evangelho (Gl 1.6-12) — 1271
4. A defesa do apostolado de Paulo (Gl 1.13-24) — 1283
5. O evangelho de Paulo é o mesmo dos apóstolos de Jerusalém (Gl 2.1-10) — 1296
6. O evangelho da graça sob ataque (Gl 2.11-14) — 1308
7. A justificação pela fé (Gl 2.15-21) — 1322
8. Evidências da justificação pela fé (Gl 3.1-14) — 1335
9. A relação da lei com a promessa (Gl 3.15-29) — 1349
10. Servidão da lei ou liberdade de Cristo? (Gl 4.1-11) — 1362
11. Paulo, o pastor de coração quebrantado (Gl 4.12-20) — 1376
12. A liberdade da fé ou a escravidão da lei? (Gl 4.21-31) — 1388
13. Liberdade ameaçada (Gl 5.1-12) — 1402
14. A capacitação do Espírito para uma vida santa (Gl 5.13-26) — 1416
15. Igreja, a comunidade do amor (Gl 6.1-10) — 1434
16. A religião falsa e a religião verdadeira (Gl 6.11-18) — 1447

Efésios

1. A igreja de Deus, o povo mais rico do mundo (Ef 1.1-14) — 1463
2. A igreja de Deus, o povo mais poderoso do mundo (Ef 1.15-23) — 1485
3. A igreja de Deus, o povo chamado da sepultura para o trono (Ef 2.1-10) — 1493
4. A maior missão de paz da história (Ef 2.11-22) — 1504
5. O maior mistério da história (Ef 3.1-13) — 1512
6. A oração mais ousada da história (Ef 3.14-21) — 1520
7. A gloriosa unidade da igreja (Ef 4.1-16) — 1531
8. Um novo estilo de vida (Ef 4.17-32) — 1544
9. Imitadores de Deus (Ef 5.1-17) — 1554
10. Como ter uma vida cheia do Espírito Santo (Ef 5.18-21) — 1560
11. Como ter o céu em seu lar (Ef 5.22-33) — 1570
12. Pais e filhos vivendo segundo a direção de Deus (Ef 6.1-4) — 1579

13. Patrões e empregados (Ef 6.5-9) — 1585
14. A mais terrível batalha mundial (Ef 6.10-24) — 1591

Filipenses

1. A organização da primeira igreja cristã da Europa (Atos 16.6-40) — 1605
2. A saudação do apóstolo Paulo à igreja de Filipos (Fp 1.1,2) — 1619
3. Uma oração transbordante de amor (Fp 1.3-11) — 1634
4. Vivendo na perspectiva de Deus (Fp 1.12-18) — 1647
5. Vivendo sem medo do futuro (Fp 1.19-30) — 1661
6. A importância vital da unidade cristã (Fp 2.1-5) — 1674
7. A humilhação e a exaltação de Cristo (Fp 2.6-11) — 1687
8. A salvação, uma dádiva a ser desenvolvida (Fp 2.12-16) — 1704
9. Homens imitadores de Cristo (Fp 2.17-30) — 1718
10. A verdade de Deus sob ataque (Fp 3.1-11) — 1731
11. O testemunho do apóstolo Paulo (Fp 3.12-21) — 1745
12. As recomendações apostólicas a uma igreja amada (Fp 4.1-9) — 1759
13. A obra missionária precisa de parceria (Fp 4.10-23) — 1773

Colossenses

Introdução — 1789
1. O poder transformador do evangelho (Cl 1.1-8) — 1805
2. O poder através da oração (Cl 1.9-12) — 1819
3. A magnífica obra de Cristo (Cl 1.13-17) — 1833
4. As excelências da pessoa e da obra de Cristo (Cl 1.18-23) — 1848
5. As marcas do ministério de Paulo (Cl 1.24– 2.1-3) — 1862
6. A igreja verdadeira sob ataque (Cl 2.4-15) — 1874
7. A ameaça do engano religioso (Cl 2.16-23) — 1888
8. As evidências de uma verdadeira conversão (Cl 3.1-11) — 1902
9. Evidências da verdadeira santificação (Cl 3.12-17) — 1915
10. Relações humanas na família e no trabalho (Cl 3.18– 4.1) — 1931
11. Busque as primeiras coisas primeiro (Cl 4.2-18) — 1946

1 e 2 Tessalonicenses

1. Introdução: A plantação de uma igreja estratégica (At 17.1-9) — 1961
2. As marcas de uma igreja verdadeira (1Ts 1.1-10) — 1975
3. Os atributos de um líder espiritual (1Ts 2.1-20) — 1989
4. As marcas de um pastor de almas (1Ts 3.1-13) — 2004
5. Uma vida que agrada a Deus (1Ts 4.1-12) — 2016
6. Os fundamentos da esperança cristã (1Ts 4.13-18) — 2029
7. Que atitude a Igreja deve ter em relação à segunda vinda de Cristo? (1Ts 5.1-11) — 2043
8. Como cultivar relacionamentos saudáveis na igreja (1Ts 5.12-28) — 2057
9. Como enfrentar vitoriosamente a tribulação (2Ts 1.1-12) — 2072
10. O anticristo, o inimigo consumado de Deus e da igreja (2Ts 2.1-12) — 2085
11. A gloriosa salvação dos eleitos de Deus (2Ts 2.13-17) — 2100
12. A igreja sob ataque (2Ts 3.1-18) — 2114

1 Timóteo

Introdução — 2129

1. A importância da sã doutrina e o perigo das heresias (1Tm 1.1-20) — 2144
2. Princípios divinos sobre o culto público (1Tm 2.1-15) — 2164
3. Os atributos da liderança da igreja (1Tm 3.1-16) — 2183
4. Fidelidade às Escrituras em tempos de apostasia (1Tm 4.1-16) — 2199
5. Cuidando de pessoas na igreja (1Tm 5.1-25) — 2212
6. Instruções pastorais à igreja (1Tm 6.1-21) — 2227

2 Timóteo

Introdução — 2253

1. O evangelho precisa ser preservado (2Tm 1.1-18) — 2263
2. Os desafios do pregador do evangelho (2Tm 2.1-26) — 2282
3. Como enfrentar o fim dos tempos vitoriosamente (2Tm 3.1-17) — 2308

4. A pregação da Palavra num mundo de relativismo (2Tm 4.1-5)   2328
5. A segunda prisão de Paulo em Roma e seu martírio (2Tm 4.6-22)   2340

Tito e Filemom

Introdução – Tito   2357
1. A supremacia da Palavra no ministério apostólico (Tt 1.1-4)   2373
2. Como distinguir os pastores dos lobos (Tt 1.5-16)   2385
3. Como aplicar a doutrina na vida familiar (Tt 2.1-10)   2403
4. A graça de Deus, o fundamento de uma vida santa (Tt 2.11-15)   2419
5. Relacionamentos que glorificam a Deus (Tt 3.1-15)   2432

Introdução – Filemom   2448
1. Vidas transformadas, relacionamentos restaurados (Fm 1-25)   2462

Prefácio

O LIVRO DE ATOS registra a história da igreja primitiva, desde a ascensão de Cristo e o derramamento do Espírito Santo até a chegada do Evangelho em Roma, a capital do Império Romano. Atos destaca o crescimento da igreja em Jerusalém, na Judeia, em Samaria, Antioquia da Síria e nas Províncias da Galácia, Macedônia, Acaia e Ásia Menor, chegando até Roma. Atos enfatiza especialmente os ministérios de Pedro e Paulo, os dois grandes líderes da igreja primitiva; o primeiro junto aos judeus e o segundo junto aos gentios. Atos registra, com vivacidade, o avanço da igreja no poder do Espírito Santo. A igreja ora e prega. A igreja crê e vê as maravilhas divinas. A igreja proclama as boas-novas do evangelho e vê as multidões se rendendo aos pés do Salvador.

AS EPÍSTOLAS PAULINAS são divididas entre as cartas às igrejas e as cartas pastorais. Essas cartas, inspiradas pelo Espírito Santo, foram escritas para tratar de problemas existentes nas igrejas e também para ensinar as sublimes doutrinas da fé cristã. Paulo, como um teólogo pastor, usou a teologia para sanar os problemas enfrentados pelas igrejas. Ao mesmo tempo que o apóstolo dos gentios ensinava a verdade, combatia com firmeza granítica, as heresias dos falsos mestres que tentavam perturbar as igrejas. As cartas pastorais foram escritas a Timóteo, Tito e Filemom, orientando-os a como procederem na igreja de Deus. O apóstolo Paulo foi, certamente, o maior bandeirante do Cristianismo. Foi o maior pregador, o maior teólogo, o maior missionário e o maior plantador de igrejas, o homem que, usado por Deus, levou o Evangelho da graça a todas as províncias do Império Romano.

Nossa ardente oração é que esta obra que você tem em mãos, abençoe sua vida e seja uma ferramenta útil nas mãos de Deus para seu crescimento espiritual.

Hernandes Dias Lopes

Atos

*A ação do Espírito Santo
na vida da igreja*

Introdução

O LIVRO DE ATOS É A DOBRADIÇA do Novo Testamento. Ele fecha os evangelhos e abre as epístolas. William Barclay considera-o um dos mais importantes livros do Novo Testamento.[1] Calvino o chamou de "um grande tesouro" e Martyn Loyd-Jones, de "o mais lírico dos livros".[2] O livro de Atos é a segunda parte de uma obra cujo primeiro volume é o evangelho de Lucas. O objetivo de Lucas em sua dupla obra era oferecer um relato coordenado das origens cristãs.[3]

Lucas reúne a história de Jesus e a história da igreja primitiva. Explica como as boas-novas começaram e se espalharam a ponto de abranger o mundo mediterrâneo, desde Jerusalém até Roma.[4] O segundo volume trata de *tudo o que Jesus continuou a fazer e ensinar*. Desta maneira, os dois volumes abrangem o começo do evangelho e a proclamação da salvação pela igreja primitiva. David Stern sugere que esse "segundo livro" poderia ser chamado de "Lucas, Parte II".[5] Matthew Henry diz que as promessas feitas nos evangelhos têm seu cumprimento em Atos. A comissão dada aos apóstolos lá é executada aqui, e os poderes implantados lá são mostrados aqui em milagres feitos no corpo das pessoas: milagres de misericórdia, curando corpos doentes e ressuscitando corpos mortos; milagres de julgamento, golpeando os rebeldes com cegueira ou tirando-lhes a vida; e milagres muitos maiores feitos na mente das pessoas, concedendo-lhes dons espirituais, dons de entendimento e dons de expressão vocal. E toda

---

[1] BARCLAY, William. *Hechos de los Apóstoles*. Buenos Aires: La Aurora, 1974, p. 7.
[2] STOTT, John. *A mensagem de Atos*. São Paulo: ABU, 2005, p. 9,10.
[3] HARRISON, Everett. *Introducción al Nuevo Testamento*. Grand Rapids, MI: TELL, 1980, p. 234.
[4] MARSHALL, I. Howard. *Atos: introdução e comentário*, São Paulo: Mundo Cristão/ Vida Nova, 1982, p. 17.
[5] STERN, David H. *Comentário judaico do Novo Testamento*. São Paulo: Atos, 2008, p. 243.

essa dinâmica é consequência dos propósitos de Cristo e do cumprimento de suas promessas feitas nos evangelhos.[6]

Citando Leon Tucker, Myer Pearlman afirma que Atos pode ser sintetizado em três palavras: ascensão, descida e expansão. A ascensão de Cristo é seguida pela descida do Espírito, que por sua vez é seguida pela expansão do evangelho.[7]

Destacamos três verdades importantes sobre a mensagem de Atos, à guisa de introdução.

Em primeiro lugar, *a importância de sua mensagem*. John Stott diz que Atos é fundamental por causa de seus registros históricos e também por sua inspiração contemporânea.[8] Atos narra a história da igreja apostólica, desde os seus primeiros passos em Jerusalém até Roma, a cidade imperial. Faz uma estreita conexão entre o que Jesus começou a fazer e ensinar e o que Ele continuou a fazer e ensinar por intermédio dos apóstolos. O livro de Atos não coloca no centro do palco os apóstolos, mas o Senhor Jesus. É Ele quem fala e faz. Os homens de Deus são apenas instrumentos; o agente é o próprio Filho de Deus. O poder que transforma vidas não vem do homem, mas de Deus; não vem da terra, mas do céu; não vem de dentro, mas de cima. Concordo com Guilherme Orr quando diz que o tema central de Atos é ainda *Cristo*, mas agora é o Cristo ressuscitado, vivo, que dá poder, e que desafia seus seguidores a *irem por todo o mundo* com a incomparável história do amor de Deus.[9]

William MacDonald ressalta com razão que o livro de Atos é a única história da igreja inspirada; é também o primeiro livro da história da igreja apostólica. Atos não é apenas uma ponte que liga a vida de Cristo com o Cristo vivo ensinado nas epístolas; é também um elo de transição entre o judaísmo e o cristianismo, entre a lei e a graça.[10]

---

[6]Henry, Matthew. *Comentário bíblico Atos-Apocalipse*. Rio de Janeiro: CPAD, 2010, p. 1.
[7]Pearlman, Myer. *Através da Bíblia*. Miami, FL: Vida, 1987, p. 229.
[8]Stott, John. *A mensagem de Atos*, p. 9.
[9]Orr, Guilherme. *Chaves para o Novo Testamento*. São Paulo: Imprensa Batista Regular, 1970, p. 21.
[10]MacDonald, William. *Believer's Bible commentary*. Nashville, TN: Thomas Nelson Publishers, 1995, p. 1575.

Em segundo lugar, *a necessidade de sua mensagem*. Atos é um manual sobre o crescimento saudável da igreja. Vivemos num tempo de busca desenfreada pelo crescimento numérico da igreja. No entanto, muitos se perdem nessa corrida. Buscam as fórmulas do pragmatismo em vez de recorrer aos princípios emanados do livro de Atos. Caem nas armadilhas da *numerolatria* (idolatria dos números) e transigem com a verdade para alcançar resultados. Pregam o que o povo quer ouvir em vez de pregar o que povo precisa ouvir. Pregam para agradar os incrédulos em vez de levá-los ao arrependimento. Pregam prosperidade em vez de graça. Por outro lado, o livro de Atos nos previne contra a *numerofobia* (medo dos números). Uma igreja saudável cresce naturalmente. Quando a igreja vive a doutrina apostólica, Deus acrescenta a ela, diariamente, os que vão sendo salvos. O livro de Atos é o mais importante manual de crescimento da igreja. Se quisermos vê-la crescer, não devemos começar com os manuais modernos; devemos retornar ao livro de Atos e nele buscar os princípios que levaram a igreja de Jerusalém a Roma em poucas décadas.

John Stott está correto ao dizer que o livro de Atos trata de importantes questões para a igreja contemporânea, como o batismo do Espírito Santo, os dons espirituais, sinais e milagres carismáticos, a comunhão econômica da primeira comunidade cristã em Jerusalém, a disciplina na igreja, a diversidade de ministérios, a conversão cristã, o preconceito racial, os princípios missionários, o preço da unidade cristã, as motivações e os métodos na evangelização, o chamado para sofrer por Cristo, a relação entre a igreja e o Estado, e a providência divina.[11] O livro de Atos é também o maior livro de missões do mundo. É, de igual forma, o maior livro sobre organização e procedimentos eclesiásticos.[12]

Em terceiro lugar, *a urgência de sua mensagem*. O livro de Atos trata do crescimento espiritual e numérico da igreja. Para alcançar esse alvo, a igreja manteve, inseparavelmente, ortodoxia e piedade, doutrina e vida, palavra e poder. Ortodoxia sem piedade gera racionalismo estéril.

---

[11] STOTT, John. *A mensagem de Atos*, p. 11.
[12] ORR, Guilherme. *Chaves para o Novo Testamento*, p. 23.

Piedade sem ortodoxia produz misticismo histérico. Ao longo da história, a igreja várias vezes caiu num extremo ou noutro. Ainda hoje, vemos muitas igrejas zelosas da doutrina, mas áridas como um deserto; outras cheias de entusiasmo, mas vazias de doutrina. Atos é um alerta para a necessidade urgente de uma nova reforma e de um profundo reavivamento. Não precisamos buscar as novidades do mercado da fé, mas nos voltarmos às origens do cristianismo apostólico.

O autor de Atos

O autor de Atos dos Apóstolos e do evangelho nada diz a respeito de si mesmo, nem mesmo em sua dedicatória pessoal a Teófilo. A tradição eclesiástica, porém, desde cedo não tem dúvidas de que o autor é Lucas.[13] Lucas era médico e historiador. A tradição liga-o à cidade de Antioquia da Síria, a terceira maior do mundo naquela época. Único escritor gentio do Novo Testamento, Lucas foi testemunha ocular dos fatos ocorridos nas viagens missionárias de Paulo, uma vez que acompanhou o apóstolo nessas peregrinações como seu companheiro e médico.

Sabemos muito pouco acerca de Lucas; só há três citações diretas a ele no Novo Testamento (Cl 4.14; 2Tm 4.11; Fm 24). Essas referências nos permitem afirmar duas coisas a seu respeito: Lucas era médico e cooperador de Paulo, aliás, um de seus amigos mais fiéis, pois estava com ele em sua segunda prisão em Roma.

Como já pontuamos, Atos é o segundo volume do livro escrito por Lucas. O volume inicial trata do que Jesus começou a fazer e a ensinar; nesse segundo volume, o que Jesus continuou a fazer e a ensinar por intermédio dos apóstolos, no poder do Espírito Santo. O livro de Atos não foi apenas um apêndice ou posfácio ao evangelho de Lucas, mas com ele formava uma obra única e contínua.[14]

Atos precisa ser lido à luz de Lucas. Observe:

---

[13]DE BOOR, Werner. *Atos dos Apóstolos*. Curitiba: Editora Evangélica Esperança, 2002, p. 17.
[14]STOTT, John. *A mensagem de Atos*, p. 18.

> *Visto que muitos houve que empreenderam uma narração coordenada dos fatos que entre nós se realizaram, conforme nos transmitiram os que desde o princípio foram deles testemunhas oculares e ministros da palavra, igualmente a mim me pareceu bem, depois de acurada investigação de tudo desde sua origem, dar-te por escrito, excelentíssimo Teófilo, uma exposição em ordem, para que tenhas plena certeza das verdades em que foste instruído* (Lc 1.1-4).

> *Escrevi o primeiro livro, ó Teófilo, relatando todas as coisas que Jesus começou a fazer e a ensinar* (At 1.1).

John Stott diz que, nessa importante declaração, Lucas esboça cinco estágios na composição do seu livro Lucas-Atos: a) os eventos históricos; b) as testemunhas oculares contemporâneas; c) a investigação pessoal de Lucas; d) a escrita; e) a audiência a quem o texto se destinava, incluindo Teófilo, a quem Lucas se dirige.[15]

Embora o nome de Lucas não apareça explicitamente em Atos, há um consenso praticamente unânime de que ele foi seu autor. Há sobejas evidências internas da autoria lucana. Dentre as provas internas, destacamos três:

1. *O prólogo do livro*. O autor demonstra que está dando continuidade a um relato, endereçado ao mesmo indivíduo ao qual já destinara a parte inicial da obra: Escrevi o primeiro livro, ó Teófilo. O relato começa em Lucas e termina em Atos.
2. *A perfeita identidade vocabular*. São dezessete os vocábulos comuns a Mateus e Lucas-Atos que não figuram nos demais livros do Novo Testamento; há quatorze palavras exclusivas de Marcos e Lucas-Atos; e há 58 palavras que só aparecem em Lucas.
3. A *alta qualidade do grego coinê* de Lucas-Atos, quase clássico, é forte evidência de que ambos foram escritos pela mesma mão.[16] Howard Marshall enfatiza que a linguagem e o estilo de Lucas se destacam

---
[15]STOTT, John. *A mensagem de Atos*, p. 19,20.
[16]TOGNINI, Enéas; BENTES, João Marques. *Janelas para o Novo Testamento*. São Paulo: Hagnos, 2009, p. 132.

no Novo Testamento e demonstram que, entre todos os escritores, este era o mais consciente de estar escrevendo literatura para uma audiência culta.[17]

Robert Gundry menciona ainda outra evidência da autoria lucana de Atos. De acordo com esse erudito escritor, as descobertas arqueológicas têm confirmado de maneira surpreendente a exatidão histórica do evangelho de Lucas. Por exemplo, sabe-se atualmente que o uso que Lucas fez dos títulos de vários escalões de oficiais locais e governantes de províncias – procuradores, cônsules, pretores, politarcas, asiarcas e outros – mostra-se acuradamente correto, correspondendo às ocasiões e aos lugares acerca dos quais Lucas escrevia. A sua exatidão torna-se duplamente notável porque o emprego desses vocabulários se mantinha em constante estado de fluxo devido às alterações de situação política de várias comunidades.[18]

Com o uso do pronome "nós" (às vezes subentendido), ao descrever diversas das jornadas de Paulo, o autor do livro de Atos deixa entendido que ele mesmo era um dos companheiros de viagem do apóstolo.[19]

Quanto às evidências externas, ressaltamos que o *Cânon Muratoriano* e uma gama enorme de Pais da igreja reconheceram Lucas como autor de Atos. Entre eles, citamos Eusébio, Irineu, Tertuliano, Clemente de Alexandria, Orígenes e Jerônimo. Howard Marshall diz que a evidência mais clara é aquela de Irineu (c. de 180 d.C.), que cita Lucas como o autor do terceiro evangelho e de Atos. A partir dessa altura, a tradição é atestada com firmeza.[20]

O destinatário de Atos

Tanto o evangelho de Lucas como Atos, ou seja, tanto o primeiro como o segundo volume da obra escrita por Lucas, foram endereçados

---

[17]MARSHALL, I. Howard. *Atos: introdução e comentário*, 1982, p. 16.
[18]GUNDRY, Robert H. *Panorama do Novo Testamento*. São Paulo: Vida Nova, 1978, p. 238,239.
[19]GUNDRY, Robert H. *Panorama do Novo Testamento*, p. 237.
[20]MARSHALL, I. Howard. *Atos: introdução e comentário*, 1982, p. 44.

à mesma pessoa, ou seja, Teófilo. Possivelmente, era um homem rico, membro da nobreza romana ou alguém que ocupava alto posto no governo romano. Tudo nos faz crer que era um homem piedoso, pois seu nome significa "aquele que ama a Deus".

Quais foram os propósitos de Lucas em remeter essa obra acerca do ministério de Cristo e da ação da igreja para esse nobre romano? a) Provar que a igreja cristã era uma religião lícita, legítima, e não um risco para o Estado, como queriam demonstrar seus críticos; b) mostrar a conexão entre o ministério terreno e celestial de Cristo, pois mesmo depois de partir, Jesus continuou a fazer e a ensinar à igreja por intermédio do Seu Espírito, usando os apóstolos como instrumentos; c) oferecer um esboço do espantoso crescimento da igreja cristã, que começa com 120 judeus em Jerusalém e termina como uma multidão inumerável por todos os recantos do Império, chegando, inclusive a Roma, à capital.

A data em que Atos foi escrito

Não podemos definir com exatidão a data em que Atos foi escrito. Sabemos, entretanto, que o livro encerra sua narrativa com a primeira prisão de Paulo em Roma, e isso por volta do ano 62 d.C. Consequentemente, o livro deve ter sido escrito depois dessa data e antes da segunda prisão de Paulo em Roma e seu consequente martírio por volta de 67 d.C. Como exímio historiador, Lucas não teria deixado de registrar o incêndio de Roma em 64 d.C., a execução de Paulo em 67 d.C., bem como a destruição de Jerusalém em 70 d.C.

Atos acompanha a vida de Paulo somente até sua primeira reclusão em Roma, quando ele permaneceu dois anos numa prisão domiciliar (28.30,31). Dessa prisão, Paulo saiu para uma quarta viagem missionária. Essa quarta viagem pode ser reconstituída levando em consideração os seguintes dados: a) a intenção de Paulo de ir a Espanha (Rm 15.24,28); b) o testemunho de Eusébio sobre a soltura de Paulo, após sua primeira detenção em Roma (*História eclesiástica*, 2.22.2-3); c) os testemunhos de Clemente de Roma de que Paulo esteve na Espanha (Rm 15.24,28); e do Cânon Muratoriano (linhas 34-39). O provável itinerário seguido por Paulo deve ter sido o seguinte:

1. Roma – soltura em 62 d.C.;
2. Espanha (Rm 15.24,28), em 62-64 d.C.;
3. Creta (Tt 1.5), em 64-65 d.C.;
4. Mileto (2Tm 4.20), em 65 d.C.;
5. Colossos (Fm 22), em 66 d.C.;
6. Éfeso (1Tm 1.3), em 66 d.C.;
7. Filipos (Fp 2.23,24; 1Tm 1.3), em 66 d.C.;
8. Nicópolis (Tt 3.12), em 66-67 d.C.;
9. Trôade (2Tm 4.13), em 67 d.C.;
10. Roma – segundo aprisionamento, em 67 d.C.;
11. Martírio em Roma, em 67 d.C.

Como Lucas não inclui nenhum desses episódios em Atos, concluímos que o livro deve ter sido escrito antes de 62 d.C., quando Paulo ainda não tinha sido solto.[21]

A expansão da igreja conforme o livro de Atos

Antes de voltar ao Pai, Jesus deu à igreja a agenda de Sua ação no mundo. Atos 1.8 é o programa que os apóstolos deveriam seguir: *Mas recebereis poder ao descer sobre vós o Espírito Santo, e sereis minhas testemunhas tanto em Jerusalém, como em toda a Judeia, Samaria e até aos confins da terra.* Everett Harrison salienta que Atos é definitivamente um documento missionário, com a grande comissão de Atos 1.8 como chave para a sua estrutura.[22] Lucas compreendera que o *evangelho* não acabara com a despedida de Jesus, mas continuava seu próprio curso pelo mundo, saindo de Jerusalém e indo para Samaria, Antioquia, Ásia Menor, Macedônia e Grécia, até a capital do mundo, Roma. A estrutura do livro corresponde a esse percurso.[23] Atos demonstra como o evangelho tinha em mira os gentios, e não apenas os judeus.

O livro de Atos pode ser dividido em três partes bem distintas.

---

[21]TOGNINI, Enéas; BENTES, João Marques. *Janelas para o Novo Testamento*, p. 144.
[22]HARRISON, Everett. *Introducción al Nuevo Testamento*, p. 236.
[23]DE BOOR, Werner. *Atos dos Apóstolos*, p. 17.

Em primeiro lugar, *a expansão da igreja em Jerusalém* (capítulos 1–7). Depois da ascensão de Cristo, a igreja era composta por 120 membros que, em obediência à ordem de Cristo, perseveraram na oração até que do alto foram revestidos de poder. Cinquenta dias após a ressurreição de Cristo e dez dias após a ascensão, o Espírito Santo foi derramado sobre aqueles que estavam orando no cenáculo. Nesse mesmo dia, Pedro pregou uma mensagem cristocêntrica, e cerca de três mil pessoas foram convertidas, batizadas e agregadas à igreja. Deus fez grandes milagres por intermédio dos apóstolos e, em resultado da pregação poderosa, o número dos convertidos multiplicou-se em Jerusalém. A perseguição tornou-se ferrenha, e o diabo tentou impedir o avanço da igreja através de intimidação, infiltração e distração. A igreja, porém, encheu Jerusalém da doutrina de Cristo.

Em segundo lugar, *a expansão da igreja na Judeia e em Samaria* (capítulos 8–12). A igreja foi perseguida e dispersada; e, por onde passavam, os crentes pregavam a Palavra de Deus. O evangelho chegou à cidade de Samaria por intermédio de Filipe, que pregou, e a cidade alegrou-se ao ver e ouvir o que Deus falava e fazia ali. O muro de inimizade foi quebrado, o preconceito racial foi vencido e o evangelho penetrou naquela terra, outrora dominada pelo misticismo. Pela conversão de Saulo, o evangelho chegou a Damasco, na Síria. Por intermédio de Pedro, o evangelho atingiu a Cesareia Marítima e alcançou o gentio Cornélio. A Palavra de Deus floresceu também em Antioquia da Síria, ultrapassando a fronteira de Israel.

Em terceiro lugar, *a expansão da igreja até aos confins da terra* (capítulos 13–28). Com a conversão de Saulo ao cristianismo e suas subsequentes viagens missionárias, o evangelho alcança as províncias da Galácia, Macedônia, Acaia e Ásia Menor. O evangelho rompe barreiras linguísticas, culturais e religiosas. Mesmo em face de duras perseguições, a bandeira do evangelho é fincada em Roma, a capital do Império.

Os propósitos do livro de Atos

Lucas, inspirado pelo Espírito de Deus, escreveu o livro de Atos com vários propósitos em mente. Elencamos alguns deles a seguir.

Em primeiro lugar, ***mostrar a legitimidade do cristianismo diante das autoridades romanas***. O livro de Atos não é apenas a história do avanço dos cristãos, mas, sobretudo, uma defesa do cristianismo. Werner de Boor diz com todas as letras que o alvo de Atos de Apóstolos é a defesa do novel cristianismo perante o Estado romano.[24] O propósito de Lucas é defender a fé cristã diante dos seus opositores, mostrando que a religião do Caminho é legítima, legal e salutar para o povo. Ao longo do livro, Lucas reúne vários relatos nos quais as autoridades romanas reconhecem que não têm nenhuma acusação formal contra os cristãos.

Como um diplomata, Lucas reuniu provas para mostrar que o cristianismo era inofensivo (porque alguns oficiais romanos chegaram a adotá-lo pessoalmente), inocente (porque os juízes romanos não conseguiram encontrar nenhuma base para condená-lo) e legal (pois ele era o cumprimento verdadeiro do judaísmo).[25]

Era um claro propósito de Lucas recomendar o cristianismo ao governo romano. Em Atos 13.12 Sérgio Paulo, o governador de Chipre, converte-se ao cristianismo. Em Atos 18.12 Galio é absolutamente imparcial em Corinto. Em Atos 16.35-39 os magistrados, ao reconhecerem seu erro, pedem desculpas publicamente a Paulo. Em Atos 19.31 as autoridades da Ásia demonstram preocupação de que Paulo não sofresse nenhum dano. Lucas destaca que os cristãos são cidadãos bons e fiéis: em Atos 18.14 Gálio declara que não existe agravo nem crime a questionar; em Atos 19.37 o secretário de Éfeso dá um bom testemunho dos cristãos; em Atos 23.29 Cláudio Lísias cuida para não dizer nada contra Paulo; em Atos 25.25 Festo declara que Paulo nada fez que mereça a morte; e nesse mesmo capítulo Festo e Agripa concordam que poderiam ter deixado Paulo em liberdade se ele não tivesse apelado a César.[26]

Em segundo lugar, ***mostrar a expansão da igreja de Jerusalém a Roma apesar das perseguições***. Lucas é enfático em mostrar as variadas formas de perseguição que os apóstolos e toda a igreja sofreram na

---

[24] De Boor, Werner. *Atos dos Apóstolos*, p. 16.
[25] Stott, John. *A mensagem de Atos*, p. 24.
[26] Barclay, William. *Hechos de los Apóstoles*, p. 9,10.

marcha do cristianismo de Jerusalém a Roma. Perseguições internas e externas, físicas e psicológicas, políticas e religiosas. O próprio apóstolo Paulo afirma: ... *através de muitas tribulações, nos importa entrar no reino de Deus* (14.22). A perseguição começa com a zombaria dirigida aos apóstolos no dia de Pentecostes, e continua com a tentativa do Sinédrio de calar os apóstolos, mandando prendê-los e açoitá-los. Chega rapidamente ao auge na morte de Estêvão, passando também pela morte de Tiago. Paulo foi apedrejado em Listra, açoitado em Filipos, escorraçado da Tessalônica, enxotado de Bereia, chamado de tagarela em Atenas e de impostor em Corinto. Em Éfeso enfrentou feras, foi preso em Jerusalém, acusado em Cesareia e novamente preso em Roma. Longe, porém, de recuar diante das perseguições, a igreja caminhou com ainda mais ousadia e desassombro para obter resultados alvissareiros.

Em terceiro lugar, *mostrar o espantoso crescimento da igreja apesar das limitações humanas*. A igreja apostólica estava desprovida de recursos financeiros. Os apóstolos não tinham prata nem ouro. E, mais, eram homens iletrados. Não tinham influência política, e a maioria dos membros da novel igreja era composta de escravos. Apesar dessas limitações humanas, a igreja encheu o Império Romano com a doutrina de Cristo e fincou a bandeira do evangelho no centro da cidade imperial. A mensagem de Atos é vital para a igreja contemporânea porque nos mostra o caminho de Deus para o crescimento da igreja, a despeito de todas as suas limitações. A igreja cresce pela oração e pela Palavra, no poder e na virtude do Espírito Santo, por intermédio de cristãos fiéis e ousados.

Em quarto lugar, *mostrar a oração e a Palavra como os dois vetores do crescimento da igreja*. Os apóstolos entenderam que não poderiam abandonar a oração e o ministério da Palavra para servirem às mesas. A oração e a Palavra foram os grandes vetores do crescimento da igreja. Ainda hoje esses dois instrumentos são os principais fatores do crescimento saudável da igreja. Deus não unge métodos; unge homens e mulheres de oração. Sem oração não há pregação de poder. Pregação é lógica em fogo. Pregação é demonstração de poder. Não podemos separar pregação de oração. Só podemos levantar-nos diante dos homens se primeiro nos prostrarmos diante de Deus.

Em quinto lugar, *mostrar a obra do Espírito Santo na expansão da igreja*. A igreja apostólica avançou de Jerusalém a Roma no poder do Espírito Santo. Foi o Espírito quem capacitou a igreja para viver e pregar. Foi o Espírito Santo quem liderou a igreja em seu extraordinário crescimento espiritual e numérico. Nas palavras de Everett Harrison, o Espírito Santo é a fonte da pregação eficaz (4.8), dos poderes miraculosos (13.9-11), da sabedoria nas deliberações da igreja (15.28), da autoridade administrativa (5.3; 13.2) e da orientação em geral (10.19; 16.6-10).[27] A ação do Espírito Santo é tão marcante em Atos que este livro tem sido descrito às vezes como o livro dos "Atos do Espírito Santo".[28]

Em sexto lugar, *mostrar o triunfo do reino de Deus sobre o reino das trevas*. A igreja apostólica cresceu espantosamente e desbastou as trevas do paganismo. A igreja triunfou sobre o legalismo fariseu e o liberalismo saduceu em Jerusalém. Triunfou, outrossim, sobre o sincretismo samaritano. Triunfou, de igual forma, sobre o paganismo e a idolatria nas províncias da Galácia, Macedônia, Acaia e Ásia Menor. Triunfou, finalmente, sobre o culto ao imperador. A igreja apostólica cresceu a despeito das mais variadas e perversas perseguições. O sangue dos mártires tornou-se a sementeira do evangelho.

Características do livro de Atos

Vejamos algumas particularidades deste livro.

Em primeiro lugar, *a pesquisa não anula a assistência do Espírito*. Lucas foi um historiador e um acurado pesquisador (Lc 1.3). O relato de Atos é fruto tanto de pesquisa quanto de testemunho ocular. O mesmo Espírito que assistiu Lucas na pesquisa, também o inspirou no registro. Concordo com Werner de Boor quando ele escreve:

> A glória do Espírito de Deus está em não ter necessidade de deslocar o pensamento, a vontade e a ação do ser humano para obter o espaço

---
[27]HARRISON, Everett. *Introducción al Nuevo Testamento*, p. 237,238.
[28]MARSHALL, I. Howard. *Atos: introdução e comentário*, 1982, p. 31.

necessário para a sua atuação, mas iluminar e moldar o pensar, o querer e o agir próprio do ser humano. Não é diferente o que ocorre com as cartas do NT. Também elas não são um ditado celestial, mas cartas humanas genuínas, escritas com esmero e reflexão a determinadas pessoas ou igrejas numa situação específica. Pode-se constatar nelas as características pessoais do autor, seja Paulo, ou João, ou Pedro, ou Tiago. Não obstante, no meio disso o Espírito Santo foi eficaz a tal ponto que agora essas mesmas cartas humanas, ligadas a seu tempo, constituem a Palavra de Deus ativa e criadora, dirigida hoje às pessoas de todos os continentes. Tão misteriosa e viva é a inspiração da Sagrada Escritura, que temos diante de nós em sua realidade maravilhosa.[29]

Em segundo lugar, *a importância dos discursos*. Atos não é apenas a história da igreja apostólica em sua jornada até a capital do Império, mas é também uma cuidadosa coletânea de discursos, especialmente de Pedro e Paulo. Os vários sermões registrados em Atos servem de modelos homiléticos que apontam para a centralidade da pregação apostólica: a morte e a ressurreição de Cristo. Esses sermões podem ser classificados em evangelísticos (At 2–3), deliberativos (At 15), apologéticos (At 7 e 17) e exortativos (At 20).[30]

Em terceiro lugar, *a importância de Jerusalém e Antioquia*. Duas cidades, Jerusalém e Antioquia, dominam o relato do livro de Atos. De Jerusalém o evangelho se espalhou até Antioquia, e de Antioquia chegou até aos confins da terra. Paralelamente a essas duas proeminentes capitais estão os dois apóstolos mais importantes, Pedro e Paulo.[31]

Em quarto lugar, *o caráter cristocêntrico do livro*. O livro de Atos é uma biografia de Cristo, de seu ensino e de suas obras poderosas, por meio dos apóstolos, no poder do Espírito. Na verdade é uma continuação do evangelho de Lucas, ou seja, uma continuação daquilo que Cristo começou a fazer e a ensinar. William Barclay destaca o fato de que geralmente chamamos este livro de *Atos dos Apóstolos*. Mas o livro

---

[29]DE BOOR, Werner. *Atos dos Apóstolos*, p. 19.
[30]HARRISON, Everett. *Introducción al Nuevo Testamento*, p. 237.
[31]HARRISON, Everett. *Introducción al Nuevo Testamento*, p. 237.

não pretende dar um relato exaustivo acerca do que foi realizado pelos apóstolos. Além de Paulo, só se mencionam no livro outros três apóstolos. Em Atos 12.2 lemos sobre a execução de Tiago, irmão de João, por ordem de Herodes. João aparece na cena da cura do paralítico na porta formosa do templo, mas não profere nenhuma palavra. O livro só nos dá informação detalhada sobre Pedro e Paulo.[32]

Na metade inicial do livro, é somente de Pedro que obtemos um relato concreto. Por outro lado, o interesse do autor também não se volta para "Pedro" como tal. Nada é dito sobre a continuação de sua atividade após o concílio dos apóstolos, nem mesmo acerca de sua morte. E também Paulo, cujas viagens missionárias e cujo processo preenchem a segunda parte do livro, não tem nenhuma importância biográfica. Na realidade o objetivo de Lucas não é escrever uma "história dos apóstolos". Importa unicamente o curso do evangelho pelo mundo. Diante dele, todos os instrumentos humanos deixam de ser importantes.[33] Werner De Boor ainda alerta: "Não há no Antigo Testamento ou no livro de Atos culto a heróis. Apenas Deus e sua magnífica causa estão em jogo. É isso que precisamos reaprender, a partir de Atos dos Apóstolos".[34]

---

[32]BARCLAY, William. *Hechos de los Apóstoles*, p. 7.
[33]DE BOOR, Werner. *Atos dos Apóstolos*, p. 15.
[34]DE BOOR, Werner. *Atos dos Apóstolos*, p. 15.

1

Cristo **vai**, o Espírito Santo **vem**

Atos 1.1-26

O LIVRO DE ATOS É A CONTINUAÇÃO DO EVANGELHO DE LUCAS. É como se fosse o segundo volume de um único livro. É o relato do que Cristo começou a fazer e a ensinar. Como a igreja é o corpo de Cristo na terra, mesmo tendo Jesus sido assunto aos céus, Ele continuou agindo e ensinando por intermédio da igreja. Nas palavras de William Barclay, Atos ensina que a vida de Jesus continua em Sua igreja.[1]

Concordo com John Stott quando diz que o contraste que Lucas apresenta entre os dois volumes não se dá entre Jesus e Sua igreja, mas entre os dois estágios do ministério de Cristo. Assim, o ministério de Jesus na terra, exercido de forma pessoal e pública, foi seguido por Seu ministério celestial, exercido mediante o Espírito Santo por intermédio dos Seus apóstolos. E mais: o que separa esses dois estágios é a ascensão. Esta não só concluiu o primeiro livro de Lucas e introduz o segundo (1.9), mas encerra o ministério terreno de Jesus e inaugura o Seu ministério celestial.[2]

Cinco verdades são destacadas neste primeiro capítulo de Atos. Vamos examiná-las agora.

---

[1] Barclay, William. *Hechos de los Apóstoles*, p. 15.
[2] Stott, John. *A mensagem de Atos*, p. 30.

A ressurreição de Cristo, uma verdade incontroversa (1.1-3)

Lucas endereça tanto o evangelho como Atos à mesma pessoa, o excelentíssimo Teófilo, e isso para apresentar uma exposição detalhada do que Cristo começou a fazer e a ensinar. Marshall é de opinião que Teófilo já era cristão, e Lucas escreveu seu livro para que Teófilo e outros como ele pudessem ter um relato fidedigno do começo do cristianismo.[3] No livro de Atos, Lucas reúne provas insofismáveis acerca da ressurreição de Cristo, mostrando que Seu ministério terreno fora consumado e que Ele, agora, continuava exercendo o Seu ministério celestial. O Cristo histórico e o Cristo da glória são a mesma pessoa.

Destacamos, aqui três verdades importantes.

Em primeiro lugar, *a continuidade do ministério de Cristo* (1.1,2). *Escrevi o primeiro livro, ó Teófilo, relatando todas as coisas que Jesus começou a fazer e a ensinar até ao dia em que, depois de haver dado mandamentos por intermédio do Espírito Santo aos apóstolos que escolhera, foi elevado às alturas.* Jesus fez e falou em vez de falar e fazer. Suas palavras foram autenticadas por Suas obras, e Suas obras foram o penhor de Suas palavras. Conforme diz William MacDonald, o ministério de Jesus foi marcado pela ação e pelo ensino. Não foi doutrina sem dever, nem credo sem conduta. Jesus praticou o que pregou.[4] Jesus pregou aos ouvidos e aos olhos. Os homens não apenas ouviram dEle grandes discursos, mas, sobretudo, viram nEle grandes obras. Jesus concluiu Sua obra na terra morrendo vicariamente, ressuscitando gloriosamente, dando mandamentos aos apóstolos imperativamente e retornando aos céus majestosamente. Jesus veio do céu e retornou ao céu.

Antes, porém, de Jesus encerrar seu ministério pessoal na terra, deliberadamente tomou providências para que ele continuasse ainda na terra (por meio dos Seus apóstolos), mas a partir do céu (por meio do Santo Espírito).[5] John Stott diz que, pelo fato dos apóstolos ocuparem uma posição tão singular, receberam também um preparo singular.

---

[3] MARSHALL, I. Howard. *Atos: introdução e comentário*, p. 56.
[4] MACDONALD, William. *Believer's Bible commentary*, p. 1577.
[5] STOTT, John. *A mensagem de Atos*. 1985, p. 33.

Primeiro, Jesus os escolheu (1.2). Todos os apóstolos (os doze, Matias e Paulo) não se autonomearam, nem foram indicados por um ser humano, um comitê, um sínodo ou uma igreja, mas foram escolhidos, de modo direto e pessoal, por Jesus Cristo. Segundo, Jesus Se revelou a eles (1.2). Jesus escolheu os apóstolos para estarem com Ele e para falarem dEle, especialmente de Sua ressurreição. Terceiro, Jesus os comissionou (1.2). O apóstolo era um embaixador que levava consigo a mensagem e a autoridade de quem o enviou. Quarto, Jesus lhes prometeu o Espírito Santo (1.4) para revesti-los de poder e capacitá-los a testemunhar até aos confins da terra.[6]

Em segundo lugar, *as provas da ressurreição de Cristo* (1.3). *A estes também, depois de ter padecido, se apresentou vivo, com muitas provas incontestáveis, aparecendo-lhes durante quarenta dias...* Tanto a morte de Cristo como Sua ressurreição foram fatos públicos e verificáveis. Ele padeceu, mas se apresentou vivo. Sua ressurreição foi um fato histórico irrefutável.

Ainda hoje os céticos tentam negar essa verdade central do cristianismo, dizendo que Jesus não chegou a morrer, mas sofreu apenas um desmaio. Outros dizem que as mulheres erraram o túmulo e espalharam uma notícia inverídica. Há aqueles que afirmam que os discípulos roubaram o corpo de Jesus e O sepultaram num lugar desconhecido. A verdade irrefutável, entretanto, é que Jesus ressuscitou. Não adoramos o Cristo morto que esteve vivo, mas o Cristo vivo que esteve morto (Ap 1.18). Ele ressuscitou e apareceu aos apóstolos durante quarenta dias. E não apenas apareceu, mas falou acerca do reino de Deus. Há dez aparições de Jesus narradas nos evangelhos e em 1Coríntios:

1. A Maria (Mc 16.9-11; Jo 20.14-28);
2. às mulheres (Mt 28.9,10);
3. aos dois discípulos no caminho de Emaús (Mc 16.12,13; Lc 24.13-22);
4. a Pedro (Lc 24.34);
5. aos dez discípulos (Mc 16.14; Lc 24.36,43; Jo 20.19-23);

---

[6]STOTT, John. *A mensagem de Atos*. 1985, p. 33-35.

6. os discípulos e Tomé com eles (Jo 20.26-29);
7. a sete discípulos no mar da Galileia (Jo 21.1-24);
8. aos onze discípulos na montanha da Galileia (Mt 28.16-20; Mc 16.15-18);
9. a Tiago (1Co 15.7);
10. a Paulo (1Co 15.8).

Em terceiro lugar, *o ensino acerca do reino de Deus* (1.3). ... *e falando das coisas concernentes ao reino de Deus*. O tema central do ministério de Jesus foi o reino de Deus. Ele abriu e fechou o Seu ministério com esse magno assunto. Os discípulos, não obstante tenham escutado tantas vezes sobre a natureza desse reino, ainda apresentavam uma compreensão distorcida e nutriam sentimentos inverídicos a respeito.

A promessa do Espírito Santo, uma dádiva do Pai (1.4-8)

Lucas faz uma transição da ressurreição de Cristo para a promessa do Espírito. A descida do Espírito estava condicionada à subida de Cristo (Jo 7.39). Quatro verdades devem ser aqui observadas.

Em primeiro lugar, *a promessa do Pai* (1.4). *E, comendo com eles, determinou-lhes que não se ausentassem de Jerusalém, mas que esperassem a promessa do Pai, a qual, disse Ele, de mim ouvistes*. O Pai prometeu o Espírito e a igreja deveria esperá-Lo (Jl 2.28-32; Jo 14.16; Gl 3.14; Ef 1.13). Jesus reafirmou essa promessa várias vezes: *Mas, o Consolador, o Espírito Santo, a quem o Pai enviará em Meu nome, esse vos ensinará todas as coisas e vos fará lembrar de tudo o que vos tenho dito* (Jo 14.26). *Quando, porém, vier o Consolador, que Eu vos enviarei da parte do Pai, o Espírito da verdade, que dEle procede, esse dará testemunho de Mim* (Jo 15.26). *Mas eu vos digo a verdade: convém-vos que eu vá, porque, se Eu não for, o Consolador não virá para vós outros; se, porém, Eu for, Eu vo-Lo enviarei* (Jo 16.7).

Essa espera deveria ser, *com obediência irrestrita*. Eles não poderiam ausentar-se de Jerusalém. O lugar do fracasso haveria de ser o território da vitória. O mesmo lugar onde Cristo foi humilhado, ali deveria também ser exaltado. O palco do padecimento deveria ser também o cenário do derramamento do Espírito. Marshall diz que o lugar onde Jesus foi rejeitado haveria de ser o lugar onde começaria novo testemunho dEle.⁷ Em segundo lugar, essa espera deveria ser *com perseverança inabalável*. Eles deveriam esperar até que do alto fossem revestidos de poder (Lc 24.49). Por fim, essa espera deveria ser *com expectativa triunfante*. Eles deveriam receber o revestimento de poder.

Em segundo lugar, **o batismo com o Espírito Santo** (1.5). *Porque João, na verdade, batizou com água, mas vós sereis batizados com o Espírito Santo, não muito depois destes dias.* A terminologia *batismo com o Espírito Santo* tem sido muito debatida e gerado discussões acaloradas e muita distorção nas últimas décadas. Muitos estudiosos acreditam que o batismo com o Espírito é uma experiência distinta da conversão. Outros defendem que sua evidência é o falar em outras línguas. Há aqueles, porém, que entendem que o batismo com o Espírito se dá na conversão, quando somos batizados no corpo de Cristo pelo Espírito (1Co 12.13). Embora o Espírito já estivesse agindo antes do Pentecostes, sua dispensação plena começa ali, pois só quando Cristo foi glorificado é que o Espírito Santo foi derramado para estar para sempre com a igreja. Lucas está falando da vinda definitiva do Espírito para habitar na igreja e também da capacitação de poder para testemunhar o evangelho.

Em terceiro lugar, **a natureza do reino** (1.6,7). *Então, os que estavam reunidos Lhe perguntaram: Senhor, será este o tempo em que restaures o reino a Israel? Respondeu-lhes: Não vos compete conhecer tempos ou épocas que o Pai reservou pela Sua exclusiva autoridade.* Os discípulos ainda nutriam uma expectativa de que o reino se limitasse ao governo físico, terreno e político de Israel sobre a terra. Havia muito tempo, Israel havia perdido sua independência política e estava sob o domínio de povos estrangeiros. Eles alimentavam a esperança de que um dia a mesa iria virar e Israel assumiria o comando político do mundo. No entendimento dos discípulos, o reino já pertencia a Israel. Agora, eles aguardavam apenas o tempo em que esse reino lhes seria restituído. William Barclay assim descreve esse sentimento judaico:

> O centro da mensagem de Cristo era o reino de Deus (Mc 1.14). Mas o problema era que Ele queria dizer uma coisa por reino e aqueles que O

---

[7]MARSHALL, I. Howard. *Atos: introdução e comentário*, 1982, p. 58.

escutavam pensavam em outra. Os judeus estavam sempre conscientes de que eram o povo escolhido de Deus. Criam que isto significava que estavam destinados inevitavelmente a receber honras e privilégios especiais e a dominar o mundo. O curso da história, porém, mostrava que isso era impossível. A Palestina era um país muito pequeno, de apenas 200 km de comprimento por 60 de largura. Teve seus dias de independência, mas estava, havia muitos séculos, submetida sucessivamente a Babilônia, Pérsia, Grécia e Roma. Desse modo, os judeus começaram a esperar um dia em que Deus entraria diretamente na história humana para colocá-los no topo do mundo. Concebiam o reino em termos políticos. Esperavam um reino estabelecido pelo poder, e não pelo amor."*[8]

Jesus corrigiu essas falsas noções a respeito da natureza, extensão e chegada do reino, mostrando que o reino é espiritual quanto ao caráter, internacional quanto aos membros, e gradual quanto à expansão.[9] Três eram as ideias equivocadas dos discípulos acerca do reino.

Eles pensavam que o reino era terreno em vez de espiritual. O reino de Deus não é um conceito territorial. Não consta de nenhum mapa geopolítico. E era exatamente isso o que os apóstolos tinham em mente ao confundir o reino de Deus com o reino de Israel.[10] O reino de Deus não é terreno, mas espiritual. Seu trono é estabelecido no coração das pessoas, não nas embaixadas dos governos. Onde um escravo do pecado é libertado e onde um súdito do reino das trevas é transportado para o reino da luz, aí se estabelece o reino de Deus. O reino de Deus não é implantado pelo poder da baioneta nem pela força das armas, mas pela ação transformadora do Espírito Santo. Marshall diz que Jesus transformou a esperança judaica do reino de Deus, purgando dela os seus elementos políticos nacionalistas.[11]

Eles pensavam que o reino era regional em vez de internacional. Os apóstolos ainda nutriam aspirações limitadas e nacionalistas.

---

[8]BARCLAY, William. *Hechos de los Apóstoles*, p. 17.
*[NR] Tradução livre
[9]STOTT, John. *A mensagem de Atos*. 1985, p. 40-42.
[10]STOTT, John. *A mensagem de Atos*. 1985, p. 40.
[11]MARSHALL, I. Howard. *Atos: introdução e comentário*, 1982, p. 60.

O reino de Deus, porém, não tem fronteiras geográficas nem políticas. Os discípulos deveriam ser testemunhas não apenas no território de Israel, mas até aos confins da terra. Não apenas aos judeus, mas também aos gentios. O reino de Deus abrange todos os povos, de todos os lugares, de todas as línguas e culturas. O reino de Deus alcança a todos, em todos os lugares, de todos tempos, que foram lavados no sangue do Cordeiro (Ap 5.9). Somente no Novo Testamento, a consciência missionária centrípeta é substituída por uma atividade missionária centrífuga, e o grande ponto de partida é a ressurreição, da qual Jesus recebe autoridade universal e delega ao Seu povo a comissão universal de ir e discipular as nações.[12]

Eles pensavam que o reino era estático em vez de gradual. O reino de Deus é como uma semente de mostarda que vai crescendo. Ele não se estabelece com visível aparência. Ele amplia seus horizontes na medida em que os corações se rendem ao Salvador.

A escatologia dos discípulos estava eivada de equívocos. Jesus os corrige, mostrando-lhes que essa tendência de marcação de datas para Sua vinda é uma consumada tolice. O tempo da segunda vinda e da transição do reino da graça para o reino da glória é da exclusiva economia do Pai. Não nos é dado saber nem *kronos* nem *kairós*, nem tempos nem épocas. Nosso papel não é especular o futuro, mas agir no presente.

John Stott tem razão quando diz que o antídoto para a vã especulação espiritual é uma teologia cristã da história. Primeiro, Jesus voltou ao céu (Ascensão). Segundo, o Espírito Santo veio do céu (Pentecostes). Terceiro, a igreja sai para o mundo para ser testemunha (Missão). Quarto, Jesus voltará (Parousia).[13]

Em quarto lugar, *o revestimento de poder* (1.8). *Mas recebereis poder, ao descer sobre vós o Espírito Santo, e sereis Minhas testemunhas tanto em Jerusalém como em toda a Judeia e Samaria e até aos confins da terra.* Jesus redireciona os olhos dos discípulos para a ação missionária e dá-lhes

---

[12]STOTT, John. *A mensagem de Atos*. 1985, p. 42.
[13]STOTT, John. *A mensagem de Atos*. 1985, p. 51.

um esboço geral da obra que deveriam fazer. David Stern diz que este versículo serve como uma espécie de índice para o livro de Atos.[14] O período de testemunho e missão deve anteceder a volta de Jesus. Em vez de conhecer tempos ou épocas, eles seriam revestidos com o poder do Espírito para serem testemunhas (2.33). Não lhes bastaria o poder do intelecto, da vontade ou da eloquência humana. Era preciso que o Espírito agisse neles, dentro deles e através deles.

James Hastings destaca no oitavo versículo três pontos importantes: a) o poder; b) a fonte do poder; c) o uso do poder. Há na língua grega duas palavras para poder: *exousia* e *dunamis*. A primeira refere-se ao poder no sentido de governo e autoridade; e a segunda significa habilidade e força. O poder que a igreja recebe não é político, intelectual ou ministerial, mas um poder espiritual, pessoal e moral. A fonte desse poder é o Espírito Santo, e esse poder é dado para que a igreja seja testemunha de Cristo até aos confins da terra.[15]

Conhecemos o termo "testemunha" do linguajar jurídico. Num processo judicial são interrogadas testemunhas. Não lhes cabe externar sua opinião em relatar seus pensamentos.[16] *Testemunha* é uma palavra-chave no livro de Atos e aparece 29 vezes na forma de substantivo ou verbo. Uma testemunha é alguém que relata o que viu e ouviu (4.19,20). É alguém que está pronto a dar sua própria vida para testificar o que viu e ouviu. Mário Neves interpreta corretamente quando escreve: "A palavra *testemunha*, no grego, corresponde a mártir, de sorte que ser testemunha implica na disposição íntima, não só de sofrer, mas até de sacrificar a própria vida pela causa".[17]

Para que os discípulos precisariam do revestimento de poder?

Para sair do campo da especulação para o terreno da ação. Os discípulos estavam perdendo o foco. Queriam investigar o que não lhes competia, enquanto deveriam ser capacitados para fazer o que lhes fora dado por

---

[14]STERN, David H. *Comentário judaico do Novo Testamento*, p. 245.
[15]HASTINGS, James. *The great texts of the Bible*. Vol. XIII. Grand Rapids, MI: Wm. B. Eerdmans Publishing Company, n. d., p. 4-9.
[16]DE BOOR, Werner. *Atos dos Apóstolos*, p. 27.
[17]NEVES, Mário. *Atos dos Apóstolos*. São Paulo: Casa Editora Presbiteriana, n. d., p. 35.

obrigação. Não podemos viver com um mapa profético nas mãos, especulando o futuro. Somos desafiados a testemunhar aqui, ali, alhures, no poder do Espírito Santo.

Para perdoar. As antigas barreiras raciais, culturais e religiosas que os separavam dos samaritanos deveriam ser quebradas. O mapa traçado por Jesus incluía Samaria. Aonde o evangelho chega, os muros de inimizade são derrubados. O poder do Espírito capacita a igreja a amar até mesmo seus inimigos.

Para pregar até aos confins da terra. Os horizontes são ampliados. Os limites dilatados. O projeto de Deus é o evangelho todo, por toda a igreja, em todo o mundo. Os gentios que eram considerados pelos judeus apenas combustível para o fogo do inferno, agora deveriam merecer a mais acendrada atenção dos judeus no cumprimento da missão.

Para morrer. A palavra *testemunha* significa "mártir". Os discípulos eram testemunhas que haviam presenciado um fato glorioso, a ressurreição de Cristo, e essa notícia da exaltação de Jesus deveria ser anunciada até aos confins da terra, ainda que para isso, a morte fosse o preço a ser pago.

A ascensão de Cristo, o selo da sua vitória (1.9-11)

A ascensão de Cristo foi o selo da Sua vitória sobre o pecado, o mundo, o diabo e a morte. Sua ascensão foi visível, vitoriosa e gloriosa. Somente Lucas relata a ascensão de Cristo (Lc 24.50-53; At 1.9-11) Várias implicações decorrem da ascensão de Cristo.

Em primeiro lugar, **Ele consumou Sua obra** (1.9). *Ditas estas palavras, foi Jesus elevado às alturas, à vista deles, e uma nuvem O encobriu dos seus olhos.* Essa subida pública, visível e gloriosa era uma mensagem eloquente da obra consumada de Cristo. Seu sacrifício vicário foi aceito, a vontade do Pai foi cumprida, a redenção foi realizada e, agora, o Filho está de volta à mesma glória que sempre teve junto ao Pai.

Em segundo lugar, **Ele foi elevado às alturas** (1.9). A ascensão de Jesus foi uma obra do Pai, um dos componentes de Sua exaltação. Paulo interpreta essa verdade da seguinte forma: *Pelo que também Deus O exaltou sobremaneira e Lhe deu o nome que está acima de todo nome, para que ao* *nome de Jesus se dobre todo joelho, nos céus, na terra e debaixo da terra e toda língua confesse que Jesus é Senhor, para a glória de Deus Pai* (Fp 2.9-11). Manford Gutzke diz que Jesus Cristo ascendeu à mão direita de Deus Pai. Está intercedendo pela Sua igreja. Está conduzindo os destinos da história e aguardando o dia em que o Pai O enviará de volta para buscar Sua noiva e estabelecer Seu reino de glória.[18]

Em terceiro lugar, **ele voltará pessoalmente** (1.10,11). *E, estando eles com os olhos fitos no céu, enquanto Jesus subia, eis que dois varões vestidos de branco se puseram ao lado deles e lhes disse: Varões galileus, por que estais olhando para as alturas? Esse Jesus que dentre vós foi assunto ao céu virá do modo como o viste subir.* Com respeito à segunda vinda de Cristo, os apóstolos cometeram dois erros opostos, que tinham de ser corrigidos. Primeiro, eles estavam à espera de um poder político (a restauração do reino de Israel). Segundo, estavam observando o céu (preocupados com o Jesus celestial). Ambos eram fantasias falsas. O primeiro é o erro do político que sonha em instalar a utopia na terra. O segundo é o erro do pietista que sonha apenas com os prazeres celestiais. A primeira visão é terrena demais, e a segunda, celestial demais.[19] Para o ilustre historiador Justo González, nós, cristãos, com frequência demasiada, permanecemos com os olhos voltados para o céu e esquecemos que fomos postos na terra a fim de cumprir uma missão. Nossa pregação tão preocupada com o além frequentemente corre o risco de ter pouco a dizer àqueles que ainda devem viver em meio à injustiça e ao sofrimento atuais.[20]

Da mesma forma que a ascensão de Jesus foi física, pessoal, visível e gloriosa, assim também será Sua volta. Da mesma forma que Ele retornou ao céu cavalgando uma nuvem, assim também voltará entre nuvens. Concordo com John Stott quando diz que Sua volta será pessoal, mas não será vista por poucos, como na ascensão. Em vez de voltar sozinho (como partiu), milhões de santos – humanos e angelicais – formarão Sua

---

[18] GUTZKE, Manford George. *Plain talk on Acts*. Grand Rapids, MI: Zondervan Publishing House, 1966, p. 28.
[19] STOTT, John. *A mensagem de Atos*. 1985, p. 51.
[20] GONZÁLEZ, Justo L. *Atos*. São Paulo: Hagnos, 2011, p. 42,43.

comitiva. E, em vez de ser uma volta restrita a um local, será "assim como o relâmpago, que fuzilando, brilha de uma à outra extremidade do céu".[21]

A busca do Espírito Santo, um clamor da igreja (1.12-14)

Jesus voltou para o céu triunfantemente, e os discípulos voltaram para Jerusalém alegremente (Lc 24.52). Destacamos, aqui, quatro pontos importantes acerca dessa volta dos discípulos para Jerusalém após a ascensão de Cristo.

Em primeiro lugar, *a volta* (1.12). *Então, voltaram para Jerusalém, do monte chamado Olival, que dista daquela cidade tanto como a jornada de um sábado.* Jesus ascendeu ao céu do monte das Oliveiras, cerca de um quilômetro e pouco da cidade de Jerusalém. Essa volta foi com grande júbilo. Jesus ausentou-se fisicamente, mas prometeu estar sempre com eles e derramar sobre eles o Espírito Santo.

Em segundo lugar, *o local* (1.13a). *Quando ali entraram, subiram para o cenáculo...* O cenáculo foi o palco das promessas e o lugar da busca. Ali Jesus orou pelos discípulos e ali os discípulos oraram pelo derramamento do Espírito. Ali os discípulos se turbaram e ali recobraram ânimo. O mesmo palco da tristeza tornou-se o cenário da expectativa mais gloriosa.

Em terceiro lugar, *os integrantes* (1.13b,14b). *... onde se reuniam Pedro, João, Tiago, André, Filipe, Tomé, Bartolomeu, Mateus, Tiago, filho de Alfeu, Simão, o Zelote, e Judas, filho de Tiago [...] com as mulheres, com Maria, mãe de Jesus, e com os irmãos dEle.* O grupo reunido no cenáculo somava umas 120 pessoas (1.15). Conforme a lei judaica, era necessário um mínimo de 120 homens judeus para estabelecer uma comunidade com seu próprio concílio; em termos judaicos, os discípulos perfaziam um corpo do tamanho suficiente para formar uma nova comunidade.[22] Ali estava o colégio apostólico, a família de Jesus, outras mulheres e outros irmãos. Não havia entre eles nenhuma supremacia de Pedro ou Maria. Todos estavam reunidos na mesma condição e com o mesmo

---
[21] STOTT, John. *A mensagem de Atos.* 1985, p. 50.
[22] MARSHALL, I. Howard. *Atos: introdução e comentário,* 1982, p. 64.

propósito. Como H. Leo Boles observou: "Há aqui no cenáculo quatro grupos distintos de pessoas : a) os apóstolos; b) Maria, a mãe de Jesus e certas outras mulheres piedosas; c) os irmãos de Jesus; e d) outros discípulos.[23] Vale ressaltar que esta é a última referência das Escrituras a Maria, mãe de Jesus. Também vemos aqui que os irmãos de Jesus, que eram duvidosos e não criam nEle (Jo 7.5), estavam agora persuadidos da sua messianidade, após a ressurreição.

Em quarto lugar, *a oração* (1.14a). *Todos estes perseveravam unânimes em oração...* Aqueles 120 irmãos reunidos no cenáculo não estavam mais, como os apóstolos, trancados com medo dos judeus, porém aguardavam o revestimento de poder. Werner de Boor diz com acerto que a espera não é nem impaciente e agitada, nem vazia e inativa. É plena de "perseverar em oração".[24] O grupo estava coeso na busca e manteve-se perseverante na oração até que todos foram revestidos de poder. Posto que o Espírito Santo é a dádiva divina que capacita e guia a igreja, a atitude humana correspondente diante de Deus é a oração. É na medida em que a igreja ora que ela recebe o Espírito.[25]

Os Estados Unidos da América sofreram um colapso econômico em 1850. Os bancos fracassaram. Os empresários entraram em crise. As estradas de ferro faliram. Fábricas foram fechadas, e milhões de trabalhadores ficaram desempregados. A situação era desesperadora. Em 1º de julho de 1857, Jeremiah Lamphier, um homem de negócios, assumiu o posto de missionário urbano. Sua denominação vinha perdendo milhares de membros todos os anos. Lamphier imprimiu um folheto e o distribuiu em Nova York. Em 23 de setembro de 1857, ele começou uma reunião de oração com o objetivo de juntar comerciantes, mecânicos e viajantes para buscar a Deus. No primeiro encontro apareceram seis pessoas. Na segunda semana, quarenta. A reunião deixou de ser semanal para ser diária. Em seis meses, cerca de dez mil homens se reuniam todos os dias em Nova York para orar. O resultado foi um poderoso

---

[23]Boles, H. Leo. *Commentary on the Acts.* Nashville, TN: Gospel Advocate Company, 1953, p. 26.
[24]De Boor, Werner. *Atos dos Apóstolos*, p. 32.
[25]Marshall, I. Howard. *Atos: introdução e comentário*, 1982, p. 62,63.

avivamento que varreu o país e, em dois anos, acrescentaram-se às igrejas americanas mais de um milhão de novos convertidos. Todos os avivamentos na história foram precedidos por oração. É grande a igreja que ora! Os céus se fendem e Deus derrama Seu Espírito!

Warren Wiersbe faz um apanhado sobre a vida de oração da igreja no livro de Atos. Os cristãos oravam pedindo orientação para tomar decisões (1.15-26) e coragem para testemunhar de Cristo (4.23-31). Na verdade, a oração era parte integrante do ministério diário dos cristãos e apóstolos. (2.42-47; 3.1; 6.4). Estêvão orou enquanto era apedrejado (7.55-60). Pedro e João oraram pelos samaritanos (8.14-17), e Saulo de Tarso orou depois de sua conversão (9.11). Pedro orou antes de ressuscitar Dorcas (9.36-43). Cornélio orou para que Deus lhe mostrasse como deveria ser salvo (10.1-4), e Pedro estava no terraço orando quando Deus lhe disse como responder às orações de Cornélio (10.9). Os cristãos na casa de João Marcos oraram por Pedro quando o apóstolo estava na prisão, e o Senhor o livrou tanto da prisão quanto da morte (12.1-11). A igreja de Antioquia jejuou e orou antes de enviar Barnabé e Saulo (13.1-3). Foi em uma reunião de oração em Filipos que Deus tocou o coração de Lídia (16.13); em outra reunião de oração em Filipos, Deus abriu as portas da prisão (16.25-31). Paulo orou por seus amigos antes de partir em viagem (20.36; 21.5). No meio de uma tempestade, orou pedindo a bênção de Deus (27.35) e, depois de uma tempestade, orou para que Deus curasse um homem enfermo (28.8). Em quase todos os capítulos de Atos encontramos alguma referência à oração, e este livro deixa claro que algo sempre acontece quando o povo de Deus ora. Na verdade, a oração é um escudo para alma, um sacrifício para Deus e um flagelo para satanás.[26]

A substituição de Judas, uma decisão necessária (1.15-26)

Judas teve o maior dos privilégios e perdeu a maior das oportunidades. Judas traiu seu nome, seu apostolado e seu Senhor. Vendeu Jesus por

---

[26]WIERSBE, Warren W. *Comentário bíblico expositivo*. Vol. 5. Santo André: Geográfica, 2006, p. 523.

míseras moedas de prata, pelo preço vil de um escravo. Judas não se arrependeu, por isso se enforcou. Arrependimento e vida, ou remorso e morte. No episódio da morte de Jesus e da escolha de Matias, vemos quatro fatos dignos de destaque.

Em primeiro lugar, *a liderança de Pedro* (1.15). *Naqueles dias, levantou-se Pedro no meio dos irmãos...* Pedro foi o grande líder do colégio apostólico desde seu chamado para o apostolado. Ele sempre esteve na dianteira do grupo. Mais uma vez é Pedro quem toma a iniciativa de promover a substituição de Judas e propor a escolha de um novo nome para ocupar a sublime posição.

Em segundo lugar, *a profecia de Davi* (1.16,17). *Irmãos, convinha que se cumprisse a Escritura que o Espírito Santo proferiu anteriormente por boca de Davi, acerca de Judas, que foi o guia daqueles que prenderam Jesus, porque ele era contado entre nós e teve parte neste ministério.* Judas teve a honra de ser chamado por Cristo para ser um apóstolo. Ele, como tesoureiro, ocupou um cargo de confiança no colégio apostólico. Judas ouviu palavras inefáveis, viu milagres memoráveis e, possivelmente, falou e fez coisas extraordinárias. Porém, mesmo tendo parte no ministério apostólico, liderou a turba que prendeu Jesus no Getsêmani. Concordo com o que escreveu Calvino: "Judas não pode ser justificado pelo fato de sua ação ter sido profetizada, já que ele caiu não por causa da compulsão da profecia, mas devido à iniquidade de seu próprio coração*".[27] Nessa mesma linha de pensamento, Werner de Boor explica que não foi a ação de Judas como tal que havia sido "predestinada" (Sl 69.25; 109.8), pois a soberania de Deus não se contrapõe à responsabilidade humana.[28]

Em terceiro lugar, *a ambição de Judas* (1.18-20). (*Ora, este homem adquiriu um campo com o preço da iniquidade; e, precipitando-se, rompeu-se pelo meio, e todas as suas entranhas se derramaram; e isto chegou ao conhecimento de todos os habitantes de Jerusalém, de maneira que em sua própria língua esse campo era chamado Aceldama, isto, é Campo de Sangue.*) *Porque*

---

[27] CALVIN, John. *Commentary upon the Acts of the Apostles.* In: *Calvin's Commentary.* Vol. XVIII. Grand Rapids, MI: Baker Books. 2009, p. 61.
*[NR] Tradução livre
[28] DE BOOR, Werner. *Atos dos Apóstolos*, p. 36.

está escrito no *Livro dos Salmos: Fique deserta a sua morada; e não haja quem nela habite;* e: *Tome outro o seu encargo*. A Bíblia não nos oferece todas as motivações de Judas nesse longo processo da traição de Jesus. Sabemos que ele era ladrão. Ele teve muitas oportunidades para voltar atrás em seu intento, porém, tapou os ouvidos a todas as advertências e acabou vendendo a Jesus, traindo-O com um beijo mentiroso. Sentiu remorso pelo seu ato, devolveu o dinheiro aos sacerdotes, mas não se voltou para Jesus em genuíno arrependimento. O desespero levou-o ao suicídio e, mais tarde, o dinheiro devolvido foi usado para comprar um campo, chamado Aceldama, Campo de Sangue.

Lucas nos oferece aqui alguns detalhes omitidos nos evangelhos. Judas não apenas se suicidou, morrendo enforcado, mas também se rompeu pelo meio e suas entranhas se derramaram. Esse fato tornou-se público.

Agora, outro homem deve ocupar o seu lugar e é para esse fim que a igreja busca a direção divina. Werner de Boor diz que Judas se demitiu da "vaga neste ministério e envio", para ir para o seu próprio lugar, isto é, para a perdição. O lugar vazio precisa ser preenchido e assumido por outro.[29]

Em quarto lugar, **o substituto de Judas** (1.21-26). Lucas relata:

> *É necessário, pois, que, dos homens que nos acompanharam todo o tempo que o Senhor Jesus andou entre nós, começando no batismo de João, até ao dia em que dentre nós foi levado às alturas, um destes se torne testemunha conosco da Sua ressurreição. Então, propuseram dois: José, chamado Barsabás, cognominado Justo, e Matias. E, orando, disseram: Tu, Senhor, que conheces o coração de todos, revela-nos qual destes dois tens escolhido para preencher a vaga neste ministério e apostolado, do qual Judas se transviou, indo para o seu próprio lugar. E os lançaram em sortes, vindo a sorte recair sobre Matias, sendo-lhe, então, votado lugar com os onze apóstolos* (1.21-26).

Duas verdades saltam aos nossos olhos aqui acerca do apostolado: as credenciais do apostolado e a função de um apóstolo. Um apóstolo deve

---

[29] DE BOOR, Werner. *Atos dos Apóstolos*, p. 37.

ser testemunha ocular do que Jesus fez e ensinou (1.21,22a) e também deve ser testemunha ocular da Sua ressurreição (1.22b). A igreja reunida no cenáculo fez essa escolha não mediante artifícios humanos ou manobras políticas, mas na inteira dependência de Deus, buscando a direção divina nessa escolha. Concordo com Marshall quando escreveu: "A verdadeira escolha foi deixada para o Senhor, sendo que o apostolado não era um cargo humanamente ordenado. A assembleia, portanto, orou no sentido de Deus exercer sua escolha em virtude do seu conhecimento dos corações humanos".[30] Alguns escritores entendem que a escolha de Matias foi uma precipitação da igreja, uma vez que Paulo, e não Matias, teria sido o escolhido de Cristo para ocupar a vaga de Judas.[31] O Novo Testamento, entretanto, nada diz a esse respeito. Ao contrário, lemos que Matias foi contado entre os doze (At 6.2) e que o próprio Paulo faz menção aos doze sem se incluir entre eles (1Co 15.5).

---

[30] MARSHALL, I. Howard. *Atos: introdução e comentário*, 1982, p. 66.
[31] NEVES, Mário. *Atos dos Apóstolos*, n. d., p. 40,41.

2
O Pentecostes: o derramamento do Espírito Santo

Atos 2.1-47

LUCAS É O EVANGELISTA QUE MAIS ENFATIZA a obra do Espírito Santo na vida de Jesus e da igreja. O mesmo Espírito que desceu sobre Jesus no Jordão, guiou-O no deserto e revestiu-O com poder para salvar, libertar e curar (Lc 3.21,22; 4.1,14,18) agora vem sobre os discípulos de Jesus (At 1.5,8; 2.33). Nos capítulos iniciais de Atos, Lucas refere-se à promessa, à dádiva, ao batismo, ao poder e à plenitude do Espírito na experiência do povo de Deus.[1]

O Pentecostes não foi um acontecimento casual, mas uma agenda estabelecida por Deus desde a eternidade. Como o Calvário, o Pentecostes foi um acontecimento único e irrepetível. O Espírito Santo foi enviado a fim de estar para sempre com a igreja. Temos outros derramamentos do Espírito registrado em Atos e no decurso da história, mas todos eles decorreram deste Pentecostes. Concordo com John Stott quando diz que devemos cuidar para não diminuir nossas expectativas ou relegar à categoria do excepcional aquilo que Deus talvez queira que seja a experiência normal da igreja. O vento e o fogo eram extraordinários, e provavelmente também as línguas; mas a nova vida e

---

[1] STOTT, John. *A mensagem de Atos*, p. 63.

a alegria, a comunhão e o culto, a liberdade e o poder, não.[2] Destacamos no capítulo 2 de Atos quatro pontos importantes: a descida do Espírito, o fenômeno das línguas, o sermão de Pedro e a vida da igreja.

A descida do Espírito Santo (2.1-4)

Cristo subiu, e o Espírito Santo desceu. O Cristo ressurreto ascendeu aos céus e enviou o Espírito a fim de habitar para sempre com a igreja.

Destacamos aqui alguns pontos importantes.

Em primeiro lugar, *o significado do Pentecostes* (2.1a). *Ao cumprir-se o dia de Pentecostes...* A palavra *pentecoste* significa o quinquagésimo dia. Pentecostes era a festa que acontecia cinquenta dias após o sábado da semana da Páscoa (Lv 23.15,16), portanto era o primeiro dia da semana. É também chamado de Festa das Semanas (Dt 16.10), Festa da Colheita (Êx 23.16) e Festa das Primícias (Nm 28.26). Cristo ressuscitou como as primícias dos que dormem e durante quarenta dias deu provas incontestáveis de Sua ressurreição com várias aparições a Seus discípulos. Dez dias após Sua ascensão, o Espírito Santo foi derramado no Pentecostes. John Wesley afirma que, no Pentecostes do Sinai no Antigo Testamento e no Pentecostes de Jerusalém no Novo Testamento aconteceram duas grandes manifestações de Deus, a legal e a evangélica; uma da montanha e a outra do céu; a primeira terrível, e a segunda, misericordiosa.[3]

Em segundo lugar, *a espera do Pentecostes* (2.1b). *... estavam todos reunidos no mesmo lugar.* Os 120 discípulos estavam congregados no cenáculo em unânime e perse-verante oração, quando, de repente, o Espírito Santo foi derramado sobre eles. Estribados na promessa do Pai anunciada por Jesus, havia no coração deles a expectativa do revestimento de poder. Todos estavam no mesmo lugar, com o mesmo propósito, buscando o mesmo revestimento do Espírito.

Em terceiro lugar, *o derramamento do Espírito no Pentecostes* (2.2-4). O historiador Lucas registra a descida do Espírito com as seguintes palavras:

---

[2] STOTT, John. *A mensagem de Atos*, p. 64.
[3] WESLEY, John. *New Testament Commentary*. Grand Rapids, MI: Baker Book House, n. d., p. *in loco*.

> *De repente, veio do céu um som, como de um vento impetuoso, e encheu toda a casa onde estavam assentados. E apareceram distribuídas entre eles, línguas, como de fogo, e pousou uma sobre cada um deles. Todos ficaram cheios do Espírito Santo e passaram a falar em outras línguas, segundo o Espírito lhes concedia que falassem* (2.2-4).

O derramamento do Espírito Santo foi um fenômeno celestial. Não foi algo produzido, ensaiado, fabricado. Aconteceu algo verdadeiramente do céu. Foi incontestável e irresistível. Foi soberano, ninguém pôde produzi-lo. Foi eficaz, ninguém pôde desfazer os seus resultados. Foi definitivo, ele veio para ficar para sempre com a igreja. Aquilo que aqui se denomina *ficar cheio*, também é chamado de *batismo* (1.5; 11.16), *derramamento* (2.17,18; 10.45) e *recebimento* (10.47).[4] William MacDonald diz que a vinda do Espírito envolveu um som para ouvir, um cenário para ver e um milagre para experimentar.[5] O versículo 1 informa-nos que *todos estavam reunidos no mesmo lugar*. O termo *todos*, que aparece mais uma vez no versículo 4, deve ser entendido no sentido de que não só os doze estão presentes, mas também as mulheres e os outros discípulos mencionados em 1.13-15. Foi sobre todos esses, e não só sobre os doze, que o Espírito desceu.[6] Três fatos nos chamam a atenção.

Primeiro, *o derramamento do Espírito veio como um som* (2.2). Não foi barulho, algazarra, falta de ordem, histeria, mas um som do céu. A palavra grega *echos*, usada aqui, é a mesma usada em Lucas 21.25 para descrever o estrondo do mar.[7] O derramamento do Espírito foi um acontecimento audível, verificável, público, reverberando sua influência na sociedade. Esse impacto atraiu grande multidão para ouvir a Palavra.

Segundo, *o derramamento do Espírito veio como um vento* (2.2). O vento é símbolo do Espírito Santo (Ez 37.9,14; Jo 3.8). O Espírito veio em forma de vento para mostrar Sua soberania, liberdade e inescrutabilidade. Assim como o vento é livre, o Espírito sopra onde quer, da forma

---
[4] MARSHALL, I. Howard. *Atos: introdução e comentário*, 1980, p. 69.
[5] MACDONALD, William. *Believer's Bible commentary*, p. 1582.
[6] GONZÁLEZ, Justo L. *Atos*, p. 52.
[7] RIENECKER, Fritz; ROGERS, Cleon. *Chave linguística do Novo Testamento grego*. São Paulo: Vida Nova, 1985, p. 195.

que quer, em quem quer. O Espírito sopra onde jamais sopraríamos e deixa de soprar onde gostaríamos que Ele soprasse. Como o vento, o Espírito é soberano; Ele sopra irresistivelmente. O chamado de Deus é irresistível, e Sua graça é eficaz. O Espírito sopra no templo, na rua, no hospital, no campo, na cidade, nos ermos da terra e nos antros do pecado. Quando Ele sopra, ninguém pode detê-Lo. Os homens podem até medir a velocidade do vento, mas não podem mudar o seu curso. Como o vento, o Espírito também é misterioso; ninguém sabe donde vem nem para onde vai. Seu curso é livre e soberano. Deus não se submete à agenda dos homens nem se deixa domesticar.

Terceiro, *o derramamento do Espírito veio em línguas como de fogo* (2.3). O fogo também é símbolo do Espírito Santo. Deus se manifestou a Moisés na sarça em que o fogo ardia e não se consumia (Êx 3.2). Quando Salomão consagrou o templo ao Senhor, desceu fogo do céu (2Cr 7.1). No Carmelo, Elias orou, e fogo desceu (1Rs 18.38,39). Deus é fogo. Sua Palavra é fogo. Ele faz dos Seus ministros labaredas de fogo. Jesus batiza com fogo, e o Espírito desceu em línguas como de fogo. O fogo ilumina, purifica, aquece e alastra. Jesus veio para lançar fogo sobre a terra. Hoje, muitas vezes, a igreja está fria. Parece mais uma geladeira a conservar intacto seu religiosismo do que uma fogueira a inflamar corações. Muitos crentes parecem mais uma barra de gelo do que uma labareda de fogo. Certa feita alguém perguntou a Dwight Moody: "Como podemos experimentar um reavivamento na igreja?" O grande avivalista respondeu: "Acenda uma fogueira no púlpito". Quando gravetos secos pegam fogo, até lenha verde começa a arder. John Wesley disse: "Ponha fogo no seu sermão, ou ponha o seu sermão no fogo".

Matthew Henry diz que o fogo foi dado como sinal de cumprimento da predição de João Batista relativa a Jesus: *Ele vos batizará com o Espírito Santo e com fogo* (Mt 3.11), ou seja, com o Espírito Santo, como fogo. Os discípulos estavam na Festa de Pentecostes celebrando o recebimento da lei no monte Sinai. A lei foi dada em fogo, por isso foi chamada "lei de fogo" como o evangelho é chamado "evangelho de fogo". A missão de Ezequiel foi confirmada por uma visão de brasas de fogo ardente (Ez 1.13), e a de Isaías, por uma visão de brasa viva que lhe tocou os lábios (Is 6.6,7). O Espírito, como o fogo, derrete o coração, separa e queima a escória, e acende sentimentos santos e devotos na alma. É na alma, como o fogo que está sobre o altar, que são oferecidos os sacrifícios espirituais. Este é o fogo que Jesus veio lançar na terra (Lc 12.49).[8]

Quarto, *o derramamento do Espírito traz uma experiência pessoal de enchimento do Espírito Santo* (2.4). Aqueles discípulos já eram salvos. Por três vezes Jesus havia deixado isso claro (Jo 13.10; 15.3; 17.12). De acordo com a teologia de Paulo, se eles já eram já salvos, já tinham o Espírito Santo, pois o apóstolo escreveu: [...] *Se alguém não tem o Espírito de Cristo, esse tal não é dEle* (Rm 8.9). Jesus disse: *Quem não nascer da água e do Espírito não pode entrar no reino* (Jo 3.5). Além de já terem o Espírito Santo, após Sua ressurreição Jesus ainda soprou sobre eles o Espírito Santo, e disse: [...] *Recebei o Espírito Santo* (Jo 20.22). Mas a despeito de serem regenerados pelo Espírito e de receberem o sopro do Espírito, eles ainda não estavam cheios do Espírito. Uma coisa é ter o Espírito Santo, outra é o Espírito Santo ter alguém. Uma coisa é ser habitado pelo Espírito, outra é ser cheio dEle. Uma coisa é ter o Espírito presente, outra é tê-Lo como presidente. Você, que tem o Espírito, está cheio do Espírito?

A experiência da plenitude é pessoal (At 2.3,4). O Espírito desce sobre cada um individualmente. Cada um vive sua própria experiência. Ninguém precisa pedir, como as virgens néscias, azeite emprestado. Todos ficaram cheios do Espírito. Concordo com Matthew Henry quando diz: "Para mim está claro que não só os doze apóstolos, mas todos os 120 discípulos foram igualmente cheios do Espírito Santo nessa ocasião".[9] Logo que eles ficaram cheios do Espírito, começaram a falar as grandezas de Deus (2.11). Sempre que alguém ficou cheio do Espírito no livro de Atos começou a pregar (At 1.8; 2.4,11,14,41; 4.8,29-31; 6.5,8-10; 9.17-22). A plenitude do Espírito nos dá poder para pregar com autoridade. Certa feita, David Hume, o patrono dos agnósticos, foi visto correndo pelas ruas de Londres. Alguém o abordou: "Para onde você vai, com tanta pressa?" O filósofo respondeu:

---

[8] HENRY, Matthew. *Comentário bíblico Atos-Apocalipse*, p. 13.
[9] HENRY, Matthew. *Comentário bíblico Atos-Apocalipse*, p. 14.

"Vou ver George Whitefield pregar". O questionador lhe perguntou, espantado: "Mas você não acredita no que ele prega, acredita?" Hume respondeu: "Eu não acredito, mas ele acredita!" Um crente cheio do Espírito prega a Palavra com poder e autoridade.

Matthew Henry diz que eles foram cheios com a graça do Espírito e ficaram, mais do que nunca, sob a sua influência santificadora. Agora, eles eram santos, espirituais, menos apegados a este mundo e mais familiarizados uns com os outros. Ficaram mais cheios do consolo do Espírito, alegraram-se mais no amor de Jesus e na esperança celestial, e, nisso, todas as suas aflições e medos foram absorvidos. Eles também foram, como prova disso, enchidos com os dons do Espírito Santo, que é o propósito específico do evento narrado neste texto.[10]

O fenômeno das **línguas** (2.4-13)

O derramamento do Espírito Santo produziu o fenômeno das línguas. O Pentecostes foi o oposto de Babel. Em Babel as línguas eram ininteligíveis; no Pentecostes, não houve necessidade de interpretação. Em Babel houve dispersão; no Pentecostes, ajuntamento. Babel foi resultado de rebeldia contra Deus; Pentecostes, fruto da oração perseverante a Deus. Em Babel os homens enalteciam seu próprio nome; no Pentecostes, falavam sobre as grandezas de Deus. John Stott escreve: "Em Babel, a terra orgulhosamente tentou subir ao céu, enquanto, em Jerusalém, o céu humildemente desceu à terra".[11]

Lucas destaca a natureza internacional da multidão poliglota reunida ao redor dos 120 discípulos que foram cheios do Espírito Santo. Eram *judeus, homens piedosos e todos estavam habitando em Jerusalém* (2.5). Mas eles não tinham nascido naquela cidade: vinham da dispersão, *de todas as nações debaixo do céu* (2.5).

Destacamos aqui três fatos importantes.

Em primeiro lugar, *o milagre das línguas* (2.4-7). No Pentecostes Deus rompeu a barreira da língua, e judeus de diversas partes do mundo

---

[10] HENRY, Matthew. *Comentário bíblico Atos-Apocalipse*, p. 14.
[11] STOTT, John. *A mensagem de Atos*, p. 72.

puderam ouvir os discípulos falando em sua própria língua materna. Essas outras línguas eram dialetos conhecidos e falados pelos judeus que habitavam diversas regiões do Império e estavam em Jerusalém por ocasião da festa. O apóstolo Pedro aborda a questão da *glossolalia* de Atos e diz que não fora consequência de uma intoxicação ou embriaguez (2.13). Os discípulos não perderam suas funções físicas e mentais. Também não se tratara de um engano ou milagre apenas de audição, e não de fala, de forma que os ouvintes pensassem que os crentes estavam falando em outras línguas, quando não falavam de fato.

A *glossolalia* de Atos 2 foi um fenômeno tanto de fala como de audição. Não foram sons incoerentes, mas uma habilidade sobrenatural para falar em línguas reconhecíveis. Assim, a expressão *outras línguas* poderia ser traduzida por "línguas diferentes da sua língua materna". Os discípulos falaram línguas que ainda não haviam aprendido.[12] O termo grego traduzido por *língua* em Atos 2.6 e 8 é *dialektos* e refere-se à linguagem ou dialeto de um país ou região (21.40; 22.2; 26.14).[13] Concordo com Fritz Rienecker quando ele diz que a escolha feita por Lucas desta palavra *dialektos* neste trecho indica que o falar noutras línguas era o uso de outros idiomas.[14] O fenômeno das línguas ainda é citado mais duas vezes em Atos: Cesareia (10.46) e Éfeso (19.6).

Uma questão levantada pelos estudiosos é: as línguas mencionadas em Atos 2 são da mesma natureza daquelas mencionadas em 1Coríntios 12 e 14? Há quem defenda a semelhança. Porém, entendemos que elas são diferentes. Damos a seguir algumas razões.

1. As línguas em Atos eram pregação, ou seja, os discípulos falavam aos homens; já as línguas em 1Coríntios eram oração, ou seja, os crentes falavam a Deus. Desta forma, essas línguas eram diferentes quanto ao seu endereçamento.
2. As línguas em Atos eram entendidas pelos diversos grupos linguísticos de judeus que habitavam Jerusalém, enquanto em 1Coríntios

---

[12] STOTT, John. *A mensagem de Atos*, p. 69,70.
[13] WIERSBE, Warren W. *Comentário bíblico expositivo*, p. 528.
[14] RIENECKER, Fritz; ROGERS, Cleon. *Chave linguística do Novo Testamento grego*, p. 196.

as línguas eram ininteligíveis e existia a necessidade de um intérprete para traduzi-las. Consequentemente, elas eram diferentes também quanto ao caráter.
3. As línguas em Atos foram dadas a um grupo específico, num lugar específico, num tempo específico, para evidenciar a recepção do Espírito; ao passo que em 1Coríntios as línguas são um dom espiritual que continua sendo outorgado a alguns para edificação própria e para edificação da igreja.[15]
4. As línguas em Atos eram dialetos (2.6,8), ou seja, línguas faladas e entendidas pelos vários povos que estavam em Jerusalém, ao passo que em 1Coríntios quem falava em línguas proferia mistérios e ninguém podia entender (1Co 14.2).
5. As línguas em Atos não precisam de intérprete, pois cada um os ouvia falar em sua própria língua, enquanto em 1Coríntios até quem fala não entende o que fala, a não ser que tenha também o dom de interpretação (1Co 14.13,14).
6. As línguas em Atos têm o propósito de proclamar as grandezas de Deus para fora, edificando as outras pessoas, já em 1Coríntios, as línguas não deveriam ser usadas em público, a não ser que houvesse intérprete. Era um dom de autoedificação (1Co 12.2,3,19).
7. As línguas em Atos eram faladas por todos aqueles que estavam cheios do Espírito Santo, enquanto em 1Coríntios é um dom espiritual concedido não a todos, mas apenas a alguns (1Co 12.10,30).
8. As línguas em Atos são profecia, a proclamação das virtudes de Deus aos homens, ao passo que em 1Coríntios são oração, palavras dos homens a Deus.
9. As línguas em Atos eram uma evidência de que aqueles homens estavam cheios do Espírito, mas em 1Coríntios elas não têm conexão com a plenitude do Espírito. Os crentes da igreja de Corinto falavam em outras línguas, mas eram crentes imaturos e carnais.
10. As línguas em Atos cessaram; em 1Coríntios, por serem um dom espiritual concedido à igreja pelo Espírito Santo, elas continuaram.

---

[15]STOTT, John. *A mensagem de Atos*, p. 70,71.

A última palavra que Paulo tem sobre o assunto é: ... *e não proibais o falar em outras línguas* (1Co 14.39).

Em segundo lugar, *a perplexidade da multidão* (2.6,7). A multidão foi atraída pelo extraordinário fenômeno do Pentecostes. Algo sobrenatural estava acontecendo, e eles não tinham explicações plausíveis para aquele fato insólito. Vale ressaltar, como diz William Barclay, que a Festa de Pentecostes era tanto ou mais concorrida que a Festa da Páscoa. Isso explica a quantidade de países mencionados neste capítulo, porque nunca havia em Jerusalém uma multidão mais internacional que nesse momento.[16] Marshall comenta sobre essa multidão internacional reunida em Jerusalém. Começa com três países ao leste do Império Romano, na área conhecida como Pérsia ou Irã, e depois, continua para o oeste, para a Mesopotâmia, o Iraque moderno e a Judeia. Seguem-se, então, várias províncias e áreas na Ásia Menor (a moderna Turquia) e, depois, o Egito e área imediatamente a oeste, seguida por Roma.[17]

Em terceiro lugar, *a reação ao milagre das línguas* (2.7-13). O derramamento do Espírito prova que os milagres abrem portas para o evangelho, mas não são o próprio evangelho. O milagre em si não pôde transformar a multidão, mas a atraiu para ouvir a Palavra de Deus. Quando Pedro começou a pregar, o coração do povo começou a derreter.

Três foram as reações da multidão com respeito ao milagre do Pentecostes:

1. *Preconceito* (2.7). *Estavam, pois, atônitos e se admiravam, dizendo: Vede! Não são, porventura, galileus todos esses que aí estão falando?* Os galileus eram recebidos em Jerusalém com grande preconceito. Eram pessoas de segunda classe. Os sulistas da Judeia consideravam gentios os nortistas da Galileia. A primeira reação ao Pentecostes foi de profundo preconceito.
2. *Ceticismo* (2.12). *Todos, atônitos e perplexos, interpelavam uns aos outros: Que quer isto dizer?* O milagre do derramamento do Espírito clareou a mente dos discípulos e turvou a mente dos céticos. Estes

---
[16]BARCLAY, William. *Hechos de los Apóstoles*, p. 27.
[17]MARSHALL, I. Howard. *Atos: introdução e comentário*, 1980, p. 71.

ficaram atônitos e perplexos, ansiosos por uma explicação plausível para aquele extraordinário acontecimento.

3. *Zombaria* (2.13). *Outros, porém, zombando, diziam: Estão embriagados!* Um grupo dentre a multidão rotulou o fenômeno das línguas como resultado de embriaguez. Confundiram a plenitude do Espírito como o enchimento de vinho.

A pregação poderosa (2.14-41)

O milagre pode atrair a multidão, mas não toca os corações. O milagre abre portas para o evangelho, mas não é o evangelho. Pedro se levantou para pregar uma mensagem eminentemente bíblica. A primeira coisa que Pedro fez foi esclarecer que aquele fenômeno extraordinário não era resultado da embriaguez, mas do cumprimento da profecia de Joel (2.28-32). Os discípulos não estavam dominados pelo vinho, mas cheios do Espírito Santo. A palavra grega *gleukos* foi usada para descrever o vinho doce, provavelmente o vinho novo, ainda não envelhecido por tempo suficiente e que está fermentando.[18]

O profeta havia profetizado que o Espírito seria derramado sobre toda a carne, e isso em termos qualitativos, não quantitativos. O derramamento do Espírito quebraria barreiras e romperia o preconceito sexual (filhos e filhas), etário (jovens e velhos) e social (servos e servas) (2.17,18). A profecia de Joel teve um cumprimento no Pentecostes, mas aponta também para a Parousia (2.19,20). O profeta identifica o derramamento do Espírito como um evento salvador: *E acontecerá que todo aquele que invocar o nome do Senhor será salvo* (2.21).

O padrão e os temas da mensagem pregada por Pedro tornaram-se comuns na igreja primitiva: a) a explanação dos eventos (2.14-21); b) o evangelho de Jesus Cristo – sua morte, ressurreição e exaltação (2.22-36); c) uma exortação para o arrependimento e batismo (2.37-40). Este esboço é similar aos sermões encontrados nos capítulos 2, 10 e 13.[19] Cinco verdades devem ser destacadas nessa pregação de Pedro:

---

[18]RIENECKER, Fritz; ROGERS, Cleon. *Chave linguística do Novo Testamento grego*, p. 196.
[19]Notas da NIV – Study Bible. Grand Rapids, MI: Zondervan, 2008, p. 1680,1681.

Em primeiro lugar, *uma pregação cristocêntrica na sua essência*. A mensagem de Pedro versou sobre a pessoa de Cristo e Sua obra. Cinco pontos podem ser identificados no sermão de Pedro.

A *vida de Cristo* (2.22). Pedro mostra que Jesus foi aprovado por Deus, vivendo de forma extraordinária e realizando milagres portentosos. Sua vida e Sua obra eram realidades conhecidas por todos.

A *morte de Cristo* (2.23). A cruz não foi um acidente, mas parte do plano eterno de Deus (3.18; 4.28; 13.29). Frank Stagg diz acertadamente que isto não significa que Jesus buscou a morte, ou que o Pai desejou que os homens crucificassem Jesus, mas, sim, que, ao fazer a escolha para redimir os pecadores, foi previsto o quanto isso custaria.[20] A cruz não foi uma derrota para Jesus, mas a Sua exaltação. Jesus marchou para a cruz como um rei caminha para a sua coroação. Foi na cruz que Jesus conquistou redenção para nós e desbaratou o inferno. Cristo não foi crucificado porque Judas O traiu, os judeus o entregaram, Pilatos O sentenciou e os soldados O pregaram. Foi crucificado porque Deus O entregou por amor a nós. Ele foi crucificado porque se ofereceu voluntariamente como sacrifício pelo nosso pecado. Foi na cruz que Deus provou da forma mais eloquente Seu amor por nós e Seu repúdio ao pecado. Na cruz de Cristo, a paz e a justiça se encontraram.

A *ressurreição de Cristo* (2.24-32). Não adoramos um Cristo morto, mas o Jesus vitorioso que triunfou sobre a morte, derrotou o pecado, desfez as obras do diabo, cumpriu a lei, satisfez a justiça de Deus e nos deu eterna redenção. Pedro cita a profecia de Davi para evidenciar a realidade insofismável da ressurreição de Jesus. Pedro confirma a ressurreição de Cristo fundamentada no Salmo 16.8-11. Davi não poderia estar falando sobre si mesmo quando disse que Deus não O deixaria na morte nem permitiria que o Seu Santo visse corrupção (2.27), pois Davi morreu e foi sepultado, e seu túmulo ainda estava em Jerusalém (2.29). Obviamente, Davi se referia ao seu descendente, ou seja, estava fazendo referência à ressurreição de Cristo (2.30,31). Warren Wiersbe diz que Pedro deu quatro provas da ressurreição de Cristo: a) a pessoa de Jesus Cristo (2.22-24); b) a profecia de Davi

---

[20]STAGG, Frank. *O livro de Atos*. Rio de Janeiro: Casa Publicadora Batista, 1958, p. 91.

(2.25-31); c) o testemunho dos cristãos (2.33); d) a presença do Espírito Santo (2.33-35).[21]

A *exaltação de Cristo* (2.33-35). Ao consumar Sua obra aqui no mundo, Jesus ressuscitou em glória e comissionou Seus discípulos a pregar o evangelho em todo o mundo, a toda a criatura. Depois, voltou para o céu, entrou na glória, foi recebido apoteoticamente pelos anjos e assentou-se à destra do Pai, para governar a igreja, intercedendo em seu favor e revestindo-a com o poder do Seu Espírito. Jesus reina. Ele está no trono do universo e Ele voltará gloriosamente.

O *senhorio de Cristo* (2.36). Jesus é o Senhor do universo, da história e da igreja. Diante dEle todo joelho deve dobrar-se nos céus, na terra e debaixo da terra. Ele reina e todas as coisas estão debaixo dos Seus pés. O Espírito Santo veio para exaltar Jesus. O ministério do Espírito Santo é um ministério de holofote, ou seja, de exaltação a Jesus (Jo 16.13,14). O Espírito não lança luz sobre si mesmo. Ele não fala de Si mesmo. Ele não exalta a Si mesmo. Ele projeta Sua luz na direção de Jesus para exaltá-Lo.

Em segundo lugar, *uma pregação eficaz quanto ao seu propósito* (2.37). A pregação de Pedro explodiu como dinamite no coração da multidão. Produziu uma compulsão na alma. Foi um sermão penetrante. O termo grego *akousantes* significa ferir, dar uma forte ferroada. Era usado para descrever emoções dolorosas, que penetram o coração como um aguilhão.[22] Pedro não pregou para agradar nem para entreter. Ele foi direto ao ponto. Pôs o dedo na ferida. Não pregou diante do auditório, mas ao auditório. Pedro disse ao povo que, embora a cruz tivesse sido planejada por Deus desde a eternidade, eles eram responsáveis pela morte de Cristo. O apóstolo sentenciou: ... *vós O matastes, crucificando-O por mãos de iníquos* (2.23). A pregação precisa ser direta, confrontadora. Ela precisa gerar a agonia do arrependimento. A pregação de Pedro produziu na multidão profunda convicção de pecado. Hoje, há pouca convicção de pecado na igreja. Estamos insensíveis demais, com os olhos enxutos demais e o coração duro demais.

---

[21] WIERSBE, Warren W. *Comentário bíblico expositivo*, p. 529,530.
[22] RIENECKER, Fritz; Rogers, Cleon. *Chave linguística do Novo Testamento grego*, p. 197.

Em terceiro lugar, *uma pregação clara em suas exigências* (2.38). Antes de falar sobre perdão, Pedro falou sobre culpa. Antes de falar sobre cura, ele revelou à multidão a sua doença. Antes de falar sobre redenção, falou sobre pecado. Antes de falar sobre salvação, mostrou que eles estavam perdidos em seus pecados. Antes de pregar o evangelho, mostrou-lhes a lei. Não há salvação sem arrependimento. Ninguém entra no céu sem antes saber que é um pecador. Pedro se dirigiu a um grupo extremamente religioso, pois todo aquele povo tinha ido a Jerusalém para uma festa religiosa; mas, a despeito dessa religiosidade, eles precisavam arrepender-se para serem salvos. Hoje, a pregação do arrependimento está desaparecendo dos púlpitos. Precisamos arrepender-nos da nossa falta de arrependimento. O brado de Deus que emana das Escrituras ainda é: Arrependei-vos! Esta foi a ênfase de João Batista, de Jesus e dos apóstolos.

Vemos hoje uma mudança desastrosa na pregação. Tem-se pregado muito sobre libertação e quase nada sobre arrependimento. Os pregadores berram dos púlpitos, dizendo que as pessoas estão com encosto, mau-olhado e espírito maligno. Dizem que elas precisam ser libertas. Mas essa pregação é incompleta, pois, ainda que as pessoas estejam realmente possessas e sejam libertas dessa possessão, o seu problema não está de todo resolvido, pois a Bíblia diz que todos pecaram e carecem da glória de Deus. O ser humano é culpado diante de Deus e, por isso, precisa arrepender-se. Precisa colocar a boca no pó e depor as suas armas. Sem arrependimento, o mais virtuoso ser humano não pode ser salvo. O pecado não é tanto uma questão do que fazemos, mas de quem somos. O homem não é pecador porque peca; ele peca porque é pecador. Nossa natureza é pecaminosa. Nosso coração não é bom como pensava Jean Jacques Rousseau, mas corrupto; não é neutro como acreditava John Locke, mas inclinado para o mal.

Em quarto lugar, *uma pregação específica quanto à promessa* (2.38-40). Duas promessas são feitas ao arrependido, uma relacionada ao passado e outra ao futuro: remissão de pecados e dom do Espírito Santo. Depois que somos salvos, então podemos ser cheios do Espírito. Primeiro o povo se volta para Deus de todo o coração, com choro, jejum e coração rasgado; depois o Espírito é derramado.

Em quinto lugar, *uma pregação vitoriosa quanto aos resultados* (2.41). Quando há poder na pregação, vidas são salvas. A pregação de Pedro não apenas produziu conversões abundantes, mas também frutos permanentes. Eles não somente nasceram na graça de Jesus, mas também nela cresceram (At 2.42-47). Ao serem convertidos, eles foram batizados, integraram-se na igreja e perseveraram. Criaram raízes. Amadureceram. Fizeram outros discípulos, e a igreja tornou-se irresistível. Hoje é difícil manter atualizado o rol de membros de uma igreja. As pessoas entram pela porta da frente e, ao sinal da primeira crise, buscam uma fuga pela porta dos fundos. Bebericam em várias fontes, buscam alimento em diversos pastos, colocam-se sob o cajado de diversos pastores. Tornam-se ovelhas errantes, sem redil, sem referência, sem raízes.

Ao concluir essa exposição sobre o sermão de Pedro, John Stott destaca que Pedro enfocou a pessoa de Cristo, contando Sua história em seis estágios:

1. Ele era um homem, mas sua divindade era reconhecida pelos seus milagres;
2. Ele foi morto por mãos iníquas, mas segundo o propósito de Deus;
3. Ele ressurgiu dos mortos, como previram os profetas e testemunharam os apóstolos;
4. Ele foi elevado à destra de Deus e de lá derramou o Seu Espírito;
5. Ele oferece o perdão e o Espírito a todos os que se arrependem, creem e são batizados;
6. Ele os acrescenta à Sua nova comunidade.[23]

A vida da igreja **cheia do Espírito Santo** (2.42-47)

A igreja de Jerusalém conjugava doutrina e vida, credo e conduta, palavra e poder, qualidade e quantidade. Hoje vemos igrejas que revelam grandes desequilíbrios. As igrejas que zelam pela doutrina não celebram com entusiasmo. As igrejas ativas na ação social desprezam a oração. Aquelas que mais crescem em número mercadejam a verdade.

---

[23]STOTT, John. *A mensagem de Atos*, p. 83.

Ao contrário disso, a igreja de Jerusalém era unificada (2.44), exaltada (2.47a) e multiplicada (2.47b).

Quais são as marcas de uma igreja cheia do Espírito Santo?

Em primeiro lugar, *uma igreja cheia do Espírito é comprometida com a fidelidade à Palavra de Deus* (2.42). A igreja de Jerusalém nasceu sob a égide da verdade. A igreja começou com o derramamento do Espírito, a pregação cristocêntrica e a permanência dos novos crentes na doutrina dos apóstolos. A doutrina dos apóstolos é o inspirado ensino pregado oralmente naquele tempo, e agora preservado no Novo Testamento.[24] Stott diz que o Espírito Santo abriu uma escola em Jerusalém; seus professores eram os apóstolos que Jesus escolhera; e havia 3 mil alunos no jardim da infância. A igreja apostólica era uma igreja que aprendia. Com isso, deduzimos que o anti-intelectualismo e a plenitude do Espírito são incompatíveis, pois o Espírito Santo é o Espírito da verdade. O Espírito de Deus leva o povo de Deus a submeter-se à Palavra de Deus.[25] Justo González destaca que o perseverar no ensino dos apóstolos não quer só dizer que o povo não se desviou das doutrinas apostólicas ou permaneceu ortodoxo. Quer dizer também que eles perseveraram na prática de aprender com os apóstolos – que eram alunos, ou discípulos, ávidos por conhecimento sob o comando dos mestres.[26]

Ao longo da história houve muitos desvios da verdade: as heresias da Idade Média; a ortodoxia sem piedade; o Pietismo – piedade sem ortodoxia; os quacres – o importante é a luz interior; o movimento liberal – a razão acima da revelação; e o movimento neopentecostal – a experiência acima da revelação.

Deus tem um compromisso com a Palavra. Ele tem zelo pela Palavra. Uma igreja fiel não pode mercadejar a Palavra.

Em segundo lugar, *uma igreja cheia do Espírito é perseverante na oração* (2.42). Uma igreja cheia do Espírito ora com fervor e constância. A igreja de Jerusalém não apenas possuía uma boa teologia da oração, mas efetivamente orava. Ela dependia mais de Deus do que

---

[24] MacDonald, William. *Believer's Bible commentary*, p. 1588.
[25] Stott, John. *A mensagem de Atos*, p. 87.
[26] González, Justo L. *Atos*, p. 70.

dos próprios recursos: Atos 1.14 – Todos unânimes perseveravam em oração; Atos 3.1 – Os líderes da igreja vão orar às 3 horas da tarde; Atos 4.31 – A igreja sob perseguição ora, o lugar treme e o Espírito desce; Atos 6.4 – A liderança entende que a sua maior prioridade é oração e a Palavra; Atos 9.11 – O primeiro sinal que Deus deu a Ananias sobre a conversão de Paulo é que ele estava orando; Atos 12.5 – Pedro está preso, mas há oração incessante da igreja em seu favor e ele é miraculosamente libertado; Atos 13.1-3 – A igreja de Antioquia ora e Deus abre as portas das missões mundiais; Atos 16.25 – Paulo e Silas oram na prisão e Deus abre as portas da Europa para o evangelho; Atos 20.36 – Paulo ora com os presbíteros da igreja de Éfeso na praia; Atos 28.8,9 – Paulo ora pelos enfermos da ilha de Malta e os cura.

Em terceiro lugar, **uma igreja cheia do Espírito tem uma profunda comunhão** (2.42,44-46). Em uma igreja cheia do Espírito os irmãos se amam profundamente. Na igreja de Jerusalém os irmãos gostavam de estar juntos (2.44). Eles partilhavam seus bens (2.45). Eles apreciavam estar no templo (2.46) e também nos lares (2.46b). Havia um só coração e uma só alma. Onde desce o óleo do Espírito, aí há união entre os irmãos; aí ordena o Senhor a Sua bênção e a vida para sempre (Sl 133). Os crentes eram sensíveis para ajudar os necessitados (2.44,45). Eles converteram o coração e o bolso. Tinham desapego dos bens e apego às pessoas. Encarnaram a graça da contribuição. Concordo com Stott quando ele diz que a comunhão cristã e o cuidado cristão é compartilhamento cristão.[27] Justo González enfatiza que o *partir do pão* não significa apenas que eles comiam junto. Refere-se à celebração da comunhão, que desde o início e por muitos séculos, é o centro da adoração cristã.[28]

Em quarto lugar, **uma igreja cheia do Espírito adora a Deus com entusiasmo** (2.47). Uma igreja cheia do Espírito canta com fervor e louva a Deus com entusiasmo. O culto era um deleite. Eles amavam a casa de Deus. Uma igreja viva tem alegria de estar na casa de Deus para adorar. A comunhão no templo é uma das marcas da igreja ao longo

---

[27] STOTT, John. *A mensagem de Atos*, p. 89.
[28] GONZÁLEZ, Justo L. *Atos*, p. 71.

dos séculos. O louvor da igreja era constante. Uma igreja alegre canta. Os muçulmanos têm mais de um bilhão de adeptos no mundo, mas eles não cantam. Uma igreja viva tem um louvor fervoroso, contagiante, restaurador, sincero, verdadeiro. O louvor que agrada a Deus tem origem no próprio Deus, tem como propósito exaltá-Lo e tem como resultado quebrantamento dos corações. O culto verdadeiro produz reverência e alegria, pois, se a alegria do Senhor for obra do Espírito, o temor do Senhor também será autêntico.

Em quinto lugar, *uma igreja cheia do Espírito teme a Deus e experimenta os Seus milagres* (2.43). Uma igreja cheia do Espírito é formada por um povo cheio de reverência. Ela tem compreensão da santidade de Deus. Ela se curva diante da majestade de Deus. Hoje as pessoas estão acostumadas com o sagrado. Há uma banalização do sagrado. Há saturação, comercialização e paganização das coisas de Deus. Quem conhece a santidade de Deus não brinca com as coisas de dEle.

A igreja de Jerusalém era reverente e também receptiva ao agir soberano de Deus. Tinha a agenda aberta para as soberanas intervenções do Senhor. Acreditava nos milagres de Deus. A manifestação extraordinária de Deus estava presente na vida da igreja: Atos 3 – O paralítico é curado; Atos 4.31 – O lugar onde a igreja ora, treme; Atos 5.12,15 – Muitos sinais e prodígios são efetuados; Atos 8.6 – Filipe realiza sinais em Samaria; Atos 9 – A conversão de Saulo é seguida da sua cura; Atos 12 – Pedro é libertado pelo anjo do Senhor; Atos 16.26 – Ocorre um terremoto em Filipos; Atos 19.11 – Pelas mãos de Paulo, Deus fazia milagres; Atos 28.8,9 – Deus cura os enfermos de Malta pela oração de Paulo. Hoje há dois extremos na igreja: aqueles que negam os milagres e aqueles que os inventam.

Em sexto lugar, *uma igreja cheia do Espírito tem a simpatia dos homens e a bênção do crescimento numérico por parte de Deus* (2.47). Essa igreja é simpática e amável. Ela é sal e luz. É boca de Deus e monumento da graça. Essa igreja tem qualidade e também quantidade. Cresce para o alto e também para os lados. Mostra vida e também números. A igreja de Jerusalém produziu impacto na sociedade por causa de seu estilo de vida. Era uma igreja comprometida com a verdade, mas não legalista; era uma igreja santa, mas não farisaica; era uma igreja piedosa, mas não com santorronice. Os crentes eram alegres, festivos, íntegros. Eles contagiavam. O estilo de vida da igreja impactava a sociedade: melhores maridos, esposas, filhos, pais, estudantes, profissionais. O resultado da qualidade é a quantidade. Deus mesmo acrescentava a essa igreja, dia a dia, os que iam sendo salvos.

Temos hoje dois extremos: numerolatria e numerofobia. Precisamos entender que qualidade gera quantidade. A igreja crescia em números. A igreja crescia diariamente por adição de vidas salvas e por ação divina. Vejamos o crescimento da igreja:

- Atos 1.15: 120 membros;
- Atos 2.41: três mil membros.
- Atos 4.4: cinco mil membros.
- Atos 5.14: Uma multidão é agregada à igreja.
- Atos 6.7: O número dos discípulos é multiplicado.
- Atos 9.31: A igreja se expande para a Judeia, Galileia e Samaria.
- Atos 16.5: Igrejas são estabelecidas e fortalecidas no mundo inteiro.

3

A manifestação do poder de Deus

Atos 3.1-26

LUCAS FAZ UMA TRANSIÇÃO DA VIDA EXEMPLAR DA IGREJA apostólica para o exemplo de Pedro e João, colunas da igreja. A igreja orava porque seus líderes eram homens de oração. A igreja experimentava as maravilhas divinas porque os apóstolos conheciam o poder do nome de Jesus. A igreja abalou o mundo porque estava cheia do Espírito Santo. E. M. Bounds, piedoso metodista do século XIX, afirma que a igreja hoje está procurando melhores métodos, enquanto Deus está procurando melhores homens. Deus não unge métodos; Deus unge homens cheios do Espírito.

O texto em apreço trata de dois temas importantes que consideramos a seguir: um milagre portentoso (3.1-10) e uma pregação poderosa (3.11-26).

Um milagre portentoso (3.1-10)

Pedro e João não jogaram fora a tradição de orar em três turnos por dia no templo. O dia judeu começava às 6 da manhã e terminava às 6 da tarde. Para os judeus devotos, havia três turnos de oração por dia: às 9 da manhã, ao meio-dia e às 3 da tarde. Os apóstolos mantiveram este costume. Eles se dedicaram a uma nova fé, mas não a utilizaram como desculpa para violar a tradição. Sabiam que a nova fé e a velha disciplina podiam e deviam andar juntas.[1] Pedro e João eram homens de oração. Entendiam que Deus é mais importante do que a obra de Deus.

Pedro e João são vistos juntos com frequência ao longo das Escrituras. Eram sócios no negócio de pesca (Lc 5.10); prepararam a última Páscoa dos judeus para Jesus (Lc 22.8); correram para o sepulcro na manhã do primeiro domingo de Páscoa (Jo 20.3,4); e ministraram aos samaritanos que creram em Jesus Cristo (8.14). Agora, estavam indo para o templo para orar às 3 horas da tarde (3.1).

Cinco verdades podem ser destacadas com respeito a esses dois apóstolos.

Em primeiro lugar, *eles tinham uma vida comprometida com a oração* (3.1). *Pedro e João subiam ao templo para a oração da hora nona.* A oração era prioridade na vida dos apóstolos. Eles oraram para receber a promessa do Pai (1.14). Diante da ameaça do Sinédrio, oraram e pediram mais intrepidez para pregar, e o mundo foi abalado (4.31). Hoje é o mundo que abala a igreja. Os apóstolos tomaram uma importantíssima decisão: *Quanto a nós, nos consagraremos à oração e ao ministério da Palavra* (6.4).

Palavras sem oração são palavras mortas. Uma igreja que ora abre as portas para a intervenção milagrosa de Deus. Perguntaram certa feita a Charles Spurgeon qual era o segredo do sucesso de seu ministério. Ele respondeu: "Eu trabalho de joelhos. Meu lugar santo de oração vale mais do que toda a minha biblioteca". John Knox, no século XVI, mudou a realidade religiosa da Escócia. Ele era um homem que agonizava em oração. Seu clamor contínuo era: "Dá-me a Escócia para Cristo, senão eu morro".

Visitando a Coreia do Sul, onde há expressivo crescimento da fé cristã, perguntei aos pastores das maiores igrejas: "Qual é o segredo do crescimento?" A resposta unânime foi: "Oração, oração, oração". Ao longo da história, os que triunfaram nas pelejas e viram as

---

[1] BARCLAY, William. *Hechos de los Apóstoles*, p. 40.

manifestações grandiosas de Deus foram aqueles que oraram. Foi assim com os reis Josafá e Ezequias no reino de Judá. Foi assim com Neemias, Jesus e os apóstolos. Uma igreja ora, cresce e se fortalece quando seus líderes são homens de oração.

Em segundo lugar, **eles tinham uma vida respaldada pelo exemplo** (3.2-5). Lucas registra o texto como segue:

> *Era levado um homem, coxo de nascença, o qual punham diariamente à porta do templo chamado Formosa, para pedir esmola aos que entravam. Vendo ele a Pedro e João, que iam entrar no templo, implorava que lhe dessem uma esmola. Pedro, fitando-o, juntamente com João, disse: Olha para nós. Ele os olhava atentamente, esperando receber alguma coisa* (3.2-5).

Era estratégico colocar um mendigo na porta do templo. As pessoas que entram para adorar a Deus normalmente estão mais sensíveis à necessidade do próximo. Não é possível amar a Deus, a quem não vemos, se não amamos o próximo, a quem vemos. Eram 3 horas da tarde, prestes a começar uma reunião de oração no templo. Pedro e João estavam passando, quando o paralítico lhes pediu uma esmola. Juntamente com João, Pedro fitou o paralítico e lhe disse: *Olha para nós* (3.4). Ficamos chocados com esse relato. Dizemos: "Isso fere a nossa teologia. Nós costumamos dizer: 'Não olhe para nós; olhe para Jesus. Não olhe para os crentes, olhe para Jesus'". Jesus já havia alertado acerca da conduta dos fariseus: *Fazei e guardai, pois, tudo quanto eles vos disserem, porém não os imiteis nas suas obras; porque dizem e não fazem* (Mt 23.3).

Talvez você argumente: Como Pedro pôde cometer um erro desses? Alguns chegam até a pensar: Ah! Pedro não teve os nossos professores, não passou pelos nossos seminários. Mas Pedro aprendeu aos pés de Jesus. A Palavra de Deus diz que somos cartas de Cristo (2Co 3.2). O apóstolo Paulo diz: *Sede meus imitadores, como também eu sou de Cristo* (1Co 11.1). Pedro e João disseram ao paralítico: *Olhe para nós* (3.4). Podemos dizer ao mundo: Olhe para nós? Os pais podem dizer aos filhos: Olhem para nós? Os patrões podem dizer a seus empregados: Olhem para nós?

Stanley Jones afirma que o subcristianismo é pior do que o anticristianismo. Certa feita Mahatma Gandhi disse a alguns crentes na Índia: "No vosso Cristo eu creio, só não creio no vosso cristianismo". Hoje há um grande abismo entre o que falamos e o que fazemos, entre o discurso e a vida, entre a doutrina e a prática. Erlo Stegen, da Missão Kwasizabantu, na África do Sul, certa feita foi interrompido em sua prédica por uma jovem que orou a Deus e disse: "Oh! Deus, nós ouvimos como era a igreja primitiva. Será que não podes descer para estares entre nós, como fizeste há dois mil anos? Será que a igreja hoje não pode ser a mesma que foi em Jerusalém?" Uma semana depois, Deus fendeu os céus e desceu e houve ali um poderoso reavivamento.

Em terceiro lugar, **eles tinham uma vida com evidências de poder** (3.6-8). *Pedro, porém, lhe disse: Não possuo nem prata nem ouro, mas o que tenho, isso te dou: em nome de Jesus Cristo, o Nazareno, anda! E, tomando-o pela mão direita, o levantou; imediatamente, os seus pés e tornozelos se firmaram; de um salto se pôs em pé, passou a andar e entrou com eles no templo, saltando e louvando a Deus.* William MacDonald diz que o mendigo pediu uma esmola e recebeu novas pernas.[2] Pedro não tinha prata nem ouro, mas tinha poder; hoje, a igreja tem prata e ouro, mas não tem poder. O poder não estava em Pedro, mas no nome de Jesus, ou seja, em sua suprema autoridade.

Ralph Earle ressalta que Pedro conhecia o poder daquele nome, e não hesitou em invocá-lo.[3] *Em nome de* designa a autoridade que está por trás do falar e do agir de pessoas frágeis. O *nome* presenteia o portador com sua magnitude e Seu poder, sua força e sua importância.[4] Como afirmou Thomas Walker: "o poder era de Cristo, mas a mão era de Pedro".[5] O milagre da cura deste coxo era o cumprimento da profecia messiânica: *Os coxos saltarão como cervos* (Is 35.6).

A legendária história de Tomás de Aquino e o papa Inocêncio IV nos vem à mente em conexão com esta passagem. Aquino surpreendeu

---

[2] MacDonald, William. *Believer's Bible commentary*, p. 1592.
[3] Earle, Ralph. "Livro dos Atos dos Apóstolos." In: *Comentário bíblico Beacon*. Vol. 7. Rio de Janeiro: CPAD, 2005, p. 226.
[4] De Boor, Werner. *Atos dos Apóstolos*, p. 66.
[5] Walker, Thomas. *The Acts of the Apostles*. Chicago, IL: Moody Press, 1965, p. 67.

o papa ao visitá-lo no momento em que este estava contando uma grande quantidade de moedas de ouro e prata. Ao vê-lo, o papa disse: "Irmão, como você pode perceber, não posso dizer mais como Pedro disse ao paralítico: Não tenho ouro nem prata". Aquino, então, lhe respondeu: "Isso é verdade, mas também o senhor não pode mais dizer ao paralítico: Levanta e anda!"

Werner de Boor destaca o fato de que pela primeira vez o *nome de Jesus* aparece no livro em sua acepção peculiar. Na sequência tudo girará em torno desse *nome* (3.6,16; 4.7,10,12,17,18,30; 5.28,40).[6]

Jesus prometeu à igreja poder (Lc 24.49). Esse poder viria por intermédio do derramamento do Espírito Santo (1.8). A igreja orou pedindo mais desse poder (4.31). O reino de Deus não consiste em palavras, mas em poder (1Co 4.20). O evangelho é demonstração do Espírito Santo e de poder (1Co 2.4; 1Ts 1.5). O próprio Jesus não abriu mão desse poder: ao ser batizado no rio Jordão, enquanto orava, os céus se abriram e o Espírito Santo desceu sobre Ele (Lc 3.21,22). Jesus, cheio do Espírito Santo, voltou do Jordão e foi, pelo mesmo Espírito, conduzido ao deserto (Lc 4.1). No poder do Espírito, regressou à Galileia (Lc 4.14). Na sinagoga de Nazaré, tomou o livro do profeta Isaías e leu: *O Espírito do Senhor Deus está sobre mim, pelo que me ungiu para evangelizar os pobres; enviou-me para proclamar libertação aos cativos e restauração da vista aos cegos, para pôr em liberdade os oprimidos, e apregoar o ano aceitável do Senhor* (Lc 4.18,19). O apóstolo Pedro testemunhou em Cesareia *como Deus ungiu a Jesus de Nazaré com o Espírito Santo e com poder, o qual andou por toda parte, fazendo o bem e curando a todos os oprimidos do diabo, porque Deus era com ele* (10.38).

Pedro disse ao paralítico: *Olha para nós* (3.4) e então completou: *... o que tenho, isso te dou: em nome de Jesus Cristo, o Nazareno, anda!* (3.6). João não recebeu poder para curar doentes. Não sabemos de nenhum milagre que ele tenha realizado. Entretanto, João era tão cheio do Espírito como Pedro, embora seus ministérios e dons fossem diferentes. O apóstolo João não tinha o dom de curar como Pedro, mas experimentara o poder do Espírito a fim de ser exemplo para os demais homens.

---

[6]DE BOOR, Werner. *Atos dos Apóstolos*, p. 66.

A igreja hoje fala sobre poder, mas está desprovida dele. A igreja hoje tem ouro e prata, mas não tem poder. Prega aos ouvidos, mas não aos olhos. Precisamos lembrar, entretanto, que o evangelho não consiste em palavras, mas, sobretudo, em poder (1Ts 1.5).

Em quarto lugar, **eles tinham uma vida cheia de compaixão** (3.6,7). Pedro e João demonstravam compaixão, e não apenas religiosidade. Interromperam o exercício espiritual da oração das 3 da tarde para se envolverem com o paralítico à porta do templo. Não agiram como o sacerdote e o levita da parábola do bom samaritano. Alguns indivíduos fecham os olhos para os necessitados porque dão mais valor ao ritual do que às pessoas. São zelosas de suas tradições religiosas, mas indiferentes ao próximo.

Pedro e João fitam os olhos no paralítico. Muitos acham melhor doar uma mísera esmola e virar o rosto. Pedro e João olharam e encararam o mendigo de frente. Trataram-no como gente. Pedro falou diretamente com ele: *Olha para nós*. Colocou-se à disposição para ajudar, para ser referencial e modelo. Pedro compartilhou com o mendigo tudo o que possuía. Pedro tinha consciência de que havia recebido o poder do Espírito Santo e a autoridade do nome de Jesus. O poder não é usado para benefício próprio, mas para abençoar pessoas. Poder sem compaixão é autopromoção.

Em quinto lugar, **eles viram um milagre irrefutável** (3.7-10).... *viu-o todo o povo a andar e a louvar a Deus, e reconheceram ser ele o mesmo que esmolava, assentado à Porta Formosa do templo; e se encheram de admiração e assombro por isso que lhe acontecera*. A milagrosa cura do coxo foi um fato público, verificável e irrefutável. O homem curado nasceu coxo. Tinha mais de 40 anos. Todos os dias era colocado à porta do templo. Portanto, era conhecido de todos. Sua cura foi um testemunho irrefutável do poder de Jesus e uma prova insofismável de Sua ressurreição dentre os mortos.

Três verdades podem ser aqui observadas.

A cura foi em nome de Jesus (3.6). Pedro disse às autoridades do povo e aos anciãos que questionavam a fonte do poder que trouxera saúde ao paralítico: *Tomai conhecimento, vós todos e todo o povo de Israel, de que, em nome de Jesus Cristo, o Nazareno [...], é que este está curado perante vós*

(4.10). O poder da cura está no nome de Jesus e não em Pedro. Pedro não aceita a glória para si, mas a credita inteiramente ao nome de Jesus. O texto é claro: *À vista disto, Pedro se dirigiu ao povo, dizendo: Israelitas, por que vos maravilhais disto ou por que fitais os olhos em nós como se pelo nosso próprio poder ou piedade o tivéssemos feito andar?* (3.12).

A cura foi realizada mediante a fé (3.16). *Pela fé em o nome de Jesus, é que esse mesmo nome fortaleceu a este homem que agora vedes e reconheceis; sim, a fé que vem por meio de Jesus deu a este saúde perfeita na presença de todos vós.* A fé não é a causa do milagre, mas seu instrumento. Claramente foi a fé dos apóstolos o instrumento da cura do paralítico, pois ele estava totalmente passivo nesse processo.

A cura foi instrumentalizada por Pedro (3.6). Pedro foi o instrumento usado por Deus para, em nome de Jesus, levantar o paralítico. Pedro o tomou pela mão (3.7), levantou-o e aprumou-o (3.7), conduzindo-o ao templo, à casa de Deus (3.8). Werner de Boor diz acertadamente que, em múltiplas repetições, "ele andou, saltou, louvou".[7] Lucas descreve toda a intensidade da alegria desse homem. Seu primeiro caminho o leva com o apóstolo para dentro do templo. Sua alegria não se esgota em sua felicidade, mas o impele até Deus.

Este foi o primeiro milagre apostólico depois do Pentecostes. Abriu as portas para o testemunho do evangelho. Após a segunda pregação de Pedro, o número de convertidos subiu de três mil para quase cinco mil pessoas (4.4).

Uma pregação poderosa (3.11-26)

Ao relato do milagre, segue-se um discurso explicativo de Pedro. O ponto principal da história é que o nome de Jesus continua com poder para operar os mesmos graciosos milagres de cura que, nos evangelhos, eram sinais da chegada do reino de Deus.[8] O apóstolo aproveitou a oportunidade para pregar. Da mesma forma que o portentoso incidente do Pentecostes serviu de tema para o seu primeiro sermão, a

---

[7]DE BOOR, Werner. *Atos dos Apóstolos*, p. 67.
[8]MARSHALL, I. Howard. *Atos: introdução e comentário*, 1980, p. 86.

cura do coxo tornou-se o pretexto para o segundo.⁹ No primeiro sermão, cerca de três mil pessoas foram convertidas (2.41). Neste segundo sermão, mais duas mil pessoas aceitaram a Palavra (4.4).

O crescimento da igreja está diretamente ligado à pregação fiel da Palavra. A pregação é o principal instrumento a produzir o crescimento saudável da igreja. Concordo com John Stott quando ele diz que o aspecto mais notável no segundo sermão de Pedro, tal como do primeiro, é o seu fator cristocêntrico. Ele desviou os olhos da multidão do coxo curado e dos apóstolos e os fixou em Cristo, a quem os homens haviam rejeitado, matando-o, mas a quem Deus vindicou, ressuscitando-o dentre os mortos.¹⁰

Destacamos aqui dez pontos importantes.

Em primeiro lugar, **um público atônito** (3.11). *Apegando-se ele a Pedro e a João, todo o povo correu atônito para junto deles no pórtico chamado de Salomão.* O pórtico de Salomão ficava do lado leste do templo e era um corredor onde Jesus havia ministrado (Jo 10.23) e a igreja se reunia para adorar (5.12).¹¹ A beleza desse portão contrastava com a miséria do mendigo. Sua cura foi um milagre extraordinário. O milagre, porém, não é o evangelho, mas abre portas para a pregação do evangelho. O milagre não abriu o coração do povo para aceitar a Palavra, mas ajuntou o povo, dando oportunidade a Pedro de pregar a Palavra. O povo estava atônito porque a milagrosa cura do coxo era um fato público, verificável e incontroverso.

Em segundo lugar, **um pregador fiel** (3.12). *À vista disto, Pedro se dirigiu ao povo, dizendo: Israelitas, por que vos maravilhais disto ou por que fitais os olhos em nós como se pelo nosso próprio poder ou piedade o tivéssemos feito andar?* O povo se reuniu para ver o milagre e estava inclinado a atribuir a Pedro e João os méritos daquele prodígio. Pedro corrigiu a multidão e não aceitou glória para si mesmo. Pedro era um pregador fiel. O poder para curar não estava nele, mas no nome de Jesus, o Nazareno. A glória não pertencia a Pedro e João, mas unicamente ao Senhor Jesus.

---

⁹STOTT, John. *A mensagem de Atos*, p. 101.
¹⁰STOTT, John. *A mensagem de Atos*, p. 101,102.
¹¹WIERSBE, Warren W. *Comentário bíblico expositivo*, p. 533.

Um homem como Simão de Samaria se dizia um grande milagreiro e gostava de ser chamado, *o grande poder de Deus* (8.9-11). Pedro e João, porém, rejeitaram essa atitude. Aqueles que hoje fazem propaganda de pretensos milagres, como se fossem homens poderosos, estão na contramão do ensino bíblico. Os que acendem holofotes e buscam glória para si estão em total desacordo com o ensino das Escrituras.

Em terceiro lugar, **uma conexão necessária** (3.13a). *O Deus de Abraão, de Isaque e de Jacó, o Deus de nossos pais, glorificou seu Servo Jesus...* A ação divina operada na vida daquele coxo não era algo novo, inédito, estranho ao legado que o povo já havia recebido. Não há descontinuidade entre o Antigo e o Novo Testamento. O mesmo Deus dos patriarcas que operou maravilhas no passado é quem está agindo agora, e isso por intermédio de Jesus, seu santo servo. Há profunda conexão entre o passado e o presente. O Deus que agiu antes é o mesmo que age agora. Ele é o mesmo ontem, hoje e sempre. Concordo com a declaração de Werner de Boor de que o cristianismo não é uma nova religião. A mensagem dos cristãos trata do *Deus de Abraão, de Isaque e de Jacó, o Deus dos pais*. Esse Deus dos pais é quem *glorificou a seu Servo Jesus*. Logo, a história de Jesus é a obra desse único Deus vivo, que é o Deus dos patriarcas.[12] Pedro usou vários nomes e títulos para descrever Jesus, como: Jesus Cristo, o Nazareno (3.6), o Servo de Deus (3.13), o Santo e o Justo (3.14), o Autor da vida (3.15), o profeta prometido por Moisés (3.22), a pedra rejeitada que se tornou a pedra angular (4.11).

Em quarto lugar, **uma acusação solene** (3.13b-15). ... *a quem vós traístes e negastes perante Pilatos, quando este havia decidido soltá-Lo. Vós, porém, negastes o Santo e o Justo e pedistes que vos concedessem um homicida. Dessarte, matastes o Autor da vida, a quem Deus ressuscitou entre os mortos, do que nós somos testemunhas.* A mensagem de Pedro foi cortante como uma espada. Ele não pregou diante de um auditório; ele fuzilou seus ouvintes com palavras contundentes. Acusou-os de trair e negar Jesus perante o governador romano. Acusou-os de negar o Santo e o Justo e preferir Barrabás, um homicida, a Jesus, o Filho de Deus. Culpou-os de matar o Autor da vida, a quem Deus ressuscitou dentre os mortos.

---

[12] DE BOOR, Werner. *Atos dos Apóstolos*, p. 69.

Werner de Boor diz que o agir de Deus e o agir de Israel se contrapõem, lance por lance: Deus glorifica a Jesus; eles O entregam. Deus coloca *o Santo e o Justo* no meio deles; eles O negam e em troca pedem a absolvição de um homicida. Deus lhes concede o *Autor da vida*; eles O matam. Eles matam a Jesus, porém Deus O ressuscita dentre os mortos. Pedro não poupa seus ouvintes; antes, mostra-lhes sua culpa extrema.[13]

Pedro não pregou para agradar a audiência, mas para levá-la ao arrependimento. Pedro não era um arauto da conveniência, mas um embaixador de Deus. Sua intenção não era arrancar aplauso dos homens, mas acicatá-los com o aguilhão da verdade.

Warren Wiersbe salienta que o calvário pode ter sido a última palavra do ser humano, mas o sepulcro vazio foi a última Palavra de Deus. Ele glorificou Seu Filho, ressuscitando-O dentre os mortos e levando-O de volta ao céu. O Cristo entronizado enviara Seu Espírito Santo e operava no mundo por meio da igreja. O mendigo curado era uma prova de que Jesus estava vivo.[14]

Em quinto lugar, **um testemunho inequívoco** (3.16). *Pela fé em o nome de Jesus, é que esse mesmo nome fortaleceu a este homem que agora vedes e reconheceis; sim, a fé que vem por meio de Jesus deu a este saúde perfeita na presença de todos vós.* Pedro não era a fonte do poder que trouxe cura ao coxo. Ele não aceitou o louvor dos homens pelo milagre ocorrido. Tinha plena consciência que aquele milagre público e verificável fora operado por Jesus, mediante a fé. Não há homens poderosos; há homens cheios do Espírito, usados pelo Deus Todo-poderoso. O homem não é o agente da ação divina, mas apenas instrumento. O Jesus exaltado é quem realiza os milagres na vida da igreja, pelo poder do Espírito Santo, por intermédio de Seus servos. Warren Wiersbe argumenta que ninguém ousaria negar o milagre, pois o mendigo estava lá, diante de todos, em *saúde perfeita* (3.16; 4.14). Se aceitassem o milagre, teriam de reconhecer que Jesus Cristo era, verdadeiramente, o Filho de Deus e que Seu nome tinha poder.[15]

---

[13] DE BOOR, Werner. *Atos dos Apóstolos*, p. 69.
[14] WIERSBE, Warren W. *Comentário bíblico expositivo*, p. 533.
[15] WIERSBE, Warren W. *Comentário bíblico expositivo*, p. 534.

Em sexto lugar, *um atenuante necessário* (3.17). *E agora, irmãos, eu sei que o fizestes por ignorância, como também as vossas autoridades.* Após a penetrante acusação de assassinato (3.15), Pedro adota um tom gentil. Após a severa acusação aos judeus e suas autoridades por terem traído, negado e matado a Jesus, o Autor da vida, Pedro atenua-lhes a culpa, dizendo que o fizeram por ignorância. De igual modo, quando Jesus estava pregado no leito vertical da morte, suspenso na cruz, entre a terra e o céu, sofrendo dores alucinantes e cravejado pela zombaria da multidão sedenta de sangue, ele orou ao Pai, clamando: ... *Pai, perdoa-lhes, porque não sabem o que fazem...* (Lc 23.34). Nessa mesma linha, o apóstolo Paulo escreveu: *Mas falamos a sabedoria de Deus em mistério, outrora oculta, a qual Deus preordenou desde a eternidade para a nossa glória; sabedoria essa que nenhum dos poderosos deste século conheceu; porque, se a tivessem conhecido, jamais teriam crucificado o Senhor da glória* (1Co 2.7,8). Mais tarde, o próprio Paulo dá seu testemunho: *A mim, que, noutro tempo, era blasfemo, e perseguidor, e insolente. Mas obtive misericórdia, pois o fiz na ignorância, na incredulidade* (1Tm 1.13).

Em sétimo lugar, *um propósito cumprido* (3.18). *Mas Deus, assim, cumpriu o que dantes anunciara por boca de todos os profetas: que o seu Cristo havia de padecer.* A maldade dos homens não anula os propósitos divinos nem a soberania de Deus isenta os homens de sua responsabilidade. O fato de todos os profetas terem anunciado que o Cristo de Deus haveria de padecer não inocentou os judeus de terem traído, negado e matado Jesus. Os planos de Deus não podem ser frustrados (Jó 42.2).

Em oitavo lugar, *uma exigência clara* (3.19). *Arrependei-vos, pois, e convertei-vos para serem cancelados os vossos pecados.* Pedro endereçou esse sermão a um povo religioso, não a um povo pagão; a um público que acreditava na lei de Deus e observava atentamente seus rituais sagrados. Porém, a religiosidade deles não era suficiente para salvá-los. Era preciso que se arrependessem e se convertessem. O significado de *arrependei-vos* (2.38) é esclarecido pelo acréscimo de *convertei-vos*. Marshall diz que este verbo significa o ato de voltar-se do modo de vida antigo, especialmente da adoração dos ídolos, para um novo modo de vida, baseado na fé e na obediência a Deus (9.35; 11.21; 14.15; 15.19; 26.18,20; 28.27).[16]

O cancelamento dos pecados é resultado do arrependimento e da conversão. Ninguém nasce salvo. Todos nascem filhos da ira. Todos precisam de arrependimento e conversão. Arrepender-se e viver, ou não se arrepender e morrer. Sem novo nascimento ninguém pode entrar no reino de Deus (Jo 3.3,5). Em seu sermão anterior (2.14-41), Pedro havia explicado que a cruz era o lugar da intersecção entre a soberania divina e a responsabilidade humana (2.23). Neste segundo sermão, ele repete a mesma verdade (3.17,18).[17]

O arrependimento e a conversão são temas ausentes de muitos púlpitos hoje. Muitos pregadores visam entreter o povo, em vez de levá-lo ao arrependimento. Outros anunciam salvação sem necessidade de arrependimento e conversão. A pregação apostólica é categórica: não há remissão de Deus sem arrependimento e conversão.

Em nono lugar, **uma promessa bendita** (3.20-24). O apóstolo Pedro proclama:

> *A fim de que, da presença do Senhor, venham tempos de refrigério, e que envie Ele o Cristo, que já vos foi designado, Jesus, ao qual é necessário que o céu receba até aos tempos da restauração de todas as coisas, de que Deus falou por boca dos seus santos profetas desde a antiguidade. Disse, na verdade, Moisés: O Senhor Deus vos suscitará dentre vossos irmãos um profeta semelhante a mim; a Ele ouvireis em tudo quanto vos disser. Acontecerá que toda alma que não ouvir a esse profeta será exterminada do meio do povo. E todos os profetas, a começar com Samuel, assim como todos quantos depois falaram, também anunciaram estes dias (3.20-24).*

Depois de exigir arrependimento e conversão e prometer o cancelamento dos pecados, o apóstolo Pedro, fundamentado no que disseram os santos profetas de Deus, anuncia agora os tempos de refrigério e restauração de todas as coisas. Ralph Earle explica que a palavra grega

---

[16] MARSHALL, I. Howard. *Atos: introdução e comentário*, 1980, p. 93.
[17] WIERSBE, Warren W. *Comentário bíblico expositivo*, p. 534.

que significa *refrigério* aparece somente aqui no Novo Testamento, e somente uma vez na Septuaginta (Êx 8.11)*. Ela é usada de forma figurada em referência à época messiânica. É a grande época de alegria e repouso, que seria trazida pela vinda do Messias na Sua glória.[18] Essa restauração vem unicamente por meio de Jesus, o profeta semelhante a Moisés, anunciado por todos os profetas desde Samuel, o descendente de Abraão. A recusa, porém, em ouvir a Cristo redunda em condenação irremediável (Hb 2.2-4; 10.28,29).

Em décimo lugar, **uma aplicação pertinente** (3.25,26). *Vós sois os filhos dos profetas e da aliança que Deus estabeleceu com vossos pais, dizendo a Abraão: Na tua descendência, serão abençoadas todas as nações da terra. Tendo Deus ressuscitado o Seu Servo, enviou-O primeiramente a vós outros para vos abençoar, no sentido de que cada um se aparte das suas perversidades.* Pedro conclui seu sermão com uma aplicação pessoal, oportuna e poderosa, mostrando que seus ouvintes eram os filhos dos profetas e da aliança que Deus estabelecera com Abraão. Por meio de Jesus, o descendente de Abraão, todas as nações da terra seriam abençoadas. O Cristo ressurreto está agora, por meio da pregação apostólica, abrindo ao povo da aliança os portais da bênção, mas essa bênção só pode ser recebida pelo rompimento definitivo das perversidades. Não há promessa de salvação onde não há a realidade do arrependimento.

John Stott oportunamente diz que, ao revermos esse sermão de Pedro, notamos que ele apresenta Cristo à multidão *de acordo com as Escrituras*, sucessivamente como o servo sofredor (3.13,18), o profeta semelhante a Moisés (3.22,23), o rei davídico (3.24) e a semente de Abraão (3.25,26).[19]

---

*[NR] Na Septuaginta Êxodo 8.11, na ARA (e demais) Êxodo 8.15.
[18] EARLE, Ralph. *Livro dos Atos dos Apóstolos*, p. 229.
[19] STOTT, John. *A mensagem de Atos*, p. 104.

4

As marcas de uma igreja cheia do Espírito Santo

Atos 4.1-31

O PENTECOSTES FOI UM DIVISOR DE ÁGUAS NA VIDA DA IGREJA. Antes de receberem o Espírito Santo e dEle serem cheios, os discípulos estavam trancados com medo dos judeus (Jo 20.19). Contudo, cheios do Espírito, foram trancados por falta de medo (4.3; 5.18). Antes de serem revestidos com poder, os discípulos estavam transtornados; agora transtornavam o mundo. Antes tinham o Espírito Santo; agora o Espírito Santo os tinha. Antes tinham o Espírito residente; agora, tinham o Espírito presidente. Antes o Espírito estava neles; agora, estava sobre eles.

O Espírito desceu sobre a igreja de forma audível, como um som impetuoso. Desceu de forma visível, em colunas como de fogo. Desceu de forma soberana e misteriosa, como um vento impetuoso. As multidões se ajuntaram, Pedro pregou com autoridade e poder uma mensagem cristocêntrica e cerca de três mil pessoas foram salvas. O Pedro covarde era agora um gigante. O Pedro que negara a Jesus dava agora ousado testemunho de Jesus.

Às 3 horas da tarde, Pedro e João foram ao templo orar, e um milagre aconteceu. Um paralítico, coxo de nascença, com mais de 40 anos de idade, foi curado em nome de Jesus, o Nazareno. A multidão se ajuntou, Pedro pregou o seu segundo sermão e a igreja cresceu para cinco mil membros.

A reação do Sinédrio foi imediata. Uma igreja cheia do Espírito atrai as almas para Jesus e a oposição do mundo. As autoridades prenderam e ameaçaram os apóstolos. Contudo, longe de calarem sua voz, eles anunciaram ainda com mais intrepidez o nome de Jesus.

Ninguém pode deter os passos de uma igreja cheia do Espírito. Ninguém pode intimidar uma igreja cheia do poder do alto. Jesus falou a respeito de igrejas mornas, igrejas mortas, igrejas sem amor, igrejas tolerantes ao pecado, mas aqui há uma igreja irresistível.

Quais são as marcas de uma igreja cheia do Espírito Santo?

Uma igreja cheia do Espírito enfrenta **perseguições** (4.1-22)

A igreja deve esperar o poder do céu e a oposição do mundo, o revestimento de poder do Espírito e a perseguição dos homens. Uma igreja cheia do Espírito enfrentará lutas. Vejamos quais são essas lutas.

Em primeiro lugar, *a inveja dos líderes religiosos* (4.1,2). *Falavam eles ainda ao povo quando sobrevieram os sacerdotes, o capitão do templo e os saduceus, ressentidos por ensinarem eles o povo e anunciarem, em Jesus, a ressurreição dentre os mortos.* É interessante que, embora formassem o grupo que mais se opôs a Jesus durante o Seu ministério, em Atos, os fariseus quase ficam amigáveis com a igreja, ao passo que os saduceus (que não figuram nos evangelhos até os últimos dias de Jesus) se tornam os líderes da oposição.[1]

John Stott diz que Lucas deixa bem claro que duas ondas de perseguição contra a igreja foram iniciadas pelos saduceus (4.1; 5.17). Eles eram a classe governante dos aristocratas ricos. Politicamente, integraram-se ao sistema romano e adotaram uma atitude de colaboração. Teologicamente, criam que a era messiânica havia iniciado no período dos macabeus; portanto, não estavam à espera de um Messias. Também não acreditavam na doutrina da ressurreição. Assim, viram os apóstolos como hereges e agitadores. Por consequência, eles ficaram ressentidos com o que os apóstolos estavam ensinando ao povo.[2]

---

[1]MARSHALL, I. Howard. *Atos: introdução e comentário*, 1982, p. 97.
[2]STOTT, John. *A mensagem de Atos*, p. 105.

Os sacerdotes procediam do partido dos saduceus e tomavam conta do templo e das coisas alusivas ao culto. Eles transformaram a casa de Deus num covil de salteadores e numa praça de comércio. Já estavam estremecidos com Jesus desde que este virou as mesas dos cambistas (Mt 21.12-15). O ensino de Jesus era uma ameaça para eles. Além do mais, os saduceus eram liberais e não acreditavam em anjos, em espíritos e na doutrina da ressurreição, tema central da pregação dos apóstolos (23.8). Em decorrência, tomados de inveja, os sacerdotes se fizeram acompanhar do capitão do templo e dos saduceus para tirar satisfação com Pedro e João. O alto funcionário encarregado de preservar a ordem do templo era subordinado apenas ao próprio sumo sacerdote.[3]

Em segundo lugar, *a prisão dos apóstolos* (4.3). *E os prenderam, recolhendo-os ao cárcere até ao dia seguinte, pois já era tarde.* Werner de Boor diz que Pedro e João passaram a primeira noite numa cela de prisão. É a primeira noite de muitas que milhares de mensageiros de Jesus passarão desse modo.[4] É importante ressaltar que a milagrosa cura do coxo aconteceu às 3 horas da tarde e, quando esses xerifes da religião chegaram, o dia já declinava. Então, usando da força, encerraram prepotentemente os dois na prisão. Pensaram com isso intimidar os apóstolos, porém, o tiro saiu pela culatra. Longe de recuarem de medo, os apóstolos se tornaram mais ousados. Longe de impedir as pessoas de se agregarem à igreja, essa atitude truculenta acelerou ainda mais o seu crescimento. Como já afirmamos, nos evangelhos encontramos os fariseus como os principais oponentes de Cristo. No entanto, quando Jesus purificou o templo, ele provocou a ira dos saduceus ao ameaçar tanto o seu prestígio quanto os seus bolsos. A partir daí, eles se tornaram os principais instigadores de sua morte.[5]

Em terceiro lugar, *o crescimento espantoso da igreja* (4.4). *Muitos, porém dos que ouviram a palavra a aceitaram, subindo o número de homens a quase cinco mil.* A perseguição nunca impediu o crescimento da igreja. Quanto mais a igreja é perseguida, mais avança no poder do Espírito.

---

[3] EARLE, Ralph. *Livro dos Atos dos Apóstolos*, p. 231.
[4] DE BOOR, Werner. *Atos dos Apóstolos*, p. 76.
[5] EARLE, Ralph. *Livro dos Atos dos Apóstolos*, p. 231.

A prisão dos apóstolos não fechou a porta da igreja para a entrada de novos conversos. Nenhuma ameaça pode deter os passos de uma igreja cheia do Espírito Santo de Deus.

Em quarto lugar, *a confusão dos adversários* (4.5-7). *No dia seguinte, reuniram-se em Jerusalém as autoridades, os anciãos e os escribas com o sumo sacerdote Anás, Caifás, João, Alexandre e todos os que eram da linhagem do sumo sacerdote; e, pondo-se perante eles, os arguiram: Com que poder ou em nome de quem fizestes isto?* Marshall diz que os três grupos mencionados são provavelmente os três componentes do Sinédrio.

Os *anciãos* eram os líderes leigos da comunidade, sem dúvida, chefes das principais famílias aristocráticas, cuja maioria delas adotava o ponto de vista dos saduceus. Os *escribas* provinham da classe dos doutores na lei, e a maioria pertencia ao partido dos fariseus. O outro grupo mencionado, as *autoridades*, deve ser identificado com o elemento sacerdotal no Sinédrio; às vezes chamados de principais sacerdotes, eram os detentores das várias posições oficiais na administração do templo. Podemos notar, de passagem, como os negócios do templo estavam firmemente nas mãos de algumas poucas famílias poderosas.[6] De acordo com Warren Wiersbe, o sistema religioso judaico se tornara tão corrupto que os cargos eram passados de um parente para outro sem nenhuma consideração pela Palavra de Deus. Quando Anás foi deposto do sacerdócio, seu genro Caifás foi indicado para tomar seu lugar. Aliás, os cinco filhos de Anás ocuparam, em algum momento, um cargo oficial. Alguém definiu "nepotismo" como "a prática de homens que são maus, mas sabem dar boas dádivas aos seus filhos".[7]

O Sinédrio judaico era composto de setenta membros mais o sumo sacerdote, que era o presidente. Os apóstolos não esperavam justiça desse tribunal, que contratou testemunhas falsas para sentenciar Jesus à morte.

A pregação dos apóstolos e a milagrosa cura do coxo perturbaram profundamente a liderança religiosa de Jerusalém. Eles se viram diante de um sério impasse. O homem coxo era assaz conhecido. De fato, era um paralítico de nascença, que há quarenta anos esmolava à porta

---

[6]MARSHALL, I. Howard. *Atos: introdução e comentário*, 2002, p. 98.
[7]WIERSBE, Warren W. *Comentário bíblico expositivo*, p. 538.

do templo. A cura havia sido notória, pública e irrefutável. De onde, porém, vinha esse poder? Qual era a fonte de tão extraordinário milagre? Eles estavam confusos e perplexos. Sabiam que algo insólito havia acontecido, mas não tinham explicações. Anteriormente os principais sacerdotes tinham perguntado a Jesus com que *autoridade* (*exousia*) ele havia purificado o templo e ensinava o povo (Mt 21.23). Agora, porém, eles perguntaram aos apóstolos com que poder (*dynamis*) eles tinham curado o homem coxo.

Em quinto lugar, *a resposta ousada de Pedro* (4.8-12). Lucas registra a resposta de Pedro, com as seguintes palavras:

> *Então, Pedro, cheio do Espírito Santo, lhes disse: Autoridades do povo e anciãos, visto que hoje somos interrogados a propósito do benefício feito a um homem enfermo e do modo por que foi curado, tomai conhecimento, vós todos e todo o povo de Israel, de que, em nome de Jesus Cristo, o Nazareno, a quem vós crucificastes, e a quem Deus ressuscitou dentre os mortos, sim, em seu nome é que este está curado perante vós. Este Jesus é pedra rejeitada por vós, os construtores, a qual se tornou a pedra angular. E não há salvação em nenhum outro; porque abaixo do céu não existe nenhum outro nome, dado entre os homens, pelo qual importa que sejamos salvos (4.8-12).*

Os apóstolos falaram diante de uma audiência composta pelos homens mais ricos, mais intelectuais e mais poderosos do país; não obstante, Pedro, o pescador da Galileia, esteve entre eles mais como um juiz do que como réu. Pedro acusa o mesmo tribunal que meses antes havia sentenciado Jesus à morte. Os apóstolos sabiam que poderiam receber a mesma sentença. No entanto, não se intimidaram.[8] Concordo com Marshall quando diz: "A igreja não pode obedecer a ordens no sentido de renunciar a sua atividade mais característica, o testemunho do Senhor ressurreto, embora deva pagar o preço da sua recusa do silêncio".[9]

Ao serem interpelados pelas autoridades (3.7-10), Pedro não atribui o milagre ao seu próprio poder nem se preocupa com a própria pele,

---

[8]BARCLAY, William. *Hechos de los Apóstoles*, p. 47.
[9]MARSHALL, I. Howard. *Atos: introdução e comentário*, 1982, p. 96.

com ameaças ou com a morte. Ele não aproveita o momento para se promover nem para dizer que era um homem poderoso. Não atribui a si mesmo glória alguma pelo milagre, mas dá todo o crédito a Jesus Cristo, o Nazareno. Ele exalta a Jesus (4.10). O que o inimigo mais deseja é que façamos o contrário. Nas horas de sofrimento a primeira pergunta não é: o que fazer para ficar livre do sofrimento? Mas: o que fazer para que nessa situação de dor o nome do Senhor seja glorificado? O propósito último da nossa vida é glorificar a Deus!

Pedro aproveita o ensejo para acusar seus interrogadores, culpando-os de terem crucificado a Jesus, ao mesmo tempo que proclama a ação de Deus, ao ressuscitá-Lo dentre os mortos. Para Werner de Boor, a defesa se transforma em anúncio direto, o réu se torna uma clara testemunha, o acusado passa a ser um acusador sério.[10] Esta é a terceira vez que Pedro usa essa fórmula vívida: *a quem vós crucificastes, e a quem Deus ressuscitou* (2.23,24; 3.15; 4.10). O apóstolo deixa claro que Jesus é a pedra angular que os judeus rejeitaram e o único Salvador debaixo do céu que pode dar ao homem a vida eterna. Justamente os "construtores", os responsáveis pela construção de Israel, haviam considerado a pedra Jesus como imprestável. Deus, porém, o transformou preciosamente em *pedra angular*. Jesus é a pedra fundamental que sustenta o edifício da igreja (Ef 2.20; 1Co 3.11). Ele é a pedra final, que dá sustentação a todo orifício. Rejeitado pelos especialistas eclesiásticos e teológicos, Jesus foi transformado por Deus em pedra angular.[11]

John Stott diz que Pedro passa da cura à salvação, do particular ao geral. Ele vê a cura física de um homem como uma ilustração da salvação que é oferecida a todos em Cristo. Os dois negativos (*nenhum outro* e *nenhum outro nome*) proclamam a singularidade positiva do nome de Jesus. A sua morte e ressurreição, a sua exaltação e autoridade fazem dEle o único Salvador, já que nenhum outro possui tais qualificações.[12]

Em sexto lugar, ***a constatação inevitável dos líderes*** (4.13,14). *Ao verem a intrepidez de Pedro e João, sabendo que eram homens iletrados e incultos,*

---

[10] DE BOOR, Werner. *Atos dos Apóstolos*, p. 78.
[11] DE BOOR, Werner. *Atos dos Apóstolos*, p. 78.
[12] STOTT, John. *A mensagem de Atos*, p. 107.

admiraram-se; e reconheceram que haviam eles estado com Jesus. Vendo com eles o homem que fora curado, nada tinham que dizer em contrário. O que impressionou o tribunal nas observações foi a sua intrepidez em anunciá-las. Foi esta qualidade que os discípulos posteriormente pediram em oração (4.29,31) e que caracterizou a sua maneira de falar em público (9.27,28; 13.46; 14.3; 18.26; 19.8; 26.26; Ef 6.20; 1Ts 2.2).[13]

O adjetivo inicial, *agrammatoi*, (iletrados), significa sem treinamento técnico nas escolas rabínicas profissionais; o seguinte, *idiotai*, traduzido por incultos, significa leigos, alguém sem conhecimento profissional, sem instrução, sem educação, sem estudo.[14] Pedro e João não tinham prata nem ouro, mas tinham poder. Pedro e João eram iletrados e incultos, mas tinham intrepidez. Pedro e João não tinham prestígio nas altas rodas da liderança religiosa de Israel, mas haviam estado com Jesus. Pedro e João não ocupavam cargos de liderança, mas tinham provas irrefutáveis de um ministério eficaz. Eles estavam presos, mas todos sabiam que tinham estado com Jesus, o libertador. Eles possuíam um milagre para apresentar. O maior argumento do evangelho é um homem transformado, um coxo andando, um cego vendo, um bêbado sóbrio, um drogado cheio do Espírito, um blasfemo reverente, um avarento honesto. O cristianismo é a religião dos fatos. O ateu desafiou o crente acerca de sua fé. O crente respondeu: "Traga-me um homem que foi transformado pelo ateísmo e lhe apresentarei um séquito de ladrões, prostitutas e avarentos que foram transformados por Jesus".

Em sétimo lugar, **a perplexidade dos líderes** (4.15,16). *E, mandando-os sair do Sinédrio, consultavam entre si, dizendo: Que faremos com estes homens? Pois, na verdade, é manifesto a todos os habitantes de Jerusalém que um sinal notório foi feito por eles, e não o podemos negar.* O Sinédrio estava em polvorosa. Fariam tudo para ocultar a milagrosa cura do coxo de nascença ou até mesmo negá-la, mas duas coisas eram irrefutáveis: os agentes do milagre e o beneficiado pelo milagre. Sabiam que Pedro e João haviam sido os agentes. E sabiam que o homem curado

---

[13] MARSHALL, I. Howard. *Atos: introdução e comentário*, 1982, p. 100.
[14] EARLE, Ralph. *Livro dos Atos dos Apóstolos*, p. 233,234; STOTT, John. *A mensagem de Atos*, p. 107.

era conhecido por toda a cidade. Esses fatos eram públicos e notórios. Contra as evidências dos fatos não há argumentos.

Em oitavo lugar, *a decisão desesperada do Sinédrio* (4.17,18). *Mas, para que não haja maior divulgação entre o povo, ameacemo-los para não mais falarem neste nome a quem quer que seja. Chamando-os, ordenou-lhes que absolutamente não falassem, nem ensinassem em o nome de Jesus.* Ameaça e proibição foram as armas usadas pelos líderes do Sinédrio judaico. O Sinédrio se opõe aos pregadores e à pregação. Ameaça os pregadores e proíbe a pregação. Os membros do Sinédrio estão constrangidos com a intrepidez de Pedro e João e impotentes diante do poder do nome de Jesus.

Em nono lugar, *a resposta ousada de Pedro e João* (4.19,20). *Mas Pedro e João responderam: Julgai se é justo diante de Deus ouvir-vos antes a vós outros do que a Deus; pois nós não podemos deixar de falar das coisas que vimos e ouvimos.* A autoridade de Deus está acima da autoridade dos homens. Quando uma autoridade humana torna-se absolutista, precisamos desobedecê-la para obedecermos a Deus. As parteiras hebreias e os pais de Moisés sabiam que era errado matar os bebês hebreus. Daniel e seus amigos sabiam que era errado consumir alimentos oferecidos a ídolos ou curvar-se diante de ídolos em adoração. Pedro e João sabiam que estavam seguindo as ordens do Mestre de pregar o evangelho até aos confins da terra e que seria errado obedecer ao Sinédrio.[15] O Sinédrio queria amordaçar os apóstolos e proibir a proclamação do nome de Cristo. Mas aqueles pescadores cheios do Espírito Santo enfrentaram com coragem o Sinédrio, a despeito de todo seu vasto conhecimento e prepotência, dizendo que tinham visto e ouvido coisas que precisavam proclamar, mesmo diante de tão peremptória proibição.

Pedro e João estavam à frente dos homens que haviam matado Jesus, mas não se intimidaram. O Sinédrio possuía 70 membros, entre sacerdotes (saduceus), escribas, fariseus e anciãos.

Os dois apóstolos disseram: Nós vimos fatos! Vimos o Senhor Jesus morrer. Vimos Jesus ressuscitar. Vimos Seus milagres. Vimos cegos,

---

[15] WIERSBE, Warren W. *Comentário bíblico expositivo*, p. 540.

coxos, leprosos serem curados. Presenciamos tudo isso. Fomos transformados e conquistados por esse poder.

Diziam de John Knox: "Esse homem teme tanto a Deus, que não tem medo de homem algum".[16]

Quando o carrasco de Perpétua* a estava intimidando na arena da morte, ela disse: "Viva, eu te vencerei; na minha morte, vencer-te-ei ainda mais".

Nas horas de perigo, o diabo vem negociar: "Cuidado, se você não ceder, vai se prejudicar". "Assine esse documento, e você vai se sair bem". "Faça tudo que o patrão mandar, senão você será mandado embora". "Dê propina, senão você perderá esse negócio".

Quando Pedro tentou a Jesus, buscando afastá-lo da cruz, Jesus foi enfático: *Arreda, satanás*. Com o diabo não há negociação possível. O diabo é estelionatário. A mentira do diabo é: *Tudo te darei se, prostrado, me adorares*. Isso não é verdade. O diabo não é dono de nada. O diabo não tem nada. Não dá nada. Ele tira tudo: sua paz, sua dignidade e até sua alma. É por isso que os covardes não entrarão no reino de Deus. Não devemos temer os que matam o corpo, mas não podem matar a alma.

Devemos cantar como Lutero: "Se nos quisessem devorar demônios não contados, não nos iriam derrotar nem ver-nos assustados...".

Em décimo lugar, *a postura covarde do Sinédrio* (4.21,22). *Depois, ameaçando-os mais ainda, os soltaram, não tendo achado como os castigar, por causa do povo, porque todos glorificavam a Deus pelo que acontecera. Ora, tinha mais de quarenta anos aquele em quem operara essa cura milagrosa*. O Sinédrio se viu encurralado porque a verdade dos fatos estava contra eles. Os apóstolos incultos e iletrados não recuaram diante de suas arrogantes ameaças. O povo dava mais crédito ao que via e ouvia da parte dos apóstolos do que às suas prepotentes ameaças. O milagre irrefutável desarticulou toda a ação desses líderes insolentes.

---

[16]BARCLAY, William. *Hechos de los Apóstoles*, p. 49.
*[NR] Jovem cristã martirizada em Cartago, no início do século III, sob o reinado de Sétimo Severo (193-211).

Uma igreja cheia do Espírito triunfa nas adversidades (4.23-31)

A igreja de Cristo sempre cresceu e avançou quando as coisas estavam difíceis. Uma igreja cheia do Espírito, ao ser perseguida, triunfa sobre as adversidades. Vemos, no texto em apreço, algumas atitudes dos apóstolos Pedro e João em face da perseguição e como a igreja triunfou sobre as adversidades.

Em primeiro lugar, *uma igreja cheia do Espírito busca a companhia dos irmãos nos tempos de tribulação* (4.23). *Uma vez soltos, procuraram os irmãos e lhes contaram quantas coisas lhes haviam dito os principais sacerdotes e os anciãos.* A igreja é o recurso que Deus providenciou para nos encorajar. A igreja é a sala de emergência do Espírito Santo para incentivar e consolar as pessoas. Gente precisa de Deus, mas gente precisa de gente. Nós precisamos dos irmãos. Não é possível viver o cristianismo sem a igreja. Você precisa da igreja. Você faz parte do corpo. Até Jesus, na Sua dor, chamou três dos Seus discípulos para estar perto dEle. A igreja não desencorajou os apóstolos. Não jogou medo no coração deles. Mas começou uma poderosa reunião de oração. Na igreja as portas do céu se abrem. Em Betel, casa de Deus, a escada liga a terra ao céu. Na sua aflição não fuja da igreja, busque a igreja. É na casa de Deus que brotam as soluções do céu para sua vida (Is 6 e Sl 73).

Em segundo lugar, *uma igreja cheia do Espírito busca o Senhor Todo-poderoso em oração* (4.24-26). Lucas faz o seguinte registro:

> *Ouvindo isto, unânimes, levantaram a voz a Deus e disseram: Tu, Soberano Senhor, que fizeste o céu, a terra, o mar e tudo o que neles há; que disseste por intermédio do Espírito Santo, por boca de Davi, nosso pai, teu servo: Por que se enfureceram os gentios, e os povos imaginaram coisas vãs? Levantaram-se os reis da terra, e as autoridades ajuntaram-se à uma contra o Senhor e contra o seu Ungido (4.24-26).*

A primeira perseguição dos apóstolos foi seguida por uma reunião de oração da igreja. O melhor método de enfrentar a oposição é sempre a oração. A ação dos discípulos não foi de ira nem de desejo de vingança. Em vez disso, eles recorreram à oração.[17] A igreja é o povo que busca a Deus em oração nas horas de dificuldades. A oração é arma de guerra. Quando nos curvamos diante de Deus, levantamo-nos diante dos homens. Quando colocamos os nossos olhos em Deus, perdemos o medo da ameaça dos homens.

Como a igreja orou? De que forma aqueles crentes ergueram unanimemente aos céus a sua oração?

Eles trouxeram à mente a soberania de Deus (4.24). A igreja se dirigiu a Deus como *Despotes,* Soberano Senhor, termo designado para denominar um proprietário de escravos e uma autoridade de poder inquestionável. O Sinédrio podia fazer ameaças e proibições, e tentar silenciar a igreja, mas a autoridade deles estava sujeita a uma autoridade maior. Os decretos humanos não podem passar por cima dos decretos de Deus.[18] Não era o Sinédrio judaico que estava no controle da situação, nem mesmo os césares de Roma, mas o Deus Todo-poderoso que está assentado no trono do universo. Precisamos saber que Deus está no trono. Nada acontece fora de Sua vontade e de Seu propósito. Às vezes, ficamos perturbados porque não paramos para meditar sobre a majestade de Deus. Concordo com Marshall quando ele diz: "É fútil para os homens urdir tramas contra o Deus que não somente criou o universo inteiro como também previu estas coisas vãs".[19]

De acordo com A. W. Tozer, o maior problema da igreja é que ela não medita o suficiente acerca da grandeza do seu Deus. Precisamos contemplar o Senhor em Sua glória, majestade e poder. Qual é o tamanho do seu Deus? O profeta Isaías pensou nisso e disse que o nosso Deus é Aquele que mediu as águas dos mares na concha da Sua mão e pesou o pó da terra em balança de precisão. O nosso Deus é Aquele que criou e chama cada estrela pelo nome e está assentado sobre a redondeza da terra (Is 40.12-26). O nosso Deus é o Criador dos céus e da terra. Ele o soberano que a tudo e a todos governa.

---

[17] EARLE, Ralph. *Livro dos Atos dos Apóstolos*, p. 235.
[18] STOTT, John. *A mensagem de Atos,* p. 109.
[19] MARSHALL, I. Howard. *Atos: introdução e comentário,* 1982, p. 104.

Às vezes, esquecemos, que Deus é Deus. Às vezes pensamos que estamos à mercê da crise internacional, que estamos nas mãos dos políticos de Brasília ou que a nossa vida depende da empresa onde trabalhamos. Nossa vida está nas mãos do Deus vivo, o mesmo que criou o céu e a terra. Devemos aquietar-nos e saber que Ele é Deus.

Por isso, quando os apóstolos foram presos, não protestaram nem apelaram. Eles oraram! Podemos cantar: "Com tua mão, segura bem a minha". Certa vez o enviado papal advertiu Martinho Lutero de que ele seria severamente punido caso continuasse em seu caminho e o preveniu que ao final todos os seus seguidores o abandonariam. O emissário então perguntou-lhe: "O que você fará quando isso acontecer, Lutero?" Ele respondeu: "Então, como agora, eu estarei nas mãos de Deus".[20]

Eles oraram fundamentados na Palavra de Deus (4.25,26). A igreja conhecia a Palavra e citou o Salmo 2 para mostrar que a rebelião humana contra Jesus foi prevista por Deus e não colocava em risco a soberania divina. Todos os acontecimentos estavam nos planos eternos de Deus. Na hora da aflição, a igreja buscou a Palavra de Deus e descobriu que eles não estavam nas mãos do acaso ou das autoridades judaicas e romanas, mas nas mãos do Todo-poderoso, que governa a história. Werner de Boor diz com razão que os planos dos inimigos não apenas fracassaram, mas sua execução bem-sucedida somente foi capaz de realizar aquilo *que a Tua mão e o Teu propósito predeterminaram que aconteça*. Ver o mundo e a história mundial dessa maneira é crer.[21]

Em terceiro lugar, **uma igreja cheia do Espírito entende que a maldade humana não frustra os desígnios de Deus** (4.27,28). *Porque verdadeiramente se ajuntaram nesta cidade contra o Teu santo Servo Jesus, ao qual ungiste, Herodes e Pôncio Pilatos, com gentios e gente de Israel, para fazerem tudo o que a Tua mão e o Teu propósito predeterminaram.* As trevas odeiam a luz. Quando se trata de combater o bem, o mal reúne todas as suas forças numa abominável coalizão. Herodes e Pilatos eram inimigos, mas se uniram contra Jesus. Judeus e gentios eram inimigos, mas uniram-se para condenar Jesus. Essa orquestração, porém, longe de

---

[20] BARCLAY, William. *Hechos de los Apóstoles*, p. 50.
[21] DE BOOR, Werner. *Atos dos Apóstolos*, p. 83.

frustrar os desígnios de Deus, cumpriu seu soberano propósito. A soberania de Deus não anula a responsabilidade humana, nem a maldade humana frustra os soberanos propósitos divinos.

Em quarto lugar, **uma igreja cheia do Espírito não pede a cessação do problema, mas poder para testemunhar no meio dos problemas** (4.29). *Agora, Senhor, olha para as suas ameaças e concede aos Teus servos que anunciem com toda a intrepidez a Tua palavra.* De acordo com Warren Wiersbe, a verdadeira oração não consiste em dizer a Deus o que fazer, mas em pedir que Deus faça sua vontade em nós e por meio de nós. É pedir que a vontade de Deus seja feita na terra, não que a vontade humana seja feita no céu.[22] Os crentes pediram que Deus olhasse para o problema. Eles não eram masoquistas. Não pediram sofrimento. Não pediram o fim das ameaças, mas poder para testemunhar. Às vezes, nossas orações apenas visam o fim do sofrimento, mas não pedimos poder. Somos humanistas. Perdemos a visão do propósito de Deus na nossa dor. Em vez de ficarem tremendo de medo, eles pediram: Jesus, mostra o Teu poder (4.30). A igreja pede poder para testemunhar a Palavra de Deus com toda a intrepidez.

Hoje, muitas igrejas deixaram a Palavra e começaram a pregar as novidades do mercado da fé. Deixaram o evangelho da graça para pregar a prosperidade. Deixaram a mensagem da cruz para pregar os supostos milagres realizados por supostos homens de Deus. Deixaram de pregar o arrependimento para pregar a autoajuda. Deixaram de pregar o novo nascimento para pregar a prosperidade financeira. Deixaram de pregar o evangelho para pregar outro evangelho. A igreja anunciava com intrepidez a Palavra, não um engodo de *marketing*. Hoje, muitas igrejas buscam a psicanálise, as psicologias humanistas e as pesquisas de mercado para saber o que o povo quer ouvir. Precisamos pregar a Palavra com ousadia. A igreja precisa voltar à Palavra. Carecemos de uma nova reforma na igreja.

Em quinto lugar, **uma igreja cheia do Espírito tem expectativa da ação milagrosa de Deus em seu meio** (4.30). *Enquanto estendes a mão para fazer curas, sinais e prodígios por intermédio do nome do Teu santo Servo*

---

[22] WIERSBE, Warren W. *Comentário bíblico expositivo*, p. 541.

Jesus. A igreja não pedia milagres de vingança ou destruição, como fogo dos céus, mas, sim, milagres de misericórdia.[23]

A igreja tinha a agenda aberta para as intervenções portentosas de Deus. Orava pela manifestação do poder de Deus. Tinha convicção do poder de Jesus para curar e fazer sinais e prodígios. Hoje, muitas igrejas parecem ortodoxas, mas não creem mais na intervenção de Deus na história e abandonaram a piedade. Parecem bíblicas, mas não conhecem o poder. Uma igreja cheia do Espírito está aberta para ver os prodígios realizados por Jesus. Hoje, tentamos justificar nossa aridez espiritual, criando mecanismos teológicos que dizem que o tempo dos milagres acabou. Os discípulos pedem poder para pregar. Mas o poder para fazer milagres não é administrado por eles. É Jesus quem faz milagres. É Jesus quem realiza maravilhas. Aquela igreja estava aberta para o extraordinário e o extraordinário aconteceu (5.12-16). Temos nós orado pelos enfermos? Temos crido na conversão daqueles que alguns julgam impossível serem salvos?

Em sexto lugar, **uma igreja cheia do Espírito é revestida com poder para pregar a Palavra com autoridade** (4.31). *Tendo eles orado, tremeu o lugar onde estavam reunidos; todos ficaram cheios do Espírito Santo e, com intrepidez, anunciavam a Palavra de Deus.* Em resposta a essa oração sincera e unânime, a casa onde estavam reunidos tremeu e os discípulos tornaram-se mais inabaláveis, pois ficaram cheios do Espírito Santo e, com intrepidez, anunciavam a Palavra de Deus. Marshall diz que o aposento em que estavam os discípulos tremeu como se houvesse um terremoto. Este era um dos sinais que indicavam uma teofania no Antigo Testamento (Êx 19.18; Is 6.4), e teria sido considerado um indício da resposta divina à oração. O sentido, portanto, é que Deus mostrou que estava presente e responderia à oração. Mais uma vez, o Espírito Santo veio sobre os discípulos, e estes receberam a confiança que pediram, para falarem bem a Palavra de Deus.[24]

Werner de Boor argumenta que o Espírito Santo não é um "fluido" que continua mecanicamente igual após derramado, mas é uma pessoa

---

[23] STOTT, John. *A mensagem de Atos*, p. 110.
[24] MARSHALL, I. Howard. *Atos: introdução e comentário*, 1982, p. 106.

viva, que, conforme a situação e a atitude dos fiéis, torna Sua presença eficaz de forma nova e especial, "plenificando" os que creem. Esse "plenificar" torna-se eficaz no anúncio intrépido da Palavra de Deus. Sob a oração com fé, a proibição de falar transforma-se no irrompimento de uma nova e larga torrente de proclamação.[25]

Não há evangelização eficaz sem o poder do Espírito Santo. Charles Spurgeon subia as escadas do púlpito da igreja do Tabernáculo, em Londres, dizendo: "Eu creio no Espírito Santo, eu dependo do Espírito Santo". Sem o Espírito Santo nem uma alma pode ser convertida. É mais fácil um leão tornar-se vegetariano do que uma pessoa converter-se a Cristo sem a obra do Espírito Santo. Fazer a obra de Deus sem o poder do Espírito é o mesmo que tentar cortar lenha com o cabo do machado. Precisamos ser continuamente cheios do Espírito. O enchimento de ontem não serve mais para hoje (2.4; 4.8; 4.31).

Concluo este capítulo com o solene alerta de John Stott: "Não temos a liberdade de ditar a Deus o que Ele pode ou não fazer. E se hesitarmos diante de algumas evidências de 'sinais e prodígios' hoje em dia, precisamos conferir se não confinamos Deus e a nós mesmos na prisão da descrença racionalista ocidental".[26]

---

[25] DE BOOR, Werner. *Atos dos Apóstolos*, p. 84.
[26] STOTT, John. *A mensagem de Atos*, p. 111.

5
A igreja sob ataque

Atos 4.32–5.42

A IGREJA RECEBE O PODER DO ESPÍRITO SANTO e ao mesmo tempo provoca a fúria de satanás. Ganha o favor de Deus e ao mesmo tempo a oposição do mundo. Três foram as tentativas de paralisar a igreja. A primeira foi a perseguição (At 4), o ataque de fora para dentro. A segunda foi a infiltração (At 5), o ataque de dentro para fora. A terceira foi a distração (At 6), a perda das prioridades. Os apóstolos enfrentaram esses três ataques com oração e intrépido testemunho da Palavra.

O texto em apreço nos oferece um profundo contraste entre a atitude de Barnabé e a conduta de Ananias e Safira. Todos eram membros da igreja. Todos venderam uma propriedade, levaram os valores e depositaram aos pés dos apóstolos. A diferença entre eles era a motivação. Barnabé foi inspirado pelo amor; Ananias e Safira, pelo egoísmo. Barnabé ofertou para a glória de Deus; Ananias e Safira, para sua própria glória. Barnabé foi inspirado pelo Espírito Santo; Ananias e Safira, por satanás.

Vamos analisar o texto e extrair algumas preciosas lições.

O testemunho altruísta da igreja (4.32-37)

A plenitude do Espírito (4.31) manifesta-se através da unidade espiritual e do amor solidário. John Stott diz que a plenitude do Espírito se evidencia tanto nos atos como nas palavras, tanto no serviço como no testemunho, tanto no amor pela família como na proclamação ao mundo.[1] O fato de Pedro e João terem sido presos, interrogados e ameaçados não afetou, de maneira alguma, a vida espiritual da igreja, pois ela continuava unida (4.32), com grande poder (4.33) e multiplicando-se (4.32).[2]

Destacamos aqui três verdades preciosas.

Em primeiro lugar, *o amor traduzido em ação* (4.32, 34,35). Lucas relata esse fato, como segue:

> *Da multidão dos que creram era um o coração e a alma. Ninguém considerava exclusivamente sua nem uma das coisas que possuía; tudo, porém, lhes era comum [...]. Pois nenhum necessitado havia entre eles, porquanto os que possuíam terras ou casas, vendendo-as, traziam os valores correspondentes e depositavam aos pés dos apóstolos; então, se distribuía a qualquer um à medida que alguém tinha necessidade (4.32,34,35).*

Crentes cheios do Espírito têm o coração aberto e o bolso também. O amor não consiste naquilo que falamos, mas no que fazemos. A comunhão passa pelo compartilhar. A unidade da igreja transformou-se em solidariedade. Pessoas eram mais importantes do que coisas, pois os crentes adoravam a Deus, amavam as pessoas e usavam as coisas.

John Stott destaca que a venda de propriedades era voluntária e esporádica, à medida que surgia a necessidade de dinheiro.[3] Adolf Pohl diz que aqui não se ensaiava um novo modelo social nem se definia um novo "conceito de propriedade".[4] William Barclay é claro nesse ponto: "A sociedade chega a ser verdadeiramente cristã não quando a lei nos obriga a repartir, mas quando o coração nos move a fazê-lo".[5]

O reformador João Calvino, já no século XVI, ao analisar o texto em questão, escreve de forma vívida:

---

[1] STOTT, John. *A mensagem de Atos*, p. 117.
[2] WIERSBE, Warren W. *Comentário bíblico expositivo*, p. 544.
[3] STOTT, John. *A mensagem de Atos*, p. 118.
[4] POHL, Adolf. *Atos dos Apóstolos*. 2002, p. 85.
[5] BARCLAY, William. *Hechos de los Apóstoles*, p. 51.

Seria preciso que tivéssemos corações mais duros do que o aço para não sermos tocados pela leitura desta narrativa. Naqueles dias os crentes davam abundantemente daquilo que era deles; hoje, não nos contentamos em guardar egoisticamente aquilo que é nosso, mas, insensíveis, queremos roubar os outros. Eles vendiam os seus próprios bens naqueles dias; hoje, é o desejo de possuir que reina supremo. Naquele tempo, o amor fez com que a propriedade de cada homem se tornasse a propriedade comum para todos os necessitados; hoje, a desumanidade de muitos é tão grande que de má vontade concedem que o pobre more nesta terra e desfrute a água, o ar e o céu juntamente com eles.*

Em segundo lugar, *a pregação revestida de poder* (4.33). *Com grande poder, os apóstolos davam testemunho da ressurreição do Senhor Jesus, e em todos eles havia abundante graça.* A igreja pediu poder para anunciar a Palavra com intrepidez (4.31) e Deus respondeu à oração, pois os apóstolos, com grande poder, dão testemunho da ressurreição (4.33). Não há pregação eficaz sem poder. Martyn Lloyd-Jones diz que pregação é lógica em fogo. O apóstolo Paulo instrui que a pregação deve ser feita no poder e na demonstração do Espírito (1Co 2.4; 1Ts 1.5).

Em terceiro lugar, *o altruísmo exemplificado* (4.36,37). *José, a quem os apóstolos deram o sobrenome de Barnabé, que quer dizer filho de exortação, levita, natural de Chipre, como tivesse um campo, vendendo-o, trouxe o preço e o depositou aos pés dos apóstolos.* Barnabé era um homem bom. Sempre investiu na vida das pessoas. Sempre esteve envolvido em importantes serviços para a igreja (9.27; 11.22-26,29,30; 13.1-3; 14.12,20,27,28; 15.2). Aqui ele abre mão de uma propriedade para assistir os necessitados da igreja. Mais tarde, ele investe na vida de Saulo. Depois, investe na vida de João Marcos. Sua motivação é ajudar as pessoas e demonstrar a elas o amor de Cristo. Sua fé era demonstrada por obras. Ao ver a necessidade de outros irmãos, Barnabé vende um campo e entrega o dinheiro aos apóstolos para suprir essas necessidades. Seu amor não era apenas de palavras, mas demonstrado por meio de obras.

---

*[NE] CALVIN, John. *Calvin's Commentaries*. Baker Books, Grand Rapids, MI. Vol. XVIII. 2009: Vol. p. 192,193.

A hipocrisia maligna na igreja (5.1-11)

O gesto de desprendimento de Barnabé despertou a admiração dos crentes. No meio daquele entusiasmo, Ananias e Safira, membros da igreja de Jerusalém, cobiçaram a mesma honra. Adolf Pohl alerta para o fato de que a invasão de satanás no espaço da igreja acontece sempre que qualquer comunhão devota corre perigo. Ao doar, orar e jejuar, muito facilmente desviamos o olhar de Deus e focamos os aplausos das pessoas. Essa é a hipocrisia sutil que ameaça permanentemente nossa vida de fé. Em Mateus 6.1-6,16-18 Jesus mostra esse perigo. Será que essa hipocrisia, desmascarada por Jesus, dos devotos de Seu povo, e explicada com a terrível metáfora dos *sepulcros caiados* (Mt 23.27), também se repetirá em sua própria igreja, infligindo-lhe uma ferida mortal? É a partir dessa questão decisiva que precisamos ler o relato sobre Ananias e Safira, compreendendo assim o juízo aterrador que Deus executou naquela ocasião.[6]

Até ali tudo tinha sido glorioso na vida da igreja, mas satanás estava furioso e armava um estratagema. Como não conseguiu destruir a igreja de fora para dentro, por meio da perseguição, agora se infiltra na igreja para atacá-la de dentro para fora, por meio da hipocrisia. Como satanás não conseguiu destruir o trigo, semeou o joio. O adversário que de fora combatia a igreja nascente, agora, conseguira infiltrar-se no coração de um de seus membros. Alguns estudiosos fazem um paralelo entre o pecado de Ananias e o pecado de Acã, pois em ambas as narrativas uma mentira interrompe o progresso vitorioso do povo de Deus.[7]

Destacamos aqui alguns pontos importantes.

Em primeiro lugar, *a hipocrisia disfarçada* (5.1,2). *Entretanto, certo homem, chamado Ananias, com sua mulher Safira, vendeu uma propriedade, mas, em acordo com sua mulher, reteve parte do preço e, levando o restante, depositou-o aos pés dos apóstolos.* Ananias e Safira não eram pessoas desclassificadas. Eram membros da igreja. Foram batizados. Viviam junto com os outros irmãos, cantavam e oravam. Falavam a mesma linguagem da fé. Externamente eram crentes maravilhosos. O exemplo de

---
[6]POHL, Adolf. *Atos dos Apóstolos*, p. 89,90.
[7]STOTT, John. *A mensagem de Atos*, p. 120.

desprendimento de Barnabé os fascinou. Tiveram o ímpeto de imitá-lo, mas tentaram jeitosamente o meio-termo. A dádiva deles não era produzida pelo amor. O amor deles era falso. Estavam cheios de egoísmo. Buscavam louvores dos homens e reconhecimento por parte das pessoas. Ananias e Safira estavam mancomunados na mentira. Queriam glórias pessoais. Eram hipócritas e falsos filantropos.

A hipocrisia é a dissimulação deliberada, a tentativa de fazer com que as pessoas acreditem que somos mais espirituais do que na realidade somos. O nome *Ananias* significa "Deus é cheio de graça", mas Ananias descobriu que Deus também é santo. *Safira* quer dizer "bela", mas o pecado tornou seu coração repulsivo.[8]

O verbo *reteve* é idêntico àquele que se empregou para descrever a ação de Acã em reter parte dos despojos de Jericó, que deveriam ser entregues à casa do Senhor ou destruídos (Js 7.1).[9]

Em segundo lugar, *a hipocrisia desmascarada* (5.3,4). *Então, disse Pedro: Ananias, por que encheu satanás teu coração, para que mentisses ao Espírito Santo, reservando parte do valor do campo? Conservando-o, porventura, não seria teu? E, vendido, não estaria em teu poder? Como, pois, assentaste no coração este desígnio? Não mentiste aos homens, mas a Deus.* Satanás havia derramado suas sugestões malignas no coração de Ananias e Safira. O casal, em vez de resistir ao diabo, deu guarida às suas propostas. Caíram na sua armadilha e resolveram hipocritamente mentir ao Espírito Santo e enganar a igreja. Adolf Pohl dá o seu brado de alerta: "Que fato horrível: um coração anteriormente repleto do Espírito Santo de Deus agora está cheio de satanás! Isso é possível. Não temos direito a qualquer atitude autoconfiante".[10]

Ananias cometeu um pecado ainda mais grave do que mentir ao Espírito Santo (5.3). Literalmente este texto diz: "Ananias, como é que satanás encheu o teu coração para *falsificar* o Espírito Santo?" O pecado dele não foi apenas mentir ao Espírito Santo, mas tentar falsificar o Espírito Santo, buscando representar sua fraudulenta ação como

---

[8] WIERSBE, Warren W. *Comentário bíblico expositivo*, p. 546.
[9] MARSHALL, I. Howard. *Atos: introdução e comentário*, 1982, p. 109.
[10] POHL, Adolf. *Atos dos Apóstolos*. 2002, p. 90.

divinamente inspirada. Assim, ele procurou fazer com que o Espírito Santo participasse do seu horrendo crime. Ananias não teria cometido nenhum pecado se não vendesse sua propriedade; ou se vendesse e não desse nada ou só a metade. Seu pecado foi dar parte, dizendo que estava dando tudo. Seu pecado foi mentir ao Espírito e enganar a igreja. Por trás da hipocrisia de Ananias estava a atividade sutil de satanás. O perverso inimigo que já havia atacado a igreja através da perseguição, agora a ataca sedutoramente por meio da corrupção.

Quando Pedro declara que Ananias reteve parte do dinheiro, emprega o verbo *nosphizomai*, que significa "apropriar-se indevidamente". A mesma palavra foi usada na Septuaginta em relação ao roubo de Acã e, na única outra ocorrência no Novo Testamento (Tt 2.10), esse verbo significa "roubar". Devemos pressupor, portanto, que, antes da venda, Ananias e Safira assumiram algum tipo de compromisso no sentido de darem à igreja todo o dinheiro. Por causa disso, quando entregaram apenas parte do valor, em vez de tudo, tornaram-se culpados de apropriação indébita.[11] John Stott diz que o problema de Ananias e Safira foi falta de integridade. Eles não eram apenas avarentos, mas também ladrões e mentirosos. Queriam o crédito e o prestígio da generosidade sacrificial, sem terem de arcar com as inconveniências. Assim, a motivação do casal, ao dar, não era aliviar os pobres, mas inflar o próprio ego.[12]

Em terceiro lugar, *a hipocrisia condenada* (5.5,6). *Ouvindo estas palavras, Ananias caiu e expirou, sobrevindo grande temor a todos os ouvintes. Levantando-se os moços, cobriram-lhe o corpo e, levando-o, o sepultaram.* O pecado escondido torna-se revelado, e o pecado revelado torna-se julgado. A hipocrisia desmascarada é condenada. O pecado, embora oculto, produz derrota e gera morte. Tivesse satanás logrado êxito e se infiltrado na igreja com o fermento da hipocrisia de Ananias, o vigor do cristianismo estaria abalado. Deus extirpou a hipocrisia da igreja e tratou de forma radical com Ananias para preservar Sua igreja. Como consequência, *sobreveio grande temor a todos os ouvintes*. É para isso que

---

[11] STOTT, John. *A mensagem de Atos*, p. 121.
[12] STOTT, John. *A mensagem de Atos*, p. 121.

servem os juízos de Deus.[13] Jesus certa feita mostrou o final trágico da hipocrisia quando condenou a figueira cheia de folhas, mas sem frutos. Jesus mostra que o fim da hipocrisia é a morte.

Warren Wiersbe destaca que o Senhor julga o pecado com severidade no início de um novo período na história da salvação. Logo depois que o tabernáculo foi erguido, Deus matou Nadabe e Abiú por tentarem apresentar *fogo estranho* ao Senhor (Lv 10). Também providenciou a execução de Acã por desobedecer a ordens depois que Israel havia entrado na terra prometida (Js 7). Apesar de Deus certamente não ser responsável pelos pecados dessas pessoas, usou esses julgamentos como advertência a Seu povo, inclusive a nós (1Co 10.11,12).[14]

Em quarto lugar, *a hipocrisia combinada* (5.7-10). Lucas assim relata o episódio:

> *Quase três horas depois, entrou a mulher de Ananias, não sabendo o que ocorrera. Então, Pedro, dirigindo-se a ela, perguntou-lhe: Dize-me, vendestes por tanto aquela terra? Ela respondeu: Sim, por tanto. Tornou-lhe Pedro: Por que entrastes em acordo para tentar o Espírito do Senhor? Eis aí à porta os pés dos que sepultaram o teu marido, e eles também te levarão. No mesmo instante, caiu ela aos pés de Pedro e expirou. Entrando os moços, acharam-na morta e, levando-a, sepultaram-na junto do marido* (5.7-10).

Ananias e Safira fizeram um pacto de mentira. Entraram em comum acordo não só para mentir ao Espírito Santo (5.3), mas também para tentar o Espírito do Senhor (5.9). O pecado deles foi planejado. Eles deliberaram agir de forma hipócrita. Houve uma aliança para o mal. Por isso, o juízo de Deus se repete em Safira.

Em quinto lugar, *a hipocrisia derrotada* (5.11). *E sobreveio grande temor a toda a igreja e a todos quantos ouviram a notícia destes acontecimentos.* Ananias e Safira foram desmascarados. Eles amaram o dinheiro e o prestígio pessoal e perderam todos os seus bens e a própria vida.

---

[13] POHL, Adolf. *Atos dos Apóstolos*. 2002, p. 91.
[14] WIERSBE, Warren W. *Comentário bíblico expositivo*, p. 546.

Com a hipocrisia desse casal, satanás intentou destruir a igreja, mas Deus resolveu preservar a igreja e destruir os hipócritas.

É importante destacar que é nesta narrativa que a palavra *igreja* aparece pela primeira vez em Atos. Jesus prometeu edificar a Sua igreja e garantiu que as portas do inferno não prevaleceriam contra ela. Na morte de Ananias e Safira há, sem dúvida, um ato de julgamento de Deus. Ananias e Safira perderam-se para sempre, ou, à semelhança do caso de Corinto, houve apenas a destruição da carne a fim de que o espírito seja salvo no dia do Senhor? Somente Deus o sabe. Entretanto, o apóstolo Paulo nos adverte: *O Senhor conhece os que lhe pertencem* e acrescenta: *Aparte-se da injustiça todo aquele que professa o nome do Senhor* (2Tm 2.19).

A manifestação do poder de Deus por meio da igreja (5.12-16)

Diante da perseguição, a igreja reunida clamou a Deus, rogando intrepidez para pregar (4.29) e a ocorrência de curas, sinais e prodígios por intermédio de Jesus (4.30). A primeira resposta foi imediata. A casa onde os crentes estavam reunidos tremeu e todos ficaram cheios do Espírito Santo e passaram a anunciar a Palavra de Deus com intrepidez (4.31). A segunda resposta também foi prontamente atendida (5.12-16). Esse é o assunto que desenvolvemos agora.

Em primeiro lugar, **sinais e prodígios entre o povo** (5.12). *Muitos sinais e prodígios eram feitos entre o povo pelas mãos dos apóstolos. E costumavam todos reunir-se, de comum acordo, no Pórtico de Salomão.* É importante destacar que os sinais e prodígios eram credenciais do apostolado (2Co 12.12). Essas credenciais estão agora sendo usadas. Adolf Pohl diz que um *apóstolo* não é apenas um pensador ou professor e pregador, mas, sobretudo, um "embaixador", que tem de agir, com palavra e ação, conforme a incumbência de seu Senhor.[15]

Justo González acrescenta que a frequência das histórias de milagres no livro de Atos levou muitas pessoas a negar a historicidade do

---

[15]POHL, Adolf. *Atos dos Apóstolos*. 2002, p. 92.

livro. É difícil para muitos até mesmo cogitarem a ideia de milagres devido a nossa visão de mundo moderna na qual o universo é fechado, um sistema de causas e efeitos que pode ser explicado pelos princípios mecanicistas. O universo assim concebido está fechado a qualquer intervenção divina e funciona com base em leis inalteráveis, que nunca podem ser mudadas nem estão sujeitas a outros poderes. Essa percepção do universo como sistema mecânico fechado é um aspecto fundamental da modernidade.[16] Rudolf Bultmann diz: "é impossível usar a luz elétrica e o rádio, beneficiar-nos dos remédios modernos e das descobertas cirúrgicas e, ao mesmo tempo, acreditar no mundo de espíritos e milagres do Novo Testamento*".[17] Mas Bultmann estava equivocado. O Deus que criou o universo interfere nele quando quer, onde quer, conforme Sua soberana vontade. Os milagres não são apenas possíveis; são também frequentes!

Warren Wiersbe diz que os milagres operados por Jesus durante Seu ministério aqui na terra tinham três propósitos: a) demonstrar compaixão e suprir as necessidades humanas; b) apresentar Suas credenciais como Filho de Deus; e c) transmitir verdades espirituais.[18]

Jesus é quem opera essas maravilhas por meio dos apóstolos. Os milagres não são um substituto para o evangelho, apenas abrem portas para a pregação. Os milagres não são os recursos usados por Deus para a salvação, mas apenas para demonstrar o Seu poder. O meio usado por Deus para chamar os pecadores ao arrependimento e à fé salvadora é a pregação da Palavra (1Co 1.21).

Os milagres provocaram dois resultados interessantes e opostos. Num extremo, uma reserva temerosa; no outro, grandes sucessos missionários.[19] Essa é a realidade que vemos nos dois pontos seguintes.

Em segundo lugar, ***temor e respeito entre o povo*** (5.13). *Mas, dos restantes, ninguém ousava ajuntar-se a eles; porém o povo lhes tributava grande admiração.* A vida da igreja tinha um impacto irresistível tanto em vista

---

[16]González, Justo L. *Atos*, p. 108.
*[NR] Tradução livre.
[17]Bultmann, Rudolf. *Kerygma and Myth*. Nova York: Harper & Row, 1961, p. 5.
[18]Wiersbe, Warren W. *Comentário bíblico expositivo*, p. 548.
[19]Stott, John. *A mensagem de Atos*, p. 124,125.

dos milagres e sinais quanto pelo amor cordial e pela assistência em seu meio. Por outro lado, a igreja gerava uma reverência cheia de temor à Sua volta. De acordo com Marshall, os judeus descrentes se mantiveram à distância dos cristãos, deixando-os em paz. Talvez tivessem medo de que uma lealdade apenas parcial os levasse ao julgamento. Se, porém, era o medo que os afastava, mesmo assim, não poderiam deixar de louvar os cristãos à medida que se impressionavam por aquilo que eles faziam.[20] A solenidade com que os cristãos viviam fechava as portas aos covardes e as abriam aos eleitos. Mesmo os inconversos precisam dobrar-se diante das evidências da santidade com que a igreja vive no mundo.

Em terceiro lugar, **crescimento explosivo da igreja** (5.14). *E crescia mais e mais a multidão de crentes, tanto homens como mulheres, agregados ao Senhor.* O historiador Lucas deixa de usar cifras específicas para referir-se ao crescimento da igreja (2.41; 4.4) e começa a falar de uma multidão de crentes que se agregava ao Senhor. Tanto o ataque externo (perseguição) quanto o interno (hipocrisia) foram enfrentados com firmeza, e como resultado a igreja explodiu em crescimento.

Em quarto lugar, **curas extraordinárias** (5.15,16). *A ponto de levarem os enfermos até pelas ruas e os colocarem sobre leitos e macas, para que, ao passar Pedro, ao menos a sua sombra se projetasse nalguns deles. Afluía também muita gente das cidades vizinhas a Jerusalém, levando doentes e atormentados de espíritos imundos, e todos eram curados.* A era messiânica havia chegado. O Ressuscitado e Exaltado é o mesmo Salvador dos evangelhos, dando prosseguimento à Sua obra por meio de Seus mensageiros.[21] Esses milagres atestavam o poder do Cristo ressurreto manifestado por intermédio dos apóstolos. Pedro é poderosamente usado por Jesus tanto para pregar com intrepidez como para realizar curas e prodígios. John Stott enfatiza que se tratava de uma notável demonstração do poder de Deus para curar e libertar seres humanos, assim como o episódio de Ananias e Safira havia sido uma demonstração de Seu poder para julgá-los.[22]

---

[20]MARSHALL, I. Howard. *Atos: introdução e comentário*, 1982, p. 113.
[21]POHL, Adolf. *Atos dos Apóstolos*. 2002, p. 93.
[22]STOTT, John. *A mensagem de Atos*, p. 125.

A perseguição implacável à igreja (5.17-32)

O ministério de cura dos apóstolos provocou o segundo ataque por parte das autoridades, da mesma forma que a cura milagrosa do coxo provocara o primeiro.[23] O mesmo sol que amolece a cera endurece o barro. Os líderes religiosos não se dobraram diante das evidências do poder de Deus. Ao contrário, endureceram-se ainda mais e, agora, em vez de se converterem à fé cristã, queriam matar os apóstolos. Destacamos aqui alguns pontos.

Em primeiro lugar, *a prisão dos apóstolos* (5.17,18). *Levando-se, porém, o sumo sacerdote e todos os que estavam com ele, isto é, a seita dos saduceus, tomaram-se de inveja, prenderam os apóstolos e os recolheram à prisão pública.* Mais uma vez a iniciativa contra os apóstolos foi tomada pelo sumo sacerdote e pelo grupo dos saduceus dentro do Sinédrio (4.1).[24] Os fariseus sempre se posicionaram contra Jesus, porém se limitavam aos ataques de conteúdo. Os sacerdotes, do partido dos saduceus, é que lideraram a decisão de matar Jesus (Jo 11.46-53) e perseguir os apóstolos. Na primeira prisão, apenas Pedro e João foram recolhidos ao cárcere no pátio do templo (4.3). Agora, todos os apóstolos foram presos e recolhidos à prisão pública, juntamente com outros criminosos, como pessoas nocivas à sociedade (5.18). Adolf Pohl diz que desta vez a situação poderia evoluir para a pena de morte.[25] O sumo sacerdote e seus aliados, tomados de inveja, pensaram que podiam estancar o fluxo da obra de Deus com ameaças, mas não sabiam que a obra de Deus é irresistível e ninguém pode deter o braço do Senhor onipotente. Cadeias e tribulações, açoites e prisões, torturas e martírios não conseguem fazer recuar aqueles que estão cheios do Espírito Santo.

Em segundo lugar, *a intervenção do anjo* (5.19,20). *Mas, de noite, um anjo do Senhor abriu as portas do cárcere e, conduzindo-os para fora, lhes disse: Ide e, apresentando-vos no templo, dizei ao povo todas as palavras desta Vida.* Os anjos são ministros de Deus que trabalham em favor dos que herdam a salvação (Hb 1.14). O ministério deles pode ser

---
[23] STOTT, John. *A mensagem de Atos*, p. 125.
[24] MARSHALL, I. Howard. *Atos: introdução e comentário*, 1982, p. 114.
[25] POHL, Adolf. *Atos dos Apóstolos*. 2002, p. 97.

visto tanto no Antigo (1Rs 19.5-8) quanto no Novo Testamento (5.19; 12.7; 27.23). O anjo de Deus lhes ofereceu livramento e comissionamento, ou seja, os apóstolos não foram libertados da prisão simplesmente para escapar. Incumbidos de um novo serviço no templo, eles deveriam anunciar ao povo as *palavras desta Vida*. É a mensagem da qual depende a vida e a morte, a vida eterna ou a morte eterna, das pessoas. Essas palavras precisam ser ditas sob quaisquer circunstâncias.[26]

O anjo abriu-lhes as portas da prisão, sem que os guardas percebessem, e ordenou-lhes que abrissem a boca para proclamar as boas-novas do evangelho. O anjo de Deus e os apóstolos não respeitaram as ordens absolutistas e arrogantes dos líderes judaicos (4.17-21; 5.28). Não apenas anunciavam o evangelho, mas o faziam no templo, o território dos sacerdotes.

Em terceiro lugar, *a perplexidade do Sinédrio* (5.21-26). O historiador Lucas registra o episódio como segue:

> *Tendo ouvido isto, logo ao romper do dia, entraram no templo e ensinavam. Chegando, porém, o sumo sacerdote e os que com ele estavam, convocaram o Sinédrio e todo o senado dos filhos de Israel e mandaram buscá-los no cárcere. Mas os guardas, indo, não os acharam no cárcere; e, tendo voltado, relataram, dizendo: Achamos o cárcere fechado com toda a segurança e as sentinelas nos seus postos junto às portas; mas, abrindo-as, a ninguém encontramos dentro. Quando o capitão do templo e os principais sacerdotes ouviram estas informações, ficaram perplexos a respeito deles e do que viria a ser isto. Nesse ínterim, alguém chegou e lhes comunicou: Eis que os homens que recolhestes no cárcere, estão no templo ensinando o povo. Nisto, indo o capitão e os guardas, os trouxeram sem violência, porque temiam ser apedrejados pelo povo* (5.21-26).

Os saduceus, seita da qual procediam o sumo sacerdote e toda a classe sacerdotal, não acreditavam em ressurreição, tema central da pregação dos apóstolos. Os saduceus não acreditavam em anjos e, agora, o anjo de Deus abrira as portas do cárcere e soltara os apóstolos.

---
[26] POHL, Adolf. *Atos dos Apóstolos*. 2002, p. 97.

Eles haviam ordenado que os apóstolos se calassem, e eles se colocaram no centro nevrálgico da religião judaica, o templo, ensinando a Palavra, desde o romper do dia. O Sinédrio se viu, agora, num beco sem saída. Os líderes judaicos estavam encurralados. As evidências reprovavam sua teologia, e a intrepidez dos apóstolos desafiava Seu poder. Conforme enfatiza Adolf Pohl, o evangelho não deve fugir para a clandestinidade, mas ser proclamado publicamente. Não é uma questão de devoção privativa, mas de proclamação aberta de Jesus e da obra de Sua vida.[27]

Em quarto lugar, *a interrogação do sumo sacerdote* (5.27,28). *Trouxeram-nos, apresentando-os ao Sinédrio. E o sumo sacerdote interrogou-os, dizendo: Expressamente vos ordenamos que não ensinásseis nesse nome, contudo, enchestes Jerusalém de vossa doutrina; e quereis lançar sobre nós o sangue desse homem.* O sumo sacerdote estava furioso com os apóstolos por dois motivos: porque uma ordem expressa do Sinédrio fora desobedecida por eles; e porque os apóstolos acusavam as autoridades judaicas e o povo de terem crucificado a Cristo. Diante de Pilatos, o povo todo, instigado pelos sacerdotes, disse: ... *Caia sobre nós o Seu sangue e sobre nossos filhos* (Mt 27.25). Agora, Pedro com indômita coragem, por quatro vezes denunciou os líderes e o povo de terem matado a Jesus, o Autor da vida (2.23; 3.15; 4.8-10; 5.29,30). Torna-se especialmente explícito que está em jogo *esse nome*, está em jogo *esse homem*, está em jogo *Jesus*, unicamente Ele!

Em quinto lugar, *a resposta ousada dos apóstolos* (5.29-32). Lucas registra a resposta dos apóstolos nos seguintes termos:

> *Então, Pedro e os demais apóstolos afirmaram: Antes, importa obedecer a Deus do que aos homens. O Deus de nossos pais ressuscitou a Jesus, a quem vós matastes, pendurando-o num madeiro. Deus, porém, com a Sua destra, o exaltou a Príncipe e Salvador, a fim de conceder a Israel o arrependimento e a remissão de pecados. Ora, nós somos testemunhas destes fatos, e bem assim o Espírito Santo, que Deus outorgou aos que Lhe obedecem* (5.29-32).

---

[27] POHL, Adolf. *Atos dos Apóstolos*. 2002, p. 97.

Este texto trata da questão da desobediência civil. Os apóstolos desobedeceram às autoridades constituídas. As ordens do Sinédrio, abusivas e absolutistas, pretendiam domesticar a consciência dos apóstolos. Estes afirmavam que a autoridade de Deus está acima da autoridade do Sinédrio e que, para obedecerem a Deus, estavam dispostos a desobedecer às autoridades judaicas. Concordo com Marshall quando diz que o custo de ser um cristão é estar disposto a obedecer a Deus antes do que aos homens – e suportar as consequências.[28]

Longe de se intimidarem diante das ameaças do Sinédrio, os apóstolos reafirmaram a acusação de que os líderes haviam matado e pendurado Jesus no madeiro. Mais uma vez, os apóstolos deram testemunho da ressurreição de Jesus e proclamaram o arrependimento e a remissão de pecados a Israel, bem como a concessão do Espírito Santo aos que lhe obedecem. Pedro concluiu dizendo que, quando os líderes judaicos mataram a Jesus, agiram contra o Deus a quem alegadamente adoravam.[29]

A intervenção providencial em favor da igreja (5.33-42)

O Sinédrio estava ameaçado por um grupo de homens iletrados e incultos. Os apóstolos o desafiavam, e o povo inclinava-se a segui-los. Ao perceberem que ameaças e prisões eram medidas inócuas para acabar com a intrepidez dos apóstolos, os membros do Sinédrio partiram para uma posição mais radical. Vejamos alguns pontos importantes a respeito.

Em primeiro lugar, *o propósito do Sinédrio* (5.33). *Eles, porém, ouvindo, se enfureceram e queriam matá-los.* A pregação amolece uns e endurece outros. Aos que se arrependem, oferece vida; aos que se mantêm rebeldes, proclama condenação. A reação dos membros do Sinédrio foi de fúria e instinto assassino. Em vez de acolherem com mansidão a pregação, furiosamente deliberam matar os pregadores.

Em segundo lugar, *o argumento de Gamaliel* (5.34,35). *Mas, levantando-se no Sinédrio um fariseu, chamado Gamaliel, mestre da lei, acatado*

---

[28] MARSHALL, I. Howard. *Atos: introdução e comentário*, 1982, p. 116.
[29] MARSHALL, I. Howard. *Atos: introdução e comentário*, 1982, p. 116.

por todo o povo, mandou retirar os homens, por um pouco, e lhes disse: Israelitas, atentai bem no que ides fazer a estes homens. Gamaliel era neto do grande rabino Hillel. Foi o ilustre mestre do jovem Saulo de Tarso (22.3). Fariseu culto e assaz respeitado pelo povo, este grande mestre da lei jogou água na fervura e chamou os saduceus enfurecidos à reflexão. A atitude de Gamaliel demoveu o Sinédrio de seu intento assassino e poupou os apóstolos da morte prematura. Como destacamos anteriormente, nos evangelhos os fariseus aparecem como os principais opositores de Jesus (Lc 5.21,30; 7.30; 11.53; 15.2; 16.14). Agora, em Atos, é um fariseu que está salvando a pele dos apóstolos.

Em terceiro lugar, *os exemplos de Gamaliel* (5.36,37). Gamaliel argumenta com o Sinédrio, evocando o exemplo de dois homens, Teudas e Judas, o galileu, que fracassaram na tentativa de atrair seguidores. Vejamos como Lucas relata esse fato:

> *Porque, antes destes dias, se levantou Teudas, insinuando ser ele alguma coisa, ao qual se agregaram cerca de quatrocentos homens; mas ele foi morto, e todos quantos lhe prestavam obediência se dispersaram e deram em nada. Depois desse, levantou-se Judas, o galileu, nos dias do recenseamento, e levou muitos consigo; também este pereceu, e todos quantos lhe obedeciam foram dispersos (5.36,37).*

Não podemos ter plena certeza acerca da identidade dessas duas personagens. O historiador Flávio Josefo fez referência a um impostor chamado Teudas que persuadiu um grande grupo a levar consigo seus pertences e segui-lo até o rio Jordão, declarando-se profeta. Mas esse Teudas foi preso e decapitado, e seus seguidores foram dispersos. Judas, o Galileu, foi um rebelde contra a instituição de novos impostos que entraram em vigor quando Arquelau foi deposto em 6 d.C.[30] William Barclay diz que esse Judas era um fanático que assumiu a posição de que Deus era o único Rei de Israel e a Ele somente se devia pagar tributo; todo outro imposto era ímpio, e pagá-lo equivalia à blasfêmia.[31]

---

[30] MARSHALL, I. Howard. *Atos: introdução e comentário*, 1982, p. 118,119.
[31] BARCLAY, William. *Hechos de los Apóstoles*, p. 58.

Em quarto lugar, *o parecer de Gamaliel* (5.38,39). *Agora, vos digo: dai de mão a estes homens, deixai-os; porque, se este conselho ou esta obra vem de homens, perecerá; mas, se é de Deus, não podereis destruí-los, para que não sejais, porventura, achados lutando contra Deus. E concordaram com ele.* O conselho da Gamaliel aplacou a ira dos saduceus, abrandou o ímpeto do sumo sacerdote e arrefeceu a disposição do Sinédrio de sentenciar à morte os apóstolos, como fizera com Cristo meses antes. Obviamente, não podemos levar esse conselho ao pé da letra, pois, por permissão divina, há muitas doutrinas falsas que crescem, mesmo não sendo obra de Deus. John Stott tem razão quando diz que não nos devemos precipitar em conceder a Gamaliel o crédito de ter pronunciado um princípio absoluto. É verdade que, afinal de contas, o que vem de Deus triunfará, e o que é meramente humano (e quanto mais diabólico) perecerá. Todavia, no curto prazo, planos malignos, às vezes, obtêm sucesso, enquanto bons planos, concebidos de acordo com a vontade de Deus, às vezes, fracassam. Por isso, o conselho de Gamaliel não é princípio confiável para verificar se algo vem ou não de Deus.[32]

Warren Wiersbe tem razão quando escreve:

> Apesar de Gamaliel ter tentado usar uma lógica fria, não o calor das emoções, sua abordagem foi errada. Para começar, colocou Jesus na mesma categoria dos dois rebeldes, o que significa que já havia rejeitado as evidências. Para ele, esse *Jesus de Nazaré* era apenas mais um judeu zeloso que havia tentado libertar a nação de Roma. Para Gamaliel os agitadores vêm e vão; só é preciso ter paciência. Gamaliel partiu do pressuposto de que "a história se repete". Mais do que isso, ele tinha a ideia equivocada de que, se algo não era de Deus, não daria certo. Mas essa ideia não levava em consideração a natureza pecaminosa humana e a presença de satanás no mundo. De acordo com Mark Twain, enquanto a verdade ainda está calçando seus sapatos, a mentira já deu uma volta ao redor do mundo. No final, a verdade de Deus será vitoriosa, mas, enquanto isso, satanás pode se mostrar extremamente forte e influenciar multidões. Apesar do que afirma o pragmatismo, o sucesso não é prova de que algo é verdadeiro. Seitas falsas muitas vezes

---

[32] STOTT, John. *A mensagem de Atos*, p. 130,131.

crescem mais rapidamente que a igreja de Deus. Sob qualquer ponto de vista, a "lógica" de Gamaliel é insensata.[33]

Gamaliel ficou em cima do muro e incentivou a neutralidade numa hora crucial, quando uma decisão era exigida. Jesus deixou claro que é impossível permanecer neutro em relação à Sua pessoa e à Sua mensagem: *Quem não é por mim, é contra mim; e quem comigo não ajunta, espalha* (Mt 12.30). O profeta Elias já havia desafiado essa mesma nação: *...Até quando coxeareis entre dois pensamentos?* (1Rs 18.21). A indecisão é uma decisão, a decisão de não decidir. Os indecisos decidem-se contra Cristo, e não a Seu favor.

Em quinto lugar, *a dupla ação do Sinédrio* (5.40). *Chamando os apóstolos, açoitaram-nos e, ordenando-lhes que não falassem em o nome de Jesus, os soltaram*. A atitude do Sinédrio foi castigar os pregadores e proibir a pregação. Conforme o costume judaico, aplicaram nos apóstolos uma quarentena de açoites menos um (22.19; 2Co 11.24; Mc 13.9). Mais uma vez foram tiranos e cruéis, tentando intimidar as testemunhas de Cristo com os rigores da lei.

Em sexto lugar, *a dupla reação dos apóstolos* (5.41,42). *E eles se retiraram do Sinédrio regozijando-se por terem sido considerados dignos de sofrer afrontas por esse Nome. E todos os dias, no templo e de casa em casa, não cessavam de ensinar e de pregar Jesus, o Cristo*. Diante da dupla ação do Sinédrio, os apóstolos demonstram dupla reação: alegraram-se por serem considerados dignos de sofrer afrontas pelo nome de Cristo e continuaram todos os dias a ensinar e pregar a Cristo, no templo e de casa em casa. Não somente o castigo fracassou em causar desânimo nos cristãos, como também os encheu de júbilo.[34] Aqueles que ouviram e viram as maravilhas de Cristo não podiam calar-se. Estavam prontos para serem presos, mas não para calarem a sua voz. Estavam prontos para morrerem, mas não para deixarem de proclamar a Jesus, o Cristo. Tertuliano, falando às autoridades do Império Romano, exclamou: "Matem-nos, torturem-nos, condenem-nos, façam de nós pó... Quanto

---
[33] WIERSBE, Warren W. *Comentário bíblico expositivo*, p. 552.
[34] MARSHALL, I. Howard. *Atos: introdução e comentário*, 1982, p. 120.

mais vocês nos oprimirem, tanto mais cresceremos; a semente é o sangue dos cristãos".³⁵ Nessa mesma linha de pensamento, John Stott é absolutamente oportuno ao afirmar que a perseguição refina a igreja, mas não a destrói. Aleluia!³⁶

---

³⁵TERTULIANO, *Apologia*, cap. 50.
³⁶STOTT, John. *A mensagem de Atos*, p. 132.

6

Transformando crises em oportunidades

Atos 6.1-15

TRÊS FORAM AS TENTATIVAS DE IMPEDIR o avanço da igreja primitiva. Já vimos as duas primeiras: perseguição (At 4) e infiltração (At 5). Agora, veremos a terceira, a distração (At 6). Já que satanás não conseguiu derrotar a igreja de fora para dentro por meio da perseguição, nem de dentro para fora por meio da corrupção, tenta agora desviar o foco de sua liderança para o serviço das mesas. Curiosamente o que está ameaçando a igreja agora não é uma coisa ruim, mas boa, a assistência social. O problema é que os apóstolos estavam perdendo a sua prioridade, correndo de um lado para o outro, ocupados com o atendimento às pessoas necessitadas, deixando de lado a oração e o ministério da Palavra.

O texto em apreço nos enseja várias lições, que expomos a seguir.

A murmuração na igreja (6.1)

Com o colossal crescimento da igreja, alguns problemas vieram à tona. Lucas relata: *Ora, naqueles dias, multiplicando-se o número dos discípulos, houve murmuração dos helenistas contra os hebreus, porque as viúvas deles estavam sendo esquecidas na distribuição diária* (6.1). O crescimento numérico da igreja sempre trará na bagagem problemas potenciais que precisam ser enfrentados com urgência e sabedoria. As viúvas dos helenistas, aqueles convertidos que vieram da dispersão e não falavam o hebraico,¹ começaram a ser esquecidas na distribuição diária. A injusta distribuição dos recursos gerou murmuração na igreja. O som da palavra grega *murmuração* sugere o zumbir das abelhas.² Um tumulto no meio da comunidade cristã estava colocando em risco a comunhão da igreja. A comunhão, que fora atacada pela hipocrisia de Ananias e Safira, estava novamente sendo ameaçada pela injustiça.

William Barclay destaca o fato de que havia duas classes de judeus na igreja cristã. O primeiro grupo era composto pelos judeus que moravam em Jerusalém e Palestina e falavam o aramaico, o idioma ancestral. Esse grupo orgulhava-se de não ter assimilado nenhuma estrangeirice em sua cultura. O segundo grupo era formado pelos judeus que haviam morado fora da Palestina por muitas gerações, mas que, depois do Pentecostes, permaneceram em Jerusalém. Esses judeus haviam esquecido o hebraico e falavam o grego. Os orgulhosos judeus de fala aramaica tratavam com desprezo os judeus estrangeiros. Essa fissura no relacionamento manifestou-se na distribuição diária dos recursos.³ A queixa acerca da ajuda aos pobres não passava de mero sintoma de um problema mais profundo, a saber: os cristãos de língua hebraica e os de língua grega estavam divididos em dois grupos separados.⁴

É muito provável que o esquecimento das viúvas helenistas não fosse proposital. A queixa acabava recaindo sobre os apóstolos, que estavam encarregados dessa distribuição (4.35,37). Uma medida imediata precisava ser tomada para corrigir o problema. Os apóstolos não foram negligentes nem remissos. Agiram com rapidez e sabedoria para estancar aquela hemorragia que colocava em risco a paz interna da igreja e o seu testemunho externo.

A decisão dos apóstolos (6.2-4)

O problema identificado (6.1) encontrou imediata solução (6.2-6), e o resultado foi o crescimento da igreja (6.7). Ralph Earle diz que temos

---
¹González, Justo L. *Atos*, p. 115.
²Earle, Ralph. *Livro dos Atos dos Apóstolos*, p. 247.
³Barclay, William. *Hechos de los Apóstoles*, p. 60.
⁴Marshall, I. Howard. *Atos: introdução e comentário*, 1982, p. 122.

aqui uma ajuda prática de como solucionar problemas: reconhecer o problema (6.1,2a); recusar-se a subordinar o que é essencial (6.2b); remover as causas de reclamações (6.3-6); e colher os resultados de uma solução sensata (6.7).[5]

Os apóstolos não ficaram na defensiva. Acolheram as críticas dos helenistas e tiveram coragem de fazer uma correção de rota. Alguém já disse que o sucesso é "o ninho do ano anterior, do qual os pássaros já voaram embora".[6] Aquilo que funcionou bem ontem pode não ser mais funcional nem relevante hoje. Não podemos sacralizar as estruturas. Elas são facilitadoras, e não empecilhos, para o avanço da obra. Em vez de os apóstolos se desgastarem ainda mais no trabalho do serviço às mesas, ampliaram o quadro de obreiros. É conhecido o que Dwight Moody costumava dizer: "É melhor colocar dez homens para trabalhar do que tentar fazer o trabalho de dez homens". Warren Wiersbe diz que a igreja apostólica não teve medo de fazer ajustes em sua estrutura, a fim de dar espaço para a expansão do ministério.[7] É triste quando as igrejas destroem ministérios por se recusarem a modificar suas estruturas.

Três verdades nos chamam a atenção no texto.

Em primeiro lugar, *o perigo da distração* (6.2). *Então, os doze convocaram a comunidade dos discípulos e disseram: Não é razoável que nós abandonemos a Palavra de Deus para servir às mesas.* Entenda-se a expressão *servir às mesas* como uma metonímia: "garantir que as necessidades das viúvas sejam atendidas" ou "ocupar-se de questões financeiras e administrativas".[8] Concordo com John Stott em que não há aqui nenhuma sugestão de que os apóstolos vissem a obra social inferior à obra pastoral, ou a considerassem pouco digna para eles. Era apenas uma questão de chamado.[9] Aos apóstolos foram confiados os oráculos de Deus. Eles foram encarregados de ensinar a Palavra e fazer discípulos de todas as nações. Cabia a eles a diaconia da Palavra, e não a diaconia das mesas.

---

[5] EARLE, Ralph. *Livro dos Atos dos Apóstolos*, p. 250.
[6] WIERSBE, Warren W. *Comentário bíblico expositivo*, p. 556.
[7] WIERSBE, Warren W. *Comentário bíblico expositivo*, p. 556,557.
[8] STERN, David H. *Comentário judaico do Novo Testamento*, p. 268.
[9] STOTT, John. *A mensagem de Atos*, p. 134.

Embora fosse um trabalho justo e necessário, a assistência às viúvas pobres não era a prioridade dos apóstolos. Eles não podiam abandonar as trincheiras da oração e do ministério da Palavra para focar noutra área. A distração seria uma armadilha mortal.

Servir é o verbo grego *diakoneo*. O substantivo cognato *diakonia* é traduzido como *ministério* no versículo 1. Uma vez que "diácono" vem de *diakonos*, os homens aqui escolhidos são frequentemente mencionados como "os sete diáconos", mas esta designação não lhes é dada no texto bíblico. Ralph Earle ressalta que provavelmente não havia um cargo técnico como o dos diáconos neste estágio primitivo da igreja.[10] É verdade que mais tarde havia nas igrejas neotestamentárias presbíteros e diáconos como oficiais ordenados (Fp 1.1; 1Tm 3.1-12).

Em segundo lugar, **a diaconia das mesas** (6.3). *Mas, irmãos, escolhei dentre vós sete homens de boa reputação, cheios do Espírito e de sabedoria, aos quais encarregaremos deste serviço*. Os apóstolos entenderam a legitimidade da diaconia das mesas. Eles reafirmaram a necessidade de continuar o serviço de assistência aos pobres. A evangelização não anula a ação social, nem esta dispensa aquela. A solução, porém, não era os apóstolos deixarem a oração e a Palavra para se dedicarem àquela causa urgente, mas escolherem homens com credenciais para exercer esse ministério. Sou da opinião de que começa aqui o ministério diaconal na igreja. Os diáconos foram escolhidos não pelos apóstolos, mas pela igreja. Dentre os membros da igreja, com credenciais preestabelecidas, sete homens foram eleitos para exercerem a diaconia das mesas.

Em terceiro lugar, **a diaconia da Palavra** (6.4). *E, quanto a nós, nos consagraremos à oração e ao ministério da Palavra*. Deus chama todo o Seu povo para o ministério; Ele chama pessoas diferentes para ministérios diferentes, e aqueles chamados para a *oração e o ministério da Palavra* não devem desviar-se de suas prioridades.[11] Adolf Pohl diz que os apóstolos realmente honraram a Deus e confirmaram que o ser humano não vive somente de pão, mas de toda palavra que procede da boca de Deus; além disso, a mensagem que lhes foi confiada compõe-se

---

[10] EARLE, Ralph. *Livro dos Atos dos Apóstolos*, p. 248.
[11] STOTT, John. *A mensagem de Atos*, p. 135.

literalmente das *palavras desta Vida* (5.20), das quais depende a vida eterna das pessoas.[12]

Desta forma, Lucas destaca dois ministérios na igreja: a diaconia das mesas (6.2,3) e a diaconia da Palavra (6.4); a ação social e a pregação do evangelho. A igreja algumas vezes caiu em extremos quanto a essa matéria. O pietismo no século XVII caiu no extremo de ver o homem apenas como uma alma a ser salva, e a teologia da libertação no século XX o via apenas como um corpo a ser assistido. A salvação de Deus, porém, alcança o homem integral, alma e corpo. O ministério das mesas não substitui o ministério da Palavra, nem o ministério da Palavra dispensa o ministério das mesas.

John Stott enfatiza que nenhum dos dois ministérios é superior ao outro. Ambos são ministérios cristãos que visam servir a Deus e ao seu povo. Ambos exigem pessoas espirituais, *cheias do Espírito Santo*, para exercê-los. A única diferença está na forma que cada ministério assume, exigindo dons e chamados diferentes.[13] De acordo com Marshall, não se sugere aqui que *servir às mesas* está num nível inferior às orações e ao ensino; a ênfase está no fato de que a tarefa à qual os doze foram especificamente chamados era de testemunho e evangelização.[14]

Esta decisão dos apóstolos é um divisor de águas na história da igreja. Aqueles que foram chamados para pregar a Palavra precisam esmerar-se no ensino e afadigar-se na Palavra, a fim de serem obreiros aprovados. Se os apóstolos tivessem abandonado a oração e o ministério da Palavra para servir às mesas, a igreja teria perdido seu foco e Seu poder. O crescimento da igreja vem por meio da oração e da Palavra. Esses sempre foram os dois principais instrumentos usados por Deus para levar Sua igreja ao crescimento saudável. Vale a pena destacar que a oração vem antes da pregação porque, se não formos homens de oração, a Palavra não terá virtude em nossa boca. Não basta proferir a Palavra de Deus, precisamos ser boca de Deus como o profeta Elias

---

[12] POHL, Adolf. *Atos dos Apóstolos*. 2002, p. 104,105.
[13] STOTT, John. *A mensagem de Atos*, p. 135.
[14] MARSHALL, I. Howard. *Atos: introdução e comentário*, 1982, p. 123.

(1Rs 17.24). Não basta carregar o bordão profético como Geazi, precisamos ter a virtude do Espírito Santo como Eliseu (2Rs 4.35).

A aprovação do povo (6.5)

A decisão dos apóstolos trouxe glória ao nome de Deus, paz para a igreja e solução para os problemas. Lucas registra o fato assim: *O parecer agradou a toda a comunidade e elegeram Estêvão, homem cheio de fé e do Espírito Santo, Filipe, Prócoro, Nicanor, Timão, Pármenas e Nicolau, prosélito de Antioquia* (6.5). As decisões tomadas em conformidade com a vontade de Deus agradam a igreja de Deus. Quando a igreja age em obediência à Palavra, reina paz em seu meio. Quando os líderes da igreja são governados pelos princípios de Deus, o trabalho é dividido e não há sobrecarga. Quando a igreja escolhe sua liderança sob a égide dos preceitos divinos, as tensões são resolvidas, as necessidades são supridas e a igreja cresce com mais ousadia (6.7).

Adolf Pohl diz que os nomes dos eleitos têm uma entonação grega. Devem ter sido nomeados justamente *helenistas* porque a negligência em relação às viúvas dessa origem havia sido a causa de toda essa ação. Nicolau é chamado expressamente de *prosélito de Antioquia*. Pela primeira vez, aparece um grego de nascença, um gentio no contexto da igreja de Jesus, ainda que pela via do ingresso na cidadania israelita. Pela primeira vez soa também o nome *Antioquia*, que mais tarde se torna tão importante em Atos dos Apóstolos. Sendo o próprio Lucas originário de Antioquia, ele dispunha de conhecimentos especialmente precisos. Em contrapartida, uma pessoa como Filipe, apesar do nome grego, dificilmente seria um helenista. Mais tarde, ele atuou intensamente em Samaria, ou seja, numa área de língua aramaica.[15]

A ordenação dos diáconos (6.6)

Os primeiros diáconos foram escolhidos por ordem apostólica entre os membros da igreja para atender a uma necessidade específica (6.3). A seleção se deu a partir de três critérios específicos: deveriam ser

---

[15] POHL, Adolf. *Atos dos Apóstolos*. 2002, p. 106.

homens de boa reputação, cheios do Espírito e de sabedoria (6.3). Foram ordenados com imposição de mãos dos apóstolos (6.6). Doravante, o diaconato passou a ser um ofício na igreja (1Tm 3.8-13).

O crescimento da igreja (6.7)

O resultado da medida tomada pelos apóstolos serenou os ânimos dos helenistas, estancou a murmuração, trouxe contentamento para a igreja, distribuiu o trabalho e liberou os apóstolos para focarem no ministério que lhes havia sido confiado. O resultado foi a propagação da Palavra de Deus, a multiplicação do número de discípulos e a conversão de muitíssimos sacerdotes. Este é o relato de Lucas: *Crescia a Palavra de Deus, e, em Jerusalém, se multiplicava o número dos discípulos; também muitíssimos sacerdotes obedeciam à fé* (6.7). Os dois verbos *crescia* e *multiplicava* estão no tempo imperfeito, indicando que a propagação da Palavra e a multiplicação da igreja eram contínuos (6.7; 9.31; 12.24; 16.5; 19.20; 28.30,31).[16] Supõe-se que naquele tempo existiam cerca de dezoito mil sacerdotes e levitas ligados ao serviço do templo. Muitos deles estavam sendo convertidos a Cristo. Adolf Pohl diz que a Palavra de Deus é tão poderosa que invade até as fileiras dos adversários, pois muitíssimos sacerdotes obedeciam à fé evangélica.[17]

Se os apóstolos tivessem perdido o foco para se dedicarem à diaconia das mesas, a Palavra não teria sido espalhada e, como consequência, não haveria um crescimento numérico saudável da igreja. Quanto maior o alcance da Palavra, maior o crescimento da igreja. A Palavra é o principal instrumento usado por Deus para levar Sua igreja ao crescimento espiritual e numérico. Sempre que a Palavra de Deus foi proclamada com fidelidade e poder, integridade e relevância, a igreja cresceu. Sempre que a Palavra de Deus foi negligenciada, a igreja perdeu o seu vigor e se corrompeu.

O crescimento da igreja agora atinge também muitíssimos sacerdotes do partido dos saduceus, a classe religiosa que liderava a perseguição

---

[16]STOTT, John. *A mensagem de Atos*, p. 136.
[17]POHL, Adolf. *Atos dos Apóstolos*. 2002, p. 108.

à igreja. Lucas faz questão de relatar o espantoso crescimento da igreja, oferecendo-nos estatísticas assaz otimistas:

- Atos 1.15: 120 pessoas.
- Atos 2.41: Quase três mil pessoas.
- Atos 4.4: Quase cinco mil pessoas.
- Atos 5.14: E crescia mais e mais a multidão de crentes.
- Atos 6.1: Multiplica-se o número dos discípulos.
- Atos 6.7: *Crescia a Palavra de Deus, e, em Jerusalém, se multiplicava o número dos discípulos; também muitíssimos sacerdotes obedeciam à fé.*
- Atos 9.31: A igreja crescia em número.
- Atos 16.5: As igrejas aumentavam em número.

O exemplo de **Estêvão** (6.8-15)

O historiador Lucas destaca, dentre os sete diáconos, o primeiro da lista, Estêvão. Ele foi fiel tanto em sua vida quanto em sua morte. Viveu de forma superlativa e morreu de modo exemplar. Coroa é o significado do nome de Estêvão, o diácono que se tornou o protomártir do cristianismo. Assentou-lhe bem o nome porque foi o primeiro a receber a coroa do martírio na igreja.[18]

Estêvão não limitou seu ministério a servir às mesas; também ganhou almas para Cristo e operou milagres.[19] Marshall diz que Estêvão levou a efeito um ministério apostólico de pregação e cura. Enfrentou oposição da parte de membros das sinagogas de língua grega, que por fim apelaram ao método de inventar acusações contra ele. Tais acusações enfureceram os judeus de língua grega e também os líderes judeus de língua hebraica, os quais faziam parte do concílio que ouvia as acusações contra Estêvão.[20] O tratamento dado a Estêvão foi semelhante à maneira como os líderes judeus trataram Jesus: a) contrataram testemunhas para

---
[18]NEVES, Mário. *Atos dos Apóstolos.* 1971, p. 96,97.
[19]WIERSBE, Warren W. *Comentário bíblico expositivo*, p. 557.
[20]MARSHALL, I. Howard. *Atos: introdução e comentário*, 1982, p. 124,125.

depor contra ele; b) instigaram o povo que, por sua vez, o acusou de atacar a lei de Moisés e o templo; e c) por fim, depois de ouvirem seu testemunho, o executaram.[21]

Quatro foram as marcas de Estêvão, esse gigante de Deus.

Em primeiro lugar, *sua vida era irrepreensível* (6.3). ... *homens de boa reputação, cheios do Espírito e de sabedoria...* Estêvão (como os demais diáconos) era homem de boa reputação, cheio do Espírito e de sabedoria. Sua vida era a vida do seu ministério. Seu caráter era o alicerce de seu trabalho. Não havia um abismo entre sua vida e seu trabalho, suas palavras e suas obras, seu caráter e seu desempenho. É lamentável que tantos líderes hoje estejam em descrédito, porque, embora ocupem lugares de honra, vivem de forma desprezível.

Se existe uma palavra que caracteriza a vida de Estêvão é *cheio*. Ele era um homem cheio de Deus. Sua vida não era apenas irrepreensível, mas também plena. Destacamos aqui alguns aspectos dessa plenitude.

- *Estêvão era cheio do Espírito Santo* (6.3,5). Todo homem está cheio de alguma coisa. Está cheio do Espírito ou de si mesmo. Está cheio de Deus ou de pecado.
- *Estêvão era cheio de fé* (6.5). Estêvão fora salvo pela fé, vivia pela fé, vencia o mundo pela fé e era cheio de fé.
- *Estêvão era cheio de sabedoria* (6.3). Sabedoria é mais do que conhecimento; é o uso correto do conhecimento. É olhar para a vida com os olhos de Deus.
- *Estêvão era cheio de graça* (6.8). Havia em Estêvão abundante graça. Sua vida era uma fonte de bênção. Seu coração era generoso, suas mãos eram dadivosas, e sua vida, um vaso transbordante de graça. Estêvão era um homem cheio de doçura.
- *Estêvão era cheio de poder* (6.8). Estêvão era um homem revestido com o poder de Deus para fazer milagres e muitos sinais entre o povo. Ele falava e fazia; pregava e demonstrava. Suas palavras eram irresistíveis, e suas obras, irrefutáveis. Até o momento, Lucas creditara prodígios e sinais apenas a Jesus (2.22) e aos apóstolos (2.43; 5.12);

---

[21] WIERSBE, Warren W. *Comentário bíblico expositivo*, p. 557.

agora, pela primeira vez, diz que outros os realizam (6.8; 8.6).[22] Adolf Pohl declara que *graça* e *poder* formam uma unidade. De nada adianta graça impotente, e poder sem graça é terrível. Porém, por ser cheio de graça e de poder, Estêvão fez grandes prodígios e sinais entre o povo.[23]

Em segundo lugar, **suas obras eram irrefutáveis** (6.8,9). *Estêvão, cheio de graça e poder, fazia prodígios e grandes sinais entre o povo. Levantaram-se, porém, alguns dos que eram da sinagoga chamada dos Libertos, dos cireneus, dos alexandrinos e dos da Cilícia e Ásia, e discutiam com Estêvão.* Para David Stern, aqueles que possuem histórico cultural e social semelhante, em geral, preferem adorar juntos. Os escravos libertos provavelmente eram judeus de Cirene e de Alexandria, da Cilícia e da província da Ásia, que haviam sido capturados e escravizados pelos romanos. O general Pompeu, que capturou Jerusalém em 63 a.C., fez prisioneiros diversos judeus e os libertou mais tarde em Roma. Entretanto, talvez alguns fossem gentios que se converteram ao judaísmo.[24]

É nesse contexto de oposição que Estêvão, cheio de graça e poder, fazia prodígios e grandes sinais entre o povo. Estêvão não tinha apenas uma vida irrepreensível, mas também obras irrefutáveis. Suas obras referendavam sua vida. Falava e fazia. Pregava aos ouvidos e aos olhos. Ninguém podia contestar sua vida nem negar os milagres que Deus operava por seu intermédio. No entanto, apesar de todas as qualidades extraordinárias de Estêvão, o seu ministério provocou um antagonismo feroz.[25] Três foram os estágios desse antagonismo: discussão (6.9b,10); difamação (6.11,12a); e condenação (6.12b–7.60).

Em terceiro lugar, **suas palavras eram irresistíveis** (6.10-14). Um homem cheio do Espírito, de fé, sabedoria, graça e poder é amado pelo céu e odiado pelo inferno; faz maravilhas entre os homens e ganha a oposição dos inimigos da cruz. Não foi diferente com Estêvão. Eis o relato de Lucas:

---

[22]STOTT, John. *A mensagem de Atos*, p. 140.
[23]POHL, Adolf. *Atos dos Apóstolos*. 2002, p. 109.
[24]STERN, David H. *Comentário judaico do Novo Testamento*, p. 269.
[25]STOTT, John. *A mensagem de Atos*, p. 140.

> *E não podiam resistir à sabedoria e ao Espírito, pelo qual ele falava. Então, subornaram homens que dissessem: Temos ouvido este homem proferir blasfêmias contra Moisés e contra Deus. Sublevaram o povo, os anciãos e os escribas e, investindo, o arrebataram, levando-o ao Sinédrio. Apresentaram testemunhas falsas, que depuseram: Este homem não cessa de falar contra o lugar santo e contra a lei; porque o temos ouvido dizer que esse Jesus, o Nazareno, destruirá este lugar e mudará os costumes que Moisés nos deu* (6.10-14).

Os adversários de Estêvão não podiam resistir à sabedoria e ao Espírito pelo qual ele falava. Suas palavras eram irresistíveis. Havia virtude de Deus em seus lábios. Então, não podendo suplantá-lo na argumentação, tramaram contra ele, como fizeram com Jesus, e subornaram homens covardes, que o acusaram de blasfêmia. A acusação contra Estêvão foi leviana, mas acabou sendo acolhida pelos membros do Sinédrio. Mário Neves diz que os antagonistas de Estêvão, não podendo vencê-lo pela razão, recorreram à mentira, à calúnia e ao suborno, conseguindo assim amotinar o povo, os anciãos e os escribas.[26]

A acusação contra Estêvão era dupla. Acusavam-no de blasfêmia contra Moisés e contra Deus; contra o templo e contra a lei (6.11). Perante o magno pretório judaico, as testemunhas subornadas pelos líderes religiosos assacaram contra Estêvão pesadas acusações: *...Este homem não cessa de falar contra o lugar sagrado e contra a lei* (6.13). William Barclay realça duas coisas especialmente preciosas para os judeus: o templo e a lei. Eles entendiam que só no templo podiam oferecer sacrifícios e só ali podiam adorar verdadeiramente a Deus. A lei jamais poderia ser mudada, mas eles acusavam Estêvão de dizer que o templo desapareceria e a lei nada mais era do que um passo para o evangelho.[27]

Essas acusações eram gravíssimas, uma vez que o templo era o lugar santo, símbolo da presença de Deus entre o povo, e a lei era a revelação da vontade de Deus. Falar contra a casa de Deus e contra a Palavra de Deus era blasfêmia, um pecado sentenciado com a morte. Marshall destaca que foi a mesma preocupação zelosa com o templo,

---
[26]NEVES, Mário. *Atos dos Apóstolos*. 1971, p. 98.
[27]BARCLAY, William. *Hechos de los Apóstoles*, p. 61.

da parte dos judeus da Dispersão, que justificou prisão posterior de Paulo (21.28).[28]

É importante ressaltar que essas mesmas acusações foram feitas contra Jesus, usando-se também o artifício das falsas testemunhas. Jesus foi condenado pelo pecado de blasfêmia por esse mesmo Sinédrio. Eles haviam interpretado de forma errada as palavras de Jesus tanto sobre o templo quanto sobre a lei. Quando Jesus disse: *Eu destruirei este santuário edificado por mãos humanas e em três dias construirei outro, não por mãos humanas* (Mc 14.58), eles julgaram que Jesus estivesse conspirando contra o templo para substituí-lo. No entanto, Jesus estava falando do santuário do seu corpo (Jo 2.21). Jesus é maior do que o templo e, de fato, é o novo templo de Deus, que substituiria o antigo (Mt 12.6). Mais tarde, no seu sermão profético, Jesus profetizou a destruição do templo (Lc 21.5,6).

De acordo com Marshall, ao criticar o templo e ao ensinar a sua substituição, Jesus se referiu à sua própria Pessoa. Ele mesmo representava a nova dimensão da comunhão com Deus que haveria de ultrapassar o culto antigo. No seu aspecto negativo, tratava-se de uma aguda crítica contra o templo propriamente dito e o seu culto; no seu aspecto positivo, significava uma nova comunhão com Deus, centralizada no próprio Jesus, que tomava o lugar do templo.[29]

Os judeus acusaram Jesus, de igual forma, de desrespeitar a lei. Os escribas e fariseus, com muita frequência, acusaram Jesus de violar o sábado. Na verdade, Jesus não foi um transgressor da lei. Ele veio não para violar a lei, mas para cumpri-la. Jesus afirmou: *Não penseis que vim revogar a Lei e os Profetas: não vim para revogar, vim para cumprir* (Mt 5.17). Jesus é o fim da lei (Rm 10.4). Ele cumpriu a lei por nós e morreu por nós. Tornou-se o sacerdote e o sacrifício. Nele somos aceitos por Deus. Sendo assim, Jesus é o substituto do templo e o cumprimento da lei. Para Jesus apontava tanto o templo como a lei. John Stott assevera: "Afirmar que o templo e a lei apontavam para Cristo e que estão agora cumpridos nEle é aumentar sua importância, não negá-la".[30]

---

[28] MARSHALL, I. Howard. *Atos: introdução e comentário*, 1982, p. 125.
[29] MARSHALL, I. Howard. *Atos: introdução e comentário*, 1982, p. 127.
[30] STOTT, John. *A mensagem de Atos*, p. 143.

Estêvão não blasfemava contra o templo nem contra a lei. Ao contrário, estava alinhado com a mesma interpretação de Jesus (Jo 2.19; Mc 14.58; 15.29). Porém, a luz da verdade cegou os olhos dos membros do Sinédrio em vez de lhes clarear a mente. A oposição desceu da teologia para a violência. Essa mesma ordem de acontecimentos repetiu-se muitas vezes. No início, há um sério debate teológico. Quando isso fracassa, as pessoas iniciam uma campanha pessoal de mentiras. Finalmente, recorrem a ações legais ou quase legais numa tentativa de se livrarem do adversário pela força.[31] Em vez de acolher a mensagem da verdade com humildade, o Sinédrio preferiu sentenciar à morte o mensageiro.

Em quarto lugar, **sua paz era inexplicável** (6.15). *Todos os que estavam assentados... viram o seu rosto como se fosse rosto de anjo.* A serenidade de Estêvão reprova a fúria dos acusadores. A paz de Estêvão denuncia o ódio dos membros do Sinédrio. Tratava-se da descrição de uma pessoa que fica perto de Deus e reflete algo da Sua glória, como resultado de estar na Sua presença.[32]

John Stott afirma ser significativo que o conselho, olhando para o prisioneiro no banco dos réus, visse seu rosto brilhando como se fosse de um anjo, pois foi exatamente isso o que ocorreu ao rosto de Moisés quando ele desceu do monte Sinai com a lei (Êx 34.29). Não terá sido propósito deliberado de Deus dar a Estêvão, acusado de se opor à lei, o mesmo rosto radiante dado a Moisés quando este recebeu a lei? Dessa forma, Deus estava mostrando que tanto o ministério da lei de Moisés quanto a interpretação de Estêvão tinham sua aprovação.[33] Era como se Deus estivesse dizendo: "Este homem não é contra Moisés; ele é como Moisés!"[34] Assim como o rosto de Jesus se transfigurou no monte, também o semblante de Estêvão iluminou-se com a glória do outro mundo. Esta cena retrata vividamente a diferença entre um judaísmo decadente e um cristianismo cheio do Espírito.[35]

---

[31] STOTT, John. *A mensagem de Atos*, p. 141.
[32] MARSHALL, I. Howard. *Atos: introdução e comentário*, 1982, p. 127.
[33] STOTT, John. *A mensagem de Atos*, p. 143.
[34] WIERSBE, Warren W. *Comentário bíblico expositivo*, p. 558.
[35] EARLE, Ralph. *Livro dos Atos dos Apóstolos*, p. 252.

7

A defesa e o martírio de Estêvão

Atos 7.1-60

ESTÊVÃO FOI O PROTOMÁRTIR DO CRISTIANISMO. Viveu de forma excelente e morreu de maneira exemplar. Foi apedrejado por uma multidão ensandecida e morreu ajoelhado na terra, mas Jesus ficou de pé para recebê-lo no céu. Sua vida foi irrepreensível; suas obras, irrefutáveis; e suas palavras, irresistíveis. Estêvão foi um homem cheio de fé, de sabedoria e do Espírito Santo. Foi um homem cheio de graça e poder. Embora tenha sido eleito para a diaconia das mesas, operou milagres e pregou com autoridade, exercendo também a diaconia da Palavra.

Vimos no capítulo anterior como alguns membros da sinagoga dos libertos discutiram com ele (6.9). E como, por não poderem resistir à sabedoria com que falava, subornaram testemunhas para difamá-lo (6.10,11). Assacaram contra Estêvão duas graves acusações. Acusaram-no de blasfêmia contra Moisés e contra Deus. Denunciaram que Estêvão falava mal tanto da lei como do templo (6.12,13). A lei era a palavra revelada de Deus e o templo, o lugar sagrado da morada de Deus. Esse mesmo tribunal judaico condenou Jesus à morte, e isso pelas mesmas falsas acusações.

A multidão alvoroçada arrastou Estêvão até o Sinédrio. Os 71 membros desse ínclito concílio se reúnem para ouvir o réu. O sumo sacerdote, presidente do tribunal, interroga Estêvão acerca das acusações que pesavam sobre ele (7.1). Em sua defesa, Estêvão profere um longo e articulado discurso, fazendo uma retrospectiva da história da redenção e deixando claro que era inocente das acusações contra ele assacadas. Mas não foi só isso. Estêvão virou o jogo, pois, ao mesmo tempo que alinhavava sua defesa, montava também uma completa peça de acusação contra seus acusadores. Estêvão, com audácia e coragem, sai do banco dos réus e acusa os judeus de desobedecerem à lei, desonrarem o templo e matarem o Messias.

Em vez de reconhecerem seus pecados e acolherem com mansidão a verdade das Escrituras, como fizeram as quase três mil pessoas, no dia de Pentecostes, esses juízes ensandecidos e implacáveis arremeteram contra Estêvão e o apedrejaram, arrancando da terra aquele que lhes pregava a verdade. Estava confirmada a acusação de Estêvão. Eles eram da mesma estirpe de seus pais, que mataram os profetas.

O discurso de Estêvão rememora os capítulos mais importantes da história de Israel: o período patriarcal, o amargo cativeiro, o êxodo, a outorga da lei, a monarquia, a construção do templo e a vinda do Messias. Algumas personagens ganharam atenção especial, como Abraão, José, Moisés, Davi e Salomão, culminando no Messias. A característica comum a esses períodos (patriarcal, exílio, êxodo e monarquia) é que em nenhum deles a presença de Deus esteve limitada a um lugar específico. Pelo contrário, o Deus do Antigo Testamento era o Deus vivo, o Deus em movimento, em marcha, que sempre chamava o Seu povo para novas aventuras, e sempre o acompanhava e o guiava em sua caminhada.[1]

Os judeus haviam interpretado erradamente a Palavra de Deus, julgando que a presença de Deus estava limitada e circunscrita a Israel e a seu templo. Estêvão mostra que as grandes aparições e intervenções de Deus aconteceram fora de Israel e fora do templo. Deus apareceu a Abraão na Mesopotâmia. Manifestou-se a José no Egito. Chamou Moisés do deserto de Midiã. O trono de Deus está no céu, e não numa casa feita por mãos humanas.

---

[1] STOTT, John. *A mensagem de Atos*, p. 145.

A defesa de Estêvão pode ser dividida em cinco pontos, conforme explana Thomas Whitelaw.[2]

Em primeiro lugar, *a quem foi dirigida a sua defesa?* Estêvão se dirige ao Sinédrio judaico, ao povo judeu em geral e a todos os que em épocas posteriores possam estar sob as mesmas circunstâncias.

Em segundo lugar, *em que espírito foi proferida a sua defesa?* Duas atitudes governaram as palavras de Estêvão: afeição e reverência. Estêvão chamou-os de *irmãos* e *pais* (7.2).

Em terceiro lugar, *de que declarações foi composta a sua defesa?* Estêvão faz um relato histórico e depois uma aplicação prática. Traz à lume o tempo dos patriarcas, de Moisés e dos profetas, ou seja, o tempo da construção do templo (7.2-53).

Da mesma forma que José foi vendido pelos irmãos por inveja, mas Deus o livrou e o levantou como preservador, Cristo foi rejeitado e entregue à morte pelos judeus, mas Deus O ressuscitou, O exaltou e O colocou como Salvador, para dar arrependimento a Israel e remissão de seus pecados. Da mesma forma que Moisés foi rejeitado por seu povo como libertador, Deus o levantou como aquele que libertaria seu povo do amargo cativeiro. Da mesma forma que os homens de Israel no deserto preferiram o tabernáculo de Moloque ao que Deus havia ordenado construir e do mesmo modo que o povo profanou o templo, fazendo orgias na casa de Deus em vez de adorarem o verdadeiro Deus, assim também os judeus rejeitaram a Cristo e agarraram-se apenas ao templo e a rituais vazios e sem vida.

Em quarto lugar, *com que argumentos sua defesa foi feita?* Os judeus diziam que a verdadeira adoração a Deus deveria estar atrelada à lei de Moisés. Mas isso não era possível, porque o Deus da glória havia aparecido ao pai da nação na Mesopotâmia muito antes da lei de Moisés. Logo, a verdadeira adoração teve sua origem não no Sinai, mas em Ur dos caldeus; não com Moisés, mas com Abraão. Ainda mais, a promessa do Messias, que era o cerne do mosaísmo, foi dada a Abraão antes que ele tivesse descendente ou que alguém pudesse deleitar-se na lei.

---

[2] WHITELAW, Thomas. *The preacher's complete homiletic commentary on the Acts of the Apostles.* Vol. 25. Grand Rapids, MI: Baker Books, 1996, p. 150-152.

De igual forma, o pacto da circuncisão, na qual todo judeu se gloriava como sendo a essência da lei, não havia começado com Moisés, mas com Abraão. Finalmente, a presença de Deus para proteger e libertar Seu povo não começou no Sinai, mas com José no Egito (7.10,14,15).

Os judeus também estavam dizendo que a verdadeira adoração deveria estar atrelada ao templo. Mas também isso era impossível, porque o tabernáculo no deserto, que era uma sombra do templo, foi profanado pelos judeus, uma vez que eles não ofereceram os sacrifícios prescritos por Deus, mas sacrificaram a Moloque e a Renfã (7.42,43). Quando o templo foi edificado, os judeus passaram a adorar o templo em vez de adorar a Deus no templo. Mas o profeta Isaías diz: *O céu é o meu trono* (7.46-50). A existência do templo não impediu que os judeus resistissem ao Espírito Santo, matassem os profetas de Deus, traíssem e assassinassem o Messias (7.51,52).

Em quinto lugar, *que resultados a defesa de Estêvão produziu?* Em relação aos ouvintes, gerou fúria e destempero. Em relação a Estêvão, provocou seu martírio. Foi uma eterna recompensa para um breve serviço, uma curta vergonha seguida por uma longa fama; uma pequena perda diante de ganho eterno.

Esse longo discurso de Estêvão é considerado "uma proclamação sutil e inteligente do evangelho".[3] John Stott diz que a preocupação de Estêvão era demonstrar que sua posição, longe de ser uma blasfêmia por desrespeito à Palavra de Deus, a honrava e glorificava. Isso porque o Antigo Testamento confirmava o seu ensino sobre o templo e a lei, especialmente ao profetizar sobre o Messias. Portanto, eram eles, e não Estêvão, que estavam negando a lei.[4]

Vamos agora examinar as principais personagens mencionadas por Estêvão e extrair algumas lições importantes e oportunas.

Abraão, o pai da nação (7.1-7)

Estêvão começou com Abraão, porque, para os judeus, a história começa com ele. Em Abraão, Estêvão vê três características.

---

[3] STOTT, John. *A mensagem de Atos*, p. 144.
[4] STOTT, John. *A mensagem de Atos*, p. 144.

Primeiro, **Abraão foi um homem obediente ao chamado divino**. Deus o chamou quando este ainda vivia em Ur dos caldeus, na Mesopotâmia (Gn 11.28). Nesse tempo, tanto Abraão como sua família eram adoradores de outros deuses (Gn 15.7; Js 24.2,3; Ne 9.7). Abraão não questionou, não duvidou nem postergou sua saída; antes, *saiu sem saber aonde ia* (Hb 11.8).

Segundo, **Abraão foi um homem de fé**. Mesmo não sabendo aonde ia, cria que sob a direção de Deus encontraria algo melhor. Mesmo não tendo filhos, cria que a promessa se tornaria realidade.

Terceiro, **Abraão foi um homem de esperança**. Apesar de nunca ter visto plenamente a promessa realizada, jamais duvidou de que ela se cumpriria. A atitude de Abraão de sair de sua terra em obediência ao chamado divino reprovava os judeus que acusavam Estêvão.[5]

Mesmo quando os descendentes de Abraão amargaram um longo cativeiro no Egito, Deus não se esqueceu deles; pelo contrário, julgou a nação que os oprimia e providenciou-lhes um libertador (7.7). Para John Stott, não podemos deixar de ver a ênfase que Estêvão coloca na iniciativa divina. Foi Deus quem apareceu, falou, enviou, prometeu, julgou e libertou. De Ur a Harã, de Harã a Canaã, de Canaã ao Egito, do Egito de volta a Canaã, Deus estava dirigindo cada etapa da peregrinação do Seu povo. Isso porque Deus lhes dera a aliança da circuncisão. Assim, muito antes de existir um lugar santo, existia um povo santo, com o qual Deus havia se comprometido.[6]

Thomas Whitelaw sintetiza a experiência de Abraão em seis pontos distintos, como segue: uma gloriosa visão: ... *o Deus da glória apareceu a Abraão* (7.2); uma pesada ordenança: ... *Sai da tua terra e da tua parentela* (7.3); uma magnificente promessa: ... *prometeu dar-lhe a posse da terra e, depois dele, à sua descendência* (7.5b); uma esplêndida fé: *Então, ele saiu da terra dos caldeus...* (7.4); um doloroso desapontamento: *Na terra, não lhe deu herança, nem sequer o espaço de um pé...* (7.5a); e uma suficiente consolação: ... *julgarei a nação da qual forem*

---
[5] BARCLAY, William. *Hechos de los Apóstoles*, p. 63,64.
[6] STOTT, John. *A mensagem de Atos*, p. 146,147.

escravos; e, depois disto, sairão daí e me servirão neste lugar. Então, lhe deu a aliança da circuncisão... (7.7,8).[7]

José, o salvador do seu povo (7.8-16)

Estêvão faz a transição de Abraão para José. Notamos imediatamente que, se a Mesopotâmia foi o contexto surpreendente no qual Deus apareceu a Abraão, o Egito foi o cenário igualmente surpreendente em que Deus lidou com José. Apesar de José ser estrangeiro e escravo no Egito, Deus estava com ele para livrá-lo de todas as suas aflições. José deixou a cadeia para ser governador do Egito. Deus estava não apenas com José, mas também com toda a sua família, pois Ele os salvou da morte durante a grande fome (7.2-11). O cenário dessa libertação divina também foi o Egito e não Canaã.[8] Estêvão colocou mais uma pedra no alicerce de sua argumentação, derrubando a falácia das infundadas teses de seus juízes.

A chave da vida de José pode ser encontrada em suas próprias palavras: *Vós, na verdade, intentastes o mal contra mim; porém Deus o tornou em bem, para fazer, como vedes agora, que se conserve muita gente em vida* (Gn 50.20). José foi um homem para quem o desastre se converteu em triunfo: odiado por seus irmãos, vendido aos estrangeiros como mercadoria barata, escravo traído por sua patroa, encarcerado injustamente, esquecido por aquele a quem havia ajudado, porém, no tempo oportuno de Deus, saiu da prisão e tornou-se governador do Egito.[9] Estêvão resume as características de José, dizendo que *Deus lhe deu graça e sabedoria*. William Barclay salienta que uma vez mais se vê o contraste: os judeus estavam perdidos na contemplação de seu passado e engessados nos labirintos de sua própria lei, enquanto José cumpria a agenda de Deus, ainda que em terra estranha e de forma inusitada.[10]

---

[7] WHITELAW, Thomas. *The preacher's complete homiletic commentary on the Acts of the Apostles*, p. 156,157.
[8] STOTT, John. *A mensagem de Atos*, p. 147,148.
[9] BARCLAY, William. *Hechos de los Apóstoles*, p. 64.
[10] BARCLAY, William. *Hechos de los Apóstoles*, p. 65.

O nosso Deus ainda continua transformando vales em mananciais, desertos em pomares, noites escuras em manhãs cheias de luz, vidas esmagadas pelo sofrimento em troféus da Sua graça. É como dizem os poetas: "Os cisnes cantam mais docemente quando sofrem". No meio dessa saga dolorosa, José é o mais próximo tipo de Cristo que encontramos na Bíblia: amado pelo pai e invejado pelos irmãos; vendido por vinte moedas de prata; desceu ao Egito em tempos de prova; perseguido injustamente; abandonado pelo amigo; exaltado depois da aflição; salvador do seu povo.

Três verdades gloriosas podem ser vistas na experiência de José.

Primeiro, **a presença de Deus em nós**. *Os patriarcas, invejosos de José, venderam-no para o Egito; mas Deus estava com ele* (7.9). Deus não nos livra dos problemas, mas está conosco nos problemas.

Segundo, **a intervenção de Deus por nós**. *E livrou-o de todas as aflições, concedendo-lhe também graça e sabedoria perante Faraó, rei do Egito, que o constituiu governador daquela nação e de toda a casa real* (7.10). Deus não nos livra de sermos humilhados, mas nos exalta em tempo oportuno.

Terceiro, **a graça de Deus através de nós** (7.11-16). Deus não nos poupa de sofrermos injustiças, mas nos dá poder para triunfar sobre elas através do perdão.

Analisando o texto em apreço, Thomas Whitelaw aponta que José foi vítima de um terrível crime perpetrado por seus irmãos, instigado pelo ciúme fraternal e seguido por imerecida aflição. Contudo, José foi também alvo de uma maravilhosa intervenção divina, pois Deus o consolou *em* seus problemas, libertou-o deles e depois o promoveu. Finalmente, José foi instrumento de uma providencial libertação. Seus irmãos inconscientemente o mandaram para o Egito como escravo, e José conscientemente os levou ao Egito para desfrutarem de plena liberdade.[11]

Moisés, o libertador do seu povo (7.17-36)

O próximo a aparecer na cena é Moisés. Aqui, possivelmente, Estêvão se alongou um pouco mais, porque foi acusado de falar contra

---

[11] WHITELAW, Thomas. *The preacher's complete homiletic commentary on the Acts of the Apostles*, p. 157.

Moisés (6.11). Estêvão, portanto, não deixa seus juízes em dúvida quanto ao imenso respeito pela liderança de Moisés e sua lei.[12] A vida de Moisés pode ser dividida em três períodos de quarenta anos cada.

No primeiro período (0-40 anos) Moisés pensa que é forte. Ele nasceu num tempo perigoso, pois foi exposto a um cruel destino; contudo, nesse cenário foi resgatado por uma extraordinária providência para ser educado na corte de Faraó. Moisés torna-se um homem douto em toda ciência do Egito, reconhecido como um indivíduo poderoso em palavras e obras. É na sua força que tenta ser o libertador do seu povo, mas seus irmãos o rejeitam como tal (7.23-28).

No segundo período (40-80 anos), Moisés reconhece que é fraco. Ao ser rejeitado como libertador do seu povo, foge para a terra de Midiã, onde se estabelece como peregrino, casa-se e tem filhos. Troca o trono do Egito pelo deserto, as carruagens pelo cajado e o conforto na corte pelo calor tórrido do deserto. É nesse deserto que Deus lhe aparece e lhe convoca para ser o libertador de Israel. O mesmo Moisés rejeitado pelos israelitas como autoridade e juiz é agora escolhido por Deus como chefe e libertador do seu povo, com a assistência do Anjo que lhe aparece na sarça (7.29-35).

No terceiro período (80-120), Moisés aprende que Deus é tudo. Já octogenário, Moisés vai ao Egito, libertando o povo de Israel da amarga escravidão. Deus manifesta na terra dos faraós o Seu poder, através de portentosos milagres, triunfando sobre Faraó e o panteão de deuses adorados naquela terra (7.36)

Para os judeus, Moisés estava acima de todos os homens que haviam obedecido ao mandato de Deus. Era literalmente o homem que havia deixado um reino para responder ao chamado de Deus para conduzir seu povo. William Barclay corretamente destaca: "O homem de grandeza não é aquele que, como os judeus, está atado a seu passado e apegado aos seus privilégios; o homem verdadeiramente grande é aquele que está pronto a responder ao chamado: sai e deixa para trás toda a comodidade e tranquilidade que tinha*".[13]

---

[12]STOTT, John. *A mensagem de Atos*, p. 149.
*[NR] Tradução livre.
[13]BARCLAY, William. *Hechos de los Apóstoles*, p. 67.

Israel, o povo rebelde contra Deus (7.37-43)

Foi Moisés, continuou Estêvão, quem predisse a vinda do Messias, um profeta semelhante a ele (7.37; Dt 18.15). Porém, assim como o povo rejeitou a liderança de Moisés, também seus ouvintes rejeitaram o Profeta apontado por Moisés; assim como seus pais mataram os profetas, também eles crucificaram a Jesus.

Estêvão até então reprovara seus ouvintes por inferência; agora, fere-os com a espada da verdade de forma direta. Seu discurso não é mais uma acusação velada e implícita, mas um libelo acusatório explícito e contundente contra seus ouvintes. Estêvão, como um perito tribuno, trouxe a luz do passado para reprovar as trevas do presente, mostrando que seus ouvintes, embora fossem zelosos, estavam desprovidos de entendimento. Ao empregarem ensandecida violência contra ele, estavam agindo da mesma forma que seus pais no deserto. Nos dias de Moisés, o povo se rebelou, fabricando e adorando um bezerro de ouro, e nos tempos de Amós os corações se inclinaram a Moloque e outras divindades pagãs (7.42,43).

De acordo com John Stott, é assim que Estêvão termina de esboçar a vida e o ministério de Moisés no Egito, em Midiã e no deserto, mostrando que Deus estava com ele em cada período e lugar. Portanto, a lição que devemos aprender a partir da experiência de Moisés é que Deus está presente em todos os lugares e a terra santa está em qualquer lugar onde Deus está.

Davi e Salomão, os construtores do templo (7.44-50)

Estêvão passa a descrever o período de colonização da terra prometida e o estabelecimento da monarquia. É nesse tempo que uma estrutura religiosa é mencionada pela primeira vez. Ao referir-se ao tabernáculo e ao templo, Estêvão não deprecia nenhum dos dois. Ao contrário, afirma que o tabernáculo foi construído de acordo com a determinação divina e que Josué e os pais o levaram para a terra que tomaram das nações. Desde a conquista da terra até os dias do rei Davi, o tabernáculo era o centro da vida nacional. Foi então que Davi encontrou graça diante de Deus e pediu permissão para edificar uma casa mais sólida e permanente ao Senhor. Seu pedido foi recusado e coube a Salomão, seu filho, edificar o templo (7.44-47).

O argumento de Estêvão é que o tabernáculo e o templo não foram edificados com o propósito de confinar Deus a um espaço geográfico, porque *...não habita o Altíssimo em casas feitas por mãos humanas...* (7.48). Mais tarde, Paulo reafirma essa mesma verdade em Atenas (17.24). O próprio rei Salomão, na dedicação do templo, compreendeu essa verdade incontroversa: *Mas, de fato habitaria Deus na terra? Eis que os céus, e até os céus dos céus, não te podem conter, quanto menos esta casa que eu edifiquei* (1Rs 8.27). Estêvão, entretanto, deixa essa afirmação de Salomão para citar o profeta Isaías 66.1,2, onde Deus diz: *O céu é o meu trono, e a terra o estrado dos meus pés; que casa me edificareis, diz o Senhor, ou qual é o lugar do meu repouso? Não foi, porventura, a minha mão que fez todas estas coisas?* (7.49,50).

John Stott, de forma brilhante, resume a tese usada por Estêvão em sua defesa:

> Um único fio percorre toda a primeira parte de sua defesa: o Deus de Israel é o Deus peregrino, que não se restringe a um lugar. As principais afirmações desse discurso são: O Deus da glória apareceu a Abraão enquanto esse ainda estava na Mesopotâmia pagã (7.2); Deus estava com José mesmo quando ele ainda era escravo no Egito (7.9); Deus foi ao encontro de Moisés no deserto de Midiã, e assim transformou aquele lugar em *terra santa* (7.30,33); apesar de no deserto Deus ter andado de *tenda em tenda* (1Cr 17.5), não habita o Altíssimo em casas feitas por mãos humanas (7.48). É, portanto, evidente, com base nas próprias Escrituras, que a presença de Deus não pode ser restrita a um local, e que nenhum edifício pode confiná-lo ou inibir sua atividade. Se ele possui uma casa aqui na terra, então ela está no povo no qual vive. Ele se comprometeu a ser o Deus deles através de uma aliança solene. E, de acordo com essa promessa da aliança, onde quer que seu povo esteja, ali também ele está.[14]

Estêvão acusa Israel de ter limitado a Deus equivocadamente. O templo que foi dado para ser uma bênção tornou-se uma maldição.

---

[14] STOTT, John. *A mensagem de Atos*, p. 154.

Em vez de ser um meio, tornou-se um fim. O povo de Israel passou a adorar o templo no lugar de adorar a Deus. Pensaram que Deus fosse uma divindade tribal que vivia em Jerusalém confinado no templo e não perceberam que Deus é transcendente e nem os céus dos céus podem contê-Lo.

Jesus, o Justo anunciado por todos os profetas (7.51-53)

Estêvão acusa os judeus de terem perseguido continuamente os profetas. Chega agora ao ponto máximo de seu argumento, quando maneja a espada da verdade e acusa seus ouvintes de serem homens de dura cerviz, a mesma acusação outrora feita a seus pais por Moisés e pelos profetas (Êx 32.9; 33.3,5; 34.9; Dt 9.6,13; 10.16; 31.27; Jr 17.23), e também de serem incircuncisos de coração e de ouvidos, acusação igualmente feita por Moisés e pelos profetas a Israel (Lv 26.41; Dt 10.16; 30.6; Jr 6.10; 9.26; Ez 44.7). Para John Stott, essa acusação de Estêvão equivalia a chamar seus juízes de "pagãos de coração e surdos à verdade".[15]

Estêvão denuncia seus ouvintes e os acusa de serem culpados de pecarem contra o Espírito Santo, contra o Messias e contra a lei. Primeiro, Estêvão proclama: *Vós sempre resistis ao Espírito Santo* rejeitando seus apelos (7.51). Segundo, Estêvão denuncia: Seus pais perseguiram todos os profetas e até mataram os que anteriormente anunciaram a vinda do Justo. Os judeus que estão diante de Estêvão são ainda piores, pois se tornaram traidores e assassinos dAquele que fora anunciado pelos profetas (7.52). Terceiro, apesar de serem especialmente privilegiados pelo fato de terem recebido a lei por intermédio de anjos, os judeus não têm obedecido a essa lei (7.53).[16]

William Barclay destaca o fato de que Estêvão não atenua a culpa dos judeus nesse crime horrendo, como fez Pedro (3.17). Em outras palavras, o que levou os judeus a cometerem esse crime não foi a ignorância, mas a desobediência rebelde.[17]

---

[15] STOTT, John. *A mensagem de Atos*, p. 155.
[16] STOTT, John. *A mensagem de Atos*, p. 155,156.
[17] BARCLAY, William. *Hechos de los Apóstoles*, p. 69.

Estêvão, o protomártir do cristianismo (7.54-60)

Estêvão confronta com grande vigor os homens que haviam matado a Jesus. A consciência deles ainda está cauterizada. Em vez de demonstrarem arrependimento, rilham os dentes e apanham pedras para cometerem outro crime horrendo. A morte de Estêvão possivelmente não foi um juízo, mas um linchamento, uma vez que o Sinédrio não tinha competência para aplicar a pena capital a ninguém. O que matou Estêvão foi uma explosão de ira cega e incontrolada.[18]

Encontramos no texto em questão o último olhar de Estêvão para o céu (7.55); o último testemunho de Estêvão por Cristo (7.56); a última súplica de Estêvão por si mesmo (7.59); e a última oração de Estêvão pelos seus inimigos (7.60).[19]

William Barclay destaca três pontos importantes acerca de Estêvão neste texto:

1. O segredo do seu valor. O primeiro diácono da igreja viu o martírio como sua entrada à presença de Cristo.
2. O protomártir do cristianismo seguiu o exemplo de Cristo em sua vida e também em sua morte. Assim como Jesus orou pelo perdão daqueles que O executavam (Lc 23.34), também o fez Estêvão.
3. Para Estêvão, o terrível tumulto terminou em uma estranha paz. Ele dormiu na terra e logo foi recebido no céu pelo próprio Senhor Jesus.[20]

---

[18]BARCLAY, William. *Hechos de los Apóstoles*, p. 70.
[19]WHITELAW, Thomas. *The preacher's complete homiletic commentary on the Acts of the Apostles*, p. 169,170.
[20]BARCLAY, William. *Hechos de los Apóstoles*, p. 70.

8

Evangelização que transpõe fronteiras

Atos 8.1-40

HÁ UMA COISA MAIS FORTE que todos os exércitos do mundo, escreveu Vitor Hugo, "uma ideia cuja hora é chegada". O evangelho de Jesus Cristo é muito mais do que uma ideia. É o poder de Deus para a salvação de todo o que crê. É a dinamite de Deus para derrubar as barreiras do pecado. Sua hora havia chegado, e a igreja estava em movimento.[1]

Em Atos 1.8 Jesus diz que a igreja precisa testemunhar além-fronteiras. Até o capítulo 7 de Atos, a igreja é judaica. O capítulo 8 é uma dobradiça: o evangelho alcança Samaria, povo meio judaico, meio gentílico. No capítulo 9, a igreja é gentílica.

Neste texto aprendemos algumas lições.

A perseguição promove a evangelização (8.1-4)

A perseguição é o vento que atiça o fogo do Espírito; em vez de destruir a igreja, promove-a. O martírio de Estêvão provocou a perseguição; a perseguição desembocou na dispersão; e a dispersão redundou em evangelização.[2] De acordo com Simon Kistemaker, os profetas do

---
[1] WIERSBE, Warren W. *Comentário bíblico expositivo*, p. 562.
[2] STOTT, John. *A mensagem de Atos*, p. 163.

Antigo Testamento ensinavam que, quando um judeu vivia na dispersão, estava recebendo o justo castigo de Deus por desobediências anteriores. Por outro lado, a igreja do Novo Testamento considerava a dispersão dos judeus o meio divino preparado com a finalidade de providenciar a cabeça de ponte para a expansão do evangelho em território estrangeiro.[3]

Destacamos aqui esses três pontos.

Em primeiro lugar, *a morte de Estêvão provocou grande perseguição sobre a igreja* (8.1-3). Do ponto de vista humano, aquele foi um dia tenebroso para os crentes, mas do ponto de vista de Deus foi o começo de uma grande revolução espiritual, quando a igreja alargou suas fronteiras em direção aos confins da terra.[4] Com a morte de Estêvão um vento forte de perseguição soprou sobre a igreja. Mas a perseguição é como o vento em relação à semente: apenas a espalha. Enquanto os crentes foram espalhados pela perseguição, os apóstolos permaneceram em Jerusalém (8.1). Concordo com a observação de Calvino de que os apóstolos não fugiram de Jerusalém, porque é dever de um bom pastor dar a própria vida em defesa das ovelhas quando elas são atacadas por um lobo.[5]

Lucas registra que Saulo assolava a igreja (8.3). O mesmo Saulo que guardou as vestes dos que apedrejaram Estêvão (7.58) e consentiu na sua morte (8.1), agora, assola a igreja (8.3). O verbo "assolar" descreve um animal selvagem despedaçando a vítima.[6] O verbo *lumaino* expressa "uma crueldade sádica e violenta".[7] Segundo William Barclay, a palavra utilizada no grego se aplica a um javali que entra numa vinha para destroçá-la ou uma fera selvagem que salta sobre uma presa para devorá-la.[8] Fritz Rienecker diz ainda que essa palavra era usada para injúria física, particularmente, a causada por animais selvagens.[9]

Saulo não poupava nem mesmo as mulheres. Também as lançava nas prisões. Ele buscava a prisão e a morte de suas vítimas em Jerusalém e

---

[3] KISTEMAKER, Simon. *Atos*. Vol. 1. São Paulo: Cultura Cristã, 2006, p. 381.
[4] MACDONALD, William. *Believer's Bible commentary*, p. 1605.
[5] CALVIN, John. *Commentary upon the Acts of the Apostles*, p. 324.
[6] WIERSBE, Warren W. *Comentário bíblico expositivo*, p. 562.
[7] STOTT, John. *A mensagem de Atos*, p. 162.
[8] BARCLAY, William. *Hechos de los Apóstoles*, p. 72.
[9] RIENECKER, Fritz; ROGERS, Cleon. *Chave linguística do Novo Testamento grego*, p. 205.

fora dela. Devastava e assolava a igreja (8.3; Gl 1.13), exterminando os que invocavam o nome de Jesus (9.21). Além de castigar muitos crentes nas sinagogas, forçando-os a blasfemar por meio de tortura, encerrava-os nas prisões e dava o seu voto quando os matavam (26.9-11). Calvino diz que os ímpios são como feras selvagens que, ao sentirem o gosto de sangue, tornam-se ainda mais violentas e cruéis.[10]

Em segundo lugar, *a perseguição acarretou grande dispersão* (8.4). A comissão foi cumprida através da perseguição. A perseguição não é um acidente de percurso, mas uma agenda. Mesmo quando a igreja é perseguida, Deus continua no controle. A perseguição nunca destruiu a igreja; ao contrário, alargou suas fronteiras. Uma igreja que se espalha para além de sua zona de conforto impacta o mundo. Calvino diz corretamente que, pela maravilhosa providência de Deus, a dispersão dos fiéis levou muitos à unidade da fé. Assim, o Senhor trouxe luz das trevas e vida da morte.[11]

A palavra traduzida por *dispersos* é o termo usado para indicar "sementeira, semeadura, espalhar sementes*". Warren Wiersbe acrescenta que a perseguição faz com a igreja aquilo que o vento faz com a semente, espalhando-a e aumentando a colheita. Os cristãos em Jerusalém eram as sementes de Deus, e a perseguição foi usada por Deus para plantá-los em novo solo, a fim de que dessem frutos.[12] Daí nasceu o provérbio: "O sangue dos mártires é a sementeira da igreja".[13]

Em terceiro lugar, *a dispersão produziu poderosa evangelização* (8.4). Bengel afirmou que o vento aumenta a chama. A perseguição não labora contra a igreja, mas a seu favor. Deus transforma o agente da perseguição em parceiro da missão. Para Marshall, a dispersão levou ao mais significativo avanço na missão da igreja. Pode-se dizer que a perseguição foi necessária para levá-los a cumprir o mandamento dado em Atos 1.8.[14]

---

[10] CALVIN, John. *Commentary upon the Acts of the Apostles*, p. 322.
[11] CALVIN, John. *Commentary upon the Acts of the Apostles*, p. 328.
[12] WIERSBE, Warren W. *Comentário bíblico expositivo*, p. 562.
[13] STAGG, Frank. *O livro de Atos*, p. 149.
[14] MARSHALL, I. Howard. *Atos: introdução e comentário*, 1982, p. 147,148.

O Sinédrio tentou prender os apóstolos, porém a igreja se tornou mais intrépida. Paulo prendia os crentes, porém a igreja continuou crescendo com mais ousadia. Os imperadores romanos tentaram deter a igreja queimando os crentes e jogando-os nas arenas, porém a igreja se multiplicou ainda mais. Em 1553, a rainha Maria Tudor mandou queimar em praça pública os líderes da igreja e promoveu um verdadeiro banho de sangue, porém com sua morte precoce em 1558, a igreja da Inglaterra floresceu com mais vigor e surgiu um dos mais poderosos movimentos de reforma e reavivamento na Inglaterra, o puritanismo.

As perseguições japonesas e comunistas na Coreia do Sul não conseguiram destruir a igreja. Ao contrário, a igreja sul-coreana é uma das mais robustas e crescentes do mundo. Em 1949 o governo chinês foi derrotado pelos comunistas e nessa época 637 missionários da Missão para o Interior da China foram obrigados a deixar o país. Anos depois, os cristãos na China eram quarenta vezes mais numerosos.[15] Ninguém pode deter os passos da igreja. Ninguém pode calar sua voz. Prisões e fogueiras não podem impedir seu avanço. Conforme proclama um cântico pentecostal: "Ninguém detém, é obra santa!"

A força leiga amplia a evangelização (8.4,5)

A evangelização alcança o mundo quando é uma grande força leiga. A perseguição dispersou os crentes, que saíram pregando a Palavra. Como já afirmamos, a perseguição faz com a igreja aquilo que o vento faz com a semente, espalhando-a e aumentando a colheita. Os cristãos de Jerusalém eram as sementes de Deus, e a perseguição foi usada por Deus para plantá-los em novo solo, a fim de que dessem frutos.[16]

A evangelização não é um programa, mas um estilo de vida. O projeto de Deus é o evangelho *todo*, por *toda* a igreja, a *todo* o mundo, a *cada* criatura, em *cada* geração. Os apóstolos sozinhos não podiam ganhar o mundo. Cada crente, porém, tornou-se um missionário. Lucas relata: *Entrementes, os que foram dispersos iam por toda parte pregando a Palavra* (8.4).

---

[15] STOTT, John. *A mensagem de Atos*, p. 163.
[16] WIERSBE, Warren W. *Comentário bíblico expositivo*, p. 562.

Dos sete homens nomeados pelos apóstolos para ministrarem às viúvas em Jerusalém, Estêvão e Filipe são os únicos cujas atividades foram registradas por Lucas. Ambos eram judeus de língua grega e pregaram o evangelho de Cristo ao povo judeu que não era de língua aramaica. Estêvão se dedicou aos judeus helenistas em Jerusalém (6.9,10); Filipe foi a Samaria.[17] Filipe não era apóstolo; era diácono, mas um ganhador de almas. Ele foi a Samaria e impactou a cidade com o evangelho. Era um homem cheio do Espírito Santo, de fé e sabedoria. Filipe tinha vida e testemunho. Pregava aos ouvidos e aos olhos. Investiu sua vida na mais nobre causa, a proclamação do evangelho. A evangelização exige investimento de dinheiro, tempo e vida. O grande esportista londrino Carlos Studd disse: "Se Jesus Cristo é Deus e Ele deu sua vida por mim, nada é sacrificial demais que eu possa fazer por Ele".

Quem não é um agente missionário é um campo missionário. A igreja que não evangeliza precisa ser evangelizada. Precisamos entender que o evangelho é o poder de Deus para a salvação de todo aquele que crê, e a igreja é a única agência do reino de Deus responsável por levar essa mensagem até aos confins da terra. John Stott declara: "Não pode haver evangelização sem evangelho uma vez que a evangelização cristã pressupõe as boas-novas de Jesus Cristo. A evangelização eficaz se torna possível apenas quando a igreja recupera o evangelho bíblico e a confiança em sua verdade, relevância e poder".[18]

A pregação aos ouvidos e aos olhos
dá credibilidade à evangelização (8.5-8)

Thomas Whitelaw destaca quatro pontos importantes aqui: o pregador; a audiência; a mensagem; o resultado.[19] Se o diácono Filipe é o pregador, os samaritanos são a sua audiência; Cristo é o conteúdo da mensagem, e o resultado foi a grande alegria e muitas vidas entregues ao Senhor.

---

[17] KISTEMAKER, Simon. *Atos*. Vol. 1, p. 385.
[18] STOTT, John. *A mensagem de Atos*, p. 161.
[19] WHITELAW, Thomas. *The preacher's complete homiletic commentary on the Acts of the Apostles*, p. 181,182.

A evangelização alcança o mundo quando a mensagem é pregada aos ouvidos e aos olhos. Três verdades devem ser então destacadas.

Em primeiro lugar, *o evangelho rompeu a barreira do preconceito* (8.5). Os samaritanos eram um povo mestiço, meio judeu e meio gentio. Produto de uma miscigenação com os povos pagãos, começaram a falar uma língua misturada. Eles se opuseram à reconstrução do templo em Jerusalém no século VI a.C. Mais tarde, no século IV a. C., o cisma samaritano se consolidou com a construção de um templo rival no monte Gerizim. Os samaritanos instituíram novos sacerdotes e rejeitaram o Antigo Testamento, exceto o Pentateuco. Não se davam com os judeus, pois estes os desprezavam como um povo híbrido, tanto na raça como na religião. Para os judeus, os samaritanos eram hereges e cismáticos.[20] Mas o evangelho rompe barreiras e desfaz mágoas.

Em segundo lugar, *a pregação foi endereçada aos ouvidos e aos olhos* (8.6). As pessoas não só ouviam, mas também viam as coisas que Filipe fazia. Esse também foi o método de Jesus. Jesus mandou dizer a João Batista na prisão o que Ele estava falando e fazendo. Filipe aprendeu com Jesus que a pregação não consiste apenas em palavras, mas deve ser uma demonstração do Espírito e de poder. A pregação é lógica em fogo. É a proclamação do evangelho, e o evangelho é o poder de Deus para a salvação de todo aquele que crê. Filipe pregava aos ouvidos e aos olhos. As pessoas não apenas ouviam dele belas palavras, mas também viam por intermédio dele grandes obras. Hoje há gigantes do saber nos púlpitos, mas anões na demonstração de poder. Os samaritanos foram libertados de aflições físicas, controle demoníaco e, sobretudo, de seus pecados. O evangelho produziu salvação, libertação e alegria.

Em terceiro lugar, *houve impacto, prodígios e alegria* (8.7). As pessoas ouviam e viam. Hoje as pessoas escutam belos sermões, mas não veem vida. A igreja é mais conhecida pelos seus escândalos do que pelos seus milagres. A igreja divorciou a pregação da vida. Antônio Vieira pergunta: Se a boa semente produz a trinta, sessenta e cem por um, por que hoje a semente não produz nem a um por cento? É que hoje a igreja prega apenas aos ouvidos, mas não aos olhos! Vale destacar

---

[20]STOTT, John. *A mensagem de Atos*, p. 165.

que os diáconos Estêvão e Filipe operaram milagres, mostrando que a rigor, as Escrituras não restringem rigidamente os milagres aos apóstolos.[21] Warren Wiersbe diz com razão que os samaritanos que ouviram o evangelho e creram foram libertados de suas aflições físicas, da possessão demoníaca e, acima de tudo, de seus pecados.[22]

Para Simon Kistemaker, quando Jesus começou Seu ministério, satanás lhe lançou oposição, fazendo habitar em inúmeras pessoas seus espíritos malignos. Alguns desses demônios se encontravam nos cultos das sinagogas e identificaram Jesus como o Santo de Deus (Mc 1.23-26). Nos tempos apostólicos, a possessão demoníaca não diminuiu. Pedro expulsava demônios das pessoas que vinham até ele de cidades circunvizinhas a Jerusalém (5.16). Paulo exorcizou o espírito de uma moça escrava em Filipos (16.16-18) e expulsou demônios quando ensinava e pregava em Éfeso (19.12). Do mesmo modo, Filipe expulsou demônios dos samaritanos. Em sua luta para alcançar judeus e gentios, Pedro, Paulo e Filipe sabiam que confrontavam a oposição de satanás a Jesus Cristo.[23]

A evangelização **desmascara o misticismo** (8.9-25)

Simon Kistemaker diz que, em Jerusalém, a oposição de satanás veio na forma da traição de Ananias e Safira (5.1-11), do aprisionamento dos apóstolos (4.3; 5.18), da morte de Estêvão (7.60) e da grande perseguição (8.1b). Em Samaria, satanás empregou métodos diferentes para impedir o crescimento da igreja. Usou um homem chamado Simão, conhecido como o mágico.[24]

Onde o evangelho prevalece, o misticismo é desmascarado. Satanás agora tentava atacar a igreja não pela perseguição, mas por dissimulação, falsas conversões e falsos obreiros. Em tempos de despertamento, onde quer que Deus semeie a verdadeira semente, o diabo semeia o seu joio. Em todo lugar que Deus semeia cristãos verdadeiros, satanás

---
[21] STOTT, John. *A mensagem de Atos*, p. 166.
[22] WIERSBE, Warren W. *Comentário bíblico expositivo*, p. 563.
[23] KISTEMAKER, Simon. *Atos*. Vol. 1, p. 387.
[24] KISTEMAKER, Simon. *Atos*. Vol. 1, p. 389.

semeia suas falsificações.²⁵ Simão era popular, mas não convertido. Era um *showman*, mas não um cristão verdadeiro. Era extraordinário, mas não autêntico. Amava os holofotes, mas não a verdade. Concordo com Warren Wiersbe quando escreve: "O poder das mágicas de Simão vinha de satanás e era usado para engrandecimento próprio, enquanto o poder dos milagres de Filipe vinha de Deus e era usado para glorificar a Cristo".²⁶

Hoje, infelizmente, o evangelho dá as mãos ao misticismo. Vende-se a fé e comercializa-se o sagrado. Pregadores inescrupulosos desengavetam as indulgências da Idade Média e transformam o evangelho num produto, o púlpito num balcão, o templo numa praça de negócios, e os crentes em consumidores. Hoje, os próprios pregadores, chamados evangélicos, fazem malabarismos em nome de Deus para ganharem dinheiro.

Simon Kistemaker, faz um solene alerta: Em nossos dias, são comuns as práticas de ocultismo que vão desde a leitura das mãos até o horóscopo, a leitura da sorte, o espiritismo e a magia. É certo que essas práticas datam do início da história da humanidade, mas nos últimos anos o público em geral as tem aceitado como parte da vida. As pessoas que lidam com o ocultismo desejam comunicar-se com o sobrenatural ou com os poderes demoníacos; e esforçam-se para adquirir tal poder a fim de que outros se tornem seus servos.²⁷

Vemos neste texto alguns fatos a respeito de Simão.

Em primeiro lugar, *o orgulho de Simão* (8.9). Ele alega ser grande. Marshall faz um apanhado da trajetória de Simão, evidenciando que ele não abandonou suas vãs pretensões de ser grande. Justino Mártir, nativo de Samaria, testifica que Simão morava em Samaria e mais tarde se mudou para Roma, onde continuou seus atos enganadores. As lendas posteriores retratam Simão como opositor persistente do cristianismo e arqui-herege. Há até mesmo uma crença de que ele tenha sido enterrado vivo na pretensão de ressuscitar dos mortos. Simão disse que, se

---

²⁵WIERSBE, Warren W. *Comentário bíblico expositivo*, p. 563.
²⁶WIERSBE, Warren W. *Comentário bíblico expositivo*, p. 564.
²⁷KISTEMAKER, Simon. *Atos*. Vol. 1, p. 394.

fosse enterrado vivo, ressuscitaria ao terceiro dia. Tendo mandado cavar uma sepultura, ordenou que Seus discípulos empilhassem terra sobre ele. Fizeram como mandara, mas ele permanece ali até hoje.[28]

Em segundo lugar, *a popularidade de Simão* (8.10,11). Várias pessoas criam nele. Grandes e pequenos, ricos e pobres, davam ouvidos a Simão. O mágico não apenas se julgava um grande vulto (8.9), mas também o povo todo o considerava o Grande Poder (8.10), aderindo a ele, iludidos por suas mágicas.

Em terceiro lugar, *a dissimulação de Simão* (8.12,13). Filipe evangelizava a respeito do reino de Deus e do nome de Jesus Cristo. O senhorio de Deus intervém salvando, ajudando e curando dos poderes da desgraça e da morte neste mundo. Esse é o traço escatológico básico de todas as afirmações bíblicas. Porém, esse tempo escatológico já começou. O reino de Deus é futuro e, não obstante, já não é apenas futuro. Chegou o Messias, o Rei da salvação. Ele se chama Jesus. Por isso, o nome Jesus está repleto do poder da ajuda poderosa (4.10-12).[29] Simão ouve e vê essas coisas, torna-se membro da igreja e é batizado. A mesma tentativa de infiltração de Ananias e Safira na igreja de Jerusalém ameaça novamente a igreja em Samaria. Lá, foi o pecado da avareza hipócrita; aqui, o misticismo idolátrico. Adolf Pohl destaca que, desde o início, o evangelho se encontra numa situação de luta. Em Jerusalém foi necessário lutar contra o orgulho do relacionamento legalista com Deus; depois que ultrapassou os limites do judaísmo, o evangelho enfrenta uma religiosidade carregada de misticismo.[30]

Em quarto lugar, *a comissão dos apóstolos* (8.14-17). É muito apropriado que um dos apóstolos comissionados seja João, que em certa ocasião queria que caísse fogo do céu para consumir uma cidade samaritana (Lc 9.54). Agora o seu desejo é ver os samaritanos salvos, e não destruídos.[31] O mesmo Espírito derramado em Jerusalém, no Pentecostes, é agora derramado sobre os crentes samaritanos. Há quatro

---

[28] MARSHALL, I. Howard. *Atos: introdução e comentário*, 1982, p. 150,155.
[29] DE BOOR, Werner. *Atos dos Apóstolos*, p. 127.
[30] DE BOOR, Werner. *Atos dos Apóstolos*, p. 128.
[31] STOTT, John. *A mensagem de Atos*, p. 167.

derramamentos do Espírito registrados no livro de Atos dos Apóstolos: o primeiro, sobre os judeus, em Jerusalém (At 2); o segundo, sobre os samaritanos (At 8); o terceiro, sobre os prosélitos, gentios convertidos aos judaísmo (At 10); e o quarto, sobre os gentios em Éfeso (At 19). As pessoas eram assim classificadas: judeus, samaritanos, tementes a Deus ou prosélitos e gentios. Sobre esses quatro grupos o Espírito foi derramado, mostrando a universalidade do evangelho. Vejamos como Simon Kistemaker nos apresenta essa mesma verdade:

> O que o Novo Testamento nos ensina acerca da recepção do Espírito Santo? O derramamento do Espírito ocorreu em Jerusalém (2.1-4) e foi repetido quando à igreja acrescentavam-se novos grupos: os samaritanos (8.11-17), os gentios (10.44-47) e os discípulos de João Batista (19.1-7). Mas afora essas manifestações especiais, o Novo Testamento é desprovido de referências a judeus e gentios recebendo o Espírito Santo por meio da imposição de mãos apostólicas. Em virtude do Pentecostes, o Espírito Santo permanece com a igreja e vive no coração de todos os crentes verdadeiros (Rm 5.5; 8.9-11; Ef 1.13; 4.30). Paulo revela que o corpo do crente é templo do Espírito Santo (1Co 3.16; 6.19). Portanto, a partir dessas passagens do Novo Testamento, aprendemos que, os que creem e são batizados têm também o Espírito de Deus.[32]

Em quinto lugar, *a perversão de Simão* (8.18,19). Ele tenta comprar o poder do Espírito Santo e, desde aquele dia, a tentativa de transformar o espiritual em comércio, de negociar as coisas de Deus e, especialmente, de comprar o ministério eclesiástico é denominado pecado de simonia.[33] Warren Wiersbe explica que é desta passagem que vem o termo *simonia*, que significa "comprar e vender cargos e privilégios eclesiásticos".[34]

Em sexto lugar, *a punição de Simão* (8.20-23). Pedro desmascara Simão e diz que ele está sendo inspirado por satanás. O termo *intento* em Atos 8.22 significa "intriga ou trama" e é usado com conotação

---

[32] KISTEMAKER, Simon. *Atos*. Vol. 1, p. 399.
[33] STOTT, John. *A mensagem de Atos*, p. 168,169.
[34] WIERSBE, Warren W. *Comentário bíblico expositivo*, p. 564.

negativa.³⁵ É a segunda vez que o pecado tenta entrar na igreja por meio do dinheiro. Ananias tentou comprar reconhecimento, e Simão tentou comprar poder. A igreja de Deus precisa ter discernimento para não receber qualquer tipo de oferta. Se a motivação do ofertante não for pura diante de Deus, sua oferta torna-se maldição, e não bênção, para a igreja.

Em sétimo lugar, *a súplica de Simão* (8.22-24). Ele não demonstra sincero arrependimento. Quer livrar-se das consequências do seu pecado, e não do pecado propriamente dito. John Stott diz que o que realmente o preocupava não era o perdão de Deus, mas apenas escapar do juízo de Deus (8.24).³⁶ Concordo com Warren Wiersbe quando diz que Simão ouviu o evangelho, viu os milagres, professou sua fé em Cristo e foi batizado, no entanto, nunca chegou a nascer de novo. Era uma das falsificações engenhosas de satanás.³⁷ Citando Calvino, Simon Kistemaker faz três observações a respeito: Primeiro, Filipe é incapaz de julgar o coração de Simão, e assim aceita seu testemunho de fé em Cristo. Segundo, o relato do batismo de Simão constitui prova adequada de que o batismo não é um ato que afeta a salvação. Terceiro, Simão foi batizado junto com os samaritanos para não ofender o povo com quem vivia e trabalhava.³⁸

Em oitavo lugar, *a ação dos apóstolos* (8.25). Pedro e João não se intimidaram com a onda de perseguição. Aproveitaram todas as oportunidades e, ao voltarem para Jerusalém, pregaram o evangelho em muitas aldeias dos samaritanos.

A evangelização precisa ser **dirigida pelo Espírito Santo** (8.26-40)

O Espírito de Deus dirige os passos de Filipe para o deserto. Por lá, viajava um eunuco da Etiópia, que precisava de esclarecimento espiritual. Simon Kistemaker diz que, se compreendermos a palavra *eunuco*

---

³⁵WIERSBE, Warren W. *Comentário bíblico expositivo*, p. 565.
³⁶STOTT, John. *A mensagem de Atos*, p. 169.
³⁷WIERSBE, Warren W. *Comentário bíblico expositivo*, p. 565.
³⁸KISTEMAKER, Simon. *Atos*. Vol. 1, p. 393.

literalmente, veremos o cristianismo removendo barreiras erigidas pelo judaísmo. Um estrangeiro poderia converter-se ao judaísmo, mas o etíope, que era eunuco, não podia participar plenamente da adoração no templo (Dt 23.1). Apesar de ter viajado a Jerusalém para adorar, ainda era considerado um semiprosélito. Mesmo assim, o Antigo Testamento predisse o dia em que os estrangeiros e os eunucos não seriam mais excluídos da comunhão do povo de Deus (Is 56.3-7). Observamos dessa forma que Filipe inicialmente leva para o seio da igreja os samaritanos, que estavam entre os judeus e os gentios. Agora leva o etíope, que era um meio convertido ao judaísmo, para a assembleia do Senhor.[39]

Cinco verdades devem ser aqui observadas.

Em primeiro lugar, *é preciso saber que uma vida vale todo o investimento do mundo* (8.26-30). Filipe sai de um avivamento na cidade de Samaria e vai para o deserto por orientação divina. Mário Neves diz acertadamente que, quando o homem se interessa por Deus, logo descobre que Deus também por ele se interessa.[40] Porque o eunuco estava lendo as Escrituras, Deus lhe enviou um intérprete das Escrituras. Deus tira Filipe da multidão e o envia para evangelizar uma única pessoa no deserto. Para Deus uma vida vale todo o investimento. No filme *A lista de Schindler*, o protagonista declara: "Quem salva uma vida, salva o mundo inteiro". Aquele etíope foi missionário em sua pátria, o primeiro africano a ser salvo e enviado como embaixador de Cristo. Você precisa estar disposto a pregar para uma multidão e também para uma única pessoa. Esse eunuco era um alto oficial da rainha de Candace. John Stott diz que "Candace" não era um nome pessoal e, sim, um título dinástico da rainha-mãe que exercia certas funções em nome do rei. Esse oficial era uma espécie de tesoureiro ou ministro das finanças.[41]

Em segundo lugar, *é preciso ir lá fora onde os pecadores estão para levá-los a Jesus* (8.26-30). Filipe obedeceu prontamente (8.26). Aproxima-te desse carro significa ação fora do santuário, lá fora, onde está o movimento, nas estradas e alamedas da humanidade. Lá fora nos

---

[39]KISTEMAKER, Simon. *Atos*. Vol. 1, p. 412.
[40]NEVES, Mário. *Atos dos Apóstolos*. 1957, p. 120.
[41]STOTT, John. *A mensagem de Atos*, p. 178.

lugares públicos. Trata-se de colocar o evangelho sobre rodas, em prática – ligando-o ao sistema de transportes, dando-lhe velocidade, tecnologia moderna, na imprensa com folhetos policromados, nos rolos e bobinas, vídeos e projetores cinematográficos. Trata-se de colocar o evangelho ao alcance das massas, de modo que pobres e ricos possam ouvi-lo.

Ligue o testemunho a todo veículo. Vá lá fora e testemunhe! Corra! (8.29,30). As missões são obra urgente!

Hudson Taylor começou o seu ministério em 1857 em Ningpo, na China, e levou a Cristo o sr. Nyi. Certo dia, este perguntou a Taylor: "Há quanto tempo vocês conhecem o evangelho na Inglaterra?" Taylor respondeu: "Há muitos anos". Com profundo sentimento, Ningpo redarguiu: "Meu pai morreu sem conhecer o evangelho. Por que vocês não vieram antes?"

Em terceiro lugar, *é preciso explicar as Escrituras e levar as pessoas a Cristo* (8.30-35). O evangelista é também um mestre. A Palavra de Deus precisa ser lida, explicada e aplicada. Hoje vemos muitos pregadores substituindo a exposição das Escrituras pela experiência. Vemos muitos pregadores falando sobre seus feitos poderosos em vez de anunciar o Cristo crucificado. Filipe explica as Escrituras. Apresenta Jesus, não a religião, o rito ou a cultura religiosa.

Em quarto lugar, *é preciso receber as pessoas que creem em Cristo pelo batismo* (8.36-38). O eunuco perguntou a Filipe: *Que me impede?* Filipe podia ter respondido com uma longa preleção teológica sobre o que a lei dizia sobre eunucos. Podia ter dito que a liderança "hebraica" da igreja não autorizava o batismo de gentios, muito menos de eunucos. Mas sua resposta foi simplesmente que nada o impedia de ser batizado se ele cresse em Cristo Jesus. Hoje, novas gerações e novas circunstâncias perguntam repetidamente: *Que me impede?* Qual será a nossa resposta?[42]

Filipe batiza o eunuco. O batismo não é precipitado nem demorado. Não batiza o inconverso nem adia o batismo do salvo. Uma única condição é exigida: crer de todo o coração. Werner de Boor destaca

---
[42] GONZÁLEZ, Justo L. *Atos*, p. 149.

acertadamente que o cristianismo não é um complexo sistema de ideias que é preciso aprender mediante penoso esforço, mas a ligação renovadora da vida com Jesus, que é concedida ao surgir a fé.[43]

John Stott diz que a água era um sinal visível da purificação dos pecados e do batismo com o Espírito Santo. A propósito, as palavras *desceram à água* não afirmam nada sobre sua extensão ou profundidade. Pode estar implícita uma imersão total, mas nesse caso o batizador e o batizando seriam submersos juntos, pois a afirmação se refere aos dois. Por isso a expressão deve significar, como sugerem as primeiras pinturas, que eles entraram na água até a cintura, e que Filipe então derramou água sobre o etíope.[44] Um argumento que fortalece essa tese é que, na Septuaginta, a expressão *desceram à água* só aparece mais uma vez na Bíblia, em Juízes 7.5, e, nesse caso, os homens que desceram às águas não foram submersos. Comentando o texto, Justo González acrescenta que, no grego, as formas gramaticais empregadas aqui indicam que eles realmente entraram na água e foi em pé na água que o batismo aconteceu.[45]

A referência mais antiga ao batismo por meio do derramamento de água sobre a cabeça está no *Didaquê*, documento cristão escrito entre os anos 70 e 120: "Se não tiver água corrente, batiza em outra água; se não puder fazer isso em água fria, faça em água quente. Se você não tiver os dois, derrame água sobre a cabeça três vezes em nome do Pai, do Filho e do Espírito".[46] Marshall dá o seu conselho: "Não há evidência suficiente para indicar se o batismo foi pela imersão do eunuco ou mediante o derramar de água sobre ele enquanto ficava em pé nas águas rasas; se o Novo Testamento deixa obscuro o modo preciso do batismo, talvez não devamos insistir nalgum tipo específico de praxe".[47]

Em quinto lugar, *é preciso estar sempre aberto à nova direção do Espírito* (8.39,40). A tradição diz que este eunuco voltou à sua terra e evangelizou a Etiópia. Aquele que saíra do deserto cheio de alegria

---

[43] DE BOOR, Werner. *Atos dos Apóstolos*, p. 136.
[44] STOTT, John. *A mensagem de Atos*, p. 180.
[45] GONZÁLEZ, Justo L. *Atos*, p. 145.
[46] *Didaquê* 7.2,3.
[47] MARSHALL, I. Howard. *Atos: introdução e comentário*, 1982, p. 160.

não podia guardá-la para si mesmo.⁴⁸ Quanto a Filipe, foi dirigido pelo Espírito para novos horizontes. Filipe podia pensar: Agora serei o evangelista do deserto, da estrada. Ele não engessou o método, mas se abriu para a nova agenda do Espírito. O que Deus quer que eu faça agora? Às vezes, fazemos a mesma coisa na igreja há décadas, quando o vento do Espírito nos conduz a outros campos, outras áreas, outras frentes e novos horizontes. Vinte anos depois, encontramos Filipe vivendo em Cesareia e ainda servindo a Deus como evangelista (21.8ss).

O método da igreja não era apenas levar pessoas ao templo para evangelizá-las, mas ir lá fora e ganhar os pecadores onde eles estivessem. O método missionário é ir além das nossas fronteiras. Temos de ser luz nas nações e investir nosso tempo, nosso dinheiro e nossa vida na obra. O missionário escocês Alexandre Duff, depois de investir longos anos de sua vida na evangelização da Índia, voltou à Escócia, sua pátria, para cuidar de sua saúde e despertar novos obreiros. Numa seleta assembleia de jovens, pregou um sermão com senso de urgência e fez um apelo veemente para que os jovens se levantassem como missionários. Nenhum moço atendeu. Duff ficou tão abatido que teve uma parada cardíaca no púlpito. Correram com ele para uma sala contígua ao templo e lhe massagearam o peito para trazê-lo de volta ao pleno vigor. Ao recobrar suas forças, rogou aos médicos que o levassem de volta ao púlpito. Com voz embargada pela emoção, dirigiu-se aos jovens novamente: Se a rainha da Escócia vos convocasse para ir a qualquer lugar do mundo numa missão diplomática, iríeis com orgulho. O Rei dos reis, aquele que deu sua vida por vós, vos convoca para atenderes seu chamado, e não quereis ir. Pois irei eu, já velho e doente. Não poderei fazer muita coisa, mas pelo menos morrerei às margens do rio Ganges e os indianos saberão que alguém os amou e se dispôs a levar-lhes as boas-novas do evangelho. Nesse momento, dezenas de jovens, tocados pelo poder da Palavra, levantaram-se e atenderam ao chamado de Deus e foram para a Índia como missionários.

---

⁴⁸BARCLAY, William. *Hechos de los Apóstoles*, p. 78.

Concluindo esta exposição, destacamos que Filipe usou a mesma mensagem tanto no evangelismo de massa em Samaria como no evangelismo pessoal com o eunuco no deserto (8.12,35). Em ambos os casos, vemos semelhante resposta: creram e foram batizados (8.12,36-38) e houve a mesma alegria (8.8,39).[49]

As pessoas eram diferentes em raça, posição social e religião. Os samaritanos formavam uma raça mista composta por cidadãos comuns que reverenciavam Moisés, mas rejeitavam os profetas. Tinham sido iludidos por um mágico. O etíope era um africano, rico e prosélito que lia os profetas rejeitados pelos samaritanos. Apesar das diferenças, Filipe apresentou a ambos a mesma mensagem. Mas a mensagem foi a mesma, assim como o resultado.[50]

---
[49] STOTT, John. *A mensagem de Atos*, p. 181.
[50] STOTT, John. *A mensagem de Atos*, p. 182.

9

A conversão mais importante da história

Atos 9.1-31

A CONVERSÃO DE PAULO FOI A MAIS IMPORTANTE DA HISTÓRIA.[1] Talvez nenhum fato seja mais marcante na história da igreja depois do Pentecostes. Nenhum homem exerceu tanta influência no cristianismo. Lucas ficou tão impressionado com a importância da conversão de Paulo, que a relata três vezes em Atos (9, 22, 26).[2] Matthew Henry observa que a conversão de Paulo foi uma das maravilhas da igreja.[3]

Paulo tinha um berço religioso de gloriosa e exaltada tradição: *Circuncidado ao oitavo dia, da linhagem de Israel, da tribo de Benjamim, hebreu de hebreus; quanto à lei fariseu* (Fp 3.5). Nasceu em Tarso, capital da Cilícia e importante centro cultural do Império, uma pequena Atenas para a aprendizagem. Lá Paulo se familiarizou com a filosofia e a poesia dos gregos.[4] Por direito de nascimento, Paulo era cidadão romano. Foi educado aos pés do mestre Gamaliel em Jerusalém, onde recebeu a mais refinada educação cultural e religiosa (22.3). Era adepto da ala mais radical do judaísmo, a seita dos fariseus (22.3). Warren Wiersbe

---

[1] BARCLAY, William. *Hechos de los Apóstoles*, p. 79.
[2] STOTT, John. *A mensagem de Atos*, p. 185.
[3] HENRY, Matthew. *Comentário bíblico Atos-Apocalipse*, p. 92.
[4] HENRY, Matthew. *Comentário bíblico Atos-Apocalipse*, p. 91.

afirma que, apesar de sua grande erudição (26.24), Paulo estava espiritualmente cego (2Co 3.12-18) e não compreendia o que o Antigo Testamento ensinava de fato sobre o Messias. Ele dependia da própria justificação, não da justificação de Deus (Rm 9.30–10.13; Fp 3.1-10).[5] Paulo foi a maior expressão do judaísmo antes da sua conversão e tornou-se a maior expressão da igreja cristã após a sua conversão.

Vamos examinar a vida desse homem e a história da sua conversão. Usamos o seu nome latino *Paulo*, em vez do seu nome judaico *Saulo*, apenas por uma questão didática. Werner de Boor esclarece que até Atos 13.9 o apóstolo Paulo é designado unicamente com seu nome hebraico, *Saulo*. Como Paulo possuía cidadania romana por nascimento (22.28), desde o início também deve ter usado o nome romano, *Paulo* (= pequeno), junto com seu nome judaico *Saulo*.[6]

Paulo, o perseguidor (9.1,2)

A conversão de Paulo é uma evidência insofismável da graça soberana de Cristo. Ele não se decidiu por Cristo; estava perseguindo a Cristo. Foi Cristo quem se decidiu por ele.[7] Na verdade, tudo o que Paulo pensa, diz e faz é dominado pelo seu desejo de aniquilar os seguidores de Jesus.[8] Munido de cartas do sumo sacerdote, ruma para Damasco, respirando ameaças e morte, com o objetivo de prender homens e mulheres cristãos, levando-os manietados a Jerusalém. Vale destacar que no momento de sua conversão Paulo não estava no templo, nem na sinagoga, nem em uma região de cristãos. Ao contrário, estava no caminho, com a intenção de prender os cristãos. Matthew Henry diz que às vezes a graça de Deus opera nos pecadores quando eles estão fervorosamente empenhados em seus mais desesperados interesses pecaminosos.[9]

O sumo sacerdote era o cabeça do Sinédrio, o qual, como corpo judiciário, possuía jurisdição sobre os judeus residentes em Jerusalém, na

---
[5]WIERSBE, Warren W. *Comentário bíblico expositivo*, p. 568.
[6]DE BOOR, Werner. *Atos dos Apóstolos*, p. 140.
[7]STOTT, John. *A mensagem de Atos*, p. 188.
[8]KISTEMAKER, Simon. *Atos*. Vol. 1, p. 431.
[9]HENRY, Matthew. *Comentário bíblico Atos-Apocalipse*, p. 92.

Palestina e na dispersão. Assim, tinha o poder de expedir mandados para as sinagogas de Damasco, a fim de prender os cristãos judeus que ali residiam.[10] Damasco era residência de um grande número de judeus. No tempo da guerra dos judeus contra Roma (66 d.C.), foram mortos em Damasco não menos de dez mil judeus. A cidade era um centro comercial para onde convergiam caravanas de todas as direções do mundo antigo e onde a fé cristã começou a florescer. Paulo percebeu que, de Damasco, o evangelho de Cristo se espalharia por todo o mundo.[11]

Encontramos várias descrições de Paulo como implacável perseguidor da igreja. Elencamos algumas delas a seguir.

Em primeiro lugar, **Paulo, uma fera selvagem** (9.1; 22.20; 26.11). Paulo era um perseguidor implacável. Estava determinado a banir da terra o cristianismo. Não aceitava que um nazareno, crucificado como um criminoso, pudesse ser o Messias prometido por Deus. Não aceitava que os cristãos anunciassem a ressurreição dAquele que havia sido dependurado numa cruz. Não acreditava que uma pessoa pregada na cruz, considerada maldita, pudesse ser o Salvador do mundo.

Paulo mesmo dá esse testemunho perante o rei Agripa: *Muitas vezes, os castiguei por todas as sinagogas, obrigando-os até a blasfemar. E, demasiadamente enfurecido contra eles, mesmo por cidades estranhas os perseguia* (26.11).

Paulo estava por trás do apedrejamento de Estêvão (8.1). Ele mesmo testemunha: *Quando se derramava o sangue de Estêvão, tua testemunha, eu também estava presente, consentia nisso e até guardei as vestes dos que o matavam* (22.20).

A igreja em Jerusalém foi duramente perseguida (8.3), e muitos cristãos fugiram, pregando o evangelho (8.4). Alguns deles, escapando da implacável perseguição, foram para Damasco, onde havia muitas sinagogas. E agora, munido de cartas de autorização do sumo sacerdote, ou seja, de ordens de extradição,[12] Paulo, ainda respirando ameaças e morte contra os discípulos do Senhor, dispõe-se a ir a Damasco para manietar,

---

[10] Kistemaker, Simon. *Atos*. Vol. 1, p. 431.
[11] Kistemaker, Simon. *Atos*. Vol. 1, p. 432,433.
[12] Stott, John. *A mensagem de Atos*, p. 188.

prender e arrastar presos para Jerusalém aqueles que confessavam o nome de Cristo (9.1,2).

Entre Jerusalém e Damasco havia por volta de 230 km. A viagem levava quase uma semana. Os únicos companheiros de Paulo na viagem a Damasco, uma das mais antigas cidades do mundo, eram os oficiais do Sinédrio, uma espécie de força policial.[13] Paulo queria destruir os crentes em Jerusalém, por isso os caçava por toda parte para levá-los de volta a Jerusalém e ali exterminá-los (9.21).

Paulo perseguia os discípulos de Cristo do mesmo modo que uma fera selvagem caça a sua presa. Na linguagem dos crentes de Damasco, Paulo era um exterminador (9.21). Era um monstro celerado, um carrasco impiedoso, um perseguidor truculento, um tormento na vida dos cristãos primitivos.

A expressão ...*respirando ameaças e morte* (9.1) faz "alusão ao arfar e ao bufar dos animais selvagens". Paulo parecia mais um animal selvagem do que um homem. Em suas próprias palavras, ele *estava demasiadamente enfurecido* (26.11). O verbo grego *lymainomai*, cuja única ocorrência no Novo Testamento se encontra em Atos 8.3, em referência à "destruição" que Paulo causou à igreja, é empregado no Salmo 80.13 (LXX), em relação a animais selvagens destruindo uma vinha; o seu sentido específico é "destruição de um corpo por um animal selvagem".[14]

Em segundo lugar, **Paulo, um caçador implacável** (9.2; 22.5; 26.9). Paulo não se contentou apenas em perseguir os cristãos em Jerusalém. Também os procurava por todas as cidades estranhas (26.11). Agora, escoltado por uma soldadesca do Sinédrio, marcha para Damasco, capital da Síria, para prender os cristãos e levá-los manietados para Jerusalém (9.2), a fim de puni-los, exatamente no local onde eles afirmavam que Jesus havia ressuscitado (22.5). Damasco possuía uma grande população de judeus, e acredita-se que houvesse de trinta a quarenta sinagogas na cidade.[15]

---

[13] BARCLAY, William. *Hechos de los Apóstoles*, p. 79.
[14] STOTT, John. *A mensagem de Atos*, p. 189.
[15] WIERSBE, Warren W. *Comentário bíblico expositivo*, p. 568.

Seu ódio, na verdade, não era propriamente contra os cristãos, mas contra Cristo. Paulo testemunha ao rei Agripa: *Na verdade, a mim me parecia que muitas cousas devia eu praticar contra o nome de Jesus, o Nazareno* (26.9). Escrevendo a seu filho Timóteo, Paulo confessa: *a mim, que, noutro tempo, era blasfemo, e perseguidor, e insolente...* (1Tm 1.13). Seu coração estava cheio de ódio e sua mente estava envenenada por preconceitos. Em suas próprias palavras, ele estava *demasiadamente enfurecido* (26.11).[16]

Ao perseguir a igreja, Paulo estava perseguindo o próprio Cristo. Por isso, ao aparecer a ele no caminho para Damasco, Jesus pergunta: *...Saulo, Saulo, por que me persegues?* (9.4). Ele, então, retruca: *Quem és tu, Senhor?* E obtém a resposta: *Eu sou Jesus, o Nazareno a quem tu persegues* (9.5; 22.8). Diante do Sinédrio, Paulo disse: *Persegui este caminho até à morte, prendendo e metendo em cárceres homens e mulheres* (22.4). Ao ouvir a pregação de Paulo, logo depois da sua conversão, o povo de Damasco reafirma como Paulo perseguiu implacavelmente os crentes: *...Não é este o que exterminava em Jerusalém aos que invocavam o nome de Jesus, e para aqui veio precisamente com o fim de os levar amarrados aos principais sacerdotes?* (9.21).

Em terceiro lugar, **Paulo, um malfeitor impiedoso** (9.13; 22.19). O zelo sem entendimento pode levar um homem a fazer loucuras. Paulo atacou furiosamente os cristãos. Ananias disse ao Senhor acerca dele: *Senhor, de muitos tenho ouvido a respeito desse homem, quantos males tem feito aos teus santos em Jerusalém; e para aqui trouxe autorização dos principais sacerdotes para prender a todos os que invocam o teu nome* (9.13,14).

O próprio Paulo testemunhou ao Sinédrio sua truculência contra os cristãos: *Senhor [...] eu encerrava em prisão, e nas sinagogas, açoitava os que criam em ti* (22.19). Escrevendo aos Gálatas, Paulo relata seu procedimento no judaísmo: ... *sobremaneira perseguia eu a igreja de Deus e a devastava* (Gl 1.13).

Em quarto lugar, **Paulo, um torturador desumano** (26.11). O ódio de Paulo contra Cristo e os cristãos era tão impetuoso que ele não se

---

[16] STOTT, John. *A mensagem de Atos*, p. 189.

satisfazia apenas em manietar e encerrar em prisões aqueles que confessavam o nome de Cristo, mas ele também os castigava por todas as sinagogas, obrigando-os a blasfemar (26.11). A única maneira de forçar uma pessoa a blasfemar seria por meio de tortura. Paulo era um carrasco selvagem. Sua fúria lhe incendiava o coração e fazia dele um monstro celerado, um pesadelo para os cristãos.

Em quinto lugar, **Paulo, um assassino truculento** (9.21; 26.10). Paulo perseguia, açoitava, prendia, obrigava as pessoas a blasfemar, e dava seu voto para matar os cristãos. Ele consentiu na morte de Estêvão (8.1) e testemunhou diante do rei Agripa: *Na verdade, a mim me parecia que muitas cousas devia eu praticar contra o nome de Jesus, o Nazareno; e assim procedi em Jerusalém. Havendo eu recebido autorização dos principais sacerdotes, encerrei muitos dos santos nas prisões; e contra estes dava o meu voto, quando os matavam* (26.9,10).

Paulo, o convertido

Destacamos alguns pontos importantes para o entendimento desse magno assunto.

Em primeiro lugar, **Paulo não se converteu, ele foi convertido** (9.3-6). A causa da conversão de Paulo foi a graça soberana de Deus. O apóstolo não se decidiu por Cristo; ele estava perseguindo a Cristo. Na verdade foi Cristo quem se decidiu por ele.

Paulo estava caçando os cristãos para prendê-los, e Cristo estava caçando Paulo para salvá-lo. Não era Paulo quem estava buscando a Jesus, era Jesus quem estava buscando a Paulo. A salvação de Paulo não foi iniciativa dele; foi iniciativa de Jesus. Não foi Paulo quem clamou por Jesus; foi Jesus quem chamou pelo nome de Paulo. A salvação é obra exclusiva de Deus. Não é o homem que se reconcilia com Deus; é Deus quem está em Cristo reconciliando consigo o mundo (2Co 5.18).

Paulo não é salvo por seus méritos; ele era uma fera selvagem, um perseguidor implacável, um assassino insensível. Seus predicados religiosos, nos quais confiava (circuncidado, fariseu, hebreu de hebreus, da tribo de Benjamim), ele considerou esterco (Fp 3.8,9). Aos olhos de Deus, a nossa justiça não passa de trapo de imundícia (Is 64.6).

Em segundo lugar, **Paulo era um touro bravo que resistiu os aguilhões** (26.14). A conversão de Paulo não foi, de maneira alguma, repentina. De acordo com a própria narrativa de Paulo, Jesus lhe disse: *Dura coisa é recalcitrares contra os aguilhões* (26.14).

Deus já estava trabalhando na vida de Paulo antes de ele se render no caminho de Damasco. Paulo era como um touro bravo que recalcitrava contra os aguilhões (26.14). Jesus já estava ferroando sua consciência quando Paulo viu Estêvão ser apedrejado e, com rosto de anjo, pedir a Jesus para perdoar seus algozes. A oração de Estêvão ainda latejava na alma de Paulo.

Jesus estava ferroando a consciência de Paulo quando ele prendia os cristãos, dava seu voto para matá-los e eles morriam glorificando a Cristo. Mas, como esse boi selvagem não amansou com as ferroadas, Jesus apareceu a ele, derrubou-o ao chão e o subjugou totalmente no caminho de Damasco. O touro furioso se tornara um cordeiro dócil. Isso nos prova que a eleição de Deus é incondicional, que a graça de Deus é irresistível, e que o chamado de Deus é irrecusável. Paulo precisou ser jogado ao chão e ficar cego para se converter. Nabucodonosor precisou ir para o campo comer capim com os animais para se dobrar. Até quando você resistirá à voz do Espírito de Deus?

A conversão de Paulo no caminho de Damasco foi o clímax repentino de um longo processo em que o "caçador dos céus" estivera em seu encalço. Curvou-se a dura cerviz autossuficiente. O touro estava domado! William Barclay destaca que não se trata de uma conversão repentina, mas de uma rendição repentina.[17] Até esse momento Paulo fazia o que ele mesmo queria, o que considerava certo e o que sua vontade determinava. Mas, desse momento em diante, passou a fazer apenas o que Cristo determinou que ele fizesse.[18]

Em terceiro lugar, **Paulo era um intelectual que resistiu à lógica divina** (9.4-8). Se a conversão de Paulo não foi repentina, também não foi compulsiva. Cristo falou com ele, em vez de esmagá-lo. Cristo o jogou ao chão, mas não violentou sua personalidade. Sua conversão

---

[17] BARCLAY, William. *Hechos de los Apóstoles*, p. 79.
[18] BARCLAY, William. *Hechos de los Apóstoles*, p. 80.

não foi um transe hipnótico. Jesus apelou para sua razão e para o seu entendimento.

Jesus perguntou: *Saulo, Saulo, por que me persegues?* Paulo respondeu: *Quem és tu, Senhor?* Jesus respondeu: *Eu sou Jesus, a quem tu persegues.* Jesus ordenou: *Mas levanta-te* e Paulo prontamente obedeceu! A resposta e a obediência de Paulo foram racionais, conscientes e livres. De acordo com Simon Kistemaker: Estêvão martirizado, os cristãos perseguidos e expulsos de Jerusalém, os crentes aprisionados por Paulo – toda essa gente é representada por Jesus Cristo. Desse modo, Paulo estivera lutando contra Jesus e perdeu a batalha.[19]

A soberania de Deus não anula a responsabilidade humana. Jesus tocou a mente e a consciência de Paulo com os seus aguilhões. Jesus se revelou a Paulo pela luz e pela voz, não para esmagá-lo, mas para salvá-lo. A graça de Deus não aprisiona; é o pecado que prende. A graça liberta!

O Paulo que desejava lançar por terra os crentes está deitado com o rosto no chão. Ele, que desejava escoltar prisioneiros amarrados de Damasco a Jerusalém, agora é levado para Damasco prisioneiro da cegueira. Ele, que agira sob a autoridade do sumo sacerdote, rompe agora seus laços com a hierarquia de Jerusalém. Ele, que veio para triunfar sobre a fé cristã, se submete agora ao Capitão dessa mesma fé.[20]

Em quarto lugar, *Paulo, um homem completamente transformado* (9.3-20). Destacamos três fatos benditos sobre a súbita conversão de Paulo.

Uma gloriosa manifestação de Jesus (9.3-6)

Três coisas aconteceram a Paulo: ele viu uma luz, caiu ao chão e ouviu uma voz.

Paulo viu uma luz (22.6,11). Subitamente uma grande luz do céu brilhou ao seu redor. Não foi uma miragem, um êxtase, uma visão subjetiva. Foi uma grande luz do céu, tão forte que lhe abriu os olhos da alma e lhe tirou a visão física. Ele ficou cego por causa do fulgor daquela luz (22.11). Os olhos espirituais de Paulo foram abertos, mas seus olhos físicos foram fechados. Não foi apenas uma luz que apareceu

---

[19] KISTEMAKER, Simon. *Atos*. Vol. 1, p. 435,436.
[20] KISTEMAKER, Simon. *Atos*. Vol. 1, p. 439.

a Paulo, mas o próprio Jesus (9.17). Aquela luz era a glória do próprio Filho de Deus ressurreto.[21]

Paulo caiu por terra (22.7). O touro furioso, selvagem e indomável estava subjugado. Aquele que prendia, estava preso. Aquele encerrava em prisão, estava dominado. Aquele que se achava detentor de todo o poder para perseguir, estava prostrado ao chão impotente. O Senhor quebrou todas as suas resistências. John Stott diz que Jesus comparou Paulo a um touro jovem, forte e obstinado, e ele mesmo a um fazendeiro que usa aguilhões para domá-lo. A implicação disso é que Jesus estava perseguindo Paulo, usando esporas e chicotes, e era "duro" (doloroso, até mesmo fútil) resistir.[22] John Stott ainda diz que a conversão de Paulo na estrada de Damasco era, portanto, o clímax repentino de um longo processo em que o "caçador dos céus" permanecera em seu encalço. Curvou-se a dura cerviz autossuficiente. O touro estava domado.[23]

Paulo ouviu uma voz (22.7). O mesmo Jesus que ferroara sua consciência com aguilhões, agora, troveja aos seus ouvidos, desde o céu: *...Saulo, Saulo, por que me persegues? Dura cousa te é recalcitrares contra os aguilhões* (26.14). Justo González diz que essa frase é um provérbio grego clássico, em geral aplicado a todo esforço inútil.[24] A voz do Senhor é poderosa. Ela despede chamas de fogo. Faz tremer o deserto. É irresistível. Paulo, então, pergunta: *Quem és tu, Senhor? Ao que me respondeu: Eu sou Jesus, o Nazareno, a quem tu persegues* (22.8). O mesmo Paulo que perseguia a Jesus (26.9), agora, chama Jesus de Senhor. Ele se curva. Ele se prostra. O boi selvagem foi subjugado! Não há salvação sem que o pecador se renda aos pés do Senhor Jesus.

Uma humilde entrega de Paulo (22.8,10)

Três pontos devem ser destacados.

Paulo reconhece que Jesus é o Senhor (22.8). Aquele a quem ele resistira e perseguira é de fato o Senhor. Verdadeiramente ressuscitou dentre

---

[21] MARSHALL, I. Howard. *Atos: introdução e comentário*, 1982, p. 164.
[22] STOTT, John. *A mensagem de Atos*, p. 191.
[23] STOTT, John. *A mensagem de Atos*, p. 193.
[24] GONZÁLEZ, Justo L. *Atos*, p. 151.

os mortos. Verdadeiramente é o Messias, o Filho de Deus. Aquela luz brilhou na sua alma, iluminou seu coração e tirou as escamas dos seus olhos espirituais (2Co 3.16).

Paulo reconhece que é pecador (22.8). Paulo toma conhecimento de que seu zelo religioso não agradava a Deus. Ele na verdade estava perseguindo o próprio Filho de Deus. Reconhece que é o maior de todos os pecadores, está perdido e precisa da salvação. Concordo com John Stott quando diz que não podemos fazer outra coisa, senão engrandecer a graça de Deus que teve misericórdia de um fanático enfurecido como Saulo de Tarso, e de criaturas tão orgulhosas, rebeldes e obstinadas como nós.[25]

Paulo reconhece que precisa ser guiado pelo Senhor (22.10). A autossuficiência de Paulo acaba no caminho de Damasco. Ele agora pergunta: *Que farei, Senhor?* Agora Paulo quer ser guiado! Está pronto a obedecer. Ele, que esperava entrar em Damasco na plenitude de seu orgulho e bravura, como um autoconfiante adversário de Cristo, agora estava sendo guiado por outros, humilhado e cego, capturado pelo Cristo a quem se opunha. O Senhor ressurreto aparecera a ele. A luz que Paulo viu era a glória de Cristo, e a voz que ele ouviu era a voz de Cristo. Cristo o capturou antes que ele pudesse capturar qualquer crente em Damasco.[26]

Uma evidência incontestável da conversão de Paulo (9.9-20)

Três verdades nos provam essa tese.

Paulo evidencia sua conversão pela vida de oração (9.9,11). A prova que Deus deu a Ananias de que Paulo agora era um irmão, e não um perseguidor, é que Paulo estava orando. Quem nasce de novo tem prazer de clamar: *Aba Pai*. Quem é salvo tem prazer na comunhão com o Pai. Paulo é convertido e logo começa a orar. John Stott destaca o fato de que a mesma boca que havia respirado ameaças de morte contra os discípulos do Senhor (9.1) agora respirava louvores e preces a Deus. O rugido do leão foi transformado no balido de um cordeiro.[27] Matthew Henry acrescenta que é mais fácil encontrar um homem vivo

---

[25] STOTT, John. *A mensagem de Atos*, p. 193.
[26] STOTT, John. *A mensagem de Atos*, p. 190.
[27] STOTT, John. *A mensagem de Atos*, p. 195.

sem respirar do que um cristão vivo sem orar. Se não respira, está morto. Se não ora, não tem a graça.[28]

Paulo evidencia sua conversão pelo recebimento do Espírito Santo (9.17). Ananias impõe as mãos sobre Paulo, que fica cheio do Espírito Santo. Charles Spurgeon disse que é mais fácil convencer um leão a ser vegetariano do que uma pessoa ser convertida sem a ação do Espírito Santo.

Paulo evidencia sua conversão pelo recebimento do batismo (9.18). Não é o batismo que salva, mas o salvo deve ser batizado. O batismo é um testemunho da salvação. Uma pessoa que crê precisa ser batizada e integrada à igreja. Ananias chamou Paulo de irmão. Ele entrou para a família de Deus. Ananias teve um papel muito importante na vida de Paulo. Graças a Deus por Ananias, que apresentou Saulo à comunidade em Damasco, e a Barnabé, que fez o mesmo em Jerusalém. Sem eles, e a recepção assegurada a Saulo, toda a história da igreja teria sido diferente. Existe uma necessidade urgente de Ananias e Barnabés modernos que vençam seus escrúpulos e suas hesitações e tomem a iniciativa de ajudar os recém-chegados.[29]

Em 21 de abril de 1855, Edward Kimball levou um de seus alunos da escola dominical a Cristo. Naquele momento, não fazia ideia de que Dwight L. Moody, um dia, seria um dos maiores evangelistas do mundo. O ministério de Norman B. Harrison num pequeno congresso bíblico foi usado por Deus para levar a Cristo Theodore Epp, a quem Deus usou para construir o ministério *Back to the Bible*, de alcance mundial. Cabe a nós levar homens e mulheres a Cristo; cabe a Deus usá-los para Sua glória.[30]

Paulo, o missionário

Destacamos quatro verdades sobre esse assunto.

Em primeiro lugar, *de perseguidor a perseguido* (9.16). A história da conversão de Saulo em Atos 9 começa com sua partida de Jerusalém com um mandato oficial do sumo sacerdote para prender cristãos fugitivos, e

---

[28]HENRY, Matthew. *Comentário bíblico Atos-Apocalipse*, p. 96.
[29]STOTT, John. *A mensagem de Atos*, p. 198,199.
[30]WIERSBE, Warren W. *Comentário bíblico expositivo*, p. 571.

termina com sua partida de Jerusalém como fugitivo cristão. Saulo, o perseguidor, tornou-se Paulo, o perseguido.[31] De Damasco, Paulo foi para a Arábia e depois retornou a Damasco. Ele não se apressou a ir a Jerusalém para encontrar-se com os apóstolos, porque o próprio Jesus, e não os apóstolos, o havia designado para o apostolado.[32] Sua trajetória da conversão até o momento em que é chamado para Antioquia da Síria, onde sairá como missionário, pode ser traçada assim: conversão no caminho de Damasco (9.1-19a); breve estada em Damasco (9.19b-22); isolamento na Arábia (Gl 1.17); retorno a Damasco por algum tempo (9.23); fuga para Jerusalém (9.23-26; 2Co 11.32,33); encontro com os apóstolos (9.27,28; Gl 1.18,19); partida para a Síria e Cilícia (9.30; Gl 1.21).[33]

Depois da sua conversão, Paulo enfrentou muitas perseguições: foi perseguido em Damasco, rejeitado em Jerusalém, esquecido em Tarso, apedrejado em Listra, preso e açoitado em Filipos, escorraçado de Tessalônica e Bereia, chamado de tagarela em Atenas e de impostor em Corinto. Ele enfrentou feras em Éfeso, foi preso em Jerusalém e acusado em Cesareia, enfrentou um naufrágio no caminho para Roma e foi picado por uma víbora em Malta. Chegou a Roma preso e mais tarde foi decapitado pela guilhotina romana.

Esse homem trouxe no corpo as marcas de Jesus. Mas em momento algum perdeu a alegria, o entusiasmo e a esperança. Disse que *...a nossa leve e momentânea tribulação produz para nós eterno peso de glória* (2Co 4.17).

Em segundo lugar, **de agente de morte a pregador do evangelho** (9.20-22). Paulo tornou-se embaixador de Cristo e pregador do evangelho, imediatamente após sua conversão (9.20-22). O testemunho de Paulo foi cristocêntrico. Ele pregou nas sinagogas de Damasco afirmando que Jesus é o Filho de Deus (9.20) e, mais tarde, demonstrando que Jesus é o Cristo (9.22).

Matthew Henry diz que Paulo se tornou notável não só no púlpito, mas também nas escolas, e se mostrou sobrenaturalmente habilitado

---

[31] STOTT, John. *A mensagem de Atos*, p. 200.
[32] KISTEMAKER, Simon. *Atos*. Vol. 1, p. 453.
[33] KISTEMAKER, Simon. *Atos*. Vol. 1, p. 454.

para pregar, manter e defender a verdade quando a pregava.[34] Concordo com John Stott quando ele diz que testemunho não é sinônimo de autobiografia. Testemunhar é falar de Cristo. A nossa experiência pode ilustrar, mas nunca deve dominar o nosso testemunho.[35] Deus mesmo escolheu Paulo para levar o evangelho aos gentios e reis, bem como perante os filhos de Israel (9.15). De acordo com Justo González, todas as grandes figuras da história da igreja receberam chamados específicos de Deus e responderam: Saulo, a caminho de Damasco; Agostinho, no jardim de Milão; Lutero, estudando a epístola aos Romanos; Wesley, em Aldersgate.[36]

Paulo pregou a tempo e a fora de tempo. Em prisão e em liberdade. Com saúde ou doente. Pregou nos lares, nas sinagogas, no templo, nas ruas, nas praças, na praia, no navio, nos salões dos governos, nas escolas. Pregou com senso de urgência, com lágrimas e no poder do Espírito Santo.

Aonde Paulo chegava, os corações eram impactados com o evangelho. Ele pregava usando não apenas palavras de sabedoria, mas com demonstração do Espírito e de poder (1Co 2.4; 1Ts 1.5).

Em terceiro lugar, *de devastador da igreja a plantador de igrejas* (9.15). Paulo foi o maior evangelista, missionário, pastor, pregador, teólogo e plantador de igrejas da história do cristianismo. Ele iniciou igrejas na região da Galácia, na Europa e também na Ásia. Não apenas fundou igrejas, mas as pastoreou com intenso zelo, profundo amor e grave senso de responsabilidade. Pesava sobre ele a preocupação com todas as igrejas (2Co 11.28).

Em quarto lugar, *de recebedor de cartas para prender e matar a escritor de cartas para abençoar* (9.2). Como perseguidor e exterminador dos cristãos, Paulo pedia cartas para prender, amarrar e matar os crentes. Mas, depois de convertido, ele escreveu cartas para abençoar. Paulo foi o maior escritor do Novo Testamento. Redigiu treze epístolas. Suas cartas são conhecidas mundialmente e têm sido alimento diário para

---

[34] HENRY, Matthew. *Comentário bíblico Atos-Apocalipse*, p. 99.
[35] STOTT, John. *A mensagem de Atos*, p. 199.
[36] GONZÁLEZ, Justo L. *Atos*, p. 159.

milhões de crentes em todos os tempos. São luzeiros que brilham, são pão que alimenta, são água que mata a sede, são verdades inspiradas pelo Espírito Santo, que ensinam, exortam e levam pessoas a Cristo todos os dias!

Paulo, o perseguido

Após sua conversão no caminho de Damasco, aprouve a Deus revelar Jesus a Paulo. Em vez de rumar a Jerusalém para estar com os apóstolos e aprender deles, Paulo partiu para a região da Arábia, onde ficou por cerca de três anos, fazendo um seminário intensivo com Jesus (Gl 1.15-18). Nesse tempo, Jesus se revelou a ele e nele, de tal forma que Paulo não aprendeu o conteúdo do seu evangelho como aprendeu as doutrinas do judaísmo aos pés de Gamaliel, mas o recebeu como revelação direta do Senhor Jesus.

Nos três anos que Paulo passou na Arábia, certamente releu o Antigo Testamento e percebeu que o Jesus a quem perseguia, de fato, era o Cristo, o Messias. Então, voltou a Damasco e passou a demonstrar que Jesus é o Cristo (9.22). Os judeus que moravam em Damasco resolveram matá-lo, e Paulo precisou fugir à noite, muralha abaixo, dentro de um cesto (9.23-25).

Paulo, então, sobe a Jerusalém para buscar abrigo na igreja, mas os discípulos não acreditam em sua conversão. Pensavam que ele estava apenas querendo infiltrar-se na igreja para sabotar a fé cristã (9.26). Barnabé, porém, investe em sua vida, leva-o aos apóstolos e conta-lhes a experiência no caminho de Damasco. Só então Paulo tem acolhida na igreja de Jerusalém (9.27). Imediatamente Paulo passa a pregar e a discutir com os helenistas (judeus nascidos fora de Israel), mas estes resolvem matá-lo (9.28-30). Os discípulos se reúnem e dizem a Paulo que ele precisa ir embora. Na verdade, os discípulos o levam para Cesareia e dali o enviam de volta à sua terra, em Tarso (9.30). Depois que Paulo partiu, a igreja passou a ter paz e a crescer (9.31). Esse homem, com tantos projetos e sonhos, precisa agora passar mais de dez anos em Tarso, longe dos holofotes. Nesse tempo, Deus trabalhou nele para depois trabalhar por intermédio dele.

10

A **conversão** de Cornélio, um **soldado** graduado

Atos 9.32–10.48

APÓS RELATAR A CONVERSÃO DE PAULO, Lucas volta sua atenção para Pedro. No começo da perseguição da igreja, os apóstolos julgaram prudente permanecer em Jerusalém (8.1b), mas, agora, com a igreja desfrutando um tempo de paz (9.31), sentiram-se livres para deixar a cidade. É dessa forma que Pedro inicia seu ministério itinerante (9.32a): pregando o evangelho e visitando os santos (9.32b).[1]

No texto em apreço vemos Pedro participando de três milagres: a cura de Eneias (9.32-35), a ressurreição de Dorcas (9.36-43) e a proclamação da mensagem de salvação a Cornélio e sua casa (10.1-48).[2]

A cura de Eneias, paralítico que havia oito anos jazia de cama, foi algo maravilhoso. Pedro lhe disse: *Eneias, Jesus Cristo te cura! Levanta-te e arruma o teu leito. Ele, imediatamente, se levantou* (9.34). De maneira ainda mais nítida que na cura do mendigo aleijado em Atos 3, Jesus é aqui imediatamente destacado como o verdadeiro e único doador da cura.[3] Pela autoridade do seu nome, o Cristo ressurreto restabeleceu Eneias completamente. A cura foi instantânea, e o homem conseguiu

---
[1] STOTT, John. *A mensagem de Atos*, p. 204.
[2] WIERSBE, Warren W. *Comentário bíblico expositivo*, p. 574.
[3] DE BOOR, Werner. *Atos dos Apóstolos*, p. 152.

levantar e arrumar sua cama (9.34). Tornou-se um milagre ambulante, pois todos aqueles que viram esse fato extraordinário em Lida e Sarona converteram-se ao Senhor (9.35).[4]

O trecho de Atos 9.36-43 registra outro milagre extraordinário, a ressurreição de Dorcas (Tabita = gazela), mulher notável pela prática de boas obras e oferta de esmolas. Integralmente dedicada à beneficência e à ajuda ao próximo, ela cuidava especialmente das viúvas.[5] Essa notável serva do Senhor adoeceu e morreu, e os irmãos colocaram seu corpo no cenáculo. Até então, não havia registro de que os apóstolos tivessem sido usados por Deus para a ressurreição de mortos. Isso mostra a fé e a confiança dos crentes de Jope em mandar buscar Pedro em Lida. Pedro chegou e ordenou que as pessoas que estavam chorando e lamentando saíssem do quarto, pois o milagre que estava prestes a acontecer não era um espetáculo.[6] Colocando-se de joelhos, Pedro orou; e, voltando-se para o corpo, disse: *...Tabita, levanta-te! Ela abriu os olhos e, vendo a Pedro, sentou-se. Ele, dando-lhe a mão, levantou-a; e, chamando os santos, especialmente as viúvas, apresentou-a viva* (9.40,41). Que diferença fundamental em relação às práticas feiticeiras e milagreiras de cunho ocultista! Aqui não são sussurradas fórmulas mágicas, não se cita nenhum nome misterioso, nem se realizam estranhas benzeduras. Emite-se uma ordem cordial e espera-se com fé que essa ordem, possível como tal, seja cumprida pela ação de Deus.[7]

Assim como a cura de Eneias, a ressurreição de Dorcas atraiu a atenção do povo, e muitos creram em Jesus Cristo (9.42). Pedro permaneceu vários dias em Jope, em casa de um curtidor chamado Simão (9.43). Essa cidade, séculos antes, foi a primeira parada do profeta Jonas. Foi também em Jope que Deus constrangeu Pedro a ir à casa do gentio Cornélio para pregar-lhe o evangelho. Nessa mesma linha de pensamento, Justo González afirma que o fato da visão de Pedro acontecer em Jope é relevante e significativo, pois foi ali que Jonas,

---
[4]WIERSBE, Warren W. *Comentário bíblico expositivo*, p. 574.
[5]DE BOOR, Werner. *Atos dos Apóstolos*, p. 153.
[6]GONZÁLEZ, Justo L. *Atos*, p. 160.
[7]DE BOOR, Werner. *Atos dos Apóstolos*, p. 153,154.

chamado por Deus para ir a Nínive, tomou um navio para a direção oposta, Társis (Jn 1.3). O verdadeiro nome de Pedro é Simão, filho de Jonas (Mt 16.17). Agora, esse Simão, filho de Jonas, como o Jonas anterior e na mesma cidade de Jope, ouve o chamado para avançar além dos limites do povo de Israel.[8]

O capítulo 10 de Atos trata de uma das mais importantes conversões da história. No capítulo 9, vimos a conversão de um perseguidor implacável. No capítulo 10 vemos a conversão de um homem piedoso. Essas foram as duas mais importantes conversões retratadas no livro de Atos. Entre elas vemos dois milagres, a cura do paralítico Eneias e a ressurreição de Dorcas. Ambos os milagres se operaram pelo poder de Jesus, foram sinais da salvação de Jesus e resultaram na glória de Jesus.[9]

No capítulo 9 de Atos vimos o grande milagre de um paralítico andar, e um milagre ainda maior, o de uma morta ressuscitar, mas no capítulo 10 vemos o maior de todos os milagres: a conversão de um homem a Jesus.

O Pedro que havia respondido ousadamente aos desafios da doença e da morte titubeia diante do desafio da discriminação racial e religiosa. Porém, à vista das evidências inconfundíveis, Pedro entra na casa de um gentio e compartilha com todos o evangelho. Concordo com Warren Wiersbe quando diz que o capítulo 10 é crucial para o livro de Atos, pois relata a salvação dos gentios. Vemos Pedro usando as *chaves do reino* pela terceira e última vez. Ele havia aberto a porta para a fé dos judeus (At 2) e também dos samaritanos (At 8), e Deus o estava usando para conduzir os gentios à comunhão cristã (Gl 3.27,28; Ef 2.11-22).[10]

Destaques sobre a **vida de Cornélio** (Atos 10)

Destacamos aqui sete fatos importantes acerca de Cornélio.

Em primeiro lugar, *quanto à sua profissão, um soldado graduado* (10.1). Cornélio era um centurião romano, destacado em Cesareia, cidade edificada por Herodes, o Grande, às margens do mar Mediterrâneo.

---

[8]GONZÁLEZ, Justo L. *Atos*, p. 163.
[9]STOTT, John. *A mensagem de Atos*, p. 205,206.
[10]WIERSBE, Warren W. *Comentário bíblico expositivo*, p. 576.

Ali se encontrava o quartel-general do governo romano na Palestina, ou seja, o centro governamental para a administração romana na Judeia.[11] Simon Kistemaker observa que Cesareia era conhecida originalmente como Torre de Estrato, que César Augusto deu a Herodes, o Grande, em 30 a.C. Por seu turno, Herodes quis agradar a César Augusto e deu à cidade o seu nome. Reconstruiu Cesareia para fazer dela uma vitrine do Oriente. Num período de 12 anos (22 a 10 a.C.), Herodes construiu um teatro, um anfiteatro, prédios públicos, uma pista de corridas, um palácio, um aqueduto e um magnífico porto.[12]

Na organização militar a *legião* ocupava o primeiro lugar. Tratava-se de uma força composta de 6 mil soldados. Em cada legião havia 10 coortes. Portanto, cada coorte tinha 600 homens e podia comparar-se a um batalhão. A coorte estava dividida em *centúrias*, composta por 100 soldados cada, sobre as quais mandava um *centurião*. Os centuriões eram a espinha dorsal do exército romano.[13]

Deus recruta pessoas para o Seu reino de todos os lugares. Cornélio era um soldado romano, mas foi alistado na família de Deus para ser um soldado de Cristo.

Em segundo lugar, ***quanto à sua relação com o próximo, um homem generoso*** (10.2,3). A piedade não pode ser separada da caridade. Cornélio não se endureceu no exercício do seu trabalho; antes, era um homem de coração generoso. Dava muitas esmolas ao povo, praticava obras que abençoavam as pessoas (10.2) e até chegavam diante de Deus no céu (10.4). Cornélio tinha o coração, as mãos e o bolso abertos para ajudar os necessitados. Seu amor não era apenas de palavras, mas de fato e de verdade. Ele não dava esmolas esporádicas para aliviar sua consciência, mas efetivamente socorria os necessitados no meio do povo. Mesmo sendo um gentio e vivendo em terras palestinas, era generoso em dar, em vez de explorar o povo.

Em terceiro lugar, ***quanto à sua relação com Deus, um homem piedoso e temente*** (10.2). Deus sempre busca aqueles que o buscam. Cornélio era

---

[11]MARSHALL, I. Howard. *Atos: introdução e comentário*, 1982, p. 175.
[12]KISTEMAKER, Simon. *Atos*. Vol. 1, p. 484.
[13]BARCLAY, William. *Hechos de los Apóstoles*, p. 88.

um homem piedoso e temente a Deus. Abandonara a religião ancestral dos romanos com seus muitos deuses e ídolos. Cansara do politeísmo e da idolatria do seu povo. Deixara os muitos deuses romanos e se voltara para o Deus vivo.

Cornélio era um prosélito. Abraçara a fé judaica e passara a acreditar em Deus. Rompera com sua religião, com seus deuses, com seus cultos. Sua teologia havia mudado, e sua vida exterior também.

Em quarto lugar, *quanto à sua vida devocional, um homem de oração* (10.2,4). Cornélio era um homem que tinha uma vida intensa de oração. De contínuo orava a Deus (10.2). Suas orações subiram ao Senhor (10.4). Cornélio era um homem conhecido na terra e conhecido no céu. Não só tinha abandonado seus deuses, mas tinha agora necessidade de ter comunhão com o Deus vivo. Sua vida de oração era abundante. Ele falava com Deus continuamente e tinha fome de Deus. Foi na hora nona de oração que o Senhor lhe enviou um anjo (10.30).

Em quinto lugar, *quanto à sua família, um líder exemplar* (10.2). Cornélio não era um líder eficaz apenas fora de casa, mas também e, sobretudo, dentro de casa. Possuía autoridade com seus soldados e também com seus familiares. Era um homem íntegro e de vida exemplar dentro do seu lar. Liderou sua casa para buscar a Deus e ser uma família piedosa e temente a Deus. Era o sacerdote do seu lar.

Muitos homens têm medalhas fora dos portões, mas fracassam dentro do lar. Cornélio era um líder dentro e fora de casa. Sua vida era bela por fora e por dentro. Ele não vivia de aparências. Era um homem coerente e íntegro.

Em sexto lugar, *quanto ao seu testemunho, um homem de influência* (10.2,7,22). Cornélio liderou espiritualmente sua família (10.2). Também influenciou espiritualmente alguns dos soldados que estavam sob a sua autoridade (10.7). Tinha bom testemunho de toda a nação judaica (10.22). Exercia sua influência dentro de casa (10.2), no trabalho (10.7) e na sociedade (10.22). Cornélio deixava sua marca por onde passava.

Em sétimo lugar, *quanto à sua disposição de agradar a Deus, um homem pronto* (10.4,5,8,33). Alguns fatos sobre Cornélio são dignos de nota. Ele possuía um conhecimento limitado, a ponto de se prostrar diante de Pedro e adorá-lo (10.25,26). Confundiu a criatura com o Criador e o evangelista com o evangelho. Pedro, porém, o corrigiu ordenando-lhe adorar a Deus. Não obstante as limitações de Cornélio, destacamos três pontos importantes sobre ele:

1. *Cornélio estava acostumado a dar ordens a seus subordinados e a receber ordens de seus superiores.* Ele tinha cem homens sob as suas ordens, mas, quando recebeu uma visão do anjo, perguntou: *Que é, Senhor?* Quando Deus lhe enviou uma visão, ele prontamente obedeceu. Quando Deus lhe falou, ele prontamente buscou compreender a vontade do Senhor. Enviou seus servos e um soldado piedoso ao encontro de Pedro.
2. *Cornélio era sedento para ouvir a Palavra de Deus* (10.24,33). Cornélio tinha pressa e disposição de ouvir a Palavra de Deus. Estava esperando pela chegada de Pedro (10.24). Preparou-se para receber a Palavra, pois almejava saber o que Deus reservara para sua vida.
3. *Cornélio ansiava levar outras pessoas a conhecer a Deus como ele* (10.24,33). Cornélio reuniu seus parentes e amigos íntimos. Queria compartilhar com sua família e seus amigos a mensagem a ser recebida. Possuía um espírito evangelístico antes mesmo de sua conversão.

Verdades sobre a **conversão de Cornélio** (Atos 10)

Cornélio era um homem com muitas virtudes. Soldado graduado, chefe de família exemplar, cidadão abençoado e abençoador, tinha sede de Deus e era temente ao Senhor, mas ainda não estava salvo. Algumas verdades essenciais precisam ser destacadas aqui.

Em primeiro lugar, *ser religiosamente sincero não é suficiente para alguém ser salvo* (10.4). Cornélio era piedoso, temente a Deus, dava esmolas ao povo, orava de contínuo a Deus, era um sacerdote do lar, um influenciador no seu trabalho e gozava de bom testemunho em toda a nação. Era um homem conhecido na terra e no céu, porém ainda não conhecia o evangelho e o anjo lhe ordenou que chamasse Pedro para que este lhe pregasse o evangelho da paz (10.36).

A sinceridade não é suficiente para levar as pessoas ao céu. A teoria de que toda a religião é boa e de que todos os caminhos levam a Deus está em total desacordo com essa passagem bíblica. Cornélio era um homem sincero e virtuoso. Possuía um testemunho exemplar dentro e fora de casa, mas ainda não estava salvo. Orava, dava esmolas e era respeitado por toda a nação, mas não estava salvo. Citando Lenski, John Stott pergunta: "Se suas sinceras convicções pagãs fossem suficientes para sua salvação, por que procuraria a sinagoga? Se a sinagoga fosse suficiente, por que Pedro estava ali em sua casa?"[14] Pedro logo lhe ensinaria que é necessário ter fé para ser salvo (10.43).

Em segundo lugar, **aonde o evangelho da paz chega, os preconceitos caem por terra** (10.34,35). Deus estava preparando o caminho do evangelho para os gentios, ao colocar Pedro na casa de Simão, o curtidor. Esse homem lidava com peles de animais. E todo indivíduo que tocava em um animal morto ficava impuro. Um judeu jamais aceitaria ficar na casa de um curtidor. Deus já estava levando Pedro a quebrar seus preconceitos e tabus.

Mesmo assim, Pedro resistiu à visão recebida. Ele se contradiz no versículo 14 ao responder: *De modo nenhum, Senhor*! A resistência não foi de Cornélio em ouvir o evangelho, mas de Pedro em ir à casa de um gentio pregar o evangelho. É possível dizer "não" e é possível dizer "Senhor", mas não se pode dizer "não, Senhor". Se Jesus é verdadeiramente Senhor, só podemos dizer "sim" e obedecer às suas ordens.[15]

O evangelho da paz não faz distinção entre judeu e gentio, homem e mulher, doutor e analfabeto, religioso e ateu. O evangelho quebra muralhas, despedaça grilhões, rompe tabus, quebra preconceitos e torna a igreja um único povo, um único rebanho, uma única família. Não importa a cor da sua pele, a sua tradição religiosa, o sobrenome da sua família; o evangelho se destina a todos.

Para Simon Kistemaker, a lição que Deus ensina a Pedro nessa visão dos animais limpos e impuros é que ele removeu as barreiras antes erigidas para separar seu povo das nações circunvizinhas. A barreira entre o judeu cristão e o samaritano cristão havia sido retirada quando Pedro e João se dirigiram a Samaria para aceitar os crentes samaritanos como membros plenos da igreja. Agora era chegada a hora de estender o mesmo privilégio aos crentes gentios. Não foi o homem, mas Deus,

---
[14] STOTT, John. *A mensagem de Atos*, p. 213.
[15] WIERSBE, Warren W. *Comentário bíblico expositivo*, p. 577.

quem removeu a barreira que separava o judeu do gentio. Deus instrui Pedro a aceitar os crentes gentios no seio da igreja cristã. Deus, e não Pedro, abre as portas do céu aos gentios. O próprio Deus inaugura para Pedro uma nova fase do ministério do evangelho (11.18).[16]

Em terceiro lugar, *a evangelização é uma tarefa humana, e não dos anjos* (10.4,5). Um anjo do Senhor falou do céu a Cornélio e lhe deu ordens da parte de Deus, mas não lhe pregou o evangelho. Cornélio precisou enviar mensageiros ao apóstolo Pedro, na cidade de Jope, a 50 km de Cesareia, para que viesse pregar o evangelho a ele e sua família.

O método de Deus é a igreja. Se a igreja falhar, Deus não tem outro método. Conta-se que, quando Jesus retornou ao céu, após a ressurreição, um anjo lhe perguntou: "Senhor, tu completaste a tua obra na terra, morrendo na cruz e ressuscitando dentre os mortos, mas quem contará essa boa notícia ao mundo?" Jesus então respondeu: "Eu deixei na terra doze homens preparados para essa tarefa". O anjo redarguiu: "Mas, Senhor, e se eles falharem?" Jesus prontamente respondeu: "Se eles falharem, eu não tenho outro método". O método de Deus para alcançar o mundo com o evangelho é a igreja.

Em quarto lugar, *o evangelho está centrado na pessoa e na obra de Cristo Jesus* (10.36-43). Pedro vai à casa de Cornélio e prega o evangelho da paz para ele e sua família. O conteúdo do evangelho pregado por Cornélio apresenta alguns pontos de destaque.

O evangelho está centrado na vida e nas obras portentosas de Cristo (10.38). Deus ungiu Jesus de Nazaré com o Espírito Santo e poder para fazer o bem e curar todos os oprimidos do diabo. Jesus libertou os cativos, curou os enfermos e libertou os atormentados. Perdoou pecados, curou os cegos, limpou os leprosos e ressuscitou os mortos. Aonde Jesus chegava, chegavam a esperança e a vida. Onde Jesus está, reina a vida e não a morte. Onde Jesus está, os grilhões são despedaçados.

O evangelho está centrado na morte de Cristo (10.39). A morte de Cristo é a nossa carta de alforria. Ele morreu não como um mártir, mas como nosso substituto. Sua morte foi em nosso lugar e em nosso favor. Ele morreu para que pudéssemos viver. Temos vida pela sua morte.

---

[16] KISTEMAKER, Simon. *Atos*. Vol. 1, p. 495.

O evangelho está centrado na ressurreição de Cristo (10.40,41). Deus ressuscitou Jesus dentro os mortos. Ele rompeu as cadeias da morte. Abriu o túmulo de dentro para fora. Venceu o pecado, a morte e o diabo. Agora, tem as chaves da morte e do inferno. Ele tirou o aguilhão da morte, que não tem mais a última palavra.

O evangelho está centrado no senhorio de Cristo (10.36,42). Jesus é o Senhor de todos (10.36) e o Juiz de vivos e de mortos (10.42). Todos comparecerão perante ele para prestar contas da sua vida. Todo joelho se dobrará e toda língua confessará que Jesus Cristo é Senhor para a glória de Deus Pai.

O evangelho oferece remissão de pecados para todo aquele que crê (10.43). A remissão e o perdão dos pecados, a salvação e a vida eterna não são alcançados pelas obras nem pela religião, mas pela fé em Cristo. Quem crê tem a vida eterna (Jo 6.47). O que nele crê não perece, mas tem a vida eterna (Jo 3.16). Matthew Henry diz que Deus nunca justificou e salvou nem justificará e salvará um judeu ímpio que viveu e morreu impenitente, mesmo que pertencesse à descendência de Abraão (Rm 9.7), fosse hebreu de hebreus (Fp 3.5) e tivesse todos os privilégios e as vantagens pertinentes à circuncisão. Ele retribuirá indignação e ira, tribulação e angústia, sobre toda alma que faz o mal, primeiramente do judeu, cujos privilégios e religião, em vez de protegê-lo do juízo de Deus, agravam-lhe a culpa e a condenação (Rm 2,3,8,9,16).[17] Ao mesmo tempo, Deus nunca rejeitou ou recusou nem nunca rejeitará ou recusará um gentio justo, que, mesmo não tendo os privilégios e as vantagens de que os judeus dispõem, como Cornélio, teme a Deus, adora-o e faz o que é justo (10.35). Deus julga os homens pelo coração, não por sua nacionalidade ou ascendência.[18]

Em quinto lugar, **aqueles que recebem o evangelho, esses recebem o Espírito Santo e devem ser integrados na igreja** (10.44-48). Os gentios creram e foram batizados com o Espírito Santo, e imediatamente foram também batizados com água e integrados à igreja. Todo aquele que crê deve integrar-se à igreja de Deus por meio da pública profissão de fé e

---

[17]HENRY, Matthew. *Comentário bíblico Atos-Apocalipse*, p. 112.
[18]HENRY, Matthew. *Comentário bíblico Atos-Apocalipse*, p. 112.

do batismo. Jesus disse: *Quem crer e for batizado será salvo* (Mc 16.16). O batismo é o selo de que alguém pertence à igreja de Cristo Jesus. Todos na casa de Cornélio ansiavam de coração por esse lacre evidente e público. O batismo é ao mesmo tempo ação do próprio Jesus, por meio da qual Ele acolhe pessoas como Sua propriedade, documentando que participam de Sua morte e ressurreição. Por meio do batismo, os crentes passam a pertencer a Jesus, e Jesus passa a pertencer a eles.[19] A água do batismo é um símbolo do Espírito Santo. Não se pode negar o sinal aos que receberam a coisa significada. Esses a quem Deus concedeu graciosamente o concerto têm o direito claro aos selos do concerto.[20]

Cornélio e toda a sua casa foram convertidos e batizados com o Espírito Santo, e receberam também o batismo com água. Werner de Boor destaca a liberdade de ação da parte de Deus com respeito a esse magno assunto. Nos dias de Pentecostes, a conversão e o batismo conduziram diretamente ao recebimento do Espírito. Em Samaria a conversão e o batismo ainda não trazem o Espírito Santo; ele é dado somente por oração e imposição das mãos. E, aqui na casa de Cornélio, Deus concede o Espírito mediante manifestação de poder antes mesmo do batismo e sem uma "conversão" expressa! Nós substituímos o agir soberano de Deus por um sistema teológico rígido que tem de funcionar por si mesmo e de forma alguma pode funcionar de modo diferente![21]

E você, já creu em Jesus? Já recebeu o Espírito Santo? Já decidiu tornar-se membro da igreja de Deus, fazendo sua profissão de fé e sendo batizado?

---

[19] DE BOOR, Werner. *Atos dos Apóstolos*, p. 164,165.
[20] HENRY, Matthew. *Comentário bíblico Atos-Apocalipse*, p. 115.
[21] DE BOOR, Werner. *Atos dos Apóstolos*, p. 165.

11

A igreja alarga suas fronteiras

Atos 11.1-30

AS REVERBERAÇÕES DO MINISTÉRIO DE PEDRO EM CESAREIA chegaram a Jerusalém. A notícia da conversão dos gentios mexeu com a igreja judaica. Tanto os apóstolos como os demais irmãos em Jerusalém foram impactados por essa informação. Logo que Pedro retornou à sua base, em Jerusalém, os membros da igreja que eram do grupo da circuncisão o interpelaram. O problema deles não era tanto o evangelho, mas a cultura. Não estavam chocados pelo fato de Cornélio e sua casa receberem a Palavra de Deus, nem mesmo pelo fato de terem recebido o Espírito Santo, mas pelo fato de Pedro ter entrado na casa de um gentio e ter comido com ele. As barreiras culturais estavam ainda muito firmes na mente desses crentes judeus. Um judeu conservador não podia conversar com um gentio. Apenas se concebia que um judeu entrasse na casa de um gentio por algum motivo prático, mas era totalmente inaceitável que se sentasse para comer com ele.[1]

Examinemos agora a expansão da igreja rumo aos gentios, destacando quatro ministérios importantes.

---

[1]BARCLAY, William. *Hechos de los Apóstoles*, p. 96.

O ministério de **Pedro** (11.1-18)

Pedro foi o instrumento usado por Deus para abrir a porta do evangelho tanto para os judeus como para os gentios. Destacamos aqui alguns pontos importantes.

Em primeiro lugar, *uma notícia alvissareira* (11.1). A notícia da conversão dos gentios sai de Cesareia e chega a Jerusalém. Os apóstolos e irmãos da igreja-mãe são informados de como Cornélio e sua casa aceitaram a Palavra de Deus. Nessa informação, certamente há um misto de alegria e também de preocupação, pois é a primeira vez que um grupo de gentios é salvo e recebe o Espírito Santo.

Em segundo lugar, *um interrogatório minucioso* (11.2,3). Alguns da igreja de Jerusalém, membros do partido da circuncisão, arguiram Pedro acerca de sua entrada na casa de um gentio para cear com ele. Esses judeus não ficaram escandalizados com o fato de Pedro ter pregado o evangelho aos gentios nem mesmo de tê-los recebido à fé cristã, mas ficaram perplexos pelo fato de Pedro ter mantido comunhão com eles, a ponto de entrar e comer na casa deles. A barreira cultural erguia-se como uma muralha intransponível na mente desses judeus crentes.

Em terceiro lugar, *uma exposição detalhada* (11.4-17). Diante do interrogatório dos membros do partido da circuncisão, Pedro faz uma exposição detalhada de sua experiência. Warren Wiersbe diz que, ao se defender em Atos 11, Pedro apresentou três evidências: a visão de Deus (11.5-11), o testemunho do Espírito (11.12-15,17) e o testemunho da Palavra (11.16).[2]

Ressaltamos aqui as intervenções de Deus para vencer os escrúpulos cerimoniais de Pedro e quebrar a barreira cultural em seu coração. John Stott afirma que Pedro precisou de quatro bordoadas de revelação divina antes que seu preconceito racial e religioso fosse vencido: a visão divina, a ordem divina, a preparação divina e a ação divina.[3]

A visão divina (11.5-10). Deus já estava preparando Pedro para romper seus preconceitos e escrúpulos judaicos. Em Jope, hospedou-se

---
[2] WIERSBE, Warren W. *Comentário bíblico expositivo*, p. 580.
[3] STOTT, John. *A mensagem de Atos*, p. 217,218.

na casa de Simão, o curtidor (9.43). Uma pessoa que trabalhava com couro e lidava com animais mortos era considerada impura e, a rigor, Pedro não poderia ficar em sua casa. Ainda mais, foi no alpendre dessa casa que Pedro teve a visão do lençol que desce do céu com animais imundos. A visão tinha como propósito desarmar Pedro de seus escrúpulos judaicos, ou seja, quebrar a barreira cultural. O evangelho rompe barreiras e preconceitos. Por meio da visão, Deus falou com Pedro três vezes e ordenou-lhe expressamente não considerar imundo o que Deus havia purificado. Pedro, então, entendeu que os animais puros e imundos (uma distinção abolida por Jesus) simbolizavam pessoas puras e impuras, circuncisas e incircuncisas. O lençol é a igreja, que conterá todas as raças e classes sem distinção alguma.[4]

A ordem divina (11.11,12). Deus mesmo, que trabalhou no coração de Cornélio em Cesareia, estava trabalhando no coração de Pedro em Jope. Quando Pedro acabou de ter a visão, os mensageiros de Cornélio já estavam à porta da casa onde ele estava hospedado. Nesse momento, o Espírito Santo ordenou que Pedro fosse com eles à casa de Cornélio sem hesitação ou distinção. Pedro não podia mais resistir. A pregação do evangelho aos gentios era uma ordenança divina. A ordem não devia ser questionada ou adiada, mas obedecida imediatamente. Pedro ainda toma o cuidado de levar seis judeus que estavam com ele em Jope para testemunhar os acontecimentos na casa de Cornélio. Isso é significativo, porque segundo o costume da época eram necessárias sete pessoas para provar completamente um fato, e na lei romana eram necessários sete selos para autenticar um documento realmente importante, como um testamento.[5]

A preparação divina (11.13,14). O Senhor ordenou a Cornélio em Cesareia que mandasse buscar Pedro em Jope; e ordenou a Pedro em Jope que se dirigisse à casa de Cornélio em Cesareia, sincronizando perfeitamente os dois acontecimentos.[6] Ao chegarem a Cesareia, Pedro e seus companheiros souberam como o anjo aparecera a Cornélio e lhe

---

[4]STOTT, John. *A mensagem de Atos*, p. 217.
[5]STOTT, John. *A mensagem de Atos*, p. 218.
[6]STOTT, John. *A mensagem de Atos*, p. 218.

ordenara enviar emissários a Jope com o propósito de trazer Pedro para pregar-lhes palavras mediante as quais ele e sua família seriam salvos. Vale ressaltar que as virtudes de Cornélio, embora fossem vistas na terra e no céu, reconhecidas pelos homens e por Deus, não eram suficientes para sua salvação. Também é importante destacar que o anjo de Deus falou com Cornélio, mas não lhe pregou o evangelho. Essa sublime tarefa foi confiada à igreja, e não aos anjos. É da mais alta importância pontuar que a salvação vem por meio da pregação do evangelho. A mensagem que Pedro pregou na casa de Cornélio apontava para a morte, a ressurreição, a ascensão e o senhorio de Cristo. O evangelho da salvação é cristocêntrico.

A ação divina (11.15-17). Pedro ainda estava pregando na casa de Cornélio quando o Espírito Santo caiu sobre eles. A mesma experiência vivida no Pentecostes, em Jerusalém, agora se repetia em Cesareia na casa de Cornélio. John Stott diz que esse foi o Pentecostes gentio em Cesareia, que correspondia ao Pentecostes judaico em Jerusalém.[7] O que acontecera aos judeus, agora, também acontecia aos gentios. O batismo do Espírito Santo aqui é simultâneo com a salvação de Cornélio e sua família, e não uma bênção posterior. A salvação dos gentios, evidenciada pelo derramamento do Espírito, era uma obra vinda do céu, e Pedro não podia mais resistir a Deus. Estava provado que Deus havia recebido gentios convertidos em sua família, em igualdade de condições com os convertidos judeus. John Stott corretamente afirma:

> O batismo na água não podia ser negado àqueles convertidos gentios, pois Deus não podia ser proibido de fazer o que fez, isto é, batizá-los no Espírito. O argumento era irrefutável. Pedro fora confrontado com um fato divino consumado. Certamente, conceder o batismo cristão a um gentio incircunciso era um passo ousado e inovador, mas recusá-lo seria obstruir o caminho de Deus.[8]

Howard Marshall, sobre o mesmo texto, comenta: Pedro ressalta que a experiência dos convertidos gentios fora a mesma que a

---
[7]STOTT, John. *A mensagem de Atos*, p. 219.
[8]STOTT, John. *A mensagem de Atos*, p. 219.

daqueles que receberam originalmente o Espírito no princípio, isto é, no dia de Pentecostes. Nada há que possa sugerir uma posição de "cidadãos de segunda classe" para os gentios. Pedro toma por certo que o Espírito Santo é dado àqueles que creem no Senhor Jesus Cristo; o batismo com água é dado como resposta à confissão de fé.[9]

Em quarto lugar, *um resultado glorioso* (11.18). Não apenas Pedro, mas também a igreja de Jerusalém foi convencida pelas evidências irrefutáveis. Eles pararam de criticar e passaram a louvar.[10] O relato de Pedro trouxe paz à igreja e glória ao nome do Senhor. Os crentes judeus reconheceram que aos gentios fora dado por Deus o arrependimento para vida. A salvação é endereçada a todos os povos, e o evangelho deve ser compartilhado com judeus e gentios.

John Stott, de forma lúcida e oportuna, salienta que esse incidente lança luz sobre algumas verdades axiais do cristianismo, como a igreja, o Espírito Santo, as religiões não cristãs e o evangelho. Vejamos esses pontos.

A unidade da igreja. A igreja de Deus é multirracial e multicultural. Não podemos fazer distinção entre raças e culturas se Deus acolhe em Sua igreja pessoas de todas as origens. Esse problema, entretanto, não foi facilmente resolvido na igreja do primeiro século. O próprio Pedro, mais tarde, claudicou nessa questão em Antioquia e precisou ser corrigido pelo apóstolo Paulo (Gl 2.11-21). Foi preciso um concílio em Jerusalém para tratar dessa matéria, visto que os judaizantes estavam pervertendo o evangelho e perturbando a igreja, ao exigir dos crentes gentios a prática da circuncisão para serem salvos (15.1,5). Não podemos aceitar na igreja de Deus nenhum tipo de discriminação, pois Deus não faz acepção de pessoas.

A dádiva do Espírito Santo. O Espírito é concedido àqueles que se arrependem. Essa experiência foi denominada batismo com o Espírito Santo (11.16). Trata-se de um evento salvador. Pedro pregou o evangelho a Cornélio e ele se arrependeu (11.18) e creu (15.7,9). Cornélio recebeu o dom do Espírito Santo (10.45,47; 11.17), como aconteceu no Pentecostes (2.38).

---
[9] MARSHALL, I. Howard. *Atos: introdução e comentário*, 1982, p. 189,190.
[10] STOTT, John. *A mensagem de Atos*, p. 219.

O status das religiões não cristãs. Cornélio era um homem religioso, piedoso e temente a Deus. Fazia orações de contínuo a Deus e dava muitas esmolas. Tinha bom testemunho em casa, no trabalho e em toda a nação. Mas isso não foi suficiente para sua salvação. Ele precisou ouvir o evangelho, arrepender-se (11.18) e crer em Jesus (15.7). Somente então Deus o salvou (11.14; 15.11) em Sua graça (15.11), deu-lhe o perdão dos seus pecados (10.43), a dádiva do Espírito Santo (10.45; 15.8) e da vida (11.18), e purificou o seu coração pela fé (15.9). E mais: apenas então ele foi batizado e, assim, recebido de forma visível e pública na comunidade cristã.[11]

O poder do evangelho. Se compararmos a conversão de Saulo com a conversão de Cornélio, veremos que um era judeu e o outro gentio; quanto à cultura, Saulo era um erudito, e Cornélio, um soldado; quanto à religião, Saulo era um fariseu fanático, e Cornélio, um simpatizante. Mas ambos foram salvos pela graciosa iniciativa de Deus; ambos receberam o perdão de seus pecados e a dádiva do Espírito Santo; ambos foram batizados e recebidos na família cristã em igualdade de condições. Esse é um testemunho do poder e da imparcialidade do evangelho.[12]

O ministério dos **evangelistas anônimos** (11.19-21)

A perseguição que explodiu na cidade de Jerusalém em virtude da morte de Estêvão não fez a igreja retroceder. Ao contrário, como um vento impetuoso espalha as sementes, a perseguição espalhou os discípulos e, ao serem dispersos, eles não se acovardaram, mas saíram pregando a Palavra de Deus (8.4; 11.19). Esses evangelistas anônimos, em função da diáspora, avançaram até a Fenícia, Chipre e Antioquia.

A Fenícia (o moderno Líbano) era a área que se estendia ao longo do litoral, numa faixa estreita desde o monte Carmelo, por uma distância de aproximadamente 242 km. Suas cidades principais eram Ptolemaida, Tiro, Sarepta e Sidom.

---

[11] STOTT, John. *A mensagem de Atos*, p. 222.
[12] STOTT, John. *A mensagem de Atos*, p. 223.

Chipre era o domicílio de Barnabé (4.36), um lugar que possuía um elemento judaico na sua população pelo menos desde o século II a.C. Foi o primeiro lugar a ser evangelizado por Barnabé e Paulo.

Antioquia, a capital da província romana da Síria, foi fundada por Selêuco Nicátor, chamado de Selêuco I por volta do ano 300 a.C., e recebeu o nome de Antioquia em homenagem ao seu pai, Antíoco. Ali havia uma grande população judaica.[13]

Com cerca de meio milhão de habitantes, Antioquia era a terceira maior cidade do Império Romano, depois de Roma e Alexandria. Situada próximo da desembocadura do rio Orontes, a uns 24 km do mar Mediterrâneo, era uma cidade bela e cosmopolita, mas também sinônimo de imoralidade e luxúria, infestada de clubes noturnos. Era, outrossim, famosa pelo culto a Dafne, cujo templo estava a uns 8 km da cidade.[14] Suas construções grandiosas contribuíram para que fosse chamada de "Antioquia, a Cidade Dourada, Rainha do Oriente". Justo González diz que Antioquia era um centro para troca de ideias, culturas, costumes e religiões.[15] Sua rua principal tinha mais de 7 km de extensão; era calçada de mármore e ladeada de colunas desse mesmo material. Naquela época, era a única cidade do mundo antigo com iluminação noturna. Porto movimentado e centro de luxo e cultura, Antioquia oferecia à igreja oportunidades extraordinárias de evangelismo.[16]

Destacamos aqui três pontos importantes sobre a pregação dos missionários anônimos após a dispersão.

Em primeiro lugar, *a pregação aos judeus fora do território de Israel* (11.19). Os crentes judeus que foram dispersos saíram pregando o evangelho, mas não aos gentios, apenas aos judeus. Alargaram as fronteiras geográficas, mas não o campo étnico. Esses missionários anônimos pregaram na Fenícia, que corresponde ao Líbano de hoje. Também pregaram em Chipre, a terra natal de Barnabé, chegando até Antioquia, imponente cidade do Império Romano.

---

[13] MARSHALL, I. Howard. *Atos: introdução e comentário*, 1982, p. 191.
[14] BARCLAY, William. *Hechos de los Apóstoles*, p. 98,99.
[15] GONZÁLEZ, Justo L. *Atos*, p. 169.
[16] WIERSBE, Warren W. *Comentário bíblico expositivo*, p. 581.

Em segundo lugar, *o começo da pregação aos gentios* (11.20). Judeus helenistas convertidos a Cristo, que residiam em Chipre e Cirene, indo até Antioquia, começaram a pregar o evangelho do Senhor Jesus também aos gregos, dando início, assim, ao trabalho de evangelização entre os gentios. John Stott realça que, culturalmente, a missão passou dos judeus para os gentios.[17] Antioquia era uma belíssima cidade, com edifícios refinados de mármore branco e um requintado *boulervard*. Tornou-se a capital da província da Síria e a terceira maior cidade do Império Romano, superada apenas por Roma e Alexandria. Foi aí que nasceu uma igreja multicultural e multirracial para liderar a obra missionária no mundo.

Em terceiro lugar, *o resultado promissor da evangelização aos gentios* (11.21). Rompida a barreira cultural e vencidos os escrúpulos dos judeus crentes em relação aos gentios, dois fatos maravilhosos se seguiram à pregação do evangelho aos gentios: primeiro, a aprovação de Deus, pois a mão do Senhor estava com eles; segundo, a conversão dos gentios, pois muitos, crendo, se converteram ao Senhor. A conversão foi o resultado da fé em Cristo, e não à parte de Cristo.

O ministério de **Barnabé** (11.22-26)

Mais uma vez as notícias alvissareiras da obra de Deus entre os gentios chegam a Jerusalém (11.1,22). A atitude da igreja não é interrogar esses agentes anônimos do reino, mas enviar a esse campo, que se abre para o evangelho, um obreiro experiente. É aqui que se inicia o decisivo ministério de Barnabé, a respeito do qual comentamos cinco pontos.

Em primeiro lugar, *uma decisão sábia* (11.22). A igreja de Jerusalém enviou a Antioquia não um apóstolo, mas Barnabé, o seu melhor pastor, um homem de alma generosa, um líder experiente, um judeu helenista com o melhor perfil e visão para alavancar a obra missionária entre os gentios.

Em segundo lugar, *uma atitude importante* (11.23). Barnabé não criou obstáculos para receber os gentios na comunhão da igreja nem ergueu

---

[17]STOTT, John. *A mensagem de Atos*, p. 226.

muros de preconceito por causa de escrúpulos judaicos. Ao contrário, alegrou-se ao ver a graça de Deus prosperando e agindo na vida dos gentios e exortou todos a permanecerem firmes no Senhor. Barnabé era um líder entusiasmado com a obra de Deus.

Em terceiro lugar, **uma vida atraente** (11.24). A vida de Barnabé era a base de sustentação do seu ministério. Ele estava sempre investindo na vida das pessoas. Era um homem bom. Estava vazio de si mesmo e cheio do Espírito. Caminhava não segundo seu entendimento, mas pela fé. O resultado é que muita gente se uniu ao Senhor. O evangelho, quando adornado pelo exemplo, produz resultados excelentes. A ortodoxia precisa ser revestida de piedade. John Stott diz que o verbo grego *prostithemi*, traduzido por *se uniu* no versículo 24, tornou-se uma palavra quase técnica para Lucas descrever o crescimento da igreja (2.41; 2.47; 5.14; 11.24).[18]

Em quarto lugar, **um gesto humilde** (11.25). Barnabé não apenas construiu a ponte de contato entre a igreja gentílica e a igreja judaica, mas também buscou em Tarso o homem que se tornaria o maior bandeirante do cristianismo. Barnabé já havia investido em Paulo quando todos o desprezaram em Jerusalém. Sabia do seu chamado aos gentios. Abriu mão de sua primazia na obra missionária entre os gentios e buscou alguém mais capacitado do que ele para assumir essa liderança. Barnabé não hesitou em procurar Paulo e colocá-lo no centro do palco da obra missionária. Essa experiência nos remete ao que aconteceu com Guilherme Farel e João Calvino em Genebra. Farel convidou Calvino para permanecer em Genebra e ajudá-lo na obra de evangelização. Calvino recusou a princípio, mas depois aquiesceu, e ali ambos realizaram um grande trabalho, que se tornou modelo para o mundo inteiro. Farel abriu mão de sua primazia, e Calvino tornou-se o grande líder da reforma naqueles tempos.

Em quinto lugar, **um resultado extraordinário** (11.26). Barnabé encontrou Paulo, levou-o consigo para Antioquia e naquela igreja ensinaram uma multidão imensa durante todo um ano. Como resultado, os crentes gentios passaram a imitar de tal forma a Jesus que foram

---

[18] STOTT, John. *A mensagem de Atos*, p. 229.

apelidados de *cristãos*, gente parecida com Cristo. Até agora, Lucas se referia a eles como *discípulos* (6.1), *santos* (9.13), *irmãos* (1.16; 9.30), *fiéis* (10.45), os que estavam *sendo salvos* (2.47) e os seguidores *do Caminho* (9.2). Agora, Lucas passa a chamá-los de *cristãos* (11.26).[19]

O ministério de **Ágabo** (11.27-30)

Na igreja primitiva havia profetas e mestres. Naqueles dias, alguns profetas desceram de Jerusalém a Antioquia e entregaram uma importante mensagem ao povo. Destacamos aqui três pontos dessa mensagem.

Em primeiro lugar, **uma profecia urgente** (11.27,28). Movido pelo Espírito Santo, Ágabo profetizou um período de grande fome por todo o mundo, a qual sobreveio nos dias do imperador Cláudio, que reinou de 41 a 54 d.C. Esse fato foi amplamente documentado pelos historiadores. Uma das regiões mais atingidas por essa fome foi a Judeia, especialmente porque, no tempo de Cláudio, todos os judeus foram expulsos de Roma (18.2) e retornaram à Judeia sem suas casas, suas terras e seus bens. Essa fome atingiu de cheio a igreja de Deus na região da Judeia. Conforme Warren Wiersbe, os escritores da Antiguidade citam pelo menos quatro grandes fomes: duas em Roma, uma na Grécia e outra na Judeia. A escassez de alimentos na Judeia foi especialmente grave e, de acordo com o historiador judeu Flávio Josefo, muitas pessoas morreram por falta de recursos para comprar a pouca comida que havia disponível.[20]

Em segundo lugar, **uma generosidade concreta** (11.29). Os crentes gentios nem mesmo esperaram o cumprimento da profecia e, conforme suas posses, levantaram uma oferta para socorrer os irmãos que moravam na Judeia. Eles ajudaram pessoas que não conheciam pessoalmente. A fé cristã não abre apenas nosso coração para crer, mas também nosso bolso para contribuir. Recebemos não apenas a graça da salvação, mas também a graça da contribuição. A generosidade não é causa da salvação, mas sua consequência. A igreja de Jerusalém enviara

---

[19] STOTT, John. *A mensagem de Atos*, p. 230.
[20] WIERSBE, Warren W. *Comentário bíblico expositivo*, p. 583.

Barnabé a Antioquia; agora, a igreja de Antioquia envia Barnabé, com Paulo, de volta a Jerusalém. Paulo destacará a importância desse gesto ao escrever: *Isto lhes pareceu bem, e mesmo lhes são devedores; porque, se os gentios têm sido participantes dos valores espirituais dos judeus, devem também servi-los com bens materiais* (Rm 15.27).

Em terceiro lugar, **uma atitude sensata** (11.30). Os crentes gentios enviaram socorro aos crentes judeus, mas esses recursos foram endereçados aos líderes da igreja de Jerusalém, os presbíteros, e levados pelos líderes que trabalhavam entre eles, Barnabé e Saulo. Em outras palavras, houve transparência no trato da matéria. Eles lidaram com a questão das ofertas com absoluta lisura e honestidade.

12

Quando tudo parece **perdido**, Deus reverte a situação

Atos 12.1-25

O LIVRO DE ATOS É O RELATO DAS INTERVENÇÕES milagrosas de Deus na vida da igreja primitiva. O médico e historiador Lucas vem relatando uma conversão maravilhosa após a outra: os três mil no dia de Pentecostes, os samaritanos, o eunuco etíope, Saulo de Tarso, o centurião gentio Cornélio e a multidão heterogênea em Antioquia. A Palavra de Deus se espalhava em círculos concêntricos. Lucas está prestes a descrever aquele grande salto que chamamos de primeira viagem missionária. Antes disso, contudo, precisa relatar um sério revés, a morte de Tiago e a prisão de Pedro, ambos apóstolos e líderes da igreja em Jerusalém.

Os tempos de angústia haviam chegado. Uma grande fome assolaria o mundo inteiro nos dias do imperador Cláudio (11.28). Nesse tempo, os judeus foram expulsos de Roma (18.2). Em Jerusalém, desde o martírio de Estêvão, os cristãos estavam sob forte tensão. Na Sua providência misteriosa, Deus permite que o poder do mal atinja Seus filhos. Na Sua bondade, Deus fortalece Seus filhos no vale da dor. Por Seu poder, Deus livra seus filhos nas horas de extrema urgência. Deus jamais perde o controle da situação, nem permite que Seus filhos sejam provados sem tirar resultados desses fatos gloriosos. William Cowper disse que "por trás de toda providência carrancuda esconde-se uma face sorridente".

Este é o terceiro ataque contra a novel igreja. O primeiro foi dos saduceus; o segundo, dos fariseus. Este terceiro vem dos romanos.

De acordo com Warren Wiersbe, este texto pode ser sintetizado em três pontos essenciais: a) Deus vê nossas provações (12.1-4); b) Deus ouve nossas orações (12.5-17); e c) Deus lida com os nossos inimigos (12.18-25).[1]

Agora, a perseguição mostrava toda a sua crueldade. Essa perseguição tinha duas frentes.

Em primeiro lugar, *a perseguição religiosa* (12.3). Os judeus foram os principais inimigos no início do cristianismo. Perseguiram Cristo e o levaram à cruz. Doravante, queriam matar os Seus seguidores. Já haviam apedrejado Estêvão e encerrado os apóstolos em prisão duas vezes. E agora, rendidos à bajulação, incentivavam Herodes a agir com mão de ferro para matar os líderes da igreja. Werner de Boor comenta essa situação nos seguintes termos:

> A situação da igreja sofreu uma séria mudança. No ano 41 d.C., o imperador Cláudio declarou Herodes Agripa rei de Jerusalém em gratidão por méritos políticos – ele fora mediador entre o Senado e o novo imperador proclamado pelas tropas. Consequentemente, Agripa dominava todo o reino de seu avô, Herodes, o Grande. Por isso a primeira igreja não vivia mais sob um governador romano, do qual sempre se podia esperar uma certa proteção legal, mas sob um déspota oriental, a cuja arbitrariedade estava exposta. Ao mesmo tempo, porém, mudou também a atitude dos judeus frente à igreja. No início Lucas afirmava: *Contava com a simpatia de todo o povo* (2.47). Mesmo na época subsequente, o Sinédrio tinha de levar o ânimo do povo, que era favorável aos apóstolos, em conta (4.21; 5.26). Contudo, isso mudou após o tumulto do episódio de Estêvão. Agora, o rei encontra até entre os judeus uma viva simpatia quando toma medidas contra os apóstolos.[2]

Em segundo lugar, *a perseguição política* (12.1-3). Herodes Agripa I já havia prendido alguns cristãos para maltratá-los, já havia passado ao

---
[1] WIERSBE, Warren W. *Comentário bíblico expositivo*, p. 586-590.
[2] DE BOOR, Werner. *Atos dos Apóstolos*, p. 178.

fio da espada Tiago, irmão de João, e, agora, encerrara Pedro na prisão até o fim da Festa da Páscoa para, então, sentenciá-lo à morte.

Este Herodes era neto de Herodes, o Grande, o perverso rei que mandou matar as crianças de Belém, e sobrinho de Herodes Antipas, aquele que matou João Batista e zombou de Jesus. Herodes Agripa I fora criado em Roma, na sociedade imperial. Ajudou Calígula (37-41 d.C.) a tornar-se imperador, dada a morte de Tibério; e Calígula o recompensara com o título de rei e a tetrarquia de Filipe, acrescentando-lhe logo depois a Galileia e a Pereia. Quando assassinaram Calígula, Herodes Agripa I ajudou Cláudio (41-54) a ganhar a aprovação do senado romano; e o novo imperador adicionou a Judeia e a Samaria ao seu reinado.

Nessa mesma linha de pensamento, Simon Kistemaker descreve com dados ainda mais claros traços da vida de Herodes Agripa I:

> Herodes Agripa I, nascido em 10 a.C., era neto de Herodes, o Grande, e de Mariane, uma judia. Ele era filho de Aristóbulo, que morreu em 7 a.C. Sua mãe o mandou para Roma, onde Herodes Agripa foi educado e fez amizade com Gaio (Calígula), que se tornou imperador em 37 d.C. Este imperador proclamou Herodes Agripa rei sobre a Itureia, Traconites e Abilene (Lc 3.1), tetrarquias do leste da Galileia. Em 39 d.C., Herodes Antipas, tio de Herodes Agripa, pediu ao imperador, assim como fizera seu sobrinho, que lhe concedesse um título real. Antipas havia governado a tetrarquia de Galileia e Pereia desde a morte de seu pai em 4 a.C. Entretanto, em lugar de receber o cobiçado título, Antipas foi deposto e exilado, e Herodes Agripa, que obviamente havia influenciado o imperador, obteve a tetrarquia de Antipas. Depois da morte de Calígula em 41 d.C., Herodes Agripa apelou ao imperador Cláudio e recebeu dele a Judeia e Samaria. Assim, naquele tempo, o rei Herodes Agripa governava sobre territórios que se igualavam aos de seu avô Herodes, o Grande.[3]

Desde a morte de Herodes, o Grande, até o momento, Israel nunca fora governado por um único rei. Durante um período de 35 anos, a

---

[3] KISTEMAKER, Simon. *Atos*. Vol. 1, p. 567.

Judeia fora governada por sete diferentes procuradores (governadores romanos), dos quais o mais conhecido foi Pôncio Pilatos (26-36 d.C.). Finalmente, por apenas três anos (41-44 d.C.), toda a Palestina foi governada por Herodes Agripa I; o país estava unido pela primeira vez desde a morte de Herodes, o Grande, em 4 a.C.

Por intermédio de sua avó Mariane, Herodes Agripa I poderia alegar ascendência judaica. Ele observava escrupulosamente a lei e a tradição judaicas. Oferecia diariamente sacrifícios no templo. Durante a Festa dos Tabernáculos, as autoridades judaicas lhe concediam a honra de ler, em público, uma passagem da lei. Em suma, os judeus aceitavam o rei como um dos seus.[4] Herodes Agripa I estava decidido a permanecer nas boas graças dos súditos judeus – fato que o levou a perseguir os cristãos. Justo González destaca que, enquanto Herodes, o Grande, vivia constantemente em conflito com os judeus, Herodes Agripa I sabia como obter o favor dos líderes e dos principais sacerdotes e, por essa razão, contava com a colaboração deles.[5]

A dramática **prisão de Pedro** (12.1-5)

Tiago, irmão de João, e Pedro faziam parte do núcleo mais íntimo dos discípulos de Jesus. Eram líderes influentes na igreja. Herodes mata um e prende outro. Não temos explicação sobre por que Deus permitiu que Tiago morresse, enquanto enviou seu anjo para libertar Pedro. Afinal, ambos eram homens dedicados a Deus e necessários à igreja. A única resposta é a soberana vontade de Deus (4.24-30).

Certamente precisamos dizer como Paulo: *Por que, se vivemos, para o Senhor vivemos, se morremos, para o Senhor morremos. Quer, pois, vivamos ou morramos, somos do Senhor* (Rm 14.8). A uns, Deus livra *da* morte; a outros, Deus livra *na* morte. Na galeria da fé, em Hebreus 11, uns foram libertos do fogo e da boca de leões pela fé; outros, pela fé, foram mortos e serrados ao meio. Uns são libertos pela fé; outros morrem pela fé. Uns seguem lutando na terra, outros permanecem celebrando no céu.

---

[4]KISTEMAKER, Simon. *Atos*. Vol. 1, p. 567.
[5]GONZÁLEZ, Justo L. *Atos*, p. 177.

Deus é Deus quando nos livra da morte e quando nos leva para Sua presença. Ele é Deus quando atende à nossa oração curando e libertando e quando chama os Seus filhos para voltarem para casa e tomarem posse do reino. O mesmo salmista que glorifica a Deus pelo livramento da morte diz que: *Preciosa é aos olhos do Senhor a morte dos seus santos:* (Sl 116.15). Justo González com razão diz que essa ideia – de que, se Deus não nos dá o que pedimos, é porque nos falta fé – pode provocar consequências desastrosas. Imagine, por exemplo, uma menina paralítica de 7 anos de idade, a quem é dito que, se ela tiver fé, andará. As pessoas ao redor oram e até clamam em voz alta, mas ela não é curada. No fim do culto, a menina que entrou com uma séria deficiência física sai agora também ferida espiritual e mentalmente, pois, depois desse culto, acredita que não pode andar por sua própria culpa, pois lhe falta fé. Assim, a garota deve carregar o fardo não só de um corpo que não obedece a seus comandos, mas também o de uma alma que aparentemente também não lhe obedece, pois ela realmente quer ter fé. Talvez as palavras de Jesus se apliquem aos que pregam esse tipo de evangelho: *Melhor fora que se lhe pendurasse ao pescoço uma pedra de moinho, e fosse atirado no mar, do que fazer tropeçar a um destes pequeninos* (Lc 17.2).[6]

Vejamos alguns aspectos da prisão de Pedro, dos quais destacamos três pontos.

Em primeiro lugar, *a intenção de prender Pedro era obter dividendos políticos* (12.3). Herodes prendeu Pedro com o propósito de matá-lo após os sete dias da Festa da Páscoa, com o único propósito de agradar os judeus. A intenção desse julgamento era buscar popularidade e não justiça.[7] Durante os sete dias da Festa dos Pães Asmos não se podia julgar nem executar ninguém, e essa foi a razão pela qual Herodes resolveu postergar a execução de Pedro. O principal vetor dessa perseguição era a ambição política de Herodes em obter o favor dos judeus ortodoxos. Esses judeus desprezavam Herodes tanto por sua educação romana quanto por seus ancestrais edomitas. Herodes não via Pedro como um

---

[6]GONZÁLEZ, Justo L. *Atos*, p. 182,183.
[7]GONZÁLEZ, Justo L. *Atos*, p. 178.

ser humano, mas apenas como um objeto descartável que poderia ser usado para seus interesses nefastos.

Em segundo lugar, *a intenção de matar Pedro após a Páscoa era evitar tumultos* (12.4). Herodes sabia que Pedro era o grande líder da igreja cristã naquele momento. Foi Pedro quem liderou a igreja na escolha de Matias. Foi Pedro quem pregou no Pentecostes levando a igreja saltar de 120 para três mil pessoas. Foi Pedro quem curou o paralítico na porta do templo. Foi Pedro quem fez o segundo sermão, levando a igreja a saltar de três mil para cinco mil pessoas. Foi Pedro quem desmascarou Ananias e Safira. Foi Pedro quem ressuscitou Dorcas e abriu a porta do evangelho para os gentios, pregando a Cornélio. Nos capítulos 1-12 de Atos, Pedro é a figura principal, da mesma forma que nos capítulos 13-28 Paulo é a figura central.

Herodes Agripa I queria dar um golpe mortal na igreja matando seus principais líderes. Pensou que poderia desarticular a religião do Caminho e matar, no nascedouro, a igreja cristã. Embora Herodes não respeitasse a lei judaica, sabia que pelas leis judaicas nenhum prisioneiro podia ser julgado ou condenado durante os dias da Festa da Páscoa.

Em terceiro lugar, *a intenção de colocar Pedro na prisão de segurança máxima era evitar sua fuga* (12.4). Todas as precauções foram tomadas para que Pedro não escapasse da prisão. Por isso, ele foi lançado no cárcere, algemado a dois soldados, um de cada lado, e guardado por quatro escoltas, de quatro soldados cada uma. Havia dezesseis soldados tomando conta de Pedro dia e noite. Na mente de Herodes era impossível Pedro fugir daquela prisão. Herodes sabia que Pedro já havia escapado duas vezes da prisão do Sinédrio (4.3; 5.18). E sabia o que Pedro e João disseram acerca dele depois de terem saído da segunda prisão (4.23-28). Sabia ainda que Pedro fora libertado da segunda prisão por um anjo de Deus (5.19). Agora, queria certificar-se de que isso não iria repetir-se.

A oração da igreja em favor de Pedro (12.5)

A situação mostrava-se desoladora, sem esperança. Parecia que Pedro não tinha como escapar. O que a pequena e pouca influente comunidade de Jesus poderia fazer contra o poder armado de Roma?

Os crentes não foram para as ruas organizar uma revolta popular. Não fizeram um abaixo-assinado reivindicando seus direitos, nem apelaram para as autoridades para pedir a soltura de Pedro. Os crentes se reuniram para orar em favor de Pedro. Buscaram o soberano Senhor do universo, pois acreditavam no poder da oração. Warren Wiersbe diz corretamente que não devemos jamais subestimar o poder de uma igreja que ora.[8] É conhecida a palavra de Thomas Watson, ilustre puritano: "O anjo chamou Pedro na prisão, mas foi a oração que foi buscar o anjo". Matthew Henry afirma que orações e lágrimas são os braços da igreja. É com isso que ela luta contra os inimigos e a favor dos amigos.[9]

Quatro coisas nos chamam a atenção em relação a essa reunião de oração.

Em primeiro lugar, *a quem dirigiram a oração* (12.5). Os crentes dirigiram seu clamor a Deus, o soberano Senhor. Orar é falar com Aquele que está no trono, que tem poder, autoridade e controle sobre todas as coisas. Orar é associar-se ao mais forte. É conectar o altar ao trono. É conspirar contra os poderes das trevas, posicionar-se acima dos poderes terrenos e buscar socorro nAquele que tem seu trono nos céus.

Em segundo lugar, *quem são aqueles que oram* (12.5). A igreja estava reunida para orar. Havia um grupo de irmãos na casa da mãe de João Marcos clamando a Deus em favor de Pedro. As circunstâncias eram humanamente irreversíveis, mas eles oraram. O problema era insolúvel para os homens, mas eles oraram. Eles não podiam fazer nada na terra, mas buscaram o auxílio do céu. Uma igreja unida em oração pode mover os céus, abalar o inferno e provocar grandes mudanças na terra. Uma vez que nada é impossível para Deus, nada é impossível para a igreja quando ela se reúne para orar. Não há na terra nenhum poder mais revolucionário do que o poder da oração. Orar é unir-se ao onipotente!

Em terceiro lugar, *por quem eles oram* (12.5). Os crentes oram por Pedro, seu líder. Oram quando ele já está sentenciado à morte. Oram quando os recursos da terra já se acabaram. Oram quando todos se desesperam. Oram quando, do ponto de vista humano, só um milagre

---

[8] WIERSBE, Warren W. *Comentário bíblico expositivo*, p. 587.
[9] HENRY, Matthew. *Comentário bíblico Atos-Apocalipse*, p. 125.

pode livrar o apóstolo da morte. Devemos orar pelas causas perdidas. Devemos orar pelas causas insolúveis. Devemos orar pelas intervenções milagrosas. Não há causa perdida quando colocada diante de Deus em oração. Deus pode tudo quando Ele quer. Para Ele, não há impossíveis. Ele é o Deus que fez, faz e fará maravilhas, quando quiser, onde quiser, com quem quiser, para o louvor de Sua glória.

Em quarto lugar, *como eles oram* (12.5). Os crentes oram de forma incessante. Eles não desistem, não duvidam, não se cansam, nem se fatigam. Permanecem bombardeando os céus, agarrados a Deus como Jacó. É com esse senso de urgência e perseverança que devemos orar. Pedro estava preso, mas a igreja orava por ele incessantemente! Tanto a prisão de Pedro quanto as orações da igreja duraram vários dias. A palavra usada em Atos 12.5 é *ektenos*, que significa "incessante, com fervor". É a mesma palavra usada para descrever a agonia de Jesus no Getsêmani (Lc 22.44).

Havia naquele momento duas comunidades, o mundo e a igreja, postas uma contra a outra, cada uma fazendo uso de suas armas. De um lado estava a autoridade de Herodes, o poder da espada e da prisão. Do outro, a igreja em oração. A oração é a única arma dos que não têm poder na terra, mas são filhos e filhas dAquele que tem todo poder e autoridade no céu e na terra.

O livramento milagroso de Pedro (12.6-17)

Pedro já estava na prisão havia sete dias. Eram os dias da Festa da Páscoa. Durante todo esse tempo a igreja permaneceu em oração, e Pedro permaneceu sereno, exatamente naquela que seria a última noite da sua vida. Ele sabia que seria sentenciado à morte no dia seguinte. Mas Pedro não se desesperou. Não tentou subornar os guardas. Apenas dormiu. Descansou na soberana providência de Deus. Isso levou Crisóstomo, ilustre pai da igreja, a comentar: "É lindo o fato de Paulo cantar hinos, enquanto Pedro, aqui, dorme". Pedro e Paulo revelaram-se corajosos diante da morte.

O livramento de Pedro enseja-nos algumas lições.

Em primeiro lugar, *seu livramento foi na última hora* (12.6). Deus poderia ter evitado que Pedro fosse preso. Deus poderia ter fulminado

Herodes no primeiro dia em que Pedro foi para a cadeia, libertando seu servo das grades. Deus poderia ter arrancado Pedro da prisão no começo da festa. Mas aprouve a Deus livrá-lo na última hora. Aprouve a Deus enviar o seu anjo na última vigília da noite. Pedro estava preparado para morrer, mas Deus, na última hora, estende seu braço forte, envia Seu anjo e tira Pedro do cárcere. Às vezes, o livramento de Deus só vem na última hora, na quarta vigília da noite, quando as circunstâncias parecem irremediáveis!

Em segundo lugar, *seu livramento foi resultado da interação da providência natural e sobrenatural de Deus*. A igreja ora e o anjo age. As ações da terra movem as intervenções do céu. Há uma conexão entre o mundo material e o mundo espiritual. Há uma ligação entre os joelhos dobrados e o braço de Deus estendido. A igreja nunca é tão influente na terra como quando ela está de joelhos diante de Deus. Pedro foi libertado pelo anjo de Deus, mas em resposta às orações da igreja.

Em terceiro lugar, *seu livramento foi um milagre extraordinário de Deus* (12.7-11). Deus enviou um anjo à prisão de Pedro. Mais uma vez encontramos em Atos o ministério dos anjos (5.19; 8.26; 10.3,7). O mesmo anjo que despertou Pedro anestesiou os guardas. O que Pedro podia fazer, o anjo não fez por ele. Pedro devia levantar-se, apressar-se, colocar suas sandálias, sua túnica e sair. Assim que Pedro estava livre, o anjo o deixou. Agora, Pedro poderia tomar suas próprias decisões! O que Pedro não podia fazer, o anjo fez por ele. Somente Deus pode fazer o extraordinário, mas seu povo deve fazer o ordinário. O anjo abriu suas algemas, tapou os olhos dos guardas, guiou-o por entre as quatro escoltas sem ser visto e abriu automaticamente o portão de ferro que dava para a rua. Deus liberta os encarcerados. Deus faz o impossível. Quebra as cadeias e despedaça o jugo. Confunde o inimigo e liberta Seus filhos das tramas do mal. A Festa da Páscoa marcou o livramento do povo do cativeiro do Egito (7.34). A palavra usada por Pedro em Atos 12.11 é a mesma usada para descrever o Êxodo. Pedro experimentou um novo êxodo em sua vida em resposta às orações do povo de Deus.

John Stott argumenta que talvez a afirmação mais importante de toda a narrativa da libertação de Pedro esteja no versículo 17: *O Senhor o tirara da prisão*. Todos os detalhes dramáticos incluídos por Lucas parecem enfatizar a intervenção de Deus e a passividade de Pedro. Ele estava dormindo, e o anjo teve de acordá-lo. As cadeias caíram das suas mãos. A ordem para se vestir foi como que em etapas: Levanta-te; cinge-te e calça as tuas sandálias; põe a tua roupa, e segue-me. Eles passaram pelos guardas no corredor, e o portão externo da prisão abriu-se automaticamente. O próprio Pedro não sabia se aquilo tudo era fato ou imaginação, realidade ou sonho.

Em quarto lugar, *seu livramento foi uma surpresa para a igreja* (12.12-17). Pedro sabia que a igreja estava orando em seu favor e foi para lá imediatamente. Foi para encorajá-los. Foi para mostrar-lhes como Deus ouve o clamor do seu povo. A resposta às orações, porém, foi tão rápida e tão eficaz, que a igreja quase não acreditou no milagre operado por Deus. Enquanto esperavam que a batida na porta fosse da polícia de Herodes, Deus os surpreendeu com a presença de Pedro. Deus sempre nos surpreende. Ele faz mais do que pedimos. Ele é *poderoso para fazer infinitamente mais do que tudo quanto pedimos ou pensamos, conforme o Seu poder que opera em nós* (Ef 3.21). É irônico que o povo que estava orando com fervor e persistência pela libertação de Pedro pudesse considerar louca a pessoa que lhes informava que suas orações haviam sido respondidas. A alegria simples de Rode, entretanto, brilha fortemente contra a escura incredulidade da igreja.

Em quinto lugar, *seu livramento ampliou os horizontes do ministério* (12.17). Depois desse livramento, Pedro retirou-se para outro lugar. Não sabemos para onde ele foi. Mas temos informações de que Pedro evangelizou em vários pontos fora da Palestina. Com exceção de uma breve aparição no Concílio de Jerusalém (At 15), Pedro fica completamente ausente do relato do livro de Atos daqui para frente. Mais tarde, ele se encontra em Antioquia (Gl 2.11-14). Paulo indica que Pedro passou algum tempo em Corinto (1Co 1.12; 3.22). Em 1Coríntios 9.5 o apóstolo Paulo diz que Pedro viajou pregando a palavra com sua esposa. O sofrimento, longe de confiná-lo, abriu-lhe novas portas. Longe de fazê-lo recuar, ampliou seus horizontes. A perseguição em vez de destruir a igreja, promove-a e pavimenta seu caminho para novos campos de evangelização. A perseguição foi o principal fator de expansão da igreja primitiva. Com o martírio de Estêvão, todos os crentes, exceto os apóstolos, foram dispersos e por onde iam, seguiam pregando a Palavra de Deus (8.1-4).

A derrota fragorosa dos inimigos de Deus (12.18-23)

O apóstolo Pedro, anos mais tarde, escreveu sua primeira carta e, possivelmente, relembrando essa experiência vivida na prisão, registrou: *Porque os olhos do Senhor repousam sobre os justos, e os seus ouvidos estão abertos às suas súplicas, mas o rosto do Senhor está contra aqueles que praticam males* (1Pe 3.12).

Lutar contra Deus e contra Sua igreja é a mais consumada loucura. Ninguém jamais lutou contra o Altíssimo e prevaleceu. Ninguém jamais perseguiu a igreja de Deus e logrou êxito duradouro. Os inimigos de Deus podem parecer fortes, insolentes e vitoriosos, mas eles cairão. Tornar-se-ão pó e serão reduzidos a nada.

Três verdades devem ser aqui destacadas.

Em primeiro lugar, ***Deus deixa o inimigo confuso e envergonhado*** (12.18,19). Como responsáveis pela segurança de Pedro, os soldados ficaram alvoroçados. A lei romana era clara: o soldado que deixasse um prisioneiro escapar em seu turno de trabalho deveria sofrer a pena no lugar do prisioneiro. Por isso, os soldados que tomavam conta de Pedro foram justiçados, ou seja, foram mortos. Por isso, o carcereiro de Filipos puxou a espada para suicidar-se naquele terremoto que abriu as portas da prisão (16.27). A Bíblia diz: *O justo é libertado da angústia, e o perverso a recebe em seu lugar* (Pv 11.8). Herodes, envergonhado da situação, deixa Jerusalém e vai para o seu quartel-general, na cidade de Cesareia.

Em segundo lugar, ***a soberba é a porta de entrada para a ruína*** (12.20-22). Herodes cultivava raiva do povo de Tiro e Sidom havia algum tempo. Os habitantes dessas duas cidades portuárias da Fenícia eram rivais da Cesareia no comércio, mas dependiam das colheitas de grãos de Israel para se alimentarem. Pressupomos que Herodes negou aos fenícios o acesso aos mercados de grãos de Israel, tornando assim a vida deles bastante difícil. Em suma, Herodes mantinha uma guerra econômica com os fenícios, que, durante séculos, haviam sido parceiros comerciais de Israel. Para alcançar a paz com o rei Herodes, os cidadãos de Tiro e Sidom, por meio de uma delegação, persuadem Blasto, que era o principal oficial de Herodes, a pedir-lhe para suspender o embargo de grãos e estabelecer relações normais entre Israel e Fenícia.[10]

Com a paz restabelecida, Herodes subiu ao trono com seus trajes belíssimos e resplandecentes. Josefo diz que as vestes de Herodes eram feitas de fios de prata e resplandeciam como o sol. A cena ocorreu durante uma festa em homenagem ao imperador Cláudio.[11] A festa consistia em jogos que ocorriam a cada cinco anos, presumivelmente marcados para o início de agosto, a fim de coincidir com o aniversário do imperador. Essa festa acontecia também logo depois do término da colheita de grãos e, dessa forma, os mercadores aproveitaram o momento para fazer suas compras de trigo.

Foi no segundo dia desses jogos que Herodes entrou na arena ao romper do dia. Quando os primeiros raios de sol tocaram seu manto, ele foi iluminado pelo reflexo da luz solar.[12] Assentado em seu trono, Herodes começou a fazer um discurso público. Seus bajuladores o exaltaram, afirmando que ele era mais do que um homem; era a própria divindade. A medida da iniquidade de Herodes se encheu pelo orgulho quando, ao mesmo tempo que recebia os aplausos do povo, adorava sua própria sombra. Matthew Henry diz que os tolos avaliam os homens por sua aparência exterior. E não são melhores os que se avaliam pela estima dos tais, que a cortejam e a ela se recomendam.[13]

Howard Marshall, citando Josefo, diz que foram essas as palavras do povo: "Que sejas propício conosco, e se até agora te tememos como homem, doravante concordamos que és mais do que mortal na tua existência".[14] Herodes não os repreendeu nem rejeitou esta bajulação herética, antes, a acolheu, exaltando-se a si mesmo, deixando de dar a devida glória a Deus. No mesmo instante da sua maior exaltação, Deus o derrubou do trono. Nesse momento que os bajuladores afirmavam que ele era imortal, Deus cortou o seu fôlego de vida. No mesmo instante que

---

[10]KISTEMAKER, Simon. *Atos*. Vol. 1, p. 584,585.
[11]WIERSBE, Warren W. *Comentário bíblico expositivo*, p. 589.
[12]KISTEMAKER, Simon. *Atos*. Vol. 1, p. 585.
[13]HENRY, Matthew. *Comentário bíblico Atos-Apocalipse*, p. 131.
[14]MARSHALL, I. Howard. *Atos: introdução e comentário*, 1982, p. 202.

os homens o exaltavam, os vermes o devoraram. O fim de Herodes foi extremamente doloroso e totalmente desprezível. Calvino diz que seu corpo passou a cheirar mal por causa da podridão, de modo que ele era nada além de uma carcaça viva.[15] Matthew Henry afirma que aquele homem, que já era podre moralmente, torna-se podre fisicamente, tal qual uma madeira podre. O corpo na sepultura é comido por vermes, mas o corpo de Herodes se tornou podre enquanto ele ainda estava vivo, criando vermes que imediatamente passaram a se alimentar dele.[16]

Herodes assassinara Tiago e tentara matar Pedro. A retribuição divina para isso e a aceitação da adoração blasfema decretaram sua morte. Em vez de Pedro ser morto por Herodes, Herodes é que foi morto pelo Deus de Pedro!

Em terceiro lugar, *o anjo de Deus enviado para libertar Pedro é enviado para matar Herodes* (12.7,23). Deus envia um anjo para livrar Pedro da morte e outro anjo para precipitar Herodes na morte. O orgulho de Herodes terminou com a ira de Deus. O Senhor envia um anjo na prisão para quebrar as cadeias de Pedro e envia um anjo para aprisionar Herodes em cadeias de morte. Deus manda um anjo para dar vida a Pedro e outro anjo para aplicar a morte em Herodes. Os anjos de Deus são agentes tanto da bondade como do juízo de Deus. Herodes expirou devorado por vermes, e Pedro continuou seu ministério glorioso. O forte tornou-se fraco, e o fraco tornou-se forte. O que estava sentenciado à morte viveu, e morreu o que o sentenciou à morte. Os destinos da vida não estão nas mãos dos homens, mas nas mãos de Deus!

O crescimento e a multiplicação
da Palavra de Deus (12.24,25)

No início de Atos 12, Herodes parecia estar no controle, enquanto a igreja parecia estar perdendo a batalha. Mas, ao final do capítulo, Herodes está morto, e a igreja segue muito viva e crescendo rapidamente![17]

---

[15] CALVIN, John. *Commentary upon the Acts of the Apostles*, p. 493.
[16] HENRY, Matthew. *Comentário bíblico Atos-Apocalipse*, p. 132.
[17] WIERSBE, Warren W. *Comentário bíblico expositivo*, p. 590.

Sempre que o mundo tenta destruir a igreja, Deus a promove. Quando anda na presença de Deus, a igreja é indestrutível. As prisões não a abalaram. As arenas com leões esfaimados não a destruíram. As fogueiras não acabaram com ela. Os massacres em massa não a dizimaram. O sangue dos mártires é a sementeira do evangelho. Herodes morreu, os judeus foram envergonhados, mas a Palavra de Deus cresceu e se multiplicou em Jerusalém! Apesar de todos os esforços de satanás para impedir o trabalho da igreja, a Palavra de Deus crescia e se multiplicava (12.24). Este é o terceiro progresso desse tipo registrado no livro de Atos (6.7; 9.31; 12.24). Apesar da oposição, a obra avançava!

Dois pontos nos chamam a atenção aqui.

Em primeiro lugar, *após a provação, a igreja torna-se mais ousada na pregação da Palavra* (12.24). A morte de Tiago e a prisão de Pedro, em vez de intimidar a igreja e calar sua voz, tornou-a ainda mais ousada na pregação. O sofrimento não destrói a igreja. A perseguição não fecha as portas da igreja. Antes, uma igreja provada é uma igreja ousada, forte, e poderosa no testemunho. Depois dessas dolorosas experiências, não foram os inimigos que se multiplicaram e cresceram, mas a Palavra de Deus (12.24). A obra de Deus prosseguia a despeito da morte de Tiago e da ausência de Pedro.

Em segundo lugar, *após a provação, a igreja amplia a sua visão missionária* (12.25). Foi depois do livramento de Pedro que Paulo e Barnabé retornaram a Antioquia e dali foram chamados por Deus para as missões mundiais. A partir de então, um movimento missionário foi levantado e o mundo inteiro foi alcançado pelo evangelho nas três viagens missionárias de Paulo.

Na Inglaterra, com a perseguição de Maria Tudor, aconteceu o mesmo. Em 1553 essa ímpia mulher assumiu o trono da Inglaterra, após a morte precoce de Eduardo VI. Perseguiu com fúria assassina os servos de Deus. Queimou em praça pública os principais líderes da igreja, como Latimer, Ridley e Cramner. Patrocinou um verdadeiro banho de sangue. Milhares de crentes foram mortos e outros precisaram fugir para o continente. Aqueles que fugiram, entretanto, tiveram contato com as doutrinas da reforma em Genebra, na Alemanha e na Holanda. Mais tarde, com a morte de Maria Tudor, sua irmã Elisabete assume o governo em 1558 e reina até 1603, e determina a volta dos crentes foragidos. Quando retornam à Inglaterra, exigem uma igreja pura na doutrina, na liturgia, no sistema de governo e na vida. Por essa razão, desencadeou-se naquele país um dos mais importantes movimentos de reforma e reavivamento da história, conhecido como puritanismo. Maria Tudor pensava que estava destruindo a igreja na Inglaterra, mas estava apenas promovendo-a.

Foi assim também na China com Mao Tse Tung. Esse truculento ditador foi responsável pela morte de sessenta milhões de pessoas na China. Perseguiu de forma impiedosa e implacável os cristãos. Mas, em vez de devastar e destruir a igreja, apenas acelerou seu crescimento. Ninguém pode deter os passos da igreja de Deus. Ela é invencível!

O capítulo 12 de Atos começa com a morte de Tiago, a prisão de Pedro e Herodes triunfante, mas encerra com a morte de Herodes, a libertação de Pedro e a Palavra de Deus triunfante. Este é o poder de Deus para acabar com planos humanos hostis e estabelecer os seus próprios planos no lugar. Deus pode permitir que os tiranos se orgulhem e se enfureçam por um tempo, oprimindo a igreja e impedindo a expansão do evangelho, mas eles não vencem. No final, terão o império derrotado e o orgulho quebrado, enquanto a igreja, sobranceira, segue a sua marcha triunfal!

13

Semeando com **lágrimas**, colhendo com **júbilo**

Atos 13–14

A PRIMEIRA VIAGEM MISSIONÁRIA DE PAULO foi marcada por muitos incidentes e acidentes. Enfrentou oposição, perseguição e até apedrejamento.

Essa viagem missionária contém o relato do primeiro período de atividade missionária de Paulo e Barnabé. É a que mais tem direito de ser chamada de "viagem missionária", pois nas outras duas seguintes Paulo se deteve por longo tempo em cidades estratégicas como Corinto e Éfeso. Howard Marshall afirma que era costume de Paulo permanecer numa só localidade até estabelecer os alicerces firmes de uma comunidade cristã, ou até ser forçado a ir embora por circunstâncias fora do seu controle (13.50; 14.3-7,20).[1]

A primeira viagem missionária descreve o primeiro ato planejado de "missão estrangeira" por representantes de uma igreja específica, e não por indivíduos isolados. E se iniciou por uma decisão deliberada da igreja, inspirada pelo Espírito Santo, e não tanto por causa da perseguição aos cristãos.[2]

---

[1] MARSHALL, I. Howard. *Atos: introdução e comentário*, 1982, p. 204.
[2] MARSHALL, I. Howard. *Atos: introdução e comentário*, 1982, p. 204.

A direção do Espírito na obra missionária (13.1-4)

A igreja de Antioquia era *aberta às pessoas*. Os cinco líderes mencionados (Barnabé, Simeão por sobrenome Níger, Lúcio de Cirene, Manaém e Saulo) simbolizam a diversidade étnica e cultural de Antioquia.³ Barnabé era um judeu natural da ilha de Chipre. Simeão era africano, uma vez que a palavra *Níger* significa "de compleição escura".⁴ Alguns sugerem que esse Simeão é o mesmo homem de Cirene que levou a cruz de Cristo (Lc 23.26). William Barclay observa que seria um fato maravilhoso que o homem cujo primeiro contato com Jesus foi levar-lhe a cruz – uma tarefa que lhe deve ter molestado amargamente – agora seja um dos principais responsáveis por levar diretamente a história da cruz a todo o mundo.⁵ Lúcio era de Cirene, ou seja, do norte da África. Manaém tinha conexões com a aristocracia e a corte⁶, pois era irmão de leite de Herodes Antipas, o rei que mandou matar João Batista e escarneceu de Jesus em seu julgamento. Saulo era judeu, nascido em Tarso da Cilícia, e também cidadão romano. Vale destacar que entre os cinco veteranos em Antioquia, com admirável modéstia, Saulo estava contente com a posição mais inferior.⁷

A igreja de Antioquia era também *aberta a Deus*. A igreja estuda a Palavra de Deus (13.1), busca a face de Deus em oração (13.3) e obedece a Deus (13.3); tem profetas e mestres, ou seja, prega e ensina a Palavra (At 13.1), mas quem a dirige na obra missionária é o Espírito Santo (At 13.2). O Espírito Santo é livre e soberano na condução dos destinos da igreja. A orientação do Espírito é segundo a Palavra, e não à parte dela. O Espírito se manifesta a uma igreja centralizada na Palavra e a uma igreja que ora e jejua (At 13.2,3). Concordo com Howard Marshall quando ele diz que o Espírito fala por intermédio de homens (4.25), e deve-se supor que um dos profetas da igreja de Antioquia

---

³STOTT, John. *A mensagem de Atos*, p. 242.
⁴MARSHALL, I. Howard. *Atos: introdução e comentário*, 1982, p. 205.
⁵BARCLAY, William. *Hechos de los Apóstoles*, p. 108.
⁶BARCLAY, William. *Hechos de los Apóstoles*, p. 108.
⁷KISTEMAKER, Simon. *Atos* Vol. 1, p. 595.

recebeu a mensagem que os conclamou a separar dois dos seus líderes para a tarefa por Deus conferida.[8]

O Espírito Santo não age à parte da igreja, mas em sintonia com ela. É a igreja que jejua e ora. É a igreja que impõe as mãos e despede, mas é o Espírito quem envia os missionários. Assim, os missionários exercem seu ministério pelo Espírito Santo. Foi o próprio Espírito que enviou os missionários para o campo de trabalho (At 13.3,4). Simon Kistemaker tem razão, porém, em apontar que o culto de ordenação mostra claramente que os missionários e a igreja estão unidos na obra de missões.[9] John Stott reforça essa verdade nos seguintes termos:

> Não seria certo dizer que o Espírito enviou, instruindo a igreja a fazê-lo, e que a igreja os enviou, por ter recebido instruções do Espírito? Esse equilíbrio é sadio e evita ambos os extremos. O primeiro é a tendência para o individualismo, pelo qual uma pessoa alega direção pessoal e direta do Espírito, sem nenhuma referência à igreja. O segundo é a tendência para o institucionalismo, pelo qual todas as decisões são tomadas pela igreja sem nenhuma referência ao Espírito. Apesar de não podermos negar a validade da escolha pessoal, ela só é sadia e segura quando vinculada ao Espírito e à igreja.[10]

Não podemos fazer a obra de Deus sem a direção do Espírito Santo. Ele nos foi enviado para estar para sempre conosco. Ele nos guia a toda a verdade. Precisamos do Espírito Santo. Dependemos do Espírito Santo. A igreja não pode conseguir uma única conversão sem a obra do Espírito Santo. Os pregadores não terão virtude e poder para pregar sem a ação do Espírito Santo. Howard Marshall nos lembra acertadamente que a principal lição de Lucas é que a missão é inaugurada pelo próprio Deus.[11]

Lucas relata que *eles desceram para Selêucia* (13.4). Essa cidade estava localizada às margens do rio Orontes e próxima à costa do Mediterrâneo. Selêucia servia como porto marítimo para a cidade de Antioquia.

---

[8]MARSHALL, I. Howard. *Atos: introdução e comentário*, 1982, p. 206.
[9]KISTEMAKER, Simon. *Atos* Vol. 1, p. 597.
[10]STOTT, John. *A mensagem de Atos*, p. 244.
[11]MARSHALL, I. Howard. *Atos: introdução e comentário*, 1982, p. 206.

O historiador continua, registrando que *dali navegaram para Chipre* (13.4). Kistemaker diz que, em dia limpo de nuvens em Selêucia, os apóstolos podiam enxergar a linha costeira e o complexo montanhoso de Chipre. A viagem de travessia das águas levava menos de um dia. Chipre era a terra natal de Barnabé (4.36), que portanto conhecia intimamente os habitantes, as sinagogas judaicas e a cultura.[12] Chipre era uma grande ilha, de 223 km de comprimento e 96 km de largura. Sua importância econômica se devia às minas de cobre, e agora, ao fato de ser uma província senatorial.[13]

Lucas assinala também que, *quando chegaram em Salamina, eles começaram a proclamar a Palavra de Deus nas sinagogas dos judeus* (13.5). Salamina era uma cidade portuária da costa leste de Chipre, situada próxima ao norte da moderna cidade de Famagusta. Era um centro comercial onde mercadores da Cilícia, Síria, Fenícia e do Egito negociavam azeite de oliva, vinho e grãos.[14]

Usando **pontes de contato** (13.5)

Paulo anunciava a Palavra de Deus (13.4,5) empregando os meios mais adequados (13.5). Não ousava mudar a mensagem, mas era sempre audacioso ao escolher os melhores métodos. Em Salamina, os líderes anunciam a Palavra de Deus nas sinagogas judaicas (13.5), onde judeus e gentios prosélitos se reuniam para estudar a lei. Ali havia pessoas tementes a Deus e piedosas. Elas já estavam preparadas para receber a revelação de Deus por meio do evangelho. Barnabé e Paulo foram consistentes com esse método de pregar nas sinagogas; este padrão seria seguido frequentemente (13.14,43; 14.1; 16.13; 17.1,10; 18.4,19; 19.8; 28.17). Paulo não somente seguia o princípio de *primeiro ao judeu*, mas também dava sentido prático ao estabelecer um ponto de contato para o evangelho.[15]

---

[12]KISTEMAKER, Simon. *Atos* Vol. 1, p. 601,602.
[13]MARSHALL, I. Howard. *Atos: introdução e comentário*, 1982, p. 207.
[14]KISTEMAKER, Simon. *Atos* Vol. 1, p. 602.
[15]MARSHALL, I. Howard. *Atos: introdução e comentário*, 1982, p. 207.

Precisamos de pontos de contato para atingir com eficácia as pessoas. Precisamos compreender a Bíblia e o povo. Precisamos conhecer o texto e o contexto. Precisamos ler as Escrituras e também a cultura. Aproveitar as portas abertas da cultura religiosa para anunciar o evangelho é gesto de sabedoria.

Onde alguém se abre para o evangelho, o diabo cria resistência (13.6-12)

A ilha de Chipre havia sido conquistada pelos romanos e elevada a província imperial, estando agora sob a jurisdição do senado romano. Para evitar as áreas montanhosas do interior da ilha, os missionários viajaram 160 km, da costa leste até a costa oeste, em direção a Pafos. Essa cidade era famosa por suas lindas edificações e um templo dedicado à deusa Afrodite. A cidade era o centro administrativo e religioso da ilha, bem como a residência do procônsul romano. Esse tinha autoridade militar e judicial absoluta (18.12; 19.38).[16] William Barclay lembra que Pafos era uma cidade infame em virtude do culto à Afrodite (Vênus), a deusa do amor. Também era sinônimo de imoralidade e luxúria.[17]

Aquela época era marcada por grande superstição. A superstição sempre foi um sinal da decadência de uma cultura. A maioria dos grandes homens tinha magos próprios, que dominavam os encantamentos e magias. Barjesus ou Elimas era o mágico particular do procônsul Sérgio Paulo.[18]

Quando os missionários Barnabé e Paulo chegaram a Pafos, o procônsul Sérgio Paulo, homem inteligente, demonstrou interesse em ouvir a Palavra de Deus. Mas, imediatamente, certo judeu, mágico, falso profeta, de nome Barjesus, opôs-se a eles. Esse mensageiro do diabo envidou todos os esforços para afastar da fé o procônsul. É nesse momento que Paulo assume o comando da obra missionária e repreende com autoridade o instrumento do engano com as seguintes palavras:

---

[16] KISTEMAKER, Simon. *Atos* Vol. 1, p. 603.
[17] BARCLAY, William. *Hechos de los Apóstoles*, p. 109.
[18] BARCLAY, William. *Hechos de los Apóstoles*, p. 109.

> Ó *filho do diabo, cheio de todo o engano e de toda a malícia, inimigo de toda a justiça, não cessarás de perverter os retos caminhos do Senhor? Pois, agora, eis aí está sobre ti a mão do Senhor, e ficarás cego, não vendo o sol por algum tempo. No mesmo instante, caiu sobre ele névoa e escuridade, e, andando à roda, procurava quem o guiasse pela mão* (13.10,11).

John Stott diz que Deus aplicou ao mágico um castigo sob medida. Isso porque aqueles que apresentam a escuridão como luz e luz como escuridão não têm direito à luz que originalmente receberam.[19] O resultado foi que, ao ver o ocorrido, o procônsul creu, maravilhado com a doutrina do Senhor (13.12). O que deixou o procônsul atônito foi a combinação entre a palavra e o sinal, o ensino do apóstolo e a derrota do feiticeiro.[20]

A pregação do evangelho produziu resultados opostos em Pafos. Enquanto o procônsul Sérgio Paulo demonstrava interesse em ouvir a Palavra, o mágico Elimas oferecia resistência aos missionários. Elimas se dá conta de que, se o procônsul se convertesse ao cristianismo, seus serviços não seriam mais necessários e ele perderia a sua fonte de renda. Ao mágico Elimas, cujo nome judaico *Barjesus* significava "filho de Jesus", Paulo chama de *filho do diabo*. Paulo estava cheio do Espírito Santo, mas Elimas estava cheio de engano e malícia. Paulo representava Jesus Cristo, e Elimas representava o diabo.[21]

Esse episódio marca a mudança do nome judaico *Saulo* para o nome grego *Paulo* e o início da liderança de Paulo na obra missionária da igreja. A partir desse momento, Paulo não é mais a pessoa que acompanha a Barnabé, mas desponta como o maior líder do cristianismo.

Desistência no meio do caminho (13.13)

Ao saírem de Pafos para Perge da Panfília, o jovem João Marcos desiste da viagem missionária e retorna a sua casa em Jerusalém (13.13). Longe de representar esse fato um desestímulo aos dois veteranos da

---

[19] STOTT, John. *A mensagem de Atos*, p. 246.
[20] STOTT, John. *A mensagem de Atos*, p. 246.
[21] KISTEMAKER, Simon. *Atos* Vol. 1, p. 606.

caravana, Paulo e Barnabé prosseguiram rumo a Antioquia da Pisídia, onde encontraram uma larga porta aberta para o evangelho.

Por que João Marcos desistiu dessa primeira viagem missionária? O texto não nos responde. Temos, porém, pelo menos três sugestões.

A primeira razão é que João Marcos era primo de Barnabé e, quando eles saíram de Antioquia da Síria, Barnabé era o líder da caravana, porém a partir de Pafos, Paulo assumiu o comando. Possivelmente, isso trouxe constrangimento e até insegurança ao jovem.

A segunda razão é que a viagem missionária tomou um rumo inesperado ao dirigir-se às regiões continentais, pelas montanhas da Panfília e Pisídia, em vez de ficar apenas nas cidades costeiras. Isso implicava maiores riscos e dificuldades no caso de uma retirada. O jovem João Marcos possivelmente julgou um preço alto demais a pagar e, inexplicavelmente, desistiu da viagem.

A terceira razão é que João Marcos, sendo judeu, ficou constrangido com o fato do trabalho missionário ter-se inclinado para os gentios e, devido a seus escrúpulos religiosos, opôs-se à missão. Simon Kistemaker é de opinião que o rompimento das relações entre Paulo e Barnabé (15.37-39) pode ser mais bem explicado se a desistência de Marcos tiver sido causada pela oposição a que se pregasse aos gentios.[22] Mais tarde, João Marcos se recuperou e voltou a ser útil para o ministério de Paulo (2Tm 4.11).

Uma porta aberta para o testemunho (13.14-41)

Os missionários continuaram sua jornada de Perge até Antioquia da Pisídia. Tiveram de viajar por muitos dias, seguindo o rio Cestro, e subir a uma altitude de 1.100 metros. Além disso, a rota era perigosa porque bandidos locais atacavam os viajantes nas passagens estreitas das montanhas (2Co 11.26). Os missionários entraram num território que os romanos chamavam de Província da Galácia. Ali ficava a cidade de Antioquia da Pisídia. Localizada à margem direita do rio Antios, ocupava a parte centro-noroeste da Ásia Menor (hoje Turquia).

---

[22] KISTEMAKER, Simon. *Atos* Vol. 1, p. 611.

A cidade era lar para numerosos gregos, frígios, romanos e judeus. A população judaica tinha construído uma sinagoga e familiarizado os gregos com os ensinamentos do Antigo Testamento.[23]

A pergunta que muitos fazem é: por que eles deixaram a região costeira sem ter proclamado a Palavra e partiram por um caminho tão difícil e perigoso? Não muito tempo depois, Paulo escreveu aos crentes de Antioquia da Pisídia, Icônio, Listra e Derbe a epístola aos Gálatas, posto que todas estas cidades pertenciam à província romana da Galácia. Nessa carta Paulo conta que foi por causa de uma enfermidade que ele lhes pregou o evangelho pela primeira vez: *E vós sabeis que vos preguei o evangelho a primeira vez por causa de uma enfermidade física* (Gl 4.13). Que enfermidade era essa, que mais tarde foi chamada pelo próprio Paulo de um espinho em sua carne? (2Co 12.7,8).

A tradição mais antiga ensina que Paulo sofria de terríveis enxaquecas, resultado de uma febre malária virulenta que contraíra na região pantanosa da Ásia Menor. Então, foi um homem enfermo que enfrentou a viagem pelas montanhas. Ainda quando seu corpo estava dolorido, não deixou de seguir adiante nessas heroicas aventuras por Cristo.[24] Essa espécie de malária provocava "paroxismos muito doloridos e extenuantes, juntamente com dores de cabeça lancinantes como ferro em brasa varando a cabeça".[25]

Em Antioquia da Pisídia os missionários foram convidados a dar uma palavra de exortação ao povo reunido na sinagoga (13.15). Havia fome de Deus naquela cidade. Paulo e Barnabé aproveitaram a oportunidade. John Stott diz que nesta breve recapitulação da história de Israel, dos patriarcas à monarquia, Paulo enfatiza a iniciativa da graça de Deus, pois Ele é o sujeito de quase todos os verbos.[26]

O sermão de Paulo na sinagoga de Antioquia da Pisídia é uma extraordinária síntese da história de Israel (13.16-41). Paulo se dirige aos israelitas e aos prosélitos tementes a Deus (13.16), começando sua

---

[23]KISTEMAKER, Simon. *Atos* Vol. 1, p. 611.
[24]BARCLAY, William. *Hechos de los Apóstoles*, p. 112.
[25]STOTT, John. *A mensagem de Atos*, p. 248.
[26]STOTT, John. *A mensagem de Atos*, p. 249.

narrativa com a chamada dos patriarcas, o cativeiro no Egito e a peregrinação pelo deserto. Nesse tempo, Deus suportou os maus costumes do povo israelita durante quarenta anos no deserto. De forma miraculosa, Deus destruiu sete nações poderosas que ali habitavam e deu essa terra a Israel por herança. Depois de ali instalá-los, deu-lhes juízes para liderá-los, mas o povo, desejando imitar as nações pagãs ao redor, queria um rei. Então, Saul lhes foi dado. Como Saul não era reto diante de Deus, o Senhor levantou Davi, homem segundo o seu coração (13.22). Da descendência de Davi, Deus trouxe a Israel o Salvador do mundo, que é Jesus de Nazaré (13.23-26).

Paulo se dirige aos judeus e prosélitos da sinagoga, fazendo uma poderosa aplicação da sua mensagem ao mostrar que o povo de Jerusalém e as autoridades judaicas não reconheceram Jesus nem entenderam a mensagem dos profetas, que era lida todos os sábados em suas sinagogas, pois condenaram o Messias que lhes fora prometido. Entretanto, ao fazer isso, cumpriram tudo aquilo que estava escrito acerca de Jesus. Paulo foca sua mensagem na morte (13.27-29) e ressurreição de Cristo (13.30-37), ressaltando que esse era o núcleo do evangelho que ele lhes anunciava. Paulo ainda afirma que é por meio de Jesus, e não mediante a lei de Moisés, que eles teriam a remissão de pecados e a justificação (13.38-41). O apóstolo termina sua exposição alertando para o perigo de desprezar essa mensagem salvadora (13.42,43).

John Stott chama a atenção para o fato de que Paulo está dirigindo-se aos gálatas. Apenas alguns meses depois ele escreverá sua carta aos Gálatas. É surpreendente, portanto, que ele junte aqui, na conclusão de seu sermão, as cinco grandes palavras que serão as pedras fundamentais do evangelho exposto em sua carta. Referindo-se à morte de Jesus no madeiro (13.29), ele fala sobre o pecado (13.38), a fé, a justificação, a lei (13.39) e a graça (13.43).[27]

Simon Kistemaker tem razão ao dizer que, em muitos aspectos, o sermão de Paulo em Antioquia da Pisídia se parece com o que Pedro pregou no Pentecostes (2.14-36) e no Pórtico de Salomão (3.12-26) e com o que Estêvão pregou perante o Sinédrio (7.2-53). O sermão

---

[27] STOTT, John. *A mensagem de Atos*, p. 252.

de Paulo em Antioquia da Pisídia consiste em três partes: a) um apanhado da história de Israel; b) a vida, a morte e a ressurreição de Jesus; e c) a aplicação da mensagem do evangelho.[28]

De igual forma, John Stott observa que a estrutura do sermão de Paulo foi muito semelhante também ao sermão de Pedro no Pentecostes: os acontecimentos do evangelho (a cruz e a ressurreição), as testemunhas do evangelho (os profetas do Antigo Testamento e os apóstolos do Novo Testamento), as promessas do evangelho (a nova vida em Cristo por meio do Espírito) e as condições do evangelho (arrependimento e fé).[29]

Um poderoso **despertamento** e uma cruel **perseguição** (13.42-52)

A mensagem de Paulo na sinagoga de Antioquia da Pisídia foi tão impactante que surtiu imediatamente dois efeitos. O primeiro é que os líderes da sinagoga pediram uma repetição da mesma mensagem no sábado seguinte (13.42). O segundo é que muitos dos judeus e prosélitos piedosos seguiram Paulo e Barnabé, e foram persuadidos a perseverar na graça de Deus (13.43).

Durante aquela semana, algo extraordinário aconteceu na cidade. O evangelho produziu tal impacto nas pessoas que elas mal podiam esperar o sábado seguinte para encontrarem os homens de Deus na sinagoga. As consequências da pregação de Paulo foram esmagadoras. O historiador Lucas relata que, *no sábado seguinte, afluiu quase toda a cidade para ouvir a Palavra de Deus* (13.44). Chamamos isso de avivamento! Nenhum milagre é relatado na cidade, mas a Palavra de Deus foi pregada com fidelidade e poder, e uma cidade inteira foi despertada a ouvir a mensagem do evangelho.

O evangelho tem sempre duplo efeito sobre o povo que o ouve (2Co 2.14-16). Em alguns gera quebrantamento; em outros, endurecimento. O despertamento espiritual foi imediatamente seguido

---
[28] KISTEMAKER, Simon. *Atos* Vol. 1, p. 614.
[29] STOTT, John. *A mensagem de Atos*, p. 253.

de implacável e cruel perseguição. Tomados de inveja, os judeus com blasfêmia contradiziam o que Paulo falava. Nesse momento, Paulo e Barnabé, com toda ousadia, ao verem os judeus rejeitando a vida eterna, se voltam para os gentios (13.46,47). Os gentios muito se alegram e glorificam a Palavra do Senhor. E Lucas relata: ... *e creram todos os que haviam sido destinados para a vida eterna* (13.48). Mesmo onde se manifestou rejeição, os eleitos creram e foram salvos. Enquanto os ramos naturais da oliveira foram quebrados, os ramos da oliveira brava foram enxertados na oliveira cultivada (Rm 11.17-21).

Sem dar o braço a torcer, os judeus manipularam as mulheres piedosas da alta sociedade e as autoridades locais e, perseguindo a Paulo e Barnabé, os expulsaram do seu território. Os missionários sacudiram o pó de seus pés e foram adiante rumo a Icônio, mas os discípulos de Cristo que permaneceram na cidade transbordavam de alegria e do Espírito Santo (13.50-52). Kistemaker oportunamente observa que poderíamos esperar que esses crentes novatos ficassem desalentados com a partida de Paulo e Barnabé. Em vez disso, eles se encheram de alegria e do Espírito Santo. Deus preenche o vácuo criado pela súbita saída dos mestres, dando aos discípulos o dom da alegria, que é um fruto do Espírito Santo. A presença do Espírito no coração dos crentes constitui, em si, uma alegria indescritível.[30]

Pregando aos **ouvidos** e aos **olhos** (14.1-3)

Os missionários deixaram Antioquia e rumaram para Icônio. Essa cidade ficava na estrada romana cerca de 145 km ao leste de Antioquia, na mesma área da província da Galácia. Situada num planalto, Icônio era cercada por campos férteis que recebiam água de fontes que fluíam das montanhas próximas. Era um centro comercial que servia às comunidades agrícolas da área. Tornou-se uma importante cidade às margens de uma rodovia principal e, desse centro, saíam pelo menos cinco estradas que rumavam para o interior nos territórios vizinhos.[31]

---

[30] KISTEMAKER, Simon. *Atos* Vol. 1, p. 653.
[31] KISTEMAKER, Simon. *Atos* Vol. 1, p. 653.

Paulo e Barnabé chegam a Icônio e ali demoram muito tempo, mesmo debaixo de tensão e perseguição. Na sinagoga de Icônio, Paulo e Barnabé falam com tal poder que grande multidão, composta por judeus e gregos, crê no Senhor (14.1).

Os missionários nãO pregaram apenas aos ouvidos, mas também aos olhos. Não apenas falaram, mas também demonstraram. Somos informados de que eles falavam com ousadia no Senhor, *o qual confirmava a palavra da Sua graça, concedendo que, por mãos deles, se fizessem sinais e prodígios* (*14.3*).

Os milagres não são o evangelho, mas abrem portas para ele. Os milagres não são realizados pelos missionários, mas por Deus por intermédio dos missionários. A pregação do evangelho precisa ser em demonstração do Espírito e de poder. Precisamos pregar não apenas aos ouvidos, mas também aos olhos.

Uma orquestração contra os obreiros de Deus (14.4-20)

Se em Antioquia da Pisídia os judeus lideraram a perseguição contra Paulo (13.50), em Icônio os judeus incrédulos incitaram e irritaram os ânimos dos gentios contra Paulo e Barnabé, bem como contra os novos convertidos (14.2). A sanha dos adversários foi tão virulenta que o povo da cidade se dividiu, uns se posicionando a favor dos judeus e outros se colocando ao lado dos apóstolos (14.4). Vendo que a cidade estava dividida, os adversários usaram a arma do tumulto, e, assim, judeus e gentios, associando-se às autoridades, planejaram ultrajar e apedrejar Paulo e Barnabé (14.5,6). Destacamos aqui algumas lições.

Em primeiro lugar, *a confiança em Deus não dispensa a prudência* (14.6,7). Ao saber da trama armada contra eles, Paulo e Barnabé fogem para Listra e Derbe, onde anunciam o evangelho (14.6,7). Eles não ignoraram os perigos. Não desafiaram a fúria e a astúcia dos adversários. Não nutriram uma confiança irresponsável, ignorando os perigos. Não enfrentaram de peito aberto as ameaças. Antes, fugiram para outras cidades. Prosseguiram fiéis ao mesmo ideal e labutaram na mesma obra. Continuaram pregando o evangelho, mas mudaram de rota. Isso é prudência!

A confiança em Deus não dispensa a prudência e o cuidado. Deus age por meio do bom senso. Agir de modo contrário seria tentar a Deus. O Senhor nos deu entendimento e sabedoria para serem usados. Esses recursos são dádivas de Deus e devem ser usados em favor da obra, e não contra ela. Se Paulo e Silas tivessem teimado em permanecer naquela região, poderiam ter sido silenciados precocemente, com severas consequências para a obra de Deus.

Em segundo lugar, *quando o céu se manifesta, o inferno se enfurece* (14.8-18). Um milagre logo aconteceu quando Paulo e Barnabé chegaram a Listra. Um homem aleijado, paralítico desde o nascimento ao ouvir a mensagem de Paulo, tendo fé, foi imediatamente curado. O homem, cujos ossos e músculos deviam estar atrofiados, começa a saltar e andar (14.8-10). A falta de discernimento espiritual dos licaônios os levou a pensar que Paulo e Silas eram deuses; e, imediatamente, começaram a gritar e sacrificar animais a eles como se fossem divindades (14.11-13).

Uma lenda sobre Júpiter e Mercúrio terem visitado esta região está preservada num poema em latim escrito por Ovídio: um casal de velhos, Filemom e Bauquis, deu hospitalidade às duas divindades, sem ter consciência da identidade dos hóspedes.[32] Conta a lenda que os deuses destruíram toda a população, exceto o casal hospedeiro, constituindo-o como guardião de um templo esplêndido. Ao morrer, marido e mulher se converteram em duas grandes árvores.[33] Talvez essa lenda tenha inspirado o populacho a sacrificar a esses dois missionários, pensando serem eles deuses vindos à terra.

Os embaixadores de Deus, então, rasgaram as roupas e saltaram no meio da multidão idólatra, fazendo-os cessar tais sacrifícios e asseverando que eram homens semelhantes a eles. Em vez de aceitarem a exaltação pagã, Paulo e Barnabé aproveitam o ensejo para lhes anunciar o evangelho, exortando-os a abandonarem suas crenças vãs para colocarem sua confiança no Deus Criador do céu, da terra e do mar, o Deus da providência (14.14-18).

---

[32] MARSHALL, I. Howard. *Atos: introdução e comentário*, 1982, p. 224.
[33] BARCLAY, William. *Hechos de los Apóstoles*, p. 119.

É assaz oportuno destacar que o mesmo evangelho pregado aos judeus em Antioquia da Pisídia é pregado aos pagãos gentios em Listra, mas com outro enfoque. Paulo não muda a mensagem, mas muda a abordagem. O contexto em que ele pregou aos judeus em Antioquia foi o Antigo Testamento, sua história, suas profecias e sua lei. Mas, com os pagãos de Listra, Paulo não se concentrou em Escrituras que eles não conheciam, mas no mundo natural ao redor, que eles conheciam e podiam ver. Paulo implorou que eles se voltassem do culto idólatra e vazio, para o Deus vivo e verdadeiro. Ele falou sobre o Deus vivo como o Criador do céu, da terra e do mar, e de tudo o que há neles (14.15). Precisamos aprender com a flexibilidade de Paulo. Precisamos começar onde o povo está para encontrarmos um ponto de contato e assim anunciarmos Jesus Cristo, o único que pode satisfazer todas as aspirações humanas.[34]

Se o milagre do paralítico foi obra do céu, o alvoroço idólatra foi ação do inferno. Onde Deus realiza um prodígio, o diabo causa um tumulto. Onde o poder de Deus se manifesta, a fúria do inferno se faz sentir. Aquela bajulação pagã era uma tentativa de desviar o foco da multidão de Listra: da mensagem do evangelho para os obreiros do evangelho. Sempre que o vaso chama mais atenção do que o tesouro que nele está, algo está errado. Os obreiros que gostam da bajulação da multidão roubam a glória que só pertence a Deus.

Em terceiro lugar, *os milagres abrem portas para o evangelho e também atraem perseguição* (14.19,20). A cura do paralítico em Listra abriu portas para o testemunho do evangelho naquela cidade pagã, mas também despertou ferrenha oposição dos judeus de Antioquia e Icônio. Não se contentando apenas em expulsar Paulo e Barnabé de suas cidades, eles os perseguiram até Listra. Tomados de inveja e zelo sem entendimento, instigaram a multidão e arremeteram contra Paulo para apedrejá-lo. O mesmo milagre que abriu portas ao testemunho do evangelho trouxe ao apóstolo o duro golpe do apedrejamento. Os sofrimentos de ordem emocional agora se transformaram em agonias físicas. O apedrejamento de Paulo não foi uma execução judicial, mas um linchamento.

---

[34] STOTT, John. *A mensagem de Atos*, p. 259,260.

Talvez Paulo sentisse no corpo o que infligiu a Estêvão, o protomártir do cristianismo. Talvez começasse a sentir na pele o que Deus havia dito em Damasco há mais de dez anos: *Pois eu lhe mostrarei o quanto lhe importa sofrer pelo meu nome* (9.16). Por providência divina, Paulo se recuperou das feridas e, longe de reclamar ou queixar-se contra Deus, partiu com Barnabé para Derbe, onde anunciou o evangelho e fez muitos discípulos (14.19-21).

Coragem e zelo pela igreja (14.21-23)

Depois de anunciarem o evangelho em Derbe, Paulo e Barnabé tomam a decisão de voltar para o seu quartel-general em Antioquia da Síria. Nessa volta eles não se afastam dos redutos de tensão. Ao contrário, passam pelas mesmas cidades onde foram perseguidos – Listra, Icônio e Antioquia da Pisídia – e fazem isso por quatro razões.

Em primeiro lugar, *para fortalecer a alma dos discípulos* (14.22). Paulo e Barnabé não eram apenas missionários itinerantes, mas também pastores do rebanho. Não apenas geravam filhos espirituais, mas também cuidavam desses neófitos. Sabiam que aqueles novos convertidos precisavam de encorajamento para viver a vida cristã numa sociedade pagã e hostil.

Em segundo lugar, *para exortar os discípulos a permanecerem firmes na fé* (14.22). Se os novos convertidos não forem ensinados e exortados, podem ser facilmente enganados pelos falsos mestres ou desanimar diante das provações. Paulo tinha plena consciência da imperiosa necessidade do discipulado. Diante das lutas, perseguições e ataques do adversário, precisamos ser exortados a permanecermos firmes na fé. Muitos se enfraquecem ao lidar com a fúria ou a sedução do mundo.

Em terceiro lugar, *para mostrar que a vida cristã não é uma colônia de férias* (14.22). A vida cristã não é ausência de luta. Somos salvos não *da* tribulação, mas *na* tribulação. Importa-nos entrar no reino de Deus por meio de muitas tribulações. Não há amenidades no cristianismo. A vida cristã não é uma redoma de vidro. Estamos expostos à fraqueza da nossa natureza caída, a este mundo tenebroso e à fúria de satanás. As tribulações, porém, não nos podem destruir nem nos afastar do amor de Deus. Não são castigo de Deus, mas instrumentos para o nosso aperfeiçoamento.

Em quarto lugar, *para fazer a eleição de presbíteros nas igrejas* (14.23). Paulo entendia que a igreja é um organismo e também uma organização. Toda comunidade precisa de uma liderança. Essa liderança é coletiva. Paulo promovia a eleição de presbíteros em cada igreja, e não a nomeação de um chefe. Os presbíteros deveriam pastorear o rebanho de Deus. Eram pastores que deviam ensinar a verdade e proteger o rebanho dos lobos vorazes. A eleição não deveria ser feita sem oração e jejum. Os líderes da igreja devem ser escolhidos na total dependência de Deus. É Deus quem dá pastores à igreja. É o Espírito quem constitui bispos para apascentar a igreja de Deus, que Ele comprou com o Seu próprio sangue.

Conta as muitas bênçãos, dize quantas são! (14.24-28)

É hora de voltar para casa. É hora de recarregar as baterias. É hora de testemunhar os grandes feitos de Deus na obra missionária. Paulo e Barnabé voltam para Antioquia da Síria, a igreja que os tinha enviado e recomendado à obra missionária (14.24-26). Esses bravos missionários fizeram três coisas importantes ao retornarem à igreja que os encaminhara à obra missionária.

Em primeiro lugar, *eles relataram as intervenções extraordinárias de Deus na vida deles* (14.27). Paulo e Barnabé deixaram igrejas organizadas atrás de si. Em pouco mais de dez anos, Paulo estabeleceu igrejas em quatro províncias do Império: Galácia, Macedônia, Acaia e Ásia Menor. Antes de 47 d.C. não havia igrejas nessas províncias; em 57 d.C., Paulo podia dizer que Sua obra estava completa naquele lugar.[35]

O testemunho é algo legítimo e necessário para encorajar a igreja. A igreja estava reunida para ouvir as notícias desse primeiro avanço missionário. Paulo e Barnabé relatam cuidadosamente não o que fizeram por Deus, mas o que Deus fez com eles e por eles. Não testemunharam para exaltarem a si mesmos. Não testemunharam para se colocarem

---

[35] STOTT, John. *A mensagem de Atos*, p. 263.

debaixo dos holofotes nem buscaram glórias para si mesmos. A ênfase deles estava nos feitos de Deus, e não nas suas realizações.

Em segundo lugar, *eles relataram como Deus abriu aos gentios a porta da fé* (14.27). O sucesso da obra missionária não foi devido ao poder inerente dos missionários nem a seus métodos. Foi Deus quem abriu aos gentios a porta do evangelho. Foi Deus quem abriu o coração dos pagãos para a verdade. Foi Deus quem invadiu as trevas do paganismo com a luz da verdade. A obra de Deus é feita por Deus por intermédio de instrumentos humanos. É Deus quem opera nos evangelistas e também naqueles que recebem o evangelho.

Em terceiro lugar, *eles permaneceram muito tempo com os discípulos* (14.28). Não há trabalho missionário desconectado da igreja local. Não há ministério itinerante sem a ligação com a igreja. Paulo e Barnabé precisam da igreja, e a igreja precisa dos missionários. Eles se abastecem na comunhão da igreja e também encorajam a igreja a estar ainda mais comprometida com a obra missionária.

14

O Concílio de Jerusalém, um divisor de águas na história da igreja

Atos 15.1-35

PASSOS RESOLUTOS FORAM DADOS PELA IGREJA no sentido de alcançar os gentios para Cristo por intermédio da pregação do evangelho. O primeiro passo na direção dos gentios começou em Cesareia, com a conversão do prosélito Cornélio e sua casa. Quando a igreja de Jerusalém ouviu o relato de Pedro acerca dessa conversão, trocou a murmuração pela adoração (11.18). O segundo passo na direção dos gentios aconteceu quando crentes anônimos evangelizaram os gregos em Antioquia (11.20) e a igreja de Jerusalém enviou Barnabé a essa terceira maior cidade do Império Romano. Este, *vendo a graça de Deus, alegrou-se* (11.23). O terceiro passo é a primeira viagem missionária realizada por Paulo e Barnabé, quando eles se voltam para os gentios (13.46). Em cada cidade visitada, levavam Cristo a judeus e gentios (14.1, 27). John Stott é categórico em afirmar: "A missão entre os gentios estava ganhando ímpeto. As conversões dos gentios, que antes pareciam gotas, estavam se transformando rapidamente em correnteza".[1]

Os gentios convertidos eram recebidos na igreja pelo batismo, e não pela circuncisão. Estavam tornando-se cristãos sem se tornarem judeus.

---
[1] STOTT, John. *A mensagem de Atos*, p. 270.

É nesse ponto que surge grande tensão na igreja. Uma coisa era ratificar a conversão dos gentios, mas será que eles poderiam ratificar a conversão sem circuncisão? A fé em Jesus sem as obras da lei? O compromisso com o Messias sem a inclusão no judaísmo? Será que sua visão era ampla o suficiente para ver o evangelho de Cristo não como um movimento reformador dentro do judaísmo, mas como as boas-novas para todo o mundo, e a igreja de Cristo não como uma seita judaica, mas como a família internacional de Deus?[2]

Essa resposta é encontrada em Atos 15, capítulo essencial para o cristianismo. É um divisor de águas na história da igreja. De acordo com John Stott, a decisão tomada nesse concílio liberou o evangelho de suas incômodas vestimentas judaicas para se tornar a mensagem de Deus a toda a humanidade, dando à igreja judaico-gentílica uma identidade autoconsciente como povo reconciliado de Deus, o único corpo de Cristo.[3]

O avanço missionário da igreja enfrentou lutas externas e internas, perseguição física e também doutrinária. Depois que Paulo e Barnabé retornaram da primeira viagem missionária e relataram à igreja de Antioquia como Deus abrira aos gentios a porta da fé, uma nova onda de perseguição surgiu, movida pela inveja de alguns membros da seita dos fariseus (15.1,5). Esses embaixadores do judaísmo desceram de Jerusalém, sem autorização dos apóstolos ou representação da igreja (15.24), e começaram a perturbar os irmãos de Antioquia e perverter o evangelho, afirmando que os gentios precisavam ser circuncidados para serem salvos.

William Barclay comenta que, se houvesse prevalecido essa atitude, inevitavelmente o cristianismo não teria sido mais do que outra seita judaica.[4] Concordo com Kistemaker no sentido de que a presença desses judaizantes na congregação de Antioquia não tem a finalidade de expandir a igreja por intermédio do evangelismo; tampouco estão ali para animar os crentes em sua fé. Seu propósito é colocar sobre os ombros dos irmãos uma rígida demanda, especificando se eles podem

---

[2] STOTT, John. *A mensagem de Atos*, p. 271.
[3] STOTT, John. *A mensagem de Atos*, p. 271.
[4] BARCLAY, William. *Hechos de los Apóstoles*, p. 123.

ou não ser salvos e insistindo que o rito judaico da circuncisão é necessário para a salvação dos gentios cristãos.[5]

Warren Wiersbe afirma que o progresso do evangelho muitas vezes tem sido obstruído por pessoas com a mente fechada, que se colocam à frente de portas abertas e impedem outros de passar. Em 1786, quando William Carey colocou a responsabilidade com missões mundiais em pauta numa reunião de obreiros em Northampton, Inglaterra, o eminente dr. Ryland lhe disse: "Rapaz, sente-se! Quando aprouver a Deus converter os pagãos, ele o fará sem a nossa ajuda!"[6]

Vale destacar que os mestres judeus legalistas eram da congregação de Jerusalém, mas não foram enviados por ela nem autorizados pelos apóstolos (15.24). Identificados com os fariseus (15.5), receberam de Paulo a alcunha de *falsos irmãos* (Gl 2.4), cujo propósito era privar os crentes de sua liberdade em Cristo (Gl 2.1-10; 5.1-12).

Concordo com Stott ao observar que a carta aos Gálatas precede o Concílio de Jerusalém. Durante o período que permaneceu em Antioquia ou mesmo a caminho de Jerusalém, Paulo escreveu esta epístola para combater exatamente a influência perniciosa desses falsos mestres judaizantes que perturbavam a igreja com a pregação de *outro* evangelho, que de fato não era evangelho (Gl 1.6-9). A influência desses falsos "irmãos" que desceram de Jerusalém, alegando enganosamente que estavam representando Tiago, foi tão forte que até mesmo Pedro e Barnabé foram afetados por eles (Gl 2.11-14). Contudo, diante da repreensão de Paulo, ambos voltaram à sensatez, e se uniram a Paulo no Concílio de Jerusalém, em defesa do evangelho de Cristo e rejeição às ideias dos judaizantes (15.7-12).

Destacamos aqui alguns pontos para a nossa reflexão.

A discussão (15.1-5)

Os indivíduos que desceram de Jerusalém para Antioquia, do grupo dos fariseus, não são mencionados por nome. Eles não desceram para

---

[5] KISTEMAKER, Simon. *Atos*, Vol. 2, p. 60.
[6] WIERSBE, Warren W. *Comentário bíblico expositivo*, p. 597.

se alegrarem com a igreja pelas boas-novas dos campos missionários. Ao contrário, o intuito era jogar um balde de água fria na fervura e dizer que os gentios não poderiam ser salvos a menos que se circuncidassem (15.1) e observassem a lei de Moisés (15.5). Vejamos alguns detalhes dessa discussão.

Em primeiro lugar, **um ataque frontal ao evangelho é feito** (15.1). Esses falsos mestres ensinavam que a fé em Cristo não era suficiente para a salvação. Pregavam que, sem a circuncisão, os gentios não poderiam ser salvos. Segundo esses mestres, os gentios precisavam primeiro se converter em judeus, para depois se tornarem cristãos.

Mas a grande questão é: pode o homem ganhar o favor de Deus? Pode justificar a si mesmo por seus próprios esforços? Pode chegar a ser considerado justo diante de Deus por si mesmo e pela obediência da lei? A resposta a estas perguntas é um retumbante não. Ninguém será justificado diante de Deus por obras da lei (Gl 3.11). Nenhum ritual sagrado pode tornar o homem aceitável diante de Deus. A circuncisão da carne não pode purificar o homem. A salvação é exclusivamente pela fé e não pela fé mais as obras. Não é Cristo mais a circuncisão, mas unicamente Cristo.

Por que esses legalistas eram tão perigosos? Warren Wiersbe responde que eles tentavam misturar a lei e a graça e colocar vinho novo em odres velhos e frágeis (Lc 5.36-39). Costuravam o véu rasgado do santuário (Lc 23.45) e colocavam obstáculos no caminho novo e vivo para Deus, aberto por Jesus através de sua morte na cruz (Hb 10.19-25). Reconstruíram o muro de separação entre judeus e gentios que Jesus derrubou no Calvário (Ef 2.14-16). Colocavam o jugo pesado do judaísmo sobre os ombros dos gentios (15.10; Gl 5.1) e pediam que a igreja saísse da luz e fosse para as sombras (Cl 2.16,17; Hb 10.1). Argumentavam: "Antes de se tornar um cristão, o gentio precisa tornar-se judeu! Não basta simplesmente crer em Jesus Cristo. Também é preciso obedecer à lei de Moisés!"[7] O lema desses mestres judaizantes era "Jesus e circuncisão".[8]

---

[7] WIERSBE, Warren W. *Comentário bíblico expositivo*, p. 597.
[8] DE BOOR, Werner. *Atos dos Apóstolos*, p. 215.

Em segundo lugar, *um debate caloroso é travado* (15.2). Werner de Boor mostra que Lucas emprega o termo grego *stasis*, ou "sedição", para descrever a ferrenha controvérsia. Essa contenda se torna exacerbada justamente porque cada um acredita ter a favor de si a límpida palavra bíblica.[9] Paulo e Barnabé enfrentam esses falsos mestres. Não aceitam essa imposição herética e defendem a verdade com todo o vigor.

O que estava em jogo não era uma questão lateral e secundária, mas a própria essência do cristianismo. Esses fariseus, chamados por Paulo de *falsos irmãos* (Gl 2.4), estavam fazendo da circuncisão uma condição necessária para a salvação. Diziam aos convertidos gentios que a fé em Cristo não era suficiente para a salvação. Os crentes gentios deviam acrescentar a circuncisão e a observância da lei à fé. Os crentes gentios deviam acrescentar a circuncisão e a observância da lei à fé. Em outras palavras, precisavam permitir que Moisés completasse o que Jesus havia começado, e permitir que a lei completasse o evangelho. O caminho da salvação estava em jogo. O evangelho estava sendo questionado. Os fundamentos básicos da fé cristã estavam sendo minados.[10] Para John Stott, não eram algumas práticas cultuais judaicas que estavam em jogo, mas sim a verdade do evangelho e o futuro da igreja.[11]

Além de serem *falsos irmãos*, esses fariseus eram também mentirosos, pois afirmaram ter ido a Antioquia enviados por Tiago (Gl 2.12). No Concílio de Jerusalém, entretanto, fica claro que esses embaixadores do judaísmo foram a Antioquia por conta própria, sem nenhuma autorização por parte da igreja (15.24).

Em terceiro lugar, *um relato minucioso é apresentado* (15.3,4). Paulo e Barnabé viajam para Jerusalém e, ao longo do caminho, passando pelas províncias da Fenícia (hoje Líbano) e Samaria, vão relatando a conversão dos gentios. O resultado desse testemunho eloquente é uma imensa alegria no coração dos crentes. Justo González acrescenta que Paulo e Barnabé, em relação à admissão de gentios, tinham amplo apoio não só

---

[9]DE BOOR, Werner. *Atos dos Apóstolos*, p. 215.
[10]STOTT, John. *A mensagem de Atos*, p. 273.
[11]STOTT, John. *A mensagem de Atos*, p. 274.

em Antioquia, mas também na Fenícia e Samaria, onde eles não haviam trabalhado.[12]

Ao chegarem da evangelização entre os gentios, os dois pioneiros foram recebidos, com alegria, pelos apóstolos, presbíteros e por toda a comunidade cristã de Jerusalém. E aproveitaram para relatar tudo o que Deus fizera com eles.

Em quarto lugar, **um conflito imediato é instalado** (15.5). Alguns membros do partido dos fariseus se opuseram imediatamente aos apóstolos e bateram o pé, declarando que era necessário para a salvação que os gentios se circuncidassem e cumprissem a lei de Moisés. Negavam, assim, a obra suficiente de Cristo para a salvação.

A defesa de Pedro recapitulando o passado (15.6-11)

Diante do impasse levantado por alguns membros da seita dos fariseus, perturbando a igreja e pervertendo o evangelho, instala-se o concílio formado pelos apóstolos e presbíteros (15.6). Segue-se o debate sobre o assunto em pauta. Seria necessário mesmo que os gentios se submetessem aos ritos judaicos para serem salvos? Seria o judaísmo um complemento do cristianismo? Seriam as obras da lei uma necessidade complementar à fé? Seria o sacrifício de Cristo insuficiente para salvar o pecador?

John Stott está coberto de razão quando escreve: "A convocação de um concílio pode ser extremamente valiosa, se o seu propósito é esclarecer alguma doutrina, acabar com controvérsias e promover a paz". Tudo indica que o concílio se reuniu durante vários dias para discutir o assunto e chegar a uma resolução que mantivesse a unidade e a unanimidade na igreja. Podemos discernir pelo menos três reuniões distintas: a) uma sessão geral durante a qual Paulo, Barnabé e outros delegados de Antioquia são recebidos, ocasião em que os missionários também apresentam seu relatório (15.4,5); b) uma reunião separada dos apóstolos e presbíteros com Paulo e Barnabé (15.6-11); c) o plenário todo reunido para ouvir os missionários e Tiago, quando são formulados e aprovados os quatro requisitos para os cristãos gentios.[13]

---

[12]GONZÁLEZ, Justo L. *Atos*, p. 208.
[13]KISTEMAKER, Simon. *Atos*, Vol. 2, p. 67.

Vejamos como se desenrola a defesa da verdade evangélica nesse concílio.

Em primeiro lugar, *a defesa de Pedro* (15.7-10). O apóstolo Pedro foi uma peça fundamental no esclarecimento da verdade. Era um líder na igreja. Sua palavra tinha muito peso. Pedro já enfrentara um sério problema em Antioquia, quando deixou de ter comunhão com os crentes gentios e foi duramente exortado por Paulo (Gl 2.11-14). Agora, revelando humildade, posiciona-se firmemente contra a bandeira levantada pelos fariseus. Werner de Boor argumenta que o discurso de Pedro tem o mesmo efeito que sua palavra tivera no passado, após os acontecimentos na casa de Cornélio. Naquela ocasião, *apaziguaram-se* (11.18). Agora *toda a multidão silenciou* (15.12).[14] Marshall complementa dizendo que os comentários de Pedro ressaltam uma só lição basicamente singela. Ele apelou à experiência.[15]

Na defesa de Pedro, quatro verdades são proclamadas:

Deus escolheu Pedro para abrir a porta da fé aos gentios (15.7). O Senhor Jesus colocou nas mãos de Pedro as chaves do reino (Mt 16.19) e ele as usou para abrir a porta da fé aos judeus (2.14-36), aos samaritanos (8.14-17) e aos gentios (10.1-48). Em outras palavras, Pedro pregou aos judeus no Pentecostes, aos samaritanos em Samaria e ao gentio Cornélio em Cesareia. Não foi nomeado a pregar a fé mais as obras, porém a fé em Cristo como a única condição para a salvação. Os apóstolos e irmãos da Judeia o censuraram por visitar gentios e comer com eles, mas Pedro apresentou diante deles uma defesa satisfatória (11.1-18).[16] Kistemaker ressalta que, apesar de Paulo ser conhecido como o apóstolo dos gentios e Pedro como o apóstolo dos judeus, essas designações não devem ser tomadas de forma restrita (Gl 2.7-9). Pelas palavras de despedida de Paulo aos presbíteros efésios, sabemos que ele pregou o evangelho tanto a judeus quanto a gregos (20.21). Por semelhante modo, Pedro não restringiu seu ministério aos judeus. Ele viajou de maneira extensiva até Corinto, Ásia Menor e Roma,

---
[14] DE BOOR, Werner. *Atos dos Apóstolos*, p. 219.
[15] MARSHALL, I. Howard. *Atos: introdução e comentário*, 1982, p. 236.
[16] WIERSBE, Warren W. *Comentário bíblico expositivo*, p. 598.

encontrando igualmente judeus e gentios, conforme atestam suas epístolas e também as de Paulo.[17]

Deus enviou o Espírito Santo aos gentios (15.8). Quando os gentios creram em Cristo, Deus confirmou a legitimidade dessa experiência, enviando-lhes o Espírito. O Espírito não foi dado aos gentios pela observância da lei, mas pelo exercício da fé (10.43-46; Gl 3.2).

Deus eliminou uma diferença (15.9). Deus não faz diferença entre judeus e gentios. A salvação é concedida não como resultado das obras nem por causa da raça. Deus trata tanto judeus como gentios da mesma maneira. Ambos têm o coração purificado pela fé, e não pela prática das obras da lei. Jesus ensinou que as leis alimentares judaicas não tinham nenhuma relação com a santidade interior (Mc 7.1-23), e Pedro reaprendeu essa lição quando recebeu a visão no terraço em Jope. Deus não faz distinção alguma entre judeus e gentios no que se refere ao pecado (Rm 3.9,22) e à salvação (Rm 10.9-13).[18]

Deus removeu o jugo da lei (15.10). A declaração mais enfática de Pedro e sua exortação mais contundente foi acerca da remoção do jugo da lei. A lei pesava sobre os judeus, mas esse jugo havia sido removido por Jesus (Mt 11.28-30; Gl 5.1-10; Cl 2.14-17). A lei não tem poder de purificar o coração do pecador (Gl 2.21), de conceder o dom do Espírito (Gl 3.2), nem de dar vida eterna (Gl 3.21). Aquilo que a lei era incapaz de fazer, Deus realizou por meio do seu próprio Filho (Rm 8.1-4). Howard Marshall explica que a lição aqui não é que a lei é um fardo opressivo, mas, sim, que os judeus eram incapazes de obter a salvação mediante a lei; daí a sua irrelevância no que dizia respeito à salvação. Pelo contrário, segundo declarou Pedro, os judeus precisam crer a fim de serem salvos mediante a graça de Deus (15.11). Se tanto os judeus quanto os gentios são salvos desta maneira, é claro que não se exige dos gentios a obediência à lei. Podemos acrescentar que nem mesmo dos judeus se exige a obediência à lei como meio de salvação (Gl 5.6).[19]

---

[17] KISTEMAKER, Simon. *Atos*, Vol. 2, p. 68.
[18] WIERSBE, Warren W. *Comentário bíblico expositivo*, p. 598.
[19] MARSHALL, I. Howard. *Atos: introdução e comentário*, 1982, p. 236,237.

Em segundo lugar, *a conclusão de Pedro* (15.11). Pedro não sugere que o concílio deva abolir a lei. Ele faz objeção a torná-la uma pré-condição para a salvação.[20] Tanto os judeus quanto os gentios são salvos da mesma maneira. Não há dois modos de salvação. Não há um critério diferente para judeus e outro para os gentios. A salvação é pela graça, e não pelas obras; é recebida pela fé, e não por merecimento. Procede daquilo que Cristo fez por nós, e não daquilo que fazemos para Ele. A salvação não é um caminho aberto da terra para o céu e do homem para Deus. Não é obra humana. É planejada, executada e consumada por Deus.

O testemunho de Paulo e Barnabé
falando do presente (15.12)

O concílio como um todo se reúne após a reunião dos apóstolos e presbíteros (15.6-11). A frase *e toda a multidão silenciou* pode ser interpretada como "a reunião recomeçou". Chegou agora a parte principal das deliberações, e o concílio inteiro está pronto para ouvir o testemunho de Barnabé e Paulo.[21] A ênfase não está no que Paulo e Barnabé fizeram, mas no que Deus fez por intermédio deles. O concílio deve reconhecer que o crescimento da igreja é obra de Deus, e a admissão dos gentios no seio da igreja deve ser solucionada definitivamente por esse Concílio de Jerusalém.[22]

John Stott diz que este resumo extremamente curto feito por Barnabé e Paulo se deve ao fato de os leitores de Lucas já estarem familiarizados com os detalhes da primeira viagem missionária, após lerem os capítulos 13 e 14. E a ênfase nos sinais e prodígios provavelmente não pretende renegar a pregação da Palavra, mas confirmar e validar a pregação.[23] Esse relato de Barnabé e Paulo era uma maneira de mostrar que Deus aprovara o ministério deles entre os gentios.[24]

---

[20] KISTEMAKER, Simon. *Atos*, Vol. 2, p. 72.
[21] KISTEMAKER, Simon. *Atos*, Vol. 2, p. 75.
[22] KISTEMAKER, Simon. *Atos*, Vol. 2, p. 75.
[23] STOTT, John. *A mensagem de Atos*, p. 277.
[24] ALFORD, Henry. *Alford's Greek Testament: An exegetical and critical commentary*. Vol. 2. Grand Rapids, MI: Guardian, 1976, p. 165.

Um estudo da sequência dos nomes de Barnabé e Paulo revela que o nome de Barnabé sempre precede o de Paulo quando uma atividade ocorre em Jerusalém (15.25). Mas fora dali, em território gentio, a ordem é sempre inversa. Nos outros lugares, Paulo, devido à sua habilidade para falar, recebia reconhecimento cada vez maior. A exceção é Atos 14.12, onde o povo de Listra honra a Barnabé como Júpiter e a Paulo como Mercúrio, o mensageiro de Júpiter.[25]

O conselho de Tiago relacionando todas as coisas ao futuro (15.13-21)

A essa altura, Tiago era o grande líder da igreja de Jerusalém (12.17), contado até mesmo entre os apóstolos (Gl 1.19). Era irmão de Jesus e, quando o Senhor Jesus ressuscitou, apareceu-lhe pessoalmente (1Co 15.7). Tiago era uma coluna da igreja (Gl 1.19), tão constante na oração que seus joelhos eram duros como os de um camelo, de tanto ajoelhar-se para orar.[26] Tiago foi o moderador dessa assembleia, por isso, logo após o relato dos missionários tomou a palavra e pediu que os irmãos o ouvissem (15.13).

Como líder da igreja de Jerusalém e presidente do concílio, Tiago assume a tarefa de se dirigir ao plenário e formular uma decisão que contasse com a aprovação de toda a assembleia. Quando Tiago fala à assembleia, ele literalmente tem a última palavra.

Com segurança, Tiago referenda o testemunho de Pedro, Barnabé e Paulo, confirmando que a recepção dos gentios na igreja concorda com as Escrituras. Os concílios não têm autoridade na igreja a não ser que possam provar que suas conclusões estão de acordo com as Escrituras. A inclusão dos gentios não era uma ideia posterior de Deus, mas algo predito pelos profetas. As próprias Escrituras confirmavam os fatos experimentados pelos missionários. O que Deus havia feito por meio dos apóstolos conferia com o que ele havia dito por meio dos profetas. Essa concordância entre Escrituras e experiência, entre o julgamento

---

[25] KISTEMAKER, Simon. *Atos*, Vol. 2, p. 74.
[26] BARCLAY, William. *Hechos de los Apóstoles*, p. 125,126.

dos profetas e o dos apóstolos, era conclusiva para Tiago.[27] Howard Marshall diz que provavelmente a reedificação do tabernáculo deve ser entendida como referência ao levantamento da igreja como novo lugar do culto divino, em substituição ao templo. É, portanto, mediante a igreja que os gentios podem achegar-se e conhecer o Senhor.[28]

Século após século os hebreus alegavam seu direito à aliança porque, dentre todas as nações da terra, somente eles eram povo de Deus. Mas agora Deus visitara os gentios e tomara dentre eles um número para ser seu povo da aliança. Deus não separou todas as nações, mas dentre elas elegeu os seus. Visto que outrora Deus escolhera um povo dentre todos os outros, agora escolhe, dentre todos os povos, um povo para si.[29]

O conselho de Tiago espelha a decisão unânime do concílio. Os gentios estavam desobrigados do rito da circuncisão como elemento necessário para a salvação. Porém, deveriam abster-se de algumas coisas para não criar barreiras no relacionamento com os crentes judeus. Os crentes gentios precisavam guardar essas regras para não ferir a comunhão com os irmãos judeus.

O que eles deveriam evitar? Deveriam abster-se das contaminações com os ídolos, das relações sexuais ilícitas, da carne de animais sufocados e do sangue (15.20). Há várias interpretações acerca desta passagem. John Stott defende que a melhor forma, porém, de interpretar essas quatro exigências é que todas elas estavam ligadas às cerimoniais estabelecidas em Levítico 17 e 18. A primeira exigência fazia menção a todos os casamentos ilícitos listados em Levítico 18, especialmente entre parentes de sangue. As três outras exigências se referiam a questões dietéticas que poderiam impedir refeições comunitárias entre judeus e gentios. A abstinência aqui recomendada deve ser entendida não como um dever cristão essencial, mas como uma concessão à consciência dos outros, isto é, dos convertidos judeus, que ainda consideravam tais alimentos ilícitos e abomináveis perante Deus.[30]

---
[27]STOTT, John. *A mensagem de Atos*, p. 278.
[28]MARSHALL, I. Howard. *Atos: introdução e comentário*, 1982, p. 239.
[29]KISTEMAKER, Simon. *Atos*, Vol. 2, p. 78.
[30]STOTT, John. *A mensagem de Atos*, p. 280,281.

Nessa mesma linha de pensamento, Justo González ressalta que o propósito da decisão não é dizer aos cristãos que a lei só é válida nesses quatro pontos. O propósito é, mais propriamente, encontrar um meio pelo qual os cristãos gentios possam juntar-se aos judeus sem violar a consciência destes. Por isso, quando a igreja se tornou mais gentia e menos judaica em sua filiação, essa proibição perdeu importância. Por essa razão e com o mesmo espírito de 1Coríntios 8, Paulo recomenda a seus leitores que, embora em última análise comer carne de animal sacrificado a ídolos não os ajude nem os atrapalhe, se houver alguém que se escandalize com isso, eles devem abster-se de fazê-lo.[31]

A decisão (15.22-29)

A decisão foi tomada pelos apóstolos, presbíteros e toda a igreja. Houve consenso. A ideia de propor abstenção aos cristãos gentios em quatro áreas culturais parecia ser uma sábia solução para promover tolerância mútua e comunhão.[32] Alguns pontos merecem destaque.

Em primeiro lugar, *a decisão foi unânime* (15.22). A decisão foi tomada pelos líderes e pelo povo, pela cúpula e pela base. Foi uma decisão unânime dos apóstolos, dos presbíteros e do povo. Nomearam uma comissão para acompanhar Paulo e Barnabé a Antioquia.

Conforme John Stott, Lucas se deu ao trabalho de descrever como no concílio Pedro falou primeiro, seguido de Paulo e depois de Tiago; como as Escrituras e a experiência coincidiram; e como os apóstolos (Pedro, Paulo e Tiago), os presbíteros e toda a igreja chegaram a uma decisão unânime (15.22,28). Assim, a unidade do evangelho preservou a unidade da igreja. Apesar de receber uma diversidade de formulação e ênfase no Novo Testamento, há apenas um evangelho apostólico. Temos o dever de resistir aos teólogos modernos que jogam os autores do Novo Testamento uns contra os outros.[33]

Em segundo lugar, *a decisão foi escrita* (15.23). Os concílios tomam decisões e as registram por escrito. Essa atitude garantia a legitimidade

---

[31] GONZÁLEZ, Justo L. *Atos*, p. 214.
[32] STOTT, John. *A mensagem de Atos*, p. 281.
[33] STOTT, John. *A mensagem de Atos*, p. 287.

e a integridade da decisão tomada. John Stott diz que uma carta pode ser impessoal; era sábio enviar pessoas que pudessem explicar sua origem, interpretar seu significado e assegurar sua aceitação.[34] A carta escrita às igrejas gentílicas tinha três pontos em destaque. Primeiro, eles negaram um envolvimento com o partido da circuncisão (15.24). Segundo, deixaram bem claro que os homens eleitos e enviados por eles tinham apoio e aprovação (15.25). Terceiro, declararam que a decisão foi unânime (15.28).[35]

Justo González evidencia que a carta, embora breve, tem a estrutura característica das cartas da época. Começa apresentando a identidade dos escritores: *Os apóstolos e os irmãos presbíteros*. Depois, nomeia os destinatários: *Aos irmãos dentre os gentios em Antioquia, Síria e Cilícia*. Depois, segue um breve cumprimento: *Saudações*, após o qual vem o corpo principal da carta. E, por fim, há uma despedida: *Saúde*.[36]

Em terceiro lugar, **os opositores não estavam autorizados** (15.24). Os fariseus que desceram à Antioquia em nome da igreja de Jerusalém não possuíam credenciais. Não tinham autoridade nem autorização. Perturbaram a igreja e transtornaram a alma do povo.

Em quarto lugar, **a comissão é enviada** (15.25-27). A comissão nomeada é enviada. Essa comissão era formada por homens íntegros e fiéis. Judas e Silas eram homens que já haviam provado seu compromisso com Deus e se arriscado pelo evangelho.

Em quinto lugar, **a decisão é detalhada** (15.28,29). O evangelho é intransigente com a verdade e sensível à cultura. Não negocia a essência, mas respeita as consciências. A salvação unicamente pela fé em Cristo era uma verdade absoluta que não podia ser negociada. Porém, a sensibilidade cultural de leis dietéticas e relacionamentos consanguíneos devia ser tratada com respeito para não criar barreiras ao evangelho.

Concordo com John Stott quando ele declara que o Concílio de Jerusalém conseguiu uma dupla vitória – uma vitória da verdade ao confirmar o evangelho da graça, e uma vitória do amor ao preservar

---

[34]STOTT, John. *A mensagem de Atos*, p. 281.
[35]STOTT, John. *A mensagem de Atos*, p. 282.
[36]GONZÁLEZ, Justo L. *Atos*, p. 215.

a comunhão por meio de concessões compassivas aos escrúpulos dos judeus conscienciosos. Paulo era forte na fé e manso no amor, uma vara de cana nos assuntos não essenciais e uma coluna de ferro nas questões essenciais.[37]

A delegação (15.30-35)

A delegação nomeada pela igreja de Jerusalém é enviada, e, sem demora, desce a Antioquia para ler a resolução tomada pelos apóstolos e presbíteros. A igreja alegra-se pelo conforto recebido. Esses embaixadores continuaram por algum tempo em Antioquia fortalecendo a igreja. Dos dois enviados de Jerusalém a Antioquia com Barnabé e Paulo, um volta a Jerusalém, mas Silas permanece em Antioquia e mais tarde torna-se o companheiro de Paulo em sua segunda viagem missionária.

---

[37] STOTT, John. *A mensagem de Atos*, p. 288,289.

15

A chegada do evangelho à Europa

Atos 15.36–16.40

À GUISA DE INTRODUÇÃO, destacamos alguns fatos importantes antes de expormos a chegada do evangelho à Macedônia.

Em primeiro lugar, *uma desavença na liderança* (15.36-41). Resolvidos os problemas doutrinários que haviam perturbado a igreja, era hora de voltar para uma segunda viagem missionária. Paulo procura Barnabé e o convida a visitar novamente os irmãos por todas as cidades nas quais haviam anunciado a Palavra de Deus. É nesse momento que surge um impasse entre esses dois líderes. Barnabé queria dar uma segunda chance ao seu primo, o jovem João Marcos, que os havia abandonado desde Perge da Panfília, na primeira viagem missionária (13.13; 15.38). Paulo endureceu, bateu o pé e disse que não achava justo levarem esse auxiliar que se afastara desde a Panfília. É nesse ponto que acontece entre Paulo e Barnabé tamanha desavença que eles não puderam mais caminhar juntos. Barnabé investiu na vida de Marcos e foi com ele para Chipre, ao passo que Paulo escolheu Silas e partiu para as bandas da Síria e Cilícia, confirmando as igrejas. Mais tarde, Paulo mudou de ideia a respeito de João Marcos, uma vez que o chama de cooperador (Fm 23,24), recomenda-o à igreja de Colossos (Cl 4.10) e roga a Timóteo que o leve a Roma, quando de sua segunda prisão, pois lhe era útil para o ministério (2Tm 4.11).

Não há consenso entre os estudiosos se Paulo ou Barnabé estava com a razão em dar uma nova chance ao jovem João Marcos. O ponto é que Paulo olhava para uma pessoa e perguntava: o que ela poderia fazer para o reino de Deus? Barnabé olhava para a mesma pessoa e perguntava: o que o reino de Deus poderia fazer por ela?

Em segundo lugar, *o surgimento de uma nova liderança* (16.1-3). Paulo e Silas, acompanhados por Lucas, conforme se depreende de Atos 16.10-17, chegaram a Derbe e Listra. Ali encontraram o jovem Timóteo, filho de mãe judia e pai grego, moço de bom testemunho tanto em sua cidade, Listra, como na cidade vizinha, Icônio, e Paulo quis que ele o acompanhasse. Para não criar barreiras culturais com os judeus, já que era filho de mãe judia, Paulo instruiu que Timóteo fosse circuncidado. Na verdade Paulo não tinha problema com a circuncisão, desde que não a impusessem como elemento necessário para a salvação. Por isso, posicionou-se firmemente contra a circuncisão de Tito, que era gentio (Gl 2.3-5), mas não encontrou dificuldade na circuncisão de Timóteo, que tinha sangue judeu. Tito não foi circuncidado por razão teológica; Timóteo foi circuncidado por razão cultural.

Kistemaker acerta ao dizer que, no caso de Timóteo, ser um bom cristão não significava ser um mau judeu. Paulo o circuncidou a fim de remover qualquer impedimento para a expansão da causa de Cristo.[1] John Stott observa que mentes fechadas condenariam Paulo por incoerência. Mas havia uma profunda coerência em seu pensamento e ação. Uma vez estabelecido o princípio de que a circuncisão não era necessária para a salvação, ele estava disposto a fazer concessões em sua prática. O que era desnecessário para ser aceito por Deus, isso mesmo era recomendável para ser aceito por alguns seres humanos.[2]

Timóteo possuía grande legado espiritual. Aprendera as sagradas letras desde a infância com sua mãe Eunice e com sua avó Loide (2Tm 1.5; 3.15). Paulo o chamou de filho amado (1Co 4.17) e disse que não havia ninguém igual a ele, que cuidava dos interesses da igreja e de Cristo (Fp 2.19,20). Timóteo esteve com Paulo em sua

---

[1] KISTEMAKER, Simon. *Atos.* Vol. 2, p. 114.
[2] STOTT, John. *A mensagem de Atos*, p. 285.

primeira prisão em Roma (Fp 1.1; Cl 1.1; Fm 1) e foi convidado para visitá-lo em sua segunda prisão (2Tm 4.9,21). De acordo com Simon Kistemaker, Paulo adotou Timóteo como seu filho espiritual (1Co 4.17; 1Tm 1.2,18; 2Tm 1.2). O rapaz estava perfeitamente inteirado das perseguições sofridas pelo apóstolo em Antioquia da Pisídia, Icônio e Listra (2Tm 3.10,11). Talvez tenha até presenciado o apedrejamento de Paulo em Listra.[3]

Em terceiro lugar, *o fortalecimento das igrejas* (16.4,5). Ao passarem pelas cidades onde estavam as igrejas gentílicas (15.23,41), os líderes entregaram as decisões do Concílio de Jerusalém para que os crentes as observassem. O resultado da observância dessas decisões tomadas pelos apóstolos e presbíteros de Jerusalém foi extraordinário, uma vez que as igrejas foram fortalecidas e diariamente aumentavam em número.

Em quarto lugar, *a condução do programa missionário pelo céu, não pela terra* (16.6-10). O apóstolo Paulo estava a caminho da sua segunda viagem missionária, acompanhado por Silas, Timóteo e Lucas, com o propósito de abrir novos campos e plantar novas igrejas. Paulo tinha um plano ousado para evangelizar a Ásia, mas aprouve a Deus mudar o rumo da sua jornada e direcioná-lo à Europa. A agenda missionária da igreja deve ser dirigida por Deus, e não pelos obreiros, deve ser definida no céu, e não na terra. Paulo abriu mão do seu projeto e abraçou o projeto de Deus, assim o evangelho entrou na Europa. Warren Wiersbe destaca que, em Sua graça soberana, Deus conduziu Paulo ao Ocidente, em direção à Europa, não para o Oriente, em direção à Ásia.[4] Paulo e seus companheiros receberam proibição e restrição de um lado e permissão e coação de outro. Uma direção lhes é proibida, a outra se lhes abre; de um lado o Espírito diz: "Não vá"; do outro chama: "Venha". Essa mesma situação é experimentada por outros missionários no decorrer da história. Livingstone tentou ir para a China, mas Deus o enviou para a África. Antes dele, William Carey planejava ir à Polinésia, nos mares do Sul, mas Deus o guiou à Índia. Judson foi primeiro para a Índia, mas depois foi levado para a Birmânia. Também

---

[3] KISTEMAKER, Simon. *Atos.* Vol. 2, p. 112.
[4] WIERSBE, Warren W. *Comentário bíblico expositivo*, p. 605.

nós, em nossos dias, precisamos confiar em Deus para recebermos orientação e regozijarmos igualmente em suas restrições e coações.[5]

A Macedônia do século primeiro se estendia de leste a oeste, do mar Egeu até o mar Adriático. Ao norte, encontravam-se Ilírico e Trácia; e, ao sul, a Acaia (Grécia). Governado pelos romanos, o povo da Macedônia falava grego e assim podia comunicar-se com os habitantes da Ásia Menor. Portanto, para Paulo e seus companheiros, a adaptação de um continente (Ásia) para outro (Europa) foi relativamente tranquila.[6]

Convém observar o uso da primeira pessoa do plural em Atos 16.10, pois Lucas, que escreveu o livro de Atos, juntou-se à equipe de Paulo em Trôade. Encontramos três seções de Atos narradas na primeira pessoa do plural: Atos 16.10-17; 20.5-15 e 27.1–28.16. Em Atos 17.1, Lucas muda para a terceira pessoa do plural (*eles*), indicando a possibilidade de ter ficado em Filipos, a fim de pastorear a igreja local após a partida de Paulo.[7]

Em quinto lugar, **a porta que Deus abre nem sempre nos conduz por um caminho fácil, mas sempre para um destino vitorioso** (16.16-34). Deus apontou o caminho missionário para onde os plantadores deveriam ir, deu-lhes sucesso na missão, mas não sem dor, sofrimento ou sangue. O sofrimento não é incompatível com o sucesso da obra. Muitas vezes, o solo fértil da evangelização é regado pelas lágrimas, suor e sangue daqueles que proclamam as boas-novas do evangelho.

O chamado de Deus é claro, mas as providências de Deus nem sempre o são. Nem sempre é da vontade de Deus nos levar a lugares de bonança. Muitas vezes, Ele nos põe no meio da tempestade. Nem sempre Deus fala conosco através do vento suave. Muitas vezes, Ele faz o Seu caminho na tormenta. Deus queria Paulo e Silas em Filipos. Queria plantar uma igreja em Filipos. Mas os missionários foram parar na cadeia. A cadeia não foi um acidente. A cadeia não frustrou os desígnios de Deus. A cadeia não roubou dos missionários a visão da obra nem lhes arrancou do peito o entusiasmo por fazer a vontade de Deus.

---

[5] STOTT, John. *A mensagem de Atos*, p. 294.
[6] KISTEMAKER, Simon. *Atos*. Vol. 2, p. 122.
[7] WIERSBE, Warren W. *Comentário bíblico expositivo*, p. 605.

Num mundo que busca uma vida cristã apenas de prosperidade e saúde, que aplaude o conforto e busca os holofotes, que despreza as provações e anseia pelo paraíso da riqueza e do luxo na terra, precisamos aprender com este texto. Precisamos aprender com o poeta inglês William Cowper, que em um de seus poemas escreve: "Por trás de toda providência carrancuda, esconde-se uma face sorridente".

Paulo e Silas foram açoitados e presos em Filipos, mas o mesmo Deus que abriu o coração de Lídia e libertou uma jovem possessa, também abriu as portas da cadeia, libertando seus servos e salvando o carcereiro que os encerrara no tronco interior.

Filipos, a porta de entrada do evangelho na Europa

Este episódio é um divisor de águas na história mundial. É uma decisão insondável e soberana de Deus de direcionar a obra missionária para o Ocidente e não para o Oriente. A história das civilizações ocidentais foi decisivamente influenciada por esta escolha divina. Até hoje muitas nações orientais estão imersas em trevas, enquanto o Ocidente foi favorecido por esta mensagem bendita desde as priscas eras.

O desejo de Paulo era entrar na Ásia. Sua agenda missionária o levava para outras paragens. Deus, porém, o redirecionou, mudou sua agenda, sua rota, seu itinerário e, assim, a Europa, e não a Ásia, tornou-se o palco da grande empreitada evangelizadora de Paulo. Esta foi a primeira e principal penetração do evangelho em território gentio.

A importância estratégica da cidade de Filipos

Deus apontou o rumo, deu a mensagem e Paulo adotou os melhores métodos. Paulo era um homem que enxergava sobre os ombros dos gigantes. Tinha a visão do farol alto. Era um missionário estratégico. Íntegro e também relevante, jamais ousou mudar a mensagem, mas sempre teve coragem de usar os melhores métodos.

Paulo se concentrava em lugares estratégicos. Era um plantador de igrejas que tinha critérios claros para fazer investimentos. Passava batido em determinadas regiões e fixava-se em outras, mas não aleatoriamente. Ele buscava sempre alcançar cidades estratégicas que pudessem irradiar a mensagem do evangelho. A questão é: por que Paulo escolheu Filipos? Respondemos a seguir.

Em primeiro lugar, *a localização geográfica da cidade de Filipos como ponto estratégico para a obra missionária*. Filipos era uma cidade estratégica pela sua geografia. Situada entre o Oriente e o Ocidente, era a ponte de conexão entre os dois continentes, uma espécie de encruzilhada do mundo. Alcançar a cidade de Filipos para Cristo era abrir uma importante janela para o mundo. William Barclay diz que Filipe o da Macedônia fundou a cidade que leva seu nome por uma razão muito particular. Em toda a Europa não existia lugar mais estratégico. Há ali uma cadeia montanhosa que divide Europa da Ásia, o Oriente do Ocidente. Assim, Filipos domina a rota de Ásia a Europa. Filipe fundou essa cidade para dominar a rota do Oriente ao Ocidente.[8] Alcançar Filipos era abrir caminhos para a evangelização de outras nações. A evangelização e a plantação de novas igrejas exigem cuidado, critério e planejamento. Precisamos usar de forma mais racional e inteligente os obreiros e os recursos de Deus.

A cidade de Filipos era chamada de Krenides, *fontes,* um lugar com abundantes fontes e ribeiros, cujo solo era fértil e rico em prata e ouro, explorados desde a antiga época dos fenícios. Mesmo que na época de Paulo essas minas já estivessem exauridas, isso fez da cidade um importante centro comercial do mundo antigo, atraindo pessoas de diversas partes do mundo.[9]

Em segundo lugar, **a importância histórica da cidade de Filipos**. Vários fatores históricos podem ser aqui destacados:

O fundador da cidade. Filipos era o cenário de importantes acontecimentos mundialmente conhecidos. A cidade foi fundada por Filipe, pai do grande imperador Alexandre Magno, de quem recebeu o nome. Filipe da Macedônia capturou a cidade dos tracianos por volta de 360 a.C.[10]

---

[8]BARCLAY, William. *Filipenses, Colosenses, I y II Tesalonicenses.* Buenos Aires: La Aurora, 1973, p. 10.
[9]BARCLAY, William. *Filipenses, Colosenses, I y II Tesalonicenses,* p. 9.
[10]MOTYER, J. A. *The message of Philippians.* Downers Grove, IL: InterVarsity Press, 1991, p. 15.

A batalha fundamental travada na cidade. Filipos foi palco de uma das mais importantes batalhas de toda a história do Império Romano, quando o exército leal ao imperador assassinado, Júlio César, lutou sob o comando de Otávio (mais tarde o imperador Augusto) e Marco Antônio e derrotou as forças rebeldes de Brutus e Cássius. Foi por causa desse auspicioso evento que a dignidade de colônia foi conferida à cidade de Filipos.[11] Os destinos do Império foram decididos nessa cidade.

Filipos é feita colônia romana. Filipos foi elevada à honrada posição de colônia romana. As colônias eram instituições admiráveis, com grande importância militar. Roma costumava enviar às colônias grupos de soldados veteranos que haviam cumprido seu período e mereciam a cidadania; estes eram levados a centros estratégicos de rotas importantes. As colônias eram os pontos focais dos caminhos do grande Império. Os caminhos haviam sido traçados de tal maneira que podiam ser enviados reforços com rapidez de uma colônia a outra, as quais se estabeleciam para salvaguardar a paz e dominar os centros estratégicos mais distantes do vasto Império Romano.[12]

Filipos tornou-se uma espécie de Roma em miniatura. Ao conferir o *ius Italicum* a Filipos, o imperador Augusto atribuiu aos seus cidadãos os mesmos privilégios daqueles que viviam na Itália, ou seja, o privilégio de propriedade, transferência de terras, pagamento de taxas, administração e lei.[13] Nessas colônias falava-se o idioma de Roma, usavam-se vestimentas romanas e se observavam os costumes romanos. Seus magistrados tinham títulos romanos e seguiam as mesmas cerimônias de Roma. Eram partes de Roma, miniaturas da cidade de Roma.[14] Além de privilégios políticos, os magistrados recebiam nessas colônias isenção fiscal. Eram recompensas por deixarem seu lar na Itália para morar em outras partes do Império.[15]

---

[11] MOTYER, J. A. *The Message of Philippians*, p. 15.
[12] BARCLAY, William. *Filipenses, Colosenses, I y II Tesalonicenses*, p. 10.
[13] LAKE, K.; CADBURY, H. J. *The beginnings of Christianity*, 4, ed. London, Macmillan: F.J.Foakes Jackson and K. Lake, 1993, p.190., 1993, p. 190.
[14] BARCLAY, William. *Filipenses, Colosenses, I y II Tesalonicenses*, p. 10.
[15] WIERSBE, Warren W. *Comentário bíblico expositivo*, p. 605.

O poder do evangelho na formação da igreja de Filipos (Atos 16)

J. A. Motyer diz que a formação da igreja de Filipos mostra três questões importantes. Do ponto de vista humano, a igreja nasceu a partir da oração, pregação e compromisso sacrificial com a obra de Deus. De outro ponto de vista, a formação da igreja é uma obra de Deus. É Deus quem abre o coração, liberta o cativo e abre as portas da prisão e as recâmaras da alma. Finalmente, a formação da igreja tem a ver com batalha espiritual. É um confronto direto às forças ocultas das trevas.[16] A primeira igreja estabelecida na Europa, na colônia romana de Filipos, revela-nos o poder do evangelho em alcançar pessoas de raças diferentes, contextos sociais diferentes e experiências religiosas diferentes, dando a elas uma nova vida em Cristo. Destacamos alguns pontos aqui.

Em primeiro lugar, *o evangelho chega até às pessoas pela graça soberana de Deus*. Atos 16.10-34 fala sobre a conversão de três pessoas totalmente diferentes umas das outras, na cidade de Filipos, provendo um verdadeiro retrato da eficácia do evangelho em transformar vidas. Vejamos as peculiaridades dessas três conversões:

1. *A conversão de Lídia* (16.13,14). É Deus quem toma a iniciativa na conversão de Lídia e quem lhe abre o coração. Não apenas Lídia é convertida, mas toda a sua casa (16.15). E não apenas sua família é batizada, mas sua casa se transforma na sede da primeira igreja da Europa (16.40)
2. *A libertação da jovem possessa* (16.16-18). A jovem possuída por um espírito adivinhador era escrava tanto do diabo como dos homens gananciosos. É Deus também quem toma a iniciativa na sua libertação e conversão.
3. *A conversão do carcereiro* (16.27-34). Três milagres aconteceram na conversão desse oficial romano: a) um milagre físico – um terremoto; b) um milagre moral – Paulo disse ao carcereiro: *Todos nós estamos aqui*; e c) um milagre espiritual – Deus mudou a vida do

---

[16] MOTYER, J. A. *The Message of Philippians*, p. 15,16.

carcereiro. A conversão do carcereiro desembocou na salvação de toda a sua família (16.33).

O evangelho começa não apenas alcançando pessoas, mas famílias inteiras. Concordo com Warren Wiersbe quando ele diz que a expressão *Crê no Senhor Jesus e serás salvo, tu e a tua casa* (16.31) não significa que a fé do carcereiro salvaria automaticamente toda a família. Não existe salvação por tabela. Sem novo nascimento é impossível ser salvo.[17] Marshall aponta que o Novo Testamento leva a sério a união da família e, quando a salvação é oferecida ao chefe de um lar, torna-se logicamente disponível ao restante do grupo familiar. A oferta, porém, segue as mesmas condições: eles também devem ouvir a Palavra (16.32), crer e ser batizados; a fé do carcereiro não dá cobertura a todos eles.[18]

Em segundo lugar, *o evangelho alcança todo tipo de pessoas*. Destacamos nesse sentido alguns pontos importantes:

Deus salva na cidade de Filipos três raças diferentes. Lídia era asiática, da cidade de Tiatira; a jovem escrava era grega; o carcereiro era cidadão romano. A igreja de Filipos era multicultural e multirracial.

Deus salva na cidade de Filipos três classes sociais. Na igreja de Filipos temos não apenas três diferentes nacionalidades, mas também três classes sociais diferentes: Lídia era uma bem-sucedida comerciante de púrpura, uma das mercadorias mais caras do mundo antigo. Lídia saíra de Tiatira, cruzara o mar Egeu e fixara residência em Filipos como vendedora de tecido púrpura. A tintura escarlate e violeta aplicada ao tecido fino era obtida da secreção de um molusco que habita a parte leste do mar Mediterrâneo. Já que eram necessários cerca de oito mil moluscos para produzir um grama de tintura púrpura, o tecido era extremamente caro. Os trajes púrpura eram envergados por imperadores e cidadãos comuns como símbolo de *status*. Em Roma, togas púrpuras eram atreladas às togas senatoriais. Assim, concluímos que Lídia pertencia à classe dos mercadores abastados e era proprietária de uma casa espaçosa (16.15,40).[19] A jovem possessa era uma escrava, e ante a lei não

---

[17]WIERSBE, Warren W. *Comentário bíblico expositivo*, p. 607.
[18]MARSHALL, I. Howard. *Atos: introdução e comentário*, 1982, p. 258.
[19]KISTEMAKER, Simon. *Atos*. Vol. 2, p. 128.

era considerada uma pessoa, mas uma ferramenta viva. O carcereiro era um cidadão romano, membro da forte classe média romana que se ocupava dos serviços civis. Nessas três pessoas estavam representadas a classe alta, a classe média e classe baixa da sociedade de Filipos. William Barclay observa que nenhum outro capítulo na Bíblia mostra tão bem o caráter universal da fé que Jesus trouxe aos homens.[20]

Deus salva na cidade de Filipos pessoas de culturas religiosas diferentes. Lídia era prosélita, uma gentia que vivia a cultura religiosa piedosa dos judeus. Como a congregação frequentada por Lídia era composta por mulheres, depreende-se que ali não havia uma sinagoga. Era necessário um quórum de dez homens para que uma sinagoga pudesse ser estabelecida.[21] A escrava vivia no misticismo mais tosco, cativa pelos demônios e possessa. O carcereiro acreditava que César era o Senhor.

A salvação alcança todos os tipos de gente. Deus salva pessoas de lugares diferentes, de raças diferentes, de culturas diferentes e religiões diferentes. Os muros que dividem as pessoas são quebrados. Pobres e ricos, religiosos e místicos, ateus e possessos podem ser alcançados com o evangelho. Jesus é o único Salvador.

Em terceiro lugar, *o evangelho chega às pessoas com diferentes experiências transformadoras*. Destacamos três pontos relacionados:

Lídia já era uma mulher piedosa. O evangelho a alcança de forma calma e serena. Enquanto ela participava de uma reunião de oração e ouvia a Palavra de Deus, o Senhor lhe abriu o coração.

A jovem escrava era prisioneira de satanás. Literalmente essa jovem tinha "um espírito de píton", uma referência à cobra da mitologia clássica que vigiava o templo de Apolo e o oráculo de Delfos no monte Parnasso. Pensava-se que Apolo encarnava na cobra e inspirava as "pitonisas", suas devotas, dando-lhes clarividência, embora outras pessoas as considerassem ventríloquas. Lucas não se deixa levar por essas superstições, entendendo que a jovem escrava era possessa de um espírito mau.[22] O evangelho a alcançou enquanto ela estava nas garras do

---

[20]Barclay, William. *Filipenses, Colosenses, I y II Tesalonicenses*, p. 11.
[21]Stott, John. *A mensagem de Atos*, p. 296.
[22]Stott, John. *A mensagem de Atos*, p. 297.

diabo. Capacho nas mãos dos demônios, era explorada também pelos homens. Foi uma experiência dramática e bombástica. O diabo escravizava aquela jovem. Ele é assassino, ladrão e venenoso como uma serpente, traiçoeiro como uma víbora, feroz como um leão e perigoso como um dragão. O diabo é o pai da mentira. Estelionatário, promete liberdade, mas ao fim escraviza. Promete prazer, mas só dá desgosto. Promete vida, mas paga com a morte.

O diabo possuiu essa jovem, dando-lhe a clarividência. Ela adivinhava pelo poder dos demônios. O diabo falava pela boca dela. As coisas do diabo parecem funcionar. A moça adivinhava mesmo, e seus donos ganhavam dinheiro. Muita gente teve lucro com o misticismo daquela escrava. O diabo enriquece, mas rouba a alma. O diabo oferece prazeres, mas destrói a pessoa. Quando Paulo exorcizou o espírito que dominava a jovem pitonisa, exorcizou também a fonte de renda daqueles que a exploravam.[23]

Paulo não aceitou o testemunho dos demônios nem conversou com eles; antes, repreendeu o espírito e expulsou o demônio. Conforme Justo González, isso contrasta de forma contundente com o que aconteceu na Europa quando Adolf Hitler ascendeu ao poder. O papa e a cúria receberam notícias das atrocidades cometidas contra os judeus e os inimigos do regime alemão. Porém, para não criar problemas para a igreja, já que Hitler não a estava atacando diretamente, decidiram permanecer em silêncio.[24]

Por que um demônio se engajaria na obra da evangelização? Talvez o motivo final fosse desacreditar o evangelho, associando-o ao ocultismo, nas mentes das pessoas.[25] Hoje, os demônios falam e controlam até o microfone nas igrejas. Paulo libertou aquela escrava do poder demoníaco. O diabo mantém muitos no cativeiro hoje também. Mas, quando o evangelho chega, os cativos são libertos. Concordo com John Stott quando ele diz que, apesar de Lucas não se referir explicitamente à conversão ou ao batismo da jovem, o fato de sua libertação ter acontecido

---

[23]STOTT, John. *A mensagem de Atos*, p. 298.
[24]GONZÁLEZ, Justo L. *Atos*, p. 231.
[25]STOTT, John. *A mensagem de Atos*, p. 298.

entre as conversões de Lídia e do carcereiro leva o leitor a deduzir que ela também se tornou membro da igreja de Filipos.²⁶

O carcereiro era adepto da religião do Estado. O evangelho o alcançou no meio de um terremoto, à beira do suicídio. Deus nos salva de formas diferentes. Por isso não podemos transformar a nossa experiência em modelo para os outros. Embora todas essas três pessoas tivessem experiências igualmente genuínas, cada uma delas vivenciou uma experiência distinta. Todas se arrependeram. Todas foram transformadas.

Em quarto lugar, **o evangelho é poderoso para salvar aqueles que se arrependem**. Jesus salvou uma mulher e um homem. Uma mulher rica e um homem de classe média. Uma mulher piedosa e um homem carrasco. Uma frequentadora da reunião de oração e um carrasco que açoitava os prisioneiros. Destacamos a seguir alguns aspectos da conversão dessas duas pessoas.

A conversão de Lídia. A conversão dessa comerciante de Tiatira nos traz três ensinos.

1. *Ela era temente a Deus, uma mulher de oração, mas não era convertida*. Não basta frequentar a igreja, ler a Bíblia e orar. É preciso nascer de novo.
2. *Deus abriu o coração de Lídia*. Ela ouviu e atendeu à Palavra. A parte de Deus é abrir o coração; a parte do ser humano é ouvir e atender!
3. *A conversão de Lídia aconteceu num lugar favorável*. Ela buscava a Deus; o carcereiro não. Ela estava orando; o carcereiro estava à beira do suicídio.

A conversão do carcereiro. A conversão desse funcionário público de Roma nos mostra alguns pontos importantes.

1. *Há pessoas que só se convertem após um terremoto, após um abalo sísmico*. Há aqueles que não ouvem a voz suave. Não buscam uma reunião

---

²⁶STOTT, John. *A mensagem de Atos*, p. 298.

de oração. Não procuram ouvir a Palavra de Deus. Para estes, Deus produz um terremoto, um acidente, uma enfermidade, algo radical!
2. *O mesmo Deus que abriu o coração de Lídia, abriu as portas da prisão.* O carcereiro à beira do suicídio reconhece quatro fatos: a) Ele está perdido: *Que farei para ser salvo?* Não há esperança para você a menos que reconheça que está perdido. Sem Cristo, você cambaleia sobre um abismo de trevas eternas. Se você não se converter, sua vida é vã, sua fé é vã, sua religião é vã, sua esperança é falsa. b) É preciso crer no Senhor Jesus: *Crê no Senhor Jesus e serás salvo, tu e tua casa*. Não há outro caminho. Não basta ser religioso. Não é suficiente ter pais crentes. Não importa também quão longe você esteja. Se você crer, será salvo. c) É preciso obediência: *Crê no Senhor Jesus*. Se Jesus não é o dono da sua vida, ele ainda não é o seu Salvador. Ele não nos salva *no* pecado, mas *do* pecado. Marshall escreve: "Jesus é Salvador daqueles dos quais Ele é Senhor".[27] d) É preciso dar provas de transformação. A conversão implica mudança no ponto nevrálgico da nossa vida: Zaqueu, o pródigo; o carcereiro, um homem rude que deixa de ser carrasco para ser hospitaleiro. Deixar de açoitar, para lavar os vergões de Paulo. Deixa de agir com crueldade, para agir com urbanidade. A celebração realizada na casa do carcereiro foi apenas uma expressão externa da alegria interna que toda a família experimentou, por terem crido em Deus (16.34).[28] Citando Crisóstomo, John Stott aponta que o carcereiro lavou os vergões de Paulo e Silas e foi lavado. Ele lavou os vergões dos açoites e foi lavado de seus pecados.[29]

Lucas encerra sua narrativa sobre Filipos com uma referência aos *irmãos* (16.40). A comerciante rica, a escrava explorada e o carcereiro romano rude foram unidos, numa comunhão fraternal, entre si e com os outros membros da igreja.[30]

Em quinto lugar, **o evangelho é poderoso para nos sustentar nas provações mais difíceis da vida**. Paulo e Silas estavam pregando em Filipos

---

[27]MARSHALL, I. Howard. *Atos: introdução e comentário*, 1082, p. 258.
[28]STOTT, John. *A mensagem de Atos*, p. 301.
[29]STOTT, John. *A mensagem de Atos*, p. 301.
[30]STOTT, John. *A mensagem de Atos*, p. 304.

e confrontando os poderes das trevas. O evangelho pregado por eles abalou as portas do inferno. A luz havia chegado à cidade, e as trevas não podiam mais prevalecer. Uma jovem possuída por demônios exercia a adivinhação, e muitos homens ganhavam dinheiro com essa magia. O diabo não é um mito. Não é uma lenda. Os demônios existem. Eles agem, enganam e usam as pessoas para cumprir seus propósitos nefastos.

Além de enganar o povo de Filipos, os demônios tentam enganar os obreiros de Deus (16.17). Os demônios confirmam duas verdades: a) quem é Paulo; b) o conteúdo do evangelho pregado por Paulo. Mas Deus não precisa do testemunho dos demônios. Por isso, Paulo repreende aquele espírito maligno e a jovem é libertada.

A cidade entrou em alvoroço. O apóstolo Paulo, usado por Deus, desmantelou a trama do diabo na cidade. Os romanos ficaram revoltados e levantaram três acusações contra Paulo e Silas: a) uma questão racial: Esses homens são judeus (16.20); b) uma questão de ordem: Esses homens perturbam a nossa cidade (16.20); c) uma questão religiosa: Esses homens propagam costumes que não podemos receber nem praticar porque somos romanos (16.21).

Paulo e Silas são presos, açoitados e trancados no cárcere interior. Mas não praguejam, não se desesperam, não se revoltam contra Deus. Eles têm paz no vale. Em vez de clamar por vingança, clamam pelo nome de Deus para adorá-lo. John Stott declara: "Não eram gemidos; eram hinos o que saía de suas bocas. Em vez de amaldiçoar os homens, eles louvavam a Deus. Não é de admirar que os demais companheiros de prisão estivessem escutando (16.25)".[31]

Eles fazem um culto na cadeia. Cantam e oram a despeito das circunstâncias. O evangelho que pregam aos outros funciona também na vida deles. Eles sabem que Deus está no controle da situação.

Circunstâncias da formação da igreja em Filipos

Paulo e Silas enfrentaram circunstâncias hostis e adversas na plantação da igreja em Filipos. Vejamos algumas delas.

---

[31] STOTT, John. *A mensagem de Atos*, p. 300.

Em primeiro lugar, *eles foram presos por terem desfeito a esperança de lucro dos que se beneficiavam com a prática da feitiçaria* (16.19). Paulo foi o instrumento de Deus para a libertação da jovem possessa. A moça foi libertada dos demônios, e Paulo foi preso pelos seus exploradores. Quando os servos de Deus são usados na terra, o inferno se agita e os agentes do diabo se enfurecem. O diabo e o mundo se opõem à obra de Deus. Não há vida cristã sem luta, sem oposição, sem confronto. Ninguém pode viver uma vida piedosa sem ser perseguido.

Paulo e Silas foram presos não por fazerem o mal, mas por fazerem o bem. Não foram presos porque oprimiram a jovem, mas porque a libertaram. Acabaram presos porque o diabo foi desmascarado e porque os homens que estavam mancomunados com as trevas perderam sua fonte de lucro.

Em segundo lugar, *eles foram acusados injustamente* (16.20,21). Paulo e Silas foram acusados de perturbar a cidade e propagar costumes contrários aos romanos. Essas acusações eram falsas. Paulo e Silas não eram perturbadores. Eram servos do Altíssimo e embaixadores de Cristo. Ministros da reconciliação e portadores de boas--novas, estavam ali não para perturbar a ordem, mas para colocar as coisas em ordem.

Eles não pregavam costumes, pregavam o evangelho. Não anunciavam regras para escravizar as pessoas, anunciavam as boas-novas para libertá-las. Não disseminavam os costumes de um povo, disseminavam o evangelho que é universal, para todos os povos.

Em terceiro lugar, *eles foram açoitados injusta e ilegalmente* (16.22,23,37). Paulo e Silas eram cidadãos romanos e, como tais, não podiam ser açoitados com varas sem processo formal. Esse castigo, além de ilegal, era também injusto, pois eles não praticaram o mal, mas o bem. Não cometeram nenhum crime; ao contrário, desataram o nó do diabo na vida de uma jovem presa no cipoal da feitiçaria.

O açoite com varas era o típico castigo romano. As roupas de Paulo e Silas foram rasgadas, e eles receberam muitos açoites (v. 22,23). Paulo foi fustigado com varas três vezes (2Co 11.25). Essa era uma das formas mais desumanas e brutais de castigo físico. Suas costas ficaram em carne viva. O sangue jorrava do corpo dilacerado pelos golpes violentos. Kistemaker diz que os magistrados romanos tinham a seu serviço soldados da polícia (16.35,38), que em latim era chamados de *lictores* (portadores de varas). Esses oficiais carregavam os símbolos da lei e da ordem – os *fasces,* um feixe de varas com um machado. Com essa varas eles ministravam o castigo corporal e, por vezes, a punição de morte. Obedecendo às ordens dos magistrados, os oficiais rasgaram as roupas de Paulo e Silas e os espancaram com os *fasces*.[32]

Em quarto lugar, **eles foram jogados na prisão interior de uma masmorra romana** (16.23,24). Depois de açoitados, Paulo e Silas foram entregues ao carcereiro, com a recomendação de que os guardassem com toda segurança. Por essa razão, foram levados ao cárcere interior, onde seus pés foram presos no tronco. Na parte externa da cadeia, os presos tinham liberdade de caminhar e encontrar amigos e parentes, mas a parte interna era escura e preparada para manter os presos submetidos a rígido confinamento. Ali o carcereiro meteu as pernas dos apóstolos no tronco para tornar a fuga impossível. Ser confinado ao tronco representava uma tortura, especialmente quando as pernas eram forçadas a ficar separadas ao serem colocadas em buracos afastados uns dos outros.[33]

Uma prisão romana tinha três partes distintas. Na *comuniora*, os prisioneiros tinham luz e ar fresco. Na *interiora*, que era uma prisão subterrânea, úmida, fria, não havia luz nem ar fresco. Nessa prisão fechada por fortes portões e trancas de ferro, cada cela possuía cinco buracos – dois no chão para os pés e três buracos para os braços e para a cabeça –, o prisioneiro era torturado a cada movimento que fazia. Por fim, havia o *tullianum,* ou cela subterrânea, o lugar de execução ou o lugar de um prisioneiro condenado à morte.

Paulo e Silas estavam com seus pés presos no tronco (16.24). Submetidos a uma tortura alucinante, e isso depois de terem sido surrados com varas, eles não podiam mover-se. Ali, no frio e na escuridão da noite, com os corpos ensanguentados, latejando de dor, com os pés presos no tronco, em vez de ceder aos gemidos ou à revolta, eles oram e cantam!

---

[32] KISTEMAKER, Simon. *Atos*. Vol. 2, p. 137.
[33] KISTEMAKER, Simon. *Atos*. Vol. 2, p. 138.

Essas circunstâncias não eram favoráveis à oração e ao cântico. Mas eles oraram e cantaram, não porque as circunstâncias eram favoráveis, mas *apesar* das circunstâncias adversas. Cantaram não porque o sol já tinha raiado, mas *apesar* de ser meia-noite. Louvaram não porque o problema era pequeno, mas *apesar* de o problema ser grande. Exaltaram a Deus não porque estavam no controle da situação, mas porque o Senhor estava. Deus envia não um anjo, mas um terremoto para libertar os prisioneiros. Ele usa tanto os meios sobrenaturais como os naturais.[34] Paulo e Silas deixam o cárcere na condição de honrados cidadãos romanos respeitados pelas autoridades locais (16.40).

Lições aprendidas na formação da igreja em Filipos (16.25-34)

Desse episódio do nascimento da igreja em Filipos aprendemos várias lições importantes.

Em primeiro lugar, **no sofrimento é possível aproveitar as oportunidades para testemunhar de Cristo** (16.25). Paulo e Silas não praguejaram nem murmuraram, mas oraram e cantaram. Warren Wiersbe cita Charles Spurgeon: "Qualquer tolo é capaz de cantar durante o dia. É fácil cantar quando conseguimos ler a partitura à luz do sol; mas o cantor habilidoso consegue cantar quando não há sequer um raio de luz para iluminar as notas. Os cânticos noturnos vêm somente de Deus; não se encontram ao alcance dos homens".[35] Os prisioneiros escutam atentamente. A palavra *escutar* (16.25) indica um ouvir atento. É usada em referência ao ouvir o que dá prazer, como uma melodiosa música. Ao passar pelo sofrimento, em vez de converter-se em fonte amarga, o cristão se transforma numa fonte de vida. Em vez de murmurar na hora da dor, ele celebra. Em vez de cerrar os punhos contra Deus como fez a mulher de Jó, ele adora.

Não espere as coisas melhorarem para você testemunhar. Paulo e Silas eram missionários tanto em liberdade como na prisão, durante

---

[34] KISTEMAKER, Simon. *Atos*. Vol. 2, p. 140.
[35] WIERSBE, Warren W. *Comentário bíblico expositivo*, p. 606.

a vida e na hora da morte. Aquelas celas úmidas, escuras e insalubres que antes escutavam praguejamentos, palavrões e impropérios, agora escutam orações fervorosas e hinos de louvor a Deus. Quando os filhos de Deus cantam no sofrimento, na dor, na enfermidade, o nome de Deus é exaltado e os pecadores são impactados.

Em segundo lugar, *no sofrimento é possível triunfar sobre as adversidades e usá-las como incenso de adoração* (16.25). A adversidade é uma encruzilhada, na qual uns colocam o pé na estrada do fracasso e outros avançam pelo caminho da vitória. As forças adversas tornam-se aliadas da alma. Paulo passou a olhar o sofrimento pela perspectiva de Deus. Apenas suportar o sofrimento não é cristianismo, mas estoicismo e paganismo. O cristianismo transforma vales em mananciais, choro em alegria, dor em prelúdio de consolo, sofrimento em liturgia de adoração. O cristianismo gera convicção de que Deus é soberano e está no controle de toda situação. Aqueles homens sofreram como quaisquer outros. A dor era verdadeira dor para eles. A prisão era verdadeira prisão para eles. Mas eles cantavam porque sabiam que Deus tinha um plano perfeito e que Jesus estava sendo glorificado naquele sofrimento.

Em terceiro lugar, *no sofrimento é possível estar com os pés no tronco, mas ao mesmo tempo assentado com Cristo nas regiões celestes* (16.25). Paulo e Silas estão em Filipos, no cárcere interior de uma masmorra romana. Estão acorrentados com os pés no tronco e em profunda agonia. Sim, isso é verdade. Mas não é toda a verdade. A coisa mais importante não foi dita. Eles estão em Cristo. Seus pés estão no tronco, mas o coração deles está em Deus. Fisicamente estão sofrendo a maior humilhação, mas espiritualmente estão assentados com Cristo nas regiões celestes. Era meia-noite, mas eles tinham a luz do céu na prisão. A presença de Deus transformou a prisão em palácio, o tronco em paraíso, e eles ergueram ao céu, à meia-noite, orações de adoração e hinos de louvor.

Em quarto lugar, *no sofrimento aprendemos que a hora mais escura da vida é tempo de adorarmos a Deus* (16.25). Era meia-noite. Meia-noite é hora de solidão, silêncio, escuridão, medo. Mas para Paulo e Silas era tempo para adorar. O tempo fora transfigurado. Não havia tempo difícil para esses homens. Eles estão acima do tempo. Eles cantam à meia-noite. Para eles não há problema sem solução. Não há causa perdida. Não há situação fora de controle. Eles não foram chamados para escapar da dor, mas para triunfar sobre ela. Meia-noite, mesmo na prisão, mesmo com as costas ensanguentadas, era o melhor tempo para adorar a Deus e cantar louvores.

É fácil cantar na alegria. É fácil cantar no santuário. Mas Deus nos convoca a cantar na prisão, à meia-noite. É fácil ter paz na bonança, mas Deus nos convoca a experimentar paz no vale. Paulo cantou na prisão e às vezes reclamamos no conforto do nosso lar. Ele cantou ensanguentado e às vezes reclamamos cheios de saúde. Paulo cantou quando injustiçado e às vezes reclamamos mesmo quando somos honrados.

Em quinto lugar, *no sofrimento aprendemos que aqueles que cantam na prisão jamais serão realmente presos* (16.25). Era impossível prender Paulo e Silas. Eles sempre faziam da prisão uma embaixada. Paulo se considerava embaixador em cadeias. A Palavra nunca estava algemada. Paulo e Silas estavam com os pés no tronco, mas eram livres. Os pés estavam acorrentados, mas o coração deles estava no céu. Eles foram jogados no cárcere interior e trancados com ferrolhos. Tiveram o corpo surrado, mas se sentiam livres. Livres para adorar. Livres para cantar louvores. Livres para entrar na sala do trono. O corpo deles estava na prisão, mas a alma estava no Santo dos santos. Eles são livres, livres! São embaixadores entre algemas. Estão algemados, mas a Palavra age livre e poderosamente neles e através deles.

Viktor Frankl disse que a liberdade interior é o único bem que os homens não podem tirar de você. A decisão é escolher o que você fará de sua liberdade.

Em sexto lugar, *no sofrimento aprendemos que aqueles que cantam na prisão jamais serão impedidos de fazer a obra de Deus* (16.25). Os romanos colocaram Paulo e Silas na prisão e os proibiram de pregar. Eles os tiraram da praça e os trancaram numa masmorra. Agora, Paulo e Silas estão cercados de trevas. Não podem ver o rosto das pessoas e não podem pregar, mas podem orar e cantar louvores, e os prisioneiros podem escutar. Um homem capaz de cantar na prisão é um homem cujo ministério não pode ser interrompido. Sua alma está livre para exaltar a Deus. Deus abre seus lábios quando o mundo quer fechá-los. As prisões e os calabouços humanos não conseguem silenciar a verdade divina.

Em sétimo lugar, *no sofrimento aprendemos que a tormenta é muitas vezes o caminho onde Deus se manifesta salvadoramente* (16.26-34). Deus age por meios estranhos. O terremoto foi o caminho de Deus. Ele faz o seu caminho na tormenta. O terremoto é o instrumento que Deus usa para abrir as portas da prisão e quebrar os ferrolhos dos corações endurecidos. O propósito de Deus no terremoto é sacudir as almas dormentes. Deus sacode o chão sob os pés daqueles que se opõem. Deus precisou mandar um terremoto para o carcereiro ser convertido. O mesmo Deus que abriu o coração de Lídia numa reunião de oração envia um terremoto para abrir o coração do carcereiro. Ele age de formas diferentes.

Em oitavo lugar, *no sofrimento aprendemos que, mesmo quando o terremoto não ocorre, devemos continuar adorando e cantando* (16.26-35). O terremoto que abriu miraculosamente as portas da cadeia e o coração do carcereiro não é o ponto principal aqui. Paulo e Silas não cantam louvores porque o terremoto ocorreu. Eles não cantam para que aconteça um terremoto. Nem sempre o terremoto se concretiza. Milhares foram deixados na prisão e lá morreram, mas cantaram à meia-noite.

Depois de várias outras prisões, Paulo, no final da vida, voltou a uma masmorra romana. Desta vez não em Filipos, mas em Roma. Nessa prisão, ele adora a Deus novamente (2Tm 4.6-8). Mesmo enfrentando solidão (2Tm 4.9,11), abandono (2Tm 4.10), privação (2Tm 4.13), traição (2Tm 4.14,15) e ingratidão (2Tm 4.16), Paulo ainda canta: *Mas o Senhor me assistiu e me revestiu de forças, para que, por meu intermédio a pregação fosse plenamente cumprida, e todos os gentios a ouvissem; e fui libertado da boca do leão. O Senhor me livrará também de toda obra maligna e me levará salvo para o Seu reino celestial. A ele, glória pelos séculos dos séculos. Amém* (2Tm 4.17,18).

A canção de Filipos aconteceu antes do terremoto. Paulo não tinha ideia de que o terremoto viria. Agora ele canta não porque sabe que sairá da prisão. Ele canta porque a prisão não importa mais. Seu passaporte já está carimbado para a última viagem, e esta viagem derradeira é para o céu!!!

16

Igrejas estratégicas
plantadas na Macedônia

Atos 17.1-15

DEPOIS DE PLANTAR UMA IGREJA EM FILIPOS, colônia romana, regando o solo com o próprio sangue, Paulo e seus companheiros continuam sua jornada para Tessalônica e Bereia. À guisa de introdução, alguns pontos devem ser destacados.

Em primeiro lugar, *os planos de Deus devem prevalecer sobre a vontade humana*. O apóstolo Paulo queria penetrar no continente asiático em sua segunda viagem missionária, mas Deus o direcionou para a Europa. Ele queria ir para o Oriente, mas Deus o conduziu para o Ocidente. Campbell Morgan escreveu: "A invasão da Europa certamente não estava na mente de Paulo, mas é evidente que estava na mente do Espírito Santo".[1] Por essa razão o mundo ocidental foi alcançado pelo evangelho e as igrejas do Ocidente se tornaram a base dos grandes avanços missionários. John Stott declara: "Foi da Europa que, no seu devido tempo, o evangelho se espalhou pelos grandes continentes: África, Ásia, América do Norte, América Latina e Oceania, alcançando assim os confins do mundo".[2]

---

[1] MORGAN, G. Campbell. *The Acts of the Apostles.* New York: Fleming H. Revell, 1924, p. 287.
[2] STOTT, John. *A mensagem de Atos*, p. 291.

Em segundo lugar, *a perseguição humana não pode destruir a obra de Deus*. A evangelização da Europa foi o cumprimento da agenda de Deus, porém aconteceu debaixo de dura perseguição. Por onde Paulo passou na Europa, enfrentou implacável perseguição. Foi açoitado em Filipos, expulso de Tessalônica, enxotado de Bereia, chamado de tagarela em Atenas e tachado de impostor em Corinto. Isso nos mostra que a vontade de Deus não é incompatível com o sofrimento. A igreja de Tessalônica foi gerada no útero do sofrimento, nasceu no berço da perseguição e floresceu num ambiente de profunda hostilidade. Os ventos da perseguição jamais destroem a igreja; apenas aceleram o processo do seu crescimento.

Em terceiro lugar, ***quando Deus se manifesta, a igreja se fortalece rapidamente***. O apóstolo pregou apenas três sábados na sinagoga de Tessalônica e esse período foi suficiente para produzir uma verdadeira revolução na cidade. O evangelho chegou ali não apenas em palavra, mas, sobretudo, em poder e demonstração do Espírito e grande convicção (1Ts 1.5). Corações foram atingidos e vidas foram transformadas. Os gentios abandonaram seus ídolos e se converteram a Cristo (1Ts 1.9), tornando-se crentes modelos para os demais (1Ts 1.7,8). Num curto espaço de tempo, tornaram-se firmes na fé, sólidos no amor e robustos na esperança (1Ts 1.3). Mesmo sob ameaça e atroz perseguição, aquela igreja plantada às pressas e debaixo de perseguição tornou-se uma agência de evangelização para as demais regiões (1Ts 1.8).

Examinamos Atos 17.1-9 em busca de algumas importantes lições.

A **estratégia** missiológica de Paulo (17.1)

Paulo não era apenas um pregador, era também um sábio estrategista. Na sua primeira viagem missionária, concentrou-se exclusivamente em Chipre e na Galácia; na segunda, dedicou-se à evangelização das províncias da Macedônia e Acaia. Na terceira viagem missionária, concentrou-se em Éfeso, na província da Ásia Menor. É importante ressaltar que, em todas as suas viagens, Paulo incluiu as capitais em seu trajeto: Tessalônica, capital da Macedônia; Corinto, capital da Acaia; e Éfeso, capital da Ásia. Além disso, Paulo escreveria a cada uma das igrejas nessas capitais, ou seja, aos tessalonicenses, aos coríntios e aos efésios.³

O apóstolo Paulo entrou na Europa por orientação do Espírito Santo, mas também tinha discernimento para fazer as melhores escolhas estratégicas na obra missionária nesse continente. Por essa razão, viajando pela grande via expressa, a Via Egnátia, uma das mais importantes estradas do Império Romano, passou por várias cidades macedônias como Anfípolis e Apolônia e concentrou seu trabalho em Tessalônica, capital da província, onde havia uma sinagoga judaica (At 17.1). De todas as cidades desta artéria, Tessalônica era a maior, a mais influente e também a residência do governador romano. Situada no atual Golfo de Salônica, foi edificada na forma de um anfiteatro nas colinas no fundo da baía.⁴ Hoje, nas ruínas de Tessalônica se localiza a moderna cidade de Salônica.

Não que Paulo julgasse essas duas primeiras cidades indignas do evangelho, mas compreendia que, se Tessalônica fosse alcançada, o evangelho poderia irradiar-se dali para todas as outras regiões. Assim, Paulo não estava sendo preconceituoso nem fazendo acepção de pessoas, mas estava, sim, agindo de modo estratégico. William Barclay assevera que a chegada do cristianismo a Tessalônica foi um fato de suma importância. Paulo sabia que, se o cristianismo se firmasse em Tessalônica, poderia estender-se dali para o Oriente e o Ocidente, como de fato aconteceu (1Ts 1.8).⁵

Paulo sabia usar os recursos disponíveis na época para agilizar o processo de evangelização. Comentando essa viagem de Paulo a Tessalônica, Howard Marshall ressalta a importância da Via Egnátia, nos seguintes termos:

> A grande estrada romana, a Via Egnátia, começava em Neápolis e passava por Filipos, Anfípolis (At 16.12), Apolônia e Tessalônica, depois passava para o oeste, atravessando a Macedônia até a praia do

---

³STOTT, John. *A mensagem de Atos*, p. 291.
⁴HENDRIKSEN, William. *1 e 2 Tessalonicenses*. São Paulo: Cultura Cristã, 1998, p. 11.
⁵BARCLAY, William. *Hechos de los Apóstoles*, p. 137.

mar Adriático em Dirraquio, de onde os viajantes podiam atravessar o mar para a Itália. As campanhas missionárias de Paulo foram muito facilitadas onde havia boas estradas, as "rodovias expressas" do mundo antigo, para ajudar seu progresso. Os missionários viajaram 53 km para Anfípolis, 43 km para Apolônia e então, 56 km para Tessalônica.[6]

Conforme Warren Wiersbe, Paulo costumava ministrar nas cidades maiores e transformá-las em centros de evangelismo a toda a região (At 19.10,26; 1Ts 1.8).[7] Capital da Macedônia, Tessalônica era uma cidade estratégica. Era um importante centro comercial, só comparado à cidade de Corinto. Ali se encontrava um dos mais importantes portos da época. A cidade dominava o comércio marítimo através do mar Egeu e o comércio terrestre pela Via Egnátia. Também por Tessalônica passavam diversas rotas comerciais. William MacDonald declara que o Espírito Santo escolheu esta cidade como base a partir da qual o evangelho poderia ser irradiado para muitas outras direções.[8]

William Barclay comenta sobre a importância dessa cidade e informa que seu nome original, Thermai, significa "fontes quentes". Seiscentos anos antes, Heródoto já a descrevia como uma grande cidade. Ali, Xerxes, o persa, estabeleceu sua base naval ao invadir a Europa. Em 315 a.C., Cassandro reedificou a cidade e a batizou como Tessalônica, nome de sua mulher, filha de Filipe da Macedônia e irmã de Alexandre Magno. Como Filipos, Tessalônica era uma cidade antiga que recebeu nova vida na era helenística. Os romanos fizeram dela uma cidade livre em 42 a.C., e ela manteve direitos garantidos de governo próprio nos padrões gregos mais que nos moldes romanos.[9]

Jamais as tropas romanas cercaram essa importante cidade. Ela possuía sua própria assembleia popular e seus próprios magistrados. Sua população era estimada em duzentos mil habitantes e, durante um tempo, chegou a rivalizar-se com Constantinopla como candidata a

---

[6]MARSHALL, I. Howard. *Atos: introdução e comentário*, 1980, p. 260,261.
[7]WIERSBE, Warren W. *Comentário bíblico expositivo*, p. 609.
[8]MACDONALD, William. *Believer's Bible commentary*, p. 1637.
[9]SHERWIN-WHITE, A. N. *Roman Society and Roman Law in the New Testament*. Oxford: Clarendon Press, 1963, p. 95-98.

capital do mundo. Como já dissemos, através da Via Egnátia, Tessalônica ligava o Oriente e o Ocidente, posicionando-se na entrada do Império Romano. Em virtude desses fatos, é impossível exagerar a importância da chegada do cristianismo a Tessalônica. Paulo sabia que, se o cristianismo ali se estabelecesse, poderia estender-se ao Oriente pela Via Egnátia até conquistar toda a Ásia, e pelo Ocidente certamente chegaria à cidade de Roma. O advento do cristianismo em Tessalônica foi um passo crucial na transformação do cristianismo em religião mundial.[10]

Tessalônica sobreviveu aos embates do tempo. Foi a segunda maior cidade nos dias do Império Bizantino. Em 390 d.C., tornou-se palco de um grande massacre, quando o imperador Teodósio, o Grande, mandou massacrar mais de sete mil cidadãos. A cidade desempenhou papel importante nas Cruzadas. Passou a um governo otomano no ano de 1430. Esteve sob o domínio turco de 1439 até 1912, quando foi retomada pelos gregos. Atualmente, sob o nome de Salônica, é a segunda maior cidade da Grécia, com uma população estimada em 250 mil habitantes.[11]

A ponte de contato para a pregação do evangelho (17.2)

O apóstolo Paulo escolheu Tessalônica não apenas por sua localização geográfica e importância econômica e política, mas também por sua conexão religiosa. Naquele grande centro de cultura grega e romana havia uma sinagoga de judeus. A mesma ponte de contato foi usada em Bereia (17.10).

Frank Stagg alega que não é motivo de surpresa a existência de uma sinagoga em Tessalônica, dado que seu forte comércio atrairia a colônia judaica.[12] Essa sinagoga era uma ponte de contato para a pregação do evangelho. Antes de Paulo, Jesus já usara a sinagoga como alça de acesso para o ensino das Escrituras e o testemunho do evangelho (Lc 4.16).

Paulo costumava usar as sinagogas como ponto de partida para atingir as pessoas com o evangelho (At 13.5,14,44). Em Tessalônica não

---

[10] BARCLAY, William. *Filipenses, Colosenses, I y II Tesalonicenses*, p. 188.
[11] HENDRIKSEN, William. *1 e 2 Tessalonicenses*, p. 12,13.
[12] STAGG, Frank. *O livro de Atos*, p. 248.

foi diferente. Por três sábados, arrazoou com elas acerca das Escrituras. Paulo começa a evangelização da cidade de Tessalônica a partir da sinagoga judaica reunida aos sábados.

Na sua estratégia, Paulo usou o lugar certo e o tempo certo. Usou também o meio certo, as Escrituras. Usou a mensagem certa, ou seja, a vida, a morte e a ressurreição de Jesus, para atingir as pessoas certas, ou seja, os judeus e gentios piedosos. Jesus, Paulo e os missionários ao longo dos séculos souberam usar com sabedoria essas pontes de contato para levarem aos povos a mensagem da graça de Deus.

Ainda hoje precisamos ter discernimento ao buscar os melhores meios, os melhores recursos, os melhores métodos para anunciarmos a melhor mensagem, o evangelho de Cristo.

A essência da pregação de Paulo (17.3)

O apóstolo Paulo prega Cristo a partir das Escrituras. Ele não prega filosofia grega nem política romana. Não prega a tradição dos anciãos nem ensina os dogmas dos rabinos fariseus. Expõe as Escrituras e a partir delas apresenta Cristo. Sobre este versículo, Joseph Alexander comenta que as duas grandes doutrinas pregadas por Paulo em Tessalônica foram acerca do Messias sofredor e de sua identidade como Jesus de Nazaré.[13]

Dois pontos importantes nos chamam a atenção neste versículo.

Em primeiro lugar, **Paulo variou os métodos** (17.3). A pregação do evangelho deve ser bíblica e racional, assegura Matthew Henry.[14] Paulo não usa expedientes místicos para expor as Escrituras. Ele apela para a razão de seus ouvintes. Dirige-se à mente deles e lhes desperta o entendimento. Paulo identificou o Jesus da história com o Cristo das Escrituras, enquanto hoje alguns teólogos liberais tentam criar um abismo entre o Jesus histórico dos evangelhos e um Cristo místico da teologia e da experiência cristã.[15]

---

[13]ALEXANDER, Joseph Addison. *Commentary on the Acts of the Apostles.* Grand Rapids, MI: Zondervan, 1956, p. 598.
[14]HENRY, Matthew. *Matthew Henry's commentary in one volume.* Grand Rapids, MI: Zondervan, 1961, p. 1703.
[15]STOTT, John. *A mensagem de Atos,* p. 306.

Quatro verbos descrevem a pregação de Paulo na sinagoga de Tessalônica.

Ele *arrazoou* (17.2). Paulo dialogou com eles por meio de perguntas e respostas. A palavra grega aqui empregada deu origem ao termo *dialética*, que nada mais era do que ensinar discutindo por meio de perguntas e respostas.[16]

Ele *expôs*, ou seja, explicou-lhes o conteúdo do evangelho (17.3). Pregar é explicar e aplicar as Escrituras. O pregador não cria a mensagem, ele a transmite. A mensagem emana das Escrituras. Deus não tem nenhum compromisso com a palavra do pregador, mas com a sua própria Palavra. Esta, e não a palavra do pregador, tem a garantia de que não volta para Deus vazia. Para explicar a Palavra, é preciso ser fiel na interpretação. É preciso fazer uma exegese sadia, ou seja, tirar do texto o que está nele, em vez de impor ao texto o que ele não está afirmando.

Ele *demonstrou* que Jesus é, de fato, o Messias. O termo *demonstrar, paratithemi*, significa "colocar lado a lado ao apresentar evidências" (17.3). Era uma referência à exposição de Paulo que consistia em colocar o cumprimento ao lado das profecias.

Ele *anunciou* a morte e a ressurreição de Jesus Cristo (17.3).[17] Paulo se empenhava em anunciar Jesus. Em outras palavras, ele contou a história de Jesus de Nazaré: seu nascimento, sua vida e seu ministério, sua morte e ressurreição, sua exaltação e a dádiva do Espírito, o Seu reino presente e Sua volta, a oferta da salvação e o anúncio do julgamento. Não há motivo para duvidar que Paulo tenha feito um relato completo da carreira salvífica de Jesus, do início ao fim, diz John Stott.[18]

Em segundo lugar, **Paulo não mudou a mensagem** (17.3). A pregação paulina em Tessalônica foi cristocêntrica. Paulo falou sobre a morte e a ressurreição de Jesus, o Cristo, que constituem o âmago da mensagem cristã. Cristo morreu pelos nossos pecados (1Co 15.3) e ressuscitou para a nossa justificação (Rm 4.25). A mensagem pregada por Paulo na sinagoga de Tessalônica tornou-se a essência do *kerygma* apostólico,

---

[16]STAGG, Frank. *O livro de Atos*, p. 248.
[17]WIERSBE, Warren W. *Comentário bíblico expositivo*, p. 609.
[18]STOTT, John. *A mensagem de Atos*.2005, p. 305,306.

que Pedro já havia pregado no dia de Pentecostes (2.22-24) e que o próprio Paulo resumiu posteriormente (13.26-31).

Howard Marshall afirma: "Visto que Paulo faz essencialmente as mesmas declarações acerca do Messias em 1Coríntios 15.3-8, passagem esta que se baseia na tradição cristã primitiva, fica claro que não estava publicando uma linha de pensamento inventada por ele, mas simplesmente repetia aquilo que era ensinamento cristão comumente aceito".[19]

Não há evangelho onde a cruz de Cristo é banida. Não há cristianismo onde a morte expiatória de Cristo é relegada a segundo plano. Não há remissão de pecados sem o derramamento do sangue do Cordeiro de Deus. De igual forma, sem a ressurreição de Cristo, seu sacrifício não teria eficácia. A ressurreição é o estandarte da vitória, é a consumação triunfante de Sua obra redentora.

Frank Stagg destaca que era bem difícil para os judeus sob opressão estrangeira aceitar o quadro de um Messias sofredor; eles esperavam um Messias que viesse acabar de vez com os sofrimentos de seu povo e inaugurar um reinado de triunfo e paz. Por isso, a cruz para eles era *escândalo*, e só o fato de Jesus ter ressuscitado poderia levar o judeu a reexaminar a cruz à luz das Escrituras (At 17.2).[20]

Thomas Whitelaw sintetiza a pregação de Paulo em Tessalônica em sete pontos:[21]

1. *O lugar.* Paulo pregou na sinagoga, onde se reuniam judeus, prosélitos e interessados no aprendizado da Palavra de Deus.
2. *O tempo.* Paulo pregou aos sábados, ou seja, no dia em que as pessoas se reuniam na sinagoga para estudarem a Palavra.
3. *O livro-texto.* Paulo usou as Escrituras. Ele não buscou a tradição rabínica ou qualquer outra fonte. Ele pregou a Palavra.
4. *A tese.* Paulo proclamou que Jesus de Nazaré era o Messias que tinha sido prometido aos pais.

---

[19] MARSHALL, I. Howard. *Atos: introdução e comentário*, 1982, p. 262.
[20] STAGG, Frank. *O livro de Atos*, p. 248,249.
[21] WHITELAW, Thomas. *The preacher's complete homiletic commentary on the Acts of the Apostles*, p. 361.

5. *O método.* Paulo apelou para o entendimento de seus ouvintes à medida que lhes explicava as Escrituras.
6. *A prova.* Paulo mostrou que era necessário que o Messias sofresse e ressuscitasse dentre os mortos (At 2.24-31; 3.18; 13.27-37; Lc 24.44).
7. *O efeito.* Alguns judeus se converteram, assim como grande multidão de gregos prosélitos, além de várias mulheres distintas.

O impacto da pregação de Paulo (17.4)

A pregação de Paulo em Tessalônica foi eficaz (1Ts 1.5). À convicção interna seguiram-se correspondente profissão de fé externa e pública admissão na igreja.[22] Embora o número de judeus convertidos fosse pequeno, grande multidão de gregos piedosos recebeu a Cristo, bem como muitas mulheres distintas foram convencidas por Paulo e Silas. Os convertidos de Tessalônica afluíam de quatro seções da comunidade: judeus, gregos, tementes a Deus e mulheres distintas.

O evangelho causou grande impacto na vida dos gentios. Em apenas três semanas, ouvimos falar de numerosa multidão convertida. É verdade que Paulo deve ter passado mais tempo em Tessalônica. Somos informados de que a igreja de Filipos mandou ofertas para ele duas vezes enquanto estava em Tessalônica (Fp 4.15,16) e que durante esse tempo ele precisou trabalhar com as próprias mãos para complementar o seu sustento (1Ts 2.9).

Por que a pregação de Paulo teve tanto sucesso em Tessalônica? Encontramos essa resposta em sua carta aos tessalonicenses (1Ts 1.5), na qual Paulo distingue três características fundamentais de sua pregação.

Em primeiro lugar, *era uma pregação centrada na Palavra.* Paulo pregou o conteúdo do evangelho. Ele apresentou Jesus. Não pregou suas opiniões nem os arrazoados dos rabinos. Pregou sobre a vida, a morte e a ressurreição de Cristo.

Em segundo lugar, *era uma pregação revestida de poder.* O apóstolo Paulo tinha palavra e poder. Pregava aos ouvidos e também aos

---

[22] ALEXANDER, Joseph Addison. *Commentary on the Acts of the Apostles,* p. 598.

olhos. Falava e demonstrava. Hoje, os homens escutam belos discursos na igreja, mas não veem vida. Há trovões, mas não chuva. Há palavras, mas não demonstração do Espírito Santo.

Em terceiro lugar, *era uma pregação marcada por profunda convicção*. A pregação de Paulo era autenticada pela experiência e pela vida. Paulo não pregava banalidades. Não era um alfaiate do efêmero, mas um escultor do eterno.

As pessoas convertidas não apenas creram em Cristo, mas entraram para uma comunhão vital com seus fiéis ministros. Possivelmente, essas pessoas deixaram a sinagoga e se uniram a Paulo e Silas na casa de Jasom. Não há salvação sem integração à igreja de Deus. Os que são salvos devem ser batizados e discipulados. Não há crentes isolados. Pertencemos ao corpo de Cristo. Estamos ligados uns aos outros. Somos membros uns dos outros. Uma pessoa salva precisa unir-se à igreja e declarar publicamente a sua fé.

A resistência à pregação de Paulo (17.5,6)

Não há pregação do evangelho sem oposição. A luz incomoda as trevas. A perseguição em Tessalônica não tinha origem política, mas religiosa. A oposição não partiu da religião pagã, mas do judaísmo. A motivação para a perseguição foi gerada por sentimento, e não por entendimento. Os judeus perseguiram Paulo não por causa de sua pregação, mas por causa da inveja que por ele nutriam.

Os judeus invejosos usaram os métodos mais baixos para perturbar o trabalho evangelístico de Paulo em Tessalônica. Subornaram homens sem caráter, arrancados das fileiras da malandragem, para perturbar a ordem social e promover turbulência entre o povo, com vistas à prisão do apóstolo Paulo e de seus cooperadores.

A inveja é algo tão maligno que leva as pessoas a usar os métodos mais perversos, a se aliar às pessoas mais malignas e a tirar as conclusões mais maldosas acerca dos homens mais nobres, os obreiros de Deus. Paulo e seus companheiros não estavam transtornando o mundo; estavam transformando o mundo. A mensagem deles não provocava transtorno, mas transformação.

Havia dois cursos de ação para os acusadores: a assembleia popular, *demos*, diante da qual podiam ser levadas acusações; e os magistrados, *politarcos*, oficiais não romanos das cidades da Macedônia.[23] Os politarcos eram uma designação dos magistrados eleitos das cidades livres, distintos dos pretores das colônias romanas.[24] As acusações chegaram a ambos os fóruns. Os missionários foram acusados diante do povo e diante das autoridades. A acusação foi pública e também privada. Foi popular e também política.

À medida que avançamos em nossa leitura de Atos, observamos que as acusações contra os cristãos se tornam cada vez mais sérias. De início, limitam-se a debates entre os judeus. Essas acusações perduram por todo o livro. Depois, em Filipos, os donos da escrava curada acusaram os missionários de ensinar costumes que a nós, romanos, não é permitido acatar nem praticar. Agora, em Tessalônica, eles são acusados de serem desleais ao imperador, proclamando outro rei.[25]

Justo González afirma que o reino de César não é o reino de Deus. Onde Deus é rei, não há outro governante absoluto. Por isso, toda afirmação absoluta é solapada. Nenhum absolutismo nacionalista, nenhum absolutismo ideológico, quer de direita quer de esquerda, nenhum absolutismo militar, nenhum absolutismo eclesiástico são compatíveis com a fé cristã. Se pregarmos fielmente a mensagem do evangelho, também seremos acusados de agir contra os decretos do mundo atual. Na verdade, a pregação plena do evangelho deve subverter a ordem existente, além de subverter a própria subversão.[26]

Acusação contra Paulo e seus cooperadores (17.7-9)

A acusação contra Paulo e Silas era muito séria: *...Estes que têm transtornado o mundo chegaram também aqui, aos quais Jasom hospedou. Todos estes procedem contra os decretos de César, afirmando ser Jesus outro rei.*

---

[23] MARSHALL, I. Howard. *Atos: introdução e comentário*, 1982, p. 263.
[24] ALEXANDER, Joseph Addison. *Commentary on the Acts of the Apostles*, p. 600.
[25] GONZÁLEZ, Justo L. *Atos*, p. 238.
[26] GONZÁLEZ, Justo L. *Atos*, p. 239.

Tanto a multidão, como as autoridades ficaram agitadas ao ouvirem estas palavras (At 17.6-8).

O termo *mundo* usado pelos acusadores corresponde a *oikoumene*, que significa "a terra habitada conhecida", ou seja, o Império Romano. A acusação geral contra os missionários era que eles tinham causado *transtorno* (At 17.6), ou seja, uma sublevação social radical. O verbo *anastatoo*, usado nessa expressão, tem uma conotação revolucionária (At 21.23).[27]

Os judeus formalizaram uma acusação política contra Paulo e seus cooperadores. Atribuíram a Paulo os crimes de sedição, alta traição e conspiração contra o imperador.

John Stott diz que é difícil exagerar o perigo ao qual eles estavam expostos, pois uma simples sugestão de traição contra os imperadores muitas vezes era fatal para o acusado.[28] A acusação dos judeus era clara: *...Todos estes procedem contra os decretos de César, afirmando ser Jesus outro rei* (At 17.7). O termo grego traduzido por *outro* significa "outro de tipo diferente", ou seja, um rei diferente de César. Como a ênfase de Paulo nesta carta apontava para a segunda vinda de Cristo, os judeus e os pagãos incrédulos não entenderam a pregação da segunda vinda de Cristo e concluíram que Paulo estava pregando sobre um reinado político de Cristo na terra, conspirando, assim, contra os interesses de César.

A pregação de Paulo pode ter sido interpretada como a profecia de uma mudança de imperador. Havia decretos imperiais contra tais predições. Os juramentos de lealdade a César podiam ser considerados exigências dos seus decretos, e estes seriam impostos pelos magistrados locais.[29] Assim, a acusação contra Paulo e Silas era de fato incendiária.

Por ser Tessalônica uma cidade livre, qualquer sedição deixava seus habitantes sobressaltados. Roma confiscaria esse direito se houvesse qualquer rebelião ou traição. No ano 49 d.C., o imperador Cláudio expulsara de Roma os judeus por causa de um tumulto a respeito de *Chrestus*. Há dúvidas se esse *Chrestus* era uma grafia alternativa de

---

[27] STOTT, John. *A mensagem de Atos*, p. 307.
[28] STOTT, John. *A mensagem de Atos*, p. 307.
[29] MARSHALL, I. Howard. *Atos: introdução e comentário*, 1982, p. 264.

Cristo. Se for, como muitas pessoas sustentam, constituiria forte razão para perturbar os habitantes e as autoridades de Tessalônica encontrar dentro da cidade seguidores de Cristo. A simples prédica de Jesus como o ungido de Deus era de natureza explosiva.[30]

John Stott observa que a ação dos magistrados cobrando fiança de Jasom provavelmente não se restringia à simples cobrança de uma fiança. A expressão de Lucas se refere ao oferecimento e à concessão de garantia em processos civis e criminais. Eles obtiveram de Jasom e dos outros a promessa de que Paulo e Silas sairiam da cidade e não retornariam, ameaçando-os com castigos severos se o acordo fosse quebrado. Provavelmente Paulo se referia a esta proibição legal quando escreveu que satanás não lhe permitiu retornar a Tessalônica. O expediente engenhoso colocou um abismo intransponível entre Paulo e os tessalonicenses.[31]

A nobreza da igreja bereana (17.10-12)

Os missionários foram para Bereia, cerca de 72 km a oeste de Tessalônica. Essa era uma cidade um tanto distante das principais passagens. Afastada das principais rotas de comércio e viagem do Império, era o lugar ideal para se manter longe dos inimigos. Howard Marshall sugere que Paulo não foi mais distante porque esperava retornar dentro em breve para Tessalônica; como registrou mais tarde, porém, *satanás nos barrou o caminho* (1Ts 2.18).[32]

Os cristãos bereanos foram mais nobres que os crentes de Tessalônica e isso por duas razões.

Em primeiro lugar, *porque receberam a Palavra com avidez* (17.10,11a). Os bereanos tinham fome da Palavra, por isso a receberam com intensidade. John Stott destaca que Lucas relata as missões em Tessalônica e Bereia com surpreendente brevidade. Porém, um ponto para o qual ele chama a atenção é a atitude adotada pelo pregador e pelos

---

[30] STAGG, Frank. *O livro de Atos*, p. 250,251.
[31] STOTT, John. *A mensagem de Atos*, p. 307,308.
[32] MARSHALL, I. Howard. *Atos: introdução e comentário*, 1982, p. 264.

ouvintes perante as Escrituras, como demonstram os verbos empregados. Em Tessalônica, Paulo *arrazoou, expôs, demonstrou, anunciou* e *persuadiu*, enquanto que em Bereia os judeus *receberam* a mensagem com avidez, *examinando* diligentemente as Escrituras. Nem o pregador nem os ouvintes usaram as Escrituras de forma superficial; pelo contrário, Paulo expôs as Escrituras e os judeus de Bereia as examinaram.[33]

Em segundo lugar, **porque receberam a Palavra com questionamento crítico** (17.11b,12). Os bereanos estudaram a Palavra não apenas com entusiasmo, mas também com profundo cuidado, atenção e senso crítico. O verbo grego *anakrino*, "examinar", empregado aqui pelo apóstolo Paulo, é usado para investigações judiciais, quando, por exemplo, Herodes interrogou a Jesus (Lc 23.14,15), o Sinédrio a Pedro e João (4.9), e Félix a Paulo (24.8). Esse verbo implica integridade e ausência de preconceito. Desde então, o adjetivo "bereanos" tem sido aplicado a pessoas que estudam as Escrituras com imparcialidade e atenção.[34]

Os bereanos demonstraram zelo em ouvir aquilo que Paulo tinha a dizer, e, desta forma, encontraram com ele *todos os dias* (e não meramente aos sábados). Howard Marshall aponta que a resposta dos bereanos à Palavra não foi meramente emocional, mas baseada numa convicção intelectual. Como resultado, um número considerável tanto de judeus como de gregos se converteu.[35] A receptividade fervorosa da Palavra associada a um exame meticuloso redundou num crescimento explosivo da igreja em Bereia (17.12). Tanto em Tessalônica como em Bereia há destaque à receptividade das mulheres, especialmente aquelas de alta posição social (17.4,12).

A perturbação do povo e a retirada de Paulo (17.13-15)

Os judeus de Tessalônica, por inveja e envenenada amargura, foram a Bereia com o intuito de alvoroçar o povo e perseguir Paulo, da mesma forma que acontecera antes com os judeus de Antioquia da Pisídia e de

---

[33] STOTT, John. *A mensagem de Atos*, p. 309.
[34] STOTT, John. *A mensagem de Atos*, p. 308.
[35] MARSHALL, I. Howard. *Atos: introdução e comentário*, 1982, p. 265.

Icônio, que foram a Listra agitar o povo contra o apóstolo dos gentios. Novamente Paulo tem de interromper um trabalho promissor. Por uma questão de prudência, os irmãos de Bereia agiram com rapidez, tirando o apóstolo da cidade. Os responsáveis pelo apóstolo promoveram, sem detença, a partida de Paulo para os lados do mar, que dista mais de 40 km da cidade. Ali não há propriamente um porto, mas um barco a velas certamente pôde ser encontrado para levar Paulo até Atenas, numa viagem de mais de 480 km.[36] William Barclay destaca a grande coragem do apóstolo Paulo, pois sua carreira missionária até aqui e daqui para frente seria marcada por perigos, perseguições, prisões e açoites. A maioria dos homens teria abandonado uma luta que parecia condenada a terminar em prisão e morte. Quando perguntaram a David Livingstone até onde estava disposto a ir, respondeu: "Estou disposto a ir a qualquer parte, desde que seja para frente". A Paulo, também, jamais ocorreu a ideia de voltar atrás.[37]

---
[36] STOTT, John. *A mensagem de Atos*, p. 309.
[37] BARCLAY, William. *Hechos de los Apóstoles*, p. 139.

17

Um **pregador** do evangelho na **terra dos deuses**

Atos 17.16-34

O MAIOR BANDEIRANTE DO CRISTIANISMO ACABA DE CHEGAR a Atenas, a capital intelectual do mundo, a terra dos grandes luminares do saber humano, como Sócrates, Platão, Aristóteles, Aristófanes, Eurípedes e o inigualável escultor Fídias. A Academia de Atenas, fundada por Platão, ainda era um centro intelectual com poucos rivais.[1] Simon Kistemaker diz que Atenas descansava em sua reputação de ser centro das artes, literatura, filosofia, conhecimento e habilidade oratória.[2]

Atenas foi a primeira cidade-estado da Grécia desde o século V a.C. Mesmo depois de integrada ao Império Romano, guardava com orgulho a sua independência intelectual e também se tornou uma cidade livre. Gabava-se de sua rica tradição filosófica, herdada de Sócrates, Platão e Aristóteles. Tinha uma reputação inigualável como a metrópole intelectual do Império.[3]

Atenas era uma cidade gloriosa. Qualquer visitante que chegasse nessa cidade nos tempos de Paulo olharia com espanto seus ricos

---
[1] GONZÁLEZ, Justo L. *Atos*, p. 241.
[2] KISTEMAKER, Simon. *Atos*. Vol. 2, p. 176.
[3] STOTT, John. *A mensagem de Atos*, p. 311.

monumentos, seus esplêndidos palácios, seus templos dedicados aos deuses e as glórias de sua tradição. Concordo com Simon Kistemaker quando ele diz: "A despeito de sua distinção por ser o centro do saber e da arte, essa cidade superava todas as outras em cegueira espiritual".[4]

Vejamos, entretanto, como Paulo reagiu na maior cidade intelectual do mundo. Examinando este texto, John Stott destaca cinco pontos que comentamos a seguir[5]:

O que Paulo viu (17.16)

O apóstolo Paulo, mesmo pressionado por circunstâncias adversas por onde passava, era um pregador atento e observador. Buscava conexões importantes para apresentar sua mensagem de forma fiel e relevante. Destacamos aqui dois pontos importantes.

Em primeiro lugar, *Paulo não encara Atenas como um turista*. Paulo poderia ter passeado pela cidade como um turista, como provavelmente a maioria de nós teria feito. Ele poderia ter conhecido a cidade de ponta a ponta para admirar seus belos prédios e monumentos, únicos em todo o mundo.

A Acrópole, antiga fortaleza da cidade, podia ser vista a quilômetros de distância. Era considerada uma ampla composição de arquitetura e escultura dedicada à glória nacional e ao culto dos deuses. O Parthenon possuía grandeza sem igual. A Ágora, com seus muitos pórticos pintados por artistas famosos, poderia ter atraído Paulo para ouvir os debates políticos e filosóficos da época, pois Atenas era muito conhecida pela sua democracia. Paulo também era um intelectual formado nas universidades de Tarso e Jerusalém. Mas o fascínio do apóstolo não foi pela discussão de causas secundárias. Ele esteve nesse local para pregar Jesus e a ressurreição.[6] Warren Wiersbe observa que, ao chegar a Atenas, o objetivo de Paulo não era ver as atrações da cidade, mas ganhar almas

---

[4]Kistemaker, Simon. *Atos*. Vol. 2, p. 177.
[5]Stott, John. *A mensagem de Atos*, p. 311-327.
[6]Stott, John. *A mensagem de Atos*, p. 312.

para Cristo.⁷ Para Paulo, os artefatos da cidade não eram meros objetos artísticos, mas objetos de uma religião pagã.⁸

Em segundo lugar, **Paulo encara Atenas como um pregador que se revolta com a idolatria**. O que Paulo primeiro viu em Atenas não foi sua beleza, nem o brilhantismo da cidade, mas sua idolatria. Howard Marshall diz que é nesta cidade aspergida e bafejada pela mais refinada intelectualidade, adornada pelos mais ilustres pensadores do mundo, que Paulo encontra a mais aguda crônica de ignorância espiritual.⁹ É aqui, na terra dos corifeus da filosofia, que Paulo se defronta com a mais tosca e repugnante idolatria. A palavra *kateidolos* só aparece aqui em todo o Novo Testamento. A tradução indica não apenas que a cidade estava cheia de ídolos, mas sob os ídolos. A cidade estava sufocada pelos ídolos. O que Paulo viu foi uma verdadeira floresta de imagens.¹⁰ Na teologia paulina, os ídolos nada são, mas por trás deles estão os demônios. A idolatria produz cegueira espiritual e desordem moral.

Plínio afirmou que, ao tempo de Nero, Atenas estava ornamentada por mais de trinta mil estátuas públicas. Petrônio disse que era mais fácil encontrar um deus em Atenas do que um homem.¹¹ Cada templo, cada portão, cada pórtico, cada edifício tinha as suas divindades protetoras. Xenofonte, citado por Champlin, assim descreveu a cidade: "O lugar inteiro é um altar, e a cidade inteira é um sacrifício e uma oferta aos deuses".¹² Russell Champlin também diz que certa feita, Diógenes saiu às ruas de Atenas em pleno meio-dia, sol a pino, de lanternas acesas nas mãos, procurando atentamente alguma coisa. Alguém, surpreso, interpelou-o: "Diógenes, o que procuras?" Ele respondeu: "Eu procuro um homem".¹³

---

⁷WIERSBE, Warren W. *Comentário bíblico expositivo*, p. 611.
⁸KISTEMAKER, Simon. *Atos*. Vol. 2, p. 176.
⁹MARSHALL, I. Howard. *Atos: introdução e comentário*, 1982, p. 266.
¹⁰STOTT, John. *A mensagem de Atos*, p. 312.
¹¹BARCLAY, William. *Hechos de los Apóstoles*, p. 140.
¹²CHAMPLIN, Russell Norman. *O Novo Testamento interpretado versículo por versículo*. Vol. 3. Guaratinguetá: A Voz da Bíblia, s. d., p. 362.
¹³CHAMPLIN, Russell Norman. *O Novo Testamento Interpretado Versículo por Versículo*, p. 363.

Havia mais deuses em Atenas do que em todo o resto do país. Eram inúmeros templos, santuários, estátuas e altares. No Parthenon encontrava-se uma imensa estátua de Atena feita de ouro e mármore. Em toda parte se viam imagens de Apolo, o padroeiro da cidade, de Júpiter, Vênus, Mercúrio, Baco, Netuno, Diana e Esculápio. Todo o panteão grego estava ali, todos os deuses do Olimpo. E as imagens eram lindas, feitas de ouro, prata, marfim e mármore, construídas pelos melhores escultores gregos.[14]

Paulo, porém, não se impressionava com belezas que não honrassem a Deus. Pelo contrário, sentiu-se oprimido pelo emprego idólatra da criatividade artística dada por Deus aos atenienses. Foi isso que Paulo viu: uma cidade submersa nos seus ídolos.

Concordo com John Stott quando ele diz que toda idolatria é indesculpável, seja antiga ou moderna, primitiva ou sofisticada, sejam suas imagens mentais ou feitas de metal, objetos de culto palpáveis ou conceitos abstratos desprezíveis. Pois a idolatria é a tentativa de confinar Deus, limitando-O a um espaço imposto por nós, quando Deus é o Criador do universo; ou de domesticá-Lo, tornando-O nosso dependente, domando-O e mimando-O, quando Ele é o Mantenedor da vida humana; ou de aliená-Lo, culpando-O por Sua distância e Seu silêncio, quando Ele é o Governador das nações e não está longe de nós; ou de destroná-Lo, reduzindo-O a uma imagem concebida ou feita por nós mesmos, quando ele é o Pai de quem recebemos nossa existência. Em suma, toda idolatria é uma tentativa de minimizar o abismo entre o Criador e Suas criaturas, para colocá-Lo sob nosso controle. E, mais do que isso, ela inverte as posições entre Deus e nós, de modo que, em vez de reconhecermos humildemente que Deus nos criou e nos governa, temos a ousadia de imaginar que podemos criar e governar Deus. Não existe lógica na idolatria; ela é uma expressão perversa e confusa da nossa rebelião contra Deus.[15]

O que Paulo **sentiu** (17.16)

Não apenas os olhos de Paulo estavam abertos, mas também o seu coração estava disposto a auscultar a mais intelectual cidade do

---

[14] STOTT, John. *A mensagem de Atos*, p. 312,313.
[15] STOTT, John. *A mensagem de Atos* p. 322,323.

Império. Lucas registra: *O seu espírito se revoltava* (17.16). O verbo grego *paroxyno*, de onde vem a palavra "paroxismo", tinha conotações médicas e se referia a um ataque epilético. Também significava "irritar, provocar, causar ira". Essa palavra só ocorre novamente em 1Coríntios 13.5: *O amor não se exaspera*. O sentido aqui não é falta de controle, mas de reação progressiva e ponderada contra aquilo que Paulo viu.[16]

O verbo *paroxyno* é regularmente empregado na LXX em relação à ira de Deus contra a idolatria do povo de Israel (Dt 9.7,18,22; Sl 106.28,29; Os 8.5). Assim, Paulo foi provocado à ira pela mesma razão que provocou a ira de Deus, ou seja, a idolatria.[17] A idolatria é um pecado gravíssimo porque rouba a honra e a glória do nome de Deus. É dar a outro ser a honra e a glória que só Deus merece. Quando uma pessoa diz que adora a Deus por meio de uma imagem, está desprezando a Deus, que ordenou que não se fizesse nem se adorasse nenhuma imagem.

Às vezes, as Escrituras chamam esse sentimento de *ciúme*. Somos propriedade exclusiva de Deus e Ele não nos divide com ninguém. A esposa pertence ao marido e ele não a divide com ninguém. O marido pertence à esposa e ela não o divide com ninguém. Deus disse: *Eu sou o Senhor, esse é o meu nome; a minha glória, pois, não a darei a outrem, nem a minha honra às imagens de escultura* (Is 42.8). John Stott diz que o nosso Deus tem direito exclusivo à nossa fidelidade e sente ciúmes quando transferimos para outra pessoa ou coisa nossa devoção.[18] O autor ergue seu brado de alerta quando escreve:

> Os ídolos não estão limitados às sociedades primitivas; existem muitos ídolos sofisticados. Um ídolo é um substituto de Deus; qualquer pessoa ou coisa que ocupe o lugar que Deus deveria ocupar. A avareza é idolatria. As ideologias podem ser idolatrias. Assim como a fama, a riqueza e o poder, o sexo, a comida, o álcool e outras drogas, os pais, a esposa, os filhos e os amigos, o trabalho, o lazer, a televisão e as propriedades, até

---

[16] STOTT, John. *A mensagem de Atos*, p. 313.
[17] STOTT, John. *A mensagem de Atos*, p. 313.
[18] STOTT, John. *A mensagem de Atos*, p. 314.

a igreja, a religião e o culto cristão. Os ídolos parecem particularmente dominantes em cidades. Jesus chorou por causa da impenitência da cidade de Jerusalém. Paulo ficou profundamente indignado com a idolatria em Atenas. Será que já fomos perturbados pelas cidades idólatras do nosso mundo atual?[19]

O que Paulo **fez** (17.17,18)

Paulo não era um observador contemplativo. O que viu e sentiu, isso o moveu à ação. Destacamos aqui quatro pontos importantes.

Em primeiro lugar, *uma reação negativa*. A primeira reação de Paulo foi revoltar-se com a idolatria reinante na cidade. Ele tinha a capacidade de indignar-se diante da situação. Não considerava normal a idolatria. Não via a idolatria apenas pelas lentes da cultura religiosa ou beleza da arquitetura. Via a idolatria como algo que roubava a glória de Deus.

Em segundo lugar, *uma reação positiva*. A reação de Paulo contra a idolatria da cidade não foi apenas negativa (horror e desânimo), mas também positiva. Ele aproveitou o ensejo para testemunhar.[20] Não basta identificar os problemas que afligem a sociedade. Precisamos apontar a solução divina!

Paulo pegou um gancho ao ver um altar ao *deus desconhecido*. Os gregos tinham altares para todos os deuses. Seus deuses eram vingativos e, com medo de que algum deus pudesse ser esquecido, eles ergueram um altar ao deus desconhecido. Paulo, então, a partir dessa ponte, anuncia o Deus verdadeiro que eles não conheciam.

Em terceiro lugar, *os três grupos a quem Paulo testemunhou*. Paulo falou aos judeus, ao povo e aos filósofos gregos. Vejamos com mais detalhes:

Paulo dissertou nas sinagogas. Ali, Paulo, aos sábados, dissertava entre os judeus e tementes a Deus. O equivalente mais próximo que temos da sinagoga é a igreja, o local onde se encontram pessoas religiosas. Ainda é importante compartilhar o evangelho com pessoas que frequentam a igreja e com tementes a Deus, que talvez só participem ocasionalmente dos cultos.

---

[19] STOTT, John. *A mensagem de Atos*, p. 327.
[20] STOTT, John. *A mensagem de Atos*, p. 314.

Paulo dissertou na Ágora. A Ágora, ou praça, era o centro dos negócios e das atividades cívicas, como também da propaganda e da troca informal de ideias e novidades. Servia ainda de mercado e centro da vida social, local de reunião onde se congregava o povo para ouvir os oradores. Paulo falava nessa praça não apenas no sábado, mas *todos os dias*. Em outras palavras, Paulo não limitou seu ensino aos judeus e tementes a Deus aos sábados na sinagoga local. Durante o restante da semana, ensinava na praça do mercado, onde as pessoas iam comprar alimentos e outras mercadorias.[21]

O equivalente à Ágora pode ser um parque, uma praça, um *shopping*, uma feira, uma sala de aula, uma cantina de escola. Há grande necessidade de evangelistas talentosos, capazes de fazer amigos e conversar sobre o evangelho em locais informais desse tipo. Paulo se misturava com o povo na praça. Não fugia das pessoas. Paulo não se encastelava numa torre de marfim. Não se empoleirava numa cátedra proclamando formulações teológicas na terra dos corifeus da filosofia. Paulo não era um teólogo de gabinete. Nivelava-se com o povo e descia até onde o povo estava. Mas também conversava com os intelectuais.

Paulo começou a debater no Areópago. Os filósofos epicureus e estoicos levaram Paulo da Ágora ao Areópago. A palavra *areópago* significa "a colina de Ares". Visto ser Ares o deus da guerra dos gregos, o deus Marte dos romanos, o local é também chamado de Colina de Marte. Esta colina dava vista para a Ágora e ficava defronte do Parthenon. Um concílio se reunia no Areópago com funções jurídicas importantes. Areópago era tanto o nome do lugar como do conspícuo tribunal que ali se reunia. Esse era muito seleto, formado por trinta membros, intervinha em casos de homicídio e tinha a supervisão da moral pública. Era o supremo tribunal de Atenas.[22] O conselho do Areópago era responsável também por supervisionar a religião e a educação na cidade, de modo que era natural investigarem a "nova doutrina" que Paulo ensinava.[23] Esse era o local onde as causas públicas eram julgadas. O correspondente mais

---

[21] KISTEMAKER, Simon. *Atos*. Vol. 2, p. 178.
[22] LOPES, Hernandes Dias. *O Deus Desconhecido*. Santa Bárbara D'Oeste: Z3, 2011, p. 12,13.
[23] WIERSBE, Warren W. *Comentário bíblico expositivo*, p. 612.

próximo seria a evangelização nas universidades, nos salões dos governos, nas repartições públicas. Precisamos de gente que possa evangelizar por meio de palestras com conteúdo apologético. Precisamos urgente de pensadores cristãos que se dediquem a Cristo como escritores, compositores, musicistas, jornalistas, dramaturgos, radialistas, cineastas, roteiristas e produtores para proclamar o evangelho. Cristo deseja mentes humildes, mas não reprimidas.

Vejamos agora os dois grupos de filósofos, com os quais Paulo debateu:

Os epicureus não acreditavam na vida após a morte nem em julgamento final. Criam que o fim principal do homem era o prazer. Pregavam o acaso, a fuga e o prazer. O lema dos epicureus era: ... *comamos e bebamos, porque amanhã morreremos* (1Co 15.32). Depois de quase dois mil anos, vivemos hoje também numa sociedade hedonista. As pessoas vivem para o prazer imediato. Não querem pensar; querem apenas sentir. Buscam emoções e vivem apenas para o hoje. Não querem pensar na eternidade, no destino da alma, no encontro inevitável que terão com Deus.

Os estoicos eram materialistas, panteístas, fatalistas, apáticos ao sofrimento humano e defensores da visão cíclica da história. Acreditavam no determinismo cego. Pregavam a fatalidade, a submissão ao destino irreversível e a importância de suportar a dor. Na filosofia estoica não há esperança. Não adianta lutar nem clamar. Não há para onde correr. Todos estão entrincheirados por um destino cego e implacável. Essa cosmovisão gesta o desespero e dá à luz o conformismo. Os dois primeiros líderes da escola estoica cometeram suicídio. Ainda hoje há pessoas que pensam como Gabriela Cravo e Canela: "Eu nasci assim, eu cresci assim, vou morrer assim". A Palavra de Deus nos mostra que é possível mudar. É possível recomeçar. É possível sair do cativeiro e ter uma nova vida em Cristo.

Tanto os epicureus como os estoicos estavam equivocados. Os epicureus diziam "Aproveite a vida", enquanto os estoicos diziam "Aguente a vida!"[24] A Palavra de Deus nos ensina a viver a vida na presença de Deus, mediante o poder de Deus e para a glória de Deus.

---

[24]WIERSBE, Warren W. *Comentário bíblico expositivo*, p. 612.

Em quarto lugar, *o preconceito dos filósofos ao ensino de Paulo*. Os filósofos epicureus e estoicos tiveram duas atitudes preconceituosas ao ensino de Paulo:

Chamaram-no de tagarela (17.18). A palavra grega *spermologos* era uma gíria ateniense. Literalmente, significa "um apanhador de grãos". Howard Marshall explica que a palavra se refere a um pássaro que recolhe restos de comida dos esgotos, e, daí, passou a descrever desocupados sem valor.[25] Era aplicada a vadios e mendigos que viviam de restos de alimentos encontrados nas ruas, eram verdadeiros "catadores de lixo". A palavra foi usada também para descrever um mestre que, não tendo ideias próprias, inescrupulosamente plagiava os outros, apanhando restos de conhecimento daqui e dali. Aludia àquele tipo de pessoa que fazia de seus sistemas ideológicos nada mais do que um saco de trapos, cheio de ideias e frases de outras pessoas. Era um plagiador ignorante, um charlatão, um papagaio, um tagarela intelectual.

Os atenienses pensaram que Paulo era um falso intelectual. Olharam para ele com preconceito. Viram-no apenas como um mascate de ideias estranhas, como o pássaro que vive catando sementes.

Disseram que Paulo parecia um pregador de estranhos deuses (17.18). Acostumados com tantos deuses, os atenienses pensaram que Paulo lhes apresentava novas divindades estrangeiras. Paulo pregava Jesus e a ressurreição. Os gregos pensaram que Paulo lhes estava pregando um novo par de divindades, um deus masculino chamado *Jesus* e sua companheira *Anástasis* (ressurreição) (17.19-21). A ignorância é sempre preconceituosa. O preconceito pode roubar de uma pessoa preciosas oportunidades. Os atenienses rejeitaram o evangelho por não estarem abertos à pregação do evangelho.

O que Paulo **pregou** (17.22-31)

A presença de numerosos templos, ídolos e altares em Atenas dava a Paulo um excelente ponto de contato, não obstante ele próprio se sentisse totalmente ultrajado pela idolatria dessa cidade (17.16). A partir

---

[25]MARSHALL, I. Howard. *Atos: introdução e comentário*, 1982, p. 267.

do altar ao *deus desconhecido*, Paulo anunciou aos atenienses religiosos o Deus vivo que eles não conheciam. Paulo começou seu discurso com um elogio: ...*Senhores atenienses! Em tudo vos vejo acentuadamente religiosos* (17.22). Segundo Howard Marshall, o discurso de Paulo pode ser dividido de várias maneiras. Após uma introdução que visava atrair a atenção do auditório e declarar o tema (17.22,23), a porção principal se organiza em três partes: a) Deus é Senhor do mundo; não precisa de templo nem de ritual cúltico humano (17.24,25); b) o homem é a criação de Deus; precisa de Deus (17.26,27); c) há relacionamento entre Deus e o homem; a idolatria, portanto, é estultícia (17.28,29). Segue-se uma conclusão que conclama os homens a abandonarem suas ideias ignorantes de Deus e a se arrependerem (17.30,31).[26]

De acordo com Warren Wiersbe, Paulo compartilhou quatro mensagens fundamentais.

Em primeiro lugar, **a grandeza de Deus: Ele é o Criador** (17.24). Os epicureus, que também eram ateus, afirmavam que tudo era matéria e que a matéria sempre existiu. Os estoicos, que eram panteístas, diziam que tudo era Deus, o "Espírito do universo".[27] Os epicureus alegavam que Deus não existia, e os estoicos defendiam que tudo era Deus. Paulo, porém, pregou em Atenas tanto a transcendência como a imanência de Deus. Deus não está distante nem separado da criação; não está cativo nem preso a ela. Deus é grande demais para ser contido em templos feitos por mãos humanas (1Rs 8.27; Is 66.1,2; At 7.48-50), e ao mesmo tempo solidário o suficiente para cuidar das necessidades humanas (17.25).[28] Paulo coloca a revelação no lugar da filosofia e contrasta o monoteísmo com o panteísmo estoico.[29]

A matéria não é eterna como pensavam os gregos. O mundo não resulta de uma explosão cósmica, nem é fruto de milhões e milhões de anos de evolução. Paulo declara em Atenas, a capital intelectual do mundo, que Deus fez o mundo e tudo o que nele existe (17.24). O livro *A origem das espécies,* de Charles Darwin, publicado em 1859

---

[26]MARSHALL, I. Howard. *Atos: introdução e comentário*, 1982, p. 266.
[27]WIERSBE, Warren W. *Comentário bíblico expositivo*, p. 613.
[28]WIERSBE, Warren W. *Comentário bíblico expositivo*, p. 613.
[29]KISTEMAKER, Simon. *Atos.* Vol. 2, p. 187.

em Londres, contém nada menos do que oitocentos verbos no futuro do subjuntivo: "suponhamos". A evolução é uma suposição improvável, uma teoria falaz. Tanto o macrocosmo quanto o microcosmo denunciam as incongruências da teoria da evolução.

Hoje sabemos que todo ser vivo é programado e automatizado em fitas DNA. O código da vida existe porque Deus o elaborou e o escreveu nas moléculas de DNA que controlam todas as formas de vida. Dominico Rivaldo diz que segundo o dr. Marshall W. Nirenberg, prêmio Nobel de Biologia, em cada corpo humano adulto há 60 trilhões de células vivas. Em cada célula há 1,70 metro de fita DNA, contendo a programação genética de todo nosso ser, como cor do cabelo, cor dos olhos, da cútis, tamanho, temperamento e outras características.[30] De quem derivou este fantástico projeto? Quem é o autor dessa programação e gravação biogenética? Certamente só pode ser alguém que está acima da matéria e da energia. A ciência prova que o universo foi feito de matéria e energia. Prova também que o universo é governado por leis. De igual forma, atesta que matéria e energia não criam leis. Logo, alguém acima, fora e distinto do universo as criou.

Deus criou do nada tudo o que existe. Chamou à existência as coisas que não existiam. Ele é distinto da criação, mas está presente na criação. É transcendente sem deixar de ser imanente (17.25). Criou o imensamente grande e o indescritivelmente pequeno.[31] Há mais estrelas no firmamento do que grãos de areia em todos os desertos e praias do nosso planeta. Deus criou cada uma delas, as conhece e as chama pelo nome (Is 40.26).

Tinha enorme razão o dr. Etheridge, fossiologista do afamado Museu Britânico, citado por Waldvogel, ao dizer que os evolucionistas "não se apoiam na observação, que nenhum fundamento têm para as suas teorias. Os museus estão repletos de provas da suprema falsidade de seus pontos de vista".[32] James Kennedy complementa que a enxada

---

[30]RIVALICO, Dominico E. *A Criação não é um mito.*. São Paulo: Editora Paulínia, 1977, p. 11-22, 76.
[31]RIVALICO, Dominico E. *A Criação não é um mito*, p. 5,6.
[32]WALDVOGEL, Luiz. *Vencedor em todas as batalhas*. São Paulo: Casa Publicadora Brasileira, n. d., p. 81.

dos arqueólogos está trazendo à luz a confirmação de que a revelação bíblica sobre a criação é um fato incontroverso.[33]

Em segundo lugar, **a bondade de Deus: Ele é o provedor** (17.25,28). Não apenas o templo é incapaz de conter Deus, como seus cultos são incapazes de acrescentar coisa alguma a ele! Deus não só criou, mas cuida da criação. Deus não está distante da criação nem se confunde com ela. Ao contrário, mesmo sendo distinto da criação, está presente e cuida dela. Com essas duas declarações sucintas, Paulo devastou todo o sistema religioso da Grécia![34]

É Deus quem dá aquilo de que precisamos: vida, respiração e tudo mais. Nós dependemos de Deus, não Ele de nós. A idolatria, portanto, é irracional. Deus dá o sol e a chuva. Ele dá as estações do ano. Faz brotar a erva. Engrinalda os campos. Alimenta os animais da terra e os pássaros do céu. Dá saúde e livramento. *Nele vivemos, nos movemos e existimos* (17.28). Dependemos dEle. Sem Ele nada podemos.

O Deus da providência não é o deus desconhecido dos agnósticos. Ele Se revelou na obra da criação, em nossa consciência, nas Escrituras e em Seu Filho Jesus Cristo.

O Deus da providência não é o deus distante dos deístas. Ele está presente. É imanente sem deixar de ser transcendente. Ele S importa conosco. Ama, sofre, chora, busca, abraça, celebra e Se alegra em nos conquistar com Seu amor. Quando passamos pelos vales da vida, Ele desce conosco. Quando os nossos pés pisam o lagar da dor, Ele nos carrega no colo.

O Deus da providência não é o deus impessoal dos panteístas. É transcendente sem deixar de ser imanente. As coisas criadas não são a divindade, mas refletem a Sua glória. A matéria não é eterna como queria Platão. Tudo o que existe teve um começo, e só Deus é eterno.

O Deus da providência não é o deus bonachão dos epicureus nem o deus insensível dos estoicos. É o Deus do juízo, mas também o Deus de toda a graça. O Deus da providência não é o deus mudo, surdo e sem vida das imagens de escultura.

---

[33] KENNEDY, James. *As portas do inferno*. Rio de Janeiro: CPAD, 1998, p. 71-88.
[34] WIERSBE, Warren W. *Comentário bíblico expositivo*, p. 613.

Em terceiro lugar, *o governo de Deus: Ele é soberano* (17.24,26-29). Paulo diz que o Deus que ele anuncia é o *Senhor do céu e da terra* (17.24). Nos dias de Paulo, só César era senhor, honrado como uma divindade na terra. De forma contundente, Paulo diz que Cristo está acima de toda autoridade. Cristo está acima dos deuses do Panteão. Está acima de César, acima do Estado. Diante dEle todo joelho se dobrará. Jesus é o Senhor do céu e a da terra. É o Senhor da história. É o Senhor da igreja. É o Senhor do universo.

Os deuses dos gregos eram seres distantes. Mas o Deus da criação, o Senhor do céu e da terra é o Deus da história e da geografia. Deus criou a humanidade de um só homem (17.26), de modo que o pai da história não é Heródoto, nem os gregos são uma raça especial como pensavam. Não é o poder humano, mas sim a soberania divina que determina a ascensão e a queda das nações (Dn 4.35). Deus não é uma divindade distante; Ele não está longe de cada um de nós (17.27).[35]

Paulo citou o poeta Epimênides: *Pois nEle vivemos, e nos movemos e existimos*. Em seguida acrescentou as palavras de outros dois poetas, Arato e Cleantes: *Porque dEle também somos geração*. Com isso, chegou à conclusão lógica: Deus nos fez à Sua imagem, de modo que é tolice fazer deuses à nossa imagem! A religião grega não passava da criação e adoração de deuses moldados pelos seres humanos e que agiam como eles. Paulo apontou-lhes não apenas o disparate dos templos e de seus rituais, mas também a insensatez de toda a idolatria.[36] O Deus que Paulo anuncia em Atenas é o Deus que Se fez carne, Se esvaziou e Se humilhou até a morte, e morte de cruz. Mas Deus O exaltou sobremaneira e Lhe deu um nome que está acima de todo nome. Ele é o Senhor diante de quem todo joelho se dobrará. E que toda língua confessará que Ele é o Senhor.

Em quarto lugar, *a graça de Deus: Ele é o Salvador e Juiz* (17.30,31). Paulo pregou em Atenas sobre Jesus e a ressurreição (17.18). Durante séculos, Deus se mostrou paciente com o pecado e a ignorância dos homens (14.16; Rm 3.25). Aquilo que os gregos imaginavam ser

---

[35] WIERSBE, Warren W. *Comentário bíblico expositivo*, p. 613.
[36] WIERSBE, Warren W. *Comentário bíblico expositivo*, p. 614.

refinada sabedoria não passava de crassa ignorância espiritual aos olhos do apóstolo Paulo. Por isso, Deus chama a todos ao arrependimento. Em Atos 17.30, Paulo faz quatro afirmações tremendas sobre a questão do arrependimento: Deus não levou em conta os tempos da ignorância; o arrependimento é uma exigência imperativa que envolve razão, emoção e vontade; o arrependimento é para todos os seres humanos, sem exceção; e o arrependimento deve ser exercitado em todas as nações. Nessa mesma linha, John Stott acrescenta que Paulo destaca três considerações imutáveis a respeito do juízo: a) O juízo será universal: Deus há de julgar o mundo. Os vivos e os mortos, os grandes e os pequenos, todos serão incluídos; ninguém escapará. b) O juízo será justo: Deus há de julgar com justiça. Todos os segredos serão revelados. Não haverá possibilidade de erro judicial. c) O juízo está definido, pois o dia já foi marcado e o juiz foi escolhido: embora não saibamos o dia, já sabemos quem é o Juiz. É próprio Senhor Jesus.[37]

Deus já nomeou o Juiz e determinou o dia do julgamento (17.31). As nações serão julgadas diante dEle (Mt 25.31-33). Ele julgará grandes e pequenos, reis e vassalos, religiosos e ateus, vivos e mortos. Naquele dia todos comparecerão perante o tribunal de Deus e serão julgados segundo as suas obras. Naquele dia todos os segredos dos homens serão revelados. Nesse julgamento divino não haverá erro judicial nem apelação. Todas as nações foram criadas a partir do primeiro Adão. Agora, todas serão julgadas pelo último Adão.[38]

Àqueles que acusam Paulo de não ter pregado a essência do evangelho em Atenas, John Stott responde que a palestra diante do Areópago revela a amplitude da mensagem de Paulo. O apóstolo proclamou a Deus em Sua plenitude como Criador, Mantenedor, Governador, Pai e Juiz. Incluiu toda a natureza e história. Reexaminou todo o tempo, da criação à consumação. Enfatizou a grandeza de Deus, não apenas como o começo e o fim de todas as coisas, mas como Aquele a quem devemos a nossa existência e a quem precisamos prestar contas. E afirmou que os seres humanos já sabem disso por revelação natural ou geral, e que a sua

---

[37] STOTT, John. *A mensagem de Atos*, p. 323,324.
[38] STOTT, John. *A mensagem de Atos*, p. 324.

ignorância e sua idolatria são, portanto, indesculpáveis. Assim Paulo os repreendeu com grande solenidade, para que se arrependessem antes que fosse tarde demais.³⁹

Ainda Stott é assaz oportuno quando escreve:

> Aprendemos de Paulo que não podemos pregar o evangelho de Jesus sem a doutrina de Deus, ou a cruz sem a criação, ou a salvação sem o juízo. O mundo de hoje precisa de um evangelho maior, o evangelho completo das Escrituras, que Paulo, mais tarde, falando aos presbíteros de Éfeso, chamaria de *todo o desígnio de Deus* (20.27).⁴⁰

Como os atenienses **reagiram à pregação** de Paulo (17.32-34)

Quando Paulo terminou seu sermão em Atenas, seu auditório revelou três reações.

Em primeiro lugar, ***uns escarneceram*** (17.32). Na cidade da refinada intelectualidade humana, houve pungente zombaria quando o evangelho foi anunciado. Os gregos escarneciam da doutrina da ressurreição. Eles acreditavam na imortalidade da alma, mas não na ressurreição do corpo. Os atenienses acreditavam no dualismo grego, da matéria má e do espírito bom. Para os gregos, o corpo era apenas o claustro da alma, um cárcere medonho do qual somos libertados pela morte. Por isso, quando ouviram Paulo falar sobre a ressurreição dos mortos, alguns escarneceram.

Hoje, muitos ainda escarnecem quando falamos sobre uma vida futura e a ressurreição dos mortos. A mensagem evangélica não é popular. Justo González alerta para o fato de que a verdadeira proclamação do evangelho não deve ser medida apenas por seus resultados, mas também, e acima de tudo, por sua fidelidade.⁴¹ Hoje, há muita pregação bem-sucedida de um evangelho falso. De acordo com o entendimento moderno, um bom pregador é qualquer um que consegue fazer

---

³⁹Stott, John. *A mensagem de Atos*, p. 326.
⁴⁰Stott, John. *A mensagem de Atos*, p. 326.
⁴¹González, Justo L. *Atos*, p. 245.

manobras para atrair multidões, independentemente do que é pregado. Aqueles, porém, que se juntam à igreja por causa do seu sucesso, e não por causa da verdade, não suportarão a perseguição nem permanecerão na igreja quando as nuvens ficarem pardacentas no horizonte. Paulo não negociou a verdade para agradar seu auditório. Foi simpático com seu público, mas colocou o dedo na ferida e conclamou-os ao arrependimento.

Em segundo lugar, *outros adiaram a decisão* (17.34a). Alguns ouvintes deixaram a resolução para depois numa polida indiferença. Adiaram a mais importante decisão da vida. Quantas oportunidades você ainda terá para acertar sua vida com Deus? Os passageiros do voo 3054 da TAM, que saíram de Porto Alegre para São Paulo no dia 17 de julho de 2007, eram, na sua maioria, jovens que tinham muitos sonhos e planos pela frente. Tocaram o solo no aeroporto de Congonhas num minuto e no outro se tornaram uma bola de fogo e mais tarde carvão. É consumada insensatez deixar para depois a mais importante decisão da sua vida. É impossível deixar de decidir. A indecisão já é uma decisão, a decisão de não decidir. Os indecisos decidem-se pela rejeição, pois Jesus disse que quem não é por Ele é contra Ele e quem com Ele não ajunta espalha.

Em terceiro lugar, *outros creram* (17.34b). Alguns creram e foram salvos. Qual será sua escolha hoje? Ponha sua confiança em Jesus. O Deus desconhecido dos atenienses, o Deus verdadeiro, pode agora mesmo ser o Deus da sua vida, o seu Criador, Salvador, Senhor, Sustentador e Juiz.

Em 30 de junho de 1958 Charles Blondin, o maior equilibrista do mundo, prometia um espetáculo inédito. Atravessaria a tormenta das Cataratas de Niágara sobre um cabo de aço esticado entre os Estados Unidos e o Canadá. Multidões se deslocaram de Toronto, Buffalo e cidades vizinhas para ver a façanha. O cabo de aço foi esticado sobre a grande cachoeira, e o rio, com sua célere correnteza, anunciava a morte iminente e irremediável para quem caísse no precipício. As pedras pontiagudas eram sovadas pela fúria das águas que despejavam em cataduras. O cenário era de meter medo nos mais corajosos. Diante de uma multidão pasma, Blondin subiu no cabo de aço e calmamente atravessou de um lado para o outro, sob aplausos efusivos e arrebatadores dos expectadores. Após esse inédito prodígio, Blondin propôs um novo desafio. Atravessaria novamente sobre aquele grande abismo, agora levando consigo seu empresário, mr. Colcord. Parecia algo impossível. Quando estavam exatamente no meio do percurso, um espertalhão inconsequente cortou uma das cordas que sustentavam o cabo de aço. O cabo balançou e a tragédia parecia inevitável. Os expectadores, com a respiração suspensa, não acreditavam mais no sucesso da segunda empreitada. Nesse momento Blondin disse a seu empresário: "Colcord, agarre-se a mim. Eu e você somos um. Confie em mim e venceremos". Aquilo que parecia impossível aconteceu. Ambos chegaram salvos do outro lado da tormenta, sob os aplausos demorados e ruidosos de uma multidão extasiada.

Entre o céu a terra existe também um grande abismo. O inferno está com a bocarra aberta buscando tragar sua vida. Só existe uma pessoa que pode levar você em segurança ao céu. Essa pessoa é Jesus. Confie nEle. Agarre-se a Ele. Ponha Sua fé nEle e, então, Ele o levará para o céu, salvo e seguro!

18

Uma igreja em Corinto, a capital da Acaia

Atos 18.1-28

O APÓSTOLO PAULO FUNDOU A IGREJA DE CORINTO ao final da sua segunda viagem missionária. Ele passou um ano e seis meses pregando a Palavra de Deus naquela grande cidade (18.11) e nesse período levou aqueles crentes a Cristo (1Co 4.15). Depois, Paulo se dirigiu à cidade de Éfeso, na Ásia Menor, de onde enviou uma carta à igreja de Corinto.

Paulo adotou deliberadamente a política de evangelizar os grandes centros urbanos de seu tempo. Assim, em sua primeira viagem missionária, visitou Salamina e Pafos, no Chipre, e Antioquia da Pisídia, Icônio, Listra e Derbe, na Galácia; em sua segunda viagem, pregou em Filipos, Tessalônica e Bereia, na Macedônia, e Atenas e Corinto, na Acaia; e, durante a maior parte da terceira viagem, concentrou-se em Éfeso.[1] Howard Marshall observa que Corinto e Éfeso foram as duas cidades mais importantes que Paulo visitou no decurso da Sua obra missionária.[2] Corinto era um grande centro comercial, um mercado de fama mundial, que controlava o comércio em todas as direções, não apenas de norte a sul por terra, mas também de leste a oeste por mar.

---

[1] STOTT, John. *A mensagem de Atos*, p. 330.
[2] MARSHALL, I. Howard. *Atos: introdução e comentário*, 1982, p. 275.

Essa grande metrópole tinha dois portos. Era uma cidade de navegadores e mercadores. Suas feiras estavam repletas de produtos estrangeiros.[3] Por sua vez, Éfeso, também famosa pelo comércio, era conhecida como o mercado da Ásia. Além disso, era um dos maiores centros religiosos da época, pois o templo de Diana, uma das sete maravilhas do mundo antigo, atraía turistas e religiosos de toda a parte. Essas duas cidades eram absolutamente estratégicas, e Paulo tinha os olhos bem abertos para perceber isso.

Paulo era um missionário fiel e relevante. Selecionava as cidades para as quais se dirigia com muito critério e cuidado. Por que Paulo escolheu Corinto? Por que permaneceu dezoito meses nessa cidade? Levantamos aqui algumas razões que podem explicar essa decisão.

Em primeiro lugar, *a razão geográfica*. Embora Corinto tivesse prosperado séculos antes, em 146 a.C. a cidade foi completamente demolida pelos romanos como punição por sua resistência à ocupação romana. Em 44 a.C., Corinto foi reconstruída por ordem de Júlio César, que estabeleceu um grande número de colonos italianos ali. Graças à sua grande atividade comercial, a cidade logo atraiu milhares de habitantes cuja principal ocupação era o comércio. Em 27 a.C., César Augusto criou a província senatorial de Acaia, e Corinto passou a ser sua capital.[4]

Corinto não era apenas a capital da província da Acaia, mas também um grande centro urbano, com uma população estimada em duzentos mil habitantes.[5] Ficava bem próxima de Atenas, a grande capital da Grécia e capital intelectual do mundo. Corinto era banhada por dois mares, o Egeu e o Jônico.[6] Cerca de 3 km ao norte de Corinto, ficava o porto de Léquio, que recebia navios da Itália, da Espanha e do norte da África. O porto de Cencreia, localizado 11 km a leste de Corinto, possibilitava o tráfego marítimo nos dois sentidos para o Egito, Fenícia e Ásia Menor.[7] A cidade de Corinto recebia gente nova todos os dias e

---

[3] STOTT, John. *A mensagem de Atos*, p. 330,331.
[4] GONZÁLEZ, Justo L. *Atos*, p. 247.
[5] WIERSBE, Warren W. *Comentário bíblico expositivo*, p. 615.
[6] EARLE, Ralph. *Livro dos Atos dos Apóstolos*, p. 343.
[7] KISTEMAKER, Simon. *Atos*. Vol. 2, p. 206.

dela saía gente diariamente. Pessoas oriundas do mundo inteiro fervilhavam pelas ruas e praças. Corinto ficava no corredor do mundo. Era uma cidade cosmopolita, pois o mundo inteiro estava dentro dela.

John Stott destaca o fato de que Corinto estava localizada junto ao istmo que unia a península do Peloponeso ao continente.[8] Evangelizar Corinto, portanto, era um plano estratégico, porque a partir dessa cidade o evangelho poderia espalhar-se e alcançar o mundo inteiro.

Em segundo lugar, *a razão social*. Corinto era uma grande e riquíssima cidade, que abrigava um comércio intenso e próspero. Além do comércio robusto, era também uma cidade florescente com respeito à cultura.

Corinto atingiu seu apogeu no século VII a.C. A rivalidade entre Atenas e Corinto contribuiu para um declínio que foi acelerado pela Guerra de Peloponeso (431-404 a.C.). Quase três séculos depois, os romanos conquistaram Corinto. Quando uma revolta estourou contra Roma em 146 a.C., o general romano Lucius Mummius matou todos os homens de Corinto e vendeu suas mulheres e crianças como escravas.[9] Porém, quando Corinto se tornou a capital da província da Acaia, em 27a.C., os negócios floresceram, atraindo muitos judeus, que ali construíram uma sinagoga.[10]

Quando Paulo chegou a Corinto, a cidade era, de certa forma, nova e recentemente reconstruída. A psicologia da religião prova que uma igreja tem maior probabilidade de crescer numa cidade nova e florescente do que numa cidade antiga, onde a tradição religiosa já está arraigada. Paulo entendeu que o florescimento da cidade era um campo fértil para semear o evangelho e para plantar uma igreja estratégica.

Em terceiro lugar, *a razão cultural*. Corinto era uma das cidades mais importantes do mundo na época, em três aspectos distintos:

Seu comércio. Por ser uma cidade marítima e privilegiada com dois prestigiosos portos, Corinto era rota comercial importante, pois o comércio do mundo passava por ali, por isso, muitas pessoas chegavam e saíam

---

[8]STOTT, John. *A mensagem de Atos*, p. 330.
[9]KISTEMAKER, Simon. *Atos*. Vol. 2, p. 206,207.
[10]KISTEMAKER, Simon. *Atos*. Vol. 2, p. 207.

de Corinto constantemente. Isso foi visto por Paulo como uma porta aberta para a pregação e uma oportunidade de plantar ali uma igreja, que se tornaria uma agência missionária para o mundo inteiro.

Sua tradição esportiva. Corinto era uma cidade elogiável também nos esportes. A prática dos jogos ístmicos de Corinto só era superada na época pelos jogos olímpicos de Atenas. A cidade atraia gente do mundo inteiro para a prática esportiva. Ali a juventude fervilhava, e a cidade pulsava vida e entusiasmo. Paulo entendeu que aquela era uma cidade que precisava ser alcançada pelo evangelho da graça de Deus.

Sua abertura a novas ideias. Corinto era altamente intelectual. O principal *hobby* dos habitantes era ouvir os grandes filósofos e pensadores exporem suas ideias em praça pública. A cidade transpirava cultura e conhecimento. Paulo entendia que o evangelho poderia chegar ali e mudar toda a cosmovisão da cidade.

Em quarto lugar, **a razão moral**. Embora Corinto fosse uma cidade extremamente intelectual, era também moralmente depravada. Corinto tinha recebido a alcunha de cidade mais depravada de seu tempo. Se tirarmos hoje uma radiografia da nossa sociedade, poderemos dizer: Que sociedade corrompida! Que sociedade poluída, maculada pela sensualidade, pela pornografia, pela imoralidade sexual! Mas a nova moralidade que testemunhamos hoje nada mais é do que a velha moralidade travestida com roupagem talvez um pouquinho diferente. A degradação moral de Corinto pode ser identificada pelas seguintes razões:

A prostituição. Em Corinto a religião se confundia com a prática sexual. Afrodite, considerada a deusa do amor, era adorada e tinha o seu templo-sede na Acrópole, a parte mais alta da cidade. Alguns estudiosos afirmam que aproximadamente dez mil mulheres trabalhavam nesse templo de Afrodite como prostitutas cultuais. No topo da mais alta montanha de Corinto, as sacerdotisas adoravam aquela divindade pagã através da prostituição. Não bastasse isso, essas prostitutas cultuais desciam durante a noite para a cidade e se entregavam aos muitos marinheiros e turistas que ali aportavam. De fato, o ambiente era profundamente marcado pela prostituição e pela impureza sexual.

O homossexualismo. Em Corinto ficavam os principais monumentos a Apolo, deus grego que representava a beleza do corpo masculino.

A adoração a Apolo induzia a juventude, não apenas coríntia, mas a juventude grega em geral, a se entregar ao homossexualismo. Talvez Corinto fosse o centro homossexual do mundo na época. Se você quer ter uma vaga ideia do que isso significava, lembre-se de como Paulo descreveu com cores vivas esse assunto em sua carta aos Romanos (Rm 1.24-28). É provável que o apóstolo tenha escrito sua carta aos Romanos em Corinto. Podemos imaginar, então, Paulo escrevendo sobre o homossexualismo após abrir a janela da sua casa e olhar para Corinto. Era uma cidade de práticas homossexuais despudoradas. Muitos membros da igreja de Corinto tinham vivido na prática do homossexualismo antes de se converterem (1Co 6.9). Essa era a situação dessa grande cidade.

Em quinto lugar, *a razão espiritual*. Corinto tinha muitos deuses e muitos ídolos. Até hoje, quando se visita a cidade, é possível visualizar enorme gama de estátuas e monumentos dedicados aos deuses. Por isso, Paulo entende que aquela cidade precisava do Deus verdadeiro. A mente estratégica de Paulo encontra em Corinto uma sinagoga, uma ponte para o evangelho. A partir dessa ponte, Paulo leva o evangelho a toda a cidade.

Examinemos agora alguns pontos de Atos 18.1-28 que nos chamam a atenção.

Paulo chega a Corinto (18.1-4)

Paulo viaja cerca de 80 km de Atenas a Corinto, importante cidade grega, centro comercial e ponto de parada de viajantes. Dinheiro e depravação, filosofias estranhas e novas religiões – tudo era bem recebido ali. Paulo chega a essa grande cidade, de muitos deuses e muita corrupção moral, para pregar a cruz de Cristo no poder do Espírito Santo (1Co 2.4). De acordo com William MacDonald, alguns escritores acreditam que Paulo partiu de Atenas em virtude dos pífios resultados de sua pregação naquela metrópole. Preferimos crer que ele foi conduzido pelo Espírito Santo em sua jornada até Corinto, a capital da Acaia.[11]

---

[11] MACDONALD, William. *Believer's Bible commentary*, p. 1640.

Como já citado, no ano 49 d.C., um ano antes de Paulo chegar a Corinto, o imperador Cláudio havia expulsado de Roma todos os judeus. Por essa causa, Priscila e Áquila deixaram a Itália e foram morar em Corinto. Esse casal era colaborador do ministério de Paulo e exercia o mesmo ofício do apóstolo, a fabricação de tendas. Em Corinto, Paulo foi morar com eles, trabalhando com as mãos para seu sustento (2Co 11.7-9). Paulo jamais deixou de pregar o evangelho por falta de sustento das igrejas. Nessas circunstâncias trabalhava para sua própria sobrevivência. Esse não era o ideal de Deus, pois o princípio divino é: *...Aos que pregam o evangelho que vivam do evangelho* (1Co 9.14). Porém, para evitar qualquer obstáculo à pregação do evangelho, Paulo se abstinha de receber o sustento material (1Co 9.12b).

Aos sábados, Paulo ia à sinagoga persuadir tanto os judeus como os gregos prosélitos acerca da fé em Cristo. Priscila e Áquila formavam um casal dedicado, que servia fielmente a Deus e arriscou a própria vida por Paulo (Rm 16.3,4). Ajudaram-no em Corinto (18.2,3) e em Éfeso (18.18-28), onde a igreja se reunia em sua casa (1Co 16.19). O versículo 2 é o único trecho em todo o Novo Testamento em que Áquila é mencionado antes de Priscila (18.18,26; Rm 16.3; 2Tm 4.19). Justo González acredita que o fato de Priscila aparecer primeiro parece indicar que ela era mais importante na vida da igreja do que seu marido.[12]

Tanto em Corinto como em Éfeso, as maiores cidades da Acaia e Ásia Menor respectivamente, Paulo adotou praticamente a mesma metodologia: a) começou a falar na sinagoga na tentativa de "persuadir" os ouvintes judeus de que Jesus era o Cristo (18.4,5; 19.8); b) à rejeição dos judeus, deixando a sinagoga e passando a evangelizar os gentios (18.6,7; 19.9); c) a ousadia de Paulo foi recompensada por muitas pessoas que ouviram o evangelho e creram (18.8; 19.10); d) Jesus confirmou a sua palavra e encorajou o Seu apóstolo – em Corinto através de uma visão e em Éfeso através de milagres extraordinários (18.9,10; 19.11,12); e e) as autoridades romanas rejeitaram a oposição e declararam a legitimidade do evangelho – em Corinto

---

[12] GONZÁLEZ, Justo L. *Atos*, p. 248.

através do procônsul Gálio, e em Éfeso através do escrivão da cidade (18.12-17; 19.35-40).[13]

Paulo prega em Corinto (18.5)

Paulo precisou exercer o ministério de tempo parcial até a chegada de Silas e Timóteo em Corinto (17.14,15; 18.5). Esses obreiros trouxeram ofertas das igrejas macedônias a Paulo (2Co 11.8,9; Fp 4.15) e, com isso, o apóstolo deixou seu trabalho secular e dedicou-se exclusivamente à pregação do evangelho. O cerne de sua mensagem consistia em provar que o Jesus histórico era o Messias esperado pelos judeus. Na cidade de tantas ideias e tantas filosofias, Paulo pregou Cristo e este crucificado, escândalo para os judeus e loucura para os gentios; para os salvos, porém, sabedoria de Deus (1Co 1.23-25).

Além de absolutamente cristocêntrica, a mensagem de Paulo era uma demonstração do Espírito e de poder (1Co 2.4,5). O apóstolo não se fiava em sabedoria humana nem se estribava no poder da eloquência, mas pregava no poder do Espírito Santo.

Paulo enfrenta oposição em Corinto (18.6)

A pregação da cruz de Cristo em Corinto tornou-se escândalo para os judeus e loucura para os gentios (1Co 1.23). Os judeus aguardavam um Messias vencedor, não o Messias sofredor. Queriam um Messias conquistador, não o Messias que verteu seu sangue no Calvário. A palavra da cruz foi e continua sendo loucura para os que se perdem (1Co 1.18).

Em virtude da ferrenha oposição dos judeus ao apóstolo e à sua mensagem, Paulo sacudiu as vestes e tomou a decisão de concentrar seu ministério nos gentios (18.6). Warren Wiersbe explica que *sacudir as vestes* era um gesto de julgamento que significava: "Você teve sua oportunidade, mas a desperdiçou".[14] Jesus havia instruído Seus discípulos a sacudir o pó dos pés quando percebessem que seus ouvintes não queriam aceitar a mensagem do evangelho (Mt 10.14; At 13.51).

---

[13] STOTT, John. *A mensagem de Atos*, p. 332.
[14] WIERSBE, Warren W. *Comentário bíblico expositivo*, p. 616.

Paulo aludia à Palavra de Deus dita a Ezequiel com respeito ao vigia que tocava a trombeta para avisar o povo de perigo iminente. Se alguém deixasse de ouvir e fosse morto à espada, seu sangue seria sobre sua própria cabeça e o vigia não seria considerado culpado (Ez 33.4). Paulo declarou que havia cumprido seu dever e dali em diante os judeus assumiriam toda a responsabilidade por sua recusa em aceitar o evangelho. Ele se considerava livre de culpa e absolvido do julgamento de Deus que um dia cairia sobre os judeus (20.26).[15]

Sempre que Deus abençoa um ministério, podemos esperar não apenas mais oportunidades, como também mais oposição.[16] O próprio Paulo escreveu: *Porque uma porta grande e oportuna para o evangelho se me abriu; e há muitos adversários* (1Co 16.9).

Paulo testemunha muitas conversões em Corinto (18.7,8)

A decisão de voltar-se para os gentios rendeu frutos imediatos. Tício Justo, homem temente a Deus que morava ao lado da sinagoga, acolheu Paulo, ao passo que Crispo, líder da sinagoga, converteu-se com toda a sua família. A partir daí muitos coríntios converteram-se ao Senhor e foram batizados. A mudança para a propriedade vizinha à sinagoga foi altamente bem-sucedida, pois muitos coríntios agora ouviam a mensagem, criam e eram batizados.

Paulo recebe uma visão em Corinto (18.9-11)

Diante da ferrenha oposição em Tessalônica e Bereia, cidades da Macedônia, Paulo partiu e foi pregar em outras localidades. Em Corinto, porém, aconteceu o contrário. A oposição dos judeus só aumentou sua determinação de permanecer na cidade e continuar seu trabalho. O próprio Deus apareceu a Paulo numa visão e lhe disse: ...*Não temas; pelo contrário, fala e não te cales; porquanto eu estou contigo, e ninguém ousará fazer-te mal, pois tenho muito povo nesta cidade* (18.9,10). Jesus já havia aparecido a Paulo na estrada para Damasco (9.1-6; 26.12-18) e

---

[15] KISTEMAKER, Simon. *Atos*. Vol. 2, p. 212.
[16] WIERSBE, Warren W. *Comentário bíblico expositivo*, p. 616.

lhe apareceria no templo (22.17,18). Paulo seria encorajado novamente pelo Senhor quando preso em Jerusalém (23.11) e, posteriormente, em Roma (2Tm 4.16,17). O anjo do Senhor também apareceria a Paulo, em meio à tempestade, para garantir a segurança dos passageiros e da tripulação (27.23-25). Um dos nomes de Jesus é *Emanuel – Deus conosco* (Mt 1.23), título ao qual Ele faz jus.[17]

Howard Marshall diz que a declaração indica a presciência divina do sucesso do evangelho em Corinto. Fortalecido por esta mensagem, Paulo podia aguardar o duplo cumprimento: a sua própria proteção contra a perseguição e a evangelização bem-sucedida.[18] Três fatos acerca dessa visão merecem destaque.

Em primeiro lugar, **uma ordem expressa de Deus**. O Senhor é categórico e enfático ao apóstolo, diante das nuvens escuras da perseguição: *Não temas; pelo contrário fala e não te cales* (18.9). A perseguição produz medo. Após ser apedrejado em Listra e açoitado em Filipos, Paulo podia ser tentado a recuar diante de novos embates. Em vez de temer diante da oposição, Paulo recebe ordens para falar e não se calar. A pregação deve prosseguir mesmo diante da oposição mais implacável.

Em segundo lugar, **uma promessa consoladora de Deus**. O Senhor conforta o coração do apóstolo dizendo-lhe: *...Eu estou contigo, e ninguém ousará fazer-te mal...* (18.10). A presença de Deus é o nosso escudo protetor. Quando estamos sob as asas do Onipotente, não precisamos temer. Quando estamos escondidos com Cristo, em Deus, nas regiões celestiais, não precisamos temer o ataque do inimigo. O cumprimento da profecia celestial ocorreu quando Gálio se tornou procônsul da província romana da Acaia. A narrativa de Lucas sugere que os judeus lançaram mão da oportunidade oferecida pela chegada de um novo governador para atacar Paulo. O ataque, porém, não prosperou diante do procônsul, e o evangelho recebeu legitimidade por parte da autoridade romana.[19]

Em terceiro lugar, **uma revelação gloriosa de Deus**. O Senhor revela que havia muitos eleitos naquela cidade e cabia a Paulo chamá-los por

---

[17] WIERSBE, Warren W. *Comentário bíblico expositivo*, p. 618.
[18] MARSHALL, I. Howard. *Atos: introdução e comentário*, 1982, p. 279.
[19] MARSHALL, I. Howard. *Atos: introdução e comentário*, 1982, p. 280.

meio do evangelho: ... *pois eu tenho muito povo nesta cidade* (18.10b). A doutrina da eleição, longe de anular o ímpeto evangelístico da igreja, deve ser seu maior incentivo. O mesmo Deus que elege os fins, a salvação dos eleitos, também elege os meios, a pregação do evangelho, para chamá-los à salvação. O povo que Deus havia escolhido na cidade de Corinto desde toda a eternidade deveria ser chamado à salvação por intermédio do ministério de Paulo. O próprio Jesus garante que a obra de Paulo em Corinto dará frutos. O próprio Deus destina seu povo para a vida eterna (13.48), abre o coração das pessoas para a mensagem do evangelho (16.14) e as conduz à salvação. Leon Morris observa: "Elas ainda não tinham feito nada para serem salvas; muitas nem sequer haviam escutado o evangelho. Mas elas pertenciam a Deus. Claramente é Ele quem as conduziria à salvação na hora certa.[20]

A Bíblia diz que Deus conhece os que Lhe pertencem (2Tm 2.19). Jesus conhece Suas ovelhas. Ele as chama pelo nome, e elas O seguem. Aqueles que são destinados para a salvação creem (13.48). Nosso papel não é especular sobre a soberania divina na salvação, mas proclamar o evangelho a toda criatura. Nosso trabalho não é especular sobre a eleição dos outros, mas procurar com diligência cada vez maior confirmar nossa própria vocação e eleição (2Pe 1.10). Em vez de teorizar sobre o número dos eleitos, devemos esforçar-nos para entrar pela porta estreita (Lc 13.23,24).

Encorajado pela visão, Paulo permaneceu um ano e meio em Corinto, ensinando a Palavra de Deus. Sabemos que Deus abençoou o ministério de Paulo ali, porque havia crentes em toda a província da Acaia (2Co 1.1). No porto da cidade de Cencreia, alguns crentes fundaram uma igreja na qual Febe servia ao Senhor.

Paulo enfrenta maior oposição em Corinto (18.12-17)

A obra de Deus suscita a fúria dos adversários. Os judeus se revoltaram concordemente contra Paulo e o levaram ao tribunal do procônsul romano Gálio. John Stott diz que Lucas estava certo ao chamar Gálio

---

[20] MORRIS, Leon. *New Testament theology*. Grand Rapids, MI: Zondervan, 1986, p. 154.

de *procônsul*, pois, naquele tempo, a Acaia era uma província senatorial do Império, portanto governada por um procônsul – enquanto uma província imperial era governada por um legado.[21]

Esse Gálio era o irmão mais velho de Sêneca, o filósofo e tutor de Nero.[22] A chegada de um novo procônsul deu aos judeus incrédulos a esperança de que Roma declararia ilegal a nova "seita cristã". Os judeus faziam queixas religiosas contra Paulo. Diziam que ele ensinava os homens a adorar a Deus por modo contrário à lei. O procônsul não acolheu a acusação dos judeus, julgando ser uma matéria de mero interesse religioso, e fez pouco caso da demanda, expulsando os judeus do tribunal. Ao se recusar a julgar o caso, Gálio deixou claro que Roma não se envolveria com as controvérsias religiosas dos judeus. No que lhe dizia respeito, Paulo e Seus discípulos tinham tanto direito quanto os judeus de praticar sua religião e compartilhá-la com outros.[23]

John Stott corrobora essa ideia dizendo que, na prática, o procônsul deu um veredito favorável à fé cristã e estabeleceu um precedente significativo. O evangelho não podia mais ser acusado de ilegalidade, pois a sua liberdade como *religio licita* fora assegurada pela política imperial.[24] Simon Kistemaker observa que o governo romano permitia aos judeus adorar seu Deus tão livremente quanto os outros povos faziam com relação às suas divindades pagãs. As autoridades romanas sempre garantiram liberdade religiosa para os judeus, conquanto eles não perdessem esses direitos mediante ações revolucionárias.[25]

Gálio não deu a Paulo a oportunidade de se defender perante seus acusadores, porque para ele o assunto nada tinha que ver com a lei romana, mas com os meandros da religião judaica. Os judeus foram obrigados a ouvir que tinham levado a Gálio uma acusação que deveria ser julgada na sinagoga local, e não no tribunal de Gálio.[26]

---

[21]STOTT, John. *A mensagem de Atos*, p. 336,337.
[22]RIENECKER, Fritz; ROGERS, Cleon. *Chave linguística do Novo Testamento grego*, p. 228; HENRY, Matthew. *Matthew Henry's commentary*, p. 1709.
[23]WIERSBE, Warren W. *Comentário bíblico expositivo*, p. 619.
[24]STOTT, John. *A mensagem de Atos*, p. 337.
[25]KISTEMAKER, Simon. *Atos*. Vol. 2, p. 221.
[26]KISTEMAKER, Simon. *Atos*. Vol. 2, p. 222.

Warren Wiersbe destaca que, no livro de Atos, Lucas enfatiza a relação entre o governo romano e a igreja cristã. Embora seja verdade que um conselho de judeus tenha proibido os apóstolos de pregar (4.17-21; 5.40), não há evidências em Atos de que Roma tenha feito o mesmo. Aliás, em Filipos (16.35-40), Corinto e Éfeso (19.35), os governantes romanos se mostraram não apenas tolerantes, mas também cooperativos.[27]

Paulo visita as igrejas depois de Corinto (18.18-23)

Paulo saiu de Corinto acompanhado de Priscila e Áquila rumo a Éfeso, capital da Ásia Menor, onde pregou aos judeus na sinagoga. Ali, Paulo deixou o casal colaborador e partiu para a Cesareia, subindo até Jerusalém. Depois retornou a Antioquia, a igreja enviadora, e dali percorreu as igrejas plantadas na primeira viagem missionária, ou seja, as igrejas de Antioquia da Pisídia, Icônio, Listra e Derbe. Paulo tinha profundo senso de responsabilidade tanto com as igrejas que o enviaram ao campo missionário quanto com as igrejas que haviam sido plantadas nessas viagens missionárias. Ele era tanto um plantador de igrejas como um pastor que nutria os neófitos na fé.

Paulo conta com colaboradores especiais depois de Corinto (18.24-28)

Apolo era natural de Alexandria, a segunda cidade mais importante do Império. Fundada por Alexandre, o Grande (daí seu nome) em 332 a.C., só perdia para Atenas como centro de cultura e aprendizado. Ali a Septuaginta foi traduzida e o judeu Filo se tornou famoso no primeiro século como gênio intelectual que combinava a filosofia grega com as Escrituras hebraicas, interpretando as Escrituras alegoricamente. A cidade possuía uma biblioteca universitária contendo quase setecentos mil livros. E sua população ultrapassava os seiscentos mil habitantes.[28]

---

[27]WIERSBE, Warren W. *Comentário bíblico expositivo*, p. 619.
[28]WIERSBE, Warren W. *Comentário bíblico expositivo*, p. 621.

Apolo chega a Éfeso, capital da província romana da Ásia Menor e seu centro comercial mais importante, com uma população em torno de trezentos mil habitantes. Graças ao porto que recebia mercadorias de todo o mundo e também escoava seus produtos, e graças ao templo da deusa Diana, uma das setes maravilhas do mundo antigo, a cidade atraía inúmeros visitantes do mundo inteiro. Esse templo de mármore branco era muito maior do que o Parthenon de Atenas. O colossal monumento tinha 140 metros de comprimento por mais de 78 metros de largura; e era sustentado por 100 colunas de quase 17 metros de altura cada. No recinto sagrado ficava a imagem de Diana (19.35).[29]

Apolo era um homem eloquente e poderoso nas Escrituras. Obreiro instruído na Palavra, pregava com entusiasmo e paixão. A expressão *fervoroso de espírito* significa literalmente "fervendo em seu espírito", isto é, cheio de entusiasmo.[30] Nas palavras de Matthew Henry, Apolo era um pregador que tinha tanto o fogo divino quanto a luz divina. Muitos pregadores são fervorosos de espírito, mas são fracos no conhecimento. Por outro lado, outros são eloquentes nas Escrituras, mas lhes falta fervor.[31]

Quatro coisas são ditas acerca de Apolo: a) ele era judeu; b) nasceu em Alexandria, cidade egípcia na qual durante muito tempo grande colônia de judeus ocupava dois de seus cinco bairros; c) era um varão eloquente; d) era poderoso nas Escrituras.[32]

Mesmo pregando com fervor e precisão sobre Jesus, Apolo não tinha todo conhecimento necessário. Vendo o potencial desse obreiro, Priscila e Áquila investiram nele e expuseram-lhe com mais exatidão o caminho de Deus. Nas igrejas do Novo Testamento, embora as mulheres não fossem ordenadas aos ofícios de liderança,[33] tinham espaço para serem cheias do Espírito Santo (1.14; 2.1,4) e para profetizarem (2.17,18; 21.9) bem como para ensinar teologia a um homem pregador (18.26).

---

[29]WIERSBE, Warren W. *Comentário bíblico expositivo*, p. 621.
[30]RIENECKER, Fritz; ROGERS, Cleon. *Chave linguística do Novo Testamento grego*, p. 229.
[31]HENRY, Matthew. *HENRY, Matthew's Commentary*. 1961, p. 1711.
[32]EARLE, Ralph. *Livro dos Atos dos Apóstolos*, p. 349.
[33]Diaconisas, presbíteras e pastoras.

Aqueles que hoje querem proibir as mulheres cristãs, cheias do Espírito Santo, de pregar a Palavra de Deus e ensinar as santas Escrituras até mesmo na escola bíblica dominical, estão em desacordo com o exemplo das igrejas primitivas. Sobre este assunto, Justo González escreve:

> Priscila – e também as quatro filhas de Filipe, que pregavam (21.9) – é uma indicação do que Pedro disse em seu discurso do Pentecostes, de que os dons do Espírito são derramados sobre os jovens e velhos, os homens e mulheres. Diante dos atos desse Espírito, todas as limitações que nós, seres humanos, impomos uns aos outros devem ser afastados. A igreja latino-americana tem um valioso recurso nas mulheres, e os que se recusam a permitir o uso apropriado desses recursos devem ter cuidado para que não se vejam resistindo ao Espírito.[34]

John Stott afirma que o ministério de Priscila e Áquila foi oportuno e discreto. É muito melhor dar esse tipo de ajuda particular a um pregador, cujo ministério é defeituoso, do que corrigi-lo ou denunciá-lo publicamente.[35] Os ensinos recebidos foram eficazes, e os cristãos em Éfeso passaram a ter plena confiança em Apolo, a ponto de escreverem uma carta de apresentação aos discípulos na Acaia quando ele resolveu ir para lá.[36]

Chegando a Acaia, especificamente a Corinto, Apolo auxiliou muito os crentes, porque com grande poder convencia publicamente os judeus, provando por meio das Escrituras que Jesus era de fato o Messias. A eloquência e a erudição de Apolo chamaram a atenção (1Co 1.12; 3.4-6; 4.6). Mais tarde Paulo disse que ele plantou, mas foi Apolo quem regou a semente do evangelho em Corinto (1Co 3.6). É triste que uma "panelinha" se tenha formado ao redor dele e contribuído para causar divisão na igreja.[37]

---

[34] GONZÁLEZ, Justo L. *Atos*, p. 262.
[35] STOTT, John. *A mensagem de Atos*, p. 340.
[36] MARSHALL, I. Howard. *Atos: introdução e comentário*, 1982, p. 286.
[37] WIERSBE, Warren W. *Comentário bíblico expositivo*, p. 622.

19

Uma igreja em Éfeso, a capital da Ásia Menor

Atos 19.1-41

A IGREJA DE ÉFESO TORNOU-SE A IGREJA MAIS IMPORTANTE do primeiro século, depois da igreja de Jerusalém e de Antioquia da Síria. Em três anos que Paulo passou nessa grande metrópole de duzentos mil habitantes, o evangelho espalhou-se por toda a província da Ásia Menor, com igrejas estabelecidas em Laodiceia, Hierápolis, Colossos e outras regiões. Conforme Simon Kistemaker, embora em ocasião anterior o Espírito Santo o tivesse impedido de entrar na província da Ásia (16.6), Paulo considerou Éfeso crucial para a divulgação do evangelho.[1]

À guisa de introdução destacamos três pontos importantes.

Em primeiro lugar, *a importância estratégica da cidade de Éfeso*. Paulo escolhia com esmero as cidades nas quais se fixar. Éfeso não era apenas a capital da Ásia, mas também umas das cidades mais influentes do mundo. Ali ficavam o centro do culto ao imperador na Ásia Menor e o templo de Diana, o maior edifício da época, atraindo multidões de fiéis de todas as partes. Éfeso era também um grande centro de ocultismo do primeiro século. Alcançar essa metrópole com o evangelho era dar um passo decisivo na evangelização de toda a província da Ásia.

---
[1] KISTEMAKER, Simon. *Atos*. Vol. 2, p. 242.

Paulo permaneceu em Éfeso mais tempo do que em qualquer outra parte. William Barclay elenca seis razões pelas quais Paulo se dedicou tanto tempo nessa grande metrópole:[2]

Éfeso era o grande centro comercial da Ásia Menor. Os vales férteis cortados pelos rios eram os principais redutos do comércio. A cidade ficava na desembocadura do rio Cayster e a menos de 5 km do mar Egeu, para dentro do continente, por isso dominava o comércio da região. Éfeso era considerada a tesoureira e a feira das vaidades da Ásia Menor.

Éfeso era a sede dos tribunais. Werner de Boor diz que a grandeza e a importância de Éfeso motivaram os romanos a conceder a essa cidade certa autonomia política, com um senado próprio e uma assembleia do povo. Por isso, no caso do levante dos ourives, não intervém o procônsul romano, mas o chanceler da própria cidade.[3] Em determinados momentos, o governador romano chegava à cidade para julgar os grandes casos penais. A cidade estava familiarizada com toda a ostentação do poder e da justiça de Roma.

Éfeso era a sede dos Jogos Panjônicos. Toda a região concorria a esses jogos. Os asiarcas sentiam-se honrados em organizar e promover essa modalidade esportiva. Ao visitar as ruínas de Éfeso em julho de 2011, vi as escavações arqueológicas que desenterraram a arena, no qual, estima-se, era possível acomodar 24 mil pessoas sentadas.

Éfeso era o lar dos delinquentes. O templo de Diana possuía o direito de asilo. Isto significava que, se algum delinquente alcançasse a área que rodeava o templo, estaria a salvo. Assim, a cidade se convertera no lar de assassinos, transgressores da lei e criminosos do mundo antigo.

Éfeso era o centro da superstição pagã. Os encantamentos e magias reunidos nas chamadas "Cartas de Éfeso" prometiam proteção nas viagens, filhos aos que não os tinham, êxito no amor e nos negócio. Pessoas de todas as partes do mundo se dirigiam a Éfeso para comprar esses pergaminhos mágicos, que eram usados como amuletos e talismãs.

Éfeso era o palco do grande templo de Diana. Um suntuoso templo de mármore branco, com colunas bordejadas de ouro, oito vezes maior do

---

[2] BARCLAY, William. *Hechos de los Apóstoles*, p. 150,151.
[3] DE BOOR, Werner. *Atos dos Apóstolos*, p. 271.

que o Parthenon. A maior glória de Éfeso era sediar o templo pagão mais famoso do mundo.

Em segundo lugar, *a presença de Paulo na cidade de Éfeso*. Era propósito de Paulo ter entrado na Ásia já no começo da segunda viagem missionária. Naquela época, o apóstolo foi impedido pelo próprio Deus. Agora, chegara o tempo oportuno de colocar o pé na Ásia e evangelizar essa província. Foi nessa cidade em que Paulo mais permaneceu. Ensinou três meses na sinagoga e dois anos na escola de Tirano. Ao todo foram três anos de intenso trabalho, pregando e ensinando judeus e gregos sobre o arrependimento e a fé em Cristo (20.20,21,31). Paulo Pregava tanto publicamente como também de casa em casa.

Em terceiro lugar, *a importância da igreja de Éfeso na evangelização da Ásia*. A igreja de Éfeso tornou-se a mais importante a partir da terceira viagem missionária de Paulo. Dali saíram os obreiros para plantar as igrejas da Ásia Menor. Por esta igreja passaram Priscila e Áquila. Nessa igreja ministrou Apolo. A essa igreja Paulo enviou Timóteo. Mais tarde, o apóstolo João também foi pastor ali e a própria Maria, mãe de Jesus, morou em Éfeso e pertenceu à igreja de Éfeso. Dali Paulo escreveu suas duas cartas aos coríntios. Paulo escreveu suas duas cartas a Timóteo quando este era pastor da igreja de Éfeso. De Éfeso João escreveu seu evangelho e suas três epístolas. Como vemos, a igreja de Éfeso tornou-se o centro das atenções apostólicas.

Destacamos alguns pontos importantes sobre o texto.

Paulo identifica um **testemunho incoerente** (19.1-7)

Depois que Apolo pregou uma mensagem incompleta em Éfeso, deixa a cidade rumo a Corinto, e Paulo chega para permanecer na metrópole por três anos. É em Éfeso que Paulo encontra doze homens com um testemunho incoerente, que haviam recebido o batismo de João, mas não tinham ainda recebido o Espírito Santo. Destacamos nesse sentido três fatos importantes.

Em primeiro lugar, *o batismo de João* (19.1-4). Quando Paulo perguntou a esses doze discípulos se haviam recebido o Espírito Santo quando creram, responderam que nem sequer tinham ouvido a respeito de sua existência. Tinham recebido o batismo de João, mas nada sabiam sobre o derramamento do Espírito. Ressaltamos que João Batista mencionou o Espírito Santo quando disse que ele próprio batizava com água, mas Jesus, que viria depois dele, batizaria com o Espírito Santo. O comentário do grupo meramente significava que eles não sabiam que o Espírito já tinha sido outorgado (Jo 7.39).[4]

É certo que esses doze homens ainda não eram cristãos, pois ninguém pode tornar-se cristão sem receber o Espírito Santo. Michael Green afirma categoricamente: "Está absolutamente claro que esses discípulos não eram de forma alguma cristãos".[5] Eles ainda não acreditavam em Jesus, mas passaram a crer por meio do ministério de Paulo e foram então batizados com água e com o Espírito, mais ou menos simultaneamente.[6] Howard Marshall declara que dificilmente esses homens seriam cristãos porque não haviam recebido o dom do Espírito; podemos dizer com segurança que o Novo Testamento não reconhece a possibilidade de alguém ser cristão sem possuir o Espírito Santo (11.17; Jo 3.5; Rm 8.9; 1Co 12.3; Gl 3.2; 1Ts 1.6; Tt 3.5; Hb 6.4; 1Pe 1.2; 1Jo 3.24; 4.13).[7] Simon Kistemaker afirma que esses doze homens estavam numa fase introdutória à fé cristã. Assim como Priscila e Áquila ensinaram Apolo sobre o evangelho de Cristo e o fortaleceram, Paulo guiou esses seguidores de João para um conhecimento salvador de Jesus.[8]

Nessa mesma linha de pensamento, Warren Wiersbe escreve:

> Paulo explicou-lhes que o batismo de João era um batismo de arrependimento que olhava para o futuro, para a vinda do Messias prometido, enquanto o batismo cristão era um batismo que olhava para o passado, para a obra consumada de Cristo na cruz e para a Sua ressurreição vitoriosa. O batismo de João estava do "outro lado" do Calvário e do Pentecoste. Foi correto em seu devido tempo, mas esse tempo havia terminado.[9]

---

[4]MARSHALL, I. Howard. *Atos: introdução e comentário*, 1985, p. 288.
[5]GREEN, Michael. *I believe in the Holy Spirit*. London: Hodder & Stoughton, 1985, p. 135.
[6]STOTT, John. *A mensagem de Atos*, p. 342.
[7]MARSHALL, I. Howard. *Atos: Introdução e Comentário*. 1985, p. 287.
[8]KISTEMAKER, Simon. *Atos*. Vol. 2, p. 244.
[9]WIERSBE, Warren W. *Comentário bíblico expositivo*, p. 623.

Para John Stott, é mais provável que, apesar de terem ouvido a profecia de João acerca do Messias que viria batizando com o Espírito Santo, aqueles não soubessem de seu cumprimento no Pentecostes. Ainda viviam no Antigo Testamento, que culminou em João Batista. Não entendiam que a nova era fora iniciada por Jesus, nem que os que nEle creem e são batizados recebem a bênção característica da nova era: a habitação do Espírito. Quando entenderam isso pela instrução de Paulo, colocaram sua fé em Jesus, cuja vinda o mestre João Batista anunciara. A norma da experiência cristã, portanto, é um conjunto de quatro fatores: arrependimento, fé em Jesus, batismo na água e a dádiva do Espírito.[10]

Em segundo lugar, *o batismo cristão* (19.5). Depois que esses doze discípulos ouviram falar sobre Jesus, receberam o batismo cristão. O batismo não é condição para a salvação, mas testemunho da salvação. O batismo é um selo visível de uma graça invisível. Aqueles que são de Cristo devem receber o sinal da aliança e identificar-se com Ele. O batismo é um ato público por meio do qual afirmamos pertencer ao Senhor e ingressamos em Sua família. Howard Marshall observa que esta é a única ocasião registrada no Novo Testamento na qual pessoas receberam um segundo batismo, e ela ocorreu porque o batismo anterior não havia sido o batismo cristão em nome de Jesus. Seria errôneo concluir deste incidente que atualmente as pessoas que não receberam o Espírito por ocasião do seu batismo devam ser batizadas de novo a fim de receberem o Espírito; a feição característica e essencial do batismo cristão é que é feito em nome de Jesus, não importa o relacionamento cronológico do dom do Espírito com o rito propriamente dito, conforme demonstra a ordem variada em Atos (antes do batismo: 10.47; na ocasião do batismo: 2.38; 8.38,39; depois do batismo: 8.15,16).[11] Justo González está coberto de razão ao ressaltar a importância disso para as nossas igrejas: não devemos afirmar saber mais do que realmente sabemos, nem tentar limitar e controlar os atos do Espírito.[12]

---

[10]STOTT, John. *A mensagem de Atos*, p. 342,343.
[11]MARSHALL, I. Howard. *Atos: introdução e comentário*, 1985, p. 289.
[12]GONZÁLEZ, Justo L. *Atos*, p. 263.

Em terceiro lugar, *o Pentecostes gentio* (19.6,7). Depois que os doze homens creram em Jesus e foram batizados em seu nome, Paulo impôs as mãos sobre eles, que receberam o Espírito Santo e passaram a falar em línguas e profetizar.

No livro de Atos há quatro momentos especiais em que o Espírito foi derramado: em Atos 2, sobre os judeus; em Atos 8, sobre os samaritanos; em Atos 10, sobre a família de Cornélio, um gentio temente a Deus, ou seja, um prosélito; e em Atos 19, sobre os gentios. Isso significa que o derramamento do Espírito é universal, para todos os povos. A experiência de falar em línguas e profetizar não é a evidência do batismo com o Espírito, pois não há esse fenômeno no derramamento do Espírito sobre os samaritanos (At 8).

Hoje, o dom de línguas não é evidência do batismo do Espírito Santo nem da plenitude do Espírito. Paulo perguntou: *Falam todos em outras línguas?* (1Co 12.30), e a estrutura gramatical, no grego, exige uma resposta negativa. Quando Paulo escreveu aos efésios sobre a plenitude do Espírito Santo, não fez menção das línguas (Ef 5.18-21). Em parte alguma das Escrituras somos admoestados a buscar o batismo do Espírito Santo ou o dom de línguas, mas a Bíblia ordena que sejamos cheios do Espírito.[13]

Concordo com Anthony Hoekema quando ele diz: "O Novo Testamento não apoia a crença de que o recebimento do Espírito Santo resulta no falar em línguas. Pelo contrário, a evidência histórica em Atos mostra que todos os cristãos que foram cheios do Espírito testemunharam de Jesus Cristo de maneira inteligível".[14*] Warren Wiersbe chama a atenção para o fato de que todos os que se converteram em Éfeso durante o ministério de Paulo receberam o dom do Espírito Santo quando creram no Salvador. Paulo deixa isso claro em Efésios 1.13,14, e esse é o padrão para hoje.[15]

---

[13] WIERSBE, Warren W. *Comentário bíblico expositivo*, p. 623.
[14] HOEKEMA, Anthony. *Holy Spirit Baptism*. Grand Rapids, MI: Eerdmans, 1972, p. 44,45.
*[NR] Tradução livre.
[15] WIERSBE, Warren W. *Comentário bíblico expositivo*, p. 623.

É importante destacar que os quatro derramamentos do Espírito Santo registrados em Atos foram confirmados pelos apóstolos: em Jerusalém, pelos doze; em Samaria, por Pedro e João; em Cesareia, por Pedro; e, em Éfeso, por Paulo.[16]

Paulo enfrenta **resistência na sinagoga** (19.8,9)

Ao final de sua segunda viagem missionária, Paulo já havia passado por Éfeso e pregado aos judeus (18.19,20). Mesmo com a insistência dos judeus para que ele permanecesse por mais tempo, o apóstolo não acedeu e viajou rumo a Jerusalém. Agora, de volta a Éfeso, Paulo retorna à sinagoga e por três meses fala ousadamente, dissertando e persuadindo os ouvintes sobre o reino de Deus. Para Howard Marshall, é improvável que isto signifique que Paulo pregava uma mensagem diferente daquela citada em 17.31; 18.5 e outras passagens que tratam Jesus como Messias. A mensagem se referia a Jesus e ao reino (28.31), e Lucas emprega termos diferentes para mera variação literária.[17]

Alguns membros da sinagoga começaram a resistir a Paulo, mostrando-se empedernidos e incrédulos e até mesmo falando mal do Caminho, ou seja, da religião cristã, diante da multidão. Em face dessa atitude hostil, Paulo deixou a sinagoga, juntamente com os discípulos, a fim de buscar um lugar neutro para ensinar a Palavra de Deus.

Paulo não entrou num embate infrutífero com os judeus. Otimizou seu tempo ao rumar com os discípulos para um lugar neutro, onde criou uma escola de teologia e ensinou regularmente a Palavra de Deus durante dois anos.

Paulo **ensina** na escola de Tirano (19.9,10)

No primeiro século não havia templos cristãos. Os crentes reuniam-se nas sinagogas, nas casas ou em lugares neutros. Assim Paulo fez em Éfeso. Saiu da sinagoga e foi para a escola de Tirano, provavelmente uma sala de preleções ou um edifício escolar, do qual Tirano era dono

---

[16]KISTEMAKER, Simon. *Atos*. Vol. 2, p. 247,248.
[17]MARSHALL, I. Howard. *Atos: introdução e comentário*, 1985, p. 290.

ou professor. Paulo estava ativo desde a hora quinta até à décima, isto é, das 11 horas da manhã até às 16 horas. Este período se seguia ao término do trabalho matutino e, a despeito de muitas pessoas aproveitarem o horário para uma "sesta", é historicamente provável que Paulo usasse a escola enquanto o próprio Tirano não a estivesse empregando, quando o auditório ficaria livre para frequentá-la.[18]

Paulo fez dessa escola seu quartel-general para ensinar a Palavra de Deus diariamente durante dois anos e treinar futuros líderes para o desenvolvimento da igreja na província da Ásia. Nessa escola formou vários evangelistas que saíram pela Ásia Menor, levando a Palavra de Deus e plantando igrejas. Obviamente, Paulo não ficou todo esse tempo restrito à cidade de Éfeso. Ele percorreu quase toda a Ásia Menor, conforme o relato de seus próprios opositores: *E estais vendo e ouvindo que não só em Éfeso, mas em quase toda a Ásia, este Paulo tem persuadido e desencaminhado muita gente, afirmando não serem deuses os que são feitos por mãos humanas* (19.26).

Existe um manuscrito grego que nos oferece algumas informações importantes sobre o trabalho de Paulo nesses dois anos na escola de Tirano. Diz que Paulo ensinava ali das 11 da manhã às 4 da tarde todos os dias. Antes e depois desses horários, Tirano necessitava do lugar. Nas cidades jônicas todo o trabalho cessava às 11 da manhã e não recomeçava até bem à entrada da tarde. Era demasiado opressivo trabalhar nesse horário. Era comum se dizer que em Éfeso havia mais gente dormindo à 1 hora da tarde do que à 1 hora da madrugada. Paulo ocupando a escola num horário tão desfavorável, em dois anos revolucionou a Ásia Menor.[19] John Stott diz que as preleções diárias de Paulo resultaram na evangelização de toda a província (19.10,20).[20]

Simon Kistemaker salienta que Éfeso foi durante décadas o centro evangelístico da igreja cristã na Ásia Menor (Ap 2.1-7) e o único lugar onde Paulo, durante suas viagens missionárias, passou três anos num

---

[18]MARSHALL, I. Howard. *Atos: introdução e comentário*, 1985, p. 291.
[19]BARCLAY, William. *Hechos de los Apóstoles*, p. 153.
[20]STOTT, John. *A mensagem de Atos*, p. 344.

ministério de ensino (20.31). Seu sucessor foi Timóteo (1Tm 1.3); e, mais tarde, o apóstolo João serviu na igreja de Éfeso.[21]

Deus confirma o apostolado de Paulo por meio de milagres (19.11,12)

Numa cidade de tanta idolatria e feitiçaria, Deus encoraja o apóstolo realizando milagres extraordinários pelas suas mãos, curando enfermos e libertando endemoninhados. Éfeso era um centro de ocultismo (19.18,19) e Paulo demonstrava o poder de Deus no centro do território de satanás.

Os sinais e maravilhas eram credenciais dos apóstolos (2Co 12.12; Rm 15.19; Gl 3.5). Assemelhavam-se às atividades de Pedro (5.15,16). Porém, não eram realizados pelo poder inerente dos líderes, mas realizados por Deus por intermédio deles. Os milagres não são o evangelho, mas abrem as portas para ele. Os milagres não têm o poder de converter pessoas a Cristo, apenas testemunham o poder de Cristo. Os apóstolos não administravam os milagres, que eram realizados conforme a soberania divina e para a glória do próprio Deus.

Howard Marshall diz que o efeito do batismo foi produzir manifestações "carismáticas" do Espírito (2.4,17,18; 10.46). Fica claro a partir de outros relatos de conversões em Atos que semelhantes manifestações ocorriam de modo esporádico e não eram a regra geral (8.17; 8.39; 13.52; 16.34). No presente caso, alguns dons incomuns talvez fossem necessários para convencer este grupo de "semicristãos" de que eles agora eram plenamente membros da igreja de Cristo.[22]

John Stott atribui quatro características distintas a esses milagres realizados por Deus por intermédio de Paulo em Éfeso:

1. O próprio Lucas não se satisfaz em descrevê-los como meros "milagres", mas chama-os de *milagres extraordinários* (19.11).
2. Lucas não os vê como magia, pois os distingue das práticas mágicas que os convertidos de Éfeso logo confessariam e abandonariam, considerando-as más (19.18,19).

---

[21] KISTEMAKER, Simon. *Atos*. Vol. 2, p. 252,253.
[22] MARSHALL, I. Howard. *Atos: introdução e comentário*, 1985, p.290.

3. Paulo via esses milagres como credenciais apostólicas (2Co 12.12).
4. Assim como nos evangelhos, a possessão demoníaca é diferenciada da doença; portanto o exorcismo é diferenciado da cura.[23]

Justo González afirma que a referência aos lenços e aventais de Paulo deu oportunidade para que alguns supostos evangelistas fizessem dinheiro com a venda deles e de outros itens abençoados. Contudo, observe que o texto bíblico não sugere que Paulo tenha distribuído ou proclamado o poder de seus lenços e aventais, mas que as pessoas os pegavam sem o conhecimento do apóstolo. Não há registro, como alguns declaram hoje, que Paulo tenha abençoado lenços para que pudessem ser realizados milagres por intermédio destes.[24]

Os falsos obreiros têm um poder inadequado (19.13-16)

Onde Deus levanta uma igreja, satanás ergue uma sinagoga. Onde Deus instrumentaliza obreiros fiéis, satanás apresenta seus falsos obreiros. Onde Deus realiza verdadeiros milagres, satanás tenta simular com seus ardis. Os sete filhos de Ceva tentaram fazer o mesmo que Deus estava fazendo pelas mãos de Paulo e se deram mal, pois se aventuraram a libertar um homem endemoninhado em nome do Jesus que Paulo pregava. O espírito maligno falou por boca do homem possesso: *Conheço Jesus e sei quem ...é Paulo; mas vós, quem sois?* (19.15). O homem possesso saltou sobre eles furiosamente, deixando-os feridos e nus. Howard Marshall diz que a lição desta narrativa mostra o resultado de lançar mão indevidamente do nome de Jesus.[25] Os apóstolos curavam pessoas no nome de Jesus não para praticarem magia, mas para demonstrarem a autoridade de Jesus. O termo *nome* significa a pessoa, as palavras e as obras de Jesus, então qualquer um que o utilize identifica-se com Jesus e se torna um verdadeiro representante dEle. Portanto, os descrentes não podem jamais usar o poder do nome de Jesus.[26]

---
[23] STOTT, John. *A mensagem de Atos*, p. 344.
[24] GONZÁLEZ, Justo L. *Atos*, p. 265.
[25] MARSHALL, I. Howard. *Atos: introdução e comentário*, 1985, p. 293.
[26] KISTEMAKER, Simon. *Atos*. Vol. 2, p. 256.

De acordo com John Stott, é certo que há poder – poder para salvar e curar – no nome de Jesus, como Lucas faz questão de ilustrar (3.6,16; 4.10-12). Mas a sua eficácia não é mecânica, nem pode ser empregada levianamente. Mesmo assim, apesar desse mau uso do nome de Jesus, o incidente teve um efeito saudável (19.17).[27]

A Palavra de Deus prevalece poderosamente (19.17-20)

Longe de envergonhar Paulo e desacreditar o evangelho, essa experiência trouxe temor tanto para judeus como para gregos, e o nome do Senhor foi engrandecido. Muitos creram em Cristo e demonstraram arrependimento numa confissão pública de seus pecados (19.18). Outros, que estavam envolvidos com práticas de feitiçaria e artes mágicas, queimaram seus livros em praça pública, numa corajosa atitude de rompimento definitivo com essas práticas pagãs. A atitude desses efésios foi radical e definitiva, como que numa incisão cirúrgica. O resultado desses fatos insólitos é que a Palavra de Deus crescia e prevalecia poderosamente em Éfeso e na Ásia Menor.

A cidade sede do culto de Diana tornou-se agora um território dominado pela Palavra de Deus. A terra da idolatria agora estava iluminada pela verdade das Escrituras. A luz espantou as trevas, e a verdade desmascarou a mentira. Lucas descreve como o poder do evangelho acabou com a influência generalizada da magia em Éfeso, pois os crentes concluíram que tais práticas eram incompatíveis e inconsistentes com a fé cristã.[28]

John Stott ressalta que o fato de os recém-convertidos estarem dispostos a jogar seus livros no fogo, em vez de converterem o seu valor em dinheiro, vendendo-os, era uma evidência notável da sinceridade de suas conversões. Esse exemplo levou a outras conversões, pois *assim a Palavra do Senhor crescia e prevalecia poderosamente* (19.20).[29] A queima dos livros pelo público era um sinal claro de que o povo de Éfeso estava desistindo

---

[27] STOTT, John. *A mensagem de Atos*, p. 345.
[28] KISTEMAKER, Simon. *Atos*. Vol. 2, p. 259.
[29] STOTT, John. *A mensagem de Atos*, p. 345.

da magia e abraçando o evangelho de Jesus Cristo.[30] Não podemos desprezar o valor dos livros que foram queimados: cinquenta mil denários. O salário de trabalhador era de um denário por dia. Portanto, esse valor correspondia a 150 anos de um bom salário. Para Justo González, Lucas faz questão de mencionar esses números a fim de marcar um contraste entre o que acontece aqui e o episódio seguinte, no qual interesses econômicos tentam impedir a pregação do evangelho. Neste caso, o impacto do evangelho é tão grande que supera qualquer interesse econômico.[31]

Concluímos esse assunto com as sábias palavras de Simon Kistemaker:

> A cidade de Éfeso livrou-se da literatura perniciosa pela queima dos livros de magia e se tornou a depositária da literatura sagrada que formou o cânone do Novo Testamento. Durante o tempo em que Paulo viveu em Éfeso, ele escreveu suas Epístolas aos Coríntios. Quando Paulo ficou em prisão domiciliar em Roma, ele enviou sua carta aos Efésios. Nos anos posteriores, quando Timóteo era pastor em Éfeso, Paulo despachou as duas epístolas que levam o nome de Timóteo. Algumas décadas mais tarde, o apóstolo João compôs seu evangelho e suas três epístolas de Éfeso. De certa maneira, pode-se dizer que assim como o Antigo Testamento fora confiado aos judeus (Rm 3.2), da mesma forma os efésios se tornaram os guardiões do Novo Testamento.[32]

Paulo planeja uma **viagem arriscada** (19.21,22)

Após essa esplêndida vitória em Éfeso, Paulo resolve ir a Jerusalém, passando pela Macedônia e Acaia. Seu projeto era participar da Festa de Pentecostes (20.16) e levar aos pobres da Judeia as ofertas levantadas entre as igrejas da Macedônia e Acaia (Rm 15.25-27; 1Co 16.1-4; 2Co 8.1-15). Depois disso, Paulo intentava seguir para Roma, a capital do Império. Citando Bengel, John Stott registra: "Nenhum Alexandre, nenhum César, nenhum outro herói tem uma mente tão aberta como este pequeno benjamita".[33]

---

[30] KISTEMAKER, Simon. *Atos*. Vol. 2, p. 260.
[31] GONZÁLEZ, Justo L. *Atos*, p. 267.
[32] KISTEMAKER, Simon. *Atos*. Vol. 2, p. 261.
[33] STOTT, John. *A mensagem de Atos*, p. 346.

Paulo tinha duas motivações ao levar essa oferta das igrejas gentílicas à igreja judaica. A primeira era enfatizar a unidade espiritual da igreja. Se a igreja judaica recebesse de bom grado a oferta das igrejas gentílicas, a argamassa do amor cimentaria a unidade espiritual dessas igrejas. A segunda motivação de Paulo era ensinar o amor cristão de forma prática. Não é suficiente sentir compaixão. Nossos sentimentos precisam ser traduzidos em ação.

Essa viagem estava cercada de muitos perigos. Mais tarde Paulo chegou a dizer para os presbíteros de Éfeso que o Espírito Santo lhe assegurava que esse caminho seria espinhoso e cheio de cadeias e tribulações (20.22,23). Foi exatamente o que aconteceu. Paulo subiu a Jerusalém levando ofertas e ali foi preso, vítima de uma conspiração dos judeus. Dali seguiu preso para Cesareia e permaneceu dois anos encarcerado, sob acusação dos judeus. Então, foi enviado a Roma como prisioneiro de César.

Paulo enfrenta uma turba de cidadãos indignados (19.23-40)

Enquanto Paulo se preparava para sua viagem a Jerusalém, aconteceu grande alvoroço na cidade de Éfeso. Ele já havia dito que permanecera em Éfeso porque uma porta grande e oportuna para o trabalho se abriu, e muitos se opunham a ele (1Co 16.8,9). A oportunidade e a oposição exigiam Sua presença em Éfeso. A oposição em Éfeso foi semelhante à que aconteceu em Filipos, ou seja, teve origens pagãs. Talvez Paulo estivesse se referindo a esse tumulto quando escreveu: ...*Lutei em Éfeso com feras*... (1Co 15.32).

A narrativa de Lucas destaca três aspectos desse alvoroço em Éfeso: origem, desenvolvimento e término.[34]

Primeiro, quanto à sua origem, era inevitável que a autoridade soberana de Jesus desafiasse a má influência de Diana. Lucas afirma que os tumultos começaram por causa *do Caminho* (19.23). John Stott interpreta corretamente quando escreve:

---

[34] STOTT, John. *A mensagem de Atos*, p. 346.

No fundo, a razão não era de natureza doutrinária, nem ética, mas sim econômica. Demétrio, como provável presidente da sociedade dos artífices de prata, dirigiu a atenção dos outros artesãos para o sucesso de Paulo em convencer o povo, afirmando *não serem deuses os que são feitos por mãos humanas*. Como resultado, a venda dos nichos de Diana (pequenos modelos do templo ou imagens da deusa) estavam diminuindo, ameaçando o alto padrão de vida deles. Não que Demétrio tivesse apelando diretamente à cobiça dos companheiros. Não, ele era muito sutil, o suficiente para desenvolver três motivos de preocupação mais respeitáveis: o perigo de seu ofício perder a fama; o perigo do seu templo perder o prestígio; e o perigo de sua deusa perder a majestade divina (19.27). Assim, interesses econômicos foram disfarçados de patriotismo local – neste caso, também sob o manto do zelo religioso.[35]

Segundo, quanto ao desenvolvimento do alvoroço, Lucas registra como a multidão, induzida pelos artífices, corre como uma turba ensandecida para o templo e grita freneticamente o nome da deusa Diana. Benjamim Franklin, citado por Wiersbe, definiu uma turba como "um monstro com uma porção de cabeças, mas sem nenhum cérebro".[36] Max Lerner, também citado por Wiersbe, comenta: "Em sua ignorância, cegueira e confusão, toda multidão é uma Liga de Homens Assustados à procura de segurança na ação coletiva".[37]

Finalmente, quanto ao fim do tumulto destacamos a habilidade do escrivão da cidade em aplacar a fúria da multidão, acalmando o conflito. Para sanar o alvoroço, o escrivão mencionou quatro pontos:

1. O mundo todo sabia que Éfeso era a cidade guardiã do templo de Diana e de Sua imagem. Embora Diana fosse uma deusa virgem, padroeira da caça, era uma deusa de fertilidade, representada como figura feminina com muitos seios. Uma imagem dessa deusa foi colocada em um belo e majestoso templo de mármore

---

[35] STOTT, John. *A mensagem de Atos*, p. 347.
[36] WIERSBE, Warren W. *Comentário bíblico expositivo*, p. 625.
[37] WIERSBE, Warren W. *Comentário bíblico expositivo*, p. 625.

branco com colunas bordejadas de ouro. A Festa de Diana era celebrada com orgias desenfreadas e bebedeiras.[38]

2. Gaio e Aristarco não eram culpados de sacrilégio, ou seja, falar contra o templo de Diana, nem de blasfêmia, ou seja, falar contra a deusa Diana (19.37).
3. Os acusadores conheciam os processos legais para fazer qualquer acusação, mas estavam usando um expediente repudiado por Roma.
4. Os próprios cidadãos de Éfeso estavam correndo o risco de serem acusados de desobediência civil.

John Stott está coberto de razão em afirmar que cada um desses argumentos era irrefutável; os quatro juntos eram decisivos.[39] Howard Marshall complementa que o apelo do escrivão foi bem-sucedido, e a assembleia foi dissolvida. Dentro das informações disponíveis, nenhum processo adicional foi instaurado, em público ou em particular, contra Paulo e seus colegas, da parte dos artífices.[40]

O propósito de Lucas em registrar esse episódio era apologético e político. Roma não tinha nenhuma acusação contra o cristianismo em geral nem contra Paulo em particular. Em Corinto, o procônsul Gálio se recusara até mesmo a ouvir a acusação dos judeus. Em Éfeso o escrivão deixou bem claro que a oposição era puramente emocional e que os cristãos, sendo inocentes, não precisavam temer os processos legais devidamente constituídos. Assim, a imparcialidade de Gálio, a amizade dos asiarcas e o raciocínio do escrivão deram a liberdade para que o evangelho continuasse o seu curso vitorioso.[41]

Destacamos a seguir a atitude de três homens:

Demétrio, o ourives. Um artesão que coordenava o grêmio dos artífices que fabricavam pequenos templos de prata, réplicas do grande templo de Diana, para os peregrinos levarem em seu retorno para casa.

---

[38]MARSHALL, I. Howard. *Atos: introdução e comentário*, 1985, p. 296.
[39]STOTT, John. *A mensagem de Atos*, p. 349.
[40]MARSHALL, I. Howard. *Atos: introdução e comentário*, 1985, p. 300.
[41]STOTT, John. *A mensagem de Atos*, p. 350.

Assim, o templo de Diana, além de ser o orgulho da cidade, também era fonte de renda, pois os peregrinos de toda a bacia mediterrânea viajavam para visitá-lo.[42] Foi Demétrio quem promoveu um motim na cidade, incitando outros da mesma profissão a se levantarem contra o apóstolo. Sua acusação tinha como motivação o prejuízo financeiro da classe, mas ele camuflou esse fato com um argumento religioso, dizendo que o culto a Diana e seu templo estavam ameaçados a cair em descrédito pela pregação de Paulo. Desta forma, o furor e a confusão tomaram conta da multidão que se aglomerou no templo da cidade, que comportava mais de vinte mil pessoas. A multidão alvoroçada e ensandecida gritava a plenos pulmões: ... *Grande é a Diana dos efésios!* (19.34).

O escrivão da cidade, o pacificador. O escrivão era o principal magistrado da cidade. Por isso, somente quando ele se dirigiu à turba revolta é que o clima acalmou e a multidão se dispersou. Esse funcionário levava os registros públicos e apresentava os assuntos nas assembleias; a correspondência dirigida à cidade vinha em seu nome. Estava encarregado de pacificar o povo e evitar qualquer tumulto ou motim. Roma era benévola, mas não suportava desordem civil. No caso de um tumulto na cidade, esse escrivão podia até perder o seu posto. O escrivão desempenhou o seu papel com perícia invulgar, defendendo seus próprios interesses. Salvou Paulo e seus companheiros, mas o fez para salvar sua própria pele.[43]

Howard Marshall diz que o escrivão agiu não como defensor do cristianismo (pelo contrário!), mas como defensor da lei e da ordem, ansioso por evitar que a cidade obtivesse uma reputação por desordens e ações ilegais.[44] Na mesma linha de pensamento, Warren Wiersbe ressalta que, com permissão de Roma, Éfeso era uma "cidade livre" com a própria assembleia eleita; no entanto, os romanos aceitariam, de bom grado, qualquer pretexto para remover esses privilégios (19.40). A fim de acalmar a multidão, o escrivão usou a mesma tática que os ourives

---

[42] GONZÁLEZ, Justo L. *Atos*, p. 273.
[43] BARCLAY, William. *Hechos de los Apóstoles*, p. 157,158.
[44] MARSHALL, I. Howard. *Atos: introdução e comentário*, 1985, p. 299.

empregaram para iniciar o tumulto: apelou para a grandeza da cidade e de sua deusa.⁴⁵

Paulo, o pregador. Paulo quis ir ao templo, um lugar colossal, construído em semicírculo sobre uma concavidade natural da terra, de frente para o porto e com assentos de mármore para 24 mil pessoas. Nesse local a multidão estava alvoroçada, gritando a plenos pulmões: *Grande é a Diana dos efésios*. Mas os amigos de Paulo o impediram de ir até lá. Paulo era um homem sem medo. Para os artesãos e o escrivão, o primordial era a segurança; para Paulo, esta sempre ocupava o último lugar.⁴⁶

Concluímos este capítulo destacando que Lucas registra a declaração oficial de que os cristãos eram inocentes de qualquer crime, público (19.37) ou privado (19.38). Paulo recebeu essa mesma "aprovação oficial" em Filipos (16.35-40) e em Corinto (18.12-17), e voltaria a recebê-la depois de sua prisão em Jerusalém.⁴⁷

---

⁴⁵WIERSBE, Warren W. *Comentário bíblico expositivo*, p. 626.
⁴⁶BARCLAY, William. *Hechos de los Apóstoles*, p. 158.
⁴⁷WIERSBE, Warren W. *Comentário bíblico expositivo*, p. 626.

20

Paulo rumo a Jerusalém

Atos 20.1-38

APÓS TRÊS ANOS EM ÉFESO, Paulo se despede da igreja. Assumira um compromisso com os líderes da igreja de Jerusalém de que iria para os gentios, mas não esqueceria os pobres (Gl 2.10). Era hora de cumprir a promessa. Em virtude da extrema pobreza dos crentes da Judeia, o apóstolo levantou uma coleta entre os crentes gentios da Macedônia e Acaia e, junto com uma comitiva composta por companheiros de várias igrejas, viajou para Jerusalém levando essas ofertas.[1]

Warren Wiersbe diz que, nessa última terça parte do livro de Atos, Lucas registra a viagem de Paulo a Jerusalém, sua prisão nessa cidade e sua viagem a Roma.[2]

John Stott faz seis paralelos entre a viagem de Jesus a Jerusalém e a viagem de Paulo.[3] É claro que a comparação está longe de ser exata, pois a missão de Jesus era única. Vejamos:

1. Como Jesus, Paulo viajou para Jerusalém com um grupo de discípulos (20.4).[4]

---

[1] GONZÁLEZ, Justo L. *Atos*, p. 279.
[2] WIERSBE, Warren W. *Comentário bíblico expositivo*, p. 627.
[3] STOTT, John. *A mensagem de Atos*, p. 356.
[4] Lucas 10.38.

2. Como Jesus, Paulo sofreu a oposição de judeus que conspiraram contra sua vida (20.3,19).[5]
3. Como Jesus, Paulo fez ou recebeu três profecias sucessivas sobre seus sofrimentos (20.22,23; 21.4,11), incluindo sua entrega aos gentios (21.11).[6]
4. Como Jesus, Paulo declarou sua disposição de entregar a vida (20.24; 21.13).[7]
5. Como Jesus, Paulo estava determinado a completar seu ministério, sem se desviar dele (20.24; 21.13).[8]
6. Como Jesus, Paulo expressou sua entrega à vontade de Deus (21.14).[9]

Destacamos a seguir alguns pontos importantes do texto em discussão.

Paulo se despede dos discípulos em Éfeso (20.1)

Paulo não fugiu de Éfeso por causa do tumulto criado por Demétrio, nem saiu furtivamente sob as sombras do anonimato depois que a tensão chegou ao fim. Cessado o tumulto, porém, mandou chamar os discípulos para confortá-los antes de partir. Paulo era um pastor. Seu zelo pastoral não lhe permitiu sair sem se reunir com seus filhos espirituais para encorajá-los.

Paulo fortalece os crentes da Macedônia e da Grécia (20.2,3)

Paulo não apenas gerava filhos espirituais, mas também cuidava deles. A igreja não é apenas uma sala de obstetrícia, mas também uma escola de treinamento. O apóstolo Paulo sempre voltou às igrejas que

---
[5] Lucas 6.7,11; 11.53,54; 22.1,2.
[6] Lucas 9.22,44; 18.31,32.
[7] Lucas 12.50; 22.19; 23.46.
[8] Lucas 9.51.
[9] Lucas 22.42.

estabelecera para fortalecer os novos crentes na fé. Por essa razão visitou as igrejas da Macedônia – Filipos, Tessalônica e Bereia – e em seguida foi para Corinto, na província da Acaia, na Grécia.

Na Macedônia, Paulo esperou por Tito para informar-se sobre a situação da igreja de Corinto (2Co 2.13; 7.6,13) e novamente o enviou a Corinto (2Co 8.6,16,17). Depois, viajou para Corinto, onde passou três meses (20.3), talvez durante o inverno (1Co 16.6). Em Corinto, escreveu a carta aos Romanos, recolheu donativos financeiros para os santos em dificuldades em Jerusalém (Rm 15.26; 1Co 16.2,3; 2Co 8.2-4), viajou de volta pela Macedônia e, depois da Páscoa, navegou de Filipos para Trôade (20.6). Pretendia estar em Jerusalém antes do Pentecostes (20.16).[10]

Paulo **muda o roteiro** da viagem por causa de uma **conspiração dos judeus** (20.3-6)

O projeto de Paulo era sair de Corinto para a Síria, mas ele soube de uma conspiração dos judeus para matá-lo na viagem. Então, mudou o roteiro e, em vez de embarcar no porto coríntio de Cencreia, voltou por terra para a Macedônia. É provável que os compatriotas judeus que queriam eliminar Paulo também tivessem reservado passagem para Jerusalém. Eles poderiam facilmente arranjar uma maneira de lançá-lo ao mar durante a viagem.[11]

Da Macedônia acompanharam-no até a Ásia irmãos de várias igrejas, provavelmente uma comitiva encarregada de lhe dar segurança e também de levar as ofertas levantadas entre os crentes gentios para os crentes judeus (2Co 8.2,3). Paulo dificilmente viajava sozinho. Ele tinha preferência pelo trabalho de equipe. Esses amigos que o acompanharam na viagem eram Sópatro, Aristarco, Secundo, Gaio, Timóteo, Tíquico, Trófimo e Lucas (o nome deste último aparece implicitamente em virtude do emprego do pronome *nós*, conforme atestamos em Atos 20.6,7,13). Simon Kistemaker esclarece que esses homens, delegados de várias

---

[10] Kistemaker, Simon. *Atos.* Vol. 2, p. 287,288.
[11] Kistemaker, Simon. *Atos.* Vol. 2, p. 290.

igrejas, acompanharam Paulo como guarda-costas. Eles também protegiam as ofertas que levavam para a igreja de Jerusalém.[12]

Paulo celebra um **culto de despedida** em Trôade (20.7-12)

Paulo partiu de Filipos e, depois de cinco dias de viagem, chegou a Trôade, onde seus amigos já o esperavam. Paulo visitara Trôade na segunda viagem missionária, mas não havia pregado o evangelho ali (16.8). Durante sua terceira viagem, porém, ele fundou uma igreja na cidade (2Co 2.12). Agora, Paulo permanece em Trôade uma semana. Como o navio onde os amigos de Paulo deveriam embarcar zarparia na segunda-feira, estando a igreja reunida no cenáculo no domingo, para participar da Ceia, Paulo se reuniu com eles para exortá-los. Três verdades nos chamam a atenção no texto.

Em primeiro lugar, *o culto na igreja de Trôade* (20.7,8). O culto foi realizado no domingo, o primeiro dia da semana. O domingo passou a ser chamado de *Dia do Senhor*, pois foi nesse dia que o Senhor Jesus ressurgiu dentre os mortos (Ap 1.10). Também devemos lembrar que o Espírito Santo foi derramado sobre a igreja no Dia do Senhor (At 2.1-4), ou seja, cinquenta dias após a ressurreição de Cristo. Essa é a primeira referência ao culto de domingo no Novo Testamento. Portanto, é a evidência inequívoca mais primitiva que temos da prática cristã de reunir-se para a adoração no domingo.[13] Nesse culto houve exposição da Palavra e ministração da Ceia; edificação e celebração; culto da palavra e culto da mesa,[14] uma combinação de palavra e sacramento. John Stott diz que a igreja cristã no mundo inteiro segue esse exemplo desde então.[15]

Como não havia templos cristãos, os crentes estavam reunidos no terceiro andar do cenáculo. Era noite, porém o lugar era bem iluminado. Em virtude de sua partida no dia seguinte, Paulo aproveitou o ensejo para prolongar o sermão até à meia-noite.

---

[12]KISTEMAKER, Simon. *Atos*. Vol. 2, p. 292.
[13]STOTT, John. *A mensagem de Atos*, p. 360.
[14]GONZÁLEZ, Justo L. *Atos*, p. 280.
[15]STOTT, John. *A mensagem de Atos*, p. 363.

Em segundo lugar, *uma tragédia na igreja de Trôade* (20.9). Naquela noite Paulo exortava os irmãos em Trôade e estendeu o discurso até meia-noite. O jovem Êutico estava sentado à janela e, tendo adormecido profundamente, caiu do terceiro andar, sofrendo morte imediata. Paulo desceu e, inclinando-se sobre ele, o trouxe de volta à vida. Subiu de novo ao cenáculo, celebrou a Ceia do Senhor e falou à igreja até o romper do dia. Esse episódio nos enseja algumas lições:

A janela é um lugar que oferece muitas distrações. Através da janela, quem está dentro olha para fora e quem está fora dá uma espiada para dentro. Ficar à janela é estar dentro, mas observando o que se passa lá fora. Ficar à janela é ter a atenção dividida e o coração distraído por muitas coisas. Êutico era um jovem da igreja: ele não abriu mão de estar reunido com seus irmãos na fé, mas ficou à janela. A janela parecia um lugar arejado e colorido que oferecia muitas distrações, mas não era seguro. Foi o palco da sua queda, o prelúdio da sua morte.

A janela é um lugar que divide o coração. Êutico estava no cenáculo, mas seus olhos também se voltavam para o mundo. Dali ouvia o apóstolo Paulo, mas também acompanhava o que se passava na rua. A janela roubava a sua atenção, distraía o seu coração e amortecia o seu apetite pelas coisas de Deus. Por isso, ele foi paulatinamente perdendo o interesse pelo que estava acontecendo dentro do cenáculo, a ponto de o sono enfiar-lhe as garras irresistíveis. Êutico caiu da janela porque não estava totalmente focado no que acontecia dentro do cenáculo. Enquanto os outros crentes se deleitavam no que Paulo dizia, Êutico foi dominado pelo sono e caiu.

A janela é um lugar de quedas perigosas. Quem cai de uma janela cai para fora, e não para dentro. Êutico caiu do terceiro andar e morreu. Sua queda foi uma tragédia. Se não fora o milagre operado pelo apóstolo Paulo, Êutico teria encerrado precocemente seus dias. Davi também viu uma janela aberta, e através dela, uma mulher se banhando; aquela janela aberta encerrou Davi numa terrível prisão de adultério e assassinato. As janelas hoje são mais coloridas e atraentes, mais numerosas e espaçosas. Os jovens encontram janelas por todos os lados. O mundo virtual escancara suas janelas sedutoras diante dos olhares divididos dos jovens crentes. Eles precisam fazer uma escolha. Não podem ficar com o coração dividido. Não podem ter um pé na igreja e outro no mundo. Não podem ser amigos do mundo e ao mesmo tempo amigos de Deus.

A janela é um lugar para ser abandonado. Quando Êutico caiu da janela, Paulo não gastou o resto da noite acusando os pais do jovem nem responsabilizando a congregação pela tragédia. Ele desceu, inclinou-se sobre o rapaz, abraçou-o e a vida voltou ao jovem. As Escrituras registram uns poucos exemplos de pessoas que foram ressuscitadas: dois no período do Antigo Testamento, no tempo de Elias e Eliseu; três durante o ministério de Jesus (a filha de Jairo, o filho da viúva de Naim e Lázaro); e dois no período apostólico (Dorcas e Êutico). Após ressuscitar Êutico, Paulo subiu e continuou o culto. A igreja conduziu vivo o rapaz e sentiu-se grandemente confortada. Certamente, Êutico não voltou para a janela. Aprendeu a lição. Ficar à janela é correr sérios riscos. É distrair o coração com as coisas do mundo. É expor-se a quedas desastrosas. É flertar com a própria morte. Não basta que nossos jovens estejam na igreja; eles precisam sair da janela.

Em terceiro lugar, **uma intervenção milagrosa na igreja de Trôade** (20.10-12). Paulo interrompe o culto momentaneamente, desce do cenáculo e ressuscita o jovem Êutico, devolvendo-o à igreja. Depois, volta ao cenáculo e dá prosseguimento ao culto, ministrando a Ceia e a Palavra até o alvorecer do dia. Para Justo González, o mais surpreendente aqui não é a ressurreição de Êutico, porém a reação da igreja a esse evento. A ressurreição de Êutico foi apenas um interlúdio em meio a algo mais importante. A igreja interrompeu sua vida interior em favor do necessitado. Às vezes, damos a impressão de que a coisa mais importante é a vida interior da igreja e de que todas as necessidades do mundo são apenas interrupções ou, no melhor dos casos, oportunidades que temos para apresentar a mensagem da igreja.[16]

Ainda mais surpreende é o segundo momento da narrativa. Paulo e os cristãos retornaram e continuaram sua adoração. O milagre da ressurreição de Êutico causou-lhes grande conforto (20.12), mas não foi motivo para se vangloriarem nem para abandonarem a adoração a Deus e saírem às ruas gritando e anunciando o grande milagre que

---

[16] GONZÁLEZ, Justo L. *Atos*, p. 281.

Deus realizou. Por quê? Certamente, não porque o milagre é pequeno; antes, por haver um milagre ainda maior: a própria vida da igreja e a presença de Deus em sua vida comum e no partir do pão. Sem dúvida, o poder de Deus manifesta-se na ressurreição de Êutico, porém manifesta-se ainda mais na ressurreição de cada um de nós, nascidos de novo, tirados de uma vida devotada aos poderes da morte e renascidos para a vida de serviço ao Deus vivo. A igreja é um milagre de Jesus por intermédio do Espírito Santo. Esse é o tema central de Atos.[17]

Paulo viaja de Trôade a Mileto (20.13-16)

Enquanto os amigos de Paulo partiram de Trôade de navio, Paulo foi por terra até Assôs, onde o receberam a bordo. Dali navegaram até Mitilene, localizada a cerca de 80 km ao sul de Trôade. Passaram defronte de Quios, tocaram Samos e em seguida chegaram a Mileto, um porto a 50 km de Éfeso.

Paulo não quis voltar a Éfeso, devido à sua pressa para chegar em Jerusalém e ainda participar da Festa de Pentecostes (20.16). Lucas deixa entrever que Paulo é quem toma as decisões. Paulo organizou a viagem a pé para Assôs; Paulo decidiu não parar na província da Ásia; Paulo enviou um mensageiro a Éfeso para solicitar a vinda dos presbíteros a Mileto.[18] O capitão do navio presumivelmente decidiu ficar no porto de Mileto por alguns dias para carregar e descarregar o navio. Durante esses dias de espera, Paulo se encontrou com os presbíteros de Éfeso e lhes dirigiu seu discurso de despedida.[19]

Simon Kistemaker destaca que Lucas relata como Paulo ocupou as sete semanas entre o dia dos pães asmos e o Pentecostes: ele gastou cinco dias viajando entre Neápolis e Trôade (20.6); ficou uma semana em Trôade (20.6); levou quatro dias para viajar de Trôade a Mileto (20.13-16); gastou talvez mais uma semana na viagem de Mileto a Tiro (21.1-3); permaneceu uma semana em Tiro (21.4); e, com paradas

---

[17] GONZÁLEZ, Justo L. *Atos*, p. 281,282.
[18] KISTEMAKER, Simon. *Atos*. Vol. 2, p. 301,302.
[19] KISTEMAKER, Simon. *Atos*. Vol. 2, p. 302.

em Cesareia, precisava de pelo menos uma semana para viajar até Jerusalém (21.7-15).[20]

Paulo se **despede dos presbíteros** de Éfeso em Mileto (20.17-38)

No encontro em Mileto, Paulo se despede dos presbíteros de Éfeso com beijos, abraços e lágrimas. Em apenas três anos foram cultivados relacionamentos profundos entre Paulo e aqueles líderes. Paulo chama esses líderes de presbíteros (20.17) e bispos (20.28), empregando o verbo "pastorear" para descrever seu trabalho (20.28). Assim, na mente de Paulo, presbítero, bispo e pastor são termos correlatos. Não há hierarquia na igreja de Deus. Tanto os líderes quanto os liderados são servos de Cristo.

Warren Wiersbe divide a mensagem de despedida de Paulo em três partes:

1. Ao recapitular o passado (20.18-21), Paulo enfatizou sua fidelidade ao Senhor e à igreja ao ministrar durante três anos em Éfeso.
2. Ao falar sobre o presente (20.22-27), Paulo revelou seus sentimentos tanto em vista do passado quanto do futuro.
3. Por fim, ao mencionar o futuro (20.28-35), Paulo advertiu-os sobre os perigos que seriam enfrentados pela igreja.[21]

John Stott diz que, entre os discursos registrados em Atos, este é o único dirigido a um público cristão. Todos os outros são sermões evangelísticos pregados para o povo judeu (2.14ss; 14.14ss; 17.22ss) ou gentio (10.34ss; 14.14ss; 17.22ss); defesas legais diante do Sinédrio nos primeiros dias da igreja (4.8ss; 5.29ss; 7.1ss) ou as cinco palestras diante das autoridades judaicas e romanas que aparecem no final do livro (capítulos 22–26).[22]

---

[20]KISTEMAKER, Simon. *Atos.* Vol. 2, p. 302.
[21]WIERSBE, Warren W. *Comentário bíblico expositivo,* p. 630.
[22]STOTT, John. *A mensagem de Atos,* p. 365.

Neste célebre sermão aos presbíteros de Éfeso, Paulo tange os principais assuntos ensinados em suas epístolas: a graça de Deus (v. 24,32), o reino de Deus (v. 25), o propósito de Deus (v. 27), o sangue remidor de Cristo (v. 28), o arrependimento e a fé (v. 21), a igreja de Deus e a sua edificação (v. 28,32), a inevitabilidade do sofrimento (v. 23,24), o perigo dos falsos mestres (v. 29,30), a necessidade da vigilância (v. 28-31), a carreira cristã (v. 24) e a nossa herança final (v. 32).[23]

No texto em tela, Paulo aborda sete compromissos de um líder, que analisamos a seguir.

Em primeiro lugar, *o compromisso do líder com Deus* (20.19). O primeiro compromisso do líder não é com a obra de Deus, mas com o Deus da obra. O relacionamento com Deus precede o trabalho para Deus. O primeiro chamado do presbítero é para andar com Deus e, como resultado dessa caminhada, fazer a obra de Deus.

Em Atos 20.19 Paulo testemunha como serviu a Deus com humildade e lágrimas por causa das ciladas dos judeus. Três fatos devem ser aqui destacados:

O líder está a serviço de Deus, e não dos homens. O líder serve a Deus, ministrando aos homens. Quem serve a Deus não busca projeção pessoal. Quem serve a Deus não anda atrás de aplausos e condecorações. Quem serve a Deus não depende de elogios nem desanima com as críticas. Quem serve a Deus não teme ameaças nem se intimida diante de perseguições. Quem teme a Deus não teme os homens, nem o mundo, nem mesmo o diabo. O pastor não pode vender sua consciência, mercadejar seu ministério nem compactuar com esquemas mundanos ou eclesiásticos para auferir vantagens imediatas. Judas vendeu Jesus por dinheiro. Demas ficou cego pelos holofotes do mundo e abandonou as fileiras daqueles que andavam em santidade. Muitos obreiros, de igual forma, são atraídos pela sedução do poder, do dinheiro e do prazer e perdem a honra, a família e o ministério. Precisamos ter claro em nosso coração a quem estamos servindo. Não servimos a interesses de pessoas ou grupos. Não servimos àqueles que alimentam a síndrome de

---

[23] STOTT, John. *A mensagem de Atos*, p. 366.

Diótrefes e pensam tolamente serem os donos da igreja. O pastor deve estar a serviço de Deus.

O líder deve servir a Deus com senso profundo de humildade. Muitos batem no peito, anunciando arrogantemente que são servos de Deus. Outros, besuntados de orgulho, fazem propaganda de seu próprio trabalho. Outros servem a Deus, mas gostam dos holofotes. Há aqueles que fazem do serviço a Deus um palco onde se apresentam como os atores ilustres sob as luzes da ribalta. Um servo não busca autoglorificação. Fazer a obra de Deus sem humildade é construir um monumento para si mesmo. É levantar outra modalidade da Torre de Babel.

O líder não deve esperar facilidades pelo fato de estar servindo a Deus. Quem serve a Deus com humildade e integridade desperta polêmica e muita hostilidade no arraial do inimigo. Paulo servia a Deus com lágrimas. A vida ministerial não lhe foi amena. Em vez de ganhar aplausos do mundo, recebeu ameaças, açoites e prisões. Paulo manteve sua consciência pura diante de Deus e dos homens, mas os judeus tramaram ciladas contra ele. Viveu num campo minado. Enfrentou inimigos reais, porém, às vezes ocultos. Nem sempre Deus nos poupa dos problemas. Às vezes, Ele nos treina nos desertos mais tórridos e nos vales mais profundos e escuros.

Em segundo lugar, *o compromisso do líder consigo mesmo* (20.18,28a). O apóstolo Paulo mostra nos versículos 18 e 28a a necessidade do pastor ter um sério compromisso consigo mesmo. Destacamos alguns pontos importantes nesse sentido:

O líder precisa cuidar de si mesmo antes de cuidar do rebanho de Deus. A vida do pastor é a vida do seu pastorado. Há muitos obreiros cansados da obra e na obra porque procuram cuidar dos outros sem cuidarem de si mesmos. Antes de pastorearmos os outros, precisamos pastorear a nós mesmos. Antes de exortar os outros, precisamos exortar a nós mesmos. Antes de confrontarmos os pecados dos outros, precisamos confrontar os nossos próprios pecados. O pastor não pode ser inconsistente. Sua vida é a base de sustentação do seu ministério. O sermão mais eloquente pregado pelo pastor é o sermão da vida. O sermão mais difícil de ser pregado é aquele que pregamos para nós mesmos.

O líder precisa cuidar de si mesmo para não praticar o que condena. O ministério não é uma apólice de seguro contra o fracasso espiritual. Há grande perigo de o pastor acostumar-se com o sagrado e perder de vista a necessidade de temer e tremer diante da Palavra. Os filhos de Eli carregavam a arca da aliança com uma vida impura. A arca não os livrou da tragédia. Muitos pastores vivem na prática de pecados e ainda assim mantêm a aparência. Muitos pastores saem dos esgotos da impureza, navegando no lamaçal de *sites* pornográficos, e depois sobem ao púlpito e exortam o povo à santidade. Essa atitude torna os pecados do pastor mais graves, mais hipócritas e mais danosos do que os das demais pessoas. São mais graves porque o pastor peca contra um conhecimento maior; mais hipócritas, porque o pastor condena o pecado em público e, às vezes, o pratica em secreto; e, mais danosos, porque quando um pastor cai, mais pessoas são atingidas.

O líder precisa cuidar de si mesmo para não cair em descrédito. Há pastores que perderam o ministério porque foram seduzidos pelos encantos do poder, embriagados pela sedução do dinheiro e acabaram presos às teias da tentação sexual. Há pastores que causaram mais males com seus fracassos do que benefícios com seu trabalho. Se um pastor perder a credibilidade, perde também o seu ministério. A integridade do pastor é o fundamento sobre o qual ele constrói seu ministério. Sem vida íntegra não existe pastorado. Hoje, assistimos com tristeza a muitos pastores gananciosos que mercadejam a Palavra e vendem a consciência no mercado do lucro. Há obreiros que são rigorosos com os crentes, mas levam de forma frouxa sua vida pessoal. Há pastores que apascentam a si mesmos, e não ao rebanho. Amam a sua própria glória em vez de buscar a honra do Salvador.

Em terceiro lugar, **o compromisso do líder com a Palavra de Deus** (20.20-27). Nos versículos 20-27, Paulo trata do compromisso do pastor com a Palavra de Deus. Vejamos alguns aspectos importantes:

O líder precisa anunciar todo o conselho de Deus (20.27). O pastor deve pregar só a Bíblia e toda a Bíblia. Não pode aproximar-se das Escrituras com seletividade. Toda a Escritura é inspirada por Deus e útil para o ensino e correção. A única maneira de cumprir esse desiderato é pregar a Palavra expositivamente. O pastor não prega suas próprias ideias, mas expõe a Palavra. O pastor não faz a mensagem, apenas a transmite. A mensagem emana das Escrituras. Deus não tem nenhum compromisso com a palavra do pregador, mas apenas com Sua Palavra.

O líder precisa pregar para a salvação (20.21). O pastor prega arrependimento e fé. Ele leva seus ouvintes a uma decisão. Ele é um evangelista. Prega para a salvação. Muitos pastores dizem não ter o dom de evangelista. Acostumam-se com um ministério burocrático, passando o tempo todo num escritório, atrás de uma mesa, muitas vezes navegando nas águas turvas da internet. Há pastores que perderam a paixão evangelística e não sabem mais o que é sentir as dores de parto. Precisamos de pastores que preguem sobre arrependimento e fé, que anunciem com a alma em fogo e com lágrimas nos olhos a mensagem da salvação que conduz o pecador à conversão. Paulo instruiu o seu filho Timóteo a cumprir cabalmente o seu ministério de evangelista (2Tm 4.5). Uma frase muito conhecida no meio evangélico diz: "Pastor não gera ovelha; é ovelha que gera ovelha". Essa frase é apenas parcialmente verdadeira. É certo que ovelha gera ovelha, mas também pastor gera ovelha. Ou seja, um pastor também é um ganhador de almas; também é um evangelista.

O líder precisa ensinar com fidelidade a Palavra (20.20). Paulo não apenas evangelizava; ele também ensinava. Não apenas gerava filhos espirituais, mas também os nutria com o trigo da verdade. O pastor é um discipulador. Ele deve mentorear as ovelhas de Cristo. O pastor é um mestre. A ele cabe o privilégio de ensinar as verdades benditas do evangelho ao povo de Deus. O pastor deve afadigar-se na Palavra (1Tm 5.17). Ele precisa cavar as insondáveis riquezas do evangelho de Cristo. O pastor é um estudioso e um erudito. A palavra do conhecimento deve estar em seus lábios para instruir o povo. Ele precisa ter uma alma sedenta para aprender e um coração ardente para ensinar. Quem cessa de aprender, cessa de ensinar. Quem se alimenta de migalhas, não pode oferecer pão nutritivo para o povo. Muitos pastores oferecem ao povo uma sopa rala em vez de alimento sólido, pois alimentam o povo da plenitude do seu coração e do vazio da sua cabeça. Outros ensinam doutrinas e tradições humanas em vez de ensinar a poderosa e eficaz Palavra de Deus.

O líder precisa ensinar tanto às multidões quanto aos pequenos grupos (20.20). Paulo ensinava de casa em casa e também publicamente. Há pastores que são loucos pelo frenesi da multidão, mas não se entusiasmam em falar a pequenos grupos. Há pregadores que só pregam para grandes auditórios. Sentem-se importantes demais para pregar numa pequena congregação ou numa reunião de grupo familiar. Esses indivíduos pensam que são mais importantes do que o apóstolo Paulo. O apóstolo dos gentios pregava de casa em casa. Jesus pregou seus mais esplêndidos sermões para uma única pessoa. Quem não se dispõe a pregar a um pequeno grupo não está credenciado a pregar a um grande auditório. Nossa motivação não deve estar nas pessoas, mas em Deus.

Em quarto lugar, *o compromisso do líder com o ministério* (20.24). O apóstolo Paulo sintetiza o seu ministério em três verdades sublimes ao declarar aos presbíteros de Éfeso: *Porque em nada considero a vida preciosa para mim mesmo, conquanto que eu complete a minha carreira e o ministério que recebi do Senhor Jesus para testemunhar o evangelho da graça de Deus* (20.24). Destacamos a seguir essas três verdades:

Vocação (20.24). Paulo diz que recebeu o ministério do Senhor Jesus. Não se lançou no ministério por conta própria; foi chamado, vocacionado e separado para esse trabalho. Paulo não se tornou pastor porque buscava vantagens pessoais. Não entrou para as lidas ministeriais buscando segurança, emprego ou lucro financeiro. Não entrou no ministério com motivações erradas. O mesmo Senhor que lhe apareceu em glória no caminho de Damasco, esse também o chamou, o separou, o capacitou e o revestiu de poder para exercer o ministério. É o senso de vocação que dá ao pastor forças nas horas difíceis. A certeza do chamado divino é que lhe dá direção em tempos tenebrosos. É a convicção de que o Espírito Santo nos constituiu bispos sobre o rebanho que nos dá paz para continuarmos no trabalho, mesmo diante de circunstâncias adversas.

Abnegação (20.24). Paulo diz que não considerava a sua vida preciosa para si mesmo desde que cumprisse o seu ministério. O coração de Paulo não estava nas vantagens auferidas do ministério. Ele não atuava no ministério cobiçando prata ou ouro. Não participava de uma corrida desenfreada em busca de prestígio ou fama. Seu propósito não era ser aplaudido ou ganhar prestígio entre os homens. Na verdade ele estava pronto a trabalhar com as próprias mãos para ser pastor. Estava pronto a sofrer toda sorte de perseguição e privação para pastorear. Estava disposto a ser preso, a sofrer ataques externos e temores internos para pastorear a igreja de Deus. Estava pronto a dar a própria vida para cumprir cabalmente seu ministério.

Paixão (20.24). A grande paixão de Paulo era testemunhar o evangelho da graça de Deus. A pregação enchia o peito do velho apóstolo de entusiasmo. Ele sabia que o evangelho é o poder de Deus para a salvação de todo o que crê. Sabia que a justiça de Deus se revela no evangelho. Sabia que a mensagem do evangelho de Cristo é a única porta aberta por Deus para a salvação do pecador. Paulo se considerava um arauto, um embaixador, um evangelista, um pregador, um ministro da reconciliação. Sua mente estava totalmente voltada para a pregação. Seu tempo era totalmente dedicado à pregação. Mesmo quando estava preso, Paulo sabia que a Palavra não estava algemada.

Em quinto lugar, ***o compromisso do líder com a igreja*** (20.28-32). Nos versículos 28-32, Paulo fala sobre o compromisso dos presbíteros com a igreja. John Stott alerta que não há defesa bíblica para um único pastor tocando sozinho todos os instrumentos da orquestra ou para uma estrutura hierárquica ou piramidal na igreja local.[24] Sobre esse assunto, destacamos alguns pontos importantes:

O líder deve cuidar de todo o rebanho, e não apenas das ovelhas mais dóceis (20.28). Há ovelhas dóceis e indóceis. Há ovelhas que obedecem ao comando do pastor e ovelhas que se rebelam e fogem do cajado do pastor. Há ovelhas que escoiceiam o pastor e aquelas que são o deleite do pastor. Há um grande perigo de o pastor cuidar apenas das ovelhas dóceis e deixar de lado as demais. A ordem divina é que o pastor cuide de todo o rebanho, e não apenas de parte dele.

O líder não é o dono do rebanho, mas servo dele (20.28). A igreja é de Deus, e não do pastor. Jesus é o único dono da igreja. O Senhor nunca deu uma procuração para nos apossarmos da Sua igreja. Na igreja de Deus não existem chefes, caudilhos e donos. Todos somos nivelados no

---

[24] STOTT, John. *A mensagem de Atos*, p. 365.

mesmo patamar: somos servos. Aqueles que se arvoram em donos da igreja e tratam-na como uma empresa particular, buscando abastecer-se das ovelhas em vez de servi-las e pastoreá-las, estão em aberta oposição ao propósito divino.

O líder não pode impor-se arbitrariamente como líder do rebanho (20.28). O pastor precisa ter plena consciência de que foi o Espírito Santo quem o constituiu bispo para pastorear a igreja. Qualquer manobra humana ou política de bastidor para continuar à frente de uma igreja é uma conspiração contra o plano de Deus. O pastorado não deve ser imposto. O pastor não pode agir com truculência. Ele não é um ditador, mas um pai. Não é um explorador do rebanho, mas um servo do rebanho. Muitos pastores constrangem as ovelhas e se impõem sobre elas com rigor despótico (1Pe 5.3). Outros orquestram vergonhosamente para permanecer no pastorado, fazendo acordos e conchavos pecaminosos. O pastor não deve aceitar o pastorado de uma igreja nem sair dela por conveniência, vantagens financeiras ou pressões. Ele precisa saber que, antes de ser pastor do rebanho, é servo de Cristo.

O líder precisa compreender o valor da igreja aos olhos de Deus (20.28). A igreja é a noiva do Cordeiro, a menina dos olhos de Deus. Ele a comprou com o sangue de Jesus. Tocar na igreja é ferir a noiva do Filho de Deus. O Senhor tem zelo pelo Seu povo. Perseguir a igreja é perseguir ao próprio Senhor da igreja. Quem fere o corpo atinge também a cabeça. Os pastores que tratam com rigor desmesurado as ovelhas de Cristo, e dispersam o rebanho ou deixam de protegê-lo dos lobos vorazes, estão desprezando a escrava resgatada, a amada do coração de Deus, a noiva do Seu Filho bendito. John Stott é assaz oportuno ao escrever: "As ovelhas são o rebanho de Deus o Pai, compradas pelo precioso sangue de Deus o Filho e supervisionadas por pessoas indicadas por Deus o Espírito Santo".[25]

O líder precisa proteger o rebanho dos ataques externos (20.29). Paulo alerta que existem lobos do lado de fora buscando uma oportunidade de entrar no meio do rebanho para devorar as ovelhas. O pastor deve ser o guardião e o protetor do rebanho. Como Davi, ele precisa declarar

---

[25] STOTT, John. *A mensagem de Atos*, p. 372.

guerra aos ursos e leões, protegendo o rebanho de seus dentes assassinos. Há muitos falsos mestres com suas perniciosas heresias tentando entrar na igreja. O pastor precisa estar atento!

Certa feita, num domingo de manhã, uma mulher bem vestida e acompanhada por uma comitiva entrou no templo e assentou-se no terceiro banco enquanto eu pregava. Ela me fez chegar às mãos um bilhete com os seguintes dizeres: "Pastor, o Espírito Santo me mandou hoje aqui, porque tenho uma mensagem a entregar a esta igreja". Li o bilhete, coloquei-o no bolso, terminei de pregar, impetrei a bênção apostólica e me dirigi à porta para cumprimentar o povo. Aquela mulher colocou o dedo no meu nariz e me acusou: "O senhor impediu que o Espírito Santo falasse à igreja hoje". Eu respondi: "Deus falou à igreja, a senhora é que não ouviu, pois eu preguei a Palavra de Deus e, quando essa Palavra é exposta com fidelidade, é o próprio Espírito Santo quem fala, pois só Ele tem o poder de aplicar a bendita Palavra". E disse-lhe mais: "Como eu poderia dar-lhe a palavra sem a conhecer, sem saber de onde vem e para onde vai e no que crê?" Mais tarde, soube que, naquela mesma semana, a mulher provocou grandes estragos em algumas igrejas da cidade. Precisamos acautelar-nos dos lobos, ou seja, dos falsos mestres. John Stott avisa que, se os líderes cristãos ficam sentados, ociosos, e não fazem nada, ou viram as costas e fogem quando surgem as falsas doutrinas, receberão o terrível título de "mercenários" que não se preocupam com o rebanho de Cristo. Então, também se dirá dos convertidos como se disse a respeito de Israel: *Assim se espalharam, por não haver pastor, e se tornaram pasto para todas as feras do campo* (Ez 34.5).[26]

O líder precisa proteger o rebanho dos ataques internos (20.30). O perigo vem não apenas de fora, mas também de dentro. Alguns se levantam no meio da igreja declarando coisas perniciosas e arrastando atrás de si as ovelhas. Há lobos vestidos com peles de ovelhas dentro da igreja. Há falsos mestres enrustidos que buscam uma ocasião para se manifestarem e provocarem estrago no arraial de Deus. O pastor precisa ser zeloso no ensino, não dando guarida nem chance aos oportunistas que se infiltram no meio da igreja para disseminar suas heresias.

---

[26] STOTT, John. *A mensagem de Atos*, p. 371.

Em sexto lugar, *o compromisso do líder com o dinheiro* (20.33-35). Nos versículos 33-35 o apóstolo Paulo fala sobre o compromisso do pastor com o dinheiro. Nessa matéria há dois extremos perigosos. O primeiro é o pastor trabalhar motivado pelo salário. Muitos pastores aceitam o convite de uma nova igreja motivados puramente por um salário maior. A motivação para sair desta para aquela igreja não é o amor a Deus e às ovelhas, mas o apego ao dinheiro. O segundo extremo perigoso é a igreja não pagar um salário digno ao pastor. Há igrejas que pecam contra o pastor não lhe dando um sustento digno. O trabalhador é digno do seu salário. Quem está no ministério deve viver do ministério.

Muitas pessoas argumentam que Paulo trabalhava e pastoreava, e esse deveria ser o modelo para as igrejas contemporâneas. Mas o texto que estamos considerando não trata especificamente da questão do salário pastoral e nele, Paulo apenas dá o seu testemunho. É em 1Coríntios 9 que Paulo fala sobre a questão do salário pastoral e enfatiza que o pastor deve receber um salário digno. Se o pastor não deve ser ganancioso, por outro lado a igreja não deve ser avarenta.

O dinheiro é uma questão delicada e também um campo escorregadio no qual muitos obreiros têm caído. O dinheiro é uma bênção, mas o amor ao dinheiro é a raiz de todos os males (1Tm 6.10). O dinheiro é um bom servo, mas um péssimo patrão. O problema não é possuir dinheiro, mas ser possuído por ele. O problema não é ter dinheiro, mas o dinheiro nos ter. O problema não é guardar dinheiro no bolso, mas armazená-lo no coração.

É impossível servir a Deus e ao dinheiro ao mesmo tempo. Se colocarmos o nosso coração no dinheiro, acabaremos tirando o nosso coração de Deus. O dinheiro é um deus; é Mamom. O dinheiro é o ídolo mais adorado em nossa geração. Por amor a ele muitas pessoas vivem, morrem e matam. Por causa dele muitos se casam, se divorciam ou deixam de se casar. Por amor a ele muitos corrompem e outros são corrompidos. Há aqueles que, à semelhança do jovem rico, preferem a riqueza à salvação da sua alma. Muitos obreiros, discípulos de Judas Iscariotes, vendem a sua consciência, o seu ministério e o seu Senhor por míseras trinta moedas de prata.

Paulo nos ensina algumas lições importantes sobre o assunto em pauta.

O líder é alguém que faz a obra não motivado pelo dinheiro (20.33). Paulo não foi a Éfeso para cobiçar prata ou ouro das pessoas; foi para levar-lhes riquezas espirituais. O dinheiro jamais foi o vetor do ministério de Paulo. Ele diz que não cobiçou dinheiro nem vestes. Sua alegria no ministério não era receber benefícios da igreja, mas dar sua vida pela igreja.

O líder é alguém que se dedica à obra mesmo quando lhe falta dinheiro (20.34). Paulo trabalhou com as próprias mãos para continuar no ministério. Ele não abandonou o ministério para trabalhar na fabricação de tendas e jamais se empolgou com esse ofício a ponto de diminuir seu entusiasmo com o ministério. Quando as igrejas pagavam o que lhe era devido, Paulo se concentrava integralmente no ministério, mas, se as igrejas sonegavam seu salário, ele continuava exercendo o ministério, ainda que precisasse trabalhar para isso.

O líder é alguém que entende que mais feliz é aquele que dá do que aquele que recebe dinheiro (20.35). Paulo cita uma expressão de Jesus: *Mais bem-aventurado é dar do que receber*. A visão do pastor não deve ser a de um egoísta e avarento. O pastor precisa ter coração generoso, mãos dadivosas e bolso aberto. Se o pastor não tiver o hábito de ajudar as pessoas, não ensinará seu rebanho a ser generoso. Se o pastor não for dizimista, seu povo será infiel. Se o pastor nunca der uma oferta, suas ovelhas não aprenderão a ofertar. O pastor é o exemplo do rebanho.

Em sétimo lugar, *o compromisso do líder com a afetividade* (20.36-38). Nos versículos 36-38 vemos o relato da despedida de Paulo dos presbíteros de Éfeso na praia de Mileto. Eles se abraçaram, se beijaram e choraram publicamente. Paulo passara três anos em Éfeso, tempo suficiente para formar fortes elos de amizade. Agora, os irmãos demonstram a intensidade desse afeto nessa despedida. Destacamos alguns pontos importantes aqui.

Nós somos seres afetivos (20.37). O amor precisa ser verbalizado e demonstrado. Nossas emoções precisam refletir nosso amor. Os presbíteros de Éfeso abraçaram e beijaram a Paulo numa praia, um lugar público. Eles não negaram, não camuflaram nem esconderam suas emoções. A mídia repleta de violência está minando as nossas emoções. Estamos ficando secos como um deserto. Não conseguimos mais chorar nem expressar nossas emoções. Uma senhora da igreja disse-me entre lágrimas após o culto: "Pastor, valorizo muito o seu abraço na porta da igreja, porque é o único que recebo durante a semana inteira". Há momentos em que a maior necessidade de uma pessoa na igreja não é ouvir o coral, mas receber o abraço de um irmão.

Nós precisamos demonstrar nosso afeto pelas pessoas que amamos (20.37). Muitos pastores não conseguem expressar seus sentimentos nem verbalizar Seu amor pelas ovelhas. São como Davi, que só conseguiu expressar amor por seu filho Absalão no dia que ele morreu. Alguns pastores são como aqueles que só mandam flores para uma pessoa no seu funeral. Precisamos aprender a declarar o nosso amor pelos outros. Precisamos aprender a valorizar as pessoas enquanto elas estão conosco. Precisamos demonstrar nosso apreço enquanto elas podem ouvir nossa voz. Estava pregando num congresso de liderança e perguntei aos pastores qual tinha sido a última vez que eles haviam beijado seus presbíteros. Um pastor levantou a mão no fundo do auditório e disse: "Beijar eu não beijei nenhuma vez, mas vontade de morder eu já tive algumas vezes".

Nós precisamos entender a força terapêutica da afetividade (20.36-38). O amor é o elo de perfeição que une as pessoas. É o cinturão que mantém unidas as demais peças da virtude cristã. Uma pessoa não permanece numa igreja onde ela não tem amigos. A comunhão e a evangelização são temas profundamente conectados. Onde há união entre os irmãos, ali Deus ordena sua bênção e a vida para sempre (Sl 133.1-3). Certa feita uma irmã da igreja me telefonou informando que pretendia transferir-se para uma igreja mais próxima de sua casa. Eu carinhosamente lhe disse: "O problema é que você é tão importante para a nossa igreja, que não podemos abrir mão de Sua presença". A mulher começou a chorar ao telefone e disse: "Pastor, na verdade eu não queria ir para outra igreja. Era isso o que eu precisava ouvir. Muito obrigada". E desligou o telefone. As pessoas são carentes afetivamente, e os pastores precisam compreender que o amor verbalizado e demonstrado tem um grande poder terapêutico.

21

A saga de **Paulo** em Jerusalém

Atos 21–22

PAULO ESTÁ DE MALAS PRONTAS PARA VIAJAR rumo a Jerusalém. Será a última vez que o velho apóstolo colocará os pés na cidade de Davi. Embora um dos propósitos da sua viagem seja levar uma oferta colhida entre os crentes gentios para os crentes judeus, ele sabe que as curvas do futuro lhe reservam cadeias e tribulações. Paulo não nutre esperanças falsas; sabe que será preso. Não caminha na direção dos holofotes, mas rumo à prisão e à morte. Paulo chega a pedir oração à igreja de Roma para não ser morto pelos rebeldes judeus nessa arriscada viagem a Jerusalém (Rm 15.30,31).

Marshall observa que o discurso em Mileto marca o fim da obra missionária de Paulo, conforme o relato em Atos. De lá, o apóstolo viajou para Jerusalém, onde seria preso, encarcerado, sujeitado a vários processos e finalmente despachado a Roma para comparecer diante do Imperador.[1] Werner de Boor, por sua vez, não considera o caminho do sofrimento de Paulo sinônimo de perturbação e interrupção, mas o auge de sua atuação.[2]

---

[1] MARSHALL, I. Howard. *Atos: introdução e comentário*, 1982, p. 314.
[2] DE BOOR, Werner. *Atos dos Apóstolos*, p. 303.

Os capítulos 21 e 22 relatam a saga do apóstolo Paulo nessa viagem, bem como sua prisão em Jerusalém. Destacamos seis pontos para reflexão.

A viagem de Paulo **de Mileto a Tiro** (21.1-6)

As estações da viagem paulina são fáceis de identificar no mapa. Não havia ligações marítimas diretas para o fluxo de passageiros. As pessoas viajavam em navios mercantes cujo roteiro era estabelecido pelo destino da carga.[3]

Logo que Paulo zarpou de Mileto, porto nas proximidades de Éfeso, viajou até Cós, pequena ilha ao sul de Mileto; no dia seguinte, partiu para Rodes, ilha maior a sudeste, e, dali seguiu para Pátara, a leste de Rodes (21.1). Prosseguiu viagem de Pátara para a Fenícia, numa longa viagem de 650 km (21.2), bordejando a ilha de Chipre e navegando direto para Tiro, onde o navio deveria ser descarregado (21.3). Em Tiro, a principal cidade da Fenícia, Paulo se encontrou com os discípulos e permaneceu ali sete dias. Nessa cidade, Paulo recebeu uma profecia, alertando-o a não ir a Jerusalém (21.4). Marshall sugere que o significado dessa palavra deveria ser interpretado assim: "Se é isto que vai lhe acontecer, não faça a viagem para lá".[4] Após uma semana entre os crentes de Tiro, Paulo se despediu em clima de profunda emoção e cordialidade, prosseguindo sua viagem rumo a Jerusalém (21.5,6).

A viagem de Paulo **de Tiro a Cesareia** (21.7-16)

Após deixar a cidade de Tiro rumo a Cesareia, Paulo chegou a Ptolemaida, onde saudou os irmãos, permanecendo com eles por um dia (21.7). De Ptolemaida, o apóstolo viajou direto para a cidade de Cesareia, cerca de 64 km ao sul. Ali se hospedou na casa de Filipe, o evangelista, um dos sete diáconos da igreja de Jerusalém, cujas filhas eram profetisas (21.8,9). Filipe se estabelecera na cidade havia cerca de vinte anos (8.40). Desde então, sua família crescera (21.9).

---

[3] DE BOOR, Werner. *Atos dos Apóstolos*, p. 303.
[4] MARSHALL, I. Howard. *Atos: introdução e comentário*, 1982, p. 316.

A magnífica cidade de Cesareia fora construída por Herodes, o Grande, para servir como porto para Jerusalém. Paulo se hospedou na casa de Filipe, que fugira de Jerusalém por causa da perseguição, quando Estêvão, seu companheiro, foi morto com a participação de Saulo. No passado Filipe teve de fugir do perseguidor Saulo. Agora os dois estão juntos como irmãos, o perseguidor como hóspede na casa do perseguido.[5]

Enquanto Paulo estava em Cesareia, Ágabo, conhecido profeta, desceu da Judeia e profetizou a prisão de Paulo em Jerusalém, acrescentando que os judeus o entregariam nas mãos dos gentios (21.10,11). Cerca de quinze anos antes, Paulo e Ágabo haviam trabalhado juntos levantando uma oferta para as vítimas da grande fome que assolou a Judeia (11.27-30).

A profecia de Ágabo foi a combinação de um ato e uma interpretação falada. John Stott diz que Ágabo copiou a prática mímica de alguns profetas do Antigo Testamento, tais como Aías, que rasgou a veste de Jeroboão em doze pedaços (1Rs 11.29ss); Isaías, que andou nu e descalço durante três anos (Is 20.3ss); e Ezequiel, que pôs cerco a uma representação simbólica de Jerusalém (Ez 4.1ss). Ele tomou o cinto de Paulo, ligando com ele seus próprios pés e mãos (21.11).[6] Esta é a segunda profecia que parece incompatível com aquilo que o Espírito dissera a Paulo (21.23,24). Paulo rejeitou abertamente o pedido dos discípulos e seguiu resoluto para Jerusalém, mesmo sabendo que acabaria sendo preso.

Assim como os cristãos de Tiro, os cristãos de Cesareia imploraram a Paulo que não fosse a Jerusalém. Tanto a equipe que acompanhava Paulo como os discípulos de Cesareia tentaram demover o apóstolo de ir a Jerusalém, mas este os calou e respondeu com firmeza: *Que fazeis chorando e quebrantando-me o coração? Pois estou pronto não só para ser preso, mas até para morrer em Jerusalém pelo nome do Senhor Jesus* (21.13). Não conseguindo dissuadir o apóstolo de sua firme resolução de ir a Jerusalém, os irmãos se curvaram à vontade do Senhor (21.14). Depois dos preparativos, então, Paulo e sua comitiva subiram para Jerusalém (21.15,16).

---

[5] DE BOOR, Werner. *Atos dos Apóstolos*, p. 304.
[6] STOTT, John. *A mensagem de Atos*, p. 374.

John Stott levanta uma questão assaz complexa aqui. Será que Paulo agiu certo ao ignorar os amigos que lhe imploraram que abandonasse os seus planos? O que dizer das mensagens do Espírito Santo através dos profetas? Deveríamos acusar Paulo de teimosia ou admirá-lo por sua decisão inabalável?[7]

Vale ressaltar que, em Mileto, Paulo disse aos presbíteros de Éfeso que estava indo a Jerusalém *obedecendo ao Espírito Santo* (20.22, BLH), apesar das cadeias e tribulações. Lucas narra o acontecimento assim: *E, agora, constrangido em meu espírito, vou para Jerusalém, não sabendo o que ali me acontecerá senão que o Espírito Santo, de cidade em cidade, me assegura que me esperam cadeias e tribulações* (20.22,23). A grande questão é como conciliar essa convicção de Paulo com as profecias recebidas em Tiro (21.4) e Cesareia (21.11), pois em ambas o Espírito Santo é evocado. Em Tiro, as pessoas que falaram foram movidas pelo Espírito e em Cesareia Ágabo afirma: *Isto diz o Espírito Santo.* Apesar disso, Paulo ignorou as duas mensagens e prosseguiu rumo a Jerusalém (21.14). Como resolver esse problema? Concordo com John Stott quando ele escreve: "Com certeza não se pode concluir que o Espírito Santo se contradisse, ordenando a Paulo que fosse, no capítulo 20, e anulando sua instrução no capítulo 21".[8]

Werner de Boor diz que Lucas não está se referindo a uma instrução do Espírito que impeça Paulo de ir a Jerusalém, contradizendo assim a certeza espiritual inabalável em que Paulo se encontrava. Lucas está apenas ilustrando de modo concreto o que Paulo mencionou de forma geral em suas palavras aos presbíteros de Éfeso: *Senão o que o Espírito Santo, de cidade em cidade, me revela, dizendo que me esperam prisões e tribulações* (20.23).[9]

John Stott defende que a melhor solução para esse impasse é fazer uma distinção entre uma predição e uma proibição. Com certeza, Ágabo apenas predisse que Paulo seria amarrado e entregue aos gentios (21.11); os apelos subsequentes a Paulo não são atribuídos ao Espírito

---

[7] STOTT, John. *A mensagem de Atos*, p. 375.
[8] STOTT, John. *A mensagem de Atos*, p. 375,376.
[9] DE BOOR, Werner. *Atos dos Apóstolos*, p. 303.

e podem ter sido deduções falíveis feitas por homens, por causa da profecia do Espírito. Pois se Paulo tivesse ouvido os apelos de seus amigos, a profecia de Ágabo não seria cumprida.[10] Para Warren Wiersbe, os pronunciamentos proféticos podem ser entendidos como avisos (Prepare-se"), não como proibições ("Você não deve ir").[11]

O propósito de Lucas é mostrar que, à semelhança de Jesus, Paulo manifestou no seu rosto a intrépida resolução de ir a Jerusalém, mesmo sabendo o que lhe esperava nessa cidade. Em vez de considerarmos que Paulo se recusou a obedecer a uma profecia, devemos admirá-lo por sua coragem e perseverança, pois não recuou nem mesmo diante da profecia de seu sofrimento. Paulo agiu como alguns soldados da Guerra Civil Espanhola: "Prefiro morrer de pé a viver de joelhos".[12]

Nessa mesma linha de raciocínio, Warren Wiersbe aconselha que, em vez de acusarmos Paulo de ter transigido, devemos louvá-lo por sua coragem, pois, ao ir a Jerusalém, ele tomou a vida nas próprias mãos, a fim de resolver o problema mais premente da igreja: a fenda cada vez mais larga entre os judeus legalistas da "extrema-direita" e os cristãos gentios. Os problemas começaram a se formar na assembleia de Jerusalém (At 15), e os legalistas passaram a seguir Paulo e a tentar tomar seus convertidos. A situação era séria, e Paulo sabia que fazia parte não apenas do problema, mas também da solução. No entanto, não podia resolver nada à distância, por meio de representantes; teria de ir a Jerusalém pessoalmente.[13]

A viagem de Paulo de Cesareia a Jerusalém (21.17-26)

Paulo chega a Jerusalém depois de uma longa viagem. Destacamos quatro fatos importantes de sua estada.

Em primeiro lugar, *uma acolhida calorosa* (21.17). Quando Paulo chegou a Jerusalém com sua comitiva, foi acolhido pelos irmãos com alegria. Sua recepção foi efusiva. Não havia tensão entre Paulo e os

---
[10] STOTT, John. *A mensagem de Atos*, p. 376.
[11] WIERSBE, Warren W. *Comentário bíblico expositivo*, p. 635.
[12] BARCLAY, William. *Hechos de los Apóstoles*. 1973, p. 165.
[13] WIERSBE, Warren W. *Comentário bíblico expositivo*, p. 635.

líderes da igreja de Jerusalém. Tanto Gálatas 2 quanto Atos 15 revelam essa unidade da igreja judaica e gentílica. A tensão estava na mente dos judaizantes que rejeitavam a ideia de gentios se tornarem cristãos antes de se fazerem judeus.

Em segundo lugar, *um encontro com a liderança* (21.18). No dia seguinte à chegada a Jerusalém, Paulo foi encontrar-se com Tiago, o líder da igreja, ocasião em que os presbíteros se reuniram para ouvirem o apóstolo. Nesse tempo era provável que Pedro e João não estivessem mais em Jerusalém. Uma vez que a igreja de Jerusalém havia crescido e agora tinha em seu rol dezenas de milhares de membros, seria necessário grande número de presbíteros para pastoreá-la.

Em terceiro lugar, *um testemunho minucioso* (21.19,20). Paulo relata minuciosamente, aos líderes da igreja de Jerusalém o que Deus fizera entre os gentios por seu ministério (1Co 15.10). Ao ouvirem o relatório missionário, todos deram glória a Deus e também contaram sobre as dezenas de milhares de judeus convertidos que se mantinham ainda zelosos da lei. John Stott diz que não se ouviu na igreja de Jerusalém nenhum murmúrio de desaprovação. Assim como na conversão de Cornélio (11.18), na evangelização dos gregos em Antioquia (11.22,23) e na primeira viagem missionária (14.27; 15.12), a evidência da graça de Deus para com os gentios era indiscutível, e a única resposta adequada era a adoração. O louvor de Tiago e dos presbíteros não era forçado, mas espontâneo e genuíno.[14]

Em quarto lugar, *uma ação preventiva* (21.21-26). Tiago estava preocupado com a chegada de Paulo a Jerusalém. Sabia que os boatos a seu respeito ainda não haviam sido dissipados. Circulava em Jerusalém uma falsa notícia de que Paulo ensinava os crentes judeus a apostatarem de Moisés, deixando de circuncidar seus filhos e de observar a lei de Moisés. Para prevenir o apóstolo de qualquer dissabor e também calar a boca dos críticos, Paulo foi aconselhado a purificar-se juntamente com toda sua comitiva, segundo a tradição dos judeus, fazendo o voto de nazireu e raspando a cabeça. Tiago relembra aos gentios que acompanhavam Paulo a necessidade de manterem os preceitos cerimoniais

---

[14] STOTT, John. *A mensagem de Atos*, p. 384,385.

estabelecidos no Concílio de Jerusalém, abstendo-se de coisas sacrificadas aos ídolos, sangue, carne de animais sufocados e relações sexuais ilícitas. Paulo e sua equipe aceitaram com prontidão essas reivindicações.

Concordo com William Barclay quando ele escreve: "Há um momento em que fazer concessões não denota fraqueza, mas força".[15] Warren Wiersbe tem razão em dizer que a mesma graça que dava aos gentios a liberdade de se abster, também dava aos judeus a liberdade de observar seus costumes. Tudo o que Deus pedia deles era que aceitassem uns aos outros sem criar problemas nem divisões.[16] Marshall acrescenta que não havia nenhuma transigência em Paulo ao fazer essas concessões, especialmente porque a respectiva oferta não lhe parecia irreconciliável com a oferta que Jesus fez de si mesmo como sacrifício pelo pecado.[17] Citando F. F. Bruce, Marshall observa: "Um espírito verdadeiramente emancipado, tal qual aquele de Paulo, não é escravizado à sua própria emancipação.[18]

Mais uma vez John Stott nos ajuda a entender esse problema da convivência harmoniosa entre os convertidos judeus (21.20) e gentios (21.25). Qual era a preocupação de Tiago? a) Não era o caminho da salvação (Tiago e Paulo concordavam que este era através de Cristo, e não da lei); b) não era o que Paulo ensinava aos gentios convertidos (ele ensinava que a circuncisão era desnecessária, e Tiago e o Concílio de Jerusalém haviam dito a mesma coisa); e c) não era a lei moral (Paulo e Tiago concordavam que o povo de Deus deve levar uma vida santa de acordo com os mandamentos de Deus), mas eram os *costumes* dos judeus (21.21).[19]

Tiago e Paulo estavam de acordo em termos doutrinários e éticos. A tensão entre eles era de natureza exclusivamente cultural. A solução a que chegaram, portanto, não sacrificava nenhum princípio doutrinário ou moral, apenas fazia uma concessão prática. Desta forma, Paulo cede

---

[15] BARCLAY, William. *Hechos de los Apóstoles*. 1973, p. 167.
[16] WIERSBE, Warren W. *Comentário bíblico expositivo*, p. 636,637.
[17] MARSHALL, I. Howard. *Atos: introdução e comentário*, 1982, p. 319.
[18] MARSHALL, I. Howard. *Atos: introdução e comentário*, 1982, p. 323.
[19] STOTT, John. *A mensagem de Atos*, p. 386.

em favor da evangelização e também da solidariedade judaico-gentia. Por outro lado, Tiago manifesta atitude similar ao louvar a Deus pela missão entre os gentios e ao aceitar a oferta das igrejas gentias.[20]

A prisão de Paulo em Jerusalém (21.27-40)

Era a Festa de Pentecostes, e havia milhares de judeus em Jerusalém de todas as partes do mundo. Os judeus incrédulos vindos da Ásia, ao verem Paulo no templo, movidos pelo preconceito inflexível e pela violência fanática, numa atitude completamente diferente dos líderes da igreja de Jerusalém, alvoroçaram o povo e prenderam Paulo com violência.

John Stott explica que, após as três épicas viagens missionárias, Lucas descreve os cinco julgamentos enfrentados por Paulo. O primeiro foi diante de uma multidão de judeus na área do templo (capítulo 22); o segundo, diante do supremo conselho dos judeus em Jerusalém (capítulo 23); o terceiro e o quarto em Cesareia, diante de Félix e Festo (capítulos 24 e 25); e o quinto, também em Cesareia, diante do rei Herodes Agripa II (capítulo 26).[21]

Cinco fatos devem ser aqui destacados.

Em primeiro lugar, *um alvoroço medonho* (21.27). Os judeus foram os grandes adversários de Paulo e os grandes opositores do evangelho. Essa foi a principal tese de Lucas no livro de Atos (4.1–5.42; 7.54-60; 8.1-4; 9.23-25; 21.27-36; 23.12-21). Foram os judeus que por todos os cantos provocaram tumultos e agora mais uma vez alvoroçam a multidão. Nesse clima de motim, os judeus agarraram e prenderam Paulo.

Em segundo lugar, *uma acusação falsa* (21.28-30). Esses judeus asiáticos espalharam boatos sobre Paulo. Os boatos normalmente não se baseiam em fatos; antes, alimentam-se de meias-verdades, preconceitos e mentiras.[22] Esses críticos de plantão levantaram três acusações contra Paulo: acusaram-no de ensinar a todos a serem contra o povo, contra a lei e contra o templo.

---

[20]STOTT, John. *A mensagem de Atos*, p. 387.
[21]STOTT, John. *A mensagem de Atos*, p. 379.
[22]WIERSBE, Warren W. *Comentário bíblico expositivo*, p. 637.

Com respeito à lei, ainda que Paulo pregasse que Cristo era o fim da lei (Rm 10.4), não há evidência de que a atividade persuadisse os cristãos judeus a abandonar a circuncisão dos filhos ou os costumes judaicos. Romanos 14–15 e 1Coríntios 8–10 mostram que Paulo estava considerando a existência de judeus (os irmãos *fracos*) que tinham diferenças com os gentios quanto ao que podiam comer, e Paulo defendia o direito de cada grupo ter seus próprios pontos de vista, e a necessidade de cada um demonstrar tolerância para com o outro. Em Corinto, parece que Paulo defendeu os hábitos judaicos a respeito das mulheres que deviam ter a cabeça coberta no culto (1Co 11.2-16). Já vimos que Paulo mandou circuncidar Timóteo (16.3), e, conforme Atos 18.18, ele mesmo fez um voto judaico nazireu. A acusação, portanto, não tinha substância.[23]

Os judeus radicais pensaram que Paulo havia profanado o templo, introduzindo Trófimo, o efésio, no recinto sagrado. As acusações foram tidas por verdadeiras e a multidão se arremeteu contra Paulo com ensandecida violência. Na verdade, Paulo não estava profanando o templo, mas passando pela cerimônia de purificação, exatamente para não cometer profanação. Marshall diz que é irônico que esta fosse a acusação num período em que o próprio Paulo estava passando pela purificação a fim de não profanar o templo.[24]

Havia no templo um muro que separava o pátio dos gentios das demais áreas, e os gentios não tinham permissão de ir além do muro (Ef 2.14). Uma inscrição solene no muro dizia: "Nenhum forasteiro pode ultrapassar esta barreira que cerca o santuário e seus recintos. Qualquer intruso pego em flagrante será o único culpado pela sua morte".[25] William Barclay afirma que essa lei era tão respeitada que os romanos davam aos judeus autorização para matar sumariamente quem a desobedecesse.[26] Os judeus da diáspora gritavam por socorro, como se o pior sacrilégio estivesse sendo perpetrado diante de seus olhos. "O templo foi profanado!" Esse foi o grito que alvoroçou a multidão:

---

[23] MARSHALL, I. Howard. *Atos: introdução e comentário*, 1982, p. 321.
[24] MARSHALL, I. Howard. *Atos: introdução e comentário*, 1982, p. 324.
[25] WIERSBE, Warren W. *Comentário bíblico expositivo*, p. 637.
[26] BARCLAY, William. *Hechos de los Apóstoles*. 1973, p. 168.

a crença profundamente enraizada no coração dos judeus de que não se podia derramar sangue no recinto do templo. Por isso arrastaram Paulo para fora. *Imediatamente foram fechadas as portas.* E, no pátio externo do templo, a multidão tentou linchar Paulo.[27]

Em terceiro lugar, **uma decisão fatídica** (21.31a). Antes de investigar a veracidade das acusações e antes de oferecer ao acusado chance de defesa, os judeus deliberaram matá-lo. Embora não haja como comparar os sofrimentos de Cristo (que foram vicários) com os sofrimentos de Paulo, Lucas coteja o que Cristo enfrentou em Jerusalém com os sofrimentos de Paulo. Ambos foram rejeitados pelo povo e presos sem motivo; ambos foram acusados injustamente e prejudicados por testemunhas falsas; ambos apanharam no rosto diante do tribunal; ambos foram vítimas de planos secretos dos judeus; ambos ouviram o barulho aterrorizante de uma multidão que gritava: *Mata-o*; ambos foram sujeitados a uma série de cinco julgamentos – por Anás, pelo Sinédrio, pelo rei Herodes Antipas e duas vezes por Pilatos, no caso de Jesus; pela multidão, pelo Sinédrio, pelo rei Herodes Agripa II e por dois procuradores, Félix e Festo, no caso de Paulo.[28]

Em quarto lugar, **uma intervenção providencial** (21.31b-36). O comandante Cláudio Lísias foi informado do motim e imediatamente se dirigiu à praça do templo com sua soldadesca, abortando a intenção dos judeus. Marshall diz que não levaria muito tempo para a notícia do distúrbio chegar à guarnição romana na cidade. Localizada na fortaleza Antônia, quartel-general da força de ocupação romana, ao noroeste do templo, era suficientemente alta para manter vigilância constante sobre os distúrbios embaixo, e dois lances de escadas a ligavam com o átrio dos gentios. A guarnição em Jerusalém era uma coorte, que tinha nominalmente 760 soldados da infantaria e 240 da cavalaria, todos comandados por um oficial romano.[29]

Os judeus cessaram de espancar Paulo quando o comandante mandou acorrentá-lo, para saber quem era e o que havia feito o prisioneiro.

---

[27]DE BOOR, Werner. *Atos dos Apóstolos*, p. 312.
[28]STOTT, John. *A mensagem de Atos*, p. 381.
[29]MARSHALL, I. Howard. *Atos: introdução e comentário*, 1982, p. 325.

Nesse ínterim a multidão ensandecida gritava de forma desordenada sem saber por que vociferava contra o apóstolo. Por essa razão o comandante mandou recolher Paulo à fortaleza para não ser despedaçado pela multidão tresloucada, que clamava pela sua morte. A multidão gritava *mata-o*, da mesma forma que, quase trinta anos antes, outra multidão gritara contra outro prisioneiro (Lc 23.18).

Lucas apresenta as autoridades romanas como amigos do evangelho, não como inimigos. O primeiro gentio a se converter foi Cornélio, um centurião romano (10.1-48). O primeiro convertido das viagens missionárias de Paulo foi Sérgio Paulo, o procônsul romano de Chipre (13.12). Em Filipos os magistrados romanos até pediram desculpas a Paulo e Silas pelo espancamento e pela prisão (16.35-40). Em Corinto, Gálio, o procônsul da Acaia, recusou-se a ouvir as acusações dos judeus contra Paulo (18.12-17). Em Éfeso, o escrivão da cidade declarou inocentes os líderes cristãos (19.35-41). Agora, em Jerusalém e Cesareia, Cláudio Lísias, o comandante militar, coloca Paulo sob sua proteção.[30]

Voltando ao paralelo entre Jesus e Paulo, tanto Pilatos no julgamento de Jesus como Cláudio Lísias no julgamento de Paulo consideraram-nos inocentes. Assim como Lucas dedicou grande parte de seu evangelho para tratar da prisão e morte de Jesus, também dedicou boa parte de Atos para narrar a prisão e a defesa de Paulo. O livro de Atos termina mostrando Paulo preso em Roma. Dessa primeira prisão Paulo foi solto e declarado inocente. De acordo com John Stott, Lucas faz questão de demonstrar que, aos olhos da lei romana, Jesus e Paulo eram inocentes, dirigindo a atenção para o antecedente que estabeleceu a legalidade da fé cristã, como resultado de seus julgamentos.[31]

Em quinto lugar, *um esclarecimento necessário* (21.37-40). Com esta seção, começa a narrativa longa da prisão e dos julgamentos de Paulo, tanto em Jerusalém como em Cesareia, e da sua viagem para Roma, a fim de enfrentar o tribunal supremo.[32] Ao ser levado para a fortaleza, Paulo pede permissão para falar à multidão amotinada. O comandante

---

[30] STOTT, John. *A mensagem de Atos*, p. 381.
[31] STOTT, John. *A mensagem de Atos*, p. 383.
[32] MARSHALL, I. Howard. *Atos: introdução e comentário*, 1982, p. 327.

imaginava que Paulo fosse o egípcio que havia aliciado quatro mil sicários. Paulo responde declarando ser um judeu natural de Tarso, importante província do Império. A multidão silencia, e Paulo dirige-se a seu povo em língua hebraica.

A defesa de Paulo em Jerusalém (22.1-21)

A defesa de Paulo diante da multidão pode ser examinada da seguinte forma.

Em primeiro lugar, *Paulo conta sua história anterior à conversão* (22.1-5). Paulo mostrou aos judeus que também era um judeu nascido em Tarso, mas fora criado em Jerusalém aos pés do grande mestre Gamaliel, sobrinho do famoso rabino Hillel. Paulo foi educado para ser um rabino, um líder do judaísmo. Dentre os de sua idade destacou-se, demonstrando grande zelo pela tradição de seus antepassados (Gl 1.14). Mais que isso, perseguiu com fúria mortal a religião do Caminho, tornando-se uma fera selvagem, prendendo e encerrando em prisões os discípulos de Cristo. Esse fato era fartamente conhecido pelo sumo sacerdote, que entregou a Paulo cartas de autorização para prender os cristãos que moravam em Damasco.

Em segundo lugar, *Paulo relata sua experiência de conversão* (22.6-11). A conversão de Paulo foi súbita e absolutamente extraordinária. Paulo não procurava Jesus; pelo contrário, ele O perseguia. Ele não encontrou a Jesus; foi encontrado por Ele. Foi Jesus quem tomou a iniciativa de buscá-lo, confrontá-lo e salvá-lo. Isso aconteceu exatamente quando Paulo seguia para Damasco como uma fera selvagem para prender os cristãos. Jesus o derruba ao chão, quebra a dureza do seu coração, convertendo-o. Como um touro bravo e indomável que caçava os crentes, Paulo foi jogado ao chão e uma luz aurifulgente brilhou ao seu redor. Seus olhos ficaram cegos, mas os olhos da sua alma foram abertos. Ao mesmo tempo que se tornou cativo de Jesus, encontrou a liberdade. Quebrantado, cego e convertido, foi conduzido a Damasco.

Em terceiro lugar, *Paulo fala sobre o projeto de Deus em sua vida após a conversão* (22.12-16). Deus ordena que Ananias vá a casa de Judas, na rua Direita, para orar pela cura de Paulo, batizá-lo e informá-lo acerca de sua vocação para conhecer a Jesus e fazê-lo conhecido de todos os homens no mundo todo.

Em quarto lugar, **_Paulo explica como lutou com Deus para aceitar seu ministério direcionado aos gentios_** (22.17-21). Paulo narra a visão que teve em Jerusalém, quando o próprio Senhor apareceu a ele e lhe ordenou sair logo de Jerusalém. Em vez de obedecer de imediato ao Senhor, Paulo arrazoou com Ele, elencando as razões pelas quais desejava permanecer em Jerusalém em vez de atender ao seu chamado para ser apóstolo aos gentios.

Paulo reivindica seus direitos como **cidadão romano** (22.22-30)

Os judeus ouviram Paulo até o momento em que ele testemunhou seu chamado para anunciar o evangelho aos gentios. A partir de então, passaram a gritar: _Tira tal homem da terra, porque não convém que ele viva_ (22.22). Destacamos a seguir cinco pontos de interesse no episódio.

Em primeiro lugar, _**a insanidade da multidão**_ (22.22,23). A multidão grita infrene pela morte de Paulo, enquanto arroja suas capas, atirando poeira para o ar. Por que a multidão de judeus está tão enfurecida? Aos seus olhos, o proselitismo (transformar gentios em judeus) não era problema, mas a evangelização (transformar gentios em cristãos, sem transformá-los primeiramente em judeus) era uma abominação. Era como dizer que não havia diferença entre judeus e gentios, pois ambos precisavam ir a Deus através de Cristo, sob idênticas condições.[33]

Em segundo lugar, _**a ordem do comandante**_ (22.24). O comandante romano livra Paulo da multidão alvoroçada, salvando-o do linchamento e recolhendo-o à fortaleza. Porém, sem conhecer a verdade dos fatos, manda açoitá-lo, buscando com isso, descobrir as razões de tanta virulência da multidão contra ele. Essa atitude truculenta era o procedimento padrão para extrair informações de um prisioneiro. O açoite (do latim, _flagellum_) era um instrumento de tortura temível, feito de tiras de couro, carregadas de pedaços toscos de metal ou osso, presas a um cabo feito de

---

[33] STOTT, John. _A mensagem de Atos_, p. 393.

madeira forte. Se o homem não morresse sob o açoite (o que acontecia frequentemente), decerto ficaria coxo para o resto da vida.[34]

Em terceiro lugar, *a pergunta de Paulo* (22.25). O mesmo Paulo que não reivindicou sua cidadania romana quando foi açoitado e preso em Filipos, agora, evita a afronta dos açoites em Jerusalém, revelando ao centurião que, como cidadão romano, não podia ser açoitado antes de ser condenado. Era ilegal submeter um cidadão romano a açoites sem um julgamento regular. A *Lex Valeria* e a *Lex Porcia* proibiam a fustigação, e até mesmo a algemação, de cidadãos romanos, e este direito foi confirmado pela *Lex Julia*, que dava aos cidadãos nas províncias o direito de apelar a Roma. Fica bem claro, portanto, que a lei favorecia Paulo e ele não hesitou em reivindicar seus direitos.[35]

Em quarto lugar, *o medo do comandante* (22.26-29). O centurião informou ao comandante acerca da cidadania romana de Paulo. Perturbado, o comandante constata que de fato Paulo era cidadão romano por direito de nascimento e fica receoso. A cidadania romana era adquirida por direito (posição ou ofício elevado) ou por merecimento (para os que tinham prestado bons serviços ao Império). Era transmitida de pai para filho (o caso de Paulo) e também podia ser comprada, não por uma taxa, mas pelo suborno de algum oficial corrupto (o caso de Cláudio Lísias).[36]

Em quinto lugar, *a soltura de Paulo* (22.30). O comandante ordenou que o prisioneiro fosse solto e que se reunisse o Sinédrio judaico, a fim de que Paulo pudesse fazer sua defesa diante dos líderes judaicos.

---

[34] STOTT, John. *A mensagem de Atos*, p. 394,395.
[35] MARSHALL, I. Howard. *Atos: introdução e comentário*, 1982, p. 334.
[36] STOTT, John. *A mensagem de Atos*, p. 395.

22

O julgamento de Paulo em Jerusalém e Cesareia

Atos 23–24

A MULTIDÃO QUE PRENDEU PAULO ESTAVA FURIOSA, e o comandante romano seguia confuso. Ele precisava saber com exatidão os verdadeiros motivos pelos quais os judeus acusavam Paulo (22.30). Já tentara interrogar a multidão, mas obtivera respostas dissonantes (21.33,34). Tentou usar a tortura, mas a cidadania romana de Paulo o impediu (22.24,25). Então, optou por um terceiro método – o julgamento pelo Sinédrio (22.30).[1]

O cerco contra Paulo se agrava. Ele comparecerá, por ordem do comandante romano, diante do Sinédrio judaico, o mesmo tribunal hostil que condenou Jesus à cruz e Estêvão ao apedrejamento. Sabe que não pode contar com a justiça desse tribunal nem com a benevolência desses líderes de dura cerviz.

Destacamos aqui alguns pontos importantes.

A defesa de Paulo diante do Sinédrio (23.1-10)

O Sinédrio é convocado, e Paulo se apresenta aos 71 membros do supremo tribunal dos judeus. O Sinédrio era responsável por interpretar

---

[1] STOTT, John. *A mensagem de Atos*, p. 396.

e aplicar a lei judaica às questões de sua nação e levar a julgamento os que a transgredissem.² Alguns pontos merecem destaque na defesa de Paulo diante do Sinédrio.

Em primeiro lugar, *a cordialidade de Paulo* (23.1). Paulo se dirige a esse magno concílio dos judeus, chamando seus membros cordialmente de *varões irmãos*. Paulo amava seu povo (Rm 9.3) e respeitava seus líderes (23.1). Em vez de assacar contra eles pesados libelos acusatórios, trata-os com urbanidade e respeito. Por outro lado, Paulo se coloca em pé de igualdade com os membros do tribunal ao chamá-los de *irmãos*, uma vez que a maneira formal de dirigir-se ao Sinédrio era: *Príncipes do povo e anciãos de Israel*.³

Paulo diz aos líderes religiosos dos judeus que *andou com Deus e com a consciência tranquila*, ou seja, está em paz com Deus e consigo mesmo. Obviamente ele não se refere ao seu passado sombrio como perseguidor da igreja, mas à sua vida após a conversão. Seus juízos, porém, encaram-no com suspeitas. Para eles, essa afirmação representava a petulância de um criminoso empedernido, que merecia um tapa na boca.⁴ Warren Wiersbe diz que *consciência* é uma das palavras prediletas de Paulo, e ele a emprega duas vezes no livro de Atos (23.1; 24.16) e 21 vezes em suas epístolas. O termo significa "conhecer com, ou saber em conjunto com". A consciência é o juiz ou a testemunha interior que nos aprova quando fazemos o que é certo e nos reprova quando fazemos o que é errado (Rm 2.15). A consciência não determina os padrões, apenas os aplica. Se um indivíduo persiste em pecar contra a consciência, pode desenvolver a chamada *má consciência* (Hb 10.22) ou *consciência cauterizada* (1Tm 4.2).⁵

Em segundo lugar, *a crueldade do sumo sacerdote* (23.2). O sumo sacerdote Ananias ficou tão irado ao ouvir que Paulo vivera *com toda boa consciência* que ordenou ao membro do conselho mais próximo que batesse em sua boca. Para Ananias, Paulo era um deturpador da religião

---

²WIERSBE, Warren W. *Comentário bíblico expositivo*, p. 641.
³BARCLAY, William. *Hechos de los Apóstoles*, p. 175.
⁴DE BOOR, Werner. *Atos do Apóstolos*, p. 322.
⁵WIERSBE, Warren W. *Comentário bíblico expositivo*, p. 642.

judaica que tinha de ser humilhado e condenado.[6] Ananias ocupava o maior posto, mas se comportava da maneira mais baixa. Tinha poder, mas não ética. Tinha autoridade, mas não clemência. Ananias foi nomeado sumo sacerdote em 47 d.C. e demitido em 58-59 d.C. Rico e influente, era conhecido pela sua má fama e violência, e sua ganância o tornou impopular junto ao povo.[7]

Em terceiro lugar, *a reação de Paulo* (23.3-5). Assim como Jesus foi esmurrado quando compareceu diante do Sinédrio (Jo 18.22), também o foi Seu apóstolo. Paulo, porém, não teve o mesmo controle de imediato. Por isso, desculpou-se por ter falado mal do sumo sacerdote, mesmo sendo este um homem execrável. Concordo com Warren Wiersbe que Paulo aqui demonstrou respeito pelo cargo, mas não pelo homem que o ocupava.[8]

Paulo chamou o sumo sacerdote de *parede branqueada*. Isso pode significar quatro coisas: Paulo o chamou de hipócrita; Paulo considerou sua atitude indigna de um sumo sacerdote; Paulo tinha uma deficiência visual e não o reconheceu como o sumo sacerdote, visto que, possivelmente, estava sem suas insígnias; e Paulo perdeu a razão quando foi rudemente interrompido e espancado no rosto.

O termo *parede branqueada* era usado para referir-se aos túmulos caiados. Se um israelita tocasse num cadáver, incorria em impureza cerimonial. Por isso, os túmulos eram branqueados para que ninguém os tocasse por equívoco. Descrever o sumo sacerdote, portanto, como *parede branqueada* era simplesmente acusá-lo de hipocrisia (Mt 23.27).

É bastante provável que Paulo soubesse quem era o sumo sacerdote, uma vez que Ananias era um homem inescrupuloso, glutão, ladrão e um traidor que, por vantagens inconfessas, estava a serviço dos romanos.[9] Ananias era conhecido como um homem brutal que se importava mais com o favor de Roma do que com o bem de Israel.[10] Ocupava o cargo mais elevado, porém vivia da forma mais vil. Na opinião de

---

[6] Kistemaker, Simon. *Atos*. Vol. 2, p. 415.
[7] Kistemaker, Simon. *Atos*. Vol. 2, p. 416.
[8] Wiersbe, Warren W. *Comentário bíblico expositivo*, p. 642.
[9] Barclay, William. *Hechos de los Apóstoles*, p. 175,176.
[10] Wiersbe, Warren W. *Comentário bíblico expositivo*, p. 642.

Marshall, quando Paulo alegou não saber que era o sumo sacerdote, estava falando com amarga ironia: "Não pensava que um homem que desse tal ordem pudesse ser o sumo sacerdote".[11]

Werner de Boor está convencido de que Paulo não era uma pessoa que praguejava quando estava furioso. Ele está proferindo uma profecia que se cumpriu. Ananias perdeu o cargo por causa do conflito sangrento que surgiu entre os judeus e os samaritanos. Por isso, o regente da Síria, Umídio Quadrato, o enviou ao tribunal imperial em Roma. Depois de retornar a Jerusalém, tornou-se aos poucos o mais rico e poderoso entre os sumos sacerdotes. A profecia de Paulo, porém, se cumpriu, e Ananias foi assassinado poucos anos depois, no começo do levante judaico contra Roma, por ser amigo dos romanos.[12] Nesse levante judaico em 66 d.C., Ananias teve de fugir, pois o povo sabia que ele era simpatizante de Roma. Os guerrilheiros judeus o encontraram escondido em um aqueduto do palácio de Herodes e o mataram. Foi uma morte vergonhosa para um homem desprezível.[13]

Em quarto lugar, *a estratégia de Paulo* (23.6-9). Ciente de que o Sinédrio era formado por fariseus e saduceus, e de que os saduceus, influenciados pela filosofia grega, não acreditavam na ressurreição, nem em anjos nem em espíritos, sem torcer a verdade, mas em defesa dela, Paulo afirmou que estava sendo julgado por causa da ressurreição dos mortos. É como se Paulo dissesse:

> Apesar de tudo sinto-me ligado a vocês, fariseus, estou do lado de vocês, com vocês partilho a esperança de Israel, que os saduceus abandonaram há tempo. Ao lado de vocês tenho a confiança de que o Deus vivo de fato ressuscita mortos, e estou perante o tribunal tão somente porque levo terminantemente a sério o que vocês na essência também professam.[14]

Pelo fato de Paulo não ter usado sua palavra como "cartada", mas como último esforço para preservar um vínculo com Israel, causou um

---

[11] MARSHALL, I. Howard. *Atos: introdução e comentário*, 1982, p. 338.
[12] DE BOOR, Werner. *Atos dos Apóstolos*, p. 323.
[13] WIERSBE, Warren W. *Comentário bíblico expositivo*, p. 642.
[14] DE BOOR, Werner. *Atos dos Apóstolos*, p. 324.

grande impacto no tribunal e se livrou de uma condenação unânime por parte do Sinédrio.[15] Com isso, Paulo se defende ao mesmo tempo que provoca uma celeuma e acirrado debate entre seus acusadores. Simon Kistemaker diz que Paulo tocou aqui o ponto crítico da questão – isto é, a doutrina da ressurreição – que unia os fariseus e os cristãos, mas separava os fariseus e saduceus.[16] Nas palavras de Howard Marshall: "Na igreja judaica cristã primitiva alguém podia se tornar cristão e continuar fariseu, mas um saduceu teria de mudar totalmente sua posição teológica".[17]

O grupo dos saduceus consistia na aristocracia sacerdotal, ao passo que os fariseus eram representados pelos escribas. Havia diferenças tanto políticas como teológicas entre saduceus e fariseus. Os saduceus eram colaboracionistas e simpatizantes dos romanos, enquanto os fariseus protestavam silenciosamente contra Roma. Os saduceus eram teologicamente liberais, enquanto os fariseus eram conservadores em sua teologia.[18] Os saduceus não acreditavam na ressurreição, os fariseus eram defensores dessa doutrina. Diante desse incidente, o Sinédrio se dividiu e os fariseus se posicionaram a favor de Paulo, considerando-o inocente.

John Stott afirma que o antissobrenaturalismo dos saduceus era incompatível com o evangelho. Como Jesus explanou, eles não conheciam as Escrituras nem o poder de Deus (Mt 22.29). Paulo, porém, era fariseu não só pela linhagem e educação (23.6), mas também porque compartilhava com os fariseus a grande verdade e esperança da ressurreição, que era o motivo de seu julgamento.[19]

Em quinto lugar, *a intervenção do comandante* (23.10). Como os juízes que estavam assentados para julgar Paulo ficaram inflamados pela celeuma criada pela discussão teológica, e sabendo que Paulo seria inevitavelmente atingido por essa hostilidade, o comandante resolveu, por precaução, retirá-lo do Sinédrio e guardá-lo em segurança na fortaleza. Essa é a terceira vez que o comandante resgatou Paulo das mãos

---
[15]DE BOOR, Werner. *Atos dos Apóstolos*, p. 324.
[16]KISTEMAKER, Simon. *Atos*. Vol. 2, p. 421.
[17]MARSHALL, I. Howard. *Atos: introdução e comentário*, 1982, p. 339.
[18]MARSHALL, I. Howard. *Atos: introdução e comentário*, 1982, p. 339.
[19]STOTT, John. *A mensagem de Atos*, p. 398.

dos judeus e o levou à fortaleza de Antônia. William Barclay chama a atenção para o ódio histérico e fanático dos judeus – os escolhidos de Deus – em contraste com a justiça fria e imparcial do comandante romano, pagão aos olhos dos judeus.[20]

A consolação de Deus na prisão (23.11)

Após o confronto entre Paulo e Ananias, e a acalorada discussão entre os fariseus e os saduceus, o clima ficou extremamente tenso. Paulo estava numa espécie de beco sem saída. As esperanças de salvamento eram mínimas. Nesse momento de angústia, o próprio Senhor Jesus apareceu a Paulo na prisão e lhe disse: ...*Coragem! Pois do modo por que deste testemunho a meu respeito em Jerusalém, assim importa que também o faças em Roma* (23.11). A mensagem do Senhor a Paulo foi de encorajamento, aprovação e confirmação.[21]

Destacamos aqui três pontos importantes.

Em primeiro lugar, *o Deus que acompanha* (23.11). Naquela noite fatídica, o próprio Deus se colocou ao lado de Paulo. Lucas registra: *Na noite seguinte, o Senhor, pondo-se ao lado dele...* Na hora mais escura, Deus se apresentou junto ao seu arauto. O maior encorajamento que Paulo recebeu para prosseguir resoluto foi a presença de Jesus.

Em segundo lugar, *o Deus que encoraja* (23.11). Naquele momento de abatimento e desânimo, Deus disse a Paulo: *Coragem!...* O encorajamento não vem dos homens, mas de Deus. Não brota da terra, mas do céu. Não emana das circunstâncias, mas da palavra do Deus vivo.

Em terceiro lugar, *o Deus que comissiona* (23.11). Lucas conclui: *... pois do modo por que deste testemunho a meu respeito em Jerusalém, assim importa que também o faças em Roma.* O destino de Paulo não estava nas mãos dos judeus ou dos romanos, mas estava nas mãos de Deus. Nenhuma força na terra poderia colocar um ponto final no ministério de Paulo, antes que ele cumprisse todo o propósito de Deus. Era da vontade de Deus que Paulo fosse a Roma e lá testemunhasse

---

[20] BARCLAY, William. *Hechos de los Apóstoles*, p. 177.
[21] WIERSBE, Warren W. *Comentário bíblico expositivo*, p. 644.

com a mesma ousadia que mostrara em Jerusalém, e ninguém poderia detê-lo até que cumprisse esse plano. Marshall afirma que o propósito de Paulo comparecer diante do tribunal judaico e romano não foi propriamente defender-se das acusações específicas, mas dar testemunho a respeito de Jesus.[22] Conforme Werner de Boor, Jesus confirma a Paulo que sua ida a Jerusalém fora correta, apesar das graves e conturbadas consequências.[23]

A conspiração tramada contra Paulo (23.12-15)

Quando o inimigo se vê vencido pelo argumento, utiliza-se da violência. Os judeus não conseguiram resistir aos argumentos de Paulo diante do Sinédrio, então resolveram matá-lo de forma traiçoeira, conspirando veladamente contra ele. Mais de quarenta judeus, num complô covarde, fizeram voto, sob anátema, de que não comeriam nem beberiam enquanto não tirassem a vida de Paulo. Mais que isso, buscaram apoio na liderança do Sinédrio para levarem a cabo esse intento assassino. Tanto esses quarenta judeus rebeldes como os líderes do Sinédrio estavam desprovidos de qualquer escrúpulo. A serviço da mentira e da violência, eram agentes do mal e não arautos do bem, ministros da violência e não embaixadores da paz.

O plano era fazer com que Paulo fosse levado ao tribunal pelas ruas e vielas estreitas da cidade, onde seria fácil interceptá-lo e assassiná-lo. O terror dos sicários – os "homens do punhal", que ocultavam a arma de lâmina curva nas dobras das vestes e estavam presentes em todos os lugares, seja no meio dos peregrinos, seja no templo, eliminando seus desafetos com rápidos golpes nocivos – era uma realidade sombria em Jerusalém. A intenção desses quarenta judeus fanáticos era surgir inesperadamente, pela fileira dos soldados que escoltavam Paulo, no curto trajeto da fortaleza ao tribunal, a fim de apunhalá-lo.[24] Mas nem os planos humanos mais cuidadosos e astutos podem ser bem-sucedidos

---

[22]MARSHALL, I. Howard. *Atos: introdução e comentário*, 1982, p. 341.
[23]DE BOOR, Werner. *Atos dos Apóstolos*, p. 325.
[24]DE BOOR, Werner. *Atos dos Apóstolos*, p. 327.

quando Deus se opõe a eles. Nenhuma arma forjada contra o povo de Deus prevalecerá (Is 54.17).[25]

Vale a pena relembrar que, durante todo o ministério, Paulo enfrentou severa, permanente e implacável perseguição dos judeus. Foi assim em Damasco (9.23). Ele sofreu um atentado dos judeus helenistas em Jerusalém (9.29). Os judeus também o expulsaram de Antioquia da Pisídia (13.50,51) e ameaçaram apedrejá-lo em Icônio (14.5). O apóstolo foi apedrejado em Listra (14.19,20). Em Corinto, os judeus tentaram prendê-lo (18.12-17). Em Éfeso, conspiraram contra sua vida (20.19) e até planejaram jogá-lo ao mar (20.3). As palavras de Paulo em 1Tessalonicenses 2.14-16 adquirem significado especial quando levamos em consideração tudo o que ele sofreu nas mãos de seus compatriotas.[26]

A conspiração desarticulada (23.16-25)

Werner de Boor tem razão em dizer que, quando quarenta fanáticos fazem um juramento, não é possível manter sua decisão em segredo.[27] Deus usou vários instrumentos para desarticular a conspiração contra Paulo: seu sobrinho, o centurião, o comandante e a escolta composta por infantaria e cavalaria. Deus providenciou que 470 soldados, quase a metade da guarnição do templo, protegessem Paulo no traslado a Cesareia. Paulo não estava no controle da situação, mas Deus estava. O próprio Deus lhe abriu as portas da providência e do livramento. Nas palavras de Agostinho, citado por Wiersbe: "Confie o passado à misericórdia de Deus, o presente a Seu amor, e o futuro a sua providência".[28] O que sabemos é que a notícia da conspiração passou do sobrinho de Paulo para Paulo, de Paulo para o centurião, e do centurião para o comandante, que tomou conhecimento da trama pelos lábios do jovem. Sem dúvida, lembrando-se da cidadania romana de Paulo, o comandante resolveu agir imediatamente.[29]

---

[25] STOTT, John. *A mensagem de Atos*, p. 400.
[26] WIERSBE, Warren W. *Comentário bíblico expositivo*, p. 644.
[27] DE BOOR, Werner. *Atos dos Apóstolos*, p. 328.
[28] WIERSBE, Warren W. *Comentário bíblico expositivo*, p. 644.
[29] STOTT, John. *A mensagem de Atos*, p. 401.

O traslado de Paulo de Jerusalém a Cesareia (23.26-35)

O comandante romano Cláudio Lísias escreveu uma carta ao governador Tibério Cláudio Félix e, sob forte escolta armada, enviou o apóstolo Paulo a Cesareia, o quartel-general de Roma na Palestina. O destacamento de 200 soldados, 70 homens de cavalaria e 200 lanceiros, ou seja, 470 militares, soa como um suprimento exagerado, que representava cerca de meia guarnição.[30] De Jerusalém a Cesareia havia mais de 90 km. A região toda era muito perigosa e estava habitada por judeus. Antipátride, cidade construída por Herodes, o Grande, estava a uns 38 km de Cesareia e era usada como posto militar romano para descanso entre Cesareia e Jerusalém. Essa região, aberta, plana e habitada em grande parte por gentios, era pouco apropriada para emboscadas. Por essa razão, o corpo principal das tropas retornou em Antipátride e restou apenas a cavalaria como escolta até Cesareia (23.32).[31]

Cesareia era o destino de Paulo. A sede do governo roma-no não ficava em Jerusalém, mas em Cesareia. Ali, Paulo enfrentaria Félix, que nascera escravo e, por influência de seu irmão Palas, muito estimado na coorte e amigo pessoal do imperador Cláudio e mais tarde de Nero, conseguira o cargo de governador. Félix foi o primeiro escravo da história a tornar-se governador de uma província romana. Casou-se com três princesas sucessivas. Não se conhece o nome da primeira; a segunda era neta de Antônio e Cleópatra; a terceira era Drusila, a filha de Herodes Agripa I. Era um homem inescrupuloso e violento.[32]

Félix governou como procurador da Judeia por sete ou oito anos, desde 52 d.C. Era implacável em abafar as sublevações dos judeus. Apesar de liberto, parece nunca ter abandonado sua mentalidade servil, o que fez Tácito escrever que "ele praticou todo tipo de crueldade e luxúria, exercendo o poder de um rei com os instintos de um escravo".[33]

---

[30] STOTT, John. *A mensagem de Atos*, p. 401.
[31] BARCLAY, William. *Hechos de los Apóstoles*, p. 178.
[32] BARCLAY, William. *Hechos de los Apóstoles*, p. 179.
[33] KISTEMAKER, Simon. *Atos*. Vol. 2, p. 438; STOTT, John. *A mensagem de Atos*, p. 401.

A acusação contra Paulo perante o tribunal do governador (24.1-9)

Agora Paulo está preso, indefeso e completamente vulnerável entre dois poderes, o religioso e o civil, o hostil e o amigável, Jerusalém e Roma. John Stott observa que Jerusalém e Roma eram os centros de dois blocos de poder extremamente fortes. A fé de Jerusalém remontava a Abraão, dois mil anos antes. O domínio de Roma se estendia por uns 2 milhões de km² ao redor do mar Mediterrâneo. A força de Jerusalém estava na história e na tradição; a de Roma, na conquista e organização. O poder combinado de Jerusalém e Roma era invencível. No entanto, Paulo tinha convicção de que não era traidor da igreja nem do Estado. Ele não havia cometido pecado de blasfêmia nem de sedição.[34]

O julgamento descrito em Atos 24 gira em torno de dois discursos, o de Tértulo, orador profissional levado a Cesareia pelos judeus, e o de Paulo. Os dois começam com *captatio benevolentiae*, um esforço para conquistar a boa vontade de Félix. O discurso de Tértulo (24.2-4) é cheio de adulação, enquanto o de Paulo é breve e honesto (24.10b).[35]

As palavras introdutórias de Tértulo rasgaram desabridos elogios ao governador Félix, numa bajulação que beirava a hipocrisia e até provocava náuseas, uma vez que ele agradece ao governador pela paz alcançada e pelas reformas realizadas, quando a realidade dos fatos era outra. Félix debelou alguns tumultos com tanta brutalidade e barbárie que conquistou não a gratidão, mas o horror da população judaica.[36]

O discurso de Tértulo traz três acusações contra Paulo: tumulto, promoção de seita e sacrilégio, ou seja, Paulo foi acusado de estar *contra a lei dos judeus*, *contra o templo* e *contra César* (25.7,8). De acordo com Warren Wiersbe, Tértulo apresentou três acusações contra Paulo: uma pessoal (*este homem é uma peste*), uma política (*promove sedições*) e uma religiosa (*tentou profanar o templo*).[37] Em outras palavras, Tértulo acusou Paulo de ser tanto antijudeu como antirromano.

---

[34] STOTT, John. *A mensagem de Atos*, p. 405.
[35] GONZÁLEZ, Justo L. *Atos*, p. 309.
[36] STOTT, John. *A mensagem de Atos*, p. 407.
[37] WIERSBE, Warren W. *Comentário bíblico expositivo*, p. 647.

John Stott destaca que até o momento Paulo se defendera diante de uma multidão de judeus (21.40ss) e do Sinédrio (23.1ss). Agora, tem de ser julgado diante dos procuradores Félix e Festo, e do rei Agripa II. Em todos esses cinco julgamentos, cujas acusações tinham natureza ora política (sedição), ora religiosa (sacrilégio), o público presente era em parte romano e em parte judeu. Assim, quando Paulo falou com a multidão de judeus e com o Sinédrio, o comandante romano Cláudio Lísias estava ali ouvindo, e, quando Paulo se apresentou a Félix e Festo, representantes de Roma, os judeus estavam ali acusando-o. Então, no quinto julgamento, o *grand finale*, o rei Agripa II reuniu ambas as autoridades em si mesmo, pois fora escolhido por Roma e também era um poder reconhecido em questões judaicas.[38]

Vejamos agora as três acusações endereçadas a Paulo.

Em primeiro lugar, **promotor de sedições entre os judeus** (24.5a). Essa era uma acusação gravíssima, devido às suas implicações políticas. Havia muitos agitadores judeus naquela época, bem como falsos Messias, que ameaçavam a "paz" que Tértulo atribuíra a Félix.[39] A acusação de que Paulo era *uma peste* sugeria que sua influência era infecciosa, ou seja, que ele era um perturbador da ordem pública.[40] Em grego, a palavra *loimos* significa uma pessoa que espalha uma peste, ou seja, alguém que põe em risco o bem comum e deve ser encarcerado e eliminado completamente. Tértulo caracteriza Paulo como uma pessoa subversiva, que coloca em perigo o Estado romano.[41]

Em segundo lugar, **agitador da seita dos nazarenos** (24.5b). Os judeus identificavam os cristãos como seguidores de Jesus, o nazareno. A palavra grega *hairesis* significava "seita, partido, escola" e era aplicada tanto aos saduceus (5.17) quanto aos fariseus (15.5; 26.5) como tradições dentro do judaísmo. E é nesse sentido que é empregada em referência aos cristãos. Concordo com Justo González quando ele diz que, naquela época, a palavra *hairesis* não tinha a conotação negativa que tem hoje.

---
[38] STOTT, John. *A mensagem de Atos*, p. 406.
[39] STOTT, John. *A mensagem de Atos*, p. 407.
[40] MARSHALL, I. Howard. *Atos: introdução e comentário*, 1982, p. 349.
[41] KISTEMAKER, Simon. *Atos*. Vol. 2, p. 452.

Não se referia essencialmente a uma doutrina errada, mas apenas a uma facção, grupo ou partido em uma discussão.[42]

Em terceiro lugar, *profanador do templo* (24.6). Os judeus asiáticos pensaram que Paulo havia introduzido Trófimo, o efésio, para dentro do recinto proibido do templo, centro da piedade judaica e símbolo da nação dos judeus (21.29). Como já afirmamos em capítulo anterior, essa era uma acusação extremamente grave, que resultaria em morte sumária do transgressor. Tértulo escamoteia a verdade quando diz que os judeus prenderam Paulo, mas Cláudio Lísias o arrebatou das mãos dos judeus com violência, quando, na verdade, os judeus estavam tentando linchar Paulo e o comandante o protegeu, livrando-o de suas mãos assassinas.[43]

A defesa de Paulo perante o governador (24.10-21)

Paulo se defende das três acusações levantadas contra ele e prova que os argumentos usados eram falsos.

Em primeiro lugar, *Paulo prova que não é um perturbador da paz* (24.11-13). Paulo não fora a Jerusalém para fazer uma insurreição ou criar transtornos. Fora para adorar a Deus e ofertar ao povo judeu. Fora para abençoar e não para causar tumulto.

Em segundo lugar, *Paulo prova que o Caminho não é uma seita* (24.14-16). Paulo reafirma que é seguidor da religião do Caminho, mas ao mesmo tempo diz que não se trata de uma seita, como os judeus a chamavam, pois ele adorava ao Deus de seus pais e cria no ensinamento das Escrituras. Paulo não era um inovador herético, mas um homem absolutamente fiel à fé dos seus antepassados. A religião do Caminho não era uma novidade religiosa inventada por Paulo, mas tinha suas raízes no Antigo Testamento. O Cristo anunciado por Paulo era o mesmo proclamado pelos profetas.

Em terceiro lugar, *Paulo prova que não profanou o templo* (24.17-21). Longe de ir a Jerusalém para profanar o templo, seu propósito era

---

[42] GONZÁLEZ, Justo L. *Atos*, p. 309.
[43] STOTT, John. *A mensagem de Atos*, p. 407,408.

essencialmente religioso. Paulo foi a Jerusalém para demonstrar amor à sua nação e respeito às leis judaicas. Foi levar oferendas (24.17) e, quando entrou no templo com esse propósito, estava cerimonialmente puro (24.18). O tumulto não foi criado por Paulo, mas pelos judeus fanáticos. Quem profanou o templo não foi Paulo, mas seus acusadores.

O governador diante de Paulo (24.22-27)

Cinco verdades são aqui destacadas: os cuidados oferecidos a Paulo, a curiosidade espiritual do governador, a coragem de Paulo, a falta de escrúpulos do governador e a incoerência do governador. Examinemos esses cinco fatos.

Em primeiro lugar, *os cuidados oferecidos a Paulo* (24.22,23). Félix procurou conhecer mais acuradamente as coisas concernentes ao Caminho e adiou a causa, conservando Paulo detido no pretório, porém, tratando-o com indulgência, a ponto de o apóstolo poder ser servido por seus amigos e irmãos na fé cristã.

Em segundo lugar, *a curiosidade espiritual do governador* (24.24). À medida que Félix passou a conhecer um pouco mais acerca do Caminho, teve curiosidade de ouvir Paulo. Acompanhado de sua mulher Drusila, mandou chamar Paulo para ouvi-lo a respeito da fé em Cristo. Drusila era filha de Herodes Agripa I e irmã de Herodes Agripa II e Berenice (25.13). O primeiro casamento de Drusila, com Antíoco Epífanes de Comagene, não se concretizou, porque o noivo não conseguiu decidir-se a aderir ao judaísmo. Então, Drusila se casou com o rei Azizo de Emessa, na Síria, que cumpriu a condição de se circuncidar.[44] Mas Félix, com a ajuda de um mago cipriota chamado Atomos, seduziu Drusila e a persuadiu a deixar seu marido e se unir a ele.[45] Portanto, além de ser um homem violento, Félix era também adúltero. Justo González diz que um dos meios que Félix usou para progredir em sua carreira política foi por intermédio do casamento com mulheres influentes, e, por essa razão, Suetônio chama-o de "o marido das três rainhas".[46]

---

[44] DE BOOR, Werner. *Atos dos Apóstolos*, p. 334.
[45] BARCLAY, William. *Hechos de los Apóstoles*, p. 182.
[46] GONZÁLEZ, Justo L. *Atos*, p. 308.

Em terceiro lugar, *a coragem de Paulo* (24.25). Paulo não foi um arauto da conveniência. Paulo não pregava para agradar. Tendo oportunidade de falar ao governador Félix, acompanhado de Drusila, sabendo que aquela era uma relação adulterina, desenvolve seu discurso sobre três temas contundentes, que como flechas, feriram a consciência de Félix: justiça, domínio próprio e juízo vindouro. Ao abordar o tema da justiça, Paulo mostrou a Félix e Drusila que eles deveriam tomar alguma atitude em relação ao pecado passado. Ao abordar o tema do domínio próprio, Paulo os constrangeu a tomar uma atitude com respeito à tentação presente. E ao abordar o tema do juízo vindouro, Paulo os levou a refletir sobre a atitude que deveriam ter com respeito ao julgamento futuro.[47] O governador ficou com medo do julgamento futuro, mas recusou-se a se arrepender dos seus maus caminhos e se voltar para a fé em Jesus.[48]

A atitude de Félix foi deplorável, pois em vez de arrepender-se, procrastinou a mais importante decisão de sua vida: *... por agora, podes retirar-te, e, quando eu tiver vagar, chamar-te-ei* (24.25b). A procrastinação, o deixar para depois, é a mais insensata e mais perigosa decisão da vida, mormente, quando se trata da salvação de sua vida. O dia do arrependimento é hoje. O tempo do acerto com Deus é agora. Amanhã pode ser tarde demais!

Em quarto lugar, ***a falta de escrúpulos por parte do governador*** (24.26). Ao mesmo tempo que era atraído pela mensagem do evangelho, Félix buscava também uma oportunidade de receber de Paulo alguma propina. Kistemaker alega que, quando Félix ouviu Paulo dizer que levava donativos financeiros para o povo em Jerusalém (24.17), sua mente gananciosa imediatamente esquematizou um plano para cobrar pela liberdade de Paulo.[49] Além de violento e adúltero, Félix era também ganancioso e avarento. Em vez de dar ouvidos a Paulo, tentou "usar" o apóstolo em seus jogos políticos, talvez na esperança de extorquir algum dinheiro da igreja ou de obter o favor dos judeus.[50]

---

[47] WIERSBE, Warren W. *Comentário bíblico expositivo*, p. 652.
[48] KISTEMAKER, Simon. *Atos*. Vol. 2, p. 473.
[49] KISTEMAKER, Simon. *Atos*. Vol. 2, p. 474.
[50] WIERSBE, Warren W. *Comentário bíblico expositivo*, p. 652,653.

Em quinto lugar, *a incoerência do governador* (24.27). William Barclay diz que Félix não soube usar o poder com sabedoria e por isso foi chamado a Roma. Existia uma antiga discussão acerca de Cesareia ser uma cidade judaica ou grega. A discussão agravou-se a ponto de judeus e gregos entrarem numa verdadeira guerra. Houve um estalido de violência na qual os judeus saíram vitoriosos. Félix enviou as suas tropas para ajudar os gentios. Milhares de judeus morreram, e as tropas, com o consentimento e apoio de Félix, saquearam as casas dos judeus mais ricos da cidade. Os judeus fizeram o que todas as províncias romanas tinham o direito de fazer: enviaram a Roma notícias a respeito dessa atitude violenta do governador. Por essa razão, Félix, mesmo sabendo que Paulo era inocente, deixou-o preso dois anos, apenas como trunfo político, para conseguir o apoio dos judeus.[51]

Mas isso de nada adiantou. Félix foi deposto de seu cargo e só por influência de Palas, seu irmão, não foi executado em Roma.

---

[51] BARCLAY, William. *Hechos de los Apóstoles*, p. 182.

23

Paulo diante do governador Festo e do rei Agripa

Atos 25–26

DOIS ANOS SE PASSARAM E PAULO AINDA ESTAVA PRESO em Cesareia. Félix foi substituído por Festo e, agora, Paulo enfrentaria um novo julgamento diante de um novo magistrado. Esses dois anos não foram suficientes para aplacar a ira dos judeus. Ao contrário, as coisas se agravaram. Dois anos antes, apenas alguns judeus tramaram a morte de Paulo, mas agora, todo o Sinédrio estava engajado no complô. Os respeitados líderes tentam convencer e cooptar o governador Festo para transferir o julgamento de Paulo para Jerusalém, com o velado propósito de matá-lo.

Vamos examinar, à luz do texto em tela, alguns pontos importantes.

Paulo diante de Festo (25.1-22)

Félix havia perdido o seu mandato. Imediatamente, Pórcio Festo foi nomeado novo governador da província (a *província* a que Lucas se refere era a província romana da Síria, da qual a Palestina fazia parte).[1] Diferentemente de Félix, um escravo liberto que tinha subido na escala política até se tornar governador, Festo era membro de uma família

---
[1] GONZÁLEZ, Justo L. *Atos*, p. 313.

nobre de Roma.² Embora mais consistente do que o mandato de Félix, o governo de Festo foi meteórico, uma vez que ele morreu dois anos depois de ter assumido o posto de governador.

Seu primeiro ato de governo foi subir a Jerusalém para uma conversa com os líderes judeus. Como hábil administrador, Festo precisava ganhar a simpatia dos líderes do Sinédrio. Governar sem apoio popular seria extremamente arriscado, e Festo não queria ver novos motins e revoltas como no período de Félix. Enquanto Festo estava em Jerusalém, os membros do Sinédrio tentaram seduzi-lo com um pedido hipócrita.

Simon Kistemaker sugere que a viagem de Pórcio Festo a Jerusalém está diretamente ligada à questão de Paulo, uma vez que ele havia herdado o problema de determinar sua culpa ou inocência. Como lhe faltava experiência nos assuntos da religião judaica, o novo governador foi imediatamente a Jerusalém para aprender sobre a lei, o culto e os costumes judaicos.³

Alguns pontos merecem ser destacados.

Em primeiro lugar, *o pedido dos líderes judeus* (25.1-3). Os judeus têm um pedido urgente para o novo governador. O pedido não vem do populacho ignorante, mas dos principais sacerdotes e dos maiorais. A liderança mais respeitada dos judeus, os membros do Sinédrio, apresenta queixa contra Paulo e roga ao governador que transfira o local do julgamento de Cesareia para Jerusalém. Esses líderes, porém, escondiam por trás desse pedido um ardil. A intenção não era promover um julgamento justo, mas matar Paulo numa emboscada. Justo González ressalta que o complô para matar Paulo no caminho ainda estava de pé.⁴ Na opinião daqueles judeus, Paulo representava uma ameaça ao judaísmo e tinha de ser eliminado.

Simon Kistemaker diz que os líderes judeus indiretamente tentaram minar a autoridade de Festo ao fazê-lo mudar sua cadeira de juiz de Cesareia, onde o governador romano tinha residência e quartel-general, para Jerusalém, o centro de influência judaica.⁵

---
²Kistemaker, Simon. *Atos*. Vol. 2, p. 481.
³Kistemaker, Simon. *Atos*. Vol. 2, p. 482.
⁴González, Justo L. *Atos*, p. 313.
⁵Kistemaker, Simon. *Atos*. Vol. 2, p. 485.

Em segundo lugar, ***a recusa do governador Festo*** (25.4-5). O governador frustra a expectativa do Sinédrio, pois não se deixa levar pelo apelo astucioso dos judeus. Mantém-se firme e determina que os judeus apresentem suas queixas contra Paulo em Cesareia, onde ele se encontrava preso sob a custódia do governo romano. Como diz Kistemaker, normalmente é o acusador que vai ao tribunal; o juiz e o júri não vão ao acusador.[6] Deus estava poupando, assim, a vida de Paulo pelas mãos de Festo, o governador romano. Essa recusa salvou a vida de Paulo, pois em Cesareia ele não corria o perigo de danos físicos. Ali os judeus não tinham como fazer-lhe mal, mas no caminho para Jerusalém ou nessa cidade Paulo correria risco de morte.[7]

Em terceiro lugar, ***as acusações dos líderes judeus contra Paulo*** (25.6-8). Os judeus levaram a Cesareia muitas e graves acusações contra Paulo. Tudo indica, porém, que eram as mesmas acusações de dois anos antes, quando Paulo foi preso em Jerusalém. Consistiam em pecados contra Deus e contra César; pecados religiosos e políticos; pecados de blasfêmia e sedição, ou seja, pecados contra a lei dos judeus, contra o templo e contra César (25.8). Ao ouvir as acusações, Festo logo se deu conta de que Paulo não era nenhum criminoso, e que as acusações contra ele se relacionavam com as leis e costumes dos judeus. Ele deveria julgar um cidadão romano que não ofendera César nem em palavra nem em ação.[8]

John Stott acrescenta que os distúrbios atribuídos a Paulo eram religiosos em sua origem, mas políticos em seu caráter. E esse era o motivo do representante de César ser obrigado a tomar conhecimento deles. Os judeus sabiam que os governadores romanos relutavam em condenar com base em acusações puramente religiosas e, portanto, tentaram dar um aspecto político à acusação religiosa. Nesse caso, o julgamento se prolongava porque a acusação era política, mas a prova era teológica.[9]

Em quarto lugar, ***a fraqueza do governador Festo*** (25.9). Festo cai na mesma armadilha de Félix. Queria usar Paulo como um instrumento

---

[6]KISTEMAKER, Simon. *Atos*. Vol. 2, p. 485.
[7]KISTEMAKER, Simon. *Atos*. Vol. 2, p. 485.
[8]KISTEMAKER, Simon. *Atos*. Vol. 2, p. 487.
[9]STOTT, John. *A mensagem de Atos*, p. 414.

para alcançar o favor dos judeus. Desta forma, propõe que Paulo seja julgado em Jerusalém. Os interesses políticos do governador falaram mais alto do que seu senso de justiça. A conveniência prevaleceu sobre a verdade.

De acordo com Werner de Boor, Festo fracassou no mesmo ponto de seu antecessor. Ele não é um juiz independente, mas funcionário político e juiz numa mesma pessoa. Não tem condições de condenar Paulo por falta de provas, nem tem coragem de absolvê-lo para não estragar logo no início de seu mandato o relacionamento com os líderes judeus.[10]

Mesmo sendo um expediente legítimo, pois o governador podia julgar os casos tanto em Cesareia como em Jerusalém, era notório que um julgamento em Jerusalém seria totalmente desfavorável a Paulo e, a essas alturas, Festo já tinha formado seu juízo a respeito da inocência de Paulo (25.10). Paulo sabia muito bem que poderia esperar justiça e absolvição apenas dos romanos, não dos judeus.[11] Na verdade, desde que Paulo chegara a Jerusalém, os judeus haviam pedido sua morte aos brados (21.27-31; 22.22; 23.10-15; 25.3). Em Jerusalém os judeus poderiam acusá-lo de profanar o templo, condená-lo e executá-lo; os romanos não poderiam intervir, e a cidadania de Paulo de nada valeria.[12]

Em quinto lugar, *a firmeza de Paulo* (25.10-12). Paulo usa suas prerrogativas como cidadão romano e afirma estar diante do tribunal de César, no qual deve ser julgado de forma isenta e justa. Afirma, outrossim, sem nenhum temor, estar pronto para morrer caso seja encontrado em falta. Porém, não está disposto a subir a Jerusalém para agradar os interesses políticos do governador nem cumprir os propósitos inconfessos dos judeus.

O que levou Paulo a apelar para César em vez de aceitar a proposta do governador de ser julgado por ele em Jerusalém? Kistemaker diz que Paulo pesou suas opções e temeu que: Festo usasse os membros do Sinédrio como seu conselho e, dessa forma, o processo não teria objetividade; o governador quisesse estabelecer boas relações com os

---

[10] DE BOOR, Werner. *Atos dos Apóstolos*, p. 338.
[11] STOTT, John. *A mensagem de Atos*, p. 414.
[12] KISTEMAKER, Simon. *Atos*. Vol. 2, p. 489.

judeus e, portanto, fosse parcial em seu julgamento; se Festo o declarasse inocente e o libertasse, Paulo não mais contaria com o poderio militar romano para sua proteção, e assim correria o risco de morte nas ruas de Jerusalém e estradas da Judeia; os judeus tramavam matá-lo no caminho de ida ou volta de Jerusalém.[13]

Paulo, sem titubear, apelou para ser julgado em Roma, diante de César. Ao fazer isso, ao mesmo tempo que apelou para César, também acusou o governador de não cumprir o seu dever.[14] O governador não teve alternativa senão atender à vontade de Paulo, deliberando, assim, enviá-lo a Roma para ser julgado diante de César.

Para Kistemaker, o contexto revela que, o apelo de Paulo impedia o governador de pronunciar um veredito de inocência, se ele mais tarde decidisse fazê-lo. Em resumo, o apelo para César dava a Paulo um *status* acima das perseguições, tanto do Sinédrio em Jerusalém quanto do tribunal de Festo em Cesareia.[15]

Warren Wiersbe diz que um tribunal romano não poderia transferir uma causa a outro tribunal sem o consentimento do acusado. Por isso, Paulo se recusou a ir a Jerusalém, apelando para César.[16] Pelo menos três motivos levaram Paulo a fazer essa escolha: ele apelou a César para salvar sua vida; isso o levaria a Roma, como Jesus lhe havia dito (23.11); e por último, em Roma ele pregaria o evangelho aos membros da corte de Nero (Fp 1.13; 4.22) e talvez recebesse reconhecimento oficial para o cristianismo.[17]

John Stott é da opinião que Festo não estava preparado para esse desdobramento. O que faria agora? Não podia condenar Paulo, pois temia infringir a justiça romana, e não podia soltá-lo, pois temia ofender os judeus.[18] Provavelmente Festo ficou envergonhado por ter lidado com o caso de Paulo de forma tão inadequada, a ponto de o prisioneiro

---

[13] KISTEMAKER, Simon. *Atos*. Vol. 2, p. 490.
[14] GONZÁLEZ, Justo L. *Atos*, p. 314.
[15] KISTEMAKER, Simon. *Atos*. Vol. 2, p. 492.
[16] WIERSBE, Warren W. *Comentário bíblico expositivo*, p. 655.
[17] KISTEMAKER, Simon. *Atos*. Vol. 2, p. 492.
[18] STOTT, John. *A mensagem de Atos*, p. 414,415.

ser forçado a apelar para César.[19] Kistemaker afirma que, ao apelar para ser julgado diante de César, Paulo desembaraça Festo de seus deveres judiciais para com ele. Ao mesmo tempo, porém, coloca o governador numa posição nada invejável, a de ter de justificar o envio de Paulo a Nero sem acusações específicas. Nero e seus oficiais não veriam com bons olhos um governador que mostrasse tamanha incompetência em julgar questões triviais.[20]

Em sexto lugar, **Festo pede conselho a Agripa** (25.13-22). Nesse ínterim, chega a Cesareia o rei Herodes Agripa II e sua irmã Berenice, para uma visita de cortesia a Festo, o novo governador. Herodes Agripa II era filho de Herodes Agripa I e neto de Herodes, o Grande. Havia inúmeros rumores de que o seu relacionamento com Berenice era incestuoso.[21] Aos 13 anos de idade, ela se casara com um tio, Herodes de Cálcida, dando-lhe dois filhos durante os sete anos que durou seu casamento. Quando o marido morreu em 48 d.C., passou a viver com o irmão Agripa II, que se tornou o rei de Cálcida dois anos mais tarde. Para calar os rumores acerca da relação incestuosa com o irmão, Berenice se casou com Pólemon, o rei da Cilícia. Mas logo depois o abandonou e voltou ao irmão. Mais tarde Berenice teve um caso amoroso com o general romano Tito, mas este não chegou a se casar com ela por razões políticas.[22]

Kistemaker faz um relato mais minucioso sobre Herodes Agripa II:

> Quando Herodes Agripa I morreu em 44 d.C., Agripa II tinha 17 anos de idade, Berenice 16 e Drusila 6. Nesse tempo, Agripa II estava em Roma. Ele esperava que o imperador Cláudio lhe desse a coroa de seu pai, mas Cláudio achou que um jovem de 17 anos não tinha maturidade para governar a Palestina, impregnada por interesses religiosos, problemas e conflitos. Em 50 d.C., Cláudio confiou a Agripa o reino da Cálcida (no vale do Líbano), que tinha pertencido ao irmão de Herodes Agripa. Três anos mais tarde, entretanto, Cláudio ofereceu

---

[19] WIERSBE, Warren W. *Comentário bíblico expositivo*, p. 655.
[20] KISTEMAKER, Simon. *Atos*. Vol. 2, p. 492.
[21] STOTT, John. *A mensagem de Atos*, p. 416.
[22] GONZÁLEZ, Justo L. *Atos*, p. 315; KISTEMAKER, Simon. *Atos*. Vol. 2, p. 497.

a Agripa II a tetrarquia de Filipos (Batanea, Traconite e Gaulanite), a tetrarquia de Lisanias (Abilene) e o território de Varus (Acra) em troca do reino da Cálcida. No primeiro ano do reinado de Nero (54 d.C.), o imperador deu a Agripa I várias cidades importantes e vilas tanto na Galileia como na Pereia. Agripa II, então, governou a metade norte da Palestina. Embora ele se intitulasse "Grande Rei, sincero Amigo de César e Amigo de Roma", tentava também promover a causa judaica. Era conhecido como um especialista em costumes e conflitos judaicos (26.3) e era bem versado nas Escrituras (26.27). Agripa, o último membro da dinastia herodiana, morreu em 100 d.C.[23]

Festo falou a Agripa sobre o caso do prisioneiro Paulo. O governador precisava enviar um relatório ao imperador, contendo o libelo acusatório contra o réu. Festo, porém, estava convencido da inocência de Paulo. Sabendo Festo que Agripa fora treinado na corte de Cláudio e tinha excelente compreensão da religião judaica; sabendo ainda que Cláudio dera a Agripa II a posição de curador do templo de Jerusalém e o direito de indicar os sumos sacerdotes, o governador viu uma boa oportunidade de receber subsídio para lidar com esse prisioneiro e obter alguma informação mais consistente para incluir em seu relatório.[24]

Festo narra a Agripa como fora a audiência com Paulo e seus acusadores. Conta ainda sobre sua proposta para julgar Paulo em Jerusalém e fala finalmente sobre a recusa de Paulo de ir a Jerusalém e sua exigência de um julgamento diante de César. Com essas informações, Agripa mostrou interesse em ouvir também o prisioneiro Paulo.

Paulo diante de **Agripa** (25.23-26.32)

Como Deus falara a Paulo no dia de sua conversão, no caminho de Damasco, estava Paulo agora na presença de reis, dando testemunho de sua fé. Numa reunião cheia de pompa e luxo, Paulo é levado à presença de Agripa e Berenice para seu quinto julgamento. Esse é o maior e o mais elaborado de todos os cinco julgamentos. Lucas descreve a

---

[23] KISTEMAKER, Simon. *Atos*. Vol. 2, p. 496,497.
[24] KISTEMAKER, Simon. *Atos*. Vol. 2, p. 495.

cena em detalhes, e a defesa de Paulo é mais polida em estrutura e linguagem do que as outras.[25] Destacamos alguns pontos.

Em primeiro lugar, *a opinião de Festo a respeito de Paulo* (25.23-25). Festo introduz o caso de Paulo diante do rei Agripa. John Stott diz que, de acordo com a tradição, Paulo era pequeno e pouco atraente, calvo, com sobrancelhas salientes, nariz adunco e pernas tortas, mas mesmo assim "cheio de graça". Não vestia manto nem coroa, apenas algemas e talvez uma túnica simples de prisioneiro; mesmo assim dominou a corte com sua dignidade e confiança tranquila semelhante a Cristo.[26]

Festo deixa claro que a acusação contra Paulo se avolumava, pois não vinha apenas dos líderes, mas também do povo (25.24). E agora, o governador deixa claro que os judeus não desejam apenas um julgamento isento, mas querem a cabeça de Paulo. Festo destaca, porém, que, mesmo Paulo tendo apelado para o imperador, considerava-o inocente das acusações (25.25).

Em segundo lugar, *o dilema de Festo a respeito de Paulo* (25.26,27). Festo não pode enviar Paulo a César sem escrever um relatório detalhado acerca dos crimes dos quais é acusado. Por isso, espera colher dessa audiência subsídios para escrever o libelo acusatório.

Concordo com John Stott quando ele diz que o relato de Festo sobre a situação de Paulo era uma mistura de verdade e erro. Era verdade que por duas vezes a comunidade judaica exigira a sua morte, e que Festo não o considerava culpado de nenhum crime capital (25.24,25). Porém, não era verdade que Festo não tinha "nada de positivo" definido para escrever ao imperador sobre Paulo (25.26) e que não conseguia mencionar as acusações contra ele (25.27). Pois, como vimos, as acusações dos judeus eram definidas e específicas. O que faltava a Festo não eram acusações, mas evidências para comprová-las. Na falta delas, ele deveria ter tido a coragem de declarar Paulo inocente e soltá-lo.[27]

Em terceiro lugar, *a defesa de Paulo diante de Agripa* (26.1-23). Paulo está diante de Herodes Agripa II, o último de sua dinastia a governar,

---

[25] STOTT, John. *A mensagem de Atos,* p. 416,417.
[26] STOTT, John. *A mensagem de Atos,* p. 417.
[27] STOTT, John. *A mensagem de Atos,* p. 417,418.

ou seja, o último representante da família herodiana. Essa família era mundana, ambiciosa, violenta e moralmente corrupta, e geração após geração opôs-se à verdade. Herodes, o Grande, tentou matar o menino Jesus. O seu filho Herodes Antipas, tetrarca da Galileia, decapitou João Batista e escarneceu de Jesus. Herodes Agripa I mandou matar com espada o apóstolo Tiago, o filho de Zebedeu, e prender Pedro em Jerusalém. Agora, Paulo está diante de Herodes Agripa II.

Em sua consistente defesa, Paulo faz uma retrospectiva de sua vida, no seu mais longo discurso registrado no livro de Atos e, enfatiza quatro pontos importantes:

Paulo, o fariseu rigoroso (26.4-8). Paulo deixa claro que seu passado era conhecido de todos. Nascido em Tarso da Cilícia (22.3), fora criado em Jerusalém, aos pés do grande mestre Gamaliel, neto do rabino Hillel. Dentre os de sua idade destacou-se, tornando-se zeloso da tradição de seus pais (Gl 1.13,14), seguindo a ala mais radical da seita dos fariseus. Paulo deixa claro que suas raízes estavam plantadas no judaísmo (Fp 3.5,6), e que isso era uma preparação para a fé cristã. Paulo ainda esclarece que a fé cristã não é um desvio do judaísmo, mas o cumprimento da fé judaica tradicional de seus antepassados (26.4-8).

Paulo, o perseguidor fanático (26.9-11). Paulo conta sua tenebrosa história como carrasco da igreja. Perseguiu com ódio mortal a religião do Caminho (22.4). Perseguiu com violência o próprio Jesus (26.9). Prendeu muitos crentes em Jerusalém e dava seu voto quando os matavam (26.10). Açoitava os crentes dentro das sinagogas e forçava-os a blasfemar, fazendo verdadeiras cruzadas de terrorismo contra os crentes por cidades além dos limites de Jerusalém (26.11).

Paulo foi uma fera selvagem que caçou os cristãos como um predador persegue a sua presa para devorá-la.[28] Não respeitava domicílio doméstico (8.3) nem lugares sagrados (26.11). Paulo foi comparado também a um touro indomável que resiste os aguilhões (26.14). De fato, Paulo era um déspota cheio de ódio, um monstro celerado, um bárbaro truculento que perseguiu a igreja de Deus com desmesurado rigor.

---

[28] Atos 8.3; 9.13; 9.21; 22.4; 26.9-11; 1Coríntios 15.9; Gálatas 1.13; 1Timóteo 1.13.

Ele revelou sua fúria contra os cristãos ao prendê-los, açoitá-los, esmagá-los, forçando-os a blasfemar contra Deus e a renegar sua fé em Jesus. Como carrasco impiedoso, concorreu para matar e exterminar muitos seguidores de Cristo.[29]

Paulo, o apóstolo comissionado (26.12-18). Paulo fala a Agripa sobre sua experiência no caminho de Damasco e como Jesus apareceu-lhe com grande fulgor e poder. Ali na estrada de Damasco, Paulo viu uma luz (26.12,13) e ouviu uma voz (26.14-18). Mesmo sendo um rabino judaico, douto na lei e zeloso da tradição de seus pais, ele vivia em densa escuridão e profundas trevas espirituais. Havia estudado a lei, mas não compreendia que seu propósito era levar o homem a Cristo (Gl 3.24). A luz sobrenatural vista no caminho de Damasco deixou-o cego por três dias, mas lhe abriu os olhos da alma para contemplar o Cristo vivo.[30]

Paulo não apenas viu uma luz, mas também ouviu uma voz. O domador de touros bravos jogou essa fera selvagem ao chão e bradou: *...Saulo, Saulo, por que me persegues? Dura coisa te é recalcitrares contra os aguilhões* (26.14). O touro está caído, vencido, dominado, subjugado. O maior perseguidor do cristianismo está convertido. Jesus reverte a situação. O homem que perseguiu a fé cristã vai proclamá-la. O homem que promoveu intenso sofrimento ao povo de Deus agora sofrerá pelo nome de Cristo. O homem que foi o maior inimigo do cristianismo será seu maior arauto.

Paulo detalha para Agripa não apenas sua conversão súbita e dramática, mas também seu comissionamento para ser testemunha de Cristo entre os gentios, com o propósito de abrir-lhes os olhos e convertê-los das trevas para a luz e da potestade de satanás para Deus, a fim de que recebam remissão de pecados e herança entre os santificados pela fé.

Paulo, o servo obediente (26.19-23). Paulo confessa a Agripa que não foi desobediente à visão celestial, mas prontamente e com senso de urgência começou a anunciar o evangelho aos judeus em Damasco, ao povo de Jerusalém e em toda a região da Judeia, e também aos gentios.

---

[29] LOPES, Hernandes Dias. *Quase salvo, porém fatalmente perdido*. Santa Bárbara d'Oeste: Z3, 2011, p. 23.
[30] WIERSBE, Warren W. *Comentário bíblico expositivo*, p. 657.

Paulo percorreu, com paixão na alma, com fogo no coração e com a verdade nos lábios, as regiões mais longínquas do Império, não regateando esforços, mas empunhando sempre com bravura o estandarte do evangelho. Atravessou províncias, rompeu fronteiras, marchou pelas estradas, cruzou desertos, navegou os mares, percorreu cidades e vilas, entrou em templos e sinagogas, falou nas praças, nas ilhas, na praia, nas escolas, nas prisões, nos régios salões das altas cortes, pregando a escravos e livres, vassalos e reis, grandes e pequenos, sábios e ignorantes, às multidões e aos solitários.[31]

A mensagem de Paulo consistia em arrependimento e fé. Era um chamado à conversão. Requeria não apenas um rotineiro e raso arrependimento, mas frutos sinceros de mudança de vida. Obviamente essa mensagem encontrou resistência dos judeus que, por essa razão, o prenderam em Jerusalém com o propósito de matá-lo.

Paulo prega essas verdades diante do rei Herodes Agripa II não porque esteja interessado em seu favor. Ele anseia por sua conversão. Na verdade, ninguém conseguiu demover Paulo de pregar Jesus e este crucificado. Suas cadeias nunca foram impedimento. Paulo não se considerava prisioneiro de César, mas prisioneiro de Cristo, embaixador em cadeias. Falava com vibrante ardor, doente ou com saúde, preso ou em liberdade, na cadeia ou nas praças, acolhido ou escorraçado, aplaudido ou apedrejado, amado ou açoitado, na fartura ou na pobreza. Constrangido pelo chamado divino, atravessara continentes em três viagens missionárias, alargando as fronteiras do reino de Deus, espargindo luz nas trevas, arrebatando prisioneiros da potestade de satanás para Deus.[32]

Em quarto lugar, ***a reação dos juízes*** (26.24-32). O testemunho de Paulo provocou a reação imediata de Festo, que o interrompe aos berros. John Stott nos ajuda a entender esse cenário.[33] Vejamos:

1. *A reação de Festo a Paulo* (26.24). Festo chamou Paulo de louco, pensando que as muitas letras o haviam feito delirar.

---

[31] LOPES, Hernandes Dias. *Quase salvo, porém fatalmente perdido*, p. 20.
[32] LOPES, Hernandes Dias. *Quase salvo, porém fatalmente perdido*, p. 20,21.
[33] STOTT, John. *A mensagem de Atos*, p. 424,425.

2. *A reação de Paulo a Festo* (26.25,26). Paulo retruca ao governador, mostrando que seu testemunho é fruto de bom senso e verdade, uma vez que o próprio governador conhecia os fatos, e tudo o que ele acabara de falar era de conhecimento de todo o povo.
3. *A reação de Paulo a Agripa* (26.27). O réu encurrala o juiz e coloca-o num beco sem saída ao lhe fazer uma pergunta direta: *Acreditas, ó rei Agripa, nos profetas?* Antes de Agripa respirar, Paulo mesmo dá a resposta: ... *bem sei que acreditas.*
4. *A reação de Agripa a Paulo* (26.28). Agripa tergiversa e, como um autêntico herodiano, foge do cerne da questão, ficando apenas no "quase salvo", adiando a mais importante e urgente decisão de sua vida.
5. *A reação de Paulo a Agripa* (26.29,30). Paulo não contemporiza, mas exorta o rei Agripa dizendo que a posição que ele estava assumindo era a mais insensata e arriscada. O sensato seria tornar-se como Paulo e seguir suas pegadas, exceto suas cadeias. Para Justo González, o que Paulo está dizendo ao rei e também aos outros presentes nessa audiência é que ele não inveja a posição nem o poder deles e, exceto pelas algemas, está em situação muito melhor.[34]
6. *Os juízes falam entre si* (26.31). Os juízes ficam convencidos da inocência de Paulo e emitem seu parecer. Para eles, Paulo não era passível de morte, como queriam os seus acusadores judeus.
7. *O parecer de Agripa para Festo* (26.32). Agripa formula seu parecer ao governador Festo, dizendo que Paulo poderia ser solto, caso não tivesse apelado a César. Mais uma vez, os romanos reconhecem a inocência de Paulo diante da fúria ensandecida dos judeus.

Concluímos essa exposição, trazendo à memória dois pontos importantes.

Em primeiro lugar, *a defesa de Paulo*. A acusação dos judeus contra Paulo poderia ser sintetizada em dois quesitos: crimes contra Moisés e crimes contra César. Diante de Félix, Paulo rejeitou a acusação de sectarismo e enfatizou a continuidade entre o evangelho e o Antigo Testamento. Diante de Festo, Paulo rejeitou a acusação de sedição,

---

[34]GONZÁLEZ, Justo L. *Atos*, p. 317.

uma vez que nunca fora responsável por nenhuma perturbação da paz ou da ordem pública.[35] Diante de Agripa, não foram levantadas novas acusações. Assim, as três defesas de Paulo foram bem-sucedidas. Nem Félix, nem Festo, nem Agripa o julgaram culpado; antes, afirmaram sua inocência (24.22-27; 25.25; 26.31-32). O apóstolo, porém, não ficou satisfeito. Foi além. Ele proclamou, na corte, a sua tripla lealdade – a Moisés e aos profetas, a César e, sobretudo, a Jesus Cristo, que o encontrara na estrada para Damasco. Ele era um judeu fiel, um romano fiel e um cristão fiel.[36]

Em segundo lugar, *o testemunho de Paulo*. Concordo com John Stott quando ele diz que o propósito de Lucas em descrever as cenas do tribunal não era apenas apologético, mas evangelístico.[37] Paulo foi absolutamente destemido no testemunho de sua fé em Cristo tanto perante os governadores Félix e Festo quanto perante o rei Herodes Agripa II. Paulo testemunhou com desassombro acerca de seu encontro com Cristo e de seu comissionamento aos gentios. Proclamou com convicção tanto a morte quanto a ressurreição de Cristo como cumprimento das Escrituras.

---

[35] STOTT, John. *A mensagem de Atos*, p. 426.
[36] STOTT, John. *A mensagem de Atos*, p. 427.
[37] STOTT, John. *A mensagem de Atos*, p. 428.

24

Paulo a caminho de Roma

Atos 27–28

PAULO HAVIA APELADO A CÉSAR e agora estava a caminho de Roma. Depois de dois anos preso em Cesareia, sendo julgado por Félix, Festo e Agripa, o apóstolo finalmente zarpa rumo à capital do Império, acompanhado de Lucas, Aristarco e mais 276 passageiros (27.37). Dentre esses passageiros havia uma leva de prisioneiros (27.1). É provável que esses prisioneiros fossem condenados à morte, porém, antes de morrer deveriam oferecer um espetáculo aos romanos, sedentos de ver, em seus anfiteatros, homens e mulheres serem jogados nas arenas para enfrentar as feras ou mesmo serem traspassados pelas espadas dos gladiadores.

Roma era a mais esplêndida cidade da época, capital do mais poderoso Império que já havia dominado o mundo. Roma revelava tanto uma beleza colossal como uma corrupção profunda. Resplandecia como o sol, ao mesmo tempo que estava imersa num caudal de trevas. Escritores da época como Sêneca e Juvenal chamaram-na de "cloaca de iniquidade" e "esgoto do mundo".[1]

Roma abrigava em seu seio hospitaleiro pessoas de todos os tipos: romanos, gregos, bárbaros e judeus. Embora tivesse seu panteão de

---
[1] STOTT, John. *A mensagem de Atos*, p. 433.

divindades, respeitava a religião dos diversos povos que formavam seu Império. A lei romana dava a todo cidadão o direito de defender-se, e o direito romano tornou-se um modelo para o mundo inteiro até os dias atuais. As estradas construídas e protegidas pelas falanges romanas possibilitavam o comércio rápido e o transporte dos missionários pelo mundo conhecido. Roma reunia o melhor e o pior do mundo. Era a cidade das oportunidades para onde convergiam pessoas de todas as partes.

Essa magnificente capital e maior cidade do vasto Império Romano sempre fora a aspiração de Paulo. *Importa-me ver também Roma*. Essas foram as palavras do apóstolo durante seu ministério em Éfeso (19.21), mas ele não fazia ideia de tudo o que lhe aconteceria antes que chegasse à cidade imperial: prisão ilegal, julgamentos perante judeus e romanos, reclusão e até mesmo naufrágio. Certamente Paulo não planejava chegar a Roma como prisioneiro.[2]

Por oito vezes, Paulo deixou claro esse propósito de visitar Roma:

1. Quando essa viagem foi o alvo de todas as suas orações (Rm 1.10).
2. Quando ele se propôs várias vezes a visitar os crentes de Roma (Rm 1.13a).
3. Quando expressou claramente que em todas essas investidas para visitar Roma foi impedido (Rm 1.13b).
4. Quando afirmou que, ao escrever sua carta aos Romanos estava pronto para anunciar o evangelho aos crentes de Roma (Rm 1.15).
5. Quando afirmou ter sido impedido de visitar Roma, onde Cristo ainda não tinha sido anunciado, porque seu compromisso era prioritariamente pregar o evangelho (Rm 15.20-22).
6. Quando disse que já havia pregado em todos os recantos do Império e não havia mais onde pregar nas regiões que percorrera, portanto, aproveitaria para passar por Roma quando de sua visita à Espanha (Rm 15.23,24).
7. Quando afirma que estava de partida para Jerusalém, a fim de levar uma oferta aos santos e, então, seguiria para a Espanha, passando por Roma (Rm 15.25-29).

---

[2]WIERSBE, Warren W. *Comentário bíblico expositivo*, p. 660.

8. Quando pede oração à igreja de Roma para orar por ele, a fim de que se visse livre dos rebeldes judeus, lograsse bom êxito na entrega da oferta e pudesse então chegar a Roma com alegria (Rm 15.30-32).[3] Mas não era apenas Paulo que desejava ir a Roma; Deus também o queria lá, como lhe disse na prisão de Jerusalém: *Coragem, Paulo, pois do modo como deste testemunho em Jerusalém, importa que também dês testemunho em Roma* (23.11).

Como afirmamos em capítulos anteriores, Lucas traça um paralelo entre o ministério de Cristo e o ministério de Paulo. Dois quintos do evangelho de Lucas descrevem a viagem de Jesus da Galileia a Jerusalém (Lc 9.51–19.44), e o último terço de Atos descreve a viagem de Paulo de Jerusalém a Roma (19.21–28.31). Captaríamos a perspectiva geográfica geral se o evangelho de Lucas fosse intitulado "Da Galileia a Jerusalém" e o livro de Atos chamasse "De Jerusalém a Roma", pois enquanto Jerusalém foi o alvo do ministério de Jesus, Roma era o alvo de Paulo. As viagens de Jesus e Paulo são semelhantes, pois ambas incluíram uma determinação resoluta, uma prisão, uma série de julgamentos em tribunais judaicos e romanos, até culminar na morte.[4]

A origem da igreja de Roma ainda é uma incógnita. De acordo com a tradição do catolicismo romano, Pedro foi bispo da igreja de Roma durante 25 anos, ou seja, de 42 d.C. a 67 d.C., quando foi crucificado de cabeça para baixo por ordem de Nero. Vários são os argumentos que podemos usar para refutar essa pretensão romana.

Em primeiro lugar, **a Bíblia não tem nenhuma palavra sobre o bispado de Pedro em Roma**. A palavra Roma aparece apenas nove vezes na Bíblia, e Pedro nunca foi mencionado em conexão com ela. Não há nenhuma alusão a Roma em nenhuma das epístolas de Pedro. O livro de Atos nada mais fala de Pedro depois de Atos 15, senão que ele fez muitas viagens com sua mulher (1Co 9.5). A versão católica *Confraternity Version* traduz *esposa* por *irmã*, mas a palavra grega é *gune*, e não *adelphe*.

---

[3]Stott, John. *A mensagem de Atos*, p. 434.
[4]Stott, John. *A mensagem de Atos*, p. 435.

Em segundo lugar, *não há nenhuma menção de que Pedro tenha sido o fundador da igreja de Roma*. Possivelmente os romanos presentes no Pentecostes (2.10,11) foram os fundadores da igreja de Roma.

Em terceiro lugar, *no ano 60 d.C., quando Pedro escreveu sua primeira carta, não estava em Roma*. Pedro escreveu essa carta do Oriente e não do Ocidente. Estava na Babilônia, Assíria, e não em Roma (1Pe 5.13). Flávio Josefo diz que na província da Babilônia havia muitos judeus.

Em quarto lugar, **Paulo escreve sua carta à igreja de Roma em 58 d.C. e não menciona Pedro**. Nesse período, Pedro estaria no auge do pontificado em Roma, mas Paulo não dirige sua carta a Pedro. Ao contrário, encaminha a carta à igreja como seu instrutor espiritual (Rm 1.13). No capítulo 16 da carta aos Romanos, Paulo faz 26 saudações aos mais destacados membros da igreja de Roma e não menciona Pedro. Se Pedro já fosse bispo da igreja de Roma há dezesseis anos (42 d.C. a 58 d.C.), por que Paulo diria: *Porque muito desejo ver-vos, a fim de repartir convosco algum dom espiritual, para que sejais confirmados* (Rm 1.11)? Não seria um insulto gratuito a Pedro? Não seria presunção de Paulo com relação ao bispo da igreja? Se Pedro fosse papa da igreja de Roma, por que Paulo afirmaria que não costumava edificar sobre o fundamento de outrem: *Esforçando-me, deste modo, por pregar o evangelho, não onde Cristo já fora anunciado, para não edificar sobre fundamento alheio* (Rm 15.20)? Paulo diz isso porque Pedro não estivera nem estava em Roma.

Em quinto lugar, **Paulo escreve cartas de Roma e não menciona Pedro**. Enquanto Paulo esteve preso em Roma (61 d.C. a 63 d.C.), os judeus crentes de Roma foram visitá-lo e nada se fala a respeito de Pedro, visto que os judeus nada sabiam acerca dessa *seita* que estava sendo impugnada. Se Pedro estava lá, como esses líderes judeus nada sabiam sobre o cristianismo (28.16-30)? Paulo escreve várias cartas da prisão em Roma (Efésios, Filipenses, Colossenses, Filemom) e envia saudações dos crentes de Roma às igrejas sem mencionar Pedro. Durante sua segunda prisão, Paulo escreveu sua última carta (2Timóteo) em 67 d.C. Paulo afirma que todos os seus amigos o abandonaram e apenas Lucas estava com ele (2Tm 4.10,11). Pedro estava lá? Se estava, faltou-lhe cortesia por nunca ter visitado e assistido Paulo na prisão.

Em sexto lugar, *não há nenhum fato bíblico ou histórico em que Pedro transfira seu suposto posto de papa a outro sucessor*. Não apenas está claro à luz da Bíblia e da história que Pedro não foi papa, como também não há nenhuma evidência bíblica ou histórica de que os papas são sucessores de Pedro.

Ainda que Pedro tenha sido o bispo de Roma, o primeiro papa da igreja (o que é fartamente negado com irrefragáveis provas), não temos provas de que haja legítima sucessão apostólica; e, se houvesse, os supostos sucessores deveriam subscrever as mesmas convicções teológicas de Pedro. Desta forma, o catolicismo romano defende e prega doutrinas estranhas às Escrituras, que bandeiam para uma declarada apostasia religiosa. Assim, é absolutamente incongruente afirmar que o papa possa ser legítimo sucessor de Pedro, quando sua teologia e sua prática estão em flagrante oposição ao que apóstolo Pedro creu e pregou. Pedro condenou o que os papas aprovam.

A viagem de Cesareia a Creta (27.1-12)

A nossa vida é como uma viagem, às vezes tempestuosa. Muitos escritores têm retratado a vida como uma viagem. Homero em seu livro *Odisseia* descreveu a vida como uma viagem. John Bunyan em seu livro *O peregrino* descreveu a vida do cristão como a caminhada de um homem pelos perigos até chegar ao Paraíso. Na jornada da vida atravessamos caminhos cheios de espinhos, despenhadeiros íngremes, pântanos lodacentos, pinguelas estreitas, desertos causticantes e mares encapelados.

Mesmo quando estamos fazendo a vontade de Deus e também a nossa, encontramos tempestades pela frente. Como já afirmamos, o sonho de Paulo era ir a Roma e dali à Espanha (Rm 1.14-16; 15.28). Quando Paulo foi preso em Jerusalém, Deus lhe disse que queria que ele desse testemunho também em Roma (23.11). Portanto, era da expressa vontade de Deus que Paulo fosse a Roma. Mas, quando ele embarcou para esse destino, enfrentou terrível tempestade. Nem sempre estaremos na contramão da vontade de Deus por enfrentarmos tempestades. Quando estivermos passando por tempestades, Deus estará guiando-nos. Quando nossos olhos estiverem embaçados pelas brumas espessas e pelo denso nevoeiro da tempestade, poderemos ter a garantia que a mão de Deus ainda nos dirige. Deus enxerga no escuro. A tempestade pode arrancar o leme das nossas mãos e o navio pode estar fora do nosso controle, mas não fora do controle de Deus. Podemos chegar como náufragos a uma ilha, tendo apenas a vida como despojo, mas Deus ainda estará no controle (27.26).

Lucas registra a viagem de Paulo a Roma como testemunha ocular. Ele fez parte da caravana que saiu de Cesareia com destino a Roma. O uso da primeira pessoa do plural é prova disso (27.1-28.16). Os dois últimos capítulos de Atos são, portanto, uma espécie de diário de bordo.

Uma leva de 276 passageiros embarcou para Roma. Dentre esses, alguns prisioneiros. Como já afirmamos, esses prisioneiros, diferentemente de Paulo, provavelmente já eram homens condenados à morte que seriam usados como vítimas humanas para entreter a população na arena romana.[5]

A viagem de Cesareia à ilha de Malta deu-se em dois estágios, em dois navios diferentes, que vinham de Adramítio, um porto da África situado no litoral nordeste do mar Egeu, perto de Trôade (27.2), e de Alexandria, no Egito (27.6). O primeiro navio, adramitino, era um cargueiro. A primeira escala da viagem foi em Sidom. Paulo encontrou o favor do centurião romano, Júlio e teve a oportunidade de ali ver alguns amigos e receber deles assistência (27.1-3). Matthew Henry diz que o centurião, convencido da inocência de Paulo e da injúria feita a ele, tratou-o como amigo, um erudito, um cavalheiro, um homem que tinha influência no céu.[6]

De Sidom seguiram viagem, sob a proteção de Chipre, em virtude dos fortes ventos contrários, atravessando o mar ao longo da Cilícia e Panfília, até chegarem a Mirra, na Lícia (27.4,5).

Em Mirra encontraram um navio alexandrino que estava de viagem marcada para Roma, e todos se transferiram do cargueiro adramitino para essa nova embarcação. Esse navio alexandrino era também um cargueiro que transportava trigo de Alexandria para Roma (27.38). Vale ressaltar que o Egito era, nessa época, o maior celeiro de grãos do

[5] STOTT, John. *A mensagem de Atos*, p. 436.
[6] HENRY, Matthew. *Comentário bíblico Atos-Apocalipse*, p. 286.

Império.⁷ Simom Kistemaker registra que, no primeiro século, Roma dependia do Egito para seu suprimento de grãos; como consequência, o governo romano desenvolveu a marinha mercante que transportava grandes quantidades de grãos do porto egípcio de Alexandria para Putéoli, no sul da Itália.⁸

Em virtude dos ventos contrários, navegaram vagarosamente até Cnido, no extremo sudoeste da Ásia Menor. Dali foram para Salmona, até chegarem a Bons Portos, perto da cidade de Laseia (27.4-8). Matthew Henry diz que, embora aquele fosse um bom porto, não era o destino final deles. Sejam quais forem as circunstâncias agradáveis que possam existir neste mundo, devemos lembrar que não estamos em casa e, portanto, é preciso partir, pois pode haver mais perigo onde há mais prazer.⁹

O inverno se aproximava, e a viagem até Roma seria impossível nessa estação. Nos tempos antigos, era contraindicado navegar em alto-mar após 15 de setembro.¹⁰ Seria prudente passar o inverno em algum porto da região. Paulo, um veterano em viagens marítimas, conhecendo os riscos da navegação pelas águas do Mediterrâneo nesse período do ano, aconselha a tripulação a não continuar a viagem, mesmo sendo aquele porto um lugar pouco apropriado para passar o inverno (27.9,10). Matthew Henry está coberto de razão ao dizer que é melhor ficar seguro em um porto incômodo do que ficar perdido em um mar tempestuoso.¹¹ O centurião, porém, não deu crédito à advertência de Paulo e, por orientação do piloto e do mestre do navio, com apoio da maioria da tripulação, decidiu prosseguir viagem até Fenice, porto da ilha de Creta, um lugar mais seguro, para então, ali passarem o inverno (27.11,12).

Nas tempestades da vida precisamos estar atentos às placas de sinalização. A segurança de uma viagem depende da obediência à sinalização disposta no caminho. Desobedecer é entrar em rota de colisão

---

⁷STOTT, John. *A mensagem de Atos*, p. 438.
⁸KISTEMAKER, Simon. *Atos*. Vol. 2, p. 561.
⁹HENRY, Matthew. *Comentário bíblico Atos-Apocalipse*, p. 286.
¹⁰KISTEMAKER, Simon. *Atos*. Vol. 2, p. 564.
¹¹HENRY, Matthew. *Comentário bíblico Atos-Apocalipse*, p. 287.

e enveredar-se por caminhos de morte. Há três fatos dignos de nota neste texto.

Em primeiro lugar, *a advertência* (27.10). Quando Paulo e seus companheiros de viagem embarcaram para Roma, a viagem parecia segura e tranquila. Era um bom navio, havia um comandante e marinheiros experientes. Os passageiros estavam em segurança. No entanto, logo que iniciaram a viagem, começaram a soprar os ventos contrários (27.4). Chegou a um ponto em que Paulo os admoestou, dizendo: ...*Vejo que a viagem vai ser trabalhosa, com dano e muito prejuízo, não só da carga e do navio, mas também da nossa vida* (27.9,10). Eles não ouviram o conselho de Paulo e logo veio um tufão, que tirou o navio da mão deles. Aprenda a ler as placas do caminho. Aprenda a discernir os sinais que Deus lhe dá. Quando não prestamos atenção às placas e sinalizações da vida, podemos provocar acidentes ou cair num abismo.

Em dezembro de 2000 fiz uma viagem de carro com minha família, de Jackson, Mississippi, a Boston, em Massachusetts. Naquela semana os noticiários alertavam para o perigo das estradas. Estava chovendo e também nevando. Preocupado com a longa viagem de mais de 2.000 km, pensei em desistir. Ao mesmo tempo, não queria frustrar o pastor que nos convidara, então resolvi iniciar a viagem. Saímos bem cedo e por volta de meio-dia paramos para almoçar já no estado de Alabama. Por volta das 13h30, reiniciamos a viagem. A temperatura estava abaixo de zero e uma chuva fina molhava o asfalto. De repente, entramos numa longa ponte e avistei que ao final havia uma aglomeração de pessoas. Segundos depois, percebi que o carro estava sem controle. Não havia aderência, estávamos em cima de uma fina camada de gelo. O carro ziguezagueava sobre a ponte, enquanto clamávamos aflitos pela intervenção de Deus. Em questão de segundos, cruzamos a ponte e o carro bateu no para-choques de uma *pick-up* que, também desgovernada, caíra numa vala, entre as duas pistas. O automóvel arrebentou-se todo, mas pela providência divina fomos poupados da morte. Naquele dia pude compreender que não é seguro viajar sem observar os sinais de perigo.

Em segundo lugar, *o descrédito* (27.11). Lucas relata: *Mas o centurião dava mais crédito ao piloto e ao mestre do navio do que ao que Paulo dizia.* O centurião deve ter pensado: Esse Paulo pode saber alguma coisa de

Bíblia, mas não entende nada de mar. Assim, o centurião desprezou a advertência de Paulo e seguiu viagem. Não é seguro enfrentar as estradas da vida sem observar os sinais. Na viagem da vida precisamos buscar conselho e orientação daqueles que andam com Deus. Quem despreza conselhos sofre grandes danos.

Em terceiro lugar, *a voz da maioria nem sempre é a voz de Deus* (27.12). A maioria dos que estavam no navio decidiu partir, ignorando o conselho de Paulo. A maioria nem sempre está com a razão. A maioria nem sempre discerne a vontade de Deus. Seguir a cabeça da maioria pode colocar-nos em grandes encrencas. Sansão, mesmo sendo nazireu e não podendo beber vinho, deu uma festa em seu casamento, como era o costume dos jovens da sua época (Jz 14.10). Ele não teve coragem de ser diferente. Não teve peito para discordar da maioria. Ali começou uma derrocada em sua vida. Muitos jovens vão para uma boate porque a maioria dos colegas de classe vai. Muitos jovens mergulham nas drogas porque a maioria dos adolescentes experimenta. A maioria dos jovens perde a virgindade no namoro porque a mídia diz que isso é normal. Cuidado com a maioria! A Bíblia afirma que largo é o caminho que conduz à perdição e são muitos que entram por ele.

A viagem **de Creta a Malta** (27.13-38)

Logo que zarparam de Fenice, descumprindo a orientação de Paulo, experimentaram uma leve sensação de sucesso, pois o vento soprava brandamente (27.13). Não tardou, porém, para que o mar se transformasse em um monstro indomável. O navio começou a ser jogado de um lado para o outro com grande violência, sob as fortes rajadas de vento e imensas ondas provocadas pelo tufão de vento, uma espécie de redemoinho, ou ciclone, chamado Euroaquilão. A direção do vento levou-os para a grande *Sirte*, um banco de areia ao norte da costa da África, famoso pelos muitos naufrágios que aconteceram ali.[12] *Sirte* era um verdadeiro cemitério de navios. O navio já não obedecia mais ao comando do piloto. Então, cessaram a manobra e se deixaram levar.

---

[12] GONZÁLEZ, Justo L. *Atos*, p. 323.

Concordo com Matthew Henry quando ele diz: "Quando é inútil se esforçar, é sábio render-se".[13] Longe da ilha de Creta, o navio estava agora exposto à tempestade em mar aberto. Por não ouvirem os conselhos de Paulo, todos se viam agora em apuros. Há cinco resultados colhidos dessa indisposição de ouvir a advertência.

Em primeiro lugar, *a aparente segurança* (27.13). Logo que zarparam de Creta, em desobediência à advertência de Paulo, perceberam que soprava um vento brando e o mar estava esmaltado por águas tranquilas. Certamente deve ter havido um buchicho dentro do navio, zombando dos conselhos de Paulo. O vento brando faz muita gente confundir as circunstâncias da vida. Por um momento parecia que Paulo estava errado e a maioria estava certa. Se você pudesse ver a carranca do diabo nas tentações, jamais cairia nelas. Se um jovem pudesse ver a degradação das drogas, jamais cairia nas lábias de um traficante. Se um homem pudesse ver o opróbrio em que cai um viciado no alcoolismo, jamais tomaria o primeiro gole. O diabo é um mentiroso e um falsário. Ele promete vida e arrasta seus escravos para a morte. O pecado é uma fraude: parece delicioso aos olhos, mas é um veneno mortal.

Em segundo lugar, *o perigo* (27.14). Depois do vento brando, repentinamente as circunstâncias mudaram e surgiu um tufão. A crise chegou. O mar se revoltou. Sempre que deixamos de observar as placas de Deus ao longo da estrada da vida, corremos o risco de sérios acidentes. De repente, o tufão chega, a vida se transtorna e tudo vira de cabeça para baixo. Os acidentes acontecem repentinamente. Surgem inesperadamente. Basta seguir no caminho sem observar as placas e, mais cedo ou mais tarde, o acidente acontecerá.

Em terceiro lugar, *a impotência* (27.15). A fúria dos ventos era tão rigorosa que eles perderam o controle do navio. O navio já não obedecia mais a nenhum comando. O leme já não estava mais nas mãos daqueles que conduziam o batel. O navio ficou à deriva. As coisas fugiram do controle, e a vida virou de ponta-cabeça. Há momentos em que você quer conduzir a sua vida para uma direção, mas ela segue em direção contrária. As ondas revoltas superam sua capacidade de gerenciamento. A crise

---

[13] HENRY, Matthew. *Comentário bíblico Atos-Apocalipse*, p. 288.

torna-se maior do que suas forças. Prevalece sobre sua vontade. Talvez você esteja vivendo essa situação. Você já perdeu o controle da sua vida, do seu casamento, das suas finanças, da sua família? Você é como aquele navio, em alto-mar, jogado de um lado para o outro ao sabor do vendaval.

Em quarto lugar, *o prejuízo* (27.18,19). Eles precisaram aliviar o navio e jogar seus bens fora para salvar a própria vida. Houve grande prejuízo e enormes perdas financeiras. A desobediência é um caminho de muitos desastres, inclusive financeiro. Singrar as águas para a viagem da vida sem atender às advertências de Deus é candidatar-se ao naufrágio. Muitas pessoas deixam de ler as placas de Deus e mentem, roubam, corrompem e matam para granjear mais riquezas. Acumulam tesouros na terra, alcançam glória e fama por um tempo. Mas, depois, tudo o que fizeram na surdina, nas caladas da noite, ao arrepio da lei, vem à tona. Aí perdem a honra, a dignidade e a própria riqueza que acumularam com injustiça.

Em quinto lugar, *a desesperança* (27.20). Diz o historiador Lucas que *dissipou-se, afinal, toda esperança de salvamento*. O centurião, os marinheiros, a tripulação e os prisioneiros embarcados naquele navio perderam completamente a esperança de sobreviver. Eles haviam chegado ao fim da linha, ao fundo do poço, ao desespero fatal. A morte parecia inevitável. Destacamos aqui dois pontos importantes.

As medidas da tripulação para salvar o navio (27.13-20). Várias medidas foram tomadas na tentativa de salvar o navio da avassaladora tempestade. Primeiro, eles recolheram a bordo o barco salva-vidas (27.16). Segundo, cingiram o navio, passando cabos por baixo do casco para manter as tábuas unidas ou amarradas a proa à popa, por cima do convés, a fim de evitar que ele quebrasse ao meio (27.17a). Terceiro, arriaram os aparelhos, ou seja, a âncora flutuante, para agir como freio à medida que eram empurrados para frente (27.17b). Quarto, jogaram parte da carga do navio no mar (27.18). Quinto, lançaram fora o máximo possível de equipamentos do navio (27.19).

Contudo, após quatorze dias sem aparecer sol ou estrelas no céu, ainda atirados de um lado para outro pela fúria dos ventos, perderam toda a esperança de salvamento (27.20).[14]

---

[14] STOTT, John. *A mensagem de Atos*, p. 439,440.

As intervenções de Paulo na hora do desespero (27.21-38). Quando a tempestade agitou o mar, Paulo se apresentou para acalmar os companheiros de viagem. Três foram as intervenções do apóstolo.

A primeira intervenção foi seu apelo para que mantivessem o bom ânimo (27.21-26). Em meio ao grande desespero que tomou conta de todos, Paulo encoraja a tripulação e os prisioneiros, dizendo: *Tende bom ânimo* (27.22,25). Um anjo de Deus havia aparecido a Paulo, informando-lhe que, apesar da perda do navio e de toda a sua carga, nenhuma pessoa pereceria (27.23), pois o projeto de levá-lo a Roma para comparecer perante César estava de pé (27.24). A confiança de Paulo no cumprimento dessa promessa estava na fidelidade daquele que fez a promessa (27.25), embora antes eles tivessem de parar numa ilha (27.26). Com profunda pertinência, Matthew Henry escreve:

> Assim como a fúria dos mais poderosos inimigos, assim também o mais violento mar não pode prevalecer contra as testemunhas de Deus até que tenham dado seu testemunho. Enquanto Deus tiver uma tarefa para eles fazerem, suas vidas deverão ser prolongadas.[15]

A segunda intervenção foi no sentido de que permanecessem juntos (27.27-32). Depois de duas semanas de tempestade, sem o controle do navio, os marinheiros sentiram a proximidade da terra após algumas sondagens (27.27,28). Com medo de que o navio fosse arremessado contra as rochas, jogaram quatro âncoras da popa, para manter o navio seguro, e oraram pedindo para que o dia amanhecesse (27.29). Nesse momento, os marinheiros tentaram fugir do navio, lançando o bote da proa (27.30). Paulo interveio imediatamente e alertou ao centurião Júlio que eles não poderiam salvar-se caso os marinheiros não permanecessem no navio (27.31). Imediatamente, os soldados abortaram o plano dos marinheiros e cortaram os cabos do bote, deixando-o ir (27.32).

A terceira intervenção foi o apelo para que comessem (27.33-38). Diante do desespero que assaltara a todos no navio, já havia duas semanas que ninguém conseguia comer nada, seja pelo pânico provocado

---

[15] Henry, Matthew. *Comentário bíblico Atos-Apocalipse*, p. 290.

pela tempestade, seja pelo enjoo provocado pelo mar agitado. Quando o dia já estava raiando, Paulo toma um pão, dá graças e encoraja a todos a comerem. Ao se alimentarem, todos recobram o ânimo e resolvem jogar o restante do trigo no mar (27.38). John Stott destaca essas intervenções de Paulo, com as seguintes palavras:

> Paulo combinava a espiritualidade e o bom senso, a fé e as obras. Ele acreditava que Deus cumpriria suas promessas e teve a coragem para dar graças na presença de pagãos calejados. Mas a sua confiança e santidade não o impediram de ver que o navio não deveria se arriscar no começo do inverno, ou que não se podia permitir que os marinheiros fugissem, ou que a tripulação e os passageiros esfomeados precisavam comer para sobreviver, ou (mais tarde, na praia) que ele precisava juntar lenha para manter o fogo aceso. Que homem! Ele era homem de Deus e homem de ação; homem do Espírito e homem de bom senso.[16]

O naufrágio e a chegada dramática à ilha de Malta (27.39–28.10)

Quando o homem chega ao fim da linha, os recursos de Deus ainda estão disponíveis. Os impossíveis dos homens são possíveis para Deus. A desesperança humana não fecha as cortinas para a intervenção divina. Vejamos três fatos importantes aqui.

Em primeiro lugar, ***um salvamento milagroso*** (27.39-44). A noite trevosa se despedira, e um novo dia trazia esperança em suas asas. A tripulação avistou terra. Era uma ilha, Malta, mas eles não reconheceram o lugar. Os marinheiros levantaram as âncoras, largando as amarras do leme, direcionando o navio para a praia (27.40). Fragilizada pelas ondas que chicotearam-na por duas semanas, a embarcação enfim encalhou num banco de areias. A proa ficou imobilizada, ao mesmo tempo que a popa era açoitada violentamente pelo vento. Por fim, o navio quebrou-se e o naufrágio se revelou inevitável (27.41). O navio, que estranhamente suportara a tempestade no vasto oceano, onde tinha espaço para virar, é feito em pedaços quando encalhado. Desse modo,

---

[16]STOTT, John. *A mensagem de Atos*, p. 443.

se o coração se fixa no mundo por amor e afeição, acaba perdendo-se. As tentações de satanás batem contra ele, e ele é destruído; mas, enquanto ele se mantém acima do mundo, embora sacudido pelas preocupações e tumultos, há esperança. Eles tinham a praia em vista e, no entanto, sofreram naufrágio no porto, para nos ensinar a nunca sermos autoconfiantes.[17]

Nesse momento, os soldados que tinham o compromisso de transportar os prisioneiros a Roma resolveram matá-los. Isso, porque de acordo com a lei romana, o soldado encarregado da vigilância de um prisioneiro era responsabilizado em seu lugar, caso esse prisioneiro viesse a escapar (27.42). Simon Kistemaker diz que a ingratidão dos soldados foi demasiadamente cruel, quando eles decidiram matar Paulo e todos os outros prisioneiros. Paulo anunciara a boa notícia de que suas vidas seriam poupadas; ele os encorajara quando já haviam perdido a esperança de viver; e lhes dera conselhos de valor, exortando-os a comer.[18] O centurião Júlio, porém, impediu os soldados de consumarem essa matança e ordenou a todos os que sabiam nadar que saltassem primeiro no mar (27.43), enquanto os outros deveriam usar tábuas e destroços do barco para chegarem à praia. Desta forma, conforme Deus havia prometido, todos alcançaram a terra firme em segurança (27.44).

Em segundo lugar, **um acolhimento amoroso** (28.1-6). Os malteses foram chamados de bárbaros não porque eram rudes e selvagens, mas porque não falavam o grego. William Barclay explica que o termo grego, *barbaroi*, aproxima-se mais do significado de "nativos".[19] Werner de Boor acrescenta que, naquele tempo, essa expressão era puramente neutra e ainda não tinha a conotação de rudeza e crueldade que adquiriu no curso da nossa história.[20] Aliás, os bárbaros acolheram com grande civilidade e destacada humanidade os náufragos que chegaram à ilha. Prepararam uma grande fogueira para aquecê-los, uma vez que estavam molhados e transidos de frio.

---

[17] HENRY, Matthew. *Comentário bíblico Atos-Apocalipse*, p. 293.
[18] KISTEMAKER, Simon. *Atos*. Vol. 2, p. 589.
[19] BARCLAY, William. *Hechos de los Apóstoles*, p. 199.
[20] DE BOOR, Werner. *Atos dos Apóstolos*, p. 362.

De todo o grupo que se salvou, apenas Paulo procurou manter o fogo aceso e foi procurar alguns gravetos para lançá-los na fogueira. No navio, Paulo assumiu a liderança para salvar a vida dos passageiros. Agora, ele dá o exemplo, catando gravetos para manter a fogueira acesa. Nenhuma tarefa é pequena demais para os servos de Deus que têm a "mente de Cristo".[21] Ao lançar um feixe de gravetos no fogo, uma víbora prendeu-sê-lhe na mão. Os bárbaros gritaram em coro: "É um assassino. Tendo-se livrado do mar, a justiça não o deixa viver. Vai cair, vai inchar, vai morrer". Paulo não caiu, não inchou nem morreu. Então, mudaram de opinião e disseram: "É um deus!" Mais uma vez Lucas destaca o aspecto volúvel da multidão. Em Listra, Paulo foi adorado como deus e depois apedrejado (14.11-19), enquanto em Malta foi chamado de assassino e depois de deus.[22] Justo González destaca a teologia banal dos malteses, popular hoje em alguns círculos chamados evangélicos. Conforme essa teologia, toda má sorte é punição do pecado, e todos os que têm fé e obedecem às ordens de Deus sempre serão afortunados e até mesmo prósperos do ponto de vista econômico. De acordo com a crença dos malteses, se a cobra picou Paulo, era um sinal do pecado, e se ele não morreu da picada, era um sinal da divindade.[23]

Em terceiro lugar, *um propósito grandioso* (28.7-10). Os propósitos de Deus não podem ser frustrados mesmo quando somos açoitados por tempestades borrascosas. Na verdade, não foi a tempestade que levou Paulo e toda aquela gente para a ilha de Malta, mas a mão providente de Deus. O pai de Públio, o prefeito da ilha, estava enfermo, com febre e disenteria; Paulo orou por ele, e o homem foi curado (28.8). Diante desse fato, os demais enfermos buscaram Paulo, que orou por eles e todos ficaram curados (28.9). Deus queria Paulo em Malta e o levou até lá através de um dramático naufrágio. John Stott diz que as curas sobrenaturais faziam parte do ministério do apóstolo (2Co 12.12) e a gratidão dos habitantes da ilha foi expressa através de presentes e suprimentos (28.10).[24]

---

[21]Wiersbe, Warren W. *Comentário bíblico expositivo*. Vol. 5, p. 663.
[22]Stott, John. *A mensagem de Atos*, p. 445.
[23]González, Justo L. *Atos*, p. 328.
[24]Stott, John. *A mensagem de Atos*, p. 446.

A chegada de Paulo a **Roma** (28.11-16)

O inverno havia terminado. Era tempo de seguir viagem rumo à cidade de Roma. Os náufragos que passaram os três meses de inverno na ilha de Malta (talvez de novembro a fevereiro) agora embarcam no terceiro navio, outro barco alexandrino, que invernara na ilha. O nome da embarcação era *Dióscuro*, cujo significado é "os deuses gêmeos" ou "os gêmeos celestiais", chamados Castor e Pólux, os filhos de Júpiter, ou seja, os deuses da navegação e padroeiros dos navegadores, conforme a mitologia greco-romana.[25] Werner de Boor diz que esses deuses da mitologia grega eram alvo de grande adoração, sobretudo no Egito.[26]

Esta última viagem foi realizada em quatro etapas:

1. Uma etapa de 130 km, de Malta a Siracusa, a capital da Sicília, onde ficaram três dias (28.11,12).
2. Uma etapa de 110 km, de Siracusa a Régio (28.13).
3. Uma etapa de 290 km, de Régio a Putéoli, no golfo de Nápolis (28.13b).[27] Ali passaram uma semana com os irmãos em Cristo.
4. Uma etapa de 200 km, feita por terra, e não por mar, de Putéoli a Roma (28.14). Depois de poucos quilômetros devem ter encontrado a famosa Via Ápia, que apontava diretamente para Roma ao norte, conhecida como a mais antiga, a mais reta e a mais perfeita estrada do mundo (28.15a).

Uma comitiva da igreja de Roma foi encontrar-se com Paulo e seus companheiros no caminho, precisamente na Praça de Ápio e as Três Vendas. Ao ver os irmãos da igreja de Roma a quem Paulo escrevera sua mais robusta epístola, o apóstolo deu graças a Deus e sentiu-se mais animado (28.15b). Paulo chega a Roma não como havia sonhado, mas como prisioneiro. Werner de Boor comenta sobre essa entrada de Paulo em Roma:

---

[25] STOTT, John. *A mensagem de Atos*, p. 447.
[26] DE BOOR, Werner. *Atos dos Apóstolos*, p. 364.
[27] WIERSBE, Warren W. *Comentário bíblico expositivo*, p. 664.

Quantas vezes Paulo dirigiu para Roma seus anseios, suas orações, seus planos! Agora ele chegou! Mas Lucas não diz palavra alguma sobre os pensamentos e sentimentos que passaram pela alma de Paulo. Nós, porém, precisamos silenciar diante da frase sucinta de Lucas. Quantas pessoas entraram em Roma ao longo dos séculos da Antiguidade: generais, imperadores, comerciantes, poetas, filósofos. Ninguém terá dado grande atenção à entrada de um prisioneiro judeu com escolta militar. Não obstante, ali segue pelas ruas de Roma alguém que influenciará de forma mais profunda e duradoura o mundo do que todos os portadores de nomes famosos, ovacionados pelo povo de Roma quando entraram na cidade.[28]

A primeira prisão de Paulo em Roma durou dois anos (28.30), e Paulo ficou confinado a uma casa alugada, onde era vigiado por um soldado, mas tinha liberdade de receber as pessoas e ensinar livremente (28.16). Matthew Henry faz uma oportuna observação:

> Quantos homens importantes fizeram sua entrada em Roma, coroados e triunfantes, que realmente eram as pragas de sua geração! Mas aqui um bom homem faz sua entrada em Roma, acorrentado e vencido como um pobre cativo, que era realmente a maior bênção de sua geração. Esse pensamento é suficiente para fazer qualquer um odiar este mundo para sempre.[29]

O ministério de Paulo em Roma (28.17-31)

Paulo estava preso em Roma, mas seu ministério seguia em plena atividade. Ele estava algemado, mas a Palavra de Deus tinha total liberdade. Paulo não era prisioneiro de César, mas de Cristo (Ef 4.1). Era um embaixador em cadeias (Ef 6.20). Suas algemas faziam parte do plano de Deus e ele sabia que essas circunstâncias contribuiriam para o progresso do evangelho (Fp 1.12).

Destacamos aqui alguns pontos importantes.

---

[28] DE BOOR, Werner. *Atos dos Apóstolos*, p. 365,366.
[29] HENRY, Matthew. *Comentário bíblico Atos-Apocalipse*, p. 299.

Em primeiro lugar, *o ministério de Paulo em relação aos judeus* (28.17-27). Paulo convoca os líderes judeus da cidade de Roma para se encontrarem com ele. Seu propósito é defender-se das acusações que os judeus assacaram contra ele, tanto em Jerusalém como nas províncias. Nessa defesa, Paulo enfatiza o seguinte: ele não fizera nada contra os judeus nem contra os costumes de seus antepassados (28.17a); b) ele foi preso pelos judeus e entregue aos romanos (28.17b), mas estes, ao interrogá-lo, concluíram que era inocente das acusações e quiseram libertá-lo por não acharem nada que justificasse sua morte (28.18); e ele apelou a César porque os judeus se opuseram à sua libertação, não obstante ele mesmo nada tivesse contra seu povo (28.19). Finalmente, Paulo diz que está preso por causa da esperança de Israel, ou seja, por anunciar Cristo, sua morte e ressurreição (28.20).

Os judeus relataram a Paulo que não haviam recebido nenhuma acusação formal contra ele da Judeia e gostariam de ouvi-lo com mais exatidão acerca dessa nova fé que ele anunciava, ou seja, a seita nazarena que era impugnada por toda parte (28.21,22). No dia marcado, os judeus vieram em grande número e Paulo fez uma exposição detalhada de manhã até a tarde, concentrando-se no reino de Deus e sua vinda, persuadindo-os a respeito de Jesus, tanto pela lei de Moisés como pelos profetas (28.23). Assim, usando as Escrituras, Paulo identificou o Jesus histórico com o Cristo bíblico.[30]

O resultado desse vigoroso testemunho dividiu os ouvintes em dois grupos: os que creram e os que continuaram incrédulos (28.24). Por haver discordância entre eles, os judeus se despediram, mas Paulo com toda ousadia advertiu-os, usando as palavras do profeta Isaías:[31] *Vai a este povo e dize-lhe: De ouvido ouvireis e não entendereis; vendo, vereis e não percebereis. Porquanto o coração deste povo se tornou endurecido; com os ouvidos ouviram tardiamente e fecharam os olhos, para que jamais vejam com os olhos, nem ouçam com os ouvidos; para que não entendam com o coração, e se convertam, e por mim sejam curados* (28.26,27).

---

[30]STOTT, John. *A mensagem de Atos*, p. 449.
[31]Isaías 6.9,10.

Em segundo lugar, *o ministério de Paulo voltado aos gentios* (28.28,29). Uma vez que os judeus rejeitaram conscientemente o evangelho e fecharam após si a porta da graça, Paulo endereça seu ministério aos gentios, pois estes, que jaziam em densas trevas, ouviriam de bom grado as boas-novas da salvação (28.28). John Stott destaca que, por três vezes, a oposição teimosa dos judeus fez Paulo voltar-se para os gentios – em Antioquia da Pisídia (13.46), em Corinto (18.6) e em Éfeso (19.8,9). Agora, pela quarta vez, na capital mundial, e de forma mais decisiva ainda, ele o faz novamente (28.28).[32] Enquanto Paulo se volta para os gentios, os judeus se vão, tendo entre si grande contenda (28.29).

Em terceiro lugar, *o ministério de Paulo na prisão* (28.30,31). Lucas informa que a prisão domiciliar de Paulo durou dois anos e, nesse tempo, ele recebia a todos os que o procuravam (28.30). A casa alugada de Paulo em Roma se tornou um centro de missões.[33] A atividade de Paulo em Roma foi descrita com precisão: ele pregou o reino de Deus e ousadamente, sem impedimento algum, ensinou as coisas referentes ao Senhor Jesus Cristo (28.31). Paulo estava preso e acorrentado, mas a Palavra de Deus estava livre. Sua prisão se torna um templo, uma igreja, e assim, é para ele um palácio. Suas mãos estão amarradas, mas, graças a Deus, sua boca não foi amordaçada. Um ministro zeloso e fiel pode suportar melhor qualquer dificuldade do que ser silenciado. Aqui, Paulo é um prisioneiro e, no entanto, um pregador; está preso, mas a Palavra do Senhor não se deixa aprisionar.[34]

O livro de Atos termina sem uma conclusão. Justo González diz que, em vez de terminar com ponto final, o livro talvez devesse terminar com reticências.[35] Isso porque a história da igreja continua. Concordo com John Stott quando ele escreveu: "Os Atos dos Apóstolos terminaram há muito tempo. Mas os atos dos seguidores de Jesus continuarão até o fim do mundo, e a palavra deles vai se espalhar até aos confins do mundo".[36] O mesmo Espírito, cujos atos observamos no livro de Atos,

---

[32] STOTT, John. *A mensagem de Atos*, p. 450,451.
[33] KISTEMAKER, Simon. *Atos*. Vol. 2, p. 626.
[34] HENRY, Matthew. *Comentário bíblico Atos-Apocalipse*, p. 305.
[35] GONZÁLEZ, Justo L. *Atos*, p. 331.
[36] STOTT, John. *A mensagem de Atos*, p. 457.

continua agindo entre nós; pois ainda que vivamos no tempo dos atos do Espírito; vivemos, por assim dizer, no capítulo 29 de Atos.[37]

O propósito de Lucas é mostrar como o evangelho, anunciado inicialmente por iletrados pescadores judeus, saiu de Jerusalém e, em trinta anos, conquistou Roma, a capital do Império. Jamais alguém poderia imaginar tamanha façanha. Werner de Boor ressalta que Lucas é um "narrador" no antigo estilo bíblico da simples realidade. Fazemos nossa leitura de Atos como se andássemos num trem e passássemos celeremente por uma estação após a outra, conduzidos por paisagens sempre novas até a grande parada final da viagem. Muitas vezes gostaríamos de gritar "Pare! Pare!" e desembarcar, a fim de nos informar melhor sobre essa ou aquela estação importante. Porém, o trem prossegue sua viagem, e novas terras se descortinam ao nosso redor.[38]

O relato de Lucas sobre essa primeira prisão de Paulo não é exaustivo, mas as epístolas escritas dessa prisão (Efésios, Filipenses, Colossenses e Filemom) nos acrescentam informações muito importantes: a) A prisão de Paulo levou a igreja de Roma a pregar com mais ousadia. b) Nesses dois anos Paulo evangelizou toda a guarda pretoriana, bem como outros membros da casa imperial. c) Não podendo visitar as igrejas, Paulo lhes escreveu cartas, as quais fazem parte do cânon sagrado. d) Dessa primeira prisão, Paulo orou para ser libertado e pediu oração nesse sentido às igrejas. e) Paulo continuou seu trabalho após ser solto, fazendo uma espécie de quarta viagem missionária. f) Paulo foi capturado novamente e colocado numa masmorra romana, de onde saiu para o martírio no ano 67 d.C. Esse gigante de Deus tombou na terra como um mártir, mas foi recebido no céu como um príncipe. A Deus seja a glória, por sua vida, ministério e exemplo!

---

[37] GONZÁLEZ, Justo L. *Atos*, p. 332.
[38] DE BOOR, Werner. *Atos dos Apóstolos*, p. 371.

Romanos

O evangelho segundo Paulo

1

Introdução à carta aos Romanos

Romanos 1.1

A CARTA DE PAULO AOS ROMANOS É MUITO MAIS que simplesmente uma carta, é um tratado teológico. É o maior compêndio de teologia do Novo Testamento. É a epístola das epístolas, a mais importante e proeminente carta de Paulo.[1] Na linguagem de John Murray, é uma exposição e uma defesa do evangelho da graça.[2] John Stott considera Romanos uma espécie de manifesto cristão.[3] Já F. F. Bruce chama Romanos de "o evangelho segundo Paulo".[4] Guilherme Orr diz que doutrinariamente Romanos é o maior livro já escrito.[5]

Nenhum livro da Bíblia exerceu tanta influência sobre a teologia protestante e nenhuma carta de Paulo revela de forma tão clara o pensamento teológico do apóstolo aos gentios.[6] Calvino chega a registrar o temor de que seus elogios a essa carta, longe de aumentarem sua

---

[1] LANGE, John Peter. Epistle of Paul to the Romans. In: *Lange's Commentary on the Holy Scriptures*. Vol. 10. Grand Rapids: Zondervan Publishing House, 1980, p. v., 1.
[2] MURRAY, John. *Romanos*. São José dos Campos: Fiel, 2003, p. 12.
[3] STOTT, John. *Romanos*. São Paulo: ABU, 2003, p. 13.
[4] BRUCE, F. F. *Romanos: introdução e comentário*. São Paulo: Vida Nova, 2001, p. 20.
[5] ORR, Guilherme W. *27 Chaves para o Novo Testamento*. São Paulo: Imprensa Batista Regular, 1976, p. 23.
[6] BARCLAY, William. *Romanos*. Buenos Aires: La Aurora, 1973, p. 6.

grandeza, pudessem apenas diminuí-la, uma vez que ela explica a si mesma desde o princípio e se dá a conhecer mais claramente do que jamais poderíamos expressar com palavras.[7]

A influência de Romanos alcança até mesmo o meio acadêmico. Francis Schaeffer diz que até bem pouco tempo o livro de Romanos era estudado em escolas de direito norte-americanas, a fim de ensinar aos estudantes a arte de tecer uma argumentação.[8]

William Greathouse, descrevendo ainda a singularidade de Romanos, cita Lutero, afirmando o seguinte:

> Esta epístola é a parte principal do Novo Testamento, e o mais puro evangelho, que certamente merece a honra de um cristão não apenas conhecê-la de memória, palavra por palavra, mas de também dedicar-se a ela diariamente, como alimento para a sua alma. Pois ela nunca será exaustivamente lida ou entendida. E quanto mais é ela estudada, tanto mais agradável se torna, e melhor parece.[9]

Os eruditos comparam Romanos à cordilheira do Himalaia. Nessa epístola Paulo subiu às alturas excelsas e atingiu o ponto culminante da teologia cristã. Por inspiração divina, o velho apóstolo expôs de forma lógica as grandes doutrinas da graça. Juan Schaal está correto quando diz que a carta aos Romanos tem sido o ponto de partida, inspiração e fonte de muitos pensamentos teológicos. Os líderes do passado e do presente veem Romanos como o livro básico para a interpretação sistemática da sua fé. O estudo de Romanos foi fonte de grande inspiração durante os tempos da reforma, e depois dela. Na realidade, cada grande avivamento religioso tem emanado do estudo de Romanos.[10] Calvino chegou a declarar que, se atingirmos uma verdadeira compreensão

---

[7]CALVINO, João. *Epístola a los Romanos*. Grand Rapids: TELL, 1977, p. 13.
[8]SCHAEFFER, Francis A. *A obra consumada de Cristo*. São Paulo: Cultura Cristã, 2003, p. ix.
[9]GREATHOUSE, William M. A epístola aos Romanos. In: *Comentário Bíblico Beacon*. Vol. 8. Rio de Janeiro: CPAD, 2006, p. 21.
[10]SCHAAL, Juan H. *El camino real de Romanos*. Grand Rapids: TELL, 1977, p. 11.

quanto a essa epístola, teremos uma porta aberta para todos os tesouros mais profundos das Escrituras.[11]

Nenhum livro da Bíblia teve maior influência na história da igreja que a carta aos Romanos. Esta epístola, provavelmente mais que qualquer livro da Bíblia, tem influenciado a história do mundo de formas dramáticas.

Foi por intermédio da Sua leitura que Aurélio Agostinho (354-430), o grande líder religioso e intelectual da África do Norte, professor de retórica em Milão, o maior expoente da igreja ocidental no período dos pais da igreja, foi convertido a Cristo em 386 d.C. Agostinho viveu de forma devassa, entregue às paixões carnais, prisioneiro do sexo ilícito e ao mesmo tempo objeto das orações de Mônica, sua mãe, até que se assentou a chorar no jardim de seu amigo Alípio, quase persuadido a começar vida nova, mas sem chegar à resolução final de romper com a vida que levava. Ali sentado, ouviu uma criança cantar numa casa vizinha: *Tolle, lege! Tolle, lege!* (Pega e lê! Pega e lê). Ao tomar o manuscrito do amigo que estava ao lado, seus olhos caíram nestas palavras: *Andemos dignamente, como em pleno dia, não em orgias e bebedices, não em impudicícias e dissoluções, não em contendas e ciúmes; mas revesti-vos do Senhor Jesus Cristo e nada disponhais para a carne no tocante às suas concupiscências* (Rm 13.13,14).[12] Seus olhos foram imediatamente abertos, seu coração foi transformado e as sombras de suas dúvidas, dissipadas.

O próprio Agostinho confessa: "Não li mais nada e não precisava de coisa alguma. Instantaneamente, ao terminar a sentença, uma clara luz inundou meu coração e todas as trevas da dúvida se desvaneceram".[13] Agostinho tornou-se o maior teólogo da igreja ocidental, fonte da qual beberam Lutero, Calvino e outros reformadores. De forma pertinente, F. F. Bruce afirma que está além da nossa capacidade de avaliação o que a igreja e o mundo devem a esse influxo de luz que iluminou a mente de Agostinho ao ler essas palavras de Paulo.[14]

---

[11] CALVINO, João. *Epístola a los Romanos*, p. 8.
[12] BRUCE, F. F. *Romanos: introdução e comentário*, p. 50, 51.
[13] *Confissões* VIII. 29.
[14] BRUCE, F. F. *Romanos: introdução e comentário*, p. 51.

O monge agostiniano Martinho Lutero (1483-1546) rompeu os grilhões da escravidão espiritual diante de Romanos 1.17 e descobriu que o justo vive pela fé. Até então, Lutero vivia atormentado pela culpa. A justiça de Deus o esmagava e o levava ao desespero. O monge afligia sua alma com intérminas confissões ao vigário, no confessionário, flagelando seu corpo com castigos e penitências. Lutero recorreu a todos os recursos do catolicismo de sua época na tentativa de amenizar a angústia de um espírito alienado de Deus, diz Stott.[15]

No afã de agradar a Deus pelo viés das obras, afundava-se cada vez mais no desespero, ao perceber que não era justo o bastante para alcançar o favor divino. A verdade divina da justificação pela fé entrou em sua vida como um raio de luz. Ele saiu de um caminho de escuridão para a luz da verdade. Lutero abandonou o caminho da autoflagelação, da busca fracassada da autojustificação e refugiou-se nos braços de Cristo. Seu coração encontrou pouso seguro na obra de Cristo. A justiça de Deus revelada no evangelho trouxe-lhe descanso e segurança.

Em novembro de 1515, Martinho Lutero, então professor de teologia sagrada na Universidade de Wittenberg, começou a expor a epístola de Paulo aos Romanos a seus alunos, seguindo este curso até setembro seguinte. As consequências desta nova compreensão que Martinho Lutero obteve do estudo de Romanos tiveram grande repercussão na história.[16] Em 31 de outubro de 1517, Lutero fixou nas portas da igreja de Wittenberg as 95 teses contra as indulgências, deflagrando assim a reforma protestante do século XVI. Devemos à carta aos Romanos esse maior movimento religioso na história da igreja desde o Pentecostes. Segundo Walter Elwell e Robert Yarbrouch, a imagem da Europa se transformou pela reforma protestante que Lutero ajudou a deslanchar. Romanos foi o trampolim da revolução que ele ajudou a colocar em movimento.[17]

---

[15] STOTT, John. *Romanos*, p. 15.
[16] BRUCE, F. F. *Romanos: introdução e comentário*, p. 51.
[17] ELWELL, Walter A.; YARBROUCH, Robert W. *Descobrindo o Novo Testamento*. São Paulo: Cultura Cristã, 2002, p. 275.

Os grandes avivamentos espirituais que varreram a Inglaterra no século XVIII foram incendiados pelo efeito de Romanos.[18] Naquele tempo havia grande sequidão espiritual. Pregadores insossos pregavam sermões mortos para auditórios vazios. Esses mesmos pregadores desciam do púlpito para se embriagar nas mesas de jogos. Poucos pregadores ousavam crer na veracidade e na suficiência das Escrituras. Nesse tempo de apostasia e mornidão espiritual, um grupo de jovens começou a orar pelo reavivamento da Inglaterra em Oxford, formando o chamado "Clube Santo".

Em 24 de maio de 1738, durante uma reunião dos irmãos morávios na rua Aldersgate, em Londres – à qual, aliás, João Wesley tinha comparecido muito a contragosto – algo maravilhoso aconteceu. Wesley ouviu o líder da reunião ler o prefácio de Lutero ao comentário de Romanos, e seu coração foi aquecido. Seus olhos se iluminaram, grande doçura invadiu seu peito e as portas do paraíso lhe foram abertas. Começava ali um grande despertamento espiritual, que veio culminar no grande reavivamento inglês do século XVIII.

F. F. Bruce acredita que esse momento crítico da vida de João Wesley, mais que todos os outros, deu início ao avivamento evangélico do século XVIII.[19] João Wesley tornou-se um líder espiritual de grande expressão na Inglaterra. Criou depois a igreja metodista, uma igreja que buscava a santidade sem deixar de engajar-se firmemente na obra missionária. O reavivamento inglês salvou a Inglaterra dos horrores da Revolução Francesa. Esse movimento espiritual espalhou-se para a Nova Inglaterra e atingiu horizontes ainda mais largos.

No século XX, mais precisamente em 1918, temos outro fato digno de nota a respeito de Romanos. Trata-se da publicação do comentário de Karl Barth aos Romanos. Essa obra foi considerada uma granada no pátio de recreio dos teólogos, uma verdadeira bomba no acampamento dos teólogos liberais. Barth, conhecido como o mais prolífico escritor protestante do século XX, combateu tenazmente o liberalismo, e esta carta é uma de suas obras mais robustas e mais contundentes.

---

[18] ELWELL, Walter A.; YARBROUCH, Robert W. *Descobrindo o Novo Testamento*, p. 275.
[19] BRUCE, F. F. *Romanos: introdução e comentário*, p. 52.

Concordo com a declaração de F. F. Bruce de que não é possível predizer o que pode acontecer quando as pessoas começam a estudar a epístola aos Romanos. O que sucedeu com Agostinho, Lutero, Wesley e Barth acionou grandes movimentos espirituais que deixaram sua marca na história do mundo.[20]

Destaco alguns pontos acerca de Romanos.

O autor da carta aos Romanos

Há pouca dúvida acerca da autoria da carta aos Romanos. John Murray, ao falar sobre a autoria paulina de Romanos, registra: "Esta é uma proposição que não precisamos discutir".[21] Até mesmo os críticos mais céticos se curvam diante das robustas evidências da autoria paulina. Fato digno de nota é que o herético Marcion foi o primeiro escritor conhecido a reconhecer a autoria paulina de Romanos.[22]

Há abundantes evidências internas e externas acerca da autoria paulina de Romanos. Paulo se apresenta como o remetente da carta. Ele o faz com senso de humildade, chamando a si mesmo de servo de Cristo e, também, com senso de autoridade, afirmando seu apostolado (1.1). Pais da igreja como Eusébio, Irineu, Orígenes, Tertuliano e Clemente dão pleno testemunho da autoria paulina de Romanos.[23]

Alguns eruditos questionam a autenticidade do capítulo 16, uma vez que Paulo faz 26 saudações pessoais, entre as quais 24 são citadas nominalmente, dando a ideia de que parecia conhecer a todos os citados intimamente mesmo sem nunca ter estado na cidade de Roma. Outros estudiosos argumentam que o capítulo 16 foi endereçado à igreja de Éfeso e não à igreja de Roma.

É importante ressaltar que Paulo foi o grande bandeirante do cristianismo no primeiro século, especialmente no meio gentílico. Seus contatos transcendiam as fronteiras geográficas visitadas pessoalmente

---

[20] BRUCE, F. F. *Romanos: introdução e comentário*, p. 52.
[21] MURRAY, John. *Romanos*, p. 11.
[22] MACDONALD, William. *Believer's Bible commentary*, 1995, p. 1673.
[23] HENDRIKSEN, William. *Romanos*. São Paulo: Cultura Cristã, 2001, p. 11,12.

por ele. Além disso, Roma era a cidade mais cosmopolita do Império. Pessoas chegavam a essa cidade diariamente de todas as partes do mundo e dela saíam para os rincões mais longínquos. Assim, é absolutamente legítimo Paulo ter vários amigos que se haviam mudado para Roma e a quem ele envia suas calorosas saudações.

Se alguém coloca em dúvida a prática de Paulo mencionar tantos nomes em sua saudação a uma igreja que ele não conhecia pessoalmente, já que essa não era uma prática em suas saudações a igrejas conhecidas, William Barclay responde: "A razão é muito simples. Se Paulo tivesse enviado saudações pessoais a igrejas que conhecia bem, teria provocado ciúmes; entretanto, quando escrevia às igrejas que nunca havia visitado, queria estabelecer tantos laços pessoais quanto fosse possível".[24]

O local e a data de onde Paulo escreveu a carta aos Romanos

Há um consenso geral de que Paulo escreveu Romanos durante sua estada de três meses na Grécia (At 20.2,3), na província da Acaia, numa região próxima de Corinto. Isso é confirmado pela recomendação de Paulo a Febe, a portadora da carta à igreja de Roma. Febe era da igreja de Cencreia (Rm 16.1), uma pequena cidade a 12 quilômetros de Corinto, onde se situava um importante porto da capital da Acaia.

Podemos afirmar com absoluta garantia que Paulo estava encerrando sua terceira viagem missionária e se preparava para viajar a Jerusalém a fim de levar as ofertas levantadas entre as igrejas gentias que socorreriam os pobres da Judeia (15.30,31).

É bastante provável que esta carta tenha sido escrita por volta do ano 57 ou 58 d.C. É, portanto, a última carta escrita por Paulo antes de seu prolongado período de detenção, primeiro em Cesareia (At 23.31–26.32) e depois em Roma (At 28.16-31). Nesse tempo, o veterano apóstolo já havia concluído suas três viagens missionárias. Na primeira delas, percorreu a província da Galácia, onde plantou igrejas, reanimou os crentes e elegeu presbíteros, líderes locais, que pudessem pastorear as igrejas.

---

[24]BARCLAY, William. *Romanos*, p. 20.

Na segunda viagem missionária, Paulo, por orientação divina, entrou na província da Macedônia, deixando igrejas estabelecidas em Filipos, Tessalônica e Bereia, importantes cidades da região. Filipos era uma colônia romana. Tessalônica era a capital da Macedônia, e Bereia, uma importante e rica cidade da região. Nessa segunda viagem missionária, Paulo passou por Atenas, onde deixou alguns convertidos. Dali prosseguiu para o norte da Grécia e fixou-se em Corinto, a capital da Acaia, onde ficou dezoito meses plantando e fortalecendo uma importante igreja.

Em sua terceira viagem missionária, Paulo concentrou-se em Éfeso, a capital da Ásia Menor. Dessa grande metrópole, onde estava o templo de Diana, uma das sete maravilhas do mundo antigo, o evangelho se irradiou por toda a Ásia Menor (At 19.10).

Franz Leenhardt tem razão quando diz que a última parada de Paulo na Grécia apresenta um caráter único. Consumou-se a obra do apóstolo na bacia oriental do Mediterrâneo. Vencidas foram as principais dificuldades. O evangelho foi anunciado e aceito. O nome de Cristo foi proclamado por toda parte. A primeira etapa de seu ministério se encerrava. Ele havia testemunhado o evangelho desde Jerusalém até ao Ilírico (Rm 15.19). Era hora de alevantar os olhos e empreender novas cruzadas. O nome de Cristo precisava ser levado aos lugares onde não se fizera ainda ouvir (15.20).[25]

Em 19 d.C., os judeus de Roma foram expulsos da cidade por um decreto do imperador Tibério, mas em poucos anos estavam de volta em número maior que nunca. No ano 49 d.C., o imperador Cláudio (41-54) expulsou de Roma todos os judeus (At 18.2), em virtude de um motim provocado por um homem chamado Crestus. Essa expulsão provocou grandes transtornos sociais. Muitos judeus perderam suas casas, seus bens e tiveram de retornar à Palestina em precárias condições financeiras. Paulo, que já havia assumido o compromisso de não esquecer os pobres (Gl 2.10), resgata esse compromisso, levantando uma oferta entre as igrejas da Macedônia e Acaia a favor dos santos da Judeia.

F. F. Bruce destaca que os efeitos da ordem de expulsão dos judeus de Roma duraram pouco. Não muito tempo depois, a comunidade

---

[25]LEENHARDT, Franz J. *Epístola aos Romanos*. São Paulo: ASTE, 1969, p. 9.

judaica florescia uma vez mais em Roma, e o mesmo acontecia com a comunidade cristã. Menos de três anos após a morte de Cláudio, Paulo pôde escrever aos cristãos de Roma e falar sobre a fé que eles tinham como assunto que era do conhecimento universal (Rm 1.8).[26]

A carta aos Romanos foi escrita exatamente no momento em que Paulo se preparava para viajar a Jerusalém, com o propósito de levar essas ofertas (15.25). Paulo expressa seu desejo de ir a Roma algumas vezes. A primeira menção desse desejo encontra-se logo depois de sua saída de Éfeso (At 19.21). A segunda menção é feita quando ele já estava em Jerusalém sob a ameaça da conspiração dos judeus (At 23.11). Na introdução de sua carta aos Romanos por duas vezes ele faz novamente menção de seu desejo de ir a Roma e visitar a igreja (1.11,15).

A igreja de Roma

Paulo escreveu à igreja de Roma, igreja que ele não fundara nem ainda conhecia pessoalmente. Destacamos alguns pontos aqui.

Em primeiro lugar, *quem fundou a igreja de Roma?* A origem da igreja em Roma perde-se na obscuridade.[27] Há várias hipóteses, mas nenhuma certeza. Com toda convicção podemos afirmar que Paulo não foi o fundador da igreja, uma vez que ele escreve falando acerca de seu desejo de visitar aqueles irmãos (Rm 1.10-13). Tampouco a igreja de Roma foi fundada por algum dos outros apóstolos. O catolicismo romano ensina que o apóstolo Pedro foi o fundador da igreja, e seu episcopado na igreja durou 25 anos, ou seja, de 42-67 d.C. Essa tese, porém, carece de fundamentação. Primeiro, porque Pedro era o apóstolo da circuncisão (Gl 2.9), e não o apóstolo destinado aos gentios. Segundo, porque Paulo não menciona Pedro em sua carta aos Romanos, o que seria uma gritante falta de cortesia. Concordo com Cranfield quando disse: "Uma vez que Romanos não contém referência alguma a Pedro, é praticamente certo que ele não estava em Roma no tempo em que

---

[26] BRUCE, F. F. *Romanos: introdução e comentário*, p. 16.
[27] ERDMAN, Charles, R. *Comentários de Romanos*. São Paulo: Casa Editora Presbiteriana, n.d., p. 14.

Paulo escrevia, e provavelmente que, até esse tempo, ele nunca estivera lá".[28] Terceiro, porque Paulo diz que gostaria de ir a Roma para compartilhar o evangelho e distribuir algum dom espiritual (Rm 1.11), o que não faria sentido se Pedro já estivesse entre eles. Além disso, Paulo tinha o princípio de pregar o evangelho não onde Cristo já fora anunciado, para não edificar sobre fundamento alheio (15.20).

Há duas possibilidades para a origem da igreja de Roma. A primeira é que essa igreja foi estabelecida pelos judeus ou prosélitos de Roma, convertidos na Festa do Pentecostes em Jerusalém no ano 30 d.C., os quais retornaram à capital do Império para plantar a igreja (At 2.10). Em Roma estava o maior centro judaico do mundo antigo. Havia mais de treze comunidades sinagogais na cidade. Mantinham um contato intenso com Jerusalém. As pessoas viajavam para lá e para cá como comerciantes, artesãos e também como peregrinos devotos. Confessando sua fé, deram origem a um movimento cristão muito vivo. Desse modo, o cristianismo em Roma originou-se da atuação de crentes para nós anônimos.[29] As famosas estradas romanas facilitaram sobremodo a mobilização das pessoas e a rápida expansão do evangelho. A via Ápia, a via Cornélia, a via Aurélia e a via Valéria eram algumas das estradas que cruzavam o Império. Vinte rodovias principais partiam do "Marco Miliário de Ouro" em Roma, cada uma delas com numerosos ramos, de modo que as várias partes do Império se uniam por uma gigantesca rede de artérias.[30]

A segunda possibilidade é que essa igreja tenha sido estabelecida por cristãos desconhecidos, convertidos pelo ministério de Paulo, emissários de algum dos centros gentílicos que haviam compreendido plenamente o caráter universal do evangelho. Vale ressaltar que as três grandes cidades onde Paulo estivera por mais tempo – Antioquia, Corinto e Éfeso – eram justamente as três com as quais (assim como Alexandria) o intercâmbio com Roma se mostrava mais intenso.[31]

---

[28]CRANFIELD, C. E. B. *Comentários de Romanos*. São Paulo: Vida Nova, 2005, p. 13.
[29]POHL, Adolf. *Carta aos Romanos*. Curitiba: Editora Evangélica Esperança, p. 19.
[30]HENDRIKSEN, William. *Romanos*, p. 27.
[31]MURRAY, John. *Romanos*, p. 16.

John Peter Lange destaca o fato de que o banimento dos judeus da cidade de Roma pelo imperador Cláudio foi uma ocasião especial usada pela providência divina para o estabelecimento da igreja de Roma. Alguns judeus fugitivos de Roma migraram para a vizinha região da Grécia onde Paulo estava radicado e ali se tornaram cristãos e discípulos paulinos. Após seu retorno a Roma, transformaram-se em arautos do cristianismo, tomando parte na organização da igreja. Isso pode ser provado pelo exemplo de Priscila e Áquila, que, tendo estado com Paulo em Corinto (At 18.2), passaram a abrigar uma igreja em sua casa, em Roma (Rm 16.3-5).[32]

Mesmo que esse ponto não esteja definido com diáfana clareza, temos a garantia de que em Roma havia uma igreja à qual Paulo escreve sua mais importante carta. Concordo com Donald Guthrie quando ele diz que, embora Paulo não tenha sido o fundador da igreja de Roma, ele a considerava parte de seu campo como apóstolo aos gentios. Assim, a igreja de Roma estava dentro da esfera de sua própria comissão.[33]

Em segundo lugar, *quem fazia parte da igreja de Roma?* A igreja de Roma era composta por judeus e também por gentios. A carta é dirigida tanto a uns como aos outros. A capital do Império era uma grande metrópole com mais de um milhão de habitantes. Havia grande concentração de judeus em Roma, tanto na época da expulsão deles em 49 d.C. pelo imperador Cláudio, como no tempo em que o imperador Nero incendiou Roma, em 64 d.C. Nessa ocasião, as chamas devoraram dez dos quatorze bairros de Roma. Os quatro bairros poupados eram densamente povoados por judeus e cristãos. Isso serviu de álibi para Nero colocar a culpa do incêndio nos cristãos e judeus. Leenhardt, diferenciando-se da posição de John Peter Lange, alega que o desenvolvimento da jovem comunidade se processou na ausência dos judeus cristãos, num sentido que lhes tornou difícil a readaptação ao retornar. É talvez uma situação assim que Paulo tomou em consideração nos capítulos 14 e 15.1-13.[34]

---

[32]LANGE, John Peter. *The Epistle of Paul to the Romans*, p. 32.
[33]GUTHRIE, Donald. *New Testament introduction*. Downers Grove: Intervarsity Press, 1990, p. 403.
[34]LEENHARDT, Franz J. *Epístola aos Romanos*, p. 11.

A cidade de Roma

Rômulo e Remo fundaram a cidade de Roma, às margens do rio Tigre por volta de 754 a.C. Roma começou como um reino, depois se converteu em república e finalmente em Império. Estendeu-se à Europa, Ásia e África do Norte. Quando Paulo escreveu aos romanos, Roma era conhecida como "a cidade imperial" e "a cidade eterna". Além de ser a capital da Itália era também do mundo.[35] No tempo de Jesus, talvez cem milhões de pessoas habitassem o território romano. Poucos Impérios, em qualquer época da história mundial, rivalizaram em tamanho, poder e esplendor.[36]

Paulo era um missionário estratégico. Como mostra o livro de Atos, ele permaneceu nas vias de maior trânsito e passou ao largo das aldeias, até que, às vezes, após centenas de quilômetros, chegava de novo à cidade maior mais próxima. Ali ele fundava uma igreja, que imediatamente recebia a responsabilidade missionária pela região adjacente. Para Paulo o surgimento de uma igreja numa localidade central significava a conquista da terra em redor, uma vez que ele tinha certeza de que o fogo se espalha por si. Na opinião paulina, Filipos representava a Macedônia (Fp 4.15), Tessalônica a Macedônia e a Acaia (1Ts 1.7,8), Corinto a Acaia (1Co 16.15; 2Co 1.1), e Éfeso a Ásia (Rm 16.5; 1Co 16.19; 2Co 1.8).[37]

Quando Paulo escreveu a carta aos Romanos, Roma devia ter aproximadamente de um milhão a um milhão e meio de habitantes, dos quais quarenta mil eram judeus. Cosmopolita e abrigando pessoas de todas as regiões do mundo, a cidade construída sobre as sete colinas tinha papel estratégico na proclamação do evangelho. Roma era o centro do mundo ocidental. Para ela convergiam todos os caminhos. Levar o cristianismo a Roma significava levá-lo ao coração de um mundo ocupado e famoso. Conquistar Roma para Cristo era o sonho e a visão de Paulo.[38]

---

[35] SCHAAL, Juan H. *El camino real de Romanos*, p. 6.
[36] ELWELL, Walter A.; YARBROUCH, Robert W. *Descobrindo o Novo Testamento*, p. 275, 276.
[37] POHL, Adolf. *Carta aos Romanos*, p. 21.
[38] SCHAAL, Juan H. *El camino real de Romanos*, p. 14, 15.

Se por um lado Roma era a síntese do poder, da riqueza, do luxo e do *glamour*, por outro lado era considerada a cloaca do mundo, o esgoto pútrido em que as pessoas chafurdavam nas práticas mais aviltantes. Charles Erdman comenta sobre a degradação da cidade: "Roma era o empório que tinha todos os povos despejado suas idolatrias e corrupções, seus desregramentos e seu pecado; era Roma um espelho do mundo pagão, com sua sordidez, e miséria, e tremendo pressentimento da ira vindoura".[39]

Porque Roma estava podre por dentro, o poder político de Roma entrou em colapso em 410 d.C., quando caiu nas mãos dos vândalos. O Império caiu em 476 d.C. e nunca mais recobrou seu encanto nem Seu poder. Em 728 d.C., Roma se fez independente sob os papas, que consideravam Seu poder superior ao dos governantes temporais, e permaneceu como sede da corte papal até 20 de setembro de 1870. Hoje a Igreja Católica romana tem seu centro no Vaticano, que é um reino independente, no coração da cidade de Roma.[40]

O propósito da carta aos Romanos

Diferentemente das outras cartas, Paulo não escreveu aos romanos para resolver problemas locais e circunstanciais. Por isso, essa carta parece mais um tratado teológico que uma missiva pastoral.[41] A carta aos Romanos tem sido chamada de "carta profilática". Paulo sabia que a melhor proteção contra a infecção do falso ensino era o antisséptico da verdade.[42]

Paulo tem pelo menos cinco propósitos em seu coração ao escrever esta carta.

Em primeiro lugar, *pedir oração da igreja em seu favor*. Paulo estava prestes a realizar uma viagem extremamente perigosa a Jerusalém (Rm 15.30,31). Mesmo com o coração cheio de amor e as mãos transbordando de ofertas para os pobres da Judeia, ele conhecia os perigos da

---

[39] ERDMAN, Charles, R. *Comentários de Romanos*, p. 13.
[40] SCHAAL, Juan H. *El camino real de Romanos*, p. 13, 14.
[41] GUTHRIE, Donald. *New Testament Introduction*, p. 409.
[42] BARCLAY, William. *Romanos*, p. 14.

viagem. Ele temia duas coisas: 1) que os judeus o matassem; 2) que os "santos" de Jerusalém nem mesmo se dispusessem a receber o generoso donativo vindo dos crentes gentios. Seus pressentimentos não eram sem fundamento (At 20.3). Ao despedir-se dos presbíteros de Éfeso, o apóstolo os alerta sobre essa dolorosa possibilidade (At 20.22,23). Chegando a Cesareia, ele foi alertado a não subir a Jerusalém, pois lá o esperavam cadeias e tribulações (At 21.8-14). Na cidade, Paulo foi recebido com alegria pelos irmãos (At 21.17), mas com sórdida crueldade pelos judeus, que entraram em conspiração para matá-lo (At 21.27-31). Pressentindo esse desfecho, Paulo escreveu aos crentes de Roma pedindo oração em seu favor (Rm 15.30,31).

Em segundo lugar, *demonstrar seu desejo de visitar a igreja de Roma*. Paulo desejou visitar a igreja de Roma algumas vezes, mas isso lhe foi impedido (Rm 1.13). Portas abertas e portas fechadas, porém, são a mesma coisa, se abertas ou fechadas por Deus. Porque não pôde ir a Roma, Paulo escreveu esta carta, o maior tratado teológico do Novo Testamento. A impossibilidade de Paulo viajar a Roma privou aqueles crentes por um tempo da presença do apóstolo, mas abençoou todas as igrejas ao longo dos tempos, por meio dessa carta inspirada. Geoffrey Wilson descreve essa verdade como segue:

> Ao invés de simplesmente edificar os crentes em Roma pelo ensino oral, uma honra bem maior foi reservada por Deus ao seu servo; pois todo cristão que deseja se tornar firmemente fundamentado na fé deve ainda colocar-se aos pés de Paulo de Tarso para receber, com toda humildade, aquele "evangelho de Deus" que foi primeiro confiado a ele *mediante a revelação de Jesus Cristo* (Gl 1.12).[43]

Em terceiro lugar, *demonstrar seu desejo de compartilhar com os crentes de Roma algum dom espiritual*. O interesse de Paulo em ir a Roma era compartilhar com os crentes de Roma o evangelho. Mesmo não tendo sido o fundador da igreja, aquela igreja estava sob sua jurisdição espiritual, uma vez que era o apóstolo enviado por Jesus aos gentios.

---

[43] WILSON, Geoffrey B. *Romanos*. São Paulo: PES, 1981, Introdução.

Em quarto lugar, *ser enviado pela igreja de Roma à Espanha*. Paulo queria uma base missionária para os seus novos projetos. Depois de concluir seu trabalho missionário nas quatro províncias da Galácia, Macedônia (nordeste da Grécia), Acaia (sudeste da Grécia) e Ásia Menor, Paulo tinha planos de ampliar os horizontes e chegar à Espanha (Rm 15.24,28), a mais antiga colônia romana no Ocidente e o principal baluarte da civilização romana naquelas partes.[44] Para isso, precisava de suporte financeiro e apoio espiritual (15.24). Essas coisas ele buscava na igreja de Roma.

William Barclay acentua o fato de que, se Paulo desejava lançar-se em campanha missionária rumo ao Ocidente, precisaria de uma base de operações. Necessitava de um quartel-general, de onde partiriam suas linhas de comunicação. A melhor base que ele poderia ter naquele momento era Roma. Foi por essa razão que Paulo escreveu esta carta.[45] Nessa mesma linha de pensamento, Adolf Pohl diz que Paulo estava como que no "intervalo do jogo". Encontrava-se diante da virada para um avanço missionário para o oeste do Império. Por isso, planejou uma estada intermediária em Roma como apoio para o seu projeto.[46] Concluímos esse ponto com as palavras de Wright: "De fato Paulo queria usar Roma como uma base de operações no Mediterrâneo Ocidental, como havia usado Antioquia (originalmente) como base no Oriente".[47]

Em quinto lugar, *fazer uma exposição detalhada do evangelho*. Paulo escreve Romanos para repartir com a igreja da capital do Império o significado do evangelho. Nessa carta ele discorre sobre a condição de ruína e perdição tanto dos gentios como dos judeus. Também mostra que a salvação é pela graça, independentemente das obras, tanto para os gentios como para os judeus. Charles Erdman está correto quando diz que o evangelho de Cristo, que a epístola aos Romanos expõe, é a mais doce música jamais ouvida na terra, a mais poderosa mensagem

---

[44] BRUCE, F. F. *Romanos: introdução e comentário*, p. 14.
[45] BARCLAY, William. *Romanos*, p. 16.
[46] POHL, Adolf. *Carta aos Romanos*, p. 13.
[47] WRIGHT, N. T. *The climax of the covenant. Christ and the law in Pauline theology.* Edinburgh: T. and T. Clark, 1991, p. 234.

proclamada entre os homens, o mais precioso tesouro confiado ao povo de Deus.[48]

As principais ênfases da carta aos Romanos

A carta aos Romanos é uma verdadeira enciclopédia teológica. Não temos a pretensão de esgotar seus temas nem mesmo de descobrir todas as suas ênfases. Destacaremos, aqui, apenas alguns dos principais pontos abordados pelo apóstolo nessa epístola.

Em primeiro lugar, ***mostrar a unidade da igreja***. A igreja de Cristo é formada por judeus e gentios. Pelo sangue de Cristo a parede da separação foi derrubada e, agora, os judeus e os gentios constituem a igreja (Ef 2.14-16). Vale lembrar que grande parte dos cristãos gentios se aproximou do cristianismo por meio de uma conexão anterior com o judaísmo.[49] William Hendriksen destaca o fato de que a igreja de Roma consistia de judeus e gentios. Por essa razão havia o risco de que um grupo fosse tratado com desdém pelo outro: os judeus pelos gentios (Rm 2.1s.), os gentios pelos judeus (11.18). Paulo enfatiza, então, que [...] *não há distinção entre judeu e grego, uma vez que o Senhor é o Senhor de todos* (10.12).[50] Stott entende que a redefinição do que é povo de Deus – não mais de acordo com a descendência, a circuncisão ou a cultura, mas segundo a fé em Jesus, é um dos temas principais de Romanos. Citando Sanders, ele chega mesmo a dizer que o mais importante de todos os temas de Romanos é o da igualdade entre judeus e gentios.[51]

Em segundo lugar, ***evidenciar a universalidade do pecado***. Paulo expõe com argumentos irresistíveis a culpabilidade dos gentios e também dos judeus. Deus encerrou todos no pecado para usar de misericórdia para com todos. O pecado atingiu a todos sem exceção. Todos pecaram e destituídos estão da glória de Deus (Rm 3.23). Stott diz que o apóstolo divide a raça humana em três grupos distintos: a sociedade

---

[48] ERDMAN, Charles R. *Comentários de Romanos*, p. 11.
[49] MURRAY, John. *Romanos*, p. 18.
[50] HENDRIKSEN, William. *Romanos*, p. 9.
[51] STOTT, John. *Romanos*, p. 34.

gentílica depravada (1.18-32), os críticos moralistas, sejam judeus ou gentios (2.1-16), e os judeus instruídos e autoconfiantes (2.17–3.8). E então conclui acusando toda a raça humana (3.9-20). Em cada caso o seu argumento é o mesmo: que ninguém vive à altura do conhecimento que tem.[52]

Em terceiro lugar, *manifestar a justiça de Deus no evangelho*. A justiça de Deus manifesta-se no evangelho. Na cruz de Cristo Deus revelou Sua ira sobre o pecado e Seu amor ao pecador. A cruz de Cristo foi a justificação de Deus, uma vez que nela Deus satisfez plenamente Sua justiça violada. Se a ira de Deus se revela do céu contra toda impiedade e perversão dos homens, no evangelho a justiça de Deus se revela para a salvação de todo o que crê. Stott afirma corretamente que o "mas agora" de Romanos 3.21 é um dos maiores adversativos encontrados na Bíblia, pois denota que, em meio à treva universal do pecado e da culpabilidade humana, brilhou a luz do evangelho.[53]

Em quarto lugar, *anunciar a doutrina da justificação pela fé*. A justificação não é alcançada pelas obras da lei, mas pela fé na obra de Cristo. Não é a obra que fazemos para Deus que nos salva, mas a obra que Deus fez por nós em Cristo que nos traz a vida eterna. Não é nossa justiça que nos recomenda a Deus, mas a justiça de Cristo a nós imputada. O Justo justifica o injusto. O injusto que não tem justiça própria é justificado ao confiar na justiça de Jesus Cristo, o Justo. Romanos 4 é um brilhante ensaio no qual Paulo prova que o próprio Abraão, o pai fundador de Israel, foi justificado não por suas obras (4.4-8), nem por sua circuncisão (4.9-12), nem pela lei (4.13-15), mas pela fé. Em consequência, Abraão é agora "o pai de todos os que creem", sejam eles judeus ou gentios (4.11,16-25). A imparcialidade divina é evidente.[54]

Em quinto lugar, *proclamar a nova vida na pessoa de Cristo*. Deus nos salvou *do* pecado, e não *no* pecado (Rm 6.1). A salvação implica a libertação da condenação, do poder e da presença do pecado. Não podemos viver no pecado, nós que para ele morremos. Fomos crucificados

---

[52]STOTT, John. *Romanos*, p. 36.
[53]STOTT, John. *Romanos*, p. 36.
[54]STOTT, John. *Romanos*, p. 36.

com Cristo e sepultados com ele na morte pelo batismo, de tal maneira que devemos considerar-nos mortos para o pecado e carregar nosso certificado de óbito no bolso.

Em sexto lugar, *anunciar a vida vitoriosa no Espírito*. Depois de mostrar o grande conflito interior e a total impossibilidade de alcançarmos uma vida vitoriosa pela energia da carne (7.1-24), Paulo exulta num brado de vitória ao anunciar a vida triunfante que temos pelo Espírito (8.1-18). O Espírito Santo nos vivifica, nos capacita e nos reveste de poder para vivermos em santidade.

Em sétimo lugar, *revelar a soberania de Deus na salvação*. Paulo ensina de forma grandiosa a doutrina da eleição da graça. Não somos nós que escolhemos a Deus, mas é ele quem nos escolhe. Deus nos escolhe não *por causa* de nossos méritos, mas *apesar* de nossos deméritos (9.1–11.36).

Em oitavo lugar, *mostrar a vital necessidade de relacionamentos transformados*. Depois que Paulo encerra a magistral sessão doutrinária, ele aplica a doutrina mostrando a necessidade de estabelecermos relacionamentos corretos com Deus, com nós mesmos, com o próximo, com os inimigos e com as autoridades (12.1–13.7). Devemos em nossas relações respeitar aqueles que têm a consciência fraca, não lhes servindo por causa de tropeço (14.1–15.13).

A carta termina com uma longa lista de saudações, mostrando que a igreja precisa ser um lugar onde florescem relacionamentos saudáveis, onde devemos ter coração aberto, mãos abertas, casas abertas e lábios abertos para abençoar uns aos outros (16.3-24). O fechamento da carta é uma explosão doxológica na qual o apóstolo exalta a Deus por meio de Cristo.

2

o evangelho,
a igreja e o apóstolo

Romanos 1.1-13

A INTRODUÇÃO DE PAULO À CARTA AOS ROMANOS é a mais longa de todas as suas cartas. No texto original essa introdução é composta de 93 palavras.[1] Cada parte da saudação é ampliada – o nome do remetente, o nome dos destinatários e as saudações propriamente ditas.[2]

O apóstolo faz questão de definir, com muita clareza, logo de início, o evangelho, tema que discorrerá em toda a carta. Menciona também as marcas da verdadeira igreja e fecha sua introdução falando um pouco de si e de seu desejo e propósito de visitar os crentes de Roma.

No capítulo anterior, abordamos a incomparável importância de Romanos na história da igreja e de sua indisputável influência tanto na reforma do século XVI como nos grandes reavivamentos espirituais posteriores. Neste capítulo, iniciaremos o estudo da carta, a partir de sua longa introdução.

William Barclay destaca que, quando Paulo escreveu esta carta, dirigiu-se a uma igreja que não conhecia pessoalmente, situada numa cidade que nunca tinha visitado; a maior cidade, a capital do maior

---

[1] HENDRIKSEN, William. *Romanos*, p. 51, 52.
[2] BRUCE, F. F. *Romanos: introdução e comentário*, p. 59.

Império do mundo, razão pela qual o apóstolo escolhe com muito cuidado suas palavras.[3]

As marcas do **evangelho verdadeiro** (1.1-5)

A epístola aos Romanos não foi escrita prioritariamente para corrigir algum problema na igreja de Roma, mas para fazer uma apresentação e uma defesa do evangelho. Como dissemos no capítulo anterior, mais do que uma carta, Romanos é um tratado teológico.

Seis verdades devem ser aqui destacadas:

Em primeiro lugar, *o arauto do evangelho* (1.1). No primeiro século, o remetente de uma carta colocava seu nome no início da missiva. Por isso, Paulo abre a epístola fazendo três afirmações sobre si mesmo.

Paulo era servo de Cristo (1.1). A palavra grega *doulos*, traduzida por "servo", significa escravo, aquele que foi comprado por um preço, pertence a seu senhor e está completamente à sua disposição. Um escravo não tem vontade própria nem liberdade para fazer o que lhe agrada. Um escravo vive para agradar a seu senhor e obedecer-lhe as ordens.

No Império Romano os escravos carregavam uma pesada argola de ferro soldada em volta do pescoço com o nome do seu senhor.[4] Acredita-se que havia cerca de sessenta milhões de escravos em todo o Império Romano; um escravo não era considerado uma pessoa, mas apenas uma propriedade, uma ferramenta viva.[5] Como propriedade de seu dono, este poderia submetê-lo a trabalhos forçados, castigá-lo e até matá-lo.

Paulo, porém, não é escravo de um senhor carrasco. Seu senhor deu a vida por ele, comprou-o com seu próprio sangue e conquistou-o com imensurável amor. Assim, a expressão "servo de Jesus Cristo" descreve ao mesmo tempo a obrigação de um grande amor e a honra de um grande ofício.[6] Charles Erdman diz que Paulo indicava com essa expressão plena submissão a seu Senhor.[7]

---

[3]BARCLAY, William. *Romanos*, p. 23.
[4]SCHAEFFER, Francis A. *A obra consumada de Cristo*, p. 14.
[5]WIERSBE, Warren W. *Comentário bíblico expositivo*. Vol. 5, 2006, p. 668.
[6]BARCLAY, William. *Romanos*, p. 24.
[7]ERDMAN, Charles, R. *Comentários de Romanos*, p. 19.

Vale ressaltar que, quando Paulo se apresenta como servo de Cristo, isso se refere não apenas uma posição de grande humildade, mas também de subida honra. Cranfield diz que, no antigo Israel, chamar um homem de "servo de Deus" era conceder-lhe título de honra.[8] Isso, porque patriarcas, reis e profetas se apresentavam como servos do Senhor. Assim, Paulo se autoposiciona na mesma linhagem de Abraão, Moisés e Davi.

Paulo foi chamado para ser apóstolo (1.1). A palavra grega *apostolos* significa "enviado". Paulo foi chamado do mundo para ser enviado de volta ao mundo a fim de anunciar o evangelho, especialmente aos gentios.

Há forte contraste entre os dois termos usados por Paulo. Se a palavra *servo* expressa grande humildade, o título *apóstolo* enfatiza grande autoridade.[9] Servo é um termo geral para todos os cristãos; apóstolo é um termo específico apenas para aqueles que foram chamados por Cristo e testemunharam Sua ressurreição.

Calvino corrobora esse pensamento ao declarar: "Paulo é servo de Jesus Cristo, como a maioria, e apóstolo por vocação de Deus, e não por atrevida usurpação".[10] William Hendriksen diz que o apóstolo é investido com a autoridade daquele que o enviou, e essa autoridade diz respeito tanto à doutrina quanto à vida.[11] Nessa mesma linha, John Murray afirma que a pregação dos apóstolos estava investida da autoridade de Cristo e do Espírito Santo.[12]

Pelo fato de ter perseguido a igreja de Deus, Paulo não se considerava digno de ser apóstolo (1Co 15.9), mas ao ser chamado pelo Cristo glorificado (At 26.15-18), sendo testemunha, portanto, de Sua ressurreição (1Co 9.1; 15.8), recebeu a mesma autoridade que os demais apóstolos (Gl 1.15-17), tendo sua missão divinamente confirmada pelos sinais que acompanhavam suas obras (2Co 12.12).

Cranfield destaca o fato de que não é na base do egoísmo humano presunçoso, mas na base do chamamento divino, que Paulo

---

[8] CRANFIELD, C. E. B. *Comentário de Romanos*, p. 20.
[9] LEENHARDT, Franz J. *Epístola aos Romanos*, p. 33; STOTT, John. *Romanos*, p. 47.
[10] CALVINO, João. *Epístola a los Romanos*, p. 25.
[11] HENDRIKSEN, William. *Romanos*, p. 53.
[12] MURRAY, John. *Romanos*, p. 30.

é apóstolo.¹³ Aqueles, portanto, que hoje se autointitulam apóstolos estão em desacordo com a Palavra de Deus. Não temos mais apóstolos no mesmo sentido do Novo Testamento. Aqueles eram o fundamento da igreja e recebiam os oráculos de Deus. Hoje a revelação de Deus está completa. Concordo com Geoffrey Wilson quando diz: "Uma vez que a função dos apóstolos é essencialmente impossível de ser repetida, a única sucessão apostólica conhecida no Novo Testamento é a fidelidade continuada ao depósito sagrado de verdade, que foi, de uma vez por todas, dado à igreja por eles".¹⁴

Paulo foi separado para o evangelho de Deus. Paulo foi separado por Deus antes mesmo do seu nascimento (Gl 1.15) para anunciar o evangelho da graça (At 26.16,17). Francis Schaeffer diz corretamente que separações envolvem sempre duas ações: *separação de* e *separação para*. A separação *de* é algo facilmente entendido. Existem muitas coisas que nos podem manter afastados de Deus, e não é possível sermos *separados para* Deus, a não ser que sejamos separados destas coisas.¹⁵

A consagração de Paulo ao evangelho foi total e integral. Ele chega a chamar o evangelho de Deus de *meu* evangelho (Rm 2.16; 16.25). John Stott enfatiza que a palavra grega *aphorismenos* tem o mesmo significado que a palavra "fariseu". Como fariseu, Paulo havia sido separado para a lei; mas agora Deus o havia separado para o evangelho.¹⁶ Concordo com F. F. Bruce quando ele diz que todos os ricos e variados dons da herança de Paulo (judaica, grega e romana) e de sua educação foram predestinados por Deus com vistas a seu serviço.¹⁷

Em segundo lugar, **a fonte do evangelho**. ... *separado para o evangelho de Deus* (1.1). Paulo deixa claro que ele não é a fonte do evangelho, mas apenas seu arauto. O apóstolo não é a fonte da mensagem, mas seu canal. Ele não cria a mensagem, apenas a transmite. O evangelho não vem do homem, mas de Deus. Sua origem não está na terra, mas no

---

¹³Cranfield, C. E. B. *Comentário de Romanos*, p. 21.
¹⁴Wilson, Geoffrey B. *Romanos*, p. 2.
¹⁵Schaeffer, Francis A. *A obra consumada de Cristo*, p. 14, 15.
¹⁶Stott, John. *Romanos*, p. 47.
¹⁷Bruce, F. F. *Romanos: introdução e comentário*, p. 59.

céu. O evangelho não é fruto da lucubração humana, mas da revelação divina.

Nas palavras de Charles Erdman, o evangelho não é invenção humana; é uma revelação celestial, gloriosa, divina.[18] Cranfield está coberto de razão quando diz que a mensagem da boa-nova que Paulo deve proclamar é a palavra autorizada de Deus. Sua fonte não é outra senão o próprio Deus.[19] Na mesma linha de pensamento, Leenhardt diz que o autor último do evangelho é o próprio Deus. A mensagem não é meramente humana; ao contrário, é a Palavra de Deus, ação em que Deus está presente e age eficazmente a tal ponto de ele mesmo ser o agente do evangelho apostólico.[20]

Há muitos "evangelhos" inventados ou distorcidos pelos homens. Esses outros evangelhos representam as reivindicações pretensiosas de homens presunçosos. Esses evangelhos não passam de falso evangelho (Gl 1.6-8). Concordo com John Stott quando ele diz que os apóstolos não inventaram o evangelho; ele foi revelado e a eles confiado por Deus. Por isso, o que temos não é uma miscelânea de especulações humanas, nem mais uma religião a ser adicionada ao que já existe. O que temos é o evangelho de Deus, a boa-nova do próprio Deus para um mundo perdido. Sem esta convicção, a evangelização perde todo o seu conteúdo, propósito e motivação.[21] O evangelho de Deus é sua jubilosa proclamação da vitória e da exaltação de Seu Filho, e da consequente anistia e libertação que os homens podem desfrutar pela fé nele.[22]

Em terceiro lugar, *a antiguidade do evangelho*. *O qual foi por Deus, outrora, prometido por intermédio dos seus profetas nas Sagradas Escrituras* (1.2). O evangelho não é uma inovação, uma espécie de plano B, porque o plano A fracassou. O evangelho foi concebido na eternidade, anunciado por Deus na história, prometido pelos profetas, prefigurado nos sacrifícios judaicos e plenamente cumprido em Cristo. Há uma continuidade perfeita entre o Antigo e o Novo Testamento.

---

[18] ERDMAN, Charles, R. *Comentários de Romanos*, p. 20.
[19] CRANFIELD, C. E. B. *Comentário de Romanos*, p. 21.
[20] LEENHARDT, Franz J. *Epístola aos Romanos*, p. 34.
[21] STOTT, John. *Romanos*, p. 48.
[22] BRUCE, F. F. *Romanos: introdução e comentário*, p. 59.

O evangelho não é ruptura, mas atualização.²³ Nas palavras de William Greathouse, o evangelho não é uma ruptura com o passado, mas sua consumação (1Co 15.3,4).²⁴ Charles Erdman diz acertadamente que nessas "Escrituras", ora conhecidas como o Antigo Testamento, estava contido o evangelho em tipo, símbolo e profecia; elas predisseram os grandes eventos redentores que formariam a substância da mensagem do evangelho.²⁵ Desta forma, segundo John Murray, Paulo demonstrou tanto a unidade como a continuidade da dispensação do evangelho em relação ao Antigo Testamento.²⁶

O evangelho que Paulo anuncia é aquele prometido pelos profetas no Antigo Testamento e revelado aos apóstolos no Novo Testamento. Calvino diz que o evangelho não foi dado pelos profetas, mas prometido por eles. Por isso, engana-se quem confunde as promessas com o evangelho.²⁷ Na visão de John Stott, o evangelho de Deus tem duplo atestado de autenticidade, a saber: os profetas do Antigo Testamento e os apóstolos do Novo Testamento. Os dois dão testemunho de Jesus Cristo.²⁸ É bem conhecida a célebre declaração de Aurélio Agostinho: "O Novo Testamento está oculto no Antigo Testamento e o Antigo Testamento está revelado no Novo".

Concordo com Leenhardt quando ele afirma que há um só Deus, o qual fala de maneiras várias segundo a diversidade dos tempos, mas diz sempre a mesma coisa, porque é verídico; e realiza sempre a mesma obra, porque é fiel. Sua veracidade e Sua fidelidade alcançam expressão suprema em Cristo Jesus.²⁹ A linha de raciocínio do apóstolo Paulo é que as boas-novas da salvação pela fé não constituem inovação e que o cristianismo não é uma contradição ao judaísmo; antes, porém, o cumprimento, a consumação, o clímax dessa dispensação. O Messias predito do Antigo Testamento é o Cristo do Novo; o

---

²³LEENHARDT, Franz J. *Epístola aos Romanos*, p. 35.
²⁴GREATHOUSE, William. *A epístola aos Romanos*, p. 29.
²⁵ERDMAN, Charles R. *Comentários de Romanos*, p. 20.
²⁶MURRAY, John. *Romanos*, p. 31.
²⁷CALVINO, João. *Epístola a los Romanos*, p. 26.
²⁸STOTT, John. *Romanos*, p. 49.
²⁹LEENHARDT, Franz J. *Epístola aos Romanos*, p. 34

Servo do Senhor a quem os profetas predisseram é o Filho de Deus a quem os apóstolos pregaram.[30]

Paulo crê firmemente na suficiência das Escrituras para nos revelar o conteúdo do evangelho. Ele não aceita nenhum evangelho além daquele revelado nas Escrituras. Nada de revelações forâneas às Escrituras. Nada de introduzir alguma novidade estranha à Palavra de Deus. O conteúdo do evangelho se limita à revelação divina que temos nas Sagradas Escrituras. Adolf Pohl diz que o intuito divino era pôr o cumprimento ao lado da promessa.[31]

Em quarto lugar, *a essência do evangelho*. *Com respeito a Seu Filho, o qual, segundo a carne, veio da descendência de Davi e foi designado Filho de Deus com poder, segundo o espírito de santidade pela ressurreição dos mortos, a saber, Jesus Cristo, nosso Senhor* (1.3,4). O evangelho de Deus revelado nas Sagradas Escrituras tem um centro ao redor do qual tudo gira. Do começo até o final, ele trata do Filho de Deus.[32]

O evangelho tem como essência o Filho de Deus. É o evangelho de Jesus Cristo. Jesus Cristo é o eixo, o cerne, o conteúdo e a essência do evangelho. John Stott tem razão quando diz que a boa-nova de Deus é Jesus. Portanto, apartar-se de Jesus, um passo que seja, significa afastar-se do evangelho.[33] Adolf Pohl corrobora essa ideia ao escrever: "O evangelho prometido no Antigo Testamento trata do Filho de Deus [...]. O centro das Escrituras é o próprio Cristo. Como Filho, Ele é mais que Abraão, Moisés, Davi, Salomão ou qualquer profeta. É a plenitude concreta de Deus.[34] Na verdade o cristianismo é Cristo. Ele é a essência, a suma e a substância do evangelho. Jesus é o Messias dos judeus e o Senhor dos cristãos".[35]

Paulo destaca duas verdades sobre Jesus:

Sua encarnação (1.3). O Filho do Deus eterno encarnou e entrou no mundo como descendente de Davi (2Sm 7.16). Francis Schaeffer

---

[30]ERDMAN, Charles R. *Comentários de Romanos*, p. 20.
[31]POHL, Adolf. *Carta aos Romanos*, p. 28.
[32]GREATHOUSE, William. *A epístola aos Romanos*, p. 29.
[33]STOTT, John. *Romanos*, p. 49, 50.
[34]POHL, Adolf. *Carta aos Romanos*, p. 29.
[35]ERDMAN, Charles R. *Comentários de Romanos*, p. 21.

aponta que, se observarmos que a genealogia em Mateus se refere a José e a genealogia em Lucas se refere a Maria, descobriremos que Jesus descendeu de Davi por ambas as partes, materna e paterna.[36]

A encarnação de Cristo é um dos pilares do evangelho. Fala do Seu estado de humilhação. O verbo se fez carne. O Deus eterno entrou no tempo. Aquele que preenche todas as coisas esvaziou-Se. O Senhor do universo Se fez servo. O Deus bendito Se fez homem. Aquele que é bendito eternamente se fez maldição. O Santo de Israel se fez pecado. O autor da vida sofreu morte de cruz.

Geoffrey Wilson diz que na cruz o "Sol da Justiça" foi eclipsado durante aquelas horas terríveis em que Ele sofreu a execução penal da ira divina contra o pecado. A glória essencial de Cristo foi obscurecida quando ele, voluntariamente, desceu àquele profundo abismo de vergonha e sofrimento que marcou o ponto mais baixo de Sua humilhação.[37]

Sua ressurreição (1.4). Jesus Cristo foi designado Filho de Deus com poder, pela ressurreição dos mortos. O Filho de Deus se manifestou primeiro com fraqueza, depois com poder. Ele, que era Filho desde a eternidade, não deixou de ser Filho ao esvaziar-Se na encarnação e humilhar-se em morte de cruz. Agora, porém, é designado Filho de Deus, em poder, pela ressurreição dos mortos.

Antes de ressuscitar, Ele era o Filho de Deus em fraqueza e humildade. Por meio da ressurreição, torna-Se o Filho de Deus em poder.[38] Obviamente Paulo não está dizendo que Cristo só Se tornou Filho de Deus pela ressurreição, uma vez que Ele é o Filho do Deus eterno, e esta filiação não teve nenhum começo histórico. O que Paulo afirma é que Cristo foi designado Filho do Deus em poder pela ressurreição. Assim, Paulo não está aludindo às duas naturezas de Cristo (humana e divina), mas aos dois estados, de humilhação e exaltação. É um e o mesmo Filho de Deus que aparece igualmente em humilhação e em exaltação.[39]

---

[36] SCHAEFFER, Francis A. *A obra consumada de Cristo*, p. 16.
[37] WILSON, Geoffrey B. *Romanos*, p. 4.
[38] NYGREN, Anders. *Commentary on Romans*. Philadelphia: Fortress, 1949, p. 51.
[39] BRUCE, F. F. *Romanos: introdução e comentário*, p. 61.

O Filho realmente era o único gerado do Pai antes de todos os mundos, e a divindade do Filho necessariamente é a base da encarnação e da ressurreição. Jesus foi o Filho de Deus em fraqueza e humildade na encarnação. A glória divina, que antes estava oculta, se manifestou depois da ressurreição. A partir daquele instante Ele é o Filho de Deus em um novo sentido: é o Filho de Deus em poder, o Filho de Deus em glória e em pleno poder.[40] O apóstolo Paulo diz que, pela ressurreição, Deus O exaltou sobremaneira e Lhe deu o nome que está acima de todo nome, para que ao nome de Jesus se dobre todo joelho nos céus, na terra e debaixo da terra (Fp 2.9-11).

A ressurreição de Cristo marca o fim do sofrimento messiânico e o começo do senhorio transcendente do Mediador (At 2.36; Fp 2.9-11). A entronização de Cristo inaugurou a era do Espírito, pois é o Cristo exaltado que derrama o Espírito sobre a igreja.

Em quinto lugar, *a abrangência do evangelho*. ... *entre todos os gentios* (1.5) O evangelho de Deus, cujo conteúdo é Cristo, destina-se a todos os gentios, a todos os povos. A palavra grega *ethne*, traduzida por "gentios", significa "nações" e refere-se a todos os gentios.[41] Os judeus pensavam que as boas-novas de salvação eram destinadas apenas a eles. No entanto, o plano eterno de Deus incluía todos os povos. Cristo morreu a fim de comprar para Deus os que procedem de toda tribo, língua, povo e nação (Ap 5.9). John Stott é enfático quando escreve: "Precisamos libertar-nos de todo orgulho, seja de raça, nação, tribo, casta ou classe, e reconhecer que o evangelho de Deus é para todos, sem exceção e sem distinção. Este é um tema de suma importância em Romanos".[42]

O evangelho é universal em seu alcance, mas não universalista em sua aplicação. Seu propósito é salvar apenas os que creem (Rm 1.16), ou seja, todos os homens sem acepção, mas não todos os homens sem exceção.

Em sexto lugar, *a finalidade do evangelho*. *Por intermédio de quem viemos a receber graça e apostolado por amor do seu nome, para a*

---

[40] GREATHOUSE, William. *A epístola aos Romanos*, p. 30, 31.
[41] BRUCE, F. F. *Romanos: introdução e comentário*, p. 61.
[42] STOTT, John. *Romanos*, p. 53.

obediência por fé... (1.5). O evangelho é o poder de Deus para a salvação de todo aquele que crê, mas todo aquele que crê prova sua fé pela obediência.

William Hendriksen corretamente enfatiza que a obediência está baseada na fé e dela emana. Obediência e fé são gêmeas idênticas e inseparáveis. Uma não existe sem a outra.[43] O domínio de um senhor e a obediência a ele são coisas correlatas. O ato de fé é a submissão a Deus. Assim, a causa da salvação é a graça. O instrumento da salvação é a fé. A evidência da salvação é a obediência. "Obediência por fé" é a resposta que o evangelho exige;[44] é a sujeição voluntária ao evangelho ouvido.[45] Geoffrey Wilson tem razão quando diz que a obediência a Cristo é fruto da fé nEle. Entretanto, recusar-se a confiar nEle para a salvação é a pior forma de desobediência (Jo 16.9).[46]

Não poderíamos sintetizar os pontos mencionados anteriormente melhor do que John Stott o fez: "A boa-nova é o evangelho de Deus, sobre Cristo, segundo as Escrituras, para as nações, para a obediência por fé, por causa do Nome – o nome de Cristo".[47]

As marcas da **igreja verdadeira** (1.6-8)

Tendo apresentado os distintivos do evangelho verdadeiro, Paulo passa a falar das marcas da igreja verdadeira. Destacamos cinco pontos importantes a seguir.

Em primeiro lugar, *a igreja é o povo amado de Deus*. *A todos os amados de Deus, que estais em Roma...* (1.7). A igreja é um povo amado de Deus. Deus amou a igreja na eternidade e a atraiu para si com cordas de amor (Jr 31.3). Não foi a igreja que escolheu a Deus, foi Deus quem a escolheu. Não foi a igreja que amou a Deus primeiro, foi Deus quem a amou, e desde a eternidade. Deus colocou Seu coração na igreja antes mesmo de lançar os fundamentos da terra (8.30-39). O amor de Deus

---

[43] HENDRIKSEN, William. *Romanos*, p. 62.
[44] STOTT, John. *Romanos*, p. 53.
[45] POHL, Adolf. *Carta aos Romanos*, p. 30.
[46] WILSON, Geoffrey B. *Romanos*, p. 5.
[47] STOTT, John. *Romanos*, p. 56.

pelos crentes de Roma é um amor que antecede, acompanha e segue o amor deles por Deus.[48]

Em segundo lugar, *a igreja é o povo chamado para ser propriedade de Cristo*. *De cujo número sois também vós, chamados para serdes de Jesus Cristo* (1.6). Os crentes pertencem a Cristo por predestinação, redenção e chamamento. Sua salvação tem origem no chamamento eficaz de Deus (Rm 8.30; 11.29).[49] A igreja é o presente de Deus Pai ao Deus Filho. A igreja é o povo chamado para ser propriedade de Cristo.

Em terceiro lugar, *a igreja é o povo chamado para ser santo. ... chamados para serdes santos...* (1.7). A igreja é chamada do mundo, para ser separada do mundo, mesmo estando no mundo, para viver exclusivamente para Deus no mundo como sal e luz. Bonnet e Schroeder estão corretos em alegar que o chamamento não é fruto da santidade; ao contrário, a santidade é o fruto do chamamento.[50]

A santidade é tanto uma dádiva quanto uma exigência. William Greathouse afirma corretamente que a ideia básica da santificação é a separação; os santos, porém, não são apenas os separados, mas também os purificados.[51] Em outras palavras, o povo de Deus é santo tanto de forma posicional como processual. Todos os que creem em Cristo são separados para Deus (santificação posicional). Todos os santos devem santificar-se (santificação processual). Os santos precisam santificar-se. Ser santo não significa ser canonizado. Todos os que creem em Cristo são santos e chamados para se santificarem.

Em quarto lugar, *a igreja é o povo que recebe graça e paz. ... graça a vós outros e paz, da parte de Deus, nosso Pai, e do Senhor Jesus Cristo* (1.7). Tanto a graça quanto a paz são dádivas divinas à igreja. É impossível pertencer à igreja sem ter graça e paz. A graça é o amor imerecido de Deus aos pecadores, revelado em Cristo. A paz é o estado de reconciliação com Deus desse pecador salvo pela graça.

---

[48]HENDRIKSEN, William. *Romanos*, p. 64.
[49]WILSON, Geoffrey B. *Romanos*, p. 6.
[50]BONNET, Luis; SCHROEDER, A. *Comentario del Nuevo Testamento*. Vol. 3. El Paso: Casa Bautista de Publicaciones, 1982, p. 39.
[51]GREATHOUSE, William. *A epístola aos Romanos*, p. 33.

A graça indica sempre algum dom absolutamente gratuito e totalmente imerecido,[52] enquanto a paz é o bem-estar que os homens desfrutam mediante a graça.[53] A graça é a raiz; a paz é o fruto. A graça é a causa da salvação; a paz, seu resultado.

William Hendriksen afirma de forma sublime que a graça de Deus é o favor em ação, sua benignidade em operação, o arco-íris que circunda seu próprio trono, do qual saem relâmpagos, sons e estrondos de trovão (Ap 4.3,5). Pensamos no juiz que não só comuta a pena, mas também cancela a culpa do ofensor e ainda o adota como filho. A graça traz paz. Esta é tanto um estado, o de reconciliação com Deus, quanto uma condição, a convicção interior de que, consequentemente, tudo está bem.[54]

Concordo com Geoffrey Wilson quando ele diz que a morte propiciatória de Cristo provê a única base para a restauração da comunhão entre Deus e o homem. É a apropriação subjetiva daquele grande fato objetivo do evangelho que produz a paz com Deus e a paz de Deus.[55]

Em quinto lugar, *a igreja é o povo que dá testemunho da sua fé*. *Primeiramente, dou graças a meu Deus, mediante Jesus Cristo, no tocante a todos vós, porque, em todo o mundo, é proclamada a vossa fé* (1.8). A igreja não é apenas chamada do mundo para ser propriedade de Cristo, mas é também enviada de volta ao mundo para ser embaixadora de Cristo e dar testemunho da sua fé.

William Greathouse diz que Paulo nada sabe de uma fé que é tão oculta, da qual nada é visível.[56] Em linguagem hiperbólica, Paulo declara que a fé dos crentes de Roma era conhecida em toda a igreja, em todos os lugares onde o cristianismo fora estabelecido no vasto Império Romano.

As marcas do **apóstolo verdadeiro** (1.8-13)

Depois de falar sobre o evangelho e a igreja, Paulo conclui sua introdução falando sobre si mesmo. Embora não fosse o fundador da igreja,

---

[52] BARCLAY, William. *Romanos*, p. 24.
[53] BRUCE, F. F. *Romanos: introdução e comentário*, p. 62.
[54] HENDRIKSEN, William. *Romanos*, p. 66.
[55] WILSON, Geoffrey B. *Romanos*, p. 6.
[56] GREATHOUSE, William. *A epístola aos Romanos*, p. 33.

Paulo se sentia responsável por ela, uma vez que era o apóstolo destinado aos gentios. Roma, a capital do Império, estava dentro da sua jurisdição.

Destacamos quatro verdades importantes aqui:

Em primeiro lugar, **Paulo dá graças pela igreja** (1.8). A única igreja pela qual Paulo não dá graças é pela igreja da Galácia. Aquela igreja estava sendo seduzida por falsos mestres judaizantes a abandonar o evangelho de Cristo e abraçar outro evangelho. Quanto à igreja de Roma, ele dá graças a Deus, porque, embora aquela igreja tivesse sido estabelecida por crentes desconhecidos, sua fé era conhecida no mundo inteiro.

Paulo dá graças a Deus pela igreja por meio de Cristo. A ação de graças ascende a Deus por Jesus Cristo, pois que é por Ele que a graça desceu aos homens.[57] William Hendriksen diz que esse círculo nunca deve ser quebrado. As bênçãos divinas, descendo do céu, retornam ao céu na forma de grato reconhecimento.[58]

Em segundo lugar, **Paulo ora pela igreja**. *Porque Deus, a quem sirvo em meu espírito, no evangelho de Seu Filho, é minha testemunha de como incessantemente faço menção de vós em todas as minhas orações, suplicando que, nalgum tempo, pela vontade de Deus, se me ofereça boa ocasião de visitar-vos* (1.9,10). Mesmo não conhecendo pessoalmente a igreja de Roma, Paulo ora pelos crentes sem cessar, chamando o próprio Deus por testemunha. Em todas as suas orações havia sempre um propósito firme e incansável de rogar a Deus uma oportunidade para visitar a igreja.

Paulo acredita na eficácia da oração. Ele não apenas ensina sobre a importância da oração, mas também ora. A teologia da oração e a prática da oração andam de mãos dadas na vida do apóstolo. A oração é o meio ordenado por Deus para conceder bênçãos ao Seu povo. Citando Robert Haldane, Geoffrey Wilson registra: "Orar sem trabalhar é zombar de Deus; trabalhar sem orar é roubar de Deus Sua glória".[59]

Em terceiro lugar, **Paulo anseia ver a igreja**. *Porque muito desejo ver-vos [...]. Porque não quero, irmãos, que ignoreis que, muitas vezes, me*

---

[57] LEENHARDT, Franz J. *Epístola aos Romanos*, p. 39.
[58] HENDRIKSEN, William. *Romanos*, p. 68.
[59] WILSON, Geoffrey B. *Romanos*, p. 8.

propus ir ter convosco, no que tenho sido, até agora, impedido... (1.11,13). Paulo informa a seus leitores que não se tratava apenas de desejo e oração, mas ele também tinha o propósito constante de visitá-los.[60] Tanto a mente quanto o coração de Paulo estavam voltados para esse ardente anseio de visitar a igreja de Roma. Ele faz questão de informar aos crentes que muitas vezes se propôs a ir, mas a sábia providência divina não o permitiu.

Possivelmente os empreendimentos não terminados o haviam retido até aquele momento no Oriente (15.22,23). Mas aquilo que parecia um problema tornou-se grande bênção. Como Paulo não pôde visitar a igreja de Roma, escreveu-lhe. Por isso, temos esta carta aos Romanos. Quando nosso desejo não é realizado, é porque um propósito maior está em curso. Quando nossos sonhos não são cumpridos, é porque os sonhos de Deus são maiores que os nossos.

Em quarto lugar, **Paulo deseja estabelecer uma relação de reciprocidade com a igreja**. ... *a fim de repartir convosco algum dom espiritual, para que sejais confirmados, isto é, para que, em vossa companhia, reciprocamente nos confortemos por intermédio da fé mútua, vossa e minha* [...] *para conseguir igualmente entre vós algum fruto, como também entre os outros gentios* (1.11-13). Há três verdades no texto que merecem destaque:

Paulo quer repartir com os crentes algum dom espiritual (1.11). A palavra *charisma* é a mesma utilizada para descrever os dons espirituais. Não se tem certeza, porém, sobre que tipo específico de dom espiritual Paulo está falando.[61] William Hendriksen opina que Paulo se refere ao fortalecimento espiritual em geral e não à comunicação de algum dom carismático específico, como falar em línguas etc.[62]

Paulo quer confortar e ser confortado pelos crentes (1.12). Paulo não tem a pretensão de apenas confortar os crentes; também deseja ser confortado por eles. Não quer apenas dar; deseja também receber. Adolf Pohl diz que cada um dá o que tem e recebe o que lhe falta.[63] No âmbito

---
[60] MURRAY, John. *Romanos*, p. 51.
[61] MURRAY, John. *Romanos*, p. 50.
[62] HENDRIKSEN, William. *Romanos*, p. 71.
[63] POHL, Adolf. *Carta aos Romanos*, p. 34.

do corpo de Cristo, ninguém dá sem receber em troca.⁶⁴ Cranfield está certo quando diz que não há ninguém tão desprovido de dons na igreja que não possa, de alguma forma, contribuir para o nosso progresso espiritual. São a má vontade e o orgulho que nos impedem de tirar proveito uns dos outros.⁶⁵

Paulo quer colher entre os crentes algum fruto espiritual (1.13). Por "fruto" entende-se, sem dúvida, a recompensa esperada de suas atividades apostólicas, a conquista de novos convertidos e o fortalecimento da fé e da obediência daqueles que já criam.⁶⁶ Paulo não quer apenas semear, mas também colher. Ele não deseja apenas ter o pesado labor do investimento, mas anseia também obter a deleitosa recompensa desses investimentos, e não apenas entre os crentes da igreja de Roma, mas igualmente entre os demais gentios.

---

⁶⁴LEENHARDT, Franz J. *Epístola aos Romanos*, p. 41.
⁶⁵CRANFIELD, C. E. B. *Comentário de Romanos*, p. 32.
⁶⁶CRANFIELD, C. E. B. *Comentário de Romanos*, p. 32.

3

A **singularidade** do evangelho

Romanos 1.14-17

OS ESTUDIOSOS AFIRMAM QUE A CARTA DE PAULO aos Romanos é a cordilheira do Himalaia de toda a revelação bíblica. Nesse caso, Romanos 1.16,17 é o monte Everest, seu ponto culminante. Esses dois versículos formam a transição da introdução para o tema da epístola.[1] São o tema central da carta, e todo o restante da epístola é apenas um comentário em torno deles.

O texto em tela traz a gloriosa doutrina da justificação pela fé. Esta doutrina é a essência do evangelho. Com ela a igreja mantém-se em pé ou cai.

Paulo trata aqui do evangelho. Três pontos serão destacados: a necessidade de pregar o evangelho, o poder do evangelho e a eficácia do evangelho.

A necessidade de **pregar o evangelho** (1.14-16)

Paulo menciona três disposições inabaláveis de seu coração em relação ao evangelho: *Eu sou devedor* (1.14); *estou pronto* (1.15) e *eu não me*

---

[1] HASTINGS, James. *The great texts of the Bible* (*Acts-Romans*). Vol. VIII. Grand Rapids: Wm. B. Eerdmans Publishing Company, n.d., p. 236.

envergonho (1.16). Temos aqui três verdades: a obrigação do evangelho: "sou devedor"; a dedicação ao evangelho: "estou pronto"; e a inspiração do evangelho: "não me envergonho".[2] Paulo é devedor como servo, está pronto como apóstolo e não se envergonha como alguém que foi separado para o evangelho de Deus.[3] Examinaremos esses pontos com mais vagar.

Em primeiro lugar, **estou pronto a pregar o evangelho** (1.15). Paulo estava pronto a pregar o evangelho em Roma, a capital do Império Romano. A demora em ir a Roma não decorria de falta de desejo do apóstolo, mas impedimentos circunstanciais. Não se tratava de oposição espiritual, mas de aproveitamento de portas abertas para o evangelho. Tal atraso, porém, enquadra-se no sábio arbítrio de Deus, pois resultou na escrita desta epístola, que tem merecido o encômio de ser "o principal livro do Novo Testamento e o evangelho perfeito".[4]

Paulo sempre esteve pronto a pregar. Pregava em prisão e em liberdade; nas sinagogas e nas cortes; nos lares e nas praças. Pregava em pobreza ou com fartura. Chegou a dizer: *Ai de mim, se não pregar o evangelho* (1Co 9.16). Pregar o evangelho era sua paixão e a razão de sua vida. Falando aos presbíteros de Éfeso, declarou: *Em nada considero a vida preciosa para mim mesmo, contanto que complete a minha carreira e o ministério que recebi do Senhor Jesus para testemunhar o evangelho da graça de Deus* (At 20.24).

Franz Leenhardt diz acertadamente que o evento decisivo da história do mundo é a pregação do evangelho de Cristo Jesus, que instaura, no processo de desenvolvimento desta história natural, uma história sobrenatural, e inaugura, neste mundo dos homens, o mundo de Deus.[5]

Em segundo lugar, **sou devedor do evangelho** (1.14). John Stott diz que há duas maneiras de alguém se endividar. A primeira é emprestando dinheiro de alguém; a segunda é quando alguém nos dá dinheiro para uma terceira pessoa. É ao segundo caso que Paulo se refere aqui.[6]

---

[2]GREATHOUSE, William. *A epístola aos Romanos*, p. 40.
[3]SCHAAL, Juan H. *El camino real de Romanos*, p. 30.
[4]ERDMAN, Charles R. *Comentários de Romanos*, p. 26.
[5]LEENHARDT, Franz J. *Epístola aos Romanos*, p. 44.
[6]STOTT, John. *Romanos*, p. 62.

Deus havia confiado o evangelho a Paulo como um tesouro que ele deveria entregar em Roma e no mundo inteiro. Ele não podia reter esse tesouro. Precisava entregá-lo com fidelidade.

Deus nos confiou Sua Palavra. Ele nos entregou um tesouro. Precisamos ir e anunciar. Sonegar o evangelho é como um crime de apropriação indébita. O evangelho não é para ser retido, mas para ser proclamado. Ninguém pode reivindicar o monopólio do evangelho. A boa-nova de Deus é para ser repartida. É nossa obrigação fazê-la conhecida de outros. Em qualquer lugar do mundo, deixar de pagar uma dívida é considerado algo vergonhoso.[7]

Concordo com Charles Erdman quando ele diz que proclamar este evangelho em todo o mundo e a toda criatura não é questão de sentimento ou preferência; é obrigação moral; é dever sagrado.[8]

Em terceiro lugar, *não me envergonho do evangelho* (1.16). Para F. F. Bruce, a expressão "Não me envergonho do evangelho" quer dizer que Paulo se gloria no evangelho e considera alta honra proclamá-lo.[9] Ao levar em conta, porém, todos os fatores que circundavam o apóstolo, poderíamos perguntar: por que Paulo seria tentado a envergonhar-se do evangelho ao planejar sua viagem para Roma?

Porque o evangelho era identificado com um carpinteiro judeu que fora crucificado. Os romanos não cultivavam nenhuma apreciação especial pelos judeus, e a crucificação era a forma de execução mais abjeta, reservada aos criminosos. Além do mais, Roma era uma cidade altiva, e os cristãos não faziam parte da elite da sociedade. Eram pessoas comuns e, até mesmo, escravos.[10] Por isso, para os orgulhosos romanos, a ideia de um judeu fabricador de tendas planejar uma viagem a Roma para pregar o evangelho parecia cômica.

James Hastings tem razão quando declara que as palavras de Paulo estão vivas ainda hoje, enquanto a Roma de Nero está sepultada sob os escombros de um passado remoto. Sobre as ruínas romanas a mensagem

---

[7] STOTT, John. *Romanos*, p. 63.
[8] ERDMAN, Charles R. *Comentários de Romanos*, p. 26.
[9] BRUCE, F. F. *Romanos: introdução e comentário*, p. 65.
[10] WIERSBE, Warren W. *Comentário bíblico expositivo*, p. 671.

que Paulo pregou edificou um Império espiritual muito mais amplo que o Império dos césares.[11]

Porque naquela época, como ainda hoje, os sábios do mundo nutriam desprezo pelo evangelho. Paulo deixa isso meridianamente claro quando escreve sua primeira carta aos Coríntios (1Co 1.18,23-25). Naquela época, Roma, a capital do Império Romano, era a sede do poder mundial. Roma era uma cidade orgulhosa. Os romanos pensavam que tinham tudo. Agora, Paulo deseja ir a Roma para compartilhar o evangelho. Alguns podiam objetar que não havia nada a receber de um pregador cristão. Eles tinham muitos deuses. Tinham o poder político. Tinham riquezas e glórias humanas. É nesse contexto que Paulo diz: "Eu não me envergonho do evangelho".

Porque o evangelho, centralizado na cruz de Cristo, era visto com desdém tanto pelos judeus como pelos gentios. Para os gregos a cruz era loucura e para os judeus, escândalo (1Co 1.23). Sempre que o evangelho é pregado com fidelidade, ele gera oposição, desprezo e até escárnio. No entanto, Paulo diz que a fraqueza de Deus é mais forte que a força dos poderosos, e a loucura de Deus mais sábia que a sabedoria dos entendidos. Aprouve a Deus salvar o homem pela loucura da pregação (1Co 1.21). Geoffrey Wilson destaca que a impopularidade de um Cristo crucificado tem levado muitos pregadores a apresentar uma mensagem mais ao gosto dos incrédulos. Entretanto, um evangelho inofensivo é também um evangelho inoperante.[12]

Porque pelo evangelho Paulo já havia enfrentado muitas dificuldades. Por causa do evangelho Paulo já havia sido perseguido em Damasco, rejeitado em Jerusalém, apedrejado em Listra, açoitado em Filipos, enxotado de Tessalônica e Bereia, chamado de tagarela em Atenas e tachado de impostor em Corinto. Por causa do evangelho, Paulo enfrentava lutas que estavam além de suas forças. Por causa desse evangelho, ainda enfrentaria prisões e o próprio martírio. Porém, ele diz com insólita galhardia: "Eu não me envergonho do evangelho".

---

[11]HASTINGS, James. *The great texts of the Bible (Acts-Romans)*, p. 241.
[12]WILSON, Geoffrey B. *Romanos*, p. 11.

Listamos, a seguir, sete razões pelas quais Paulo, o maior bandeirante do cristianismo, não se envergonhou do evangelho.

- *A origem do evangelho* (1.16a). A mensagem do evangelho não é uma palavra de César, mas do Filho de Deus. O evangelho não emana da terra, mas do céu; não procede de homens, mas de Deus; não é fruto da lucubração humana, mas da revelação divina.
- *A natureza do evangelho* (1.16,17). O evangelho é a boa-nova do amor de Deus ao homem; é a boa notícia do perdão de Deus ao pecador. No evangelho resplandecem tanto o amor quanto a justiça de Deus. Citando Lutero, William Greathouse registra: "Deus não quer nos salvar pela nossa justiça, mas por uma justiça externa que não se origina em nós, mas que nos vem de fora de nós, que não surge em nosso planeta terra, mas que vem do céu."[13]
- *O poder do evangelho* (1.16). O evangelho é o poder de Deus. O evangelho é onipotente, como Deus é Onipotente. Não há coração tão duro que ele não possa alcançar.
- *O propósito do evangelho* (1.16). O evangelho é o poder de Deus para a salvação. O evangelho não é um poder destruidor, mas salvador. Nenhum poder na terra pode salvar o homem, exceto o evangelho.
- *O alcance do evangelho* (1.16). O evangelho é para o judeu e para o grego. Ele está endereçado a todos os povos. O evangelho é universal em seu alcance. É tão amplo a ponto de oferecer salvação a todos os homens; e, ao mesmo tempo, é tão restrito a ponto de salvar apenas os que creem. O evangelho alcança todos os homens sem acepção, mas não todos os homens sem exceção.
- *A condição do evangelho* (1.16). O evangelho estabelece uma condição clara para a salvação: a fé em Cristo. O evangelho só oferece salvação àquele que crê. Os que não creem perecem. A salvação é pela fé, e pela fé somente. A condição para a salvação do judeu e do gentio é a mesma: a fé em Cristo.
- *O resultado do evangelho* (1.17). O evangelho produz não apenas fé salvadora, mas também fé santificadora. O justo viverá pela fé.

---

[13] GREATHOUSE, William. *A epístola aos Romanos*, p. 38.

O justo é salvo pela fé, vive pela fé, vence pela fé e caminha de fé em fé.

W. Burrows sintetiza esses pontos indicando as razões pelas quais o evangelho é um poder extraordinário: 1) ele é o poder de Deus; 2) é o poder de Deus para salvar; 3) é o poder de Deus para salvar o homem sem distinção de nação ou classe; 4) é o poder de Deus para salvar os homens sob a mais simples condição.[14]

O poder do evangelho (1.16)

Há os que se envergonham do evangelho, os que são a vergonha do evangelho e os que não se envergonham do evangelho.

Para prosseguir nessa questão, precisamos definir melhor o que é o evangelho. Antes de analisar o que é, veremos o que não é o evangelho.

Em primeiro lugar, *o evangelho que Paulo anuncia não é o evangelho da prosperidade*. Hoje vemos florescer no mundo outro evangelho (Gl 1.6,7), um falso evangelho, o evangelho da prosperidade, e não o evangelho da cruz. Esse evangelho promete conforto, e não sacrifício; sucesso, e não renúncia; riquezas na terra, e não bem-aventurança no céu. Esse evangelho coloca o ser humano no centro, em vez de Deus. É antropocêntrico, e não teocêntrico. Nesse evangelho é Deus quem está a serviço do homem, e não o homem a serviço de Deus. Nesse evangelho é a vontade do homem que deve ser feita no céu, e não a vontade de Deus que deve ser feita na terra.

O evangelho da prosperidade é um falso evangelho. Confunde prosperidade com salvação; riqueza na terra com bem-aventurança no céu. Troca a cruz pelo dinheiro; a bem-aventurança eterna pela prosperidade; a salvação pelo sucesso. Esse falso evangelho substitui a promessa das mansões celestiais pelas mansões da terra.

O evangelho da prosperidade é popular, mas não é verdadeiro. Ele atrai multidões, mas não reconcilia o homem com Deus. Produz

---

[14]BURROWS, W. Romans. In: *The preacher's complete homiletic commentary*. Vol. 26. Grand Rapids: Baker Books, 1996, p. 31.

o entusiasmo da carne, mas não alivia a consciência da culpa. Enche o pecador de soberba em vez de levá-lo ao pó do arrependimento. Constrói castelos de areia na terra, mas não faz nenhuma provisão para o céu. Esse evangelho falso tem ludibriado muitos obreiros gananciosos, atraído muitas pessoas avarentas e afastado de Deus os incautos em vez de conduzi-los ao Salvador.

Em segundo lugar, *o evangelho que Paulo anuncia não está centralizado em milagres e prodígios*. Há muitos falsos obreiros que pregam um evangelho apenas para aliviar a dor do corpo, e não para sarar as enfermidades da alma. Pregam cura, e não arrependimento; milagres, e não a fé salvadora. Pregam sobre os supostos direitos que o homem tem e não sobre a necessidade de esse mesmo homem se arrepender.

Precisamos reafirmar com toda convicção que Deus realiza milagres, pois Ele é o mesmo ontem, hoje e eternamente. Ele jamais abdicou de Seu poder. Porém, o evangelho não é constituído apenas de milagres. O milagre pode abrir portas para o evangelho, mas não é o evangelho. As pessoas que mais viram milagres foram as gerações mais incrédulas. As três gerações que mais viram prodígios na história foram as pessoas que viveram nos dias de Moisés, de Elias e dos apóstolos. Essas três gerações se renderam à incredulidade. O milagre em si não é suficiente para converter o pecador. Somente o Espírito Santo pode fazê-lo. Depois do estupendo milagre do Pentecostes, o povo ficou cheio de ceticismo, preconceito e zombaria, mas quando Pedro se levantou para pregar a Palavra os corações se derreteram.

Jesus não veio ao mundo apenas com o propósito de aliviar a dor do corpo; Ele veio para salvar o homem do pecado e da ira vindoura. Sua missão principal foi morrer na cruz e ressuscitar dentre os mortos para nos salvar.

Em terceiro lugar, *o evangelho que Paulo anuncia não é o evangelho do descompromisso com o senhorio de Cristo*. Há muitas pessoas que entram para a igreja, mas não nascem de novo. Elas fazem parte da igreja na terra, mas não da igreja no céu. Têm seu nome registrado no rol de membros da igreja, mas não no Livro da Vida. São filhos de crentes, mas não filhos de Deus. Foram batizados com água, mas não com o Espírito Santo.

São pessoas que aderiram à igreja, mas não se converteram a Cristo. Professam o nome de Cristo com seus lábios, mas O negam com suas obras. Chamam Jesus de Salvador, mas não O obedecem como Senhor. São pessoas que frequentam a igreja, mas não mudam de vida. Professam uma coisa, mas praticam outra. Há um abismo entre o que dizem e o que fazem, entre sua teologia e sua vida.

Hoje temos visto muita adesão e pouca conversão. Muito ajuntamento e pouco quebrantamento. Muito barulho carnal e pouco choro pelo pecado. Os crentes entram para o evangelho, mas o evangelho não entra neles.

Há crentes que não têm sede de Deus nem se deleitam na Palavra de Deus. Há crentes que não oram nem se alegram em estar na casa de Deus. Amam o mundo e as coisas que há no mundo. São amigos do mundo e com ele se conformam. Há crentes que querem viver no mundo e na igreja ao mesmo tempo. Querem servir a Deus e às riquezas. Aqueles que ainda têm apetite pelas iguarias do mundo nunca experimentaram o sabor do pão do céu, pois Jesus disse que quem comer esse pão nunca mais terá fome. Aqueles que correm para as fontes do mundo jamais beberam da água da vida, pois Jesus disse que quem beber dessa água nunca mais terá sede.

Tendo visto o que o evangelho não é, veremos agora o que é o verdadeiro evangelho. Quais são suas marcas e distintivos. Como podemos identificá-lo?

Em primeiro lugar, *o evangelho tem um poder irresistível* (1.16). Este evangelho é o da onipotência divina, operando para a salvação, afirma John Murray.[15] O evangelho é o poder de Deus, e Deus é onipotente. Ele pode todas as coisas. Ninguém é capaz de resistir ao Seu poder. Ele pode tudo quanto quer. Assim, o evangelho é irresistível. Ninguém se envergonha do que é poderoso. Ninguém precisa ficar constrangido quando tem posse de algo que é onipotente. O evangelho é *dynamis*. O evangelho é a dinamite de Deus. Esse poder explode pedra granítica, quebra barreiras e atravessa muralhas. Ele desconhece impossibilida-

---

[15] MURRAY, John. *Romanos*, p. 56.

des. O evangelho tem o poder de produzir algo; não é mero adorno, nem aprazível história, muito menos interessante sistema filosófico.[16]

William Hendriksen observa que, comparado ao poder de Deus, quão frágil é o poder de Roma ou de qualquer hoste terrena. Os exércitos terrenos destroem; o evangelho salva. Ele é o poder de Deus para a salvação.[17]

O evangelho entra em todas as culturas e quebra o muro de separação entre os povos. Entrou no palácio de Nero e conquistou o coração dos soldados da guarda pretoriana. O evangelho conquistou o coração do povo romano. Em poucos anos, o evangelho havia dominado o mundo. O evangelho entrou nas muralhas de concreto do comunismo. Penetrou nas prisões e libertou os encarcerados.

Quando estava criando o universo, bastou Deus falar e tudo se fez. Para nos salvar, contudo, uma palavra não foi suficiente. O próprio Deus Filho precisou esvaziar-se, humilhar-se, fazer-se carne e vir ao mundo para morrer em nosso lugar. A redenção é uma obra maior que a criação! O poder que operou na cruz é maior que o poder que trouxe o universo à existência!

Em segundo lugar, *o evangelho é o único poder capaz de salvar o pecador* (1.16). O evangelho é o poder de Deus para a salvação. Concordo com William Greathouse quando diz ele que o poder de Deus só é operante para a salvação através do evangelho. É o evangelho que é o poder de Deus para a salvação.[18]

Há poderes que destroem, como a bomba atômica que sepultou as cidades de Hiroshima e Nagasaki, no Japão. O evangelho, porém, é o poder de Deus para a salvação. Não há salvação fora do evangelho. Não há esperança para o pecador sem o evangelho. O evangelho é a mensagem do amor de Deus, da graça salvadora e do perdão infinito. O evangelho é Deus amando o pecador; é o justo perdoando o culpado; é a porta do céu escancarando-se para o perdido. É a vida sendo oferecida aos mortos em seus delitos e pecados.

O evangelho é o poder onipotente de Deus para livrar o homem da ira vindoura e reintegrá-lo àquela glória da qual ele foi destituído por

---

[16] ERDMAN, Charles R. *Comentários de Romanos*, p. 28.
[17] HENDRIKSEN, William. *Romanos*, p. 79.
[18] GREATHOUSE, William. *A epístola aos Romanos*, p. 35.

causa do pecado. O evangelho livra o homem da condenação e dá-lhe salvação. Tira-o do Império das trevas e transporta-o para o reino da luz. O evangelho arranca o homem das cadeias da condenação e concede-lhe libertação. Tira-o das entranhas da morte e oferta-lhe vida eterna. William Hendriksen diz que ser salvo significa ser emancipado do maior mal e receber a posse do maior bem.[19]

Essa salvação é passada, presente e futura. Quanto à justificação, já fomos salvos; quanto à santificação, estamos sendo salvos; quanto à glorificação, seremos salvos. Na justificação fomos salvos da condenação do pecado; na santificação estamos sendo salvos do poder do pecado; e na glorificação seremos salvos da presença do pecado.

A carta aos Romanos cobre todos os três tempos da salvação. Francis Schaeffer diz que os capítulos 1–4 lidam com a perspectiva passada da salvação, que é a justificação. O trecho de Romanos 5–8.17 trata do aspecto presente da salvação, que é a santificação. Em seguida, de forma breve, mas bastante contundente, a passagem de 8.18-39 aborda o aspecto futuro da salvação: a glorificação.[20]

Essa verdade dá garantia ao pregador de que a Palavra de Deus não volta vazia. Sempre que alguém se levanta para pregar a Palavra, tem a garantia de que essa pregação produzirá resultado. O evangelho é o poder de Deus para a salvação. Não lidamos com uma mensagem fraca, mas poderosa. Os resultados não dependem do pregador nem dos ouvintes, pois é Deus quem opera tanto o querer como o realizar. É Deus quem abre o coração. É Deus quem dá o arrependimento para a vida. É Deus quem concede a fé salvadora. É Deus quem regenera e justifica. É Deus quem sela com o Espírito Santo, santifica e glorifica. Tudo provém de Deus. A salvação é obra exclusiva de Deus.

Muitos buscam salvação nas obras. Outros nos méritos, nos ritos sagrados, no autossacrifício, na psicologia de autoajuda, no legalismo religioso, na reencarnação, na intercessão dos santos. A salvação, contudo, só pode ser alcançada no evangelho.

Em terceiro lugar, *o evangelho é o poder de Deus para a salvação apenas dos que creem* (1.16). Há uma limitação imposta pelo próprio

---

[19] HENDRIKSEN, William. *Romanos*, p. 79, 80.
[20] SCHAEFFER, Francis A. *A obra consumada de Cristo*, p. 23.

evangelho. O evangelho não salva a todos. Não porque não haja nele poder intrínseco para salvar, mas porque aprouve a Deus que experimentem esse poder salvador apenas os que creem. A fé é a condição da salvação. É por ela que recebemos esse presente.

Para William Hendriksen, a fé é o tronco da árvore cujas raízes representam a graça e cujos frutos simbolizam as boas obras. É o acoplamento que conecta o comboio humano à locomotiva de Deus. É a mão vazia do homem estendida para Deus, o doador.[21] Cranfield diz corretamente que essa fé não é algo que acontece à parte do evangelho. Essa fé vem pelo evangelho.[22]

Entretanto, a salvação é universal. Ou seja, destina-se a todo aquele que crê. Destina-se tanto ao judeu quanto ao grego. Nesta passagem, o termo "grego" é usado para denotar o mundo gentílico no seu todo em contraste com o mundo judeu.[23] A salvação é oferecida sem levar em conta raça, nacionalidade, idade, sexo, condição social, grau de educação ou cultura.

John Murray diz ainda que não existe nenhum obstáculo proveniente das degradações do pecado. Onde quer que exista fé, ali também a onipotência de Deus se mostra operante para a salvação.[24]

Segundo Francis Schaeffer, não existem duas religiões na Bíblia, não existem duas formas de salvação, somente uma.[25] O justo viverá pela fé, seja ele judeu ou gentio. Charles Erdman observa que nenhum judeu pode ser salvo à parte da fé em Cristo, e pela fé em Cristo qualquer gentio se pode salvar.[26] John Stott corretamente afirma que todos os que são salvos são salvos exatamente da mesma maneira: por meio da fé.[27]

Concluímos destacando que a salvação não é pelas obras. Ela não é merecimento humano, é graça divina. Não é alcançada como prêmio, mas recebida como presente. Não é o que fazemos para Deus, mas o

---

[21] HENDRIKSEN, William. *Romanos*, p. 80.
[22] CRANFIELD, C. E. B. *Comentário de Romanos*, p. 36.
[23] ERDMAN, Charles R. *Comentários de Romanos*, p. 28.
[24] MURRAY, John. *Romanos*, p. 57.
[25] SCHAEFFER, Francis A. *A obra consumada de Cristo*, p. 25.
[26] ERDMAN, Charles R. *Comentários de Romanos*, p. 28.
[27] STOTT, John. *Romanos*, p. 64.

que Ele fez por nós. A fé é o braço estendido de um mendigo para receber o presente de um rei.

A eficácia do evangelho (1.17)

O apóstolo Paulo menciona algumas verdades importantes aqui.

Em primeiro lugar, *o evangelho é o poder de Deus para a salvação porque nele se revela a justiça de Deus* (1.17). Paulo diz que a ira de Deus se revela contra toda impiedade e perversão dos homens (1.18), mas a justiça de Deus se revela no evangelho (1.17).

Deus é justo. É tão puro de olhos que não pode contemplar o mal. É justo em todas as suas obras. Sendo justo, não inocenta o culpado. Sendo justo, julgará a todos com justiça. Ele é o juiz de vivos e mortos. Teremos de comparecer um dia perante o seu tribunal. Todos nós daremos contas de nossa vida. No dia do juízo, os livros serão abertos e seremos julgados conforme o que estiver ali registrado.

Naquele dia haverá testemunhas contra nós – nossas palavras, obras, omissões, nossos desejos e pensamentos. Se pecássemos apenas três vezes por dia, teríamos noventa pecados por mês e mais de mil pecados por ano. Se eu, particularmente, tivesse apenas mil pecados por ano, já acumularia cerca de cinquenta mil pecados. O que aconteceria a um réu se um advogado de acusação e um promotor provassem pelos autos do processo que ele cometeu cinquenta mil transgressões da lei? Sua causa seria indefensável!

Aqui na terra podemos até corromper o juiz e subornar as testemunhas. Mas quem subornará o justo Juiz de vivos e de mortos? A Bíblia diz que a alma que pecar, essa morrerá (Ez 18.20). Diz que Deus não inocentará o culpado (Êx 34.7). Mas não seriam necessários milhares de pecados para alguém deixar de entrar no céu. Bastaria um, e não poderíamos entrar. Lúcifer foi expulso do céu por um só pecado. Nada imperfeito e contaminado pode entrar no céu (Ap 21.27). No céu só entram pessoas perfeitas. As palavras de Cristo são: *Sede vós perfeitos como perfeito é o vosso Pai celeste* (Mt 5.48). Porém, a Bíblia diz que somos imperfeitos. Todos pecaram e destituídos estão da glória de Deus (Rm 3.23). Se obedecermos à lei inteira, mas tropeçarmos num único ponto, seremos culpados de toda a lei (Tg 2.10).

John Murray faz uma interpretação correta quando diz que não é o mero atributo da justiça que opera a nossa salvação (este atributo, por si mesmo, seria o selo de nossa condenação), mas a justiça justificadora de Deus.[28] John Stott corrobora essa ideia ao afirmar que, em Romanos, a manifestação suprema da justiça pessoal de Deus se revela na cruz de Cristo. Quando Deus "O apresentou como sacrifício para propiciação", Ele o fez "para demonstrar Sua justiça", para que Ele mesmo possa ser simultaneamente "justo" e o "justificador daquele que tem fé em Jesus" (Rm 3.26).[29] A justiça de Deus que se revela no evangelho é a justiça de Cristo imputada a nós. Essa justiça é uma dádiva de Deus, e não uma conquista humana.

Em segundo lugar, *o evangelho revela a justiça de Cristo imputada a nós* (1.17). O que não podíamos fazer, Deus fez por nós em Cristo Jesus. Ele veio ao mundo como nosso fiador, representante e substituto. Quando Jesus estava lá na cruz, Deus fez cair sobre ele a iniquidade de todos nós (Is 53.6). Ele foi ferido pelos nossos pecados e traspassado pelas nossas transgressões. Deus o fez enfermar e naquele momento ele se tornou pecado por nós. Ele foi feito maldição por nós. O castigo que nos traz a paz estava sobre ele.

Do alto da cruz, com o corpo ferido, os músculos esmagados, dores alucinantes, o rosto empapuçado de sangue, Ele gritou: *Deus meu, Deus meu, por que Me desamparaste?* (Mc 15.34). Nem mesmo o Pai pôde ampará-Lo. Naquele momento não havia beleza nEle. Naquele momento o Pai escondeu o rosto dEle, e a lei exigiu sua morte. O universo inteiro entrou em convulsão. O sol escondeu o rosto e houve trevas ao meio-dia. Ele desceu ao inferno. Sua agonia foi indescritível. Ele bebeu sozinho o cálice amargo da ira de Deus contra o pecado.

No entanto, quando o inferno pensou que estava alcançando grande vitória, Jesus deu um brado na cruz: *Está consumado!* (Jo 19.30). Ele, então, esmagou a cabeça da serpente. Triunfou sobre os principados e potestades. Pegou o escrito de dívida que era contra nós, rasgou-o, anulou-o e encravou-o na cruz (Cl 2.14,15).

---

[28] MURRAY, John. *Romanos*, p. 59, 61.
[29] STOTT, John. *Romanos*, p. 65, 66.

John Stott descreve essa gloriosa verdade nos seguintes termos:

> Parece legítimo afirmar, portanto, que "a justiça de Deus" é a iniciativa justa tomada por Deus ao justificar os pecadores consigo mesmo, concedendo-lhes uma justiça que não lhes pertence, mas que vem do próprio Deus. "A justiça de Deus" é a justificação justa do injusto, sua maneira justa de declarar justo o injusto, pela qual Ele demonstra Sua justiça e, ao mesmo tempo, nos confere justiça. Ele o fez por intermédio de Cristo, o justo, que morreu pelos injustos.[30]

A justificação é mais do que perdão. Cristo não apenas cancelou a nossa dívida, pagando-a completamente por meio do Seu sacrifício substitutivo, mas também Deus depositou em nossa conta a infinita justiça de Cristo, de tal forma que estamos completamente quites com a lei e com a justiça divina. O perdão é a imputação da nossa dívida a Cristo. A justificação é a imputação da justiça de Cristo a nós.

Agora, deixamos de ser réus e filhos da ira. Tornamo-nos filhos amados. Somos membros da família de Deus. Somos Seus herdeiros, Sua herança e Seu deleite. Quando pecamos, não perdemos nossa filiação, pois quando confessamos os nossos pecados Ele é fiel e justo para nos perdoar os pecados e nos purificar de toda injustiça (1Jo 1.9). O justo não perdoa. Por que então, o apóstolo João diz que Deus é fiel e justo para nos perdoar, em vez de dizer que Deus é fiel e misericordioso? É porque esse pecado já foi levado à cruz. Cristo já morreu por esse pecado. E Deus é justo para não puni-lo outra vez!

Em terceiro lugar, *a justiça de Deus é recebida pela fé* (1.17). A justiça de Deus é recebida pela fé, e não operada pelas obras. O justo vive pela fé. A nossa justiça não é a nossa própria, mas a justiça de Cristo a nós imputada e por nós recebida mediante a fé.

Recebemos essa justiça quando cremos em Cristo. É mediante a fé, e não pelas obras. A fé não é a base da justificação, mas seu instrumento de apropriação. O homem não é salvo por causa da fé, mas mediante a fé.

Podemos sintetizar a gloriosa doutrina da justificação em três pontos:

---

[30] STOTT, John. *Romanos*, p. 68.

O justo é aquele a quem Deus declara justo. A justificação é um ato e não um processo. O crente mais fraco está tão justificado quanto o santo mais piedoso. Não há graus de justificação. A justificação acontece uma única vez e jamais precisa ser repetida. A justificação é um ato forense e legal que ocorre no tribunal de Deus, e não em nosso coração. É algo que Deus faz por nós, e não em nós. Na justificação somos declarados justos, e não feitos justos. Robert Kendall tem razão ao dizer: "Pelo fato de a justificação pela fé ser forense, não há necessidade que necessariamente devamos sentir. Porém, embora não nos sintamos justos, nós o somos; embora não possamos nos sentir perdoados, nós o somos. 'Justificados' é como Deus nos vê; não como vemos a nós mesmos".[31]

O justo é aquele que é justificado mediante a justiça de outro. Não somos declarados justos por causa da nossa justiça. Deus não justifica os justos, mas pecadores. Deus trata como justo o injusto por causa da justiça dAquele que é justo. A justiça do justo é imputada ao injusto. Somos justificados pela morte substitutiva de Cristo. Assim como Moisés levantou a serpente no deserto, o Filho do homem foi levantado, para que todo o que nEle crê não pereça!

O justo é aquele que é justificado mediante a fé. A fé não é a causa da justificação, mas seu instrumento. Essa fé não é merecimento humano; é dádiva de Deus. A justiça de Deus se revela no evangelho de fé em fé. Ela baseia-se na fé e se dirige para a fé. É um caminho que parte da fé e na fé termina.[32] Ela procede inteiramente da fé, em primeira e em última instância.[33] Adolf Pohl interpreta a formulação dupla "de fé em fé", como unicamente pela fé, ou seja, fé de A a Z, fé ininterrupta.[34] Concordo com Francis Schaeffer quando ele diz que a salvação envolve mais do que justificação. Somos justificados pela fé, mas também devemos viver de acordo com a mesma fé no presente. Depois de termos sido justificados pela fé, devemos viver pela fé. Este é o segundo aspecto da salvação, a nossa santificação.[35]

---

[31] KENDALL, Robert T. *Esboços de teologia, doutrina e sermões.* São Paulo: Candeia/Arte Editorial, 2007, p. 225.
[32] BRUCE, F. F. *Romanos: introdução e comentário,* p. 66.
[33] ERDMAN, Charles R. *Comentários de Romanos,* p. 30.
[34] POHL, Adolf. *Carta aos Romanos,* p. 39.
[35] SCHAEFFER, Francis A. *A obra consumada de Cristo,* p. 25.

4

A **depravação** da sociedade **gentílica**

Romanos 1.18-32

A QUEDA NÃO TROUXE APENAS ALGUNS ARRANHÕES à humanidade, mas ruína, destruição e morte espiritual. O homem não precisa apenas de cosméticos para melhorar sua aparência; precisa de ressurreição para levantá-la da morte.

Francis Schaeffer destaca que o nosso problema não é metafísico, mas moral.[1] O homem está sob a ira de Deus, por isso precisa de salvação. Não precisamos de nenhum guia espiritual ou do exemplo inspirador de algum mártir. Precisamos de um Salvador real, porque estamos sob a ira real de Deus.[2]

Depois que Paulo apresenta o tema da carta (Rm 1.16,17), falando do evangelho, ele passa a ressaltar a necessidade do evangelho (1.18–3.23). O apóstolo Paulo argumenta, de forma irrefutável, que tanto os gentios como os judeus são absolutamente culpados diante de Deus. Ambos pecaram e estão destituídos da glória de Deus. Os gentios pecaram contra a revelação natural e os judeus contra a revelação especial. Ambos precisam de igual forma ser salvos e ambos só podem ser salvos pela fé em Cristo Jesus.

---

[1] SCHAEFFER, Francis A. *A obra consumada de Cristo*, p. 29.
[2] SCHAEFFER, Francis A. *A obra consumada de Cristo*, p. 30.

O texto em apreço não é apenas uma radiografia da sociedade gentílica dos dias de Paulo e um sombrio quadro do mundo pagão,[3] mas também um diagnóstico sombrio da condição do homem contemporâneo. A humanidade toda está moralmente arruinada.[4] Chamamos a atenção para alguns pontos:

Em primeiro lugar, *Paulo rechaça a teoria de que o homem é naturalmente bom*. O pensador francês Jean Jacques Rousseau estava rotundamente equivocado quando postulou que o homem é essencialmente bom. O mal não está apenas nas estruturas sociais. O mal não é apenas um subproduto do ambiente. O coração do homem é a fonte poluída da qual jorra aos borbotões toda sorte de sujeira e maldade. O caos infernal da sociedade é apenas um reflexo da malignidade do corrupto coração humano. O mundo gentio é descrito por Paulo como um antro de vícios (Rm 1.24-32).

Em segundo lugar, *Paulo rejeita a ideia de que o maior problema humano é a falta de conhecimento*. O problema do homem não é a ignorância da verdade de Deus, mas abafar e sufocar essa verdade. Não é o desconhecimento involuntário da verdade de Deus, mas a rejeição consciente dessa verdade. Deus se revelou ao homem, mas ele sufocou esse conhecimento, banindo Deus deliberadamente da sua vida.

Adolf Pohl diz que a boa criação de Deus rebrilha para dentro de cada consciência, de modo que cada um poderia ser grato (Rm 1.20,21).[5] Francis Schaeffer está certo quando diz que o homem não vive numa caverna escura.[6] A criação é testemunha de Deus. A natureza revela conhecimento. Há uma voz que é ouvida onde quer que os seres humanos vivam, estejam eles com ou sem a Bíblia. É a voz da criação (Sl 19.1-3). Mesmo aqueles que não dispõem da Bíblia têm conhecimento suficiente de Deus a ponto de serem indesculpáveis (At 14.17).

Em terceiro lugar, *Paulo repudia a falsa mensagem de que o homem tem apenas necessidades imediatas*. A pregação contemporânea apresenta

---

[3] ERDMAN, Charles R. *Comentários de Romanos*, p. 33.
[4] BRUCE, F. F. *Romanos: introdução e comentário*, p. 68.
[5] POHL, Adolf. *Carta aos Romanos*, p. 42.
[6] SCHAEFFER, Francis A. *A obra consumada de Cristo*, p. 31.

uma falsa visão da queda, do pecado, do homem e da salvação. A visão bíblica de que o homem está morto em seus delitos e pecados e vive prisioneiro da carne, do mundo e do diabo não mais é proclamada na maioria dos púlpitos. A pregação contemporânea mostra que o homem tem algumas necessidades imediatas e temporais, mas não está perdido. A Bíblia, porém, diz que o homem é um ser rebelado contra Deus; está debaixo da ira de Deus e sob o seu castigo temporal e eterno. Essa é a condição de toda a humanidade (3.23). O estado dos povos é descrito por Paulo como completamente sem esperança.

Em quarto lugar, *Paulo rejeita uma evangelização que não trate do núcleo do problema humano*. Floresce no meio evangélico uma mensagem focada nas necessidades imediatas do homem (cura e prosperidade) e dos pretensos direitos desse homem. Os púlpitos massageiam o ego dos pecadores. Tornam-se divãs eivados da psicologia de autoajuda. Isso porque perdemos a consciência do estado de rebeldia contra Deus em que o homem se encontra. Com isso a igreja perde o fervor missionário e passa a pregar apenas em panaceia, sem tocar no âmago do problema humano, que é o pecado.

Warren Wiersbe, interpretando a passagem em apreço, cita os quatro estágios do mundo gentio culpado diante de Deus: 1) inteligência (Rm 1.18-20); 2) ignorância (1.21-23); 3) imoralidade (1.24-27); e 4) impenitência (1.28-32).[7] Augustus Nicodemos, em célebre mensagem sobre o referido passo bíblico, interpretou-o, abordando três grandes assuntos: revelação, rejeição e retribuição. Examinaremos agora esses três pontos.

A revelação (1.18-20)

Paulo não se constrange de discorrer sobre a ira de Deus. Não está preocupado em ferir os melindres dos mais sensíveis. Assim como a justiça de Deus se revela no evangelho, a ira de Deus se revela desde o céu contra toda impiedade e perversão humana.

---

[7]WIERSBE, Warren W. *Comentário bíblico expositivo*, p. 674, 675.

Geoffrey Wilson diz acertadamente que Deus não é indiferente ao pecado, pois este é uma afronta à Sua santidade, um assalto direto à Sua majestade. Assim, a ira de Deus é uma expressão que indica o justo derramamento do desfavor divino sobre o pecador.[8]

Cranfield tem razão ao declarar que a ira de Deus não é incompatível com o Seu amor: ao contrário, é uma expressão do Seu amor. É justamente porque nos ama verdadeira, séria e fielmente, que Deus está irado conosco em nossa pecaminosidade.[9] Entretanto, o pleno significado da ira de Deus não deve ser visto nas desgraças que acontecem a homens pecadores no decorrer da história: a sua realidade só é verdadeiramente conhecida quando vista na sua revelação no Getsêmani e no Gólgota.[10]

Destacaremos alguns pontos aqui:

Em primeiro lugar, *a ira de Deus é justa por causa da forma injusta que o homem se relaciona com a verdade*. "A ira de Deus se revela do céu contra toda impiedade e perversão dos homens que detêm a verdade pela injustiça" (1.18). A ira de Deus não é destempero emocional. Não é explosão de raiva. Não está eivada de caprichos. Não deve ser concebida em termos de explosões de ódio, às quais a ira, em nós, está frequentemente associada.[11]

A ira de Deus é Sua santa repulsa ao mal, é seu desprazer dinâmico contra o pecado. Segundo F. F. Bruce, a ira de Deus é a reação da santidade divina à impiedade e rebelião do homem.[12] John Murray explica que a ira consiste na santa reação do ser de Deus contra aquilo que é contrário à Sua santidade.[13]

Concordo com Charles Erdman quando ele diz que não se deve associar a ira de Deus a nenhuma ideia de humana paixão, fraqueza ou vingança. Nem devemos perder de vista o universal amor de Deus. Ela é em verdade o reverso do divino amor.[14] Assim, no conflito moral, o contrário de "ira" não é "amor", mas "neutralidade".[15]

---

[8] WILSON, Geoffrey B. *Romanos*, p. 13.
[9] CRANFIELD, C. E. B. *Comentário de Romanos*, p. 44.
[10] CRANFIELD, C. E. B. *Comentário de Romanos*, p. 45.
[11] MURRAY, John. *Romanos*, p. 64.
[12] BRUCE, F. F. *Romanos: introdução e comentário*, p. 69.
[13] MURRAY, John. *Romanos*, p. 64.
[14] ERDMAN, Charles R. *Comentários de Romanos*, p. 33.
[15] STOTT, John. *Romanos*, p. 77.

Vejamos algumas verdades:

A dinâmica da ira (1.18). O verbo "revelar-se" está no presente contínuo e isso significa que a manifestação da ira é contínua. O pecado atrai a ira de Deus. Foi assim no dilúvio, na destruição de Sodoma e Gomorra, nas pragas do Egito e em todas as visitações da ira de Deus na história humana. A revelação da "ira vindoura" nos tempos finais (1Ts 1.10) é antecipada pela revelação do mesmo princípio na vida corrente do mundo.[16]

A origem da ira (1.18). A ira de Deus se revela desde o céu. Ela vem de cima, do trono dAquele que governa moralmente o universo e não pode tolerar passivamente o mal. A história é o palco da manifestação dessa ira contínua de Deus. Por ser procedente do céu, o trono de Deus, a ira divina é ativa.

A causa da ira (1.18). A causa da ira é a impiedade e a perversão humana. Fritz Rienecker diz que a impiedade se refere ao relacionamento com Deus e a perversão, ao relacionamento com os homens.[17] Impiedade é rebelião contra Deus; perversão é rebelião contra o próximo. Impiedade é a quebra da primeira tábua da lei; perversão é a quebra da segunda tábua da lei.

A "impiedade" diz respeito àquela perversão de natureza religiosa, ao passo que a "perversão" se refere àquilo que tem caráter moral; a primeira pode ser ilustrada pela idolatria; a última, pela imoralidade.[18] Geoffrey Wilson argumenta que a impiedade para com Deus resulta em injustiça para com os homens.[19] Nas palavras de Cranfield, a impiedade se refere a violações dos quatro primeiros mandamentos, e a injustiça, à violação dos seis últimos; porém, mais verossímil é que as duas palavras sejam empregadas como duas expressões para a mesma coisa.[20]

O alvo da ira (1.18). A ira de Deus se revela contra toda impiedade e perversão dos homens que "detêm a verdade pela injustiça". Por causa da impiedade e da perversão, os homens sufocam e abafam a verdade.

---

[16]BRUCE, F. F. *Romanos: introdução e comentário*, p. 69.
[17]RIENECKER, Fritz; ROGERS, Cleon. *Chave linguística do Novo Testamento Grego*, 1985, p. 256.
[18]MURRAY, John. *Romanos*, p. 65.
[19]WILSON, Geoffrey B. *Romanos*, p. 14.
[20]CRANFIELD, C. E. B. *Comentário de Romanos*, p. 45.

William Greathouse tem razão quando diz que todo o pecado é uma resistência deliberada a Deus.[21] A palavra "deter" significa matar por afogamento. Adolf Pohl ressalta que os homens, com inumeráveis maldades, martelam contra esse saber (1.20,21), prendendo-o no porão de sua consciência, não permitindo que se erga.[22] É muito difícil, porém, excluir Deus do raciocínio, por mais fácil que seja excluí-lo do discurso.[23]

Em segundo lugar, *a ira de Deus é justa por causa da forma consciente que o homem rejeita a revelação divina* (1.19,20). Chamamos a atenção para algumas verdades solenes:

O homem só pode conhecer a Deus porque este se revelou (1.19). Calvino inicia as *Institutas* dizendo que só podemos conhecer a Deus porque Ele se revelou. O conhecimento de Deus não é fruto da lucubração humana, mas da própria revelação que Deus faz de si mesmo.

A revelação natural é suficiente para mostrar a majestade de Deus (1.20). O homem tem a verdade porque Deus se revelou na natureza. John Stott destaca que a criação é uma manifestação visível do Deus invisível.[24] A criação ou revelação natural fala sobre os atributos invisíveis de Deus, Seu eterno poder e Sua divindade.

John Murray diz corretamente que as obras visíveis da criação de Deus manifestam Suas perfeições invisíveis. Deus deixou sobre Sua obra criada as "impressões digitais" de Sua glória, que se torna manifesta a todos.[25] Depreendemos desse fato que Deus é distinto da criação. Ele não se confunde com as coisas criadas. O panteísmo, portanto, é uma falácia. De igual forma, concluímos que Deus é soberano, uma vez que trouxe à existência as coisas que não existiam. O universo não é fruto de geração espontânea. O universo não pariu a si mesmo. Ele foi criado. O universo não é resultado de uma explosão cósmica, uma vez que a desordem não produz a ordem nem o caos produz o cosmo. O universo não é consequência de uma evolução de bilhões e bilhões de anos. Antes, é obra de Deus e arauto de Deus. O rei Davi escreve: *Os*

---

[21] GREATHOUSE, William. *A epístola aos Romanos*, p. 43.
[22] POHL, Adolf. *Carta aos Romanos*, p. 43.
[23] POHL, Adolf. *Carta aos Romanos*, p. 45.
[24] STOTT, John. *Romanos*, p. 79.
[25] MURRAY, John. *Romanos*, p. 69.

céus proclamam a glória de Deus, e o firmamento anuncia as obras das suas mãos (Sl 19.1). Todo o cosmo é um testemunho eloquente da existência de Deus.

Segundo John Stott, a autorrevelação de Deus por meio das "coisas que foram criadas" tem quatro características básicas: 1) ela é universal ou geral, porque se destina a todo o mundo em todos os lugares; 2) ela é natural, porque se deu pela ordem natural; nisso ela se opõe à sobrenatural, que envolve a encarnação do Filho e a inspiração das Escrituras; 3) ela é contínua, pois vem desde a criação do mundo e continua dia após dia, noite após noite, ao contrário da "final", que é completa em Cristo e nas Escrituras; 4) ela é criacional, revelando a glória de Deus por intermédio da criação, no que se opõe è revelação salvadora, que manifesta a graça salvadora de Deus em Cristo.[26]

A revelação natural é suficiente para tornar o homem indesculpável perante Deus (1.20). Mesmo que a revelação natural não seja suficiente para salvar o homem, é suficiente para responsabilizá-lo. Todos os homens são indesculpáveis perante Deus porque a verdade de Deus tem-se manifestado a eles tanto na luz da consciência como no testemunho da criação (1.19,20). Os homens não poderão fazer apologia em seu próprio favor. Ninguém poderá dizer a Deus no dia do juízo: "Ah! eu não sabia que o Senhor existia, não sabia que o Senhor é criador do universo". Charles Erdman tem razão quando diz que o próprio mundo é descrito pelo termo *cosmo,* que significa "ordem" e implica desígnio por parte do Criador.[27]

Aqui cai por terra a teoria do índio inocente, dos povos remotos que estão em estado de inocência. Não é essa a teologia de Paulo. Todos os povos são indesculpáveis diante de Deus. Eles pecam contra Deus conscientemente.

Paulo está dizendo também que o ateísmo é uma grande tolice. Ninguém nasce ateu. Na verdade, esse conhecimento de Deus é sufocado. Os ateus se fazem assim. O ateísmo não é uma questão intelectual, mas moral. Cranfield afirma corretamente que o pecado é sempre um

---

[26] STOTT, John. *Romanos*, p. 79,80.
[27] ERDMAN, Charles R. *Comentários de Romanos*, p. 34.

assalto à verdade, isto é, a verdade fundamental de Deus como Criador, Redentor e Juiz.²⁸

A rejeição (1.21-23)

Paulo traça os passos pelos quais o mundo pagão descambou do conhecimento do Deus verdadeiro à idolatria mais degradada e abstrusa.²⁹ Destacamos aqui quatro pontos:

Em primeiro lugar, **conhecimento suficiente**. "Porquanto, tendo conhecimento de Deus..." (1.21). O problema humano não é ausência do conhecimento de Deus, mas a negação de Deus. O homem possui suficiente conhecimento da verdade para garantir ser descrito como tentando abafá-la. Ele tem conhecimento suficiente, mas sufoca esse conhecimento. O homem quer tirar Deus do seu caminho, eliminar Deus do seu pensamento, banir Deus da sua vida. O homem tem conhecimento suficiente de Deus para torná-lo indesculpável.

Em segundo lugar, **rejeição consciente**. ... *não O glorificaram como Deus, nem lhe deram graças; antes, se tornaram nulos em seus próprios raciocínios...* (1.21). Em princípio, o pecado humano é pecado por omissão. Um duplo "não" os acusa (eles nãO glorificaram a Deus nem Lhe deram graças). Portanto, no começo não está o "dizer não", mas o "não dizer".³⁰ Geoffrey Wilson está certo em sua análise: "Quando os homens rejeitam a verdade, abraçam a mentira em seu lugar. A ausência da verdade sempre assegura a presença do erro".³¹

O homem rejeita conscientemente o conhecimento de Deus de duas formas:

Deixando de glorificá-Lo por quem ele é. O homem deveria olhar para a natureza e ver nela a glória de Deus. Deixar de reconhecer os atributos invisíveis de Deus, Seu eterno poder e Sua divindade nas obras da criação é privar Deus da Sua própria glória. John Murray esclarece que glorificar a Deus como Deus não é aumentar a glória de Deus; significa

---

²⁸CRANFIELD, C. E. B. *Comentário de Romanos*, p. 45.
²⁹ERDMAN, Charles R. *Comentários de Romanos*, p. 35.
³⁰POHL, Adolf. *Carta aos Romanos*, p. 45.
³¹WILSON, Geoffrey B. *Romanos*, p. 16.

meramente atribuir a Deus a glória que Lhe pertence como Deus, ou seja, dar a Ele, nos pensamentos, afetos e devoção, o lugar que Lhe é devido, em virtude das perfeições que a própria criação visível manifesta.[32]

Atribuir a criação ao acaso é despojar Deus de Sua majestade. Portanto, quando os povos pagãos, seja nos grandes centros urbanos, seja nas selvas mais remotas, dão glória aos seus ídolos, não fazem isso de forma inocente. Trata-se de uma rebelião deliberada.

Deixando de agradecer-Lhe pelo que fez. Glorificamos a Deus por quem ele é e damos graças a Deus por aquilo que Ele faz. A criatura deixa de ser grata para ser ingrata. Deus criou a terra e a encheu de fartura. Deus deu ao homem vida, saúde, pão, as estações e tudo mais para o seu aprazimento. Contudo, a resposta do homem a todo esse bem é uma consciente e deliberada ingratidão.

Qual é a razão dessa rejeição consciente? Tudo começa na mente. Os homens se tornaram nulos em seus próprios raciocínios. O homem começou a pensar e tirou Deus como referência do seu pensamento. O homem começou a refletir e tirou Deus como fonte de todo o bem. O homem começou a criar as suas próprias hipóteses, e muitas filosofias foram inventadas. O homem tornou-se o centro e a medida de todas as coisas. Não havia mais espaço para Deus. O resultado é que, nesse vazio de Deus, o raciocínio do homem tornou-se nulo.

Em terceiro lugar, **comportamento inconsequente**. ... *obscurecendo-se-lhes o coração insensato. Inculcando-se por sábios, tornaram-se loucos* (1.21,22). O que começa na mente vai para o coração. O raciocínio errado leva o coração às trevas. Quando o homem perde o conhecimento de Deus, perde também a referência de santidade. Não sabe mais de onde vem, nem para onde vai. Torna-se totalmente louco, não compreendendo a si mesmo ou mesmo o universo em que vive. "É fatal confundir esclarecimento filosófico com iluminação espiritual, pois o efeito do pecado sobre a mente do homem é tornar sua suposta sabedoria em tolice".[33]

---

[32] MURRAY, John. *Romanos*, p. 70.
[33] WILSON, Geoffrey B. *Romanos*, p. 16, 17.

Um raciocínio nulo gera um coração obscuro. Uma mente sem Deus produz uma vida de trevas. Banir Deus deliberadamente da vida desemboca no obscurantismo moral, na loucura mais consumada. Essa é a situação hedionda em que os homens se meteram. Eles achavam que deixar Deus de fora seria um ato de sabedoria, mas Paulo diz que essa é a mais consumada loucura. Para William Hendriksen, tal obscurantismo indica embotamento mental, desespero emocional e depravação espiritual.[34]

Charles Erdman arrazoa: "Essa é a divina estimativa dos mais orgulhosos filósofos da Grécia e de Roma, e de toda a blasonada sabedoria do Eufrates e do Nilo. Ainda hoje a mais obtusa infidelidade pode coincidir com a mais deslavada presunção. O moderno sábio adora-se a si mesmo.[35]

Em quarto lugar, *idolatria irreverente. E mudaram a glória do Deus incorruptível em semelhança da imagem de homem corruptível, bem como de aves, quadrúpedes e répteis* (1.23). Aquilo que começou na mente e desceu ao coração deságua na religião. A pretensa sabedoria humana de rejeitar o conhecimento de Deus e mudar a glória do Deus incorruptível em imagens de homens, aves, quadrúpedes e répteis é a mais tosca loucura e o nível mais baixo da degradação espiritual. Em seu pensamento os seres humanos reduzem Deus a duas pernas, depois a quatro patas, e finalmente a rastejar sobre o ventre. E em todo o tempo eles se dizem sábios.[36]

Partindo da adoração do Deus vivo e verdadeiro, a humanidade gradualmente desceu à idolatria e ao fetichismo.[37] Warren Wiersbe diz que, se o homem não adora o Deus verdadeiro, adorará um deus falso, mesmo que ele próprio tenha de confeccioná-lo.[38] A mente humana nunca é um vácuo religioso; se houver a ausência do que é verdadeiro, sempre haverá a presença do que é falso. A razão separada da fonte de luz conduziu os homens a um delírio de inutilidade.[39]

---

[34] HENDRIKSEN, William. *Romanos*, p. 95.
[35] ERDMAN, Charles R. *Comentários de Romanos*, p. 35.
[36] GREATHOUSE, William. *A epístola aos Romanos*, p. 45.
[37] ERDMAN, Charles R. *Comentários de Romanos*, p. 36.
[38] WIERSBE, Warren W. *Comentário bíblico expositivo*, p. 675.
[39] MURRAY, John. *Romanos*, p. 71.

Geoffrey Wilson argumenta com propriedade que ainda hoje muitos religiosos alegam invocar seu deus por meio de imagens, afirmando que eles não se curvam à imagem em si. Arão fez um bezerro de ouro, mas não tinha a menor intenção de levar o povo a adorar a imagem. Ele disse: *Amanhã, será festa ao* SENHOR (Êx 32.5). O bezerro era simplesmente um auxílio à devoção, mas o julgamento de Deus a respeito foi muito diferente: *Em Horebe, fizeram um bezerro e adoraram o ídolo fundido. E, assim, trocaram a glória de Deus pelo simulacro de um novilho que come erva* (Sl 106.19,20).[40]

Charles Erdman tem razão quando diz que aqueles que se recusam a render culto a Deus e não sentem prazer em prestar-Lhe obediência são comumente os autores de teorias e crenças errôneas tão populares quanto vazias e absurdas.[41]

Paulo descreve os muitos deuses egípcios, bem como o panteão de deuses gregos e romanos. No berço onde nasceu a filosofia, o povo estava mergulhado no obscurantismo. O apogeu da filosofia grega não passava de um tempo de ignorância (At 17.30). A idolatria é uma rebelião contra Deus. Substituir o Deus incorruptível por criaturas corruptíveis e prostrar-se diante de obras das próprias mãos é perverter o culto divino e desonrar o Senhor. A hediondez da idolatria pode ser notada não apenas na imoralidade que engendra, mas também no fato de que ela caricatura e falseia a Deus.

A retribuição (1.24-32)

Da idolatria para a imoralidade é um passo. John Stott diz: "A história do mundo confirma que a tendência da idolatria é acabar em imoralidade. Uma falsa imagem de Deus leva a um falso conceito do sexo.[42]

A perversão da vida surge da perversão da fé. Se a raiz do pecado humano é a perversidade religiosa, o fruto é a corrupção moral. Arrancado de Deus, da fonte da sua vida e felicidade, o homem procurou a satisfação na criatura. A rebelião contra Deus criou um vácuo

---

[40]WILSON, Geoffrey B. *Romanos*, p. 18.
[41]ERDMAN, Charles R. *Comentários de Romanos*, p. 35.
[42]STOTT, John. *Romanos*, p. 83.

na natureza humana. Todos os desejos e excessos do comportamento humano são tentativas malogradas de satisfazer àquele doloroso vazio que o mundo nunca poderá preencher. Como resultado do seu afastamento de Deus, o homem está condenado a um anelo insaciável.[43]

Paulo relaciona aqui três vezes o abandono de Deus às consequências do comportamento humano (1.24a; 26,27a e 28b-31), e três vezes a miséria daí resultante (1.24b, 27b, 32). Nessa descrição, a exposição da culpa se torna passo a passo mais breve, e suas consequências, sempre mais detalhadas, até que se derrama diante de nós praticamente um dilúvio de vícios, fazendo estourar toda a podridão interna da sociedade humana.[44]

Concordo plenamente com John Murray quando ele diz que a penalidade infligida pertence à esfera moral distinta da esfera religiosa – a degeneração religiosa é penalizada mediante a entrega à imoralidade; o pecado cometido no terreno religioso é castigado pelo pecado na esfera moral.[45]

Algumas verdades solenes devem ser aqui destacadas:

Em primeiro lugar, *o juízo de Deus é tanto temporal como eterno* (1.24,26,28). Enganam-se aqueles que pensam que o Deus do juízo está dormindo, inativo ou indiferente ao que acontece no mundo. O estado de degradação em que a sociedade se encontra já é uma retribuição divina, uma manifestação temporal do Seu juízo.

William Hendriksen escreve: "Embora o derramamento de Sua ira, em toda sua plenitude, seja um problema do futuro, o impenitente experimenta uma prelibação ainda aqui e agora. Deus finalmente os abandona, permitindo-lhes perecer em sua própria impiedade".[46]

No dia do juízo, a sentença eterna de Deus será apenas esta: *Continue o injusto fazendo injustiça, continue o imundo ainda sendo imundo...* (Ap 22.11). A penalidade eterna do homem será experimentar eternamente os resultados de seu abominável pecado.

Adolf Pohl esclarece que Deus não é um espectador que tão somente grava na memória os pecados do homem para recuperá-los no juízo final.

---

[43] GREATHOUSE, William. *A epístola aos Romanos*, p. 43, 45.
[44] POHL, Adolf. *Carta aos Romanos*, p. 46.
[45] MURRAY, John. *Romanos*, p. 73.
[46] HENDRIKSEN, William. *Romanos*, p. 100.

Ao contrário, Sua ira interior já hoje se torna resistência ativa.⁴⁷ Nessa mesma linha de pensamento, William Hendriksen diz que a misericórdia não correspondida produz ira. A paciência divina sem resposta humana favorável resulta no derramamento da indignação divina.⁴⁸

Em segundo lugar, *o juízo mais severo de Deus é dar ao homem o que ele quer* (1.24,26,28). Não há castigo maior para o homem do que Deus o entregar a si mesmo. Deus pergunta: "É isso que você quer? Seja feita a sua vontade". Esse é o maior juízo de Deus, entregar o homem a si mesmo, à sua própria vontade. Os homens que tanto amam o esgoto do pecado são enviados para lá; o que querem, eles terão.⁴⁹

Deus entrega esses *filhos da ira* (Ef 2.3) desprotegidamente a si próprios, a saber, às concupiscências de seu coração (1.24), às paixões infames (1.26), a uma disposição mental reprovável (1.28), ou seja, à maneira que eles próprios escolheram para viver.⁵⁰ Em outras palavras, Deus os entregou à sensualidade (1.24,25), à perversão sexual (1.26,27), e à vida antissocial (1.28-32).⁵¹ Assim, os perdidos gozam para sempre da horrível liberdade que sempre pediram; porém, essa liberdade é a mais perturbadora escravidão.

A graça restritiva de Deus age no mundo, apesar da rebeldia humana, e assim, impede que a sociedade chafurde no abismo do pecado e se transforme num inferno existencial. Os juízos dentro da história ainda não são juízos totais. São aplicados como que com freios acionados, mesclados a uma profusão de paciência e longanimidade (Rm 2.4). No entanto, quando o homem se mostra resistente à graça e obcecado por lambuzar-se no pecado, Deus então o entrega.

A humanidade é como um caminhão que desce ladeira abaixo. Deus está com o pé no freio, e o homem, com o pé no acelerador. Deus quer evitar a tragédia, e o homem acelera rumo ao abismo, até o momento que Deus tira o pé do breque e esse caminhão avança desgovernado para uma terrível tragédia. Francis Schaeffer ilustra essa realidade de

---

⁴⁷POHL, Adolf. *Carta aos Romanos*, p. 46.
⁴⁸HENDRIKSEN, William. *Romanos*, p. 100.
⁴⁹WILSON, Geoffrey B. *Romanos*, p. 19.
⁵⁰POHL, Adolf. *Carta aos Romanos*, p. 47.
⁵¹GREATHOUSE, William. *A epístola aos Romanos*, p. 45.

outra forma. O homem pretende fugir de Deus, o seu dono. Por isso, Deus simplesmente tira a coleira. As pessoas escolheram abrir mão da verdade, e Deus abre mão das pessoas.[52]

O que acontece é que Deus tira a culpa. O homem consegue pecar e a consciência não o acusa mais. Aí ele se gloria no pecado e aplaude o vício. As pessoas mergulham no pântano mais asqueroso da imoralidade e se corrompem ao extremo sem nenhum constrangimento. Isso é o juízo de Deus.

Por que Deus não manda fogo e enxofre como fez com Sodoma e Gomorra? Pior é entregar o pecador ao fogo do seu coração, preparando-o para o fogo do juízo.

Em terceiro lugar, *a idolatria e a imoralidade são tanto a causa como a consequência do juízo divino* (1.24,25). Porque o homem desonrou a Deus, mudando a glória do Deus incorruptível em semelhança da imagem de homem corruptível, bem como de aves, quadrúpedes e répteis, Deus também entregou os homens para desonrar o seu corpo entre si.

Francis Schaeffer diz que, quando o homem se rebela e se afasta da sua referência primeira em Deus, do relacionamento apropriado com Deus, tudo se torna mentira. O ser humano não sabe quem é. Toda verdade é negada. Ele passa questionar não apenas a existência de Deus. Questiona igualmente a própria existência. Quando as pessoas jogam fora o Deus da verdade, a verdade desaparece como um todo. E tudo o que resta são conjuntos de opiniões, deuses e prazeres pessoais.[53]

A idolatria e a sensualidade sempre andaram juntas. São tanto a causa da ira divina como consequência do juízo divino. A humanidade colocou a si mesma no centro do universo. O resultado é que muitos de nós adoramos aquela criatura que melhor conhecemos – nós mesmos.[54] Calvino destaca que não se pode honrar a criatura religiosamente sem desonrar perversa e impiamente a Deus, dando a outros a honra que só a Ele pertence.[55]

---

[52] SCHAEFFER, Francis A. *A obra consumada de Cristo*, p. 40.
[53] SCHAEFFER, Francis A. *A obra consumada de Cristo*, p. 41.
[54] SCHAEFFER, Francis A. *A obra consumada de Cristo*, p. 42.
[55] CALVINO, João. *Epístola a los Romanos*, p. 49, 50.

Em quarto lugar, *o homossexualismo é o mais baixo nível de degradação moral e a maior expressão do juízo de Deus* (1.24-28). Paulo diz que Deus entregou tais homens à imundícia (1.24), a paixões infames (1.26) e a uma disposição mental reprovável (1.28). Tanto a imundícia como as paixões infames, assim como a disposição mental reprovável, apontam para a imoralidade sexual, sobretudo o homossexualismo. Em Sua ira Deus entrega aqueles que o desonraram à desonra de seu próprio corpo.[56] Deus entregou aqueles que abandonaram o Autor da natureza a não guardar a ordem natural.[57] Eles pecaram degradando a Deus, pelo que também Deus os degradou.

O que começou no raciocínio, passou pelo julgamento e se transformou em religião agora desemboca num comportamento desregrado. Geoffrey Wilson diz que a degeneração moral do mundo antigo é retratada neste horrível catálogo de vícios sexuais que a religião pagã, ao invés de restringir, promovia ativamente. Hoje em dia, a existência destas perversões sexuais, complacentemente consideradas "variantes interessantes" pelas pessoas que se dizem evoluídas, é uma marca terrível da ira de Deus sobre uma civilização que se orgulha de seu caráter "pós-cristão".[58]

Três pecados são aqui destacados pelo apóstolo Paulo:

O lesbianismo (1.26). A relação sexual entre mulher e mulher já era prática comum nos dias de Paulo, mas não com tanta publicidade como existe hoje. Deus tirou o pé do breque. Entregou essas pessoas a paixões infames, e as mulheres se entregaram ao lesbianismo. Quando Paulo diz "até as mulheres mudaram o modo natural de suas relações íntimas por outro contrário à natureza", está enfatizando o grau superlativo da degradação. As mulheres sempre foram guardiãs da moralidade. Quando até as mulheres se corrompem, a cultura já chegou ao fundo do poço.

O homossexualismo (1.24,27). Quando o homem desprezou o conhecimento de Deus e perverteu o culto divino, perdeu a própria identidade. O homossexualismo é uma negação total do mundo real. Refuta

---

[56]WILSON, Geoffrey B. *Romanos*, p. 18.
[57]WILSON, Geoffrey B. *Romanos*, p. 20.
[58]WILSON, Geoffrey B. *Romanos*, p. 20.

qualquer possibilidade de continuidade e ameaça a identidade da pessoa como fruto do relacionamento de um pai e uma mãe.[59] Não podemos concordar com a bandeira levantada pela homofobia, quando os ativistas desse movimento afirmam que o homossexualismo é uma opção normal e que o casamento entre pessoas do mesmo sexo é uma união de amor que deve ser chancelada pela lei de Deus e dos homens. Ao descrever o homossexualismo, Paulo aponta sete características desse pecado abominável: 1) imundícia (1.24); 2) desonra para o corpo (1.24); 3) paixão infame (1.26); 4) antinaturalidade (1.26); 5) contrariedade à natureza (1.26); 6) torpeza (1.28); e 7) erro (1.28).

A disposição mental reprovável (1.28-31). O homem é o que ele pensa. Porque ele é entregue a uma disposição mental reprovável para praticar coisas inconvenientes, a prática se segue. Aí Paulo faz uma lista de 21 itens, num diagnóstico sombrio da realidade que nos cerca. A decadência moral atinge todos os relacionamentos: com Deus, consigo próprio, com o próximo e com a família. Esta é a mais longa lista de pecados encontrada nas epístolas de Paulo (1.29-31). William Barclay nos ajuda a compreender o sentido dessas palavras:[60]

1. Cheios de *injustiça* – A palavra grega *adikia* significa roubar tanto aos homens como a Deus de seus direitos.
2. Cheios de *malícia* – A palavra grega *poneria* se refere a uma maldade sedutora, maligna. Trata-se da pessoa que não apenas é má, mas procura arrastar os outros para a sua maldade.
3. Cheios de *avareza* – A palavra grega *pleonexia* é o desejo desenfreado que não conhece limites nem leis, o desejo insaciável de ter o que não lhe pertence por direito. É amor insaciável às possessões e aos prazeres ilícitos.
4. Cheios de *maldade* – A palavra grega *kakia* descreve o homem desprovido de todo o bem. Trata-se da pessoa que tem inclinação para o pior. É o vício essencial que inclui todos os outros e do qual todos os outros procedem.

---

[59] SCHAEFFER, Francis A. *A obra consumada de Cristo*, p. 44.
[60] BARCLAY, William. *Romanos*, p. 45-51.

5. Possuídos de *inveja* – A palavra grega *fthonos* descreve o terrível sentimento de sentir-se desconfortável com o sucesso dos outros, não só desejando o que lhes pertence, mas também alegrando-se com suas tragédias.
6. Possuídos de *homicídio* – A palavra grega *fonos* se refere a desejo, intenção ou atitude de ferir o outro para tirar-lhe a vida. O assassino é também aquele que odeia a seu irmão (1Jo 3.15). O homem pode ver a ação, mas Deus conhece a intenção.
7. Possuídos de *contenda* – A palavra grega *eris* diz respeito ao sentimento e à atitude daquela pessoa que é dominada pela inveja e por isso se torna facciosa e briguenta.
8. Possuídos de *dolo* – A palavra grega *dolos* retrata a pessoa que não age de maneira reta, usando sempre métodos tortuosos e clandestinos para tirar alguma vantagem. A palavra vem do verbo *doloun* usado para referir-se à falsificação de metais preciosos e a adulteração de vinhos.
9. Possuídos de *malignidade* – A palavra grega *kakoetheia* descreve a pessoa que sempre supõe o pior acerca dos outros. É a pessoa que sempre vê as coisas pelo lado mais sombrio.
10. *Difamadores* – A palavra grega *psithyristes* representa a pessoa que murmura suas histórias maliciosas de ouvido a ouvido.
11. *Caluniadores* – A palavra grega *katalalos* refere-se à pessoa que proclama publicamente suas infâmias.
12. *Aborrecidos de Deus* – A palavra grega *theostygeis* retrata o homem que odeia a Deus, porque sabe que Deus é estorvo em seu caminho de licenciosidade. De bom grado eliminaria Deus se pudesse, pois para ele o mundo sem Deus lhe abriria o caminho para o pecado.
13. *Insolentes* – A palavra grega *hybristes* retrata a pessoa altiva, soberba, sadicamente cruel, que encontra prazer em prejudicar o próximo.
14. *Soberbos* – A palavra grega *hyperefanos* descreve a pessoa que está cheia de si mesma como um balão de vento. Este é o ponto culminante de todos os pecados. Trata-se de quem despreza a todos, exceto a si mesmo, e tem prazer em rebaixar e humilhar os outros.

15. *Presunçosos* – A palavra grega *alazon* descreve a pessoa que pensa de si mesma além do que convém e exalta a si mesma acima da medida. Diz respeito a quem pretende ter o que não tem, saber o que não sabe e jacta-se de grandes negócios que só existem em sua imaginação.
16. *Inventores de males* – As palavras gregas *efeuretes kakon* retratam aquelas pessoas que buscam novas formas de pecar, novos recônditos nos vícios, porque estão enfastiadas e sempre à procura de novas emoções em alguma forma diferente de transgressão.
17. *Desobedientes aos pais* – as palavras gregas *goneusin apeitheis* se referem àquela atitude dos filhos de sacudir o jugo da obediência aos pais. Trata-se de filhos rebeldes e irreverentes.
18. *Insensatos* – A palavra grega *asynetos* descreve o homem que é incapaz de aprender as lições da experiência. Trata-se da pessoa culpada de grande sandice, que se recusa a usar a mente e o cérebro que Deus lhe deu.
19. *Pérfidos* – A palavra grega *asynthetos* descreve a pessoa que não é confiável. É aquele desonesto em quem não se pode confiar.
20. *Sem afeição natural* – A palavra grega *astorgos* significa sem amor à família. Trata do desamor dos pais aos filhos e dos filhos aos pais. É a falta de afeto entre irmãos de sangue. A prática abusiva de abortos e os crimes familiares apontam para a gravidade desse pecado em nossos dias.
21. *Sem misericórdia* – A palavra grega *aneleemon* retrata a pessoa implacável, sem piedade, que fere e mata o outro sem compaixão.

Depois de descrever com cores fortes o estado de decadência da sociedade, Paulo faz duas afirmações ainda mais chocantes:

- *Os homens pecam conscientemente. Ora, conhecendo eles a sentença de Deus, de que são passíveis de morte os que tais coisas praticam não somente as fazem...* (1.32a). As pessoas agem sabendo que estão agindo errado. Elas sufocam a verdade, abafam a voz da consciência, apagam a luz vermelha do alarme, mas no íntimo sabem que aquilo que praticam é um ato de rebeldia contra Deus e passível de morte.

O conhecimento do justo juízo de Deus não cria, porém, nenhum ódio contra o pecado nem fomenta alguma disposição para essas pessoas se arrependerem do pecado.[61]

- *Os homens aplaudem os que praticam as mesmas coisas. ... mas também aprovam os que assim procedem* (1.32b). Aqui a sociedade se mostra jactanciosa e até entusiasmada pelo pecado.[62] O nível mais baixo da degradação moral de uma sociedade é quando ela não apenas pratica o mal, mas também o incentiva e o aplaude. Esse é o clímax da perversidade. É isso que vemos todos os dias na televisão e nos outros meios de comunicação.

Cranfield expressa com clareza sua posição:

> O homem que aplaude ou encoraja os que praticam algo vergonhoso, embora não o praticando ele mesmo, não só é tão depravado como os que o praticam, mas muitas vezes, se não sempre, mais depravado do que eles realmente. Pois os que aplaudem e encorajam as ações perversas de outros contribuem deliberadamente para o estabelecimento de opinião pública favorável ao vício e, com isso, promovem a corrupção de multidão inumerável.[63]

John Murray ainda é mais enfático nesse ponto ao afirmar que a pior condição é aquela em que, com a prática, há também o apoio e o encorajamento de outros para a prática do mal. Dizendo-o sem rodeios, inclinamo-nos não apenas a condenar a nós mesmos, mas também nos congratulamos com os outros por fazerem coisas que sabemos resultar em condenação. Odiamos os outros tanto quanto a nós mesmos e, portanto, aprovamos neles o que sabemos que merece apenas condenação.[64]

---

[61] MURRAY, John. *Romanos*, p. 81.
[62] POHL, Adolf. *Carta aos Romanos*, p. 42.
[63] CRANFIELD, C. E. B. *Comentário de Romanos*, p. 52.
[64] MURRAY, John. *Romanos*, p. 82.

5

Os críticos **moralistas** sob **julgamento**

Romanos 2.1-16

A TESE DEFENDIDA PELO APÓSTOLO PAULO nos três primeiros capítulos da carta aos Romanos é que tanto os gentios como os judeus são culpados diante de Deus em virtude da revelação que receberam. Os judeus receberam a revelação especial, as Escrituras; e os gentios, a revelação natural. Por não viverem de acordo com a revelação recebida, ambos são indesculpáveis perante Deus.

No capítulo anterior vimos que os gentios são indesculpáveis porque, mesmo conhecendo a Deus, não O glorificaram como Deus nem Lhe deram graças, antes desprezaram esse conhecimento, tornando-se nulos em seu raciocínio e loucos em suas atitudes. Como consequência, Deus os entregou aos desatinos de sua vontade pervertida.

Neste capítulo voltamos nossa atenção especialmente para os judeus. Uma vez que Paulo demonstrou a culpa dos gentios, ele agora trata do caso dos judeus.[1] Vale ressaltar que não há consenso entre os estudiosos acerca do público a quem Paulo se dirige nos versículos em apreço, se apenas aos judeus ou se aos críticos moralistas em geral. John Murray é da opinião que essa questão não pode ser determinada de modo decisivo.[2]

---

[1] WILSON, Geoffrey B. *Romanos*, p. 23.
[2] MURRAY, John. *Romanos*, p. 83.

A esmagadora maioria dos comentaristas, entrementes, crê que Paulo se dirige exclusivamente aos judeus, mostrando sua culpa em contraste com a culpa dos gentios, evidenciada no capítulo anterior. William Hendriksen argumenta que, enquanto os gentios eram idólatras, boa parte dos judeus, por meio de sua autorretidão, estava fazendo de dela própria um ídolo.[3] A tendência de julgar os gentios por causa de sua perversão moral e religiosa era característica dos judeus.[4] Geoffrey Wilson diz que a condenação de outros era o passatempo nacional do judeu.[5] Os judeus criam que todos estavam destinados ao juízo, exceto eles mesmos.[6]

Concordo com John Stott quando ele diz que o foco do apóstolo aqui não são exclusivamente os judeus, mas todos os críticos moralistas, tanto judeus quanto gentios.[7] Na mesma linha de pensamento William Greathouse argumenta que, embora Paulo esteja pensando basicamente nos judeus, ele constrói seu argumento em termos suficientemente genéricos para incluir outras pessoas que também criticam os maus procedimentos delineados na seção anterior.[8]

O que se combate aqui é a atitude insolente e implacável de julgar os outros em vez de lamentar os próprios erros. Juan Schaal diz que o refinado gentio e o judeu do pacto condenariam rapidamente o bárbaro tosco e imoral descrito no capítulo 1. Os pecados são grosseiros e a maldade tão grande que a pessoa "normal" automaticamente diz: "É claro que tais pecados horríveis devem ser condenados, mas nós somos diferentes, não somos pecadores grosseiros como eles". Com essa atitude, o indivíduo mais refinado se põe acima dos demais e diz: "Eu não sou tão mau".[9] Há muitos que, ignorando a corrupção de seu próprio coração, se julgam melhores do que os outros. Por isso, apressam-se a julgar e a condenar os outros.

---

[3] HENDRIKSEN, William. *Romanos*, p. 117.
[4] MURRAY, John. *Romanos*, p. 83.
[5] WILSON, Geoffrey B. *Romanos*, p. 23.
[6] BARCLAY, William. *Romanos*, p. 53.
[7] STOTT, John. *Romanos*, p. 89.
[8] GREATHOUSE, William. *A epístola aos Romanos*, p. 49.
[9] SCHAAL, Juan H. *El camino real de Romanos*, p. 38, 39.

Concordo com William Greathouse quando ele diz que o fariseu vangloria-se em cada um de nós: *Ó Deus, graças Te dou, porque não sou como os demais homens*. Este é o espírito do irmão mais velho condenado pelo nosso Senhor na parábola dos dois irmãos (Lc 15.25-32). O orgulho espiritual nos torna tão culpados quanto os que cometem adultério ou roubo. Assim Jesus ensinou, e assim Paulo adverte.[10]

Tanto os gentios como os judeus são culpados por não viverem em conformidade com o conhecimento recebido. Os dois grupos têm algum conhecimento de Deus como criador (Rm 1.20) ou juiz (1.32; 2.2) e ambos contradizem, com o seu comportamento, o conhecimento que possuem. Qual é, então, a diferença entre eles? Os gentios são mais coerentes que os judeus moralistas. É que os gentios praticam coisas que sabem ser erradas e aprovam os outros que as praticam (1.32), e os judeus moralistas praticam coisas que sabem ser erradas, mas condenam os outros que agem da mesma forma.[11] Assim, o segundo grupo é culpado do pecado da hipocrisia, pois condena o erro na vida dos outros enquanto eles próprios praticam os mesmos erros.

Até entre os gentios havia moralistas que não praticavam nem aprovavam a conduta desregrada da sociedade, conforme o apóstolo descreveu. Dentre esses moralistas podemos citar Sêneca, o tutor de Nero. Ele exaltou as grandes virtudes morais. Denunciou a hipocrisia, pregou a igualdade de todos os seres humanos e reconheceu o caráter corrosivo do mal. Praticava e insistia na autoavaliação diária, ridicularizava a idolatria vulgar e até mesmo assumiu o papel de guia moral[12]

Esses moralistas podiam argumentar que aqueles que vivem nos vícios degradantes podem estar sob o julgamento de Deus, mas eles devem ser vistos sob outra perspectiva. Os judeus críticos e moralistas podiam até mesmo aplaudir Paulo pela descrição tão realista e sombria dos gentios. No entanto, eles se julgavam diferentes. Estavam num nível mais elevado. Não eram culpados como os depravados gentios nem mereciam juízo tão severo. Segundo F. F. Bruce, os judeus religiosos

---

[10] GREATHOUSE, William. *A epístola aos Romanos*, p. 51.
[11] STOTT, John. *Romanos*, p. 90.
[12] BRUCE, F. F. *Romanos: introdução e comentário*, p. 72.

encontravam amplo campo de ação para lançar juízo moral adverso sobre os seus vizinhos gentios.[13]

O texto em apreço foi escrito para demonstrar que esses críticos moralistas estavam equivocados. Mais uma vez concordo com a análise de Stott quando ele diz que para esses críticos moralistas o juízo de Deus é inevitável, justo e imparcial.[14] Detalharemos esses pontos a seguir.

O juízo de Deus aos críticos moralistas é **inevitável** (2.1-4)

O apóstolo Paulo dispara o alarme para avisar sobre quatro perigos que os críticos moralistas enfrentam:

Em primeiro lugar, *o perigo da projeção*. *Portanto, és indesculpável, ó homem, quando julgas, quem quer que sejas; porque, no que julgas a outro, a ti mesmo te condenas; pois praticas as próprias coisas que condenas. Bem sabemos que o juízo de Deus é segundo a verdade contra os que praticam tais coisas* (2.1,2). A progressão do pensamento desenvolve-se da seguinte forma: 1) tu julgas a outrem por fazerem certas coisas; 2) tu mesmo praticas essas coisas; 3) portanto, condenas a ti mesmo e não tens justificativa.[15]

Em virtude da sinuosidade da nossa natureza pecaminosa, chegamos a experimentar um prazer vicário em condenar os outros pelas mesmas falhas que perdoamos em nós mesmos. Sigmund Freud, o pai da psicanálise, chama essa ginástica moral de "projeção".[16] Charles Erdman argumenta que não é raro que os mais prontos e severos em julgar sejam os mais culpados, uma vez que geralmente observamos na vida dos outros as faltas que existem em nós mesmos.[17] Em virtude dessa miopia espiritual, Calvino chamou tais moralistas de hipócritas e santarrões.[18]

Os moralistas usam lupa para ver os pecados alheios, mas colocam vendas para enxergar os seus próprios. Eles são céleres para julgar os

---

[13]Bruce, F. F. *Romanos: introdução e comentário*, p. 72.
[14]Stott, John. *Romanos*, p. 90-98.
[15]Murray, John. *Romanos*, p. 84.
[16]Stott, John. *Romanos*, p. 90.
[17]Erdman, Charles R. *Comentários de Romanos*, p. 39.
[18]Calvino, João. *Epístola a los Romanos*, p. 55.

outros, mas lerdos para reconhecer a própria culpa. Escondem os próprios pecados, mas os projetam nas outras pessoas. Julgam os pecados alheios, enquanto eles mesmos praticam as coisas que condenam.

É mais fácil ver o erro nos outros que em nós; julgar os outros que a nós mesmos; abominar o pecado nos outros que em nós e enfrentar a feiura do pecado dos outros do que os nossos. Concordo com John Stott quando ele diz que Paulo põe à mostra uma estranha fraqueza humana: nossa tendência em criticar todo mundo, à exceção de nós mesmos. Geralmente somos tão intransigentes ao julgar os outros quanto condescendentes em relação às nossas faltas.[19] Conforme William Hendriksen, fazemos "uma avaliação demasiadamente favorável de nós mesmos e um juízo demasiadamente severo dos outros".[20]

John Murray destaca que havia hipocrisia e cegueira na condenação que proferiam contra os outros; hipocrisia, porque julgavam os outros pelos próprios atos de que eram culpados, e cegueira, porque não viam a própria condenação.[21]

Em segundo lugar, *o perigo da miopia espiritual* (2.1). Em seu estado de torpor espiritual, os gentios eram mais coerentes que os críticos moralistas. Aqueles praticavam as coisas erradas e também aprovavam aqueles que assim procediam (1.32), mas estes condenavam as coisas erradas nos outros, embora as praticassem. Eles enxergavam bem a culpa dos outros, mas não a própria. Viam com lentes de aumento os pecados alheios, mas não as próprias transgressões.

Além de se tornarem culpados dos mesmos pecados dos gentios, os críticos moralistas se fizeram também hipócritas. Pior que praticar as coisas erradas é praticá-las e não admitir. Concordo com Franz Leenhardt quando diz: "Aos olhos de Deus, não é o homem aquilo que sabe nem aquilo que diz, mas aquilo que faz".[22]

Paulo diz que, agindo dessa forma, nós nos expomos ao juízo de Deus e acabamos ficando sem desculpas nem saída (2.1,2). Com isso

---

[19] STOTT, John. *Romanos*, p. 90.
[20] HENDRIKSEN, William. *Romanos*, p. 118.
[21] MURRAY, John. *Romanos*, p. 85.
[22] LEENHARDT, Franz J. *Epístola aos Romanos*, p. 76.

Paulo não está alegando que devemos perder completamente o senso crítico e deixar de reprovar o que está errado em nós e nos outros. O propósito do apóstolo é reprovar a atitude dos que se arvoram em juízes dos outros em vez de condenar a si mesmos, já que são culpados de cometer os mesmos atos que condenam. Essa atitude de ser exigente com os outros e complacente consigo, de ter um alto padrão para os outros e uma exigência mínima para si é a mais consumada hipocrisia.

Aqueles que se mostram mais dispostos a emitir juízos condenatórios contra os outros parecem imaginar que serão julgados por alguma regra diferente, escapando assim da condenação de Deus. Paulo, contudo, afirma que o juízo de Deus é segundo a verdade (2.2). Adolf Pohl defende que a arbitrariedade não tem espaço no juízo final. Lá não vigora nenhum critério além da verdade. Deus é fiel a si mesmo. Deus jamais se desviará de Deus. A pessoa que especula que nesse juízo receberia um tratamento especial teria de esperá-lo à revelia de toda a história da revelação divina.[23]

Calvino diz que a intenção de Paulo é destruir todas essas jactâncias dos hipócritas para que eles jamais pensem que, porque o mundo os louva ou eles mesmos se absolvem, estarão livres de outro exame no julgamento divino.[24] O julgamento divino é segundo a verdade, ou seja, Deus não faz acepção de pessoas nem fixará na aparência externa, muito menos se contentará com a obra que não proceda da pureza do coração.[25]

Em terceiro lugar, *o perigo da falsa segurança*. *Tu, ó homem, que condenas os que praticam tais coisas e fazes as mesmas, pensas que te livrarás do juízo de Deus?* (2.3). Os críticos moralistas não apenas julgam as pessoas, praticam atos errados e se julgam inocentes, mas também têm uma falsa segurança com respeito ao juízo divino. Pensam estar blindados por uma imunidade especial. Acreditam no mito da impunidade. Dormem no berço esplêndido da falsa segurança.

Em quarto lugar, *o perigo da falsa interpretação teológica*. *Ou desprezas a riqueza da sua bondade, e tolerância, e longanimidade, ignorando que*

---

[23] POHL, Adolf. *Carta aos Romanos*, p. 52.
[24] CALVINO, João. *Epístola a los Romanos*, p. 56.
[25] CALVINO, João. *Epístola a los Romanos*, p. 56.

a bondade de Deus é que te conduz ao arrependimento? (2.4). Os críticos moralistas, tanto judeus como gentios, olham para a bondade de Deus como uma licença para pecar, e não como um chamado ao arrependimento. Veem a bondade de Deus como uma prova da parcialidade divina a eles demonstrada. Interpretam mal a bondade de Deus. Acreditam: "Nós não fomos abandonados por Deus a uma vida de escandalosa imoralidade (1.22-32). A bondade de Deus está sorrindo para nós. Deus deve estar muito satisfeito conosco". No entanto, a ausência de qualquer dos vícios pagãos não constitui sequer uma única virtude. O alvo divino em demonstrar sua bondade não é produzir soberba espiritual, mas arrependimento.[26] Esses arrogantes moralistas pensam que só os devassos carecem de arrependimento; eles não.

A teologia errada produz um comportamento errado. Eles usam a bondade de Deus como uma blindagem para fugir do juízo em vez de reconhecer essa bondade como um constrangimento eloquente à santidade. Warren Wiersbe alerta para o fato de que não é o julgamento de Deus que conduz os homens ao arrependimento, mas sim sua bondade.[27]

É um estágio avançado de degradação moral quando apelamos para o caráter de Deus, especialmente as riquezas da Sua bondade, tolerância e longanimidade, a fim de permanecermos em nossos pecados, alegando que Deus é bom e demasiadamente longânimo para castigar quem quer que seja e, portanto, podemos pecar e permanecer impunes. Isso é distorcer as Escrituras para nos favorecer. Isso é afrontar a Deus e Sua Palavra. Isso é presunção, e não fé.[28] Concordo com Adolf Pohl quando ele diz: "Quem deseja a graça, mas uma graça que não leva ao arrependimento, despreza a graça".[29]

O juízo de Deus aos críticos moralistas é justo (2.5-11)

Depois de declarar que o juízo de Deus é inevitável, Paulo passa a tratar do caráter justo desse juízo. Destacamos aqui cinco pontos importantes.

---

[26] HENDRIKSEN, William. *Romanos*, p. 119.
[27] WIERSBE, Warren W. *Comentário bíblico expositivo*, p. 676.
[28] STOTT, John. *Romanos*, p. 91.
[29] POHL, Adolf. *Carta aos Romanos*, p. 52.

Em primeiro lugar, *a demora do julgamento não diminui o peso da sentença*. *Mas, segundo a tua dureza e coração impenitente, acumulas contra ti mesmo ira para o dia da ira e da revelação do justo juízo de Deus* (2.5). Contar com a bondade e a paciência de Deus, como se o seu propósito fosse encorajar a permissividade e não a penitência, é um sinal evidente de endurecimento espiritual. Significa que estamos acumulando alguma coisa para nós. Não algum tesouro precioso, mas a terrível ira divina para o dia do julgamento.[30] A ira é aqui invocada sobre o crítico moralista como já fora invocada sobre a humanidade em geral (1.18). Essa ira acumulada será executada no dia do juízo.

Os críticos moralistas perverteram a bondade de Deus, fazendo dela uma desculpa para continuarem pecando. Assim, tornaram-se mais impenitentes e mais endurecidos. Longe de afastar a ira vindoura, essa atitude enche ainda mais a medida do seu cálice. Mesmo que esse moralista não sofra no presente a manifestação do juízo como no caso do pagão imoral (1.24,26,28), enfrentará o inevitável julgamento de Deus no dia do juízo.

Francis Schaeffer tem razão quando diz que tudo o que fazemos na vida tem consequências eternas. Tudo o que falamos ou fazemos representa um investimento – para o bem ou para o mal – no banco da eternidade. A vida não se encerra com a morte. Ou estamos "acumulando e estocando" bons tesouros no céu, ou "acumulando" a ira para o dia do julgamento.[31]

Em segundo lugar, *o juízo de Deus é individual, intransferível e absolutamente justo*. ... *que retribuirá a cada um segundo o seu procedimento* (2.6). Paulo não está ensinando salvação pelas obras aqui. Está salientando a imparcialidade de Deus com relação a judeus e gentios.[32] O julgamento divino é pessoal, individual, intransferível e absolutamente justo. O que o homem semear, isso colherá. O seu malfeito cairá sobre a própria cabeça. Esse é o princípio da justa retribuição no qual se fundamenta a justiça.[33]

---

[30] STOTT, John. *Romanos*, p. 92.
[31] SCHAEFFER, Francis A. *A obra consumada de Cristo*, p. 49, 50.
[32] BRUCE, F. F. *Romanos: introdução e comentário*, p. 74.
[33] STOTT, John. *Romanos*, p. 92.

Todo homem será julgado pelo seu procedimento. Essa verdade é ensinada em todas as Escrituras (Ec 11.9; 12.14; Mt 16.27; 25.31-46; Jo 4.19-29; 1Co 3.12-15; 4.5; 2Co 5.10; Gl 6.7-9; Ef 6.8; Ap 2.23; 11.18; 20.12,13). O julgamento não será coletivo, mas pessoal. O pai não será julgado no lugar do filho, nem a esposa no lugar do marido. Cada um comparecerá diante de Deus para prestar contas da sua vida.

Citando Charles Hodge, Geoffrey Wilson diz que os ímpios serão punidos por causa de, e de acordo com suas obras; os justos serão recompensados, não por causa de, mas de acordo com suas obras.[34]

Em terceiro lugar, **no julgamento divino haverá penalidades e recompensas eternas**. *A vida eterna aos que, perseverando em fazer o bem, procuram glória, honra e incorruptibilidade; mas ira e indignação aos facciosos, que desobedecem à verdade e obedecem à injustiça* (2.7,8). Paulo traça uma antítese entre a perseverança na prática do bem e a desobediência à verdade conjugada com a obediência à injustiça. Essas duas condutas opostas produzem resultados opostos. A prática do bem que implica buscar a glória, a honra e a incorruptibilidade resulta em vida eterna, mas os facciosos que se entregam a desobedecer à verdade e a obedecer à injustiça colhem ira e indignação. No dia do juízo haverá bem-aventurança eterna e condenação eterna, alegria indizível e choro e ranger de dentes. Nas palavras de Jesus, [...] *irão estes para o castigo eterno, porém os justos, para a vida eterna* (Mt 25.46).

Concordo com Charles Erdman, erudito professor do Seminário de Princeton, quando diz: "O pecado é a causa da morte; não a eleição, ou a predestinação, nem falta de conhecimento ou ignorância de Cristo, mas o pecado voluntário, propositado, a desobediência à lei, a inconformidade com a luz, isso é que ocasionará a 'morte'."[35]

Em quarto lugar, **a salvação é pela fé, mas o julgamento é pelas obras**. *Tribulação e angústia virão sobre a alma de qualquer homem que faz o mal, ao judeu primeiro e também ao grego; glória, porém, e honra, e paz a todo aquele que pratica o bem, ao judeu primeiro e também ao grego* (2.9,10). Se a salvação é pela fé (1.16), e não pelas obras (3.28), por que os homens

---

[34] WILSON, Geoffrey B. *Romanos*, p. 25.
[35] ERDMAN, Charles R. *Comentários de Romanos*, p. 41, 42.

serão julgados pelas obras? Seria uma contradição em Paulo? Não! No julgamento das obras, ninguém alcança nota suficiente para passar no teste. Mesmo aqueles que recebem aplausos dos homens não passam no crivo da perfeição exigida pela lei (Tg 2.10; Gl 3.10). Todos os homens fazem o mal e todos merecem tribulação e angústia. Os que praticam o bem, o fazem em virtude da graça de Deus operando em seu coração.

Deus não tem dois pesos e duas medidas em seu julgamento. Judeus e gregos serão julgados sob os mesmos critérios e receberão recompensas ou penalidades de acordo com suas obras. John Stott está certo quando diz que a presença ou a ausência da fé salvadora em nosso coração se evidencia pela presença ou ausência de boas obras de amor em nossa vida. A fé autêntica e salvadora resulta invariavelmente em boas obras (Tg 2.18; Gl 5.6).[36] William Barclay tem razão ao ressaltar que uma fé que não se expressa em obras seria uma simulação e uma paródia da fé. De fato não seria fé.[37]

Em quinto lugar, *não há imunidade especial no julgamento divino*. *Porque para com Deus não há acepção de pessoas* (2.11). O argumento de Paulo é que tanto os gentios devassos quanto os judeus moralistas terão de comparecer perante o tribunal de Deus. Ambos serão julgados pelos mesmos critérios e Deus não inocentará o culpado, seja ele judeu ou grego. Para Deus não há acepção de pessoas (Dt 10.17; At 10.34). É impossível subornar este Juiz, cuja sentença está rigorosamente de acordo com o caráter, e não é afetada por "estado e condição externos, como nacionalidade, sexo, riquezas ou sabedoria".[38]

O juízo de Deus aos críticos moralistas é **imparcial** (2.12-16)

O fato de que o julgamento de Deus será justo, conforme aquilo que tivermos feito (2.6-8), ou seja, imparcial entre judeus e gentios, sem nenhum favoritismo (2.9-11), é desenvolvido por Paulo agora em

---

[36]STOTT, John. *Romanos*, p. 93.
[37]BARCLAY, William. *Romanos*, p. 55.
[38]WILSON, Geoffrey B. *Romanos*, p. 27.

relação com a lei mosaica.³⁹ Destacaremos quatro verdades para elucidar esse ponto.

Em primeiro lugar, *o julgamento divino será de acordo com a luz recebida*. *Assim, pois, todos os que pecaram sem lei também sem lei perecerão; e todos os que com lei pecaram mediante a lei serão julgados* (2.12). Os gentios ou pagãos que não tiveram a lei escrita de Deus não serão poupados do julgamento. Serão julgados e condenados pelo conhecimento que têm de Deus por meio da revelação natural (1.20,32). Já os judeus que têm a lei também não serão poupados, pois mediante a lei serão julgados (2.12). Firma-se o princípio de que os homens são julgados segundo a luz que tiveram, não segundo a luz que não tiveram.⁴⁰

Paulo põe tanto judeus como gentios na mesma categoria de pecado e morte. Os gentios não serão julgados por um padrão que não conhecem. Eles perecerão em virtude do seu pecado, não por desconhecerem a lei. Os judeus que conhecem a lei serão julgados pelo padrão que conhecem. John Stott acertadamente diz: "Não haverá dois pesos e duas medidas. A base do julgamento são as suas obras; a regra do julgamento é o seu conhecimento".⁴¹

Cada um será julgado mediante a luz que recebeu. Os judeus serão julgados com base na lei escrita; os gentios, com base na lei moral implantada em seu coração, a lei da consciência.⁴²

Aqui está a resposta para aqueles que perguntam como ficará a situação dos que viveram antes de Cristo ou mesmo dos índios embrenhados nas selvas, que nunca ouviram o evangelho. Todos serão julgados segundo a luz do conhecimento que receberam. Deus se revelou na criação do mundo e na consciência humana. Por isso, todo o homem é indesculpável, tanto o gentio que não tem lei (1.20) como o judeu que tem a lei (2.3).

Em segundo lugar, *a religião formal não poderá ajudar o homem no julgamento*. *Porque os simples ouvidores da lei não são justos diante de*

---
³⁹STOTT, John. *Romanos*, p. 94.
⁴⁰BRUCE, F. F. *Romanos: introdução e comentário*, p. 74.
⁴¹STOTT, John. *Romanos*, p. 95.
⁴²BRUCE, F. F. *Romanos: introdução e comentário*, p. 73.

Deus, mas os que praticam a lei hão de ser justificados (2.13). Concordo com John Stott quando diz ele que esta é naturalmente uma afirmação hipotética, já que nenhum ser humano chegou a cumprir totalmente a lei (3.20). Não existe, portanto, nenhuma possibilidade de salvação por esse caminho. Paulo, contudo, está escrevendo sobre o julgamento, e não sobre a salvação. Está enfatizando que a própria lei não dava aos judeus garantia de imunidade no julgamento, como eles acreditavam, pois o importante não é ter a lei, mas obedecer-lhe.[43]

Nas palavras de F. F. Bruce, "seja conhecida a vontade de Deus pela lei de Moisés ou pela voz da consciência, o conhecimento da sua vontade não basta; fazer a sua vontade é que conta".[44] Concordo com Geoffrey Wilson quando ele diz que aquele que procura justificação mediante a lei precisa ser perfeitamente obediente à lei. E a inferência é que tal conformidade está além da capacidade do homem pecador.[45]

John Murray lança luz sobre o assunto, esclarecendo que é desnecessário procurar descobrir, neste versículo, qualquer doutrina de justificação pelas obras, em conflito com o ensino desta carta acerca da justificação pela fé. O principal argumento deste versículo não é mostrar que os ouvintes ou meros possuidores da lei não serão justificados diante de Deus; é mostrar que, em relação à lei, o critério consiste em praticar, e não em ouvir.[46]

Na mesma linha de pensamento, William Hendriksen nos ajuda a compreender este ponto:

> O apóstolo não está delineando um contraste entre justificação *pela fé* e justificação *pelas obras da lei*. Os que assim interpretam o que ele está dizendo estariam levando Paulo a contradizer-se, porque todo o propósito dessa carta é provar que uma pessoa não é justificada pelas obras da lei, mas pela fé em Cristo. A antítese que ele está discutindo aqui em 2.12,13 é aquela entre dois grupos de pessoas: 1) os que não só ouvem,

---

[43]STOTT, John. *Romanos*, p. 95, 96.
[44]BRUCE, F. F. *Romanos: introdução e comentário*, p. 73.
[45]WILSON, Geoffrey B. *Romanos*, p. 28, 29.
[46]MURRAY, John. *Romanos*, p. 99, 100.

mas também obedecem, e 2) os que meramente ouvem. Certamente que é o primeiro que será declarado justo por Deus (Mt 7.24-29).[47]

Os judeus nutriam uma falsa segurança pelo fato de ouvirem a lei, de frequentarem a sinagoga e de terem familiaridade com as coisas sagradas. Não são, contudo, os ouvintes da lei que agradam a Deus e serão justificados, mas aqueles que lhe obedecem. Como já deixamos claro, Paulo não está afirmando que o homem possa ser justificado pela lei, já que nenhum homem consegue obedecer plenamente à lei. William Hendriksen é enfático ao registrar: "Quando Paulo discute a antítese: justificação *pela fé* ou *pelas obras*, ele deixa suficientemente claro que não é pelas obras, mas pela fé, que uma pessoa é justificada (3.20,28; 4.2; Gl 2.16; 3.11,12).[48]

Em terceiro lugar, **antes de ser julgado pelo tribunal de Deus, o homem é julgado pelo tribunal da consciência**. O apóstolo deixa isso claro:

> *Quando, pois, os gentios, que não têm lei, procedem, por natureza, de conformidade com a lei, não tendo lei, servem eles de lei para si mesmos. Estes mostram a norma da lei gravada no seu coração, testemunhando-lhes também a consciência e os seus pensamentos, mutuamente acusando-se ou defendendo-se* (2.14,15).

Embora todos os homens sejam pecadores e estejam em estado de depravação total, nem todos se reduziram a um estado aviltante de decadência moral. Nem todos são bandidos, vilões, ladrões, adúlteros e assassinos. Há muitas pessoas que honram aos pais, são fiéis ao cônjuge, são bondosas com os filhos, têm um coração voltado para os pobres, promovem a honestidade no governo, revelam coragem na luta contra o crime, são honestas em seus negócios e comprometidas com os castiços valores morais. Como explicar o fato de que, embora muitas dessas pessoas não tenham a lei, agem como se a conhecessem? É que essas pessoas servem de lei para si mesmas, pois quando Deus as criou as fez

---

[47] HENDRIKSEN, William. *Romanos*, p. 127.
[48] HENDRIKSEN, William. *Romanos*, p. 127.

pessoas morais e autoconscientes. De tal forma que elas demonstram por seu comportamento que as exigências da lei estão gravadas em seu coração (2.15).[49]

Além de revelar-se aos homens nas obras da criação (1.20), Deus também se revelou a eles em sua consciência (1.19; 2.14,15). A consciência é um tribunal interior instalado por Deus dentro dos homens, por meio do qual eles são julgados todos os dias. É aquele senso íntimo do certo e do errado.[50] A consciência é um alarme que dispara toda vez que alguém transgride a lei. O filósofo alemão Emmanuel Kant dizia: "Duas coisas me encantam: o céu estrelado acima de mim e a lei moral dentro de mim". Todo ser humano tem uma noção inata do bem e do mal. Mesmo os gentios que não têm lei, têm a lei gravada em seu coração, e esta os acusa e os defende como num julgamento no qual interagem a promotoria e a defesa.[51] Essa consciência dá ao homem a capacidade de estar acima de si mesmo e de ver os seus atos e o seu caráter objetivamente.[52] Antes de o homem ser julgado no tribunal de Deus, ele já é julgado no tribunal da consciência. É bem verdade que o pecado obscureceu essa consciência, mas não a anulou de todo.

Em quarto lugar, *o juízo de Deus abrange até mesmo o foro íntimo. No dia em que Deus, por meio de Cristo Jesus, julgar os segredos dos homens, de conformidade com o meu evangelho* (2.16). Paulo conclui esse assunto, dizendo que nenhum tribunal da terra tem competência para julgar foro íntimo, mas o tribunal de Deus tem essa competência. Deus não julga apenas as palavras e as ações dos homens, mas também suas intenções, desejos e pensamentos. Deus vê o coração. Ninguém poderá escapar desse escrutínio divino. O apóstolo Paulo diz que foi o décimo mandamento da lei que lhe deu consciência da sua desesperadora condição de pecador (Rm 7.7). Isso porque os nove primeiros mandamentos da lei são mandamentos objetivos, mas o décimo mandamento: "Não cobiçarás" é um mandamento subjetivo, ou seja, de foro íntimo.

---

[49] STOTT, John. *Romanos*, p. 96.
[50] HENDRIKSEN, William. *Romanos*, p. 129.
[51] STOTT, John. *Romanos*, p. 97.
[52] GREATHOUSE, William. *A epístola aos Romanos*, p. 54.

Paulo fala sobre quatro verdades importantes aqui:

Deus já marcou o dia do julgamento (2.16). Esse dia já está estabelecido e agendado (At 17.31). Esse é o dia da ira de Deus e do Cordeiro. Nesse dia todos terão de comparecer perante o tribunal de Deus para prestar contas. Ninguém escapará.

Deus já nomeou o juiz do julgamento (2.16). Deus julgará os segredos dos homens no dia do juízo por meio de Cristo Jesus. O Filho de Deus será o juiz naquela suprema corte.[53] Diante dEle todo joelho se dobrará no céu, na terra e debaixo da terra.

Deus já definiu a abrangência do julgamento (2.16). Deus não apenas julga os homens de acordo com a verdade (2.2) e *segundo o seu procedimento* (2.6), como também julga *os segredos dos homens* (2.16).[54] Naquele dia Deus julgará não só os atos públicos dos homens, mas até mesmo seus segredos (Ec 12.14; Lc 12.3; 1Co 4.5).[55] No dia do juízo, Deus, por meio de Cristo Jesus, julgará os segredos dos homens. O juízo de Deus abrangerá as áreas ocultas de nossa vida. Todos os fatos virão a público, inclusive aqueles que no presente não são conhecidos, por exemplo, nossas motivações.[56] Tudo o que foi feito às escondidas será trazido à plena luz. O que foi ocultado nos tribunais e praticado nas caladas da noite, no anonimato das trevas, será proclamado dos eirados. Naquele dia Deus destampará o fosso do coração humano e revelará os seus segredos. William Greathouse apropriadamente diz que nenhuma demonstração externa de piedade ou de moralidade enganará os olhos de Deus naquele dia da verdade. O juiz não ficará satisfeito com um desfile de justiça exterior.[57]

Segundo Francis Schaeffer, Deus não julgará apenas as coisas abertas, mas também os segredos. O santarrão moralista pode dizer: Aquela mulher ou aquele homem merece o justo juízo de Deus, pois se trata de uma pessoa imoral; mas, depois, acaba praticando as mesmas coisas,

---

[53] Mateus 7.21; Mateus 25.31; Atos 17.31.
[54] WIERSBE, Warren W. *Comentário bíblico expositivo*, p. 677.
[55] HENDRIKSEN, William. *Romanos*, p. 130.
[56] STOTT, John. *Romanos*, p. 97.
[57] GREATHOUSE, William. *A epístola aos Romanos*, p. 55.

muitas vezes na surdina. Os moralistas hipócritas condenam as outras pessoas pelas coisas mais explícitas, as coisas que dão manchete. No entanto, na sua própria vida secreta, vivem do mesmo jeito. Deus, porém, julgará não só o que se encontra publicado nas manchetes, mas todas as mais secretas coisas. Toda aquela boa gente. Todos aqueles que atiram pedras, todos aqueles que escrevem os editoriais serão julgados por Deus. No dia do juízo os segredos do seu coração serão revelados.[58]

Deus já estabeleceu a referência do julgamento (2.16). No dia do juízo, Deus, por meio de Cristo Jesus, julgará os segredos dos homens, segundo o evangelho. Esse evangelho traz boas-novas aos que se arrependem e creem, mas também juízo e condenação aos impenitentes e rebeldes. Concordo com John Stott quando ele diz: "Nós barateamos o evangelho quando o retratamos apenas como algo que nos liberta da tristeza, do medo, da culpa e de outras necessidades pessoais, ao invés de apresentá-lo como uma força que nos liberta da ira vindoura".[59] Concluo com a explicação de Geoffrey Wilson com respeito à expressão "segundo o meu evangelho", que registra a convicção de Paulo de que ele não fora somente comissionado para pregar o evangelho da graça, mas também para advertir sobre *o Juízo vindouro* (At 24.25).[60]

---

[58]SCHAEFFER, Francis A. *A obra consumada de Cristo*, p. 54.
[59]STOTT, John. *Romanos*, p. 98.
[60]WILSON, Geoffrey B. *Romanos*, p. 30.

6

A presunção dos judeus é derrubada

Romanos 2.17–3.8

A GRANDE TESE DEFENDIDA PELO APÓSTOLO PAULO nesta carta é que todos os homens são culpados diante de Deus. Ele já provou que os gentios que tiveram a revelação natural e a desprezaram, entregando-se à idolatria e à imoralidade, não escaparão do juízo divino (1.18-32). Também demonstrou que os moralistas, tanto judeus como gentios, que julgam e condenam os outros, mas vivem de forma inconsistente, são igualmente culpados (2.1-16). Agora, Paulo volta suas baterias contra os judeus presunçosos que se julgavam melhores do que os outros homens pelo fato de terem a lei e a circuncisão (2.17-29).

Paulo parte do geral para o particular em sua argumentação. Ele utilizou o genérico *ó homem* (2.1,3) e agora usa o específico "tu, que tens por sobrenome judeu" (2.17). Não há sombra de dúvida de que a passagem em apreço tem o judeu presunçoso como alvo. Desta forma, Paulo fura o balão do orgulho e da presunção dos judeus.[1]

A falsa segurança é uma armadilha perigosa. Muitos indivíduos pensam que estão salvos, quando ainda estão perdidos. Há os que descansam numa base falsa e caminham céleres para a perdição. Jesus alerta para esse perigo:

---
[1] STOTT, John. *Romanos*, p. 101.

> *Nem todo o que me diz: Senhor, Senhor! Entrará no reino dos céus, mas aquele que faz a vontade de meu Pai, que está nos céus. Muitos, naquele dia, hão de dizer-me: Senhor, Senhor! Porventura, não temos nós profetizado em teu nome, e em teu nome não expelimos demônios, e em teu nome não fizemos muitos milagres? Então, lhes direi explicitamente: nunca vos conheci. Apartai-vos de mim, os que praticais a iniquidade* (Mt 7.21-23).

O texto que estamos considerando apresenta duas dádivas magníficas de Deus ao povo judeu, o povo da aliança: a lei e a circuncisão. Essas duas dádivas distinguiam os judeus das demais nações. Os privilégios, entretanto, tinham o propósito de fazer de Israel uma luz entre os gentios. Eles foram abençoados para serem abençoadores. Receberam para repartir. Seus privilégios não lhes davam permissão para pecar; ao contrário, tornavam-nos mais responsáveis diante de Deus e das nações vizinhas.

Na verdade os judeus fizeram uma leitura errada de seus privilégios. Estes não lhes foram dados para mostrar que eles eram melhores que os demais homens. Antes, foram-lhes concedidos para que servissem de exemplo aos demais homens. Privilégios maiores implicam responsabilidades maiores.

Consideraremos essas duas dádivas divinas a Israel, que acabaram tornando-se amuletos em vez de instrumentos para o testemunho eficaz.

A falsa confiança na lei (2.17-24)

Destacaremos alguns equívocos dos judeus presunçosos em relação à lei. Por fazerem uma leitura errada, transformaram uma bênção divina num falso refúgio. A sua hermenêutica defeituosa conduziu-os a conclusões teológicas perigosas:

Em primeiro lugar, **uma confiança infundada na herança externa, e não na transformação interna**. *Se, porém, tu, que tens por sobrenome judeu, e repousas na lei e te glorias em Deus* (2.17). A confiança desses judeus presunçosos estava no nome que eles ostentavam. Eles se julgavam melhores que os outros homens apenas por serem judeus. Não sabemos ao certo quando os israelitas receberam o nome de "judeus". Há eruditos que pensam que esse nome foi cunhado no cativeiro babilônico. Citando Flávio Josefo, Calvino diz que esse nome lhes foi dado na época de Judas Macabeu, pois foi ali que sua liberdade foi conquistada, depois de terem passado muito tempo apagados e quase sepultados.²

Os judeus repousavam na lei apenas por possuí-la e conhecê-la, mas não por obedecer-lhe. Conhecimento sem obediência é um falso refúgio. Gloriavam-se em Deus apenas no sentido de que se julgavam especiais, amados e escolhidos por Deus, mas não no sentido de honrar a Deus e glorificá-Lo entre as nações.

Os judeus tinham elevado conceito de si mesmos. O judeu presunçoso batia palmas para si mesmo, cantando: "Quão grande és tu diante do espelho". Geoffrey Wilson tem razão ao destacar que os judeus, ao vangloriar-se de que sua nação era a única beneficiária do favor divino, transferiam para si a glória que pertence somente a Deus.³ Entretanto, alguém gabar-se de ter íntima relação com Deus, como se essa obtenção fosse uma realização humana, é muitíssimo pecaminoso. E isso é o que estavam fazendo os judeus que Paulo tinha em mente, diz William Hendriksen.⁴

Em segundo lugar, **uma confiança infundada na conformação apenas externa da lei**. ... *e repousas na lei e te glorias em Deus; que conheces a Sua vontade e aprovas as coisas excelentes, sendo instruído na lei* (2.17,18). Os gentios não tinham a revelação escrita de Deus. Essa revelação escrita da Palavra de Deus fora dada aos judeus. O conhecimento do judeu em relação à vontade de Deus era superior ao conhecimento dos outros povos. Os pagãos só tinham a revelação natural, a obra da criação; os judeus tinham a revelação especial, a Bíblia. Os pagãos só podiam olhar para a criação e ver nela os atributos invisíveis de Deus; os judeus podiam ler a lei e conhecer a vontade de Deus para a sua vida. Os pagãos conheciam o certo e o errado pela revelação divina na consciência; os judeus conheciam com diáfana clareza os mandamentos divinos porque Deus lhes dera a Sua lei.

---

²CALVINO, João. *Epístola a los Romanos*, p. 67.
³WILSON, Geoffrey B. *Romanos*, p. 31.
⁴HENDRIKSEN, William. *Romanos*, p. 135.

Os judeus, porém, não fizeram uso devido desse conhecimento. A luz do conhecimento cegou-lhes os olhos, em vez de iluminar-lhes o coração. Warren Wiersbe está certo ao analisar: "O povo judeu possuía uma religião de rituais externos, não de atitudes interiores".[5] Os judeus mostraram na prática que "o pecado mais grosseiro jaz muito próximo do privilégio mais elevado".[6] Os judeus transformaram uma bênção mui especial, a Bíblia, em motivo de altivez. Francis Schaeffer ressalta que essa bênção tão especial, em vez de quebrantá-los, os tornou soberbos.[7]

Em terceiro lugar, **uma confiança infundada na análise superdimensionada de si mesmo**. *Que estás persuadido de que és guia dos cegos, luz dos que se encontram em trevas, instrutor de ignorantes, mestre de crianças, tendo na lei a forma da sabedoria e da verdade* (2.19,20). Adolf Pohl explica que Israel foi convocado para ser guia, luz, instrutor e mestre das nações. É uma coroa preciosa que Paulo tece para o judeu da lei e lhe põe sobre a cabeça. De modo algum o apóstolo contesta essa dignidade dos judeus.[8]

O propósito dos escribas e fariseus, porém, não era tanto transformar um gentio em judeu; ao contrário, era fazer dele um fariseu emplumado, legalista, ritualista, minucioso, dominado pelo zelo fanático por sua nova religião de salvação pelas obras.[9]

Os judeus se consideravam não apenas melhores que os outros homens, mas também estavam persuadidos de que eram seus instrutores e mestres. Viam os gentios como cegos, ignorantes e crianças, enquanto encaravam a si mesmos como mestres iluminados, instrutores cheios de sabedoria e verdade. Repousavam nessa condição para eximirem a si mesmos de uma análise mais detalhada e meticulosa. Nem se apercebiam de que estavam exatamente quebrando a lei que proclamavam conhecer. Não atentavam ao fato de que eram tão transgressores da lei quanto os pagãos que viviam imersos no mais tosco obscurantismo

---

[5] Wiersbe, Warren W. *Comentário bíblico expositivo*, p. 677.
[6] Murray, John. *Romanos*, p. 110.
[7] Schaeffer, Francis A. *A obra consumada de Cristo*, p. 57.
[8] Pohl, Adolf. *Carta aos Romanos*, p. 57.
[9] Hendriksen, William. *Romanos*, p. 138.

espiritual. Isso com um agravante. Eles eram duplamente culpados, pois pecavam contra a revelação natural e contra a revelação especial.

Longe de isentá-los, esse conhecimento os tornava mais responsáveis diante de Deus. John Murray diz que o pecado dos judeus consistia na jactância de falar uma coisa e viver outra, ensinar uma coisa e não viver o que ensinavam de forma coerente.[10]

Em quarto lugar, **uma confiança infundada em virtude de ostentarem uma conduta contraditória** (2.21-24). Paulo agora vira a mesa sobre os judeus, denunciando que eles não viviam de acordo com o conhecimento que possuíam e não praticavam o que pregavam.[11] Paira sobre os judeus a acusação de furto, adultério, sacrilégio e outras transgressões da própria lei em que se gloriavam.[12] Paulo elenca seis atitudes contraditórias dos judeus no texto em apreço. Passaremos a observá-las.

O processo ensino-aprendizado estava falido. Tu, pois, que ensinas a outrem, não te ensinas a ti mesmo? (2.21a). O judeu ensinava os outros, mas não a si mesmo. Ele via o pecado dos outros, mas não o próprio. Julgava que os outros precisavam conhecer a vontade de Deus, mas ele mesmo vivia longe dessa vontade. O judeu esqueceu que o exemplo não é apenas uma forma de ensinar, mas a única maneira eficaz de fazê-lo. Juan Schaal esclarece esse ponto de forma brilhante:

> O santarrão estava pronto para ensinar e pregar esta lei como a norma para os outros; mas como ele acreditava ser um homem escolhido, confiava que Deus o olhava com favoritismo. Ele cria que poderia livrar-se do juízo, porque Deus o havia escolhido. Paulo reduz a nada essa ideia. Tais judeus estavam blasfemando o nome de Deus entre os gentios como se Deus mostrasse favoritismo aos judeus e fosse injusto e parcial com os gentios.[13]

A honestidade é apenas de fachada. Tu, que pregas que não se deve furtar, furtas? (2.21b). O judeu conhecia com exatidão o oitavo mandamento:

---

[10] MURRAY, John. *Romanos*, p. 111.
[11] STOTT, John. *Romanos*, p. 102.
[12] ERDMAN, Charles R. *Comentários de Romanos*, p. 46.
[13] SCHAAL, Juan H. *El camino real de Romanos*, p. 46.

Não furtarás. Ensinava esse mandamento aos pagãos. No entanto, ao mesmo tempo em que conhecia e ensinava isso aos outros, ele mesmo quebrava esse preceito divino. Sua honestidade não passava de uma fina camada de verniz. Sua integridade era apenas de fachada. O judeu pregava uma coisa e vivia outra. Concordo com F. F. Bruce quando diz: "O judeu que quebra a lei não é melhor do que o gentio".[14]

A pureza moral é apenas de aparência. Dizes que não se deve cometer adultério e o cometes? (2.22a). O judeu considerava o adultério um gravíssimo pecado. Os adúlteros eram apedrejados. O sétimo mandamento era conhecido de todos: "Não adulterarás". No entanto, o judeu praticava o que condenava nos outros. Proibia o adultério como danoso à sociedade e à família, mas praticava o que sabia ser errado. Sua pureza moral era apenas uma tênue casca. Sua santidade era apenas um brilho falso, uma miragem ilusória, uma propaganda enganosa.

A contradição religiosa era gritante. Abominas os ídolos e lhes roubas os templos? (2.22b). O judeu abominava a idolatria. Ele conhecia bem o segundo mandamento do decálogo: "Não farás para ti imagem de escultura". O judeu não se curvava diante de ídolos. Essa lição ele aprendera desde o cativeiro babilônico. Por ter horror à idolatria, um judeu nem sonhava em ir a um lugar que estivesse próximo a um templo dedicado a algum ídolo – a não ser para roubar. Em tais casos, "o escrúpulo dava lugar à avareza".[15] O mesmo judeu que abominava os ídolos, acabou cinzelando um ídolo de estimação para si, o dinheiro.

Paulo denuncia essa terrível incongruência espiritual. O judeu abominava os ídolos, mas lhes roubava os templos, seja pessoalmente cometendo o sacrilégio de pilhar essas imagens revestidas de ouro, seja fazendo receptação de objetos roubados. A ganância do judeu tornou-o tão idólatra quanto os pagãos. Geoffrey Wilson corrobora essa ideia: "O conhecido ódio judaico à idolatria era superado por uma capacidade que não tinha escrúpulos em roubar objetos ou oferendas dos idólatras, apesar da proibição imposta em Deuteronômio 7.25,26. Desta forma o judeu acabava se tornando um pagão praticante".[16]

---

[14] BRUCE, F. F. *Romanos: introdução e comentário*, p. 75.
[15] STOTT, John. *Romanos*, p. 103.
[16] WILSON, Geoffrey B. *Romanos*, p. 32.

F. F. Bruce sugere que esse pecado de sacrilégio, de roubar os templos, se refere a algum incidente escandaloso, como o do ano 19 d.C., registrado por Josefo (*Antiguidades* 18:81ss.), quando quatro judeus de Roma, guiados por um que dizia ensinar a fé judaica a gentios interessados, persuadiram uma dama da nobreza romana, convertida ao judaísmo, a fazer generosa contribuição a favor do templo de Jerusalém, porém se apropriaram da oferta para o próprio uso. Quando o fato veio à luz, o imperador Tibério expulsou de Roma todos os judeus ali residentes. Um incidente como esse dava má reputação ao nome de "judeu" entre os gentios.[17]

A obediência à lei é apenas aparente. Tu, que te glorias na lei, desonras a Deus pela transgressão da lei? (2.23). O judeu se gloriava na lei como suprema dádiva divina, mas desonrava Deus pela transgressão dessa mesma lei. Ele usava mal o objeto do seu louvor. Ao mesmo tempo em que transgredia a lei, dava graças a Deus por ela. Sua obediência era apenas aparente. Sua observância da lei não passava de um simulacro, uma ilusão, uma mentira deslavada. Para usar as palavras de Warren Wiersbe: "A mesma lei que os judeus afirmavam obedecer também os acusava de desobediência".[18]

O construtor de pontes apenas cavou abismos. Pois, como está escrito, o nome de Deus é blasfemado entre os gentios por vossa causa (2.24). Os judeus receberam a lei para conhecê-la, vivê-la e ensiná-la (Ed 7.10). Os judeus foram escolhidos por Deus para serem luz entre as nações. Foram chamados do mundo para serem enviados de volta como embaixadores de Deus. Contudo, em vez de serem ministros da reconciliação, tornaram-se pedra de tropeço; em vez de construírem pontes, cavaram abismos. Geoffrey Wilson tem razão quando diz: "Muito longe de os gentios terem o monopólio do pecado, Paulo provou pelas Escrituras que a culpa do judeu é agravada pelo fato de que ele sempre peca contra a luz" (Is 52.5).[19]

---

[17]Bruce, F. F. *Romanos: introdução e comentário*, p. 76.
[18]Wiersbe, Warren W. *Comentário bíblico expositivo*, p. 677.
[19]Wilson, Geoffrey B. *Romanos*, p. 33.

F. F. Bruce está correto ao dizer que a triste situação dos judeus no exílio levava os gentios a falar levianamente de seu Deus, imaginando-o incapaz de socorrer Seu povo. O mau comportamento levava os gentios a concluir que o seu Deus não podia ser de muita valia.[20]

Um dos maiores perigos que a igreja contemporânea enfrenta é o da inconsistência no testemunho. Um cristão de vida dupla é pior que um ateu. Um crente vivendo na prática do pecado é o maior agente do diabo na igreja. Francis Schaeffer narra algumas dificuldades das empreitadas missionárias por causa dessas inconsistências:

> Quando David Livingstone tentou pregar o evangelho na África teve de encarar o fato de que as pessoas relacionavam o cristianismo aos portugueses, que foram traficantes de escravos naquela parte do mundo. Até recentemente, o maior problema que os missionários enfrentavam nas regiões muçulmanas era que os muçulmanos, que não devem beber vinho, associavam os cristãos aos mercadores que lucravam com a venda daquela mercadoria que eles mesmos não podiam comercializar. Quando indivíduos com a Bíblia – sejam judeus ou cristãos – têm este tipo de comportamento, ao invés de irradiarem luz estão disseminando a escuridão.[21]

Praticamente todos os líderes de seitas do mundo de hoje foram formados nas nossas universidades e delas saíram intocados e sentindo repulsa. Ao mesmo tempo, Deus muitas vezes também retirou a sua mão protetora, permitindo que os povos pautados pelo cristianismo caíssem sob a influência de ideologias como o comunismo ateísta ou as religiões pagãs do Oriente. Nossa situação é perfeitamente paralela àquela dos judeus nos tempos bíblicos. Tanto os judeus daquela época quanto os cristãos de hoje falharam em manifestar a todo o mundo o fato de que Deus realmente existe. Em vez de sermos missionários, temos dado motivos de blasfêmia aos incrédulos.[22]

---

[20]BRUCE, F. F. *Romanos: introdução e comentário*, p. 77.
[21]SCHAEFFER, Francis A. *A obra consumada de Cristo*, p. 58, 59
[22]SCHAEFFER, Francis A. *A obra consumada de Cristo*, p. 60, 61.

A falsa confiança na **circuncisão** (2.25-29)

O apóstolo agora "persegue os judeus até seu último esconderijo" e "passa a despojá-los do último refúgio onde geralmente se ocultavam, a sua ilusória confiança na posse da circuncisão".[23]

Os judeus certamente poderiam argumentar com Paulo que eles eram diferentes e melhores que os gentios pagãos e não podiam ser postos no mesmo nível, uma vez que possuíam o selo de Deus, a circuncisão. Esse selo os tornava um povo especial e diferente no mundo.

John Stott alerta corretamente para o fato de que a circuncisão não era um substituto para a obediência; constituía, antes, um compromisso com a obediência. Os judeus, no entanto, tinham uma confiança quase supersticiosa no poder salvador de sua circuncisão. Epigramas rabínicos – por exemplo: "O homem circuncidado não vai para o inferno" e "A circuncisão livrará Israel do inferno" – eram evidentes expressões dessa crença.[24]

Para os judeus, os gentios eram "cães incircuncisos". O mais triste é que os judeus se fiavam na marca física, em vez de depositarem sua fé na realidade espiritual que esse sinal representava (Dt 10.16; Jr 9.26; Ez 44.9). O verdadeiro judeu era aquele que possuía uma experiência espiritual interior no coração, não apenas uma cirurgia física exterior.[25] Concordo com Juan Schaal quando ele diz que um judeu verdadeiro é aquele que não se jacta de nada externo, material e visível, mas que tem uma nacionalidade espiritual interna, como membro da família de Deus. A circuncisão que vale não é a do prepúcio externo, mas a circuncisão interna do coração.[26]

Os judeus sentiam-se seguros acerca da sua salvação por causa da circuncisão. De igual forma, muitos cristãos hoje podem argumentar que são especiais porque possuem a Bíblia, frequentam uma igreja, foram batizados e participam da eucaristia. O verdadeiro cristão, porém, não é uma pessoa que meramente se submete a certos ritos, mas alguém que

---

[23] MURRAY, John. *Romanos*, p. 114.
[24] STOTT, John. *Romanos*, p. 104.
[25] WIERSBE, Warren W. *Comentário bíblico expositivo*, p. 677.
[26] SCHAAL, Juan H. *El camino real de Romanos*, p. 46.

adotou esses ritos porquanto crê que foram estabelecidos pelo Senhor e deseja desta forma expressar-lhe amor e devotamento, buscando o louvor que procede não dos homens, mas de Deus.[27]

Paulo destrói os alicerces da falsa confiança dos judeus na circuncisão, usando cinco argumentos.

Em primeiro lugar, *a circuncisão não pode ser substituto para a obediência*. *Porque a circuncisão tem valor se praticares a lei; se és, porém, transgressor da lei, a tua circuncisão já se tornou incircuncisão* (2.25). A circuncisão foi o selo da aliança divina com Abraão (Gn 17.10). Era o selo da justiça da fé (4.11), a marca distintiva do povo de Deus. A circuncisão era o sinal externo de uma transformação interna. Agostinho de Hipona definiu sacramento como um sinal visível de uma graça invisível. O sacramento não opera a mudança, ele revela essa mudança. O selo externo sem a mudança interna não tem valor algum. Assim também é com respeito ao batismo. Aqueles que ensinam a regeneração batismal estão em desacordo com as Escrituras. O batismo não age por si mesmo. É apenas um símbolo visível de uma graça invisível.

Mais uma vez Geoffrey Wilson é oportuno ao declarar que, sempre que a igreja verdadeira declina, aumenta a tendência para atribuir uma importância indevida a ritos exteriores. A igreja, quando perdeu sua espiritualidade, ensinou que a água batismal lavava o pecado. Como é grande a quantidade de cristãos nominais que depositam todas as suas esperanças na ideia da eficácia inerente de ritos exteriores.[28]

Em segundo lugar, *a transformação interior é mais importante que o rito exterior*. *Se, pois, a incircuncisão observa os preceitos da lei, não será ela, porventura, considerada como circuncisão?* (2.26). Transformar o rito em realidade é uma inversão de valores. John Stott corretamente afirma que é um erro muito grave elevar o sinal ao nível do que o seu significado deveria ocupar.[29] A bandeira brasileira é um símbolo do Brasil, mas não é o Brasil nem substitui o Brasil. A circuncisão é um símbolo da transformação interior, mas não é essa transformação. O batismo é sinal

---

[27]ERDMAN, Charles R. *Comentários de Romanos*, p. 47.
[28]WILSON, Geoffrey B. *Romanos*, p. 34.
[29]STOTT, John. *Romanos*, p. 106.

da regeneração, mas não é a regeneração. É possível ter o sinal exterior sem ter a transformação interior, assim como é possível alguém ter sido transformado internamente sem ainda ter recebido o sinal externo. Havia gentios convertidos a Cristo que observavam os preceitos da lei em virtude da ação do Espírito Santo e estavam salvos pela graça, não obstante não ostentarem o sinal da circuncisão. Esses estavam em posição superior aos judeus que se gloriavam na circuncisão, mas não eram convertidos. John Stott está correto em sua análise de que circuncisão menos obediência é igual a incircuncisão, enquanto incircuncisão mais obediência é igual a circuncisão.[30]

Concordo com John Murray, que diz que a circuncisão era o sinal e o selo do pacto firmado com Abraão (4.11), pacto que era uma aliança de promessa e de graça. Por conseguinte, este pacto só tinha relevância no contexto da graça, e não no contexto da lei e das boas obras, em oposição à graça. Portanto, praticar a lei que torna a circuncisão proveitosa é o cumprir as condições de fé e obediência, à parte das quais as promessas, os privilégios e a graça do pacto eram presunção e zombaria. A prática da lei, pois, equivale a guardar o pacto.[31] Daí o rito da circuncisão só ter valor em conjunto com aquilo que ele simboliza e, se aquilo que ele simboliza estiver presente, a ausência do símbolo não anula esta graça.[32]

Em terceiro lugar, *o cumprimento da lei se dá por transformação interna e não por rito externo*. *E, se aquele que é incircunciso por natureza cumpre a lei, certamente, ele te julgará a ti, que, não obstante a letra e a circuncisão, és transgressor da lei* (2.27). Paulo obviamente não está afirmando que alguém é capaz de cumprir a lei. A lei exige perfeição absoluta (Tg 2.10; Gl 3.10). Tornamo-nos cumpridores da lei em Cristo. Como nosso substituto e representante, Ele cumpriu a lei ativamente vivendo em santidade e passivamente morrendo na cruz em nosso lugar. Porque estamos em Cristo, somos cumpridores da lei. De outro modo, o que não podíamos fazer pela fraqueza da nossa carne, agora,

---

[30]STOTT, John. *Romanos*, p. 104.
[31]MURRAY, John. *Romanos*, p. 114.
[32]MURRAY, John. *Romanos*, p. 115.

pela operação do Espírito em nós, podemos: cumprir a lei e nela nos deleitar. É desta forma que o incircunciso se torna cumpridor da lei. Ao converter-se a Cristo, uma transformação interna operada por Deus realiza aquilo que o rito externo por si mesmo não pode efetuar.

Em quarto lugar, *o verdadeiro judeu não é o herdeiro do sangue de Abraão, mas o herdeiro da sua fé. Porque não é judeu quem o é apenas exteriormente, nem é circuncisão a que é somente na carne. Porém judeu é aquele que o é interiormente, e circuncisão, a que é do coração, no espírito, não segundo a letra...* (2.28,29). Paulo redefine neste texto a identidade judaica. No versículo 28 ele define o judeu de forma negativa, dizendo o que ele não é e, no versículo 29, define o judeu de forma positiva, afirmando o que ele é.

William Barclay está certo ao dizer que ser judeu não é uma questão de ascendência, mas uma questão de caráter.[33] Os judeus estavam dando mais importância ao sangue que corria em suas veias que a fé que deveria alimentar seu coração. O verdadeiro judeu, ou seja, o verdadeiro Israel de Deus, é um povo espiritual, e não uma raça consanguínea. Os filhos de Abraão são aqueles que creem, e não os que recebem um rito externo; são os herdeiros da fé que Abraão tinha, e não os herdeiros de seu sangue.

John Stott sintetiza esse ponto da seguinte maneira:

> Nesse processo de redefinição do que significa ser judeu, um membro autêntico do povo da aliança, Paulo prossegue traçando um contraste que se revela em quatro aspectos. Primeiro, a essência do que é ser um verdadeiro judeu (que, na verdade, pode até ser alguém que seja etnicamente um gentio) não é algo exterior e visível, mas é interno e invisível. Segundo, a verdadeira circuncisão acontece no coração e não na carne. Terceiro, ela é efetuada pelo Espírito, e não pela lei. Quarto, a sua aprovação provém de Deus e não dos seres humanos. O ser humano sente-se muito bem com o que é exterior, visível, material e superficial. Para Deus, o que importa é uma obra profunda, íntima e secreta do Espírito Santo em nossa vida.[34]

---

[33] BARCLAY, William. *Romanos*, p. 59.
[34] STOTT, John. *Romanos*, p. 106.

Em quinto lugar, *a aprovação da verdadeira espiritualidade deve vir de Deus, e não dos homens*. ... *e cujo louvor não procede dos homens, mas de Deus* (2.29b). Os judeus gostavam de elogiar a si mesmos. Vangloriavam-se da lei, da circuncisão, do conhecimento e de suas pretensas virtudes. Aplaudiam a si mesmos. Viam todos os pecados nos outros e todas as virtudes em si. O termo "judeu" vem da tribo de Judá, cujo significado é "louvor". Lia, mãe de Judá, proclamou quando ele nasceu: *Esta vez louvarei o* SENHOR (Gn 29.35). Jacó, pai de Judá, proferiu a seguinte bênção no seu leito de morte: *Judá, teus irmãos te louvarão* (Gn 49.8). Consequentemente, Paulo argumenta que o verdadeiro judeu é o homem cuja vida é digna de louvor pelos padrões de Deus, cujo coração é puro à vista de Deus, cuja circuncisão é a circuncisão interna, do coração. Este é judeu de verdade, homem verdadeiramente digno de louvor — e seu louvor não é matéria de aplauso humano, mas de aprovação divina.[35] Os judeus, porém, descansavam no fato de terem de si mesmos um alto conceito. Eles repousavam na autoaprovação, enquanto deviam buscar a aprovação divina.

Concluo esse ponto citando William Hendriksen:

> Como é evidente à luz da Escritura, muitos dentre os judeus louvavam a si próprios (2.17-20) e eram ávidos por receber louvor dos homens (Mt 6.1-8, 16-18; 23.5-12). Portanto, não mereciam ser chamados "judeus", porque, em concordância com Romanos 2.29, um judeu genuíno é aquele cujo louvor não procede dos homens, mas de Deus.[36]

A falsa confiança nos **arrazoados teológicos** (3.1-8)

Os judeus estavam em posição vantajosa, porém eram culpados. A lei e a circuncisão não lhes davam garantia de imunidade no julgamento nem lhes serviam como garantia de sua identidade como povo de Deus.

Aos olhos dos judeus, entretanto, isso parecia colocar em dúvida a aliança, as promessas e o próprio caráter de Deus.[37] John Stott entende

---

[35] BRUCE, F. F. *Romanos: introdução e comentário*, p. 76.
[36] HENDRIKSEN, William. *Romanos*, p. 145.
[37] STOTT, John. *Romanos*, p. 108.

que os judeus devem ter reagido a Paulo com um misto de incredulidade e indignação, pois toda a tese paulina seria para eles uma ultrajante destruição daquilo que constitui as próprias bases do judaísmo, a saber, o caráter de Deus e a sua aliança.[38]

Daí eles levantarem tantas objeções ao ensino de Paulo. Para enfrentar as objeções dos judeus, Paulo faz uso de uma "diatribe", uma convenção literária, em que um professor desenvolve um diálogo com seus críticos ou com seus alunos, primeiro apresentando e depois respondendo às próprias perguntas.[39] John Stott coloca essas quatro objeções dos judeus nos seguintes termos:[40]

Em primeiro lugar, *o ensino de Paulo é uma sabotagem da aliança de Deus* (3.1,2). Os judeus, inconformados com a teologia de Paulo que dinamitou os alicerces de sua pretensa segurança, investem contra o apóstolo com a seguinte pergunta: *Qual é, pois, a vantagem do judeu? Ou qual a utilidade da circuncisão?* (3.1). O veterano apóstolo responde com firmeza: *Muita, sob todos os aspectos. Principalmente porque aos judeus foram confiados os oráculos de Deus* (3.2). Paulo e os judeus estavam em pleno acordo com o fato de que Deus havia escolhido os judeus como povo especial e dado a eles a lei e a circuncisão. Agora, se a lei e a circuncisão não davam aos judeus nenhuma garantia em relação ao juízo divino, qual então era a vantagem de ser judeu?

Muita, sob todos os aspectos! Um item, porém, sobrepuja a todos os outros, a saber: o fato de que aos judeus, e a nenhuma nação, foi atribuído o privilégio singular, a honra máxima, de serem eles os guardiões dos oráculos de Deus, de toda a revelação especial que consistia não só em mandamentos, mas também em predições e promessas.[41]

O problema é que os judeus pensavam que possuir os oráculos de Deus era privilégio, e não responsabilidade. William Hendriksen tem razão ao dizer: "Privilégios implicam deveres; honras vão de braços dados com responsabilidades".[42] Com certeza ser guardião dessa

---

[38] STOTT, John. *Romanos*, p. 107.
[39] STOTT, John. *Romanos*, p. 107.
[40] STOTT, John. *Romanos*, p. 108-111.
[41] HENDRIKSEN, William. *Romanos*, p. 146.
[42] HENDRIKSEN, William. *Romanos*, p. 146.

revelação especial de Deus é um privilégio imenso, mas também implica gigantesca responsabilidade.

Em segundo lugar, **os ensinamentos de Paulo anulam a fidelidade de Deus** (3.3,4). A segunda objeção dos judeus vem nestes termos: *E daí? Se alguns não creram, a incredulidade deles virá desfazer a fidelidade de Deus?* (3.3). Paulo responde prontamente: *De maneira nenhuma! Seja Deus verdadeiro, e mentiroso, todo homem, segundo está escrito: Para seres justificado nas tuas palavras e venhas a vencer quando fores julgado* (3.4).

John Stott diz que a ideia seria mais ou menos esta: "Se alguém a quem as promessas de Deus foram confiadas não lhe corresponder com confiança, será que a sua falta de confiança destruiria a confiabilidade de Deus?"[43] Se o povo de Deus é infiel, isso significa necessariamente que Deus também o é? Toda vez que o testemunho divino é contradito pelo testemunho humano, seja o homem considerado mentiroso. Quando o homem discute com Deus, ele consegue somente cobrir-se de opróbrio e vergonha.

A resposta dos homens não pode afetar o propósito de Deus. A infidelidade dos homens não atinge a fidelidade de Deus. Se aqueles a quem Deus confiou seus oráculos não são fiéis e fracassam em cumprir sua missão, Deus permanece fiel. A infidelidade do povo de Deus não anula a fidelidade de Deus. A infidelidade humana não sabota a fidelidade divina.

Concordo com Charles Erdman quando ele diz que as promessas de Deus a Israel haverão de cumprir-se indubitavelmente, a despeito de parcial cegueira e temporária incredulidade. Como ressalta Paulo de maneira mais apurada nos capítulos 9–11 da epístola, um Israel convertido ainda haverá de ser fonte de bênção para todas as nações do mundo.[44]

Em terceiro lugar, **os ensinamentos de Paulo contradizem a justiça de Deus** (3.5,6). Os judeus voltam novamente suas baterias contra Paulo com a seguinte objeção: Mas, se a nossa injustiça traz a lume a justiça de Deus, que diremos? Porventura, será Deus injusto por aplicar a Sua ira? (Falo como homem.) A resposta não se deixa esperar: "Certo que não. Do contrário, como julgará Deus o mundo?"

---

[43] STOTT, John. *Romanos*, p. 109.
[44] ERDMAN, Charles R. *Comentários de Romanos*, p. 49.

Paulo vem argumentando desde Romanos 1.18-32 que Deus julgará os gentios pelo mau uso que fizeram do conhecimento recebido. Também demonstrou que os críticos moralistas não ficarão de fora desse julgamento, uma vez que julgam e condenam os outros, quando eles mesmos praticam as mesmas coisas (2.1-16). Agora, Paulo está demolindo a falsa confiança dos judeus que se vangloriavam na lei e na circuncisão (2.17-29). Estes também não escaparão do juízo divino. O fato, porém, de que o pecado humano ocasiona a manifestação da justiça divina, não isenta o homem de culpa nem torna injusta a ira divina. A mesma ira de Deus que caiu sobre os gentios imorais (1.18) e sobre os críticos moralistas (2.5) também alcançará os judeus presunçosos (3.5,6). É absolutamente falacioso o argumento usado pelos judeus de que, se a injustiça humana traz a lume a justiça de Deus, então seria injustiça de Deus aplicar Sua ira.

Em quarto lugar, *os ensinamentos de Paulo são uma falsa promoção da glória de Deus* (3.7,8). Os judeus queimaram os últimos cartuchos em sua artilharia contra Paulo, perguntando: *E, se por causa da minha mentira, fica em relevo a verdade de Deus para a Sua glória, por que sou eu ainda condenado como pecador?* (3.7). Paulo responde a essa objeção com outra pergunta e finaliza seu argumento com uma contundente afirmação: *E por que não dizemos, como alguns, caluniosamente, afirmam que o fazemos: Pratiquemos males para que venham bens? A condenação destes é justa* (3.8).

A mente adoecida desses judeus arrazoava que Deus devia estar muito satisfeito ou até agradecido por lhes estar prestando um serviço com sua mentira, uma vez que essa mentira colocava em relevo a verdade de Deus para a Sua glória. Eles raciocinavam: se o meu pecado traz vantagem para Deus, por que então sou condenado por esse pecado? Se os meus males redundam em bens para Deus, por que devo ser castigado por eles? Essa falaciosa ideia desemboca em justa condenação, afirma o apóstolo.

Charles Erdman está coberto de razão quando diz: "A despeito da verdade de que Deus pode derivar bem do mal, este resultado jamais isenta de culpabilidade aquele por quem o mal foi praticado. O fim nunca justifica os meios".[45]

---

[45] ERDMAN, Charles R. *Comentários de Romanos*, p. 49.

7

A **depravação** total da humanidade

Romanos 3.9-20

PAULO ESTÁ CHEGANDO AO FIM DE SEU MAIS ARRASADOR argumento: todos os homens são culpados diante de Deus. Ele já fundamentou sua tese provando que os gentios, mesmo não tendo a lei escrita, tinham a lei moral dentro deles e o céu estrelado acima deles, mostrando-lhes a majestade de Deus. Uma vez que não deram glórias nem graças a Deus, antes se enveredaram pelos atalhos da idolatria e da imoralidade, tornaram-se passíveis de morte (Rm 1.18-32).

De forma semelhante, Paulo desbancou a tola pretensão dos críticos moralistas que julgavam e condenavam publicamente os gentios por seus grosseiros pecados, mas os cometiam em segredo. Por serem hipócritas, pregando uma coisa e vivendo outra, também não escapariam do justo juízo de Deus (2.1-16).

Com a mesma veemência, Paulo atacou a falsa confiança dos judeus que se julgavam melhores que os demais homens, refugiando-se na lei e na circuncisão, acreditando que Deus os trataria com favoritismo. Paulo põe o machado da verdade na raiz dessa tola pretensão, lançando assim os judeus na mesma vala comum dos demais homens, provando que eles eram tão culpados diante de Deus quanto os gentios pagãos e tão inescusáveis quanto os críticos moralistas (2.17–3.8).

Finalmente, Paulo chega ao ponto mais alto de sua tese. Seu propósito é provar que todos os homens, sem distinção de raça, cultura ou religião são culpados diante de Deus. O pecado atingiu a todos, sem exceção. No julgamento divino todos os homens estarão silenciados pela culpa (3.9-20).

Em Romanos 3.9, Paulo faz uma pergunta, dá uma reposta e uma explicação: "Que se conclui? Temos nós qualquer vantagem? Não, de forma nenhuma; pois já temos demonstrado que todos, tanto judeus como gregos, estão debaixo do pecado". Segundo Charles Erdman, Paulo chega aqui à primeira grande conclusão da epístola. O gentio pecou contra a luz da natureza e da consciência; o judeu, em desafio à lei revelada; logo, o mundo inteiro está debaixo de condenação.[1]

Destacamos neste versículo três pontos para análise:

Em primeiro lugar, *uma aparente contradição* (3.9a). Em Romanos 3.1,2, Paulo respondeu à pergunta: Qual é, pois, a vantagem do judeu? Ou qual a utilidade da circuncisão? Muita, sob todos os aspectos, retruca o apóstolo. Agora, em Romanos 3.9 ele responde de forma diametralmente oposta a uma pergunta aparentemente semelhante: Que se conclui? Temos nós alguma vantagem? Não, de forma nenhuma, responde Paulo. Essa contradição é apenas aparente. Os judeus têm muitas vantagens em relação aos gentios quando se olha para os seus privilégios e responsabilidades, uma vez que eles receberam a revelação escrita de Deus, mas nenhuma vantagem quando se olha para o seu julgamento, pois Deus não os tratará com favoritismo. Nas palavras de Geoffrey Wilson, "embora Paulo tenha insistido no valor dos privilégios gozados pelos judeus (3.2), ele nega vigorosamente que estas vantagens melhorem sua situação diante de Deus (3.9)".[2] F. F. Bruce esclarece esse ponto:

> "Muitas, sob todos os aspectos" refere-se aos privilégios desfrutados pelos judeus como nação eleita; enquanto "Não, de forma nenhuma" relaciona-se com a posição deles diante de Deus. Com privilégios ou sem eles, judeus e gentios têm igual necessidade da graça divina.[3]

---

[1] ERDMAN, Charles R. *Comentários de Romanos*, p. 50.
[2] WILSON, Geoffrey B. *Romanos*, p. 40.
[3] BRUCE, F. F. *Romanos: introdução e comentário*, p. 81.

Em segundo lugar, **uma dolorosa demonstração** (3.9b). Paulo chama a atenção dos seus leitores para o fato de que, até aqui, o seu grande propósito na carta era provar que tanto judeus como gregos são culpados diante de Deus. Tanto os que estão sob a lei como aqueles que desconhecem a lei são indesculpáveis diante de Deus. O pecado atingiu a todos e a culpa está sobre todos. Francis Schaeffer diz que esta concepção da universalidade do pecado é o maior e o mais genuíno "nivelador" da humanidade. Diante de Deus, todas as pessoas estão no mesmo nível.[4]

Em terceiro lugar, **uma terrível escravidão** (3.9c). Judeus e gregos estão debaixo do pecado, esmagados sob seu peso, escravizados à sua tirania, dominados por suas algemas, condenados à morte por seu salário. John Stott diz que o pecado está em cima de nós, pesa sobre nós e é um fardo esmagador.[5] Nessa mesma trilha, William Barclay diz que a expressão grega *upo hamartian* significa "em poder de" ou "sob a autoridade de". Assim, o homem sem Cristo está debaixo das ordens, sob a autoridade, sob o domínio do pecado e incapacitado a escapar dele.[6]

Em Romanos 3.10-18, Paulo utiliza uma prática rabínica ao ligar uma passagem à outra, formando uma espécie de colar de pérolas e trazendo à memória uma série de sete citações do Antigo Testamento[7] (Eclesiastes, Salmos e Isaías), com o propósito de mostrar a depravação total de todos os homens. Para William Hendriksen, essa cadeia de passagens do Antigo Testamento, citada pelo apóstolo Paulo, é um material relevante, bem selecionado e inspirado.[8] John Murray afirma que essas várias passagens combinadas do Antigo Testamento usadas pelo apóstolo Paulo formam um sumário unificado acerca da abrangente pecaminosidade da raça humana.[9]

A depravação total da humanidade pode ser vista na distorção e perversão do seu relacionamento com Deus, consigo e com o próximo. Consideraremos agora esses pontos.

---

[4] SCHAEFFER, Francis A. *A obra consumada de Cristo*, p. 70.
[5] STOTT, John. *Romanos*, p. 112.
[6] BARCLAY, William. *Romanos*, p. 67.
[7] Eclesiastes 7.20; Salmo 14.1-3; 5.9; 140.3; 10.7; Isaías 59.7; Salmo 36.1.
[8] HENDRIKSEN, William. *Romanos*, p. 161.
[9] MURRAY, John. *Romanos*, p. 130.

A depravação total refletida na **relação do homem com Deus** (3.10-12)

O apóstolo registra: "Como está escrito: Não há justo, nem um sequer, não há quem entenda, não há quem busque a Deus; todos se extraviaram, à uma se fizeram inúteis; não há quem faça o bem, não há nem um sequer" (3.10-12). É interessante observar o uso de "nem um", "não há" e "todos", asseverando assim a universalidade da culpa humana.[10] Ninguém é justo ou bom (3.10-12), uma vez que todos pecam por palavras (3.13,14) e por obras (3.15), por causa de um estilo de vida que é mau e desastroso (3.16), e não bom (3.17), já que lhes falta o temor do Senhor, que é o princípio da sabedoria (3.18).[11]

William Hendriksen corretamente destaca que o quadro que Paulo pinta é sinistro: ninguém é justo; de fato, ninguém entende sua deplorável condição. E ninguém está tentando entender, nem mesmo procurando por Deus, a fonte de toda sabedoria e conhecimento.[12]

O veterano apóstolo usa dois argumentos para provar a tese da culpabilidade humana, especialmente em sua rebelião contra Deus.

Em primeiro lugar, *a rebelião humana contra Deus é provada pelas Escrituras* (3.10). Paulo não busca nos anais da sociologia nem nos estudos da antropologia os argumentos para provar a rebeldia humana contra Deus. Ele não percorre os corredores das religiões de mistério nem vasculha o próprio interior. Quando se trata de provar a depravação humana, especialmente sua rebeldia contra o Criador, Paulo recorre às Escrituras. Essa é a autoridade máxima. A Bíblia não tem uma opinião entre muitas; tem a palavra final, o argumento irresistível e irrefutável.

Franz Leenhardt escreve: "Apoiando-se na autoridade da Escritura, vai Paulo forçar o leitor, judeu ou grego, a penetrar o próprio eu e reconhecer diante de Deus que está 'debaixo do pecado'".[13]

Calvino alerta para o fato de que, se Paulo usou a autoridade das Escrituras para convencer os homens de sua iniquidade, aqueles que

---

[10] WIERSBE, Warren W. *Comentário bíblico expositivo*, p. 678.
[11] STERN, David H. *Comentário judaico do Novo Testamento*, 2008, p. 376.
[12] HENDRIKSEN, William. *Romanos*, p. 162.
[13] LEENHARDT, Franz J. *Epístola aos Romanos*, p. 97.

estão encarregados do ensino na igreja devem tornar-se muito mais atentos para não agir de outro modo na pregação do evangelho.[14]

Em segundo lugar, *a rebelião humana contra Deus é provada pela experiência* (3.10-12). A linguagem de Paulo é tanto de inclusão como de exclusão. Ele se refere a todos ou a nenhum sequer. Ao fazer o diagnóstico da condição humana, usa tanto uma descrição negativa quanto positiva. Diz ao mesmo tempo que não há nenhum justo, ninguém que entenda, que busque a Deus ou faça o bem; e também que todos se extraviaram e à uma se fizeram inúteis. Segundo Warren Wiersbe, estes versículos (3.10-12) indicam que todo o ser interior do homem está sob o controle do pecado: sua mente ("Não há quem entenda"); seu coração ("Não há quem busque a Deus") e sua volição ("Não há quem faça o bem").[15]

Paulo identifica cinco elementos da rebeldia do homem contra Deus:

A injustiça é praticada por todos (3.10). Nenhum homem consegue cumprir as exigências da santa lei de Deus. Não há justo, nenhum sequer. Todos estão aquém do padrão da perfeição. O pecado é a transgressão da lei. Essa transgressão torna o homem culpado diante de Deus e essencialmente injusto.

O obscurantismo intelectual atingiu a todos (3.11a). A mente do pecador tornou-se obtusa e obscurecida para compreender as coisas espirituais. O diabo cegou o entendimento dos incrédulos. Mediante a graça comum, o homem consegue grandes avanços na ciência e é capaz de extraordinárias façanhas, mas espiritualmente ele vive imerso no mais tosco obscurantismo. Paulo se revoltou com a idolatria de Atenas, a cidade mais culta do mundo antigo. Ele considerou a cultura dos grandes corifeus da filosofia grega como tempos de ignorância (At 17.30).

A vontade adormecida é a marca de todos (3.11b). A inclinação do homem natural é fugir de Deus e insurgir-se contra ele. A inclinação da carne é inimizade contra Deus. Se os gentios pagãos cometeram o pecado da idolatria, os judeus religiosos se entregaram à antropolatria. Aqueles adoraram a ídolos; estes adoraram a si mesmos. John Stott diz que a impiedade é a essência do pecado (1.18). O pecado é a revolta do

---

[14]Calvino, João. *Epístola a los Romanos*, p. 86.
[15]Wiersbe, Warren W. *Comentário bíblico expositivo*, p. 678.

eu contra Deus. É destronar Deus; é autodeificar-se; é a atrevida determinação de ocupar o trono que pertence somente a Deus.[16] W. Burrows chama de ateísmo prático essa atitude de não procurar nem temer a Deus.[17] O ateu teórico diz que não há Deus; o ateu prático age como se Deus não existisse.

A apostasia é a ação de todos (3.12a). Paulo diz que todos se extraviaram. Em vez de reconhecerem a majestade de Deus na obra da criação, perverteram o culto a Deus em vil idolatria. Essa apostasia não foi por falta de luz, mas por rebeldia deliberada. O homem sacudiu de sobre si o jugo de Deus. Abandonou a fonte da vida para cavar cisternas rotas. Abandonou o Deus verdadeiro para se prostrar diante de ídolos criados por suas próprias mãos.

A futilidade moral é uma prática de todos (3.12b). Abandonar a Deus desemboca em degradação moral. A impiedade deságua na perversão. Porque os homens abandonaram a Deus, chafurdaram no pântano nauseabundo das práticas mais aviltantes. Todos os homens deixaram a prática do bem para se entregar à prática do mal. John Murray diz que a expressão "se fizeram inúteis" tem no grego a conotação de inutilidade e no hebraico a conotação de corrupção. Como o sal que perdeu o sabor ou a fruta podre que não serve mais para nenhum propósito útil, assim também os homens são vistos, todos, como estragados.[18]

A depravação total refletida na **relação do homem consigo próprio** (3.13,14)

Paulo faz um diagnóstico do estado deplorável em que o homem se encontra. O pecado atingiu todo o seu ser: corpo e alma. O pecado enfiou seus tentáculos em todas as áreas da sua vida: razão, emoção e volição. Não há parte sã no seu corpo. O homem está chagado da cabeça aos pés. Seu corpo é uma fábrica de pecados. Todo o seu ser está rendido ao pecado e a serviço do pecado.

---

[16] STOTT, John. *Romanos*, p. 113, 114.
[17] BURROWS, W. Romans, p. 91.
[18] MURRAY, John. *Romanos*, p. 131.

John Stott vê aqui a natureza destruidora do pecado, a capacidade que ele tem de infestar a nossa vida, pois afeta todas as partes da constituição humana, todas as faculdades e funções, inclusive nossa mente, emoções, sexualidade, consciência e vontade.[19]

William MacDonald diz que se Paulo desejasse dar um catálogo completo de pecados, poderia ter citado *os pecados do sexo*: adultério, homossexualismo, lesbianismo, perversão, bestialidade, prostituição, estupro, luxúria, pornografia e obscenidade. Poderia ter mencionado *os pecados associados à guerra*: destruição de inocentes, atrocidades, câmaras de gás, fornos crematórios, campos de concentração, tortura, sadismo. Poderia ter registrado *os pecados do casamento*: infidelidade, divórcio, espancamento de mulheres, tortura mental, abuso de crianças. Acrescente a esses os crimes de assassinato, mutilação, roubo, arrombamento, fraude, vandalismo, corrupção. Também *os pecados da língua*: profanação, piadas imorais, linguagem obscena, maldição, blasfêmia, mentira, fofoca, murmuração. *Outros pecados pessoais* são: embriaguez, dependência de drogas, orgulho, inveja, cobiça, ingratidão, ódio, racismo, quebra de votos. Que necessidade teríamos mais para provar a depravação humana?[20]

Sem usar uma lista exaustiva de pecados, Paulo reúne apenas os pecados da fala, da comunicação, para mostrar a gravidade dessa depravação total. Concordo com John Stott quando ele diz que esses membros e órgãos do nosso corpo foram criados e dados a nós para que, por meio deles, pudéssemos servir às pessoas e dar glória a Deus. Em vez disso, porém, eles são usados para ferir as pessoas e oferecer rebeldia contra Deus. Essa é a doutrina bíblica da depravação total.[21]

Por depravação total não estamos dizendo que todos os homens são depravados em grau superlativo da mesma maneira, mas que todos os homens foram afetados em todas as áreas da vida pelo pecado. Para usar uma expressão de J. I. Packer: "Ninguém é tão mau quanto poderia ser e nenhum dos nossos atos é tão bom quanto deveria ser".[22]

---

[19] STOTT, John. *Romanos*, p. 114.
[20] MACDONALD, William. *Believer's Bible commentary*, p. 1.686.
[21] STOTT, John. *Romanos*, p. 114.
[22] PACKER, J. I. *Concise theology*. Grand Rapids: Tyndale House and InterVarsity Press, 1993, p. 83.

Vejamos a triste descrição do apóstolo:

Em primeiro lugar, *a garganta é uma sepultura ávida para enterrar as pessoas* (3.13a). Paulo não tem uma visão otimista da natureza humana. Certamente a teologia paulina está em total desacordo com a visão de Jean Jacques Rousseau, que afirmou que o homem é essencialmente bom. Paulo também não concorda com a tese de John Locke de que o homem é apenas produto do meio. Nem Paulo corrobora a visão positivista de Augusto Comte, de que o problema do homem é a ignorância. O homem é um ser caído, falido espiritualmente e arruinado moralmente. É um poço de perdição. Sua garganta não é um canteiro de vida, mas uma cova de morte. Não é uma fonte de consolo, mas um abismo de perdição.

Calvino diz que no homem há um abismo devorador de homens. Isso é mais grave que chamar o homem de antropófago, devorador de carne humana. Paulo diz que a garganta humana é um abismo, grande o bastante para devorar e tragar toda a humanidade.[23]

Em segundo lugar, *a língua é uma agência de engano e mentira* (3.13b). Paulo diz que ... *com a língua, urdem engano*. A língua não é apenas o órgão da fala, mas o laboratório da mentira. A língua é a rainha do disfarce, a dama do engano, a prostituta da sedução. Ela fala coisas bonitas, mas esconde coisas horrendas. Bajula com suavidade, mas açoita com violência. Tiago diz que a língua tem poder de destruir. Ela é como o fogo e como o veneno.

Em terceiro lugar, *os lábios são um reservatório de veneno letal* (3.13c). Paulo é contundente ao declarar: ... *veneno de víbora está nos seus lábios*. A cobra tem uma bolsa cheia de veneno letal na base de suas presas.[24] Quando morde alguém, destila seu veneno, e esse veneno mata. O pecado afetou de tal maneira o ser humano que um dos seus maiores distintivos, a comunicação, tornou-se um veneno mortal. Em vez de seus lábios destilarem mel, destilam veneno. Os lábios humanos são mais venenosos que a víbora mais peçonhenta. O veneno da cobra pode matar o corpo, mas o veneno dos lábios mata também a alma.

---

[23] CALVINO, João. *Epístola a los Romanos*, p. 87.
[24] HENDRIKSEN, William. *Romanos*, p. 163.

O veneno da cobra foi dado a ela por Deus, o veneno dos lábios é instilado no homem por satanás. O veneno da cobra pode ser transformado em remédio, o veneno dos lábios só trabalha para a destruição.

Em quarto lugar, *a boca é uma fonte de águas sujas*. *A boca, eles a têm cheia de maldição e de amargura* (3.14). Paulo conclui: o pecado fez da boca humana uma fonte maldita, de onde jorra, em catadupas, ondas volumosas de maldição e amargura. Dessa boca não saem louvores a Deus nem frases para a edificação, mas palavras torpes, imorais, carregadas de maldade e mentira. Em vez de ser uma fonte da qual brotam águas doces para matar a sede dos sedentos, é uma fonte poluída da qual escorre o fluxo nojento daquilo que é repugnante.

A boca é a radiografia do coração. Ela fala aquilo que transborda do coração. O mal não está fora do homem, mas dentro dele. O mal não está apenas nas estruturas sociais, mas no interior do homem. A boca apenas vomita as sujidades que sobem do coração.

A depravação total refletida na **relação do homem com seu próximo** (3.15-17)

A depravação total atingiu não apenas a relação do homem com Deus e consigo mesmo, mas também com o seu próximo. Paulo destaca três áreas:

Em primeiro lugar, *a falta de respeito pela vida humana*. *São os seus pés velozes para derramar sangue* (3.15). O homem sem Deus é pior que uma fera selvagem. O pecado o bestializou e o embruteceu. Ele perdeu o amor natural e tornou-se um monstro celerado. Tem pressa em derramar sangue. Mata aquele a quem devia proteger. Ele elimina, com requinte de crueldade, aquele a quem devia amar.

Nossa sociedade está aturdida com o avanço desenfreado da violência. Há guerras entre as nações. Há guerras tribais, ideológicas, étnicas e religiosas. Há guerras nas famílias, nos partidos políticos e até nas igrejas. Nossas cidades estão-se transformando em campos de sangue, em arenas de morte. A vida humana está sendo banalizada. Os traficantes embrutecidos aliciam jovens incautos e depois os matam com crueldade. Os ricos avarentos oprimem os pobres e tomam com violência seus bens para viverem no fausto. Os juízes iníquos e corruptos vendem sentenças por dinheiro e condenam o inocente à morte, regidos pela ganância criminosa. A sociedade humana sem Deus está encurralada por suas próprias desventuras.

Em segundo lugar, **a falta de respeito pelos valores humanos**. *Nos seus caminhos, há destruição e miséria* (3.16). Por onde o homem passa, ele macula o chão onde pisa e contamina o lugar onde põe as mãos. O mal não está apenas nas estruturas, mas dentro do homem. Ele não respeita a vida, a família, os bens alheios nem os princípios que regem a sociedade. Esse homem corrompido anda na contramão da licitude e da moral. Insurge-se contra tudo o que é certo e digno. No seu caminho há destruição e miséria. Ele é como um terremoto que passa e a tudo devasta.

William Greathouse diz que esse homem age sem consideração para com o próximo, sem medo de comprometer seu bem-estar ou até mesmo sua vida. Ele oprime seu irmão e enche sua vida de infelicidade, de modo que o caminho marcado por tal procedimento é regado pelas lágrimas dos outros.[25]

Em terceiro lugar, **a falta de respeito pelos relacionamentos humanos**. *Desconheceram o caminho da paz* (3.17). Em seu estado de rebeldia contra Deus, o homem destruiu a si mesmo e avançou como uma fera selvagem contra seu próximo, semeando o ódio, a inimizade e a desavença. Sua língua espalha veneno, suas mãos jorram violência, seus pés se apressam para o mal. Esse homem em rebelião contra Deus ergue muros onde deveria construir pontes, cava abismos onde deveria construir passagem, fere com punhos cerrados a quem deveria acariciar, promove inimizade com quem deveria nutrir afeição, envereda-se pelos atalhos da guerra em vez de trilhar o caminho da paz.

A depravação total refletida **no julgamento do réu** (3.18-20)

Paulo conclui sua tese levando judeus e gentios à barra do tribunal de Deus. Ele arma o cenário de um tribunal no qual o homem pecador será julgado. Nesse tribunal o réu é acusado e sua culpa é tão evidente que nada pode dizer em sua defesa. Calado e culpado ele toma

---

[25] GREATHOUSE, William. *A epístola aos Romanos*, p. 63.

conhecimento de que não pode ser justificado diante de Deus pelos seus esforços, uma vez que seu pecado o domina.

Três verdades são aqui destacadas pelo apóstolo:

Em primeiro lugar, **a causa da condenação do réu**. *Não há temor de Deus diante de seus olhos* (3.18). O temor de Deus é um freio que inibe o homem de se entregar ao pecado. O temor de Deus é um antídoto contra o mal. O temor de Deus é o princípio da sabedoria. Quando o homem perde o temor de Deus, rende-se a toda sorte de corrupção.

John Murray tem razão ao dizer: "No ensino das Escrituras, o temor de Deus é o âmago da piedade, e a sua ausência é o cúmulo da impiedade".[26] É a falta do temor de Deus que iludirá o homem no pecado, afastando-o do arrependimento. É a falta do temor de Deus agora que levará o homem a temer e tremer diante de Deus no dia do juízo, quando ouvir do reto Juiz a sua inexorável sentença: *Apartai-vos de mim, malditos, para o fogo eterno, preparado para o diabo e seus anjos* (Mt 25.41).

Em segundo lugar, **a base da condenação do réu**. *Ora, sabemos que tudo o que a lei diz, aos que vivem na lei o diz para que se cale toda boca, e todo o mundo seja culpável perante Deus* (3.19). Segundo F. F. Bruce, a "lei" aqui deve referir-se às Escrituras hebraicas em geral.[27] Os judeus que se vangloriavam na lei estavam condenados pela lei, uma vez que essa lei exigia o que eles não praticavam. Os gentios que pecam sem lei também sem lei pereçem, uma vez que não vivem de acordo com a luz recebida, a lei moral implantada em seu interior e a revelação natural a seu redor. A base da condenação do réu é a absoluta justiça de Deus, uma vez que Sua lei foi violada e Sua justiça não foi satisfeita. Assim, todos os homens, em todo o mundo, estão debaixo do pecado e são tidos como culpados no tribunal de Deus. Fritz Rienecker corretamente diz que o contexto todo faz referência a um julgamento e veredicto judicial.[28]

Analisando essa cena do julgamento, Adolf Pohl sustenta que a culpabilidade pressupõe o desmantelamento da defesa. Até esse momento, a boca dos réus citados se movia incessantemente. Seu objetivo era

---

[26] MURRAY, John. *Romanos*, p. 132.
[27] BRUCE, F. F. *Romanos: introdução e comentário*, p. 81.
[28] RIENECKER, Fritz; ROGERS, Cleon. *Chave linguística do Novo Testamento grego*, p. 261.

transformar a sala do júri numa sala de audiências. Nesse momento Deus toma a palavra na forma da lei, e todas as bocas são tapadas.[29]

Na mesma linha de raciocínio, William Hendriksen afirma que a figura usada por Paulo é dramática, inesquecível e amedrontadora. Todo mundo está em pé diante de Deus, o Juiz. Os registros são lidos e, à medida que são lidos, a cada um dos acusados é dada a oportunidade de responder às acusações feitas contra eles. Entretanto, à medida que sua culpa vai sendo exposta, eles não têm o que responder. Sua boca é silenciada.[30] O réu ouvirá sua sentença mudo, sem nenhuma palavra em sua própria defesa. Sua causa é indefensável, sua culpa é notória e sua condenação é justa.

Cranfield conclui esse ponto com vívida eloquência ao registrar: "A referência à boca fechada evoca a imagem do réu no tribunal, o qual, quando lhe é dada oportunidade de falar na própria defesa, permanece calado, esmagado pelo peso da prova contra ele".[31]

Em terceiro lugar, *a impossibilidade da absolvição do réu* (3.20). Paulo conclui sua tese acerca da culpabilidade do homem e encerra seu argumento mostrando a total impossibilidade de o homem sair absolvido do tribunal de Deus, fiado em seus méritos ou estribado em suas obras. Assim escreve o apóstolo: "Visto que ninguém será justificado diante dele por obras da lei, em razão de que pela lei vem o pleno conhecimento do pecado".

Duas coisas merecem destaque neste versículo:

A finalidade da lei (3.20). Paulo diz que pela lei vem o pleno conhecimento do pecado. W. Burrows diz que a lei revela a inescapável realidade do pecado, a natureza maligna do pecado, a força mortal do pecado e a culpa irremediável do pecado.[32] Adolf Pohl tem toda razão de enfatizar que a lei de maneira alguma torna alguém pecador, mas ela revela o pecador como tal.[33]

---

[29] POHL, Adolf. *Carta aos Romanos*, p. 67.
[30] HENDRIKSEN, William. *Romanos*, p. 166.
[31] CRANFIELD, C. E. B. *Comentário de Romanos*, p. 76.
[32] BURROWS, W. *Romanos*, p. 94, 95.
[33] POHL, Adolf. *Carta aos Romanos*, p. 67.

A lei possibilita não a salvação, mas a ira (4.15). A lei não foi dada com o propósito de justificar o homem, mas com o fito de provar sua culpa. John Stott está com a razão quando diz que o motivo pelo qual a lei não pode justificar os pecadores é porque sua função é revelar e condenar seus pecados. E a razão pela qual a lei nos condena é que nós a quebramos.[34] Na mesma linha de pensamento, Lutero escreve:

> O principal motivo da lei é fazer que os homens sejam não melhores, mas piores; quer dizer, ela lhes mostra o seu pecado, para que a partir desse conhecimento eles possam ser humilhados, aterrorizados, esmagados e quebrantados, e, dessa forma, sejam levados a sair em busca da graça e chegar assim àquela Semente abençoada [Cristo].[35]

A lei apenas faz o diagnóstico, mas não é o remédio. A lei é como um espelho: aponta nossa sujeira, mas não a remove. É como um prumo: identifica a sinuosidade de uma parede, mas não a endireita. É como um farol: mostra o obstáculo do caminho, mas não o remove. É como um raio-X: revela o tumor, mas não o remove. É como um termômetro: diz quando uma pessoa está com febre, mas não a cura. A lei é boa quando usada para produzir convicção de pecado, mas é impotente para salvar do pecado. Como Lutero destaca: sua função não é justificar, mas aterrorizar.[36] Somente após sermos condenados pela lei, estaremos prontos para ouvir o magnífico "mas agora" do versículo 21, com o qual Paulo passa a explicar como Deus interveio, por intermédio de Cristo e Sua cruz, para a nossa salvação.[37]

A inabilidade da lei (3.20). Paulo diz que ninguém será justificado diante de Deus por obras da lei. Tanto a lei cerimonial quanto a lei moral não pode justificar o homem diante de Deus, não porque sejam imperfeitas, mas porque o homem é imperfeito. A lei é boa, santa, justa e espiritual, mas o homem é pecador. Ele não consegue viver à altura de suas exigências.

---

[34] STOTT, John. *Romanos*, p. 118.
[35] LUTERO, Martinho. *Commentary on Saint Paul's Epistle to the Galatians*. Londres: James Clarke, 1953, p. 316.
[36] MACDONALD, William. *Believer's Bible Commentary*, p. 1.687.
[37] STOTT, John. *Romanos*, p. 119.

A lei exige que o homem ame a Deus de todo o seu coração, alma, mente e força e a seu próximo como a si mesmo (Mt 22.37-40), mas o homem é incapaz de atingir esse padrão. O homem é culpado dos pecados de comissão e omissão, dos pecados públicos e secretos. Está condenado por Deus não só por causa do que diz e faz, mas por causa do que é, ou seja, por causa de seu estado pecaminoso. Consequentemente, só é possível uma conclusão. O homem está condenado, condenado, condenado. Sua condição é aquela de total desesperança e desespero.[38]

Geoffrey Wilson é pertinente quando diz que a doutrina da graça pregada por Paulo se baseia firmemente em uma doutrina adequada do pecado, porque ele sabia que apenas a pessoa convencida de pecado tem interesse naquele que salva do pecado.[39]

O texto que consideramos é uma espécie de dobradiça na carta aos Romanos. Francis Schaeffer com razão conclui que chegamos, aqui, ao final da apresentação de Paulo da "primeira metade do evangelho". Ele levou a maior parte do capítulo 1, todo o capítulo 2 e grande parte do capítulo 3 para evidenciar que precisamos da salvação.[40] Daqui para a frente, Paulo abrirá um novo tema em sua carta, mostrando como podemos ser salvos. Se Paulo tivesse parado sua carta aqui, o desespero tomaria conta da humanidade. Então, não haveria saída e seríamos condenados ao desespero dos existencialistas que não veem esperança para o homem. No entanto, graças a Deus, a porta da esperança nos é apresentada. O caminho de retorno a Deus é apontado e a mensagem da salvação é anunciada!

---

[38] HENDRIKSEN, William. *Romanos*, p. 167.
[39] WILSON, Geoffrey B. *Romanos*, p. 43.
[40] SCHAEFFER, Francis A. *A obra consumada de Cristo*, p. 73.

8

A justificação, ato exclusivo de Deus

Romanos 3.21-31

O TEXTO EM APREÇO É O CORAÇÃO DA EPÍSTOLA, o núcleo da carta. Paulo registrou nesta porção a própria essência do evangelho que desejava pregar em Roma, a síntese mesma e a substância real das boas-novas que a epístola expõe.[1] A doutrina apresentada aqui pelo apóstolo Paulo pode ser considerada a acrópole da fé cristã.[2]

William MacDonald diz que chegamos agora ao coração da carta aos Romanos, quando Paulo responde à pergunta: "De acordo com o evangelho, como o Deus santo pode justificar os pecadores?" Já que a justiça de Deus exige a morte do pecador e o Seu amor deseja ofertar-lhe a felicidade eterna, como Deus resolveu esse dilema, salvando os pecadores sem deixar de ser justo?[3] A resposta a essa intrigante pergunta é o conteúdo desta exposição.

Romanos 3.21 apresenta a mais gloriosa adversativa das Escrituras. Depois de provar a tese de que todos os seres humanos, de todas as raças, de todas as culturas, de todos os credos e de todos os estratos sociais, tanto gentios como judeus, são culpados diante de Deus; depois

---
[1] ERDMAN, Charles R. *Comentários de Romanos*, p. 54.
[2] LLOYD-JONES, D. Martyn. *A cruz, a justificação de Deus*. São Paulo: PES, 1980, p. 1.
[3] MACDONALD, William. *Believer's Bible commentary*, p. 1.687.

de mostrar que os efeitos da queda não trouxeram apenas alguns arranhões, mas lançaram todos os homens, indistintamente, num estado de depravação total; depois de colocar todos os homens sob a maldição e a condenação da lei, o apóstolo abre os portais da graça e aponta o caminho da salvação em Cristo, revelando que a salvação é uma obra exclusiva de Deus por meio de Cristo. Depois da longa e escura noite, raiou o sol, amanheceu um novo dia e o mundo foi inundado de luz.[4] William Hendriksen diz que Deus, então, arrancou o homem do maior mal para dar-lhe o maior bem.[5]

Tendo provado a sua primeira tese, a culpa da raça humana, o veterano apóstolo agora defenderá outra tese: a salvação é alcançada não por mérito humano, mediante as obras da lei, mas recebida pela graça, por meio de Cristo.

O texto em tela aborda a gloriosa doutrina da justificação como ato exclusivo de Deus. No desenvolvimento deste assunto, examinaremos cinco pontos importantes.

A natureza da justificação (3.21-24)

A justificação é um ato divino, e não uma obra humana. Acontece no céu, e não na terra. É um ato, e não um processo. É feita fora de nós, no tribunal de Deus, e não dentro de nós, em nosso coração.

A justificação não é novidade, mas doutrina profundamente arraigada no Antigo Testamento. Não é contrária à lei, mas testemunhada pela lei (3.21). Provém da graça, e não do mérito (3.24). É recebida pela fé, e não por meio das obras (3.28).

O reformador João Calvino diz que não existe nas Escrituras passagem mais excelente para expressar a grande eficácia e a virtude admirável da justiça de Deus que esta que estamos considerando.[6] A justificação não é uma verdade secundária e lateral da fé cristã, mas a própria essência do cristianismo.

---

[4]STOTT, John. *Romanos*, p. 122.
[5]HENDRIKSEN, William. *Romanos*, p. 168.
[6]CALVINO, João. *Epístola a los Romanos*, p. 97.

Leon Morris exalta tanto a verdade aqui anunciada, que chega a dizer que este é possivelmente o parágrafo mais importante jamais escrito.[7] Concordo com Lutero quando ele diz: "Se este artigo permanece em sua pureza, também a cristandade se mantém pura e em boa harmonia, e livre de qualquer seita; se, todavia, não se mantiver pura, não será então possível evitar alguns erros ou sectarismos."[8]

Na mesma linha de pensamento, Agostinho de Hipona escreve: "Este artigo é a cidadela e o principal baluarte de toda a doutrina da religião cristã; se esta doutrina permanecer intacta, todas as idolatrias, superstições e corrupções que houver, em todas as demais doutrinas, por si mesmas, se destruirão".[9] Com razão é a justificação pela fé considerada o artigo pelo qual se mantém ou cai a igreja.[10]

Algumas verdades devem ser aqui destacadas:

Em primeiro lugar, *a justificação é a manifestação da justiça divina* (3.21). Paulo disse que a justiça de Deus se revela no evangelho (1.17) e a ira de Deus se revela contra toda impiedade e perversão dos homens (1.18). Do céu vem a ira de Deus sobre toda a impiedade e injustiça humana; do céu vem a justiça de Deus sobre todos aqueles que creem.[11] Agora, o apóstolo desenvolverá essa gloriosa doutrina (3.21).

Deus é justo e não pode tolerar o mal. O pecado é treva, e Deus é luz. O pecado é sujo, e Deus é santo. O pecado é maligno, e Deus é benigno. O pecado separa o homem de Deus. Por si mesmo, o homem não pode aproximar-se do Deus santo nem cumprir as exigências da Sua lei. Por seus esforços, o homem não consegue satisfazer as demandas da justiça divina. Assim, esse homem pecador está sem esperança e condenado. A justiça de Deus só pode vir mediante a fé em Cristo para todos e sobre todos os que creem (3.22); não há distinção, pois todos pecaram e destituídos estão da glória de Deus (3.23). Os moralistas

---

[7]MORRIS, Leon. *The Epistle to the Romans*. Grand Rapids: Eerdmans and InterVarsity Press, 1988, p. 173.
[8]MUELLER, J. T. *Dogmática cristã*. Vol. II. Porto Alegre: Casa Publicadora Concórdia, 1964, p. 53.
[9]MUELLER, J. T. *Dogmática cristã*, p. 54.
[10]ERDMAN, Charles R. *Comentários de Romanos*, p. 56.
[11]GREATHOUSE, William. *A epístola aos Romanos*, p. 67.

não estão em vantagem se comparados aos devassos, nem os judeus têm vantagem alguma sobre os gentios.

Cranfield diz que o "todos" de Romanos 3.23 continua a ênfase sobre a universalidade do pecado observada em Romanos 3.9-12, 20,22. A passagem de Romanos 3.23 resume o argumento de Romanos 1.18–3.20.[12] Não faz diferença se uma pessoa é rica ou pobre, jovem ou velha, homem ou mulher, culta ou inculta, judia ou gentia. Todos pecaram e carecem da glória de Deus.[13] Citando H. Moule, John Stott escreve: "A prostituta, o mentiroso e o assassino estão destituídos da glória de Deus; mas você também está. Pode ser que eles estejam no fundo de uma mina e você no cume da montanha; no entanto, você está tão impossibilitado quanto eles de encostar as mãos nas estrelas".[14]

Deus, porém, em vez de sentenciar o pecador ao castigo eterno, providenciou-lhe um meio de salvação em Cristo. Como nosso substituto, Cristo tomou nosso lugar, sofreu por nós o duro golpe da lei, bebeu sozinho o cálice amargo da ira de Deus e morreu morte vicária em nosso favor. A lei foi cumprida, a justiça foi satisfeita e nós fomos justificados. Essa é a manifestação da justiça divina!

Em segundo lugar, *a justificação é um ato legal, e não um processo existencial*. A justificação não é um processo, mas um ato declaratório de Deus. A justificação é um ato legal, forense e judicial que acontece no tribunal de Deus, e não em nosso coração. É algo fora de nós, e não dentro de nós. É algo que Deus faz por nós, e não em nós. A justificação acontece de uma vez para sempre e nunca precisa ser repetida. Não há repetição na mente divina do ato de justificação, como não há repetição da morte expiatória de Cristo, sobre a qual ele descansa.[15]

A justificação não possui graus; ela é plena, cabal e absoluta para todos os que creem. Não existe um indivíduo mais justificado que outro. O menor crente é tão justificado quanto o maior santo.

---

[12]Cranfield, C. E. B. *Comentário de Romanos*, p. 79.
[13]Hendriksen, William. *Romanos*, p. 169, 170.
[14]Stott, John. *Romanos*, p. 124.
[15]Shedd, William. *Dogmatic theology*. Vol. II. Nashville: Thomas Nelson Publishers, 1980, p. 545.

Em terceiro lugar, ***a justificação é um ato declaratório, e não uma infusão da graça***. A justificação não consiste na infusão da graça, nem torna a pessoa justificada pessoalmente santa. Pois, se a "causa formal" da justificação é nossa bondade, então somos justificados por aquilo que somos. Todavia, a Bíblia é clara em afirmar que nenhum homem pode ser justificado por aquilo que é. O homem é condenado por aquilo que é e por aquilo que faz, mas é justificado por Deus mediante aquilo que Cristo fez por ele.

Os reformadores rejeitaram peremptoriamente o ensino católico romano acerca da justificação progressiva. A teologia católica romana confunde justificação com santificação. Segundo o ensino de Roma, a justificação não é instantânea e sim gradual, pois é uma infusão da graça, e não um ato declaratório de Deus. Os reformadores reafirmaram o ensino bíblico da justificação instantânea e completa.

William Shedd, eminente teólogo, esclarece: "A justificação de um pecador é diferente da justiça pessoal. A primeira é imerecida; a última é meritória. A primeira é sem boas obras; a última é por causa das boas obras; a primeira é perdão de pecado e aceitação como justo quando ele não o é; a última, ele é pronunciado justo, porque realmente o é".[16]

A justificação é a ação de declarar judicialmente que a situação de determinada pessoa está em harmonia com as demandas da lei; é o ser absolvido, posição exatamente oposta à da condenação. O teólogo Berkhof corrobora essa ideia dizendo: "Justificação é um ato judicial de Deus no qual Ele declara, sobre a base da justiça de Jesus Cristo, que todas as ordens da lei estão satisfeitas com respeito ao pecador".[17]

F. F. Bruce destaca oportunamente o fato de que Deus declara justo o homem no início do percurso, não no fim. Se o declara justo no início do percurso, não pode ser com base nas obras ainda não praticadas por ele.[18]

John Stott confirma essa posição:

> Justificação é um termo legal ou jurídico, extraído da linguagem forense. O contrário de justificação é condenação. Os dois são pronunciamentos

---

[16] SHEDD, William. *Dogmatic theology*, p. 539.
[17] BERKHOF, L. *Teologia sistemática*. Grand Rapids: Tell, 1976, p. 615.
[18] BRUCE, F. F. *Romanos: introdução e comentário*, p. 84.

de um juiz. Dentro do contexto cristão eles são os veredictos escatológicos alternativos que Deus, como juiz, poderá anunciar no dia do juízo. Portanto, quando Deus justifica os pecadores hoje, está antecipando o seu próprio julgamento final, trazendo até o presente o que de fato faz parte dos "últimos dias".[19]

Quando Deus justifica um pecador, Ele simplesmente declara que sua culpa foi expiada, a justiça foi satisfeita e ele possui a justiça que a justiça divina exige.

Em quarto lugar, *a justificação não é mero perdão, mas remoção de toda culpa e condenação*. A justificação não é apenas o cancelamento da dívida, ou seja, ela vai além do mero perdão. Perdoar é absolver alguém de uma penalidade ou dívida; tem uma conotação negativa. Justificar é reputar e declarar que alguém é justo; tem uma conotação positiva. O perdão é a absolvição do castigo; a justificação é a declaração de que não existe nenhuma base para a aplicação do castigo. A voz do perdão diz: pode ir, você está livre da pena que o seu pecado merece; a voz da justificação diz: pode vir, pois você é bem-vindo para desfrutar todo o meu amor e a minha presença.[20]

A justificação é maior que o perdão. Deus, sem mérito algum nosso, de pura graça, nos confere e imputa a perfeita satisfação, justiça e santidade de Cristo, como se nunca tivéssemos cometido pecado algum e houvéssemos rendido toda a obediência que Cristo rendeu por nós.

Quando um soberano perdoa um criminoso, isto não é um ato de justiça, pois não está fundamentado no cumprimento e na satisfação da lei. A justificação, porém, está sobre o fundamento de uma expiação. Na justificação a penalidade da lei não é suspensa, mas executada. Sendo justo, Deus não poderia apenas perdoar o pecador sem vindicar Sua justiça. Ele não fez vistas grossas ao pecado; ao contrário, puniu o pecado em Cristo. Assim, somos isentos da lei não por ab-rogação, mas por execução. Consequentemente, a justificação envolve não só o perdão de todos os pecados presentes, passados e futuros, mas também

---

[19] STOTT, John. *Romanos*, p. 124.
[20] STOTT, John. *Romanos*, p. 124, 125.

restauração a favor, que implica a remoção de toda a culpa e de todo o castigo.

Segundo John Stott, ao escrever Romanos 3.24-26 Paulo ensina três verdades básicas sobre a justificação: sua fonte, da qual ela se origina; sua base, na qual ela se sustenta; o seu meio, pelo qual ela é recebida.[21] Consideraremos esses pontos a seguir.

O autor da justificação (3.24)

A fonte de nossa justificação é Deus e a Sua graça. A justificação é obra divina, e não conquista humana; é graça de Deus, e não obra do homem. Essa verdade bendita enseja-nos três conclusões:

Em primeiro lugar, *Deus é a fonte da nossa justificação*. A salvação é obra de Deus do começo ao fim. Trata-se de um plano eterno, perfeito e infalível de Deus Pai. Deus planejou nossa salvação antes de lançar os fundamentos da terra. Não foi a cruz que tornou o coração de Deus favorável a nós; foi o coração terno de Deus que providenciou a cruz. O sacrifício de Cristo no Calvário não foi a causa da graça, mas o resultado.

John Stott diz corretamente que não foi Jesus Cristo quem tomou a iniciativa, no sentido de fazer algo que o Pai relutava ou não estava disposto a fazer. Não há dúvida de que Cristo veio por sua própria vontade e se entregou gratuitamente. Mesmo assim, ele o fez em submissão à iniciativa do Pai.[22]

Em segundo lugar, *a graça que nos justifica não é barata*. Dietrich Bonhoeffer falou acerca da graça barata que justifica o pecado e não o pecador.[23] A graça que justifica o pecador não é barata; ela custou tudo para Deus. A salvação é gratuita para nós, mas custou muito caro para Deus, custou a vida do Seu Filho. O preço pago na cruz não foi ouro ou prata, mas o sangue de Cristo (At 20.28; 1Pe 1.18,19).

Em terceiro lugar, *a graça que nos justifica não pode ser merecida nem conquistada*. Paulo usa uma espécie de redundância ao afirmar que *somos justificados gratuitamente por Sua graça* (3.24). Não obtemos

---

[21]STOTT, John. *Romanos*, p. 126.
[22]STOTT, John. *Romanos*, p. 127.
[23]BONHOEFFER, Dietrich. *Discipulado*. São Leopoldo: Sinodal, 2002, p. 9.

essa graça por mérito. Não compramos essa graça com dinheiro. Nós a recebemos pela fé. Juan Schaal ressalta corretamente que a graça não é meramente um favor imerecido, mas um favor imerecido a homens miseráveis, ingratos e culpados. A graça destina-se sempre àqueles que estão legalmente condenados e culpados perante a lei.[24] A graça é o amor de Deus direcionado ao culpado.[25]

O fundamento da justificação (3.22-26)

Se a fonte da justificação é Deus e Sua graça, o fundamento da justificação é Cristo e Sua cruz. Como é que esse Deus justo pode declarar justo o injusto, sem comprometer a sua própria justiça nem condescender com a injustiça do injusto? Esta é a pergunta. A resposta de Deus é a cruz.[26]

Seria injusto o Deus justo justificar o injusto. Isso seria contra sua natureza. Sem a cruz a justificação do injusto seria injusta, imoral e impossível. A única razão pela qual Deus *justifica o ímpio* (4.5) é que *Cristo morreu pelos ímpios* (5.6). Só porque Ele derramou o seu sangue numa morte sacrificial por nós, pecadores, é que Deus pode justificar justamente o injusto.[27] Quatro grandes figuras são aqui destacadas:

Em primeiro lugar, *a linguagem do tribunal – a justificação forense* (3.24). Em virtude da expiação feita por Cristo na cruz em nosso lugar e em nosso favor, somos declarados justos diante do tribunal de Deus. Não pesa mais nenhuma condenação sobre nós. Esse é um ato judicial, forense e legal. Estamos quites com a lei divina.

Não podemos confundir justificação com santificação. Justificação é um ato, santificação é um processo. William Hendriksen diz corretamente que justificação é uma questão de imputação. A culpa do pecador é imputada a Cristo e a justiça de Cristo é imputada ao pecador. Enquanto justificação é uma questão de imputação, santificação é uma questão de transformação. A justificação é um veredicto dado

---

[24]SCHAAL, Juan H. *El camino real de Romanos*, p. 55.
[25]HENDRIKSEN, William. *Romanos*, p. 174.
[26]STOTT, John. *Romanos*, p. 127.
[27]STOTT, John. *Romanos*, p. 128.

uma vez por todas. A santificação é um processo que ocorre ao longo de toda a vida.[28]

Em segundo lugar, *a linguagem do mercado de escravos – a redenção* (3.24). A palavra grega *apolytrosis,* "redenção", é um termo comercial emprestado dos mercados, da mesma forma que "justificação" é um termo legal emprestado dos tribunais.[29] Segundo F. F. Bruce, redenção (*apolytrosis*) é o ato de comprar um escravo cativo a fim de libertá-lo.[30]

A libertação de Israel, tanto da escravidão do Egito como do cativeiro babilônico, é uma ilustração vívida dessa redenção que temos em Cristo. Nessa mesma linha de pensamento, John Murray diz que a linguagem da redenção é a linguagem de aquisição e mais especialmente de resgate. E resgate é aquisição de um livramento mediante o pagamento de um valor. Assim, a obra que Cristo veio realizar no mundo é uma obra de resgate, e a doação de sua vida foi o preço do resgate.[31]

A cruz foi a maior missão de resgate do mundo. Cristo nos resgatou da casa do valente, do Império das trevas e da potestade de satanás. Ele arrebentou o nosso cativeiro. Tirou-nos da escravidão com mão forte e poderosa. Éramos escravos da carne, do mundo e do diabo, e ele nos tornou livres. Estávamos mortos em nossos delitos e pecados, e Ele nos deu vida. Estávamos perdidos e fomos achados. Cristo verdadeiramente nos tornou livres.

É importante afirmar que o preço desse resgate não foi pago a satanás, como equivocadamente ensinam alguns estudiosos. Esse preço foi pago a Deus. Deus providenciou o sacrifício e recebeu a oferta. Pelo sangue de Cristo, Deus propiciou a si mesmo. A cruz foi a justificação de Deus.[32]

Em terceiro lugar, *a linguagem do templo – a propiciação* (3.25). O substantivo *hilasterion* significa literalmente "o assento da misericórdia" ou propiciatório, a tampa dourada da arca da aliança, que ficava atrás do véu no santo dos santos.[33] Na Septuaginta, o objeto do verbo

---

[28]HENDRIKSEN, William. *Romanos*, p. 173.
[29]STOTT, John. *Romanos*, p. 128.
[30]BRUCE, F. F. *Romanos: introdução e comentário*, p. 85.
[31]MURRAY, John. *Redenção consumada e aplicada.* São Paulo: Cultura Cristã, 1993, p. 47.
[32]LLOYD-JONES, D. Martyn. *A cruz, a justificação de Deus*, p. 14.
[33]GREATHOUSE, William. *A epístola aos Romanos*, p. 68.

hilasterion não é Deus, mas o pecado. Portanto, o seu significado não seria desviar a ira de Deus, mas sim "expiar" o pecado.

No entanto, a palavra grega *hilasterion*, "propiciação", significa também, e sobretudo, o ato de aplacar a ira divina ou de tornar Deus propício.[34] John Murray tem razão quando diz que propiciação pressupõe a ira e o desprazer de Deus, e o propósito da propiciação é a remoção desse desprazer. Em termos simples, a doutrina da propiciação significa que Cristo propiciou a ira de Deus.[35]

F. F. Bruce destaca que foi Deus, e não o homem pecador, quem providenciou este *hilasterion*.[36] John Murray é meridianamente claro ao explicar esse ponto:

> A propiciação não é uma conversão da ira de Deus em amor. A propiciação da ira divina, efetuada na obra expiatória de Cristo, é a provisão do eterno e imutável amor de Deus, para que, por meio da propiciação da sua própria ira, o amor pudesse realizar seus propósitos de uma maneira que fosse consoante com e para a glória dos ditames da Sua santidade. Uma coisa é dizer que o Deus irado se fez amoroso, o que é inteiramente errôneo. Outra coisa é dizer que o Deus irado é amoroso, o que é profundamente verdadeiro. Porém, é igualmente verdadeiro que a ira, pela qual ele se fez irado, é propiciada por intermédio da cruz. Essa propiciação é o fruto do amor divino que a providenciou.[37]

Penso que as duas interpretações não se excluem. A propiciação tem uma referência voltada a Deus: por meio da morte de Cristo, a ira de Deus é superada e a Sua justiça é demonstrada. A expiação tem também uma referência voltada ao homem: o sacrifício de Cristo remove a culpa do pecado do homem.[38]

A doutrina da propiciação tem sido injustamente associada a conceitos pagãos e animistas, como se Deus fosse uma divindade iracunda

---

[34] STOTT, John. *Romanos*, p. 129.
[35] MURRAY, John. *Redenção consumada e aplicada,*, p. 35.
[36] BRUCE, F. F. *Romanos: introdução e comentário*, p. 86, 87.
[37] MURRAY, John. *Redenção consumada e aplicada*, p. 36.
[38] GREATHOUSE, William. *A epístola aos Romanos*, p. 69.

e caprichosa que precisasse ser agradada com oferendas. Adolf Pohl esclarece que nos templos pagãos os sacrifícios eram instrumentos na mão do ser humano, a fim de exercer influência sobre uma divindade impiedosa. A autopunição tinha o objetivo de comovê-la e mudar sua opinião. A propiciação divina, de forma oposta, é providenciada pelo próprio Deus. É Deus quem faz a expiação. É Deus quem providencia o sacrifício. Foi Deus quem entregou Seu próprio Filho para propiciar a Si mesmo e nos redimir.[39]

John Stott explica que a propiciação é distinta dessa visão pagã por três razões distintas:[40]

a. *Por causa de sua necessidade.* Os deuses pagãos precisam ser propiciados porque são caprichosos, mal-humorados e sujeitos a acessos de ira. A ira de Deus, porém, é santa e está voltada contra o mal. A ira de Deus não significa descontrole emocional, mas santa repulsa contra o pecado.

b. *Por causa do seu autor.* Na religião pagã é o homem quem propicia os deuses e tenta aplacar Sua ira. No cristianismo, contudo, não podemos afastar de nós a ira divina. Então, o próprio Deus envia o Seu Filho para morrer em nosso lugar e ser a propiciação pelos nossos pecados. Francis Schaeffer diz que a morte de Cristo na cruz dá cobertura aos nossos pecados, como o menininho que é coberto pelo capote do seu pai.[41]

c. *Por causa de sua natureza.* Na religião pagã o homem tenta agradar os deuses iracundos com suas oferendas e sacrifícios, mas no cristianismo Deus mesmo deu o próprio Filho para morrer em nosso lugar (5.8; 8.32).

A cruz é a base não apenas da nossa justificação, mas também da justificação de Deus. Sendo santo e justo, Deus não pode tolerar o mal. O pecado é maligno e conspira contra ele. A natureza de Deus exige

---

[39] POHL, Adolf. *Carta aos Romanos*, p. 73.
[40] STOTT, John. *Romanos*, p. 131.
[41] SCHAEFFER, Francis A. *A obra consumada de Cristo*, p. 82.

a punição do pecado. A única maneira de Deus nos justificar seria propiciando a si mesmo, aplacando Sua ira por meio de um sacrifício perfeito. O sangue derramado de Cristo cobriu os nossos pecados e aplacou a justa ira de Deus.

Deus permanece justo ao justificar os pecadores, pois Sua justiça foi satisfeita e Sua lei foi cumprida mediante o sacrifício de Cristo na cruz. Esse auspicioso acontecimento não foi um acidente, mas uma agenda deliberada de Deus Pai (At 2.23). A cruz foi um grande ato público de Deus para manifestar Sua justiça.

R. C. Sproul coloca essa verdade de maneira esplêndida:

> A cruz foi ao mesmo tempo o mais horrível e o mais lindo exemplo da ira de Deus. Foi o ato mais justo e mais gracioso da história. Deus teria sido mais do que injusto, teria sido diabólico ao efetuar aquele castigo se o próprio Jesus não houvesse primeiro, voluntariamente, tomado sobre si os pecados do mundo. Cristo se ofereceu voluntariamente para ser o Cordeiro de Deus, carregando com o nosso pecado, tornando-se, assim, o ser mais vil e grotesco deste planeta. Com o fardo de pecado que carregou, tornou-se repugnante para o Pai. Deus derramou Sua ira nesse ser repulsivo. Ele o fez maldito por causa do pecado que carregou. Aqui a justiça de Deus foi perfeitamente manifesta. Contudo, éramos nós que merecíamos esse castigo. Jesus tomou sobre si a punição que era destinada a nós. Esse aspecto da cruz "para nós" é o que demonstra a sublimidade da Sua graça. Ao mesmo tempo justiça e graça, ira e misericórdia. É tão espantoso que temos dificuldade para compreender.[42]

Em quarto lugar, *a linguagem da cruz – a demonstração pública* (3.25b, 26). A palavra grega *endeixis*, "demonstração", fala da revelação pública da cruz, anunciando a redenção do homem, a propiciação da ira de Deus e a vindicação da justiça divina. Tal demonstração, diz John Murray, tinha como alvo *Ele mesmo ser justo e o justificador daquele que tem fé em Jesus* (3.26).[43]

---

[42] SPROUL, R. C. *A santidade de Deus*. São Paulo: Cultura Cristã, 1997, p. 132.
[43] MURRAY, John. *Romanos*, p. 146.

Deus pacientemente ignorou os pecados da humanidade por séculos e séculos, para punir esses pecados publicamente na cruz do Seu Filho.[44] Essa paciência, entretanto, era apenas a suspensão, e não a revogação da punição que era devida; o vencimento da dívida foi adiado, mas as acusações não foram canceladas.[45] John Murray esclarece esse ponto:

> Nessas gerações passadas, Deus não visitava os homens com uma ira proporcional aos pecados que eles cometiam. Neste sentido, os pecados deles foram deixados de lado ou esquecidos. Esse deixar de lado, entretanto, não pode ser equiparado à remissão de pecados. Suspensão de penalidade não equivale perdão. Agora, em Cristo e em sua propiciação, Deus demonstrou publicamente que, a fim de serem revogados a Sua ira e o Seu juízo punitivo, era necessário providenciar a propiciação.[46]

Martyn Lloyd-Jones diz corretamente que, sob o velho pacto da Antiga Dispensação, não havia provisão para tratar com pecados num sentido radical. Era simplesmente um meio, por assim dizer, de passar por eles, cobrindo-os durante aquele tempo. Aquelas antigas ofertas e sacrifícios propiciavam uma purificação da carne, concediam uma pureza cerimonial, habilitavam o povo a continuar orando a Deus. Contudo, não havia sob o Antigo Testamento um sacrifício que pudesse realmente remover o pecado. O máximo era apontar para o sacrifício que aconteceria na cruz, o sacrifício que poderia purificar a consciência de obras mortas e reconciliar verdadeiramente o homem com Deus.[47]

A redenção realizada por Cristo tem eficácia tanto retrospectiva como prospectiva.[48] Quando o Filho de Deus sofreu e morreu, expiou os pecados de todos os que O aceitaram ou iriam aceitá-Lo por meio de uma fé viva, ou seja, de todos os crentes de ambas as dispensações. Os méritos da cruz estendem-se tanto para trás como para adiante.[49]

---

[44] RIENECKER, Fritz; ROGERS, Cleon. *Chave linguística do Novo Testamento grego*, p. 262.
[45] WILSON, Geoffrey B. *Romanos*, p. 48.
[46] MURRAY, John. *Romanos*, p. 146.
[47] LLOYD-JONES, D. Martyn. *A cruz, a justificação de Deus*, p. 9.
[48] BRUCE, F. F. *Romanos: introdução e comentário*, p. 88.
[49] HENDRIKSEN, William. *Romanos*, p. 178.

Os crentes que viveram antes de Cristo não foram perdoados por causa dos sacrifícios que ofereceram. Foram perdoados porque olhavam para Cristo. Foi a fé em Cristo que os salvou, exatamente como é a fé em Cristo que nos salva agora.[50]

Cranfield diz corretamente que Deus pôde, de fato, segurar sua mão e tolerar os pecados, sem comprometer a Sua justiça, porque o seu propósito sempre foi ocupar-se com eles uma vez por todas, decisiva e definitivamente, e de modo inteiramente adequado, mediante a cruz.[51] No monte Calvário, ele deu uma explicação pública do que fez através dos séculos. Os pecados do passado, do presente e do futuro foram tratados de uma vez para sempre na cruz.

A cruz é a grande trombeta de Deus anunciando ao mundo que Deus odeia o pecado, mas ama incompreensivelmente o pecador. Na cruz a justiça e o amor de Deus se beijaram. Na cruz Deus redimiu o Seu povo, aplacou a Sua ira e demonstrou publicamente a Sua justiça.

Na cruz o Filho de Deus sofreu o golpe da lei que deveria cair sobre nós. O cálice da ira que deveríamos beber, Cristo sorveu-o todo sozinho. A morte que deveríamos receber como justa sentença dos nossos pecados, Cristo a sofreu por nós na cruz. A cruz foi o palco da manifestação tanto da ira de Deus contra o pecado como do Seu amor imensurável pelo pecador.

O instrumento da justificação (3.22,25,26,28)

A fonte da justificação é Deus e Sua graça; o fundamento da justificação é Cristo e Sua cruz; mas o meio e o instrumento da justificação é a fé (3.22,25,26,28). Somos justificados não por causa da fé, mas por meio da fé. A fé não é a base da justificação, mas seu instrumento. Somos justificados pela obra de Cristo na cruz, mas recebemos os benefícios dessa obra por meio da fé.

A fé não é um salto no escuro como ensinava Kierkegaard. Não existe fé cega. Fé não é algo ilógico e irracional. A fé está firmada na rocha da verdade. Seu objeto é o próprio Deus.

---

[50]Lloyd-Jones, D. Martyn. *A cruz, a justificação de Deus*, p. 9, 10.
[51]Cranfield, C. E. B. *Comentários de Romanos*, p. 82.

Não há nenhum elemento meritório na fé. A única função da fé é receber o que a graça oferece.[52] Franz Leenhardt compara a fé como a mão vazia do mendigo que se estende para receber a oferta. Mendigar, porém, não constitui uma obra, nem um mérito, nem um direito.[53] John Murray elucida que a fé renuncia a si mesma; as obras congratulam-se a si mesmas. A fé olha para o que Deus faz; as obras têm a ver com o que nós somos.[54]

Concordo com John Stott no sentido de que o valor da fé não reside nela mesma, mas inteira e exclusivamente em seu objeto, a saber, Jesus Cristo, e este crucificado. Dizer que a "justificação é pela fé" é outra maneira de dizer que a "justificação é somente por Cristo". Assim, Deus justifica aquele que crê – não por causa do valor de sua crença, mas por causa do valor dAquele [Cristo] em quem ele creu.[55] Geoffrey Wilson destaca que a propiciação acontece pela fé da parte do salvo e pelo sangue da parte do Salvador.[56]

As objeções à justificação (3.27-31)

Após discorrer sobre a fonte, o fundamento e o instrumento da justificação, Paulo volta ao método da diatribe, para tratar das possíveis objeções a essa doutrina. Ele mesmo levanta as objeções e as refuta. Três objeções são aqui listadas:

Em primeiro lugar, *onde está o motivo de vanglória?* (3.27,28). Os judeus se vangloriavam na lei e na circuncisão. Julgavam-se melhores que os outros homens. Aplaudiam a si mesmos e presunçosamente se orgulhavam de Sua justiça pessoal. No entanto, uma vez que a justificação é obra de Deus, e não do homem; e uma vez que ela é recebida pela fé, e não pelo mérito das obras, cessa qualquer possibilidade de vanglória pessoal. Não existe provisão para o orgulho na salvação pela graça. Não há nenhum crédito ou mérito em nos lançarmos à misericórdia de Deus em Cristo.

---

[52] STOTT, John. *Romanos*, p. 135.
[53] LEENHARDT, Franz J. *Epístola aos Romanos*, p. 100.
[54] MURRAY, John. *Romanos*, p. 150.
[55] STOTT, John. *Romanos*, p. 134.
[56] WILSON, Geoffrey B. *Romanos*, p. 47.

Geoffrey Wilson tem razão quando diz que os judeus não possuem nenhuma superioridade sobre os gentios. A salvação nem é garantida pela circuncisão nem é impossibilitada pela incircuncisão, porque qualquer um que Deus justifica é justificado pela fé.⁵⁷

Em segundo lugar, *onde está a exclusividade dos judeus?* (3.29,30). Os judeus tinham consciência da sua relação especial com Deus (3.2; 9.4,5). O que os judeus haviam esquecido é que seus privilégios não visavam a exclusão dos gentios. A doutrina da justificação pela fé exclui não apenas qualquer possibilidade de vanglória, mas também qualquer forma de elitismo e discriminação.⁵⁸ Deus não é uma divindade tribal ou monopólio de um povo. Ele é o Deus único, vivo e verdadeiro, que estabeleceu um único meio de salvação, a fé em Cristo, e isto tanto para os judeus como para os gentios.

William Greathouse acertadamente diz que Paulo põe o machado da verdade sobre a tola pretensão da exclusividade dos judeus, mostrando que não há diferença: 1) no fato da culpa – "Todos pecaram" no passado, "e destituídos estão da glória de Deus" no presente (3.23); 2) na provisão da redenção (3.24); 3) na condição da salvação (3.25,26).⁵⁹

Em terceiro lugar, *onde está a contradição entre a lei e a fé* (3.31). A lei e a fé não são antagônicas. Não estão em oposição uma à outra. A fé não anula a lei, nem a lei dispensa a fé. A lei cumpriu o seu propósito preparando o caminho para a fé. A função da lei é expor e condenar o pecado e trancar o pecador no calabouço da culpa até que Cristo venha libertá-lo através da fé. Assim, a fé justifica aqueles a quem a lei condena.⁶⁰ Pela fé nós alcançamos uma justiça perfeita, a justiça de Cristo a nós imputada (2Co 5.21).

John Stott expõe as três implicações da doutrina da justificação pela fé. Primeiro, ela humilha os pecadores e exclui a vanglória. Segundo, ela une os crentes e exclui a discriminação. Terceiro, ela confirma a lei e

---

⁵⁷WILSON, Geoffrey B. *Romanos*, p. 50.
⁵⁸STOTT, John. *Romanos*, p. 137.
⁵⁹GREATHOUSE, William. *A epístola aos Romanos*, p. 71.
⁶⁰STOTT, John. *Romanos*, p. 138, 239.

exclui o antinomismo. Nada de vanglória, nada de discriminação, nada de antinomismo.[61]

Warren Wiersbe sintetiza a passagem que consideramos em sete pontos:[62]

a. *A justificação é sem lei* (3.21). A justificação se dá quando o homem crê. A lei dava testemunho dessa justificação do evangelho, apesar de ela própria não ter poder para justificar.
b. *A justificação é mediante a fé em Cristo* (3.22a). O valor da fé consiste no valor do seu objeto. A justiça do evangelho é uma dádiva concedida por meio da fé.
c. *A justificação é para todos, gentios e judeus* (3.22b, 23). A lei foi dada aos judeus, e não aos gentios, mas a salvação é concedida tanto a judeus como a gentios, uma vez que todos pecaram.
d. *A justificação é pela graça* (3.24). Em Sua misericórdia, Deus não nos dá o que merecemos e, em Sua graça, Ele nos dá o que não merecemos. Não há mérito em nós; há toda graça em Deus.
e. *A justificação nos foi dada a um alto preço* (3.24b, 25). A salvação é gratuita, mas não barata. Para Deus, ela custou muito caro, o sangue do Seu Filho.
f. *A justificação foi feita em perfeita justiça* (3.25a, 26). Tendo em vista que Deus satisfez Sua justiça e a Sua lei foi plenamente cumprida, Deus pôde justificar o pecador sem deixar de ser justo.
g. *A justificação foi consumada para confirmar a lei* (3.27-31). A doutrina da justificação pela fé não é contrária à lei, mas à consumação da lei. A lei não nos justifica. Sua função é nos tomar pela mão e nos levar a Cristo, o Redentor.

---

[61] STOTT, John. *Romanos*, p. 139.
[62] WIERSBE, Warren W. *Comentário bíblico expositivo*, p. 680-682.

9

A justificação pela fé exemplificada

Romanos 4.1-25

O APÓSTOLO PAULO TRABALHOU NA ELABORAÇÃO de duas teses até agora. A primeira é que todos os homens são pecadores culpados diante de Deus (1.18–3.20), e a segunda é que a justificação é obra exclusiva de Deus, por meio da morte expiatória de Cristo, recebida exclusivamente pela fé (3.21-31).

A grande questão a que Paulo precisa responder agora é se essa mensagem evangélica tinha sustentação no ensino do Antigo Testamento. Os rabinos ensinavam que Abraão, o pai da nação judaica, havia alcançado a salvação por sua obediência à lei, mesmo antes de ela ter sido dada. Supunham que nada de maligno tinha poder sobre ele. Acreditavam que Abraão viveu como "o mais íntegro entre os íntegros", na obediência perfeita. Como recompensa, Deus o escolheu e [o justificou].[1]

Paulo desfaz esse falacioso argumento, provando que a salvação é pela graça, e não pelo mérito, desde a antiga dispensação. Para deixar seu argumento irresistivelmente claro, o veterano apóstolo busca um exemplo de justificação pela fé no Antigo Testamento a fim de provar que a salvação sempre foi alcançada do mesmo modo.

---

[1] POHL, Adolf. *Carta aos Romanos*, p. 79.

O apóstolo evoca a figura de Abraão, o mais ilustre dos patriarcas, e Davi, o mais ilustre dos reis de Israel, como exemplos daqueles que haviam sido justificados pela fé, e não pelas obras.

O propósito de Paulo em Romanos 4 é ampliar ainda mais a gloriosa doutrina da justificação pela fé, provando insofismavelmente que ela não é nenhuma novidade; ao contrário, é uma doutrina profundamente arraigada no Antigo Testamento.

Alguns estudiosos contemporâneos argumentam que Tiago contradiz Paulo e referenda a justificação pelas obras, e não pela fé (Tg 2.21-26). Na verdade não há contradição entre Tiago e Paulo. Paulo olha para a causa da salvação e diz que somos salvos pela fé independentemente das obras; Tiago olha para o resultado da salvação e diz que os salvos provam a sua fé pelas obras. A autenticidade da fé justificadora encontra-se nas boas obras, que são fruto dessa fé. O crente mostra a fé pelas obras (Tg 2.18), já que a fé sem obras é morta (Tg 2.17,26).

Os exemplos de Abraão e Davi mostram que a justificação pela fé é o único meio pelo qual Deus garante a salvação, tanto no Antigo como no Novo Testamento, tanto para os judeus como para os gentios. É, portanto, um erro assumir que no Antigo Testamento as pessoas eram salvas pelas obras, e no Novo Testamento, pela fé, ou que hoje a missão cristã deve limitar-se aos gentios, com base no pressuposto de que os judeus têm a sua forma distinta de salvação.[2]

Por que Paulo escolheu Abraão como exemplo da justificação pela fé no Antigo Testamento? Primeiro, porque foi o ancestral, o pai da nação de Israel; segundo, porque os rabinos ensinavam que Abraão havia sido justificado por suas obras de justiça. Os rabinos citavam Gênesis 22.15-18 e 26.2-5 para provar que Deus havia abençoado Abraão por causa da sua obediência. Os rabinos, contudo, não percebiam que esses versículos se referiam à vida de obediência de Abraão depois de sua justificação (Gn 15.6).

Recorrer a Abraão é algo notável, segundo John Murray, pois o caso do patriarca era o centro e o baluarte de todo o ponto de vista judaico.[3]

---

[2] STOTT, John. *Romanos*, p. 140, 141.
[3] MURRAY, John. *Romanos*, p. 154.

Adolf Pohl deixa esse ponto ainda mais claro:

> Recorrendo a Abraão, Paulo não escolhe um exemplo aleatório. Sob esse aspecto, Romanos 4 se distingue de Hebreus 11.8-19. Lá o patriarca aparece numa *nuvem de testemunhas* (Hb 12.1), como um exemplo entre muitos. Aqui, no entanto, ele está diante de nós com sua função impossível de repetir, como figura originária. Representa o ponto em que, dentro da história de maldição da humanidade, irrompeu uma história de bênção, sendo construído para isso um povo eleito. Sua vida constitui a planta baixa que fornece as medidas para toda a construção. Ele é a raiz que sustenta a árvore (11.18). Todos os demais serão abençoados não somente *como* ele, mas *nele* e *com ele* (Gl 3.8,9).[4]

O texto em apreço traz cinco benditas verdades acerca da justificação de Abraão, o pai de todos os crentes.

Abraão foi justificado pela fé, não pelas obras (4.1-8)

A justificação não é uma conquista humana, mas uma dádiva divina; não resulta do mérito, é obra da graça. A justificação não é o que recebemos por mérito próprio, mas o que recebemos pelos méritos de Cristo. A salvação não é um troféu que ostentamos como prêmio do nosso mérito, mas um dom que recebemos apesar do nosso demérito.

Quatro verdades devem ser aqui destacadas:

Em primeiro lugar, *a justificação pelas obras coloca a glória da salvação no homem e não em Deus* (4.1,2). A pretensa e tola ideia da justificação pelas obras exalta o homem e dá a ele o direito de se gloriar por causa da sua própria salvação. Essa vã pretensão faz do homem o autor de sua própria salvação. Se Abraão tivesse sido justificado pela obediência às obras da lei, teria tido motivo de gloriar-se, mas não diante de Deus. Nenhum pecador pode ostentar seus troféus diante do tribunal de Deus. Nenhum pecador pode achegar-se às portas do juízo com arrogância. Aqueles que aplaudem a si mesmos e se jactam de seus

---

[4]POHL, Adolf. *Carta aos Romanos*, p. 79.

pretensos méritos jamais serão justificados. A vanglória diante de Deus é a mais consumada loucura, a mais repudiada tolice.

Em segundo lugar, *a justificação pelas obras entra em total contradição com o ensino geral das Escrituras* (4.3). Paulo usa um argumento irresistível para provar que Abraão não foi justificado pelas obras, ao citar a própria Bíblia. *Pois que diz a Escritura? Abraão creu em Deus, e isso lhe foi imputado para justiça* (4.3). Ao argumentar acerca da justificação pela fé do patriarca Abraão, Paulo não estribou sua tese em documentos eclesiásticos nem na opinião dos teólogos mais eruditos, mas ancorou seu argumento na infalibilidade das Escrituras.

John Stott tem razão quando diz que, para Paulo, as Escrituras não são uma coletânea de livros, mas um corpo unificado de escritos inspirados. O apóstolo não faz distinção entre o que as Escrituras dizem e o que Deus diz por meio delas. Assim, quando lemos as Escrituras, ouvimos a própria voz de Deus. As Escrituras são, portanto, a autoridade máxima e final acerca da verdade de Deus. Em toda controvérsia as Escrituras têm de ser reconhecidas como o tribunal supremo a quem se deve apelar.[5]

Em terceiro lugar, *a justificação pelas obras situa a base da salvação no merecimento humano, e não na graça de Deus* (4.3-5). Abraão creu em Deus e isso lhe foi imputado para justiça (Gn 15.6). A palavra "imputar" é tanto um termo comercial quanto jurídico. Imputar é creditar ou computar. Warren Wiersbe diz que esse mesmo verbo é usado neste capítulo e traduzido como "considerar" (4.4), "imputar" (4.8,9,11,22,24), "atribuir" (4.6,10) e "levar em conta" (4.23).[6]

Há duas diferentes maneiras de creditar dinheiro em nossa conta: como salário (que ganhamos por termos trabalhado) ou como presente (que é de graça, ou seja, ganhamos sem termos trabalhado).[7] Se a justificação fosse pelas obras, a salvação seria o salário merecido de nosso trabalho. Um contrato de trabalho implica que o salário é devido; generosidade alguma intervém; o salário pago corresponde ao trabalho

---
[5] STOTT, John. *Romanos*, p. 143, 144.
[6] WIERSBE, Warren W. *Comentário bíblico expositivo*, p. 682.
[7] STOTT, John. *Romanos*, p. 144.

realizado; é uma troca entre partes contratantes agindo em pé de igualdade. Abraão, porém, não havia concorrido com nenhuma obra meritória diante de Deus. A fé não é uma obra, e a justificação não reconhece o mérito do homem para coroar-lhe a ação.[8] A Palavra de Deus declara de forma peremptória que a salvação não é pelas obras, mas pela graça, para que ninguém se glorie (Ef 2.8,9).

Não somos justificados porque somos piedosos; somos justificados apesar de sermos ímpios. A justificação não é um ato de recompensa do mérito, mas uma decisão livre da graça divina. John Murray salienta o fato de que a antítese usada por Paulo não é simplesmente entre o trabalhador e a pessoa que não trabalha, e sim entre o trabalhador e a pessoa que não trabalha, mas crê. Não se trata apenas de crer, mas de crer com uma qualidade e direção específica – crer "naquele que justifica o ímpio".[9]

John Stott assim explica essa verdade:

> No contexto dos negócios, o salário de quem trabalha é creditado em sua conta como um direito, uma dívida, uma obrigação, pois trabalhou para isso. No contexto da justificação, entretanto, para quem não trabalhou, e, portanto, não tem o mínimo direito a pagamento, mas que em vez disso depositou a sua confiança em Deus que justifica o ímpio, isto é, a justiça lhe é concedida livremente, como uma dádiva gratuita e imerecida, pela fé.[10]

Em quarto lugar, *a justificação pelas obras traz condenação ao pecado e não bem-aventurança* (4.6-8). Paulo muda de Abraão para Davi, e consequentemente de Gênesis 15.6 para o Salmo 32.1,2. Davi adulterou com Bate-Seba, mandou matar seu marido e escondeu seu pecado (2Sm 11.1-27). Se fosse julgado por suas obras, seria condenado; se fosse tratado segundo seus méritos, receberia a morte, e não o perdão. Porém, em vez de condená-lo, Deus o perdoa. Em vez de atribuir-lhe culpa, atribui-lhe justiça; em vez de expor seu pecado, cobre-o; em

---

[8] LEENHARDT, Franz J. *Epístola aos Romanos*, p. 118.
[9] MURRAY, John. *Romanos*, p. 159, 160.
[10] STOTT, John. *Romanos*, p. 144, 145.

vez de deixá-lo viver esmagado pela culpa, oferece-lhe gratuitamente a bem-aventurança do perdão e da justificação.

Concordo com John Murray quando ele diz que o que se contempla nesta declaração de Davi não são as boas obras, e sim o contrário, seus pecados e iniquidades. E a pessoa bem-aventurada não é aquela que tem as boas obras lançadas em sua conta, mas, ao contrário, aquela cujos pecados não são lançados em sua conta.[11] Só depois que somos justificados é que Deus mantém um registro de nossas obras para nos recompensar, mas apaga o registro de nossos pecados.[12]

Franz Leenhardt diz que, da mesma forma que o ímpio (Abraão no presente caso) é justificado sem ter apresentado boa obra alguma, assim se declara perdoado e bem-aventurado aquele que nada apresentou a Deus senão os próprios pecados. A justificação do primeiro (Abraão) e a bem-aventurança do segundo (Davi) não têm da parte deles nenhuma cooperação. Um creu na palavra da promessa; o outro na palavra da absolvição. Crer, em ambos os casos, é o ato desses homens.[13]

Paulo enfatiza que Deus nos credita fé como justiça (4.3,5,9,22), credita-nos justiça independentemente de obras (4.6,11,13,24) e recusa-se a creditar nossos pecados contra nós; em vez disso, Deus os perdoa e os cobre. Assim, justificação implica crédito duplo. Por um lado, Deus não leva em conta nossos pecados contra nós. Por outro lado, Deus deposita em nossa conta um crédito de justiça, como uma dádiva da graça, pela fé, completamente independente de nossas obras.[14]

Citando Lutero, William Greathouse escreve: "Deus não deseja salvar-nos pela nossa justiça, mas sim por uma justiça exterior que não se origina em nós, mas que vem até nós de um lugar que está além de nós mesmos, que não nasce na nossa terra, mas vem do céu. Trata-se de uma justiça completamente exterior e estrangeira a nós".[15]

Charles Hodge esclarece esse ponto afirmando que imputar pecado é lançar o pecado na conta de alguém e tratá-lo em conformidade,

---

[11] MURRAY, John. *Romanos*, p. 161.
[12] WIERSBE, Warren W. *Comentário bíblico expositivo*, p. 683.
[13] LEENHARDT, Franz J. *Epístola aos Romanos*, p. 119.
[14] STOTT, John. *Romanos*, p. 146.
[15] GREATHOUSE, William. *A epístola aos Romanos*, p. 74.

enquanto imputar justiça é lançar justiça na conta de alguém e daí tratá-lo como justo. Desta forma, Deus não imputa pecado aos pecadores, embora eles tenham pecado, e lhes imputa justiça, embora eles não sejam justos.[16]

Abraão foi justificado pela fé, não pela circuncisão (4.9-12)

De acordo com a doutrina rabínica, Deus perdoa somente um indivíduo circuncidado no juízo final, de maneira que os leitores de Paulo podiam ter dificuldades extremas com esse texto. Por isso, ele inicia uma nova rodada de explicações.[17] Três verdades devem ser aqui destacadas na elucidação deste ponto:

Em primeiro lugar, *a circuncisão não é causa, mas consequência da justificação* (4.9). Os rabinos argumentavam que Abraão primeiro foi circuncidado para depois alcançar a justiça, mas Paulo prova pelas Escrituras que Abraão foi justificado antes de ser circuncidado (Gn 15.6; 17.9-11). Consequentemente, a justificação não está baseada na circuncisão. A circuncisão não foi a causa da sua justificação, mas sua consequência. Abraão não foi circuncidado para ser salvo, mas porque era salvo. Do mesmo modo, uma pessoa não é salva pelo batismo nem pela participação na Ceia do Senhor. Somos batizados e participamos da Ceia do Senhor não para sermos salvos, mas porque fomos salvos. Os sacramentos não são a causa da salvação, mas sua consequência. São apenas símbolos da salvação; não podem produzir a salvação.

O argumento de Paulo é que aquele que foi apenas circuncidado não pode ser equiparado a Abraão. Ainda não recebeu a mesma bênção que ele. Não basta ter Abraão somente como "pai segundo a carne" (4.1). O contingente natural do povo não coincide com o povo da bênção. Paulo já o indicou em Romanos 2.28,29 e o exporá novamente em Romanos 9.6-13. Decisiva é a fé de Abraão, não sua circuncisão.[18]

---

[16]HODGE, Charles. *A commentary on Romans*. Grand Rapids: Banner of Truth Trust, 1972, p. 115, 107.
[17]POHL, Adolf. *Carta aos Romanos*, p. 82.
[18]POHL, Adolf. *Carta aos Romanos*, p. 83.

Em segundo lugar, *a circuncisão não limita a justificação* (4.10). Se Abraão foi justificado estando ainda incircunciso, logo a justificação não depende da circuncisão. Assim, os gentios incircuncisos podem ser justificados tanto quanto os judeus circuncisos. Abraão é o pai de todos os crentes, independentemente de serem ou não circuncidados. John Murray com razão diz que a circuncisão não é um obstáculo nem um fator determinante. A circuncisão não é um fator que contribui para nos tornarmos filhos de Abraão. Todos os que são da fé e só estes é que "são filhos de Abraão" (Gl 3.7).[19]

Em terceiro lugar, *a circuncisão não é a base, mas o selo da justificação* (4.11,12). A circuncisão não é de todo irrelevante. Embora não seja a base da justificação, é seu sinal e selo, a confirmação de uma justiça já outorgada. A circuncisão não era apenas um sinal para identificar o povo de Deus, mas também um selo para autenticá-lo como povo justificado de Deus.[20] Um selo ou autenticação pressupõe a existência da coisa selada, embora o selo nada acrescente a seu conteúdo. Um símbolo aponta para a existência da coisa simbolizada, ao passo que um selo autentica, confirma e garante a genuinidade daquilo que é selado. O selo envolve mais que o símbolo; o selo adiciona a ideia de autenticidade.[21]

Ao exigir a circuncisão como condição para a salvação, porém, os judeus confundiram o sinal com a realidade (At 15.1). O simbolizado é maior que o símbolo. A circuncisão é um sinal e um selo da justificação, mas não é a justificação.

William Hendriksen diz que em si e por si mesmos esses sinais – na antiga dispensação, os sangrentos da circuncisão e Páscoa; na nova, os não sangrentos do batismo e da Ceia do Senhor – não efetuam justificação. Entretanto, significam-na e a selam. Da mesma forma, o arco-íris não salva a humanidade de um dilúvio, mas significa e sela a promessa de Deus que jamais afogará novamente a raça humana num dilúvio. O anel nupcial não traz bênção aos casados, mas proclama o compromisso de fidelidade dos cônjuges.[22]

---

[19] MURRAY, John. *Romanos*, p. 166.
[20] STOTT, John. *Romanos*, p. 149.
[21] MURRAY, John. *Romanos*, p. 164.
[22] HENDRIKSEN, William. *Romanos*, p. 199, 200.

O símbolo é importante, mas não pode ser superestimado. Tem seu valor como símbolo, mas não como substituto da coisa simbolizada. Charles Hodge deixa esse ponto claro: "O que funciona bem como um sinal é um miserável substituto para a coisa significada".[23]

Abraão foi justificado pela fé, não pela lei (4.13-17a)

John Stott diz que Paulo usa três argumentos para provar que Abraão não foi justificado pela lei e, sim, pela fé. Consideraremos agora esses argumentos.

Em primeiro lugar, *o argumento da história* (4.13). Abraão não poderia ter sido justificado pela lei, porque esta só foi dada 430 anos depois do patriarca (Gl 3.17). Logo, Abrão não poderia ter sido justificado por uma lei que não conhecia nem havia sido dada ao povo ainda. O lapso de tempo entre Abraão e a dádiva da lei constitui-se um argumento irresistível contra a pretensão dos judeus que pregavam a justificação pela observância da lei.

Em segundo lugar, *o argumento da linguagem* (4.13-16). Paulo usa neste parágrafo várias expressões como "lei", "promessa", "fé", "ira", "transgressão" e "graça". A lei e a promessa não podem funcionar simultaneamente. Se a herança depende da lei, já não depende da promessa de Deus (Gl 3.18). Lei e promessa pertencem a categorias diferentes; são incompatíveis. A lei exige obediência; a promessa requer fé (Gl 3.12). O que Deus disse a Abraão não foi: "Obedeça a esta lei e eu o abençoarei", mas "Eu o abençoarei; creia em minha promessa".[24]

A lei e a promessa não podem andar de mãos dadas, porque a lei suscita a ira (4.15). Assim, as palavras "lei", "transgressão" e "ira" pertencem à mesma categoria de linguagem. A lei transforma pecado em transgressão, e a transgressão prova a ira de Deus. Entretanto, "onde não há lei, também não há desobediência da lei e, portanto, não há ira". Se lei, transgressão e ira formam a primeira trilogia; fé, graça e promessa formam a segunda trilogia.

---

[23]HODGE, Charles. *A commentary on Romans*, p. 125.
[24]STOTT, John. *Romanos*, p. 151.

John Stott sintetiza esse ponto de forma brilhante: "A lei de Deus faz exigências que nós transgredimos, e assim nós incorremos em ira (4.15); a graça de Deus faz promessas nas quais nós confiamos, e assim nós recebemos bênção (4.14,16)".[25] Na língua grega há duas palavras que significam "promessa". Uma é *hyposquesis,* que significa uma promessa sujeita a condições. A outra é *epaggelia*, que significa uma promessa feita pela bondade do coração de alguém, e em forma incondicional. Esta é a palavra usada aqui pelo apóstolo para referir-se à promessa de Deus. A promessa de Deus não depende do nosso mérito, mas da graça de Deus.[26]

Em terceiro lugar, *o argumento da teologia* (4.16,17a). Além dos argumentos provenientes da história e da linguagem, Paulo desenvolve agora um argumento tirado da teologia. A salvação não se destina apenas aos judeus da circuncisão, mas também aos gentios da incircuncisão. Abraão não é apenas o pai dos judeus circuncisos, mas também dos crentes gentios incircuncisos. Segundo Stott, "somente o evangelho da graça e da fé pode unir, abrindo a porta para os gentios e igualando todo mundo aos pés da cruz de Cristo (3.29)".[27]

Abraão foi justificado pela fé em Deus, não pela fé na fé (4.17b-22)

Paulo argumentou até aqui que a fé veio antes das obras, da circuncisão e da lei. Agora, ele mostrará que essa fé não é mero assentimento intelectual nem sentimento vago, mas confiança robusta no Deus criador, no Deus da ressurreição. A tese de Paulo aqui não é simplesmente a fé, mas o objeto da fé. A fé só faz sentido porque Deus, como seu objeto, é digno de confiança. A natureza da fé é crer em Deus apenas com base em Sua Palavra. O bom senso pode até dizer: Não acontecerá; a razão pode dizer: Não pode ser; mas a fé diz: Pode ser e será, porque me foi prometido.[28]

---

[25] STOTT, John. *Romanos*, p. 152.
[26] BARCLAY, William. *Romanos*, p. 80.
[27] STOTT, John. *Romanos*, p. 152.
[28] WILSON, Geoffrey B. *Romanos*, p. 59.

Abraão creu em Deus, antes que na promessa; apegava-se a quem fizera a promessa, mais que àquilo que havia sido prometido; Deus lhe importava acima de tudo. Sua fé não foi nem um cálculo das probabilidades de execução nem uma apreciação das vantagens a fruir. Abraão atentou somente para aquele que falara.[29] Desta forma, o apóstolo aborda aqui o objeto da fé, o Deus que comunica vida aos mortos e o caráter da fé, pois Abraão creu contra a esperança.[30]

Concordo com John Stott quando ele diz que a fé de Abraão estava ancorada em dois atributos divinos: Seu poder e Sua fidelidade.[31]

Em primeiro lugar, *a fé precisa estar estribada no poder de Deus* (4.17b-19). O Deus em quem Abraão crê é o Deus que vivifica os mortos (o Deus da ressurreição) e o Deus que chama à existência as coisas que não existem (o Deus da criação). Do nada Ele tudo criou; da morte Ele trouxe a vida.

John Stott diz que o nada e a morte não são problemas para Deus. Ao contrário, foi a partir do nada que Ele criou o universo e foi da morte que Ele ressuscitou a Jesus. A criação e a ressurreição foram e continuam sendo as duas mais significativas manifestações do poder de Deus.[32] Quando Deus revitalizou o corpo de Abraão para gerar e o corpo de Sara para conceber, isso foi uma espécie de ressurreição. Quando dessa dupla morte Deus trouxe Isaque à existência, isso foi uma espécie de criação. Esse é o tipo de Deus em quem Abraão creu.

Assim como Deus concedeu ao casal biologicamente "morto" Isaque, o filho da promessa, também, mais tarde, sob o mesmo enfoque, trouxe Isaque da morte, em Moriá (Hb 11.19). Em ambos os acontecimentos, Abraão confiou no poder de Deus para ressuscitar os mortos. Segundo Warren Wiersbe, foi quando Abraão reconheceu que estava "morto" que o poder de Deus operou em seu corpo.[33]

Em segundo lugar, *a fé precisa estar estribada na fidelidade de Deus* (4.20-22). Abraão creu que o Deus que ressuscita os mortos e traz à

---

[29] LEENHARDT, Franz J. *Epístola aos Romanos*, p. 127.
[30] HENDRIKSEN, William. *Romanos*, p. 210.
[31] STOTT, John. *Romanos*, p. 154, 155.
[32] STOTT, John. *Romanos*, p. 154.
[33] WIERSBE, Warren W. *Comentário bíblico expositivo*, p. 684.

existência as coisas que não existem não pode faltar com Sua promessa. Desta maneira, o poder e a fidelidade de Deus são as duas colunas que sustentam o edifício da fé. Por trás da promessa divina está seu caráter fiel. A fé ri das impossibilidades, pois olha para o Deus fiel que cumpre suas promessas. A credibilidade de Deus é o alicerce da fé. O crente não fecha os olhos à realidade que lhe contradiz a esperança; ele supera a contradição ao agarrar-se à promessa.[34]

Adolf Pohl de forma brilhante declara que não é o ser humano que lança com toda a força uma corda para o céu, até que a engate firme, mas é Deus quem vem num ato de graça até o ser humano e "tece os laços" do namoro. Instado, atingido e abraçado o ser humano por Deus, surge a fé humana. A fé deixa Deus ser Deus. Para a fé, Deus é Deus inteiro, sem nenhum conflito entre o que diz e o que pode realizar.[35] John Murray corretamente afirma que a grandiosidade da fé consiste no fato de que ela atribui toda a glória a Deus e descansa em Seu poder e Sua fidelidade.[36]

A fé expressa pelo pai dos crentes consiste em purificar-se das pretensões próprias para render-se ao Deus dos vivos e dos mortos, o criador e o redentor. A obra consiste em renunciar a fazer uma obra. A fé como obra do crente é o abandono do crente à obra de Deus. Abraão é efetivamente justo; não, porém, em razão do que ele é ou do que ele faz; bem ao contrário, é ele justo em razão do que não é e do que não faz, porquanto deposita sua confiança em Deus.[37]

Abraão foi justificado pela fé, não isoladamente, mas como exemplo de todos os que creem (4.23-25)

Paulo conclui este capítulo aplicando a nós, seus leitores, lições relativas à fé que Abraão tinha. O verdadeiro grupo-alvo daquilo que está escrito sobre o patriarca Abraão é a comunidade cristã. O Antigo Testamento é literatura de promessa. Olhando para a justiça de Abraão mediante a

---

[34] LEENHARDT, Franz J. *Epístola aos Romanos*, p. 126.
[35] POHL, Adolf. *Carta aos Romanos*, p. 87.
[36] MURRAY, John. *Romanos*, p. 178.
[37] LEENHARDT, Franz J. *Epístola aos Romanos*, p. 127, 128.

fé, a igreja compreende o chão em que ela própria foi plantada e do qual ela vive. A consciência dessa profundidade histórico-salvífica a torna forte e firme contra as crises.[38]

Paulo conecta o passado com o presente. Une o texto antigo aos ouvintes contemporâneos. Constrói uma ponte entre a mensagem e os ouvintes. A Bíblia não é apenas um livro de história, que narra acontecimentos remotos. Foi escrita para o nosso ensino (15.4). O passado lança luz no presente. O passado é o pedagogo do presente. Examinar como Deus justificou a Abraão no passado é conhecer como Deus nos justifica hoje. O registro bíblico da justificação de Abraão está nas Escrituras por nossa causa (4.23,24). O modo pelo qual Deus justificou Abraão é o mesmo pelo qual Deus nos justifica. Abraão é "nosso pai", pai de todos nós, crentes de todos os tempos; sua fé é a nossa; o que dele se diz é válido ao nosso respeito. Abraão creu no Deus que faz viver os mortos e que do nada faz despontar a existência. Tal é também o Deus da nossa fé, pois Ele ressuscitou o nosso Senhor Jesus dentre os mortos.

Destacamos aqui duas verdades importantes sobre a doutrina da justificação.

Em primeiro lugar, *tanto na antiga como na nova dispensação a justificação é pela fé* (4.23,24). Os que viveram antes de Cristo foram justificados pela fé da mesma maneira que somos justificados hoje pela fé. Deus é o mesmo, e o método da salvação em ambas as dispensações também é o mesmo. Abraão foi justificado pela fé, assim como nós o somos hoje. Há total consistência entre o Antigo e o Novo Testamento na maneira de Deus salvar o pecador.

Concordo com Juan Schaal quando ele diz que a diferença entre a fé que Abraão tinha e a nossa é que nossa fé descansa no fato cumprido de que Deus enviou Seu Filho, O entregou pelos nossos pecados à morte de cruz e O ressuscitou, enquanto a fé de Abraão descansava numa profecia e em uma promessa de que Deus levantaria Seu Filho, mediante o levantamento do filho de Abraão, como um em quem as nações seriam benditas.[39]

---

[38] POHL, Adolf. *Carta aos Romanos*, p. 88.
[39] SCHAAL, Juan. *El camino real de Romanos*, p. 63.

Em segundo lugar, ***tanto na antiga como na nova dispensação a justificação tem como base a morte e a ressurreição de Cristo*** (4.25). Porque nossos pecados foram lançados sobre Cristo, ele morreu; para garantir a eficácia de Sua obra vicária, Ele ressuscitou. Tanto a morte como a ressurreição de Cristo são obras de Deus Pai. Ele O entregou e O ressuscitou.

Geoffrey Wilson diz que a morte e a ressurreição de Cristo são inseparáveis porque formam um único ato redentor; uma não tem sentido sem a outra, de modo que sempre que uma é mencionada a outra está implícita.[40]

A ressurreição de Cristo é a garantia de que Deus aceitou o sacrifício de Seu Filho, em nosso lugar, em nosso favor. Cranfield destaca que, se a morte expiatória de Cristo não fosse acompanhada pela Sua ressurreição, não teria sido a ação poderosa de Deus a favor de nossa justificação. Cristo morreu por causa de nossas transgressões e ressuscitou a fim de efetuar nossa justificação.[41] Nessa mesma linha de pensamento, William Greathouse diz que a morte e a ressurreição são dois aspectos de um único evento divino. Sem ressurreição, a morte de Jesus não é útil para a nossa justificação, uma vez que *se Cristo não ressuscitou, é vã a vossa fé* (1Co 15.17).[42]

---

[40]WILSON, Geoffrey B. *Romanos*, p. 61.
[41]CRANFIELD, C. E. B. *Comentário de Romanos*, p. 101.
[42]GREATHOUSE, William. *A epístola aos Romanos*, p. 78.

10

Os benditos frutos da justificação

Romanos 5.1-11

ATÉ AQUI VIMOS DUAS TESES PROVADAS PELO APÓSTOLO PAULO: a necessidade da justificação (1.18–3.20) e o meio da justificação (3.21–4.25). Agora, Paulo passa a falar sobre os frutos da justificação, ou seja, suas benditas consequências (5.1-11).

Paulo já deixou claro que a justificação é um ato exclusivo de Deus (3.21-31). Também argumentou que a justificação pela fé não é uma novidade, mas uma verdade já presente na antiga dispensação e demonstrada na vida de Abraão, o progenitor da nação israelita e pai de todos os que creem, tanto judeus como gentios. Agora, Paulo mostrará os benefícios que emanam da justificação quanto ao passado, presente e futuro. Todos os que têm esta nova vida em Cristo estão livres da ira (capítulo 5), livres do pecado (capítulo 6), livres da lei (capítulo 7) e livres da morte (capítulo 8).[1]

No texto em apreço, Paulo conclui sua doutrina de justificação, analisando esta verdade no seu contexto escatológico. A justificação não significa somente perdão e absolvição da culpa do pecado; também traz dentro de si a esperança da glória de Deus (5.2) e a promessa da salvação final (5.9,10). Aqui temos mais que os frutos atuais da justificação;

---

[1] WILSON, Geoffrey B. *Romanos*, p. 62.

nossa atenção é dirigida para seu resultado final. A ênfase desta passagem é a glória futura e a salvação final daqueles que continuam em paz com Deus por nosso Senhor Jesus Cristo.[2]

Antes de abordar as gloriosas bênçãos da justificação, Paulo destaca três verdades acerca da realidade da justificação.

Em primeiro lugar, *a justificação é um ato declaratório de Deus* (5.1). A justificação não é um processo, mas um ato legal, forense e judicial de Deus no qual Ele declara, sobre a base da justiça de Cristo, que todas as demandas da lei estão satisfeitas com respeito ao pecador. Portanto, a justificação não é algo que Deus faz em nós, mas por nós. Não acontece dentro de nós, mas fora de nós. A justificação é um ato e acontece uma única vez. Não há graus na justificação. Ela é instantânea, completa e final. O homem é justificado por completo, ou não é justificado. O crente mais fraco está tão justificado quanto o santo mais piedoso. Pela justificação somos remidos da pena do pecado, perdoados, e recebemos o favor de Deus. Pela justificação, todos os nossos pecados presentes, passados e futuros já foram perdoados.

Em segundo lugar, *a justificação é recebida pela fé* (5.1) Não somos justificados com base na fé, mas em virtude do sacrifício perfeito de Cristo. A fé é o instrumento de apropriação dos benefícios da cruz. A fé é a mão estendida de um mendigo a tomar posse do presente de um Rei. A fé é a causa instrumental, e não a causa meritória da justificação. A fé não expia a culpa nem remove o castigo. É apenas o instrumento de apropriação dos benefícios da redenção.

Em terceiro lugar, *a justificação é por intermédio de Cristo* (5.1). A base da justificação é o sacrifício de Cristo na cruz. Não somos justificados com base na obra que fazemos para Deus, mas na obra que Cristo fez por nós na cruz. Não somos justificados pelo mérito humano, mas pelos méritos de Cristo. A morte expiatória de Cristo é a causa fundamental da justificação, enquanto a fé é a sua causa instrumental.

Tendo lançado as bases da doutrina, analisaremos agora as bênçãos da doutrina da justificação pela fé. Paulo menciona sete frutos dessa bendita verdade.

---

[2]GREATHOUSE, William. *A epístola aos Romanos*, p. 78.

A **paz** com Deus (5.1)

A paz com Deus é uma bênção ligada ao passado. Trata-se de algo que já aconteceu. Não é a paz de Deus (Fp 4.7), mas a paz com Deus (5.1). Não é um sentimento, mas um relacionamento. É a paz da reconciliação com Deus. Por intermédio do sacrifício de Cristo, a barreira que nos separava de Deus foi destruída. Não somos mais filhos da Sua ira, mas filhos do Seu amor. O pecado consumou uma ruptura, mas Jesus Cristo veio para restabelecer a comunicação suspensa.[3]

Geoffrey Wilson está certo ao dizer que essa paz com Deus significa que a ira de Deus não mais nos ameaça, porque somos aceitos em Cristo (5.9). Essa paz não é uma mudança em nossos sentimentos, mas uma modificação no relacionamento de Deus conosco.[4] Na mesma linha de pensamento, Cranfield destaca que essa paz com Deus não designa sentimentos subjetivos de paz, mas o estado objetivo de estar em paz em vez de estar em inimizade.[5] John Murray enfatiza que não se trata apenas de serenidade e tranquilidade de nossa mente e coração, mas de um estado de paz que flui da reconciliação (5.10,11).[6]

Charles Erdman ainda lança luz sobre nosso entendimento acerca do verdadeiro significado do que é paz com Deus:

> Quando Paulo aqui fala de "paz com Deus", sua asserção não é equivalente a "paz da parte de Deus" ou a "paz de Deus". Esta pode denotar a paz que Deus mesmo usufrui ou a paz que ele inspira no coração de seus filhos. Mas "paz com Deus" denota relacionamento para com Ele. Expressa perdão e aceitação e se contrasta com inimizade ou ira. Assinala a posição daqueles que outrora estavam debaixo de condenação, mas agora estão a gozar da plena medida do divino perdão e do divino favor.[7]

Todas as religiões se esforçam para reconciliar o homem com Deus. Essa paz, contudo, não é fruto do esforço que o homem faz, mas do

---

[3] LEENHARDT, Franz J. *Epístola aos Romanos*, p. 135.
[4] WILSON, Geoffrey B. *Romanos*, p. 63.
[5] CRANFIELD, C. E. B. *Comentário de Romanos*, p. 106.
[6] MURRAY, John. *Romanos*, p. 185.
[7] ERDMAN, Charles R. *Comentários de Romanos*, p. 65.

sacrifício que Cristo fez. Pela morte de Cristo fomos reconciliados com Deus. Não somos mais réus nem inimigos de Deus. Agora temos paz com Deus.

O acesso à **graça** (5.2)

Se a paz com Deus é uma bênção passada, consumada no ato de nossa justificação, o acesso à graça da justificação é um privilégio presente e contínuo. Trata-se de uma condição permanente e inabalável, que se origina de uma ação realizada no passado.[8] Warren Wiersbe acentua que os judeus eram separados da presença de Deus pelo véu do templo, e os gentios eram isolados pelo muro externo do templo. No entanto, quando Jesus morreu, rasgou o véu (Lc 23.45) e destruiu o muro (Ef 2.14). Em Cristo, judeus e gentios que creem têm acesso a Deus.[9]

William Barclay diz que a palavra grega *prosagoge*, "acesso", tem um tríplice significado:[10]

Em primeiro lugar, *significa a introdução de alguém à presença da realeza*. Por meio de Cristo temos acesso a esta graça na qual estamos firmes. Somos aceitos, somos apresentados como filhos, como herdeiros, como cidadãos do céu. A ideia sugerida pela palavra é a permissão de entrada na presença de um rei mediante o favor de outrem.[11] Jesus nos introduz na presença de Deus. Abre-nos as portas à presença do Rei dos reis; e, quando essas portas se abrem, o que encontramos é a graça, a imerecida bondade de Deus, e não condenação ou juízo.[12] O palácio em que somos admitidos é o céu. O portão de entrada é Cristo. O único passaporte é a fé. Não importa sua aparência, o filho do rei tem acesso constante à presença do Pai para ter a ajuda de que precisa.

Em segundo lugar, *significa aproximação do adorador a Deus*. Jesus nos abre a porta à presença do Rei dos reis e quando essas portas se

---

[8]MURRAY, John. *Romanos*, p. 186.
[9]WIERSBE, Warren W. *Comentário bíblico expositivo*, p. 686.
[10]BARCLAY, William. *Romanos*, p. 84, 85.
[11]WIERSBE, Warren W. *Comentário bíblico expositivo*, p. 686; WILSON, Geoffrey B. *Romanos*, p. 63.
[12]BARCLAY, William. *Romanos*, p. 85.

abrem o que encontramos é graça, não condenação, nem juízo, nem vingança, mas pura misericórdia, o glorioso favor de Deus. A palavra grega *prosagoge* traz também a ideia de uma pessoa sendo introduzida no santuário de Deus a fim de adorar. Assim, o crente justificado desfruta uma bênção muito mais grandiosa que uma simples aproximação periódica de Deus, ou uma audiência ocasional com o rei. Temos o privilégio de viver no templo e no palácio.[13]

Em terceiro lugar, *significa a chegada ao porto seguro*. Por mais que busquemos depender de nossos esforços, somos varridos pela tempestade, como marinheiros impotentes a enfrentar um mar revolto que os ameaça destruir totalmente. Agora, porém, ouvimos a Palavra de Cristo e alcançamos o porto da graça. Por meio de Cristo, entramos na presença de Deus e encontramos segurança.[14] Nossa relação com Deus, possibilitada pela justificação, não é esporádica, mas contínua; não é precária, mas segura.[15]

A expectativa da **glória** (5.2)

Se a paz tem a ver com o passado, e o acesso à graça se relaciona ao presente, a expectativa da glória está atrelada ao futuro. Quem foi justificado não teme o futuro. A morte já não mais o apavora. O porvir é seu anseio e a glória, sua expectativa mais excelsa. A palavra traduzida por "gloriamos" significa um regozijo exultante, uma alegria triunfante, uma firme confiança em Deus, inspirada pela certeza de que "temos paz com Deus".[16]

Compartilhar desse celeste esplendor, contemplar o Rei em sua formosura e ser como Ele quando o virmos em Sua majestade e glória, tudo isso é a inspiradora esperança daqueles que foram justificados pela fé.[17] John Stott diz que a esperança cristã não é algo incerto como

---

[13]STOTT, John. *Romanos*, p. 161.
[14]BARCLAY, William. *Romanos*, p. 85.
[15]STOTT, John. *Romanos*, p. 162.
[16]RIENECKER, Fritz; ROGERS, Cleon. *Chave linguística do Novo Testamento Grego*, p. 264; WILSON, Geoffrey B. *Romanos*, p. 63.
[17]ERDMAN, Charles R. *Comentários de Romanos*, p. 66.

nossas esperanças comuns do dia a dia, mas uma expectativa jubilosa e confiante que se baseia nas promessas de Deus. O objeto de nossa esperança é a glória de Deus (5.2), ou seja, seu radiante esplendor, que um dia se manifestará em toda a sua plenitude. Então, a cortina se erguerá e a glória de Deus será inteiramente desvendada. Nesse dia, veremos o Senhor da glória face a face, receberemos um corpo de glória e a própria criação que agora geme será redimida do seu cativeiro.[18]

Miguel Gonçalves Torres, ministro presbiteriano, sempre dizia a seus amigos que não basta viver bem, é preciso morrer bem. Na hora de sua morte, disse à esposa: "Querida, pensei que quando eu fosse morrer, iria para o céu. Mas foi o céu que veio me buscar". O apóstolo Paulo, mesmo no ocaso da vida, numa masmorra romana, na antessala do martírio, declarou com entusiasmo: *A hora da minha partida é chegada... agora o reto juiz me dará a coroa da justiça...* (2Tm 4.6-8). Um pastor, ao visitar um piedoso membro da igreja no leito de morte, perguntou-lhe: "O irmão está preparado para morrer?" Com o rosto resplandecendo de gozo, o crente respondeu: "Não, pastor, estou preparado para viver. Estou indo para Deus".

Sintetizando esses três primeiros pontos, afirmamos que os frutos da justificação são paz, graça e glória. Temos paz com Deus, estamos firmes na graça e esperamos a glória. A paz com Deus refere-se ao efeito imediato da justificação, o acesso à graça diz respeito ao efeito contínuo da justificação, e a esperança da glória se relaciona ao efeito final da justificação. A palavra *paz* nos convida a olhar para trás, para a inimizade que acabou. A palavra *graça* nos faz olhar para o nosso Pai, sob cujo favor agora permanecemos. Com a palavra *glória*, olhamos adiante, para o nosso objetivo final, até o momento em que veremos e refletiremos a glória de Deus, a glória que é o objeto de nossa esperança e expectativa.[19]

A **alegria** no sofrimento (5.3-5a)

A justificação não apenas nos prepara para o céu, mas também nos equipa para vivermos vitoriosamente aqui na terra. Paulo não está

---
[18] STOTT, John. *Romanos*, p. 162.
[19] STOTT, John. *A mensagem de Romanos 5-8*. São Paulo: ABU, 1988, p. 4,5.

tratando de algo apenas para o porvir, mas de algo que nos capacita a viver vitoriosamente em meio às tensões da vida. Nas palavras de John Stott, há paz, graça e glória, sim! Porém, há também sofrimento![20]

Aquele que foi justificado demonstra gloriosa alegria não apenas na esperança da glória, mas também no sofrimento. A força do verbo grego *kaucometha* indica que nos alegramos com grande e intenso júbilo. Tanto as tribulações presentes como a glória vindoura são objetos de júbilo do cristão. Em outras palavras, regozijamo-nos não somente no alvo, a glória, como também nos meios que conduzem a ela, isto é, nos sofrimentos. Nestas duas coisas encontramos alegria.[21] Nessa pedagogia divina, quatro estágios devem ser observados.

Em primeiro lugar, **nós nos gloriamos nas próprias tribulações** (5.3). Não somos masoquistas, como aqueles a quem agrada a dor; tampouco estoicos impassíveis e sofridos.[22] Não nos gloriamos no sofrimento ou por causa do sofrimento, mas por seus frutos, por seus resultados. Nossa esperança da glória não pode ser obumbrada ante as angústias e provações que agora nos cercam. O cristão não olha para a vida com uma visão romântica, pessimista ou irreal. Não nega a existência da dor e do sofrimento. Não murmura nem se insurge contra Deus por causa do sofrimento. Sabe que o sofrimento é proposital e pedagógico. As tribulações devem ser vistas à luz de suas consequências eternas (1Pe 4.12,13).

O cristão não crê em acaso, coincidência, sorte, azar ou determinismo. Não tem medo de sexta-feira 13 nem de passar debaixo de escada. Sabe que nem um fio de cabelo da sua cabeça pode ser tocado sem que Deus saiba, permita e tenha um propósito. Concordo com Geoffrey Wilson quando ele diz que "não existe atalho para a glória; a cruz sempre precede a coroa" (Fp 1.29,30).[23]

Este gloriar-se na tribulação é um fruto da fé. Não é o efeito natural da tribulação, que, como vemos, leva grande parte da humanidade a murmurar contra Deus, e até mesmo a amaldiçoá-Lo. É apenas o

---

[20] STOTT, John. *A mensagem de Romanos 5-8*, p. 5.
[21] STOTT, John. *A mensagem de Romanos 5-8*, p. 6, 7.
[22] STOTT, John. *A mensagem de Romanos 5-8*, p. 6.
[23] WILSON, Geoffrey B. *Romanos*, p. 64.

conhecimento de que essas tribulações são conformes a determinação de seu Pai celeste, que capacita o cristão a regozijar-se nelas, pois em si mesmas elas são más, aflitivas, e não causa de júbilo (Hb 12.6; Ap 3.19).[24]

A palavra "tribulação", no grego *thlipsis*, significa "pressão".[25] John Stott diz que essa palavra se refere especificamente a oposição e perseguição por parte de um mundo hostil.[26] No sentido preciso, não se trata aqui de enfermidade, dor, tristeza ou aflição, mas da pressão de um mundo posto no maligno.[27] A vida cristã é o enfrentamento de muitas pressões: do diabo, do mundo, de nossas fraquezas. Jesus deixou claro que no mundo teremos aflições (Jo 16.33) e o apóstolo Paulo diz: [...] *através de muitas tribulações, nos importa entrar no reino de Deus* (At 14.22).

A palavra "tribulação" vem do latim *tribulum*, o lugar onde se descascava o trigo, separando o grão da palha. O *tribulum* era um pedaço pesado de madeira com cravos de metal usado para debulhar cereais. Ao ser arrastado sobre os cereais, o *tribulum* separava o grão da palha. Quando passamos por tribulações e dependemos da graça de Deus, as dificuldades nos purificam e nos ajudam a eliminar a palha.[28] As tribulações na vida do salvo não vêm para destruí-lo, mas para purificá-lo. Elas não agem contra ele, mas a seu favor. As tribulações não operam por si mesmas, à revelia, na vida dos salvos, mas são trabalhadas pelo próprio Deus, para o nosso bem. Por meio das tribulações, Deus esculpe em nós a beleza de Cristo.

Em segundo lugar, **sabemos que a tribulação produz perseverança** (5.3). A tribulação é pedagógica. Ela gera paciência triunfadora. Não poderíamos exercer a paciência sem o sofrimento, porque sem este não haveria necessidade de paciência. A paciência nasce do sofrimento.[29] A palavra grega *hupomone* significa "paciência triunfadora". Trata-se de uma paciência vitoriosa, que não se entrega nem é passiva, mas triunfa

---

[24] WILSON, Geoffrey B. *Romanos*, p. 64.
[25] BARCLAY, William. *Romanos*, p. 85.
[26] STOTT, John. *Romanos*, p. 163.
[27] STOTT, John. *A mensagem de Romanos 5-8*, p. 5.
[28] WIERSBE, Warren W. *Comentário bíblico expositivo*, p. 687.
[29] STOTT, John. *A mensagem de Romanos 5-8*, p. 6, 7.

alegremente diante das intempéries da vida. *Hupomone* é paciência diante das circunstâncias adversas. É o espírito que enfrenta as coisas e as supera. Não é o espírito que resiste passivamente, mas o que vence e conquista ativamente as provas e tribulações da vida.[30] Isso significa saber que Deus está no controle, forjando em nós o caráter de Cristo no cadinho das provas.

As grandes lições da vida, nós as aprendemos no vale da dor. O sofrimento é não apenas o caminho da glória, mas também o caminho da maturidade. O rei Davi afirmou: *Foi-me bom ter passado pela aflição, para que aprendesse os teus decretos* (Sl 119.71). O patriarca Jó disse que antes do sofrimento conhecia a Deus só de ouvir falar, mas por meio do sofrimento seus olhos puderam contemplar o Senhor (Jó 42.5).

Em terceiro lugar, **sabemos que perseverança produz experiência** (5.4). A palavra grega *dokime*, traduzida por "experiência", significa literalmente algo provado e aprovado. Essa palavra era usada para descrever o metal submetido ao fogo do cadinho com o propósito de remover-lhe as impurezas e torná-lo um metal provado, legítimo e puro.[31] William Hendriksen diz que, assim como o fogo purificador do ourives livra o ouro e a prata das impurezas que no estado natural a ele aderem, também a paciente resignação ou perseverança dos filhos de Deus os purifica.[32]

A palavra *dokime*, portanto, significa caráter provado e aprovado como resultado de um teste de julgamento. Um bom exemplo disso é a experiência vivida por Davi. Ele não quis a armadura de Saul porque nunca a havia provado, não a havia submetido à prova. O que Paulo nos está ensinando é que não devemos ter uma fé de segunda mão. Devemos conhecer a Deus não apenas de ouvir falar. Devemos conhecê-Lo pessoalmente, profundamente, experimentalmente.

Em quarto lugar, **sabemos que a experiência produz esperança** (5.5a). Esta não é uma esperança vaga nem vazia. É uma esperança segura, que não nos decepciona nem nos deixa envergonhados. Mas como saber que essa esperança não é uma fantasia nem uma ficção? A resposta de

---

[30]Barclay, William. *Romanos*, p. 85, 86.
[31]Barclay, William. *Romanos*, p. 86.
[32]Hendriksen, William. *Romanos*, p. 225.

Paulo é meridianamente clara: porque o amor de Deus é derramado em nosso coração pelo Espírito Santo que nos foi outorgado. O apóstolo Paulo diz que o fundamento sólido sobre o qual descansa nossa esperança de glória é o amor de Deus. Há uma efusão do amor de Deus em nosso coração. Nesse momento o céu desce à terra e somos inundados pelas profusas torrentes do amor divino. A justificação não é apenas um ato jurídico de Deus feito no céu; tem também reflexos concretos e reais na terra. O resultado da justificação é uma bendita experiência de transbordamento do amor de Deus em nosso coração.

O derramamento do **amor** de Deus (5.5-8)

Assim como o Espírito Santo foi derramado sobre a igreja no Pentecostes, o amor de Deus é derramado no coração daqueles que são justificados. A palavra "derramar" traz a ideia tanto de abundância como de difusão, tanto de refrigério como de encorajamento.[33] A justificação é um ato objetivo, mas seu fruto é uma experiência subjetiva.

Não é destituído de significado o fato de que neste versículo tanto o amor de Deus quanto o Espírito Santo sejam mencionados pela primeira vez nesta epístola, pois apenas o Espírito pode comunicar-nos o sentimento do amor de Deus. Mesmo que os pecadores ouçam dez mil vezes falar do amor de Deus na dádiva do Seu Filho, eles nunca são realmente afetados por isso, até que o Espírito Santo entre em seu coração, e o amor de Deus seja produzido pela verdade através do Espírito.[34]

Vale a pena destacar a mudança do tempo verbal em Romanos 5.5: o Espírito Santo nos foi dado (no grego, *dothentos*, em referência a um fato passado); porém, o amor de Deus é derramado em nosso coração (no grego, *ekkecutai*, descrevendo um fato passado com consequências permanentes).[35] Assim, recebemos o Espírito de uma vez para sempre, mas somos inundados com o amor de Deus constantemente.

Três fatos devem ser destacados com respeito ao amor de Deus:

---

[33] RIENECKER, Fritz; ROGERS, Cleon. *Chave linguística do Novo Testamento Grego*, p. 264.
[34] WILSON, Geoffrey B. *Romanos*, p. 65.
[35] STOTT, John. *A mensagem de Romanos 5-8*, p. 9.

Em primeiro lugar, *o amor de Deus é copioso* (5.5). O amor de Deus revelado a nós é algo profuso, caudaloso e abundante. Não nos é dado por medida, mas copiosamente derramado em nós. Sob a vívida metáfora de uma chuvarada que cai sobre uma terra seca, o que o Espírito Santo faz é proporcionar-nos a consciência profunda e revigorante de que Deus nos ama.[36] Esse sublime amor de Deus por nós, pecadores, não foi despertado pela cruz de Cristo; ao contrário, foi o amor de Deus por nós que produziu a cruz. A cruz não é a causa do amor de Deus, mas seu resultado. Esse amor não é retido em Deus, mas derramado sobre nós. Paulo menciona aqui uma espécie de inundação do amor de Deus. Somos banhados pelo próprio ser de Deus, uma vez que Deus é amor.

Em segundo lugar, *o amor de Deus é imerecido* (5.6,8,10). A causa do amor de Deus não está no objeto amado, mas nEle mesmo. Cristo não morreu por alguém que merecia o amor de Deus. Ao contrário, Paulo diz que éramos fracos (5.6), ímpios (5.6), pecadores (5.8) e inimigos (5.10). Numa linguagem crescente, o apóstolo elenca quatro predicados sombrios da deplorável condição humana. Embora fôssemos merecedores do juízo divino, ele graciosamente derramou em nosso coração seu imenso amor. Deus não poderia achar nos fracos, ímpios, pecadores e inimigos algo que atraísse Seu amor. O caráter incomum e singular do amor de Deus se revela no fato de que ele foi exercido a favor daqueles cuja condição natural era absolutamente repugnante diante da Sua santidade. Deus amou infinitamente os objetos da Sua ira.

Geoffrey Wilson tem razão quando afirma que um homem realmente pode estar preparado a fazer o maior dos sacrifícios por alguém que ele julga ser digno disso, mas Deus entregou Seu Filho para a morte na cruz por aqueles que ele sabia serem completamente vis e indignos.[37] Franz Leenhardt complementa dizendo que o amor não se justifica mercê do valor do objeto amado. Deus ama sem justificativa para amar.[38]

Em terceiro lugar, *o amor de Deus é provado* (5.6-8). A manifestação do amor de Deus se dá por meio de um evento histórico – a

---

[36]STOTT, John. *Romanos*, p. 165.
[37]WILSON, Geoffrey B. *Romanos*, p. 66.
[38]LEENHARDT, Franz J. *Epístola aos Romanos*, p. 139.

cruz. A prova mais eloquente do amor de Deus é a cruz de Cristo. William Greathouse destaca que em nenhum lugar existe uma revelação de amor como a que encontramos na cruz. Pela cruz temos uma abertura ao coração de Deus e vemos que se trata de um amor que se dá e se sacrifica.[39] Cristo morreu no momento determinado por Deus e de acordo com seu eterno propósito (Jo 8.20; 12.27; 17.1; Gl 4.4; Hb 9.26).[40] Segundo Adolf Pohl, não aconteceu na cruz um heroísmo na potência máxima, mas humilhação extrema, um contrassenso escandaloso (Fp 2.8). Irrompeu o amor jamais decifrável por nós pecadores.[41]

Paulo já havia provado que, na cruz, Deus revelou sua plena justiça (3.25,26); agora, ele afirma que, na cruz, Deus revelou seu abundante amor (5.8). O amor de Deus não é apenas um sentimento, é uma ação. O amor não consiste apenas em palavras; é uma dádiva. O amor não é uma dádiva qualquer, mas uma dádiva de si mesmo. Deus deu Seu Filho. Ele deu tudo, deu a Si mesmo. Deus não amou aqueles que nutriam amor por Ele, mas aqueles que lhe viraram as costas. Deus amou aqueles que eram inimigos.

De acordo com John Stott, a intensidade do amor é medida, em parte, pelo preço que custou a dádiva ao seu doador, e, em parte, por quanto o beneficiário é digno ou não dessa doação. Quanto mais custa o presente ao doador, e quanto menos o receptor o merece, tanto maior demonstra ser esse mesmo amor. Medido por esses padrões, o amor de Deus é singular, pois, ao enviar Seu Filho para morrer pelos pecadores, Ele estava dando tudo, até a Si mesmo, àqueles que dEle nada mereciam, exceto juízo.[42]

Cranfield segue a mesma trilha de pensamento ao declarar que a morte de Cristo evidencia não apenas o amor de Deus por nós, mas também a natureza desse amor. Trata-se de um amor completamente imerecido. Sua origem de modo algum está no objeto amado, mas inteiramente em Deus.[43]

---

[39] GREATHOUSE, William. *A epístola aos Romanos*, p. 81.
[40] WILSON, Geoffrey B. *Romanos*, p. 66.
[41] POHL, Adolf. *Carta aos Romanos*, p. 93.
[42] STOTT, John. *Romanos*, p. 167.
[43] CRANFIELD, C. E. B. *Comentário de Romanos*, p. 111.

A certeza da **glorificação** (5.9,10)

Paulo passa da prova do amor de Deus a nós para as consequências da morte de Cristo por nós. Com uma lógica irresistível, Paulo vai do maior para o menor, dizendo que, se já fomos justificados pelo sangue de Cristo, com certeza seremos salvos da ira no dia do juízo. Se Cristo já verteu o seu sangue por nós, fazendo o trabalho mais difícil, não deveríamos hesitar em crer em nossa completa absolvição no dia do juízo. Como o próprio Paulo declarou mais tarde: *Aquele que não poupou a Seu próprio Filho, antes, por todos nós O entregou, porventura, não nos dará graciosamente com Ele todas as coisas?* (8.32).

Leenhardt tem razão quando diz: "A justificação não é apenas uma sentença passada por um juiz; mas também o perdão concedido por um pai. Ao aspecto jurídico e formal das relações entre Deus e o pecador se aduz o aspecto moral e ontológico" da relação entre um pai e um filho.[44]

Duas preciosas verdades devem ser aqui observadas:

Em primeiro lugar, *a justificação deságua na glorificação* (5.9). Aqueles cujas transgressões foram imputadas a Cristo e, ao mesmo tempo, receberam em sua conta toda a sua perfeita justiça estão seguros da glorificação. Aos que Deus justifica, a esses Ele também glorifica (8.30). É impossível perecer aqueles por quem Cristo verteu o seu sangue. Charles Erdman pergunta: "Se Deus fez tanto a favor dos inimigos, que não fará ele a favor dos amigos?"[45] Concordo com William Greathouse quando Ele diz que "salvos da ira" se refere à libertação final no juízo final; essa salvação é garantida pelo fato de a justificação ser uma antecipação do veredicto favorável daquele dia.[46] Desta forma, Paulo passa da justificação à glorificação, ou seja, do que Deus tem feito por nós ao que Ele ainda fará por nós na consumação.[47]

Em segundo lugar, ***a reconciliação implica uma relação de estreita e permanente comunhão com Deus*** (5.10). Fomos reconciliados com Deus pelo sangue de Cristo, mas desfrutamos Sua intimidade por meio da Sua vida

---

[44]LEENHARDT, Franz J. *Epístola aos Romanos*, p. 140.
[45]ERDMAN, Charles R. *Comentários de Romanos*, p. 67.
[46]GREATHOUSE, William. *A epístola aos Romanos*, p. 82.
[47]STOTT, John. *A mensagem de Romanos 5-8*, p. 13.

ressurreta. Cristo não apenas morreu por nós, mas vive para nós. Não apenas verteu Seu sangue por nós, mas intercede continuamente por nós. Não apenas foi nosso substituto na cruz, mas é nosso intercessor junto ao trono da graça. Seu ministério em nosso favor não foi apenas terreno, mas também celestial. Francis Schaeffer exclama: "Se, quando éramos inimigos, Jesus morreu por nós, o que fará este Cristo vivo por nós agora!"[48]

A **alegria** em Deus (5.11)

Paulo já havia falado que devemos nos gloriar na esperança da glória de Deus (5.2) e em nossas tribulações (5.3). Agora, porém, Paulo diz que devemos nos gloriar também em Deus (5.11). O céu deve encher-nos de entusiasmo. A expectativa da glória deve encher o nosso peito de doçura. A compreensão de que Deus tem um propósito em nossas tribulações é uma verdade consoladora que deve nos levar à mais sublime exultação. No entanto, de todas as alegrias, seja no tempo ou na eternidade, nenhuma excede à nossa alegria em Deus. Ele é o nosso maior prazer. É o supremo deleite da nossa alma. Só nEle há plenitude de alegria e só em Sua presença há delícias perpetuamente (Sl 16.11). Unimos nossa voz às palavras do salmista: *Deus... é a minha grande alegria* (Sl 43.4). John Stott esclarece que gloriar-nos em Deus é não apenas regozijar-nos em nossos privilégios, mas em Suas misericórdias, não no fato de que Ele nos pertence, mas no fato de que nós Lhe pertencemos.[49]

É importante ressaltar ainda que devemos nos gloriar em Deus, e não apenas nas dádivas de Deus. O abençoador é melhor que a bênção; o doador é melhor que a dádiva. Mesmo que os bens nos faltem nesta vida, podemos alegrar-nos no Senhor e exultar no Deus da nossa salvação (Hc 3.17,18).

Concluo este capítulo citando o reformador João Calvino: "O apóstolo ascende ao mais alto grau de tudo aquilo em que se gloriam os fiéis; porque quando nos gloriamos de que Deus é nosso, todos os bens que se podem imaginar ou desejar estão incluídos nEle e têm nEle a sua origem".[50]

---

[48] SCHAEFFER, Francis A. *A obra consumada de Cristo*, p. 142.
[49] STOTT, John. *Romanos*, p. 172.
[50] CALVINO, João. *Epístola a los Romanos*, p. 140, 141.

11

Dois homens, dois destinos

Romanos 5.12-21

O TEXTO QUE ABORDAREMOS AGORA É UM DOS MAIS DIFÍCEIS e ao mesmo tempo um dos mais importantes da epístola. Charles Erdman concorda que a analogia que Paulo traça entre Adão e Cristo é uma das mais difíceis e complexas passagens da epístola. Alguns leitores a têm na conta de um parêntese ou hiato no argumento. Outros, porém, provavelmente com acerto maior, consideram-na o clímax da discussão da doutrina da justificação pela fé e introdução ao exame da doutrina da santificação.[1]

John Stott diz que todos os que estudaram Romanos 5.12-21 chegaram à conclusão de que esta passagem é extremamente condensada. Alguns confundem condensação com confusão. Paulo usou aqui uma precisão quase matemática. A passagem poderia ser comparada a uma perfeita obra de entalhe ou a uma composição musical cuidadosamente elaborada.[2]

William Barclay diz que não há nenhuma passagem no Novo Testamento que tenha exercido tanta influência sobre a teologia como esta; e não há passagem que seja mais difícil de entender para a

---

[1] ERDMAN, Charles R. *Comentários de Romanos*, p. 68, 69.
[2] STOTT, John. *Romanos*, p. 173.

mente moderna.³ William Greathouse chega a afirmar que esse debate sobre Adão e Cristo é o grande divisor de águas da epístola.⁴ Na verdade, Paulo está concluindo a sua exposição sobre a doutrina da justificação e preparando seus leitores para entrar na bendita doutrina da santificação.

Antes de analisar o texto em tela, precisamos à guisa de introdução levantar algumas questões vitais que estão no centro das discussões contemporâneas. O texto em apreço contém não apenas doutrina, mas também história. Não podemos reafirmar a doutrina negando sua historicidade. Uma coisa está ligada à outra. Vejamos quais são essas perguntas:

Em primeiro lugar, ***Adão é uma personagem histórica ou mitológica?*** Observamos hoje forte tendência de as pessoas encararem os três primeiros capítulos de Gênesis como um mito qualquer, ou algum tipo de parábola, ideia ou alegoria.⁵ John Stott diz que está na moda qualificar o relato de Adão e Eva como mito, e não como realidade, porém as mesmas Escrituras nos impedem de pensar assim.⁶

Nenhum texto da Bíblia *incomoda* mais os teólogos liberais e os arautos do evolucionismo que Gênesis 1–3. O relato da criação e a criação do homem à imagem e semelhança de Deus entra em desacordo com as pretensões do evolucionismo. Com o propósito de fazer uma aliança entre o cristianismo e o evolucionismo darwiniano, alguns estudiosos contemporâneos abraçaram o evolucionismo teísta, alegando que Deus é o autor da criação, mas o processo adotado para essa criação é a evolução. Assim, o relato de Gênesis 1–3 é mitológico, e não histórico. Consequentemente, Adão não foi uma personagem real, mas apenas um emblema.

Precisamos deixar claro que essa posição avilta não apenas a doutrina da criação, mas também nega a doutrina do pecado original, a queda dos nossos primeiros pais e a autoridade das Escrituras. Francis Schaeffer tem razão ao dizer que toda vez que alguém nega a historicidade de Adão está jogando fora a autoridade de Paulo.⁷ Se Gênesis 1–3 não é um relato

---

[3] BARCLAY, William. *Romanos*, p. 90.
[4] GREATHOUSE, William. *A epístola aos Romanos*, p. 89.
[5] SCHAEFFER, Francis A. *A obra consumada de Cristo*, p. 147.
[6] STOTT, John. *A mensagem de Romanos 5-8*, p. 16.
[7] SCHAEFFER, Francis A. *A obra consumada de Cristo*, p. 145.

literal, então Moisés, Jesus e Paulo se equivocaram ao mencionar Adão como personagem histórica. Se Adão é um mito, a Palavra de Deus perde sua credibilidade, pois o descreve como uma personagem histórica.

Geoffrey Wilson destaca que, para ser válida, a argumentação do apóstolo Paulo em Romanos 5 depende de forma absoluta do fato de que, assim como Jesus foi uma pessoa histórica, também Adão foi uma pessoa histórica. Não pode haver paralelo correto entre um Adão mitológico e um Cristo histórico. Adão é tão necessário ao sistema teológico cristão quanto Jesus Cristo. De fato, as Escrituras chamam Cristo de "o segundo Adão" ou "o último Adão".[8] Tanto Adão como Cristo nos são apresentados como cabeças de uma raça. Nas palavras de F. F. Bruce, sem dúvida Adão era para Paulo um indivíduo histórico, o primeiro homem. Era mais ainda: era o que o seu nome significa em hebraico – "humanidade". A humanidade inteira é vista como tendo originalmente pecado em Adão.[9]

Em segundo lugar, *a queda de Adão atingiu apenas a ele ou a toda a raça humana?* Esta é a primeira vez em Romanos que Paulo se refere à entrada do pecado no mundo em decorrência da queda de Adão. A razão pela qual todos os homens, gentios ou judeus, são pecadores é que o pecado entrou no mundo por meio de Adão.

No quinto século, Pelágio negou o caráter universal da queda e defendeu a tese de que somos tão livres hoje quanto Adão o era antes da queda. O pecado de Adão foi apenas individual, sem consequência para a raça humana. Pelágio ensinava que todos os homens imitam o pecado de Adão e, portanto, morrem em consequência do seu próprio pecado. A Palavra de Deus, porém, diz que Adão era o cabeça federal da raça. Nós estávamos nele quando ele caiu. Com sua queda, caiu toda a raça humana. Seu pecado nos foi imputado. Como filhos de Adão, todos os seres humanos nascem em pecado. Adão se posicionou na porta de entrada da história e por meio dele o pecado entrou no mundo. Agora todos estão em estado de depravação total. Adolf Pohl diz que todas as pessoas depois de Adão carregam a sua imagem.[10]

---

[8]WILSON, Geoffrey B. *Romanos*, p. 70.
[9]BRUCE, F. F. *Romanos: introdução e comentário*, p. 103.
[10]POHL, Adolf. *Carta aos Romanos*, p. 96.

Verdade incontestável é a solidariedade da raça humana, seja em Adão ou em Cristo. Há dois homens – Adão e Jesus Cristo – e todos os outros estão dependurados nos cinturões desses dois.[11] William Greathouse diz que todas as pessoas estão em Adão (por nascimento) ou em Cristo (pelo novo nascimento e pela fé). Paulo não pensa na humanidade como uma reunião de indivíduos ao acaso, mas como uma unidade orgânica, um único corpo sob uma única cabeça. Essa cabeça será Cristo ou Adão.[12]

São bem conhecidas as palavras de John Donne, citadas por F. F. Bruce: "Nenhum homem é uma ilha, completa em si mesma; todo homem é um pedaço do continente, uma parte do todo. Se um bloco de terra é arrastado pelas águas, o território fica diminuído, seja a Europa, ou um promontório ou a fazenda dos teus amigos. A morte de cada ser humano *me* diminui, porque estou envolvido na humanidade. Portanto, nunca mande perguntar por quem os sinos dobram: eles dobram por ti".[13] Geoffrey Wilson sintetiza esse ponto com exatidão, quando afirma: "Negar a solidariedade no pecado implica a negação da solidariedade na graça".[14]

Concluímos esse ponto concordando com a afirmação de William Greathouse: "Uma teologia completa do pecado deve girar em torno tanto da solidariedade racial quanto da responsabilidade pessoal".[15]

Em terceiro lugar, **Adão é tipo ou antítipo de Cristo?** Adão é tanto tipo como antítipo de Cristo. É tipo de Cristo porque é o representante da raça quanto à sua queda. Todos nós estávamos em Adão quando ele pecou. Seu pecado foi o pecado de toda a raça. Todos nós herdamos o pecado original de Adão. Somos concebidos em pecado. De igual forma, Cristo é o representante de uma nova raça. Se por uma única transgressão de Adão nos tornamos todos pecadores, por um único ato de justiça de Cristo todos os que creem se tornam justos. É exatamente porque o ato de desobediência de Adão é imputado a outros – os quais

---

[11] BRUCE, F. F. *Romanos: introdução e comentário*, p. 103.
[12] GREATHOUSE, William. *A epístola aos Romanos*, p. 83.
[13] BRUCE, F. F. *Romanos: introdução e comentário*, p. 103.
[14] WILSON, Geoffrey B. *Romanos*, p. 70.
[15] GREATHOUSE, William. *A epístola aos Romanos*, p. 86.

nem pessoal nem voluntariamente estavam envolvidos diretamente naquela atividade – que ele é descrito como um tipo de Cristo (5.14). Pois, da mesma forma que o pecado de Adão foi a base de nossa condenação, a justiça de Cristo é a base de nossa justificação. Um pecado de Adão foi suficiente para levar a raça à ruína, mas a obediência de Cristo conferiu justiça a Seu povo.[16]

Na mesma linha de pensamento, William Hendriksen escreve: "Como é possível haver alguma semelhança entre Adão e Cristo? É que Adão comunicou aos que eram seus aquilo que lhe pertencia, assim também Cristo outorgou a seus amados aquilo que é seu. É nesse aspecto que Adão prefigura Cristo. Quanto ao restante, contudo, o paralelo é um contraste".[17]

Adão é, sobretudo, antítipo de Cristo. Nele caímos e morremos; em Cristo nos levantamos e vivemos. Por meio do seu pecado entrou a morte no mundo; por meio da obediência de Cristo recebemos vida eterna. Adão é o cabeça federal da velha humanidade; Cristo é o representante da nova humanidade. Pelo pecado de Adão os homens são condenados; pela justiça de Cristo os homens são justificados.

Estamos em Adão ou em Cristo. Não há ponto neutro. Só há dois grupos: os que estão perdidos em Adão e os que estão salvos em Cristo. É importante observar a repetição do artigo *um,* usado dez vezes em Romanos 5.12-21. A ideia central é nossa identificação com Adão e com Cristo.[18]

A queda da raça humana em Adão

Duas verdades são destacadas pelo apóstolo Paulo no texto em apreço:

Em primeiro lugar, *a realidade da queda de Adão* (5.12). A queda de Adão foi o maior desastre da história. Dessa queda decorrem todos os desastres subsequentes. Três fatos merecem atenção:

O pecado entrou no mundo por um homem (5.12). Embora o pecado já tivesse ocorrido no mundo angelical com a queda de Lúcifer, na história

---

[16] WILSON, Geoffrey B. *Romanos,* p. 72.
[17] HENDRIKSEN, William. *Romanos,* p. 238.
[18] WIERSBE, Warren W. *Comentário bíblico expositivo,* p. 688.

humana o pecado foi introduzido pela queda de Adão. O pecado é uma conspiração contra Deus. É a transgressão da Sua lei, um ato de rebeldia e desobediência a Deus. Sendo livre, Adão escolheu desobedecer. Tendo livre-arbítrio, tornou-se escravo do pecado e por meio do seu pecado precipitou toda a raça no estado de rebelião contra Deus. Pecado aqui não é um mero ato, mas um poder vivo, hostil, mortal. É o pecado na sua plenitude – um princípio de revolta que resulta em "muitas ofensas" (5.16). Este é o pecado que entrou no mundo no Éden.[19]

Não apenas herdamos o pecado de Adão, mas somos como ele. Agora, cada qual é seu próprio Adão.[20] O pecado tem sua origem em Adão, porque estamos em Adão de modo especial, não apenas porque ele é a raiz que nos gerou, mas também porque é nosso representante e cabeça.[21] Todos os homens pecaram em Adão, estando nos lombos do seu primeiro pai, o cabeça e o representante da raça.

Pelo menos em cinco ocasiões, nos versículos 15-19, a verdade de que, pelo pecado de um único homem, todos nós pecamos é repetida: *Pela ofensa de um só, morreram muitos* (5.15); *O julgamento derivou de uma só ofensa, para a condenação* (5.16); *Pela ofensa de um e por meio de um só, reinou a morte* (5.17); *Por uma só ofensa, veio o juízo sobre todos os homens para condenação* (5.18) e *Pela desobediência de um só homem, muitos se tornaram pecadores* (5.19).

A morte entrou no mundo pelo pecado (5.12). A morte é como o outro lado do pecado. Onde vive o pecado, a morte vive no pecado. Onde o pecado reina, ele reina pela morte (5.21). Quando o pecado ordena, a sua moeda corrente de pagamento é a morte (6.23). O pecado é uma existência desolada, sem vida, desconectada. O pecado e a morte são correlatos. Viver no pecado é viver na morte. O ato do pecado abrange toda a morte que flui dele, e nada flui dele exceto a morte.[22]

O pecado é a mãe da morte. A morte é filha do pecado e ao mesmo tempo Seu juízo contra ele. A carranca da morte não seria conhecida na

---

[19]GREATHOUSE, William. *A epístola aos Romanos*, p. 84.
[20]POHL, Adolf. *Carta aos Romanos*, p. 97.
[21]WILSON, Geoffrey B. *Romanos*, p. 71.
[22]GREATHOUSE, William. *A epístola aos Romanos*, p. 84.

história humana não tivesse entrado no mundo o espectro do pecado. William Hendriksen diz que a solidariedade na culpa implica solidariedade na morte, tanto aqui como em 1Coríntios 15.22. Pecado e morte não podem separar-se (Gn 2.17; 3.17-19; Rm 1.32; 1Co 15.22). Em Adão, todos pecaram; em Adão todos morreram.[23] Segundo John Stott, a pena de morte cai hoje sobre todos os homens não apenas porque todos pecaram como Adão, mas porque todos pecaram *em* Adão.[24]

Que tipo de morte entrou no mundo pelo pecado? A morte física, espiritual e eterna. A morte física é a separação entre a alma e o corpo (2Co 5.8); a morte espiritual é a separação entre o ser e Deus, devido a um ato de desobediência (7.9); a morte eterna ou a "segunda morte" é a separação irremediável e eterna entre o homem e Deus. Trata-se da ida da alma e do corpo para o inferno (Mt 10.28). Essas três modalidades de morte são consequência do pecado. O pecado é, portanto, o maior de todos os males. O pecado é pior que a pobreza, que o sofrimento, que a doença e até mesmo pior que a morte. Todos esses males não podem afastar o homem de Deus, mas o pecado o afasta de Deus no tempo e na eternidade. O pecado é de fato maligníssimo.

A morte sobreveio a todos os homens (5.12). Porque todos pecaram em Adão e porque o salário do pecado é a morte, a morte passou a todos os homens, uma vez que todos pecaram. Ela atinge a todos sem distinção e sem exceção. Repousa seus dedos gélidos sobre ricos e pobres, reis e vassalos, servos e chefes, doutores e analfabetos, pequenos e grandes, velhos e crianças, religiosos e ateus. Não podemos nos esconder da morte. Ela será o último inimigo a ser vencido.

Em segundo lugar, **as consequências da queda de Adão**. A transgressão de Adão trouxe pecado, morte e condenação à raça humana. Destacaremos aqui quatro pontos importantes:

O pecado de Adão impôs o reinado de morte antes da lei (5.13,14). Paulo já havia feito uma distinção entre o pecado sem lei e o pecado sob a lei (2.12). Aqueles que viveram antes da outorga da lei no Sinai, mesmo não pecando contra proibições específicas, pecaram contra a

---

[23] HENDRIKSEN, William. *Romanos*, p. 235, 236.
[24] STOTT, John. *A mensagem de Romanos 5-8*, p. 17.

lei da consciência (2.14,15) e contra a revelação natural (1.20,21). Eles não transgrediram mandamentos objetivos como Adão transgrediu no Éden, comendo do fruto que Deus lhe ordenara não comer, mas pecaram deixando de agir de acordo com a luz recebida. Assim, tinham a culpa, e o resultado foi o reinado cruel da morte nesse tempo. John Stott diz que durante o período entre Adão e Moisés o povo pecou, porém seus pecados não lhe foram levados em conta porque "o pecado não é levado em conta quando não há lei" (5.13). No entanto, ainda que não houvesse lei, as pessoas morriam, porque estavam incluídas em Adão, cabeça da raça humana.[25] John Murray conclui esse ponto dizendo: "Quando todos os fatos da época pré-mosaica são levados em consideração, a única explicação para o domínio universal da morte é a solidariedade de todos os homens no pecado de Adão".[26]

O pecado de Adão lançou todos os homens no abismo do pecado (5.19). Os efeitos da queda são universais. Porque estávamos nos lombos de Adão quando ele pecou, tornamo-nos pecadores nele e com ele. A partir da queda, todos os homens nascem caídos, contaminados e corrompidos pelo pecado. Com a queda de Adão o homem perdeu o livre-arbítrio. Ele não pode mais fazer o bem. Toda a inclinação do seu coração é para o mal. O homem tornou-se inimigo de Deus, rendido ao pecado.

O pecado de Adão subjugou todos os homens no reinado da morte (5.13,14,15,17). No território do pecado, a morte passou a reinar como rainha. A morte é tanto a recompensa do pecado como o juízo de Deus sobre ele. Deus já havia dito a Adão que não comesse do fruto proibido, pois se o fizesse certamente morreria. A morte é a justa retribuição divina a essa transgressão deliberada de Adão. John Murray destaca a realidade do reinado da morte. Reinou a morte; não se diz que os súditos da morte reinaram na morte. A morte exerce seu domínio sobre eles. Entretanto, Paulo afirma que os súditos da vida "reinam em vida". Estes são apresentados como quem exerce domínio na vida. A razão pela qual eles reinam em vida é que recebem a abundância da graça e o dom da justiça.[27]

---

[25] Stott, John. *A mensagem de Romanos 5-8*, p. 18.
[26] Murray, John. *Romanos*, p. 217.
[27] Murray, John. *Romanos*, p. 224.

O pecado de Adão sentenciou todos os homens como culpados e condenados no juízo (5.16,18). O pecado não é algo neutro ou inofensivo. É maligníssimo. É um atentado e uma conspiração contra Deus e seu projeto. O pecado atrai a ira de Deus. Por isso os que vivem no pecado não podem agradar a Deus; antes, permanecem sob Sua santa ira. Estão sob sentença de condenação.

A redenção da raça humana em Cristo

Cristo é o segundo Adão. O primeiro Adão caiu num jardim; o segundo Adão triunfou num deserto. O primeiro Adão é da terra; o segundo Adão é do céu. O primeiro Adão introduziu no mundo o pecado e por ele a morte; o segundo Adão trouxe ao mundo a justiça e a imortalidade. O primeiro Adão foi expulso do paraíso; o segundo Adão nos levará de volta ao paraíso.

Se o primeiro Adão era figura do segundo Adão (5.14), precisamos ressaltar que a obra do segundo Adão foi maior que a tragédia provocada pelo primeiro Adão. A expressão *muito mais*, repetida duas vezes (5.15,17), indica que, em Jesus Cristo, ganhamos muito mais do que tudo o que perdemos em Adão.[28] A graça do segundo Adão é maior que o pecado do primeiro Adão. Onde abundou o pecado, superabundou a graça (5.20). Nossa união com Adão significou para nós o reinado do pecado (5.12-14,21) e o reinado da morte (5.14,21), mas nossa união com Cristo significa o reinado da graça (5.15-21) e nosso reinado em vida por meio de Cristo (5.17).[29]

Precisamos acautelar-nos para não chegar a conclusões apressadas e contraditórias na interpretação de Romanos 5.15-19. Uma leitura desatenta pode induzir-nos a pensar que Paulo está ensinando a universalidade da salvação, como universal é o pecado. Essa conclusão, porém, está em total desacordo com o ensino geral da carta (1.16,17; 2.11,12; 3.21–4.25).

---

[28] WIERSBE, Warren W. *Comentário bíblico expositivo*, p. 688.
[29] LEE, Robert. *Outline studies in Romans*. Grand Rapids: Kregel Publications, 1987, p. 37.

Concordo com Adolf Pohl quando ele diz que não nos cabe apagar aqueles capítulos por intermédio deste novo trecho, ou seja, não devemos destruir as Escrituras com as Escrituras, e sim explicar as Escrituras com as Escrituras.[30] Juan Schaal diz, que longe de Paulo pregar uma salvação universal contrária às Escrituras, ele ensina a unidade da raça humana em Adão e da nova raça em Cristo, que é unida mediante Sua obra redentora. Assim como Adão é o cabeça federal da raça humana, Cristo é o cabeça da raça espiritual, que significa seu corpo, a igreja. Desta forma, o ponto principal desta passagem é que somos levados a este estado de justificação e vida pela justiça de um homem, Cristo Jesus, assim como fomos levados à perdição pelo pecado de um homem, Adão. Somos condenados em Adão, somos justificados em Cristo.[31]

Há cinco contrastes entre Adão e Cristo nos versículos 15-21. Primeiro, o contraste entre a transgressão de Adão e o dom gratuito de Cristo (5.15). Segundo, o contraste entre as consequências do pecado de Adão e as consequências da obediência de Cristo (5.16). Terceiro, o contraste entre os dois reinos (5.17). Quarto, o contraste entre o "ato único" de Adão e o de Cristo (5.18,19). Quinto, o contraste entre a lei e a graça (5.20,21).

A semelhança entre Cristo e Adão baseia-se no desenrolar dos acontecimentos: nos dois casos, muita gente foi atingida pelo ato de apenas um homem. Esta é a única semelhança entre eles. As diferenças entre a decisão de Adão e a decisão de Cristo são três: a motivação, os efeitos e os resultados. A razão pela qual Adão pecou difere da motivação da morte de Cristo; do mesmo modo, o resultado do pecado de Adão difere do resultado da morte de Cristo. A natureza do ato de Adão não é a mesma natureza do ato de Cristo.[32] Em relação ao contraste entre o primeiro e o segundo Adão, destacaremos esses três aspectos:

Em primeiro lugar, **Cristo foi diferente de Adão quanto à motivação da Sua obra** (5.15). Adão pecou e levou a raça a pecar por causa do seu egoísmo. Ele queria fazer sua vontade em detrimento da vontade de

---

[30]POHL, Adolf. *Carta aos Romanos*, p. 96.
[31]SCHAAL, Juan. *El camino real de Romanos*, p. 71.
[32]STOTT, John. *A mensagem de Romanos 5-8*, p. 18.

Deus; o segundo Adão, embora fosse Deus, esvaziou-Se, humilhou-se e, mesmo suando sangue, prontificou-se a fazer não sua vontade, mas a vontade do Pai.

Na mesma linha de pensamento, John Stott diz que a transgressão ou ofensa foi um ato de pecado (a palavra *paraptoma* significa queda ou desvio do caminho). Adão conhecia muito bem o caminho porque Deus o havia indicado, mas ao desviar extraviou-se. Entretanto, a palavra grega para dom, *charisma*, indica um ato de graça. Adão agiu motivado por seu egoísmo; quis afirmar sua própria vontade e preferiu seu próprio caminho. Cristo, ao contrário, agiu motivado pela consciência de renúncia para colocar a nosso alcance Sua graça, que não merecíamos.[33]

Em segundo lugar, **Cristo foi diferente de Adão quanto aos efeitos imediatos da Sua obra** (5.16). Bastou a transgressão de Adão para precipitar toda a raça no abismo da queda e da condenação. O pecado do primeiro Adão trouxe julgamento sobre toda a raça. Nele caímos e nele fomos julgados. No entanto, a graça é dada dos pecados de todos. Quando Cristo, como nosso representante e fiador, foi à cruz, todas as nossas transgressões foram lançadas sobre ele. Ele carregou no seu corpo sobre o madeiro todos os nossos pecados. Na verdade, ele foi feito pecado por nós. Foi ferido de Deus, moído e traspassado por nossas iniquidades para nos dar a justificação. John Stott diz que o pecado de Adão trouxe condenação (*katakrima*); a obra de Cristo traz justificação (*dikaioma*). Trata-se de uma oposição absoluta entre a condenação e a justificação, entre a morte e a vida.[34]

A força da graça em ação superou a força da sentença de condenação. Acender com um fósforo uma floresta toda na estiagem do verão é facílimo em comparação à tarefa árdua de apagar o incêndio alastrado. No bem, Jesus teve de realizar incomparavelmente mais que Adão realizou no mal.[35]

Em terceiro lugar, **Cristo foi diferente de Adão quanto aos resultados finais da Sua obra** (5.17-19). Cranfield diz que a finalidade dos

---

[33] STOTT, John. *A mensagem de Romanos 5-8*, p. 18, 19.
[34] STOTT, John. *A mensagem de Romanos 5-8*, p. 19.
[35] POHL, Adolf. *Carta aos Romanos*, p. 99.

versículos 15-17 é inculcar a ampla dessemelhança entre Cristo e Adão, antes de ser feita a comparação formal entre eles no versículo 18.[36] Destacaremos aqui três pontos:

O reinado da morte versus *reinado da vida* (5.17). O pecado de Adão introduziu o reinado da morte; mas o dom da justiça, fruto da morte vicária de Cristo, trouxe o reinado da vida. O pecado de Adão gerou morte; a morte de Cristo gerou vida. Os resultados são diferentes e opostos. Nesse sentido Adão não é tipo de Cristo, mas antítipo.

O apóstolo realça que no caso dos crentes o reinado da morte não é meramente substituído pelo reinado da vida, mas por um reinado tão indizivelmente glorioso que aqueles que dele participam serão eles mesmos reis e rainhas.[37] John Stott, na mesma linha de pensamento, diz que antes a morte era o nosso rei e nós éramos escravos, totalmente sujeitos à sua tirania. O que Cristo fez por nós não foi só trocar o reino da morte por um reino muito mais suave, o reino da vida, deixando-nos ainda na condição de súditos. Ao contrário, ele nos liberta tão radicalmente do domínio da morte que nos capacita a trocar de lugar com ela e passar a dominá-la, ou seja, reinar em vida. Nós nos tornamos reis, participantes do reinado de Cristo, tendo agora debaixo de nossos pés a própria morte, que um dia será destruída.[38]

A condenação versus *a justificação* (5.18). A ofensa de Adão trouxe juízo a todos os homens para a condenação, mas pelo ato de justiça de Cristo veio a graça sobre todos os homens, para a justificação que dá vida. A ofensa de Adão produziu juízo, mas o ato de justiça de Cristo, ou seja, sua morte vicária, produziu justificação. Cristo recebeu em si mesmo o juízo que deveria cair sobre nós. Ele sorveu o cálice amargo da ira que deveria ter sido derramado sobre nós. Ele morreu por nós. Um conhecido cântico *negro spiritual* diz: "Onde estavas tu quando meu Senhor morreu?" A única resposta possível é que nós estávamos lá – e não como meros espectadores, mas como participantes culpados.[39]

---

[36] CRANFIELD, C. E. B. *Comentário de Romanos*, p. 119.
[37] HENDRIKSEN, William. *Romanos*, p. 240.
[38] STOTT, John. *Romanos*, p. 182.
[39] STOTT, John. *Romanos*, p. 179.

Homens pecadores versus *homens justos* (5.19). A desobediência de Adão tornou pecadores todos os homens, mas a obediência de Cristo tornou justos os crentes. É indubitável que foi na cruz de Cristo e no verter do Seu sangue que essa obediência atingiu o ápice, mas essa obediência compreende a totalidade da vontade do Pai consumada por Cristo.[40]

Porque estávamos em Adão, somos todos pecadores; porque estamos em Cristo, somos declarados justos e introduzidos numa relação de justiça. Ó doce permuta, ó inescrutável criação, ó benefícios não procurados, que o pecado de muitos seja posto fora do alcance da vista e lançado sobre um Homem Justo, e a justiça de um justifique muitos pecadores.[41]

O triunfo da graça sobre o pecado (5.20,21)

O apóstolo Paulo destaca três verdades preciosas sobre o triunfo da graça sobre o pecado:

Em primeiro lugar, *a graça é maior que o pecado* (5.20). Assim como o segundo Adão é maior do que o primeiro, assim como a obra de Cristo é maior do que o pecado de Adão, também a graça é maior do que o pecado. A redenção levou o homem não apenas ao seu estado original, mas a horizontes mais sublimes. Não somente restituiu o que ele havia perdido, mas o colocou numa posição superior aos anjos, tornando-o membro da família de Deus.

Onde abundou o pecado, superabundou a graça. Embora a lei tenha avultado o pecado, ela não fez o homem mais pecador. Simplesmente o tornou mais consciente do seu pecado, mais capaz de perceber sua culpa e mais necessitado da graça. Francis Schaeffer reforça essa ideia: "A lei não torna as pessoas pecadoras, mas simplesmente torna mais explícito o fato de que elas são pecadoras".[42] Concordo com Warren Wiersbe quando ele diz: "Deus deu a lei por intermédio de Moisés não para substituir Sua graça, mas para revelar a necessidade do ser humano

---

[40]MURRAY, John. *Romanos*, p. 232.
[41]BRUCE, F. F. *Romanos: introdução e comentário*, p. 108.
[42]SCHAEFFER, Francis A. *A obra consumada de Cristo*, p. 154.

de receber essa graça. A lei é temporária, mas a graça é eterna".[43] A lei é precursora da graça. Sua função não é nos livrar do pecado, mas nos tomar pela mão como aio e nos levar a Cristo, o Salvador.

Em segundo lugar, *a graça desbarata o reinado do pecado* (5.21a). Cranfield corretamente afirma que o triunfo da graça descrito no versículo 20b não era o fim da questão. Sua meta era a expropriação do pecado usurpador e a substituição do Seu reino pelo reino da graça.[44] O reinado da graça pela justiça destrona o reinado do pecado pela morte. Esses dois reinos não podem coexistir. São excludentes. O reinado da graça trouxe salvação do pecado, e não no pecado. Pelo reinado da graça somos salvos da culpa do pecado na justificação, do poder do pecado na santificação e da presença do pecado na glorificação.

Concordo com Geoffrey Wilson quando ele diz que a graça não libertou, nem podia libertar, cativos realmente culpados sem pagar o resgate. Ela não passou por cima da justiça, nem ignorou as suas exigências. Ela reina por provisão de um Salvador que sofreu no lugar dos culpados. Pela morte de Jesus Cristo, plena compensação foi apresentada à lei e à justiça de Deus.[45]

Em terceiro lugar, *a graça não apenas anula a sentença de morte, mas dá ao homem a vida eterna* (5.21b). O reinado do pecado produz morte, mas o reinado da graça oferece vida eterna mediante Jesus Cristo, nosso Senhor. A graça abre os portais da vida eterna para os pecadores. O Senhor Jesus recebe os que estavam condenados e mortos no palácio da graça e concede a eles o dom da vida eterna. A linha final, proferida em alto e bom som, "por Jesus Cristo, nosso Senhor", já ocorreu no começo (5.1), no meio (5.11) e retorna neste final (5.21). Ela proporciona coesão ao capítulo todo.[46]

---

[43] WIERSBE, Warren W. *Comentário bíblico expositivo*, p. 690.
[44] CRANFIELD, C. E. B. *Comentário de Romanos*, p. 125.
[45] WILSON, Geoffrey B. *Romanos*, p. 77.
[46] POHL, Adolf. *Carta aos Romanos*, p. 101.

12

O reinado da graça

Romanos 6.1-23

O APÓSTOLO PAULO ACABOU DE APRESENTAR A DOUTRINA da identificação com Cristo. Em Adão toda a raça caiu em pecado e miséria. Em Cristo, o segundo Adão, porém, fomos libertados do pecado e da morte. Os que estão em Cristo, sob o reinado da graça, foram libertados da tirania do pecado, pois onde abundou o pecado, superabundou a graça (5.20). Somos livres em Cristo. Podemos desfraldar as bandeiras da nossa liberdade!

A abolição da escravatura nos Estados Unidos da América custou alto à nação. Foi necessária uma guerra civil. Abraão Lincoln, 16º presidente, foi assassinado. A 13ª emenda da Constituição que validava a escravidão foi legalmente abolida em 18 de dezembro de 1865. No entanto, a vasta maioria dos escravos do Sul que haviam sido legalmente libertados continuou vivendo como escravos. Um escravo do Estado do Alabama disse: "Nada sei sobre Abraão Lincoln e sobre nossa libertação". Isso é trágico: uma guerra foi travada, um presidente foi assassinado, uma emenda à Constituição passa a ser lei, homens, mulheres e crianças antes escravos foram legalmente alforriados, todavia muitos continuaram vivendo como escravos por causa da ignorância. Há hoje muitos crentes vivendo como escravos. Embora Cristo, o emancipador de escravos, tenha morrido e ressuscitado para a nossa libertação, muitos crentes ainda vivem como cativos, sem desfrutar plena liberdade.

Muitos crentes são ignorantes, não conhecem o que Cristo fez por eles; outros são acomodados, acostumaram a viver como escravos; outros ainda são fracos, vivem com medo do feitor de escravos e deixam de desfrutar sua liberdade.

Em Romanos 6.1-23, Paulo nos mostra que a doutrina da justificação desemboca na santificação. Pela justificação fomos libertados da culpa do pecado, mas na santificação devemos ser salvos do poder do pecado. Vencemos o pecado não sob o regime da lei, mas sob o reinado da graça. A santificação, não menos que a justificação, resulta da eficácia da morte de Cristo e da virtude de Sua ressurreição.[1]

A doutrina do reinado da graça, entretanto, levou os libertinos a distorcer o ensino de Paulo. Eles ensinavam que a prática do pecado abre largas avenidas para uma ação mais robusta da graça (6.1). Assim, esses mestres do engano ensinavam que devemos pecar a valer para que a graça seja mais abundante. Paulo reage com firmeza a essa perversão da verdade, dizendo que o reinado da graça nos leva a morrer para o pecado, em vez de nos incentivar a viver nele e para ele. A graça nos livrou não apenas da culpa do pecado, mas também do Seu poder. John Stott diz corretamente que o Deus da graça não apenas perdoa pecados, mas também nos liberta de pecar. Pois a graça, além de justificar, também santifica.[2] William Barclay tem toda razão ao destacar que é terrível fazer da misericórdia de Deus uma desculpa para pecar. Seria uma atitude vil um filho considerar-se livre para pecar apenas por saber que seu o pai o perdoaria.[3]

Romanos 6.1-23 é uma resposta àqueles que procuram transformar a graça de Deus em libertinagem. Paulo usa dois argumentos eloquentes para desbaratar as vãs pretensões dos hereges: o primeiro é nossa união com Cristo por meio do batismo (6.1-14), e o segundo, nossa servidão a Deus pela conversão (6.15-23). Há profunda conexão entre

---

[1] MURRAY, John. *Romanos*, p. 238.
[2] STOTT, John. *Romanos*, p. 197.
[3] BARCLAY, William. *Romanos*, p. 98.

esses dois argumentos. Em ambos, Paulo mostra as implicações do reinado da graça.

John Stott vê cinco pontos comuns nesses dois argumentos: primeiro, em ambos vemos a supremacia da graça (5.20,21; 6.15); segundo, em ambos vemos a mesma relação entre o pecado e a graça (6.1,15); terceiro, em ambos Paulo reage à questão com a mesma indignação (6.2,15); quarto, em ambos a ignorância é apontada como base do antinomismo (6.3,16); quinto, em ambos Paulo fala da descontinuidade radical entre a velha e a nova vida (6.2,16).

Consideraremos a seguir esses dois argumentos de Paulo.

Devemos viver em santidade porque estamos unidos a Cristo pelo batismo (6.1-14)

A pergunta que se inicia o capítulo 6 procede da ênfase dada no final do capítulo 5. Se a graça é superabundante onde o pecado é abundante, se a multiplicação das transgressões serve para demonstrar o esplendor da graça, então não deveríamos pecar mais para que Deus seja ainda mais glorificado na magnificência da Sua graça? Esta pergunta retratava tanto a distorção antinomiana como a objeção dos legalistas à doutrina da justificação pela graça, por meio da fé, independentemente das obras.

A inferência licenciosa é imediata e energicamente rejeitada por Paulo (6.2). O apóstolo responde neste capítulo tanto à distorção dos antinomianos quanto à objeção dos legalistas.[4] Três verbos regem esta primeira parte da argumentação de Paulo: saber (6.6), considerar (6.11) e oferecer (6.13).

Em primeiro lugar, ***devemos saber*** (6.1-10). A fé cristã está fundamentada sobre o entendimento. Crer é também pensar. A ignorância da verdade não glorifica a Deus nem nos possibilita crescimento na graça. O segredo de uma vida santificada está na mente. Consiste em *saber* (6.6) e *considerar* (6.11). O que devemos saber?

Nós morremos para o pecado (6.2). Se morremos para o pecado, como podemos continuar vivendo nele? A morte e a vida não podem coexistir;

---

[4] MURRAY, John. *Romanos*, p. 238.

não podemos estar mortos e vivos ao mesmo tempo, com relação a coisa alguma.⁵

A graça nos salvou do pecado, e não no pecado. O pecado é inadmissível no cristão. Os antinomianos argumentam que o crente pode persistir no pecado, mas Paulo afirma que o crente morreu para o pecado. Não podemos viver no pecado se estamos mortos para ele. Assim como nós morremos pelo pecado em Adão, morremos para o pecado em Cristo.

Concordo com John Stott no sentido de que Paulo declara aqui não a impossibilidade literal da prática do pecado por parte dos crentes, mas a incongruência moral envolvida.⁶ Citando Charles Hodge, Juan Schaal diz que tal é a natureza da união do crente com Cristo, que seu viver no pecado não é só uma inconsistência, mas também uma contradição de termos, tanto quanto falar de um homem morto que vive ou de um homem bom que é mau. A união com Cristo, sendo a única fonte de santidade, não pode ser a fonte do pecado.⁷

Adolf Pohl tem razão quando diz que, no exato momento em que a morte acontece, cai por terra qualquer reivindicação diante do falecido. Ninguém pode exigir nada dele. Autoridade financeira, credor ou executor penal podem buscar algo somente dos vivos. Os mortos escapam a todo sistema de compromissos. Morrer muda radicalmente a posição legal. Morrer é libertação. "Morremos para o pecado!", este é um grito de liberdade.⁸

Quero exemplificar esse conceito. Uma mulher no sul dos Estados Unidos da América casou-se com um grande fazendeiro. Ela o amava e o servia com devoção. Quando seu marido morreu, ela mandou embalsamá-lo e colocou-o sentado numa redoma de vidro na entrada da casa. Todos os dias quando voltava para casa, saudava-o: "Olá, John, como vai?" Depois de vários anos, resolveu fazer uma viagem à Europa. Por lá conheceu um homem amável e casou-se com ele. Ao retornarem à

---
⁵ MURRAY, John. *Romanos*, p. 239.
⁶ STOTT, John. *Romanos*, p. 200.
⁷ SCHAAL, Juan. *El camino real de Romanos*, p. 77.
⁸ POHL, Adolf. *Carta aos Romanos*, p. 103.

América, seu novo marido tomou um grande susto ao entrar no quintal da casa. Carregando a noiva nos braços, chegou à porta e deu de cara com o John. "Quem é este?" A mulher respondeu: "É John. Foi meu primeiro marido, mas é história; ele está morto". O novo marido abriu uma cova e sepultou o ex-marido de sua mulher. Foi exatamente o que Cristo fez. Muitos crentes, porém, colocam o velho homem numa redoma de vidro e o cumprimentam todos os dias, como se ele estivesse vivo. Você é livre! Cristo já emancipou você.

Fomos batizados na morte de Cristo (6.3). Se o batismo significa a união com Cristo em Sua morte, então os crentes morreram, com Cristo quando Ele morreu. Conforme William Greathouse a morte na qual fomos batizados é a morte dEle, e a nossa morte está ao mesmo tempo incluída na dEle.[9] Fomos introduzidos numa relação mística com o novo Adão. Estamos em Cristo, ligados a ele. Ele é o nosso representante e cabeça. Fomos batizados em Cristo Jesus na Sua morte.

Quando Ele morreu, morremos com Ele. Quando Ele foi sepultado, fomos sepultados com Ele. Assim como estávamos nos lombos de Adão quando ele pecou, estávamos em Cristo quando Ele morreu. Sua morte foi a nossa morte. John Stott afirma que fomos unidos a Cristo interiormente pela fé e exteriormente pelo batismo.[10] Paulo, portanto, não se refere aqui à forma do batismo, mas a seu significado, nossa identificação com Cristo em sua morte. O nosso batismo foi uma espécie de funeral. Nessa mesma linha de pensamento, Charles Erdman diz que não é o modo de batismo o elemento importante nesta referência. Paulo enfatiza não o rito ou a cerimônia, mas a proclamação e a fé que acompanham o batismo.[511] De acordo com John Stott, o argumento essencial de Paulo é que ser cristão implica uma identificação vital com Jesus Cristo e essa união é representada por nosso batismo, como se fosse um drama simbólico.[12]

Ressuscitamos com Cristo (6.4,5). Nossa união com Cristo não é apenas em Sua morte, mas também em Sua ressurreição. Assim como Ele

---

[9] GREATHOUSE, William. *A epístola aos Romanos*, p. 94.
[10] STOTT, John. *A mensagem de Romanos 5-8*, p. 28.
[11] ERDMAN, Charles R. *Comentários de Romanos*, p. 75.
[12] STOTT, John. *Romanos*, p. 206.

ressuscitou, também ressuscitamos nEle para vivermos em novidade de vida. O poder da ressurreição está em nós para vivermos uma vida de poder. O reinado da morte pelo pecado não tem poder mais sobre nós, uma vez que morremos e ressuscitamos com Cristo. A morte e a ressurreição de Cristo não são apenas fatos históricos e doutrinas significativas, mas também experiências pessoais, já que através da fé-batismo nós mesmos viemos a participar deles.[13]

Fomos crucificados com Cristo (6.6,7). Paulo volta a enfatizar que o crente precisa ser regido pelo conhecimento. Devemos saber que fomos crucificados com Cristo. Alguns pontos aqui precisam ser esclarecidos:

Quem é o velho homem que foi crucificado com Cristo? Certamente é a totalidade de quem éramos antes da nossa conversão. Não se trata apenas da nossa velha natureza, pois esta ainda está presente em nós, mesmo depois da conversão. Não se trata da velha natureza não regenerada, mas da vida anterior não regenerada. Não é meu "eu interior", mas meu "eu anterior". John Murray corretamente diz que "o nosso velho homem" é o homem não regenerado, em sua inteireza, em contraste com o novo homem, regenerado em sua inteireza.[14] William Hendriksen acrescenta que o velho homem é a pessoa como éramos outrora, nossa natureza humana considerada à parte da graça.[15]

Romanos 6.6 não tem o mesmo sentido de Gálatas 5.24. O nosso velho homem já foi crucificado com Cristo. Isso é um fato consumado, e o agente da ação é o próprio Deus. No entanto, crucificar a carne com suas paixões refere-se a algo que deve ser feito sempre, e o agente da ação somos nós mesmos. John Stott diz que a primeira morte é legal, um morrer à penalidade do pecado; a segunda é uma morte moral, um morrer ao poder do pecado. A primeira faz parte do passado, é única e não pode ser repetida; a segunda pertence ao presente e se repete continuamente. Morri para o pecado (em Cristo) uma vez, definitivamente; morro para o eu (como Cristo) diariamente.[16]

---

[13] STOTT, John. *Romanos*, p. 206.
[14] MURRAY, John. *Romanos*, p. 246.
[15] HENDRIKSEN, William. *Romanos*, p. 261.
[16] STOTT, John. *Romanos*, p. 209, 210.

O que significa o corpo do pecado que deve ser destruído? Certamente Paulo não está se referindo ao corpo humano, pois este não é em si mesmo pecaminoso, como pensavam os gnósticos. Trata-se da natureza pecaminosa que se expressa por meio do corpo (6.12), ou seja, o corpo condicionado e governado pelo pecado.[17] Trata-se do nosso velho eu, isto é, nossa natureza adâmica. O corpo do pecado é o corpo dominado pelo pecado, o corpo enquanto condicionado e controlado pelo pecado, já que o pecado usa o nosso corpo para os próprios propósitos malignos, pervertendo nossos instintos naturais e transformando a sonolência em preguiça, a fome em glutonaria, e o desejo sexual em luxúria.[18]

O que significa ser destruído? O verbo grego *katargeo* não significa aqui eliminar ou erradicar, mas derrotar, incapacitar e destituir de poder.[19] Destruir aqui não é desaparecer (Hb 2.14), mas ser vencido. Não significa ser aniquilado, mas despojado de poder, subjugado e dominado. A natureza adâmica não é extirpada na conversão, mas recebemos poder para subjugá-la e dominá-la. Warren Wiersbe escreve a esse respeito: "O termo *destruído* não significa 'aniquilado', mas sim 'desativado, tornado ineficaz'. A mesma palavra grega é traduzida por 'desobrigada' em Romanos 7.2. Se o marido de uma mulher morre, ela se vê desobrigada dele quanto à lei e livre para se casar novamente".[20]

O que Paulo quis dizer quando afirmou que aquele que morreu justificado está do pecado? O único jeito de ser justificado do pecado é receber sua paga, é cumprir a sentença. Um preso que cumpre sua sentença está quite com a lei. Se alguém pega trinta anos de cadeia e morre, fica livre da pena. A lei não age sobre quem já morreu. Para F. F. Bruce, a morte paga todos os débitos, de sorte que o homem que morreu com Cristo vê apagado seu registro na lousa, e está pronto para começar vida nova com Cristo, livre do vínculo do passado.[21] William Hendriksen tem razão quando diz que a morte quita todas as dívidas.[22] Quando

---

[17] MURRAY, John. *Romanos*, p. 247.
[18] STOTT, John. *Romanos*, p. 208.
[19] STOTT, John. *Romanos*, p. 209.
[20] WIERSBE, Warren W. *Comentário bíblico expositivo*, p. 693.
[21] BRUCE, F. F. *Romanos: introdução e comentário*, p. 113.
[22] HENDRIKSEN, William. *Romanos*, p. 262.

nos identificamos com Cristo, morremos legalmente para o pecado. Não devemos mais nada à lei. Agora nem o pecado nem a lei têm mais direito legal sobre nós. Concordo com Geoffrey Wilson na seguinte afirmação: "Como a morte liberta o homem de todas as obrigações, assim ela nos liberta a nós que morremos com Cristo, da obrigação de nos sujeitarmos ao reino de nosso velho senhor, o pecado.[23]

Estar justificado do pecado pode dar-se apenas se alguém pagar o preço do pecado, seja o pecador, seja um substituto apontado por Deus para pagar a dívida. Não existe meio de escapar, a menos que alguém assuma a culpa. Um criminoso sentenciado e condenado à prisão precisa cumprir a pena para ficar livre. Uma vez cumprida a sentença, poderá deixar a prisão, justificado. Não precisa temer mais as autoridades, porque as demandas da lei foram cumpridas. O criminoso está justificado do seu pecado. O mesmo princípio é aplicado se a penalidade for a morte. A lei não pode punir quem já morreu. Um morto está quite com a lei. Pois bem, merecíamos morrer por nossos pecados. E morremos, se bem que não pessoalmente, mas na pessoa de Jesus Cristo, nosso substituto, que morreu em nosso lugar.[24] Consequentemente, se estamos mortos em Cristo, estamos justificados do pecado.

Viveremos com Cristo (6.8-10). Já que estamos em Cristo e Ele morreu e ressuscitou, então, nós que morremos com Cristo, também viveremos com Ele, e não só no porvir, mas aqui e agora. Sua morte é nossa morte, e Sua ressurreição é nossa ressurreição. Sua vida é nossa vida. Assim como a morte não tem mais poder sobre o Cristo ressurreto, assim como Cristo morreu de uma só vez pelo pecado e para o pecado e fez um sacrifício suficiente e cabal não precisando mais repeti-lo, assim como Jesus agora vive para Deus, nós também morremos, ressuscitamos e vivemos para Deus como Cristo e em Cristo.

John Stott corretamente argumenta que Cristo morreu para o pecado quando sofreu o castigo do pecado. Ele morreu por nossos pecados, carregando-os em Sua própria pessoa inocente e santa. Carregou nossos pecados e sua justa recompensa. A morte de Jesus foi o pagamento pelo

---

[23] WILSON, Geoffrey B. *Romanos*, p. 82.
[24] STOTT, John. *Romanos*, p. 210, 211.

pecado, pelo nosso pecado: Ele cumpriu a sentença, pagou a pena e aceitou a consequência. Tudo isto Cristo fez de uma só vez e para sempre, e portanto o pecado já não tem direito algum sobre Ele. Se é neste sentido que Cristo morreu para o pecado, nós também, unidos a Cristo, morremos para o pecado neste mesmo sentido. Isto é, morremos para o pecado porque em Cristo sofremos o castigo pelo pecado. E a consequência é que nossa velha vida terminou, e começamos uma nova vida.[25]

Em segundo lugar, ***devemos considerar*** (6.11). Conforme William Hendriksen, neste ponto a doutrina assume o aspecto de exortação.[26] O termo *considerar* é a tradução de uma palavra grega usada 41 vezes no Novo Testamento – 19 vezes só em Romanos. Significa "levar em conta, calcular, estimar". Devemos levar em conta aquilo que Deus diz em Sua Palavra, pois isso vale para a nossa vida.[27]

O verbo grego "considerar" significa ainda fazer escrituração comercial. É aritmética, ou seja, algo exato, real, concreto. É verdade absoluta aqui e em todo o mundo. Deus ordena que façamos a escrituração, lançando na conta a morte do velho homem. Devemos tirar o atestado de óbito do velho homem. A consideração é uma questão de fé que resulta em ação. É como endossar um cheque; se cremos, de fato, que o cheque tem fundos, colocamos nossa assinatura no verso do cheque e sacamos o dinheiro. Considerar não é se apropriar de uma promessa, mas agir em função de um fato. Deus não ordena que morramos para o pecado. Ele diz que estamos mortos para o pecado e vivos para Deus e, em seguida, ordena que ajamos de acordo. O fato continuará sendo válido, mesmo que não obedeçamos.[28]

Já que estamos em Cristo e Ele morreu, devemos considerar-nos também mortos para o pecado e vivos para Deus em Cristo Jesus. É como se a nossa biografia fosse escrita em dois volumes. O volume 1 conta a nossa história antes de Cristo; é a história do velho homem. O volume 1 encerrou-se com a morte legal do antigo eu; o volume 2 é

---

[25] STOTT, John. *A mensagem de Romanos 5-8*, p. 35, 36.
[26] HENDRIKSEN, William. *Romanos*, p. 266.
[27] WIERSBE, Warren W. *Comentário bíblico expositivo*, p. 693.
[28] WIERSBE, Warren W. *Comentário bíblico expositivo*, p. 694.

a história do novo homem. Ele se abriu com a ressurreição. Não podemos viver mais no volume 1, como se nossa morte e ressurreição com Cristo nunca tivessem ocorrido.[29] O primeiro volume terminou em nossa morte com Cristo. Recebemos o que merecíamos na pessoa do nosso substituto, ou seja, a morte. O primeiro volume já está concluído e fechado. Vivemos agora no segundo volume. É incoerente o cristão viver agora no primeiro volume, pois "como viveremos no pecado, nós os que para Ele morremos?" Destacamos, aqui, dois pontos:

Devemos considerar-nos mortos para o pecado (6.11a). O que isso significa? Não significa que estamos mortos no sentido de insensíveis ao pecado. Paulo não está aqui defendendo a impecabilidade do cristão nem pleiteando a tese da santidade total nesta vida. Uma das evidências da vida é a capacidade de corresponder aos estímulos. Não estamos mortos para o pecado como um gato morto está insensível ao toque.

A Palavra de Deus, a história e nossa experiência provam que não estamos mortos nesse sentido em relação ao pecado. Ainda lutamos contra o pecado, e ele ainda tenazmente nos assedia. John Stott destaca que as biografias que encontramos nas Escrituras, como no decorrer da história, aliadas à nossa experiência, mostram que isso não é verdade. Longe de estar morta, no sentido de inerte, nossa natureza caída está tão viva e ativa que somos seriamente exortados a não obedecer a seus desejos, e o Espírito Santo nos é concedido para que possamos subjugá-los e controlá-los.[30] Não morremos para o pecado no sentido de estarmos insensíveis a ele, como um morto está insensível aos cinco sentidos (6.12,13; 13.14). Nossas tentações vêm do interior, da carne, e não apenas de fora, do mundo e do diabo.

Em que sentido, então, devemos considerar-nos mortos? Nossa morte ao pecado é idêntica à de Cristo (6.10). É legal. É moral. Morremos para o pecado porque em Cristo sofremos o castigo pelo pecado, que é a morte. Morremos em Cristo. A morte de Cristo foi a nossa morte (2Co 5.14). Devemos considerar-nos mortos no sentido de que judicialmente estamos mortos em Cristo. Assim como pelo pecado de Adão

---

[29] STOTT, John. *Romanos*, p. 213.
[30] STOTT, John. *Romanos*, p. 202.

morremos no pecado, pela morte de Cristo morremos para o pecado. Podemos agora, andar com a certidão de óbito no bolso, dizendo que o pecado não tem mais domínio sobre nós, no sentido de nos condenar, uma vez que já fomos justificados pela morte de Cristo. A penalidade que deveria cair sobre nossa cabeça caiu sobre Cristo. A condenação que nós deveríamos receber, Cristo recebeu em nosso lugar. O golpe da morte que nós deveríamos ter sofrido, Cristo sofreu por nós. A morte que nós deveríamos suportar, Cristo suportou por nós. A Sua morte foi a nossa morte. Assim como Cristo morreu para o pecado, nós também morremos para ele. Porque estamos em Cristo, já sofremos nEle a penalidade do pecado, que é a morte. Morremos nEle e por intermédio dEle. Ao nos unirmos com Ele, Sua morte tornou-se a nossa morte.[31]

Devemos considerar-nos vivos para Deus (6.11b). Fomos salvos por Cristo a fim de viver para Deus. Não podemos viver para o pecado nem agradar a nós mesmos. Viver para a glória de Deus é a razão da nossa vida. Devemos deleitar-nos nEle. Devemos fechar de uma vez para sempre o volume 1 da nossa biografia e viver doravante apenas no volume 2.

Em terceiro lugar, **devemos oferecer** (6.12-14). O resultado de saber que estamos crucificados com Cristo (6.6) e considerar-nos mortos em Cristo (6.11) deve levar-nos a oferecer nosso corpo a Deus (6.12-14). O corpo do cristão não é apenas morada de Deus, mas também um instrumento nas mãos de Deus. Paulo dá três ordens claras, duas negativas e uma positiva:

Não permita que o pecado domine seu corpo (6.12). Onde Cristo é Senhor, o poder do pecado tornou-se ilegal (6.7). Deus lhe deu o "cartão vermelho".[32] Paulo não está admitindo que o pecado reina na vida do crente. Aliás, ele nega isso. A sequência é esta: o pecado não exerce o domínio; portanto, não permita que ele reine.[33] O pecado é intruso e embusteiro. Ele pode usar o nosso corpo como uma ponte por meio da qual nos consegue governar. Assim Paulo convoca a rebelar-nos contra o

---

[31] STOTT, John. *Romanos*, p. 203, 204.
[32] POHL, Adolf. *Carta aos Romanos*, p. 109.
[33] MURRAY, John. *Romanos*, p. 254.

pecado.³⁴ Geoffrey Wilson diz que o pecado é retratado aqui como um soberano (que reina, v. 12) que exige o serviço militar de seus súditos (exigindo obediência, v. 12), cobra-lhes um imposto em armas (armas da iniquidade, v. 13) e lhes dá seu soldo de morte (o salário, v. 23).³⁵

Não ofereçam os membros do seu corpo ao pecado (6.13a). Os órgãos do nosso corpo (olhos, ouvidos, mãos, pés) devem estar a serviço de Deus, e não do pecado. A vida cristã é mais que um credo, é mais que um sentimento. É ação. William Barclay diz que o sentimento religioso nunca pode ser um substituto do fazer religioso. O cristianismo não pode ser somente uma experiência de um lugar secreto; deve ser uma vida numa praça pública.³⁶

Ofereçam-se a Deus (6.13b). Essa consagração a Deus deve ser um compromisso decisivo e deliberado. Paulo trata aqui de dois reinados: o reinado do pecado e o reinado da graça. No reinado do pecado, as pessoas são escravas, e não livres. Elas se afundam no atoleiro dos vícios e perversões e usam seu corpo para atender os ditames do pecado. No reinado da graça, elas são não apenas livres, mas também chegam a reinar. Uma vez que não estão debaixo do domínio do pecado, não devem oferecer o seu corpo para servi-lo nem os membros do seu corpo para fazer sua vontade. Nosso corpo foi comprado por Deus e deve estar a serviço da glória de Deus. Os membros do nosso corpo não devem ser janelas abertas para o pecado, mas instrumentos da realização da vontade de Deus. Não podemos dar uma parte da nossa vida a Deus e outra parte ao mundo. William Barclay tem razão em dizer: "Para Deus é tudo ou nada".³⁷ Destacamos aqui dois pontos:

- *O reinado da escravidão*. Quando o pecado reina, os homens se tornam capachos de sua implacável tirania. O reinado do pecado é um domínio de opressão. O pecado escraviza e mata. Os súditos do pecado vivem prisioneiros de suas paixões e oferecem os membros do seu corpo à iniquidade.

---

³⁴STOTT, John. *Romanos*, p. 215.
³⁵WILSON, Geoffrey B. *Romanos*, p. 85.
³⁶BARCLAY, William. *Romanos*, p. 99.
³⁷BARCLAY, William. *Romanos*, p. 102.

- *O reinado da liberdade.* Quando a graça reina, os homens se tornam livres. A graça destrona o pecado. Destrói o senhorio do pecado e capacita o crente a oferecer-se a si mesmo, e a tudo o que lhe pertence, em amorável serviço a Deus.[38] Em vez de viver sob a tirania do pecado, eles podem voluntariamente se consagrar a Deus e oferecer os membros do seu corpo para a prática da justiça. Estar debaixo da lei é aceitar a obrigação de guardá-la e assim incorrer em sua maldição e condenação (Gl 3.10). Estar debaixo da graça é reconhecer a nossa dependência da obra de Cristo para a salvação, e assim ser justificados ao invés de condenados.[39]

Devemos viver em santidade porque nos tornamos escravos de Deus pela conversão (6.15-23)

O reinado da graça está estribado em dois fundamentos: nossa união com Cristo pelo batismo e nossa servidão a Deus pela conversão. Paulo passa do primeiro argumento, nossa união com Cristo em sua morte, para o segundo argumento, nossa servidão em virtude da conversão. A ênfase no primeiro argumento encontra-se naquilo que foi feito por nós (fomos unidos a Cristo), enquanto a ênfase do último está naquilo que nós fazemos (oferecendo-nos a Deus a fim de obedecer-lhe).[40] Em ambos os argumentos Paulo começa com a mesma indagação de espanto: *Não sabeis?...* (6.2,16). John Stott sugere cinco pontos de destaque nessa exposição do apóstolo:[41]

Em primeiro lugar, *o princípio: a autorrendição conduz à escravidão* (6.16). A rendição desemboca em servidão. O homem é sempre escravo: do pecado ou de Deus. A servidão do pecado torna o homem cativo das paixões; a servidão a Deus o torna livre. É conhecida a expressão de Agostinho: "Quanto mais escravo de Cristo sou, tanto mais livre me sinto". A escravidão de Deus é liberdade; a liberdade do pecado é escravidão. É impossível ser escravo de dois senhores ao mesmo tempo (Mt 6.24). Somos servos de Deus ou do pecado.

---

[38] HENDRIKSEN, William. *Romanos*, p. 269.
[39] STOTT, John. *Romanos*, p. 216.
[40] STOTT, John. *Romanos*, p. 217.
[41] STOTT, John. *Romanos*, p. 217-222.

Em segundo lugar, *a aplicação: a conversão implica troca de escravidão* (6.17,18). Cristo nos arrancou do cativeiro do pecado. Éramos dominados. Estávamos debaixo de um jugo opressor. Vivíamos na masmorra da culpa, atormentados pelo látego do medo. Livres desse maldito cativeiro, fomos feitos servos da justiça. O servo da justiça é verdadeiramente livre. Pela conversão, saímos de um reino para outro, de um senhor para outro, de um estilo de vida para outro. Vivíamos no reino das trevas, agora estamos no reino da luz. Éramos escravos do diabo, agora somos servos de Cristo. Vivíamos entregues às paixões e iniquidades, agora nos dedicamos à prática da justiça.

O evangelho apostólico é aqui comparado a uma forma ou molde em que o metal derretido é derramado para tomar forma. Esse molde é a norma final que molda o pensamento e a conduta de todos os que são entregues a seu ensino. Poderíamos esperar que a doutrina fosse entregue aos ouvintes, em vez de os ouvintes serem entregues à doutrina. O cristão, porém, não é o senhor de uma tradição, como os rabinos, pois é criado pela Palavra de Deus e permanece em submissão a ela.[42]

Em terceiro lugar, *a analogia: os dois tipos de escravidão são progressivos* (6.19). Sob o reinado do pecado, o homem fazia provisão para agradá-lo; agora, sob o reinado da graça, deve usar no mínimo o mesmo empenho para viver em santidade. Não podemos ser menos consagrados a Deus que um ímpio é dedicado ao pecado. O mundo investe na promoção de suas causas. O pecador vira noites para satisfazer suas paixões. Dedica sua vida, seu tempo, seu dinheiro para agradar a seu senhor. Depois de convertidos, libertos e salvos, teríamos nós uma dedicação inferior quando se trata de agradar ao Senhor? Será que fomos mais dedicados ao diabo ontem do que somos a Jesus hoje?

Em quarto lugar, *o paradoxo: a escravidão é liberdade e a liberdade é escravidão* (6.20-22). Como dissemos anteriormente, a liberdade do pecado é escravidão; a escravidão de Deus é liberdade. A liberdade do pecado desemboca na morte; a escravidão a Deus promove vida. O homem que se julga livre para fazer tudo o que deseja é, na verdade, escravo do pecado. O homem que serve a Deus, embora possa

---

[42] WILSON, Geoffrey B. *Romanos*, p. 87, 88.

praticar o pecado, opta por obedecer a Deus. O escravo do pecado não pode [fazer/agir]; o escravo da justiça pode não [fazer/agir]. Aquele que é viciado em bebida alcoólica não pode deixar de beber; foi dominado, é escravo; o convertido a Cristo pode beber, mas pode não beber. Ele não está debaixo do copo, mas sobre ele. Ele não é escravo, é livre. Ele não é dominado; tem domínio próprio.

Em quinto lugar, *a antítese suprema* (6.23). No reinado do pecado, os homens recebem seu soldo com juros e correção. Além de todo o tormento que o pecado produz, seu pagamento final é a morte. Salário é aquilo que merecemos por aquilo que fazemos. O pecador merece a morte; ela é seu justo salário. Adolf Pohl diz que não apenas havemos de morrer, nós merecemos morrer, pois o pecado está grávido da morte.[43]

Conforme William Barclay, Paulo usa aqui dois termos militares. A palavra *opsonia*, "salário", era a paga do soldado, algo que ele ganhava arriscando sua vida e com o suor do seu rosto. O salário era algo devido ao soldado e que dele não podia ser tirado. A palavra grega *charisma*, "dádiva", por sua vez, significa a retribuição totalmente livre e imerecida que algumas vezes o exército recebia.[44]

Geoffrey Wilson destaca três comentários importantes sobre salários. Primeiro, como o salário era pago para suprir os custos da vida, o pecado aqui é apresentado como um enganador que promete vida e paga com a morte. Segundo, porque os salários não são limitados a um único pagamento, a sombra da punição final já paira sobre a vida presente. Pois, da mesma forma que a vida eterna já é posse do crente, assim o pecado já oferece a seus escravos veneno mortal tirado do cálice da morte. Terceiro, como "salário" é um termo legal, podemos concluir que o homem só tem direitos em relação ao pecado, e esses direitos se tornam sua condenação. Assim, o homem ceifa na forma de corrupção aquilo que semeou na forma de pecado.[45]

F. F. Bruce diz que o pecado paga salários a seus servos – e o salário é a morte. Deus nos dá não salário, mas algo melhor e muito mais

---

[43] POHL, Adolf. *Carta aos Romanos*, p. 114.
[44] BARCLAY, William. *Romanos*, p. 104, 105.
[45] WILSON, Geoffrey B. *Romanos*, p. 90, 91.

generoso: por Sua graça, Ele nos dá a vida eterna como livre dom – a vida eterna que nos pertence por nossa união com Cristo.[46]

No reinado da graça, os homens recebem não o que merecem, a morte, mas o favor imerecido de Deus, a vida eterna. A palavra grega *charisma* é usada para definir uma dádiva da graça de Deus. A vida eterna não é um prêmio que conquistamos; mas uma dádiva divina inteiramente gratuita e absolutamente imerecida. A vida eterna é gratuita; a morte é merecida.

Ao fim, então, temos duas vidas e dois destinos. Aqueles que seguem pela estrada da autogratificação terão como destino final a morte espiritual, física e eterna; mas os que são crucificados com Cristo, morrem com Ele, são sepultados e ressuscitam com Ele para uma nova vida, recebem um dom glorioso, a vida eterna.

---

[46]BRUCE, F. F. *Romanos: introdução e comentário*, p. 114.

13

A libertação da lei

Romanos 7.1-25

ROMANOS 7 É UM DOS TEXTOS MAIS COMPLEXOS e difíceis desta carta, talvez um dos mais densos de todo o Novo Testamento. Há uma gama enorme de opiniões dos estudiosos acerca da sua real interpretação. Não há unanimidade entre os exegetas quanto a seu significado primário. Qual é a identidade desse homem desventurado que clama por libertação? Será um impenitente ou um crente? E, se for um crente, será um crente fraco ou um crente maduro?

Tendo provado que o crente morreu para o pecado (capítulo 6), Paulo agora explica a forma pela qual ele se torna morto para a lei (capítulo 7).[1] No texto em apreço, Paulo trata do propósito da lei de Deus. Qual é o lugar da lei na vida do cristão? Ela é a causa do pecado? É a causa da morte? Absolutamente não! *A lei é santa; e o mandamento, santo e justo, e bom* (7.12). A lei de Deus proíbe o pecado, prescreve a justiça e ainda protege contra a transgressão (Sl 119.165). Davi proclama: *A lei do SENHOR é perfeita e restaura a alma* (Sl 19.7). Concordo com F. F. Bruce quando ele diz: "O que está em foco é o conceito errado de que pela penosa conformidade com um código de leis é possível adquirir mérito diante de Deus.[2]

---

[1] WILSON, Geoffrey B. *Romanos*, p. 91.
[2] BRUCE, F. F. *Romanos: introdução e comentário*, p. 116.

John Stott menciona três grupos que lidam com a lei de formas diferentes:[3]

Em primeiro lugar, *os legalistas*. Estes procuravam observar os preceitos da lei com o propósito de ser salvos (Lv 18.5). Uma vez que não conseguiam cumprir as exigências da lei, os legalistas acabavam ostentando uma religiosidade apenas de aparência. Viviam debaixo de um jugo pesado e queriam colocar essa mesma canga sobre os demais. Para Warren Wiersbe, a deficiência do legalismo é que ele vê os pecados, mas não o pecado (a raiz do problema). O legalismo nos julga de acordo com elementos exteriores, e não com os interiores. Mede a espiritualidade de acordo com o que se deve ou não fazer. O legalista torna-se um fariseu, cujas ações exteriores são aceitáveis, mas cujas atitudes interiores são desprezíveis.[4]

Em segundo lugar, *os libertinos*. De forma diametralmente oposta, estes olhavam para a lei como a causadora de todos os seus problemas. Queriam sacudir o seu jugo para viver sem freios e sem limites. Assim, a graça de Deus é transformada em libertinagem. Esse ainda é o modo de agir da chamada "nova moralidade". Seus seguidores sacudiram de sobre si o jugo divino e anularam a lei moral de Deus. Contudo, certamente esse não é o significado que Paulo quis dar quando disse que não estamos mais debaixo da lei e sim da graça (6.14). Aqui a antítese é entre a lei e a graça como forma de justificação, e não entre a lei e o Espírito (Gl 5.18) como forma de santificação. De tal forma que, quanto à justificação não estamos mais debaixo da lei, e sim da graça; e, para sermos santificados, não dependemos da lei, mas somos guiados pelo Espírito.[5]

Em terceiro lugar, *os cristãos*. Esses se regozijam tanto em sua libertação da lei, que lhes traz justificação e santificação, como em sua liberdade para cumpri-la. Deleitam-se na lei por ser a revelação da vontade de Deus (7.22), mas reconhecem que a força para cumpri-la não provém da lei, mas do Espírito.[6]

---

[3] STOTT, John. *Romanos*, p. 228.
[4] WIERSBE, Warren W. *Comentário bíblico expositivo*, p. 696, 701.
[5] STOTT, John. *Romanos*, p. 227, 228.
[6] STOTT, John. *Romanos*, p. 228.

Em síntese, o legalista teme a lei e está debaixo de sua servidão; o libertino detesta a lei e a lança fora; o cristão respeita a lei, à qual ama e obedece.[7]

Tendo considerado essas três vertentes hermenêuticas, analisaremos agora o texto de Romanos 7.1-25.

A libertação da lei (7.1-6)

John Stott elucida essa passagem mostrando que Paulo nos oferece primeiro um princípio (7.1), depois nos dá uma ilustração (7.2,3) e finalmente nos apresenta uma aplicação (7.4-6).[8] Algumas verdades devem ser aqui destacadas:

Em primeiro lugar, *o domínio da lei* (7.1). A lei tem domínio sobre o homem durante toda a sua vida. A palavra grega *kyrieuo* significa "ter domínio ou autoridade sobre". Essa autoridade limita-se à duração da nossa vida. Apenas a morte pode interromper o domínio da lei sobre nós. Se a morte sobrevém, os relacionamentos estabelecidos e protegidos pela lei são dados por terminados. A lei é válida para quem vive; não tem poder sobre um morto. Esse é um axioma legal, universalmente aceito e imutável.[9] Enquanto vivermos, estaremos sujeitos às demandas e penalidades da lei.

Em segundo lugar, *a analogia do casamento* (7.2,3). Paulo compara a lei com um marido e os crentes com uma esposa. Esse casamento é turbulento e conflituoso. A culpa não é do marido. Ele é perfeito. É santo, justo e bom. É espiritual. O problema é que essa esposa nunca consegue agradá-lo, pois é imperfeita, carnal, rendida ao pecado e sempre frustra as expectativas do marido. A lei é como um marido perfeccionista; esse marido condena a esposa por sua menor falha.

Essa mulher (que somos nós) não pode divorciar-se desse marido. O contrato é claro: a lei a prende ao marido enquanto ele viver. Só a morte do marido pode tirar essa mulher desse jugo conjugal,

---

[7] STOTT, John. *A mensagem de Romanos 5-8*, p. 53.
[8] STOTT, John. *A mensagem de Romanos 5-8*, p. 56.
[9] STOTT, John. *Romanos*, p. 229, 230.

pois a morte muda não apenas as obrigações da pessoa morta, mas também as obrigações dos sobreviventes que com ela mantinham algum contrato.

Geoffrey Wilson diz que a ideia central é que essa morte não apenas encerra um relacionamento, mas abre caminho legal para que a mulher inicie outra união.[10] Isso porque, ainda que o casamento seja para toda a vida, não se estende para além da vida.[11] A única possibilidade de a mulher ficar livre do marido para unir-se a outro marido é a morte dele. Nas palavras de Adolf Pohl, a morte divorcia um matrimônio.[12]

Na metáfora do casamento, o marido morre e a esposa casa-se novamente. No caso em apreço, contudo, não é o marido quem morre (a lei), mas a esposa (o crente). O crente morre ao identificar-se com Cristo na Sua morte. Assim como a morte do marido liberta a esposa do vínculo matrimonial, existe uma morte por meio da qual somos libertados da lei. Pois pela morte de Cristo recebemos nossa libertação de todas as exigências da lei. John Murray diz corretamente que, enquanto a lei nos governa, não há a menor possibilidade de sermos libertados da escravidão ao pecado. A única alternativa é sermos desobrigados da lei. Isso ocorre em nossa união com Cristo, em Sua morte, pois toda a virtude da morte de Cristo, ao satisfazer as reivindicações da lei, torna-se nossa, e somos livres da escravidão e do poder do pecado a que estávamos consignados pela lei.[13]

Em terceiro lugar, *a legitimidade do novo casamento* (7.4). O segundo casamento é moralmente legítimo porque a morte pôs fim ao primeiro casamento. Somente a morte pode garantir a libertação da lei do casamento e, portanto, o direito de casar-se de novo.[14] Uma vez que a mulher morreu, o vínculo conjugal com o primeiro marido acabou. Ela está morta em relação a esse marido. Uma vez que ela ressuscitou, está livre para pertencer a outro marido.

---

[10] WILSON, Geoffrey B. *Romanos*, p. 92.
[11] HENDRIKSEN, William. *Romanos*, p. 285.
[12] POHL, Adolf. *Carta aos Romanos*, p. 116.
[13] MURRAY, John. *Romanos*, p. 270.
[14] STOTT, John. *Romanos*, p. 230.

Desde que Cristo ressuscitou dentre os mortos, não morre mais (6.9). Portanto, essa nova relação matrimonial não será desfeita pela morte, como aconteceu com a antiga relação.[15]

E agora, nesse novo relacionamento, a mulher (o crente) pode frutificar para Deus. Uma vez que morremos com Cristo, fomos libertados da lei. Agora, podemos unir-nos a Cristo, pertencer a Ele e frutificar para Deus. Isso implica uma mudança total de relação e lealdade. Adolf Pohl expressa isso de forma magistral: "Qual abismo profundo estende-se, pois, entre nosso outrora e nosso agora, a sepultura de Jesus. Do lado de lá dominava a lei, na margem de cá Cristo nos estende a mão para novas núpcias".[16]

John Stott destaca que estar emancipado da lei não quer dizer estar livre para fazer o que quiser. Ao contrário, a libertação da lei traz não a liberdade de pecar, mas outra classe de servidão (7.6). Somos livres para servir, e não para pecar.[17]

Em quarto lugar, *o contraste entre os dois casamentos* (7.5,6). No primeiro casamento, vivíamos segundo a carne. Naquele tempo, a perfeição do nosso primeiro marido realçava ainda mais nossos erros e paixões pecaminosos. Os frutos que produzimos nesse primeiro casamento foram frutos de morte. Porém, agora, no segundo casamento, libertados desse primeiro marido perfeccionista, morremos para aquilo a que estávamos sujeitos. A força que nos move agora não é mais a caducidade da letra, mas a novidade de espírito.

Na velha ordem estávamos casados com a lei, éramos controlados pela carne e produzíamos fruto para a morte, enquanto como membros da nova ordem estamos casados com o Cristo ressurreto, fomos libertados da lei e produzimos fruto para Deus.[18]

F. F. Bruce diz que a nossa anterior associação com a lei não nos ajudava a produzir os frutos da justiça, mas esses frutos são produzidos com abundância agora que estamos unidos a Cristo. O pecado e a

---

[15] BRUCE, F. F. *Romanos: introdução e comentário*, p. 118.
[16] POHL, Adolf. *Carta aos Romanos*, p. 117.
[17] STOTT, John. *A mensagem de Romanos 5-8*, p. 58.
[18] STOTT, John. *Romanos*, p. 258.

morte foram o resultado de nossa associação com a lei; a justiça e a vida são o produto de nossa nova associação.[19]

A santidade da lei (7.7,13)

Paulo dá uma resposta aos legalistas nos versículos 1-6, mostrando que, por meio da morte de Cristo, ficamos livres do domínio da lei; dá uma resposta aos libertinos nos versículos 7-13 ao rebater as críticas injustas daqueles que culpam a lei como responsável pelo pecado (7.7) e pela morte (7.13), mostrando que o problema não é a lei (7.12), mas nossa natureza pecaminosa (7.8). Já nos versículos 14-25 Paulo descreve o conflito interior do crente e o segredo da vitória em Cristo.[20]

O apóstolo levanta duas perguntas importantes sobre o caráter da lei: A lei é pecado? (7.7). É a causadora da morte? (7.13). Ambas as perguntas têm a mesma resposta: "De modo nenhum!" (7.7,13). Diante do exposto, levantamos dois pontos:

Em primeiro lugar, *as virtudes da lei* (7.12). A lei é santa e o mandamento, santo, justo e bom. Em si mesma a lei é valiosa e esplêndida. É santa. Isso significa que é a própria voz de Deus. O significado básico do termo *hagios*, "santo", é diferente. Descreve o que provém de uma esfera alheia a este mundo, algo que pertence a um campo que está mais além da vida e da existência humana. A lei é também justa. É ela que estabelece todas as relações, humanas e divinas. Finalmente, Paulo diz que a lei é boa, ou seja, foi promulgada para promover o supremo bem.[21]

Nessa mesma linha, John Murray afirma que, na qualidade de santa, justa e boa, a lei reflete o caráter de Deus, sendo a cópia de suas perfeições. Ela traz as impressões de seu autor. Na qualidade de "santo", o mandamento reflete a transcendência e a pureza de Deus, exigindo de nós consagração e pureza correspondentes. Na qualidade de "justo", o mandamento reflete a equidade de Deus e requer de nós, em suas exigências e sanções, nada aquém do que é equitativo. E, na qualidade de

---

[19] BRUCE, F. F. *Romanos: introdução e comentário*, p. 118.
[20] STOTT, John. *A mensagem de Romanos 5-8*, p. 53.
[21] BARCLAY, William. *Romanos*, p. 108

"bom", o mandamento promove o mais elevado bem-estar do homem, expressando, desse modo, a bondade de Deus.[22]

O problema não é a lei; somos nós. O primeiro casamento fracassou não pelas falhas do marido, mas pelas fraquezas da esposa. Se pudéssemos viver de acordo com o padrão da lei, o faríamos.

Em segundo lugar, *a malignidade do pecado* (7.13). A lei não é a causadora da morte, mas sim o pecado, assim como o problema de um criminoso não é a lei, mas sua transgressão. Ao exigir de mim o que não faço, a lei me condena e me leva à morte. A lei não me deu poder para fazer o que era certo nem para evitar o que era errado.[23] Mas não há falha na lei; a falha está em mim que não consigo obedecer. Desta forma, a lei revela a gravidade do meu pecado, que produz a morte. Sendo santa, a lei mostra o caráter maligníssimo do meu pecado. O pecado não é apenas maligno. É maligno em grau superlativo. É maligníssimo, a maior de todas as tragédias. É pior que a pobreza, a fome, a doença e a própria morte, pois esses males, embora graves, não nos podem afastar de Deus. O pecado, contudo, nos afasta de Deus agora e por toda a eternidade.

O ministério da lei (7.7-13)

Se a lei não é pecado (7.7) nem provoca a morte (7.13), qual é seu papel? Qual é seu ministério? Qual é seu propósito? Paulo oferece três respostas:

Em primeiro lugar, *o propósito da lei é revelar o pecado* (7.7). O pleno conhecimento do pecado vem pela lei (3.20). A lei é um espelho que revela o ser interior e mostra como somos imundos (Tg 1.22-25). É como um prumo que mostra a sinuosidade da nossa vida. É como um raio-X que diagnostica os tumores infectos da nossa alma. A lei detecta as coisas ocultas na escuridão e as arrasta à luz do dia. É a lei que destampa o fosso do nosso coração e traz à tona a malignidade do nosso pecado.

Digno de nota é o fato de Paulo mencionar o décimo mandamento do decálogo como aquele que o tornou cônscio do seu pecado

---

[22] MURRAY, John. *Romanos*, p. 280.
[23] BRUCE, F. F. *Romanos: introdução e comentário*, p. 122.

e abriu seus olhos para a própria devassidão: *Não cobiçarás* (7.7) Os nove primeiros mandamentos da lei são objetivos: *Não terás outros deuses diante de mim*; *Não farás para ti imagem de escultura*; *Não tomarás o nome do Senhor teu Deus em vão*; *Lembra-te do dia do sábado para o santificar*; *Honra a teu pai e a tua mãe*; *Não matarás*; *Não adulterarás*; *Não furtarás*; *Não dirás falso testemunho*. Todos esses mandamentos são objetivos, e qualquer tribunal da terra pode legislar sobre eles, fiscalizá-los e condená-los. Mas o décimo mandamento ("Não cobiçarás") é subjetivo, pertence à jurisdição do foro íntimo, e nenhum tribunal da terra tem competência para julgar foro íntimo. A lei de Deus, porém, penetra como uma câmara de raio-X e faz uma leitura dos propósitos mais secretos do nosso coração, trazendo à luz seus desejos pervertidos.

William Greathouse escreve oportunamente: "A lei não é um simples reagente pelo qual se pode detectar a presença do pecado; é também um catalisador que ajuda e até mesmo inicia a ação do pecado sobre o homem. A lei insufla o desejo ilícito".[24] A cobiça, do grego *epithymia*, é algo que se expressa internamente – é um desejo, um impulso, uma concupiscência. Na verdade, inclui todo tipo de desejo ilícito, sendo em si mesma uma forma de idolatria, uma vez que põe o objeto do desejo no lugar de Deus.[25] Segundo F. F. Bruce, *epithymia* pode ser tanto um desejo ilícito como um desejo lícito em si, mas de tão egocêntrica intensidade que usurpa o lugar que somente Deus deve ocupar na alma humana.[26]

Em segundo lugar, *o propósito da lei é despertar o pecado* (7.8). A lei não só expõe o pecado, mas também o estimula e o desperta. Tudo o que é proibido desperta em nós desejo imediato. O pecado encontra no mandamento uma cabeça de ponte[27] e uma base para despertar

---

[24]GREATHOUSE, William. *A epístola aos Romanos*, p. 105.
[25]STOTT, John. *Romanos*, p. 241.
[26]BRUCE, F. F. *Romanos: introdução e comentário*, p. 120.
[27][NR]: O Houaiss dá como definição de cabeça de ponte: Posição fortificada mais ou menos provisória, que a vanguarda de um exército invasor estabelece para além de um obstáculo natural, ger. em território inimigo, para garantir o acesso de tropas, armamentos e provisões à frente de combate.

em nós toda sorte de desejos. A palavra grega *aphorme*, "oportunidade", era usada com referência a uma base para operações militares, "o ponto de partida ou base de operações para uma expedição", um trampolim para o próximo ataque. É assim que o pecado estabelece dentro de nós uma base ou ponto de apoio, valendo-se dos mandamentos para nos provocar.[28]

A lógica de Paulo é irrefutável: sem lei, está morto o pecado (7.8). Onde não há proibição, não há transgressão. Sem lei, o pecado não pode ser caracterizado juridicamente (5.13). Unicamente pelo encontro com a lei o pecado se torna passível de ação judicial.[29] No entanto, pela lei vem o pleno conhecimento do pecado. Uma vez que a lei diz "Não cobiçarás", pela cobiça quebramos a lei, e a quebra dessa lei é a perversão do amor, este sim o cumprimento da lei (13.10).[30]

Em terceiro lugar, *o propósito da lei é condenar o pecado* (7.9-11). Onde não há lei, também não há transgressão. Por isso, sem lei o homem tem a sensação de que está vivo. John Murray comenta a expressão de Paulo: "Sem a lei, eu vivia". A palavra "vivia" não pode ter o sentido de vida eterna ou de vida para Deus. Paulo falava sobre a vida baseada na justiça própria, sem perturbações e autocomplacente, que ele levava antes de agirem sobre ele as comoções turbulentas e a convicção de pecado descritas nos versículos anteriores.[31]

William Hendriksen acrescenta que nesse tempo a lei ainda não havia sido gravada em sua consciência nem chegara a ser ainda um fardo insuportável para o seu coração. Nesse tempo Paulo pensava que, no campo moral e espiritual, estava fazendo tudo corretamente bem.[32] Porém, quando o preceito chega, o pecado revive e o homem morre. O propósito da lei não é matar, mas dar vida. Contudo, aquilo que era destinado a nos dar vida nos matou, porque o pecado, prevalecendo-se do mandamento, pelo mesmo mandamento nos enganou e nos matou.

---

[28]BRUCE, F. F. *Romanos: introdução e comentário*, p. 121; STOTT, John. *Romanos*, p. 242.
[29]POHL, Adolf. *Carta aos Romanos*, p. 119.
[30]BRUCE, F. F. *Romanos: introdução e comentário*, p. 121.
[31]MURRAY, John. *Romanos*, p. 278.
[32]HENDRIKSEN, William. *Romanos*, p. 293, 294.

Assim, o propósito da lei não é apenas revelar e despertar o pecado, mas também condená-lo.

O verbo grego *exapatao*, "enganou", é o mesmo usado em 2Coríntios 11.3, "a serpente enganou a Eva", e em 1Timóteo 2.14, "a mulher, sendo enganada, caiu em transgressão".[33] Paulo diz que o pecado seduz, engana e mata. William Barclay esclarece que o engano do pecado pode ser visto sob três aspectos:[34] 1) Enganamo-nos ao considerar a satisfação que encontraremos no pecado. O pecado é doce ao paladar, mas amargo no estômago. É um embusteiro, pois promete alegria e paga com a tristeza; proclama liberdade e escraviza; faz propaganda da vida, mas seu salário é a morte. 2) Enganamo-nos ao considerar a desculpa que podemos dar por ele. Todo homem pensa que pode estadear sua defesa por ter praticado este ou aquele pecado, mas toda escusa do pecado torna-se nula sob o escrutínio de Deus. 3) Enganamo-nos ao considerar a probabilidade de escapar das consequências do pecado. Ninguém peca sem a esperança de que sairá ileso das consequências do pecado. A realidade inegável, porém, é que cedo ou tarde o nosso pecado nos achará.

Quando um criminoso é apanhado no flagrante de seu delito, a lei exige que ele pague por seu crime. Ele é preso e a lei o condena. Esse transgressor, porém, não pode culpar a lei de ser responsável pelos seus problemas. Ele está preso por causa de seu crime e não por causa da lei. A lei está livre de qualquer culpa. O vilão da história é o pecado. Calvino ressalta que o pecado reside em nós, e não na lei, uma vez que a perversa concupiscência de nossa carne é a sua causa.[35] É certo que a lei expõe, provoca e condena o pecado, mas não é responsável por nossos pecados nem por nossa morte.[36] Assim, a lei não pode salvar-nos porque não podemos cumpri-la, e não podemos cumpri-la por causa do pecado que habita em nós.[37]

---

[33] BRUCE, F. F. *Romanos: introdução e comentário*, p. 122.
[34] BARCLAY, William. *Romanos*, p. 110.
[35] CALVINO, João. *Epístola a los Romanos*, p. 176.
[36] STOTT, John. *A mensagem de Romanos 5-8*, p. 62.
[37] STOTT, John. *Romanos*, p. 245.

A fraqueza da lei (7.14-25)

John Stott tem razão quando diz que a lei é boa, mas também é fraca. Em si, ela é santa; contudo, é incapaz de tornar-nos santos.[38] A fraqueza da lei não está em si mesma, mas em nossa carne (8.4).

Duas coisas merecem atenção neste último parágrafo do capítulo 7 de Romanos:

A mudança do tempo verbal. Até aqui, Paulo vinha falando no tempo passado; doravante usará o tempo presente. Isso significa que o apóstolo tratará de um conflito pessoal que está enfrentando como crente, e não de um conflito vivido antes de sua conversão. A partir do versículo 14, a linguagem de Paulo é de um homem convertido. No versículo 18, ele reconhece que não há bem nenhum em si mesmo. No versículo 24, solta um lancinante gemido da alma, gritando: "Desventurado homem que sou!" Só uma pessoa convertida tem convicção do pecado. Só um crente maduro lamenta por seus pecados. William Barclay aponta que neste texto Paulo nos dá a própria autobiografia espiritual e desnuda o próprio coração e alma.[39]

A mudança de situação. Paulo não escrevera sobre uma tese impessoal, mas sobre uma experiência pessoal. Apresentara o próprio dilema, o próprio conflito, a guerra civil instalada em seu peito. Aqui a autobiografia de Paulo é a biografia de todo homem.[40] Vemos o autorretrato de um homem consciente da presença e do poder do pecado em sua vida. O pecado é um tirano cujas ordens ele odeia e despreza, mas contra cujo poder luta em vão.

F. F. Bruce diz que Paulo é um homem que vive simultaneamente em dois planos, ardentemente ansioso por levar uma vida mantida no plano superior, mas tristemente ciente da força do pecado que nele habita e persiste em empurrá-lo para baixo, para o plano inferior.[41] Por um lado ele reconhece que bem nenhum habita nele (v.18), mas, por outro, tem prazer na lei de Deus (7.22).

---

[38] STOTT, John. *Romanos*, p. 245.
[39] BARCLAY, William. *Romanos*, p. 107.
[40] BRUCE, F. F. *Romanos: Introdução e Comentário*, p. 120, 121.
[41] BRUCE, F. F. *Romanos: introdução e comentário*, p. 122.

Concordo com John Murray quando ele diz que a pessoa retratada em Romanos 7.14-25 é alguém cuja vontade se volta para aquilo que é bom (7.15,18,19,21), e o mal que ela comete é uma violação daquilo que quer e prefere (7.16,19,20). O homem de Romanos 7.14-25 faz coisas más, no entanto as abomina. O homem não regenerado aborrece o bem; e o homem de Romanos 7.14-25 odeia o mal.[42]

Reafirmamos nossa convicção de que só um crente pode deleitar-se na lei de Deus. Essa interpretação tornou-se aceita na igreja desde Agostinho.[43] Os reformadores a subscreveram. Os principais exegetas cristãos ainda a sustentam. Hoje, contudo, alguns não apenas a rejeitam, mas falam dela como "relegada ao museu dos absurdos exegéticos".[44] Manifesto apoio, porém, à posição de William Hendriksen: "Segundo a Escritura, é precisamente o cristão que mais progrediu, o crente maduro, que mais profundamente se preocupa com seu pecado. Quanto mais uma pessoa faz progresso na santificação, tanto mais também sentirá aversão pela sua pecaminosidade (Jó 42.6; Dn 9.4,5,8; Is 6.5).[45]

Cinco verdades devem ser aqui destacadas:

Em primeiro lugar, *os conflitos de um salvo* (7.14-17). Alguns pontos devem ser enfatizados:

O conflito entre a natureza da lei e a nossa natureza (7.14). A lei é espiritual (*pneumatikos*), mas eu sou carnal (*sarkinos*), feito de carne e sangue (1Co 3.1) e, como tal, moralmente impotente perante as tentações.[46] Essa é a batalha cristã entre a carne e o Espírito (Gl 5.17). Quando Paulo diz que é carnal, não está declarando que não é convertido. Essa mesma expressão foi usada para referir-se aos crentes de Corinto (1Co 3.1-3) e Paulo jamais insinuou que eles não fossem convertidos.

Essa batalha interior não é um argumento abstrato usado pelo apóstolo, mas o eco da experiência pessoal de uma alma angustiada.[47] Duas forças antagônicas nos arrastam para direções opostas. Na justificação

---

[42]MURRAY, John. *Romanos*, p. 285.
[43]MURRAY, John. *Romanos*, p. 284.
[44]BRUCE, F. F. *Romanos: introdução e comentário*, p. 120.
[45]HENDRIKSEN, William. *Romanos*, p. 301, 302.
[46]GREATHOUSE, William. *A epístola aos Romanos*, p. 108.
[47]BRUCE, F. F. *Romanos: introdução e comentário*, p. 123.

fomos libertados da culpa do pecado; na santificação estamos sendo libertados do poder do pecado, mas só na glorificação seremos salvos da presença do pecado. Ainda lidamos contra o pecado que tenazmente nos assedia. Temos de reconhecer que os cristãos vivem na tensão entre o "já" do reino inaugurado e o "ainda não" da consumação.[48] A análise que Paulo faz da lei aqui tem um propósito prático. Ele argumenta que a lei não pode justificar nem santificar. A lei é poderosa para condenar, mas incapaz de salvar o pecador (7.7-13). É rápida para detectar, mas impotente para remover o pecado que permanece no crente (7.14-25).[49]

O conflito entre o saber e o fazer (7.15). Não compreendemos nosso modo de agir, pois não fazemos o que preferimos e sim o que detestamos. Somos seres ambíguos e contraditórios. Há uma esquizofrenia embutida em nosso ser. Sabemos uma coisa e fazemos outra. Ovídio, o poeta romano, escreveu a famosa máxima: "Eu vejo as coisas melhores e as aprovo; mas sigo as piores".[50] Concordo com Charles Erdman no sentido de que não há humana criatura que não tenha consciência de que forças conflitantes do bem e do mal contendem furiosamente para assenhorear-se da alma.[51] O positivismo de Augusto Comte estava equivocado quando afirmou que a maior necessidade do homem é a educação. O conhecimento não é suficiente para mudar a vida do homem. Não basta informação, é preciso transformação. Não somos o que sabemos; somos o que fazemos.

O conflito entre a liberdade e a escravidão (7.16,17). Não basta decidir fazer algo, é preciso fazê-lo. Intenção não equivale a realização. O pecado gera em nós tal conflito que acabamos fazendo o que não queremos e deixando de fazer o que desejamos. Somos livres em Cristo, mas ao mesmo tempo o pecado ainda está em nós, de modo que fazemos o que não queremos. Assim, não há conflito entre a lei e o crente; o conflito é entre a lei e aquilo que o próprio crente condena.[52] Existe

---
[48] STOTT, John. *Romanos*, p. 249.
[49] WILSON, Geoffrey B. *Romanos*, p. 100.
[50] BARCLAY, William. *Romanos*, p. 111.
[51] ERDMAN, Charles R. *Comentários de Romanos*, p. 83.
[52] WILSON, Geoffrey B. *Romanos*, p. 102.

uma diferença total entre o pecado que sobrevive e o pecado que reina, entre o regenerado em conflito com o pecado e o não regenerado complacente com o pecado. Uma coisa é o fato de o pecado viver em nós; outra é o fato de vivermos em pecado.[53]

Em segundo lugar, *a impotência do velho homem* (7.18-20). Destaco aqui três verdades:

A consciência da fraqueza (7.18). Paulo confessa sua fraqueza. Ele sabe que nenhum bem habita em sua carne, uma vez que não há nele poder para fazer o bem que deseja. O velho homem não é aniquilado na conversão. Ele ainda habita em nós. Embora não tenha poder legal de nos dominar, muitas vezes ele revela quão fracos somos.

A consciência da contradição (7.19). Somos criaturas ambíguas, paradoxais e contraditórias. Não fazemos o bem que preferimos e sim o mal que não queremos. Em cada pessoa há duas naturezas, duas tendências, dois impulsos.

A consciência da escravidão (7.20). Quando fazemos o que não queremos e deixamos de fazer o que desejamos, admitimos que o agente em nós operante não é nossa vontade, mas o pecado que habita em nós.

Em terceiro lugar, *a guerra interior do crente* (7.21-23). O crente é uma guerra civil ambulante. Há em seu interior o novo homem, guiado pelo Espírito, que tem prazer na lei de Deus, e há também o velho homem, agarrado ao mal (7.21). Esse homem interior, o novo homem, tem prazer na lei de Deus (7.22), enquanto o pendor da carne é inimizade contra Deus, pois não está sujeito à lei de Deus nem mesmo pode estar (8.7). Robert Lee diz que a consciência dessa guerra interior é uma das maiores evidências de que somos filhos de Deus.[54]

Em quarto lugar, *o clamor de um remido* (7.24). Concordo com o uso que F. F. Bruce faz das palavras de MacFarlane, ao afirmar que os crentes em Cristo são perfeitos quanto à justificação, mas sua santificação apenas começou. Esta é uma obra progressiva. Quando creram em Cristo, sabiam pouco da fonte de corrupção que neles há. Quando Cristo se fez conhecido como seu Salvador, o Bem-amado de sua alma,

---

[53] WILSON, Geoffrey B. *Romanos*, p. 103.
[54] LEE, Robert. *Outline studies in Romans*, p. 42.

a mente carnal parecia ter morrido, mas logo eles viram que não estava morta. Assim, alguns vieram a experimentar mais aflições da alma depois da sua conversão do que quando foram despertados para o sentimento de sua condição de perdidos. "Desventurado homem que sou! quem me livrará do corpo desta morte?" é o clamor deles, até que sejam aperfeiçoados em santidade. No entanto, aquele que começou boa obra neles a realizará até o dia de Cristo Jesus.[55]

O grito "desventurado homem que sou", portanto, não é o desabafo de dor de uma alma perdida, nem o apelo desnorteado de alguém que está sob convicção de pecado, sem esperança. É a linguagem de um homem que está ansioso e quase desmaiando, porque não vê ajuda suficientemente próxima.[56]

O que Paulo quis dizer com a expressão "o corpo desta morte"? Os gregos acreditavam que o corpo é o cárcere da alma, aquela composição de barro, aquela estátua modelada, aquela tão cerrada casa da alma que esta nunca põe de lado, mas carrega penosamente como a um cadáver, do berço ao túmulo. Epíteto chegou a falar de si como "uma pobre alma algemada num cadáver. Alguns comentaristas pensam que Paulo está usando uma figura emprestada do relato que Virgílio fez do costume que Mezêncio, rei dos etruscos, tinha de amarrar seus prisioneiros vivos a cadáveres em decomposição.[57] Certamente, Paulo não está falando que o mal está arraigado no corpo físico. O cristianismo não subscreve o pensamento grego. Não cremos nesse dualismo maniqueísta do espírito bom e matéria má. O mal está arraigado mais profundamente. Esse corpo da morte (7.24) tem o mesmo significado do "corpo do pecado" (6.6). Trata-se daquela herança da natureza humana sujeita à lei do pecado e da morte a que todos os filhos de Adão estão submetidos.[58]

Em quinto lugar, *a exultação de um remido* (7.25). Tanto o clamor quanto a exultação procedem da mesma pessoa: um crente convertido que lamenta sua corrupção e que anseia por uma libertação final no dia

---

[55]Bruce, F. F. *Romanos: introdução e comentário*, p. 125, 126.
[56]Wilson, Geoffrey B. *Romanos*, p. 107.
[57]Bruce, F. F. *Romanos: introdução e comentário*, p. 126.
[58]Bruce, F. F. *Romanos: introdução e comentário*, p. 126.

da ressurreição; ele sabe que a lei é incapaz de resgatá-lo, mas exulta em Deus por meio de Cristo como o único Salvador.[59]

O grande reformador Melanchton escreveu sobre a força do velho homem e a gloriosa libertação que temos em Cristo: "O velho Adão é muito forte para o jovem Melanchton, mas graças a Deus ele não é suficientemente forte para Cristo. Jesus Cristo, nosso Senhor, nos dará a vitória, dia a dia e durante todos os dias".[60]

---

[59] STOTT, John. *Romanos*, p. 256.
[60] LEE, Robert. *Outline studies in Romans*, p. 42.

14

A nova vida em Cristo

Romanos 8.1-17

NO CAPÍTULO 7, PAULO DESCEU ÀS REGIÕES MAIS BAIXAS do desespero humano, quando chegou a uma dolorosa constatação e fez uma desesperadora pergunta: *Desventurado homem que sou! Quem me livrará do corpo desta morte?* (7.24). No capítulo 8, Paulo sobe às regiões mais altas da exultação e responde com confiança: *Agora, pois, já nenhuma condenação há para os que estão em Cristo Jesus* (8.1).

O capítulo 7 menciona o Espírito Santo apenas uma vez, e isso indiretamente (7.6); no capítulo 8, o Espírito aparece dezessete vezes e está no centro das atenções do apóstolo. No capítulo 7, o *eu* está no centro e o resultado é morte; no capítulo 8, o *Espírito Santo* está no centro e o resultado é vida. Isso levou A. Skevington Wood a chamar esta seção de "o pentecostes de Romanos".[1] Para John Stott, o contraste essencial que Paulo apresenta aqui é entre a fragilidade da lei e o poder do Espírito Santo. Não haveria discipulado cristão sem o Espírito, uma vez que ele é quem nos vivifica, anima, sustenta, orienta e enriquece.[2]

---

[1] WOOD, A. Skevington. *Life by the Spirit*. Grand Rapids: Zondervan Publishing House, 1963, p. 11.
[2] STOTT, John. *Romanos*, p. 259.

Duas verdades básicas são mencionadas no texto em apreço: a atividade salvadora de Deus por nós[3] e o multiforme ministério do Espírito Santo em nós. Consideraremos a seguir esses dois pontos.

A atividade salvadora de Deus por nós (8.1-4)

O homem não pode salvar a si mesmo. Seus predicados morais não podem recomendá-lo a Deus. A lei, embora espiritual, santa, justa e boa, não pode justificá-lo nem salvá-lo. Ao contrário, ela apenas realça seu pecado para condená-lo. Na verdade, o propósito da lei não é tirar o nosso pecado, mas convencer-nos dele. O papel da lei não é ser nosso salvador, mas ser nosso pedagogo para nos conduzir ao Salvador. Veremos agora como Deus fez o que a lei não podia fazer. Destacaremos quatro pontos importantes:

Em primeiro lugar, *o fato glorioso* (8.1). Justificados por Deus por intermédio de Cristo, estamos livres da condenação. A justificação é um ato legal e forense de Deus a nosso respeito. Porque estamos livres do casamento com a lei (7.1-4), já que morremos e ressuscitamos com Cristo, a penalidade da lei foi cumprida, a justiça foi satisfeita e agora não pesa mais sobre nós nenhuma culpa. A condenação do pecado que deveria ter caído sobre nós caiu sobre Cristo, que morreu em nosso lugar e em nosso favor. Agora, pois, estamos quites com a lei e com a justiça divina diante do seu justo tribunal. Ninguém nos pode acusar porque é Deus quem nos justifica (8.33). Ninguém nos pode condenar, pois Cristo morreu, ressuscitou, está à destra de Deus e intercede por nós (8.34). O resultado disso é *nenhuma condenação*.

William Greathouse diz que "condenação" aqui é mais que uma absolvição judicial.[4] John Murray aponta que "nenhuma condenação" se refere à libertação não apenas da culpa, mas também do poder escravizante do pecado.[5] De acordo com F. F. Bruce, a palavra grega *katakrima*, "condenação", não significa provavelmente condenação, mas a punição

---

[3] GREATHOUSE, William. *A epístola aos Romanos*, p. 113.
[4] GREATHOUSE, William. *A carta aos Romanos*, p. 114.
[5] MURRAY, John. *Romanos*, p. 302.

que se segue à sentença. Assim, não há razão para nós, que estamos em Cristo, continuarmos fazendo trabalhos forçados penais, como se nunca tivéssemos sido perdoados e libertados da prisão do pecado.[6]

Digno de nota é o fato de que somos justificados não pelas obras da lei, mas pela obra de Deus em Cristo. Não são as nossas obras que nos salvam, mas a obra de Cristo na cruz por nós. Desde que a lei foi cumprida e a justiça satisfeita, Deus nos declara inocentes, inculpáveis e salvos. Embora a santificação esteja presente em todo o capítulo 8 de Romanos, seu ponto nevrálgico é a garantia da salvação. Paulo começa com *nenhuma condenação* (8.1) e termina com *nenhuma separação* (8.39), em ambos os casos referindo-se àqueles que "estão em Cristo Jesus".[7]

Em segundo lugar, *a explicação perfeita* (8.2). Na antiga ordem estávamos sujeitos à lei do pecado e da morte, e nesse tempo o fruto que colhíamos era a escravidão; mas agora estamos debaixo da lei do Espírito da vida e o resultado é a libertação. Se a ênfase do versículo 1 era *nenhuma condenação*, a ênfase do versículo 2 é *nenhuma escravidão*. Conforme F. F. Bruce, a velha escravidão da lei foi abolida; o Espírito introduz os crentes numa nova relação como filhos de Deus, nascidos livres.[8]

A vida no Espírito não é uma obediência exterior a um código produtor de morte, mas também não é um misticismo disforme sem relação com a vontade revelada de Deus.[9] De que fomos libertados? Da lei do pecado e da morte. Como fomos libertados? Pela lei do Espírito de vida. O Espírito é o doador da vida física e espiritual. É ele quem nos vivifica, nos regenera e nos dá o novo nascimento. É ele quem nos comunica a vida de Deus e esculpe em nós o caráter de Cristo. John Murray diz que a "lei do Espírito de vida" é o poder do Espírito Santo agindo em nós para nos tornar livres do poder do pecado, que conduz à morte.[10]

Em terceiro lugar, *a causa divina* (8.3). Quatro pontos merecem destaque:

---

[6] BRUCE, F. F. *Romanos: introdução e comentário*, p. 129.
[7] STOTT, John. *Romanos*, p. 260.
[8] BRUCE, F. F. *Romanos: introdução e comentário*, p. 128.
[9] WILSON, Geoffrey B. *Romanos*, p. 109.
[10] MURRAY, John. *Romanos*, p. 303.

A impossibilidade da lei (8.3a). A lei estava impossibilitada de nos salvar porque estava enferma por causa da carne. A lei não podia justificar-nos nem nos santificar. Geoffrey Wilson diz que a lei podia condenar o pecador, mas não podia anular o domínio do pecado.[11] Não é que a lei era fraca, nós é que éramos fracos. Como disse Stott, "a impotência da lei não é intrínseca; não reside nela mesma, mas em nós, em nossa natureza caída".[12] Não podíamos atender às demandas da lei, pois ela exigia de nós a perfeição, mas não nos dava poder para fazer o que era certo nem evitar o que era errado.

A intervenção divina (8.3b). O que a lei não podia fazer, Deus fez. Ele enviou ao mundo o Seu próprio Filho. Nossa salvação é um projeto eterno de Deus, o Pai, realizada pelo Deus, o Filho, e aplicada pelo Deus, Espírito Santo. Deus nos justifica por meio do Seu Filho e nos santifica pelo Seu Espírito. O plano da salvação é essencialmente trinitário, pois o meio da justificação proporcionado por Deus não é a lei, mas a graça, e seu meio de santificação não é a lei, mas o Espírito.[13] Vale ressaltar que não foi a cruz que tornou o coração de Deus favorável ao homem, mas foi o amor eterno de Deus que providenciou a cruz.

A encarnação de Cristo (8.3c). Cristo entrou no mundo "em semelhança de carne pecaminosa e no tocante ao pecado..." Paulo escolheu cuidadosamente as palavras aqui, sob a assistência do Espírito Santo. Se apenas tivesse dito que "Deus enviou o Seu Filho em semelhança de carne", estaríamos caindo na heresia do docetismo, que defendia a tese de que a encarnação de Cristo era apenas aparente, e não real. Se Paulo apenas tivesse dito que "Deus enviou o Seu Filho em carne pecaminosa", estaríamos subscrevendo a heresia do gnosticismo, que afirmava que Jesus não podia ser Deus nem perfeito, uma vez que a matéria é essencialmente má. O que Paulo está dizendo é que a encarnação de Cristo é real. Cristo se fez carne, mas não se tornou pecador. Assumiu a nossa carne, mas não a nossa natureza pecadora.[14] Geoffrey Wilson

---

[11] WILSON, Geoffrey B. *Romanos*, p. 110.
[12] STOTT, John. *Romanos*, p. 262.
[13] STOTT, John. *Romanos*, p. 263.
[14] GREATHOUSE, William. *A carta aos Romanos*, p. 115.

lança luz sobre o assunto: "A encarnação pôs o Filho na mais estreita das ligações possíveis com nossa condição pecaminosa, sem se contaminar com o pecado. E o sentido aqui é que, quando o Filho participou da nossa condição, Ele venceu o pecado na carne, isto é, no campo mesmo onde o pecado tomara posse".[15]

A condenação do pecado (8.3d). A conclusão de Paulo desbanca todas as vãs pretensões dos hereges: ... *e, com efeito, condenou Deus, na carne, o pecado*. O verbo grego *katekrinen* refere-se tanto ao pronunciamento da decisão quanto à execução da sentença.[16] Deus lançou nossos pecados sobre Cristo na cruz (Is 53.6). Cristo carregou em seu corpo, sobre o madeiro, nossos pecados (1Pe 2.24). Ele foi feito pecado por nós (2Co 5.21). Nesse momento, então, Deus condenou na carne do Seu Filho o nosso pecado. John Stott diz corretamente que Deus julgou os nossos pecados na humanidade sem pecado de Seu Filho, que os carregou em nosso lugar.[17] Nessa mesma linha, F. F. Bruce diz que, em sua natureza humana, foi dada e executada a sentença sobre o pecado. Portanto, para os que estão unidos a Cristo, o poder do pecado foi destruído.[18] O pecado, a partir de então, foi destituído do Seu poder autocrático. O pecado tornou-se um poder derrotado, um tirano destronado.[19]

Em quarto lugar, *o objetivo prático* (8.4). Quando Cristo morreu, morremos com Ele. Quando cumpriu a lei, cumprimos a lei nEle. Assim, a lei não foi ab-rogada, mas cumprida. Porque estávamos em Cristo, os preceitos da lei se cumpriram em nós; porque estamos no Espírito e não mais na carne, andamos no Espírito, numa nova dimensão espiritual.

Concordo com John Stott quando diz que o versículo 4 é de grande valia para compreendermos a santidade cristã. E isso por três razões:

A santidade é o propósito supremo da encarnação e da expiação de Cristo. O propósito de Deus não era apenas justificar-nos, livrando-nos da condenação da lei, mas também santificar-nos por meio da obediência aos mandamentos da lei.

---

[15] WILSON, Geoffrey B. *Romanos*, p. 110.
[16] RIENECKER, Fritz; ROGERS, Cleon. *Chave linguística do Novo Testamento grego*, p. 268.
[17] STOTT, John. *Romanos*, p. 264.
[18] BRUCE, F. F. *Romanos: introdução e comentário*, p. 131.
[19] GREATHOUSE, William. *A carta aos Romanos*, p. 116.

A santidade consiste em cumprir a justa exigência da lei. A lei moral não foi abolida para nós; ela deve ser cumprida em nós. Embora a obediência à lei não seja a base da nossa justificação, é fruto da nossa justificação, e é exatamente isso o que significa santificação. Estamos livres de guardar a lei enquanto ela constitui um meio para sermos aceitos por Deus, porém estamos obrigados a guardá-la enquanto ela constitui o caminho para a santidade.[20]

A santidade é obra do Espírito Santo. A santidade é fruto da graça trinitária: é o Pai que envia Seu Filho ao mundo e Seu Espírito ao nosso coração.[21]

Concordo com Francis Schaeffer quando ele diz que fomos salvos para ir ao céu e também para cumprir a lei, coisa que não podíamos fazer antes. Deus nos salvou para andarmos em novidade de vida (6.4), a fim de frutificar para Deus (7.4) e cumprir o preceito da lei em nós (8.4).[22]

O multiforme ministério do Espírito em nós (8.2-17)

Transborda no texto em tela a ação multiforme do Espírito Santo. Verdadeiramente, a nossa salvação é obra do Deus triúno. Já vimos como o Pai enviou o Filho e como o Filho morreu em nosso lugar; agora, porém, examinaremos a obra do Espírito Santo em nós.

Em primeiro lugar, *o Espírito Santo nos liberta da escravidão* (8.2). A lei do Espírito da vida é que nos livra da lei do pecado e da morte. Quando dependíamos de nós mesmos para atender às demandas da lei, vivíamos prisioneiros do pecado e caminhávamos para a morte; mas, agora, uma vez que o Espírito Santo habita em nós, saímos da masmorra do pecado e fomos libertados da sua tirania. Somos livres não para desobedecer à lei, mas para cumpri-la. Só o Espírito Santo pode capacitar-nos a obedecer à lei.

Em segundo lugar, *o Espírito Santo nos capacita a obedecer os preceitos da lei* (8.4). Na antiga aliança, tudo vinha de nós, nada de Deus;

---

[20] STOTT, John. *A mensagem de Romanos 5-8*, p. 76.
[21] STOTT, John. *Romanos*, p. 266, 267.
[22] SCHAEFFER, Francis A. *A obra consumada de Cristo*, p. 200.

na nova aliança, tudo vem de Deus, nada de nós. Outrora a lei mostrava nosso pecado, mas não nos capacitava a triunfar sobre ele; agora o Espírito, que habita em nós, nos capacita a vencer o pecado, a obedecer à lei e a nos deleitar nela.

Em terceiro lugar, *o Espírito Santo nos predispõe para a santidade* (8.5-8). O apóstolo Paulo trata nos versículos 5-8 de uma antítese. As duas forças que operam no homem são a carne e o Espírito, dois modos de vida conflitantes. Somos governados por um ou por outro. Warren Wiersbe explica que Paulo não descreve aqui dois tipos de cristão, um carnal e outro espiritual. Antes, contrasta os que têm a salvação com os que não têm.[23] A carne escraviza, o Espírito Santo liberta; a carne produz tormento, o Espírito Santo, paz; a carne dá para morte; o pendor do Espírito, para a vida e a paz. William Greathouse destaca, porém, que a vida no Espírito não elimina a possibilidade de pecar, mas nos confere o poder de não pecar.[24]

Geoffrey Wilson corretamente afirma que ter a mente ou a inclinação da carne é estar naquele estado de morte espiritual que atinge o ápice na segunda morte, a morte eterna que é o salário do pecado (6.23). Ter a mente do Espírito, no entanto, é gozar agora os primeiros frutos da vida e receber no porvir toda a colheita (8.11).[25]

É preciso deixar claro, entretanto, que, quando Paulo fala em *sarx*, "carne", ele não se refere ao tecido muscular mole e macio que cobre o nosso esqueleto, nem aos instintos e apetites do nosso corpo, mas ao todo que compõe a nossa natureza humana, vista como corrupta e irredimida, ou seja, nossa natureza humana caída e egocêntrica.[26] William Greathouse acrescenta que a *carne* é mais que sensualidade, é mais que luxúria sexual. É o homem vivendo no nível terreno e material, separado de qualquer contato com o espiritual.[27] Adolf Pohl conclui afirmando corretamente que *carne* não designa o que é material, físico e visível. Sobre a realidade visível, inclusive a corporalidade humana,

---

[23] WIERSBE, Warren W. *Comentário bíblico expositivo*, p. 703.
[24] GREATHOUSE, William. *A carta aos Romanos*, p. 117.
[25] WILSON, Geoffrey B. *Romanos*, p. 112.
[26] STOTT, John. *Romanos*, p. 267.
[27] GREATHOUSE, William. *A carta aos Romanos*, p. 117.

alimentação, sexualidade, trabalho e cultura, pairava originalmente a alegria plena do Criador (Gn 1.4,10,12,18,21,25,31).[28]

Ressaltamos aqui dois pontos:

Duas forças antagônicas operam no homem (8.5). Paulo diz que aqueles que se inclinam para a carne cogitam das coisas da carne, mas os que se inclinam para o Espírito, das coisas do Espírito. Trata-se de nossas preocupações, das ambições que nos movem, de como ocupamos nosso tempo, dinheiro e energias, das coisas às quais nos dedicamos.[29] O Espírito inclina nossa mente para desejá-Lo. Essa inclinação é um pendor, um desejo forte que nos impulsiona e nos arrasta. Os que são dominados pela carne buscam agradar a carne e praticar suas obras (Gl 5.19-21), mas os que se inclinam para o Espírito, cogitam das coisas do Espírito.

Dois resultados opostos são colhidos pelos homens (8.6-8). Enquanto o pendor do Espírito produz vida e paz, o pendor da carne dá para a morte. O pendor da carne é inimizade contra Deus. O pendor da carne não está nem pode estar sujeito à lei de Deus. Há uma tendência de rebeldia no pendor da carne e uma incapacidade inerente de obediência nesse pendor. O resultado óbvio é que os que estão na carne não podem agradar a Deus, porque a única maneira de agradá-Lo é submeter-se e obedecer à Sua lei.

O versículo 8 ensina com diáfana clareza a doutrina da depravação total. Conforme Geoffrey Wilson, este é um termo de *extensão*, e não de *intensidade*. Opõe-se à doutrina da depravação parcial; isto é, à ideia de que o homem é pecador num momento e inocente ou sem pecado em outro; ou de que é pecador em alguns atos e puro em outros. A doutrina da depravação total afirma que ele está todo errado, em todas as coisas e todo o tempo. Não significa que o homem é tão mau quanto o diabo, nem que é tão mau quanto qualquer outro, nem que é tão mau quanto poderia ser ou possa tornar-se. Não há limite, porém, para a universalidade ou extensão do mal em sua alma. Assim dizem as Escrituras, e assim diz toda alma despertada.[30]

---

[28]POHL, Adolf. *Carta aos Romanos*, p. 126.
[29]STOTT, John. *A mensagem de Romanos 5-8*, p. 80.
[30]WILSON, Geoffrey B. *Romanos*, p. 113, 114.

John Stott resume o assunto em tela:

> Vemos aqui duas categorias de pessoas (os não regenerados, que estão "na carne", e os regenerados, que estão "no Espírito"), as quais têm duas perspectivas ou disposições de mente ("a inclinação da carne" e "a inclinação do Espírito"), que levam a dois padrões de comportamento (viver segundo a carne ou de acordo com o Espírito) e que resultam em dois estados espirituais (morte ou vida, inimizade ou paz).[31]

Em quarto lugar, *o Espírito Santo habita em nós* (8.9). Por causa da obra de Cristo por nós e da ação do Espírito em nós, fomos feitos morada de Deus, templos do Espírito Santo. Ele habita em nós. Aquele que nem os céus dos céus podem conter agora habita em nós, vasos frágeis de barro. Somos a casa de Deus, o templo da Sua habitação. A evidência de que somos de Cristo é a habitação do Espírito Santo em nós. É o Espírito quem aplica a obra da redenção em nós. Sem sua presença e ação, nenhum homem pode tornar-se um cristão. Passamos a pertencer a Cristo quando o Espírito habita e opera em nós.

Em quinto lugar, *o Espírito Santo vivifica o nosso espírito* (8.10). Quando o apóstolo Paulo afirma que, se Cristo está em nós, o corpo na verdade está morto por causa do pecado, mas o espírito é vida por causa da justiça, precisamos entender o que ele está realmente dizendo. Certamente Paulo não alega que o corpo físico já está morto, uma vez que nos ordenou mortificar os feitos do corpo (8.13). Poderíamos entender essa expressão como sinônimo de mortal, isto é, sujeito à morte e a ela destinado. Em outras palavras, o princípio da decomposição, que leva à morte, encontra-se em cada um de nós. Assim, em meio à nossa mortalidade física, nosso espírito está vivo, pois fomos vivificados; ganhamos vida em Cristo. Nosso corpo tornou-se mortal em virtude do pecado de Adão, mas nosso espírito está vivo por causa da justiça de Cristo.[32] Cranfield nessa mesma linha diz que os cristãos têm ainda de se submeter à morte como o salário do pecado, porque

---
[31] STOTT, John. *Romanos*, p. 269.
[32] STOTT, John. *Romanos*, p. 272.

são pecadores; entretanto, uma vez que Cristo está neles mediante a habitação do Espírito, eles têm a presença do Espírito como a garantia de que, finalmente, serão ressuscitados dentre os mortos.[33]

Paulo diz não apenas que o Espírito habita em nós (8.9), mas também Cristo está em nós (8.10). Nosso espírito é vivificado, pois nascemos de novo, do alto, do Espírito, de Deus. O céu não é apenas nosso destino, mas também nossa origem.

Em sexto lugar, *o Espírito Santo dará vida a nosso corpo mortal* (8.11). O mesmo Espírito de Deus que ressuscitou a Jesus dentre os mortos também habita em nós. Assim como o Pai ressuscitou a Jesus pelo poder do Espírito, também vivificará o nosso corpo mortal por meio do Seu Espírito que habita em nós. Mais uma vez Paulo faz alusão à trindade: O Pai que ressuscita, o Filho ressuscitado e o Espírito da ressurreição. E mais: a ressurreição de Cristo é o penhor e o padrão da nossa ressurreição. O mesmo Espírito que O ressuscitou haverá de nos ressuscitar. O mesmo Espírito que dá vida a nosso espírito (8.10), também haverá de dar vida a nosso corpo (8.11).[34] Se a consequência do pecado de Adão é nossa morte física, o resultado da justiça de Cristo é nossa vida espiritual.

O Espírito Santo é a primícia e a garantia da nossa ressurreição. A morte não é o fim da linha, não tem a última palavra. Não caminhamos para um ocaso sombrio. Receberemos um corpo incorruptível, imortal, poderoso, glorioso, espiritual e celestial, semelhante ao corpo da glória de Cristo. Nosso corpo brilhará como o sol no seu fulgor.

Em sétimo lugar, *o Espírito Santo é o nosso credor, somos seus devedores* (8.12). Não temos nenhuma dívida com a carne, o conjunto de desejos, motivos, afetos, propensões, princípios e propósitos pecaminosos. Não precisamos fazer Sua vontade nem somos constrangidos a viver segundo Seus ditames. Somos devedores ao Espírito Santo. Ele habita em nós e nos capacita a viver em novidade de vida. É a fonte do poder que nos conduz à santidade. Todo cristão, portanto, é eternamente devedor ao

---

[33] CRANFIELD, C. E. B. *Comentário de Romanos*, p. 174.
[34] STOTT, John. *Romanos*, p. 272.

Espírito Santo, mas nada deve à carne. Franz Leenhardt diz que o dever do crente não se funda na obrigação moral; antes, é uma dívida a saldar.[35]

Em oitavo lugar, *o Espírito Santo nos capacita a triunfar sobre o pecado* (8.13). Só há dois estilos de vida: viver segundo a carne ou mortificar os feitos do corpo pelo Espírito. Os que vivem segundo a carne caminham para a morte; os que pelo Espírito mortificam os feitos do corpo têm a garantia da vida. Há aqui um paradoxo: os que vivem morrem e os que morrem vivem. Os que vivem na carne morrem; os que morrem para o pecado vivem. Emprestamos as palavras de Stott: "Existe um tipo de vida que leva à morte, e há um tipo de morte que conduz à vida".[36]

Uma pergunta solene precisa ser aqui encarada: o que é mortificação? Certamente não é masoquismo (alegrar-se no sofrimento autoinfligido) nem ascetismo (rejeitar e negar as necessidades naturais do corpo), mas reconhecer o mal como mal e repudiá-lo veementemente. É crucificar a carne com suas paixões e desejos (Gl 5.24).

Se perguntamos "Como a mortificação acontece?", a resposta do apóstolo Paulo é clara e incisiva. O Espírito Santo e só Ele pode capacitar-nos a mortificar os feitos do corpo. Embora sejamos completamente passivos na justificação e na regeneração, somos participativos na santificação. Embora o poder para o agir e o efetuar emane do próprio Espírito, somos convocados a mortificar os feitos do corpo. Jesus ilustrou essa mortificação: *Se o teu olho direito te faz tropeçar, arranca-o e lança-o de ti; pois te convém que se perca um dos teus membros, e não seja todo o teu corpo lançado no inferno. E, se a tua mão direita te faz tropeçar, corta-a e lança-a de ti; pois te convém que se perca um dos teus membros, e não vá todo o teu corpo para o inferno* (Mt 5.29,30). John Stott corretamente diz que precisamos ser inflexíveis em nossa decisão: não olhar; não tocar; não ir controlando assim a própria aproximação do mal.[37]

Em nono lugar, *o Espírito Santo nos orienta como filhos de Deus* (8.14). Paulo nos ensina duas grandes verdades aqui. A primeira é que a

---

[35] LEENHARDT, Franz J. *Epístola aos Romanos*, p. 211.
[36] STOTT, John. *Romanos*, p. 274.
[37] STOTT, John. *Romanos*, p. 276.

paternidade de Deus não é universal. Nem todos os seres humanos são filhos de Deus, uma vez que só aqueles guiados pelo Espírito de Deus são filhos de Deus. A segunda verdade é que a paternidade de Deus é real e experimental, uma vez que podemos ter garantia de que, se somos guiados pelo Espírito de Deus, verdadeiramente somos filhos de Deus.

O Espírito Santo não apenas habita em nós e nos capacita a triunfar sobre o pecado, mas também nos toma pela mão e nos guia, dirige, impele pelo caminho da obediência. O Espírito Santo nos constrange e nos compele a viver como filhos de Deus. Assim, não apenas nos tornamos membros da família de Deus, mas também agimos como tal. Não apenas somos adotados como filhos de Deus, somos também orientados a viver como Seus filhos. Isso não significa que o Espírito Santo coage, intimida ou violenta, tirando de nós, nossa liberdade de escolha. O que Ele faz é nos iluminar e nos persuadir, com Sua doçura e poder.

O Espírito não nos aponta o caminho que devemos seguir como um vendedor de mapas; Ele nos toma pela mão e nos guia como um beduíno no deserto que caminha com os viajantes pelos montes alcantilados e pelos vales profundos, conduzindo-os ao destino desejado.

Em décimo lugar, *o Espírito Santo nos dá garantia da adoção* (8.15). Não precisamos viver inseguros e atormentados pelo medo, pois não recebemos o espírito de escravidão, mas de adoção, baseados no qual, clamamos: Aba, Pai. A palavra grega *huothesia* indica uma nova relação familiar com todos os direitos, privilégios e responsabilidades.[38] Warren Wiersbe diz que o termo *adoção* significa "ser aceito na família como um filho adulto".[39]

Deus escolheu nos amar, nos adotar e nos redimir. Pertencemos agora à família de Deus. Temos intimidade com Deus. *Aba* é a palavra aramaica (no "estado enfático") usada pelos judeus (e até hoje pelas famílias que falam o hebraico) como o termo familiar com o qual os filhos se dirigem ao seu pai.[40]

---

[38] RIENECKER, Fritz; ROGERS, Cleon. *Chave linguística do Novo Testamento grego*, p. 269.
[39] WIERSBE, Warren W. *Comentário bíblico expositivo*, p. 704.
[40] BRUCE, F. F. *Romanos: introdução e comentário*, p. 135.

De si mesmo, não pode o homem chamar a Deus de Pai, com o tom de familiaridade e reconhecimento que o termo comporta nos lábios do crente. As religiões falam frequentemente na paternidade divina, é bem verdade; mas, ao fazê-lo, estão a celebrar o poder criador, gerador, daquele que é a fonte da vida, não Seu amor ou Sua misericórdia.[41]

Citando Lutero, F. F. Bruce escreve:

> Abba, Pai, é uma palavra tão pequenina, e no entanto abrange todas as coisas. A boca não fala assim, mas o afeto do coração fala desse modo. Ainda que eu seja oprimido pela angústia e terror de todo lado, e pareça estar abandonado e ter sido totalmente expulso da Tua presença, contudo sou Teu filho, e Tu és meu Pai, por amor de Cristo: sou amado por causa do Amado. Por conseguinte, esta pequena palavra, Pai, concebida efetivamente no coração, sobrepuja toda a eloquência de Demóstenes, de Cícero, e dos mais eloquentes retóricos que já houve no mundo. Esta matéria não se expressa com palavras, mas com gemidos, gemidos que não podem ser proferidos com palavras ou com oratória, pois nenhuma língua os pode expressar.[42]

F. F. Bruce ainda relembra que as implicações de nossa adoção devem ser interpretadas não em termos de nossa cultura contemporânea, mas no contexto da cultura greco-romana nos dias de Paulo. Ele escreve:

> O termo "adoção" pode soar com certo artificialismo aos nossos ouvidos. Mas no primeiro século d.C. um filho adotivo era um filho escolhido deliberadamente por seu pai adotivo para perpetuar seu nome e herdar seus bens. Sua condição não era nem um pouco inferior à de um filho segundo as leis comuns da natureza, e bem podia desfrutar da afeição paterna o mais completamente e reproduzir o mais dignamente a personalidade do pai.[43]

Conforme William Barclay, devemos entender a adoção no contexto do *patria potestas*, ou seja, do poder absoluto que o pai tinha sobre os

---

[41]LEENHARDT, Franz J. *Epístola aos Romanos*, p. 214.
[42]BRUCE, F. F. *Romanos: introdução e comentário*, p. 135.
[43]BRUCE, F. F. *Romanos: introdução e comentário*, p. 135.

filhos. A adoção era uma transferência de um *patria potestas* para outro. Nessa transferência havia quatro consequências principais: 1) a pessoa adotada perdia todos os direitos de sua antiga família e ganhava todos os direitos de um filho totalmente legítimo na nova família; 2) o filho adotivo tornava-se herdeiro de todos os bens de seu novo pai; ainda que nascessem depois outros filhos, com verdadeira relação sanguínea, isso não afetava seus direitos; 3) legalmente, a antiga vida do adotado ficava completamente cancelada (por exemplo, todas as dívidas eram legalmente canceladas); a pessoa adotada era considerada uma nova pessoa que entrava numa nova vida; 4) aos olhos da lei a pessoa adotada era literal e absolutamente filha de seu novo pai.[44]

William Greathouse aponta dois privilégios que temos na adoção: o primeiro deles é chamar Deus de Pai. O segundo privilégio do filho adotado é tornar-se herdeiro da riqueza do seu pai adotivo.[45] Citando Haldane, Geoffrey Wilson esclarece: "A adoção confere o *nome* de filho, e o *direito* à herança; a regeneração confere a *natureza* de filho, e *aptidão* para a herança. E porque os crentes têm não apenas a *posição*, mas também o *coração* de filhos, é que são levados a clamar, 'Abba, Pai'".[46]

Em décimo primeiro lugar, **o Espírito Santo é testemunha da nossa filiação** (8.16). Não basta saber que somos filhos de Deus por adoção; precisamos estar conscientes desse auspicioso privilégio. O Espírito Santo testifica com nosso espírito que somos filhos de Deus. A palavra grega aqui é *tekna*, "crianças", e não *huioi*, "filhos", como no versículo 14.[47]

A palavra grega *symmartyreo* é composta por duas palavras: o prefixo *syn*, "com", e *martyria*, "testemunha". Neste caso haveria duas testemunhas: o Espírito Santo, confirmando, endossando e conscientizando nosso espírito sobre a paternidade de Deus.[48] Fritz Rienecker diz que essa palavra era usada nos papiros em que a assinatura de cada testemunha era acompanhada pelas palavras "testemunho com... e selo com..."[49]

---

[44] BARCLAY, William. *Romanos*, p. 120, 121.
[45] GREATHOUSE, William. *A carta aos Romanos*, p. 122.
[46] WILSON, Geoffrey B. *Romanos*, p. 118.
[47] BRUCE, F. F. *Romanos: introdução e comentário*, p. 135.
[48] STOTT, John. *Romanos*, p. 282.
[49] RIENECKER, Fritz; ROGERS, Cleon. *Chave linguística do Novo Testamento grego*, p. 269.

William Barclay lança luz sobre o assunto relatando que a cerimônia de adoção se efetuava na presença de sete testemunhas. Agora suponhamos que morresse o pai adotivo e logo acontecesse alguma disputa quanto ao direito de herança do filho adotivo; uma ou mais das sete testemunhas originais se adiantavam e juravam que a adoção era genuína e verdadeira. Assim, estava garantido o direito do adotado, que recebia Sua herança. Paulo nos diz aqui que o próprio Espírito Santo é a testemunha de nossa adoção na família de Deus.[50]

Não precisamos viver cabisbaixos, derrotados e envergonhados. Somos agora filhos do Altíssimo, membros da família de Deus. Isso não é sugestão humana, mas testemunho fiel do Espírito Santo que habita em nós.

Em décimo segundo lugar, *o Espírito Santo é o penhor da nossa herança gloriosa* (8.17). Não somos apenas filhos, mas também herdeiros de Deus e coerdeiros com Cristo. O Espírito Santo que habita em nós e nos selou para o dia da redenção é o penhor desse resgate, a garantia de que aquilo que Deus começou, Ele completará.

Embora sejamos herdeiros de todas as coisas que pertencem ao nosso Pai, pois tudo é dEle, por meio dEle e para Ele, a nossa mais gloriosa herança é o próprio Deus (Sl 73.25,26). Ele é nosso quinhão, nosso tesouro, nossa herança. Nele está nosso prazer. Somos coerdeiros com Cristo da Sua glória excelsa, aquela mesma glória de que o pecado nos havia privado (3.23). Como a glória é a efulgência de Deus, participar de Sua glória é aparecer em Sua presença, ser envolvido na efulgência de Sua divindade gloriosa.[51]

Enquanto não tomamos posse definitiva dessa herança imarcescível e gloriosa, cruzamos aqui vales escuros, desertos esbraseados e caminhos juncados de espinhos. O sofrimento com Cristo sempre há de preceder a glória com Cristo. O sofrimento é o caminho para a glória. Primeiro o sofrimento, depois a glória. Essa foi a ordem designada pelo próprio Cristo. Concordo com F. F. Bruce quando ele diz que o sofrimento é o

---

[50] BARCLAY, William. *Romanos*, p. 121.
[51] LEENHARDT, Franz J. *Epístola aos Romanos*, p. 215.

necessário prelúdio da glória.⁵² William Hendriksen lembra que é confortador saber que todos quantos participam do sofrimento de Cristo por fim ouvirão de Seus lábios as palavras de boas-vindas: "Bem está servo bom e fiel. Entre em Meu descanso".⁵³

---

⁵²BRUCE, F. F. *Romanos: introdução e comentário*, p. 136.
⁵³HENDRIKSEN, William. *Romanos*, p. 350, 351.

15

A gloriosa **segurança** dos **salvos**

Romanos 8.18-39

AQUI PAULO ALCANÇA O PONTO CULMINANTE de sua argumentação, mostrando que sobre os salvos não pesa mais nenhuma condenação (8.1) e nem haverá mais nenhuma separação do amor de Deus (8.39).

À guisa de introdução, destacamos dois grandes contrastes:

O contraste entre o sofrimento presente e a glória futura (8.18). Paulo contrasta o sofrimento do tempo presente com as glórias do futuro, como se segurasse em sua mão uma balança com dois pratos. Num prato, ele põe "os sofrimentos deste presente tempo"; no outro, "a glória que está para ser revelada em nós". Os sofrimentos do tempo presente não são dignos de serem comparados com a glória que está para ser revelada em nós.[1] Aqui ainda há dor e lágrima, há fraqueza e morte; não caminhamos, porém, para um túmulo gelado e frio, mas para a gloriosa ressurreição. Não caminhamos para um destino desconhecido nem para um lugar de tormento, mas para a bem-aventurança eterna. O sofrimento presente não pode ser comparado às glórias futuras. Diante do fulgor da glória que nos espera, os sofrimentos do presente são leves e momentâneos (2Co 4.17).

---

[1] HENDRIKSEN, William. *Romanos*, p. 351.

O contraste entre o que somos e o que havemos de ser. Embora salvos da culpa e da penalidade do pecado, ainda estamos sujeitos à fraqueza e à morte. Ainda vivemos num mundo caído que geme ao nosso redor e também fazemos parte dessa sinfonia do gemido. Aguardamos, porém, nossa plena manifestação como filhos de Deus, a ressurreição do nosso corpo. Aguardamos aquela glória que jamais, nem metade dela, foi contada ao mortal.

O texto em apreço lança os fundamentos da segurança dos salvos. Somos mais que vencedores por meio de Cristo. Nossa segurança não se estriba no frágil bordão da autoconfiança, mas nos decretos eternos e na ação eficaz do Deus Todo-poderoso.

Destacaremos a seguir seis pontos importantes que sinalizam esse caminho da nossa segurança.

Os gemidos da criação (8.18-22)

Paulo informa enfaticamente que *toda criação geme e suporta angústias até agora* (8.22). Essa grandiosa sinfonia de gemidos não é vista como estertor da morte da criação, mas como dor de parto que leva à sua restauração.[2] Três verdades devem ser aqui apontadas:

Em primeiro lugar, *o cativeiro da criação* (8.18-22). Que criação é essa a que Paulo se refere? Certamente não são os anjos, pois eles não estão sujeitos à vaidade nem prisioneiros no cativeiro da corrupção. Também não são os demônios, uma vez que eles não têm expectativa da manifestação dos filhos de Deus nem serão redimidos do seu cativeiro. A criação aqui, de igual forma, não é uma referência aos homens, pois está sujeita involuntariamente. A conclusão inequívoca é que Paulo se refere à criação irracional, animada ou inanimada.[3]

A queda não atingiu apenas o homem, mas também a natureza. É importante observar as palavras de Paulo para descrever a situação da criação: sofrimento (8.18), vaidade (8.20), cativeiro (8.21), corrupção (8.21) e angústias (8.22). Destacamos três pontos:

---

[2] WILSON, Geoffrey B. *Romanos*, p. 123.
[3] MURRAY, John. *Romanos*, p. 329.

A criação foi submetida à vaidade (8.20). Ela está confusa, contraditória, doente. Há brutal desarmonia na natureza. A expressão "cativeiro da corrupção" aponta para um ciclo contínuo de nascimento, crescimento, morte e decomposição, ou seja, de todo o processo de deterioração do universo.[4] A palavra grega *mataiotes*, "vaidade", significa frustração, nulidade, futilidade, falta de propósito, transitoriedade. A ideia básica é a de um vazio, seja de propósito ou de resultado.[5] Trata-se da inabilidade de alcançar um alvo ou resultado.[6] Os sinais da morte estão presentes na natureza. O que está presente não é a evolução do universo, mas sua decadência.

A criação vive prisioneira no cativeiro da corrupção (8.21). Os sinais de fraqueza e morte estão presentes na criação. Ela não pode redimir-se nem libertar a si mesma. A queda dos nossos primeiros pais atingiu não apenas a raça humana, mas toda a criação. A terra e os animais estão gemendo. Somos seres caídos, vivendo numa natureza caída. Somos seres mortais em cuja natureza os sintomas da morte estão presentes.

A criação geme e suporta angústias até agora (8.22). Paulo é enfático em dizer que não apenas parte, mas toda a criação, geme e suporta angústias até agora. A natureza está com suas entranhas enfermas. Está com cólicas intestinais. Geme e se angustia. Não apenas a natureza está enferma, mas os homens com sua ganância e avareza têm destruído ainda mais nosso hábitat. Nossos rios estão transformando-se em esgotos a céu aberto. Nosso ar está sendo poluído por toneladas de dióxido de carbono a cada minuto. Nossos campos estão tornando-se desertos, e nossas fontes estão morrendo. Os animais no campo, os peixes do mar e as aves do céu gemem.

Em segundo lugar, *a sujeição da criação* (8.20). Duas verdades devem ser aqui destacadas:

A sujeição da criação é involuntária. A criação não é o agente da sua queda. É vítima, e não ré. Ela não se submeteu, mas foi submetida. Quando o homem caiu, arrastou consigo para o abismo da queda

---

[4] STOTT, John. *A mensagem de Romanos 5-8*, p. 88.
[5] STOTT, John. *Romanos*, p. 288.
[6] RIENECKER, Fritz; ROGERS, Cleon. *Chave linguística do Novo Testamento grego*, p. 269.

a própria natureza. As angústias da criação são um juízo divino ao pecado do homem. A terra foi amaldiçoada e passou a produzir cardos e abrolhos.

A sujeição da criação é imposta por Deus. Não foi o homem nem o diabo que impôs à criação a sentença de sujeição à vaidade, mas o próprio Deus como juiz do universo. Os efeitos da queda na natureza são um castigo divino ao pecado dos nossos primeiros pais. Por isso, só Deus pode redimir a criação do cativeiro da corrupção.

Em terceiro lugar, *a expectativa da criação* (8.19, 21). Três verdades nos chamam a atenção:

A redenção da criação está conectada à glorificação dos filhos de Deus (8.19,21). A criação foi amaldiçoada por causa do pecado do homem e será redimida do cativeiro da corrupção na glorificação dos salvos. Sua redenção do cativeiro não se dará antes nem à parte da glorificação dos crentes. Então, haverá liberdade em vez de escravidão, glória incorruptível em vez de decomposição. Se nós participaremos da glória de Cristo, a criação participará da nossa.[7]

A criação aguarda ansiosamente a manifestação dos filhos de Deus (8.19,21). A criação vive como que na ponta dos pés, esticando o pescoço, olhando para esse futuro que virá trazendo em suas asas a restauração de todas as coisas. A expectativa da criação é uma esperança viva e certa. A palavra grega *apokaradokia*, "ardente expectativa", significa esperar de cabeça erguida e com os olhos fixos naquele ponto do horizonte de onde virá o objeto esperado.[8] Fritz Rienecker diz que essa palavra denota a concentração em um único objeto, sem levar em conta outros ao redor.[9]

Os gemidos da criação não são de desespero, mas de esperança (8.21,22). A criação não se contorce com os gemidos da morte, mas geme como uma mulher prestes a dar à luz. Seus gemidos não são de desespero, mas de gloriosa expectativa. Ela não geme por causa de um passado inglório, mas por um futuro glorioso. John Stott tem razão ao dizer que os

---

[7] STOTT, John. *A mensagem de Romanos 5-8*, p. 88, 89.
[8] STOTT, John. *Romanos*, p. 287.
[9] RIENECKER, Fritz; ROGERS, Cleon. *Chave linguística do Novo Testamento grego*, p. 269.

gemidos da criação não são dores que carecem de sentido e propósito, mas são dores inevitáveis no vislumbre de uma ordem nova.[10] A escravidão da decadência dará lugar à liberdade da glória (8.21). Às dores de parto seguirão as alegrias do nascimento (8.22). Portanto, haverá continuidade e descontinuidade na regeneração do mundo, assim como na ressurreição do corpo. O universo não será destruído, mas libertado, transformado e inundado da glória de Deus.[11]

William Hendriksen diz que essa transformação incluirá harmonização.[12] Ausentes na natureza estão a paz e a harmonia. Vários organismos parecem operar com propósitos conflitantes: estrangulam uns aos outros até a morte. Porém, então, haverá concórdia e harmonia por toda parte. A profecia de Isaías 11.6-9 atingirá seu cumprimento último:

> *O lobo habitará com o cordeiro, e o leopardo se deitará junto ao cabrito; o bezerro, o leão novo e o animal cevado andarão juntos, e um pequenino os guiará. A vaca e a ursa pastarão juntas, e as suas crias juntas se deitarão; o leão comerá palha como o boi. A criança de peito brincará sobre a toca da áspide, e o já desmamado meterá a mão na cova do basilisco. Não se fará mal nem dado algum em todo o meu santo monte, porque a terra se encherá do conhecimento do* SENHOR, *como as águas cobrem o mar.*

Os gemidos da igreja (8.23-25)

Paulo passa dos gemidos da velha criação para os gemidos da nova criação; dos gemidos da natureza para os gemidos da igreja; dos gemidos da criação de Deus para os gemidos dos filhos de Deus. Com respeito aos gemidos da igreja, três verdades devem ser destacadas:

Em primeiro lugar, *os gemidos da igreja não são gemidos de desespero, mas de esperança* (8.23a). Os filhos de Deus gemem em seu íntimo porque, tendo experimentado as primícias do Espírito, anseiam ardentemente tomar posse definitiva da plenitude da salvação. As primícias

---

[10] STOTT, John. *A mensagem de Romanos 5-8*, p. 89.
[11] STOTT, John. *Romanos*, p. 291.
[12] HENDRIKSEN, William. *Romanos*, p. 357.

eram a primeira porção da colheita, compreendida tanto como uma primeira prestação quanto como um penhor pelo pagamento final do todo. O Espírito Santo é compreendido como uma antecipação da salvação final e um penhor de que todos os que têm o Espírito serão finalmente salvos.¹³ O Espírito é mais que uma garantia; é o antegozo dessa herança.¹⁴

Vivemos na tensão entre o que Deus inaugurou (ao dar-nos Seu Espírito) e o que Ele consumará (quando se completar nossa adoção e redenção final); gememos em desconforto, desejando ardentemente o futuro.¹⁵ Os gemidos da igreja não são os soluços da alma, movidos pela desesperança, mas o anseio ardente daqueles que, tendo provado os sabores da bem-aventurança eterna, aguardam a glorificação, ou seja, a manifestação pública de sua adoção como filhos de Deus.

William Hendriksen corretamente diz que o próprio fato de os filhos de Deus agora serem habitados pelo Espírito Santo faz nascer dentro deles um doloroso senso de ausência. O que eles já possuem os faz famintos por mais, ou seja, pela salvação em toda sua plenitude. É nesse sentido que dor e esperança são aqui combinados.¹⁶

Em segundo lugar, **os gemidos da igreja não são de morte, mas de vida** (8.23b). Os filhos de Deus não gemem com medo da morte; gemem pela ardente expectativa da ressurreição. Não gemem por aquilo que são, mas por desejarem ardentemente aquilo que virão a ser. Não gemem pela fraqueza do corpo terreno, mas pelo anelo do revestimento do corpo de glória.

John Stott tem razão quando escreve:

> É claro que já fomos adotados por Deus (8.15), e o Espírito nos assegura que somos filhos de Deus (8.16). Existe, porém, uma relação Pai-filho ainda mais rica e profunda que virá quando formos plenamente *revelados* como seus filhos (8.19) e *conformados à imagem do Seu Filho* (8.29). Nós já fomos redimidos, mas nossos corpos não. Nosso espírito

---

¹³RIENECKER, Fritz; ROGERS, Cleon. *Chave linguística do Novo Testamento grego*, p. 269.
¹⁴STOTT, John. *A mensagem de Romanos 5–8*, p. 90.
¹⁵STOTT, John. *Romanos*, p. 291.
¹⁶HENDRIKSEN, William. *Romanos*, p. 360.

está vivo (8.11), mas aguardamos o dia em que receberemos um corpo semelhante ao corpo da glória de Cristo.[17]

Em terceiro lugar, *os gemidos da igreja não são aquilo que se vê, mas o anelo do que se não vê* (8.24,25). Os filhos de Deus já foram salvos da condenação do pecado e estão sendo salvos do poder do pecado; mas ainda serão salvos da presença do pecado. Temos a garantia da salvação, mas não sua posse definitiva. Recebemos o Espírito como selo e garantia de que receberemos a posse final e definitiva, mas ainda aguardamos pacientemente o que não vemos.

O gemidos do Espírito (8.26,27)

O apóstolo Paulo passa dos gemidos da criação e da igreja para os gemidos do Espírito Santo. Numa ordem crescente Paulo, como maestro habilidoso, leva a sinfonia do gemido ao seu apogeu. Os gemidos estão presentes na terra e no céu, dentro dos filhos de Deus e até mesmo nas entranhas da própria divindade.

Duas verdades solenes devem ser aqui destacadas:

Em primeiro lugar, *a assistência do Espírito em nossa fraqueza* (8.26). Nós somos mais que vencedores não porque somos fortes. O cristianismo diverge frontalmente da psicologia de autoajuda. Paulo afirma que somos fracos. Não somos um gigante adormecido; não temos poder inato. A ajuda não vem de dentro, mas do alto; a vitória não resulta da autoajuda, mas de ajuda do alto. Três fatos devem ser aqui observados:

Temos fraquezas (8.26). A nova era está equivocada ao afirmar que a força vem de dentro. As religiões místicas estão erradas ao ensinar que há uma espécie de divindade dentro das pessoas que precisa ser conhecida e libertada. A verdade é que somos fracos, limitados e contingentes. Temos fraquezas físicas, emocionais, morais e espirituais. O tempo esculpe rugas em nossa face e deixa nossas pernas bambas, nossos joelhos trôpegos, nossas mãos descaídas e nossos olhos embaçados. Cada fio de cabelo branco que surge em nossa cabeça é a morte nos

---

[17] STOTT, John. *Romanos*, p. 293.

chamando para um duelo. Nossas fraquezas nos esmagam. Tropeçamos nos mesmos erros, incorremos nas mesmas falhas e caímos nas mesmas armadilhas. O bem que queremos não praticamos, mas o mal que odiamos, esse o fazemos. Somos ambíguos, contraditórios, paradoxais. Há uma guerra constante instalada em nosso peito, um conflito permanente no campo de batalha da nossa mente. Uma esquizofrenia existencial fincada nos meandros da nossa alma nos arrasta para direções opostas. Nossos desejos secretos denunciam a gravidade da nossa doença moral. Nossos pensamentos íntimos revelam quanto o pecado nos atingiu. Todos nós temos os pés de barro. Todos nós temos nosso calcanhar de aquiles. Todos nós temos fraquezas!

Não sabemos orar como convém (8.26). John Stott diz que nossa fraqueza decorre de não sabermos orar convenientemente.[18] Somos fracos porque não conseguimos manter comunhão ininterrupta com o Deus onipotente. Nosso maior problema não está em nossas fraquezas, mas em nosso distanciamento daquele que é onipotente. Concordo com Geoffrey Wilson quando diz: "A inabilidade na oração não é apenas uma ilustração da fraqueza do crente, mas também uma explicação dessa fraqueza".[19]

A oração é a respiração da alma. Quem não tem intimidade com Deus não pode ser forte. Nas palavras de Leenhardt: "A fraqueza da oração não está em seu laconismo; está é na pobreza de sua substância. Não é bastante orar; é preciso orar como convém".[20] Não sabemos orar como convém porque somos faltos de discernimento. Muitas vezes pedimos a Deus uma pedra, pensando que estamos pedindo um pão; pedimos uma cobra, pensando que estamos pedindo um peixe; pedimos o que nos destruirá, pensando que estamos pedindo o que nos dará vida. Não sabemos orar como convém porque somos impacientes. Queremos pressionar Deus com a urgência da nossa agenda. Queremos que nossa vontade seja feita no céu em vez de buscar que a vontade de Deus seja feita na terra.

---

[18] STOTT, John. *A mensagem de Romanos 5-8*, p. 91.
[19] WILSON, Geoffrey B. *Romanos*, p. 125.
[20] LEENHARDT, Franz J. *Epístola aos Romanos*, p. 227.

O Espírito nos assiste em nossa fraqueza (8.26). O Espírito não nos escorraça por causa de nossas fraquezas nem sente nojo de nós. Não nos deixa entregues à nossa sorte. Encurva-se para tomar o nosso fardo e levá-lo por nós. Quando nos sentimos cansados, Ele nos toma no colo. Fortalece-nos quando o peso da vida nos pressiona além da conta.

A palavra grega traduzida por "assistir" significa mais que "assistir". O sentido é que o Espírito toma sobre si nossa carga não somente para nos ajudar e socorrer, mas sobretudo para nos aliviar, carregando todo o peso por nós. Nossa fraqueza nos levaria ao desfalecimento e ao desespero, não fosse a assistência do Espírito. Há momentos na vida em que se ajuntam sobre nossa cabeça nuvens escuras. Nessas horas, sentimo-nos encurralados por tempestades devastadoras. É a enfermidade grave que chega; é a dor atroz do luto que se instala; é o casamento ferido mortalmente pelo divórcio; é o pecado que tenazmente nos assedia.

James Hastings diz que aquele que pode confessar "eu creio no Espírito Santo" encontrou um amigo divino. Para ele, o Espírito Santo não é uma influência, uma energia ou alguém distante, mas um consolador presente a quem Cristo enviou para estar sempre conosco.[21] Que bendita esperança a de termos o Espírito Santo, Deus onipotente, assistindo-nos em nossas fraquezas. Aquele que embelezou os céus e a terra e por Seu poder criador espalha vida em todo o universo é o mesmo que nos assiste em nossas fraquezas.[22]

Em segundo lugar, *a intercessão do Espírito a nosso favor* (8.26,27). Paulo passa da assistência do Espírito para a intercessão do Espírito. Aqui vemos o Deus que está em nós, intercedendo por nós, ao Deus que está sobre nós. Citando C. H. Dodd, William Barclay diz que "a oração é o divino em nós, apelando ao divino sobre nós".[23] Temos dois intercessores na trindade: Jesus, nosso advogado e sumo sacerdote, é o nosso intercessor legal (8.34), e o Espírito Santo é o nosso intercessor existencial (8.26).

---

[21]HASTINGS, James. *The great texts of the Bible*, p. 72.
[22]LOPES, Hernandes Dias. *Destinados para a glória.* São Paulo: Mundo Cristão, 2006, p. 30.
[23]BARCLAY, William. *Romanos*, p. 126.

James Hastings recorre a Abraham Kuyper para distinguir entre a intercessão do Espírito e a intercessão de Cristo. Este intercede por nós no céu, e o Espírito Santo, na terra. Cristo, nosso cabeça, estando no céu, intercede por nós fora de nós para que desfrutemos os frutos da Sua redenção; o Espírito Santo, nosso Consolador, intercede por nós em nosso coração para nos assistir em nossas aflições e levar nossas profundas necessidades diante do trono de Deus.[24]

A intercessão do Espírito tem três características:

É uma intercessão intensa (8.26). O apóstolo afirma que o Espírito intercede por nós "sobremaneira". Isso descreve o aspecto intenso dessa intercessão. Assim como o Pai nos amou "de tal maneira", de igual forma, o Espírito intercede por nós "sobremaneira". Ainda que usássemos todas as palavras do nosso vernáculo, não poderíamos descrever com precisão a intensidade que o Espírito intercede pelos santos.

É uma intercessão agônica (8.26). Não apenas a natureza e os filhos de Deus estão gemendo, mas também o Espírito Santo. Os gemidos do Espírito estão ligados ao seu ministério de intercessão. John Stott diz que "a inspiração do Espírito Santo é tão necessária quanto a mediação do Filho, se quisermos obter acesso ao Pai na oração".[25] O gemido é uma expressão de dor. Gememos quando não conseguimos expressar em palavras nossos sentimentos intensos. É assim que o Espírito intercede por nós, em nós, ao Deus que está sobre nós. Aquele que conhece todas as línguas, idiomas e dialetos de todos os povos, de todos os tempos, ora por nós com tal agonia que o faz com gemidos inexprimíveis. A palavra grega *alale* significa "sem palavras". O que Paulo, portanto, quer mostrar aqui não é que os gemidos não podem ser traduzidos em palavras, mas que de fato não há como expressá-los.[26]

É uma intercessão eficaz (8.27). A intercessão do Espírito não é pelo mundo, mas pelos santos. Os santos não são os beatificados ou canonizados pela igreja, mas todos aqueles que foram remidos e lavados no sangue de Jesus. A intercessão do Espírito em nós, por nós, ao Pai

---

[24] HASTINGS, James. *The great texts of the Bible*, p. 76.
[25] STOTT, John. *A mensagem de Romanos 5-8*, p. 91.
[26] STOTT, John. *Romanos*, p. 295.

que está sobre nós, está sempre alinhada com Sua soberana e perfeita vontade e por isso tem a marca da eficácia. Não há conflito na trindade. O Espírito nunca intercede por uma causa contrária à vontade do Pai. A intercessão do Espírito não se baseia em sentimentos equivocados ou propósitos errados, pois está sempre em harmonia com a vontade e o plano divino. Seu plano tem dois objetivos: nosso bem e Sua glória.

Uma convicção segura (8.28)

Paulo faz uma transição da assistência e da intercessão do Espírito para a gloriosa convicção dos salvos. A história não está à deriva, mas nas mãos do nosso Deus. Não é cíclica, mas caminha para um fim glorioso. Nós não somos arrastados de um lado para o outro sob a força insopitável das fragorosas circunstâncias, mas temos a convicção de que Deus tece todas as circunstâncias da nossa vida, objetivando o nosso bem.

O apóstolo inicia o versículo 28 usando um verbo extremamente sugestivo: "Sabemos". O apóstolo não diz: "esperamos" ou "supomos", mas "sabemos". Thomas Watson compara o versículo a um artigo do nosso credo.[27] Segundo F. F. Bruce, o verbo "saber" expressa o conhecimento da fé.[28] A palavra grega vem de um termo da matemática. É algo exato, incontroverso, absoluto. Essa não é a linguagem da conjectura hipotética, mas da certeza experimental.[29] Três verdades nos chamam a atenção no versículo 28:

Em primeiro lugar, **Deus trabalha por nós em todas as circunstâncias da vida** (8.28). A vida é feita de montes e vales, alegrias e lágrimas, prosperidade e perdas. Todas essas coisas cooperam para o nosso bem. Com isso Paulo não está dizendo que todas as coisas que acontecem conosco são coisas boas. Ao contrário, afirma que, mesmo que essas coisas sejam más, Deus as transformará em bênção (Gn 50.20). Paulo também não está dizendo que essas coisas se encaixam por si mesmas, como se a vida fosse um grande jogo de quebra-cabeça e as peças fossem sendo

---

[27] WATSON, Thomas. *All things for God*. Pennsylvania: The Banner of Truth Trust, 1998, p. 10.
[28] BRUCE, F. F. *Romanos: introdução e comentário*, p. 142.
[29] WILSON, Geoffrey B. *Romanos*, p. 126.

encaixadas por nossa iniciativa ou pela coincidência. A verdade é que Deus tece nossa vida como um mosaico. Ele escreve o poema da nossa vida capítulo por capítulo, esculpindo em nós o caráter de Cristo.

Em segundo lugar, *Deus trabalha em todas as circunstâncias para o bem daqueles que O amam* (8.28). Paulo não diz que Deus trabalha para o bem de todas as pessoas, mas apenas para o bem daqueles que O amam. Aqueles que semeiam vento colhem tempestades e os que semeiam na carne, da carne colhem corrupção. Se amamos a Deus, contudo, sabemos que Ele toma nosso destino em Suas mãos e trabalha para o nosso bem (Sl 119.71). Não há motivo para desespero, dúvida ou ansiedade no coração de quem ama a Deus. Toda boa dádiva procede de Deus. Todo dom perfeito vem de Suas bondosas mãos. O nosso Pai só nos dá coisas boas!

Em terceiro lugar, *Deus trabalha para o bem daqueles que O amam, mas segundo Seu propósito e não conforme nosso querer* (8.28). Deus tem um plano eterno, perfeito e vitorioso. Esse plano não pode ser frustrado. Deus o levará a cabo. Não existe acaso para nós. Nossa vida, nosso futuro e tudo o que nos diz respeito estão sob o total controle do Senhor.

Um propósito eterno (8.29,30)

O eterno propósito de Deus em nossa vida não é nos fazer ricos nem famosos, mas santos. O projeto de Deus não é nos tornar celebridades, mas pessoas parecidas com Jesus. O sentido da vida não é sucesso segundo o padrão do mundo, mas atingir a plenitude da estatura de Cristo. O propósito de Deus não é apenas nos salvar, mas nos transformar à imagem de Jesus. Nosso destino não é apenas a glória, mas a semelhança ao Rei da glória.

O decreto divino tem por finalidade última a exaltação de Cristo. Seremos filhos e herdeiros da família de Deus, mas Cristo será o primogênito entre muitos irmãos. O termo "primogênito" reflete a prioridade e a supremacia de Cristo (Cl 1.15,18; Hb 1.6; Ap 1.5).

Estabelecido o fim último do eterno propósito divino, Paulo passa a tratar dos cinco elos da corrente dourada desse propósito:

Em primeiro lugar, *a presciência* (8.29). Quando Paulo declara que Deus nos conheceu de antemão, ele quer dizer que Deus nos amou desde a eternidade. Esta frase é equivalente "aos que dantes amou" (Jr 1.5; Am 3.2; Os 13.5; Mt 7.23).[30] Não é apenas um conhecimento geral de Deus. Nesse sentido, Deus conhece todas as pessoas. Mas Paulo destaca que Deus nos amou de antemão. Leenhardt tem razão quando diz que "conhecer é escolher, é deixar-se envolver; é, então amar e escolher por amor".[31] Deus colocou o Seu coração em nós antes dos tempos eternos. O amor de Deus não foi gerado por possíveis virtudes ou méritos que Ele viu em nós. Toda a causa do amor de Deus está nEle mesmo. Seu amor é a causa da eleição.

Em segundo lugar, *a predestinação* (8.30). A predestinação é um decreto eterno, soberano, livre e gracioso de Deus. Foi Deus quem nos escolheu, e não nós a Ele. A eleição é incondicional. Ele não nos escolheu porque previu que iríamos crer, mas cremos porque Ele nos escolheu (At 13.48). A eleição não é resultado da fé, mas sua causa. A eleição é a mãe da fé, e não sua filha. Deus não nos escolheu porque viu em nós santidade, mas nos escolheu para a santidade (Ef 1.4). A santidade não é causa da eleição, mas seu resultado. Deus não nos escolheu por causa das boas obras, mas para as boas obras (Ef 2.10). Assim, as obras não são a causa da eleição, mas consequência. Nossa salvação não resulta da iniciativa humana nem do mérito humano, já que tudo provém de Deus (2Co 5.18).

Em terceiro lugar, *o chamamento* (8.30). O mesmo Deus que ama, conhece e elege é o Deus que chama, e o faz de forma eficaz. O chamado de Deus é a concretização histórica da predestinação eterna.[32] A invencibilidade do propósito de Deus é a garantia absoluta de que aqueles que Ele chamou não deixarão de alcançar a glória futura, pois o que foi forjado na bigorna da graça de Deus não pode ser quebrado pela vontade da criatura. Todo aquele que foi escolhido por Deus e é de Deus ouve Suas palavras (Jo 8.47). Todo aquele que foi destinado para a salvação crê (At 13.48). Todo aquele que o Pai elege vai a Jesus (Jo 6.37,39,40,44,45).

---

[30]WILSON, Geoffrey B. *Romanos*, p. 128.
[31]LEENHARDT, Franz J. *Epístola aos Romanos*, p. 228.
[32]STOTT, John. *A mensagem de Romanos 5-8*, p. 95.

O chamado ao qual Paulo se refere não é o chamado externo, mas o interno. Todo aquele a quem Deus predestinou desde a eternidade para a salvação, ao ouvir o evangelho – o chamado externo –, passa por uma operação íntima, profunda e irresistível do Espírito Santo, que é o chamado interno. A esta operação eficaz e transformadora do Espírito denominamos "vocação eficaz" ou "graça irresistível". Os eleitos de Deus são chamados irresistivelmente. Podem até resistir temporariamente, mas não finalmente.

Nossa resposta ao chamado é uma operação do próprio Deus em nós (Fp 2.13). É o próprio Deus quem abre nosso coração, dando-nos o arrependimento para a vida e a fé salvadora. É o próprio Espírito Santo quem opera em nós a regeneração e o novo nascimento.

Em quarto lugar, *a justificação* (8.30). Como já dissemos, a justificação é um ato legal e forense de Deus. Não acontece em nós, mas fora de nós; não acontece no nosso coração, mas no tribunal de Deus. Não é obra que Deus faz em nós, mas por nós. A justificação não é uma infusão da graça, ou seja, não pode ser confundida com santificação, mas um ato judicial de Deus por nós. Consequentemente, não é um processo, mas um ato único e que não pode ser repetido. Não há graus na justificação, ou seja, todos os salvos estão justificados da mesma forma. Somos justificados não pelas nossas obras, mas pela obra de Cristo por nós. A base da justificação é a obra expiatória de Cristo na cruz, o instrumento de apropriação é a fé e o resultado é a paz com Deus.

Em quinto lugar, *a glorificação* (8.30). Paulo usa a palavra grega *edoxasen*, no aoristo, ou seja, no pretérito perfeito: "glorificou". Isso significa que Deus vê o fim desde o início. Em seu decreto e propósito todos os eventos futuros são abrangidos.[33]

A glorificação é um fato futuro que se dará na segunda vinda de Cristo, mas nos decretos de Deus já é um fato consumado. Não importa se o caminho é estreito, se a estrada está juncada de espinhos, se os inimigos se arvoram contra nós; se estamos em Cristo, pelos decretos de Deus, já estamos na glória. Seguindo o modo de falar hebraico, esse

---

[33] RIENECKER, Fritz; ROGERS, Cleon. *Chave linguística do Novo Testamento grego*, p. 270.

é "o tempo passado profético".³⁴ Cristo, em cujo destino está incluído o destino dos eleitos de Deus, já foi glorificado, de maneira que nEle a glorificação de Seus filhos já foi realizada.

F. F. Bruce afirma que a glorificação do povo de Deus é sua final e completa conformidade com a "imagem do Seu Filho".³⁵ Diz ainda o mesmo escritor: "A santificação é a progressiva conformação com a imagem de Cristo aqui e agora; a glória é a perfeita conformidade com a imagem de Cristo depois e além. A santificação é a glória iniciada; a glória é a santificação completada".³⁶

Paulo enfatiza a inevitabilidade e a certeza absoluta da nossa glorificação. É o céu antecipado. É a glória já. Para Charles Erdman, esse pretérito "glorificou" é a mais ousada antecipação de fé que o Novo Testamento contém.³⁷ Leenhardt concorda: "Pode-se perceber na escolha desse tempo verbal uma expressão da certeza da fé; a vontade divina já está firmada na eternidade de Deus, nada podendo contra ela as peripécias da história".³⁸

O fim do nosso caminho não é o sepulcro coberto de lágrimas, mas o hino triunfal da gloriosa ressurreição. Nossa jornada não terminará com o corpo surrado pela doença, enrugado pelo peso dos anos, coberto de pó na sepultura, mas receberemos um corpo de glória, semelhante ao de Cristo (Fp 3.21). Nosso corpo resplandecerá como o fulgor do firmamento e como as estrelas, sempre e eternamente (Dn 12.3). Nosso choro cessará, nossas lágrimas serão estancadas. Não haverá mais luto, nem pranto, nem dor (Ap 21.4).

Uma segurança inabalável (8.31-39)

Charles Erdman, afirma que esta é provavelmente a mais majestosa porção que nos legou a pena do apóstolo Paulo. É o clímax de sua argumentação. Mostra que os crentes em Cristo são justificados pela

---

³⁴Bruce, F. F. *Romanos: introdução e comentário*, p. 144.
³⁵Bruce, F. F. *Romanos: introdução e comentário*, p. 144.
³⁶Bruce, F. F. *Romanos: introdução e comentário*, p. 145.
³⁷Erdman, Charles R. *Comentários de Romanos*, p. 101.
³⁸Leenhardt, Franz J. *Epístola aos Romanos*, p. 230.

fé, que sua justificação resulta em um viver santo e, por fim, em glória eterna.[39] Francis Schaeffer nos relembra que o Espírito Santo garante vida eterna (8.26,27), Deus Pai garante vida eterna (8.28-32) e Deus Filho garante vida eterna (8.33,34). Mesmo diante das tempestades da vida, temos a garantia da vida eterna (8.35-39).[40] O apóstolo Paulo não poderia terminar essa clássica exposição sobre a segurança inabalável da salvação senão fazendo cinco perguntas retóricas. Consideraremos essas perguntas a seguir.

Em primeiro lugar, **se Deus é por nós, quem será contra nós?** (8.31). O apóstolo Paulo não pergunta: "Quem é contra nós", pois, se assim o fizesse, o inferno inteiro se levantaria, vociferando seu ódio incontido. A pergunta é: "Se Deus está do nosso lado, quem poderá deter-nos ou resistir a nós?" Se o Rei e Senhor do universo está do nosso lado, se Ele nos amou, nos escolheu, nos chamou, nos justificou e já decretou a nossa glorificação, então somos vitoriosos e invencíveis. Ainda que o inferno inteiro se levante contra nós, certamente triunfaremos. John Stott corretamente afirma: "O mundo, a carne, e o diabo podem continuar alistando-se contra nós, porém nunca nos poderão vencer, se Deus é por nós".[41]

Warren Wiersbe diz que Deus é por nós e provou isto dando-nos Seu Filho (8.32). O Filho é por nós e prova isto intercedendo por nós junto ao Pai (8.34). O Espírito Santo é por nós, assistindo-nos em nossa fraqueza e intercedendo por nós com gemidos inexprimíveis (8.26). Deus trabalha para que todas as coisas contribuam para o nosso bem (8.28). Em Sua pessoa e em Sua providência, Deus é por nós. Por vezes, lamentamos como Jacó: *Todas estas coisas me sobrevêm* (Gn 42.36), quando, na verdade, tudo está trabalhando em nosso favor.[42]

Em segundo lugar, **aquele que não poupou a Seu próprio Filho, porventura não nos dará com Ele graciosamente todas as coisas?** (8.32). O argumento aqui é do menor para o maior. Se, quando éramos pecadores, Deus nos deu o Seu melhor, será que agora, que somos filhos,

---

[39] ERDMAN, Charles R. *Comentários de Romanos*, p. 102.
[40] SCHAEFFER, Francis A. *A obra consumada de Cristo*, p. 240.
[41] STOTT, John. *A mensagem de Romanos 5-8*, p. 97.
[42] WIERSBE, Warren W. *Comentário bíblico expositivo*, p. 705.

não nos dará tudo o que precisamos? Se Deus nos deu o maior, certamente nos dará o menor. Aquele que começou a boa obra em nós, há de completá-la até o dia de Cristo Jesus (Fp 1.6).

A expressão "não poupou" é negativa; enquanto "entregou" é positiva. Cristo é o dom inefável de Deus, e a cruz é o gesto mais profundo do Seu amor. Cristo não morreu como um mártir. Foi entregue, e Ele mesmo se entregou. Quem entregou Jesus à morte? Não foi Judas, por dinheiro; não foi Pilatos, por medo; não foram os judeus, por inveja; mas o Pai, por amor".[43]

Em terceiro lugar, *quem intentará acusação contra os eleitos de Deus?* (8.33). Nenhuma acusação pode prosperar contra nós, uma vez que Deus já nos justificou com base no sacrifício vicário de Cristo. Estamos quites com a lei e a justiça de Deus. Não há base legal para nenhuma cobrança contra nós no tribunal de Deus. A ideia é que nenhuma acusação pode ser levantada contra nós porque Jesus Cristo, nosso Advogado, nos defende, e porque Deus, o Juiz, já nos declarou justificados.[44] Nossos pecados já foram perdoados. Nossa dívida já foi paga. A justiça de Cristo já foi creditada em nossa conta (2Co 5.21). Estamos justificados. Este fato é real, absoluto e irrevogável.

Em quarto lugar, *quem condenará os eleitos de Deus?* (8.34). Nosso coração, nossos críticos e todos os demônios do inferno procuram condenar-nos. Porém, essa condenação é sem efeito, e isso, por quatro razões:

A morte vicária de Cristo (8.34). Cristo morreu por nós, em nosso lugar e em nosso favor. Ele sofreu o castigo que deveria cair sobre nós. Bebeu sozinho o cálice amargo da ira de Deus que nós deveríamos beber. Sofreu o duro golpe da lei que nós deveríamos ter suportado. Morreu a nossa morte.

A ressurreição de Cristo (8.34). A morte não pôde retê-lo na sepultura. Cristo triunfou sobre a morte e arrancou o seu aguilhão. Ele venceu a morte, ressuscitou dentre os mortos para a nossa justificação. A morte foi destronada, vencida. A ressurreição de Cristo é a garantia e o modelo da nossa ressurreição.

---

[43] WILSON, Geoffrey B. *Romanos*, p. 99.
[44] STOTT, John. *A mensagem de Romanos 5-8*, p. 97, 98.

O governo de Cristo (8.34). Jesus está à direita de Deus, uma posição de exaltação e governo. Isso significa que Deus Pai aceitou Sua obra expiatória e O exaltou sobremaneira, colocando-o acima de todo principado e potestade.

A intercessão de Cristo (8.34). A intercessão de Cristo tem absoluta eficácia. Ele é o nosso intercessor legal. Representa-nos diante do trono de Deus de tal maneira que não precisamos representar a nós mesmos.

Em quinto lugar, **quem nos separará do amor de Cristo?** (8.35-39). Paulo responde a esta grande pergunta com outra: "Será tribulação, ou angústia, ou perseguição, ou fome, ou nudez, ou perigo, ou espada?" O argumento do apóstolo é que nenhum problema, situação, adversidade, acontecimento, ser humano ou mesmo angelical poderá separar-nos do amor de Cristo. Ao contrário, em todas essas coisas somos mais que vencedores (8.35-37). Essa frase "mais do que vencedores" é na língua grega uma só palavra, *hypernikomen*, cujo significado é "hipervencedores".

Paulo chega ao ponto culminante da sua argumentação: *Porque eu estou bem certo de quem nem a morte, nem a vida, nem os anjos, nem os principados, nem as coisas do presente, nem do porvir, nem os poderes, nem a altura, nem a profundidade, nem qualquer outra criatura poderá separar-nos do amor de Deus, que está em Cristo Jesus, nosso Senhor* (8.38,39). A convicção firme e inabalável de Paulo é que nem a crise da morte, nem as desgraças da vida, nem poderes sobre-humanos, sejam eles bons ou maus (anjos, principados, potestades), nem o tempo (presente ou futuro), nem o espaço (alto ou profundo), nem criatura alguma, por mais que tente fazê-lo, poderá separar-nos do amor de Deus, que está em Cristo Jesus, nosso Senhor.[45]

Franz Leenhardt apropriadamente cita as três séries de provações que nos atingem. A primeira evoca os embates interiores da fé contra a dúvida (8.35a). A segunda traz à baila as ameaças de que os homens são os instrumentos (8.35b). A terceira faz intervirem as forças misteriosas do mundo que escapam a todo controle humano (8.38,39).[46]

---

[45] STOTT, John. *A mensagem de Romanos 5-8*, p. 99, 100.
[46] LEENHARDT, Franz J. *Epístola aos Romanos*, p. 234.

Juan Schaal, de forma exultante, comenta que o capítulo 8 de Romanos começa com "nenhuma condenação" porque estamos em Cristo, e termina com "nenhuma separação" porque estamos em Cristo. Entre o começo e o fim há um profundo vale de lutas e conflitos. Contudo, o viajante no caminho da salvação tem a segurança da vitória.[47] Deus seja louvado por tão gloriosa salvação e por tão bendita segurança!

---

[47] SCHAAL, Juan. *El camino real de Romanos*, p. 97.

16

A **soberania** de Deus na salvação

Romanos 9.1-33

ROMANOS 9–11 É UM DOS TEXTOS MAIS COMPLEXOS de toda a Bíblia. Charles Erdman é da opinião que estes três capítulos são possivelmente os mais difíceis de interpretar de tudo quanto Paulo jamais escreveu.[1] Tom Wright diz que Romanos é um livro que contém oito capítulos de "evangelho" no começo, quatro de "aplicação" no final e, no meio, três capítulos de puro enigma. Ele chegou a considerar Romanos um livro tão cheio de problemas quanto um ouriço de espinhos.[2] Alguns eruditos pensam que Paulo está apenas fazendo um parêntese e retornará ao fio da meada no capítulo 12, com a aplicação da doutrina ensinada até o capítulo 8.[3] Outros estudiosos, entretanto, defendem que esse é o ponto culminante da carta, em que Paulo detalhará a soberania divina na salvação.[4]

Geoffrey Wilson afirma categoricamente que a capitulação neste ponto [soberania de Deus] marcaria o abandono da fé no Deus vivo.[5]

---

[1] ERDMAN, Charles R. *Comentários de Romanos*, p. 106.
[2] WRIGHT, N. T. *The climax of the covenant*, p. 231.
[3] STOTT, John. *Romanos*, p. 315.
[4] STENDAHL, Krister. *Paul among jews and gentiles and other essays*. Philadelphia: Fortress, 1976, p. 4.
[5] WILSON, Geoffrey B. *Romanos*, p. 136, 137.

Stendahl alega que Romanos 9–11 constitui o cerne e o clímax da epístola e a única função dos capítulos restantes seria a de introdução e conclusão.[6] Para Calvino, esta porção das Escrituras é uma defesa da verdadeira identidade do Cristo e da credibilidade das promessas de Deus.[7]

John Stott diz que, em Romanos 9–11, Paulo aborda a posição singular do povo judeu no propósito de Deus. Aquilo que Paulo já havia aludido em uma série de passagens anteriores (1.16; 2.9; 2.17; 3.1; 3.29; 4.1; 5.20; 6.14; 7.1; 8.2), agora ele passa a elaborar.[8] David Stern afirma que os capítulos 9–11 de Romanos contêm a discussão mais importante e completa do Novo Testamento sobre o povo judeu.[9] Cada capítulo aborda um aspecto diferente da relação de Deus com Israel, o passado, o presente e o futuro: 1) o fracasso de Israel – o propósito da eleição de Deus (9.1-33); 2) a culpa de Israel – o desapontamento de Deus com a desobediência do Seu povo (10.1-21); 3) o futuro de Israel – o desígnio eterno de Deus (11.1-32); 4) doxologia – a sabedoria e a generosidade de Deus (11.33-36).[10]

Para William Hendriksen, tanto no passado como no presente muitos eruditos defendem como propósito de Romanos 9–11 mostrar que na reta final da história humana todos os judeus sobre a terra serão salvos. Essa salvação alcançaria a nação toda, numa abrangente recuperação escatológica dos judeus incrédulos.[11]

Charles Erdman diz que Romanos 9–11 deve ser lido como uma unidade. Os três capítulos tratam tanto da soberania de Deus como da responsabilidade humana, formando uma trilogia: o capítulo 9 olha para o passado e mostra a soberana eleição divina; o capítulo 10 vê o presente e aborda a responsabilidade humana; já o capítulo 11 vislumbra o futuro e trata da bênção universal. O primeiro focaliza a "eleição", o segundo a "rejeição", o terceiro a "restauração"; a trilogia abre as

---

[6] STENDAHL, Krister. *Paul among jews and gentiles and other essays*, p. 4.
[7] CALVINO, João. *Epístola a los Romanos*, p. 231.
[8] STOTT, John. *Romanos*, p. 315.
[9] STERN, David H. *Comentário judaico do Novo Testamento*, p. 419.
[10] STOTT, John. *Romanos*, p. 316.
[11] HENDRIKSEN, William. *Romanos*, p. 405.

cortinas com um brado de angústia de Paulo, mas se encerra com uma doxologia de louvor a Deus, cujos juízos são insondáveis, cujos caminhos são inescrutáveis.¹²

Analisaremos agora o capítulo 9. Cinco verdades devem ser aqui destacadas.

A **tristeza** de Paulo (9.1-5)

Paulo passa da exultação do final do capítulo 8 para a profunda tristeza do começo do capítulo 9. William Greathouse diz que o grito de alegria de Paulo se tornou um soluço de compaixão.¹³ Na vida do cristão, algumas vezes, coexistem a alegria e a tristeza; a exultação e a dor.

Muitos judeus olhavam para Paulo como um consumado inimigo. Sentiam-se traídos com sua conversão à fé cristã e o consequente abandono das fileiras do judaísmo. Por esta causa, os judeus compatriotas foram seus perseguidores mais implacáveis. Eles não acreditavam que Paulo os amasse. Então, o apóstolo reforça seu argumento: *Digo a verdade em Cristo, não minto, testemunhando comigo, no Espírito Santo, a minha própria consciência* (9.1). Paulo afirma Seu amor pelos israelitas, evocando o testemunho de Cristo e do Espírito Santo. Sua confissão de amor por seus compatrícios não é uma retórica vazia nem uma verborragia hipócrita, dissimulada e fingida, mas uma realidade insofismável. Seu coração está rasgado, seus olhos estão molhados e sua alma está gemendo. William Hendriksen diz que a tristeza de Paulo é grande em sua intensidade, profunda em sua natureza e incessante em sua duração.¹⁴

Qual é a razão da tristeza de Paulo?

Em primeiro lugar, *a incredulidade dos judeus* (9.1-3). Os judeus, irmãos e compatriotas de Paulo segundo a carne, ainda estavam aferrados à sua tradição religiosa, sem Cristo e sem salvação. Isso provoca no apóstolo grande tristeza e incessante dor. Paulo é um teólogo que

---
¹²ERDMAN, Charles R. *Comentários de Romanos*, p. 106, 107.
¹³GREATHOUSE, William. *A epístola aos Romanos*, p. 135.
¹⁴HENDRIKSEN, William. *Romanos*, p. 407.

escreve sobre a soberania de Deus não como frio acadêmico, mas como homem de coração quebrado e com os olhos molhados de lágrimas. Embora faça uma análise meticulosa do propósito soberano de Deus na salvação, revela profundo amor por Seu povo e grande pesar por vê-lo ainda endurecido ao evangelho da graça.

Como apóstolo dos gentios, Paulo anseia ardentemente ver a salvação dos judeus, seus compatriotas segundo a carne. A tristeza profunda e a dor contínua do veterano apóstolo o levam a fazer uma ousada confissão. Ele desejou ser apartado de Cristo para que seus irmãos fossem reconciliados com Cristo. Desejou ser maldito para que seus compatriotas fossem benditos. Desejou ir ao inferno para que os seus irmãos fossem ao céu. Warren Wiersbe diz que Paulo se mostrou disposto a ficar fora do céu por amor aos salvos e a ir ao inferno por amor aos perdidos (9.3).[15] A palavra grega *anathema* significa "separado de Cristo e destinado à destruição, ou seja, abandonado à perdição".[16] Paulo estava pronto a ir às últimas consequências para ver seus compatrícios salvos.

O sentimento de Paulo nos lembra de Judá que, como substituto de seu irmão Benjamim, disse: *Agora, pois, fique teu servo em lugar do moço por servo de meu senhor* (Gn 44.33). Recorda-nos as palavras emocionantes de Moisés ao interceder pelo povo: *Agora, pois, perdoa-lhe o pecado; ou, se não, risca-me, peço-te, do livro que escreveste* (Êx 32.32). Voltamos nossa memória para o agonizante clamor de Davi: *Meu filho Absalão, meu filho, meu filho Absalão! Quem me dera que eu morrera por ti, Absalão, meu filho, meu filho!* (2Sm 18.33). Porém, acima de tudo, ele fixa nossa atenção nAquele que realmente se fez o substituto de Seu povo (3.24,25; 8.32).[17]

Citando Lutero, John Stott declara: "Parece inacreditável que um homem se disponha a ser amaldiçoado a fim de que os malditos possam se salvar".[18] É óbvio que essa é uma impossibilidade absoluta, já

---

[15] WIERSBE, Warren W. *Comentário bíblico expositivo*, p. 708.
[16] BARCLAY, William. *Romanos*, p. 139; MURRAY, John. *Romanos*, p. 365.
[17] HENDRIKSEN, William. *Romanos*, p. 409.
[18] STOTT, John. *Romanos*, p. 319.

que o mesmo Paulo acabara de ensinar que nada nem ninguém pode separar-nos do amor de Deus que está em Cristo Jesus (8.38,39). No entanto, se isso fosse possível, estaria disposto a sacrificar-se para ver seus irmãos salvos.

Em segundo lugar, *os privilégios dos judeus* (9.4,5). A tristeza de Paulo se agravava não apenas pelo fato de seus irmãos permanecerem incrédulos, mas também por permanecerem incrédulos a despeito de tantos e benditos privilégios. Que insignes privilégios eram esses?

- *A descendência* (9.4). Eles eram descentes de Jacó. O título "israelitas" chama à atenção sua descendência de Jacó, cujo nome foi mudado para "Israel", em comemoração à sua fé vitoriosa, que não permitiu que Deus o deixasse antes que o tivesse abençoado.
- *A adoção* (9.4). A adoção se refere à Sua eleição teocrática, pela qual eles foram separados das nações pagãs para se tornarem os primogênitos de Deus (Êx 4.22), Sua possessão particular (Êx 19.5), Seu filho (Os 11.1), Seu povo escolhido (Is 43.20).
- *A glória* (9.4). A "glória" era o sinal visível da presença de Deus com eles. William Hendriksen diz que a glória é a manifestação visível do Deus invisível.[19] John Murray esclarece que essa glória deve ser reputada como referência àquela que se manifestou e permaneceu no monte Sinai (Êx 24.16,17), a glória que cobriu e encheu o Tabernáculo (Êx 40.34-38), a glória que aparecia sobre o propiciatório, no Santo dos Santos (Lv 16.2), a glória do Senhor que encheu o templo (1Rs 8.10,11). Essa glória era o sinal da presença de Deus entre os israelitas, garantindo-lhes que Deus habitava e viera ter comunhão com eles (Êx 29.42-46).[20]
- *As alianças* (9.4). As "alianças" estão no plural porque o pacto de Deus foi progressivamente revelado. Mesmo que haja somente um pacto da graça, em essência idêntico em ambas as dispensações, ele foi revelado plenamente no decurso do tempo.[21] John Murray tem

---

[19] HENDRIKSEN, William. *Romanos*, p. 411.
[20] MURRAY, John. *Romanos*, p. 367.
[21] HENDRIKSEN, William. *Romanos*, p. 411.

razão quando diz que devemos considerar o plural como denotação das alianças abraâmica, mosaica e davídica.²²
- *A legislação* (9.4). Deus favoreceu de modo especial Israel, pela dádiva da lei. Deus deu preceitos e instruções a Seu povo para guiá-lo no caminho da santidade.
- *O culto* (9.4). O culto aqui fala da adoração do verdadeiro Deus de modo verdadeiro. William Hendriksen diz corretamente que Romanos 9.4 se refere a muito mais que o culto no templo, ou ainda o culto público em geral. Provavelmente Paulo estava pensando no culto ou serviço verdadeiro do único Deus e na maneira pela qual tal homenagem é prestada.²³
- *As promessas* (9.4). Essas "promessas" são aquelas relativas ao Messias, e foi pela fé nessas promessas que os santos da antiga dispensação obtiveram a vida eterna.
- *Os patriarcas* (9.5). Os "patriarcas" se referem a Abraão, Isaque e Jacó, os pais da fé de quem eles descendiam e podiam orgulhar-se (Êx 3.6; Lc 20.37).
- *A descendência de Cristo, segundo a carne* (9.5). A maior glória de Israel consiste no fato de Cristo, que é "sobre todos, Deus bendito eternamente. Amém", ter consentido em ser seu compatriota "segundo a carne". Paulo afirma ambas as naturezas de Cristo: a divina e a humana. Os eruditos ao longo dos séculos têm discutido se essa doxologia se refere a Deus Pai ou a Deus Filho. Concordo com a ideia de Geoffrey Wilson de que esta é uma doxologia a Deus [Pai] anulada pelo contexto. O que torna a tristeza de Paulo tão forte é o fato de que Israel, mesmo tão favorecido por Deus, tenha fracassado em reconhecer Cristo como seu Salvador. Assim, se Paulo inserisse uma doxologia a Deus [Pai] neste ponto, ela estaria fora de lugar e a incongruência seria evidente. Entretanto, é altamente apropriado Paulo mostrar que o Cristo que os judeus rejeitaram e crucificaram é aquele que é "sobre todos, Deus bendito eternamente".²⁴

---

²²Murray, John. *Romanos*, p. 367.
²³Hendriksen, William. *Romanos*, p. 412.
²⁴Wilson, Geoffrey B. *Romanos*, p. 139.

A eleição divina, a Palavra que não pode falhar (9.6-13)

Em face da incredulidade de muitos judeus, alguns começaram a duvidar da credibilidade da Palavra e da veracidade das promessas. Alguns escritores acreditam que Paulo escreveu a carta aos Romanos com o propósito de mostrar a solução ao dilema dos judeus: ou as promessas de Deus eram falsas, ou os judeus não podiam perder-se porque eram judeus. Ou o evangelho de Paulo era falso, ou as promessas de Deus não eram verdade[25] Paulo responde a essas objeções citando a soberana eleição divina. Destacamos aqui dois pontos:

Em primeiro lugar, *a eleição não é genética, mas espiritual* (9.6-9). Nem todos os descendentes físicos de Abraão são filhos espirituais de Abraão. Os verdadeiros filhos de Abraão não são os que têm o sangue de Abraão correndo nas veias, mas os que têm a fé de Abraão em seu coração. O puritano John Flavel é ainda mais claro: "Se a fé de Abraão não estiver em seus corações, de nada lhes adiantará ter o sangue de Abraão em suas veias".[26] Geoffrey Wilson está certo quando diz que a descendência natural de Abraão não é garantia de um parentesco espiritual com Abraão.[27] Adolf Pohl esclarece esse ponto: "O nascimento judaico não é por natureza uma ligação com Deus. Nenhum poder salvífico lhe é inerente. Deus não se deixa enquadrar como um deus nacionalista".[28]

John Stott diz que sempre houve dois tipos de "Israel": de um lado, os que o eram por descenderem fisicamente de Israel (Jacó) e, de outro lado, os que constituíam sua descendência espiritual; e a promessa de Deus destinava-se aos últimos, os que a receberam.[29] John Murray afirma que existe um "Israel" dentro do Israel étnico. Assim, não são judeus todos os que são judeus, nem são circuncisos todos os que são da circuncisão (2.28,29). O Israel distinguido do Israel de descendência natural é o verdadeiro *Israel*.[30] Na linguagem de Paulo, este é o Israel segundo o

---

[25] SCHAAL, Juan. *El camino real de Romanos*, p. 101.
[26] WILSON, Geoffrey B. *Romanos*, p. 140.
[27] WILSON, Geoffrey B. *Romanos*, p. 139.
[28] POHL, Adolf. *Carta aos Romanos*, p. 154.
[29] STOTT, John. *Romanos*, p. 321.
[30] MURRAY, John. *Romanos*, p. 371.

Espírito (Gl 4.29). Desta maneira, os verdadeiros filhos de Abraão são aqueles que "também andam nas pisadas da fé que teve Abraão" (4.12). A promessa da aliança estabelecida por Deus não foi promulgada para incluir todo o Israel étnico, mas todo o Israel espiritual.

Em segundo lugar, *a eleição divina não é meritória, mas incondicional* (9.10-13). Paulo exemplifica isso com dois exemplos da escolha divina dentro do Israel étnico: Isaque e Jacó. Tanto a escolha de Isaque em vez de Ismael quanto a de Jacó em vez de Esaú ilustram a mesma verdade fundamental do propósito de Deus conforme a eleição. Desta forma, a promessa de Deus não falhou, apenas se cumpriu no Israel espiritual dentro do Israel físico.[31] Este ponto é elucidado por F. F. Bruce:

> Abraão foi pai de um bom número de filhos, mas somente por meio de um deles, Isaque, o filho da promessa, é que a linha da promessa de Deus devia ser traçada. Isaque, por sua vez, teve dois filhos, mas somente por um deles, Jacó, é que a semente santa foi transmitida. E a escolha que Deus fez de Jacó e a omissão do seu irmão Esaú não dependeram nem um pouco da conduta ou do caráter dos irmãos gêmeos: Deus o declarara previamente – antes do nascimento deles.[32]

Geoffrey Wilson tem razão quando diz que não existia nenhuma tal disparidade entre Esaú e Jacó, quer de nascimento, quer de obras; ambos tinham a mesma mãe; Rebeca os concebeu no mesmo momento, e de ninguém além de nosso pai Isaque; e assim mesmo um deles é escolhido, e o outro recusado.[33] Jacó não foi amado por causa de suas virtudes, nem Esaú foi rejeitado por causa de seus deméritos. A escolha divina foi feita antes que pudesse haver qualquer manifestação de seus caracteres.

Tanto Esaú como Jacó mereciam repúdio, por causa do pecado de Adão, de modo que, na realidade, é mais fácil explicar a rejeição de Deus por Esaú que Seu amor por Jacó (Ml 1.2). Quando todos merecem a morte, é um milagre de pura graça se alguns recebem vida. Certamente

---

[31] STOTT, John. *Romanos*, p. 323.
[32] BRUCE, F. F. *Romanos: introdução e comentário*, p. 153.
[33] WILSON, Geoffrey B. *Romanos*, p. 141.

Jacó não merecia essa misericórdia mais que Esaú. No entanto, Deus soberanamente escolheu Jacó, enquanto também soberanamente deixou de lado Esaú. Cranfield tem razão quando diz que tanto "amar" como "aborrecer" devem ser entendidos como designando eleição e rejeição, respectivamente. Deus escolheu Jacó e seus descendentes para serem Seu povo peculiar e deixou Esaú e Edom fora desse relacionamento.[34]

A eleição de Israel aqui tratada pelo apóstolo não é apenas nacional, coletiva e teocrática, como pensava Leenhardt, mas pessoal.[35] Presto apoio ao que diz John Murray: "Nem todos os que são da nação eleita de Israel são eleitos. Há uma distinção entre Israel e o *verdadeiro* Israel, entre os filhos e os filhos *verdadeiros*, entre os descendentes e os *verdadeiros* descendentes. Precisamos distinguir entre os eleitos de Israel e a nação eleita de Israel".[36]

A misericórdia divina, uma decisão de Sua livre e soberana escolha (9.14-18)

Alguns opositores insinuavam que o ensino de Paulo acerca da soberania de Deus na salvação tornava Deus injusto por conceder a uns a Sua misericórdia e ignorar outros, aplicando a eles Sua santa ira. Paulo responde a esses ataques com três declarações:

Em primeiro lugar, *a misericórdia divina não é merecimento humano* (9.14-16). Paulo defende a justiça de Deus proclamando Sua misericórdia, mostrando que aqueles que acusam Deus de cometer injustiça estão rotundamente equivocados, uma vez que, quando se trata de salvar pecadores, Deus não se baseia em justiça, mas em misericórdia. Deus não deve misericórdia a nenhum homem. As palavras divinas ditas a Moisés revelam misericórdia (9.15), enquanto as dirigidas a Faraó apontam para o Seu poder julgador (9.17). Deus é glorificado tanto em Sua misericórdia como na vindicação de Sua justiça.

Como todos não merecem nada além de ira, ninguém pode reivindicar a misericórdia como direito. Assim, Deus não é injusto quando

---

[34] CRANFIELD, C. E. B. *Comentários de Romanos*, p. 215.
[35] LEENHARDT, Franz J. *Epístola aos Romanos*, p. 253.
[36] MURRAY, John. *Romanos*, p. 380, 381.

deixa que alguns recebam a justa recompensa por seus atos. Pois, embora Ele deva punir o pecado, não está sob nenhuma obrigação de exercer misericórdia. Não há base justa para se reclamar de Deus. *Não Me é lícito fazer o que quero do que é Meu?* (Mt 20.15).[37]

A eleição de Deus não provém da vontade ou do esforço de Jacó, nem de homem algum, isto é, não vem de seus bons desejos ou ações, suas boas inclinações e obras, nem da previsão destas coisas; vem puramente da misericórdia e boa vontade de Deus.[38]

Em segundo lugar, **dar ao homem o que seus pecados merecem não é arbitrariedade divina** (9.17). A escolha de alguns para a vida eterna inevitavelmente implica a rejeição de outros, e isto se confirma pelo exemplo de Faraó (Êx 9.16).[39] As mesmas Escrituras que anunciam misericórdia a Moisés (9.15) anunciam o poder de juízo a Faraó (9.17). Com respeito à salvação, Deus deu a Moisés o que ele não merecia e, quanto ao juízo, Deus deu a Faraó o que ele merecia. Nisso não há injustiça da parte de Deus, pois Ele ignora alguns enquanto concede Sua graça a outros. Ele tem o direito de fazer isso porque não deve Sua graça a nenhum homem. John Stott está coberto de razão quando diz que, se há algo de surpreendente nisso tudo, não é que uns sejam salvos e outros não, mas que pelo menos alguém se salve; afinal de contas, perante Deus, nenhum de nós merece coisa alguma a não ser o juízo. Quer recebamos o que merecíamos (ou seja, juízo), quer recebamos o que não merecíamos (isto é, misericórdia), em nenhum dos casos Deus estará sendo injusto. Se, portanto, alguém se perder, a culpa é sua; mas se alguém for salvo, o crédito é de Deus.[40]

Em terceiro lugar, **Deus endurece os endurecidos e dá a eles o que merecem** (9.18). Deus endurece os endurecidos. Jamais haverá o caso de um indivíduo desejoso de ir a Cristo mesmo sendo rejeitado. Os réprobos são aqueles que deliberadamente rejeitam a graça. Por isso, a doutrina de rejeição é a contrapartida da doutrina da eleição, pois a eleição

---

[37] WILSON, Geoffrey B. *Romanos*, p. 143.
[38] WILSON, Geoffrey B. *Romanos*, p. 143.
[39] WILSON, Geoffrey B. *Romanos*, p. 143.
[40] STOTT, John. *Romanos*, p. 325.

de alguns implica inevitavelmente a rejeição de outros (Mt 11.25,26; 1Pe 2.8; Jd 4). As duas doutrinas permanecem em pé ou caem juntas.[41] Louis Berkhof define com clareza a doutrina da rejeição: "A reprovação pode definir-se como aquele decreto eterno de Deus, por meio do qual Ele determina passar por alto a alguns homens com a operação de Sua graça especial e castigá-los por seus pecados para manifestar assim Sua justiça".[42] A causa eficiente da salvação é a graça, mas a causa eficiente da condenação é o pecado.

William Hendriksen está certo quando diz: "Ainda que o pecado seja de fato a causa meritória da reprovação, a fé não é a causa meritória da eleição".[43] O espantoso não é o fato de Deus condenar o pecador por Sua justiça, mas de Deus salvá-lo por Sua graça. As Confissões reformadas (Confissão Belga, Catecismo de Heidelberg, Confissão Helvética e Confissão de Westminster e Catecismos Breve e Maior) são unânimes em ensinar tanto a eleição pela graça como a reprovação dos impenitentes.[44] Concordo com William Hendriksen quando ele diz que os nossos credos procedem da posição *infralapsariana*, segundo a qual as pessoas destinadas à glória foram escolhidas do estado de pecado e destruição no qual estavam submersas; e as destinadas à perdição foram, por decreto divino, deixadas nesse estado.[45] Assim, o homem entra no céu inteiramente pela graça e vai para o inferno inteiramente por causa do seu pecado.

Leon Morris complementa: "Nem aqui, nem em nenhum lugar, se vê que Deus endurece alguém que já não tenha endurecido a si mesmo".[46] Está meridianamente claro nas Escrituras que Faraó endureceu seu coração contra Deus e reiteradas vezes recusou arrepender-se (Êx 7.13,14,22; 8.15,19,32; 9.7,17,27,34; 10.3,16; 11.9; 13.15; 14.5). Consequentemente, o gesto de Deus ao endurecê-lo foi um ato de juízo,

---

[41] WILSON, Geoffrey B. *Romanos*, p. 144.
[42] BERKHOF, L. *Teologia sistemática*, p. 136.
[43] HENDRIKSEN, William. *Romanos*, p. 422.
[44] BEEKE, Joel R. FERGUSON, Sinclair B. *Harmonia das confissões reformadas*. São Paulo: Cultura Cristã, 2006, p. 28-36.
[45] HENDRIKSEN, William. *Romanos*, p. 424.
[46] MORRIS, Leon. *The Epistle to the Romans*, p. 361.

abandonando-o a própria obstinação (Êx 4.21; 7.3; 9.12; 10.1,20,27; 11.10; 14.4,8,17), da mesma forma que a ira de Deus contra os ímpios se expressa em "entregá-los" à própria depravação (1.24,26,28).[47] Nessa mesma linha de pensamento, Leenhardt diz que o endurecimento é uma reação de Deus à dureza do coração humano. Deus confirma e sela uma situação que não foi Ele quem criou; o endurecimento é um juízo de Deus sobre o pecado, e não uma decisão arbitrária de Deus em relação a um indivíduo com vistas a excluí-lo da salvação e da condenação.[48]

A queixa humana, uma atitude insolente contra Deus (9.19-29)

Paulo trata agora de cinco verdades importantes:

Em primeiro lugar, ***Deus tem o direito de fazer o que Lhe apraz com Suas criaturas*** (9.19-21). Deus é o Criador, e nós somos criaturas. Deus é santo, e nós somos pecadores. Deus é soberano, e nós somos limitados. Deus é o oleiro, e nós somos o barro. Queixar-se de Deus é o cúmulo da petulância, o máximo da arrogância. Assim como o barro não pode querer colocar-se no lugar do oleiro nem questioná-lo, também não podemos colocar-nos no lugar de Deus nem pôr em xeque seu direito absoluto e inalienável de dispor das Suas criaturas como Lhe apraz.

John Stott argumenta que Deus tem pleno direito de lidar com a humanidade caída conforme queira, seja de acordo com Sua ira ou Sua misericórdia. Deus não é apenas o Criador, é também o Governador moral do universo. Em lugar algum sugere-se que Deus teria o direito de "criar seres pecadores a fim de puni-los", mas que Ele tem o direito de "lidar com os pecadores conforme Ele queira", perdoando-os ou punindo-os.[49]

Existe uma justa e natural diferença entre a vontade preceptiva de Deus e Sua vontade determinadora. Era da vontade preceptiva de Deus que os judeus não crucificassem o Senhor Jesus Cristo. Eles agiram dessa forma, contrariamente ao mandamento divino, e eram portanto

---

[47]STOTT, John. *Romanos*, p. 325.
[48]LEENHARDT, Franz J. *Epístola aos Romanos*, p. 255.
[49]STOTT, John. *Romanos*, p. 328.

culpados; apesar disso, era da vontade determinadora de Deus que o Salvador fosse crucificado, pois os judeus e os soldados romanos fizeram apenas o que *sua mão e seu conselho de antemão determinaram que fosse feito* (At 2.23). Embora a traição de Judas contra Cristo estivesse preordenada desde a eternidade como o meio de efetuar a redenção, foi Judas, e não Deus, quem traiu a Cristo. As causas históricas secundárias não são eliminadas pela causalidade divina, mas antes se tornam certas. A vontade preceptiva de Deus é a regra de conduta para nós, ou seja, sua vontade revelada nas Escrituras, enquanto a vontade determinadora é o plano de operações para si mesmo, ou seja, sua vontade secreta.[50]

Em segundo lugar, **Deus tem o controle da vida do homem, e não o homem da vida de Deus** (9.20,21). Paulo usa a figura do oleiro e do barro para ilustrar a autoridade de Deus sobre Suas criaturas (Is 29.15,16; 64.8,9; Jr 18.1-6). William Hendriksen escreve:

> Se até mesmo um oleiro tem direito, da mesma massa de barro, de fazer um vaso para honra e outro para desonra, então com certeza Deus, nosso Criador, tem direito, da mesma massa de seres humanos que por sua própria culpa precipitou-se no poço de miséria, eleger alguns para a vida eterna e permitir que os demais permaneçam no abismo da degradação.[51]

A autoridade de Deus sobre a criatura é maior que a do oleiro sobre o barro. O oleiro não faz seu barro; mas tanto o barro quanto o oleiro foram feitos por Deus.[52] Vivemos numa geração homocêntrica e antropolátrica, que busca sofregamente substituir o criador pela criatura. O homem besuntado de tola soberba quer destronar a Deus e ascender a seu trono. Aquele que não passa de pó e cinza quer arvorar-se contra o Criador e colocá-Lo no banco dos réus para julgá-Lo. É Deus, contudo, quem está no controle de todas as coisas, e não o homem. Não é o homem quem manipula a Deus; é Deus quem molda o homem como o oleiro faz com o barro.

---

[50]WILSON, Geoffrey B. *Romanos*, p. 145, 146.
[51]HENDRIKSEN, William. *Romanos*, p. 432.
[52]WILSON, Geoffrey B. *Romanos*, p. 146.

Em terceiro lugar, ***Deus é glorificado tanto na salvação dos eleitos quanto na condenação dos réprobos*** (9.22,23). Os vasos de ira são os impenitentes, aqueles que se endureceram e foram endurecidos, aqueles que rejeitaram e foram rejeitados, aqueles a quem Deus suportou com paciência e em quem manifestou o poder do Seu juízo.

Os vasos de misericórida são aqueles a quem Deus escolheu por Sua graça para sobre eles derramar Sua misericórdia e dar-lhes a riqueza da Sua glória. John Murray é absolutamente oportuno ao alertar para o fato de que na ira divina não existe malícia, perversidade, vingança, rancor ou amargura profanos. O tipo de ira assim caracterizada é condenada nas Escrituras, e seria uma blasfêmia atribuí-la ao próprio Deus.[53]

Warren Wiersbe destaca que o termo "preparados" em Romanos 9.22 não dá a entender que Deus tornou Faraó um "vaso de ira". Esse verbo é o que os gramáticos gregos chamam de voz média e indica uma ação reflexiva. Assim, a frase deve ser traduzida por "prepararam a si mesmos para a perdição". Deus prepara os homens para a glória (9.23), mas os pecadores se preparam para o julgamento.[54] John Murray defende que é o próprio Deus quem prepara os vasos de ira para a perdição, porém a perdição imposta aos vasos de ira é algo para o que sua anterior condição os torna adequados. Há uma correspondência exata entre o que eles foram na vida presente e a perdição à qual estão destinados. Assim, os vasos de ira capacitam a si mesmos para a perdição; são os agentes do mérito que resulta em perdição. No entanto, somente Deus prepara para a glória.[55]

Em quarto lugar, ***Deus por Sua graça nos dá o que não merecemos*** (9.24-26). A graça não é concedida por critério étnico, cultural ou religioso, pois Deus chama Seus eleitos não só dentre os judeus, mas também dentre os gentios (9.24). Mesmo vivendo sem Deus no mundo, Ele nos tornou Seu povo. Mesmo sendo inimigos de Deus, ele nos fez amados (9.25). Mesmo vivendo sem esperança e sem Deus no mundo, mortos nos nossos delitos e pecados, Deus nos transformou em Seus

---

[53]MURRAY, John. *Romanos*, p. 384, 385.
[54]WIERSBE, Warren W. *Comentário bíblico expositivo*, p. 710, 711.
[55]MURRAY, John. *Romanos*, p. 398.

filhos, membros de Sua bendita família (9.26). Concordo com Cranfield quando ele diz que a presença dos gentios na igreja é o sinal e o penhor de que a esfera de rejeição de Ismael, Esaú, Faraó e dos próprios judeus incrédulos não está finalmente excluída da misericórdia de Deus.[56]

Em quinto lugar, **Deus escolhe por Sua graça para a salvação um remanescente fiel** (9.27-29). A eleição da graça é para o remanescente. A salvação não é endereçada a todos os filhos de sangue de Abraão, mas aos filhos da promessa; não aos que são israelitas por nascimento, mas aos que são crentes pelo novo nascimento. Stott escreve: "Apenas um remanescente seria salvo, o Israel dentro de Israel (9.6). Semelhantemente, conforme o versículo 29, em meio à total destruição de Sodoma e Gomorra, somente alguns seriam poupados – ou melhor, apenas Ló e suas duas filhas".[57]

Solano Portela, ilustre escritor evangélico presbiteriano, faz uma importante síntese acerca da doutrina da eleição, que passo aqui a mencionar. Essa gloriosa doutrina foi ensinada por Jesus (Jo 5.21; 6.65; 10.27; 15.16), explanada por Paulo (Rm 9.1-16; Ef 1.4,5-11), registrada por João, Lucas e outros (Jo 1.12,13; At 13.48), aceita pelos patriarcas da igreja, por exemplo Policarpo, Irineu e Eusébio. Foi, porém, contestada pelos ramos heréticos da igreja, dos quais o maior expoente nos primeiros séculos foi Pelágio, defensor do livre-arbítrio irrestrito, em oposição a Agostinho, que defendia e enaltecia a soberania de Deus em todas as esferas, principalmente na salvação de almas. Foi esquecida pela Igreja Católica, na medida em que sua formação se deu entrelaçada ao Estado, após a regência do imperador Constantino. Este esquecimento foi paralelo ao de outras doutrinas cardeais da Bíblia, sufocadas e suplantadas pelas tradições e conveniências da igreja, concretizando-se no humanismo pragmático de Tomás de Aquino. Reapareceu em todos os movimentos pré-reforma que desabrocharam na Idade Média, sendo uma constante, paralelamente às outras doutrinas-chave da Bíblia, entre os valdenses (seguidores de Waldo), os hussitas (seguidores de João Huss) os lolardos (seguidores de Wycliff). Lutero a reviveu na reforma do século XVI, que, despertando para as doutrinas fundamentais que

---

[56] CRANFIELD, C. E. B. *Comentários de Romanos*: 224.
[57] STOTT, John. *Romanos*, p. 333.

haviam sido mumificadas pela Igreja Católica, a defende e a proclama, principalmente em seu livro *De servo arbitrio* (*A prisão do arbítrio*), escrito em resposta a Erasmo de Roterdã. Constante em todos os movimentos pós-reforma, por exemplo nos escritos e tratados de Melanchton, Zuínglio e João Knox, teve seus ensinamentos sistematizados por Calvino, que reapresenta e organiza a posição de Paulo e de Agostinho em seu tratado *Institutas da religião cristã* e em outros livros e comentários bíblicos, fundamentando a posição da igreja protestante contra os arminianos. Nessa ocasião, sofre ataques apenas de Jacobus Armínius e seus seguidores, que assumiram a posição de Pelágio, levando ao posicionamento contrário, oficial, conhecido como os Cânones de Dort (Dordrecht) – o qual resume a doutrina reformada sobre a soberania de Deus na salvação, refletindo igualmente a interpretação bíblica dessas doutrinas contidas no Catecismo de Heidelberg e na Confissão de Fé Belga. Constituiu-se no posicionamento oficial de quase todas as denominações que se afirmaram após a reforma.[58]

A justificação pela fé, o único meio de salvação (9.30-33)

John Stott vê nesse último parágrafo de Romanos 9 três verdades importantes sobre a justificação: começa com uma descrição, continua com uma explicação e termina com uma confirmação.[59]

Em primeiro lugar, *uma descrição* (9.30,31). Paulo afirma que os judeus buscaram a justificação pelos méritos das obras, mediante a observância da lei, e não alcançaram essa justiça, ao passo que os gentios que não a buscavam, encontram-na, ou seja, a justiça que decorre da fé.

Em segundo lugar, *uma explicação* (9.32,33a). Depois de descrever como os gentios encontraram a justificação pela fé e os judeus não alcançaram a justificação pelas obras, Paulo oferece uma explicação importante. A justiça que os judeus buscavam não decorria da fé, mas das obras. Assim, eles tropeçaram em Cristo e desprezaram seu sacrifício. Cristo tornou-se para eles pedra de tropeço e rocha de escândalo.

---

[58] PORTELA, Solano. *www.solanoportela.net*.
[59] STOTT, John. *Romanos*, p. 333.

Citando Charles Hodge, Geoffrey Wilson faz um solene alerta: "Que nenhum homem pense que o erro doutrinário é apenas um pequeno mal. Nenhum caminho que conduz para a perdição já se encontrou mais cheio de gente do que o da falsa doutrina. O erro é um escudo para a consciência; e uma venda para os olhos".[60]

Em terceiro lugar, **uma confirmação** (9.33b). Paulo conclui sua argumentação confirmando a essência da doutrina da justificação: ... *aquele que nela [rocha de escândalo] crê não será confundido* (9.33b). Os judeus buscaram a justificação pelas obras e foram confundidos, mas os que se voltam das obras para Cristo não serão confundidos. Os judeus, que buscavam a justiça nunca a alcançaram; os gentios, que não a buscavam, dela se apossaram.

O Cristo crucificado era "escândalo" para os judeus (1Co 1.23). Eles tropeçaram na pedra de tropeço (9.33). O verbo grego *prosekopsan*, "tropeçou", não significa "tropeçar por descuido", mas "ficar aborrecido com". Para os judeus, a cruz do Messias era um "escândalo" que os irritava e os levava à indignação.[61] A grande questão é: por que as pessoas tropeçam na cruz? Porque ela corrói os alicerces da nossa justiça própria. Pois se a justiça vem pela lei, Cristo morreu em vão (Gl 2.21). Só há duas atitudes em relação a Jesus: Ele é pedra de esquina ou pedra de tropeço; é o rochedo da nossa salvação ou a rocha de escândalo. Israel fracassou em reconhecer Cristo como seu Salvador. Enquanto confiasse nas obras, Israel não poderia abraçar a Cristo. Tinha de ser um ou outro. Não havia como ser ambos.[62]

John Stott tem razão quando diz que só existem duas possibilidades: uma é colocar nossa confiança em Cristo, fazer dEle o alicerce de nossa vida e construir sobre esse fundamento. A outra é esfolar as canelas na pedra, tropeçar e cair.[63] Um encontro com Jesus, o grande divisor da humanidade, não pode ser evitado. Aqueles que não encontrarem em Cristo sua rocha de refúgio se arruinarão ao tropeçar na pedra de tropeço (Jo 16.9).[64]

---

[60] WILSON, Geoffrey B. *Romanos*, p. 150.
[61] GREATHOUSE, William. *A epístola aos Romanos*, p. 143.
[62] HENDRIKSEN, William. *Romanos*, p. 441.
[63] STOTT, John. *Romanos*, p. 335.
[64] WILSON, Geoffrey B. *Romanos*, p. 151.

17

A desobediência do povo de Deus

Romanos 10.1-21

NO CAPÍTULO 9 DE ROMANOS, Paulo olhou para o passado e tratou do propósito divino quanto à eleição dos judeus; no capítulo 10, voltou os olhos para o presente a fim de mostrar a incredulidade dos judeus; e, no capítulo 11, dirigirá sua atenção para o futuro, manifestando sua esperança de que os judeus venham a ouvir e crer no evangelho.

Warren Wiersbe diz que Paulo passa da soberania divina no capítulo 9 para a responsabilidade humana no capítulo 10.[1] John Murray destaca que Paulo encerrou o capítulo 9 mostrando que o tropeço de Israel consistiu em buscar a justiça mediante as obras e não mediante a fé. Isto é apenas outro modo de dizer que eles procuravam estabelecer a própria justiça, não se sujeitando à justiça de Deus (10.3). Portanto, não há interrupção no pensamento iniciado em Romanos 10.1.[2]

Ao adentrar os umbrais do capítulo 10, notaremos que o apóstolo Paulo continua focando sua atenção sobre o povo de Israel, seus irmãos e compatriotas segundo a carne. O profundo desejo de vê-los salvos (9.3) transforma-se agora em boa vontade e súplica a Deus (10.1) por

---
[1] WIERSBE, Warren W. *Comentário bíblico expositivo*, p. 713.
[2] MURRAY, John. *Romanos*, p. 408.

parte do apóstolo dos gentios (11.13). Para usar as palavras de Adolf Pohl, em Paulo, coração e oração se unem.³

No estudo deste capítulo, trataremos de cinco pontos importantes, como seguem.

A oração de Paulo pela salvação de Israel (10.1)

O apóstolo escreve: *Irmãos, a boa vontade do meu coração e a minha súplica a Deus a favor deles são para que sejam salvos* (10.1). Paulo foi, sem sombra de dúvidas, o maior teólogo do cristianismo. Como nenhum outro, recebeu da parte de Deus a revelação do mistério de Deus, desvendando o eterno propósito divino de unir em um só corpo, judeus e gentios (Ef 3.3-7). Paulo, porém, não foi um acadêmico frio nem um teólogo de gabinete. Era um homem de oração. Não apenas amava a pregação, mas também as pessoas a quem pregava. Estava pronto a retardar sua entrada no céu por causa dos salvos (Fp 1.23,24) e estava pronto a ir para o inferno a fim de ver os perdidos salvos (9.3).

Os entranhados afetos do apóstolo, contudo, não são apenas emoções subjetivas, mas se transformam em orações objetivas. Leenhardt ressalta que a severidade de Paulo para com os erros teológicos de Seu povo não lhe diminui a profunda afeição (9.3) nem lhe desencoraja a prática da intercessão (10.1).⁴ A doutrina da soberania de Deus na salvação não inibiu o apóstolo de orar pelo Seu povo. A doutrina da eleição não é um desestímulo à oração, mas um incentivo. De acordo com William Hendriksen: "A identidade dos réprobos só é conhecida de Deus. Portanto, o apóstolo estava certo em orar pelos judeus individualmente e pelos judeus em geral".⁵

E qual o motivo que Paulo ora? Para que os judeus sejam prósperos? Para que sejam libertos do jugo de Roma? Para que se tornem os líderes do mundo? Não! Paulo ora para que eles sejam salvos. As bênçãos temporais, embora importantes, não podem ser comparadas às espirituais e eternas.

---

³Pohl, Adolf. *Carta aos Romanos*, p. 166.
⁴Leenhardt, Franz J. *Epístola aos Romanos*, p. 269.
⁵Hendriksen, William. *Romanos*, p. 467.

A ignorância espiritual de Israel (10.2-4)

Por que Israel, sendo detentor de tantos privilégios espirituais (9.4,5), ainda se conservava ignorante e incrédulo? O que mantinha esse povo afastado da salvação? Paulo dá a resposta:

Em primeiro lugar, *o zelo sem entendimento* (10.2). Os judeus não eram indiferentes às coisas espirituais. Não eram apáticos às coisas de Deus. O problema deles não era mornidão espiritual, mas fervor fora da verdade, zelo sem entendimento. E zelo sem entendimento é fanatismo. Geoffrey Wilson tem razão quando diz que o zelo é sempre mal dirigido quando é mal informado.[6] Calvino, por sua vez, diz que não existe verdadeira religião se esta não se apoia na Palavra de Deus.[7]

O problema de Israel era deficiência doutrinária, equívoco teológico. O que manteve Israel fora do privilégio da salvação não foi ausência de religiosidade, mas religiosidade fora da verdade. O que faltou a Israel não foi sinceridade, mas discernimento. Concordo com John Stott quando ele diz que sinceridade não basta, pois sempre existe a possibilidade de alguém estar sinceramente equivocado.[8] Robert Lee chama atenção para o fato de que muitos hoje, equivocadamente, dizem que o importante é ter uma religião e ser sincero, como se a sinceridade fosse um passaporte para o céu. O destino de Israel é uma resposta suficiente a essa falácia.[9]

Paulo conhecia bem o que era zelo sem entendimento. Possivelmente, ele mesmo foi o maior exemplo de todos os tempos do que isso significa. Ele foi um implacável perseguidor da igreja. Fez isso por zelo. Entrava nas casas e nas sinagogas em Israel e fora de seus limites para açoitar os crentes, forçá-los a blasfemar, encerrá-los em prisões e dar seu voto para matá-los. E fazia tudo isso com o propósito de agradar a Deus.

Chamamos a atenção para dois fatos aqui:

Uma afirmação. Porque lhes dou testemunho de que eles têm zelo por Deus, porém não com entendimento (10.2). Paulo faz uma afirmação categórica

---

[6] WILSON, Geoffrey B. *Romanos*, p. 152.
[7] CALVINO, João. *Epístola a los Romanos*, p. 266.
[8] STOTT, John. *Romanos*, p. 339.
[9] LEE, Robert. *Outline studies in Romans*, p. 72.

e insofismável de que os judeus tinham zelo por Deus, mas esse zelo era desprovido de entendimento. Faltava aos judeus a compreensão do ponto mais vital. Eles viam, mas não percebiam; ouviam, mas não entendiam (Mc 4.12). Warren Wiersbe diz que os judeus eram tão zelosos que chegaram a ponto de acrescentar à lei as próprias tradições, tornando-as iguais à lei.[10] Hoje, a igreja tem entendimento, mas lhe falta zelo. Temos conhecimento, mas nos falta fervor. Temos a mente cheia de luz, mas nosso coração está vazio de entusiasmo.

Uma justificativa. Porquanto, desconhecendo a justiça de Deus e procurando estabelecer a sua própria, não se sujeitaram à que vem de Deus (10.3). A ignorância levou os judeus a buscar um caminho errado de salvação. Eles erigiram uma justiça própria como monumento à própria glória, e não à glória de Deus.[11]

A falta de conhecimento da verdade é o mecanismo mais sutil usado pelo diabo para cegar o entendimento dos incrédulos (2Co 4.4). A ignorância dos judeus acerca do verdadeiro caminho da salvação levou-os a buscar o próprio caminho para alcançar a salvação. Em vez de entrar pelo caminho traçado por Deus, os judeus tentaram abrir outro caminho e se perderam nos labirintos do engano.

Precisamos estar alertas ao fato de que o desconhecimento não é uma atitude neutra e inofensiva. Por desconhecer a justiça de Deus e estabelecer a própria, os judeus não se sujeitaram à justiça que vem de Deus, ou seja, tornaram-se culpados não apenas de ignorância, mas também de rebeldia e obstinação. Ninguém pode aceitar a justiça de Deus sem antes renunciar à própria. As duas não podem caminhar juntas. Uma sempre anulará a outra.

Esse pecado dos judeus é, na verdade, o engano de todas as religiões do mundo. Sem sombra de dúvida, é a principal ilusão da religião do homem natural. Ele sempre busca justificar-se a si mesmo, e talvez até consiga sucesso perante os homens, mas permanece estranho à justificação de Deus (Lc 16.15; 18.9-14).[12]

---

[10] WIERSBE, Warren W. *Comentário bíblico expositivo*, p. 713.
[11] GREATHOUSE, William. *A epístola aos Romanos*, p. 145.
[12] WILSON, Geoffrey B. *Romanos*, p. 153.

Só há duas religiões no mundo: aquela revelada por Deus e aquela criada pelo homem. O cristianismo é o caminho que Deus traçou desde o céu à terra; as demais religiões são os caminhos que o homem tenta abrir da terra para o céu. O cristianismo é a religião da graça; as demais religiões estabelecem a confiança nas obras. No cristianismo Deus busca o homem em Cristo; nas demais religiões o homem busca Deus pelas obras. O resultado é que pelas obras ninguém será justificado diante de Deus, uma vez que a seus olhos nossa justiça não passa de trapo de imundícia (Is 64.6). Somente por meio do evangelho, a justiça de Deus nos é oferecida. Por isso, somente por meio do evangelho podemos ser salvos.

John Stott registra:

> O Deus justo justifica o injusto consigo mesmo ao conferir-lhe a condição de justo. É esta a "justiça de Deus" que é revelada no evangelho e que é recebida pela fé completamente independente da lei, como Paulo já havia escrito anteriormente (1.17; 3.21). A trágica consequência da ignorância dos judeus foi que, reconhecendo que só poderiam comparecer diante do Deus justo se fossem justificados, eles tentaram fazê-lo procurando estabelecer a própria justiça e não se submeteram à justiça de Deus (10.3).[13]

Em segundo lugar, *a relação de Cristo com a lei* (10.4). Os judeus acusavam Cristo de ser transgressor da lei e, por isso, o levaram à cruz. Todavia, eles não discerniram qual era a real relação entre Cristo e a lei. Pensavam que podiam ser salvos mediante a lei, porém a finalidade da lei não era lhes dar a salvação, mas evidenciar seus pecados, tomá-los pela mão e levá-los ao Salvador, que é Cristo. Geoffrey Wilson está certo quando diz que os não crentes esperam conseguir justiça pelas obras da lei, mas esta relação com a lei foi extinta por Cristo para todos os crentes, que, portanto, não mais a consideram o instrumento de sua justificação.[14]

---

[13] STOTT, John. *Romanos*, p. 340.
[14] WILSON, Geoffrey B. *Romanos*, p. 154.

Precisamos entender dois pontos aqui:

O que Paulo quer dizer quando afirma que o fim da lei é Cristo? Cranfield defende a posição de que a palavra grega *telos*, "fim", pode ser interpretada de três maneiras: 1) cumprimento; 2) alvo; 3) término. Segundo o autor, os pais da igreja em geral parecem ter pendido para a combinação de (1) e (2). Tomás de Aquino, Lutero, Calvino e Bengel, todos entenderam este versículo como exprimindo uma relação positiva entre Cristo e a lei.[15] Já Stott reduz o significado da palavra grega *telos*, "fim", a apenas dois significados. Pode significar tanto "alvo" como "término".[16] Cristo é o fim da lei em ambos os sentidos:

- *Cristo é o fim da lei no sentido de ser o alvo da lei.* Tudo na religião judaica apontava para a vinda do Messias – seus sacrifícios, o sacerdócio, os cultos no templo, as festas religiosas e as alianças. Sua lei revelava que os judeus eram pecadores e precisavam de um Salvador. No entanto, em vez de deixarem que a lei os conduzisse a Cristo (Gl 3.24), eles adoraram a lei e rejeitaram o Salvador.[17] A lei é a placa que indica o caminho da glória, mas a placa não é o caminho. A lei não tem poder de oferecer justificação; apenas conduz o pecador ao Salvador que justifica. Cranfield esclarece este ponto: "A declaração segundo a qual Cristo é o alvo para o qual a lei sempre se orientou é inteiramente apropriada, pois Cristo, de fato, é o seu alvo, o seu objetivo, o seu significado e a sua substância e, fora dEle, ela não pode absolutamente ser corretamente entendida".[18]
- *Cristo é o fim no sentido de ser a terminação da lei.* Esta é a ênfase primordial das palavras de Paulo. Cristo é a terminação da lei no sentido de que, com Ele, a velha ordem, da qual a lei fazia parte, foi eliminada, para ser substituída pela nova ordem do Espírito.[19] Cristo é o fim da lei, pois por meio de Sua morte e ressurreição

---

[15] CRANFIELD, C. E. B. *Comentário de Romanos*, p. 232.
[16] BRUCE, F. F. *Romanos: introdução e comentário*, p. 164.
[17] WIERSBE, Warren W. *Comentário bíblico expositivo*, p. 714.
[18] CRANFIELD, C. E. B. *Comentário de Romanos*, p. 233.
[19] BRUCE, F. F. *Romanos: introdução e comentário*, p. 164, 165.

Ele encerrou o ministério da lei para os que creem. A justiça da lei, agora, se cumpre na vida do cristão por meio do poder do Espírito (Rm 6.14; 8.4).

Na mesma linha de pensamento, John Stott diz que Cristo é o fim da lei tanto no sentido de "alvo", significando que a lei apontava para Cristo, como no sentido de "terminalidade ou conclusão", indicando que Cristo aboliu a lei. É no último sentido que Paulo fala. Ao abolir a lei, Cristo não nos desobrigou de suas exigências morais, mas nos justificou diante de Deus. Cristo é o fim da lei para a justiça de todo aquele que crê (10.4). Quando se trata de salvação, Cristo e a lei são alternativas incompatíveis. Se a justiça decorre da lei, não vem por intermédio de Cristo; e se ela se dá por meio de Cristo, não decorre da lei.[20]

O que Paulo quer dizer quando afirma "para justiça de todo aquele que crê"? John Murray diz que a justiça que Cristo proveu, visando nossa justificação, possui tal natureza que satisfaz todas as exigências da lei do Senhor, em suas sanções e demandas.[21] Vale ressaltar que Paulo declara ser Cristo o término da lei para todo o crente que crê, e toda a sua declaração visa apenas confirmar que todo o crente rompe definitivamente com a lei, como um meio de alcançar a justiça.[22]

Precisamos deixar claro que, ao escrever que "morremos" para a lei e fomos "libertados" dela (7.4,6) e já não estamos mais "debaixo dela" (6.15), Paulo estava referindo-se à lei como a forma de sermos justificados com Deus.[23] Porque estávamos em Cristo em Sua morte e ressurreição, cumprimos nEle todas as exigências da lei e todas as demandas da justiça. Em Cristo nós, que cremos, cumprimos a lei. Por isso, aquele que crê é justificado não por intermédio de sua própria justiça, como queriam os judeus, mas pela justiça de Cristo imputada a nós.

---

[20] STOTT, John. *Romanos*, p. 341.
[21] MURRAY, John. *Romanos*, p. 411.
[22] MURRAY, John. *Romanos*, p. 412.
[23] STOTT, John. *Romanos*, p. 341.

A justiça própria e a justiça de Deus (10.5-13)

Existem dois meios para a justiça: o caminho da lei e o caminho da fé. A justiça da lei diz: Obedeça ao que a lei ordena, e você viverá; a justiça da fé diz: Creia no Senhor Jesus Cristo, e você viverá.[24] Ambos exigem plena perfeição. Somente uma pessoa perfeita pode entrar no céu (Ap 21.27). Pelo caminho da lei é impossível ao homem ser salvo, uma vez que ele não é perfeito (3.23). Só lhe resta ser salvo pelo caminho da fé em Cristo (3.21,22). Destacaremos três pontos importantes aqui:

Em primeiro lugar, *a justiça de Deus não é alcançada pelo esforço humano*. Ora, Moisés escreveu que o homem que praticar a justiça decorrente da lei viverá por ela (10.5). O apóstolo afirma que a lei é perfeita, boa, santa e espiritual. Seu padrão é a perfeição (Tg 2.10; Gl 3.13). O problema é que nenhum filho de Adão é capaz de praticar a justiça decorrente da lei, uma vez que todos pecaram. O homem está em estado de depravação total e toda a inclinação da sua carne é inimizade contra Deus. Por si mesmo, ele jamais consegue atender às demandas da lei divina. Pela lei, o homem só encontra condenação e jamais justificação. A fragilidade da lei é a nossa fragilidade (8.3).

Estou de acordo com o que escreve Leenhardt:

> O erro dos judeus não estava em levarem a sério a lei; consistia, antes, justamente o contrário, em que não a levavam muito a sério; faziam os judeus vantajoso balanço das faltas e dos méritos, contando com estes para compensar pelo menos em parte aquelas, apelando às vezes para a benignidade de Deus no sentido de fechar os olhos, se o saldo ainda fosse passivo. Dupla maneira de não levar a sério a lei, o que equivale a dizer, a vontade de Deus, como se os atos de obediência positiva pudessem relevar-lhes a malignidade dos atos de desobediência positiva, mediante um jogo de compensação; como se, ainda, recorrer à graça de Deus consistisse em cultivar a indiferença divina em relação ao pecado. Tivessem os judeus levado realmente a sério a palavra de Deuteronômio que Paulo cita, teriam raciocinado de outra maneira, de vez que o termo significa ademais: Aquele que não cumprir a lei será condenado em nome da lei

---

[24] SCHAAL, Juan H. *El camino real de Romanos*, p. 112.

(Dt 27.26; Gl 5.10). Não quiseram os judeus aceitar que sua obediência à lei redundasse afinal em sua condenação.[25]

Em segundo lugar, **a justiça de Deus é alcançada mediante Jesus** (10.6-8). O apóstolo evoca o texto de Deuteronômio 30.12-14 e escreve: *Mas a justiça decorrente da fé assim diz: Não perguntes em teu coração: Quem subirá ao céu?, isto é, para trazer do alto a Cristo ou: Quem descerá ao abismo?, isto é, para levantar Cristo dentre os mortos. Porém, que se diz? A palavra está perto de ti, na tua boca e no teu coração; isto é, a palavra da fé que pregamos.* Leenhardt ressalta que "subir ao céu" e "descer ao abismo" eram expressões correntes na linguagem costumeira para indicar qualquer coisa impossível.[26] Já Stott diz que fazer esse tipo de pergunta seria tão absurdo quanto desnecessário. Não há necessidade alguma de escalarmos as alturas ou mergulharmos nas profundezas em busca de Cristo, pois Ele já veio, morreu e ressuscitou; assim, temos pleno acesso a Ele.[27]

William Greathouse argumenta que fazer essas duas perguntas era como se Jesus nunca tivesse encarnado na terra e não tivesse ressuscitado.[28] Foi Cristo quem veio do céu e, no lugar de Seu povo, sofreu as agonias do inferno. A difícil obra foi feita por Ele e, portanto, não deve ser pretendida por nós.[29] A mensagem do evangelho se concentra nesse Cristo encarnado e ressuscitado, e não em nossos esforços.[30] Em Cristo a verdade desceu à terra e a vida triunfou sobre a morte.

Geoffrey Wilson explica que Paulo interpreta a primeira pergunta como uma negação da encarnação. Está totalmente além da capacidade humana escalar as alturas do céu, quer por esforço legalista, quer por filosofia especulativa, e não há agora nenhuma necessidade de fazer a tentativa, pois *o Verbo se fez carne e habitou entre nós* (Jo 1.14). A maldade toda da incredulidade é demonstrada pelos muitos que preferem

---

[25]LEENHARDT, Franz J. *Epístola aos Romanos*, p. 271.
[26]LEENHARDT, Franz J. *Epístola aos Romanos*, p. 273.
[27]STOTT, John. *Romanos*, p. 342.
[28]GREATHOUSE, William. *A epístola aos Romanos*, p. 146.
[29]HENDRIKSEN, William. *Romanos*, p. 469.
[30]ERDMAN, Charles R. *Comentários de Romanos*, p. 123, 124.

tentar uma odisseia impossível em vez de confiar no Cristo acessível. É igualmente fútil tentar uma descida ao abismo ou à sepultura para descobrir a verdade. A realidade da vida após a morte não deve ser constatada pelas tentativas proibidas dos espíritos de se comunicar com a alma dos que partiram (Dt 18.9-12; Is 8.19,20). Um já retornou da região dos mortos em todo o esplendor de sua vida ressurreta como as primícias dos que dormem (1Co 15.20).[31]

John Stott é enfático ao escrever:

> Ninguém precisa escalar os muros do céu nem descer às cavernas do Hades em busca de Cristo. Cristo mesmo veio e morreu, ressuscitou e encontra-se à inteira disposição de qualquer um, pela fé. O acesso é imediato. Não precisamos fazer coisíssima alguma. Tudo o que era necessário já foi feito. E já que Cristo está perto, o evangelho de Cristo também está perto. Encontra-se no coração e na boca de todo crente. Toda a ênfase reside no acesso – próximo, pronto e fácil – a Cristo e ao evangelho.[32]

Concluindo esse raciocínio, Paulo diz que a salvação não está longe, num horizonte longínquo e inalcançável, mas perto de nós, em nossa boca e em nosso coração. Não temos de buscar a salvação em outras fontes, mas na própria fonte das Escrituras, que Deus nos revelou.

Em terceiro lugar, *a justiça de Deus é alcançada mediante a fé* (10.9-13). Três verdades devem ser destacadas a respeito da salvação pela fé:

A condição da salvação. Se, com a tua boca, confessares Jesus como Senhor e, em teu coração, creres que Deus o ressuscitou dentre os mortos, serás salvo. Porque com o coração se crê para justiça e com a boca se confessa a respeito da salvação (10.9,10). A fé salvadora é fé na ressurreição (1Co 15.17), e a confissão de Cristo é profissão pública de que Ele é Senhor, sendo este o mais antigo – e suficiente – credo cristão.[33]

Essa confissão equivale a reconhecer a suprema honra à qual Deus exaltou a Cristo.[34] William Barclay diz que o termo grego *Kyrios*,

---

[31] WILSON, Geoffrey B. *Romanos*, p. 155.
[32] STOTT, John. *Romanos*, p. 344.
[33] BRUCE, F. F. *Romanos*, p. 164.
[34] BRUCE, F. F. *Romanos: introdução e comentário*, p. 166.

"Senhor", é a palavra-chave do cristianismo primitivo. A palavra era aplicada aos imperadores romanos, aos deuses gregos e, sobretudo, ao Deus Iavé, o nome inefável de Deus. Chamar Jesus de Senhor, portanto, era conceder a Ele a mais alta honra.[35] A confissão, porém, tinha mais um componente: Jesus é o Senhor que venceu a morte. A ressurreição é fundamental na fé cristã. Não basta saber que Jesus viveu; importa-nos saber que Ele vive. Não devemos conhecer apenas sobre Cristo, mas conhecer a Cristo. Quando mencionamos Cristo, não estamos tratando apenas de uma personagem histórica, mas de uma Pessoa vitoriosa, que venceu a morte e está viva.[36] Concordo com John Murray quando diz: "O senhorio de Cristo pressupõe a encarnação, a morte e a ressurreição de Cristo e consiste em sua investidura no domínio universal.[37]

Boca e coração estão inseparavelmente conectados. É preciso crer com o coração e confessar com a boca. O coração é a sede e o órgão da consciência religiosa e não deve ser restringido ao terreno das emoções ou afetos. Determina aquilo que a pessoa é, moral e religiosamente falando; por esse motivo envolve as funções intelectual e volitiva, assim como a emotiva.[38]

A fé é a raiz e a confissão, o ramo da planta.[39] Fé interior e confissão pública andam juntas e são essencialmente uma coisa só. Fé sem confissão seria espúria; não passaria de mero religiosismo estéril. Confissão sem fé seria vaidade, palavras jogadas ao vento. John Stott está coberto de razão quando diz que o conteúdo do que se crê e o conteúdo da confissão têm de ser um só. Implícitas nas boas-novas estão as verdades de que Jesus Cristo morreu, ressuscitou, foi exaltado e agora reina como Senhor e concede salvação aos que nEle creem.[40] Concordo com William Barclay quando diz que o cristianismo não é apenas uma crença, mas sobretudo uma confissão. Essa confissão precisa ser feita a Deus e aos homens. Não apenas

---

[35]BARCLAY, William. *Romanos*, p. 154.
[36]BARCLAY, William. *Romanos*, p. 154.
[37]MURRAY, John. *Romanos*, p. 417.
[38]MURRAY, John. *Romanos*, p. 417, 418.
[39]WILSON, Geoffrey B. *Romanos*, p. 157.
[40]STOTT, John. *Romanos*, p. 343.

Deus, mas também as pessoas precisam saber que nós somos cristãos. Precisamos declarar aos homens de que lado estamos.[41]

O efeito dessa confissão e crença é a salvação – "serás salvo" (10.9). A salvação tem a ver com o crer no coração, e o testemunho tem a ver com a confissão da boca. A boca pronuncia os termos; o coração, porém, é que se lhes prende. Não se impõe a questão de separar as operações; não há confissão da boca sem a fé que procede do coração.[42] O coração deve reger a boca, e esta deve falar daquilo que está cheio o coração.

A garantia da salvação. Porquanto a Escritura diz: Todo aquele que nEle crê não será confundido (10.11). Ao citar o profeta Isaías (Is 28.16), Paulo mostra que a garantia da salvação àquele que crê não é apenas um sentimento, mas uma promessa infalível das Escrituras. Deus empenha Sua própria palavra nessa promessa.

O alcance da salvação. Pois não há distinção entre judeu e grego, uma vez que o mesmo é o Senhor de todos, rico para com todos os que O invocam (10.12). Cristo não é apenas facilmente acessível, como também igualmente acessível a todos e a qualquer um.[43] A salvação mediante a fé em Cristo é o único caminho tanto para o judeu como para o grego. Não existem duas maneiras de ser salvo, uma mediante a fé em Cristo e outra mediante a justiça própria. O homem é salvo pela fé em Cristo, ou não é salvo de modo algum.

William Hendriksen tem razão quando escreve: "O amor de Deus em Cristo desfaz as distinções com respeito a raça, nacionalidade, sexo, idade, condição social e/ou financeira, grau de cultura etc. Com respeito a qualquer e todas essas questões, Deus é imparcial".[44]

A **evangelização** e o **evangelizador** (10.13-15)

A mensagem da salvação precisa ser proclamada em todo o mundo, a cada criatura, até os confins da terra. Deus tem Seus escolhidos e eles ouvirão a voz do pastor e o seguirão. Dois pontos devem ser aqui destacados:

---

[41] BARCLAY, William. *Romanos*, p. 154.
[42] LEENHARDT, Franz J. *Epístola aos Romanos*, p. 274, 275.
[43] STOTT, John. *Romanos*, p. 344.
[44] HENDRIKSEN, William. *Romanos*, p. 468.

Em primeiro lugar, *os estágios da evangelização*. *Todo aquele que invocar o nome do Senhor será salvo. Como, porém, invocarão Aquele em quem não creram? E como crerão nAquele de quem nada ouviram? E como ouvirão, se não há quem pregue? E como pregarão, se não forem enviados?* (10.13-15a). Temos na estrutura quatro perguntas paralelas, que juntas formam uma cadeia lógica.[45] Elas apontam para seis estágios na evangelização. Paulo os cita do fim para o começo: 1) ser salvo; 2) invocar; 3) crer; 4) ouvir; 5) pregar; 6) enviar. Assim o apóstolo percorre a cadeia de acontecimentos que levam à fé e à confissão: 1) não se pode invocar alguém em quem não se crê; 2) não se pode crer em alguém de quem não se ouviu falar; 3) não se pode ouvir sem que haja um pregador; 4) não haverá pregadores a menos que Deus os envie.[46]

Invertendo a ordem proposta pelo apóstolo, fica mais claro de entender: É preciso que alguém seja enviado para pregar. É preciso pregar para que alguém ouça. É preciso ouvir para que alguém creia. É preciso crer para que alguém invoque. É preciso invocar para que alguém seja salvo. Esses são os estágios da evangelização.

John Stott sintetiza esses estágios como segue: "Cristo envia seus arautos; os arautos pregam; as pessoas ouvem; os ouvintes creem; os crentes invocam; e aqueles que invocam são salvos".[47]

Vejamos a mesma sentença colocada na forma negativa: "A menos que certas pessoas sejam comissionadas para a tarefa, não haverá pregadores do evangelho; se o evangelho não for pregado, os pecadores não ouvirão a mensagem nem a voz de Cristo; a não ser que ouçam, nunca crerão nas verdades de sua morte e ressurreição; a menos que creiam nessas verdades, não invocarão o Senhor; e, se não invocarem o seu nome, nunca serão salvos".[48]

Em segundo lugar, *a importância do evangelizador* (10.15b). O texto bíblico diz: "Como está escrito: Quão formosos são os pés dos que anunciam coisas boas!" Paulo cita Isaías 52.7 e transporta o episódio de

---

[45]CRANFIELD, C. E. B. *Comentário de Romanos*, p. 240.
[46]WILSON, Geoffrey B. *Romanos*, p. 159.
[47]STOTT, John. *Romanos*, p. 347.
[48]STOTT, John. *Romanos*, p. 347.

um mensageiro que anuncia o fim do cativeiro para o mensageiro que anuncia as boas-novas da salvação. O evangelizador tem os pés formosos por causa da mensagem que leva, a mensagem da graça, a mensagem da reconciliação, a mensagem da salvação. Assim diz John Murray: "Os pés são declarados belos porque o movimento dos mesmos revela o caráter da mensagem trazida, ou seja, as boas-novas".[49]

A incredulidade de Israel (10.16-21)

Nenhuma nação ouviu mais a mensagem de Deus que Israel. A incredulidade de Israel não era resultado do desconhecimento, mas da rejeição. Destacaremos três pontos:

Em primeiro lugar, **Israel se recusou a crer no evangelho** (10.16-18). A incredulidade de Israel tinha duas características:

A incredulidade de Israel foi deliberada (10.16,17). Citando Isaías 53.1, Paulo escreve: *Mas nem todos obedeceram ao evangelho; pois Isaías diz: Senhor, quem acreditou na nossa pregação? E, assim, a fé vem pela pregação, e a pregação, pela palavra de Cristo*. Assim como os judaítas não creram na pregação de Isaías, os judeus também não obedeceram ao evangelho. E, porque se recusaram a obedecer, fecharam a porta da salvação, uma vez que a fé salvadora vem pela pregação da palavra de Cristo. O reformador Calvino alerta: "O apóstolo Paulo não afirma que a fé nasça de qualquer doutrina, ao invés disso, a limita propriamente à Palavra de Deus (10.17). Esta limitação seria absurda se a fé pudesse ser fundada sobre as determinações humanas. Por esta razão, é preciso deixar para trás todas as fantasias dos homens, quando se trata da certeza da fé".[50]

A incredulidade de Israel foi indesculpável (10.18). Paulo agora cita o Salmo 19.4: *Mas pergunto: Porventura, não ouviram? Sim, por certo: Por toda a terra se fez ouvir a sua voz, e as suas palavras, até aos confins do mundo*. Deus se revela na criação (Sl 19.1-6) e em Sua Palavra (Sl 19.7-10). O livro da natureza e o livro da revelação são constantes

---

[49] MURRAY, John. *Romanos*, p. 421.
[50] CALVINO, João. *Epístola a los Romanos*, p. 280.

proclamações tanto da glória quanto da graça de Deus.⁵¹ Charles Erdman diz que, da mesma maneira que as silenciosas vozes dos céus proclamam ao mundo inteiro o poder do Criador, as vozes dos arautos cristãos estão a declarar em todas as terras a glória do Cristo redentor.⁵² William Hendriksen descreve esse testemunho universal dos cristãos e o rápido progresso do evangelho nos seguintes termos:

> O rápido progresso do evangelho nos dias antigos sempre foi a perplexidade dos historiadores. Justino Mártir, cerca de meados do segundo século, escreveu: "Não há povo, grego ou bárbaro, ou de qualquer raça, seja qual for a designação ou costumes, seja ele distinguido, seja ignorante das artes e da agricultura, habite em tendas ou viva como nômade sob a cobertura de carroças, entre os quais não se ofereçam orações e ações de graça em nome do Jesus crucificado ao Pai e Criador de todas as coisas". Meio século mais tarde, Tertuliano acrescenta: "Somos apenas de ontem, e todavia já enchemos suas cidades, ilhas, campos, seus palácios, senado e fórum. Só lhes deixamos seus templos".⁵³

Partindo da revelação natural para a revelação especial, Paulo usa aquela como símbolo desta, para afirmar que Israel ouviu o evangelho e, por isso, sua incredulidade é indesculpável. John Stott diz que, se Deus deseja que a revelação geral de Sua glória seja universal, quanto mais deve almejar que a revelação específica de Sua graça seja igualmente universal.

F. F. Bruce chama esse testemunho do evangelho no contexto judaico de "universalismo representativo",⁵⁴ isto é, onde quer que exista judeus ou uma comunidade judaica, ali o evangelho já foi pregado. Os judeus já ouviram. São indesculpáveis.

Em segundo lugar, *os gentios creram na mensagem que Israel rejeitou* (10.19,20). Paulo agora volta a citar Moisés e Isaías: *Pergunto mais: Porventura, não terá chegado isso ao conhecimento de Israel? Moisés já dizia: Eu vos porei em ciúmes com um povo que não é nação, com gente insensata eu*

---

⁵¹WIERSBE, Warren W. *Comentário bíblico expositivo*, p. 716.
⁵²ERDMAN, Charles R. *Comentários de Romanos*, p. 126.
⁵³HENDRIKSEN, William. *Romanos*, p. 464.
⁵⁴BRUCE, F. F. *Romanos: introdução e comentário*, p. 170.

vos provocarei à ira. E Isaías a mais se atreve e diz: Fui achado pelos que não me procuravam, revelei-me aos que não perguntavam por mim. A primeira pergunta de Paulo é se Israel ouvira o evangelho (10.18). A resposta é sim. A segunda pergunta é se eles entenderam o evangelho (10.19a). E novamente a resposta é positiva. Então, por que Israel rejeitou o evangelho? A única explicação é sua teimosia e rebeldia (10.21). Israel rejeitou o que conhecia, e os gentios, que não buscavam, encontraram o caminho da verdade que Israel rejeitou. Assim, Deus provocou ciúmes em Israel por meio da salvação dos gentios.

Em terceiro lugar, **Deus pacientemente ofereceu a salvação ao rebelde Israel** (10.21). Paulo conclui seu argumento citando Isaías 65.2: *Quanto a Israel, porém, diz: Todo o dia estendi as mãos a um povo rebelde e contradizente.* A despeito da boa vontade de Paulo (10.1) e dos braços estendidos de Deus, Israel não creu.[55] Deus muitas vezes e de muitas maneiras falou a Israel. Deu-lhes Sua lei. Enviou-lhes Seus profetas. Manifestou Seu poder providente e sua libertação compassiva. Israel, porém, respondeu ao Senhor com rebeldia e deliberada ingratidão.

Mediante uma ignorância proposital, Israel desconheceu a justiça de Deus e a ela não se sujeitou (10.3). Não se trata de falta de conhecimento, mas de desobediência voluntária e teimosa rebeldia. Israel tropeçou em Cristo e fez dEle pedra de tropeço (9.32). Durante todo esse tempo, entretanto, como um pai amoroso, Deus sempre convidou Israel a voltar-se para Ele. Deus sempre esteve disposto a abraçá-lo, beijá-lo e dar-lhe as boas-vindas. Deus sempre lhe estendeu os braços e implorou o seu regresso. Mas não houve nenhuma resposta positiva. Israel se manteve rebelde, recalcitrante e desobediente.

O capítulo termina mostrando que a incredulidade de Israel é de sua inteira responsabilidade. De um lado está Deus com os braços estendidos; do outro, um povo com as costas viradas para Deus. A mesma cena pode ser vista quando Jesus chorou sobre Jerusalém e almejou reunir o povo em seus braços (Mt 23.37,38). Em vez disso, esses braços foram estendidos e pregados numa cruz por um povo que Lhe virou as costas.

---

[55] WIERSBE, Warren W. *With the Word.* Londres: Thomas Nelson, 1991, p. 738.

18

O plano de Deus para o Seu povo

Romanos 11.1-36

ROMANOS 11 É O CLÍMAX DA EXPOSIÇÃO DOUTRINÁRIA do maior tratado teológico do Novo Testamento. Paulo alcança o pico dessa montanha e quase sem fôlego desabotoa sua alma num jorro caudaloso de exaltação a Deus. A teologia desemboca na doxologia. A doutrina transforma-se em poesia musical.

Paulo olhou para o passado em Romanos 9 e falou acerca da eleição da graça. A eleição é filha da graça, e não herdeira dos méritos humanos; ele olha para o presente em Romanos 10 e vê a rejeição de Israel. A decadência de Israel é de sua inteira responsabilidade; agora, no capítulo 11, o apóstolo se coloca na ponta dos pés, esticando o pescoço, para vislumbrar o futuro glorioso de Israel. Charles Erdman diz que o capítulo 11 revela que a rejeição de Israel não é nem completa (11.1-10) nem final (11.11-32), mas florescerá em restauração nacional de tal ordem que defluirá em bênção universal.[1]

O povo judeu é um dos maiores milagres da história. Tem sido preservado por séculos em meio aos perigos mais devastadores. Apesar de séculos de perseguição e de muitos planos urdidos com requintes de

---
[1] ERDMAN, Charles R. *Comentários de Romanos*, p. 128.

crueldade para eliminá-lo da face da terra, mesmo estando banido de sua própria pátria pelo espaço de dezenove séculos, os judeus mantiveram sua identidade milagrosamente, e em 14 de maio de 1948 retornaram à sua terra como nação livre, tornando-se desde então uma nação rica e forte. Recordemos, por exemplo, como tramaram contra os judeus durante a Segunda Guerra Mundial para aniquilá-los. De dezessete milhões de judeus que viviam em 1933, somente onze milhões sobreviveram. Seis milhões foram trucidados nas câmaras de gás, nos campos de concentração.

Qual é o futuro do povo judeu? Voltará esse povo, como nação, para o Messias? Haverá despertamento espiritual entre eles? Buscarão os judeus, como raça, sua salvação na cruz do Calvário algum dia? A resposta à pergunta é o ponto nevrálgico da exposição de Romanos 11.

O texto em apreço não é de fácil interpretação. Não há consenso entre os eruditos acerca do seu real significado. Os dispensacionalistas fazem uma distinção entre igreja e Israel. Eles creem que a igreja é um parêntese na história e, tão logo chegar a plenitude dos gentios, Cristo arrebatará a igreja e voltará sua atenção exclusivamente para os judeus, e então haverá uma salvação completa de todos eles, os quais passarão a reinar com Cristo no milênio terrenal. O reformador João Calvino, entretanto, entende que Paulo não se refere ao Israel étnico, mas aponta para a salvação da igreja, formada por judeus e gentios, o chamado Israel de Deus (Gl 6.16). É importante, porém, ressaltar que em todo o contexto imediato Paulo faz clara distinção entre judeus e gentios, entre o Israel étnico e a igreja. Negar essa realidade exatamente em Romanos 11.26, que é o clímax da argumentação, é torcer o seu real significado.

Nossa exposição a seguir versará sobre quatro pontos distintos.

Deus **não rejeitou** o Seu povo (11.1-10)

Paulo terminou o capítulo 10 falando sobre a rebeldia de Israel e a generosa espera divina (10.21). Uma pergunta, então, é suscitada: ... *terá Deus, porventura, rejeitado o Seu povo?*... (11.1). A resposta de Paulo é imediata e peremptória: *De modo nenhum!* No entanto, sobre que povo Paulo fala? Os gentios? Os gentios e judeus? Não! Ele fala apenas sobre os judeus, que eram o próprio "tesouro peculiar" de Deus (Êx 4.22;

19.6; Dt 14.2; 26.18). Para fundamentar sua resposta, Paulo usa alguns argumentos:

Em primeiro lugar, *o seu próprio exemplo*. ... *porque eu também sou israelita da descendência de Abraão, da tribo de Benjamim* (11.1). Paulo usa um argumento pessoal para provar sua tese. A salvação de Paulo, um judeu descendente de Abraão e membro de uma de suas tribos mais ilustres, era prova cabal e irrefutável de que Deus não rejeitara Seu povo. Adolf Pohl afirma que o próprio Paulo era um contra-argumento vivo.[2] E John Murray tem razão quando diz: "Visto ser o apóstolo pertencente à nação de Israel, sua aceitação por Deus nos prova que Deus não abandonara completamente Israel".[3]

A rejeição de Israel era apenas parcial, uma vez que existia um remanescente fiel. Há um Israel espiritual dentro do Israel étnico, um grupo de Israel que crê e um grupo de Israel que não crê. Dentro do círculo maior composto de todos os judeus, havia um círculo menor, composto pelo remanescente da graça, ou seja, pelos judeus crentes convertidos a Cristo.[4]

Em segundo lugar, *o exemplo de Elias*. Paulo escreve:

> *Deus não rejeitou o Seu povo, a quem de antemão conheceu. Ou não sabeis o que a Escritura refere a respeito de Elias, como insta perante Deus contra Israel, dizendo: Senhor, mataram os Teus profetas, arrasaram os Teus altares, e só eu fiquei, e procuram tirar-me a vida. Que lhe disse, porém, a resposta divina? Reservei para mim sete mil homens, que não dobraram os joelhos diante de Baal* (11.2-4).

Deus não é contraditório. Não rejeitou o Seu povo a quem de antemão conheceu e amou. Fez dele o objeto de Seu especial deleite, deleite que tem início na eternidade, prosseguindo em conexão com sua concepção e nascimento, jamais se apartando dele.[5] Para confirmar a assertiva de que Deus não havia rejeitado o Seu povo, Paulo usa um argumento

---

[2] POHL, Adolf. *Carta aos Romanos*, p. 177.
[3] MURRAY, John. *Romanos*, p. 428.
[4] MACLEOD, Angus. *El fin del mundo*. Grand Rapids: TELL, 1977, p. 87, 88.
[5] HENDRIKSEN, William. *Romanos*, p. 474.

bíblico citando o profetas Elias. Mesmo num tempo de generalizada apostasia, Deus reservara para si sete mil que não dobraram os joelhos a Baal. Adolf Pohl diz que nesse remanescente já havia algo do Israel completo, pois seu número, sete mil, não é número de contagem, e sim número de sentido, de uma plenitude intentada por Deus. Era assim que Deus levava avante Sua causa com Israel, até mesmo atravessando a apostasia.[6] A mesma posição é esposada por Cranfield ao afirmar que o significado especial que se atribui, tanto na Bíblia como também no judaísmo, ao número sete, bem como aos múltiplos de sete, é o de totalidade e perfeição.[7] Nunca faltou na história uma lâmpada acesa. Nunca deixou de existir um remanescente fiel. Mesmo no cenário mais escuro da apostasia, o remanescente permanece fiel.

Nesta passagem, a prova de que a Palavra de Deus não falhara reside na diferenciação entre o verdadeiro Israel e aqueles que são meramente israelitas, entre a descendência verdadeira e aqueles que são meros descendentes. Assim também, no caso presente, a eleição da graça é a demonstração de que Israel, como um povo, não fora totalmente esquecido por Deus. Apesar da apostasia generalizada de Israel, "sobrevive um remanescente segundo a eleição da graça".[8]

Em terceiro lugar, *o exemplo do remanescente segundo a eleição da graça*. *Assim, pois, também agora, no tempo de hoje, sobrevive um remanescente segundo a eleição da graça. E, se é pela graça, já não é pelas obras; do contrário, a graça já não é graça* (11.5,6). Paulo tira os olhos do passado e fixa-os no presente, apresentando um argumento teológico. Como fora no passado, ainda é agora. Conforme Adolf Pohl, o que no tempo de Elias eram aqueles sete mil equivale no tempo de Paulo aos judeus convertidos a Cristo.[9] Deus não rejeitou então, nem rejeita agora, e jamais rejeitará Israel. Ele não "rompeu" com os judeus. Dentre os judeus incrédulos, Deus tem um remanescente segundo a eleição da graça. *E, se é pela graça, já não é pelas obras; do contrário, a graça já não é*

---

[6]POHL, Adolf. *Carta aos Romanos*, p. 177.
[7]CRANFIELD, C. E. B. *Comentário de Romanos*, p. 246.
[8]MURRAY, John. *Romanos*, p. 429, 430.
[9]POHL, Adolf. *Carta aos Romanos*, p. 178.

graça (11.6). É o que Geoffrey Wilson reafirma: "Há apenas duas fontes possíveis de salvação – obras humanas e graça divina; e estas duas são tão essencialmente distintas e opostas que a salvação não pode vir de nenhuma combinação ou mistura de ambas; deve ser totalmente ou por uma ou pela outra (Ef 2.8,9).[10]

Mesmo que a maioria seja rebelde (10.21), os eleitos ouvem a Palavra de Deus e se convertem a Cristo. Concordo com William Barclay quando diz que nenhuma igreja ou nação se salva em massa. A relação com Deus é individual. Deus não chama homens em multidão. Ninguém é salvo porque é membro de uma nação, ou porque é membro de uma família, ou por ter herdado salvação de seus antepassados. A salvação é uma decisão pessoal por Cristo.[11]

William Hendriksen destaca que a doutrina da salvação do remanescente é ensinada por todas as Escrituras. No tempo de Noé, muitos pereceram, poucos foram salvos (Gn 6.1-8). O mesmo sucedeu nos dias de Ló (Gn 19.29). Elias também estava familiarizado com a ideia do remanescente salvo. Não nos surpreende que também "no tempo atual", ou seja, na própria época do apóstolo, houvesse um remanescente salvo, e que Paulo pertencesse a ele. Na parábola do semeador, é somente o último tipo de solo que produz uma colheita farta. Jesus mesmo disse: *Porque muitos são chamados, mas poucos, escolhidos* (Mt 22.14).[12]

John Murray argumenta que Paulo, com base na situação análoga dos dias de Elias, faz a aplicação à sua própria época e conclui que continua existindo um remanescente segundo a eleição da graça. De acordo com esse argumento, há necessidade de um remanescente, por mais generalizada que seja a incredulidade e a apostasia de Israel. A rejeição completa de Israel seria incompatível com Seu amor eletivo.[13]

Em quarto lugar, **o exemplo da eleição de uns e o endurecimento de outros** (11.7-10). Acompanhemos as palavras do apóstolo:

---

[10] WILSON, Geoffrey B. *Romanos*, p. 163.
[11] BARCLAY, William. *Romanos*, p. 160.
[12] HENDRIKSEN, William. *Romanos*, p. 477, 478.
[13] MURRAY, John. *Romanos*, p. 432.

> *Que diremos, pois? O que Israel buscava, isso não conseguiu; mas a eleição o alcançou; e os mais foram endurecidos, como está escrito: Deus lhes deu espírito de entorpecimento, olhos para não ver e ouvidos para não ouvir, até ao dia de hoje. E diz Davi: Torne-se-lhes a mesa em laço e armadilha, em tropeço e punição; escureçam-se-lhes os olhos, para que não vejam, e fiquem para sempre encurvadas as suas costas* (11.7-10).

Israel buscava uma salvação pelo mérito das obras, e isso ele não conseguiu; no entanto, o remanescente foi alcançado pela eleição, e os demais foram endurecidos. Quando Paulo disse "A eleição os alcançou", estava pensando nos eleitos. Entretanto, preferiu usar o substantivo abstrato para frisar "a ideia, e não os indivíduos" e, deste modo, salientar a ação de Deus como motivo para isso. "A eleição" é um termo análogo à declaração *reservei para mim sete mil homens* (11.4), bem como a *um remanescente segundo a eleição da graça* (11.5). "A eleição da graça" e "a eleição", expressões que aparecem nos versículos 5 e 7, devem referir-se à eleição de indivíduos, em distinção à eleição teocrática, referida nas palavras *o Seu povo* (11.1) e *o Seu povo, a quem de antemão conheceu* (11.2).[14]

Como raça ou nacionalidade, os judeus foram endurecidos. O Antigo Testamento já havia profetizado acerca desse endurecimento (11.8). Ressaltamos na exposição do capítulo 9 que Deus endurece os endurecidos. O endurecimento é um juízo divino ao endurecimento do coração humano. Leenhardt destaca que Deus sanciona essa oposição: quer dizer que, por sua vez, Ele se recusa àquele que O recusa.[15] A palavra grega *porosis*, traduzida por "endurecidos" (11.7), é um termo médico que significa "calo". Aplica-se especialmente ao calo que se forma ao redor de uma fratura, deixando a região insensível. Os judeus tornaram-se insensíveis espiritualmente. Para John Murray, trata-se de um endurecimento judicial que tem sua base na incredulidade e na desobediência de seus objetos.[16] Para William Hendriksen, o espírito de torpor mencionado em Romanos 11.8 é o de embotamento ou apatia

---

[14] MURRAY, John. *Romanos*, p. 433, 434.
[15] LEENHARDT, Franz J. *Epístola aos Romanos*, p. 285.
[16] MURRAY, John. *Romanos*, p. 435.

mental e moral. A concessão desse espírito expressa o processo divino de endurecimento. O torpor lembra um profundo sono durante o qual uma pessoa permanece insensível às impressões que lhe vêm do lado de fora; daí ela não ver nem ouvir (Is 29.10).[17] Por fim, Adolf Pohl alerta para o fato de que endurecimento não é rejeição, mas uma situação que permanece em aberto (9.26).[18]

Os versículos 9 e 10 prosseguem: *E diz Davi: Torne-se-lhes a mesa em laço e armadilha, em tropeço e punição; escureçam-se-lhes os olhos, para que não vejam, e fiquem para sempre encurvadas as suas costas.* Segundo Warren Wiersbe, a expressão "torne-se-lhes a mesa em laço" significa que suas bênçãos se transformarão em fardos e em julgamentos. Foi o que aconteceu a Israel: suas bênçãos espirituais deveriam tê-los conduzido a Cristo; em vez disso, porém, se tornaram uma armadilha e os impediram de chegar a Cristo. As próprias práticas e observâncias religiosas tornaram-se substitutos para a experiência real de salvação.[19]

Deus **não desistiu** do Seu povo (11.11-24)

John Murray afirma que nos versículos anteriores a tese era que, embora Israel, como um todo, tivesse sido desobediente, um remanescente havia sido deixado; logo, Deus não rejeitara Seu povo. A rejeição de Israel não foi *completa*. A tese dos versículos seguintes é que a rejeição não é *final*. Ambas as considerações – não completa, mas parcial; não final, mas temporária – sustentam a proposição de que Deus não rejeitou Seu povo.[20]

Angus MacLeod observa que Paulo divide Israel em duas partes: um pequeno remanescente de judeus que tem crido em Cristo e uma maioria de judeus endurecidos, que tem rechaçado a Cristo. É precisamente este segmento maior o que se menciona nos versículos 11-24.[21]

Destacaremos aqui algumas importantes verdades:

---

[17] HENDRIKSEN, William. *Romanos*, p. 480.
[18] POHL, Adolf. *Carta aos Romanos*, p. 178.
[19] WIERSBE, Warren W. *Comentários bíblico expositivo*, p. 719.
[20] MURRAY, John. *Romanos*, p. 438.
[21] MACLEOD, Angus. *El fin del mundo*, p. 91.

Em primeiro lugar, *a transgressão de Israel trouxe salvação para os gentios*. Paulo escreve:

> *Pergunto, pois: porventura, tropeçaram para que caíssem? De modo nenhum! Mas, pela sua transgressão, veio a salvação aos gentios, para pô-los em ciúmes. Ora, se a transgressão deles redundou em riqueza para o mundo, e o seu abatimento, em riqueza para os gentios, quanto mais a sua plenitude!* (11.11,12).

Paulo faz agora a segunda pergunta: [...] *porventura, tropeçaram para que caíssem?* (11.11). O termo grego usado aqui significa levar os judeus à ruína final, total e inexorável. Paulo se rebela contra tal possibilidade e responde: *De modo nenhum!* (11.11). A rejeição dos judeus não foi total nem definitiva. Houve um remanescente no passado, há um remanescente no presente e haverá no futuro, uma restauração de Israel que se reverterá em bênção para o mundo todo.[22] Para Leenhardt, a graça jamais se converte em maldição, ainda que por vezes assuma a feição de castigo. Israel tropeçou, mas Deus não tinha a intenção de fazê-lo cair.[23]

O fato de a maioria de Israel ter rejeitado o evangelho abriu caminho para a salvação dos gentios. Cristo veio para os seus, mas os seus não o receberam (Jo 1.12). Porque os judeus rejeitaram a graça, o evangelho foi oferecido aos gentios. Segundo F. F. Bruce, em Atos dos Apóstolos, a repetida recusa da comunidade judaica, de um lugar ou de outro, em aceitar a salvação oferecida é que dá ocasião para os apóstolos a apresentarem diretamente aos gentios. *Cumpria que a vós outros, em primeiro lugar, fosse pregada a Palavra de Deus*, disseram Paulo e Barnabé aos judeus de Antioquia da Pisídia; *mas, posto que a rejeitais e a vós mesmos vos julgais indignos da vida eterna, eis aí que nos volvemos para os gentios* (At 13.46).[24]

Angus MacLeod corrobora a ideia de que, do ponto de vista histórico sabemos que é assim, porque foi quando os judeus rechaçaram o

---

[22]STOTT, John. *Romanos*, p. 353.
[23]LEENHARDT, Franz J. *Epístola aos Romanos*, p. 286.
[24]BRUCE, F. F. *Romanos: introdução e comentário*, p. 172.

evangelho que Paulo anunciou que iria pregá-lo aos gentios.[25] Adolf Pohl oferece-nos uma oportuna ilustração dessa verdade:

> A água de um rio represado corre para um leito diferente, irrigando dessa maneira outras áreas de terra. Ou conforme Marcos 7.28: As migalhas que caem da mesa das criancinhas beneficiam os cachorrinhos debaixo da mesa. A passagem do evangelho para os gentios, depois que foi dirigido primeiramente só a Israel (At 11.19), sendo, porém, barrado por esse povo, constituiu repetidamente uma experiência prática dos missionários cristãos no primeiro século e finalmente convenceu-os por sua regularidade como sendo desígnio superior. O fracasso dos judeus trouxe salvação aos gentios.[26]

Lucas, o historiador da igreja, registra quatro ocasiões em que a rejeição dos judeus resultou no oferecimento do evangelho aos gentios: em Antioquia da Pisídia (At 13.46), em Corinto (At 18.6), em Éfeso (At 19.8s.) e em Roma (At 28.28). John Stott diz que Paulo transformou história em teologia, ao destacar que o primeiro evento se deu objetivando o segundo. Assim Deus reverteu o endurecimento do povo de Israel em bênção: a salvação dos gentios.[27]

Em segundo lugar, *a salvação dos gentios trouxe ciúme para os judeus*. Paulo afirma:

> Mas, pela sua transgressão [dos judeus], veio a salvação aos gentios, para pô-los em ciúmes [...]. Dirijo-me a vós outros, que sois gentios! Visto, pois, que eu sou apóstolo dos gentios, glorifico o meu ministério, para ver se, de algum modo, posso incitar à emulação os do meu povo e salvar alguns deles. Porque, se o fato de terem sido eles rejeitados trouxe reconciliação ao mundo, que será o seu restabelecimento, senão vida dentre os mortos? (11.11,13-15).

Um dos propósitos da evangelização dos gentios era despertar nos judeus um santo ciúme, a fim de levá-los à emulação e despertar neles o

---

[25] MACLEOD, Angus. *El fin del mundo*, p. 92.
[26] POHL, Adolf. *Carta aos Romanos*, p. 180.
[27] STOTT, John. *Romanos*, p. 358.

desejo de usufruir as mesmas bênçãos da salvação. William Hendriksen elucida que, no presente contexto, *ciúme* tem um efeito positivo, uma vez que o Espírito Santo usa o ciúme para salvar esses judeus.[28]

Na mesma linha, Angus MacLeod afirma: "O propósito primordial de levar o evangelho aos gentios é que a maioria endurecida de Israel, vendo as riquezas espirituais e as bênçãos que os gentios receberam, fosse provocada a ciúmes, ou seja, que esses judeus anelassem ter para si mesmos também essas riquezas espirituais".[29] A incredulidade de Israel foi determinada a fim de promover a salvação dos gentios. No entanto, a fé subentendida da parte dos gentios não é prejudicial à salvação de Israel; ao contrário, tem o objetivo de promovê-la.[30] Assim, quanto maior o sucesso do ministério aos gentios, mais fomentada será a causa da salvação de Israel.

O judeu messiânico David Stern denuncia a prática vergonhosa de muitos "cristãos" nesses dois mil anos de história que, em vez de despertar o ciúme dos judeus, fizeram aflorar neles repugnância e medo. Do que se espera que os judeus tenham ciúmes? Dos "cristãos" que prenderam judeus em sinagogas e os queimaram vivos (o que aconteceu quando os expedicionários das cruzadas conquistaram Jerusalém em 1099, bem como em várias cidades da Europa)? Dos "cristãos" que forçaram judeus a ouvir sermões para convertê-los contra sua vontade e expulsaram do país aqueles que não responderam (o que aconteceu por séculos durante a Idade Média e a Inquisição)? Dos "cristãos" que inventaram o "libelo de sangue" de que judeus assassinam uma criança cristã e usam seu sangue na *matzá* na Páscoa? Dos sacerdotes "cristãos" que carregavam a cruz e lideravam multidões assassinas em massacres? Dos "cristãos" que silenciaram enquanto seis milhões de judeus pereceram no holocausto? Ou talvez dos "cristãos" que os assassinaram – inclusive o próprio Hitler, que nunca foi excomungado da Igreja Católica Romana? Dos membros "cristãos" do Ku Klux Klan e de outras gangues de supremacia "cristã" formadas por brancos e suas

---

[28] HENDRIKSEN, William. *Romanos*, p. 483.
[29] MACLEOD, Angus. *El fin del mundo*, p. 93.
[30] MURRAY, John. *Romanos*, p. 440.

demonstrações brutais? De "cristãos" que apoiam organizações palestinas cujos terroristas matam e mutilam crianças judias de Israel? De Capucci, arcebispo ortodoxo grego, condenado por contrabando de armas para essas mesmas organizações terroristas palestinas? De quais desses "cristãos" nós, judeus, devemos ter ciúmes? A vergonha da igreja não consiste apenas em não ter tomado posição, repudiando firmemente cada um desses e outros horrores cometidos contra os judeus, mas em ter de fato autorizado e incentivado alguns deles.[31]

David Stern diz que os judeus não messiânicos deveriam ser capazes de olhar para os gentios salvos na igreja e ver neles uma mudança tão maravilhosa a ponto de sentirem ciúmes e quererem também para si mesmos o que torna esses gentios diferentes e especiais.[32] É desse tipo de ciúmes que Paulo fala em Romanos 11.

O historiador Lucas menciona algumas vezes o ciúme dos judeus com relação aos apóstolos (At 5.17; 13.45; 17.5). Ciúme é o desejo de ter para si algo que pertence a outro; e, se o ciúme é uma coisa boa ou ruim, depende da natureza daquilo que se deseja e de o invejoso ter ou não o direito de possuí-lo.[33] Essa inveja, porém, não é a do tipo pecaminoso. Em vez de conduzir ao pecado, esse ciúme estimula a fé salvadora. Os israelitas obstinados no pecado, observando a paz e alegria experimentadas pelos gentios, se enchem de inveja, a qual é por Deus transformada em fé viva no Senhor Jesus Cristo. Agora eles amam o que anteriormente odiavam. Odeiam o que anteriormente amavam. Acima de tudo, sabem que não mais são inimigos de Deus. Agora foram aceitos pelo mesmo Deus contra quem anteriormente se endureceram e por quem se tornaram ainda mais empedernidos. A mudança foi simplesmente tão assustadora como sair da morte para a vida.[34]

O que Paulo quer dizer com "vida dentre os mortos?" As interpretações variam de acordo com os expositores. Há aqueles que interpretam o texto literalmente e creem que Paulo se refere à ressurreição dos mortos

---

[31] STERN, David H. *Comentário judaico do Novo Testamento*, p. 443, 444.
[32] STERN, David H. *Comentário judaico do Novo Testamento*, p. 444.
[33] STOTT, John. *Romanos*, p. 360.
[34] HENDRIKSEN, William. *Romanos*, p. 486.

no fim dos tempos, por ocasião da segunda vinda de Cristo. Outros interpretam o texto espiritualmente e entendem que Paulo alude à conversão (6.13). Angus MacLeod interpreta essas palavras como uma grande efusão de poder, bênçãos e riquezas provenientes dos que agora estão mortos espiritualmente.[35] Ainda há aqueles que interpretam as palavras de forma figurada, como se Paulo estivesse descrevendo um grande reavivamento espiritual entre os gentios.[36] Charles Erdman é da opinião que a restauração de Israel resultará em um reavivamento espiritual para a humanidade toda, uma verdadeira "vida entre os mortos".[37]

O apóstolo declara que nada seria melhor, nem de maior bênção espiritual para o mundo, do que se a maioria de Israel recebesse toda a sua plenitude, a plenitude dos privilégios e da salvação perdidos ao rechaçar Jesus Cristo.[38]

Antonio Hoekema observa que neste versículo 15 a *rejeição* de Israel é contrastada com sua *aceitação*. Novamente pensamos em uma conversão de muito mais israelitas do que simplesmente a conversão do remanescente. A expressão "vida entre os mortos" não se refere a uma ressurreição literal; provavelmente, é usada como uma figura para descrever a feliz surpresa que teremos quando os judeus rebeldes se voltarem ao Senhor. Não há necessidade, portanto, de restringir essa *aceitação* a um período histórico no tempo do fim; a aceitação por Deus de todos os israelitas crentes através de toda a história é de fato "vida entre os mortos" e, assim, será por toda a eternidade.[39]

Em terceiro lugar, *a rejeição de Israel e a aceitação dos gentios* (11.16-22). Acompanhemos as palavras de Paulo:

> *E, se forem santas as primícias da massa, igualmente o será a sua totalidade; se for santa a raiz, também os ramos o serão. Se, porém, alguns dos ramos foram quebrados, e tu, sendo oliveira brava, foste enxertado em meio deles*

---

[35] MacLeod, Angus. *El fin del mundo*, p. 96.
[36] Stott, John. *Romanos*, p. 362, 363.
[37] Erdman, Charles R. *Comentários de Romanos*, p. 133.
[38] MacLeod, Angus. *El fin del mundo*, p. 94.
[39] Hoekema, Antonio A. *La Biblia y el futuro*. Grand Rapids: Subcomisión de Literatura Cristiana, 1984, p. 165.

> *e te tornaste participante da raiz e da seiva da oliveira, não te glories contra os ramos; porém, se te gloriares, sabe que não és tu que sustentas a raiz, mas a raiz, a ti. Dirás, pois: Alguns ramos foram quebrados, para que eu fosse enxertado. Bem! Pela sua incredulidade, foram quebrados; tu, porém, mediante a fé, estás firme. Não te ensoberbeças, mas teme. Porque, se Deus não poupou os ramos naturais, também não te poupará. Considerai, pois, a bondade e a severidade de Deus: para com os que caíram, severidade; mas, para contigo, a bondade de Deus, se nele permaneceres; doutra sorte, também tu serás cortado* (11.16-22).

Paulo passa a usar duas metáforas: uma da culinária, outra da fruticultura. A primeira trata das primícias: *E, se forem santas as primícias da massa, igualmente o será a sua totalidade; e se for santa a raiz, também os ramos o serão* (11.16). Com isto o apóstolo quer dizer que, assim como o primeiro fruto, a saber, Abraão, é santo a Deus, também são santos seus descendentes. Todos os descendentes de Abraão, apesar de sua falta de fé e santidade pessoal, encontram-se ainda de uma forma especial consagrados a Deus. O Senhor ainda os considera como seus.[40] Obviamente a palavra "santo" neste contexto não significa "moralmente puro", mas é usada para descrever a separação especial dos judeus do mundo para servir a Deus.[41]

A segunda metáfora refere-se à oliveira. A raiz é Abraão, Isaque e Jacó. Os ramos naturais são todos os descendentes de Abraão e Jacó. Os ramos naturais que têm permanecido na árvore são essa pequena parte de Israel, o remanescente que tem crido em Jesus. Os ramos naturais que foram quebrados são a maioria de Israel que rechaçou a Jesus como seu Salvador. Os ramos silvestres que foram enxertados são os gentios que receberam a Jesus. A oliveira em sua totalidade é a igreja de Deus composta por crentes tanto judeus quanto gentios.[42]

Paulo especificamente adverte os gentios contra o orgulho. Os ramos silvestres, os gentios crentes, não devem jactar-se por terem sido enxertados, nem se gloriar contra os ramos que foram quebrados, uma vez

---

[40] MacLeod, Angus *El fin del mundo*, p. 96.
[41] Wilson, Geoffrey B. *Romanos*, p. 167.
[42] MacLeod, Angus. *El fin del mundo*, p. 97.

que não são eles que sustentam a raiz, mas a raiz é que os sustenta (11.18,19). Paulo diz que os ramos (os judeus) foram arrancados pela incredulidade e os ramos silvestres (os gentios) foram enxertados mediante a fé, sem mérito algum. Por isso, não há espaço para a soberba, mas motivos para temor (11.20). Paulo exorta os gentios a baixar a bola da soberba (11.21), conclamando-os a meditar na severidade e bondade de Deus. Em relação aos judeus que como ramos naturais foram quebrados, severidade, mas em relação aos gentios, ramos silvestres, que foram enxertados na oliveira, a bondade de Deus (11.22).

Nessa mesma linha de pensamento, F. F. Bruce diz que os cristãos gentios não se devem render à tentação de desdenhar dos judeus. Não fosse a graça de Deus que os enxertou na videira e os fez *concidadãos dos santos* (Ef 2.19), eles teriam permanecido para sempre sem vida e sem frutos.[43] Paulo adverte sobre a tendência dos gentios em crer que eles vieram a tornar-se a pedra capital do tabuleiro, que tomaram o lugar de Israel no coração de Deus. De modo algum. Deus não deixou de amar a Israel quando vocacionou os gentios. O amor de Deus refluirá sobre Israel, pois não é parcial nem exclusivo, mas generoso e inclusivo.[44]

Em quarto lugar, *a restauração de Israel, um milagre da graça*. Paulo escreve:

> *Eles também, se não permanecerem na incredulidade, serão enxertados; pois Deus é poderoso para os enxertar de novo. Pois, se foste cortado da que, por natureza, era oliveira brava e, contra a natureza, enxertado em boa oliveira, quanto mais não serão enxertados na sua própria oliveira aqueles que são ramos naturais!* (11.23,24).

Se o povo de Israel deixar sua incredulidade, voltará a ser enxertado na oliveira. Sua queda não é completa nem final. Aqueles que se arrependem e creem em Cristo são reenxertados na oliveira, ou seja, passam a fazer parte da igreja de Deus. Paulo ilustra esse fato mostrando que, se Deus já havia feito um milagre maior, antinatural, enxertando

---

[43] BRUCE, F. F. *Romanos: introdução e comentário*, p. 177.
[44] LEENHARDT, Franz J. *Epístola aos Romanos*, p. 288.

ramos silvestres de uma oliveira brava numa oliveira verdadeira, quanto mais fará o enxerto de volta dos ramos naturais (11.24). Ou seja, a restauração de Israel é um processo mais fácil que o chamado dos gentios.[45]

Angus MacLeod esclarece que a maioria dos endurecidos, a parte de Israel que tem sido quebrada, não está total nem finalmente perdida em sua incredulidade. Eles não cruzaram a linha da qual é impossível retroceder. Ainda pode chegar para eles o dia da salvação, o tempo oportuno de fazerem parte da igreja de Cristo.[46] Se no versículo 23 Paulo diz que é possível para a parte quebrada de Israel ser restaurada à igreja, agora, no versículo 24, ele declara que é muito provável que isso aconteça!

Foi obra extrema da graça divina que os gentios pagãos tivessem vindo a Cristo de todas as partes do mundo. Quanto mais fácil, pois, será para a graça de Deus fazer que a maioria de Israel se volte à fé genuína de seus pais e aceite o Salvador prometido pelos profetas, entregando-se a Jesus pela fé como seu Senhor e Redentor, como o Messias nascido da descendência de Davi.[47] Nossa oração deveria ser: Senhor, desperta a fé e o arrependimento em teu povo endurecido e apartado!

Estou de pleno acordo com William Hendriksen quando ele afirma que o apóstolo reconhece uma única oliveira (cultivada). Para judeus e gentios, a salvação é a mesma, obtida sobre a base da expiação de Cristo, pela graça, por meio da fé. A noção segundo a qual Deus reconhece dois objetos sobre os quais concede Seu amor eterno e salvífico, ou seja, os judeus e a igreja, é contrária às Escrituras. Aqui em Romanos, Paulo se expressa sobre esse tema repetidas vezes (3.29,30; 4.11,16; 5.18,19; 9.22; 10.12,13). Uma só oliveira representa todos os salvos, sem importar sua origem. E, como resultado da operação da graça salvífica de Deus, todos os renascidos são destinados ao mesmo lar eterno: uma só oliveira![48]

---

[45] STOTT, John. *Romanos*, p. 366.
[46] MACLEOD, Angus. *El Fin de Mundo*, p. 98.
[47] MACLEOD, Angus. *El fin del mundo*, p. 99.
[48] HENDRIKSEN, William. *Romanos*, p. 496.

Deus salvará o Seu povo (11.25-32)

Paulo chega aqui ao ponto central de sua discussão:

> *Porque não quero, irmãos, que ignoreis este mistério (para que não sejais presumidos em vós mesmos): que veio endurecimento em parte a Israel, até que haja entrado a plenitude dos gentios. E, assim, todo o Israel será salvo, como está escrito: Virá de Sião o Libertador e Ele apartará de Jacó as impiedades. Esta é a minha aliança com eles, quando eu tirar os seus pecados. Quanto ao evangelho, são eles inimigos por vossa causa; quanto, porém, à eleição, amados por causa dos patriarcas; porque os dons e a vocação de Deus são irrevogáveis. Porque assim como vós também, outrora, fostes desobedientes a Deus, mas, agora, alcançastes misericórdia, à vista da desobediência deles, assim também estes, agora, foram desobedientes, para que, igualmente, eles alcancem misericórdia, à vista da que vos foi concedida. Porque Deus a todos encerrou na desobediência, a fim de usar de misericórdia para com todos* (11.25-32).

Precisamos elucidar alguns termos, a fim de tirar conclusões claras: Em primeiro lugar, **de que mistério Paulo está falando?** (11.25). Para Geoffrey Wilson, não se trata de um mistério no sentido pagão de uma doutrina esotérica conhecida apenas pelos iniciados, mas no sentido cristão de uma doutrina que requer a revelação divina para que seja conhecida.[49] Hoekema assevera que "mistério" é algo que estava previamente escondido, mas que agora é revelado. Paulo percebeu certo método no modo de Deus trabalhar com os judeus e gentios: a queda de Israel havia conduzido os gentios à salvação, e a salvação dos gentios havia levado os judeus ao ciúme. Esta interdependência da salvação de gentios e judeus é o "mistério" a que Paulo se refere – um mistério que estava sendo agora revelado.[50] Na mesma linha de pensamento, Juan Schaal diz que esse mistério é uma verdade oculta que foi revelada a Paulo, mostrando que a fé para a salvação em Cristo Jesus foi dada a judeus e gentios, a fim de que ambos formassem um só corpo em Cristo, a saber, a igreja.[51] Angus MacLeod amplia o entendimento do tema, esclarecendo que o mistério

---
[49] WILSON, Geoffrey B. *Romanos*, p. 170.
[50] HOEKEMA, Antonio A. *La Biblia y el futuro*, p. 166.
[51] SCHAAL, Juan. *El camino real de Romanos*, p. 117, 118.

a que Paulo se refere é que todo o Israel será salvo apenas no momento em que acontecer a *plenitude dos gentios*.[52]

Encontramos outros mistérios nas Escrituras, como a encarnação de Cristo (1Tm 3.16), a igreja como corpo de Cristo (Ef 3.4,5), a morada de Cristo no crente (Cl 1.27) e a igreja como noiva de Cristo (Ef 5.32).

Em segundo lugar, *o que significa esse endurecimento em parte a Israel?* (11.25). Paulo já havia mencionado esse endurecimento parcial de Israel (11.7). Vimos que é Deus quem "endurece" (9.18), mas esse endurecimento é apenas um juízo divino ao endurecimento humano. Aos insensíveis, Deus endurece, entregando-os ao seu próprio estado. Era como o véu que permanecia sobre sua mente e seu coração (2Co 3.14-17). Agora, Paulo diz que esse endurecimento não é total, mas parcial. Não é final, mas temporário.

Não concordamos com a ideia dispensacionalista segundo a qual Deus rejeitou temporariamente os judeus e instituiu nesse tempo a igreja, como se ela fosse uma espécie de parêntese na história. Para os dispensacionalistas, depois que a igreja for arrebatada, Israel se converterá, e o Senhor estabelecerá um reino terrenal cujo centro e coração será Israel como povo nacional. Como tal, esse povo viverá na Palestina, onde haverá um templo e um trono em que Jesus Cristo, como o Messias, se assentará e reinará em paz e amor.[53]

Em terceiro lugar, *o que significa a plenitude dos gentios?* (11.25). Hoekema entende que a palavra "plenitude" neste texto deve ser entendida em termos escatológicos: o número total dos gentios a quem Deus pretende salvar. Quando o número total dos gentios for juntado, será o fim da era. Essa reunião da plenitude dos gentios não acontece apenas no fim dos tempos, mas aparece em todos os períodos da história da igreja.[54]

William Hendriksen, por sua vez, compreende a palavra grega *pleroma*, "plenitude", como um número completo. Assim Paulo estaria dizendo que o endurecimento em parte a Israel durará até que o

---

[52] MacLeod, Angus. *El fin del mundo*, p. 115.
[53] Schaal, Juan. *El camino real de Romanos*, p. 118.
[54] Hoekema, Antonio A. *La Biblia y el futuro* p. 166, 167.

número completo dos gentios eleitos seja congregado no rebanho de Deus, o que se dará no dia glorioso do regresso de Cristo.[55]

John Murray concorda com Hendriksen nesse particular e afirma que "a plenitude dos gentios" é o número total de eleitos dentre os gentios.[56] Calvino, entretanto, defende que "todo o Israel" se refere ao número total dos eleitos ao longo da história, todos aqueles que por fim serão salvos, tanto judeus como gentios.[57] O reformador, mesmo sendo um exegeta tão consistente, não pode ter razão aqui, uma vez que no contexto precedente as palavras *Israel* e *israelitas* ocorrem não menos de onze vezes (9.4; 9.6; 9.27; 9.31; 10.19; 10.21; 11.1; 11.2; 11.7; 11.25) e, em cada caso, a referência é claramente aos judeus, nunca aos gentios.[58]

Angus MacLeod tem uma posição distinta desses corifeus da exegese bíblica: se a "plenitude dos gentios" significa que isto ocorrerá apenas quando o último dos gentios eleito aceitar a Cristo, e só então "todo o Israel" será salvo, temos de admitir que a salvação de "todo o Israel" apenas se daria após a segunda vinda de Cristo, uma vez que Cristo regressará ao se completar o número dos salvos. Quando será salvo o último dos gentios? A resposta é: justamente antes do juízo. Então seria impossível Paulo querer dizer que os judeus serão salvos após a segunda vinda de Cristo. Teríamos de abandonar nossa convicção reformada e converter-nos em dispensacionalistas para aceitar tal posição.[59]

O termo grego *he pleroma*, "a plenitude", não indica nem na Septuaginta nem no Novo Testamento um número final ou total do genitivo que o sucede. Portanto, interpretar "a plenitude dos gentios" como a conversão do último dos gentios é uma interpretação equivocada dos termos. A plenitude dos gentios indica o momento em que os gentios foram plenificados de algo. O endurecimento de Israel em parte continuará até que os gentios alcancem a mais alta medida das bênçãos espirituais que há em Cristo. Em outras palavras, "a plenitude dos gentios" quer dizer o tempo em que as nações gentílicas possuirão

---

[55] HENDRIKSEN, William. *Romanos*, p. 499.
[56] MURRAY, John. *Romanos*, p. 456, 457.
[57] CALVINO, João. *Epístola a los Romanos*, p. 306.
[58] HENDRIKSEN, William. *Romanos*, p. 502.
[59] MACLEOD, Angus. *El fin del mundo*, p. 106.

a glória e o poder do evangelho em uma medida que não haviam previamente alcançado na história do mundo e que não seria excedida no futuro. Será durante esse período, em que os gentios desfrutarão a plenitude das bênçãos espirituais, que os judeus como povo se voltarão a Jesus em arrependimento e fé.[60] Interpretar essas palavras de qualquer forma de menor transcendência seria violar os princípios da exegese.[61]

Em quarto lugar, *o que Paulo quer dizer quando afirma que todo o Israel será salvo?* (11.26,27). De que Israel Paulo está falando? Como já dissemos, Calvino entendia que Paulo se refere ao Israel espiritual, ou seja, à igreja composta de judeus e gentios (Gl 6.16). Como também já deixamos claro, o problema é que, em Romanos, "Israel" significa o Israel étnico ou nacional, em contraposição às nações gentílicas. Portanto, dificilmente poderíamos assumir um significado diferente no versículo 26.[62] Geoffrey Wilson é categórico: "O contexto torna certo que 'Israel' se refere à nação de Israel, mas a palavra 'todo' não autoriza a conclusão de que cada judeu individual será salvo. Ela simplesmente significa a nação como um grupo eleito".[63] Essa mesma posição é defendida por Cranfield: "A explanação mais provável de 'todo Israel' é que significa a nação Israel como um todo, embora não necessariamente incluindo cada membro individual".[64] O judeu messiânico David Stern reforça esse argumento: "Uma análise da literatura judaica e grega mostra que os judeus usavam o termo *Israel* em vez de *judeus*, para se referirem a si mesmos como uma nação, e especialmente quando se referiam a si mesmos como povo de Deus".[65]

John Murray é mais enfático: "A tese principal do versículo 26 é que o endurecimento de Israel terminará quando Israel for restaurado. Esta é apenas outra maneira de afirmar aquilo que foi chamado de 'plenitude' de Israel, no versículo 12, de 'restabelecimento', no versículo 15, e de 'enxertar de novo', nos versículos 23-24. Seria praticar uma violência

---

[60] MacLeod, Angus. *El fin del mundo*, p. 107, 108.
[61] MacLeod, Angus. *El fin del mundo*, p. 115.
[62] Stott, John. *Romanos*, p. 368.
[63] Wilson, Geoffrey B. *Romanos*, p. 171.
[64] Cranfield, C. E. B. *Comentários de Romanos*, p. 258.
[65] Stern, David H. *Comentário judaico do Novo Testamento*, p. 456.

exegética reputar a declaração 'todo o Israel será salvo' como uma referência a qualquer coisa além desse informe preciso".[66] Paulo se referia ao Israel étnico; e, neste caso, é impossível que Israel, em seu escopo, inclua os gentios, pois, se os incluísse, o versículo 25 seria reduzido a um absurdo. E, posto que o versículo 26 é uma afirmação paralela ou correlata, o sentido de "Israel" deve ser o mesmo que se encontra no versículo 25.[67]

A compreensão de William Hendriksen é diferente. Ele entende "todo Israel" como a soma de todos os remanescentes de Israel.[68] Na mesma linha, o teólogo holandês H. Bavink, citado por Hendriksen, propõe: "Todo o Israel, em Romanos 11.26, não é o povo de Israel, destinado a converter-se coletivamente, tampouco é a igreja que consiste em judeus e gentios unidos, mas é o número completo que durante o curso dos séculos é reunido de Israel".[69] Em apoio aos dois eruditos anteriores, L. Berkhof declara que "todo o Israel" deve ser entendido como designação não da totalidade da nação, mas da totalidade numérica dos eleitos do antigo povo do pacto.[70]

Não devemos esquecer, entretanto, que o principal interesse do apóstolo no versículo 25 é a remoção do endurecimento de Israel e sua conversão, como um todo. Este é o tema dos versículos 11-32.[71] Corroborando esse pensamento, F. F. Bruce diz que é impossível sustentar uma exegese que tome "Israel" aqui [11.26] em sentido diferente de "Israel" no versículo 25. "Todo o Israel" é expressão que aparece repetidamente na literatura judaica, não significando necessariamente "todo judeu sem uma única exceção", mas "Israel como um todo".[72] Concordo com David Stern no sentido de que o termo "todo" é usado aqui de forma figurativa, e não literal, uma vez que no pensamento hebraico o termo *kol*, "todo", em referência a um coletivo, não significa cada indivíduo do

---

[66] MURRAY, John. *Romanos*, p. 461.
[67] MURRAY, John. *Romanos*, p. 460.
[68] HENDRIKSEN, William. *Romanos*, p. 502.
[69] HENDRIKSEN, William. *Romanos*, p. 503.
[70] BERKHOF, L. *Teologia sistemática*, p. 699, 670.
[71] MURRAY, John. *Romanos*, p. 459.
[72] BRUCE, F. F. *Romanos: introdução e comentário*, p. 179.

qual ele é composto, mas, em vez disso, a maioria, ou a parte essencial, ou até um componente significante ou muito visível possivelmente muito menor do que a maioria (Mt 3.2; 3.5).[73] Nessa mesma linha, Charles Erdman escreve: "É evidente que Paulo está aqui a falar de Israel como nação; não está a referir-se a cada israelita como indivíduo; assim como em falando da 'plenitude dos gentios' não quer ele significar que se trata de todo indivíduo do mundo gentílico. Paulo aqui fala de nações e está a apontar para uma época ou tempo quando os reinos gentios e o povo de Israel estarão irmanados nas bênçãos de um mundo redimido".[74]

John Murray também lança luz sobre o assunto:

> Se conservarmos em mente o tema deste capítulo e a contínua ênfase sobre a restauração de Israel, não nos restará qualquer alternativa, senão concluir que a proposição "todo o Israel será salvo" deve ser interpretada em termos da plenitude, do acolhimento, do recebimento, do enxertar Israel como um povo, de sua restauração às bênçãos e ao favor do evangelho e do seu retorno à fé e ao arrependimento. Visto que os versículos anteriores estão relacionados ao versículo 26, a salvação de Israel tem de ser concebida em uma escala proporcional à sua transgressão, à sua perda, à sua rejeição, à sua remoção da oliveira natural, ao seu endurecimento e, evidentemente, proporcional na direção oposta. Esta é a implicação clara do contraste subentendido na plenitude, no recebimento, no enxertar e na salvação. Em resumo, o apóstolo estava afirmando a salvação das massas populacionais de Israel.[75]

John Stott é meridianamente claro ao dizer que "todo o Israel" que será salvo deve significar a grande massa de povo judeu, englobando a maioria previamente endurecida e a minoria que crê, não literalmente todo e cada um dos israelitas.[76] Corroborando esse ponto, John Murray diz que "todo o Israel" pode referir-se ao povo inteiro, segundo o padrão adotado em todo este capítulo, ou seja, Israel como nação, e não

---

[73] STERN, David H. *Comentário judaico do Novo Testamento*, p. 458.
[74] ERDMAN, Charles R. *Comentários de Romanos*, p. 136, 137.
[75] MURRAY, John. *Romanos*, p. 461.
[76] STOTT, John. *Romanos*, p. 368.

necessariamente incluindo cada indivíduo israelita. Assim, o apóstolo aludia a uma época futura, quando chegará ao fim o endurecimento de Israel.[77] É bem verdade que a relação entre a salvação de Israel e a entrada da plenitude dos gentios não é indicada em termos que estabeleceriam estrita dependência cronológica. Não escreveu Paulo: *kai tote*, "e então", mas *kai houtos*, "e assim". Isso equivale a dizer que os dois eventos estão em relação lógica; todavia, não é necessário compreender essa relação de maneira rígida, aritmética. Trata-se, antes, de situações que chegaram a maturação e permitirão a realização dos propósitos divinos.[78]

Hoekema ajuda-nos a entender melhor esse ponto ao asseverar que a interpretação que aponta para uma conversão em larga escala da nação de Israel, imediatamente antes ou no retorno de Cristo, após o complemento do número dos gentios enfrenta pelo menos dois sérios obstáculos. Primeiro, é que o pensamento de que a salvação do povo de Israel ocorrerá somente no final dos tempos não faz justiça à palavra *todo* na expressão "e todo Israel...". Essa expressão se refere, nessa interpretação, apenas à última geração de israelitas que estiver vivendo naqueles dias, mas essa última geração é apenas um fragmento do número total dos judeus que viveram sobre a face da terra. Como pode esse pequeno fragmento chamar-se "todo Israel"? Segundo, o texto não diz "e, *então*, todo Israel será salvo". Se Paulo quisesse destacar esse pensamento, poderia ter usado uma palavra que significa "então" (como *tote* ou *epeita*). O apóstolo usou a palavra "houtos", que descreve não uma sucessão temporal, mas uma maneira, e significa "assim" ou "desse modo". Em outras palavras, Paulo não está dizendo que "Israel tem experimentado um endurecimento em parte até que a plenitude dos gentios haja entrado, e *então* (após isso ter acontecido), todo Israel será salvo", mas "Israel tem experimentado um endurecimento em parte, até que a plenitude dos gentios haja entrado, e *desse modo* todo Israel será salvo".[79]

Concluímos este quarto ponto trazendo à baila a posição de Angus MacLeod. Certamente, "todo o Israel" não pode ser entendido como

---

[77] Murray, John. *Romanos*, p. 462.
[78] Leenhardt, Franz J. *Epístola aos Romanos*, p. 296.
[79] Hoekema, Antonio A. *La Biblia y el futuro*, p. 167.

pensam os dispensacionalistas, todos os judeus sem exceção. Como podemos observar, a expressão "todo Israel" não significa a totalidade sem exceção (1Rs 12.18,20; 2Cr 12.1). Analisando o contexto, perceberemos claramente que, nestes textos, muitos judeus e até tribos inteiras não estavam incluídos entre os presentes na cena. Em Mateus 3.5 encontramos expressão semelhante em que, falando de João Batista, o texto diz: "saíam a ter com ele Jerusalém, toda a Judeia e toda a circunvizinhança do Jordão..." Isso não quer dizer que todas as pessoas sem exceção ouviriam João. Significa simplesmente que gentes de todas as partes e de todos os níveis sociais iriam ao profeta.[80] Assim, pois, "*todo Israel*" não significa que, em um ponto da história, todos e cada um dos judeus necessariamente chegarão à fé. A expressão *todo Israel* significa que muitos judeus de todos os níveis sociais e classes se voltarão para Cristo. Vale observar que o povo que será restaurado é exatamente aquele que foi endurecido (11.7,26), e não o remanescente, como querem alguns. Eis algumas razões:

- Não é o remanescente escolhido que tropeçou (11.11).
- Não é o remanescente escolhido que caiu e transgrediu (11.12).
- Não é o remanescente escolhido que foi cortado da oliveira (11.12-22).
- Não é o remanescente que é inimigo de Cristo (11.28).
- Não é o remanescente escolhido que, por meio de sua incredulidade, causou a misericórdia aos gentios (11.30,31).
- Não é o remanescente escolhido que não creu e foi encerrado por Deus na incredulidade (11.32,33).

Em cada um desses versículos Paulo trata de Israel como um povo que rejeitou o evangelho. Devemos, portanto, interpretar "*todo* Israel" como muitos do povo de Israel incrédulo, mas não como a reunião de todos os remanescentes.[81] O mesmo povo que gritou "Caia o sangue sobre nós e nossos filhos", esse mesmo povo, antes da volta de Cristo,

---

[80] MacLeod, Angus. *El fin del mundo*, p. 103, 104.
[81] MacLeod, Angus. *El fin del mundo*, p. 110, 111.

encontrará o dia da salvação, e "todo Israel" será salvo. Então, gentios e judeus clamarão em grande voz: "Ora, vem, Senhor Jesus. Maranata!"[82]

Concluindo, precisamos deixar claro o significado da expressão: "... será salvo". Paulo já havia esclarecido detalhadamente o que entendia por "salvação" e "ser salvo" (1.16; 10.8-13). A salvação acontece por fé com base na pregação apostólica. As duas referências citadas ressaltam que nisso não há diferença nem para os judeus nem para os gentios.[83]

Em quinto lugar, *o que Paulo quer dizer ao afirmar que os judeus são inimigos do evangelho, mas amados pela eleição?* (11.28). Aqui há uma grande antítese: "eles são inimigos" e "eles são amados". Os judeus são ao mesmo tempo objetos do amor e também objetos da ira de Deus.[84] Assim, diz Geoffrey Wilson, a exclusão de Israel não é definitiva, e a sua eventual restauração é garantida.[85]

Em sexto lugar, *o que Paulo quer dizer com dons e vocação de Deus irrevogáveis?* (11.29-31). Cranfield declara que o fundamento da certeza de Paulo está no fato de os judeus ainda serem amados por Deus, se bem que sob a ira divina por causa de sua incredulidade e oposição ao evangelho.[86] A salvação desses judeus outrora endurecidos só pode acontecer por causa da fidelidade, firmeza e fidedignidade de Deus à Sua aliança e à Sua eleição. William Hendriksen diz que esta é certamente a vocação interior ou eficaz que pertence somente aos eleitos.[87]

Em sétimo lugar, *o que significa o fato de Deus encerrar a todos na desobediência para usar de misericórdia para com todos?* (11.32). A desobediência é comparada a um calabouço no qual Deus teria encerrado todos os seres humanos, a fim de que "eles não tenham possibilidade alguma de escape, a não ser que a misericórdia de Deus os liberte". Paulo não ensina o universalismo neste versículo, porque isto entraria em contradição com tudo o que já ensinou na carta. Stott está certo quando diz que Paulo não se refere a "todos os homens" ou

---

[82]MacLeod, Angus. *El fin del mundo*, p. 118.
[83]Pohl, Adolf. *Carta aos Romanos*, p. 190.
[84]Stott, John. *Romanos*, p. 371.
[85]Wilson, Geoffrey B. *Romanos*, p. 172.
[86]Cranfield, C. E. B. *Comentário de Romanos*, p. 260.
[87]Hendriksen, William. *Romanos*, p. 507.

simplesmente "todos", mas usa a expressão *tous pantas*, que significa "os todos". E esta expressão, neste contexto, refere-se aos dois grupos específicos que são contrastados no decorrer do capítulo e especialmente nos versículos 28 e 31, isto é, "eles" e "vocês", os judeus e gentios.[88]

Uma das grandes teses de Paulo em Romanos é provar que não há distinção entre judeus e gentios, no que concerne quer ao pecado (3.9,22), quer à salvação (10.12). Agora, ele diz que, assim como eles participaram da mesma prisão, em virtude da sua desobediência, também estarão juntos ao desfrutar a liberdade da misericórdia de Deus. Essa misericórdia é sobre todos sem distinção, mas não para com todos sem exceção. Além disso, Paulo já predisse a "plenitude" futura, tanto para Israel (11.12) como para os gentios (11.25). Somente quando estas duas "plenitudes" se fundirem em uma só é que se realizará a nova humanidade, constituída de um número incontável de redimidos, a grande multidão multinacional que ninguém jamais poderá contar (Ap 7.9).[89]

Deus é exaltado por seu **plano vitorioso** (11.33-36)

A doxologia dos versículos 33-36 não arremata apenas os capítulos 9–11; conclui toda a argumentação dos capítulos 1–11.[90] Paulo escreve:

> Ó *profundidade da riqueza, tanto da sabedoria como do conhecimento de Deus! Quão insondáveis são os seus juízos, e quão inescrutáveis, os seus caminhos! Quem, pois, conheceu a mente do Senhor? Ou quem foi o seu conselheiro? Ou quem primeiro deu a Ele para que lhe venha a ser restituído? Porque dEle, e por meio dEle, e para Ele são todas as coisas. A ele, pois, a glória eternamente. Amém!* (11.33-36).

Destacamos aqui algumas verdades sublimes:

Em primeiro lugar, ***a teologia precisa transformar-se em doxologia*** (11.33-35). Paulo passa da teologia para a doxologia, da doutrina para o louvor, do argumento para a adoração. Concordo com John Stott

---
[88]STOTT, John. *Romanos*, p. 373, 374.
[89]STOTT, John. *Romanos*, p. 374.
[90]BRUCE, F. F. *Romanos: introdução e comentário*, p. 181.

quando ele diz que não devemos separar a teologia (nossa crença em Deus) da doxologia (nosso culto a Deus). Devemos acautelar-nos tanto de uma teologia sem devoção como de uma devoção sem teologia.[91]

Em segundo lugar, *as coisas profundas de Deus devem levar-nos à adoração, e não à frívola especulação* (11.33-35). Como um viajante que atinge o pico de íngreme escalada, o apóstolo volta-se e contempla. As profundezas estão a seus pés, iluminadas por ondas de luz, e em toda a extensão seus olhos divisam um horizonte imenso. Antes de descrever as implicações práticas do evangelho, Paulo prostra-se diante de Deus em adoração (11.33-36).[92] William Barclay diz que aqui a teologia se torna em poesia e a busca da mente se transforma em adoração do coração.[93]

Em terceiro lugar, *o estudo da teologia deve levar-Se à compreensão de que Deus não pode ser domesticado nem plenamente compreendido por nossa mente finita* (11.33-35). Paulo destaca aqui três preciosas verdades:

1. *A profundidade da riqueza de Deus* (11.33). Paulo já havia falado sobre as riquezas de Deus (2.4; 9.23; 10.12). A ideia predominante é que a salvação é uma dádiva de Deus que enriquece imensamente aqueles a quem é concedida.[94]
2. *A inescrutável sabedoria de Deus* (11.33). O conhecimento de Deus se refere ao todo-inclusivo e exaustivo entendimento de Deus; e a sabedoria fala sobre o arranjo e a adaptação de todas as coisas para o cumprimento de seus santos propósitos.[95] Foi a sabedoria de Deus que planejou a salvação e foi sua riqueza que a concedeu. Os juízos de Deus não são apenas profundos, mas também insondáveis. Seres finitos como nós não podem penetrar nas profundezas desses caminhos inescrutáveis. John Murray diz que é um erro pensar que a nossa incompreensibilidade de Deus se aplica somente a seu conselho secreto e ainda não revelado. O que Deus não revelou não cabe no âmbito de nosso conhecimento; é inapreensível. Porém, o

---

[91] STOTT, John. *Romanos*, p. 378.
[92] STOTT, John. *Romanos*, p. 375.
[93] BARCLAY, William. *Romanos*, p. 169.
[94] STOTT, John. *Romanos*, p. 376.
[95] MURRAY, John. *Romanos*, p. 469.

aspecto mais significativo dessa incompreensibilidade é aquele que se aplica ao que Deus revelou. O conselho revelado foi o que compeliu o apóstolo à doxologia.[96]
3. *A absoluta independência de Deus* (11.34,35). A mente de Deus não pode ser exaurida pela mente finita dos homens. Não podemos tornar Deus mais sábio com nossos conselhos. Deus não depende de Suas criaturas; nós é que dependemos dEle para nos ensinar e salvar.

Em quarto lugar, *o estudo da doutrina deve levar-nos à completa rendição a Deus* (11.36). Quatro verdades essenciais são aqui destacadas:

- *Deus é a origem de todas as coisas* (11.36). Deus é a origem do mundo natural e do mundo espiritual. É a origem da criação material e da igreja multirracial. Todas as coisas são de Deus, pois Ele é o autor de tudo; Sua vontade é a origem de toda existência.
- *Deus é o sustentador de todas as coisas* (11.36). Se perguntarmos de onde surgiram todas as coisas, nossa resposta será: "De Deus". Se indagarmos como todas as coisas vieram a existir e como continuam existindo, a resposta será: "Por intermédio de Deus". Todas as coisas são por Deus, pois todas as coisas são criadas por Ele como grande agente.
- *Deus é o herdeiro de todas as coisas* (11.36). Se perguntarmos para onde irão todas as coisas, e qual é o propósito último para o qual todas as coisas existem, a única resposta possível será: "Para Deus". Estas três preposições: *ek*, "de", *dia*, "através de", e *eis*, "para", indicam que Deus é o criador, sustentador e herdeiro de tudo, sua fonte, seu meio e seu fim.[97] Todas as coisas são para Deus, pois todas as coisas tendem à Sua glória como seu objetivo final.
- *Deus é o alvo de todas as coisas* (11.36). Paulo conclui com sua declaração final: "A Ele seja a glória para sempre! Amém". É porque todas as coisas são de Deus, vieram por intermédio de Deus e vão para Deus que a glória só pertence a Ele.[98] John Murray esclarece que

---

[96] MURRAY, John. *Romanos*, p. 467, 468.
[97] STOTT, John. *Romanos*, p. 377.
[98] STOTT, John. *Romanos*, p. 378.

Deus é a fonte de todas as coisas, no sentido de que elas procedem de Deus. Ele é o criador e o agente por intermédio de quem todas as coisas subsistem e são direcionadas à sua devida finalidade. E Ele é a finalidade essencial, em cuja glória todas as coisas haverão de redundar. Deus é o Alfa e o Ômega, o princípio e o fim, o primeiro e o último. A Ele não somente devemos tributar toda a glória, mas para Ele redundará toda a glória.[99]

---
[99] MURRAY, John. *Romanos*, p. 471.

19

Vidas transformadas, relacionamentos transformados

Romanos 12.1-21

NOS CAPÍTULOS 1–11, Paulo abordou o sacrifício que Cristo fez por nós na cruz como prova da misericórdia de Deus; agora, ele versa sobre o sacrifício que devemos oferecer a Deus como prova da nossa gratidão a Ele.

Até o capítulo 11 Paulo tratou da doutrina; agora, tratará da ética. Ele passa da teologia para a vida, do ensino para o dever. F. F. Bruce afirma que a Bíblia nunca ensina uma doutrina para torná-la simplesmente conhecida. Ela é ensinada para que seja transferida para a prática. Paulo repetidamente apresenta uma exposição doutrinária, e em seguida uma exortação ética, interligando ambas, como aqui, pela conjunção "pois" (12.1).[1] Nunca é demais ressaltar que Paulo sempre baseia o dever na doutrina; deduz a vida da crença; mostra que o caráter é determinado pelo credo.[2]

No capítulo 12, Paulo foca sua atenção nos relacionamentos: com Deus, com nós mesmos, com o próximo e com os inimigos. Uma vida transformada tem relacionamentos transformados. Não podemos amar a Deus e odiar nossos irmãos. Não podemos ter um relacionamento vertical correto se os relacionamentos horizontais estão errados.

---

[1] BRUCE, F. F. *Romanos: introdução e comentário*, p. 182.
[2] ERDMAN, Charles R. *Comentários de Romanos*, p. 140.

Relacionamento com Deus (12.1,2)

Paulo observa que Cristo entregou Seu corpo na cruz como sacrifício vicário e morreu por nós, varrendo todas as vítimas mortas do altar de Deus; agora, devemos entregar nosso corpo como sacrifício vivo a Deus como nosso culto racional. Paulo roga pelas misericórdias de Deus, ou seja, com base no que Deus fez por nós. Stott diz que não há motivação maior para uma vida de santidade que contemplar as misericórdias de Deus.[3] No Novo Testamento, se a teologia é graça, a ética é gratidão.[4]

Duas verdades nos chamam a atenção aqui:

Em primeiro lugar, **corpos consagrados**. *Rogo-vos, pois, irmãos, pelas misericórdias de Deus, que apresenteis o vosso corpo por sacrifício vivo, santo e agradável a Deus, que é o vosso culto racional* (12.1). O apóstolo usa o verbo *parakaleo*, "rogar", que mescla súplica e autoridade.[5] A razão pela qual Paulo roga aos crentes judeus e gentios com esse tom de autoridade é porque Deus já lhes havia demonstrado Sua copiosa misericórdia. O termo "apresentar", neste versículo, significa "apresentar de uma vez por todas".[6] Paulo ordena uma entrega definitiva do corpo ao Senhor, como os noivos se entregam um ao outro na cerimônia de casamento. Esse sacrifício é descrito como "vivo" em contraste com os sacrifícios antigos cuja vida era tirada antes de ser apresentada sobre o altar; como "santo", isto é, consagrado, separado e reservado para o serviço de Deus, e "agradável a Deus" como o ascender em Sua presença da oferta aromática de outrora.[7]

A sociedade contemporânea idolatra o corpo. As academias de ginástica estão lotadas. Gastamos rios de dinheiro com cosméticos. Cultuamos a beleza e também a força. A Palavra de Deus, entretanto, nos ensina não a cultuar o corpo, mas a cultuar a Deus por intermédio do corpo.[8]

Antes da nossa conversão oferecíamos os membros do nosso corpo ao pecado (6.12-14). Agora, oferecemos nosso corpo como sacrifício

---

[3] STOTT, John. *Romanos*, p. 388.
[4] WILSON, Geoffrey B. *Romanos*, p. 175.
[5] STOTT, John. *Romanos*, p. 387.
[6] WIERSBE, Warren W. *Comentário bíblico expositivo*, p. 723.
[7] ERDMAN, Charles R. *Comentários de Romanos*, p. 141.
[8] HASTINGS, James. *The great texts of the Bible*, p. 212.

vivo a Deus. Não oferecemos mais um cordeiro morto no altar, mas nosso corpo vivo. Nosso corpo não é uma tumba como pensavam os gregos. É o templo do Espírito Santo, a morada de Deus. Foi comprado por alto preço e devemos glorificar a Deus no nosso corpo. O próprio Deus não vacilou em tomar um corpo humano e nele viver. Nosso corpo será ressuscitado e glorificado um dia. Consequentemente, o culto racional ou espiritual que prestamos a Deus pela consagração do nosso corpo não é prestado apenas nas cortes do templo ou no edifício da igreja, mas na vida do lar e no mercado de trabalho.[9] A isso Adolf Pohl corrobora: "O que Paulo vislumbra não é o culto delimitado, restrito a uma hora e a um recinto".[10]

Concordo com John Stott quando diz que nenhum culto é agradável a Deus quando é unicamente interior, abstrato e místico; nossa adoração deve expressar-se em atos concretos de serviço manifestados em nosso corpo.[11]

Glorificamos a Deus em nosso corpo quando contemplamos o que é santo, quando nossos ouvidos se deleitam no que é puro, quando nossas mãos praticam o que é reto, quando nossos pés caminham por veredas de justiça. Para Geoffrey Wilson, uma santificação que não se estenda ao corpo é essencialmente espúria.[12] Citando Crisóstomo, William Greathouse pergunta:

> Como pode o corpo tornar-se um sacrifício? Deixe que o olho não veja nada mau, e ele se tornará um sacrifício; permita que a língua não diga nada vergonhoso, e ela se tornará uma oferta; deixe que a mão não faça nada ilegal, e ela se tornará uma oferta em holocausto. Não, isso não será suficiente, mas precisamos ter a prática ativa do bem – a mão precisa dar esmola; a boca precisa abençoar em lugar de amaldiçoar; o ouvido precisa dar atenção sem cessar aos ensinamentos divinos. Pois um sacrifício não tem nada impuro; um sacrifício é a primícia de outras coisas. Portanto, que nós possamos produzir frutos para Deus com as

---

[9] STOTT, John. *Romanos*, p. 389.
[10] POHL, Adolf. *Carta aos Romanos*, p. 199.
[11] STOTT, John. *Romanos*, p. 389.
[12] WILSON, Geoffrey B. *Romanos*, p. 175.

nossas mãos, com os nossos pés, com a nossa boca e com todos os nossos outros membros.[13]

Paulo diz que a oferta do nosso corpo a Deus como sacrifício vivo, santo e agradável é nosso culto racional. A palavra grega *logikos*, "racional", carrega a ideia de razoável, lógico e sensato. Trata-se, portanto, de um culto oferecido de mente e coração, culto espiritual em oposição a culto cerimonial.[14] Para F. F. Bruce, talvez seja preferível "culto espiritual", em contraste com as exterioridades do culto do templo de Israel.[15] Para Adolf Pohl, o culto racional é apenas um culto que responde de modo coerente e adequado à misericórdia de Deus em Jesus Cristo.[16]

Em segundo lugar, **mentes transformadas**. *E não vos conformeis com este século, mas transformai-vos pela renovação da vossa mente, para que experimenteis qual seja a boa, agradável e perfeita vontade de Deus* (12.2). Há duas palavras que regem esse versículo: conformação e transformação. O mundo tem uma fôrma. Essa fôrma é elástica e flácida. A fôrma do mundo é a fôrma do relativismo moral, da ética situacional e do desbarrancamento da virtude. O crente é alguém que não põe o pé nessa fôrma. Não se amolda ao esquema do mundo, mas se transforma pela renovação da mente. A fôrma do mundo é um esquema que muda todo dia. Em vez de entrar nessa fôrma para sermos conformados a ela, devemos ser transformados de dentro para fora, pela renovação da nossa mente.

Em vez de viver pelos padrões de um mundo em desacordo com Deus, os crentes são exortados a deixar que a renovação de sua mente, pelo poder do Espírito Santo, transforme sua vida harmonizando-a com a vontade de Deus.[17] Nas palavras de William Barclay: "Não devemos ser como o camaleão que assume as cores daquilo que o cerca".[18]

---

[13]GREATHOUSE, William. *A epístola aos Romanos*, p. 159.
[14]STOTT, John. *Romanos*, p. 389.
[15]BRUCE, F. F. *Romanos: introdução e comentário*, p. 183.
[16]POHL, Adolf. *Carta aos Romanos*, p. 200.
[17]BRUCE, F. F. *Romanos: introdução e comentário*, p. 182.
[18]BARCLAY, William. *Romanos*, p. 171.

O cristão não deve adotar o padrão exterior e transitório deste mundo, mas ser transformado em sua natureza íntima. Paulo usa duas palavras para fôrma: *squema*, em referência a uma fôrma que muda todo dia, e *morphe*, em alusão a uma fôrma imutável. *Squema* significa "aparência exterior" e *morphe*, "essência interior".[19] O termo traduzido aqui por "transformar" é o mesmo traduzido por "transfigurar" em Mateus 17.2. Em nossa língua, equivale à palavra "metamorfose". Descreve uma mudança que ocorre de dentro para fora.[20] Em vez de adotar o padrão exterior e transitório deste mundo, devemos ser transformados em nossa natureza íntima. O crente não deve conformar-se com o mundo porque a fôrma do mundo muda todo dia. O errado ontem é certo hoje. O repudiado ontem é aplaudido hoje. O vergonhoso ontem é praticado à luz do dia hoje. Nós, porém, seguimos um modelo absoluto, que jamais fica obsoleto. Esse modelo é Jesus!

Warren Wiersbe diz: "Se o mundo controla nossa maneira de pensar, somos *conformados*, mas, se Deus controla nossa maneira de pensar, somos *transformados*".[21] A transformação interior é a única defesa efetiva contra a conformidade exterior com o espírito do tempo presente.[22] Temos, assim, uma metamorfose gerada pelo Espírito Santo. Quando nosso corpo é consagrado e nossa mente é transformada, nosso culto torna-se racional e experimentamos a boa, perfeita e agradável vontade de Deus.

Relacionamento com nós mesmos (12.3-8)

O cristão é uma pessoa que tem uma visão correta de si mesmo. Destacamos dois pontos:

Em primeiro lugar, *o cristão tem uma avaliação honesta de si mesmo*. *Porque, pela graça que me foi dada, digo a cada um dentre vós que não pense de si mesmo além do que convém; antes, pense com moderação, segundo a medida da fé que Deus repartiu a cada um* (12.3). Nessa avaliação de si mesmo, há dois perigos que precisam ser evitados:

---

[19] STOTT, John. *Romanos*, p. 391.
[20] WIERSBE, Warren W. *Comentário bíblico expositivo*, p. 724.
[21] WIERSBE, Warren W. *Comentário bíblico expositivo*, p. 724.
[22] WILSON, Geoffrey B. *Romanos*, p. 176.

O complexo de superioridade (12.3). Não podemos pensar acerca de nós mesmos além daquilo que convém. Não há espaço para a soberba, arrogância e altivez no coração de quem foi salvo pela graça. Tudo o que temos é o que recebemos de Deus. Tanto a salvação que recebemos pela fé como os dons que recebemos para o serviço são dádivas do Deus triúno. Warren Wiersbe diz corretamente que os dons espirituais são instrumentos que devem ser usados para a edificação, não brinquedos para a recreação nem armas de destruição.[23] Paulo denuncia o pecado do complexo de superioridade em 1Coríntios 12.21: *Não podem os olhos dizer à mão: Não precisamos de ti; nem ainda a cabeça aos pés: Não preciso de vós.*

O complexo de inferioridade (12.3). Tanto os que se exaltam como aqueles que se rebaixam aviltam a graça de Deus. Negar a realidade da nossa salvação, negar a honrosa posição que temos como filhos de Deus é uma falsa humildade. Os puritanos diziam: "Achas pouco o fato de seres amado por Deus?" O cristão não pode ter uma autoimagem achatada. Ele é filho de Deus, herdeiro de Deus, a herança de Deus, a menina dos olhos de Deus. Paulo combateu o pecado do complexo de inferioridade quando escreveu: *Se disser o pé: Porque não sou mão, não sou do corpo; nem por isso deixa de ser do corpo. Se o ouvido disser: Porque não sou olho, não sou do corpo; nem por isso deixa de o ser* (1Co 12.15,16).

Em segundo lugar, **o cristão tem uma compreensão correta dos seus dons espirituais** (12.4-8). É necessário dar atenção ao que Paulo escreve:

> *Porque assim como num só corpo temos muitos membros, mas nem todos os membros têm a mesma função, assim também nós, conquanto muitos, somos um só corpo em Cristo e membros uns dos outros, tendo, porém, diferentes dons segundo a graça que nos foi dada: se profecia, seja segundo a proporção da fé; se ministério, dediquemo-nos ao ministério; ou o que ensina esmere-se no fazê-lo; ou o que exorta faça-o com dedicação; o que contribui, com liberalidade; o que preside, com diligência; quem exerce misericórdia, com alegria* (12.4-8).

---

[23] WIERSBE, Warren W. *Comentário bíblico expositivo*, p. 725.

Pertencemos uns aos outros, ministramos uns aos outros e precisamos uns dos outros. Quatro verdades devem ser aqui destacadas acerca dos dons que recebemos de Deus:

1. *A unidade* (12.5). Somos um só corpo. Fazemos parte de uma só família. Somos um só rebanho. Embora coletivamente sejamos vários membros, somos um só corpo. O que dá unidade a esse corpo é estarmos ligados ao mesmo cabeça e sermos irrigados pelo mesmo sangue.
2. *A diversidade* (12.4-6a). Segundo F. F. Bruce, a marca das obras de Deus é a diversidade, não a uniformidade. Assim é com a natureza; assim é também com a graça, e em nenhum lugar mais que na comunidade cristã. Nesta há muitos homens e mulheres das mais diversas origens, ambientes, temperamentos e capacidades. E não só isso, mas, desde que se tornaram cristãos, são também dotados por Deus de grande variedade de dons espirituais. Entretanto, graças a essa diversidade e por meio dela, cada um pode cooperar para o bem do todo.[24] Assim como o corpo tem vários membros, Deus concedeu à igreja vários dons. Somos diferentes uns dos outros para suprir as necessidades uns dos outros.
3. *A mutualidade* (12.5). Paulo diz que somos membros uns dos outros. Não estamos competindo uns com os outros; antes, servimos uns aos outros. Não atacamos uns aos outros; antes, protegemos uns aos outros. Preciso das mãos para levar o alimento à boca; dos olhos para vê-lo, do olfato para sentir seu aroma; dos dentes para mastigá-lo; da garganta para engoli-lo; do estômago para processá-lo. Todos os membros trabalham para a edificação do corpo e cooperam com igual cuidado a favor uns dos outros (1Co 12.25).
4. *A utilidade* (12.6b-8). Temos vários dons. Nesta lista, os dons são dados pelo Pai. Em 1Coríntios 12, os dons são dados pelo Espírito. Em Efésios 4, os dons são dados pelo Filho. Os dons mencionados em Romanos 12.6-8 são divididos em duas categorias: dons de fala (profecia, ensino e exortação) e dons de serviço (servir, contribuir,

---

[24]BRUCE, F. F. *Romanos: introdução e comentário*, p. 184.

liderança e mostrar misericórdia).[25] É bastante óbvio que o apóstolo não está falando de cargos, mas de dons. Nem todo dom implica um cargo diferente. Muitos dons não exigem nenhum cargo.[26] Consideraremos a seguir esses dons espirituais.

- *O dom de profecia.* [...] *se profecia, seja segundo a proporção da fé* (12.6b). William Barclay diz que, no Novo Testamento, a profecia raramente tem a ver com a predição do futuro; geralmente se refere à proclamação da Palavra de Deus (1Co 14.3,24,31).[27] Devemos fazer uma distinção entre o ofício de profeta no Antigo e Novo Testamentos e o dom de profecia. Hoje não há mais profetas no sentido daqueles primeiros profetas, que se tornaram o fundamento da igreja (Ef 2.20) e receberam a revelação divina para o registro das Escrituras. Hoje qualquer manifestação subsequente deste dom deve ser submetida à doutrina autorizada dos apóstolos e profetas originais, conforme consta do cânon das Escrituras. Hoje Deus não revela mais "verdade nova" diretamente. Sendo, assim, o dom de profecia é o dom de entender as Escrituras e explicá-las. É apresentar ao povo de Deus verdades recebidas não por revelação direta, mas pelo estudo cuidadoso da Palavra de Deus, completa e infalível. Quando Paulo diz: "Se profecia, seja segundo a proporção da fé", precisamos entender que "fé" aqui não é subjetiva, mas fé objetiva, ou seja, o conteúdo geral das Escrituras (Jd 3; 1Pe 4.10,11).
- *O dom de ministério. Se ministério, dediquemo-nos ao ministério...* (12.7a). Se a profecia envolve demonstrar o amor de Cristo aos homens pela pregação da Palavra; a *diakonia*, "o dom de serviço", implica demonstrar o amor de Cristo às pessoas por atos de serviço. Quem tem esse dom é especialmente prestativo. Está sempre atento e disposto a ajudar e servir (Lc 10.40).
- *O dom de ensino.* [...] *ou o que ensina esmere-se no fazê-lo* (12.7b). A mensagem de Cristo não deve ser apenas proclamada, mas

---

[25] STOTT, John. *Romanos*, p. 395.
[26] WILSON, Geoffrey B. *Romanos*, p. 178.
[27] BARCLAY, William. *Romanos*, p. 175.

também explicada. Quem tem o dom de ensino apresenta propensão natural para o estudo. Trata-se do indivíduo que investe na pesquisa, que se deleita no exame da Palavra e se alegra em compartilhar com outros esse conhecimento. Envolve a habilidade de aprofundar-se nas insondáveis riquezas do evangelho de Cristo e aclará-las em detalhes para a igreja (At 13.1; 15.35; 20.20; 1Tm 2.2).

- *O dom de exortação. Ou o que exorta faça-o com dedicação* (12.8a). Se o ensino se dirige ao entendimento, a exortação é dirigida à consciência e às emoções. Estes devem sempre estar juntos, pois enquanto a exortação recebe conteúdo do ensino, o ensino recebe sua força da exortação.[28] O dom de exortação é a habilidade de estar do lado de outra pessoa para encorajá-la, fortalecê-la e consolá-la. Quem tem o dom de exortação faz a aplicação pessoal do que é declarado pelo profeta e praticado pelo mestre. Este é o dom de tornar a doutrina viva na vida do cristão, despertando-o, encorajando-o, corrigindo-o, a fim de que ele tenha a vida de Cristo (15.14).
- *O dom de contribuição.* [...] *o que contribui, com liberalidade* (12.8b). O dom de contribuição é a habilidade especial de ofertar, repartir e compartilhar bens materiais com as pessoas em suas necessidades, na medida de suas posses e até acima delas (2Co 8.1-5). Aqueles que de graça receberam devem livremente dar, sem desejo ulterior de ganho ou desejo ostentatório de fama.[29] É importante ressaltar que não está em foco a quantidade, por isso não só os ricos podem contribuir. Quem tem esse dom jamais vê a contribuição como um peso ou uma obrigação, mas como um privilégio.
- *O dom de presidência.* [...] *o que preside, com diligência* (12.8c). Deus habilita alguns membros do corpo a exercer a liderança, dando-lhes o dom da presidência. Trata-se do dom de dirigir, liderar, controlar (1Ts 5.12; 1Pe 5.2,3). A palavra grega *proistemi* traz a ideia de ficar em pé diante de alguém. Liderar é ir adiante de alguém para guiar (Jo 10.27). O líder é aquele que inspira confiança nos outros.

---

[28]WILSON, Geoffrey B. *Romanos*, p. 178.
[29]WILSON, Geoffrey B. *Romanos*, p. 178, 179.

É aquele que está disposto a correr riscos e enfrentar perigos para defender seus liderados. O líder é aquele que sobe nos ombros dos gigantes e tem a visão do farol alto, e ao mesmo tempo tem uma atitude de humildade e usa sua liderança não para servir-se dos liderados, mas para servi-los com diligência. O líder é aquele que delega responsabilidades e ao mesmo tempo encoraja e aprecia o trabalho dos liderados. O líder é aquele que influencia pelo exemplo, é organizado, analítico, ágil e eficaz. Adolf Pohl diz que uma igreja na qual a função diretiva é negligenciada equivale a um rio sem leito. Muitas coisas se dispersam e não produzem resultado.[30]

- *O dom de misericórdia.* [...] *quem exerce misericórdia, com alegria* (12.8d). O dom de misericórdia é aquele que leva o cristão a envolver-se com os aflitos e socorrê-los em suas angústias, fazendo isso com espontaneidade e alegria. É o dom de consolo. É lançar o coração na miséria do outro. É sofrer com o outro; é ter empatia (Lc 10.33-35). Adolf Pohl diz que, assim como Jesus, sua igreja se torna um ímã para um número enorme de fracos, doentes e pobres. Por isso, há diversos membros que recebem com clareza especial o carisma de Jesus de compadecer-se.[31] O dom de misericórdia move as ações sociais mais sublimes. Certamente George Muller foi movido por esse dom ao criar na cidade de Bristol, na Inglaterra, orfanatos para cuidar de crianças pobres. Não há dúvida de que Robert Raykes foi motivado por esse dom espiritual ao criar a escola dominical em Gloucester, na Inglaterra, em 1780, com o propósito de ensinar a Palavra de Deus às crianças que andavam errantes pela cidade. Aqueles que têm o dom de misericórdia identificam-se espontaneamente com os que sofrem (Hb 13.3) e manifestam compaixão em ações práticas que aliviam o sofrimento (Jó 29.15,16; Pv 31.20).

Relacionamento com os irmãos (12.9-16)

O amor deve reger nossos relacionamentos. O amor é o sistema circulatório do corpo espiritual, permitindo que todos os membros funcionem

---

[30] POHL, Adolf. *Carta aos Romanos*, p. 204.
[31] POHL, Adolf. *Carta aos Romanos*, p. 204.

de maneira saudável e harmoniosa.³² John Stott diz que a receita do amor tem doze ingredientes:³³

1. *Sinceridade. O amor seja sem hipocrisia* (12.9a). A palavra grega *anypokritos*, "sem hipocrisia", é muito interessante. *Hypokrites* era o ator que participava de um drama. No entanto, a igreja não pode transformar-se num palco. Afinal, o amor não é teatro; ele faz parte da vida real.
2. *Discernimento. Detestai o mal, apegando-vos ao bem* (12.9b). O cristão deve amar e odiar com a mesma intensidade. Deve apegar-se ao bem e abominar o mal com todas as forças da sua alma. Precisa sentir aversão e repugnância pelo mal. Não pode ser uma pessoa amorfa, insípida, que fica sempre em cima do muro, sem se posicionar.
3. *Afeição. Amai-vos cordialmente uns aos outros com amor fraternal* (12.10a). Paulo usa neste versículo duas palavras gregas distintas para amor: *philadelphia* e *philostorgos*. A primeira descreve o amor fraternal, ou seja, o amor de irmãos e irmãs uns pelos outros. A segunda descreve a afeição natural que sentimos pelos nossos familiares, tipicamente o amor dos pais pelos filhos. Ambas as palavras eram aplicadas a relações de sangue dentro da família humana.³⁴ Devemos amar nossos irmãos em Cristo como amamos os membros da nossa família de sangue.
4. *Honra.* [...] *preferindo-vos em honra uns aos outros* (12.10b). O amor na família cristã deve expressar-se em honra mútua, assim como em afeição mútua.
5. *Entusiasmo. No zelo, não sejais remissos; sede fervorosos de espírito, servindo ao Senhor* (12.11). A apatia não combina com a vida cristã. O crente precisa ser um indivíduo em chamas para Deus. Precisa arder de zelo pelas coisas de Deus. É alguém que serve a Deus com fervor. Aqueles que são mornos provocam náuseas em Jesus e, à

---

³²WIERSBE, Warren W. *Comentário bíblico expositivo*, p. 725.
³³STOTT, John. *Romanos*. 399-403.
³⁴STOTT, John. *Romanos*, p. 400.

semelhança da igreja de Laodiceia, estão prestes a ser vomitados pelo Senhor.

6. *Paciência. Regozijai-vos na esperança, sede pacientes na tribulação, na oração, perseverantes* (12.12). O crente cruza os vales da vida com os olhos cravados na esperança da gloriosa volta de Cristo. Ele se alimenta de uma viva esperança, enquanto pacientemente enfrenta as tribulações com uma vida de oração perseverante. William Hendriksen diz que a esperança da salvação futura (5.2,4,5; 8.24,25; 15.4,13) estimula a alegria presente.[35]

7. *Generosidade. Compartilhai as necessidades dos santos* (12.13a). O verbo grego *koinoneo*, "compartilhar", pode significar tanto participar das necessidades e dos sofrimentos dos outros, como repartir os nossos recursos com eles.[36]

8. *Hospitalidade.* [...] *praticai a hospitalidade* (12.13b). Se com os necessitados precisamos ser generosos, com os visitantes devemos ser hospitaleiros. É preciso haver um equilíbrio entre *philadelphia* (amor pelos irmãos e irmãs) e *philoxenia* (amor pelos estranhos).[37]

9. *Boa vontade. Abençoai os que vos perseguem, abençoai e não amaldiçoeis* (12.14). O cristão deve desejar o bem até mesmo para aqueles que lhe desejam o mal.

10. *Simpatia. Alegrai-vos com os que se alegram e chorai com os que choram* (12.15). O amor nunca se mantém longe das alegrias e das dores dos outros. Assim como o gozo dividido é dobrado, também a tristeza dividida é reduzida à metade. Citando Crisóstomo, Geoffrey Wilson alerta para o fato de que é mais fácil chorar com os que choram que se alegrar com os que se alegram; porque a própria natureza estimula o primeiro, mas a inveja bloqueia o segundo.[38]

11. *Harmonia. Tende o mesmo sentimento uns para com os outros* (12.16a). Os cristãos devem viver em concordância uns com os outros. Devem ser unânimes entre si, nutrir os mais nobres sentimentos e praticar as mais excelentes atitudes entre si.

---

[35] HENDRIKSEN, William. *Romanos*, p. 546.
[36] STOTT, John. *Romanos*, p. 401.
[37] STOTT, John. *Romanos*, p. 402.
[38] WILSON, Geoffrey B. *Romanos*, p. 182.

12. *Humildade.* [...] *em lugar de serdes orgulhosos, condescendei com o que é humilde; não sejais sábios aos vossos próprios olhos* (12.16b). Entre os cristãos não há espaço para o esnobismo. O amor coloca o outro na frente do eu.

Sintetizando esses doze ingredientes, destacamos cinco verdades importantes:

Em primeiro lugar, **devemos abrir nosso coração** (12.9,10). Paulo diz que o nosso amor pelos irmãos deve ser sincero, cordial e fraterno. Como já vimos, a palavra "sincero" destaca que não somos atores nem a igreja é um palco. Onde a hipocrisia está presente, o amor está ausente. O amor deve ser sem dissimulação. A palavra *cordial* destaca o amor *storge*, ou seja, o amor familiar, especialmente aquele que os pais dedicam aos filhos. Dentro da igreja não somos estranhos, muito menos unidades isoladas; somos irmãos e irmãs, porque temos o mesmo Pai, Deus. A igreja não é apenas um agrupamento de conhecidos nem mesmo a reunião de amigos, mas uma família em Deus.

Já a palavra *fraterno* fala do amor *philéo*. O termo usado pelo apóstolo, *philadelphia*, como já destacamos, significa amar os irmãos como amamos um irmão de sangue. Dificilmente teríamos coragem de ser desonestos com um irmão de sangue ou trair sua confiança. Devemos amar uns aos outros como carne da nossa carne e sangue do nosso sangue.

Em segundo lugar, **devemos abrir nosso bolso** (12.13a). O cristão não ama apenas de palavra, mas de fato e em verdade. Ele compartilha a necessidade dos santos e reparte os seus bens. Num mundo governado pelo afã de obter, o cristão se inclina a dar, porque sabe que aquilo que guardamos, nós o perdemos, mas o que nós damos, isso é o que temos.

O cristão não tem apenas o coração aberto, mas também o bolso. A generosidade é a marca do cristão. A Bíblia diz que devemos trabalhar para suprir nossas necessidades e ainda socorrer aos necessitados (Ef 4.28). Nosso papel não é acumular apenas para nós. A verdadeira riqueza é aquela que distribuímos. A semente que multiplica não é a que comemos, mas a que semeamos. Deus supre e multiplica a nossa sementeira para continuarmos semeando na seara dos necessitados. O princípio ensinado pelo Senhor Jesus é claro: *Mais bem-aventurado é dar que receber* (At 20.35). A alma generosa prosperará. Quando você semeia com abundância, com fartura ceifará.

Qual foi a última vez que você ajudou alguém, que você deu uma oferta a alguém? Lembre-se, aqueles que foram salvos pela graça têm o coração aberto para amar e o bolso aberto para contribuir!

Em terceiro lugar, ***devemos abrir nossa casa*** (12.13b). O cristão não tem apenas seu coração e bolso abertos, mas também sua casa. Ele é hospitaleiro. Não devemos amar apenas os irmãos, mas também acolher os estranhos. A Palavra de Deus diz que muitos sem saber hospedaram anjos (Hb 13.2). Não apenas nós devemos estar a serviço de Deus, mas também nossa casa deve estar a serviço dos forasteiros. A Bíblia fala de Priscila e Áquila, que abriram sua casa para receber as pessoas. A casa deles era uma igreja. Hoje podemos fazer da nossa casa uma agência de evangelização, um centro de aconselhamento. O cristianismo é a religião do coração aberto, da mão aberta e da porta aberta.

Em quarto lugar, ***devemos abrir nossos lábios*** (12.14). O cristão é um abençoador. Ele abençoa até mesmo as pessoas que lhe perseguem. Platão dizia que é melhor suportar o mal que cometê-lo. A língua do cristão não deve ser fogo e veneno, mas árvore frutífera e fonte que jorra água límpida. Suas palavras são medicina. O cristão deve tornar a vida das pessoas mais suave com suas palavras. Ele é um encorajador. Suas palavras aliviam o fardo; são azeite na ferida. Suas palavras são verdadeiras, boas, oportunas e encontram graça.

Jesus não respondeu ultraje com ultraje. Os homens cuspiram nEle. Arrancaram Sua barba, esbordoaram Sua cabeça, surraram Seu corpo, pregaram-No numa cruz, mas Ele, que podia fuzilá-los com Seu juízo, abriu os lábios para interceder por eles. O diácono Estêvão morreu pedindo perdão para aqueles que o apedrejavam (At 7.60). Agostinho disse que foi a oração de Estêvão que quebrou a dureza do coração de Paulo, assim como foi a oração de Cristo que quebrou a dureza do coração do ladrão na cruz.

Em quinto lugar, ***devemos abrir nossa alma*** (12.15,16). O cristão não é solitário, mas solidário. Ele chora com o que sofre e alegra-se com o que se alegra. Trafega da festa de casamento para o funeral e do cemitério para um aniversário e solidariza-se com seus irmãos tanto em suas tristezas como em suas alegrias. Como já afirmamos, o amor nunca se afasta das alegrias e das dores dos outros.

O cristão não pode ser uma pessoa egoísta, arrogante e soberba (12.16). Não pode tocar trombeta acerca de suas pretensas virtudes. Não pode aplaudir a si mesmo e colocar placas de honra ao mérito ao longo de seu caminho. Não é aprovado quem a si mesmo se louva, diz a Palavra.

Relacionamento com os inimigos (12.17-21)

O crente não faz inimigos, mas tem inimigos. Jesus teve inimigos. Paulo teve inimigos. Temos inimigos e precisamos aprender a lidar com eles. Por essa razão, não há vida saudável, casamento saudável, família saudável ou igreja saudável sem relacionamentos saudáveis, e não há relacionamentos saudáveis sem o exercício do perdão. Somos imperfeitos e tropeçamos em muitas coisas. As pessoas nos decepcionam e nós decepcionamos as pessoas. As pessoas nos ferem e nós ferimos as pessoas. Falar de perdão é mais fácil que perdoar.

Paulo destaca cinco verdades importantíssimas acerca do nosso relacionamento com os inimigos:

Em primeiro lugar, *não devemos retaliar. Não torneis a ninguém mal por mal; esforçai-vos por fazer o bem perante todos os homens* (12.17). Pagar o mal com o mal, devolver a agressão na mesma moeda, dar o troco na mesma medida podem dar-lhe a sensação de ser justo, mas não expressam a graça de Deus. Somos um povo perdoado e perdoador.

Pagar o bem com o mal é demoníaco. Pagar o mal com o mal é retribuição humana. Pagar o mal com o bem é graça divina. Mesmo que recebamos mal, devemos esforçar-nos para fazer o bem perante todos os homens. A Bíblia fala que Jó, em vez de retaliar seus acusadores, orou por eles e, na medida em que fez isso, eles foram perdoados e Jó foi restaurado. Estêvão intercedeu por seus algozes quando estava sendo apedrejado. Ao ser pregado na cruz, Jesus orou por Seus exatores.

Em vez de retaliar, procure uma oportunidade para fazer o bem a quem lhe fez o mal. Peça a oportunidade de demonstrar a essa pessoa sua bondade. Peça a Deus o privilégio de não apenas fazer o bem, mas também de sentir um amor sincero pela pessoa que lhe fez o mal.

William Hendriksen diz que Paulo combate aqui dois erros estreitamente relacionados. O primeiro é a vingança, o desejo de desforrar-se por uma injustiça sofrida. A vingança é uma espécie de apropriação indébita. Ela pertence a Deus e não a nós. Administrá-la com nossas mãos é conspirar contra uma atribuição divina. A Palavra de Deus insistentemente proíbe a vingança (1Ts 5.15; 1Co 4.12,14; 1Co 6.7; 1Pe 3.9). David Stern diz que vingança significa ser vencido pelo inimigo, a quem você permite incitá-lo a pagar na mesma moeda pelos impulsos do mal de sua própria velha natureza, os quais você deveria subjugar.[39] O segundo erro é a pretensão de assumir a função do magistrado civil a fim de punir individualmente o crime. O espírito vingativo é contrário ao espírito cristão.[40]

Em segundo lugar, **não devemos criar conflitos desnecessários**. *Se possível, quanto depender de vós, tende paz com todos os homens* (12.18). Essa exortação para viver em paz com todos está em harmonia com outras passagens, como: *Segui a paz com todos e a santificação, sem a qual ninguém verá o Senhor* (Hb 12.14); *A sabedoria, porém, lá do alto é, primeiramente, pura; depois, pacífica* (Tg 3.17) e *Bem-aventurados* [são] *os pacificadores, porque serão chamados filhos de Deus* (Mt 5.9).[41]

Aqueles que são filhos do Deus da paz, têm como irmão mais velho o Príncipe da paz, anunciam o evangelho da paz, têm paz com Deus e experimentam a paz de Deus, esses são desafiados a ter paz com todos os homens.

Geoffrey Wilson está coberto de razão, entretanto, quando diz que esta exortação a viver em paz com todos os homens é apresentada com uma dupla limitação. "Se possível" implica que não será sempre possível. Quando a verdade deve ser sacrificada pela paz, então o preço da paz está alto demais. Não devemos nunca procurar manter a paz, com o mundo ou com cristãos, pelo sacrifício de alguma parte da verdade divina. Um cristão deve estar disposto a ser impopular, para que possa ser útil e fiel. Contra qualquer dificuldade ou oposição, ele

---

[39] STERN, David H. *Comentário judaico do Novo Testamento*, p. 465.
[40] HENDRIKSEN, William. *Romanos*, p. 551, 552.
[41] HENDRIKSEN, William. *Romanos*, p. 553.

deve diligentemente lutar pela fé que foi uma vez entregue aos santos. Entretanto, como indica a segunda restrição, o prazer na discórdia não tem parte alguma na virtude cristã, e portanto o cristão, tanto quanto depender dele, deve fazer todo esforço para preservar e promover a paz com seus semelhantes (Hb 12.14).[42]

Há momentos em que manter a paz é um erro. William Hendriksen diz que há circunstâncias sob as quais é impossível o estabelecimento ou a manutenção da paz. Hebreus 12.14 não só defende a paz, mas também a santificação. Esta não deve ser sacrificada a fim de manter aquela, pois uma paz sem santificação não é digna do nome. Se a manutenção da paz subentende o sacrifício da verdade ou da honra, a paz deve ser abandonada. Quando as pessoas, para manter paz conosco, nos exigirem o sacrifício da verdade, terá chegado o momento do sacrifício da paz.[43]

A Bíblia não nos ensina a ter paz a qualquer preço. Contudo, enquanto depender de nós, devemos ter paz com todos os homens, pois o cristão não é um gerador de conflitos. Não é um encrenqueiro nem deve ser um criador de problemas. O crente é da paz e também é um pacificador. Ele apaga os focos de incêndio em vez de jogar mais combustível na fogueira. Não joga um irmão contra o outro. Não dissemina contendas entre os irmãos nem espalha boatos. Não descobre a falha dos irmãos, mas cobre multidão de pecados.

Em terceiro lugar, **não devemos vingar-nos das pessoas que nos fazem mal**. *Não vos vingueis a vós mesmos, amados, mas dai lugar à ira; porque está escrito: A mim me pertence a vingança; eu é que retribuirei, diz o Senhor* (12.19). A vingança é uma atribuição exclusiva de Deus. Vingar é tentar assumir o comando que só pertence a Deus. É usurpar o lugar de Deus. É ter síndrome de Deus. A retribuição é obra de Deus. Ele sabe o que fazer, quando fazer e na medida certa de fazer. Tentar administrar a vingança com nossas mãos é atentar não apenas contra as pessoas, mas contra o próprio Deus.

---

[42] WILSON, Geoffrey B. *Romanos*, p. 183, 184.
[43] HENDRIKSEN, William. *Romanos*, p. 553.

A Bíblia fala de José. Ele foi odiado e vendido por seus irmãos. José os perdoou e demonstrou isso de forma dupla: primeiro, dando-lhes o melhor da terra; segundo, dando a seu filho primogênito o nome de Manassés, cujo significado é "Deus me fez esquecer". José ergueu um monumento vivo ao perdão.

Em quarto lugar, *não devemos guardar mágoa, mas perdoar*. *Pelo contrário, se o teu inimigo tiver fome, dá-lhe de comer; se tiver sede, dá-lhe de beber; porque, fazendo isto, amontoarás brasas vivas sobre a sua cabeça* (12.20). O perdão não é apenas o cancelamento da dívida, mas a restauração a favor. Devemos não apenas deixar de revidar, mas também ajudar, socorrer o nosso inimigo. Devemos dar-lhe pão se ele tiver fome. Devemos dar-lhe água se ele tiver sede. Devemos envergonhá-lo não com nossa truculência, mas com nossa bondade. Devemos vencê-lo não com nossas armas de destruição, mas com nossos gestos de misericórdia.

Trate seu inimigo com bondade, pois isso poderá fazê-lo envergonhar-se e arrepender-se. Será como brasas vivas sobre sua cabeça. Possivelmente, Paulo estava referindo-se a um ritual egípcio no qual um homem dava pública demonstração do seu arrependimento levando na cabeça uma bacia cheia de carvão em brasa.[44] Leenhardt diz que a sensação provocada pelo calor das brasas vivas figurava a dor do arrependimento, ardente como um fogo interior a queimar a consciência.[45]

Onde há arrependimento, deve existir perdão. O perdão é a faxina da mente, a assepsia da alma, a libertação da masmorra da mágoa. Perdoar é zerar a conta, é não lançar no rosto da pessoa nunca mais o mal que ela nos fez. Perdoar é lembrar sem sentir dor. Jesus disse que aquele que não perdoa não pode orar, nem adorar, nem contribuir, nem ser perdoado. Quem não perdoa adoece emocional, física e espiritualmente. Quem não perdoa é entregue aos verdugos da consciência, aos flageladores da alma.

Em quinto lugar, *não devemos ser derrotados pelo mal, mas vencer o mal com o bem*. *Não te deixes vencer do mal, mas vence o mal com o bem*

---

[44] BRUCE, F. F. *Romanos: introdução e comentário*, p. 187.
[45] LEENHARDT, Franz J. *Epístola aos Romanos*, p. 323.

(12.21). O crente age transcendentalmente. Não é vencido pelo mal; ele vence o mal com o bem. Concordo com Leenhardt quando ele diz que a vitória primeira sobre o mal é o amor. O bem é o amor ao próximo e de modo geral a vontade de Deus.[46] José do Egito não revidou o mal com o mal, mas ofereceu aos seus irmãos o melhor. Jesus não revidou ultraje com ultraje, mas orou por seus algozes e ainda atenuou-lhes a culpa. Abraão Lincoln dizia que a única maneira de vencer um inimigo é fazendo dele um amigo. Warren Wiersbe tem razão quando destaca que o mal só pode ser sobrepujado através do bem. Se pagarmos com a mesma moeda, só alimentaremos ainda mais o conflito.[47] Concluímos este capítulo com as palavras de John Murray: "A vingança fomenta a contenda e desperta as chamas do ressentimento. Quão sublime é o alvo de conduzir nossos adversários ao arrependimento ou à vergonha que restringirá e, talvez, removerá as ações malignas compelidas pela hostilidade".[48]

---

[46]LEENHARDT, Franz J. *Epístola aos Romanos*, p. 323.
[47]WIERSBE, Warren W. *Comentário bíblico expositivo*, p. 726.
[48]MURRAY, John. *Romanos*, p. 507.

20
O relacionamento do cristão como cidadão de dois mundos

Romanos 13.1-14

VIMOS QUE, EM ROMANOS 12, o apóstolo Paulo abordou nosso relacionamento com Deus (12.1,2), com nós mesmos (12.3-8), com nossos irmãos (12.9-16) e com nossos inimigos (12.17-21). Agora, no capítulo 13, ele analisará mais três relacionamentos: o relacionamento com as autoridades (13.1-7), com a lei (13.8-10) e com o dia da volta do Senhor Jesus (13.11-14).[1] No capítulo 12 de Romanos, Paulo trata dos crentes espirituais no corpo espiritual, a igreja. Esses crentes viviam no mundo. Após dar regras de como viver na igreja, o apóstolo agora explica no capítulo 13 de Romanos como os cristãos podem praticar seu cristianismo no mundo secular, político e cotidiano.[2] O cristão é um cidadão de dois mundos, de duas ordens, e Paulo parece dizer como o Mestre: *Dai, pois, a César o que é de César e a Deus o que é de Deus* (Mt 22.21).[3]

Citando J. W. Allen, F. F. Bruce afirma que o capítulo 13 da epístola aos Romanos contém o que talvez constituam as palavras

---
[1] STOTT, John. *Romanos*, p. 409.
[2] SCHAAL, Juan. *El camino real de Romanos*, p. 133.
[3] GREATHOUSE, William. *A epístola aos Romanos*, p. 168.

mais importantes já escritas na história do pensamento político.[4] Consideraremos agora esses três novos relacionamentos.

Nosso relacionamento com as autoridades (13.1-7)

Quando Paulo menciona "autoridades superiores" em Romanos 13.1, está referindo-se ao Estado, com seus representantes oficiais.[5] Paulo não defende aqui nenhuma forma específica de governo, mas afirma que esse governo é uma instituição divina.[6] É Deus quem levanta e depõe reis. É Ele quem coloca no trono aqueles que governam e os tira do trono. Ele é quem governa o mundo e faz isso mediante as autoridades constituídas. Deus é Deus de ordem, e não de desordem. Ele instituiu o governo, e não a anarquia.

Calvino diz que essas "autoridades superiores" não são as potestades soberanas que dominam um Império ou ostentam um domínio soberano, mas as que têm alguma preeminência sobre os demais. Refere-se, por conseguinte, às pessoas chamadas magistrados, e não a uma comparação dos distintos magistrados entre si.[7]

Leenhardt diz que nossa obediência às autoridades não é servil, mas positiva e crítica.[8] A igreja deve ser a consciência do Estado, alertando-o sempre de seu papel. A autoridade das autoridades possui limites. O Estado não pode ser absolutista, divinizado. Deve ser laico e jamais interferir no foro íntimo das pessoas para escravizar as consciências. A autoridade do Estado é delegada, e não uma autoridade absoluta.[9]

Warren Wiersbe diz que apenas três organizações terrenas foram instituídas por Deus: a família, a igreja e o governo humano. Suas funções não se sobrepõem, e há confusão e problema quando isso acontece.[10]

---

[4]Bruce, F. F. *Romanos: introdução e comentário*, p. 191.
[5]Stott, John. *Romanos*, p. 410.
[6]Erdman, Charles R. *Comentários de Romanos*, p. 149.
[7]Calvino, João. *Epístola a los Romanos*, p. 337, 338.
[8]Leenhardt, Franz J. *Epístola aos Romanos*, p. 331.
[9]Wilson, Geoffrey B. *Romanos*, p. 185.
[10]Wiersbe, Warren W. *Comentário bíblico Wiersbe Novo Testamento*. Rio de Janeiro: Central Gospel, 2009, p. 436.

No decorrer dos séculos a relação do Estado com a igreja tem sido notoriamente controvertida. Quatro modelos principais já foram tentados: o erastianismo (o Estado controla a igreja); a teocracia (a igreja controla o Estado); o constantinismo (compromisso pelo qual se estabelece que o Estado favorece a igreja e esta se acomoda ao Estado a fim de garantir seus favores); e a parceria (a igreja e o Estado reconhecem e incentivam um ao outro nas distintas responsabilidades dadas por Deus, em um espírito de colaboração construtiva). O último parece o que melhor se encaixa no ensino de Paulo aqui em Romanos 13.[11]

Quatro verdades básicas são abordadas pelo apóstolo no texto em tela.

Em primeiro lugar, *a origem da autoridade* (13.1), sobre a qual Paulo destacada três aspectos importantes:

A autoridade procede de Deus. Todo homem esteja sujeito às autoridades superiores; porque não há autoridade que não proceda de Deus; e as autoridades que existem foram por Ele instituídas (13.1). O apóstolo deixa claro que nenhum indivíduo está isento dessa sujeição; nenhuma pessoa desfruta privilégios especiais. Nas palavras de John Murray, "nem a incredulidade nem a fé oferecem imunidade".[12]

Agora, Paulo diz que Deus é a fonte de toda autoridade e os que a exercem o fazem por delegação divina. A autoridade precisa reconhecer que sua autoridade é delegada. Aquele que exerce autoridade é servo. É subalterno. É constituído por Deus para governar em conformidade com a justiça. Deus é o protótipo e arquétipo da autoridade. É a autoridade de Deus que se exerce, quando a autoridade exerce sua autoridade a serviço do bem.

Franz Leenhardt diz que a autoridade pública se manifesta nas autoridades (*exousiai*), nos funcionários legitimamente incumbidos de exercê-la. A autoridade (*exousia*) é, em primeiro plano, o poder efetivo de fazer algo; em segundo lugar, o direito de exercer tal poder; e, em última análise, é o poder político, síntese do direito e do poder.[13]

---

[11] STOTT, John. *Romanos*, p. 410, 411.
[12] MURRAY, John. *Romanos*, p 510.
[13] LEENHARDT, Franz J. *Epístola aos Romanos*, p. 333.

O compromisso de obedecer à autoridade. Todo homem esteja sujeito às autoridades superiores... (13.1). A atitude que devemos ter em relação às autoridades é sujeição. O termo *hypotalassesthai* não implica de modo algum servilismo. Trata-se de uma sujeição que visa evitar a desordem e promover a paz, como convém no Senhor.[14]

O apóstolo ainda afirma: *É necessário que lhe estejais sujeitos, não somente por causa do temor da punição, mas também por dever de consciência* (13.5). A obediência à autoridade não tem o caráter de resignada submissão inspirada por temor ou medo, seja de multa, seja de prisão. Sua obediência não se dá só por medo das consequências. Você obedece por questão de consciência, pois aceita que a autoridade vem de Deus e, quando obedece à autoridade, obedece a Deus.

A atitude de não resistir à autoridade: *De modo que aquele que se opõe à autoridade resiste à ordenação de Deus; e os que resistem trarão sobre si mesmos condenação* (13.2). A expressão ... *se opõe*... (13.2) significa "lançar em batalha contra". Paulo fala sobre uma resistência formal, planejada, proposital e sistemática. A resistência que podemos ter não é ao princípio de autoridade, mas aos desmandos da autoridade.

Quando a autoridade foge do seu caminho, quando deixa de ser ministro de Deus para fazer o bem e punir o mal, quando oprime, quando se corrompe, quando torce as leis ou elabora leis injustas de opressão, quando cria meios e instrumentos para espoliar os fracos, quando suborna os tribunais, quando arrebata o direito do inocente, quando ama o luxo e esquece a fome e a miséria do povo a quem governa, quando promove a idolatria e induz o povo a se desviar, quando colabora com a depravação moral e o desbarrancamento da virtude, então, esse governo precisa ser alertado. Precisa ser alertado como João Batista alertou o rei Herodes Antipas, como Amós alertou Jeroboão II, como os apóstolos alertaram o sinédrio judaico, como Lutero alertou a aristocracia feudal, como Calvino alertou os tecnocratas genebrinos, como João Wesley condenou o tráfico de escravos na Inglaterra, como Charles Finney alertou sobre a impiedade da escravidão na América, como Dietrich Bonhoeffer ergueu sua voz contra o nazismo alemão.

---

[14] LEENHARDT, Franz J. *Epístola aos Romanos*, p. 333, 334.

O povo de Deus não pode, a título de obediência, ser colaboracionista, entreguista e conivente com a opressão, a corrupção e a maldade. A igreja europeia foi colaboracionista com o nazismo de Adolf Hitler. No Brasil, muitos pastores foram entreguistas no regime da ditadura e da repressão militar.[15]

Quando o governo se desvia de sua rota e se rebela contra a autoridade de Deus, promulgando leis contrárias à lei de Deus, a desobediência civil se torna um dever cristão, e precisamos resistir como as parteiras hebreias que se recusaram a matar os meninos recém-nascidos no Egito por ordem de Faraó (Êx 1.17). Precisamos resistir como Mesaque, Sadraque e Abede-Nego resistiram às ordens de Nabucodonosor para adorar a sua imagem (Dn 3.15-18). Precisamos resistir como Daniel resistiu à trama que lhe armaram para não orar a Deus (Dn 6.10). Precisamos resistir como os cristãos primitivos resistiram para não adorar o imperador romano, ainda que selando essa resistência com o próprio sangue, incendiados nos jardins de Roma e rasgados por feras no Coliseu romano. Concordo com Charles Colson no sentido de que, em cada caso supracitado, o propósito foi "demonstrar a submissão deles a Deus, e não a sua oposição ao governo".[16]

John Stott é enfático: "Se o Estado exige aquilo que Deus proíbe, ou então proíbe o que Deus ordena, então, como cristãos, nosso dever é claro: resistir, não sujeitar-nos, desobedecer o Estado a fim de obedecer a Deus (1Rs 21.3; Dn 3.18; 6.12; Mc 12.17; At 4.19; 5.29; Hb 11.23)".[17]

A história tem mostrado que, toda vez que o teísmo é aceito, a liberdade humana é assegurada, enquanto a tendência natural do ateísmo é sempre totalitária.[18] Oscar Culmann destacou que poucos dizeres do Novo Testamento sofreram tantos abusos como este.[19] Muitos se entregaram à subserviência aos ditames de governos totalitários. Nessas

---

[15] ARNS, Paulo Evaristo. *Brasil nunca mais*. São Paulo: Vozes, 2003.
[16] COLSON, Charles W. *Kingdoms in conflict, an insider's challenging view of politics, power and the pulpit*. Grand Rapids: William Morrow/Zondervan, 1987, p. 251.
[17] STOTT, John. *Romanos*, p. 414.
[18] WILSON, Geoffrey B. *Romanos*, p. 185.
[19] BRUCE, F. F. *Romanos: introdução e comentário*, p. 192.

horas, temos de entender e responder como os apóstolos: *Antes importa obedecer a Deus que aos homens* (At 5.29).

Todavia, é grave pecado resistir à autoridade. Quem a resiste, resiste ao próprio Deus. É rebelião contra Deus. E ninguém pode resistir a Deus senão para a própria ruína e confusão. O que resiste à autoridade esforça-se para transtornar a ordem de Deus. E essa resistência gera a desordem, patrocina a anarquia e o desgoverno, e estabelece o caos. O texto bíblico diz: [...] *os que resistem trarão sobre si mesmos condenação* (13.2). O evangelho é tão inimigo da anarquia quanto da tirania.

Em segundo lugar, **a natureza da autoridade**. Paulo escreve:

> *Visto que a autoridade é ministro de Deus para teu bem. Entretanto, se fizeres o mal, teme; porque não é sem motivo que ela traz a espada; pois é ministro de Deus, vingador, para castigar o que pratica o mal. É necessário que lhe estejais sujeitos, não somente por causa do temor da punição, mas também por dever de consciência* (13.4,5).

O apóstolo diz que a autoridade é *ministro de Deus* (13.4). João Calvino disse: "Não se deve pôr em dúvida que o poder civil é uma vocação, não somente santa e legítima diante de Deus, mas também mui sacrossanta e honrosa entre todas as vocações".[20]

Os magistrados precisam entender sua vocação, seu chamado, seu ministério. Eles não são autocratas, mas homens vocacionados por Deus. São ministros de Deus, *diakonoi*, representantes de Deus, estão sob a mão de Deus. São mordomos de Deus. Geoffrey Wilson explica que esta passagem não consigna aos governantes carta branca para exercitarem poderes ilimitados. Esses poderes são limitados pela natureza da autoridade que é entregue ao magistrado civil.[21]

Sua autoridade está sob a autoridade de Deus. Seu poder não vem de si mesmo. Não são absolutistas. Não governam à parte de Deus, sem a direção de Deus, sem reconhecer a soberania de Deus, a justiça de

---

[20] CALVINO, João. *Institución de la religión cristiana*. Vol. II. Barcelona: Fundación Editorial de Literatura reformada, 1967, p. 1.171.
[21] WILSON, Geoffrey B. *Romanos*, p. 186.

Deus. Não governarão bem sem conhecerem a ética de Deus, os valores de Deus, os propósitos de Deus, a Palavra de Deus.

Por isso, a autoridade não é constituída para dominar com rigor e despotismo, com violência e truculência, mas para o bem. A autoridade não recebe poder ilimitado para rechaçar a autoridade de Deus que está acima.

Calvino chega a dizer que a autoridade é vigário de Cristo, representa Deus na aplicação da justiça e na punição do mal. Mas como pode ser ministro de Deus a autoridade que nega que Deus existe? Como pode representar a Deus? Como a autoridade que descrê de Deus pode agir em Seu nome? Daí bandearem para o totalitarismo, para a crueldade, os governos que aderem ao ateísmo. Daí os desatinos históricos que trucidaram milhões de pessoas sob a tirania, a tortura e o holocausto.

No regime despótico de Mao Tse Tung 60 milhões morreram na China. O regime nazista que provocou a Segunda Guerra Mundial matou mais de 60 milhões. O regime stalinista com seu ateísmo intolerante e cercas de arame farpado sacrificou milhões de pessoas.

O fascismo e o nazismo com sua truculência inundaram a Europa num mar de sangue. O comunismo manteve por mais de meio século milhões de pessoas debaixo de opressão. Ainda hoje governos absolutistas governam o povo com punhos de ferro.

Como explicar a presença dessas autoridades más? É possível que um mau rei seja um açoite de Deus pelo qual Seu povo é disciplinado (Os 13.11). Calvino diz que é por nossa culpa que uma bênção tão excelente de Deus se converta em maldição.[22] Deus castigou Israel com a vara da Assíria e disciplinou Judá com o cetro da Babilônia.[23]

Em terceiro lugar, *a finalidade da autoridade* (13.3,4). A autoridade constituída tem duas finalidades, ambas importantes, ambas fundamentais para o progresso e a paz da sociedade.

Promover o bem (13.3,4). O objetivo do governo civil não é promover o bem-estar dos governantes, mas dos governados. Eles são ordenados e investidos de autoridade a fim de agir como terror para os malfeitores e

---

[22] CALVINO, João. *Epístola a los Romanos*, p. 339.
[23] Isaías 10.5; Daniel 1.1,2.

louvor para aqueles que fazem o bem.[24] Se a autoridade é representante de Deus, se é vigário de Cristo, e se Deus é justo e bom, a autoridade precisa compatibilizar-se com o caráter de quem ela representa.

Ninguém pode representar outrem se nega esse alguém, contraria sua vontade, torce suas palavras e conspira contra os interesses desse alguém. Qual é o ministério que Deus confiou ao Estado? É um ministério que tem a ver com o bem e o mal. Paulo já disse que devemos detestar o mal e apegar-nos ao bem (Rm 12.9), que não devemos retribuir a ninguém mal por mal, mas fazer o bem perante todos os homens (12.17), e que não devemos deixar-nos vencer pelo mal, mas vencer o mal com o bem (12.21). Agora, ele descreve o papel que cabe ao Estado com respeito ao bem e ao mal. O papel do Estado é promover o bem e coibir o mal (13.4).[25]

A autoridade é ministro de Deus para o nosso bem. Que tipo de bem?

- *O bem espiritual.* Para Calvino, o governo deve promover a verdade. Quando um governo promove o ateísmo ou outras aberrações que levam o povo a se desviar da verdade, está cavando a própria sepultura e tornando-se instrumento de juízo em vez de bênção. A Bíblia diz: *Feliz a nação cujo Deus é o Senhor* (Sl 33.12).
- *O bem político.* O objetivo do governo civil não é promover o bem-estar dos governantes, mas dos governados. Maldito é o ministro que apascenta a si mesmo, e não a seu rebanho. Maldito é o que legisla em causa própria. Maldito é o governante que se deleita nas camas de marfim e nos banquetes regalados enquanto o povo geme sob a tirania da fome.
- *O bem social.* O governo tem o compromisso de promover a dignidade humana, estabelecer a justiça social, defender a liberdade, coibir os preconceitos, defender os humildes, os fracos, os desassistidos, os despossuídos. O governo tem de ser padrão de honestidade. Não pode ser corrupto, imoral e parcial.

---

[24] WILSON, Geoffrey B. *Romanos*, p. 187.
[25] STOTT, John. *Romanos*, p. 416.

- *O bem econômico.* O governo tem de valorizar o homem e o trabalho, remunerando-o com justiça para que todos possam viver dignamente.
- *O bem moral.* O governo deve estimular e promover um alto nível moral do Seu povo. Um povo não é forte sem valores morais sólidos. O patrocínio da cultura imoral está destruindo nosso povo. Os grandes reinos e nações do passado caíram não por forças externas, mas por debilidade interna. Uma nação nunca é forte se os valores morais que a sustentam estão entrando em colapso. Os historiadores dizem que o Império Romano só caiu nas mãos dos bárbaros porque já estava podre por dentro. As grandes potências econômicas da atualidade estão cavando a própria sepultura ao se render ao relativismo moral.

Castigar o mal (13.3,4). O Estado recebe a incumbência de uma função explicitamente proibida ao cristão (12.17,19). Deus proíbe ao cristão aplicar vingança pessoal e ordena ao Estado fazê-lo. A autoridade deve ser austera no combate ao mal, pois liberdade sem restrição resulta em anarquia. O governo não pode ser complacente com a injustiça, com o mal, com a anarquia, com as forças desintegradoras que tentam anarquizar a sociedade.

A palavra grega usada pelo apóstolo para espada, *machaira,* já ocorreu antes na epístola, indicando morte (8.35), e, uma vez que foi usada no sentido de execução, parece claro que Paulo a utiliza aqui como símbolo de punição capital.[26] Geoffrey Wilson emboca a sua trombeta em sinal de alerta: "Nestes dias degenerados em que o veneno do humanismo dirigiu a simpatia para o criminoso em vez de para a vítima, deve-se notar especialmente que o apóstolo descreve os controles impostos pela lei em termos de vingança retributiva".[27]

O governo não pode agir com frouxidão no castigo do mal. Ele precisa punir exemplarmente os promotores do mal. Tem de reagir com rigor e firmeza contra toda forma de violência, crime, suborno e corrupção (13.4; Gn 9.6; Pv 17.11,15; 20.8,26; 24.24; 25.4,5).

---

[26] STOTT, John. *Romanos*, p. 417.
[27] WILSON, Geoffrey B. *Romanos*, p. 187, 188.

Assim como Deus não tolera o mal, também as autoridades devem ter pulso forte para combatê-lo. Quando o Estado castiga um malfeitor, está agindo como servo de Deus, executando sobre ele a ira divina (13.4).[28] Assim como Deus não tolera a injustiça, a autoridade civil não pode ter dois pesos e duas medidas. Não pode favorecer os poderosos e negar a justiça aos fracos. Assim como Deus não faz acepção de pessoas, o governo civil não pode acobertar o erro daqueles que cometem crimes de colarinho branco.

Como servos de Deus, devemos orar pelas autoridades (1Tm 2.1,2). Devemos honrá-las, obedecer-lhes e pagar-lhes tributos. Mas devemos também confrontá-las se elas se desviarem da verdade, pois, enquanto a autoridade governa sob o governo de Deus e O representa, somos a consciência do Estado e devemos chamá-lo a voltar-se a seu papel sempre que ele perder o rumo da sua caminhada.

Em quarto lugar, *nosso dever para com a autoridade*. *Por esse motivo, também pagais tributos, porque são ministros de Deus, atendendo, constantemente, a este serviço. Pagai a todos o que lhes é devido: a quem tributo, tributo; a quem imposto, imposto; a quem respeito, respeito; a quem honra, honra* (13.6,7).[29] O cristão é cidadão de dois reinos: é cidadão do mundo e cidadão do céu. Deve obediência ao Estado e obediência a Deus. Sua obediência ao Estado é delimitada por sua obediência a Deus. O termo grego usado aqui para "ministro" não é *diakonos*, como aparece no versículo 4, mas *leitourgos*, que geralmente tem implicações religiosas. O termo foi usado para descrever os anjos (Hb 1.7), os sacerdotes (Hb 8.2) e o próprio Paulo (15.16).[30]

As obrigações do cristão para com o Estado são estabelecidas por Deus. É o próprio Deus quem nos ordena a pagar ao Estado tributo e imposto, tratando as autoridades com respeito e honra. Uma vez que o Estado precisa prover certos serviços e estes têm o seu custo, é absolutamente legítimo que o Estado cobre impostos. Por isso, todo cristão deve acatar de bom grado as suas obrigações tributárias, pagando completamente

---

[28] STOTT, John. *Romanos*, p. 418.
[29] Veja ainda os seguintes textos: Tito 3.1; 1Pedro 2.13,14; 1Timóteo 2.1,2.
[30] HENDRIKSEN, William. *Romanos*, p. 575.

suas dívidas, tanto no nível nacional como local. O cristão consciente submete-se à autoridade do Estado, honra seus representantes, paga seus impostos e ora pelo bem-estar do povo (1Tm 2.1-4).[31]

Warren Wiersbe argumenta que, se não pagarmos nossos impostos, demonstraremos desrespeito para com a lei, para com as autoridades e para com o Senhor, e essa falta de consideração afeta inevitavelmente a consciência do cristão.[32] Entretanto, o governo não pode exorbitar em sua função, sobrecarregando o povo com pesados e abusivos impostos, vivendo no fausto e no luxo às expensas da pobreza e miséria do povo.

Não poucas vezes, os profetas de Deus condenaram os reis por esse abuso e anunciaram sobre eles o justo juízo de Deus. Se, por um lado, temos responsabilidades para com o Estado; por outro lado, o Estado tem responsabilidade para conosco. Quando se instalam no poder homens gananciosos e corruptos, que mordem vorazmente o erário público, desviando os recursos dos impostos para as suas gordas contas bancárias em paraísos fiscais, ou desviam para o ralo da corrupção verbas que deveriam promover o bem do povo, essa atitude má do governo deve ser denunciada com toda veemência e ousadia. O Estado não está acima da lei moral, mas deve ser seu mordomo. Citando Agostinho, F. F. Bruce, registra: "Sem justiça, que são os reinos senão grandes bandos de ladrões?"[33]

Nosso relacionamento **com a lei** (13.8-10)

Paulo faz uma transição de nossa relação com o Estado (13.1-7) para a nossa relação com os irmãos (13.8-10). Ele já tratou de nossa dívida de compartilhar o evangelho com os incrédulos (1.14), de nossa dívida para com o Espírito de viver uma vida santa (8.12) e de nossa dívida de lealdade no pagamento dos impostos ao Estado (13.6,7).[34] Agora, trata de uma dívida que nunca poderemos quitar completamente, a dívida do amor. Nunca amamos em grau superlativo. Estamos sempre aquém dessa exigência divina.

---

[31] STOTT, John. *Romanos*, p. 420.
[32] WIERSBE, Warren W. *Comentário bíblico expositivo*, p. 727.
[33] BRUCE, F. F. *Romanos: introdução e comentário*, p. 189.
[34] STOTT, John. *Romanos*, p. 421.

Charles Erdman diz: "A razão de o amor ser tão importante reside no fato de que o amor é o cumprimento de toda a lei e a lei é o próprio fundamento do Estado".[35]

Destacaremos aqui, três pontos:

Em primeiro lugar, *o amor ao próximo é uma dívida impagável*. *A ninguém fiqueis devendo coisa alguma, exceto o amor com que vos ameis uns aos outros...* (13.8a). Conforme William Hendriksen, este versículo condena a prática de alguns que estão sempre prontos a tomar empréstimo, porém são muito lentos em reembolsar a soma emprestada.[36] A Bíblia diz que o ímpio pede emprestado e não paga (Sl 37.21), mas o apanágio do cristão é a honestidade. Vale ressaltar que a expressão *uns aos outros* (13.8) não significa apenas os irmãos na fé. Na verdade, ninguém está excluído desse amor todo abrangente.[37] Devemos livrar-nos de todas as dívidas, não negando, ignorando ou fugindo delas, mas pagando-as: existe apenas uma dívida de que ninguém pode livrar-se, a dívida do amor.[38]

Viver como cristão não significa apenas prontamente quitar compromissos financeiros, legais e morais, para depois reclinar-se, desligando-se do gigantesco volume restante de tarefas ao redor. Um cristão permanece no serviço. Jamais dirá ao próximo: cumpri minha obrigação, estamos quites. Jamais tentará evadir-se com ajudas que já prestou: desse e daquele me livrei, pois com essa atitude já estaria fora do amor.[39] Não podemos amar suficientemente uma pessoa. Só Deus pode fazê-lo de forma plena e cabal. Seremos sempre devedores em relação à dívida do amor.

Em segundo lugar, *o amor ao próximo é o cumprimento da lei*. [...] *pois quem ama o próximo tem cumprido a lei. Pois isto: Não adulterarás, não matarás, não furtarás, não cobiçarás, e, se há qualquer outro mandamento, tudo nesta palavra se resume: Amarás o teu próximo como a ti mesmo* (13.8b,9). O amor é essencialmente obediência. Quem ama o próximo

---

[35] ERDMAN, Charles R. *Comentários de Romanos*, p. 150.
[36] HENDRIKSEN, William. *Romanos*, p. 578.
[37] HENDRIKSEN, William. *Romanos*, p. 578.
[38] GREATHOUSE, William. *A epístola aos Romanos*: 170.
[39] POHL, Adolf. *Carta aos Romanos*, p. 217, 218.

tem cumprido a lei. O amor não é o fim da lei, e sim o seu cumprimento. Ao afirmar que quem ama o próximo tem cumprido a lei, Paulo cita os mandamentos da segunda tábua da lei, ou seja, nossa relação horizontal ou nosso dever para com as outras pessoas. Quem ama não mata, não adultera, não furta nem cobiça o que é do próximo. É conhecida a expressão usada por Agostinho de Hipona: "Ama a Deus e faze o que quiseres". Quando amamos a Deus e ao próximo, cumprimos a lei. Concordo com John Stott quando ele diz que o amor e a lei necessitam um do outro. O amor necessita da lei para orientá-lo, e a lei necessita do amor para inspirá-la.[40] Geoffrey Wilson completa: "A lei dá conteúdo ao amor; o amor dá cumprimento à lei. A lei prescreve a ação, mas é o amor que constrange ou motiva a realização da ação envolvida".[41]

Em terceiro lugar, *o amor não pratica o mal contra o próximo*. *O amor não pratica o mal contra o próximo; de sorte que o cumprimento da lei é o amor* (13.10). O amor é benigno, e não maligno. O amor é altruísta, e não egoísta. O amor coloca sempre o *outro* na frente do *eu*. O amor respeita a vida do outro, por isso quem ama não mata. O amor respeita a honra e a família do outro, por isso quem ama não adultera. O amor respeita os bens e a propriedade do outro, por isso quem ama não furta. O amor respeita o bom nome do outro, por isso quem ama não se presta ao falso testemunho. O amor não deseja o que é do outro; antes, está contente com o que Deus lhe deu, por isso quem ama não cobiça.

William Hendriksen diz que cada mandamento negativo ("Não") está na base de um mandamento positivo. Portanto, eis o significado:

> Você amará, e por isso não cometerá adultério, mas preservará a sacralidade dos laços conjugais. Você amará, e por isso não matará, mas ajudará seu próximo a conservar-se vivo e bem. Você amará, e por isso nada furtará que pertença a seu próximo, mas, antes, protegerá suas possessões. Você amará, e como resultado não cobiçará o que pertença a seu próximo, mas se alegrará no fato de que ele possui algo.[42]

---

[40] STOTT, John. *Romanos*, p. 423.
[41] WILSON, Geoffrey B. *Romanos*, p. 190.
[42] HENDRIKSEN, William. *Romanos*, p. 579.

Nosso relacionamento com o tempo (13.11-14)

Depois de falar da conduta cristã em relação ao Estado e ao próximo, Paulo estabelece um fundamento escatológico para essa conduta. Duas verdades são destacadas: o discernimento do tempo em que vivemos e o discernimento da conduta apropriada que devemos ter nesse tempo.

Em primeiro lugar, *o discernimento do tempo em que vivemos* (13.11,12b). À luz das Escrituras Sagradas, o tempo é dividido em duas partes: "este mundo" e "a era vindoura". A "era vindoura" já foi inaugurada na primeira vinda de Cristo e será consumada na sua segunda vinda. Quando Jesus voltar, na *parousia*, a era presente será completamente tragada pela era vindoura, então haverá novos céus e nova terra. Hoje, vivemos sob a tensão do "já" da inauguração do reino no tempo presente e do "ainda não" da consumação do reino na segunda vinda de Cristo.

De que forma o cristão pode discernir o tempo em que vive?

Vivendo acordado e não dormindo. E digo isto a vós outros que conheceis o tempo: já é hora de vos despertardes do sono... (13.11a). Passou a hora de dormir. É hora de acordar e levantar-se.[43] Escrevendo aos efésios, Paulo diz: *Desperta, ó tu que dormes, levanta-te de entre os mortos, e Cristo te iluminará* (Ef 5.14). O cristão não pode viver anestesiado pela presente era, numa espécie de torpor espiritual. O dia da vinda de Cristo não nos pode apanhar de surpresa, já que Ele vem como o ladrão, inesperadamente. Isso porque não somos filhos da noite, mas do dia (1Ts 5.4,5). O cristão não pode, de igual forma, viver na prática de pecados que anestesiam sua consciência e lhe roubam a percepção espiritual.

Vivendo na expectativa da glorificação. [...] *porque a nossa salvação está, agora, mais perto do que quando no princípio cremos* (13.11b). Já deixamos claro nesta obra que fomos salvos quanto à justificação, estamos sendo salvos quanto à santificação, mas seremos salvos quanto à glorificação. O uso que Paulo faz do termo "salvação" neste versículo 11 alude à glorificação. Hoje estamos mais perto da segunda vinda de Cristo do

---

[43] STOTT, John. *Romanos*, p. 425.

que quando no início cremos. Essa proximidade deve levar-nos a viver de forma coerente com tal expectativa.

Vivendo na expectativa da segunda vinda de Cristo. Vai alta a noite, e vem chegando o dia... (13.12a). A noite, o velho tempo das trevas, está bem avançada, de forma que está quase acabando; o dia da volta de Cristo logo vem, está batendo à porta.[44] Não sabemos o dia em que Jesus virá. Devemos viver apercebidos, para que esse dia não nos apanhe de surpresa.

Em segundo lugar, **discernindo a conduta apropriada que devemos ter nesse tempo** (13.12b-14). Depois de explicar acerca do tempo, Paulo faz algumas exortações sobre como devemos viver nesse tempo. Não basta discernir o tempo, precisamos viver em conformidade.[45] Paulo usa três imperativos nesta passagem: "deixemos", "revistamos" e "andemos". Esses três verbos governam o pensamento do apóstolo.

Deixemos as obras das trevas. Deixemos, pois, as obras das trevas e revistamo-nos das armas da luz (13.12b). Não basta estarmos acordados, precisamos despojar-nos das obras das trevas. Não é suficiente apenas tirarmos as vestes noturnas, precisamos vestir-nos das armas da luz. Um soldado não vive de pijamas, ele se atavia com roupas próprias para o combate. A vida cristã não é um *spa* espiritual, mas um campo de batalha.

Andemos como filhos da luz. Andemos dignamente, como em pleno dia, não em orgias e bebedices, não em impudicícias e dissoluções, não em contendas e ciúmes (13.13). Paulo passa da vestimenta adequada ao comportamento apropriado.[46] Paulo lista aqui seis pecados, em três pares, tratando da falta de controle nas áreas da bebida, do sexo e dos relacionamentos. Concordo com John Stott quando ele diz: "A falta de controle próprio nas áreas de bebida, do sexo e dos relacionamentos sociais contradiz totalmente um comportamento cristão decente".[47]

William Barclay nos ajuda a entender o significado dos seis pecados mencionados aqui pelo apóstolo Paulo.[48]

---

[44] STOTT, John. *Romanos*, p. 426.
[45] STOTT, John. *Romanos*, p. 427.
[46] STOTT, John. *Romanos*, p. 427.
[47] STOTT, John. *Romanos*, p. 427.
[48] BARCLAY, William. *Romanos*, p. 191, 192.

1. *Orgias*. A palavra grega *komos*, traduzida por "orgias", originalmente se referia a uma banda formada de amigos que acompanhava um vencedor desde os jogos até sua casa, cantando seus louvores e celebrando seu triunfo. Logo passou a significar uma cuidadosa banda que varava as noites com músicas. Finalmente, veio a significar a classe de pessoas que degrada um homem e é uma moléstia para os demais. As orgias e as farras não raro são promovidas com luxo pecaminoso, gastança perdulária e imoralidade desenfreada. Essa atitude não é digna de um cristão.
2. *Bebedices*. A palavra grega *methe* descreve a pessoa que é dominada pela bebida e se entrega à embriaguez. Os gregos eram grandes bebedores de vinho. Seu café da manhã era pão molhado no vinho. A embriaguez é um vício maldito. Um copo pede pelo seguinte, até que a sociedade toda esteja alcoolizada e os controles normais estejam desligados.[49]
3. *Impudicícias*. A palavra grega *koite* significa literalmente "cama". Trata-se do desejo da cama proibida. Ou seja, da pessoa que não dá valor à fidelidade e busca o prazer acima do dever. É uma referência à sexualidade sem dignidade, encontrada muitas vezes em festinhas, favorecida pelo efeito entorpecente do álcool e excitada por alimentos fortes.[50]
4. *Dissoluções*. A palavra *aselgeia* é uma das mais feias do idioma grego. Não só descreve a imoralidade, mas também o homem que perdeu a vergonha. A maioria das pessoas tenta encobrir seus pecados, mas o homem em cujo coração se aninha *aselgeia* já não tem mais pudor nem se importa com os escândalos.
5. *Contendas*. A palavra grega *eris* refere-se ao espírito que nasce da disputa pelo desejo de posição, poder e prestígio; ou seja, à aversão de ser superado. Trata-se do egoísmo mais exacerbado. É o oposto do amor.
6. *Ciúmes*. A palavra grega *zelos* não é necessariamente má em seu significado. Aqui, porém, não é zelo pelo bem, mas ciúme, inveja, o

---

[49]Pohl, Adolf. *Carta aos Romanos*, p. 221.
[50]Pohl, Adolf. *Carta aos Romanos*, p. 221.

tipo de espírito que não se contenta com o que tem e inveja o que os outros têm.

Revistamo-nos do Senhor Jesus. Mas revesti-vos do Senhor Jesus Cristo e nada disponhais para a carne no tocante às suas concupiscências (13.14). Em vez de viver premeditando como satisfazer os desejos da carne, o cristão deve revestir-se do Senhor Jesus Cristo, tornando-se semelhante a Ele. Warren Wiersbe tem plena razão quando escreve: "O cristão não pode planejar pecar".[51]

Todos os deveres cristãos estão incluídos no "revestir-se do Senhor Jesus", em ser como Ele, tendo aquela semelhança de temperamento e conduta resultante de estar intimamente unido a Ele pelo Espírito Santo. Essa união proíbe a indulgência para com toda inclinação pecaminosa. A salvação é *do* pecado e *para* a santidade.[52] Devemos andar como Jesus andou, falar como Jesus falou, agir como Jesus agiu, sentir como Jesus sentiu. Jesus deve dominar-nos da cabeça aos pés!

Concluo com as palavras de William Hendriksen:

> Esta admoestação final é um resumo muitíssimo adequado e belo do que o apóstolo já disse em 12.1–13.13. Ela toca tanto na justificação quanto na santificação. Significa que, havendo aceitado a Cristo e havendo sido batizado, o crente agora não deve descansar em seus lauréis, mas deve prosseguir pondo em prática o que já havia feito em princípio (Gl 3.27). De certo modo Paulo está dizendo: Havendo despido as vestes do pecado, vistam-se agora, mais e mais, com o manto da justiça de Cristo, de modo que, sempre que satanás trouxer a lume a pecaminosidade de vocês, lembrem-se imediatamente dEle e do novo estado que desfrutam junto a Deus.[53]

---

[51] WIERSBE, Warren W. *Comentário bíblico Wiersbe Novo Testamento*, p. 438.
[52] WILSON, Geoffrey B. *Romanos*, p. 193.
[53] HENDRIKSEN, William. *Romanos*, p. 585.

21
O relacionamento entre irmãos que pensam diferente

Romanos 14.1–15.13

O TEXTO EM TELA ABORDA O INTRINCADO PROBLEMA do relacionamento entre irmãos na fé que pensam de forma diferente em algumas questões espirituais. Paulo classifica esses irmãos em dois grupos distintos: os fortes e os fracos na fé. Ambos eram crentes em Cristo e ambos eram salvos por Cristo. Embora esses dois grupos pertencessem à família de Deus e participassem da mesma igreja, não estavam de acordo acerca de alguns pontos da vida cristã como comida, bebida e dias sagrados.

À guisa de introdução elucidaremos alguns pontos importantes antes de avançar na exposição deste texto.

Em primeiro lugar, *com respeito à liberdade cristã, devemos distinguir entre coisas morais, imorais e amorais*. Há coisas que são essencialmente erradas e imorais. Não importa o tempo nem o contexto, essas coisas devem ser repudiadas e tratadas como imorais por todos os filhos de Deus. Um exemplo clássico é a embriaguez. Entretanto, há práticas que são morais e virtuosas na própria essência e devem ser praticadas por todos os crentes em todos os tempos e em todos os lugares. Citamos como exemplo o amor fraternal. Mais difícil, porém, é distinguir aquilo que é amoral e neutro em si mesmo. O que é amoral pode tornar-se inconveniente e até escandaloso, dependendo da situação. Um exemplo comum nos dias de Paulo era a prática de comer carne e beber vinho (14.15,21) que provocava escândalo nos crentes fracos (1Co 8.9-13). Os crentes fortes, de posse da sua liberdade em Cristo, comiam carne e bebiam vinho sem nenhum drama de consciência; os crentes fracos, porém, não apenas se abstinham dessas práticas, mas ficavam escandalizados quando outros crentes o faziam. O amor fraternal deve regulamentar nossa liberdade pessoal a ponto de nos abstermos de direitos legítimos para não sermos causa de tropeço para os fracos.

Charles Erdman lança luz sobre essa questão:

> Coisas há que são inquestionavelmente retas, outras inquestionavelmente condenáveis; contudo, outras ainda existem a cujo respeito diverge a consciência dos homens. Estas chamadas "questões de consciência" surgem entre os crentes e se fazem fonte de sérias dificuldades. Os crentes que se caracterizam por acentuado zelo e escrúpulo são susceptíveis de condenar a outros como inconsistentes, enquanto aqueles que não sentem iguais escrúpulos quanto às coisas em questão são tentados a desprezar aos demais como fanáticos, estreitos ou intolerantes.[1]

Em segundo lugar, *a igreja não é lugar para disputa de ideias acerca de coisas secundárias, mas campo fértil para o exercício do amor fraternal*. Romanos capítulos 14–15 trata de uma discussão de coisas não essenciais. Os crentes estavam transformando coisas secundárias, como alimentos e dias sagrados, na essência do cristianismo.[2] Na igreja de Roma os crentes fracos julgavam os crentes fortes como mundanos, e os crentes fortes desprezavam os crentes fracos como imaturos.

O pecado dos crentes fracos era o julgamento; o pecado dos crentes fortes era o desprezo. Os crentes fracos pecavam pelo zelo sem entendimento; os crentes fortes pecavam pelo entendimento sem amor. Tanto o julgamento quanto o desprezo são atitudes indignas de um membro da família de Deus. Em vez de exercer o amor fraternal, acolhendo uns aos outros, os crentes de Roma estavam criticando e condenando

---

[1] ERDMAN, Charles R. *Comentários de Romanos*, p. 153.
[2] STOTT, John. *Romanos*, p. 432.

uns aos outros. Em vez de viver desprezando e julgando uns aos outros, eles deveriam coexistir amigavelmente na comunidade cristã. Não se deve fazer da igreja uma arena de discussões cuja característica central é a argumentação, muito menos um tribunal em que os fracos são postos no banco dos réus, interrogados e acusados. A acolhida que nós lhes damos deve incluir o respeito às suas opiniões próprias.[3]

Estou de pleno acordo com John Stott quando ele diz que, hoje em dia, temos a mesma necessidade de discernimento. Não devemos exaltar as coisas não essenciais, especialmente questões de costumes e rituais, ao nível do essencial, fazendo delas testes de ortodoxia e condição para a comunhão.[4] Não raro as igrejas contemporâneas passam mais tempo discutindo coisas periféricas e secundárias como usos e costumes do que debatendo a essência do evangelho.

Em terceiro lugar, *na igreja, uma mesma matéria pode ser tratada com tolerância compassiva ou intolerância inegociável*. A questão da guarda de dias especiais foi abordada por Paulo na sua carta aos Gálatas de forma absolutamente diversa (Gl 4.10,11). Na carta aos Gálatas estava em jogo a essência do evangelho, pois os judaizantes agregavam a observância desses dias especiais no pacote da salvação, dizendo que, se os gentios não guardassem essas datas do calendário judaico, não poderiam ser salvos. Na verdade, os falsos mestres estavam com isso apresentando outro evangelho. John Murray diz que os judaizantes estavam pervertendo o evangelho em seu próprio âmago. Eles eram os propagandistas de um legalismo que afirmava ser a observância de dias e épocas necessária à justificação e à aceitação diante de Deus. Isto importava retrocesso *aos rudimentos fracos e pobres* (Gl 4.9).[5]

O mesmo aconteceu na igreja de Colossos (Cl 2.16,17). Segundo John Murray, a heresia de Colossos era mais complexa que a da Galácia. O erro que Paulo combateu em Colossos foi basicamente o gnosticismo. Esse movimento pregava um dualismo evidente entre o campo espiritual e o material, considerando que a salvação consistia em libertar o

---

[3] STOTT, John. *Romanos*, p. 435.
[4] STOTT, John. *Romanos*, p. 433.
[5] MURRAY, John. *Romanos*, p. 534.

espiritual do que é material.⁶ Os gnósticos alegavam que a observância a determinada dieta e a determinados dias do calendário era condição indispensável para alcançar o favor de Deus. Paulo rechaçou com veemência essas distorções da verdade. Na carta aos Romanos, porém, a questão não envolvia a essência do evangelho, por isso Paulo foi tão brando e recomendou aos dois grupos agir com amor e respeito mútuo.

Esse mesmo espírito de tolerância e respeito governou o Concílio de Jerusalém. A decisão daquele importante conclave deu aos cristãos judeus a liberdade de continuar com suas práticas culturais e cerimoniais peculiares e recomendou aos cristãos gentios que, em determinadas circunstâncias, se abstivessem de práticas que pudessem ofender a consciência sensível dos cristãos judeus (At 15.19,20).

Três verdades são destacadas no texto em apreço.

Acolha seu irmão e aprenda a viver com os diferentes (14.1-12)

É de bom alvitre acender a candeia e ter um pouco mais de luz acerca da natureza desses dois grupos na igreja de Roma. William Hendriksen diz que os membros de cada grupo devem ser considerados crentes genuínos (14.1-4,6,10,13); cada grupo criticava um ao outro (14.3,4,13); e cada grupo terá de prestar contas de si mesmo (14.12).⁷

Quem eram os crentes fracos? John Stott oferece quatro alternativas: 1) ex-idólatras, recém-convertidos do paganismo; 2) ascetas; 3) legalistas; 4) cristãos judeus.⁸ É consenso geral que os crentes chamados fracos eram oriundos das fileiras do judaísmo, os quais, embora tivessem depositado sua fé em Cristo, ainda viviam comprometidos com as regras judaicas concernentes à dieta (14.14,20) e aos dias religiosos (14.5).

William Hendriksen tem razão, porém, quando diz que isso não significa que somente os gentios pertencessem à porção forte, e somente

---

⁶MURRAY, John. *Romanos*, p. 534.
⁷HENDRIKSEN, William. *Romanos*, p. 597.
⁸STOTT, John. *Romanos*, p. 429, 430.

os judeus, à porção fraca, uma vez que Paulo foi um hebreu de hebreus e se incluiu entre os fortes (15.1).[9] Os crentes fracos tinham uma fé deficiente. Eram imaturos, incultos e até equivocados.[10] Leenhardt diz que os crentes fracos sofriam pressões inconscientes que os paralisavam; eram escrupulosos e inibidos.[11] Não tinham plena compreensão de que esses ritos dietéticos e focados em calendários religiosos eram meras sombras do evangelho de Cristo, aos quais pela obra expiatória do Filho de Deus estavam desobrigados de cumprir. A deficiência de conhecimento os tornou crentes julgadores, carregados de muitos escrúpulos.

Concordo com John Stott quando diz: "O que falta ao fraco não é força de vontade, mas liberdade de consciência".[12] A palavra grega *asthenounta*, "fraco", usada pelo apóstolo indica alguém que é momentaneamente fraco, mas pode tornar-se forte.[13] Vale ressaltar que a "fraqueza" aqui não era associada a nenhum afastamento da fé, e isto explica o tom de moderação adotado pelo apóstolo, enquanto o motivo que causava as observâncias ascéticas, duramente condenadas nas epístolas aos Gálatas e Colossenses, era uma subversão do próprio evangelho.[14]

Quem eram os crentes fortes? Eram aqueles crentes, judeus ou gentios que, convertidos a Cristo, haviam compreendido com mais clareza a liberdade cristã, desvencilhando-se dessa forma dos escrúpulos dos rituais judaicos com respeito à dieta e ao calendário religioso. Os crentes fortes eram a maioria da igreja de Roma, e Paulo com eles se identifica (15.1). A maior parte desta passagem é destinada a eles. Embora Paulo deixe claro que acredita que a posição dos fortes está certa (14.14,20), estes não tinham o direito de desprezar os crentes fracos, mas deviam acolhê-los.

Paulo ordena aos crentes fortes: *Acolhei ao que é débil na fé, não, porém, para discutir opiniões* (14.1). O verbo grego *proslambano*, "acolhei", significa mais que aceitar as pessoas no sentido de aquiescer

---

[9]HENDRIKSEN, William. *Romanos*, p. 596.
[10]STOTT, John. *Romanos*, p. 434.
[11]LEENHARDT, Franz J. *Epístola aos Romanos*, p. 355.
[12]STOTT, John *Romanos*, p. 429.
[13]GREATHOUSE, William. *A epístola aos Romanos*, p. 173.
[14]WILSON, Geoffrey B. *Romanos*, p. 193.

em sua existência e mesmo em seu direito de pertencer a um grupo; quer dizer acolhê-las em nosso círculo de amigos e em nosso coração. Implica o calor e a bondade que marcam o verdadeiro amor (Fm 17; At 28.2).[15] Concordo com John Schaal quando ele diz que, ao praticar o amor cristão, o peso da prova descansa sobre o crente forte. É ele quem deve amar e ajudar, e não condenar ao débil.[16]

Devemos perguntar, porém: Por que os crentes fortes deveriam acolher os crentes fracos sem discutir com eles opiniões?

Em primeiro lugar, **porque Deus já os acolheu**. *Um crê que de tudo pode comer, mas o débil come legumes; quem come não despreze o que não come; e o que não come não julgue o que come, porque Deus o acolheu* (14.2,3). O fraco na fé prefere ser vegetariano a correr o risco de comer carne de animais impuros ou carne consagrada aos ídolos. O forte na fé, por sua vez, está livre desse temor e come de tudo sem constrangimento de consciência. O forte na fé desprezava os fracos por causa de seus escrúpulos, e o fraco na fé julgava os fortes por causa de sua liberdade. Essa atitude beligerante estava em desacordo com o evangelho, porque a ambos, fracos e fortes, Deus já havia acolhido. Não devemos desprezar nem julgar aqueles a quem Deus acolheu.

John Stott está correto quando diz que tratar os outros como gostaríamos que eles nos tratassem é certamente uma garantia; mais seguro ainda, porém, é tratá-los como Deus o faz. A primeira opção é um guia acessível baseado em nosso egoísmo; a segunda é um padrão baseado na perfeição de Deus.[17]

Em segundo lugar, **porque Cristo morreu e ressuscitou para ser Senhor de mortos e de vivos** (14.4-9). Atentemos às palavras do apóstolo:

> *Quem és tu que julgas o servo alheio? Para o seu próprio senhor está em pé ou cai; mas estará em pé, porque o Senhor é poderoso para o suster. Um faz diferença entre dia e dia; outro julga iguais todos os dias. Cada um tenha opinião bem definida em sua própria mente. Quem distingue entre dia e dia para o Senhor o faz; e quem come para o Senhor come, porque dá graças a Deus; e*

---

[15] STOTT, John. *Romanos*, p. 434.
[16] SCHAAL, Juan. *El camino real de Romanos*, p. 139.
[17] STOTT, John. *Romanos*, p. 436.

quem não come para o Senhor não come e dá graças a Deus. Porque nenhum de nós vive para si mesmo, nem morre para si. Porque, se vivemos, para o Senhor vivemos; se morremos, para o Senhor morremos. Quer, pois, vivamos ou morramos, somos do Senhor. Foi precisamente para esse fim que Cristo morreu e ressurgiu: para ser Senhor tanto de mortos como de vivos (14.4-9).

Alguns pontos aqui merecem destaque:

Nossa função na igreja é acolher os irmãos e não julgá-los (14.4,5). Há julgamento legítimo e julgamento ilegítimo. O crente precisa discernir o certo do errado; precisa distinguir entre os falsos profetas e aqueles que trazem o fiel ensino do Senhor. Aqui, contudo, Paulo condena a atitude de julgar um irmão, um servo de Cristo, por este ter uma opinião diferente acerca de assuntos secundários como dieta e calendário religioso. Nosso papel na igreja não é nos assentarmos na cadeira de juiz para julgar os irmãos, mas acolhê-los em amor.

A expressão "cada um tenha opinião bem definida em sua própria mente", segundo Warren Wiersbe, significa que cada um deve estar certo de que aquilo que faz é para o Senhor, não apenas motivado por algum preconceito ou capricho.[18]

Nossa função na igreja é fazer tudo para agradar a Deus, não para ganhar aprovação dos homens (14.6). Tanto os abstêmios como os que comiam e bebiam tinham suas ações governadas por Deus e cultivavam o propósito de agradar a Deus. Os que não comiam agradeciam a Deus por não comer; os que comiam agradeciam a Deus por comer. Os que guardavam dias especiais do calendário religioso faziam isso por causa de Deus, e os que consideravam todos os dias iguais também assumiam essa posição para glorificar a Deus. A motivação de ambos os grupos era de agradar a Deus, e não receber aprovação ou aplauso dos homens. William Barclay diz que a ação dos crentes deve ser ditada não por costume, muito menos pela superstição, mas pela convicção. É um dever ter nossas convicções, mas também é um dever permitir que os outros tenham as suas, sem desprezá-los ou julgá-los.[19]

---

[18] WIERSBE, Warren W. *Comentário bíblico expositivo*, p. 730.
[19] BARCLAY, William. *Romanos*, p. 198, 199.

Nossa função na igreja é viver para agradar a Deus, e não a nós mesmos (14.7,8). Não somos uma ilha. Nossas ações têm reflexos na vida de outras pessoas. Não vivemos nem morremos para nós mesmos. Vivemos e morremos para o Senhor e somos do Senhor tanto na vida como na morte. Uma vez que nossas ações atingem nossos irmãos para o bem ou para o mal, devemos ser mais criteriosos e cautelosos em nossa postura. Não basta fazer aquilo que julgamos certo; devemos fazê-lo para a edificação dos nossos irmãos e para a glória de Deus.

Nossa função na igreja é vivermos debaixo do senhorio de Cristo (14.9). Cristo morreu e ressurgiu para ser Senhor de mortos e de vivos. Em Sua morte Ele é Senhor dos mortos; em Sua ressurreição, Ele é Senhor dos vivos. Se Jesus é Senhor e acolheu tanto fracos quanto fortes, devemos, para honrar esse Senhor, acolher-nos uns aos outros. John Stott é oportuno ao escrever: "Por ser ele o nosso Senhor, nós devemos viver para ele; e, por ser também o Senhor dos outros cristãos, irmãos nossos, devemos respeitar a forma como estes se relacionam com ele e cuidar da nossa vida. Afinal, ele morreu e ressuscitou para ser Senhor".[20]

Em terceiro lugar, **porque os crentes fracos e fortes são irmãos uns dos outros** (14.10a). Se os crentes fracos e fortes são irmãos, não devem viver lutando uns contra os outros, a ponto de os fracos julgarem os fortes e os fortes desprezarem os fracos. Tanto o sorriso de desdém dos fortes como a carranca de juízo acusador dos fracos são atitudes anômalas dentro da igreja, não apenas porque Deus aceitou a ambos e Cristo morreu e ressuscitou para ser Senhor de ambos, mas também porque tanto os crentes fracos como os crentes fortes pertencem à mesma família. Eles são verdadeiramente irmãos uns dos outros.[21]

Em quarto lugar, **porque todos nós seremos julgados no tribunal de Deus** (14.10b-12). Não devemos julgar nossos irmãos porque nós mesmos seremos julgados no tribunal de Deus. John Murray enfatiza que cada indivíduo prestará contas de si mesmo, e não dos outros. Portanto, a necessidade é de julgarmos a nós mesmos agora, à luz da prestação de contas que finalmente teremos diante de Deus. Cumpre-nos julgar

---

[20] STOTT, John. *Romanos*, p. 438.
[21] STOTT, John. *Romanos*, p. 439.

a nós mesmos, e não realizar julgamentos a respeito de outros. O juízo incluirá não apenas todas as pessoas, mas também todos os atos. Não daremos conta do nosso irmão nesse tribunal, mas cada um dará contas de si mesmo a Deus.

Obviamente Paulo não está proibindo o crente de exercer julgamento, pois do contrário, não poderíamos obedecer à ordem de Jesus: *Acautelai-vos dos falsos profetas* (Mt 7.15). O que Jesus proíbe a Seus seguidores não é a crítica, mas a mania de censurar, de "julgar" no sentido de "estabelecer juízo" ou de condenar algo ou alguém. E a razão para isso é que nós mesmos, um dia, compareceremos diante do Juiz.[22] Já que Deus é o Juiz e estamos entre os julgados, deixemos de julgar uns aos outros (14.13a), pois assim evitaremos a extrema insensatez de tentar usurpar a prerrogativa de Deus e antecipar o dia do juízo.[23] Leenhardt tem razão quando diz que cada qual terá de dar contas de si mesmo, os "fortes" da liberdade que arrogaram, os "fracos" dos escrúpulos que alimentaram. Ninguém terá de prestar contas dos erros dos outros.[24]

F. F Bruce diz que, quando lançamos julgamentos apressados, mal informados, sem amor e sem generosidade, por certo esquecemos que, se falamos mal dos outros, ao mesmo tempo falamos mal do Senhor cujo nome eles levam.[25] Precisamos entender que Deus Se recusa a rejeitar aqueles a quem rejeitamos. O Senhor abençoa até mesmo as pessoas das quais discordamos.

A igreja de Roma, inclusive cristãos judeus e gentios, podia desintegrar-se rapidamente se alguns grupos insistissem em exercer plenamente sua liberdade cristã sem dar a mínima consideração aos escrúpulos de outros.[26] Warren Wiersbe cita o conhecido conflito existente entre dois grandes pregadores da Inglaterra vitoriana, Charles Spurgeon e Joseph Parker. No começo do ministério, os dois chegaram a pregar na igreja um do outro. Então, tiveram um desentendimento, e essa desavença chegou aos jornais. Spurgeon acusou Parker de não ser espiritual, pois

---

[22]STOTT, John. *Romanos*, p. 439.
[23]STOTT, John. *Romanos*, p. 440.
[24]LEENHARDT, Franz J. *Epístola aos Romanos*, p. 358.
[25]BRUCE, F. F. *Romanos: introdução e comentário*, p. 199.
[26]BRUCE, F. F. *Romanos: introdução e comentário*, p. 202.

costumava ir ao teatro. O mais interessante é que Spurgeon fumava charuto, prática condenada por muitos cristãos. A pendenga entre esses dois líderes cristãos estava errada, pois se levantaram como juiz um do outro, em vez de acolher um ao outro.[27]

Ame o seu irmão, e não seja pedra de tropeço para ele (14.13-23)

De que forma podemos amar o nosso irmão, deixando de ser pedra de tropeço para ele? Paulo nos dá algumas respostas:

Em primeiro lugar, *pare de julgar seu irmão e tome o propósito de não colocar tropeço no seu caminho*. *Não nos julguemos mais uns aos outros; pelo contrário, tomai o propósito de não pordes tropeço ou escândalo ao vosso irmão* (14.13). Paulo quer dar um basta na onda de julgamento dentro da igreja. Em vez de ser um tropeço no caminho uns dos outros, gerando problemas na igreja e escândalos fora dela, os cristãos deveriam cuidar e amar uns aos outros. William Greathouse diz que nem o forte nem o fraco estão em posição de adotar uma atitude superior de juiz. Todos os sentimentos de crítica e censura devem ser extirpados.[28] Embora o cristão seja o mais livre senhor de todos, não sujeito a ninguém, é o mais dócil servo de todos, sujeito a todos.[29]

Em segundo lugar, *saiba que a impureza não está nas coisas exteriores, mas no interior, ou seja, no coração*. *Eu sei e estou persuadido, no Senhor Jesus, de que nenhuma coisa é de si mesma impura, salvo para aquele que assim a considera; para esse é impura* (14.14). Há coisas que são essencialmente impuras e não é delas que Paulo está falando. Não podemos interpretar corretamente esse versículo tirando-o do seu contexto. Paulo está falando sobre dieta alimentar e calendário religioso. Não há alimentos essencialmente impuros. Nas palavras de Jesus, não é aquilo que entra pela boca que contamina o homem, mas o que sai do seu coração (Mt 15.11). Jesus ab-rogou as leis sobre alimentos declarando "limpas" todas as espécies (Mc 7.19). Pedro aprendeu a não considerar impura

---

[27]WIERSBE, Warren W. *Comentário bíblico expositivo*, p. 731.
[28]GREATHOUSE, William. *A epístola aos Romanos*, p. 176.
[29]BRUCE, F. F. *Romanos: introdução e comentário*, p. 199, 200.

coisa ou pessoa alguma que Deus tivesse declarado limpa (At 10.15). Paulo escreveu: *Pois tudo que Deus criou é bom, e, recebido com ações de graças, nada é recusável, porque, pela Palavra de Deus e pela oração, é santificado* (1Tm 4.4,5). É de bom-tom enfatizar, porém, que pessoas ignorantes devem ser instruídas, mas jamais encorajadas a fazer aquilo que elas próprias julgam ser contrário à vontade de Deus.[30]

Em terceiro lugar, *o amor fraternal, e não sua convicção dietética, deve ser o vetor de suas ações*. *Se, por causa de comida, o teu irmão se entristece, já não andas segundo o amor fraternal. Por causa da tua comida, não faças perecer aquele a favor de quem Cristo morreu* (14.15). Quando um crente forte comia carne e bebia vinho na presença de um crente fraco, violando sua consciência débil, provocando tristeza e escândalo ao seu irmão, agia sem amor e sem nenhuma consideração por alguém muito precioso para Jesus, alguém por quem Cristo dera a própria vida. Falando sobre a atitude do forte em relação ao fraco, John Stott escreve:

> Se Cristo o amou a ponto de morrer por ele, por que não podemos amá-lo o suficiente para controlar-nos, evitando magoar a sua consciência? Se Cristo se sacrificou por seu bem-estar, que direito temos nós de prejudicá-lo? Se Cristo morreu para salvá-lo, não nos importa se vamos destruí-lo?[31]

Em quarto lugar, *busque as primeiras coisas primeiro*. "Não seja, pois, vituperado o vosso bem. Porque o reino de Deus não é comida nem bebida, mas justiça, e paz, e alegria no Espírito Santo. Aquele que deste modo serve a Cristo é agradável a Deus e aprovado pelos homens" (14.16-18). Se a primeira verdade teológica que suporta o apelo de Paulo para que os fortes se controlem é a cruz de Cristo, a segunda é o reino de Deus.[32] Quando o crente fraco supervaloriza a dieta alimentar pensando que abster-se de certos alimentos o torna mais aceitável a Deus, comete um grande equívoco, uma vez que o

---

[30] WILSON, Geoffrey B. *Romanos*, p. 199.
[31] STOTT, John. *Romanos*, p. 442.
[32] STOTT, John. *Romanos*, p. 443.

reino de Deus não é comida nem bebida, mas justiça, paz e alegria no Espírito Santo. Viver um cristianismo legalista é inverter as prioridades, é colocar as coisas de ponta-cabeça, é deixar de buscar as primeiras coisas primeiro.

Entretanto, sempre que o crente forte insiste em usar a sua liberdade para comer o que quiser, nem que seja às expensas do bem-estar do fraco, está incorrendo em grave falha de desproporção. Está superestimando a importância da comida (coisa que é trivial) e subestimando a importância do reino (que é central).[33]

Em quinto lugar, *invista mais em relacionamentos que em rituais*. *Assim, pois, seguimos as coisas da paz e também as da edificação de uns para com os outros. Não destruas a obra de Deus por causa da comida. Todas as coisas, na verdade, são limpas, mas é mau para o homem o comer com escândalo* (14.19,20). Em vez de os crentes fortes violentarem a consciência dos fracos, comendo o que para eles era impuro, deviam buscar a paz e a edificação de uns para com os outros. Mesmo que os crentes fortes estivessem com a razão, pleiteando que todas as coisas são limpas, ao comer essas coisas limpas perto dos crentes fracos, os escandalizavam. E essa atitude era incompatível com o amor fraternal, pois gerava conflito, e não paz; escândalo, e não edificação. Warren Wiersbe diz que tanto o crente forte quanto o crente fraco precisam crescer. O mais forte precisa crescer em amor, enquanto o mais fraco precisa crescer em conhecimento. O mais fraco deve aprender com o mais forte, o mais forte deve amar o mais fraco. O resultado será maturidade para a glória de Deus.[34]

Em sexto lugar, **por amor a seu irmão abstenha-se de seus próprios privilégios**. *É bom não comer carne, nem beber vinho, nem fazer qualquer outra coisa com que teu irmão venha a tropeçar* (*ou se ofender ou se enfraquecer*) (14.21). Paulo não se refere à glutonaria nem à embriaguez. Essas coisas são em si mesmas pecaminosas e reprováveis. Ele está tratando de algo absolutamente legítimo, ou seja, comer carne e beber vinho. Porém, mesmo que o uso não descambe para o abuso, se essa prática

---

[33] STOTT, John. *Romanos*, p. 443.
[34] WIERSBE, Warren W. *Comentário bíblico expositivo*, p. 732, 733.

provoca escândalo na vida do irmão mais fraco, o crente forte deve abster-se, pois o amor procura as coisas da edificação (1Co 8.9-13). Geoffrey Wilson resume esse ponto de forma clara: "Embebedar-se é pecado, ofenda ou não aos irmãos, enquanto beber vinho não é errado exceto se resultar em bebedeira ou levar outros a tropeçar".[35]

Em sétimo lugar, **cuidado para não se tornar um crente inconsistente e contraditório**. *A fé que tens, tem-na para ti mesmo perante Deus. Bem-aventurado é aquele que não se condena naquilo que aprova. Mas aquele que tem dúvidas é condenado se comer, porque o que faz não provém de fé; e tudo o que não provém de fé é pecado* (14.22,23). Paulo conclui seu argumento distinguindo entre o crer e o agir, entre convicção pessoal e a conduta em público.[36] O crente precisa ser consistente para não falar uma coisa e fazer outra, não manter uma convicção e agir na contramão dessa convicção. Warren Wiersbe diz que nenhum cristão pode "tomar emprestadas" as convicções de outro para ter uma vida cristã honesta.[37] Se um crente fraco, prisioneiro de seus escrúpulos, come carne contra suas convicções para agradar os crentes fortes, nisso está pecando, porque essa conduta não procede de fé. Geoffrey Wilson coloca esse ponto com diáfana clareza:

> O crente "fraco" que imitar a liberdade dos "fortes" sem compartilhar de suas convicções é condenado não só por sua própria consciência, mas também por Deus. Portanto os "fortes" não devem tentar os "fracos" a violarem suas consciências, esperando que ajam como se não tivessem escrúpulos quanto a comer.[38]

Paulo conclui que "tudo o que não provém de fé é pecado". Isto significa que tudo o que não é feito com a convicção de que está de acordo com a vontade de Deus é pecaminoso, embora possa ser em si mesmo certo. Este ensino aplica-se não apenas a alimentos, mas a tudo. Se alguém estiver convencido de que algo é contrário à lei de

---

[35] WILSON, Geoffrey B. *Romanos*, p. 202.
[36] STOTT, John. *Romanos*, p. 445.
[37] WIERSBE, Warren W. *Comentário bíblico expositivo*, p. 733.
[38] WILSON, Geoffrey B. *Romanos*, p. 203.

Deus, e apesar disso a praticar, é culpado diante de Deus, embora a coisa em si seja lícita.³⁹

Imite a Cristo, pense nos outros mais do que em você (15.1-13)

Paulo inclui-se no grupo dos crentes fortes não para se gabar, mas para exortá-los a imitar a Cristo. Como os crentes fortes podem ser imitadores de Cristo?

Em primeiro lugar, **agradando aos irmãos, e não a si mesmos** (15.1-4). O amor não é egocentrado, mas "outrocentrado". O amor não visa os próprios interesses, mas busca o interesse dos irmãos. Acompanhemos o relato de Paulo:

> Ora, nós que somos fortes devemos suportar as debilidades dos fracos e não agradar-nos a nós mesmos. Portanto, cada um de nós agrade ao próximo no que é bom para edificação. Porque também Cristo não se agradou a si mesmo; antes, como está escrito: "As injúrias dos que te ultrajavam caíram sobre mim" (15.1-4).

Três verdades são aqui destacadas:

Devemos agradar aos irmãos, e não a nós mesmos (15.1,2). O conhecimento e a maturidade espiritual dos crentes fortes não deve levá-los à arrogância e ao desprezo dos fracos; antes, devem eles suportar suas debilidades. Os escrúpulos do fraco são um peso que o forte deve carregar.⁴⁰ A força de um deve compensar a fragilidade do outro. Os crentes fortes não devem agradar a si mesmos, comendo e bebendo publicamente, sabendo que esse comportamento trará tropeço aos crentes fracos; antes, devem agradar aos fracos buscando sua edificação. O cristão de consciência forte não deve esmagar a consciência dos fracos.⁴¹ Comer e beber pode agradar o paladar, mas o cristão deve procurar

---

³⁹WILSON, Geoffrey B. *Romanos*, p. 203.
⁴⁰GREATHOUSE, William. *A epístola aos Romanos*, p. 178.
⁴¹STOTT, John. *Romanos*, p. 446.

agradar seu irmão. Leenhardt destaca o fato de que são os fortes que têm de suportar os fracos; não o inverso.[42]

Cristo não agradou a si mesmo (15.3). O Filho de Deus, sendo perfeito, não agradou a Si mesmo. Despojou-Se de Seus direitos e prerrogativas e veio para servir. Esvaziou-Se e tornou-Se servo. Submeteu-Se à vontade do Pai e suportou toda sorte de sofrimento para salvar tanto os crentes fortes como os crentes fracos. Warren Wiersbe enfatiza que nenhum sacrifício que fazemos pode equiparar-se ao do Calvário.[43] As injúrias caíram sobre Cristo porque Ele não agradou a Si mesmo, mas viveu para agradar a Deus na obra da redenção. Se o objetivo da vida de Cristo tivesse sido agradar a Si mesmo, Ele teria escapado à vergonha e à censura que O atingiram; mas vivendo como Ele viveu, para agradar a Deus, para servir à Sua vontade e salvar os homens, essas injúrias passaram a ser propriedade de Deus.[44]

As Escrituras foram dadas para o nosso ensino (15.4). Temos tanto o testemunho das Escrituras como o exemplo de Cristo. Pela paciência e consolação das Escrituras, devemos ter esperança e viver não de forma egoísta e arrogante, mas de forma humilde e altruísta. John Stott diz acertadamente que podemos extrair cinco verdades das Escrituras: 1) sua intenção é atual; 2) seu valor é abrangente; 3) seu enfoque é cristológico; 4) seu propósito é prático; 5) sua mensagem é divina.[45]

Em segundo lugar, **adorando a Deus em espírito de unidade**. Ora, o *Deus da paciência e da consolação vos conceda o mesmo sentir de uns para com os outros, segundo Cristo Jesus, para que concordemente e à uma só voz glorifiqueis ao Deus e Pai de nosso Senhor Jesus Cristo* (15.5,6). A unidade de sentimento é uma dádiva de Deus, e não uma aptidão natural. O mesmo sentir de uns para com os outros só pode ser experimentado no âmbito de nossa relação com Cristo Jesus. Glorificamos a Deus não com disputas e batalhas internas na igreja, ferindo a comunhão, julgando ou desprezando os irmãos. O culto que agrada e glorifica a Deus é aquele

---

[42] LEENHARDT, Franz J. *Epístola aos Romanos*, p. 369.
[43] WIERSBE, Warren W. *Comentário bíblico expositivo*, p. 733.
[44] GREATHOUSE, William. *A epístola aos Romanos*, p. 179.
[45] STOTT, John. *Romanos*, p. 448.

que parte de corações unidos pelo mesmo propósito e pelo mesmo sentimento (Sl 133.1; At 1.14; 2.42-46).

Geoffrey Wilson diz que onde houver tal unidade de mente e coração haverá também unidade de boca. A unidade de crença leva à unidade no louvor; a ordem é significativa porque uma nunca pode ser alcançada sem a outra.[46]

Em terceiro lugar, **acolhendo uns aos outros como Cristo nos acolheu**. *Portanto, acolhei-vos uns aos outros, como também Cristo nos acolheu para a glória de Deus* (15.7). Paulo dá uma ordem, apresenta um modelo e estabelece uma motivação: devemos acolher uns aos outros, da mesma forma que Cristo nos acolheu, fazendo isso para a glória de Deus. Se o exemplo de Cristo é nosso modelo, a glória de Deus é nossa motivação.

Em quarto lugar, **sabendo que o próprio Cristo se tornou servo** (15.8-13). Paulo conclui a parte exortativa da sua carta, mostrando que devemos acolher uns aos outros na igreja, porque o próprio Senhor e cabeça da igreja se tornou servo para salvar tanto judeus como gentios. Acompanhemos o registro do apóstolo:

> *Digo, pois, que Cristo foi constituído ministro da circuncisão, em prol da verdade de Deus, para confirmar as promessas feitas aos nossos pais; e para que os gentios glorifiquem a Deus por causa da Sua misericórdia, como está escrito: Por isso, eu Te glorifiquei entre os gentios e cantarei louvores ao Teu nome. E também diz: Alegrai-vos, ó gentios, com o Seu povo. E ainda: Louvai ao Senhor, vós todos os gentios, e todos os povos o louvem. Também Isaías diz: Haverá a raiz de Jessé, aquele que se levanta para governar os gentios; nEle os gentios esperarão. E o Deus da esperança vos encha de todo o gozo e paz no vosso crer, para que sejais ricos de esperança no poder do Espírito Santo* (15.8-13).

John Stott diz que Paulo desliza quase imperceptivelmente da unidade dos fracos e fortes por meio de Cristo para a unidade dos judeus e gentios por intermédio desse mesmo Cristo. Em ambos os casos a unidade visa a adoração, a fim de que eles glorifiquem a Deus juntos

---
[46]WILSON, Geoffrey B. *Romanos*, p. 206.

(15.9). Paulo afirma que o ministério de Cristo com os judeus deu-se "por amor à verdade de Deus", no propósito de demonstrar a Sua fidelidade às promessas da aliança, enquanto o Seu ministério com os gentios foi devido "à Sua misericórdia", uma misericórdia sem aliança.[47]

William Barclay explica que o argumento de Paulo é que podem existir muitas diferenças na igreja, mas há um só Cristo, e o laço de unidade entre os crentes na igreja é a sua comum lealdade a Ele. A obra de Cristo foi a mesma para judeus e gentios. Para provar esse posicionamento, Paulo cita quatro passagens do Antigo Testamento (Sl 18.50; Dt 32.43; Sl 117.1; Is 11.10). Em todas elas, Paulo encontra antigas previsões da recepção dos gentios à fé. Paulo está convencido de que, assim como Jesus Cristo veio a este mundo para salvar tanto judeus como gentios, a igreja deve acolher a todos os irmãos, a despeito de suas diferenças.[48]

Paulo conclui seu ensino sobre a tolerância cristã, e também o corpo principal da epístola, com uma breve oração por seus leitores em Roma (5.13). A súplica do apóstolo pelos cristãos é por uma vida abundante: *E o Deus da esperança vos encha de todo o gozo e paz no vosso crer, para que sejais ricos de esperança no poder do Espírito Santo.* Cinco perguntas podem ser feitas à luz deste precioso versículo:

1. *De onde vem essa vida abundante? E o Deus da esperança...* A vida abundante procede do Deus da esperança. Tudo provém de Deus. Ele é a fonte de todo bem. Deus não apenas ordena que Seu povo viva de forma superlativa e maiúscula, mas também concede a ele essa bênção.
2. *Em que consiste essa vida abundante? ... vos encha de todo gozo e paz...* A vida abundante consiste na plenitude do gozo e no reinado da paz. Deus é a fonte da nossa alegria e, quando temos alegria em Deus, temos também paz com Deus e experimentamos a paz de Deus.
3. *Como podemos obter a vida abundante? ... no vosso crer...* A vida abundante não é fruto do esforço, mas resultado da fé. O mesmo Deus

---
[47] STOTT, John. *Romanos*, p. 450.
[48] BARCLAY, William. *Romanos*, p. 212, 213.

que dá a vida abundante nos dá também a fé para possuí-la. Tanto o fim quanto o meio são dádivas de Deus.

4. *Por que devemos possuir a vida abundante? ... para que sejais ricos de esperança...* O que haveremos de ser na glória deve instruir-nos quanto ao que devemos ser aqui e agora. O céu ensina a terra. A igreja triunfante deve ser pedagoga da igreja militante. As riquezas que o povo de Deus deve buscar com extremo zelo não são ouro e prata, mas riquezas espirituais; devemos ser ricos de esperança. Nossa Pátria está no céu. Nossa herança está no céu. O nosso Senhor virá do céu, e nós iremos para o céu!

5. *Como podemos viver a vida abundante? ... no poder do Espírito Santo.* A vida abundante não resulta do esforço da carne, mas do poder do Espírito. A vida abundante não é um troféu que conquistamos, mas um dom que recebemos. Essa dádiva não procede da terra, mas do céu; não dos homens, mas do Espírito Santo de Deus.

Concluímos essa exposição citando mais uma vez John Stott. Segundo o erudito expositor, de todos os temas analisados no texto em apreço, há três que parecem centrais e têm a ver com a cruz, a ressurreição e o juízo final. Cristo morreu para ser nosso Salvador. Cristo ressuscitou para ser nosso Senhor. Cristo virá para ser nosso Juiz. Cristo morreu! Cristo ressuscitou! Cristo voltará! Essas gloriosas verdades, além de constituir a essência do nosso culto, influenciam a nossa conduta.[49]

---
[49] STOTT, John. *Romanos*, p. 452.

22

As excelências do ministério de Paulo

Romanos 15.14-33

PAULO ESTÁ CONCLUINDO sua mais robusta epístola. Escreve para uma igreja que não fundara nem mesmo conhecera. Depois de ter feito uma grande exposição (capítulos 1–11) e uma grande exortação (capítulos 12.1–15.13), o apóstolo volta ao assunto introduzido no início de sua missiva (1.8-13),[1] citando agora seus projetos de viagem a Roma, sua missão apostólica, laços de intercessão e comunhão de graças.[2] Como sábio comunicador, antecipa algumas objeções, destacando dois pontos vitais:

Em primeiro lugar, **Paulo elogia seus leitores**. *E certo estou, meus irmãos, sim, eu mesmo, a vosso respeito, de que estais possuídos de bondade, cheios de todo o conhecimento, aptos para vos admoestardes uns aos outros* (15.14). Paulo ensinara verdades profundas e fizera exortações pesadas à igreja. Emitira advertência contra as tendências antinomianas (capítulo 6), contra a arrogância por parte de alguns (11.20,21; 12.3), contra a oposição às autoridades governamentais (13.2) e contra os fortes ridicularizando os fracos e os fracos condenando os fortes (14.1-4). Diante desses fatos, alguns crentes de Roma poderiam pensar que Paulo os julgasse imaturos, ignorantes e ineptos para a obra de Deus.

---

[1] STOTT, John. *Romanos*, p. 455.
[2] LEENHARDT, Franz J. *Epístola aos Romanos*, p. 374.

Geoffrey Wilson, porém, capta o sentido correto do sentimento de Paulo quando escreve:

> Antes de concluir a carta, Paulo deseja esclarecer que não escreveu à igreja de Roma porque achasse que os crentes lá fossem defeituosos em sua experiência cristã ou deficientes em seu conhecimento da verdade divina. Ele, com muito tato, observa que o objetivo de sua carta não é ensinar-lhes nenhuma doutrina nova, mas sim de os lembrar da verdade que já possuíam.[3]

Antecipando as possíveis objeções que poderiam surgir dentro da igreja de Roma, Paulo, que já elogiara a igreja por sua fé proclamada em todo o mundo (1.8), lhes assegura que tem elevado conceito da igreja (15.14). Cranfield diz que "o que temos aqui é cortesia cristã, e não adulação".[4] As falhas detectadas na igreja não arrefecem seu alto apreço pela igreja como um todo.[5] Paulo destaca três virtudes cardeais na vida da igreja de Roma:

Os crentes de Roma estavam cheios de bondade (15.14). A bondade tem a ver com a disposição de investir tempo e energia para socorrer as outras pessoas em suas necessidades. É a disposição de tratar bem aqueles cujas virtudes não os recomendam. John Murray diz que a palavra grega *agathosunes*, "bondade", se refere à virtude oposta a tudo quanto é vil e maligno; também inclui retidão, gentileza e beneficência de coração e vida.[6]

Os crentes de Roma estavam cheios de conhecimento (15.14). "Conhecimento" significa a compreensão da fé cristã, estando particularmente relacionado à capacidade de instruir outrem.[7] O pastoreio mútuo depende não só de bondade, mas também de conhecimento. É o conhecimento que governa a bondade. Se a bondade enche o coração de amor, o conhecimento enche a mente de luz. John Murray escreve: "A bondade

---

[3] Wilson, Geoffrey B. *Romanos*, p. 209.
[4] Cranfield, C. E. B. *Comentário de Romanos*, p. 326.
[5] Hendriksen, William. *Romanos*, p. 638.
[6] Murray, John. *Romanos*, p. 570.
[7] Murray, John. *Romanos*, p. 570.

é a virtude que constrangeria os crentes fortes a se absterem daquilo que prejudicaria os fracos; e conhecimento é aquela realização que corrigiria as debilidades da fé".[8]

Os crentes de Roma estavam aptos para o pastoreio mútuo (15.14). A admoestação recíproca resulta da bondade e do conhecimento. É a bondade conjugada ao conhecimento que habilita os crentes a ser admoestadores eficazes. A palavra grega *nouthesia*, "admoestação", é um apelo à mente na qual está presente uma oposição. A pessoa é tirada de um falso caminho mediante admoestação, ensino, lembrança e encorajamento; e sua conduta é então corrigida.[9] Calvino destaca oportunamente que aqueles que admoestam devem possuir duas graças especiais: humildade e prudência. Os que se sentem chamados a exortar e ao mesmo tempo desejam ajudar os irmãos com seu conselho devem manifestá-lo tanto pela doçura no rosto como no modo gentil de falar, pois não há coisa pior para a exortação fraternal que a malevolência e a soberba, já que ambas nos impulsionam a desprezar aqueles a quem desejamos fortalecer.[10]

Em segundo lugar, **Paulo defende seu apostolado diante dos leitores**. *Entretanto, vos escrevi em parte mais ousadamente, como para vos trazer isto de novo à memória, por causa da graça que me foi outorgada por Deus* (15.15). Duas verdades são aqui destacadas pelo apóstolo:

Ele relembra os crentes aquilo que eles já sabem (15.15). Paulo não está ensinando para os crentes de Roma novidades desconhecidas. Está relembrando e aprofundando verdades que eles já conhecem. Paulo não está sendo inédito; está sendo enfático. Charles Erdman diz que Paulo escrevera não em razão de alguma falta específica da parte dos romanos, mas em função de seu especial interesse neles. Não tanto para anunciar-lhes novas verdades quanto para fazê-los lembrados das verdades que haviam já recebido.[11]

Ele relembra os crentes sua autoridade apostólica (15.15b). Paulo não se intromete em campo alheio; não é um aventureiro que instrui a igreja

---

[8] MURRAY, John. *Romanos*, p. 570.
[9] RIENECKER, Fritz; ROGERS, Cleon. *Chave linguística do Novo Testamento grego*, p. 281.
[10] CALVINO, João. *Epístola a los Romanos*, p. 373.
[11] ERDMAN, Charles R. *Comentários de Romanos*, p. 161.

de Roma sem credencial divina. É apóstolo de Cristo, e a autoridade de orientar doutrinária e eticamente a igreja era não só um privilégio sublime, mas também uma responsabilidade a ele outorgada pela graça de Deus. Foi a graça de Deus que o salvou, o chamou e fez dele um apóstolo (Rm 1.5; 1Co 15.8-11; Ef 3.7,8).

Disto examinaremos algumas excelências do ministério de Paulo.

Paulo, o **ministro de Cristo** (15.16)

Na conclusão desta carta, Paulo, que fora essencialmente doutrinário, se torna eminentemente pessoal.[12] Ele se autodenomina ministro de Cristo. Leiamos seu relato: *Para que eu seja ministro de Cristo Jesus entre os gentios, no sagrado encargo de anunciar o evangelho de Deus, de modo que a oferta deles seja aceitável, uma vez santificada pelo Espírito Santo* (15.16). Destacaremos aqui quatro verdades preciosas:

Em primeiro lugar, **a natureza do ministério de Paulo** (15.16). O apóstolo usa termos técnicos aqui para apresentar seu ministério sacerdotal. Paulo é um liturgo, porque exerce a função de sacerdote,[13] vê a si mesmo como um sacerdote no altar, que oferece a Deus um sacrifício perfeito. Para F. F. Bruce, há nessas frases densa linguagem de culto: Paulo é um *leitourgos*, sua proclamação do evangelho, *hierougeo*, é um "serviço sacerdotal", e seus conversos gentios são uma oferenda que ele apresenta a Deus.[14]

A palavra grega *leitourgos*, traduzida como "ministro", geralmente significa serviço público (13.6), mas na literatura bíblica é usada "exclusivamente" com referência a serviços rituais e religiosos. Assim, no Novo Testamento, aplica-se tanto ao sacerdócio judaico (Hb 7.11) como a Jesus, nosso grande sumo sacerdote (Hb 8.2). A seguir Paulo usa a palavra grega *hierourgeo*, traduzida por "sagrado" e que significa dever sacerdotal, ou servir como sacerdote, especialmente com relação aos sacrifícios no templo. Paulo emprega ainda as palavras gregas *prosphora*,

---

[12] HENDRIKSEN, William. *Romanos*, p. 637.
[13] LEENHARDT, Franz J. *Epístola aos Romanos*, p. 375.
[14] BRUCE, F. F. *Romanos: introdução e comentário*, p. 210.

"oferta", e *euprosdektos,* "aceitável", a Deus, ambas comumente utilizadas em relação aos sacrifícios (1Pe 2.5).[15]

Uma grande e oportuna pergunta deve ser feita: Qual é, pois, o ministério sacerdotal de Paulo, e qual é o sacrifício que ele deve oferecer? A resposta tem claramente a ver com o evangelho e os gentios. Paulo considera-se um sacerdote no altar, oferecendo a Deus os gentios que ganhou para Cristo.[16] John Stott esclarece:

> Paulo considera Sua obra missionária como sendo um ministério sacerdotal porque ele é capaz de oferecer os seus convertidos gentios como um sacrifício vivo a Deus. Embora os gentios fossem rigorosamente excluídos do templo de Jerusalém, e não lhes fosse permitido de forma alguma participar no ofertório de seus sacrifícios, agora, por intermédio do evangelho, eles mesmos passam a ser uma oferta sagrada e aceitável a Deus.[17]

Paulo vê seu apostolado como um serviço sacerdotal, e considera os gentios que se converteram por meio dele a oferta agradável que ele apresenta a Deus.[18] Warren Wiersbe diz que cada alma que ganhamos para Cristo é uma oferta de sacrifício que oferecemos a Deus para a Sua glória.[19] Alguns, sem dúvida, sustentavam que os gentios convertidos por meio de Paulo eram "impuros" por não terem sido circuncidados. A tais cavilladores a réplica de Paulo é que esses conversos eram "limpos" porque haviam sido santificados pelo Espírito Santo.[20]

Para que não fique nenhuma dúvida, porém, e não haja motivos de falsa interpretação por parte de leitores desatentos, deixamos meridianamente claro que não há na igreja cristã nenhum sacerdócio verdadeiro e nenhum sacrifício exceto os figurativos.[21] Assistimos com pesar,

---

[15] STOTT, John. *Romanos*, p. 457.
[16] WIERSBE, Warren W. *Comentário bíblico expositivo*, p. 736.
[17] STOTT, John. *Romanos*, p. 457.
[18] BRUCE, F. F. *Romanos: introdução e comentário*, p. 209.
[19] WIERSBE, Warren W. *Comentário bíblico Wiersbe Novo Testamento*, p. 443.
[20] BRUCE, F. F. *Romanos: introdução e comentário*, p. 210.
[21] WILSON, Geoffrey B. *Romanos*, p. 209.

em alguns redutos evangélicos, uma volta aos rituais judaicos, quando estes eram apenas sombras que cessaram com a vinda de Cristo e sua perfeita obra vicária, realizada na cruz do Calvário. Leenhardt é absolutamente esclarecedor nesse ponto:

> O sacerdote, cuja função culminava no oferecimento do sacrifício, requeria-o uma instituição divina destinada a restaurar as relações entre Deus e Seu povo que o pecado ameaçava e truncava. Na nova economia que Deus estabeleceu em Cristo Jesus, o evangelho anunciado pelo apóstolo é a nova senda dessa reconciliação do pecador com Deus: conduz o pecador à obediência da fé em Cristo, vítima sacrificial que a todas as demais se substitui. O sacrifício de Cristo, no entanto, engloba e implica o sacrifício de cada crente, unido ao Crucificado pela fé e batismo (6.2,3). Mercê dessa união, torna-se o pecador, com Cristo, uma oferenda viva, santa e agradável a Deus (12.1). O pregador do evangelho assume, portanto, uma função sacerdotal, como outrora o sacerdote do templo que oferecia os animais. Exatamente como o sacerdote, tem o apóstolo por missão preparar a volta dos homens a Deus por via do oferecimento de uma vítima. Tais verdades são fundamentais: o sacerdote é de agora em diante assumido pelo apostolado não no sentido de que oficiaria em um novo altar para oferecer um novo sacrifício, mas em que anuncia o evangelho e se torna o instrumento por intermédio do qual o Espírito Santo associa os crentes ao sacrifício da cruz. Se os sacrifícios antigos e o sacerdócio que lhes era ordenado estão daqui em diante suspensos, é que o propósito a que servia essa instituição é agora superiormente alcançado pelo apostolado que instituiu Cristo.[22]

Em segundo lugar, *a abrangência do ministério de Paulo* (15.16). O ministério de Paulo era voltado aos gentios. O próprio Deus o capacitou e o conduziu nessa direção. Paulo permaneceu fiel a seu chamado e no final de sua vida pôde dizer: *Mas o Senhor me assistiu e me revestiu de forças, para que, por meu intermédio, a pregação fosse plenamente cumprida, e todos os gentios a ouvissem...* (2Tm 4.17).

---

[22]LEENHARDT, Franz J. *Epístola aos Romanos*, p. 375, 376.

Em terceiro lugar, *a essência do ministério de Paulo* (15.16). O eixo central do ministério de Paulo era o sagrado encargo de anunciar o evangelho de Deus. Seu ensino não era próprio. Ele não pregava palavras de homens, mas o evangelho de Deus. É uma grande tragédia que muitos obreiros na igreja contemporânea tenham substituído o evangelho de Deus por outro evangelho, sonegando ao povo o Pão verdadeiro, dando-lhe o farelo de doutrinas engendradas no laboratório do engano. Pululam nos púlpitos falsas doutrinas; florescem no canteiro do evangelicalismo brasileiro novidades estranhas. Escasseiam nas pregações e nas músicas contemporâneas o santo evangelho de Cristo.

Em quarto lugar, *o propósito do ministério de Paulo* (15.16). O propósito de Paulo é que os gentios, ao apresentar no altar suas vidas convertidas e santificadas pelo Espírito, fossem como oferta aceitável a Deus. Paulo não era um pregador pragmático. Não se contentava apenas com números. Não se deixava impressionar por grandes movimentos. Ele queria vidas transformadas. Queria que os membros da igreja fossem ofertas aceitáveis a Deus.

Paulo, o **pregador poderoso** (15.17-19)

Destacaremos aqui alguns pontos vitais na vida do apóstolo Paulo como poderoso pregador.

Em primeiro lugar, **Paulo se gloria em Cristo, e não em si mesmo**. *Tenho, pois, motivo de gloriar-me em Cristo Jesus nas coisas concernentes a Deus* (15.17). Paulo não era um balão cheio de vento. Não se ufanava de seu abrangente e extraordinário ministério. William Hendriksen diz que a exultação de Paulo está correta, uma vez que é exultação em Cristo, e não autoglorificação (1Co 1.29-31; 2Co 10.17).[23] Paulo se gloriava em Cristo, e não em si mesmo; nas coisas concernentes a Deus, e não em suas próprias coisas. Paulo não trabalhou para engrandecer seu próprio nome, pois tinha em mente propósitos mais elevados. Desejava glorificar a Cristo.[24] Estão em total desacordo com o ensino

---

[23] HENDRIKSEN, William. *Romanos*, p. 641.
[24] WIERSBE, Warren W. *Comentário bíblico expositivo*, p. 736.

bíblico aqueles que exaltam a si mesmos e constroem monumentos à sua própria glória. Toda glória dada ao homem é vazia, é vanglória, é idolatria. Deus não reparte a Sua glória com ninguém.

Em segundo lugar, **Paulo prega aos ouvidos e aos olhos**. *Porque não ousarei discorrer sobre coisa alguma, senão sobre aquelas que Cristo fez por meu intermédio, para conduzir os gentios à obediência, por palavra e por obras* (15.18). A ênfase de Paulo não estava nas coisas que ele fazia para Cristo, mas nas coisas que Cristo fazia por intermédio dele. A obra é de Cristo, o poder vem de Cristo; Paulo é apenas o instrumento, e não o agente. Nas palavras de Stott: "Cristo age, não *com* ele, mas *por intermédio* dele".[25]

O ministério de Paulo de conduzir os gentios à obediência realizou-se por *palavras* e *obras*. Ele pregava e fazia. Ele pregava aos ouvidos e também aos olhos. John Stott diz que as palavras explicam os gestos, mas os gestos representam as palavras.[26] Deve existir profunda conexão entre o verbal e o visual, entre a palavra e a ação. Foi assim o próprio ministério de Cristo: Ele fazia e ensinava (At 1.1).

Ressaltamos também que os gentios eram conduzidos à obediência. A salvação implica transformação. É impossível receber a Cristo como Salvador sem se submeter a Ele como Senhor. Geoffrey Wilson diz corretamente: "Ao se opor ao legalismo, o apóstolo não fazia qualquer concessão à libertinagem. Ele não pregava um evangelho barato e fácil em que bastava 'crer', porque Cristo não aceitará ser Salvador daqueles que se recusam a segui-Lo como Senhor".[27]

Em terceiro lugar, **Paulo realiza sinais e prodígios pelo poder do Espírito Santo**. *Por força de sinais e prodígios, pelo poder do Espírito Santo...* (15.19a). Paulo é um pregador poderoso. Seu poder não emana de si mesmo, vem de Deus. Sua força não vem de dentro, mas do alto. Seu apostolado é confirmado com sinais e prodígios (2Co 12.12; At 13.6-12; 14.8-10; 16.16-18; 16.25,26; 19.11-16), os quais são operados mediante o poder do Espírito Santo.

---

[25] STOTT, John. *Romanos*, p. 459.
[26] STOTT, John. *Romanos*, p. 459.
[27] WILSON, Geoffrey B. *Romanos*, p. 210.

William Hendriksen afirma que ambos, "sinais" e "prodígios", são *milagres*, realizados sobrenaturalmente. Um milagre é chamado "prodígio" quando se dá ênfase no efeito exercido sobre o observador. Em contrapartida, quando o milagre aponta para fora de si mesmo e representa os atributos (poder, sabedoria, graça etc.) daquele que o realiza, é chamado "sinal".[28] John Murray diz que sinais e prodígios não significam dois tipos diferentes de eventos. Referem-se aos mesmos acontecimentos, considerados por ângulos diferentes. Um milagre é tanto um sinal quanto um prodígio. Na qualidade de sinal, aponta para o instrumento mediante o qual ele ocorre e, deste modo, possui caráter de confirmação; na qualidade de prodígio, enfatiza o aspecto admirável do evento.[29]

Concordo com John Stott quando ele diz que o propósito principal dessas manifestações era autenticar o ministério todo especial dos apóstolos (Hb 2.4).[30] Segundo Calvino, os milagres têm como propósito conduzir os homens ao temor e à obediência a Deus. No evangelho de Marcos, lemos que o Senhor confirmava a Palavra com os sinais que se seguiam (Mc 16.20). Lucas diz que o Senhor dava testemunho à Palavra de Sua graça por sinais e milagres (At 14.3). Assim, pois, os milagres que buscam glorificar as criaturas, e não a Deus, e tratam de dar autoridade às mentiras, e não à Palavra de Deus, são do diabo.[31]

É de bom alvitre enfatizar que o ofício apostólico cessou na igreja. Não temos mais apóstolos hoje como aqueles do Novo Testamento. O cânon das Escrituras está fechado. Não há mais novas revelações. O fundamento já foi lançado pelos apóstolos e profetas e agora precisamos edificar sobre o fundamento que é Cristo. A igreja é apostólica hoje na medida em que segue a doutrina dos apóstolos. É de bom-tom igualmente enfatizar que milagres físicos não são a única maneira pela qual o poder do Espírito Santo se manifesta. Cada conversão é uma manifestação de poder na qual o Espírito, por intermédio do evangelho, resgata e regenera pecadores.[32]

---

[28] HENDRIKSEN, William. *Romanos*, p. 641.
[29] MURRAY, John. *Romanos*, p. 574.
[30] STOTT, John. *Romanos*, p. 460.
[31] CALVINO, João. *Epístola a los Romanos*, p. 376.
[32] STOTT, John. *Romanos*, p. 460.

Paulo, o **missionário pioneiro** (15.19b-21)

Paulo foi, sem sombra de dúvidas, o maior missionário da igreja de todos os tempos. Ele plantou igrejas nas províncias da Galácia, Macedônia, Acaia e Ásia Menor. Conforme F. F. Bruce, nas principais cidades às margens das mais importantes vias das províncias da Síria-Silícia, de Chipre, da Galácia, da Ásia, da Macedônia e da Acaia, havia comunidades de crentes em Cristo para testemunhar a atividade apostólica de Paulo. Em toda a parte, seu objetivo era pregar o evangelho onde ele ainda não tinha sido anunciado. Tendo completado Sua obra no Oriente, olhava para o Ocidente e se propunha evangelizar a Espanha.[33] Destacaremos a seguir aqui alguns pontos importantes de seu pioneirismo.

Em primeiro lugar, *os limites de sua ação missionária*. [...] *de maneira que desde Jerusalém e circunvizinhanças até ao Ilírico, tenho divulgado o evangelho de Cristo* (15.19b). Paulo vai desde o extremo Oriente, em Jerusalém, até ao Ocidente, ao Ilírico. Seguindo a rota do sol, seu caminho o conduziu do leste para o oeste, até a costa do mar Adriático.[34] A indicação deve sugerir ao leitor a marcha triunfal do evangelho do Oriente ao Ocidente e o sentimento de que tudo o que jaz a leste de Roma já havia sido atingido.[35] Essa região da Ilíria se situava na costa ocidental do mar Adriático, na Macedônia, e corresponde aproximadamente à Albânia e à parte sul do que era a antiga Iugoslávia. Lucas não registra, no livro de Atos, nenhuma visita de Paulo ao Ilírico.

Em segundo lugar, *a filosofia de sua ação missionária*. *Esforçando-me, deste modo, por pregar o evangelho, não onde Cristo já fora anunciado, para não edificar sobre fundamento alheio; antes, como está escrito: Hão de vê-lo aqueles que não tiveram notícia dele, e compreendê-lo os que nada tinham ouvido a seu respeito* (15.20,21). William Hendriksen diz que Paulo se considerava um desbravador de trilhas para o evangelho, um missionário pioneiro, um plantador de igrejas.[36] Seu chamado era para lançar os fundamentos (1Co 3.10). Sua vocação era semear, e

---

[33] Bruce, F. F. *Romanos: introdução e comentário*, p. 209.
[34] Pohl, Adolf. *Carta aos Romanos*, p. 242.
[35] Leenhardt, Franz J. *Epístola aos Romanos*, p. 377.
[36] Hendriksen, William. *Romanos*, p. 645.

não regar (1Co 3.6). Paulo era um plantador, e não um mantenedor de igrejas. John Stott tem razão quando diz que o próprio chamado e o dom de Paulo, como apóstolo dos gentios, eram para ele ser o pioneiro da evangelização do mundo gentílico, e deixar aos outros, especialmente aos presbíteros locais ali residentes, o cuidado pastoral das igrejas.[37]

Leenhardt acrescenta que Paulo desejava terras virgens. A prioridade do seu apostolado era não passar onde outros haviam já trabalhado. Não que receasse dos conflitos de autoridade; é que a tarefa era urgente. Paulo chegou a ponto de excluir de seu apostolado a prática generalizada do batismo (1Co 1.17), sem dúvida porque se reservava a apenas lançar os alicerces, deixando a outros o cuidado do labor de mais longa duração, que era a instrução preliminar ao batismo (1Co 3.10). Paulo se apressa não por política eclesiástica, mas por fidelidade à vocação: os gentios estão à espera![38]

Paulo, o **viajante intercontinental** (15.22-29)

Paulo era um missionário itinerante. Fazia muitas e perigosas viagens, mesmo diante de precariedades óbvias e riscos profundos. No texto em apreço, o apóstolo fala sobre seus planos de viagem, inclusive o roteiro de Roma, Jerusalém e Espanha.

Em primeiro lugar, *seu plano de visitar Roma* (15.22-24). Acompanhemos o relato de Paulo:

> *Essa foi a razão por que também, muitas vezes, me senti impedido de visitar-vos. Mas, agora, não tendo já campo de atividade nestas regiões e desejando há muito visitar-vos, penso em fazê-lo quando em viagem para a Espanha, pois espero que de passagem, estarei convosco e que para lá seja por vós encaminhado, depois de haver primeiro desfrutado um pouco a vossa companhia* (15.22-24).

Duas verdades são destacadas aqui:

---

[37] STOTT, John. *Romanos*, p. 462.
[38] LEENHARDT, Franz J. *Epístola aos Romanos*, p. 378.

1. *Os motivos que retardaram a ida de Paulo a Roma* (15.22,23). O atraso da visita de Paulo à igreja de Roma não se deveu a barreiras espirituais, mas a oportunidades que não podiam deixar de ser aproveitadas. Se foi satanás quem barrou o caminho do apóstolo a Tessalônica (1Ts 2.18), foi a obra de Deus que retardou sua visita a Roma. Enquanto havia campos para serem abertos nas províncias da Galácia, Macedônia, Acaia e Ásia Menor, Paulo se concentrou nessa tarefa. Agora, era tempo de alçar voos e alcançar horizontes mais distantes; e nessa nova empreitada pretendia passar por Roma.
2. *Os propósitos da visita de Paulo a Roma* (15.24). Paulo tinha três propósitos em mente ao visitar a igreja de Roma. Primeiro, desejava desfrutar um pouco a companhia daqueles irmãos, repartindo com eles algum dom espiritual, recebendo e oferecendo conforto por intermédio da fé mútua (1.11,12). Segundo, queria conseguir entre os crentes de Roma algum fruto espiritual (1.13). Terceiro, pretendia ser enviado pela igreja de Roma com o sustento devido à Espanha (15.24). Ele novamente dá a entender aos romanos: entre vocês terei apenas papel de visitante, mas me auxiliem em meu trabalho pioneiro na Espanha.[39]

Em segundo lugar, *seu plano de visitar Jerusalém*. Acompanhemos atentamente o relato do apóstolo:

> Mas, agora, estou de partida para Jerusalém, a serviço dos santos. Porque aprouve à Macedônia e à Acaia levantar uma coleta em benefício dos pobres dentre os santos que vivem em Jerusalém. Isto lhes pareceu bem, e mesmo lhes são devedores; porque, se os gentios têm sido participantes dos valores espirituais dos judeus, devem também servi-los com bens materiais (15.25-27).

Três verdades merecem ser destacadas aqui:

1. *A diaconia de Paulo* (15.25). Paulo vai a Jerusalém exercer o ministério da misericórdia. Ele está cumprindo a promessa que assumira diante dos apóstolos de Jerusalém, de que não esqueceria os pobres

---

[39] POHL, Adolf. *Carta aos Romanos*, p. 243.

(Gl 2.10). Esse trabalho não era menos digno que pregar o evangelho. Era na verdade uma demonstração da eficácia do evangelho e do amor dos crentes.
2. *A generosidade dos crentes gentios* (15.26). Os crentes gentios da Macedônia e Acaia demonstram amor àqueles que eles não conheciam pessoalmente. Ofertam de forma voluntária, proporcional e sacrificial (1Co 16.1-4; 2Co 8–9; At 24.17). Evidenciam que o amor cristão não consiste apenas em palavras, mas sobretudo em ação. A comunhão inclui o repartir o pão.
3. *A dívida dos crentes gentios* (15.27). Paulo argumenta que os judeus repartiram com os gentios as bênçãos espirituais, e agora os gentios deveriam repartir com eles as bênçãos materiais. A oferta dos gentios aos crentes judeus não era apenas uma questão de generosidade, mas também uma dívida espiritual. Paulo vê na oferta proveniente das igrejas gentílicas a demonstração simbólica, material e humilde da sua dívida aos judeus. John Stott lança luz sobre esse assunto:

> O significado primordial da oferta (a solidariedade do povo de Deus em Cristo) não era geográfico (da Grécia para a Judeia), nem social (dos ricos para os pobres) nem mesmo étnico (dos gentios para os judeus), mas era sobretudo religioso (de radicais liberais para conservadores tradicionais, isto é, dos fortes para os fracos), e especialmente teológico (dos beneficiados para os benfeitores). Em outras palavras, o que eles estavam chamando de "dádiva" era na realidade uma "dívida".[40]

Leenhardt destaca que essa oferta econômica era uma expressão necessária do amor fraternal. Também os fundos arrecadados foram dados de bom grado, espontaneamente, e não extorquidos. Não se tratou de uma obrigação desagradável, ou uma extorsão, mas de uma santa permuta, pois aquele que recebeu é feliz em retribuir, sob outra forma. Ainda essa oferta foi uma espécie de *koinonia,* uma comunhão, uma reciprocidade de serviços. Cada qual dava do que tinha e recebia o que lhe faltava. Assim todos viviam reciprocamente em dívida e "obrigados".[41]

---

[40] STOTT, John. *Romanos*, p. 465, 466.
[41] POHL, Adolf. *Carta aos Romanos*, p. 245.

Finalmente, a referida oferta foi um sinal evidente de unidade da igreja. Mostra concretamente que os tenros rebentos são solidários com o velho tronco.[42]

Em terceiro lugar, *seu plano de visita à Espanha*. *Tendo, pois, concluído isto e havendo-lhes consignado este fruto, passando por vós, irei à Espanha. E bem sei que, ao visitar-vos, irei na plenitude da bênção de Cristo* (15.28,29). Paulo sempre tivera os olhos fixos "nas regiões além" e passa a contar aos amigos em Roma seus planos de largo alcance.[43]

Na época do imperador Augusto, toda a Península Ibérica havia sido subjugada pelos romanos e organizada em três províncias, com muitas colônias romanas florescendo. Adolf Pohl diz que, naquele tempo, semelhantemente à Palestina, seu ponto oposto no Leste, a Espanha era uma ponte terrestre muito disputada entre a Europa e a África, além de local de convergência de rotas marítimas bastante ramificadas. Havia séculos estava incorporada à cultura mundial grega, sendo berço de importantes filósofos, artistas e imperadores. Por muito tempo vivia lá uma colônia judaica, em várias comunidades com sinagogas. Portanto, Paulo sente-se desafiado por uma nova e importante etapa da missão.[44]

William Barclay diz que a Espanha em certo sentido estava situada no limite extremo do mundo civilizado. Paulo queria levar as boas-novas do evangelho tão longe quanto possível. Além disso, muitos dos grandes homens do Império eram espanhóis, como Lucano, o poeta épico; Marcial, o mestre dos epigramas; Quintiliano, o maior orador de seus dias; e Sêneca, filósofo estoico e tutor de Nero.[45]

Não podemos afirmar categoricamente que Paulo tenha ido à Espanha. Há, contudo, fortes indícios de que este plano tenha sido concretizado. Clemente de Roma e o Fragmento Muratoriano, por exemplo, reforçam essa teoria.[46]

---

[42]LEENHARDT, Franz J. *Epístola aos Romanos*, p. 380.
[43]ERDMAN, Charles R. *Comentários de Romanos*, p. 162.
[44]POHL, Adolf. *Carta aos Romanos*, p. 244; CRANFIELD, C. E. B. *Comentário de Romanos*, p. 331, 332.
[45]BARCLAY, William. *Romanos*, p. 218, 219.
[46]MURRAY, John. *Romanos*, p. 578.

Paulo, o **pastor solícito** (15.30-33)

Paulo conclui o passo bíblico revelando seu profundo senso pastoral. Ele não apenas cuida do rebanho, mas anseia também ser cuidado por ele. Não apenas ora pela igreja, mas também roga orações à igreja em seu favor. Não fala à igreja do alto de uma arrogância prepotente, mas deseja estar presente com os crentes e recrear-se no meio deles. Destacamos aqui três verdades:

Em primeiro lugar, **Paulo pede orações à igreja**. *Rogo-vos, pois, irmãos, por nosso Senhor Jesus Cristo e também pelo amor do Espírito, que luteis juntamente comigo nas orações a Deus a meu favor, para que eu me veja livre dos rebeldes que vivem na Judeia, e que este meu serviço em Jerusalém seja bem aceito pelos santos* (15.30,31). Destacamos alguns pontos:

A oração é trinitariana (15.30). Paulo diz que a oração é dirigida ao Pai, por intermédio do Senhor Jesus Cristo, pelo amor do Espírito. Paulo proclama a singularidade de Deus, constituído em três pessoas distintas. Não são três deuses, mas um só Deus, subsistindo em três pessoas da mesma substância.

A oração é uma luta renhida (15.30). A oração é uma batalha com Deus e contra o diabo, a carne e o mundo. Não há nada de amenidade na oração; ela é uma luta acesa e renhida. A sonolência e a indolência não combinam com a oração. Ela é uma luta que exige diligência e esforço. As palavras "luteis juntamente" trazem à mente um atleta dando o melhor de si numa competição. Devemos ser tão fervorosos em nossa oração quanto um atleta é dedicado em suas competições.[47]

A oração é o meio de Deus intervir nas circunstâncias (15.31). Paulo acredita que Deus age nas circunstâncias por intermédio da oração. John Murray diz que a oração é um dos meios determinados por Deus para a concretização de seus desígnios graciosos, sendo também resultado da fé e da esperança.[48] Paulo faz dois pedidos claros à igreja de Roma:

1. *Ser liberto dos rebeldes da Judeia*. Ele sabia que a maior oposição ao seu ministério procedia desses rebeldes. Eles consideravam Paulo um traidor. Eles pensavam que Paulo estava pervertendo

---

[47]WIERSBE, Warren W. *Comentário bíblico expositivo*, p. 738.
[48]MURRAY, John. *Romanos*, p. 583, 584.

a religião judaica. Paulo pede orações à igreja de Roma para não ser vítima de emboscadas desses rebeldes em sua visita à cidade de Jerusalém. Embora ele não tivesse medo de morrer, tomava precauções para não morrer.

2. *Ter seu serviço bem aceito pelos santos de Jerusalém*. As ofertas que Paulo havia recolhido dentre as igrejas gentílicas eram mais que ajuda financeira aos santos de Jerusalém; simbolizavam a comunhão entre gentios e judeus e eram elo de união da multirracial igreja primitiva. John Stott diz que, aceitando a coleta trazida pelos apóstolos, os líderes cristãos judeus estariam endossando o evangelho de Paulo e sua aparente desconsideração pela lei e pelas tradições judaicas. Se a rejeitassem, porém, isso seria uma verdadeira tragédia, que aumentaria irrevogavelmente a rixa entre cristãos judeus e cristãos gentios. A aceitação da oferta fortaleceria a solidariedade entre judeus e gentios no corpo de Cristo.[49]

Paulo desejava criar um vínculo mais próximo entre a igreja-mãe em Jerusalém e suas "filhas" em outras partes do Império.[50] William Hendriksen afirma que Paulo temia que aqueles a quem a oferta se destinava não estivessem dispostos a aceitar a oferta. Sabia muito bem que, a despeito das decisões do Concílio de Jerusalém (At 15.19-29), a oposição a ele e ao seu evangelho de liberdade em Cristo nunca havia cessado. Isso explica sua súplica sincera.[51]

Em segundo lugar, **Paulo submete-se à vontade de Deus**. *A fim de que, ao visitar-vos, pela vontade de Deus, chegue à vossa presença com alegria e possa recrear-me convosco* (15.32). Paulo, diferentemente de alguns arrogantes e pretensiosos obreiros contemporâneos, não ordena nem exige coisa alguma de Deus; antes, submete-se à agenda de Deus e à Sua soberana vontade. Concordo com John Stott quando ele diz que o propósito da oração não é, de maneira alguma, submeter a vontade de

---

[49]STOTT, John. *Romanos*, p. 469.
[50]WIERSBE, Warren W. *Comentário bíblico expositivo*, p. 738.
[51]HENDRIKSEN, William. *Romanos*, p. 654.

Deus à nossa, mas alinhar nossa vontade à dEle (1Jo 5.14; Mt 6.10).[52] Paulo foi a Roma não conforme havia planejado. Chegou preso e algemado, depois de uma injusta prisão e um terrível naufrágio, mas o plano de Deus foi cumprido, a vontade de Deus foi feita e a obra de Deus prosperou por seu intermédio.

A alegre expressão "estou chegando", repetida várias vezes em Romanos, não se cumpriu conforme imaginava Paulo. Em Jerusalém, Paulo foi imediatamente preso. Passou dois anos preso em Cesareia. Apenas na primavera de 61 d.C., chegou a Roma – num comboio de prisioneiros. Somente depois de outros dois anos de prisão foi solto (At 28.30,31). Depois de sair da primeira prisão em Roma, visitou as igrejas e encorajou os crentes em tempos sombrios de iminente perseguição. Então, foi recapturado e jogado numa masmorra, de onde saiu para o martírio. Em todo o tempo e em todas as circunstâncias, entretanto, jamais duvidou da soberana providência divina. Jamais se considerou prisioneiro de César. Via a si mesmo como prisioneiro de Cristo e embaixador em cadeias (Ef 4.1; 6.20). Mesmo sob circunstâncias tão adversas, entendia que todas as coisas contribuíam para o progresso do evangelho (Fp 1.12). Ao chegar a hora do seu martírio, estava convicto de que não era Roma que lhe tiraria a vida, mas ele é quem oferecia sua vida a Deus como libação (2Tm 4.6).

Em terceiro lugar, **Paulo invoca sobre os crentes a bênção de Deus**. *E o Deus da paz seja com todos vós. Amém!* (15.33). Em Romanos 15.5 Paulo havia testemunhado acerca de Deus como o "Deus da paciência" e em Romanos 15.13 como o *Deus da esperança*. Agora ele encontra uma terceira designação, o "Deus da paz".[53] Cranfield é da opinião de que "paz" aqui provavelmente significa a soma de todas as verdadeiras bênçãos, inclusive a salvação final. Ao chamar Deus de "o Deus da paz", Paulo o está caracterizando como a Fonte e o Doador de todas as verdadeiras bênçãos, o Deus que está ao mesmo tempo disposto e é capaz de ajudar e salvar até o máximo.[54]

---

[52] STOTT, John. *Romanos*, p. 469.
[53] POHL, Adolf. *Carta aos Romanos*, p. 246.
[54] CRANFIELD, C. E. B. *Comentário de Romanos*, p. 335.

Em vez de falar sobre a paz de Deus, o apóstolo fala sobre o Deus da paz. Quando temos o Deus da paz, temos a paz com Deus e a paz de Deus. Deus é melhor que suas bênçãos. Quando temos Deus, temos tudo o que Deus é e tudo o que Deus dá.

Do começo ao fim desta carta, Paulo se preocupa com a unidade entre judeus e gentios. Por isso, conclui rogando que o Deus da paz fosse com todos eles. A palavra hebraica *shalom*, "paz", era uma preocupação central para os judeus. Assim, o judeu Paulo, que é também apóstolo dos gentios, pronuncia sobre os seus leitores gentios a bênção judaica.[55]

---

[55] STOTT, John. *Romanos*, p. 471.

23

A importância dos relacionamentos na igreja

Romanos 16.1-27

A CARTA DE PAULO AOS ROMANOS É SINGULAR não apenas quanto ao seu conteúdo, mas também quanto à sua conclusão. Aqui está a mais longa lista de saudações feitas pelo apóstolo. À primeira vista este capítulo parece árido e somos inclinados a subestimar o valor de seus ensinos. Entretanto, no epílogo desta missiva, Paulo enfileira grandes verdades e preciosos ensinamentos acerca dos relacionamentos pessoais de amor na igreja. Para usar uma conhecida expressão de Crisóstomo, devemos aproximar-nos dessa introdução como garimpeiros à cata de grandes tesouros.

Romanos 16 pode ser dividido em cinco pontos: recomendação, saudação paternal, exortação, saudação fraternal e adoração doxológica. Warren Wiersbe sintetiza-os em três verdades preciosas: alguns amigos para saudar (16.1-16), alguns inimigos a evitar (16.17-20) e alguns servos a honrar (16.21-27).[1]

Uma recomendação pastoral (16.1,2)

O apóstolo escreve: *Recomendo-vos a nossa irmã Febe, que está servindo à igreja de Cencreia, para que a recebais no Senhor como convém aos santos e a*

---
[1] WIERSBE, Warren W. *Comentário bíblico expositivo*, p. 738, 739.

ajudeis em tudo que de vós vier a precisar; porque tem sido protetora de muitos e de mim inclusive (16.1,2). As cartas de recomendação eram comuns e necessárias naquele tempo (At 18.27; 2Co 3.1), uma vez que os crentes precisavam contar com a hospitalidade dos irmãos quando viajavam de uma cidade para outra. Igualmente, eram necessárias para proteger as pessoas de charlatães.[2] John Murray diz que Febe era uma mulher que realizara eminentes serviços à igreja, e a recomendação tinha de ser proporcional a seu caráter e devoção.[3]

Uma carta de apresentação daria à Febe o acesso à igreja de Roma. Ela era membro da igreja de Cencreia, onde se localizava o porto de Corinto, quinze quilômetros a leste da cidade (At 18.18). A igreja de Cencreia talvez fosse filha da igreja metropolitana de Corinto.

O nome próprio Febe significa radiante ou brilhante, título do deus Apolo, e isto pode indicar os antecedentes gentílicos dessa cristã.[4] William Hendriksen é da opinião de que o nome Febe deriva da mitologia pagã, sendo outra palavra para Artemis, a brilhante e radiante deusa lua, identificada com Diana, deusa romana.[5] Febe estava viajando de Cencreia a Roma e possivelmente foi a portadora dessa carta aos Romanos.

Paulo ensina aqui algumas lições:

Em primeiro lugar, *o importante papel da mulher na igreja* (16.1,2). Febe era uma servidora da igreja de Cencreia. A palavra grega *diakonon*, usada pelo apóstolo para descrever Febe, é o feminino do termo *diaconos*, "diácono". Embora muitos comentaristas, como F. F. Bruce, John Stott, Dale Moody, Warren Wiersbe, Franz Leenhardt, Charles Hogde, C. H. Lenski, C. E. B. Cranfield a considerem diaconisa, concordo com Charles Erdman em que o simples uso do termo não significa que Febe tivesse esse ofício. O termo pode denotar simplesmente o exercício da caridade e da hospitalidade que deveriam caracterizar a vida de todo verdadeiro crente e que Febe parecia manifestar em assinalado grau.[6]

---

[2] STOTT, John. *Romanos*, p. 472.
[3] MURRAY, John. *Romanos*, p. 588.
[4] MOODY, Dale. Romanos. In: *Comentário bíblico Broadman*. Vol. 10. Rio de Janeiro: Juerp, 1984, p. 326.
[5] HENDRIKSEN, William. *Romanos*, p. 657.
[6] ERDMAN, Charles R. *Comentários de Romanos*, p. 164.

Mesmo que as opiniões sobre esse assunto sejam divididas, creio que William Hendriksen tem razão quando declara não haver nenhuma menção do diaconato feminino no restante do Novo Testamento.[7] Por conseguinte, o que se enfatiza nesta epístola é a importância de Febe para a igreja como servidora e protetora de muitos, inclusive do próprio apóstolo Paulo. A lição clara é que se deve evitar dois extremos: 1) o de ordenar mulheres para um ofício eclesiástico quando não há nas Escrituras autorização para fazê-lo; 2) o de ignorar os importantíssimos e valiosos serviços que mulheres devotas e alertas são capazes de prestar à igreja de nosso Senhor e Salvador Jesus Cristo.[8]

Em segundo lugar, **o importante papel do cuidado mútuo na igreja** (16.2). Febe era protetora de muitos e inclusive do apóstolo Paulo. A palavra grega *prostatis* significa "ajudadora, patronesse, benfeitora", ou seja, *prostatis* era um representante legal e um protetor rico.[9] Leenhardt diz que *prostatis* designava o representante legal e protetor dos estrangeiros, uma vez que eles eram privados de garantias jurídicas.[10] Charles Erdman acrescenta que essa palavra tem também o sentido de patrocinadora.[11] Isso demonstra que Febe era uma mulher de posses que usava a sua riqueza para apoiar a igreja e também o apóstolo.[12]

Febe usou seus recursos não apenas para Seu deleite e conforto, mas para sustentar e socorrer muitos irmãos. Era uma mulher altruísta, abnegada, desapegada das coisas materiais e apegada às pessoas. Sua vida, sua casa e seus bens estavam a serviço da igreja. Ela não se blindou para viver confortavelmente num castelo seguro em meio às tempestades da vida, mas serviu de porto seguro para muitos que estavam sendo batidos pelos vendavais furiosos das circunstâncias adversas. De acordo com Adolf Pohl, Febe trabalhava no vasto campo da assistência e do cuidado de necessitados.[13]

---

[7] HENDRIKSEN, William. *Romanos*, p. 659.
[8] HENDRIKSEN, William. *Romanos*, p. 660.
[9] GREATHOUSE, William. *A epístola aos Romanos*, p. 187.
[10] LEENHARDT, Franz J. *Epístola aos Romanos*, p. 387.
[11] ERDMAN, Charles R. *Comentários de Romanos*, p. 165.
[12] STOTT, John. *Romanos*, p. 473.
[13] POHL, Adolf. *Carta aos Romanos*, p. 247.

Em terceiro lugar, *o importante papel da recepção calorosa na igreja* (16.2). A igreja de Roma deveria receber Febe no Senhor como um membro da família de Deus e ajudá-la em tudo aquilo de que precisasse. A palavra grega *parasthete,* traduzida como "ajudar", significa auxiliar, assistir, ficar atrás a fim de empurrar, de sustentar alguém.[14] Chegara o momento de Febe colher os frutos de sua semeadura. Ela havia cuidado de muitos e agora deveria ser alvo do cuidado da igreja de Roma. A igreja é a comunidade da ajuda mútua.

Uma saudação paternal (16.3-16)

Paulo passa da recomendação às saudações. Elenca 26 nomes, acrescentando na maioria dos casos uma apreciação pessoal e uma palavra de elogio. O apóstolo é um mestre de relacionamentos humanos. É um pastor experiente e sabe o valor de tratar as pessoas pelo nome e de fazer-lhes elogios encorajadores. Concordo com Charles Erdman quando ele diz que essa lista de nomes obscuros é de grande valor e verdadeira significação. Tais saudações revelam o coração de Paulo a patentear terna afeição, apreciação à bondade, afetuosa simpatia e o alto conceito em que tinha as amizades humanas. Dão-nos instrutivos relances da vida da igreja primitiva, capacitando-nos a ter ideia da íntima união, dos heroicos sofrimentos, das generosas simpatias, da pureza, da consagração, da fé, da esperança e do amor então reinantes.[15]

Alguns estudiosos atribuem essa longa saudação à igreja de Éfeso, e não à igreja de Roma,[16] argumentando que Paulo não conhecia pessoalmente a última e seria improvável que tivesse tantos amigos lá. Além disso, Paulo faz referência a Priscila e Áquila, proeminente casal que fora expulso de Roma pelo edito de Cláudio em 49 d.C. (At 18.2) e servira a Cristo na cidade de Corinto, onde Paulo os acompanhara (At 18.1-3). Depois viajaram juntos para Éfeso (At 18.18,19; 1Co 16.10), e deve ter sido ali que o casal arriscou a vida por ele (16.4). Além do mais, Paulo envia saudações a Epêneto (16.5), primeiro convertido da Ásia, sendo

---

[14] RIENECKER, Fritz; ROGERS, Cleon. *Chave linguística do Novo Testamento grego,* p. 282.
[15] ERDMAN, Charles R. *Comentários de Romanos,* p. 166.
[16] BRUCE, F. F. *Romanos: introdução e comentário,* p. 215.

Éfeso a capital da Ásia Menor. Concordo, entretanto, com William Barclay quando ele diz que, se Paulo tivesse enviado saudações a tanta gente para uma igreja conhecida como Éfeso, teria provocado ciúmes nos demais membros, mas para uma igreja que ainda não havia visitado, como a de Roma, essa longa lista era um expediente sábio para criar a maior rede possível de relacionamentos.[17]

Outro argumento consistente para provar que essa saudação foi realmente dirigida aos crentes de Roma, e não aos membros da igreja de Éfeso, é que Roma era a capital do Império, a maior e mais cosmopolita cidade da época, com mais de um milhão de habitantes, e todos os caminhos levavam a Roma.[18] A essa magnífica cidade todos os dias afluíam pessoas em busca de novas oportunidades. Havia naquele tempo grande mobilidade e era natural que muitos crentes convertidos em igrejas que Paulo fundara agora estivessem residindo em Roma. Concordo com John Stott quando ele diz não ser nada improvável que, após a morte de Cláudio em 54 d.C., Priscila e Áquila tenham retornado a Roma, onde teriam recebido essa saudação de Paulo.[19]

Destacamos aqui algumas preciosas lições:

Em primeiro lugar, *os crentes fazem parte da família de Deus*. A família de Deus tem duas marcas distintas – unidade e diversidade –, como destaca.[20] Com respeito à diversidade, podemos notar que na lista de Paulo há homens e mulheres, escravos e livres, pobres e ricos, gentios e judeus, mas todos estão em Cristo, e é essa união com Cristo que fornece a base para a unidade da igreja.

A diversidade da igreja pode ser notada pelo gênero, classe social e raça. Na igreja de Roma havia homens e mulheres servindo a Deus. Dentre as 26 pessoas saudadas na carta de Paulo, nove são mulheres. Na igreja de Roma pobres e ricos, escravos e livres estavam juntos nesse labor. Na igreja de Roma judeus e gentios faziam parte da mesma família. Na igreja de Deus há unidade na diversidade.

---

[17] BARCLAY, William. *Romanos*, p. 20.
[18] BRUCE, F. F. *Romanos: introdução e comentário*, p. 216.
[19] STOTT, John. *Romanos*, p. 475.
[20] STOTT, John. *Romanos*, p. 475.

Os comentaristas acham muito provável que o Aristóbulo mencionado aqui (16.10) seja um neto de Herodes, o Grande, e amigo do imperador Cláudio, e que Narciso (16.11) seja ninguém menos que o conhecidíssimo, rico e poderoso liberto que exerceu grande influência em Cláudio.[21] Havia pessoas da corte imperial convertidas a Cristo na igreja de Roma (Fp 4.22). No que concerne à unidade, precisamos salientar que ela não é feita pelo homem, mas por Deus. Não criamos a unidade da igreja; ela existe. Ao descrever seus amigos, Paulo destaca quatro vezes que eles estão *em Cristo* (16.3,7,9,10) e cinco vezes que *estão no Senhor* (16.8,11,12,13). Por duas vezes ele usa uma linguagem de conotação familiar, referindo-se a "irmã" (16.1) e "irmãos" (16.14).[22]

Em segundo lugar, ***os crentes devem ter mãos dispostas para o trabalho de Deus*** (16.3,6,9,12). Priscila e Áquila eram cooperadores de Paulo (16.3), assim como Urbano (16.9). Maria muito trabalhou pela igreja de Roma (16.6). Trifena e Trifosa trabalhavam no Senhor (16.12). Os verbos "cooperar" e "trabalhar" destacam que essas pessoas tinham as mãos dispostas para o trabalho de Deus.

Em terceiro lugar, ***os crentes devem ter a casa aberta para a igreja de Deus*** (16.5). Paulo saúda os líderes dos cinco grupos em cujas casas a igreja se reunia para a adoração (16.5,10,11,14,15). Em destaque está o casal Priscila e Áquila. Eles tinham vocação missionária. Eram fabricadores de tendas e deixaram Roma para habitar em Corinto, depois em Éfeso e agora estavam de volta a Roma. O edito de Cláudio, pelo qual os judeus haviam sido expulsos, deixara de vigorar, e Priscila e Áquila não hesitaram, como muitos outros judeus, em voltar ao seu antigo lar e a seus antigos negócios. E, uma vez mais descobrimos que eles são exatamente os mesmos: outra vez há uma igreja, um grupo de cristãos que se reúnem em seu lar (16.5). Em outra ocasião, pela última vez, eles estão novamente em Éfeso (2Tm 4.19).[23] Priscila e Áquila era um casal nômade, dois missionários itinerantes. Em todas as cidades

---

[21] STOTT, John. *Romanos*, p. 475.
[22] STOTT, John. *Romanos*, p. 478.
[23] BARCLAY, William. *Romanos*, p. 223.

por onde passaram – Roma, Corinto, Éfeso, novamente Roma e outra vez Éfeso –, eles abriram as portas da sua casa para a igreja de Deus. Naquele tempo, não havia templos, e as igrejas se reuniam nas casas. A casa desse casal era uma igreja na qual os crentes se reuniam para adorar a Deus e proclamar Sua Palavra.

Em quarto lugar, *os crentes devem ter o coração aberto para os filhos de Deus* (16.4,7,13). Priscila e Áquila não apenas abriram a casa para abrigar a igreja de Deus, mas também estavam dispostos a correr riscos pelos filhos de Deus. Arriscaram a vida para salvar o apóstolo Paulo. A palavra grega *upethekan* significa colocar-se sob o machado do executor, sob a lâmina do carrasco e arriscar a vida em prol de outras pessoas.[24] Possivelmente isso aconteceu em Éfeso, onde Paulo enfrentou lutas maiores que suas forças a ponto de desesperar-se da própria vida (2Co 1.8). O casal Andrônico e Júnias esteve com Paulo na prisão (16.7) e compartilhou de seus sofrimentos.

Em quinto lugar, *os crentes devem ter lábios abertos para expressar amor aos filhos de Deus* (16.5,7,8,9,10,12,13). Paulo era pródigo nos elogios. Acerca de Epêneto, diz que era seu querido. Ressalta que Andrônico e Júnias eram notáveis entre os apóstolos. Destaca que Amplíato era seu dileto amigo. Chama Estáquis de amado. Afirma que Apeles é aprovado em Cristo. Destaca que estima Pérside. Informa que Rufo é eleito no Senhor e destaca que sua mãe também foi mãe para ele. O elogio sincero tem grande valor nos relacionamentos humanos. Paulo sabia disso e não hesitava em usar esse importante recurso.

Em sexto lugar, *os crentes devem ser zelosos no serviço, mesmo que no anonimato* (16.13-15). Na família de Deus há muitos heróis anônimos. Há muitos santos cujos nomes não são destacados na terra, mas são eminentes no céu. Rufo era possivelmente, filho de Simão Cirineu, o homem que carregou a cruz de Cristo (Mc 15.21). Sua mãe, embora não mencionada pelo nome, foi como uma mãe para o apóstolo Paulo. Que progenitores tinha Rufo! Um pai que carregara a cruz do Salvador, e uma mãe que "adotara" o seu maior apóstolo.[25] O apóstolo saúda mui-

---

[24] RIENECKER, Fritz; ROGERS, Cleon. *Chave linguística do Novo Testamento grego*, p. 282.
[25] MOODY, Dale. *Romanos*, p. 329.

tos irmãos e muitos santos sem declinar seus nomes, gente desconhecida na terra, mas cujos nomes estão arrolados no céu.

Em sétimo lugar, *os crentes devem ser afetuosos em seus relacionamentos interpessoais* (16.16). Na igreja primitiva, o ósculo santo era a forma afetuosa e calorosa de cumprimento e demonstração de amizade, especialmente antes da celebração da Ceia. Concordo, entretanto, com Calvino quando ele diz: "Não me parece que Paulo exija a observância desta cerimônia, senão que exorta a prática do amor fraternal para que se diferencie das amizades profanas do mundo".[26] Em nossa cultura o aperto de mão e o abraço são emblemas de efusividade no trato uns com os outros. Mesmo que o gesto seja cultural, o princípio permanece. Devemos ser atenciosos e calorosos em nossos relacionamentos interpessoais.

William Hendriksen aponta três conjuntos de passagens nas quais o Novo Testamento faz referência ao beijo.[27]

1. Lucas 7.36-50, onde Jesus diz a seu hospedeiro, Simão, o fariseu: Você não me saudou com um beijo, mas esta mulher, desde que entrei aqui, não parou de beijar meus pés (Lc 7.45). Eis a lição: não só deve haver afeição, mas esta tem de ser *expressa*. É preciso haver um sinal de afeição, por exemplo, o ósculo.
2. Lucas 22.47,48. Jesus perguntou a Judas: É com um beijo que você trai o Filho do homem? O amor deve não apenas ser expresso, mas tem de ser *real*. O ósculo precisa ser sincero.
3. O ósculo trocado entre os membros da comunidade cristã, a igreja. Este é o ósculo referido em Romanos 16.16 e em 1Coríntios 16.20 e 2Coríntios 13.12. Não só teria de ser um ósculo e um símbolo de afeição genuína, mas também deveria ser *santo*. Em outros termos, jamais poderia implicar menos de três partes: Deus e as duas pessoas que se osculam reciprocamente. O ósculo santo assim simboliza o amor de Cristo mutuamente compartilhado.

---

[26] CALVINO, João. *Epístola a los Romanos*, p. 389.
[27] HENDRIKSEN, William. *Romanos*, p. 670, 671.

Uma exortação apostolar (16.17-20)

Paulo teve dificuldade em concluir a epístola aos Romanos. Mesmo após ter enviado suas saudações, antes de terminar ele faz uma última advertência aos cristãos de Roma.[28] O apóstolo passa da saudação a alguns crentes da igreja de Roma à exortação à igreja de Roma. Destacamos aqui alguns pontos:

Em primeiro lugar, *os crentes precisam ter discernimento espiritual*. *Rogo-vos, irmãos, que noteis bem aqueles que provocam divisões e escândalos, em desacordo com a doutrina que aprendestes; afastai-vos deles* (16.17). Havia falsos mestres infiltrando-se na igreja de Roma com o propósito de provocar divisões e escândalos em desacordo com a doutrina. Quem eram esses falsos mestres? Em parte alguma o apóstolo diz ou insinua que esses perturbadores fossem membros da igreja romana. Provavelmente eram intrusos, propagandistas itinerantes de erro. William Hendriksen diz que não é necessário crer que fossem todos de uma só classe. Alguns poderiam ser judaizantes legalistas; outros, antinomianos libertinos ou talvez ascetas; ou ainda defensores de uma combinação de dois ou mais ismos destrutivos.[29] Calvino destaca o fato de que Paulo não condena todas as dissensões indiscriminadamente, senão aquelas que destroçam a harmonia e o assentimento da fé verdadeira.[30]

Paulo diz que os crentes de Roma precisam fazer duas coisas: 1) notar bem esses falsos mestres, que são lobos querendo entrar no meio do rebanho (At 20.29,30); 2) segundo, afastar-se deles. Nós também devemos aproximar-nos dos irmãos e afastar-nos dos falsos mestres. Devemos fazer uma caminhada na direção da comunhão fraternal e uma caminhada de distanciamento daqueles que provocam divisões e escândalos na igreja. Geoffrey Wilson está correto quando diz que a verdadeira doutrina é *uma*; as divisões do erro são *muitas!* Os crentes devem afastar-se de tais homens, evitá-los como a uma praga. Devemos

---

[28]BARCLAY, William. *Romanos*, p. 232.
[29]HENDRIKSEN, William. *Romanos*, p. 673.
[30]CALVINO, João. *Epístola a los Romanos*, p. 390.

esquivar-nos daqueles que quebram a verdadeira unidade da igreja enquanto buscam uma falsa unidade.[31]

Em segundo lugar, **os falsos mestres escondem o veneno do engano sob o manto da simpatia**. *Porque esses tais não servem a Cristo, nosso Senhor, e sim a seu próprio ventre; e, com suaves palavras e lisonjas, enganam o coração dos incautos* (16.18). Os falsos mestres não servem a Cristo, mas a si próprios. Em vez de serem servos de Cristo, são escravos de seus próprios apetites e interesses egoístas. O deus deles é o ventre. Eles fazem da igreja uma plataforma para se locupletarem. Buscam o lucro, e não a salvação dos perdidos. Erguem monumentos a si mesmos em vez de buscar a glória de Cristo. A língua deles é cheia de lisonjas. Suas palavras são doces e suaves, mas carregadas de veneno. Eles são amáveis em seus gestos e sempre agradáveis em suas atitudes, mas seu propósito é enganar o coração dos incautos.

A palavra grega *crestologia*, traduzida por "palavras suaves", ajuda-nos a entender o caráter desses falsos mestres. Os próprios gregos definiam *crestólogo* como a pessoa que fala bem e atua mal. É aquela classe de pessoas que, por trás da fachada de palavras piedosas e religiosas, exercem má influência; a pessoa que desencaminha os outros não por um ataque direto, mas sutilmente; a pessoa que finge servir a Cristo, mas na realidade está destruindo a fé.[32]

Em terceiro lugar, **a obediência e a maturidade espiritual devem ser as marcas do crente**. *Pois a vossa obediência é conhecida por todos; por isso, me alegro a vosso respeito; e quero que sejais sábios para o bem e símplices para o mal* (16.19). Paulo elogia a obediência da igreja de Roma e exorta os crentes a serem sábios para o bem e símplices para o mal. A palavra grega *akeraios*, traduzida por "símplices", era aplicada ao metal sem impurezas e também ao vinho e ao leite sem adição de água.[33] Os crentes devem ser prudentes como a serpente e símplices como as pombas. Devem ser meninos no juízo e crianças na malícia (1Co 14.20).

---

[31] WILSON, Geoffrey B. *Romanos*, p. 219, 220.
[32] BARCLAY, William. *Romanos*, p. 232.
[33] BARCLAY, William. *Romanos*, p. 233.

Concordo com John Stott quando ele diz que temos aqui três valiosos testes com os quais avaliar os diferentes sistemas de doutrina e ética: o teste bíblico, o cristológico e o moral. Esses testes podem ser expressos em forma de perguntas, diante de qualquer tipo de ensino que nos apareça pela frente: é um ensino que concorda com as Escrituras? É para a glória do Senhor Jesus Cristo? Promove o bem?[34]

Em quarto lugar, *os crentes devem compreender a vitória que têm em Cristo*. *E o Deus da paz, em breve, esmagará debaixo dos vossos pés a satanás. A graça de nosso Senhor Jesus seja convosco* (16.20). Por trás da atuação dos falsos mestres, Paulo detecta a estratégia de satanás, o pai da mentira (Gn 3.5), a quem Deus em breve esmagará sob os pés dos crentes que estão em Cristo (Gn 3.15). William Greathouse afirma que as divisões na igreja são obra de satanás, e a supressão delas pelo Deus da paz é vitória sobre satanás.[35] Na mesma linha de pensamento, John Murray diz que Deus é quem esmaga satanás e estabelece a paz, em contraste com o conflito, a discórdia e as divisões.[36] Paulo revela aqui a fonte de toda falsidade para que nenhum crente possa ser enganado quando os instrumentos de satanás realizarem Sua obra mortal de destruir a alma dos homens.[37] Paulo está convicto de que o diabo será destronado. O Deus da paz não quer saber de conchavos com o diabo. Somente com a destruição do mal é que se alcança a verdadeira paz.[38]

Concordo com William Barclay quando ele diz que a paz de Deus é a paz da ação, da conquista e da vitória. Existe uma classe de paz que pode ser alcançada à custa de furtar-se de questões que devem ser enfrentadas corajosamente, uma paz que provém de uma inatividade letárgica e de uma evasão de toda ação decisiva. A paz de Deus não se submete ao mundo, mas vence o mundo.[39] De acordo com F. F. Bruce, o título "o Deus da paz" é particularmente apropriado aqui, uma vez que

---

[34] STOTT, John. *Romanos*, p. 482.
[35] GREATHOUSE, William. *A epístola aos Romanos*, p. 192.
[36] MURRAY, John. *Romanos*, p. 599.
[37] WILSON, Geoffrey B. *Romanos*, p. 221.
[38] STOTT, John. *Romanos*, p. 482.
[39] BARCLAY, William. *Romanos*, p. 233.

satanás é o autor da discórdia.⁴⁰ O Deus da paz é o guerreiro valente que nos dá vitória contra satanás. O Deus da paz é quem esmagará em breve debaixo dos nossos pés a satanás. Satanás já foi expulso do céu, já foi despojado na cruz e em breve será esmagado debaixo dos nossos pés, e depois, será lançado no lago de fogo. Somos soldados de um exército vitorioso. Seguimos o capitão invicto em todas as batalhas.

William Hendriksen sintetiza Romanos 16.20, ressaltando três itens em conexão com aquilo que o Deus da paz fará.⁴¹

1. Deus esmagará satanás. Em outros termos, cumprirá a promessa de Gênesis 3.15. O vitorioso não é satanás, mas Deus.
2. Deus o esmagará debaixo dos pés dos crentes. Os que são coerdeiros (8.17) são também covencedores. Os santos participarão da vitória de Deus sobre satanás (Ap 19.13,14).
3. Deus fará isso logo. Em certo sentido, é verdade que Deus já está esmagando satanás. Uma vitória mais decisiva foi conquistada no Calvário. Ao que a presente passagem se refere, entrementes, é a vitória final e escatológica sobre satanás, a qual se concretizará em conexão com o glorioso regresso de Cristo (2Ts 2.8).

Uma saudação fraternal (16.21-24)

Paulo escreve esta carta aos Romanos da região da Acaia, possivelmente de Corinto, após sua última viagem missionária, de caminho a Jerusalém. Ele não apenas envia saudação a 26 pessoas e aos demais irmãos da igreja de Roma, mas também elenca nessa missiva as saudações dos amigos que estão com ele em Corinto, à maneira de um *post scriptum*.

Paulo é um homem muito polido para esquecer seus cooperadores. Havia uma equipe que trabalhava a seu lado e ele sempre valorizava essas pessoas. De acordo com William Barclay: "Nenhum grande homem pode fazer Sua obra sem a ajuda que lhe prestam humildes colaboradores".⁴²

---

⁴⁰BRUCE, F. F. *Romanos: introdução e comentário*, p. 224.
⁴¹HENDRIKSEN, William. *Romanos*, p. 676, 677.
⁴²BARCLAY, William. *Romanos*, p. 234.

Oito irmãos são destacados nessa saudação: *Saúda-vos, Timóteo, meu cooperador, e Lúcio, Jasom e Sosípatro, meus parentes. Eu, Tércio, que escrevi esta epístola, vos saúdo no Senhor. Saúda-vos Gaio, meu hospedeiro e de toda a igreja. Saúda-vos Erasto, tesoureiro da cidade, e o irmão Quarto. [A graça de nosso Senhor Jesus Cristo seja com todos vós. Amém]* (16.21-24).

O primeiro nome da lista é Timóteo (16.21). Esse jovem foi um grande cooperador de Paulo. Timóteo era de Listra. Tinha bom testemunho dos irmãos de sua cidade e de Icônio (At 16.1,2). Era um homem singular, de caráter provado, que cuidava como ninguém dos interesses de Cristo e da sua igreja (Fp 2.20-22). Timóteo era o estimado cooperador de Paulo, seu filho na fé, seu companheiro de perigosas jornadas, seu conforto em longos encarceramentos, seu enviado em missões espinhosas – um homem que, como poucos outros, conhecia a plenitude e a alegria da estima e do afeto do apóstolo.[43] Timóteo era o braço direito de Paulo, o homem que foi preparado para ser o continuador da Sua obra.

Paulo cita em seguida seus parentes Lúcio, Jasom e Sosípatro (16.21). São nomes desconhecidos, mas destacados pelo apóstolo por seu vínculo de parentesco, seja no sentido lato de nacionalidade, seja no sentido restrito de consanguinidade. Lúcio pode ser o Lúcio de Cirene, que era um dos profetas e mestres de Antioquia (At 13.1). Jasom pode ser o Jasom que hospedou Paulo em Tessalônica e sofreu nas mãos da multidão alvoroçada (At 17.5-9). Sosípatro pode ser o Sópatro de Bereia, que levou a parte das ofertas levantadas naquela igreja para os pobres da Judeia (At 20.4). Gaio pode ser um dos poucos crentes que Paulo batizou em Corinto (1Co 1.14).[44]

Na ordem, vem a saudação de Tércio, o amanuense desta epístola, à igreja de Roma (16.22). Ao que parece, Paulo normalmente empregava amanuenses para redigir suas cartas, mas este é o único cujo nome se nos tornou conhecido. Talvez fosse um amanuense profissional, visto que Romanos é bem mais formal que a maior parte das missivas

---

[43] ERDMAN, Charles R. *Comentários de Romanos*, p. 168.
[44] BARCLAY, William. *Romanos*, p. 234.

paulinas.⁴⁵ O costume de Paulo utilizar amanuense é confirmado em outras cartas (1Co 16.21; Gl 6.11; Cl 4.18; 2Ts 3.17).

Em continuação, Gaio, o hospedeiro de Paulo em Corinto (16.23), em cuja casa se reunia uma igreja, também envia saudações à igreja de Roma.

Finalmente, Erasto o tesoureiro da cidade, agora convertido a Cristo, endereça saudações à igreja, sendo acompanhado pelo irmão Quarto (16.23). Este Erasto foi identificado com o oficial civil de mesmo nome mencionado em inscrição latina num bloco de mármore, de calçamento, descoberto em Corinto, em 1929, por membros da Escola Norte-americana de Estudos Clássicos em Atenas.⁴⁶

William Barclay tem razão quando diz que nessa lista de oito nomes há dois grandes sumários. Gaio é o homem da hospitalidade; Quarto é, em uma palavra, o irmão. É uma grande coisa entrar na história como o homem da casa aberta e o homem do coração fraternal. Algum dia as pessoas nos definirão em uma frase. Qual será essa frase?⁴⁷

Uma doxologia singular (16.25-27)

Paulo ensaiou encerrar esta carta várias vezes. Concluiu sua exposição doutrinária com uma sublime doxologia (11.33-36). Depois invocou a bênção três vezes (15.33; 16.20; 16.24) antes de encerrar com a doxologia final (16.25-27). Essa é a mais longa doxologia de Paulo usada em suas cartas. Charles Erdman tem razão quando diz que Paulo nos legou outras grandiosas doxologias; contudo, elas não estão lavradas na conclusão das epístolas, mas incrustadas no próprio corpo da exposição. Esse magnífico jorro de louvor sintetiza os grandes pensamentos da epístola e está em perfeita harmonia com o conteúdo geral da carta.⁴⁸ Concordo com Leenhardt quando ele diz que a doxologia final de Romanos se reveste de impressiva solenidade. Ela confirma a mensagem da epístola, apresentando-a em síntese numa forma litúrgica.⁴⁹

---

⁴⁵BRUCE, F. F. *Romanos: introdução e comentário*, p. 226.
⁴⁶BRUCE, F. F. *Romanos: introdução e comentário*, p. 226.
⁴⁷BARCLAY, William. *Romanos*, p. 234.
⁴⁸ERDMAN, Charles R. *Comentários de Romanos*, p. 169.
⁴⁹LEENHARDT, Franz J. *Epístola aos Romanos*, p. 395.

Destacaremos aqui quatro preciosas verdades.

Em primeiro lugar, **Paulo exalta Deus pelo Seu poder**. *Ora, àquele que é poderoso para vos confirmar segundo o meu evangelho e a pregação de Jesus Cristo, conforme a revelação do mistério guardado em silêncio nos tempos eternos* (16.25). O Deus que elege, chama e justifica é poderoso para confirmar os crentes. A segurança da salvação não se estriba no frágil fundamento da confiança humana, mas na firme rocha da onipotência divina. John Stott argumenta com exatidão: "Se o evangelho é o poder de Deus para salvar (1.16), ele é também o poder de Deus para confirmar. O verbo grego *sterizo*, traduzido como 'confirmar', é quase um termo técnico cujo sentido é nutrir novos convertidos e fortalecer igrejas jovens".[50]

Adolf Pohl destaca o contraste entre a fragilidade da igreja e a onipotência divina, nas seguintes palavras:

> Como eram frágeis esses pequenos grupinhos de cristãos, que se reuniam num lugar qualquer do gigantesco mar de casas de Roma. Faltava-lhes todo *status* de reconhecimento social. No entanto, faltava-lhes também, como evidencia, sobretudo, Romanos 14.15, a clareza doutrinária nas próprias fileiras, de modo que a igreja corria perigo de se dividir. Acima de tudo acontecia em Roma, como nas comunidades de todos os lugares e tempos, que forças intelectuais tentavam apagar novamente a fé (16.20). Em decorrência, a preocupação de firmar na fé determina essa carta. Porém, contra a morte da igreja existe o poder de Deus, o poder da ressurreição.[51]

Em segundo lugar, **Paulo exalta Jesus Cristo como o conteúdo do evangelho**. [...] *e a pregação de Jesus Cristo, conforme a revelação do mistério guardado em silêncio nos tempos eternos, e que, agora, se tornou manifesto e foi dado a conhecer...* (16.25,26). O evangelho de Paulo tem como conteúdo a Pessoa e a obra de Jesus Cristo. A oferta de Jesus Cristo como sacrifício perfeito e eficaz pelos pecados de judeus e gentios, para

---
[50] STOTT, John. *Romanos*, p. 485.
[51] POHL, Adolf. *Carta aos Romanos*, p. 255, 256.

formar a igreja, foi um mistério guardado em silêncio nos tempos eternos. Recorro mais uma vez a John Stott para esclarecer esse importante tema:

> O segredo de Deus, antes oculto mas agora revelado, é essencialmente o próprio Jesus Cristo em sua plenitude (Cl 2.2), e em particular Cristo para os gentios e nos gentios (Cl 1.27), de forma que agora os gentios têm a mesma participação que Israel na promessa de Deus (Ef 3.6-11). O mistério inclui também boas-novas para os judeus e não só para os gentios, ou seja: que um dia *todo o Israel será salvo* (11.25-27). E vive na expectativa da glória futura (1Co 2.7-9), quando Deus fará convergir em Cristo todas as coisas (Ef 1.9,10). Assim, o mistério começa, continua e termina com Cristo.[52]

Em terceiro lugar, **Paulo exalta as Escrituras como revelação de Deus**. [...] *por meio das Escrituras proféticas, segundo o mandamento do Deus eterno, para a obediência por fé, entre todas as nações* (16.26). As Escrituras revelam a Jesus Cristo, o conteúdo do evangelho de Paulo, enquanto a pregação de Jesus Cristo, por intermédio das Escrituras é o meio de tornar esse mistério conhecido aos homens em todo o mundo. O mistério que estivera oculto agora foi revelado por meio da vida, morte, ressurreição e exaltação de Jesus. As Escrituras proféticas não são uma invenção humana, mas o mandamento do Deus eterno; seu propósito é despertar a obediência por fé entre todas as nações. A evangelização precisa desembocar em transformação de vida. À conversão segue o discipulado.

Em quarto lugar, **Paulo exalta Deus por sua sabedoria**. *Ao Deus único e sábio seja dada glória, por meio de Jesus Cristo, pelo séculos dos séculos. Amém!* (16.27). Paulo exalta a Deus, o Deus único e sábio, criador, sustentador, redentor e galardoador. Deus é merecedor de toda a glória, pelos séculos dos séculos, pois o glorioso evangelho apresentado nesta carta foi concebido por sua sabedoria e por Seu poder desde toda a eternidade. O mesmo Paulo que já prorrompera em adoração e louvor:

---

[52] STOTT, John. *Romanos*, p. 486.

Ó profundidade da riqueza, tanto da sabedoria, como do conhecimento de Deus! (11.33) volta a exaltar a Deus por Sua sabedoria na conclusão desta carta. Na verdade, o povo redimido de Deus passará a eternidade atribuindo a ele *louvor, e a glória, e a sabedoria e as ações de graças, e a honra, e o poder e a força* (Ap 7.12). Eles o adorarão por Seu poder e sabedoria manifestos na salvação.[53]

Como ele fez antes, ou seja, na conclusão da primeira parte desta carta (11.36), assim também agora, no término da carta inteira, Paulo acrescenta a palavra de solene e entusiástica afirmação e aprovação: Amém.[54]

---

[53] STOTT, John. *Romanos*, p. 488.
[54] HENDRIKSEN, William. *Romanos*, p. 685.

1 Coríntios

Como resolver conflitos na igreja

1

Igreja, o povo chamado por Deus

1 Coríntios 1.1-31

PETER WAGNER DIZ QUE 1CORÍNTIOS provavelmente tem mais conselhos práticos para os cristãos do nosso tempo do que qualquer livro da Bíblia.[1] Estudar essa carta é fazer um diagnóstico da igreja contemporânea, é ver suas vísceras e entranhas. É colocar um grande espelho diante de nós mesmos.

O apóstolo Paulo plantou a igreja de Corinto no final de sua segunda viagem missionária. Ele passou um ano e seis meses pregando a Palavra de Deus naquela grande cidade (At 18.11) e, nesse tempo, ele gerou esses crentes em Cristo (4.15). Depois, Paulo foi para a cidade de Éfeso, na Ásia Menor. De lá mandou essa carta para a igreja de Corinto.

Essa primeira carta, certamente, não foi a primeira carta que Paulo escreveu aos coríntios. Ele escreveu outra carta, porém, não temos conhecimento do seu paradeiro. Paulo faz referência a essa primeira carta que escrevera: *Já em carta vos escrevi que não vos associásseis com os impuros* (5.9).

Essa carta que temos, 1Coríntios, é a resposta de Paulo a uma consulta que a igreja fizera a ele. *Quanto ao que me escrevestes, é bom que o homem não toque em mulher* (7.1).

---

[1]WAGNER, Peter. *Se não tiver amor*, Curitiba, PR: Editora Luz e Vida,1983,p.27.

A problemática que a igreja estava vivendo chegou ao conhecimento de Paulo em Éfeso, por intermédio de uma irmã da igreja de Corinto chamada Cloe. E quando Cloe visitou Paulo em Éfeso, ela levou a ele a informação de que, na igreja de Corinto, havia muita coisa que estava em desacordo com o que ele ensinara, pois havia divisões e contendas na igreja. Então, Paulo, escreve esta carta, como que trazendo resposta e solução de Deus para os problemas que a igreja estava vivenciando.

Por que Paulo resolveu **plantar uma igreja** em **Corinto**?

Paulo era um missionário estrategista. Ele escolhia as cidades para as quais se dirigia com muito critério e cuidado. Corinto era uma das maiores e mais importantes cidades do mundo como também Roma, Éfeso e Alexandria. Por que Paulo escolheu Corinto? Por que ele permaneceu dezoito meses nessa cidade? Levantarei aqui algumas razões pelas quais o apóstolo Paulo escolheu a cidade de Corinto, para plantar uma igreja.

Em primeiro lugar, *a razão geográfica*. Corinto era uma cidade grega, de grande importância. Ela ficava bem próxima de Atenas, a grande capital da Grécia, e a capital intelectual do mundo. Corinto era uma cidade banhada por dois mares, o mar Egeu e o mar Jônico. Em Corinto, ficava um dos mais importantes portos da época, o porto de Cencreia. Portanto, a cidade de Corinto recebia gente de várias partes do mundo todos os dias. Era uma cidade onde pessoas de diversas culturas fervilhavam pelas ruas e praças diariamente; uma cidade de intenso intercâmbio cultural. Corinto era uma cidade cosmopolita. O mundo inteiro estava dentro dela. Evangelizar Corinto era um plano estratégico, pois o evangelho a partir de Corinto poderia se espalhar e alcançar o mundo inteiro. Essa foi uma das razões por que Paulo se concentrou nessa cidade.

Em segundo lugar, *a razão social*. Corinto era uma grande e importante cidade. Era riquíssima, em virtude do seu intercâmbio comercial com outras cidades importantes do mundo. William Barclay diz que todo o tráfego da Grécia passava por ela. A maior parte do comércio entre o Oriente e o Ocidente do Mediterrâneo optava passar por

Corinto.² Não apenas o comércio era robusto, mas, também, Corinto era uma cidade florescente com respeito à cultura. Havia um grande auditório musical (*odeon*) localizado em Corinto, com capacidade para dezoito mil pessoas sentadas.³

A cidade de Corinto fora destruída e totalmente arrasada pelos romanos no ano 146 a.C. Ficou coberta pelas cinzas do opróbrio e do abandono por cem anos. Somente por volta do ano 46 a.C. é que César Augusto a reconstruiu.⁴ David Prior diz que a partir de 46 a.C., Corinto emergiu para uma nova prosperidade, adquirindo um caráter cada vez mais cosmopolita.⁵ Quando Paulo chegou a Corinto, ela já era uma cidade nova. A psicologia da religião sinaliza que uma igreja numa cidade nova e florescente tem mais probabilidade de crescimento do que em uma cidade antiga, onde a tradição religiosa já esteja arraigada. Paulo entendeu que o florescimento da cidade favorecia a semeadura do evangelho e pavimentava o caminho para a plantação de uma nova igreja.

Em terceiro lugar, *a razão cultural*. Corinto era uma das cidades mais importantes do mundo, naquela época, e isso por três razões:

Pelo seu comércio. Corinto, por ser uma cidade marítima tinha um porto, e, naquela época, era uma rota comercial importante e o comércio do mundo passava por ali. Isso foi visto por Paulo como uma porta aberta para a pregação. Plantar uma igreja em Corinto era abrir janelas de evangelização para o mundo. Pessoas entravam e saíam de Corinto todos os dias. Essa cidade fazia conexão com o mundo inteiro. Paulo entendia que o maior "produto" a ser exportado daquela cidade cosmopolita era o evangelho de Cristo.

Pela sua tradição esportiva. Corinto era, também, uma cidade importantíssima na área dos esportes. A prática dos jogos ístmicos de Corinto só era superada pelos jogos olímpicos de Atenas.⁶ Corinto era uma

---

²BARCLAY, William. *I y II Corintios*, Buenos Aires: Editorial La Aurora, 1973, p.14.
³RIENECKER, Fritz, e ROGERS, Cleon. *Chave linguística do Novo Testamento grego*, 1985, p. 321.
⁴WAGNER, Peter. *Se não tiver amor*, 1983, p. 13.
⁵PRIOR, David. *A mensagem de 1Coríntios*, 1993, p. 12.
⁶PRIOR, David. *A mensagem de 1Coríntios*, São Paulo, SP: ABU Editora, 1993, p.11.

cidade que atraía gente do mundo inteiro para a prática esportiva. Ali a juventude fervilhava e a cidade pulsava vida. E, então, Paulo entendeu que aquela era uma cidade que precisava ser alcançada pelo evangelho da graça de Deus. Na sua visão missionária, Paulo não subestimou a importância dos jovens. Se Paulo vivesse hoje, certamente ele encontraria meios de influenciar a juventude que vibra com o esporte. Ele buscaria meios de entrar com a boa-nova da salvação nos estádios, nas quadras, nos autódromos. Paulo construía pontes entre a verdade revelada de Deus e a cultura. Ele lia o texto das Escrituras e estudava o povo. Ele fazia exegese tanto da Bíblia quanto da cidade. A contextualização de Paulo, porém, não era para enfraquecer o sentido da verdade, mas para aplicá-la com mais pertinência. A verdade de Deus é imutável, mas os métodos de apresentá-la podem variar.

Pela sua abertura a novas ideias. Corinto era uma cidade altamente intelectual. O principal *hobby* da cidade era ir para as praças e ouvir os grandes filósofos e pensadores exporem suas ideias. Era uma cidade que transpirava cultura e conhecimento. Paulo entendia que o evangelho poderia chegar ali e mudar a cosmovisão da cidade. O evangelho não é antiintelectualista, ao contrário, ele é dirigido à razão. Concordamos com John Stott, quando diz que crer é também pensar. O evangelho precisa entrar nas universidades, influenciar a imprensa e alcançar os formadores de opinião da sociedade. Precisamos orar para Deus levantar escritores evangélicos cheios do Espírito Santo, com talento e conhecimento. Precisamos rogar a Deus que desperte pessoas para usar os recursos modernos da tecnologia disponíveis para tornar mais eficiente o processo da evangelização.

Em quarto lugar, *a razão moral*. Embora Corinto fosse uma cidade acentuadamente intelectual, era ao mesmo tempo profundamente depravada moralmente. David Prior diz que, como a maioria dos portos marítimos, Corinto se tornou tão próspera quanto licenciosa.[7] Talvez Corinto tenha ganhado a fama de ser uma das cidades mais depravadas da história antiga. A palavra *korinthiazesthai*, viver como um coríntio, chegou a ser parte do idioma grego, e significava viver

---

[7] PRIOR, David. *A mensagem de 1Coríntios*, 1993, p. 11.

bêbado e na corrupção moral.⁸ A nova moralidade que estamos vendo hoje nada mais é do que a velha moralidade travestida com roupagem um pouquinho diferente. A cidade de Corinto era corrompida por algumas razões:

A prostituição. Em Corinto se confundia religião com prática sexual. Naquela cidade, a deusa Afrodite era adorada e tinha o seu templo sede na Acrópole, uma montanha com mais de 560 metros de altura, na parte mais alta da cidade.⁹ Afrodite era considerada a deusa do amor. Peter Wagner afirma que aproximadamente mil sacerdotisas trabalhavam como prostitutas cultuais nesse templo de Afrodite. Milhares de coríntios adoravam seus deuses "visitando" essas "sacerdotisas".¹⁰ Se não bastasse isso, essas prostitutas cultuais, à noite, desciam para a cidade de Corinto e se entregavam aos muitos marinheiros e turistas que ali chegavam de todos os cantos do mundo. E, então, o clima da cidade era profundamente marcado pela promiscuidade sexual.

O homossexualismo. Corinto era a cidade onde ficavam os principais monumentos de Apolo. Esse deus grego representava o ideal da beleza masculina.¹¹ A adoração a Apolo induzia a juventude de Corinto bem como a juventude grega em geral a se entregar ao homossexualismo. Talvez Corinto fosse o centro homossexual do mundo na época. Se você quer ter uma vaga ideia do que significava Corinto, lembre-se que Paulo escreveu sua carta aos romanos dessa cidade. Parece que Paulo escreveu Romanos 1.24-28 abrindo a janela da sua casa e olhando para a cidade de Corinto. A cidade estava entregue às práticas homossexuais sem nenhum pudor. Muitos membros da igreja de Corinto, antes da sua conversão, tinham vivido na prática do homossexualismo (1Co 6.9-11).

A carnalidade. Havia na igreja de Corinto divisões e práticas sexuais desregradas. Os próprios crentes estavam entrando em contendas e levando suas querelas aos tribunais do mundo. Havia sinais de confusão

---

[8] BARCLAY, William. *I y II Corintios*, 1973, p. 14.
[9] PRIOR, David. *A mensagem de 1Coríntios*, 1993, p. 11.
[10] WAGNER, Peter. *Se não tiver amor*, 1983, p. 12.
[11] PRIOR, David. *A mensagem de 1Coríntios*, 1993, p. 12.

a respeito do casamento e incompreensão a respeito da liberdade cristã. Os crentes ricos se embriagavam na ceia e os pobres passavam fome. Havia confusão com respeito aos dons espirituais, à ressurreição dos mortos e às ofertas. Tudo isso foi diagnosticado por Paulo naquela igreja. A igreja tinha conhecimento, mas não amor; tinha carisma, mas não caráter. Na verdade, era uma igreja infantil e carnal.

Em quinto lugar, *a razão espiritual*. Corinto era uma cidade com muitos deuses e muitos ídolos. Até hoje, quando se visita Corinto, pode-se visualizar enormes estátuas e monumentos que foram dedicados aos deuses. Por ver a cidade perdida no cipoal de uma infinidade de deuses, Paulo entendeu que eles estavam precisando do Deus verdadeiro. Paulo sempre esteve atento à cultura do povo que queria alcançar. Onde ele encontrava uma sinagoga, aí ele iniciava o seu trabalho de evangelização. Peter Wagner diz que, como em todo o Império Romano, havia na sinagoga três tipos de pessoas: judeus, prosélitos, e tementes a Deus.[12] A sinagoga era uma ponte. Paulo usou essa ponte para levar o evangelho para toda a cidade.

Paulo precisou trabalhar em Corinto para o próprio sustento, pois a igreja não estava disposta a sustentá-lo. Logo que chegou a Corinto, Paulo começou a fabricar tendas com a ajuda dos irmãos Priscila e Áquila, deixando de investir totalmente seu tempo na pregação do evangelho. Mais tarde, Paulo exortou os crentes de Corinto, dizendo que precisou despojar outras igrejas para poder servi-los (2Co 11.8,9) e nesse particular a igreja de Corinto foi inferior a todas as demais igrejas (2Co 12.13). Paulo chegou mesmo a usar uma linguagem de ironia, dizendo: Perdoem-me por ter sido injusto com vocês, não exigindo o que era dever de vocês, o meu sustento (2Co 12.13).

Paulo começa essa carta como um pastor sensível, fazendo elogios à igreja. Talvez se não fossem os primeiros versículos do capítulo 1, caberia ao leitor a seguinte pergunta: será que os crentes de Corinto eram verdadeiramente crentes? Será que a igreja de Corinto era mesmo cristã?

Warren Wiersbe afirma que no capítulo 1, Paulo está falando sobre a vocação do cristão. Paulo fala sobre três chamados: 1) Chamado à

---

[12] WAGNER, Peter. *Se não tiver amor*, 1983, p. 15.

santidade (1.2); 2) Chamado à comunhão (1.9); 3) Chamado para glorificar a Deus (1.29).[13]

A igreja é um povo **chamado à santidade** (1.1-9)

O apóstolo Paulo nos apresenta dois retratos da igreja: Primeiro, a igreja como Deus a vê (1.1-9); segundo, a igreja como nós a vemos (1.10-31). No primeiro retrato, Paulo descreve o que nós somos em Cristo, a santificação posicional. No segundo retrato, Paulo descreve o que nós somos existencialmente, a santificação progressiva. O que nós somos em Cristo deve ser evidenciado pelo que praticamos na vida diária.[14] Abramos esse álbum da igreja e vejamos sua beleza aos olhos do próprio Deus, em alguns pontos:

Em primeiro lugar, *a igreja é um povo separado por Deus e para Deus* (1.1-3). A palavra grega *ekklesia*, igreja, significa um "povo chamado para fora". A igreja é o povo tirado do mundo e separado para Deus para uso e propósitos sagrados.[15] Cada igreja tem dois endereços: um endereço geográfico (em Corinto) e outro endereço espiritual (em Cristo).[16] A igreja é uma assembleia local, mas, também, está ligada à Igreja universal, o corpo de Cristo. A igreja se move nessas duas dimensões. Somos cidadãos de dois mundos. Ao mesmo tempo em que temos um endereço na terra e somos pessoas que têm sonhos, lutas, dores, e frustrações; somos também pessoas que vivem numa dimensão espiritual gloriosa. Estamos assentados com Cristo nas regiões celestes, acima de todo principado e potestade (Ef 2.6).

Em segundo lugar, *a igreja tem um dono*. A igreja é de Deus. Ela não é minha, não é sua, nem nossa; ela é de Deus. Paulo chega a dizer aos presbíteros da igreja em Éfeso que a igreja é de Deus porque ele a comprou com o sangue do Seu Filho (At 20.28). Não se trata, portanto, da

---

[13] WIERSBE, Warren W. *Comentário bíblico expositivo*. Vol. 5, 2006, p. 742-747.
[14] WIERSBE, Warren W. *Comentário bíblico expositivo*, 2006, p. 742.
[15] RIENECKER, Fritz e ROGERS, Cleon. *Chave linguística do Novo Testamento grego*, 1985, p. 284.
[16] WIERSBE, Warren W. *Comentário bíblico expositivo*, 2006, p. 742.

igreja de Corinto, mas da Igreja de Deus em Corinto. Deus nunca passou procuração para nós, transferindo-nos o direito de posse da igreja. A igreja só tem um dono, Jesus!

Em terceiro lugar, *a igreja é chamada para a santidade*. A santificação tem dois aspectos importantes:

Santificação posicional. Todo crente é santificado em Cristo. [...] *à igreja de Deus que está em Corinto, aos santificados em Cristo Jesus* (1.2). Toda pessoa que crê em Jesus é santa. Essa é a santificação posicional. A teologia católica diz que uma pessoa santa é aquela que depois de morta é canonizada. Não é isso o que a Bíblia nos ensina. A canonização eclesiástica não tem poder de fazer uma pessoa santa. Ser santo é estar em Cristo. Esta é a santificação posicional. É um ato e não um processo. Santificação em Cristo é posicional. Você está em Cristo, e foi separado para Deus, para sempre. Fritz Rienecker diz que os cristãos compartilham uma santidade comum porque eles têm um Senhor comum.[17]

Santificação processual. Paulo prossegue: [...] *aos santificados em Cristo Jesus, chamados para ser santos...* (1.2). Parece contraditório, pois se já é santo, então por que ser chamado para ser santo? É que a primeira santificação é posicional e a segunda é processual. Quem está em Cristo é chamado para andar com Cristo. Quem está em Cristo precisa ser transformado contínua e progressivamente à imagem de Cristo. Essa é a santificação processual. Essa santificação é progressiva e só terminará com a glorificação.

Em quarto lugar, *a igreja é uma família universal*. Pertencer à Igreja de Deus é um fato maravilhoso. Diz o apóstolo Paulo: [...] *com todos os que em todo lugar invocam o nome de nosso Senhor...* (1.2). É um grave erro teológico olharmos para o nosso grupo, para a nossa denominação ou para a nossa igreja local e ter a pretensão, a vaidade, a petulância de acharmos que nós somos os únicos salvos e os únicos que herdarão o céu. Fomos chamados para ser santos com todos os que em todo lugar

---

[17] RIENECKER, Fritz, e ROGERS, Cleon. *Chave linguística do Novo Testamento grego*, 1985, p. 284.

invocam o nome do Senhor. A Igreja de Deus é maior do que a nossa denominação, maior do que a nossa igreja local. Ela é composta por todos aqueles que invocam o nome do Senhor em todo lugar, e em todo o tempo. A Igreja de Deus é universal. Se você está em Cristo, pertence a uma família que está espalhada por todo o mundo. Jesus não é propriedade exclusiva de nenhuma igreja local. Paulo está dizendo ainda no versículo 2 o seguinte: [...] *Senhor deles* (os que invocam o nome do Senhor Jesus Cristo) *e nosso*, ou seja, Jesus Cristo não é propriedade exclusiva de igreja nenhuma. É Senhor deles e Senhor nosso, é Senhor nosso e é Senhor deles. Nenhuma igreja pode ter a exclusividade na apropriação de Jesus.

Em quinto lugar, *a igreja é um povo enriquecido pela graça de Deus* (1.4-6). A igreja não é apenas separada por Deus e para Deus, mas também é enriquecida pela graça de Deus. Diz o apóstolo Paulo: *Sempre dou graças a* [meu] *Deus a vosso respeito, a propósito da Sua graça, que vos foi dada em Cristo Jesus; porque, em tudo, fostes enriquecidos nEle* (1.4,5a). A palavra grega plutocracia, "enriquecido" refere-se a uma pessoa muito rica. O crente não é uma pessoa pobre; ele é uma pessoa muito rica. Paulo diz em Efésios: *Bendito o Deus e Pai de nosso Senhor Jesus Cristo, que nos tem abençoado com toda sorte de bênção espiritual nas regiões celestiais, em Cristo* (Ef 1.3). Agora, Paulo está dizendo que os crentes em Corinto foram enriquecidos em toda palavra, em todo conhecimento, com todos os dons espirituais (1.7; 2Co 8.7). Quando somos salvos recebemos dons espirituais. A igreja de Corinto era uma igreja rica na palavra, no conhecimento e na capacitação dos dons. Tinha todos os recursos para realizar a obra de Deus. Tudo isso deveria motivar a igreja a uma vida de santidade.

Em sexto lugar, *a igreja é um povo que espera a segunda vinda de Cristo* (1.7). O que mais motiva a igreja a ser santa? Paulo diz que é a expectativa da volta de Jesus. A expectativa da volta de Cristo leva a igreja a se santificar. Quando o crente aguarda Jesus, quando ele vive nessa expectativa de que Jesus vai voltar, ele se santifica.

O apóstolo João diz que aquele que tem essa esperança se santifica, se torna puro como Ele (Jesus) é puro (1Jo 3.1-3). Uma pessoa que perde de vista a verdade sobre a segunda vinda de Cristo tem a tendência de cair num marasmo, na mesmice e se descuidar da sua vida espiritual.

Nós deveríamos estar com os olhos elevados, aguardando a volta do Senhor Jesus Cristo. Quando o crente aguarda a vinda de Cristo, ele vive uma vida santa (1.7; 3.13; 4.5; 15.23,24,51,52; 16.22; 1Jo 3.1-3).

Em sétimo lugar, *a igreja é um povo que tem dependência da fidelidade de Deus* (1.8,9). Paulo diz que a fidelidade de Deus deve nos levar a uma vida de santidade. Nos versículos 8 e 9, lemos que Jesus Cristo também nos confirmará até o fim para sermos irrepreensíveis no dia de nosso Senhor Jesus Cristo.

A nossa salvação depende da fidelidade de Deus (1.8,9). A perseverança dos santos, a segurança e a certeza da salvação não estão firmadas em nossas mãos. Em última instância, quem persevera é o próprio Deus, pois Aquele que começou boa obra em nós há de completá-la até o dia de Cristo Jesus (Fp 1.6). Paulo diz que é o próprio Jesus quem nos confirmará até o fim. Bom é saber que a nossa vida está nas mãos de Cristo Jesus, e das Suas mãos ninguém pode nos tirar (Jo 10.28). É bom saber que os problemas da vida não podem nos tirar das mãos de Deus nem nos afastar do Seu amor (Rm 8.35-39). É o Senhor quem nos confirma até o fim. A nossa salvação é garantida por Deus até o final. A perseverança da salvação é de Deus. Ele já nos chamou à comunhão com Cristo.

A igreja é um povo chamado à **comunhão fraternal** (9.10-25)

Depois que Paulo elogiou a igreja e falou da sua posição em Cristo, começou a tratar dos problemas de divisão que a afligiam. A igreja lidou desde o início com as tensões provocadas pelas divisões. Estamos vivendo uma época fatídica neste sentido, onde tantas igrejas se dividem. As pessoas não têm mais compromisso com a verdade nem com a aliança de amor. Elas firmam um compromisso hoje e amanhã já estão desfazendo esse pacto. David Prior lamenta que o triste é que os membros insatisfeitos muitas vezes têm o pensamento ingênuo de que outra igreja na região seria uma opção um pouco melhor. Dessa inquietação surge o hábito comum do "troca-troca" de igrejas.[18] William

---

[18] PRIOR, David. *A mensagem de 1Coríntios*, 1993, p. 24.

MacDonald assevera que Paulo reprova firmemente o sectarismo em Corinto (1.13) mostrando para a igreja que ele não estava procurando ganhar convertidos para ele ou para exaltar seu nome. Seu único propósito era levar homens e mulheres a Cristo.[19]

Paulo faz três perguntas retóricas no capítulo 1.13. Warren Wiersbe diz que essas perguntas são palavras-chave, para tratar o assunto da divisão dentro da igreja.[20]

Em primeiro lugar, *está Cristo dividido?* (1.10-13a). Paulo não prega um Cristo, Apolo outro e Pedro outro ainda. Existe apenas um Salvador e um evangelho (Gl 1.6-9).[21] "Acaso está Cristo dividido?" Paulo diz que as divisões na igreja são absurdas, porque elas estão levando os crentes a pensar que Paulo está pregando um Cristo, Apolo está pregando outro Cristo e Cefas está pregando ainda outro Cristo. Há somente um Salvador. Há somente um evangelho. A igreja de Corinto começou a se dividir internamente. Por quê? Porque em vez de a igreja influenciar o mundo, o mundo é que estava influenciando a igreja.

O que estava acontecendo? A sociedade de Corinto estava multifacetada com as suas ideias, líderes, filósofos e pensadores. Quando as pessoas iam às praças e ouviam um pensador ou filósofo, elas diziam: eu sou partidário de fulano de tal; outro afirmava: eu sou seguidor do filósofo tal e outro ainda: eu sou seguidor do pensador tal. E essa influência mundana entrou na igreja. É muito triste quando o mundo invade a igreja. A igreja estava seguindo um modelo mundano. E que modelo era esse? O culto à personalidade! A igreja evangélica brasileira vive o pecado da tietagem. Pregadores e cantores são vistos e tratados como astros, como atores que sobem num palco para dar um show. Essa atitude é um sinal evidente de imaturidade e decadência espiritual.

A primeira carta de Paulo aos coríntios nunca foi tão atual quanto hoje. Muitas igrejas atualmente deixam de olhar para a mensagem para enaltecer o mensageiro. Precisamos ressaltar que o mais importante não

---

[19]MACDONALD, William. *Believer's Bible commentary*, 1995, p. 1749.
[20]WIERSBE, Warren W. *Comentário bíblico expositivo*. Vol. 5, 2006, p. 743.
[21]WIERSBE, Warren W. *Comentário bíblico expositivo*. Vol. 5, 2006, p. 743.

é o mensageiro, mas a mensagem. Paulo precisa perguntar à igreja de Corinto: quem é Paulo? Quem foi Apolo? Simplesmente servos por meio de quem vocês creram! Um plantou, o outro regou, mas o crescimento veio de Deus. Paulo diz à igreja: Não coloquem a atenção em vocês, em líderes humanos. Não ponham o pastor de vocês num pedestal. Não coloquem um homem numa posição em que ele não possa estar! Só Jesus Cristo deve ser exaltado na Igreja de Deus. E todas as vezes que a igreja começa a dar mais importância ao pregador, ao pastor, ao mensageiro que à própria mensagem, ela está prestando culto à personalidade, e isto é pecado.

A natureza humana gosta de seguir líderes carismáticos. Os coríntios enfatizaram mais o mensageiro que a mensagem. Por conseguinte, provocaram divisão dentro da igreja. Eles tiraram os olhos do Senhor e os colocaram nos servos do Senhor e isso os levou à competição. Paulo precisou dizer a essa igreja que o culto à personalidade é reflexo de dois pecados: infantilidade espiritual e carnalidade (3.1-3). Paulo enfatiza que eles eram crianças e também carnais, pelo fato de estarem seguindo a homens. O culto à personalidade é um sinal de carnalidade e imaturidade (3.1-3).

Paulo cuida do assunto de forma transparente (1.11). Muitas vezes quando queremos tratar dos problemas da igreja, não tratamos de maneira semelhante. Paulo ficou sabendo das contendas na igreja (1.10; 7.1; 16.10,11,12,17). Ele informou a igreja sobre o problema e deu o nome de quem lhe trouxe o problema.

Hoje, é comum ouvir comentários assim: "Tem alguém dizendo isso ou aquilo na igreja". Outros dizem: "O pessoal anda comentando isso e aquilo". Há ainda aqueles que comentam: "Algumas pessoas estão descontentes". Algumas pessoas, alguém, o pessoal são termos genéricos e indefinidos que não devem ser usados. Paulo agiu diferente. Ele diz que os irmãos da casa de Cloe o informaram que estava acontecendo divisão dentro da igreja. Paulo é específico quanto à informante e quanto à informação. Essa transparência neutraliza a maledicência dentro da igreja. Quando as coisas são trabalhadas em um ambiente de abertura e de transparência, o mal é tratado e resolvido sem deixar feridas, mágoas e ranços.

Depois de apontar o problema, Paulo roga aos irmãos que em nome de Jesus falem a mesma coisa. Que não haja entre eles divisões. A palavra "divisão" é a palavra grega *cisma*, cujo significado é rasgar um tecido. O que Paulo está dizendo é que havia na igreja algo como um tecido rasgado. É isso que eles estavam fazendo: rasgando a igreja! O apóstolo ordena à igreja: [...] *antes, sejais inteiramente unidos, na mesma disposição mental e no mesmo parecer* (1.10b).

Paulo menciona quatro partidos dentro da igreja de Corinto: *Eu sou de Paulo, e eu, de Apolo, e eu, de Cefas, e eu, de Cristo* (1.12). Por que quatro partidos dentro da igreja? Quais eram esses partidos?

Existia o partido liberal de Paulo, o PLP. O partido liberal de Paulo era certamente o partido dos fundadores da igreja. Embora os crentes de Corinto tivessem tido muitos preceptores, foi Paulo quem os levou a Cristo (4.15). Paulo foi o evangelista e o fundador da igreja. Ele ganhou cada um deles para Cristo. Então, certamente aqueles primeiros membros da igreja começaram a dizer: Não! Paulo foi quem começou tudo por aqui. Ele foi o fundador da igreja. Nós fomos os pioneiros desta igreja e nós estamos ligados ele. Nós somos do partido de Paulo. Talvez os que engrossavam esse partido fossem também aqueles indivíduos que seguiam a linha da pregação de Paulo, por exemplo, da liberdade cristã, não ficando atrelados ao legalismo que os judeus queriam impor. É bem provável ainda que os membros desse partido fossem pessoas que controlavam a estrutura da igreja e, possivelmente, não deixavam os novatos participar dela.[22] William Barclay esclarece que esse grupo era um partido formado principalmente por gentios. É muito provável que esse partido quisesse converter a liberdade em libertinagem e utilizasse seu cristianismo como uma desculpa para fazer o que bem queria.[23] Não importa que matiz tenha esse grupo, ele não obedecia ao ensino de Paulo. É interessante que o partido seguidor de Paulo contraria e desobedece aos próprios ensinamentos de Paulo. O apóstolo não havia autorizado aqueles irmãos a colocá-lo numa posição de destaque que ele jamais pedira ou jamais poderia ocupar.

---

[22] WAGNER, Peter. *Se não tiver amor*, 1983, p. 35.
[23] BARCLAY, William. *I y II Corintios*, 1973, p. 26.

Existia o partido filosófico de Apolo, o PFA. Nós poderíamos chamá-lo de partido filosófico de Apolo. E por que era o partido filosófico de Apolo? Porque Apolo era da cidade de Alexandria, a segunda maior cidade do mundo. Alexandria era o centro da atividade intelectual do mundo. Os alexandrinos eram entusiasmados com as elegâncias literárias. Foram eles que intelectualizaram o cristianismo. Os que diziam pertencer a Apolo eram, sem dúvida, os intelectuais que estavam lutando para que o cristianismo se convertesse rapidamente numa filosofia em lugar de uma religião.[24] Em Alexandria floresceu a grande escola da interpretação alegórica. Ali estava uma das maiores bibliotecas do mundo. Influenciado pelo clima de sua cidade, Apolo tornou-se um grande orador, um homem de fluência na palavra (At 18.24). Mais tarde, Apolo foi discipulado por Áquila e Priscila, os companheiros de Paulo (At 18.26). É muito provável, portanto, que o grupo de Apolo tenha sido o grupo dos intelectuais, daqueles que gostavam de um discurso bem elaborado, eloquente, e cheio de beleza retórica. Aquele grupo formou uma elite cultural dentro da igreja.

Existia o partido conservador de Pedro, o PCP. O partido conservador de Pedro era composto, possivelmente, pelos judeus e pelos prosélitos que se tornaram judeus por meio da circuncisão. Muitos gentios aderiam à fé judia e eram chamados de pessoas tementes a Deus. Essas pessoas iam à sinagoga, estudavam a lei e observavam os ritos judeus. Paulo sempre visitou as sinagogas para ali anunciar o evangelho, pois entendia que essas pessoas já tinham começado um processo de busca espiritual. Os membros da sinagoga, normalmente, eram conservadores e gostavam de observar os ritos e as cerimônias judaicas. Como o apostolado de Pedro foi direcionado especialmente aos da circuncisão, havia dentro da igreja de Corinto um grupo que seguia sua liderança. David Prior afirma que, de modo geral, todos concordam que "de alguma forma, o grupo de Cefas representava o cristianismo judeu".[25] William Barclay esclarece que os membros do partido de Pedro eram aqueles que ensinavam que

---

[24]BARCLAY, William. *I y II Corintios*, 1973, p. 27.
[25]PRIOR, David. *A mensagem de 1Coríntios*, 1993, p. 33.

o homem devia observar a lei para a salvação. Eram os legalistas que exaltavam a lei, e que ao fazê-lo, apequenavam a graça.[26]

Existia o partido cristão de Jesus, o PCJ. É bem provável que esse partido, com o nome mais bonito, fosse o mais problemático. Talvez esse fosse o partido exclusivista. Os membros desse grupo evidenciavam um orgulho espiritual sutil, dando a entender que eles eram os únicos cristãos verdadeiros.[27] Talvez esse partido dissesse o seguinte: Quem não estiver do nosso lado, está fora. Quem não estiver no nosso grupo não tem salvação. Quem não jogar no nosso time nem defender a nossa bandeira, não pertence à igreja verdadeira. Talvez fosse esse o grupo dos que se consideravam os iluminados, os espirituais, com quem Deus falava diretamente. Esse grupo não se submetia a qualquer líder humano. Nessa mesma linha de pensamento, William Barclay escreve:

> Deve ter existido uma pequena seita rígida e farisaica cujos membros pretendiam ser os únicos cristãos verdadeiros de Corinto. Sua verdadeira falta não estava em dizer que pertenciam a Cristo, mas em agir como se Ele pertencesse somente a eles. Talvez seja esta a descrição de um pequeno grupo intolerante e santarrão.[28]

Você conhece pessoas assim hoje? Pessoas que não se submetem à liderança e que pensam ter um canal de comunicação direto com Deus? Pessoas que julgam não mais precisar da Bíblia, porque agora Deus revela tudo a elas? Paulo mostra, porém, que essa atitude é carnal. Pergunta o apóstolo: "Acaso Cristo está dividido?" Não! Cristo não está dividido. Ele não pode ser dividido.

Em segundo lugar, *vocês foram batizados em nome de Paulo?* (1.13b-17). Paulo trata o problema da divisão na segunda pergunta retórica do versículo 13: Vocês foram batizados em nome de Paulo? Paulo não está diminuindo o valor do batismo, mas colocando-o no seu

---

[26] BARCLAY, William. *I y II Corintios*, 1973, p. 27.
[27] WAGNER, Peter. *Se não tiver amor*, 1983, p. 37.
[28] BARCLAY, William. *I y II Corintios*, 1973, p. 28.

devido lugar. Os coríntios estavam dando ênfase exagerada ao batismo. O que estava acontecendo na igreja de Corinto é que os irmãos que haviam sido batizados por Paulo se enchiam de vaidade, desprezavam e humilhavam os outros cristãos, se julgando melhor do que eles. No entanto, batizar não foi o principal ministério de Jesus nem de Paulo. Ninguém se torna mais espiritual pelo fato de ter recebido o rito do batismo, por este ou aquele pastor. Essa mentalidade é infantil.

Outros estavam se orgulhando de terem sido batizados em nome de Apolo. Você conhece pessoas que acham que têm mais privilégios espirituais, por terem sido batizadas pelo pastor fulano ou nas águas do rio Jordão? Paulo está dizendo que isso não é importante. É errado você identificar qualquer nome de homem no seu batismo além do nome de Jesus. Assim, em vez de honrar a Jesus e promover a unidade da igreja, essas pessoas exaltavam os homens e criavam a desunião dentro da igreja. Paulo não tinha uma lista de quantos batismos havia feito. O importante é ser batizado em nome de Jesus. O seu batismo não vincula você com a pessoa que o batizou, mas vincula você com Cristo.

Em terceiro lugar, *foi Paulo crucificado por vocês?* (1.13-25). Paulo faz a terceira pergunta: *Foi Paulo crucificado por vós?* Paulo, agora, levanta um dos grandes temas desse capítulo, a cruz de Cristo. A cruz ocupa um lugar central na proclamação do evangelho. É tanto o ponto climático de uma vida de autorrenúncia quanto o instrumento designado de salvação.[29] Paulo introduz um contraste entre o poder do evangelho e a fraqueza da sabedoria humana. Ele mostra que os grupos que existiam dentro da igreja olharam para a cruz em três perspectivas diferentes. Paulo diz: [...] *mas nós pregamos a Cristo crucificado, escândalo para os judeus, loucura para os gentios; mas para os que foram chamados, tanto judeus como gregos, pregamos a Cristo, poder de Deus e sabedoria de Deus* (1.23,24).

Paulo está dizendo que alguns tropeçaram na cruz. Quem é que tropeçou na cruz?

---

[29] RIENECKER, Fritz, e ROGERS, Cleon. *Chave linguística do Novo Testamento grego*, 1985, p. 286.

Os judeus (1.23a). Mas por que os judeus tropeçaram na cruz? Porque eles aguardavam um milagre. Nos evangelhos, os judeus estão sempre chegando perto de Jesus pedindo milagres. E Jesus nunca fez milagre para agradar a ninguém. Eles estavam acostumados a uma história de grandes milagres, e eles aguardavam um Messias vencedor que iria quebrar o jugo dos seus inimigos. Na plenitude dos tempos veio o Messias sofredor, aquele que se fez carne e morreu numa cruz. Não era isso que os judeus esperavam. Por isso, eles tropeçaram na cruz. Não viram nela o poder nem a sabedoria de Deus. Os judeus não viram na cruz um instrumento de salvação para eles. A ênfase deles era em milagres poderosos e a cruz era um sinal de fraqueza. Eles aguardavam um Messias vencedor e Jesus veio como o Messias sofredor. Porque os judeus esperavam sinais, eles tropeçaram na cruz. Contudo, a fraqueza de Deus, a cruz, é mais forte do que os homens (1.25).

Os gregos (1.23b). O maior problema dos gentios era em relação à cruz. Para os gregos, a cruz era uma tolice, porque eles enfatizavam a sabedoria. Eles escarneceram da cruz. Mas Paulo pergunta: *Onde está o sábio? Onde, o escriba? Onde, o inquiridor deste século?* (v. 20). Paulo está dizendo que a sabedoria do homem não conseguiu atingir o conhecimento pessoal de Deus, e não levou o homem ao conhecimento da salvação. O tempo áureo dos gregos e dos romanos, e a filosofia de Sócrates, Platão e Aristóteles não lhes trouxeram iluminação espiritual. O apogeu da filosofia grega, na idade de ouro, o século de Péricles, foi considerado por Paulo como tempo de ignorância e cegueira (*veja* At 17.30). A sabedoria deles não os habilitou a conhecer a Deus nem a receber a salvação. Paulo diz que Deus deu um grande zero para a sabedoria humana, pois ela não conseguiu conduzir o homem à salvação.

Charles Hodge menciona quatro razões por que Paulo considerou nula a sabedoria humana como instrumento de salvação: 1) Deus deu o Seu veredicto de que a sabedoria humana não passa de tolice (1.19,20); 2) A experiência provou a insuficiência da sabedoria humana para conduzir as pessoas ao conhecimento de Deus (1.21); 3) Deus estabeleceu o evangelho para ser o grande instrumento da salvação (1.21-25); 4) A experiência dos coríntios revelou que a sabedoria humana não pôde conduzi-los à salvação nem lhes dar certeza dela. Eles estavam em

Cristo não porque eram mais sábios do que outros, mas simplesmente porque Deus os havia escolhido e chamado (1.26-30). O plano de Deus em todas essas coisas era humilhar o homem [...] *para que, como está escrito: Aquele que se gloria, glorie-se no Senhor* (1.31).[30]

Alguns, porém, creram e eles experimentaram o poder e a sabedoria da cruz (1.24,25). Quando alguém olha para Jesus, vê nEle o poder de Deus. Paulo fala para os judeus e para que aqueles que estão querendo milagres, que Jesus é o maior milagre. Ele é o poder de Deus. Paulo olha para os gregos que estão buscando sabedoria e diz: Jesus é a sabedoria de Deus. Jesus é quem revelou Deus. Jesus é a síntese da sabedoria. Nele estão escondidos todos os tesouros da sabedoria (Cl 2.3). A sabedoria de Deus está no evangelho. Os gregos não olharam para a cruz do ponto de vista de Deus. Paulo pergunta ao sábio, ao escriba e ao filósofo se eles conheceram a Deus por intermédio de seus estudos (1.20,21). Não! Eles conheceram a Deus por meio do evangelho.

Paulo só tem uma mensagem (1.21,24): Cristo crucificado é o poder de Deus para os judeus e a sabedoria de Deus para os gregos. Nós somos chamados à comunhão por causa da nossa união com Cristo: Ele morreu por nós. Nós fomos batizados em Seu nome. Nós estamos identificados com Sua cruz. Que maravilhosa base para a unidade espiritual!

A igreja é um povo chamado para glorificar a Deus (1.26-31)

O grande problema dos crentes de Corinto é que eles tinham a tendência de ser orgulhosos, e às vezes, se ufanavam de coisas que deveriam fazê-los chorar! Os coríntios tinham a tendência de ficar inchados de orgulho (4.6; 5.2; 8.1). Mas o evangelho não deixa espaço para a soberba ou a vaidade. Como Paulo lida com essa questão?

Em primeiro lugar, **Paulo relembra os crentes de Corinto quem eles haviam sido** (1.26). Eles estavam cheios de vaidade. Paulo corrige o problema da vaidade humana, mudando o foco dessa vaidade para a

---

[30] HODGE, Charles. In *The classic Bible commentary*. Ed. By Owen Collins. Wheaton, IL: Crossway Books, 1999, p. 1219.

glorificação do nome de Deus. O Senhor chamou-os não por causa do que eram, mas a despeito disso. Eles eram terríveis pecadores (6.9-10). Paulo os coloca no seu devido lugar (1.26).

Em segundo lugar, **Paulo relembra os crentes de Corinto** o motivo que Deus os chamara. Paulo lembra aos coríntios a razão de Deus tê-los chamado. Paulo está dizendo que *Deus escolheu as coisas loucas do mundo para envergonhar os sábios e escolheu as coisas fracas do mundo para envergonhar as fortes; e Deus escolheu as coisas humildes do mundo, e as desprezadas, e aquelas que não são, para reduzir a nada as que são; a fim de que ninguém se vanglorie na presença de Deus* (v. 27-29). Deus escolhe o tolo, o fraco, o humilde e o desprezado para ressaltar o orgulho do mundo e a sua necessidade de graça. O mundo perdido admira o berço de ouro, o *status* social, o sucesso financeiro, o poder político, o reconhecimento social. Mas nenhuma dessas coisas pode nos recomendar Deus ou nos garantir a vida eterna. A que as pessoas do mundo dão valor? Elas dão valor ao berço ilustre, ao nome da família, ao lugar onde a pessoa mora, a faculdade que ela cursou, a posição que a pessoa ocupa na sociedade. São essas coisas que o mundo ama e valoriza! E Paulo diz que Deus não dá valor a nada disso. Pois Deus escolhe as coisas que não são, para envergonhar as que são. Deus não permite que ninguém se vanglorie na Sua presença.

Em terceiro lugar, **Paulo relembra os crentes de Corinto a herança deles em Cristo**. Diz o apóstolo: *Mas vós sois dEle, em Cristo Jesus* (1.30,31). Jesus se tornou da parte de Deus, sabedoria e justiça e santificação e redenção. A salvação é toda pela graça e por isso não podemos nos gloriar em homens ainda que sejam homens como Paulo, Pedro e Apolo. Jesus é a sabedoria de Deus (1.24) e nossa sabedoria. É Ele quem abre a cortina para entendermos a vida. Se não olharmos para a vida através das lentes de Jesus, não entenderemos seu significado. Jesus nos revela Deus. Ele é a exegese de Deus. De igual forma, Jesus é para você justiça, pois Ele é quem restaura a sua relação com Deus. Por meio da fé em Cristo você é justificado e declarado livre de culpa perante o tribunal de Deus. John Leith afirma que a justificação é o coração da mensagem cristã em todo o tempo e em todo o lugar. É a doutrina pela qual a igreja se mantém em pé ou cai.³¹ Jesus é para você, igualmente, santificação, porque é através dEle que você é separado para servir a Deus. Em Cristo você é posicionalmente santo e por Seu poder você é transformado de um degrau de santificação a outro. Finalmente, Jesus é para você redenção porque foi Ele quem pagou o preço para que você fosse salvo e é Ele quem virá em glória para levar você para a Casa do Pai, onde você reinará com Ele para sempre.³²

Vemos aqui os três tempos da nossa salvação. O tempo passado: Nós fomos salvos, porque Jesus é a nossa justiça. Fomos justificados. O tempo presente: Estamos sendo salvos, porque Jesus é a nossa santificação. O tempo futuro: Nós seremos salvos, porque Jesus é a nossa redenção.³³ Nós aguardamos esse dia, quando o nosso corpo será redimido da presença e do poder do pecado.

---

³¹ LEITH, John H. *Base christian doctrine*. Louisville, Kentucky: Westminster/John Knox Press, 1993, p. 185.
³² MACDONALD, William. *Believer's Bible commentary*, 1995, p. 1751.
³³ WIERSBE, Warren W. *Comentário bíblico expositivo*. Vol. 5, 2006, p. 747.

2

As glórias do evangelho

1 Coríntios 2.1-16

A INTEGRIDADE DO EVANGELHO estava sendo atacada em Corinto. O evangelho se misturava com a filosofia. Os coríntios queriam um evangelho híbrido, misturado com a sabedoria humana. Queriam o evangelho e mais alguma coisa.

Estamos vendo essa mesma tendência na igreja contemporânea, a tendência de querer o evangelho e alguma coisa mais, a tendência de rejeitar a simplicidade e a pureza do evangelho. No século XIX houve uma grande tendência de misturar evangelho com a filosofia, com o saber humano, e com as bombásticas descobertas da ciência. Isso desaguou no liberalismo que tem matado muitas igrejas.

No século XX houve a mistura do evangelho com a ideologia política, sobretudo, na América Latina, desembocando na chamada teologia da libertação. A essência do evangelho foi mudada e o seu eixo se deslocou para um aspecto puramente social, a ponto de Leonardo Boff afirmar que conversão nada mais é do que justiça social. Na teologia da libertação não existe o elemento da relação vertical com Deus, mas apenas da horizontalidade da fé.

Em Corinto o evangelho estava ainda misturado ao experiencialismo subjetivista e heterodoxo. De igual forma, hoje, em pleno século XXI, as pessoas não se satisfazem apenas com o evangelho;

elas querem algo mais, elas querem experiências arrebatadoras. Isso desembocou no surgimento de alguns segmentos neopentecostais que se apartaram da doutrina na busca da luz interior ou das experiências intimistas e subjetivas.

Finalmente, em Corinto, o evangelho estava misturado ao pragmatismo. Hoje, também temos a mistura do evangelho com o pragmatismo. Está florescendo um cristianismo de mercado. O evangelho está se transformando num produto de lucro. As igrejas estão agindo como empresas que fazem de tudo para agradar a freguesia. A igreja oferece o que as pessoas querem. A verdade não é mais a referência, mas aquilo que funciona. Os púlpitos estão oferecendo um evangelho ao gosto da freguesia, como se o evangelho fosse um produto que se coloca na prateleira e se oferece ao freguês quando ele deseja.

Para corrigir esse problema, Paulo expõe nesse capítulo os fundamentos básicos da mensagem do evangelho. Ele levanta três colunas que sustentam a verdadeira mensagem do evangelho: o evangelho centraliza-se na morte de Cristo, é parte do plano eterno de Deus e é revelado pelo Espírito Santo por intermédio da Palavra de Deus.

O evangelho envolve as três pessoas da Santíssima Trindade. Nos versículos 1 a 5, Paulo fala sobre a obra de Cristo na cruz. Dos versículos 6 ao 9, ele fala do eterno plano de Deus Pai. E dos versículos 10 ao 16, ele fala da ação do Espírito Santo.[1]

O evangelho está **centralizado** na morte de Cristo na **cruz** (2.1-5)

Paulo relembra quatro grandes verdades à igreja de Corinto:

Em primeiro lugar, *relembra-os acerca do conteúdo do evangelho*. Diz o apóstolo: *Porque decidi nada saber entre vós, senão a Jesus Cristo e este crucificado* (2.2). A cruz aponta para a justiça e para o amor de Deus. O evangelho centraliza-se na morte de Cristo. Na capital da filosofia, Paulo decide pregar a mensagem da cruz de Cristo. A morte de Cristo não é uma doutrina periférica do cristianismo, mas sua própria

---

[1] WIERSBE, Warren W. *Comentário bíblico expositivo*. Vol. 5, 2006, p. 748-753.

essência. A cruz não é um apêndice, ela é o núcleo, o centro, o eixo, e a essência do cristianismo. A morte substitutiva de Cristo na cruz é o ponto central e culminante do evangelho. Não há outro evangelho a ser pregado a não ser "Jesus Cristo e este crucificado".

É interessante que Paulo não está pregando Cristo, apresentando-O como um homem perfeito, ou um ilustre mestre da religião, ou mesmo como o supremo exemplo da espiritualidade. Antes, Paulo está pregando "Jesus Cristo e este crucificado".[2] Ou seja, Paulo está anunciando a morte de Cristo. Todas as vezes que a igreja perde de vista a centralidade da morte de Cristo, ela perde a essência do próprio evangelho. A mesma cruz, que era escândalo para os judeus e loucura para os gregos, era o conteúdo da pregação de Paulo. Paulo se gloriava daquilo que os judeus e gregos se envergonhavam.

Paulo escandaliza a cidade de Corinto ao dizer que é no Cristo crucificado que se encarna a verdadeira sabedoria de Deus. Para Paulo o evangelho é absolutamente cristocêntrico. Como nós estamos hoje precisando ouvir isso! A maioria dos programas evangélicos que circulam na mídia está perdendo a centralidade da cruz e centralizando-se no homem. O evangelho, porém, não é antropocêntrico, mas cristocêntrico!

Em segundo lugar, *relembra-os de sua dedicação exclusiva ao evangelho* (2.1,2,4). Paulo relembra aos coríntios a sua resolução de se dedicar exclusivamente ao evangelho. *Eu, irmãos, quando fui ter convosco, anunciando-vos o testemunho de Deus, não o fiz com ostentação de linguagem e de sabedoria* (2.1). Paulo está mostrando que ele não foi a Corinto criar um fã-clube. Ele não foi a Corinto como um filósofo, para apresentar mais uma ideia. Ele foi a Corinto para glorificar a Deus pregando o evangelho de Jesus Cristo. Paulo é categórico quando toma uma firme decisão em Corinto: *Porque decidi nada saber entre vós...* (2.2). Essa decisão é resultado de um pensamento claro, categórico, e amadurecido. É como se Paulo dissesse: "Eu tomei a decisão e não volto atrás. Eu não quero tratar de outra matéria, a não ser 'Jesus Cristo e este crucificado'".

---

[2] HODGE, Charles. *Commentary on the First Epistle to the Corinthians*, Grand Rapids, MI: William B. Eerdmans Publishing Company, 1994, p. 30.

Por que a paixão de Paulo é o evangelho? Porque entendeu que Cristo é tudo e em todos. Não há outra mensagem nem outro evangelho. Política, filosofia nem dinheiro podem ocupar na vida e na pregação de Paulo o lugar da cruz de Cristo. A vida para Paulo era anunciar Cristo. Essa é a grande necessidade dos pregadores. A pregação do evangelho é a maior necessidade da igreja e a maior necessidade do mundo. Precisamos de pregadores que tenham paixão pelo evangelho. Que não tenham outra mensagem a não ser o evangelho. Que não tenham outro sonho a não ser o evangelho. Que não tenham outra bandeira além do evangelho. Que não tenham outra atração a não ser o evangelho. Hoje, a pregação do evangelho tornou-se fonte de lucro. Muitos pregadores pregam não para glorificar a Cristo nem mesmo para a salvação dos perdidos e a edificação dos salvos, mas pregam para auferirem lucro. São indivíduos inescrupulosos que fazem do evangelho um produto, do púlpito um balcão, da igreja uma empresa e dos crentes consumidores.

Muitos pregadores engrandecem a si mesmos e os seus dons de tal maneira que lançam sombra sobre Jesus. Nenhum nome deve ser dado entre os homens pelo qual importa que sejamos salvos (At 4.12). Nenhuma mensagem pode ocupar o lugar da mensagem da cruz.

Havia em certa igreja um pregador muito alto, homem de grande estatura, que dominicalmente se levantava para pregar. Atrás do púlpito ficava um vitral muito bonito, onde tinha uma cruz desenhada. E de repente num culto especial, aquela igreja convidou outro pregador para uma conferência, um homem de altura mediana. Quando o pastor da igreja se levantava as pessoas não conseguiam ver o vitral com a cruz. Mas nesse dia, com o novo pregador, os crentes viram a beleza da cruz estampada no vitral atrás do púlpito. De repente, uma menininha chamou a atenção de sua mãe, dizendo: "Mamãe onde está aquele pregador que quando ele se levanta a gente não pode ver a cruz?"[3] E a pergunta daquela menina representa uma verdade, muitas vezes, em nossos dias. Há um grande perigo de o pregador se levantar e impedir que as pessoas vejam a cruz de Jesus; do pregador se levantar e dar mais ênfase

---
[3] WIERSBE, Warren W. *Comentário bíblico expositivo*. Vol. 5, 2006, p. 748.

aos seus talentos, aos seus dons, à sua capacidade do que pregar Jesus, e este crucificado. Muitos pregadores engrandecem a si mesmos e os seus dons de tal forma que não podemos ver Jesus. Devemos nos gloriar apenas na cruz de Cristo (Gl 6.14).

Em terceiro lugar, **relembra-os acerca da sua maneira de pregar o evangelho**. Paulo mostra uma terceira coisa à igreja. E observem que no versículo 1 ele diz que ao chegar a Corinto, ele não anunciou o testemunho de Deus com ostentação de linguagem, ou de sabedoria, ou seja, ele não se tornou um filósofo ou um orador, mas chegou a Corinto como uma testemunha. Paulo diz que tem duas maneiras de pregar o evangelho: Primeiro ele menciona o aspecto negativo: *A minha palavra e a minha pregação não consistiram em linguagem persuasiva de sabedoria...* (2.4). É possível o pregador cometer esse grave erro. Dar mais ênfase à forma do que ao conteúdo. E quando a forma passa a ser mais importante do que o conteúdo, cai-se no erro dos filósofos que iam às praças e disputavam quem falava mais bonito. A segunda maneira é positiva: *E foi em fraqueza, temor e grande tremor que eu estive entre vós* (2.3,4; 2Co 11.30). Paulo não está falando aqui de uma fraqueza e debilidade física. O que Paulo está dizendo é que o evangelho é algo tão sublime e maravilhoso que quando ele foi a Corinto, foi na total dependência de Deus. Ele não foi com ufanismo ou com autoconfiança; ele não foi com soberba ou vanglória, mas foi com muita humildade, por entender a grandeza e a majestade da mensagem que ele estava pregando. Essa é a atitude que o pregador deve ter. Ele deve subir ao púlpito com temor e tremor. Embora Paulo fosse um apóstolo, ele veio a Corinto sem presunção, sem autoconfiança, mas com humildade, sabendo da sublimidade do seu ministério e da grandeza da sua mensagem (At 18.9; 2Co 10.10). Sem o poder do Espírito, não há pregação.[4] Pregação é lógica e teologia em fogo. Martyn Lloyd-Jones diz claramente: "Pregação é lógica em fogo! Pregação é razão eloquente! Pregação é teologia em fogo, é

---

[4] LOPES, Hernandes Dias. *A importância da pregação expositiva para o crescimento da Igreja*. São Paulo, SP: Editora Candeia, 2004, p. 110.

teologia vinda por intermédio de um homem que está em fogo".[5] É conhecida a famosa frase de João Wesley: "Ponha fogo no seu sermão ou ponha o sermão no fogo". Só o Espírito Santo pode acender uma fogueira no púlpito. João Calvino diz: "A Palavra de Deus nunca deve ser separada do Espírito".[6] Concordo com E. M. Bounds quando diz: "O Espírito Santo não flui por meio de métodos, mas de homens. Ele não vem sobre máquinas, mas sobre homens. Ele não unge planos, mas homens – homens de oração".[7] Charles Spurgeon sempre subia os quinze degraus do seu púlpito dizendo: "Eu creio no Espírito Santo".[8]

Paulo é enfático: *A minha palavra e a minha pregação não consistiram em linguagem persuasiva de sabedoria, mas em demonstração do Espírito e de poder* (2.4). O que é demonstração do Espírito? A palavra "demonstração", na língua original, *apodeixis*, traz a ideia de uma prova legal apresentada diante de uma corte.[9] Leon Morris diz que *apodeixis* é a prova mais rigorosa.[10] E qual era a prova legal que Paulo trazia? Era apresentar vidas transformadas pela pregação poderosa do evangelho! Sua pregação não era uma peça de oratória, mas era pura demonstração do Espírito e de poder. Ele apresentava diante da corte vidas transformadas, verdadeiros milagres do céu. Paulo não estava preocupado em falar bonito, mas em mostrar o resultado do evangelho. Paulo disse aos coríntios: Meus irmãos quando eu cheguei até vocês, eu não quis ser um filósofo ou um orador, antes eu resolvi anunciar o evangelho que transforma vidas. Eu quis pregar uma mensagem que realiza mudança na vida das pessoas.

Esse é o evangelho que precisamos, não um evangelho besuntado da pretensa sabedoria humana, mas o evangelho da simplicidade, da

---

[5]LLOYD-JONES, Martyn. *Preaching & Preachers*. Grand Rapids, MI: Zondervan Publishing House, 1971, p. 97.
[6]PARKER T. H. L. *Calvin's preaching*. Louisville, Kentucky: Westminster/John Knox Press, 1992, p. 29.
[7]BOUNDS, E. M. *Purpose in prayer*. In *E. M. Bounds on Prayer*. New Kensington, Pensilvânia: Whitaker House (467-521), p. 468.
[8]AZURDIA III, Arturo. *Spirit empowered preaching*. Grã Bretanha: Mentor Fearn, 1998, p.112.
[9]WIERSBE, Warren W. *Comentário bíblico expositivo*. Vol. 5, 2006, p. 749.
[10]MORRIS, Leon. *1Coríntios: Introdução e comentário*, São Paulo, SP: Edições Vida Nova, 1983, p. 42.

pureza e do poder do Espírito Santo. Quem transforma o coração do homem não é a beleza da retórica humana, mas o poder do Espírito Santo de Deus. Paulo não está desencorajando o preparo para pregar, mas enfatizando sobre quem os holofotes devem estar. Paulo não está contra o uso da oratória, mas da oratória sem a unção do Espírito. O pregador deve usar sua retórica para apresentar Cristo e não para exaltar a si mesmo.

No século XIX, um turista chegou a Londres. De manhã ele foi a uma grande igreja para ouvir um dos mais famosos pregadores daquele século. Quando ele saiu da igreja, exclamou de maneira intensa: Que grande pregador nós ouvimos nesta manhã! E à noite ele foi à igreja de Charles Spurgeon, e ao sair daquela igreja, também fez uma grande exclamação: Que grande Deus este pregador pregou nesta noite! Essa é a diferença! Um pregou para impressionar o auditório; o outro pregou para ressaltar a grandeza de Deus e a graça de Jesus. É isso que Paulo queria ensinar para a igreja de Corinto.

Em quarto lugar, *relembra-os do seu propósito de pregar o evangelho*. Paulo deixa claro o propósito para o qual ele pregava o evangelho: [...] *para que a vossa fé não se apoiasse em sabedoria humana e sim no poder de Deus* (2.5). Temos de pregar o evangelho com simplicidade, ressaltando o seu conteúdo para que as pessoas não deem mais importância ao pregador que a mensagem. Esse era o problema da igreja de Corinto. Lembram? Eles estavam dividindo a igreja e por quê? Porque estavam dando mais importância ao pregador do que à mensagem. Paulo precisa ensinar a essa igreja que o vaso, o mensageiro, é de barro (2Co 4.7). O importante não é o vaso de barro, o importante é o poder, é o conteúdo que está dentro do vaso. Esse conteúdo é o poder de Deus. Esse conteúdo é o evangelho. E é esse conteúdo que tem de ser ressaltado. Paulo chega a perguntar à igreja de Corinto: quem é Paulo? Quem é Apolo? Apenas servos por meio de quem vocês creram. Paulo quer que eles confiem em Deus e não no mensageiro. O propósito da pregação não é enaltecer o pregador, mas o Jesus que o pregador anuncia. Todas as vezes que a igreja comete o pecado do culto à personalidade, dando mais ênfase ao pregador que à pregação, conspira contra Jesus, esvazia o evangelho, e torna-se um obstáculo para o pecador vir a Cristo.

O evangelho foi concebido na **eternidade** e faz parte do **plano eterno** de Deus (2.6-9)

Três verdades sublimes são aqui destacadas:

Em primeiro lugar, *a origem da verdadeira sabedoria* (2.7). Jesus Cristo crucificado é a sabedoria de Deus. A verdadeira sabedoria, *Sofia*, não é a filosofia, mas o evangelho. A sabedoria de Deus não está na *Sofia*, na filosofia humana, mas no evangelho. A sabedoria de Deus é "Jesus Cristo e este crucificado".

Qual é a origem da verdadeira sabedoria? A sabedoria não procede de homens, procede de Deus. Paulo diz: [...] *mas falamos a sabedoria de Deus em mistério...* (2.7). Essa sabedoria não é produto da lucubração humana, nem do pensamento refinado dos corifeus da filosofia. Essa sabedoria vem de Deus e não dos homens. Paulo chega a dizer: *Entretanto, expomos sabedoria entre os experimentados...* (2.6). O termo "experimentados" é um tanto difícil de entender porque é a palavra *teleios*, de onde vem a palavra maduro. Paulo não está falando de certa categoria de crente, mas está fazendo uma distinção entre os sábios do mundo e aqueles que são convertidos. Esses experimentados são na verdade os que são convertidos, que têm o Espírito Santo e são novas criaturas. Em outras palavras, Paulo está comparando os salvos com os perdidos.

Paulo orienta que essa sabedoria não começou na história, mas na eternidade. Ele diz: [...] *a sabedoria de Deus em mistério, outrora oculta, a qual Deus preordenou desde a eternidade...* (2.7). Outrora escondida, mas agora plenamente aberta, revelada a outras pessoas. A verdadeira sabedoria não procede dos homens, mas de Deus. Nossa salvação foi planejada por Deus na eternidade. Até mesmo a morte de Cristo estava nos planos de Deus (At 2.22,23; 1Pe 1.18-20). O evangelho não é uma ideia tardia, um plano de última hora, mas algo planejado na mente de Deus desde a eternidade.

É nesse sentido que João Calvino chegou a dizer que nós só conhecemos a Deus porque Deus Se revelou a nós. O conhecimento de Deus não é produto da investigação humana, mas da revelação divina. Nós não O conhecemos pela sabedoria humana. Antes, O conhecemos porque Ele se revelou a nós. Deus se revelou na natureza, na consciência, nas Escrituras e em Jesus Cristo.

Qual foi o propósito de Deus abrir as cortinas e nos mostrar a verdadeira sabedoria, que é Jesus? Deus preordenou essas coisas para a nossa glória (2.7). O que é que Paulo está querendo dizer com isso? Que a sabedoria de Deus objetiva não apenas a sua própria glória, mas, também, a glória da igreja. A sabedoria de Deus inclui você na medida em que ela objetiva a sua glorificação, a sua entrada no céu, a Sua redenção em Jesus Cristo. O propósito dessa sabedoria não é apenas a glória de Deus, mas também a glória dos remidos. O plano de Deus sempre objetiva a plena glória de Deus (Ef 1.6,12,14), mas também culminará em nossa glória, em nossa completa redenção (Jo 17.22-24; Rm 8.28-30).

Em segundo lugar, *o conhecimento da verdadeira sabedoria*. Como é que podemos conhecer essa sabedoria que nasceu na eternidade, que nasceu em Deus? O apóstolo Paulo diz: [...] *sabedoria essa que nenhum dos poderosos deste século conheceu* (2.8). O homem não regenerado não conhece a sabedoria de Deus. Pela sabedoria humana, o homem não conheceu a Deus, mas pela sabedoria de Deus, o homem foi salvo pela cruz. Paulo está dizendo que essa sabedoria, nenhum dos poderosos deste século conheceu. Quem são os poderosos desse século? A palavra grega que aparece aqui descreve as autoridades romanas e judias que crucificaram o Senhor da Glória. E ele diz que eles não a conheceram [...] *porque, se a tivessem conhecido, jamais teriam crucificado o Senhor da glória*.

Por que as autoridades judias pediram a crucificação de Jesus? Por que as autoridades romanas O crucificaram? Porque não conheciam a Jesus! Porque se tivessem conhecido de fato quem Jesus Cristo era, jamais teriam crucificado o Senhor da Glória. Os intelectuais do mundo são cegos espiritualmente, eles não têm discernimento espiritual nem entendimento espiritual. Por isso, quando Jesus estava na cruz disse: *Pai, perdoa-lhes, porque não sabem o que fazem* (Lc 23.34).

Preste atenção em um detalhe maravilhoso do evangelho. Paulo está dizendo que a ignorância espiritual é a causa de um imenso mal e também é ocasião de um imenso bem. É a causa de um imenso mal porque eles crucificaram o Senhor da Glória. Essa foi a mais terrível injustiça, pois Jesus era inocente. Foi a mais profunda ingratidão, porque Jesus andou fazendo o bem. Foi a mais terrível crueldade, porque crucificaram o Senhor da Glória. E ainda, foi a mais perversa impiedade, pois crucificaram o Filho de Deus, o Salvador do mundo. Veja que um ato que causa mal, um imenso mal, pode desaguar em uma ocasião para um imenso bem. Paulo liga o fato de crucificarem o Senhor da Glória com o versículo 9: [...] *mas, como está escrito*, ou seja, a crucificação de Jesus vai abrir as portas para algo extremamente glorioso *Nem olhos viram, nem ouvidos ouviram, nem jamais penetrou em coração humano o que Deus tem preparado para aqueles que o amam*. Fantástico isso! Foi a crucificação do Senhor da Glória que abriu as comportas da Glória. Foi a crucificação do Senhor da Glória que abriu o caminho para Deus. Foi a crucificação do Senhor da Glória que abriu a porta de entrada para o paraíso, para a bem-aventurança eterna. Porque Jesus foi crucificado em nosso lugar, Deus preparou para nós o céu e a bem-aventurança eterna. Aleluia!

Em terceiro lugar, **os dons da verdadeira sabedoria** (2.9). E agora, Paulo nos mostra os dons da verdadeira sabedoria. Ele diz que essa sabedoria de Deus é Jesus. O Filho de Deus conseguiu para nós dons tão maravilhosos que a percepção humana, através do seu olhar, da sua audição, e do seu sentimento nunca pode entender ou alcançar.

Se o homem pudesse alcançar a Glória pela percepção física do olhar, ouvir, e sentir todas as pessoas abraçariam o evangelho. Mas Paulo diz que o homem não consegue alcançar o dom da graça de Deus, o céu, as bem-aventuranças eternas por aquilo que ele vê, ouve e sente. O homem não pode alcançar a graça de Deus pelos seus sentidos. Ela é uma revelação espiritual. Isso nos leva ao terceiro e último ponto desta exposição. O evangelho é revelado pelo Espírito Santo, por intermédio da Palavra de Deus (2.10-16). A nossa salvação envolve a Trindade. O evangelho inclui a escolha eterna e soberana do Pai (2.7), a morte vicária do Filho (2.2) e a ação regeneradora do Espírito Santo (2.12).

O que a percepção humana não pode alcançar (olhos, ouvidos, sentimento), Deus no-lo revelou pelo Seu Espírito. Deus preparou essas coisas maravilhosas para a nossa glória (2.7). Essa sabedoria só foi descoberta através da revelação de Deus e não da investigação humana.

O evangelho é revelado pelo **Espírito Santo** por intermédio da **Palavra de Deus** (2.10-16)

Destacamos quatro preciosas verdades no texto em apreço:

Em primeiro lugar, *o Espírito Santo habita nos salvos*. Afirma o apóstolo Paulo: *Ora, nós não temos recebido o espírito do mundo e sim o Espírito que vem de Deus, para que conheçamos o que por Deus nos foi dado gratuitamente* (2.12). Que coisa maravilhosa! Paulo está dizendo que nós não nos tornamos sábios na medida em que recebemos uma informação de fora para dentro. Nós nos tornamos sábios quando o Espírito Santo, o agente da verdadeira sabedoria vem habitar em nós. É o Espírito Santo quem nos comunica Cristo, a verdadeira sabedoria!

No momento em que você crê em Jesus, o seu corpo é transformado em templo do Espírito Santo (6.19,20). Você é selado pelo Espírito Santo (Ef 1.13,14), batizado pelo Espírito Santo no corpo de Cristo (12.13) e Ele permanece para sempre em você (Jo 14.16).

Em segundo lugar, *o Espírito Santo sonda tanto os salvos quanto as coisas profundas de Deus* (2.10,11). O Espírito Santo não só habita nos crentes, mas o Espírito Santo também sonda os crentes e sonda semelhantemente as profundezas do ser de Deus. Nos versículos 10 e 11, Paulo faz uma comparação muito bonita. Como é que o homem entenderá Deus? Como você pode entender Deus? Paulo diz que ninguém entende o homem a não ser o espírito que está dentro do homem. Eu olho para você, mas eu não saberei dizer o que está dentro do seu coração. Eu não saberei dizer o que está na sua mente. Eu não saberei dizer quais os seus sentimentos. Nenhum de nós tem a capacidade de perscrutar, sondar, e investigar na plenitude o que o outro está sentindo, pensando ou desejando dentro de seu coração. Paulo nega os conceitos de Filo, de que o espírito humano pode conhecer o divino, e afirma que somente o Espírito divino pode tornar conhecidas as coisas de Deus.[11]

Eu não posso saber o que vai dentro do seu coração, mas o seu espírito sabe. Ninguém pode saber realmente o que se passa no interior

---

[11] RIENECKER, Fritz, e ROGERS, Cleon. *Chave linguística do Novo Testamento grego*, 1985, p. 289.

de um homem. Ninguém, exceto o espírito desse mesmo homem. De fora, os outros homens podem apenas fazer conjecturas. Mas o espírito do homem não faz conjecturas. Ele sabe. De igual maneira, raciocina Paulo, ninguém de fora de Deus pode saber o que acontece dentro de Deus. Só o Espírito Santo, que é Deus, conhece a Deus plenamente e revela Deus para nós por intermédio da Sua Palavra.[12]

Paulo diz que ninguém conhece o homem a não ser o espírito que está dentro do homem. Agora, eu posso cogitar acerca do que você está pensando, mas eu não posso ter certeza. No entanto, você sabe exatamente o que está pensando e sentindo. Alguém fora de você não pode discernir o que você está pensando e sentindo. Paulo explica que assim também é com Deus. Ninguém de fora de Deus consegue sondar o Ser de Deus. Ninguém de fora de Deus consegue conhecer o Ser de Deus a não ser o Espírito Santo de Deus. E ele está dizendo que o Espírito Santo é uma personalidade, porque Ele tem conhecimento para sondar. Paulo está dizendo que o Espírito Santo é onisciente, porque Ele é capaz de sondar as profundezas de Deus. Ele está dizendo que é o Espírito Santo, quem habita em nós, é quem conhece as profundezas de Deus, a pessoa de Deus, os atributos de Deus, a Glória de Deus, e o projeto de Deus. É esse Espírito Santo quem nos revela a pessoa de Deus. É por isso que precisamos depender do Espírito Santo para conhecermos a Bíblia, o evangelho. Eu não posso pregar o evangelho fiado em conhecimento humano, em sabedoria humana, porque é o Espírito Santo quem nos revela essas verdades.

Em terceiro lugar, ***o Espírito Santo é quem ensina os salvos***. O apóstolo Paulo escreve: [...] *o Espírito que vem de Deus, para que conheçamos o que por Deus nos foi dado gratuitamente. Disto também falamos, não em palavras ensinadas pela sabedoria humana, mas ensinadas pelo Espírito...* (2.12b,13). De que maneira o Espírito nos ensina? Não é de uma forma subjetiva, mas de uma maneira objetiva. Paulo diz que Ele nos ensina conferindo coisas espirituais com espirituais. O que seriam essas coisas espirituais? A própria Palavra de Deus.

---

[12] BARCLAY, William. *I y II Corintios*, 1973, p. 40.

Se você quer conhecer a sabedoria de Deus precisa estudar a Palavra de Deus. Paulo está dizendo que a Bíblia interpreta a Bíblia. Você confere coisas espirituais com coisas espirituais. Você lê um texto e o interpreta à luz de outro texto. Você tem de comparar a Palavra de Deus com a Palavra de Deus. Jesus prometeu que o Espírito Santo nos ensinaria (Jo 14.26), nos guiaria (Jo 16.13). Ele nos ensina por intermédio da Palavra (Jo 17.8).

Em quarto lugar, *o Espírito Santo leva os salvos à maturidade espiritual* (2.14-16). No versículo 14, Paulo diz *Ora, o homem natural* [não regenerado ou o homem sábio segundo este mundo] *não aceita as coisas do Espírito de Deus, porque lhe são loucura; e não pode entendê-las, porque elas se discernem espiritualmente*. O homem natural não entende e não aceita as coisas de Deus. Porque sua mente não alcança, ele não aceita. Sua mente e sua vontade estão em oposição às coisas de Deus. Não entende por que elas se discernem espiritualmente e não aceita porque o evangelho parece loucura para ele.

Por que é que o homem natural não entende as coisas de Deus? Porque o evangelho não é entendido pela sabedoria humana. Um cientista pode não entender o evangelho e um analfabeto entendê-lo. Não é uma questão de habilidade ou de ginástica mental. Não se trata de ser uma pessoa arguta, de mente atilada, de uma alta capacidade de perquirição. Paulo está dizendo que o homem natural, o sábio segundo este mundo, não entende as coisas de Deus porque as coisas espirituais se discernem espiritualmente, e ele não as aceita porque os valores do evangelho são loucura para ele.

O que o mundo aplaude, o Reino de Deus rejeita; aquilo que o Reino de Deus enaltece, o mundo não dá valor. O evangelho é loucura para o mundo. E no versículo 15, Paulo diz: *Porém o homem espiritual julga todas as coisas*. A palavra "julgar" fica um pouco confusa para nós, sobretudo, quando diz no final do versículo [...] *mas ele mesmo não é julgado por ninguém*. Muitas pessoas usam esse versículo para encher o peito e dizer: eu sou crente e não aceito que ninguém me julgue. Não é isso que Paulo está ensinando. A palavra "julgar" pode ser substituída por discernir. O que ele está dizendo é que o homem espiritual, o homem convertido, discerne todas as coisas: as coisas do homem e as de Deus; as coisas desta vida e as da eternidade.

O apóstolo Paulo conclui, perguntando: *Pois quem conheceu a mente do Senhor, que o possa instruir? Nós, porém temos a mente de Cristo* (2.16). A mensagem que Paulo pregou em Corinto é produto da mente de Deus. O evangelho foi elaborado na mente de Deus na eternidade. Paulo diz que nós temos a mente de Cristo, porque nós estamos pregando o produto da mente de Cristo, que é o evangelho. Portanto, quando alguém rejeita o evangelho está rejeitando a própria mente de Cristo. Nessa mesma linha de pensamento, Fritz Rienecker diz que a mente de Cristo são os pensamentos, os conselhos, os planos e o conhecimento de Cristo, conhecidos pelo homem mediante a ação do Espírito Santo.[13]

A mensagem da cruz não é deste mundo. Ela veio de Deus, do céu; não é descoberta humana, é revelação divina.

A mensagem da cruz foi ordenada antes deste mundo. Ela não foi uma mensagem de última hora. Deus não a criou porque o plano "A" fracassou. O evangelho foi preordenado antes dos tempos eternos.

A mensagem da cruz nos traz bênçãos para além deste mundo. Aquilo que nenhum olho viu e nenhum ouvido ouviu nem jamais subiu ao coração do homem, isto é o que Deus preparou para aqueles que O amam.

---

[13] RIENECKER, Fritz, e ROGERS, Cleon. *Chave linguística do Novo Testamento grego*, 1985, p. 290.

3

As imagens da igreja

1 Coríntios 3.1-23

NESSE CAPÍTULO PAULO FALA SOBRE A IGREJA. Ele usa três metáforas diferentes: família, campo e templo. Para Paulo, a igreja é uma família, cujo alvo é a maturidade; um campo cujo alvo é a quantidade e um templo, cujo propósito é a qualidade, afirma Warren Wiersbe.[1] Vamos examinar mais de perto essas figuras.

A igreja é a **família de Deus** (3.1-4)

Paulo não está ensinando que existem duas categorias de crentes: os crentes carnais e os espirituais, os maduros e os imaturos. Essa tese de que o crente carnal recebeu a Cristo como Salvador, mas ainda não o recebeu como Senhor; que ele está justificado, mas ainda não está se santificando e que ele é salvo, mas ainda não obedece a Cristo é uma falácia. Esse ensino gera nos crentes uma falsa convicção de pecado e uma falsa segurança de salvação. Aquele que ainda não recebeu a Cristo como Senhor nunca o recebeu como Salvador. A grande ênfase do Novo Testamento é o senhorio de Cristo. Cristo não é Salvador de quem Ele ainda não é o Senhor.

---

[1]WIERSBE, Warren W. *Comentário bíblico expositivo.* Vol. 5, 2006, p. 754.

Entretanto, por que Paulo chama os crentes de Corinto de carnais? A imaturidade e a carnalidade dos crentes de Corinto eram resultantes de dois fatores.

Em primeiro lugar, *a imaturidade é consequência de não se ter apetite espiritual*. A primeira razão da imaturidade era revelada pela dieta espiritual. Paulo fala que estava dando leite para eles, porque não podiam receber alimento sólido. Há alguns que pensam que a diferença entre leite e carne é que algumas pessoas da igreja podem receber determinado tipo de ensino e doutrina enquanto outras não. Será que Paulo está dizendo que algumas pessoas podem receber um tipo de ensino e que só mais tarde, elas podem receber outro tipo de doutrina? Não é isso que Paulo está dizendo! A diferença é de aprofundamento. Você ensina as mesmas doutrinas para uma classe de crianças e para uma classe de doutorado. Não existem doutrinas secretas destinadas apenas aos iniciados e experimentados. Isso é gnosticismo e não cristianismo.² Os mesmos temas tratados numa classe de neófitos são também estudados pelos crentes mais maduros. Uma mesma verdade é leite e carne, esclarece Charles Hodge.³ João Calvino dizia que Cristo é leite para os bebês e carne para os adultos.⁴ Você pode ensinar para a criança sobre Jesus de tal maneira que ela entenda e você pode ensinar num curso de pós-doutorado sobre Jesus aprofundando as mesmas verdades. A mesma verdade que ensinamos para os teólogos ensinamos para as crianças mais tenras.

O que acontecia com a igreja de Corinto era que havia passado muito tempo, e os crentes ainda estavam nos rudimentos da fé. Eles não demonstravam sinais de maturidade no conhecimento nem na prática da Palavra. Por isso, Paulo os chama de crianças espirituais. O texto de Hebreus 5.11-14 revela que a maturidade não é apenas uma questão de conhecimento, mas, sobretudo, de prática. Há crentes que nunca

---

²BARTON, Bruce B. et all. *Life application Bible commentary on Philippians, Colossians & Philemon*. Wheaton, IL: Tyndale House Publishers, 1995, p. 178.
³HODGE, Charles. *Commentary on the First Epistle to the Corinthians*, 1994, p. 49.
⁴Citado por HODGE, Charles. *Commentary on the First Epistle to the Corinthians*, 1994, p. 49.

deixam os rudimentos da fé cristã. Não se desenvolvem. Não se aprofundam. Estão sempre bebendo leite. A maturidade não é alcançada apenas pelo conhecimento da Palavra. Diz o autor aos Hebreus que o alimento sólido é para os adultos, que pela prática tiveram suas faculdades exercitadas (Hb 5.14). Por que é que os crentes de Corinto eram bebês? Porque eles ouviam e não colocavam em prática. Por isso, Paulo está dizendo que é preciso que alguém chegue e ensine sempre as mesmas coisas a eles. Os crentes de Corinto não exercitavam o que ouviam; por conseguinte, eram crianças.

Um crente imaturo está sempre empolgado com os rudimentos, porém, não demonstra interesse em se aprofundar na Palavra. Ele não tem apetite por alimento sólido. Ele não tem gosto pelo estudo meticuloso das Escrituras. Não tem prazer na lei do Senhor nem se afadiga no estudo da Palavra.

Em segundo lugar, *a imaturidade é consequência de relacionamentos mal orientados*. A imaturidade é conhecida quando os crentes deixam de viver em união para formarem partidos dentro da igreja (3.3,4). Um crente imaturo em vez de construir pontes de comunhão cava abismo nos relacionamentos. Em vez de ser um ministro da reconciliação, está sempre se envolvendo em intrigas e contendas, formando partidos e grupos dentro da igreja. Ele cria ou segue facções dentro da igreja em vez de laborar pela paz. Paulo usa a palavra *népios*, "criança" para designar os crentes de Corinto. O cristão carnal é aquele cuja vida não é dirigida pelo Espírito; aquele que não discerne todas as coisas espiritualmente. Talvez se refira ao fato de eles provocarem divisões na igreja, seguindo líderes humanos, não discernindo a vontade de Deus ao utilizar diferentes instrumentos na Sua obra.[5]

A palavra usada por Paulo para "carnais" no versículo 1 é *sarkinoi*, "feito de carne", mas a palavra usada no versículo 3 é *sarkikoi*, "dominado pela carne".[6] Leon Morris diz que o sufixo *inos* significa, "feito de..."; assim, em 2Coríntios 3.3, tábuas "feitas de pedra", *lithinos*, são

---

[5] RIENECKER, Fritz, e ROGERS, Cleon. *Chave linguística do Novo Testamento grego*, 1985, p. 290.
[6] BARCLAY, William. *I y II Corintios*, 1973, p. 42.

contrastadas com as "feitas de carne", *sarkinos*. Em vez disso, o sufixo *ikos* significa, "caracterizado por...".[7]

Se na primeira palavra, eles eram carnais porque não haviam crescido pela falta de alimento sólido, na segunda palavra há uma censura moral. Eles eram carnais porque andavam segundo a vontade da carne. Fritz Rienecker diz que *sarkikoi* denota uma relação ética e dinâmica. É o ponto de vista orientado para o ego, aquilo que persegue os próprios alvos numa independência autossuficiente de Deus.[8]

Paulo chama os crentes de Corinto de carnais, pois eles estavam criando partidos dentro da igreja e seguindo a filosofia do mundo em vez de seguir a orientação da Palavra. Eles importaram esse tipo de pensamento mundano para dentro da igreja. Eles diziam: Eu sou de Paulo, de Apolo, de Cefas ou de Cristo. Paulo, então, lhes diz: Vocês são carnais na medida em que vocês fazem grupos dentro da igreja. David Prior, interpretando essa realidade na igreja de Corinto, diz que naquela igreja havia pouco amor e muita competitividade.[9]

Os partidos dentro da igreja são sinal de imaturidade e de carnalidade. Hoje, há muitos cismas e rachas dentro das igrejas porque os crentes são imaturos. Muitos pastores, atualmente, se tornam caudilhos das igrejas porque são carnais e andam segundo os homens e não segundo o Espírito de Deus. Há obreiros impostores que se arrogam como donos da igreja e tratam a noiva do Cordeiro como sua propriedade pessoal. Essa atitude é uma blasfema usurpação.

Nós precisamos estar muito atentos a isso. O alvo de Deus para a igreja é a maturidade. O que Deus espera dos membros da igreja é a maturidade. Nós não temos de seguir a homens. Nós temos de seguir o Senhor da Igreja. Nós não temos de colocar nenhum líder da igreja num pedestal. Não temos de promover o culto à personalidade. Jesus é o fundamento, o edificador, o dono e o protetor da igreja (Mt 16.18). Somente Ele é digno de receber a honra e a glória na igreja.

---

[7] MORRIS, Leon. *1Coríntios: Introdução e comentário*, 1983, p. 50.
[8] RIENECKER, Fritz, e ROGERS, Cleon. *Chave linguística do Novo Testamento grego*, 1985, p. 290.
[9] PRIOR, David. *A mensagem de 1Coríntios*, 1993, p. 58.

A igreja é a **lavoura de Deus** (3.5-9)

A igreja é um campo e o seu alvo é a quantidade. Paulo mostra agora que a igreja é o campo onde Deus semeia. Cristo comparou o coração humano a um terreno onde a semente da Palavra é semeada (Mt 13.10,18-23). A igreja é como o campo que deve produzir fruto para Deus. Jesus disse que cada um de nós é ramo da videira verdadeira (Jo 15.1). O propósito do ramo é produzir frutos. Se ele não produzir frutos é cortado e lançado fora. A tarefa do ministério é cultivar o solo, semear a semente, regar a planta e fazer a colheita dos frutos.

Nós somos como os obreiros que trabalham nesse campo, e esse campo é a própria igreja. Na igreja há diversidade de ministérios. Há aqueles que preparam o terreno, os que regam o que foi semeado, e aqueles que colhem o fruto na hora da colheita. Quais são as lições que Paulo está ensinando?

Em primeiro lugar, *Paulo esvazia a controvérsia sobre o culto à personalidade*. Quando Paulo pergunta: "Quem é Apolo? E quem é Paulo?" Ele mesmo responde: *Servos por meio de quem crestes* (3.5). Assim, Paulo denuncia a infantilidade e a carnalidade da igreja (3.4), pois seus membros estavam andando segundo os homens.

Paulo elabora argumentos para esvaziar a controvérsia sobre o culto à personalidade no versículo 5. O que ele está dizendo é que a ênfase deve recair sobre Deus e não sobre o obreiro. Devemos tirar os nossos olhos dos instrumentos e colocá-los em Jesus.[10] Quem é Paulo? Quem é Apolo? No texto original a pergunta não é quem, mas o quê? No texto grego o termo está no neutro. Paulo não pergunta quem é Paulo ou quem é Apolo; ele pergunta: O que é Paulo e o que é Apolo?

Quando Paulo faz essa pergunta, usando o neutro, ele desvia a atenção dos crentes da pessoa dos pregadores e concentra a atenção deles em suas funções.[11] O culto à personalidade é um grave desvio da igreja neste século.

---

[10] DE HAAN, M. R. *Studies in First Corinthians*. Grand Rapids, MI: Zondervan Publishing House, 1966, p. 35.
[11] MORRIS, Leon. *1Coríntios: Introdução e comentário*, 1983, p. 52.

Atualmente as pessoas estão dando muito mais ênfase ao mensageiro do que à mensagem; estão focando mais o portador do evangelho do que o evangelho em si mesmo. Paulo estava dizendo à igreja de Corinto: Não pensem que eu sou um dono de igreja. Não me coloquem num pedestal. Eu sou apenas um servo, Apolo também é apenas um servo. A palavra "servo", usada aqui, é *diáconos* aquele que serve.[12] É errado concentrar a atenção no servo do Senhor, devemos olhar para o Senhor dos servos.

Paulo está dizendo com isso que na Igreja de Deus não há donos, chefes nem caudilhos. Não há ninguém que possa ser colocado no pedestal. A Igreja só tem um dono e um Senhor e esse Senhor é Jesus Cristo. Paulo não está querendo menosprezar o obreiro, mas exaltar a Jesus. Ele destaca a importância do servo, quando pergunta: "O que é Paulo? O que é Apolo? Servos por meio de quem crestes".

Paulo e Apolo foram usados por Deus para levar o evangelho aos coríntios. Por meio deles é que o evangelho chegou até a igreja de Corinto. Portanto, o que está em destaque é o evangelho e não os instrumentos que Deus usou para anunciar o evangelho. Ambas as funções são importantes, tanto a de Paulo (plantar) quanto a de Apolo (regar), mas são inúteis, se Deus não der o crescimento.[13]

Cometemos um grave pecado contra Deus, quando damos mais importância aos mensageiros do que à mensagem, quando destacamos mais aqueles que pregam o evangelho do que o próprio conteúdo do evangelho.

Em segundo lugar, **Paulo ensina a diversidade de ministérios na igreja**. Diz o apóstolo Paulo: *Eu plantei, Apolo regou; mas o crescimento veio de Deus. De modo que nem o que planta é alguma coisa, nem o que rega, mas Deus, que dá o crescimento* (3.6,7). Deus chama uns para preparar o terreno, outros para semear, outros para regar e ainda outros para colher.

Há vários ministérios na igreja e nenhum é mais importante do que o outro. A ênfase não recai nos obreiros, mas em Deus que dá o

---

[12] HODGE, Charles. *Commentary on the First Epistle to the Corinthians*, 1994, p. 51.
[13] PRIOR, David. *A mensagem de 1Coríntios*, 1993, p. 60.

crescimento. A igreja é como um corpo que tem diversos membros, com diversos ministérios e diversos dons. A vida e o crescimento da igreja são um milagre que só Deus pode realizar. O crescimento numérico pode até ser fabricado, mas o crescimento espiritual só Deus o produz.

Leon Morris destaca o fato de que o verbo usado por Paulo para "dar crescimento" está no tempo contínuo, ao passo que os verbos "plantar" e "regar" estão no aoristo. Paulo e Apolo fizeram a obra que lhes competia, a qual é vista como consumada. Mas a atividade de Deus, de dar o crescimento, era contínua.[14]

Em terceiro lugar, *Paulo ensina a interdependência dos ministérios na igreja* (3.8). Paulo, Apolo e Pedro não estavam competindo na igreja entre si; ao contrário, cada um estava fazendo o seu trabalho sob o senhorio de Cristo. Há diversidade de ministérios, mas unidade de propósitos. O plantar e o regar são tarefas vitais e cada uma depende da outra. Não estamos competindo na obra, estamos trabalhando todos para o Senhor da obra. Não somos rivais, somos parceiros, cooperadores de Deus. Nós não estamos brigando para ter um espaço ao sol na igreja. Nós somos um. Nós estamos no mesmo barco, no mesmo time, na mesma obra e com o mesmo objetivo.

Em quarto lugar, *Paulo ensina que não há espaço para vaidades pessoais no ministério da igreja*. A grande ênfase de Paulo é sobre Deus e não sobre o homem. Quando a igreja começa a colocar o seu foco e holofotes no homem, demonstra imaturidade espiritual. Paulo diz: *Ora, o que planta e o que rega são um; e cada um receberá o seu galardão, segundo o seu próprio trabalho* (3.8). Quando a igreja coloca os holofotes sobre o obreiro, ela subtrai a glória que é de Deus. Aqueles que promovem o culto à personalidade ou buscam glórias para si mesmos e se colocam num pedestal estão usurpando a glória que só a Deus pertence. Paulo diz que só Deus pode dar o crescimento: *Eu plantei, Apolo regou; mas o crescimento veio de Deus. De modo que nem o que planta é alguma coisa, nem o que rega, mas Deus, que dá o crescimento* (3.6,7). O trabalho humano sem a ação de Deus não produz resultados. Ninguém fabrica conversão. Conversão não é um

---

[14]MORRIS, Leon. *1Coríntios: Introdução e comentário*, 1983, p. 52.

efeito psicológico de massa. Não é produto de algum impacto teatral, em que você cria um efeito psicológico sobre o auditório. Conversão é obra soberana e milagrosa do Espírito Santo de Deus. Só Deus pode realizar o crescimento espiritual da igreja. Também apenas Deus pode recompensar os obreiros (3.8).

A recompensa dá-se pela fidelidade do obreiro. O critério para a recompensa não é o resultado, mas o trabalho fiel: *Ora, o que planta e o que rega são um; e cada um receberá o seu galardão, segundo o seu próprio trabalho*. É bom sermos encorajados. É necessário sermos encorajadores. Paulo recomenda a igreja a estimular e a fortalecer uns aos outros. Cometeríamos um grave pecado, porém, se dependêssemos de recompensas, reconhecimentos e aplausos humanos para fazermos a obra de Deus. A recompensa vem de Deus. É por isso que a Bíblia diz que a recompensa é por causa da fidelidade no trabalho: *Muito bem, servo bom e fiel; foste fiel no pouco, sobre muito te colocarei* (Mt 25.21).

A igreja é o **santuário da habitação** de Deus (3.9b-23)

No versículo 9 Paulo passa de uma metáfora agrícola para uma arquitetônica.[15] A igreja é um templo e o seu alvo é a qualidade. Paulo usa a metáfora do edifício para descrever a igreja. A igreja é o templo de Deus porque é a sociedade na qual o Espírito Santo habita, preceitua William Barclay.[16] Cada pessoa salva é um templo da habitação de Deus (6.19,20). A igreja local, de igual forma é templo de Deus (3.16,17). A Igreja universal também é comparada ao templo de Deus (Ef 2.19-22).[17] Dessa maneira podemos afirmar que Deus habita em cada crente salvo, Deus habita nos crentes de uma igreja local e Deus habita na igreja como o somatório de todos os convertidos de todos os lugares do mundo.

Na edificação dessa igreja como edifício de Deus é preciso estar apercebido da importância da qualidade. Nós que estamos edificando

---

[15] PRIOR, David. *A mensagem de 1Coríntios*, 1993, p. 61.
[16] BARCLAY, William. *I y II Corintios*, 1973, p. 46.
[17] WIERSBE, Warren W. *Comentário bíblico expositivo*. Vol. 5, 2006, p. 757.

essa casa da morada de Deus seremos julgados em nosso trabalho. Um dia Deus julgará o nosso trabalho (3.13). Deus está interessado em que construamos com qualidade.

A igreja não é do pregador nem da congregação. Ela é a Igreja de Deus. Somos edifício de Deus (3.9). Haverá um julgamento para nós. A Bíblia diz: [...] *manifesta se tornará a obra de cada um; pois o Dia a demonstrará* (3.13). Esse dia é o dia do juízo, o dia da segunda vinda de Cristo, quando Ele se manifestará em chamas de fogo (2Ts 1.6-8). A maneira que você está construindo será julgada e provada pelo fogo. Precisamos construir esse edifício de Deus com qualidade. Deus não está procurando apenas números. Ele quer qualidade. Precisamos, portanto, evitar dois grandes extremos na construção desse edifício espiritual.

O primeiro extremo que precisamos evitar é a *numerolatria*. Hoje, nós estamos vendo igrejas bêbadas pelo sucesso. Elas estão embriagadas pelos resultados. Elas querem quantidade a qualquer custo. Para encher os templos, os pregadores mudam a mensagem e oferecem um evangelho sem exigências. A riqueza do evangelho é sonegada e também substituída pelas novidades do mercado da fé. As crianças gostam de espetáculo e gostam de novidades. Elas não têm discernimento para identificar os perigos e os riscos das heresias que entram disfarçadamente dentro das igrejas. É nesse contexto que Paulo mostra que a igreja precisa construir e se edificar, mas com qualidade. Deus não está interessado apenas em número, ele quer vida.

O segundo extremo é a *numerofobia*. Essa é a atitude da acomodação. Ela acontece quando a igreja se conforma com a esterilidade e cria justificativas para tentar tapar o sol com a peneira e justificar a sua falta de frutos espirituais. Se nós devemos construir a igreja do modo que Deus quer, temos de olhar quatro princípios importantes que Paulo ensina. Warren Wiersbe coloca esses princípios assim: o alicerce apropriado, os materiais apropriados, o projeto apropriado e o motivo apropriado.[18]

Em primeiro lugar, **devemos construir sobre o fundamento certo** (3.10,11). O apóstolo é claro: *Segundo a graça de Deus que me foi dada, lancei o fundamento como prudente construtor; e outro edifica sobre ele.*

---

[18] WIERSBE, Warren W. *Comentário bíblico expositivo*. Vol. 5, 2006, p. 757-759.

Porém cada um veja como edifica. Porque ninguém pode lançar outro fundamento, além do que foi posto, o qual é Jesus Cristo (3.10,11). O fundamento, o alicerce e a pedra fundamental da igreja não é o papa, não é o pastor, não é um missionário nem é uma liderança local. Pastores e pregadores mudam, passam e morrem; somente a igreja edificada em Jesus sobrevive.[19]

Jesus Cristo é o fundamento da Igreja (Is 28.16; At 4.11; Ef 2.20; 1Pe 2.6). Ele é a pedra sobre a qual a Igreja está edificada (Mt 16.18). A Igreja não poderia ser edificada sobre Pedro nem sobre Paulo, porque tanto Pedro quanto Paulo morreram. Eles passaram, mas Cristo permanece para sempre.

Não podemos abandonar a mensagem da cruz embora essa mensagem seja escândalo para os judeus e loucura para os gregos. Paulo diz: Eu estou determinado a pregar só Jesus. E o fundamento da igreja é Jesus (3.11). Paulo está dizendo que quando o crente deixa de edificar sobre o fundamento, ele começa naufragar na vida. Seria loucura construir uma casa sem lançar o fundamento certo. Também seria uma irresponsabilidade construir uma casa, lançando o fundamento errado.

Em segundo lugar, ***precisamos construir com o material certo*** (3.12-17). Paulo usa duas categorias de materiais: ouro, prata e pedras preciosas pertencem a uma categoria de material permanente, belo, valoroso e difícil de ser obtido. Depois ele cita outros três tipos de material: madeira, feno e palha. Esses pertencem a uma espécie de material temporário, barato e fácil de obter. E o que representa todo esse material? Esse material não está falando de pessoas, mas de doutrinas, de verdades.

Muitas pessoas estavam tentando construir a igreja com um evangelho imiscuído e misturado com a filosofia pagã. Um evangelho secularizado, centrado no homem. Para Paulo, esse tipo de pregação era madeira, palha e feno.

Nessa mesma linha de pensamento, Charles Hodge afirma: "Em consistência com o contexto, ouro, prata e pedras preciosas, pode somente significar a verdade; e madeira, palha e feno, o erro".[20]

---

[19] PRIOR, David. *A mensagem de 1Coríntios*, 1993, p. 62.
[20] HODGE, Charles. *Commentary on the First Epistle to the Corinthians*, 1994, p. 56.

Devemos construir com material nobre, duradouro, e permanente; um material que resista ao fogo do julgamento. É preciso que o obreiro cave para encontrar esses materiais, porque ouro, prata e pedras preciosas não são encontrados na superfície. É preciso cavar na Palavra, mergulhar nas profundezas das riquezas de Cristo, e se alimentar dessas finas iguarias. Se o obreiro ficar sempre na superfície sem jamais se aprofundar, ele acabará construindo com palha, feno e madeira. Esses materiais são encontrados em qualquer lugar da superfície.

O livro de Provérbios (3.13-15; 2.1-5; 8.10,11) apresenta a sabedoria da Palavra de Deus como tesouro que precisa ser procurado, protegido e investido na vida diária. Os coríntios tentavam construir a igreja com a sabedoria humana, a sabedoria deste mundo, quando deveriam ter dependido da sabedoria de Deus em Cristo, revelada na Palavra.

É importante ressaltar que em cada uma das figuras usadas para a igreja, Paulo deu destaque à Palavra: a Palavra de Deus é alimento para a família, semente para o campo e material para o templo. Tanto para edificar a família, quanto para plantar o campo, ou para construir o templo, o material, a obra-prima é a Palavra de Deus.

Pregadores e professores preguiçosos vão ver uma grande fumaceira no dia do julgamento. O material que eles usaram para edificar não resistirá ao fogo nem eles vão receber recompensa. Deus nos adverte que se nós destruirmos o seu santuário, usando material impróprio, Ele nos destruirá (isso não é condenação eterna, mas é a perda da recompensa) (3.15). No último dia, muitos ministérios vão se transformar em cinza. A Igreja não pode ser destruída sem severa punição (Lv 15.31; Nm 19.20).

Em terceiro lugar, ***devemos construir de acordo com o plano correto*** (3.18-20). Se quisermos construir do jeito que Deus quer, devemos construir de acordo com o plano correto. Paulo diz que há uma sabedoria do mundo que funciona no mundo, mas não na igreja. A sabedoria do mundo não funciona para a igreja, porque a sabedoria de Deus é diferente da sabedoria do mundo. Aquilo que o mundo valoriza, o Reino de Deus despreza. O que o Reino de Deus despreza, o mundo valoriza. O Reino de Deus está em posição invertida e de ponta-cabeça. O Reino de Deus tem valores invertidos. A igreja não é uma empresa secular.

A igreja primitiva não tinha nenhum dos segredos de sucesso do mundo: 1) Eles não tinham ricas propriedades; 2) Eles não tinham influência nos governos; 3) Eles não tinham tesouros; 4) A maioria dos seus obreiros não era composta de grandes intelectuais; 5) A maioria dos membros não era composta de grandes celebridades. Contudo, eles colocaram o mundo de cabeça para baixo.

Warren Wiersbe diz que o mundo depende de dinheiro, promoção, prestígio, e pessoas de influência, mas a igreja depende de oração, do poder do Espírito, humildade, sacrifício e serviço.[21] O bem-aventurado no Reino de Deus é o humilde de espírito e não o arrogante. Bem-aventurado é o manso e não o bravo que tenta dominar os outros pela força e crueldade. O bem-aventurado no Reino de Deus é o que chora, e não o que faz os outros chorarem. O bem-aventurado no Reino de Deus é o puro de coração e não o conquistador. O maior no Reino de Deus é o que serve, e não aquele que é colocado num pedestal para ser bajulado.

Se nós estamos querendo construir a casa de Deus, devemos usar o plano certo. A igreja que imita o mundo pode ter sucesso no tempo, mas se cobrirá de cinzas na eternidade, porque Sua obra não resistirá ao fogo.

Em quarto lugar, ***devemos construir com a motivação certa*** (3.21-23). Se quisermos construir do jeito que Deus quer, devemos construir com a motivação certa. E qual é a motivação certa de trabalhar na igreja e de edificar o santuário de Deus? É a glória de Deus! Toda vez que eu estou buscando a glória de homens ou querendo a glória de homens e colocando o homem no centro, eu estou tirando a glória que é de Deus. Então, a primeira motivação tem de ser a glória de Deus e quando a glória de Deus é a nossa motivação, não vai existir partido, não vão existir disputas nem querelas, não vai existir ninguém querendo ser mais importante que o outro dentro da igreja.

Os crentes de Corinto formavam partidos e comparavam homens (4.6) e assim dividiam a igreja. Mas se eles estivessem buscando unicamente a glória de Deus, lutariam pela unidade da igreja.

Paulo enfatiza que a igreja é herdeira de todas as coisas em Cristo. Paulo apela para a dignidade e o destino da igreja como correta

---

[21] WIERSBE, Warren W. *Comentário bíblico expositivo*. Vol. 5, 2006, p. 758.

motivação para se fazer a obra. Se nós todos somos possuidores de todas as coisas em Cristo, porque é que vamos entrar numa disputa de partidarismo dentro da igreja? Todas as coisas pertencem a todos os cristãos.

Não é a igreja que é nossa; nós é que somos da igreja. Não é a igreja que pertence ao ministro, mas o ministro que pertence à igreja, afirma Charles Hodge.[22] A igreja é riquíssima, ela é herdeira de Deus. Tudo que o Pai tem é do Filho. Cada crente tem todas as coisas em Cristo. Quão ricos nós somos em Cristo!

O pai disse para o filho mais velho, o irmão do filho pródigo: "Meu filho tudo o que eu tenho é seu". Paulo afirma: "Tudo é vosso e vós de Cristo e Cristo de Deus". Tudo é vosso: 1) O mundo – para habitar, estudar, usar, deleitar, conquistar. 2) A vida – como um dom diário de Deus, como uma preparação para a eternidade. 3) A morte – para pôr fim ao nosso sofrimento, para nos conduzir ao céu. 4) O presente – a providência, o cuidado, a direção. 5) O futuro – a vinda de Cristo, a ressurreição do corpo, o dia do julgamento, o céu, a vida eterna.

---

[22] HODGE, Charles. *Commentary on the First Epistle to the Corinthians*, 1994, p. 62.

4

As marcas do ministro da igreja

1 Coríntios 4.1-21

ASSIM COMO PAULO USOU TRÊS IMAGENS para a igreja no capítulo 3, também utiliza três figuras para descrever o ministro cristão. O obreiro é um mordomo que vive com fidelidade, um espetáculo ao mundo que revela humildade e um pai que demonstra amabilidade.[1]

É sobre esses três aspectos que vamos discorrer neste capítulo.

O ministro é um **mordomo fiel** (4.1-6)

Paulo ainda está corrigindo o mesmo problema identificado desde o capítulo 1, a divisão na igreja em virtude do culto à personalidade. O mundo estava entrando na igreja de Corinto e a filosofia do mundo conduzia os seus assuntos internos.

Corinto era uma cidade grega e o grande *hobby* dessa cidade era ir para a praça, a *ágora*, a fim de escutar os grandes filósofos e pensadores discutirem suas ideias e exporem a maneira como viam o mundo ao seu redor. Eles se identificavam com um ou outro líder, com esse ou aquele filósofo. Eles acabavam se tornando seguidores de homens. Centrando-se em seus líderes, os coríntios estavam prestando

---

[1] WIERSBE, Warren W. *Comentário bíblico expositivo*. Vol. 5, 2006, p. 760-765.

fidelidade a homens; homens de Deus é verdade, mas apenas homens. Essa era a maneira que o mundo se comportava e ensinava. Sempre que a igreja segue os grandes nomes e gira em torno de homens, está imitando o mundo.[2] Uma vez que eles estavam acostumados a vivenciar isso no mundo, queriam, agora, fazer o mesmo dentro da igreja. Por isso, diziam: Eu sou de Paulo, eu de Apolo, eu de Cefas e eu de Cristo.

Como Paulo combate essa ideia do culto à personalidade? Após afirmar que os obreiros da igreja são apenas servos ou diáconos, ele prossegue em seu argumento, dizendo que eles são escravos condenados à morte que trabalham sob as ordens de um superior (4.1). Vamos examinar alguns pontos importantes:

Em primeiro lugar, *o obreiro é um escravo sentenciado à morte*. Paulo escreve: *Assim, pois, importa que os homens nos considerem como ministros de Cristo* (4.1). A palavra "ministro" na língua portuguesa representa o primeiro escalão do governo. O ministro é uma pessoa que ocupa uma alta posição política, de grande projeção na liderança, e tem em suas mãos um grande poder e autoridade. Se olharmos a palavra "ministro" no campo religioso, estaremos falando de alguém que exerce a função de líder na igreja local. Todavia, a palavra usada pelo apóstolo Paulo para definir o ministro nos dá uma ideia totalmente contrária. A palavra grega usada é *huperetes*, que significa um remador de galés.[3] Essa palavra era utilizada para a classe mais simples de servos.

Os ministros são meros servos de Cristo. Eles não têm autoridade procedente deles mesmos.[4] A palavra *huperetes* só aparece aqui em todo o Novo Testamento. Nos grandes navios romanos existiam as galés, que eram porões onde trabalhavam os escravos sentenciados à morte. Aqueles escravos sentenciados à morte prestavam um serviço antes de morrer. Eles tinham os seus pés amarrados com grossas correntes e trabalhavam à exaustão sob o flagelo dos chicotes até à morte. Paulo diz que o ministro não deve ser colocado no pedestal como o dono da igreja ou como o capitão do navio, antes deve ser visto como um escravo

---

[2] Prior, David. *A mensagem de 1Coríntios*, 1993, p. 65.
[3] Barclay, William. *I y II Corintios*, 1973, p. 48.
[4] Hodge, Charles. *Commentary on the First Epistle to the Corinthians*, 1994, p. 64.

que serve ao capitão até à morte. Paulo está dizendo para não colocarmos os holofotes sobre um homem, porque importa que os homens nos considerem como *huperetes* e não como capitães do navio. O obreiro da igreja é um escravo já sentenciado à morte, que deve obedecer às ordens do capitão do navio, o Senhor Jesus Cristo.

Em segundo lugar, **o obreiro é um mordomo que obedece às ordens do seu Senhor** (4.1). Paulo usa agora uma nova figura. Ele diz que o obreiro é um despenseiro ou mordomo. A palavra grega usada por Paulo é *oikonomos*, de onde vem a nossa palavra mordomo. O ministro é um despenseiro, aquele que toma conta da casa do seu senhor. Em relação ao dono da casa, o mordomo era um escravo, mas em relação aos outros serviçais, ele era o superintendente. Sua função era cuidar dos interesses do seu senhor. Ele cuidava da alimentação da casa. Ele prestava contas, não aos seus colegas, mas ao seu senhor.[5]

Os mistérios de Deus representam aqui o evangelho, a Palavra de Deus. O mordomo ou *oikonomos* era a pessoa que cuidava da despensa, da dieta, da alimentação de toda a família. O *oikonomos* era um administrador, mordomo, dirigente de uma casa, com frequência um escravo de confiança que era encarregado de todos os negócios do lar. A palavra enfatiza que a pessoa recebe uma grande responsabilidade, pela qual deve prestar contas.[6] O que isso nos sugere?

Não era competência do mordomo prover o alimento para a família; essa era uma responsabilidade do dono, do senhor da casa. O ministro do evangelho não tem de prover o alimento, porque esse já foi providenciado. Esse alimento é a Palavra de Deus. Compete ao ministro dar a Palavra de Deus ao povo. O ministro não é o provedor, ele é o garçom que serve as mesas. Ele não coloca alimento na despensa, mas prepara o alimento e o serve. Ele não pode sonegar o alimento que está na despensa, ou adulterá-lo nem substituí-lo por outro.[7] Ele precisa ser íntegro e fiel, dando ao povo o mesmo alimento que o dono da casa proveu para a família.

---

[5] PRIOR, David. *A mensagem de 1Coríntios*, 1993, p. 65.
[6] RIENECKER, Fritz, e ROGERS, Cleon. *Chave linguística do Novo Testamento grego*, 1985, p. 292.
[7] HODGE, Charles. *Commentary on the First Epistle to the Corinthians*, 1994, p. 65.

Sabemos, porém, que é possível ter na despensa os melhores alimentos e, mesmo assim, ter na mesa a pior refeição. A competência do mordomo era pegar a riqueza do alimento que estava na despensa, que é a Palavra de Deus, e preparar uma refeição gostosa, saborosa, e balanceada: leite para a criança, alimento sólido para aqueles que podem suportá-lo. Não é conveniente preparar a mesma refeição todos os dias. O ministro precisa ensinar todo o desígnio de Deus. Paulo diz: *Toda a Escritura é inspirada por Deus é útil para o ensino, para a repreensão, para a correção, para a educação na justiça, a fim de que o homem de Deus seja perfeito e perfeitamente habilitado para toda boa obra* (2Tm 3.16, 17).

Não era função do mordomo buscar nova provisão ou servir qualquer alimento que não fosse provido pelo senhor. A Palavra de Deus deve ser ensinada de formas variadas. Paulo diz para ensinarmos todo o conselho de Deus (At 20.27). Hoje, não temos mais profetas nem apóstolos como tinham as igrejas primitivas! Eles pregavam mensagens de revelação. Quando os profetas diziam *Assim diz o Senhor*, eles estavam recebendo uma mensagem inspirada, inédita, e nova da parte de Deus. E essa mensagem iria fazer parte do cânon das Escrituras.

Nos dias atuais, porém, nenhum homem e nenhuma mulher recebe mensagens novas de Deus. Tudo o que Deus tem para nós já está nas Escrituras. Mesmo que um anjo descesse do céu e pregasse outra mensagem que vá além daquela que está nas Escrituras, deve ser prontamente rejeitada e considerada como anátema! (Gl 1.6-9). A Bíblia já tem uma capa posterior. Ela já está concluída, fechada e é por isso que no livro do Apocalipse diz que nós não podemos acrescentar ou retirar mais nada do que nela está escrito (Ap 22.18,19). A pregação hoje não é revelável, mas expositiva. Você não acrescenta mais nada ao que está na Palavra, mas expõe apenas o que está na Palavra. Não recebemos mensagens novas, mas damos ao povo o conteúdo da Palavra de Deus já revelada.

A função do mordomo era servir as mesas com integridade. O ministro não é um filósofo que cria a sua própria filosofia. Não é assim o despenseiro. Ele não cria uma doutrina, uma teologia ou uma ideia a fim de aplicá-la e ensiná-la. Cabe a ele transmitir o que recebeu. E Paulo sempre usa essa expressão: [Eu] *vos entreguei o que também recebi* (1Co 15.3). O despenseiro não pode entregar o que não recebeu. E o que é que ele recebeu? É o que está na Palavra! Sendo assim, o despenseiro não podia mudar o alimento. De igual forma, nós não podemos mudar a mensagem. Também o despenseiro não podia adulterar o alimento, ou seja, ele não podia mudar o conteúdo, a substância, e a essência do alimento.

Nós não podemos mudar nem diluir a Palavra de Deus. Ainda, o despenseiro não podia acrescentar nenhum alimento no cardápio além daquele que estava na despensa. Nós não podemos pregar o evangelho e mais alguma coisa. É o evangelho, somente o evangelho e, todo o evangelho. Finalmente, o despenseiro não podia reter as iguarias que o senhor da casa havia provido para toda a casa, para toda a família. Ele tinha de distribuir todo o alimento que o seu senhor providenciara para a família e para o restante da casa. E isso significa dizer que o despenseiro precisa pregar para a igreja todo o conselho de Deus. Não pode pregar apenas as doutrinas da sua preferência. A melhor maneira de fazer isso é pregando expositivamente, livro por livro. Essa é a maneira mais adequada de se colocar na mesa todas as iguarias providenciadas pelo Senhor.

Em terceiro lugar, *o despenseiro precisa ser absolutamente fiel no exercício do seu trabalho*. A função do mordomo não era agradar às demais pessoas da casa, nem muito menos aos outros servos, mas ao seu senhor.[8] Diz o apóstolo Paulo: *Ora, além disso, o que se requer dos despenseiros é que cada um deles seja encontrado fiel* (4.2). De acordo com a filosofia dos gregos e a sabedoria do mundo, as pessoas valorizam a popularidade e o sucesso. Mas Deus requer dos despenseiros fidelidade. Sucesso sem fidelidade é consumado fracasso. No dia em que formos prestar contas da nossa administração, o que Deus vai pesar não é o critério do sucesso nem o da popularidade, mas o critério da fidelidade. O que Deus requer do despenseiro não é sucesso nem popularidade, mas fidelidade: fidelidade ao Senhor, fidelidade à missão e fidelidade ao povo.

Em quarto lugar, *o despenseiro está exposto ao julgamento* (4.3-6). O ministro, na qualidade de mordomo, passa por três crivos de

---

[8]WIERSBE, Warren W. *Comentário bíblico expositivo*. Vol. 5, 2006, p. 760.

julgamento: O julgamento dos homens (4.3a), o julgamento próprio (4.3b,4a) e o julgamento de Deus (4.4b).[9]

1. *O julgamento dos homens.* Diz o apóstolo: *Todavia, a mim mui pouco se me dá ser julgado por vós, ou por tribunal humano* (4.3a). O julgamento dos homens não é o mais importante, porque nós não estamos servindo a homens, mas servindo a Deus. Paulo está dizendo que se ele fosse servo de homens ou procurasse agradar a homens, ele não seria servo de Cristo (Gl 1.10). O grande projeto do ministro de Deus não é ser popular aos olhos dos homens, mas fiel diante de Deus.
2. *O julgamento da consciência* (4.3b-4). Os filósofos gregos e romanos (Platão e Sêneca, por exemplo) consideravam a consciência como o juiz máximo do homem. Para Paulo, apenas Deus pode sê-lo.[10] O apóstolo Paulo continua: [...] *nem eu tampouco julgo a mim mesmo. Porque de nada me argui a consciência; contudo, nem por isso me dou por justificado* (4.3b-4). Paulo diz que os gregos e os romanos estavam errados quanto a essa matéria. Platão e Sêneca estavam equivocados com respeito ao julgamento da consciência. O nosso supremo juiz não é a nossa consciência. Nós podemos ser aprovados pela nossa consciência e reprovados por Deus. A nossa consciência não é totalmente confiável.
3. *O julgamento de Deus.* Paulo conclui, dizendo: [...] *pois quem me julga é o Senhor* (4.4b). Por que é que o julgamento de Deus é o julgamento perfeito? Porque Deus é o único que conhece todas as circunstâncias e todas as motivações. O julgamento de Deus é final e perfeito.

Em quinto lugar, *a igreja precisa ter cuidado para não julgar os ministros apressadamente* (4.5,6). Paulo traz para a igreja de Corinto três tipos de repreensões erradas em relação aos ministros: julgar na hora errada (4.5), pelo critério errado (4.6) e pelo motivo errado (4.6b).[11]

---

[9]WIERSBE, Warren W. *Comentário bíblico expositivo.* Vol. 5, 2006, p. 760.
[10]PRIOR, David. *A mensagem de 1Coríntios,* 1993, p. 66.
[11]WIERSBE, Warren W. *Comentário bíblico expositivo.* Vol. 5, 2006, p. 761.

1. *O primeiro cuidado que a igreja precisa ter é de não julgar os servos de Deus no tempo errado* (4.5). Paulo diz que é errado julgar os servos de Deus fora do tempo ou antecipadamente. Paulo diz que somente na segunda vinda de Cristo é que se terá o julgamento final e completo. Somente Deus pode julgar e conhecer o coração humano, pois só Ele vê o coração (1Sm 16.7) e não apenas a aparência. Paulo está combatendo a ideia de exercermos juízo e julgamento precipitado dentro da Igreja de Deus.
2. *O segundo cuidado que a igreja precisa ter é de não julgar os servos de Deus pelo critério errado* (4.6). Os crentes da igreja de Corinto estavam julgando por meio de critérios mundanos provenientes da sabedoria humana, pois uns diziam ser de Paulo, pelo fato de ele ter sido o fundador daquela igreja; e outros de Apolo, por ser esse um grande e eloquente pregador; e ainda outros de Cefas, pelo fato de serem eles judeus prosélitos e gostavam do rigor da lei judaica. Os coríntios julgaram Paulo, Apolo e Pedro por suas preferências e preconceitos. Entretanto, Paulo diz que não devemos julgar uns aos outros por esses critérios. Veja o que diz o apóstolo Paulo: *Estas coisas, irmãos, apliquei-as figuradamente a mim mesmo e a Apolo por vossa causa, para que por nosso exemplo aprendais isto: não ultrapasseis o que está escrito; a fim de que ninguém se ensoberbeça a favor de um em detrimento de outro* (4.6). O que significa ultrapassar o que está escrito? Se você tem de examinar alguém, limite-se ao ensino das Escrituras. A única base de avaliação é a Palavra de Deus e não nossas opiniões. Não superestime os ministros além da medida das Escrituras.
3. *O terceiro cuidado que a igreja precisa ter é de não julgar os servos de Deus com a motivação errada* (4.6b). O grupo de Paulo estava desprezando o grupo de Apolo e o grupo de Apolo o grupo de Pedro. A maneira mais vil de me promover é criticar o meu irmão. Sempre que eu critico alguém estou promovendo a mim mesmo. Sempre que começo a macular a imagem do outro estou projetando a minha imagem e essa maneira de agir tem uma motivação errada. Nós não estamos na Igreja de Deus competindo uns com os outros. Não estamos disputando primazia. Não estamos disputando quem é mais importante. Essa motivação em querer derrubar uns a fim de erguer outros é

totalmente carnal e mundana e jamais será aprovada por Deus. Não basta apenas a integridade na doutrina, é preciso também fidelidade nos relacionamentos.

O ministro é um **espetáculo diante do mundo** (4.7-13)

O ministro é um espetáculo para o mundo (4.9). Por que Paulo usa essa figura? Essa era uma imagem muito familiar para o povo do Império Romano.

Para o imperador romano manter a hegemonia do seu governo bastava dar ao povo pão e circo. Os imperadores procuravam trazer entretenimento e diversão para o povo. Criou-se, então, em quase todas as cidades do Império Romano anfiteatros onde se promoviam espetáculos para a população. O governo entretinha o povo, apresentando espetáculos nos anfiteatros nas várias cidades do Império. E quando um general ia para a guerra e retornava vitorioso, ele acorrentava pelo pescoço os vencidos e entrava na sua cidade, montado em sua carruagem numa grande procissão trazendo os derrotados que eram sentenciados à morte e levados ao anfiteatro para serem lançados às feras ou passados ao fio da espada. Vejamos o que diz o apóstolo Paulo: *Porque a mim me parece que Deus nos pôs a nós, os apóstolos, em último lugar, como se fôssemos condenados à morte; porque nos tornamos espetáculo ao mundo...* (4.9).

A palavra grega *teatron*, "espetáculo" dá origem à nossa palavra "teatro". Paulo diz que o ministro cristão é o teatro do mundo, e que a sua vida se desenrola num palco e numa arena de morte. O coliseu romano se tornou o centro desses espetáculos, onde os cristãos eram colocados para lutar contra feras e expostos à morte. Essa é a figura que Paulo evoca para os apóstolos de Cristo. Os ministros não estão no pódio para os aplausos dos homens, mas na arena do teatro, para serem entregues à morte. Fritz Rienecker ensina que Paulo usa a ilustração para a humilhação e a indignidade a qual os apóstolos são sujeitos. Deus é aquele que comanda o espetáculo e utiliza as fraquezas de seus servos a fim de demonstrar Seu poder e força.[12]

---

[12] RIENECKER, Fritz, e ROGERS, Cleon. *Chave linguística do Novo Testamento grego*, 1985, p. 293.

Paulo faz quatro contrastes para revelar a sua ironia com a igreja de Corinto: reis-prisioneiros (4.7-9), sábios-loucos (4.10a), fortes-fracos (4.10b) e nobres-desprezados (4.10c-13).[13]

Em primeiro lugar, *reis e prisioneiros* (4.7-9). Visto que a igreja estava cheia de vanglória, Paulo ironiza os crentes de Corinto, dizendo: *Já estais fartos, já estais ricos; chegastes a reinar sem nós* (4.8). Paulo diz para eles: Vocês estão fartos e ricos demais! Eles estavam como a igreja de Laodiceia, satisfeitos com a sua espiritualidade. Pensavam que tinham tudo. Estavam cheios de vanglória. Eles tinham um alto conceito de si mesmos. Os coríntios pensavam que eles eram uma igreja de muito sucesso, muito madura e eficiente. Mas Paulo afirma que aquilo que você tem, é o que você recebeu. *Pois quem é que te faz sobressair? E que tens tu que não tenhas recebido? E, se o recebeste, por que te vanglorias como se o não tiveras recebido?* (4.7). Paulo está dizendo que não há margem para a vaidade, para a soberba e para o orgulho espiritual. Se Deus lhe deu um ministério de projeção, você não tem de ficar vaidoso com isso, isso não é seu. Não é devido aos seus méritos, não é devido à sua inteligência ou capacidade humana. É graça de Deus. E por que, então, você se vangloria como se fosse mérito seu?

Paulo começa a mostrar para aquela igreja que a teologia da glória é precedida pela teologia da cruz. E a grande bandeira do cristão é a teologia de João Batista que dizia: *Convém que ele* [Jesus] *cresça e que eu diminua* (Jo 3.30). Deus colocou os apóstolos em primeiro lugar na igreja, mas o mundo coloca os apóstolos em último lugar. Há três princípios na metáfora reis-escravos condenados. Se nós estamos sendo abençoados, outros estão sendo esbofeteados; se nós estamos sendo esbofeteados, isso vai abençoar outras pessoas; todos os cristãos são, ao mesmo tempo, reis e prisioneiros sentenciados à morte. Somos tanto reis quanto escravos. Somos ricos em Cristo e desprezados pelo mundo. Jamais alcançaremos a bem-aventurança plena aqui. Ainda somos humanos. Ainda estamos no mundo. Ainda somos mortais. Ainda estamos expostos ao pecado, ao mundo e ao diabo.

---

[13] WIERSBE, Warren W. *Comentário bíblico expositivo*. Vol. 5, 2006, p. 762.

Em segundo lugar, *sábios e loucos*. O apóstolo diz: *Nós somos loucos por causa de Cristo, e vós sábios em Cristo* (4.10b). Paulo usa uma linguagem de ironia, pois todos o consideravam um louco, pelo fato de ter deixado o judaísmo e o rabinado, uma carreira promissora de grandes vantagens, com muito dinheiro e sucesso, com muita projeção, para se tornar um homem andarilho, um itinerante que não tinha morada certa, que passava fome, sentia frio, era açoitado e preso. Imagino que diziam para ele: Tu és louco Paulo! Houve um momento em sua vida em que ele achava que ser sábio era se gloriar nas coisas que tinha (Fp 3.4-8). Mas ele considerou todas essas glórias do seu passado como esterco, como lixo, por causa da sublimidade do conhecimento de Cristo (Fp 3.8). Paulo era louco de acordo com o critério dos homens. Ele abandonou seu *status*, sua posição e suas vantagens. Contudo, na verdade, os coríntios que se consideravam sábios aos próprios olhos, eram tolos aos olhos de Deus.

Paulo diz: *Ninguém se engane a si mesmo; e se alguém dentre vós se tem por sábio neste século, faça-se estulto para se tornar sábio. Porque a sabedoria deste mundo é loucura diante de Deus* (3.18,19). O caminho para se tornar espiritualmente sábio é tornar-se tolo aos olhos do mundo. O mártir do cristianismo, Jim Elliot disse: "Não é tolo aquele que dá o que não pode reter, para ganhar o que não pode perder". Houve um momento em que Paulo confiou na sua força, mas depois que Cristo o salvou, ele passou a gloriar-se apenas em sua fraqueza (2Co 12.7-10).

Em terceiro lugar, *fracos e fortes*. Diz o veterano apóstolo: [...] *nós fracos, e vós fortes* (4.10b). Aos olhos de Deus os apóstolos são os primeiros (1Co 12.28), mas aos olhos do mundo, eles são os últimos. A igreja de Corinto se considerava forte, poderosa e Paulo chegou a dizer que teve um tempo em sua vida em que ele se achava forte e poderoso. Nesse tempo ele perseguiu a igreja. Mas agora, ele se considera fraco e se gloria na sua fraqueza. Assim, Paulo mostra à igreja que o alto conceito que ela possuía de si mesma era uma cortina de fumaça e uma máscara. Os coríntios estavam cheios de orgulho por causa da sua espiritualidade, mas isso era fraqueza aos olhos de Deus. Não há poder onde Deus não recebe a glória.

Em quarto lugar, **honrados e desprezados** (4.10c-13). Os crentes de Corinto queriam glória vinda dos homens. Eles se consideravam importantes por estarem associados a homens famosos. Mas Paulo lhes diz que os apóstolos não são nobres, mas desprezados. Os crentes de Corinto ficavam todos empavonados, dizendo: *Nós somos de Paulo. Ou nós somos do grupo de Apolo. Ou ainda nós somos importantes porque pertencemos ao grupo de Pedro.* Paulo diz que nós não devemos achar que somos importantes por pertencermos ao grupo de homens famosos. Os apóstolos não são famosos, disse Paulo; os apóstolos são desprezados: [...] *vós nobres, e nós desprezíveis* (4.10c). Ele diz que os apóstolos enfrentam privações: [...] *sofremos fome, e sede, e nudez* (4.11). E os apóstolos ainda sofrem maus-tratos: [...] *e somos esbofeteados, e não temos morada certa* (4.11). E Paulo conclui: [Somos] *caluniados, procuramos conciliação; até agora, temos chegado a ser considerados lixo do mundo, escória de todos* (4.13). Paulo diz aos crentes de Corinto para não colocarem os holofotes nos homens, porque assim como os homens trataram Jesus, o Filho de Deus, e O prenderam e Lhe cuspiram, levando-O à cruz, assim também tratarão os apóstolos. Nossa vida está sendo observada por homens e anjos. Nós somos jogados nas arenas para enfrentarmos a própria morte, como escravos condenados.

O ministro é um **pai amoroso** (4.14-21)

A última figura que Paulo usa nesse capítulo é a figura de um pai que precisa exercer doçura e temor. Paulo já tinha comparado a igreja local a uma família (3.1-4), mas agora sua ênfase é sobre o ministro como um pai espiritual. Paulo dá uma guinada de 180 graus, saindo de uma severidade imensa, onde usou de ironia, para uma figura repleta de doçura, a figura de um pai. A severidade de Paulo dá lugar à ternura. Ele agora se dirige à igreja como um pai aos seus filhos.

Normalmente quando temos de usar a vara para disciplinar nossos filhos, choramos mais do que eles. Sofremos e sentimos mais do que eles. Parece que é isso que Paulo está sentindo, pois ele acabara de disciplinar severamente a igreja, chamando a atenção dos crentes de maneira dura. Agora, ele se volta cheio de ternura, doçura, mansidão e carinho dirigindo-se à igreja como filhos amados. Vejamos como ele escreve: *Não vos escrevo estas coisas para vos envergonhar; pelo contrário, para vos admoestar como a filhos meus amados* (4.14). O que é um pai espiritual?

Em primeiro lugar, **o pai é aquele que gera os filhos pelo evangelho** (4.14,15). Paulo fala do pai espiritual: *Porque, ainda que tivésseis milhares de preceptores em Cristo, não teríeis, contudo, muitos pais; pois eu pelo evangelho vos gerei em Cristo* (4.15). A palavra "preceptor" aqui é *paidagogos*. É o escravo que tinha a responsabilidade de cuidar de uma criança e conduzi-la à escola. Ele não era o professor, mas aquele que levava o filho à escola e o deixava aos pés do mestre. E Paulo diz: Vocês podem ter muitos que levam instrução até vocês ou, levam vocês à instrução. Porém, vocês só têm um pai. A minha relação com vocês é estreita, sentimental, familiar, e íntima. É uma relação de coração e de alma. Eu sou o pai de vocês! Eu gerei vocês!

Em segundo lugar, **o pai é aquele que é um exemplo para os filhos** (4.16,17). Paulo diz: *Admoesto-vos, portanto, a que sejais meus imitadores* (4.16). A palavra "imitadores", no grego, é *mimetai*, de onde vem a palavra mimetismo, mímica. Ou seja, você ensina o filho não apenas por aquilo que você diz, mas, sobretudo, por aquilo que você faz. Os filhos aprendem primeiro pelo exemplo, depois pela doutrina. Albert Schweitzer, um grande pensador alemão, declara que o exemplo não é apenas uma forma de ensinar, mas a única forma eficaz. Paulo podia ser exemplo para os seus filhos e os seus filhos podiam imitá-lo porque ele imitava a Cristo. Ele diz: *Sede meus imitadores, como também eu sou de Cristo* (11.1).

Em terceiro lugar, **o pai é aquele que é fiel em disciplinar os filhos** (4.18-21). O pai é aquele que gera, que ensina pelo exemplo e também, o que disciplina com amor. Veja o que diz o apóstolo Paulo: *Alguns se ensoberbeceram, como se eu não tivesse de ir ter convosco; mas, em breve, irei visitar-vos, se o Senhor quiser, e, então, conhecerei não a palavra, mas o poder dos ensoberbecidos. Porque o Reino de Deus consiste não em palavra, mas em poder. Que preferis? Irei a vós outros com vara ou com amor e espírito de mansidão?* (4.18-21).

Há um momento em que a intolerância precisa ter um fim. Há um momento em que a única forma de alcançar o coração do filho é o expediente da disciplina. Reter a vara do filho é pecar contra ele. Aborrece a alma do filho o pai que retém a disciplina. Chega um momento em que um pai responsável precisa disciplinar os seus filhos. Um pai que ama não pode ser indulgente com os filhos. O pai não apenas dá exemplo e ensina, mas também disciplina os filhos quando eles se tornam rebeldes.

Paulo diz que existia dentro da igreja uma dicotomia, um hiato, um abismo entre o que os cristãos falavam e o que eles viviam. Paulo contrasta discurso e poder, palavras e obras (4.19,20). Os crentes de Corinto não tinham problema com discursos pomposos, mas eles não tinham poder. Falavam, mas não viviam. Havia um abismo entre o que falavam e o que praticavam. Eles eram uma igreja falante e eloquente, mas não praticante. Então Paulo lhes diz que o problema não é falar, mas viver, pois o Reino de Deus não consiste em palavra, mas em poder! Não adianta você falar bonito, ter um discurso bonito, não adianta ser eloquente, fanfarrão, tocar trombeta! O Reino de Deus é poder, é vida, é transformação.

Em quarto lugar, *o pai é aquele que dá afeto e carinho aos filhos* (4.14,21). O pai gera, dá exemplo, disciplina, e também dá carinho. O filho que só apanha fica revoltado e recalcado. O filho que só recebe carinho fica mimado e imaturo. Precisamos dosar disciplina com ternura. Tem o tempo certo de usar a vara e o tempo certo de pegar o filho no colo. Precisamos equilibrar correção com encorajamento. Paulo pergunta: "Que preferis? Irei a vós outros com vara, ou com amor, e espírito de mansidão?" Paulo era aquele homem de coração doce e cheio de ternura, um pai que tinha vontade de colocar os filhos no colo. Precisamos desenvolver esse sentimento de proximidade, de intimidade e de amabilidade na igreja.

Veja a intensidade dos sentimentos desse apóstolo veterano. Quando ele escreve aos gálatas, afirma: [...] *meus filhos, por quem, de novo, sofro as dores de parto, até ser Cristo formado em vós* (Gl 4.19). A figura que ele usa é a de uma mãe dando à luz. Depois ele diz aos presbíteros de Éfeso, que ele era aquele pai que exortava dia e noite com lágrimas a cada um (At 20.31). Ele ainda disse aos tessalonicenses que ele era como uma ama, que acaricia os filhos (1Ts 2.7).

5

O exercício da disciplina na igreja

1 Coríntios 5.1-13

NO CAPÍTULO 5, PAULO FALA SOBRE A DOUTRINA da disciplina na igreja. Esse não é um assunto fácil nem popular, mas é necessário. Onde não há correção nem disciplina, não há amor responsável.

O fracasso da disciplina hoje pode ser explicado em parte porque estamos ligando o alarme contra o incêndio depois que o fogo já se alastrou. Lembra-se do sacerdote Eli, que julgou Israel quarenta anos? Ele é denunciado por honrar mais seus filhos do que a Deus (1Sm 2.29). O amor de Eli por Hofni e Fineias, seus filhos, foi, talvez, um amor intenso, mas não responsável. Por isso, seus filhos se perderam.

Lembra-se de Davi? Ele amava os seus filhos. Ele foi capaz de chorar amargamente com a morte de Absalão, mas não tinha disposição de discipliná-lo de maneira correta. Somos informados que Davi nunca contrariou o seu filho Adonias (1Rs 1.6).

João Calvino chegou a dizer que uma das marcas da verdadeira igreja é a correta aplicação da disciplina bíblica. Precisamos olhar para esse assunto com muito cuidado e zelo, porque, via de regra, a questão da disciplina tem sido mal empregada na Igreja de Deus. Há dois extremos perigosos quanto à questão da disciplina na igreja: ela é aplicada com displicência ou com rigor desmesurado.

Em alguns lugares os líderes fazem vista grossa ao pecado, tolerando-o ou passando por cima de situações que trazem desonra ao nome de Deus e escândalo aos olhos do mundo. Esse foi o erro da igreja de Corinto. Mas existe também o risco de se aplicar a disciplina sem amor e com rigor excessivo, proibindo até mesmo aquilo que a Palavra de Deus não condena. Muito da disciplina que é aplicada nas igrejas, hoje, é aplicada em cima de usos e costumes, e não em questões vitais de desobediência, de rebeldia e de pecado.

O uso da disciplina não pode ser abusivo. Ricardo Gondim, no seu livro *É proibido*, narra uma história muito triste de um pastor que tinha um ministério reconhecido e tomava conta de várias igrejas. Certo dia recebeu em sua casa vários obreiros para uma reunião de liderança. Enquanto conversava animadamente com os líderes, sua esposa chegou e interrompeu a reunião, sussurrando em seu ouvido algumas palavras: "A nossa filha cortou o cabelo". O pastor, imediatamente, deixou os obreiros na sala, dirigiu-se ao quarto da filha tomado por fúria. Sua filha, de dezoito anos havia tosado as pontas do cabelo. O pastor, irado, e sem qualquer controle emocional, vociferou para a filha assustada: "O que é que você quer fazer comigo, menina? Você quer destruir meu ministério?" Bruscamente arrancou o cinto da calça e começou a bater na filha descontroladamente, deixando vergões ensanguentados no corpo dela. Após castigá-la com os açoites, olhou para ela e disse: "Enquanto você estiver debaixo do meu teto, eu não tolero tamanho insulto e tão grave pecado". Depois dessa vergonhosa cena, deixou a filha machucada no quarto e voltou para a reunião para tratar dos assuntos da igreja. Quinze minutos mais tarde sua esposa voltou, novamente, agora, desesperada para lhe dar outra notícia. A moça de dezoito anos havia jogado álcool em si mesma e incendiado o próprio corpo. Para espanto do pastor, meia hora depois, sua filha estava morrendo em um pronto-socorro de um hospital. Esse é o tipo de disciplina que não tem base na Bíblia. Muitas vezes, se aplica uma disciplina rigorosa, sem amor, condenando uma prática que não passa de usos e costumes.

Vamos observar algumas lições importantes no texto em tela.

A igreja numa **cultura em decadência** (5.1)

A igreja está inserida numa cultura em decadência. Essa não era apenas uma realidade da igreja de Corinto, mas, também é a condição da igreja contemporânea. A igreja é uma contracultura dentro de uma cultura decadente. A sociedade secular não conhece os princípios de Deus, não ama os valores absolutos de Deus nem está sujeita à lei de Deus. Vamos destacar alguns pontos:

Em primeiro lugar, *a sensualidade desregrada* (5.1). Corinto era uma cidade moralmente decadente. William Barclay diz que em matéria sexual os pagãos não conheciam o significado da castidade. Os cristãos eram como uma pequena ilha de cristianismo rodeada por todos os lados por um mar de paganismo.[1] Em Corinto estava um dos principais templos dos cultos gregos. Ali ficava o templo de Afrodite, a deusa grega do amor e do sexo. Nesse templo havia cerca de mil prostitutas cultuais que prestavam uma espécie de serviço litúrgico àquela divindade pagã por meio da prostituição. A libertinagem e a promiscuidade prevaleciam na cidade de Corinto. Aquelas prostitutas desciam do templo para o cais, onde navios aportavam, e mantinham relações sexuais com os marinheiros que chegavam diariamente de todas as partes do mundo. Da cidade de Corinto se levantava o mau cheiro da prostituição e de toda sorte de degradação sexual. Lá em Corinto, também, ficava o maior monumento de Apolo, uma figura que expressava a beleza do corpo masculino e sugestionava o povo à prática do homossexualismo. Corinto era uma cidade profundamente marcada pela homossexualidade e Paulo testemunha que muitos membros da igreja haviam sido arrancados das garras do homossexualismo pelo poder do evangelho (6.9,10).

Em segundo lugar, *vejamos três níveis de degradação* (5.9,10). Corinto era uma cidade marcada pelo adultério e até mesmo pela chantagem sexual dentro do casamento (7.3-5). A sensualidade desregrada era de certa forma o pano de fundo desse grave escândalo dentro da igreja.

- Há outro aspecto que quero ressaltar. Veja o que Paulo diz: *Já em carta vos escrevi que não vos associásseis com os impuros; refiro-me, com isto, não propriamente aos impuros deste mundo,*

---

[1]Barclay, William. *I y II Corintios*, 1973, p. 56.

ou aos avarentos, ou roubadores, ou idólatras; pois neste caso, teríeis de sair do mundo (5.9,10). Você percebe aí três níveis de degradação.

- O pecado contra si mesmo, é o pecado da impureza.
- O pecado contra o próximo, é o pecado da avareza e do roubo.
- O pecado contra Deus, é o pecado da idolatria.

Veja que a sociedade de Corinto não tinha referencial em relação a si mesma, em relação ao próximo e em relação a Deus. Era uma sociedade sem rumo e sem absolutos. A igreja vivia numa cultura em decadência.

Quando o **pecado** invade a **igreja** (5.1)

Deus chamou a igreja do mundo para influenciar o mundo e ser luz no mundo. O grande problema é quando a igreja é seduzida e influenciada pelo mundo a ponto de perder sua influência e seus valores. Era isso que estava acontecendo na igreja de Corinto. Vejamos alguns pontos:

Em primeiro lugar, *Paulo denuncia o pecado do incesto* (5.1). O incesto é condenado pela lei de Deus (Lv 18.5). Um homem estava tendo relações sexuais com a mulher do seu pai e a igreja em vez de disciplinar esse faltoso se orgulhava dessa loucura. Não podemos saber à luz desse texto se essa mulher ainda estava casada com o pai desse rapaz ou se já o havia deixado ou mesmo se era a viúva do seu pai. De qualquer maneira havia um preceito na lei de Moisés, que um homem não podia se deitar com a mulher de seu pai; fosse ela sua mãe ou madrasta. Tanto a lei rabínica quanto a lei romana também proibiam tais casamentos. Isso era abominável aos olhos de Deus.[2] O tempo presente do verbo "possuir" enfatiza a possessão contínua. Eles estavam vivendo como marido e mulher sem estarem casados.[3]

Em segundo lugar, *o incesto violava os próprios princípios do mundo* (5.1). A imoralidade, *porneia*, denunciada por Paulo nesse versículo 1,

---

[2] WENHAM, G. J. et all. *New Bible commentary*, Downers Grove, IL: Inter-Varsaty Press, 1994, p. 1168.
[3] RIENECKER, Fritz, e ROGERS, Cleon. *Chave linguística do Novo Testamento grego*, 1985, p. 294.

não é apenas o adultério, mas, sobretudo, o incesto.[4] Paulo recrimina a igreja e denuncia o pecado de incesto desse jovem, dizendo que nem os pagãos ousavam cometer tamanha torpeza. Paulo diz que o incesto é condenável não apenas pela lei de Deus, mas também, pelos princípios do mundo. Diz o apóstolo: *Geralmente, se ouve que há entre vós imoralidade e imoralidade tal, como nem mesmo entre os gentios, isto é, haver quem se atreva a possuir a mulher de seu próprio pai* (5.1). Nem mesmo a sociedade frouxa e permissiva de Corinto aprovava esse pecado de incesto. Nem mesmo a sociedade permissiva e promíscua de Corinto estava acostumada com esse tipo de pecado de um homem chegar a possuir a mulher de seu próprio pai.

Por que é que Paulo denuncia o homem e não a mulher? Embora o texto não nos deixe claro isso, mas, todos os intérpretes praticamente aceitam o fato de que Paulo não está censurando essa mulher porque ela não era membro da igreja. Ainda era uma pagã e não fazia parte da família da fé. A disciplina eclesiástica não é para os de fora da igreja. A igreja não tem jurisdição sobre aqueles que não fazem parte da família da fé.[5] Disciplina é para os membros da igreja. Paulo diz: *Os de fora, porém, Deus os julgará* (5.13). Cabe-nos julgar aqueles que estão dentro da igreja, e são membros da igreja.

O que Paulo mostra nesse versículo é que o crente quando peca, peca contra uma luz maior. O pecado do crente é um pecado mais hipócrita, mais danoso, e mais condenável. Quando um crente peca, está pecando contra o conhecimento. O crente sabe que o pecado é errado, reprovado por Deus e danoso à saúde espiritual da igreja. Portanto, quando um crente se entrega ao pecado, o julgamento sobre ele será mais severo.

A atitude errada da igreja em relação ao pecado (5.1,2,6)

Paulo destaca quatro atitudes erradas em relação ao pecado.

Em primeiro lugar, *fazer concessão ao pecado* (5.1). Duas coisas estão provocando tristeza no apóstolo Paulo. Primeiro é o fato da concessão

---

[4]HODGE, Charles. In *The classic Bible commentary*, 1999, p. 1227.
[5]MACDONALD, William. *Believer's Bible commentary*, 1995, p. 1759.

ao pecado. Um membro da igreja chegou a ponto de cometer um pecado pior do que o pecado cometido no mundo. No entanto, a maior tristeza de Paulo foi a reação e a atitude da igreja em relação ao pecado do jovem incestuoso. Diz Paulo: *E, contudo, andais vós ensoberbecidos e não chegastes a lamentar, para que fosse tirado do vosso meio quem tamanho ultraje praticou?* (5.2).

Em segundo lugar, **não lamentar nem chorar pelo pecado** (5.2). O grande problema que Paulo viu na igreja foi que os crentes não lamentaram o grave pecado de incesto cometido por esse moço. A palavra grega *penthein*, "lamentar" aqui é a palavra chorar o choro amargo de um funeral.[6] Paulo está dizendo: Como vocês choram nos funerais, deveriam também chorar pelo pecado. Esse pecado deveria provocar em vocês uma dor tão aguda e tão forte quanto a dor que vocês enfrentam na hora do luto. Porém, em vez de chorar, a igreja estava ensoberbecida. Ela se avaliava e dava nota máxima a si mesma. Julgava-se uma igreja de mente aberta, onde as pessoas tinham plena liberdade e nenhuma espécie de restrição. Nada de imposições, nada de regras, nada de princípios e nada de fiscalizar a vida alheia, diziam eles. Hoje, também, nós só choramos nos funerais, mas não derramamos nenhuma lágrima pelos escândalos e estragos que o pecado faz no meio da igreja.

Em terceiro lugar, *ficar ensoberbecido pelo pecado* (5.2,6). O que estava acontecendo é que a igreja não apenas tolerava o pecado, mas, também estava vaidosa por causa dele. Paulo reprova a igreja, dizendo: *Não é boa a vossa jactância* (5.6). Que coisa estranha nessa igreja! Ela não estava neutra nem indiferente em relação ao pecado, mas ensoberbecida e jactando-se por causa dele.

A nossa sociedade, de modo semelhante à sociedade de Corinto, não tolera absolutos. Cada um quer viver a sua vida. Cada um é dono das suas decisões. Cada um faz suas escolhas. O mundo é plural. Nesse mundo, a disciplina está cada vez mais difícil. Você chama a atenção de um membro faltoso da igreja e ele diz: "Eu não quero que ninguém me incomode. Sou dono da minha vida e não permito que ninguém interfira nas

---

[6]WIERSBE, Warren W. *Comentário bíblico expositivo*. Vol. 5, 2006, p. 766; BARCLAY, William. *I y II Corintios*, 1973, p. 56.

minhas escolhas. Se vocês não estão satisfeitos com minha conduta aqui, eu vou para outra igreja". E o pior, na outra igreja, esse membro faltoso, sem nenhum sinal de arrependimento, é recebido com festa!

Em quarto lugar, ***não aplicar a disciplina*** (5.2). Paulo mostra à igreja que a concessão ao pecado é uma atitude errada. Em vez de estarem chorando e lamentando pelo pecado, eles estavam ensoberbecidos. Por causa da atitude errada da igreja, ela deixou de aplicar a disciplina ao membro faltoso. [...] *e não chegastes a lamentar, para que fosse tirado do vosso meio quem tamanho ultraje praticou?* (5.2). Sempre que a igreja tem uma visão equivocada do pecado, ela falha na aplicação da disciplina.

O perigo do pecado na igreja (5.6)

Qual é o perigo do pecado na igreja? Quero destacar duas coisas.

Em primeiro lugar, ***a contaminação interna***. Paulo diz: "Não é boa a vossa jactância. Não sabeis que um pouco de fermento leveda a massa toda?" (5.6). Paulo usa aqui a figura do fermento. Um pouco de fermento tem a capacidade de penetrar em toda a massa e fazer toda a massa crescer. O fermento penetra e influencia toda a massa. Paulo está dizendo que o pecado tem o mesmo efeito do fermento.

A tolerância com o pecado dentro da igreja tem o mesmo efeito do fermento. Assim como o fermento, o pecado também vai penetrando, se enraizando, se infiltrando, influenciando e contaminando toda a massa. Às vezes, pensamos o contrário. Uma laranja podre num saco de laranjas saudáveis pode apodrecê-las todas. Contudo, as laranjas saudáveis não poderão restaurar a laranja apodrecida. Se a questão do pecado não for tratada de maneira correta, esse pecado vai contaminar e fermentar toda a igreja. Paul diz que o pecado é sobremaneira maligno e ele pode contaminar toda a massa (Rm 7.13).

Em segundo lugar, ***o enfraquecimento externo*** (5.7). Paulo diz: *Lançai fora o velho fermento, para que sejais nova massa, como sois, de fato, sem fermento. Pois também Cristo, nosso Cordeiro pascal, foi imolado* (5.7). O que Paulo está dizendo? O que ele está dizendo é que aqueles irmãos convertidos em Cristo eram massa sem fermento. Portanto, eles deviam lançar fora o velho fermento que estava ameaçando a igreja. Por que é que a igreja deveria jogar fora o velho fermento? Porque quando a igreja tolera o pecado, ela perde a santidade, a autoridade e o poder. O pecado destrói o testemunho da igreja.

Como a igreja deve **administrar a disciplina**

Destacamos seis pontos:

Em primeiro lugar, *a disciplina é um ato imperativo* (5.2,13). A disciplina é um ato imperativo; e não uma opção. É por isso que o reformador João Calvino compreendia que uma igreja onde a disciplina era negligenciada falhava em ser uma igreja genuína. A disciplina é uma ordem de Deus. Paulo escreve: [...] *e não chegastes a lamentar, para que fosse tirado do vosso meio quem tamanho ultraje praticou?* (5.2). Tirado do meio! Paulo é ainda mais enfático: *Os de fora, porém, Deus os julgará. Expulsai, pois, de entre vós o malfeitor* (5.13). Esse caso aqui é um caso de excomunhão, de tirar da comunhão da igreja, de não fazer concessão.

Em Mateus 18.17 vemos os passos da disciplina na igreja: o confronto pessoal, o confronto por intermédio de duas testemunhas e o confronto coletivo por toda a igreja. Porém, se o faltoso não se arrepender, deve ser considerado como gentio e publicano, ou seja, deve ser tirado da comunhão da igreja. Esse é o processo da disciplina bíblica.

Em segundo lugar, *a disciplina é um ato coletivo* (5.3-5). A disciplina não pode ser apenas um ato da liderança, mas de toda a comunidade. Se os membros da igreja não referendarem a disciplina, ela gera mais doença do que cura (5.4).

A disciplina precisa ser feita em nome de Jesus e no poder de Jesus (5.4). A igreja ao se reunir para disciplinar um crente faltoso deve estar reunida em nome de Jesus e no poder de Jesus. É dentro dessa ambiência que a disciplina é aplicada. Agora imaginem se Paulo desse uma ordem para disciplinar esse membro faltoso e a igreja dissesse que ele não deveria ser disciplinado.

Imagine se os membros da igreja começassem a dizer que Paulo estava errado, e que não poderiam apoiá-lo nesse propósito. O que aconteceria na igreja? Certamente o crente faltoso não se humilharia e toda a igreja seria contaminada pelo fermento do seu pecado. É importante entender esse princípio da coletividade na aplicação da disciplina.

A disciplina precisa ser feita em nome de Jesus, no poder de Jesus e com a participação de toda a igreja.

Em terceiro lugar, *a disciplina é um ato restritivo e preventivo* (5.9-11). Preste atenção em um ponto importante! A igreja de Corinto estava dividida quando deveria estar unida; e estava unida quando deveria estar dividida. Ela estava dividida quando deveria estar profundamente unida. Na igreja de Corinto havia quatro partidos: O de Paulo, o de Apolo, o de Cefas e o de Cristo. Paulo disse que Cristo não estava dividido. Temos de ser um só. Ela estava dividida quando precisava estar unida.

No entanto, agora, a igreja estava unida na concordância com o pecado. Ela estava unida quando não podia estar unida. O mundanismo dividiu quando deveria unir e uniu quando deveria dividir (5.9-11). Paulo já havia orientado os crentes de Corinto a não se associarem com os impuros. Obviamente, ele não se referiu aos impuros do mundo, porque nesse caso, eles teriam de sair do mundo. O que Paulo disse é que eles não podiam se associar com membros da igreja que estavam vivendo de maneira desregrada.

Vejamos o que ensina o apóstolo: *Mas, agora, vos escrevo que não vos associeis com alguém que, dizendo-se irmão, for impuro, ou avarento, ou idólatra, ou maldizente, ou beberrão, ou roubador; com esse tal, nem ainda comais* (5.11).

Paulo fala que há um momento em que a igreja precisa exercer um ato preventivo de disciplina. Ou seja, não se associar, não se misturar, não se tornar parceira com gente que está dentro da igreja, mas está vivendo uma vida totalmente desregrada, em desacordo com as Escrituras Sagradas. A separação não significa ser antissocial (5.9,10). Podemos ter amigos fora da igreja. Não precisamos cortar nosso relacionamento com eles. Precisamos influenciá-los e ganhá-los para Cristo. Jesus chocou os fariseus e escribas, porque entrava na casa de publicanos e pecadores e comia com eles. Porém, Paulo é categórico em ordenar os crentes a se afastarem daqueles que estão dentro da igreja, e ao mesmo tempo querem viver uma vida desregrada. Isso é disciplina preventiva! A igreja precisa se posicionar contra o pecado e se não houver arrependimento, precisa agir disciplinarmente.

Em quarto lugar, *a disciplina é um ato de juízo* (5.5). Como é que a disciplina deve ser feita na igreja? A disciplina é um ato de juízo. Paulo diz: [...] *em nome do Senhor Jesus, reunidos vós e o meu espírito, com o poder de Jesus, nosso Senhor, entregue a satanás para a destruição da carne, a fim de que o espírito seja salvo no dia do Senhor* [Jesus] (5.4,5). O verbo "entregar" usado por Paulo tem o sentido jurídico. Parece uma excomunhão com especial referência à aflição do corpo por satanás.[7] Paulo não está mandando a igreja aplicar a disciplina na carne. A disciplina deve ser feita em nome de Jesus e em união com os crentes. Assim, a disciplina é um ato seriíssimo, grave, e que se deve aplicar com cautela. Ela deve ser aplicada no poder de Jesus, e em nome de Jesus e não na carne.

Paulo diz para entregar o faltoso a satanás para a destruição da carne (5.5). O que é isso? Esse versículo tem sido uma espinha na garganta dos exegetas e dos intérpretes. O que seria entregar essa pessoa [...] *a satanás para a destruição da carne, a fim de que o espírito seja salvo no dia do Senhor* [Jesus]? Os melhores intérpretes entendem que isso significa exclusão da comunhão da igreja.

A igreja é onde predomina o governo de Deus. O mundo é o reino de satanás. Entregar a satanás significa tirar a pessoa da jurisdição, da comunhão e da proteção da igreja. A comunhão na igreja tem um valor muito importante porque a igreja é um instrumento e uma agência do Reino de Deus. E o que é o Reino de Deus? É o governo de Deus sobre as pessoas.

Quando uma pessoa entra na comunhão da igreja, ela entra no reino, nasce de novo, nasce de cima, nasce do Espírito. E o que acontece? A partir daí, ela está debaixo do governo de Cristo e das bênçãos do pacto de Deus. Ela está numa cidade refúgio, protegida de muitos males aleivosos de satanás. A igreja é uma grande protetora da nossa vida! Pertencer à igreja é uma bênção. Por isso, não há crente isolado. Somos membros do corpo de Cristo. Paulo diz que a igreja é protetora. Por isso, quando um crente é disciplinado e excluído da igreja, ele volta

---

[7]RIENECKER, Fritz, e ROGERS, Cleon. *Chave linguística do Novo Testamento grego*, 1985, p. 295.

à influência daquele que está reinando e governando lá fora. Satanás é o príncipe da potestade do ar. Ele é o deus deste século. Satanás está reinando nas trevas. A exclusão da igreja expõe o membro faltoso à ação de satanás.

Nessa mesma linha de pensamento John White e Ken Blue afirmam:

> Membros do corpo de Cristo desfrutam proteção dentro desse corpo. A igreja oferece proteção à malícia de satanás. Não estamos imunes aos seus ataques, mas também não estamos expostos e desamparados diante dele. Ele pode atacar, mas ele nos ataca como membros de um exército inimigo, o exército do Cristo vitorioso. Ser entregue a satanás significa não marchar mais na fila desse exército. Ao invés disso, ficar isolado, de sorte que a proteção é removida.[8]

É importante ressaltar que satanás, além de não ter todo o poder, ainda está debaixo da soberania de Deus. Isso é maravilhoso! satanás está sendo um instrumento da soberania de Deus no exercício da disciplina desse membro faltoso. O objetivo da disciplina é a restauração e a salvação do membro faltoso. Satanás acaba cumprindo os propósitos soberanos de Deus. O membro faltoso não perde a salvação com a disciplina. A igreja não administra a salvação. A salvação é dom de Deus e é Deus quem dá e quando Ele a dá, não tira. O propósito da disciplina não é a condenação do membro, mas sua restauração.

Em quinto lugar, *a disciplina é um ato preventivo* (5.7,8,12,13). A disciplina é um ato preventivo. Ela protege os demais membros da igreja. Paulo escreve: *Lançai fora o velho fermento, para que sejais nova massa...* (5.7). Se você não lançar o velho fermento fora, você não vai ser nova massa. A massa vai ser contaminada. Paulo continua: *Por isso, celebramos a festa não com o velho fermento, nem com o fermento da maldade e da malícia e sim com os asmos da sinceridade e da verdade* (5.8). Paulo prossegue: *Pois com que direito haveria eu de julgar os de fora? Não julgais os de dentro?* (5.12). A igreja deve julgar os seus membros e não os de

---

[8] WHITE, John e BLUE, Ken. *Restaurando o ferido*. Editora Vida. Deerfield, FL: Editora Vida, 1992, p. 98,99.

fora da igreja. Paulo conclui: *Os de fora, porém, Deus os julgará. Expulsai, pois, de entre vós o malfeitor* (5.13).

O que é tirar o fermento? Tirar o fermento não é apenas tirar o pecador. É tirar o pecado. Lembra quando Pedro queria afastar Jesus da cruz? Jesus disse o seguinte: *Arreda satanás [...] porque não cogitas das coisas de Deus e sim das dos homens* (Mt 16.23). O interessante é que Jesus mandou arredar satanás e não Pedro. Jesus não disse: Arreda Pedro, e fica satanás! Foi o contrário. Arreda satanás, mas Pedro fica. Pedro era discípulo e nele Jesus continuaria investindo. O grande problema é que se não houver discernimento, a igreja pode mandar o membro faltoso ir embora e satanás ficar. O membro faltoso vai embora e o pecado fica. Paulo é claro: É preciso tirar o fermento. E fermento é símbolo do pecado. Na disciplina, a igreja trata da questão do pecado. Tem de jogar fora o pecado, porque na medida em que o fermento é arrancado da massa, então o pecador pode ser restaurado.

Paulo deixa muito claro nos versículos 12 e 13, que a igreja deve parar de olhar para o mundo. Às vezes ficamos olhando para o mundo e dizemos assim: "É o mundo está podre mesmo. O mundo está muito ruim mesmo. A situação do mundo está desesperadora. Este mundo está de mal a pior mesmo". O apóstolo Paulo lembra: Deixa o mundo para Deus julgar. Julgue os de dentro de casa. Olha para dentro da igreja. Vamos julgar a nós mesmos. Se julgássemos a nós mesmos, não seríamos julgados por Deus. Se parássemos para examinar nossa própria vida, não teríamos tempo para investigar a vida dos outros. Teríamos tanta coisa para chorar, lamentar e acertar diante de Deus que não teríamos tempo para ficar investigando a vida alheia. Os de fora, Deus os julgará; julguem vocês os de dentro.

Em sexto lugar, ***a disciplina envolve um ato de perdão*** (2Co 2.6-8). A disciplina tem de incluir a disposição para o perdão. É muito importante entender o final dessa história. O que aconteceu com esse membro que foi expulso da igreja? Lembre que o propósito de Paulo era a sua restauração (5.5). A disciplina foi aplicada e o propósito foi cumprido. O jovem faltoso arrependeu-se. Agora, Paulo orienta a igreja a perdoá-lo e restaurá-lo. Vejamos o que Paulo escreve na sua segunda carta aos coríntios:

> *Ora, se alguém causou tristeza, não o fez apenas a mim, mas, para que eu não seja demasiadamente áspero, digo que em parte a todos vós; basta-lhe a punição pela maioria. De modo que deveis, pelo contrário, perdoar-lhe e confortá-lo, para que não seja o mesmo consumido por excessiva tristeza. Pelo que vos rogo que confirmeis para com ele o vosso amor. E foi por isso também que vos escrevi, para ter prova de que, em tudo, sois obedientes. A quem perdoais alguma coisa, também eu perdoo; porque, de fato, o que tenho perdoado, se alguma coisa tenho perdoado, por causa de vós o fiz na presença de Cristo; para que satanás não encontre vantagem sobre nós, pois não lhe ignoramos os desígnios* (2Co 2.5-11).

A disciplina precisa ser aplicada, acompanhada e concluída com lágrimas. O que Paulo recomenda agora, uma vez que houve arrependimento? A igreja deve amar, consolar e perdoar esse homem e recebê-lo de volta à comunhão da igreja. Nós somos chamados para odiar o pecado e não o pecador. Para tratar com dureza o pecado e não tolerá-lo. Contudo, para receber com muita ternura o pecador arrependido.

O **propósito** da disciplina na igreja

Qual é o propósito da disciplina na igreja? Paulo nos oferece dois pontos importantes:

Em primeiro lugar, *a correção do faltoso* (5.5; 2Co 2.6,7). O propósito da disciplina é corrigir e restaurar o faltoso. Não basta a igreja disciplinar. Disciplina não é punição, mas restauração. Diz o apóstolo: [...] *a fim de que o espírito seja salvo...* (5.5). A igreja precisa acompanhar a pessoa que foi disciplinada para que ela possa ser restaurada, curada, e transformada pelo poder de Deus e reconquistada para a comunhão da igreja. A disciplina embora dolorosa, é benéfica e terapêutica.

Em segundo lugar, *a proteção da igreja* (5.6,7). Outro propósito da disciplina é a proteção da igreja. O apóstolo escreve: *Não é boa a vossa jactância. Não sabeis que um pouco de fermento leveda a massa toda? Lançai fora o velho fermento, para que sejais nova massa, como sois de fato sem fermento. Pois também Cristo, nosso Cordeiro pascal, foi imolado. Por isso, celebremos a festa, não com o velho fermento, nem com o fermento da maldade e da malícia; e, sim, com os asmos da sinceridade e da verdade* (5.6-8). A disciplina protege os membros da contaminação e também protege o testemunho da igreja aos olhos da sociedade (5.7). Paulo está dizendo que a igreja deve viver num clima de festa. A vida da igreja tem de ser uma festa de alegria, de exaltação e de celebração. No entanto, há um momento quando o pecado entra na igreja e essa festa se transforma em um funeral. Paulo diz que o fermento pode azedar essa festa. Devemos, então, jogar fora o velho fermento para celebrar a Páscoa com alegria. Não com o fermento da maldade, mas com os asmos da sinceridade e da verdade. Quando você disciplina, você não apenas corrige e objetiva a restauração do faltoso, mas também previne a igreja, e isso gera temor e obediência entre seus membros.

Concluindo, Paulo recomenda três atitudes em relação ao pecado, segundo Warren Wiersbe: lamentar o pecado (5.1,2), julgar o pecado (5.3-5) e expurgar o pecado (5.6-13).[9]

1. *A igreja deve chorar por causa do pecado* (5.1,2). Em vez de ficar cheio de orgulho por causa do pecado, deveríamos chorar por causa dele. A vida cristã que é uma festa (5.8), transforma-se num funeral quando o pecado contamina a igreja. Uma igreja madura chora por causa do pecado.
2. *A igreja deve julgar o pecado* (5.3-5). Paulo usou quatro expressões fortes, para mostrar que o faltoso precisava ser tirado da comunhão da igreja: 1) Tirai do vosso meio (5.2); 2) Entregue a satanás (5.5); 3) Lançai fora (5.7); 4) Expulsai de entre vós (5.13).
3. *A igreja deve remover o pecado* (5.6-13). A imagem aqui é da Páscoa judaica. O cordeiro foi imolado, o sangue foi aplicado nas vigas das portas, e eles tinham de reunir-se dentro de casa para comer o cordeiro e os pães asmos. Todavia, diz a Bíblia que todos eles tinham de investigar a casa durante sete dias. Não poderia ter levedura nem fermento. Se alguém comesse a Páscoa com fermento, essa pessoa seria morta e eliminada do arraial de Israel. Cristo é o nosso Cordeiro pascal. Você deve viver a vida cristã fazendo uma faxina e

---

[9] WIERSBE, Warren W. *Comentário bíblico expositivo*. Vol. 5, 2006, p. 766-767.

uma limpeza diária na sua vida. Não celebre a Páscoa, não celebre culto a Deus se há fermento, pecado em sua vida. Remova o fermento do pecado da sua vida para que você possa celebrar a Páscoa com os asmos da verdade e da sinceridade.

6

Como lidar com as **demandas** interpessoais e as **paixões** intrapessoais

1 Coríntios 6.1-20

PAULO TRATA NESSE CAPÍTULO DE FORMA MAIS PROFUNDA sobre os dois problemas básicos que vem tratando até agora: As tensões dos relacionamentos interpessoais e as paixões intrapessoais.

A igreja de Corinto estava sendo influenciada pelo meio em que vivia em vez de influenciá-lo. A igreja foi colocada no mundo para influenciá-lo e não para ser influenciada por ele. Porém, na igreja de Corinto o mundo estava ditando as normas e os rumos do comportamento da igreja.

Em Corinto os crentes estavam sendo influenciados pela cosmovisão daqueles que viviam fora da igreja. A cidade de Corinto era cheia de vários partidos e também profundamente promíscua. As disputas acaloradas e a impureza sexual entraram na igreja. Esse capítulo foi escrito para corrigir esse erro.

Paulo exorta a igreja sobre essas questões usando seis vezes a expressão: *Não sabeis...* (6.2,3,9,15,16,19). Paulo seis vezes fala a mesma coisa, corrigindo o mesmo problema, o problema das disputas e das brigas dentro da igreja, bem como o problema da imoralidade pessoal.

As três primeiras exortações estão ligadas às contendas e as três últimas à questão do corpo.

O problema das **demandas interpessoais** (6.1-11)

Há algumas verdades que vamos destacar na exposição deste texto:

Em primeiro lugar, *a realidade das demandas interpessoais*. O apóstolo Paulo diz: *Aventura-se algum de vós, tendo questão contra outro, a submetê-lo a juízo perante os injustos e não perante os santos?* (6.1). Paulo nos dá a entender aqui que as contendas existem. É um fato. E é um grande fato porque os crentes não são perfeitos. Eles formam uma comunidade de pessoas que ainda não estão prontas e acabadas. Alguém já disse que a igreja é uma fábrica de reciclagem de lixo, onde Deus está trabalhando. Deus está transformando gente complicada, torta, e doente existencialmente, em gente santa. Nós decepcionamos as pessoas e as pessoas nos decepcionam. Isso é um fato. Nós machucamos as pessoas e elas nos machucam. As tensões e as contendas sempre existiram. E elas ainda existem dentro da própria igreja. Nós temos queixas uns contra os outros (Cl 3.13).

As contendas existem também dentro do lar. Existiu entre Caim e Abel, entre Esaú e Jacó, entre Absalão e Amnon, entre Sara e Hagar. Existe hoje entre marido e mulher, entre pais e filhos, filhos e pais, irmãos e irmãs. Isso é um fato.

Há contendas entre as nações e há tensões e contendas dentro da igreja. A Bíblia registra alguns exemplos. Na igreja de Filipos existiam duas mulheres: Evódia e Síntique, que não pensavam concordemente no Senhor (Fp 4.2). Os próprios líderes, Paulo e Barnabé, em um dado momento da caminhada missionária, tiveram desacordo e precisaram se separar, pois já não podiam caminhar juntos (At 15.36-40). A situação em Corinto era tão grave, que além das contendas dentro da igreja, eles estavam arrastando os próprios irmãos para os tribunais do mundo, para julgar suas causas internas e domésticas de maneira secular. Essa é a realidade que Paulo constata na igreja. Triste realidade, porém um fato inegável.

Em segundo lugar, *as consequências das contendas na igreja* (6.1,4,5,6). *Os crentes estavam dando um péssimo testemunho aos perdidos* (6.1,6). Pergunta o apóstolo: *Aventura-se algum de vós, tendo questão contra outro, a submetê-la a juízo perante injustos e não perante os santos?* (6.1). Paulo não se refere ao caráter dos juízes do mundo. As palavras: "injustos" e "santos" não denotam aqui propriamente o caráter dos juízes. O que Paulo está falando aqui é em *injustos* e *santos* com relação a crentes e não crentes, salvos e não salvos. Não é que Paulo esteja colocando em dúvida a idoneidade moral dos tribunais do mundo nem o caráter dos seus juízes, mas o fato de a igreja levar seus assuntos domésticos para fora dos seus portões para serem resolvidos no mundo é um péssimo testemunho. Levar os problemas internos da igreja para os tribunais de fora da igreja é um fraco testemunho do evangelho. O lugar de tratar dos assuntos domésticos é em casa. Paulo pergunta: *Mas irá um irmão a juízo contra outro irmão, e isto perante os incrédulos?* (6.6).

Os crentes levavam seus problemas internos e seus relacionamentos machucados para resolvê-los fora da igreja, pois eles estavam fracassando em viver a sua posição em Cristo (6.2,3). A igreja não estava entendendo a posição que ela ocupava aos olhos de Deus. O apóstolo Paulo pergunta: *Ou não sabeis que os santos hão de julgar o mundo? Ora, se o mundo deverá ser julgado por vós, sois, acaso, indignos de julgar as coisas mínimas? Não sabeis que havemos de julgar os próprios anjos? Quanto mais as coisas desta vida!* (6.2,3). O que Paulo está dizendo é que a igreja vai julgar o mundo no dia do juízo final. É a igreja que julga as coisas desta vida. Ela julgará inclusive os anjos, ou seja, as coisas do mundo espiritual. A igreja vai estar numa posição de juíza e não de ré. Quando a igreja de Corinto se colocou numa posição de ré para ser julgada pelo mundo inverteu os papéis. A igreja não estava entendendo que ela fora colocada por Deus numa posição para julgar o mundo, e para julgar os anjos caídos. A igreja de Corinto não estava tomando posse da alta posição que ocupava em Cristo.

Ao levar suas contendas para os tribunais do mundo, a igreja acabava cometendo vários erros. Analisemos alguns aspectos:

1. *Essa atitude envergonhava a igreja.* Diz o apóstolo: *Para vergonha vo-lo digo. Não há, porventura, nem ao menos um sábio entre vós, que possa julgar no meio da irmandade?* (6.5). A atitude da igreja destruía o seu testemunho. Quando a igreja, além de criar o problema das contendas, ainda o leva para fora dos seus portões, expondo seus escândalos, feridas e nudez diante dos tribunais do mundo, traz opróbrio sobre si mesma. Paulo diz que isso era uma vergonha para a

igreja e roubava a sua autoridade espiritual. Essa atitude arranhava a maior evidência do cristianismo, o amor. Uma igreja despida diante do mundo perde a sua autoridade de pregar o evangelho. Perde o poder para dizer ao mundo que o evangelho transforma. Quando uma igreja, além de não resolver os próprios problemas, ainda os leva para os tribunais do mundo, envergonha o evangelho e se torna a vergonha do evangelho.

2. *Constitui-se uma profunda falta de sabedoria levar os problemas domésticos da igreja para os tribunais de incrédulos.* O apóstolo Paulo argumenta: *Mas irá um irmão a juízo contra outro irmão, e isto perante incrédulos?* (6.6). Será que não tem ninguém sábio no meio da igreja? Será que não existe um conselheiro na igreja, capaz de contornar essa situação? Será que não há aconselhamento pastoral dentro dessa igreja capaz de reverter essa situação? Atacar um irmão é atacar-se a si mesmo. Quando um irmão leva outro perante o tribunal dos incrédulos, ele está destruindo a si mesmo. Isso é um ato suicida do ponto de vista da comunhão cristã.

3. *É uma completa derrota para a igreja levar suas contendas para o mundo.* Paulo sentencia: *O só existir entre vós demandas já é completa derrota para vós outros* (6.7). Ir a juízo contra um irmão é incorrer em completa derrota, seja qual for o resultado do processo legal. Obter a vitória no veredicto pouco significa. Já se perdeu a causa, quando um cristão abre um processo contra o outro. O dano é ao corpo de Cristo e não aos estranhos. O que Paulo está dizendo é que quando surge o problema e ele não é resolvido à luz da Palavra, isso é uma derrota para a igreja.

4. *É uma grande injustiça o criar contendas e provocar danos e depois levá-los para serem julgados em tribunais do mundo.* Paulo é enfático: *Mas vós mesmos fazeis a injustiça e fazeis o dano, e isto aos próprios irmãos!* (6.8). O que Paulo está dizendo é que existia uma prática injusta, pecaminosa, e danosa entre os crentes daquela igreja. Não prevalecia a verdade, a justiça, a caridade, e o amor nem muito menos o perdão. Por isso, Paulo disse que além de provocar o dano, eles ainda levavam esse dano e injustiça para fora dos portões da igreja. Os crentes de Corinto estavam ferindo-se uns aos outros, quebrando os laços de comunhão e levando a contenda deles para fora da igreja.

Em terceiro lugar, *as soluções para o problema das contendas na igreja*. A primeira solução apontada por Paulo é evitar os danos e contendas dentro da igreja. Paulo adverte: "O só existir entre vós demandas já é completa derrota para vós outros". Paulo está dizendo o seguinte: Meus irmãos nós não podemos criar esse espaço, ter essa imaturidade espiritual dentro da igreja, a ponto de viver brigando uns com os outros, ficar batendo cabeça, abrindo feridas, machucando uns aos outros. A postura de uma vida cristã madura é evitar contendas a qualquer custo.

A segunda solução apontada por Paulo é que caso surjam contendas dentro da igreja, elas não devem ser levadas para tribunais fora da igreja. Vejamos a orientação de Paulo: *Aventura-se algum de vós, tendo questão contra outro, a submetê-lo a juízo perante injustos e não perante os santos?* [...] *Entretanto, vós, quando tendes a julgar negócios terrenos, constituís um tribunal daqueles que não têm nenhuma aceitação na igreja!* (6.1,4).

A terceira solução é buscar dentro da igreja a solução do problema por meio de um sábio aconselhamento. Vejam o que o apóstolo escreve: *Para vergonha vo-lo digo. Não há, porventura, nem ao menos um sábio entre vós, que possa julgar no meio da irmandade? Mas irá um irmão a juízo contra outro irmão, e isto perante incrédulos?* (6.5,6). Paulo diz que caso surja o problema, ele deve ser resolvido internamente.

A quarta solução é dispor a sofrer o dano (6.7). A proposta de Paulo não está focada no direito e na justiça, mas no exercício do perdão e da misericórdia. Paulo diz que sofrer o dano é melhor do que ganhar uma causa e envergonhar o nome do evangelho. Leon Morris enfatiza que o ponto que Paulo assinala é que ir a juízo com um irmão já é incorrer em derrota, seja qual for o resultado do processo legal. Obter a vitória no veredicto pouco significa. Já se perdeu a causa quando um cristão abre um processo.[1] Diz o apóstolo: *O só existir entre vós demandas já é completa derrota para vós outros. Por que não sofreis antes a injustiça? Por que não sofreis antes o dano?* (6.7). Nós não gostamos dessa proposta. Definitivamente que não! Os coríntios não estavam prontos para sofrer a injustiça, mas eles estavam ativamente fazendo a injustiça uns aos

---

[1] Morris, Leon. *1Coríntios: Introdução e comentário*, 1983, p. 76.

outros. Assim, eles estavam cometendo um duplo pecado; pecado contra os padrões éticos e pecado contra o amor fraternal.[2]

O alerta de Paulo para nós é este: Cuidado com os seus direitos! Você conhece aquele tipo de gente que diz: "É melhor passar por cima do meu cadáver do que por cima dos meus direitos!" Conhece gente assim? Paulo diz para não brigarmos pelos nossos direitos. Jesus também recomendou sofrer o dano. A nossa atitude é dar a outra face, andar a segunda milha e dar também a capa (Mt 5.38-42). Viver bem com as pessoas quando elas nos tratam bem não é muita coisa. Deus espera de nós reação transcendental! Abraão agiu assim. Quando houve a contenda entre os seus pastores e os pastores de Ló, Abraão se dispôs a sofrer o dano. Ele como o grande líder daquela caravana permitiu a Ló escolher com primazia. Lembra-se da postura de Davi ao ser perseguido por Saul? Davi teve, algumas vezes, a vida de Saul em suas mãos. Ele não se vingou, não revidou ultraje com ultraje. Precisamos entender que é melhor perder dinheiro do que perder um irmão e o testemunho cristão. A única pessoa que ganha no meio de uma querela entre o povo de Deus é satanás e mais ninguém.

Em quarto lugar, *as contendas dentro da igreja devem levar a igreja a uma autoavaliação* (6.9-11). Paulo mostra à igreja de Corinto que o fato de existirem contendas entre os crentes, deve levar-nos a uma autoavaliação. Vejamos a orientação do apóstolo:

> *Ou não sabeis que os injustos não herdarão o Reino de Deus? Não vos enganeis: nem impuros, nem idólatras, nem adúlteros, nem efeminados, nem sodomitas, nem ladrões, nem avarentos, nem bêbados, nem maldizentes, nem roubadores herdarão o Reino de Deus. Tais fostes alguns de vós; mas vós vos lavastes, mas fostes santificados, mas fostes justificados em o nome do Senhor Jesus Cristo e no Espírito do nosso Deus* (6.9-11).

A igreja precisava ter claras convicções quanto ao futuro (6.9,10). Paulo é objetivo: *Ou não sabeis que os injustos não herdarão o Reino de Deus?* (6.9). Veja que a igreja estava fazendo a injustiça e o dano (6.8).

---

[2] MORRIS, Leon. *1Coríntios: Introdução e comentário*, 1983, p. 77.

E Paulo diz que o indivíduo que pratica injustiça de maneira constante tem de verificar se de fato é salvo. Paulo lista outros pecados.

Não vos enganeis: nem impuros... A palavra "impuro" descreve toda a sorte de pecados sexuais. [...] *nem idólatras...* Trata-se de alguém que tem qualquer ídolo, físico ou imaterial; visível ou subjetivo, no lugar de Deus. [...] *nem adúlteros...* A ideia aqui é daquela pessoa que é infiel ao cônjuge, que macula o leito conjugal. [...] *nem efeminados...* A palavra grega *malakos* significa literalmente "suave, macio, feminino".[3] O efeminado é a parte passiva numa relação homossexual. ... *nem sodomitas...* O sodomita, *arsenokoitai*, é o homossexual ativo.[4] Nessa mesma linha, David Prior, citando Barret, diz que essas duas palavras são referências a "parceiros respectivamente passivos e ativos na relação homossexual masculina".[5] Paulo descreve os dois lados do homossexualismo. [...] *nem ladrões...* A palavra ladrão é *cleptês*, de onde vem a palavra cleptomania, mania de furtar. É aquele ladrão barato que pega escondido dos outros. [...] *nem avarentos...* Trata-se daquela pessoa gananciosa, que ama mais o dinheiro que a Deus. [...] *nem bêbados...* É aquela pessoa dominada pelo álcool, que não tem controle sobre ele. [...] *nem maldizentes...* É a pessoa maliciosa que espalha contendas. Trata-se daquela pessoa que fala mal dos outros. [...] *nem roubadores...* Essa palavra aqui já não é *cleptês*. Mas é aquela pessoa que toma do outro de maneira ostensiva. As pessoas que vivem na prática desses pecados, não herdarão o Reino de Deus.

Voltando à questão da homossexualidade, William Barclay faz uma descrição sombria da realidade do homossexualismo no mundo greco-romano nos seguintes termos:

> O pecado do homossexualismo havia se expandido como uma infecção na vida grega, e mais tarde se propagou em Roma. Mesmo um homem notável quanto Sócrates o praticava: o diálogo de Platão *O simpósio* foi assinalado como uma das maiores obras sobre o amor; mas seu tema

---

[3] BARCLAY, William. *I y II Corintios*, 1973, p. 64.
[4] WIERSBE, Warren W. *Comentário bíblico expositivo*. Vol. 5, 2006, p. 769.
[5] PRIOR, David. *A mensagem de 1Coríntios*, 1993, p. 93.

não era o amor natural, mas o antinatural. Quatorze dos quinze imperadores romanos praticaram esse vício. Quando Paulo escreveu essa carta, Nero era o imperador. Nero tomara a um jovem chamado Esporo e o castrara. Casara-se com ele em uma grande cerimônia e o levara para o seu palácio em procissão e vivia com ele como se ele fosse uma esposa. Nero ainda casou-se com um homem chamado Pitágoras e o chamava seu esposo. Quando Nero morreu e Oto subiu ao trono, a primeira coisa que fez foi se apossar de Esporo. Muito mais tarde o nome do imperador Adriano associou-se para sempre com o de um jovem de Bitínia chamado Antonio. Viveu com ele inseparavelmente, e quando o jovem morreu, ele o deificou e cobriu o mundo com suas estátuas e imortalizou o seu pecado, chamando a uma estrela com o seu nome. Esse vício, em especial, na época da igreja primitiva, cobriu o mundo de vergonha; e existem poucas dúvidas de que foi esse pecado, uma das causas principais de sua degeneração, e da caída final de sua civilização.[6]

Paulo diz à igreja: Vocês precisam fazer um diagnóstico na vida de vocês. Examinem e avaliem a vida de vocês, porque se vocês estão vivendo na prática desses pecados, vocês não herdarão o Reino de Deus.

Entrementes, a igreja precisava também ter muita certeza quanto ao passado. Paulo escreve: *Tais fostes alguns de vós* (6.11). Paulo dá um testemunho de conversão genuína naquela igreja de Corinto. Essa é uma frase milagrosa. Houve um milagre da graça de Deus no inferno moral da cidade de Corinto. Paulo chama-os de "irmãos" vinte vezes nessa carta. Quando você começa a ler essa carta, coça a cabeça e pergunta: "Será que esse povo era crente mesmo? Será que esse povo era convertido mesmo?" Paulo tem o cuidado de chamá-los vinte vezes de irmãos. Paulo dá esse testemunho: *Tais fostes alguns de vós...*: Injustos, impuros, idólatras, adúlteros, homossexuais, larápios, avarentos, beberrões, maledicentes e assaltantes. Porém, Paulo acrescenta: Houve um momento em que Jesus transformou a vida de vocês e vocês foram mudados.

---

[6]BARCLAY, William. *I y II Corintios*, 1973, p. 66.

O problema das **paixões intrapessoais** (6.12-20)

Paulo passa dos processos legais para o relaxamento sexual[7] e das contendas interpessoais para as paixões intrapessoais. Mark Bubec escreveu em seu livro, *Avivamento satânico*, que estamos vivendo uma revitalização da velha e decadente moralidade do mundo antigo. Na década de 1960 houve uma guinada vertiginosa no campo da pureza moral no mundo. Os Beatles, de *Liverpool*, tiveram uma grande influência nessa revolução. Talvez nenhum grupo humano tenha influenciado mais o pensamento da juventude ocidental do que esses quatro cantores de Liverpool. Começa com eles uma estreita relação entre rock e sexo; misticismo e drogas. O movimento hippie se incumbiu de divulgar e espalhar essa revolução para o mundo inteiro.

A juventude estava revoltada e vivendo uma grande ressaca. Os pais estavam partindo para o campo de trabalho querendo se enriquecer, encantados com os bens de consumo e já não tinham mais tempo para os filhos. Os pais tentaram substituir presença por presentes. Tentaram tapar a brecha da ausência com quinquilharias eletrônicas. Os pais cobriram os filhos de ricos presentes, mas não preencheram o vazio de seus corações. Essa geração profundamente desencantada com a vida mergulhou nas drogas, no sexo, no rock e se perdeu. Ainda estamos vivendo o drama da ressaca dessa sociedade decadente moralmente.

À luz de 1Coríntios 6.12-20, podemos aprender algumas preciosas lições.

Em primeiro lugar, ***vejamos as duas premissas que sustentavam a permissividade dos coríntios*** (6.12,13).

A primeira premissa deles era: "Todas as coisas me são lícitas". Na cidade de Corinto defendia-se uma liberdade total, irrestrita, e incondicional. Eles estavam transformando a liberdade em libertinagem. Paulo, então, coloca uma adversativa. Ele usa um "mas", um "porém". Isso, porque para a sociedade e para a igreja de Corinto todas as coisas eram lícitas.

Aquela igreja não tinha limites. Eles chegaram a aplaudir o pecado de incesto e se jactaram dessa posição permissiva. A lei que regia a vida

---

[7] MORRIS, Leon. *1Coríntios: Introdução e comentário*, 1983, p. 79.

deles era: É proibido proibir! Eles consideravam todas as coisas indistintamente como lícitas, sem nenhuma restrição. Eles não suportavam restrições, leis, ou proibições. Leon Morris alerta para o fato de que embora o crente não esteja cercado por uma multidão de restrições, há o perigo de que, ao reclamar a sua liberdade cristã, o homem pode colocar-se na escravidão das coisas que pratica.[8]

A segunda premissa deles era: "O alimento é para o estômago assim como o sexo é para o corpo". A máxima da igreja de Corinto para incentivar a imoralidade da igreja era: "O alimento é para o estômago assim como o sexo é para o corpo". Mas Paulo ensina: *Os alimentos são para o estômago, e o estômago para os alimentos; mas Deus destruirá tanto estes como aquele. Porém o corpo não é para a impureza, mas, para o Senhor, e o Senhor, para o corpo* (6.13).

Os coríntios pensavam que assim como o apetite é natural e o corpo precisa de alimento, também o sexo era um desejo natural e precisava ser satisfeito. Para eles uma pessoa não podia reprimir seus apetites sexuais. Eles entendiam que assim como o alimento é preparado para o estômago, o corpo era preparado para o sexo. Dessa maneira eles não deveriam ter quaisquer restrições. Paulo, então, os confronta. Mostra-lhes que eles estavam errados. O alimento é para o estômago e o estômago é para o alimento. Porém, o corpo não é para o sexo. O corpo é para o Senhor e o Senhor é para o corpo. O corpo é para o Senhor e não para a prostituição. O corpo é para o Senhor e não para a impureza. Não há entre o corpo e os desejos sensuais, conexão como a que há entre o estômago e o alimento. Em vez disso, a conexão é entre o corpo e o Senhor.[9]

Paulo ensina que o sexo é uma bênção, mas pode se tornar uma maldição. Ele é uma bênção dentro do casamento, mas um sério problema fora dele. Warren Wiersbe afirma que o sexo fora do casamento é como o assalto a um banco: o ladrão fica com alguma coisa que não lhe pertence e pela qual terá de pagar um dia. O sexo dentro do casamento pode ser como depositar dinheiro num banco: há garantias, segurança e dividendos.[10]

---

[8]Morris, Leon. *1Coríntios: Introdução e comentário*, 1983, p. 79.
[9]Morris, Leon. *1Coríntios: Introdução e comentário*, 1983, p. 80.
[10]Wiersbe, Warren W. *Comentário bíblico expositivo*. Vol. 5, 2006, p. 769.

Em segundo lugar, *vejamos as premissas verdadeiras que desafiam a santidade do sexo* (6.12-20). Há duas grandes verdades a serem destacadas:

A primeira delas é o compromisso da Trindade com o nosso corpo.[11] Isso é uma coisa fantástica. Paulo diz que o próprio Deus Pai está comprometido com o nosso corpo. Porque Deus criou o nosso corpo, também o ressuscitará (6.12-14). A filosofia grega não dava nenhum valor ao corpo. O corpo era apenas a prisão da alma. Por isso, os gregos pensavam que tudo aquilo que você faz com o corpo não conta. Paulo, porém, rechaça a filosofia grega e diz que Deus criou o corpo. O corpo é tão importante para Deus que Ele vai ressuscitá-lo. Esse corpo tem uma origem maravilhosa, pois Deus o criou e terá um fim glorioso, pois Deus o ressuscitará. Por conseguinte, o corpo não pode ser usado para a impureza. Ele deve ser usado para a glória de Deus!

Paulo diz também que Jesus Cristo comprou e remiu o nosso corpo (6.15-18). Deus Pai criou o corpo e vai ressuscitá-lo. Jesus Cristo comprou o corpo e o redimiu. Deus Pai criou o seu corpo e Jesus Cristo o comprou. Esse corpo agora não pertence mais a você, pertence a Jesus Cristo. Os membros do seu corpo estão ligados a Cristo. Seu corpo é um membro de Cristo.

Porém, Paulo conclui dizendo que o Espírito Santo habita nesse corpo (6.19). O nosso corpo é o templo vivo do Espírito Santo. Quando Paulo usa a figura do templo emprega a palavra *naós*, o Santo dos Santos, o lugar santíssimo onde a glória de Deus se manifesta. Leon Morris diz que aonde quer que vamos, somos portadores do Espírito Santo, templos em que apraz a Deus habitar. Isso deve eliminar toda forma de conduta que não seja apropriada para o templo de Deus. Nada que seja inconveniente no templo de Deus é decente no corpo do filho de Deus.[12]

Em síntese, Paulo nos ensina que Deus Pai criou o nosso corpo e vai ressuscitá-lo. O nosso corpo tem um começo e um fim glorioso. Jesus Cristo, a segunda pessoa da Trindade, comprou e redimiu o nosso

---

[11] WIERSBE, Warren W. *Comentário bíblico expositivo*. Vol. 5, 2006, p. 769.
[12] MORRIS, Leon. *1 Coríntios: Introdução e comentário*, 1983, p. 82,83.

corpo e o Espírito Santo, a terceira pessoa da Trindade, habita nesse corpo e faz desse corpo um santuário para a sua habitação.

A segunda grande verdade que Paulo destaca é o elevado propósito divino para o nosso corpo. David Prior menciona cinco fatos preciosos sobre o corpo:[13]

1. *O propósito do corpo no Senhor*. Paulo afirma: [...] *o corpo não é para a impureza, mas, para o Senhor, e o Senhor, para o corpo* (6.13). O propósito de Deus ter lhe dado um corpo é para que você possa viver para Jesus. Servir a Jesus por intermédio do seu corpo.
2. *A ressurreição do corpo no Senhor* (6.14). Para os coríntios, Deus não dava nenhuma importância ao corpo. O corpo era apenas uma prisão da alma. No entanto, Deus valoriza o corpo. Deus criou o corpo e o ressuscitará.
3. *A interação do corpo com o Senhor* (6.15-17). O nosso corpo é membro de Cristo. Você não pode unir um membro de Cristo a uma meretriz. Só o pensar nisso é uma blasfêmia. Se o seu corpo é membro de Cristo e se você se entrega à impureza e à prostituição, você está juntando Cristo à prostituição. Isso é uma blasfêmia. Os nossos corpos são membros de Cristo. Não podemos unir o corpo de Cristo à impureza. Os que se unem ao Senhor se tornam um só espírito com Ele.
4. *A habitação do corpo pelo Senhor* (6.19). O seu corpo é santuário do Espírito. Tudo aquilo que não é digno do santuário de Deus não é digno do seu corpo. Nada que seja inconveniente no templo de Deus é decente no seu corpo. Somos a morada de Deus. O nosso corpo é lugar santíssimo, o Santo dos Santos, onde a glória de Deus se manifesta. Devemos eliminar do nosso corpo toda forma de conduta que não seja apropriada para o templo de Deus.
5. *A redenção do corpo pelo Senhor* (6.20). Você é de Deus por duas razões: Você é de Deus porque Deus criou você e você é de Deus porque Deus comprou você de volta para Ele.

---

[13]PRIOR, David. *A mensagem de 1Coríntios*, 1993, p. 103-107.

Em terceiro lugar, ***os dois imperativos de Deus em relação ao nosso corpo***. Paulo, agora dá dois conselhos para a igreja. Um negativo e outro positivo. O negativo é: *Fugi da impureza* (6.18). O verbo está no presente contínuo. É um ato contínuo. Precisamos fugir sempre da impureza. "Fazei vosso hábito fugir."[14] Em relação às tentações sexuais a Bíblia nunca nos manda resistir, mas fugir. Ser forte é fugir! É um ledo engano pensar que você conhece seus limites e sabe até onde pode ir e quando deve parar. A mesma Bíblia que nos manda resistir ao diabo, nos manda fugir da impureza. Quanto ao enfrentamento das tentações sexuais a ordem de Deus é fugir, dar o fora, dar no pé, correr!

O conselho de Paulo é: Não queira ser forte. Reconheça a sua fragilidade e vá embora. Não brinque com essa situação. Fuja! A única atitude segura em relação ao sexo é fugir. Não fique flertando com o pecado. Não fique paquerando a tentação. Aquele que zomba do pecado é louco.

O interessante é que o verbo usado por Paulo para fugir está no presente contínuo. É um ato contínuo. Fuja hoje, fuja amanhã, fuja o mês que vem, fuja o ano que vem. Faça como José do Egito. A mulher falava para ele todo dia: "Deita-te comigo". No dia seguinte ela repetia: "Deita-te comigo." No mês seguinte ela voltava e dizia-lhe: "Deita-te comigo". No ano seguinte, a mesma ladainha: "Deita-te comigo". Porém, José fugiu da sedução da sua patroa, dizendo-lhe sempre a mesma coisa: "Não! Não! Não!" E quando a mulher tentou agarrá-lo, ele fugiu, preferindo ir para a cadeia com a consciência limpa, do que ficar livre e preso no cipoal da culpa e do pecado.

O conselho positivo que Paulo diz é: *Agora, pois, glorificai a Deus no vosso corpo* (6.20). O Espírito Santo nos foi dado com o propósito de glorificarmos a Cristo (Jo 16.14). O Espírito Santo usa o nosso corpo para glorificarmos a Jesus (Fp 1.20,21). Glorificamos a Deus no nosso corpo quando o usamos em santidade e pureza. Glorificamos a Deus no nosso corpo quando entregamos nossos membros como instrumentos de justiça e não como servos do pecado (Rm 6.12-14). Glorificamos a Deus no nosso corpo quando empregamos nossas forças, energias, dons e talentos para servirmos ao Senhor e fazermos a Sua vontade.

---

[14] MORRIS, Leon. *1Coríntios: Introdução e comentário*, 1983, p. 82.

7

Princípios de Deus para o casamento

1 Coríntios 7.1-40

O CAPÍTULO 7 DE 1CORÍNTIOS É A MAIS LONGA discussão sobre sexualidade e assuntos correlatos em todas as cartas de Paulo. Ele contém informações vitais sobre o assunto, informações essas não encontradas em nenhuma parte de seus escritos.[1] Destaco cinco pontos importantes:

Em primeiro lugar, ***Paulo começa a responder às perguntas da igreja de Corinto***. Paulo não se propõe a fazer um tratado teológico completo sobre celibato e casamento. O que na verdade ele faz aqui nesse capítulo é responder a algumas perguntas diretas e específicas que a igreja lhe havia feito. *Quanto ao que me escrevestes...* (7.1). O que Paulo escreve nesse capítulo é uma resposta às perguntas da igreja.

Em segundo lugar, ***Paulo não esgota seu ensino sobre casamento nesse capítulo***. Muitos críticos, ao estudarem esse capítulo, têm uma visão pessimista em relação ao casamento. Contudo, esse não é todo o ensino bíblico sobre o assunto nem mesmo é todo o ensino de Paulo sobre a matéria. Lemos em Gênesis 2.18: *Não é bom que o homem esteja só*. Lemos em Hebreus 13.4: *Digno de honra entre todos seja o matrimônio, bem como o leito sem mácula*. Paulo em Efésios 5.22-33 enaltece o

---

[1] WENHAM, G. J. et all. *New Bible commentary*, 1994, p. 1170.

casamento a tal ponto de usá-lo como exemplo da relação mística entre Cristo e a Igreja.

Em terceiro lugar, **alguns críticos acusam Paulo de não ser um autor inspirado** (7.6,10,12,25,40). O que Paulo quer dizer, quando afirma: *Aos mais digo eu, não o Senhor:...* (7.12). Como entender isso? Será que Paulo está dizendo uma coisa e o Senhor outra? Será que eles estão divergindo ou se contradizendo? Observem o que Paulo diz: "Com respeito às virgens, não tenho mandamento do Senhor; porém dou minha opinião, como tendo recebido do Senhor a misericórdia de ser fiel" (7.25). Será que esse texto é apenas uma opinião de Paulo ou é um texto inspirado pelo Espírito Santo com autoridade apostólica? Veja ainda o que Paulo escreve: *Todavia, será mais feliz se permanecer viúva, segundo a minha opinião; e penso também que eu tenho o Espírito de Deus* (7.40).

Qual é o significado dessas palavras? Os liberais exploram essas expressões paulinas para dizer que esse texto não recebe o selo da inspiração divina. Será que é isso que Paulo está dizendo aqui? Não! Paulo faz nesse capítulo uma distinção entre o que Cristo ensinou e o que ele está ensinando. O que Cristo ensinou ele não vai tratar novamente, pois, o assunto já está decidido. Porém, aquilo que Jesus não ensinou, ele vai tratar, dando orientação apostólica e inspirada para a igreja. Não existe conflito entre Cristo e Paulo, nem Paulo está dando apenas uma opinião pessoal sobre o assunto em tela. William MacDonald corrobora com este pensamento:

> Não pode existir qualquer dúvida acerca da inspiração do que Paulo está dizendo nesta porção. Ele está usando ironia aqui. Seu apostolado e seu ensino tinham estado sob ataque por alguns em Corinto. Eles professavam ter a mente do Senhor naquilo que diziam. Paulo, então, afirma: "Seja o que for que alguém esteja falando a meu respeito, eu penso que eu também tenho o Espírito Santo de Deus. Eles professam tê-lo, mas seguramente não têm um monopólio sobre o Espírito Santo".[2]

---

[2] MACDONALD, William. *Believer's Bible commentary*, 1995, p. 1772.

Em quarto lugar, ***Paulo tinha de lidar com algumas perguntas que Jesus não havia tratado***. Quando uma questão levantada pela igreja de Corinto já tinha sido tratada por Cristo, Paulo se referia às Suas palavras. Mas se a pergunta dos coríntios contemplava um tema que Jesus não tinha abordado, Paulo respondia à igreja com autoridade apostólica.

Há alguns assuntos que Jesus não tratou nos evangelhos. Os assuntos que Jesus tratou sobre casamento e divórcio estão registrados em Mateus 5.31,32, Mateus 19.1-12, Marcos 10.1-12 e Lucas 16.18. Quando Paulo se refere ao Senhor, o que o Senhor diz e não ele está se referindo ao que Jesus ensinou sobre a matéria. Quando diz que agora não é o Senhor, mas ele é porque aquele assunto Jesus não havia tratado, e agora ele iria tratar.

Em quinto lugar, ***Paulo endereçou seus conselhos sobre casamento a três grupos diferentes***. Warren Wiersbe esclarece que Paulo se dirige aos cristãos casados com cristãos (7.1-11); aos cristãos casados com não cristãos (7.12-24) e aos cristãos não casados (7.25-40).[3]

Cristãos casados com cristãos (7.1-11)

Na igreja de Corinto havia dois extremos. O primeiro grupo pensava que o sexo é pecado, mesmo no casamento. Esse grupo defendia que o celibato é um estado moralmente superior ao casamento. O segundo grupo, talvez formado pela maioria dos judeus, julgava que o casamento não era opcional, mas obrigatório. Para eles, o celibato era uma posição moralmente inferior ao casamento.

Paulo enfrentou essas duas facções, esses dois extremos na igreja e combateu a ambos. Para Paulo tanto o casamento quanto o celibato são dons de Deus. O que é certo: ficar solteiro ou casar-se? O que é melhor: o casamento ou o celibato? O que é correto: o celibato obrigatório ou o casamento compulsório? Paulo diz que as duas posições radicais estão erradas. Depende do dom. Quem recebeu o dom para casar-se, deve se casar. Quem recebeu o chamado, o dom de Deus para o celibato, deve permanecer solteiro.

---

[3] WIERSBE, Warren W. *Comentário bíblico expositivo*. Vol. 5, 2006, p. 772-776.

Dois assuntos são aqui abordados por Paulo: Primeiro, a pureza do casamento (7.1-9). Segundo, a duração do casamento (7.10,11).[4]

Em primeiro lugar, *a pureza do casamento* (7.1-9). Vamos destacar alguns pontos importantes:

Paulo proíbe a poligamia no casamento (7.2). Diz o apóstolo: [...] *mas, por causa da impureza, cada um tenha a sua própria esposa, e cada uma, o seu próprio marido* (7.2). Paulo coloca o aspecto singular de que a poligamia não é o padrão moral de Deus para o Seu povo. Cada um deve ter a sua esposa, e cada uma o seu marido. Tanto a poliginia, um homem ter mais de uma mulher, quanto a poliandria, uma mulher ter mais de um marido, estão em desacordo com o ensino das Escrituras.

Paulo proíbe a união homossexual (7.2). Quando Paulo diz que cada um tenha a sua esposa e cada uma tenha o seu marido, fica clara a ideia de uma relação heterossexual. Embora a união homossexual fosse algo comum no tempo de Paulo, ele define essa prática como uma paixão infame, um erro, uma disposição mental reprovável, uma abominação para Deus.[5] A relação homossexual pode chegar a ser aprovada pelas leis dos homens, por causa da corrupção dos costumes, mas jamais será chancelada pelas leis de Deus. Uma decisão não é ética, apenas por ser legal. Ainda que a relação homossexual se torne legal pelas leis dos homens, jamais será aprovada por Deus, pois fere frontalmente a Sua Lei.

Paulo proíbe o celibato compulsório (7.1). Paulo escreve: *Quanto ao que me escrevestes é bom que o homem não toque em mulher* (7.1). Essa expressão "tocar em mulher" é um eufemismo. É sinônimo de casar-se. É relacionar-se intimamente, fisicamente, sexualmente, regularmente com uma mulher. Paulo proíbe o celibato compulsório. Ele disse que o celibato é bom, mas não é compulsório. O celibato é permitido, mas não ordenado. Nem todos têm o dom do celibato (7.7-9). É por isso que a Igreja Romana enfrenta tantos problemas com a sexualidade de seus sacerdotes. O celibato compulsório não tem base bíblica. O celibato só tem sentido e valor quando é resultado de um dom espiritual.

---

[4]WAGNER, Peter. *Se não tiver amor*, 1983, p. 55,56.
[5]Romanos 1.18-32; 1Coríntios 6.9-11; Levítico 18.22.

Ele não pode ser imposto obrigatoriamente. Esse é o ensino de Cristo (Mt 19.10-12). Esse é o preceito estabelecido por Deus desde o princípio (Gn 2.18).

Paulo destaca a completa mutualidade dos direitos conjugais (7.3,4). Paulo vivia em uma sociedade de profunda influência machista, mas ele quebra esses paradigmas da cultura prevalecente e afirma a igualdade dos direitos conjugais. Diz Paulo: *O marido conceda à esposa o que lhe é devido, e também, semelhantemente, a esposa, ao seu marido* (7.3). O imperativo presente "conceda" indica o dever habitual.[6] Paulo está falando do relacionamento sexual. A mesma Bíblia que condena o sexo antes do casamento, o pecado da fornicação, e também o sexo fora do casamento, o pecado do adultério, está dizendo que a ausência de sexo no casamento é pecado. O marido deve conceder à esposa o que lhe é devido e semelhantemente à esposa ao seu marido. Ambos, marido e mulher, têm direitos assegurados por Deus de desfrutarem a plenitude da satisfação sexual no contexto sacrossanto do matrimônio.

Paulo ainda prossegue: *A mulher não tem poder sobre o seu próprio corpo, e sim o marido; e também, semelhantemente, o marido não tem poder sobre o seu corpo, e sim a mulher* (7.4). Paulo define que o sexo é um direito do cônjuge, um direito legítimo. A satisfação sexual é um direito legítimo do marido e um direito legítimo da mulher. A chantagem sexual no casamento é um pecado. O marido não tem poder sobre o seu corpo nem a mulher tem poder sobre o seu corpo. O corpo de um pertence ao outro. Usar o sexo como uma arma para chantagear o cônjuge está em desacordo com o ensino da Palavra de Deus.

Paulo se torna ainda mais enfático, quando escreve: *Não vos priveis um ao outro* (7.5a). A prática do sexo no casamento é uma ordem apostólica. A ausência da relação sexual no casamento é um pecado. Dentro da normalidade do casamento, a relação sexual precisa existir. É um direito sagrado do cônjuge! Charles Hodge diz que nada pode ser mais estranho à mente do apóstolo Paulo do que o espírito que encheu os mosteiros e conventos da igreja medieval.[7]

---

[6]MORRIS, Leon. *1Coríntios*, São Paulo, SP: Editora Vida Nova, 1989, p. 85.
[7]HODGE, Charles. In *The classic Bible commentary*. Ed. by Owen Collins, 1999, p. 1231.

Paulo afirma a capacidade de os casais se absterem temporariamente das relações sexuais (7.5b). Quando é que um casal pode se abster do sexo? Quando ambos estão em total harmonia e sintonia a respeito da decisão. O homem não pode chegar para a esposa e dizer-lhe: "Esta semana ou este mês eu não estou disponível para a relação sexual". Nem a mulher pode comunicar ao seu marido que ela está indisponível para ele. Se há de se tomar essa decisão, os dois precisam estar em absoluto acordo. Às vezes, muitos casais cometem erros gravíssimos quando começam a dar desculpas infundadas para fugir da relação sexual, alegando cansaço, dor de cabeça e outras desculpas descabidas. A Bíblia diz que essa atitude de boicote sexual no casamento é um pecado. É uma desobediência a um mandamento bíblico.

Mas a abstinência sexual entre o casal não deve ser por um longo tempo. Paulo esclarece: *Não vos priveis um ao outro, salvo talvez por mútuo consentimento, por algum tempo...* (7.5a). Essa palavra tempo é *kairós* e não *kronos*. Um casal sábio não delimita tempo cronológico para se privar da relação, mas apenas se priva da relação por um momento específico, por uma necessidade específica, seja pessoal, seja familiar, seja na igreja, seja no seu país.

Paulo ensina que a abstinência do sexo no casamento tem de ter a intenção expressa de se dedicar à oração. Paulo pontua: [...] *para vos dedicardes à oração...* (7.5). A abstinência sexual não pode ser por qualquer motivo. Tem de ser por uma razão espiritual. Não pode ser por cansaço nem pode ser por muito trabalho. Não pode ser por dor de cabeça ou indisposição emocional. A questão é por uma razão espiritual. É interessante que Paulo não recomenda um longo período de oração nesse caso. Ele diz: [...] *e, novamente, vos ajuntardes* (7.5). Há pessoas que se escondem atrás de uma pretensa espiritualidade para sonegar ao cônjuge a satisfação sexual. Isso está em desacordo com o ensino bíblico.

Paulo diz que só pode existir abstinência no casamento quando houver o compromisso deliberado de retornar à relação sexual, quando o *kairós* tiver passado.[8] Por que Paulo é tão enfático nessa questão da

---

[8] PRIOR, David. *A mensagem de 1Coríntios*, 1993, p. 125.

relação sexual entre marido e mulher? É porque se o casal abrir brecha nessa área, satanás vai entrar em campo com sua perversa atividade. Onde há chantagem sexual no casamento, satanás entra em ação. Paulo conclui, dizendo: [...] *para que satanás não vos tente por causa da incontinência* (7.5). Quando um casal brinca com essa arma do sexo no casamento e chantageia o cônjuge, privando-o da satisfação a que tem direito, satanás entra nessa história para colocar uma terceira pessoa na jogada e arrebentar com o casamento. Cabe aqui alertar sobre uma grande ameaça à vida sexual dos casais: a pornografia! A Palavra de Deus determina que o leito conjugal deve ser sem mácula (Hb 13.4). Há muitos homens, mesmo cristãos, que estão se tornando viciados em pornografia. São prisioneiros de um vício avassalador. Alimentam suas mentes com o lixo nauseabundo que sai dos esgotos pútridos dessa indústria pornográfica que destrói vidas e arrebenta famílias. Há muitos homens que, adoecidos por esse vício degradante, ainda aviltam sua mulher querendo importar para o leito conjugal essas práticas aviltantes.

Li certa feita que houve uma greve dos garis em Nova York, a capital mundial do consumo. Depois de vários dias sem o recolhimento do lixo, a cidade ficou suja e emporcalhada. Um homem teve uma ideia para se desvencilhar do lixo da sua casa. Colocou todo o lixo dentro de uma caixa, cobriu-a com um belo papel de presente, e estrategicamente, deixou a caixa dentro do porta-malas aberto do seu carro numa rua movimentada. Várias pessoas passavam e olhavam para a caixa com cobiça. Até que chegou um espertalhão e pegou a caixa e saiu correndo com ela, levando-a para casa. Quando abriu a caixa, ela estava cheia de lixo. Há muitas pessoas levando lixo para dentro de casa. Lixo cheira mal e deixa o ambiente desagradável. Lixo produz doenças. A Bíblia diz que o sexo é bom e prazeroso, mas também diz que ele precisa ser puro e santo!

Em segundo lugar, *a duração do casamento* (7.10,11). Orienta o apóstolo: *Ora, aos casados, ordeno, não eu, mas o Senhor, que a mulher não se separe do marido* (7.10). Por que Paulo diz isso? Ordeno não eu, mas o Senhor? Porque o Senhor já havia tratado desse assunto do divórcio (Mt 19.3-12). E se o Senhor já tratara não é preciso tratar novamente. Paulo diz que o casamento deve durar enquanto dura a vida (7.39,40). John Stott esclarece esse ponto:

A antítese que Paulo estabelece entre os versículos 10 e 12 não opõe o seu ensino ao ensino de Cristo. O contraste não é entre o ensino divino infalível (de Cristo) e o ensino humano falível (de Paulo), mas entre duas formas de ensino divino e infalível, uma procedente do Senhor e a outra apostólica.[9]

Paulo agora responde a duas perguntas que a igreja de Corinto fez a ele.

1. A primeira pergunta: "O que fazer se eu estiver arrependido de ter casado?" Essa é a situação de muitos casais ainda hoje. Há muitos casais nessa situação até mesmo dentro das igrejas. Há muitas pessoas que se casaram e depois se arrependeram, reconhecendo que fizeram uma grande besteira. No entanto, agora, o que fazer? Paulo responde, fazendo um desafio inequívoco aos casais que veem poucas esperanças em seu casamento: *Ora, aos casados, ordeno, não eu, mas o Senhor, que a mulher não se separe do marido* (7.10,11). Casou-se, aguente firme! Não desanime! Leve em frente o seu casamento. Não pule fora da relação.

2. A segunda pergunta que a igreja fez: "O que se deve fazer quando a situação se torna insustentável?" Há casamentos que adoecem a tal ponto que a decisão de ficarem juntos pode ser mais arriscada do que se separarem. Nesse caso Paulo oferece duas soluções pastorais. A primeira solução: separe e fique sozinho (7.11a). A segunda solução: faça a devida reconciliação (7.11b). Contudo, de maneira alguma o apóstolo apoia a hipótese do divórcio.[10]

Paulo reafirma, assim, o ensino de Jesus de que o divórcio só é legítimo e permitido para o cônjuge que foi vítima da infidelidade conjugal de seu consorte (Mt 19.9). O ensino bíblico é que [...] *o que Deus ajuntou não o separe o homem* (Mt 19.6). Deus colocou muros ao redor do casamento não para fazer dele uma prisão, mas um lugar seguro.

---

[9] STOTT, John. *Grandes questões sobre o sexo*. Niterói, RJ: Vinde Comunicações, 1993, p. 88-91.
[10] PRIOR, David. *A mensagem de 1Coríntios*, 1993, p. 131.

Cristãos casados com não cristãos (7.12-24)

Paulo não está tratando nesse texto de casamento misto. O ensino de Paulo sobre isso é claro. O casamento deve ser no Senhor (7.39). Para Paulo, namoro misto se constitui um ato de desobediência aos preceitos divinos. Diz ele: "Não vos ponhais em jugo desigual com os incrédulos; porquanto que sociedade pode haver entre a justiça e a iniquidade? Ou que comunhão, da luz com as trevas? Que harmonia, entre Cristo e o maligno? Ou que união do crente com o incrédulo?" (2Co 6.14,15).

A igreja de Corinto era uma igreja nova. Algumas pessoas se converteram ao evangelho depois de casadas. De repente, apenas a mulher se converteu e o marido permaneceu incrédulo ou apenas o marido se converteu e a mulher permaneceu incrédula. Essa é a problemática que Paulo trata aqui.

A igreja levanta uma nova pergunta para Paulo: "Devemos nós permanecer casados com cônjuges incrédulos?" Paulo responde com um grande e sonoro SIM! É claro que vocês devem permanecer casados! *Aos mais digo eu, não o Senhor...* (7.12,13). Por que é que ele diz isso? Lembra-se do que dissemos no início? Jesus não tratou dessa matéria de um cônjuge se converter depois de casado. Essa matéria é nova e Jesus não abordou esse assunto nos evangelhos. Por isso, Paulo diz que agora vai tratar do assunto. Paulo diz: [...] *se algum irmão tem mulher incrédula, e esta consente em morar com ele, não a abandone; e a mulher que tem marido incrédulo, e este consente em viver com ela, não deixe o marido* (7.12,13).

É um ato de desobediência um cristão casar-se com um incrédulo. Mas se a pessoa se torna cristã depois de ter se casado, ela não pode usar esse acontecimento como base para separação. Ao contrário! Ela precisa exercer a influência que tem como cristã para mudar e transformar o seu lar e ainda levar o seu cônjuge à conversão (7.17-24). Paulo está dizendo que a conversão não altera as nossas obrigações sociais.

Paulo trata de dois grandes temas aqui: o poder do casamento e a dissolução do casamento.

Em primeiro lugar, *o poder do casamento* (7.12-16). Paulo lista três fatores de encorajamento para se investir num casamento misto em que um dos cônjuges se converteu depois de casado. A pergunta dos coríntios era: "Devemos sair do casamento por estarmos vivendo com um cônjuge incrédulo?" Paulo responde: Não! Antes, vocês devem investir nesse casamento e isso por três motivos.

O primeiro motivo para se investir no casamento é a realidade da santificação. Diz Paulo: *Porque o marido incrédulo é santificado no convívio da esposa, e a esposa incrédula é santificada no convívio do marido crente* (7.14). Paulo não está dizendo que o marido incrédulo é convertido e salvo pelo fato de estar casado com uma mulher crente ou vice-versa. O casamento não é um meio de conversão. O que Paulo está dizendo é que o marido crente santifica, ou seja, traz benefícios para a sua família. Esse cônjuge incrédulo fica, assim, exposto à influência benéfica do evangelho.

Quando a fé cristã entra em um lar descrente, ela deve ser uma ponte de novas bênçãos e não de novas desavenças. O fato de um cônjuge incrédulo viver com um cônjuge crente possibilita a esse cônjuge incrédulo conhecer o evangelho e ser abençoado por ele. O cônjuge incrédulo é trazido para mais perto de Deus ao conviver com um cristão na mesma casa. Barret, citando João Calvino, deixa esse ponto mais claro: "A piedade de um contribui mais para a 'santificação' do casamento, do que a impiedade do outro para torná-lo impuro".[11]

O segundo motivo para investir no casamento é a inclusão dos filhos no pacto. Paulo afirma: *Doutra sorte, os vossos filhos seriam impuros; porém, agora, são santos* (7.14). Paulo não está dizendo que os filhos de pais crentes são salvos automaticamente pelo simples fato de nascerem num lar cristão. Todavia, significa que esses filhos nascem debaixo do pacto, são filhos da promessa, e estão debaixo da influência do evangelho. Significa que desde o nascimento eles estão expostos ao ensino e ao exemplo da fé cristã.

A Bíblia preceitua: *Ensina a criança no caminho em que deve andar e, ainda quando for velho, não se desviará dele* (Pv 22.6). A Bíblia assevera que os nossos filhos são herança de Deus (Sl 127.3). Eles estão debaixo

---

[11] BARRET, C. K. *A commentary on the First Epistle to the Corinthians.* Black's New Commentaries. A& C. Black, 1968, p. 165.

do pacto. Que pacto é esse? Eu serei o vosso Deus e o Deus de vossos filhos de geração em geração (Gn 17.7). Essa é uma promessa gloriosa. Paulo está dizendo: Não saia do casamento, ainda que o seu cônjuge não seja crente. Seus filhos são santificados nessa relação, pois Deus é o nosso Deus e o Deus dos nossos filhos. A promessa é para nós e para os nossos filhos. Nossos filhos são filhos da promessa. Eles estão debaixo do pacto da redenção. Os pais têm o privilégio e o dever de levar seus filhos a Cristo.

O terceiro motivo para investir no casamento é a possibilidade da conversão do cônjuge incrédulo. Paulo argumenta: *Pois, como sabes, ó mulher, se salvarás teu marido? Ou, como sabes, ó marido, se salvarás tua mulher?* (7.16). Você não sabe, mas você pode ter esperança. Você pode fazer investimento para isso e trabalhar nessa direção. Nessa mesma linha de pensamento o apóstolo Pedro diz: *Mulheres, sede vós, igualmente, submissas a vosso próprio marido, para que, se ele ainda não obedece à palavra, seja ganho, sem palavra alguma, por meio do procedimento de sua esposa, ao observar o vosso honesto comportamento cheio de temor* (1Pe 3.1,2).

Em segundo lugar, **a dissolução do casamento** (7.15). Há casos em que o cônjuge incrédulo se recusa terminantemente a conviver com o cônjuge crente. Caso o cônjuge incrédulo tome a iniciativa de abandonar definitivamente o cônjuge crente, este fica livre do jugo conjugal (7.15). Se o cônjuge incrédulo não quiser permanecer no casamento, a porta para a dissolução do casamento é aberta: *Mas, se o descrente quiser apartar-se, que se aparte; em tais casos, não fica sujeito à servidão nem o irmão, nem a irmã; Deus vos tem chamado à paz* (7.15). John Stott esclarece: "Se o cônjuge incrédulo desejar permanecer casado, então o crente não deve recorrer ao divórcio. Mas se o cônjuge incrédulo não quiser ficar e decidir partir, então o outro ficará livre para se divorciar e casar novamente".[12]

Paulo traz a lume a segunda cláusula exceptiva para o divórcio, que é o abandono irredutível, contumaz, e irreconciliável. Só há duas cláusulas exceptivas para o divórcio: Infidelidade (Mt 19.9) e abandono (7.15).

---

[12] STOTT, John. *Grandes questões sobre sexo*, 1993, p. 88-91.

A Confissão de Fé de Westminster ratifica a infidelidade e o abandono como os únicos motivos para o divórcio e um novo casamento:

> No caso de adultério depois do casamento, à parte inocente é lícito propor divórcio (Mt 5.31,32), e, depois de obter o divórcio, casar com outrem, como se a parte infiel fosse morta (Mt 19.9; Rm 7.2,3). Posto que a corrupção do homem seja tal que o incline a procurar argumentos a fim de indevidamente separar aqueles que Deus uniu em matrimônio, contudo nada, senão o adultério, é causa suficiente para dissolver os laços do matrimônio, a não ser que haja deserção tão obstinada que não possa ser remediada nem pela Igreja nem pelo magistrado civil (Mt 19.8; 1Co 7.15).[13]

John H. Gerstner levanta uma questão importantíssima: a cláusula exceptiva do adultério, ensinada por Cristo, não negou, por implicação, o ensino de Paulo sobre o abandono e Paulo positivamente ensinou o que Cristo não negou. Não há discordância entre o ensino de Jesus e o ensino de Paulo.[14] A restrição de Cristo sobre infidelidade conjugal como fundamento para o divórcio não é inconsistente com a admissão de Paulo sobre o abandono como outro fundamento para o divórcio. O ensino de Paulo não contradiz o ensino de Cristo. Paulo e Cristo não estão em conflito sobre esta questão. Cristo está falando da base positiva para o divórcio e Paulo da base passiva. Cristo está falando que o cônjuge traído pode dar carta de divórcio. A iniciativa do divórcio é do cônjuge inocente. Paulo está falando que o cônjuge abandonado está livre do jugo conjugal. Desse modo, a iniciativa do divórcio não é do cônjuge abandonado, mas daquele que abandonou. O cônjuge abandonado pode apenas reconhecer o fato do seu abandono. No ensino de Paulo é a parte culpada que toma a iniciativa da deserção ou do divórcio. No ensino de Jesus é a parte inocente que toma a iniciativa do divórcio. Cristo falou de uma separação voluntária, Paulo de uma separação contra a vontade do cônjuge abandonado.[15]

---

[13] Confissão de Fé de Westminster, capítulo 24, seções V e VI.
[14] GERSTNER, John H. *The early writings*. Vol. 1, Morgan, Pennsylvania: Soli Deo Gloria Publications, 1997, p. 94.
[15] GERSTNER, John H. *The early writings*. Vol. 1, 1997, p. 96.

Cristãos não casados (7.25-40)

Paulo traz uma palavra para os solteiros, viúvos e viúvas. Ele já havia tocado neste assunto: *E aos solteiros e viúvos digo que lhes seria bom se permanecessem no estado em que também eu vivo. Caso, porém, não se dominem, que se casem; porque é melhor casar do que viver abrasado* (7.8,9). É importante relembrar que nesse capítulo Paulo não faz um tratado teológico completo sobre celibato e casamento. Ele está apenas respondendo a perguntas específicas da igreja de Corinto. Eles deviam estar perguntando algo assim: "O que você acha Paulo, como nosso pastor, um cristão deve se casar ou deve permanecer solteiro?" Paulo responde a essa pergunta tendo em vista dois grupos: As virgens e as viúvas. É muito importante prestarmos atenção nisso, porque senão corremos o risco de interpretar mal o apóstolo Paulo.

Em primeiro lugar, **vejamos o que Paulo ensina sobre as virgens** (7.25-38). A preferência de Paulo pelo celibato (7.1,26,32,38,40) tem fortes razões circunstanciais (7.26,28,29,32). Observe claramente que o apóstolo Paulo parece ter uma predileção pelo celibato em relação ao casamento: *Quanto ao que me escrevestes, é bom que o homem não toque em mulher* (7.1). Ele aponta as razões: *Considero, por causa da angustiosa situação presente, ser bom para o homem permanecer assim como está* (7.26). Paulo ainda argumenta: *O que realmente eu quero, é que estejais livres de preocupações. Quem não é casado cuida das coisas do Senhor, de como agradar ao Senhor* (7.32).

Paulo aconselha os pais: *E, assim, quem casa a sua filha virgem faz bem; quem não a casa faz melhor* (7.38). Paulo aconselha as viúvas: *Todavia, será mais feliz se permanecer viúva, segundo a minha opinião...* (7.40). Por que Paulo adota essa posição, embora tenha combatido a ideia daqueles que achavam que o celibato era moralmente superior ao casamento? Por que ele parece ter uma clara e certa predileção pelo celibato? Por que Paulo toma esse partido uma vez que ensinou que tanto o celibato quanto o casamento são dons de Deus? Nós temos de entender isso, caso contrário vamos chegar a uma conclusão equivocada. Temos de entender que Paulo está mostrando isso por causa de fatores circunstanciais daqueles dias em que estava vivendo.

Que fatores são esses?

A angustiosa situação presente. Paulo argumenta: [...] *por causa da angustiosa situação presente...* (7.26). *Ainda assim, tais pessoas sofrerão angústia na carne, e eu quisera poupar-vos* (7.28). *Isto, porém, vos digo, irmãos: o tempo se abrevia; o que resta é que não só os casados sejam como se o não fossem...* (7.29). *O que realmente eu quero, é que estejais livres de preocupações* (7.32). Paulo levanta três fatos circunstanciais sérios para descrever essa questão de que casar é bom, mas permanecer solteiro, viúvo ou viúva é melhor. Que angustiosa situação presente era essa descrita nos versículos 26 e 28? Paulo está se referindo ao tempo tenebroso de implacável perseguição que a igreja estava prestes a enfrentar.

Paulo estava em Éfeso quando escreveu essa carta. Observem o que ele disse: *Porque não queremos, irmãos, que ignoreis a natureza da tribulação que nos sobreveio na Ásia, porquanto foi acima das nossas forças, a ponto de desesperarmos até da própria vida* (2Co 1.8). Esse era o clima que estava surgindo no horizonte. As nuvens estavam ficando densas, escuras, e trevosas. Prenunciava-se a chegada de uma terrível tempestade. Jerusalém estava prestes a ser cercada. As muralhas de Jerusalém seriam quebradas. Jesus já havia falado em seu sermão profético: *Ai das grávidas e das que amamentarem naqueles dias* (Mt 24.19). Por que Jesus disse isso no sermão profético?

No ano 70 d.C., quando Tito Vespasiano entrou em Jerusalém e quebrou os seus muros, seus soldados rasgaram as entranhas das grávidas com a espada. As mulheres grávidas não podiam correr para se livrarem. Paulo está dizendo que quem é casado numa hora de tribulação, de guerra, de perseguição, de fuga, sofre terrivelmente.

Já imaginou um pai fugindo e deixando um filho para trás? Já imaginou uma mãe fugindo da guerra e deixando uma filha indefesa para trás? Já imaginou um marido fugindo e deixando sua mulher para trás? Paulo está mostrando que o clima prenunciava um tempo de guerra e essa guerra estava chegando. Nero já despontava com sua insanidade. O cenário para a perseguição implacável aos cristãos estava montado. Roma seria incendiada em 64 d.C., e os cristãos seriam caçados, perseguidos e mortos por todos os cantos do Império.

O que Paulo diz, então? O contexto imediato fala da destruição de Jerusalém e a imediata perseguição dos judeus e cristãos. A loucura crescente do imperador Nero estava vindo à tona. Em vista desse tempo tenebroso de opressão e perseguição é que Paulo acha melhor os homens permanecerem como estavam.[16] Quando os mares se encapelam não é hora de mudar de navio.[17] É nesse contexto que Paulo traz essa palavra para a igreja. Perceba que no versículo 26 Paulo diz que aquele era um tempo de profunda tribulação. No versículo 32, Paulo diz que era um tempo de preocupação. Coloque-se no lugar do apóstolo Paulo. Diante das suas múltiplas viagens e perigos, sendo preso aqui e açoitado ali, de cadeia em cadeia, caso fosse casado e tivesse filhos, seu sofrimento teria sido muito maior. Ele mesmo disse que quem se casa deve cuidar do seu casamento. É nesse contexto que Paulo coloca essa questão.

Aquele era um tempo de mudança. Paulo aconselha: *Isto, porém, vos digo, irmãos: o tempo se abrevia; o que resta é que não só os casados sejam como se não o fossem; mas também os que choram, como se não chorassem; e os que se alegram, como se não se alegrassem; e os que compram, como se nada possuíssem; e os que utilizam o mundo, como se dele não usassem; porque a aparência deste mundo passa* (7.29-31).

Num tempo de guerra, perseguição, cerco, e fuga, não se pode estar preso a nada. Paulo está dizendo que a crise estava para começar. Os crentes não podiam se apegar a nada deste mundo. Era um tempo difícil e a crise estava chegando. Paulo recomenda: Se você não está casado, não se case. Agora, se você não aguenta, então case. Você não peca se casar. Mas Paulo diz: Eu queria poupar você desse problema, dessa preocupação, dessa angústia.

A aparência deste mundo passa. Paulo conclui: [...] *e os que se alegram, como se não se alegrassem; e os que compram, como se nada possuíssem; e os que se utilizam do mundo, como se dele não usassem; porque a aparência deste mundo passa* (7.30,31). A palavra aparência na língua grega é *schema*. Essa palavra fala de uma forma externa que está mudando sempre. É tolo aquele que investe em um *schema* que está em rápida desintegração.

---

[16] PRIOR, David. *A mensagem de 1Coríntios*, 1993, p. 140,141.
[17] MORRIS, Leon. *1Coríntios*. 1989, p. 93.

Por isso, Paulo tem aqui cinco recomendações: Primeira recomendação: Permaneça como você está. Se você está solteiro, fique solteiro; se você está casado não saia do casamento (7.26). Segunda recomendação: Não procure casamento (7.27). Terceira recomendação: Esteja prevenido para o fato de que se casar vai sofrer angústia na carne (7.28). Quarta recomendação: Você vai ter preocupações adicionais se você se casar (7.32). Quinta recomendação: Você vai estar com o coração e o tempo divididos se você se casar (7.34). O coração do casado está fragmentado. O cônjuge tem de cuidar das coisas do mundo de como agradar a esposa e de como agradar o marido. E ele não vai ter tempo integral para cuidar das coisas do Senhor num tempo de perseguição e de fuga.

Se nós não entendermos esse contexto, vamos pensar que Paulo é o maior defensor do celibato e um grande crítico do casamento. E não é esse o ensino geral do apóstolo. Chamo a atenção repetidamente para isso, porque, quando estudamos os outros textos de Paulo sobre casamento e família, ele nos conduz pelos caminhos mais encantadores dessa sacrossanta relação. O que Paulo escreve no texto em tela é em resposta às perguntas objetivas da igreja de Corinto. Precisamos levar isso em consideração para não chegarmos a conclusões apressadas e equivocadas.

Em segundo lugar, ***vejamos o que Paulo ensina sobre as viúvas***. Finalmente Paulo traz uma palavra às viúvas e aos viúvos: *A mulher está ligada enquanto vive o marido; contudo, se falecer o marido, fica livre para casar com quem quiser, mas somente no Senhor. Todavia, será mais feliz se permanecer viúva, segundo a minha opinião; e penso que também eu tenho o Espírito de Deus* (7.39,40). Uma verdade importante a destacar é que o casamento é para toda a vida. O casamento deve durar enquanto dura a vida dos cônjuges. Enquanto viver o marido; enquanto viver a esposa dura o casamento. Paulo nem cogita o divórcio aqui. Casamento não é um contrato de experiência; ele é para a vida toda.

Outra verdade a destacar é que o casamento é só para esta vida e não para a eternidade. A teologia mórmon do casamento eterno está em total desacordo com a Palavra de Deus. Tem gente que acredita que vai continuar casado no céu. Isso é tolice. Você não vai ser marido da sua esposa nem esposa do seu marido no céu. O casamento acaba com a morte. Certa feita os críticos de plantão quiseram pegar Jesus no contrapé com uma pergunta de algibeira acerca do levirato. Falaram acerca da mulher que se casou com sete irmãos. Depois que todos morreram, ela também morreu. Então, perguntaram para Jesus: Quem vai ser marido dela lá no céu, uma vez que todos os sete a desposaram? Jesus respondeu: *Errais, não conhecendo as Escrituras nem o poder de Deus. Porque, na ressurreição, nem casam, nem se dão em casamento; são, porém, como os anjos no céu* (Mt 22.29,30). Portanto, o casamento é para a vida toda, mas não para a eternidade. É importante dizer que no casamento, homem e mulher se tornam uma só carne, mas não se tornam um só espírito. Somos um só espírito com o Senhor (6.17). Se fôssemos um só espírito com o nosso cônjuge, então, a morte não poderia dissolver os laços conjugais.

Paulo dá três conselhos para as viúvas naquele contexto. Primeiro conselho: Fiquem como vocês estão. Segundo conselho: Se você não aguenta, case-se. Terceiro conselho: Case-se, mas somente no Senhor.

Peter Wagner alista cinco aplicações práticas deste texto:[18]

- Leve o dom do celibato a sério. Celibato é dom. Se você anseia pelo casamento é porque não tem dom de celibato (7.8).
- Se você não tem o dom do celibato, case-se. O casamento é uma bênção e digno de honra entre todos. Melhor é serem dois do que um (Ec 4.9). Foi o próprio Criador quem disse: *Não é bom que o homem esteja só* (Gn 2.18). Paulo diz que é melhor casar do que viver abrasado (7.9).
- Se você está para se casar, certifique-se que o seu futuro marido ou esposa seja uma pessoa convertida (7.39).
- Se você está casado com uma pessoa incrédula, faça todos os esforços necessários para manter o seu casamento (7.16).
- Se você quer que o seu casamento seja feliz, nunca deixe de dar a seu cônjuge toda a satisfação sexual que ele precisa e tem direito (7.3-5).

---

[18] WAGNER, Peter. *Se não tiver amor*, 1983, p. 60.

8

Como lidar com a
liberdade cristã

1 Coríntios 8.1-13

TODOS NÓS TEMOS COM BASTANTE CLAREZA, em nossa mente, que há certas coisas na vida cristã que são absolutamente claras e inequívocas. Em qualquer lugar e época amar o próximo é uma coisa certa. Todavia, também há coisas que são essencialmente erradas. Cometer adultério, assassinar, e odiar as pessoas são práticas reprováveis em todo tempo e lugar. Porém, há determinadas coisas que a igreja fica imaginando: É certo? É errado? Pode fazer? Não pode fazer? Devemos fazer? Não devemos fazer? Por exemplo: o crente pode jogar na loteria esportiva, na Mega-Sena ou em qualquer jogo de azar? O crente pode ir à praia no domingo? O crente pode beber cerveja, jogar baralho ou fumar charuto? Pode participar de shows? Essas questões, às vezes, não estão tão claras na mente da maioria das pessoas.

Na igreja de Corinto o problema não era ir à praia no domingo, usar roupa sumária e provocante, participar de jogos de azar ou beber cerveja. Esses não eram os problemas que a igreja de Corinto enfrentava. Contudo, a igreja de Corinto enfrentava outro problema. Os crentes podiam comer carne sacrificada aos ídolos? Para nós não há nenhum problema em comer carne. Comer carne hoje não vai morder sua consciência, mas sim o seu bolso. Os problemas que afligiam a igreja de Corinto eram diferentes dos nossos, mas os princípios para resolvê-los são os mesmos para nós.

O problema dos ídolos na cidade de Corinto não era uma questão tão simples. A cidade toda estava infestada de ídolos. A religião oficial daquele povo era a idolatria. Quando Paulo chegou a Atenas, uma cidade próxima de Corinto, seu espírito ficou revoltado por causa da idolatria reinante na cidade (At 17.16). Corinto era uma floresta de ídolos e uma selva de imagens dos deuses do panteão greco-romano. Para cada casa, pórtico ou departamento público havia uma divindade e um altar. Havia um templo de Afrodite na acrópole, no ponto mais alto da cidade de Corinto, onde os ídolos proliferavam. Os crentes convertidos em Corinto eram egressos da idolatria. Eles eram adoradores de ídolos.

Então, surgia uma dúvida na mente deles: podemos comer carne que os pagãos oferecem aos ídolos? É pecado fazer isso? A pergunta deles era: Comer carne sacrificada aos ídolos é a mesma coisa que adorar a um ídolo? A resposta de Paulo a essas questões lança luz nesse magno assunto da liberdade cristã.

Paulo diz que comer carne era um assunto amoral. Não era virtuoso nem pecaminoso. Ele esclarece: *Não é a comida que nos recomendará a Deus, pois nada perderemos, se não comermos, e nada ganharemos, se comermos* (8.8). Você não se torna mais espiritual ou menos espiritual por comer carne ou deixar de comer. Paulo está dizendo que o ato de comer carne não era moral, como amar o próximo nem imoral como cometer adultério. Porém, dependendo de certas circunstâncias, comer carne poderia tornar-se imoral. Aqui estão alguns aspectos que vamos considerar no desenvolvimento deste texto.

O problema: Carne sacrificada aos ídolos (8.1,2)

Quero destacar cinco pontos importantes no texto:

Em primeiro lugar, **toda a população de Corinto praticava a idolatria, exceto a pequena colônia judia**. A idolatria era a religião nacional. Como dissemos, o templo de Afrodite estava cheio de ídolos. A adoração aos ídolos estava no sangue dos coríntios. Somente os membros da colônia judia, que faziam parte da sinagoga, não estavam comprometidos com a idolatria de Corinto.

Em segundo lugar, **os convertidos entenderam que a idolatria violava o primeiro mandamento da lei de Deus** (8.4). Os crentes da igreja de Corinto vieram do paganismo, da idolatria e se converteram ao evangelho. Alguns deles estavam com a teologia muito clara acerca do que era um ídolo: *No tocante à comida sacrificada a ídolos, sabemos que o ídolo, de si mesmo, nada é no mundo e que não há senão um só Deus.* (8.4). Os convertidos da igreja de Corinto tinham clareza de que um ídolo era simplesmente barro, pedra, madeira ou gesso, e nada além disso. O ídolo não tem vida em si mesmo. A teologia deles estava correta. Mas os aspectos sociais da idolatria traziam problemas. Nem sempre era fácil para eles separar a questão religiosa da vida social ou cultural.

Em terceiro lugar, **havia três lugares onde se encontrava carne sacrificada aos ídolos em Corinto**. Nesses lugares os crentes precisavam se acautelar. Quais eram esses lugares?

O próprio templo dos ídolos (8.10). Paulo argumenta: *Porque, se alguém te vir a ti, que és dotado de saber, à mesa, em templo de ídolo, não será a consciência do que é fraco induzida a participar de comidas sacrificadas a ídolos?* (8.10). Os membros da igreja de Corinto haviam sido convertidos, mas quando alguém é convertido, não rompe os relacionamentos com as pessoas que ainda continuam não convertidas. As pessoas convertidas ao evangelho ainda mantêm laços de amizade com pessoas que ainda estão no mundo. Paulo já havia ensinado que ser crente não é viver num gueto. Ser crente não é entrar numa incubadora e numa estufa espiritual e cortar todos os vínculos de amizade com os pagãos. Do contrário teríamos de sair do mundo, diz Paulo (5.10).

No templo dos ídolos pagãos havia muitas festas e os crentes eram convidados a participar dessas celebrações festivas, e muitos deles participavam. Ali, sacrificava-se aos ídolos. A carne que era sacrificada nesse templo pagão era dividida em três partes. Uma parte era sacrificada no altar desse templo pagão, a um ídolo pagão. A outra parte ficava com o sacerdote pagão e a terceira parte da carne era entregue ao adorador do ídolo. Esse adorador nem sempre consumia toda essa carne. Parte dela, ele a vendia para o mercado, para os açougues públicos, e o restante ele levava para a sua casa.

Certamente, Paulo está dizendo que os crentes não deviam comer carne sacrificada aos ídolos nos templos de ídolos. Comer carne, que é um ato amoral, nesse contexto, se torna imoral. Comer carne é lícito, mas comer carne em templo de ídolo não convém.

A casa dos amigos idólatras (10.27,28). Esse era o segundo lugar onde as pessoas poderiam encontrar carne sacrificada aos ídolos, na casa de algum amigo incrédulo. Paulo ensina: *Se algum dentre os incrédulos vos convidar, e quiserdes ir, comei de tudo o que for posto diante de vós, sem nada perguntardes por motivo de consciência. Porém, se alguém vos disser: Isto é coisa sacrificada a ídolo, não comais, por causa daquele que vos advertiu e por causa da consciência* (10.27,28). Algumas pessoas traziam a carne para casa depois do sacrifício e convidavam seus amigos para comer. A festa não transcorria na frente do ídolo, mas a carne servida era a mesma oferecida ao ídolo lá no templo pagão. O que o crente deveria fazer neste caso: comer ou não comer? Paulo orienta que se o crente viesse a saber que a carne havia sido sacrificada, não deveria comer. Porém, se não soubesse, não havia problema em comer.

Nos mercados públicos (10.25). Paulo aconselha: *Comei de tudo o que se vende no mercado, sem nada perguntardes por motivo de consciência* (10.25). Tanto os sacerdotes quanto os adoradores costumavam vender a carne que sobrava dos sacrifícios para os açougueiros. Agora veja duas informações importantes:

Primeira: Os animais sacrificados tinham de ser perfeitos, portanto, a carne sacrificada aos ídolos era a melhor carne. Então a dona de casa que não tivesse nenhum escrúpulo em relação ao assunto ia até o açougue e procurava saber qual a carne sacrificada aos ídolos. Tinha preferência por essa carne. Segunda: Os estudiosos dizem que a parte que sobejava dessa carne sacrificada no templo era vendida por preço menor ao comercializado no mercado de carnes. Portanto, comprava-se uma carne de melhor qualidade por um preço menor. Como é que se desenrola a questão da liberdade cristã nesse caso? Vejamos como Paulo orienta!

Em quarto lugar, **na igreja de Corinto formaram-se dois grupos opostos.** Que grupos eram esses?

Os abstinentes e legalistas. Algumas pessoas, que Paulo identifica como os de consciência mais fraca, diziam: "Nós não podemos comer carne em hipótese nenhuma, pois corremos o grave risco de comer carne sacrificada a ídolos". Para não correr riscos, eles decidiram cortar a carne do cardápio. Tornaram-se vegetarianos para não caírem no perigo de comer carne sacrificada aos ídolos.

Os permissivos e libertinos. Paulo os chama de fortes. Eles diziam: "Não! O ídolo é nada! Não passa de um pedaço de barro ou madeira e ele não tem valor algum, vamos comer carne a valer! Não importa o lugar ou a circunstância, vamos comer carne sem qualquer drama de consciência".

Os crentes de Corinto dividiram, com a sua imaturidade, a igreja em quatro partidos; agora cometem mais um pecado em nome do conhecimento: Ferir a comunhão da igreja! A igreja se dividiu em dois grupos: Uns achando que não podiam comer carne de maneira nenhuma; outros achando que podiam comer em qualquer circunstância. E, assim, a igreja mais uma vez sofreu um abalo da quebra de comunhão.

Em quinto lugar, **Paulo chama os dois grupos de fracos e fortes**. O grupo que Paulo batizou de *fracos*, os que se abstinham totalmente de comer carne, chamava o grupo denominado de *fortes*, que comiam carne em quaisquer circunstâncias, de crentes mundanos. E esses *fortes* chamavam os abstinentes, *os fracos*, de fanáticos, pessoas sem entendimento da verdade.

Qual é o princípio que deve reger a questão da liberdade cristã? O princípio geral de Paulo era: [...] *quem come não despreze o que não come; e o que não come não julgue o que come, porque Deus o acolheu* (Rm 14.3). A orientação de Paulo é que não devemos ser fiscais da vida alheia. É preciso que o crente tenha sabedoria para adotar uma postura coerente dentro da liberdade cristã.

O princípio: O amor deve controlar o conhecimento (8.3-6)

Paulo elogia o conhecimento dos cristãos *fortes* que não tinham problemas com a carne sacrificada aos ídolos: *No tocante à comida sacrificada a ídolos, sabemos que o ídolo, de si mesmo, nada é no mundo e que não há senão um só Deus* (8.4). A teologia estava certa, mas o problema é que esses cristãos não estavam associando corretamente essa teologia com uma atitude certa. Não estavam regendo essa teologia pelo amor. Paulo escreve: *No que se refere às coisas sacrificadas a ídolos, reconhecemos que todos somos senhores do saber* (8.1). Os crentes de Corinto tinham uma vaidade muito grande devido ao seu vasto conhecimento. Paulo já os havia elogiado por isso: [...] *porque, em tudo, fostes enriquecidos nEle, em toda a palavra e em todo o conhecimento* (1.5). Os crentes de Corinto tinham uma forte tendência para a vaidade, orgulho, e altivez. Eles estavam cheios como um balão. Paulo, então, exorta-os dizendo que o saber ensoberbece, mas o amor edifica. *Se alguém julga saber alguma coisa, com efeito, não aprendeu ainda como convém saber. Mas, se alguém ama a Deus, esse é conhecido por ele* (8.2,3).

Leon Morris destaca o fato de que a coisa realmente importante não é que conhecemos a Deus, mas que Ele nos conhece.[1] Paulo entende que o amor *ágape* precisa controlar o conhecimento, *gnosis*. Conhecimento sem amor não traz edificação, mas tropeço. Sem amor facilmente pecamos contra o irmão. De que maneira nós corremos o risco de pecar contra o nosso irmão? É possível golpear a consciência fraca do irmão (8.12). Paulo alerta: *E deste modo, pecando contra os irmãos, golpeando-lhes a consciência fraca, é contra Cristo que pecais* (8.12).

Não somos uma ilha. Nossas palavras, ações e reações afetam as pessoas à nossa volta. Vivemos em comunidade, por isso, nossas atitudes nunca são neutras. Elas ajudam ou estorvam as pessoas. Nossa conduta não deve ser regida apenas por nossas opiniões. Precisamos levar em conta, também, as pessoas que estão perto de nós.

Nossa ética é governada pelo amor e não apenas pelo conhecimento. Nem todos na comunidade têm o mesmo conhecimento e a mesma consciência que temos. Aquilo que pode ser certo para você, pode ser errado para o seu irmão. O que para você não é tropeço, para o seu irmão pode ser causa de escândalo. O que não escandaliza você pode escandalizar o seu irmão. O que é normal aos seus olhos pode ser extremamente chocante para o seu irmão. A ética cristã é regida não só pelo conhecimento que você tem, mas pelo amor que você nutre pelo seu irmão. Se a sua atitude provoca e escandaliza a seu irmão, você está pecando contra ele, golpeando-lhe a consciência fraca.

---

[1]MORRIS, Leon. *1Coríntios: Introdução e comentário*, 1983, p. 100.

O princípio de Paulo é que o amor deve reger a nossa liberdade cristã: *E, por isso, se comida serve de escândalo a meu irmão, nunca mais comerei carne, para que não venha a escandalizá-lo* (8.13). É preciso abrir mão de um direito seu, porque a vida do seu irmão é mais importante que o seu direito. Isso é ética cristã! O amor deve nos reger. O princípio que Paulo está ensinando é que o amor ao seu irmão deve reger a sua liberdade cristã. Para as pessoas *fracas*, a carne sacrificada aos ídolos era contaminada. Comê-la, portanto, era pecado: *Entretanto, não há esse conhecimento em todos; porque alguns, por efeito da familiaridade até agora com o ídolo, ainda comem dessas coisas como a ele sacrificadas* (8.7).

Paulo conclui identificando-se com o grupo *forte*. Contudo, ele está disposto a abrir mão do privilégio de comer carne para não escandalizar os irmãos *fracos*. O crente maduro não é regido pelos seus direitos, mas pelo amor.

Paulo mostra que o problema do grupo *forte* era o conhecimento sem amor. Quero abordar três coisas a esse respeito:

O perigo do falso conhecimento. Existe um grande perigo na vida cristã de se desenvolver uma espiritualidade apenas do conhecimento. Tem muita gente que pensa que um crente maduro é aquele que conhece a Bíblia e estuda teologia. Então, se a pessoa conhece bem a Bíblia e estuda profundamente teologia, se ela conhece bem as correntes teológicas, e domina as leis da hermenêutica sagrada, ela se julga madura na fé. É claro que o conhecimento é fundamental. Não há maturidade cristã sem conhecimento. Porém, é possível uma pessoa ter conhecimento e não ser madura.

A Bíblia sempre faz esse balanceamento entre conhecimento e amor, entre conhecimento e experiência. Paulo alerta para o perigo de um conhecimento separado do amor. O conhecimento não pode ser separado da experiência (2Pe 3.18; Mt 22.39; Jo 1.14; 1Co 14.5). Há pessoas que sabem muito, mas não amam, conhecem muito, mas não vivem. Têm interesse apenas pelo conhecimento teórico, mas têm um coração vazio de Deus. Essas pessoas podem conhecer a respeito de Deus, mas não conhecem a Deus.

Os sinais e as indicações do falso conhecimento. O apóstolo adverte: *O saber ensoberbece...* (8.1). O problema é que o conhecimento sem amor incha as pessoas de vaidade. Esse é o grande perigo de uma pessoa pensar que sabe demais e é dona da verdade. Ela começa a arrotar o seu intelectualismo teológico e a olhar os outros de cima para baixo. Ela despreza as pessoas por causa do conhecimento que tem. Essas pessoas se tornam arrogantes e sectaristas, pois imaginam que aqueles que pensam diferente delas não são espirituais como elas. Paulo diz que esse tipo de saber ensoberbece.

A palavra grega que Paulo usa para ensoberbecimento é um balão. Um balão está cheio de vento, de ar, mas se você espetá-lo com um alfinete, ele esvazia. Um balão só tem ar, mas nenhum conteúdo. O verdadeiro conhecimento não é arrogante. Quem sabe não toca trombetas. Quem sabe não tenta ser fiscal da vida alheia. O verdadeiro conhecimento produz humildade e não arrogância. Lata vazia é que faz barulho. Só restolho fica empinado, as espigas cheias se dobram. O que Paulo está dizendo é que onde há presunção e patrulhamento alheio o saber é balofo com um balão cheio de ar, mas não traz nenhuma edificação para as pessoas.

A soberba intelectual engana. *Se alguém julga saber alguma coisa, com efeito, não aprendeu ainda como convém saber* (8.2). Paulo diz que se você acha que sabe muito, você ainda não sabe nada. Você não deve ficar soberbo por aquilo que sabe, mas muito humilde por aquilo que ainda não sabe. O que você sabe é apenas um grão diante daquilo que ainda não sabe. Você está apenas arranhando a superfície do conhecimento. Por isso, o sábio não toca trombeta. Ele sabe que não sabe. A orientação de Paulo é: Não se ensoberbeça! O conhecimento precisa andar de mãos dadas com a humildade, pois quanto mais sabemos, tanto mais sabemos que não sabemos. Leon Morris citando W. Kay diz: "O conhecimento orgulha-se de ter aprendido tanto. A sabedoria humilha-se por não saber mais".[2]

A soberba intelectual nos afasta do íntimo conhecimento de Deus. *Mas, se alguém ama a Deus, esse é conhecido por Ele* (8.3). Ninguém pode chegar diante do Deus Altíssimo com soberba. Quem pode se jactar diante de Deus? O ponto nevrálgico levantado por Paulo não é só a

---

[2] MORRIS, Leon. *1Coríntios: Introdução e comentário*, 1983, p. 100.

questão de conhecer a Deus, mas de ser conhecido por Deus. Se você conhece e só conhece e não ama, isso é balão de vento. Mas se você amar, você é conhecido por Deus. Pode alguém se orgulhar de conhecer muito o Altíssimo, o insondável, o profundo? Quem pode jactar-se diante do Todo-Poderoso? Se uma pessoa de fato conhece a Deus, se renderá aos Seus pés em admiração e louvor e amará os seus irmãos.

As vantagens do conhecimento regido pelo amor (8.1). Paulo chama a atenção acerca das vantagens do conhecimento regido pelo amor: [...] *o amor edifica...* (8.1). Ao mesmo tempo em que Paulo diz que o conhecimento ensoberbece, diz que o amor edifica, constrói, e eleva. O amor edifica aos outros e a si mesmo. Paulo diz que quando o conhecimento é regido pelo amor somos levados a amar a Deus e ao nosso próximo. Quando somos regidos pelo amor, pensamos não em nós mesmos, mas nos irmãos. Vivemos, então, não para nós mesmos, mas para o Senhor e para o próximo.

O problema da consciência cristã
Aplicações práticas (8.7-13)

Paulo trata agora de um sério problema da vida cristã, o problema da consciência. O que é a nossa consciência? A nossa consciência é um tribunal que o próprio Deus instalou dentro de nós. Pela consciência temos uma noção do que é certo e errado.

Emmanuel Kant, filósofo alemão, dizia que duas coisas o encantavam: o céu estrelado acima dele e a lei moral dentro dele. Deus colocou essa lei moral dentro de nós. Esse tribunal da consciência nos defende e nos acusa (Rm 2.14,15). Quando você faz uma coisa errada acende-se uma luz vermelha dentro de você. Uma sirene toca e o alarme dispara. É a consciência que o próprio Deus colocou em você trabalhando.

A consciência é o tribunal interno onde as nossas ações são julgadas, aprovadas ou condenadas (Rm 2.14,15). A consciência não é a lei; ela produz um testemunho diante da lei de Deus. A consciência depende do conhecimento. Quanto mais conhecemos a Deus e Sua Palavra, tanto mais forte é a nossa consciência, lembra Warren Wiersbe.[3]

---

[3] WIERSBE, Warren W. *Comentário bíblico expositivo*. Vol. 5, 2006, p. 778.

O puritano Richard Sibbes imagina a consciência como um tribunal no conselho do coração humano. Na sua imaginação, a consciência assume o papel de cada integrante do drama do tribunal. É o arquivista grava com detalhes exatos tudo o que foi feito (Jr 17.1). É o acusador que apresenta uma denúncia contra o culpado, e o defensor que apoia o inocente (Rm 2.15). Ela também atua como uma testemunha contra ou a favor (2Co 2.12). É o juiz, que condena ou absolve (1Jo 3.20,21). É o carrasco que castiga o culpado com tristeza quando a culpa é descoberta (1Sm 24.5).[4]

Paulo diz que alguns crentes de Corinto tinham um problema de consciência fraca. John MacArthur Jr. corretamente afirma que consciência fraca é hipersensível e exageradamente ativa quanto às questões que não são pecado. Essa consciência é chamada de fraca nas Escrituras porque ela se ressente mui facilmente. Uma consciência fraca tende a se afligir por coisas que não trariam culpa para cristãos maduros que conhecem a verdade de Deus.

Uma consciência fraca é o resultado de uma fé imatura ou frágil.[5] Ele usa três vezes a questão da consciência fraca. Veja o que Paulo diz: *Entretanto, não há esse conhecimento em todos; porque alguns, por efeito da familiaridade até agora com o ídolo, ainda comem dessas coisas como a ele sacrificadas; e a consciência destes, por ser fraca, vem a contaminar-se* (8.7). Paulo ainda diz: *Porque, se alguém te vir a ti, que és dotado de saber, à mesa, em templo de ídolo, não será a consciência do que é fraco induzida a participar de comidas sacrificadas a ídolos?* (8.10).

Paulo conclui: *E deste modo, pecando contra os irmãos, golpeando-lhes a consciência fraca, é contra Cristo que pecais* (8.12). Por que esses irmãos tinham consciência fraca? Talvez por serem ainda neófitos na fé, ou seja, novos convertidos. Não tinham ainda o doutrinamento necessário para saber que o ídolo era nada. Talvez eram ainda bebês ou imaturos espiritualmente por não usar os recursos da graça de Deus. Paulo já havia

---

[4]SIBBES, Richard. *Commentary on 2Corinthians*. Edimburgo: Banner of Truth Trust, 1981, p. 210, 211.
[5]MACARTHUR JR., John. *Sociedade sem pecado*. São Paulo, SP: Editora Cultura Cristã, 2002, p. 41.

identificado e denunciado esse problema (3.1-3). Os crentes ainda estavam tomando leite, vivendo nos rudimentos da fé, quando deveriam ter amadurecido para comer carne e alimento sólido. Eles tinham tempo de vida cristã, mas não tinham maturidade cristã. É possível isso acontecer. É possível ter dentro da igreja uma pessoa com vários anos de convertida e ainda ser um bebê espiritualmente. É possível que haja na igreja um crente que tenha frequentado milhares de aulas da escola bíblica dominical e ouvido milhares de sermões, mas ainda seja um bebê na fé. Há pessoas que passam a vida inteira na igreja e nunca deixam de ser crianças precisando de leite. Nunca crescem, nunca amadurecem. Estão sempre nos primeiros rudimentos da fé. Por isso sempre vão ter uma consciência fraca. Qualquer coisinha as escandaliza.

Paulo diz que alguns cristãos têm consciência fraca (8.7,10,12) porque são novos na fé, ou porque não cresceram espiritualmente (3.1-4), ou porque têm medo da liberdade. A consciência de um cristão fraco é facilmente contaminada (8.7), golpeada (8.12) e escandalizada (8.12,13). Por isso, Paulo chama a atenção não para o crente fraco, mas para o crente forte. O crente forte precisa ter cuidado com suas atitudes para não escandalizar os crentes fracos (8.9).

O crente maduro que tem conhecimento, e é regido pelo amor, precisa ajudar o crente fraco. É o crente maduro que tem de cuidar do crente fraco para ele não naufragar. Assim, Paulo diz que nenhum cristão tem liberdade de assegurar os seus direitos se isso significar dano às outras pessoas.

Paulo, agora, mostra o que pode e o que não pode na liberdade cristã. Ele cria as três circunstâncias já mencionadas, fazendo as devidas aplicações práticas.

Quando comer e quando não comer? O crente pode comer carne sacrificada ao ídolo no templo do ídolo? Paulo diz que não. Comer carne sacrificada ao ídolo não é o problema. Você não tem a obrigação de fazer uma investigação da procedência de tudo aquilo que compra no supermercado. É uma tolice o crente ficar perturbado com isso. Isso é consciência fraca. Isso é imaturidade espiritual. Porém, Paulo diz o seguinte: "Olha meus irmãos, o fato de vocês irem a um templo pagão, diante de um ídolo pagão, numa festa pagã e comer carne sabidamente sacrificada ao ídolo é ir longe demais. Abstenham-se disso". Comer carne no templo do ídolo é ir longe demais. Esse é um uso abusivo da liberdade cristã.

Contudo, por que você deve se abster? Paulo diz que o ídolo é nada neste mundo (8.4). Porém, também, afirma:

> *Que digo, pois? Que o sacrificado ao ídolo é alguma coisa? Ou que o próprio ídolo tem algum valor? Antes, digo que as coisas que eles sacrificam, é a demônios que as sacrificam e não a Deus; e eu não quero que vos torneis associados aos demônios. Não podeis beber o cálice do Senhor e o cálice dos demônios; não podeis ser participantes da mesa do Senhor e da mesa dos demônios. Ou provocaremos zelos no Senhor? Somos, acaso, mais fortes do que ele?" (10.19-22).*

Paulo diz que, embora o ídolo não seja nada, uma vez que não tem vida em si mesmo e é feito de barro, gesso, pedra, ouro, madeira, o que está por trás desse ídolo são demônios. Embora o ídolo seja material, o que está por trás dele é espiritual.

Comer carne, um ato amoral, se torna imoral quando é feito num templo de ídolo. Dependendo da situação, o mesmo ato pode ter conotações diferentes. Comer carne é amoral, mas comer carne consagrada ao ídolo, no templo do ídolo, se torna imoral. Se o cristão participa de uma festa na presença do ídolo, mesmo sabendo que o ídolo é nada no mundo, ele atravessou a linha que separa uma ação amoral (comer carne) de um pecado (idolatria). Embora, o ídolo seja nada, mas quem está atrás dele são demônios (10.19-22).

O envolvimento com idolatria é um envolvimento com demônios (Dt 32.15-17). Por isso, comer carne sacrificada aos ídolos, uma coisa amoral para Paulo, se torna imoral no templo pagão. Esse princípio vale para os fracos e para os fortes!

Imaginemos que um crente em Corinto fosse convidado à casa de um incrédulo para uma festa. Paulo diz que o crente pode ir à festa na casa de um amigo pagão. Jesus entrou na casa de publicanos e pecadores e isso escandalizou os fariseus. Jesus até bebeu vinho e os críticos de plantão o chamavam de beberrão. Os mais radicais e legalistas chegaram a pensar que Jesus blasfemava e até estava endemoninhado.

Paulo diz que nós não devemos cortar os nossos vínculos com as pessoas não cristãs. Temos de ter amigos fora da igreja também. Como vamos influenciar as pessoas se não nos relacionarmos com elas? Como vamos evangelizá-las se não encontrarmos com elas? Precisamos ser luz para aqueles que ainda não conhecem a luz.

Não podemos ser sal apenas dentro do saleiro. Por isso, Paulo diz que os crentes podiam ir às festas dos amigos não crentes e comer de tudo que fosse colocado na mesa, sem ficar fazendo interrogatório acerca da procedência da carne. Porém, se o anfitrião o informasse que aquela carne foi sacrificada aos ídolos, o crente deveria se abster de comer para não ser conivente com a idolatria.

Comer carne era amoral, mas a partir do momento que o crente tomava conhecimento que a carne estava consagrada ao ídolo, o que era amoral se tornava imoral. Lembra-se de Daniel na Babilônia? Ele não era vegetariano, mas resolveu firmemente no seu coração não se contaminar com as iguarias da mesa do rei (Dn 1.8). Por que ele não quis comer as iguarias da mesa do rei? Porque essas iguarias eram oferecidas aos ídolos. Então, esta deve ser a postura do cristão: se eu sei, eu não como.

Quando comprar e quando não comprar? Outra circunstância que exigia cautela era ir ao mercado. Parte da carne sacrificada no templo vinha para os açougues. Talvez a melhor carne, pelo preço mais barato. Paulo orienta: *Comei de tudo o que se vende no mercado, sem nada perguntardes por motivo de consciência* (10.25). O crente pode ir ao mercado, comprar a carne e comê-la? Paulo responde: Sim, não e talvez! Comer de tudo que vende no mercado? Sim. No templo do ídolo? Não. Na casa do amigo? Sim ou não. Depende da informação que você tiver. Se for à casa do amigo, não pergunte a procedência da carne (10.27). Se souber que é sacrificada aos ídolos, não coma (10.28).

No mercado público havia carne sacrificada a ídolos nos ganchos do açougue e carne não sacrificada (10.25). A aparência da carne era a mesma. Cristãos fracos diziam que não se devia comprar carne de espécie alguma porque sempre havia a possibilidade de comprar carne sacrificada. Para Paulo, eles estavam levando seus escrúpulos longe demais (10.25). Estando no mercado, o simbolismo religioso da carne não tinha mais importância. A teologia de Paulo não estava neurotizada pelo demonismo. Paulo não via demônios em tudo. Carne no mercado é amoral e os fracos tinham de parar de dizer que era imoral.

Quando comer e quando não comer: O caso que Paulo trata agora é dentro do contexto de um crente sendo convidado para comer carne na casa de um amigo pagão. Essa era a situação mais complexa. Uma coisa amoral pode se tornar imoral dependendo da situação. Você pode comer de tudo que se coloca na mesa. Jesus disse que não é o que entra pela boca que contamina o homem, mas o que sai do seu coração (Mc 7.18-23). Agora se você sabe a procedência do que lhe é oferecido, se lhe é passado o que foi feito com aquela comida, então, já deixou de ser amoral para ser imoral.

Ir ao cinema é amoral. Agora, ir ao cinema para ver um filme pornográfico é imoral. Beber vinho é amoral, mas, fazê-lo num bar pode escandalizar muita gente. A pessoa que passa na rua não sabe se você está bebendo um copo, uma garrafa ou um barril. E a ética cristã é essa: cuidado! *Vede, porém, que esta vossa liberdade não venha, de algum modo, a ser tropeço para os fracos* (8.9). Você tem de reger a sua consciência não apenas pelo seu conhecimento, mas também, e, sobretudo, pelo amor. É preciso discernimento. O amor cristão tem preferência sobre o conhecimento cristão.

Os argumentos usados por Paulo (8.9-13) sobre a liberdade cristã nos ensinam alguns princípios práticos:

- A liberdade cristã, se não for dirigida pelo conhecimento e pelo amor pode se tornar pedra de tropeço para o cristão fraco (8.10).
- Devemos sempre olhar para cada cristão como um irmão pelo qual Cristo morreu (8.11). Esse irmão é muito valoroso para Deus, pois Cristo morreu por ele.
- Quando pecamos contra um irmão, ferindo a sua consciência fraca, estamos na realidade pecando contra Cristo (8.12). É fácil ignorar a presença real de Jesus em nosso irmão. Quando você peca contra seu irmão, também está pecando contra Cristo. Quando Paulo perseguiu a Igreja, Jesus perguntou-lhe: *Saulo, Saulo, por que me persegues?*

(At 9.4). Quando você fere um membro da igreja, você está atingindo também o cabeça da Igreja, que é Cristo.
* Fazer "coisas duvidosas" apenas por exibicionismo nunca é uma demonstração da verdadeira liberdade cristã (8.13). Se comer carne vai escandalizar meu irmão, nunca mais eu vou comer carne. Se beber vinho vai escandalizar meu irmão, eu nunca mais vou beber vinho. Esse é o princípio que Paulo está ensinando (Rm 15.1,2).

Concluindo, Paulo nos oferece a lei áurea para nos conduzir com segurança pelos caminhos da liberdade cristã: *Portanto, quer comais, quer bebais ou façais outra coisa qualquer, fazei tudo para a glória de Deus* (10.31). Esse é o princípio máximo da liberdade cristã. Para qualquer coisa que você for fazer, pare para pensar: É por que eu gosto? É por que me faz bem? É por que me dá prazer? É por que é meu *hobby*? A pergunta mais adequada deveria ser: É para a glória de Deus?

9

A liberdade da graça

1 Coríntios 9.1-27

JÁ EXAMINAMOS O CAPÍTULO 8 que fala sobre a liberdade cristã. Vimos que a liberdade do cristão não é regida por seus direitos, mas pelo amor ao próximo.

No capítulo 9, Paulo apresenta o seu exemplo, trazendo à baila a questão do suporte financeiro dos obreiros. Em princípio parece que ele está interrompendo o tema que começou no capítulo 8, sobre comida sacrificada aos ídolos. Contudo, longe desse capítulo ser uma interrupção do tema tratado no capítulo anterior, é uma ilustração pessoal dele.[1] No capítulo 9, Paulo ilustra o que pregou no capítulo 8, dando o seu exemplo, elucidando o que é a liberdade da graça. Apresentando o seu testemunho, Paulo mostrou à igreja que praticava aquilo que pregava.

O capítulo 9 lida com o ensino de Paulo sobre o suporte financeiro dos obreiros. Aqui, Paulo dá um exemplo positivo, enquanto no capítulo 10 aponta um exemplo negativo. Israel usou mal a sua liberdade.

Paulo ensinou sobre o seu direito de receber o sustento financeiro da igreja. O sustento financeiro era direito seu e responsabilidade da igreja. Embora seja princípio claro das Escrituras que o trabalhador é

---
[1] WIERSBE, Warren W. *Comentário bíblico expositivo*. Vol. 5, 2006, p. 783.

digno do seu salário, Paulo abriu mão desse direito, por um propósito mais elevado. Dessa maneira, ele ilustra como se trabalha com a liberdade cristã. Receber salário da igreja era um direito seu, mas ele abriu mão desse direito.

Paulo apresenta dois argumentos em defesa da sua política sobre o sustento financeiro daqueles que trabalham na obra de Deus: o direito de receber sustento da igreja (9.1-14) e o direito de recusar esse mesmo sustento (9.15-27).[2]

Paulo defendeu o seu direito de **receber suporte financeiro** da igreja (9.1-14)

Paulo defendeu o direito do obreiro de ser sustentado pela igreja e o direito de recusar o suporte financeiro. Primeiro ele construiu a base para dizer que é direito seu, que é legal e bíblico receber o salário da igreja. Depois, ele usou outro argumento, a liberdade e o direito que tem de abrir mão do seu sustento por uma causa maior.

Warren Wiersbe diz que nos versículos 1-14 Paulo evidencia cinco argumentos para provar seu direito de receber o sustento financeiro da igreja de Corinto: seu apostolado (9.1-6), sua experiência (9.7), a lei do Antigo Testamento (9.8-12), a prática do Antigo Testamento (9.13) e o ensino de Jesus (9.14).[3] Vejamo-los:

Em primeiro lugar, *seu apostolado* (9.1-6). O primeiro argumento que ele usou para defender o direito de receber o sustento financeiro foi o seu apostolado. O que estava acontecendo é que alguns crentes da igreja de Corinto questionavam a autenticidade do apostolado de Paulo. Alguns o consideravam um impostor. Paulo, então, defende seu apostolado mostrando que ele era autêntico e não espúrio. Paulo começa levantando a seguinte questão: qual é a prova de um verdadeiro apóstolo? Para ser um apóstolo, uma pessoa precisava possuir duas credenciais: Ter visto a Jesus (1Co 9.1; At 1.21,22) e realizar sinais (2Co 9.1,2; 12.12). Um apóstolo era uma testemunha da ressurreição de Cristo (At 2.32; 3.15; 5.32; 10.39-43).

---

[2] WIERSBE, Warren W. *Comentário bíblico expositivo*. Vol. 5, 2006, p. 783-788.
[3] WIERSBE, Warren W. *Comentário bíblico expositivo*. Vol. 5, 2006, p. 783,784.

Paulo tinha essas duas credenciais (1Co 15.8; 2Co 12.12). Ele viu o Jesus ressurreto na estrada de Damasco. Ele mesmo afirma à igreja de Corinto: [...] *e, afinal, depois de todos, foi visto também por mim, como por um nascido fora de tempo* (1Co 15.8). Sim, ele viu Jesus no caminho de Damasco, o Cristo ressurreto. Paulo era uma testemunha da ressurreição de Cristo.

Qual era a segunda credencial de um apóstolo? Um ministério recebido de Cristo e confirmado por sinais. O ensino de Paulo foi recebido de Cristo? Foi. Ele testemunha esse fato com clareza (Gl 1.11,12). E sobre os sinais? Paulo poderia cumprir esse requisito de um verdadeiro apóstolo? Sim! Veja o seu testemunho: *Pois as credenciais do apostolado foram apresentadas no meio de vós, com toda a persistência, por sinais, prodígios e poderes miraculosos* (2Co 12.12). Paulo tinha todas as credenciais de um verdadeiro apóstolo. Ele era um apóstolo genuíno.

Paulo ainda argumenta que qualquer pessoa poderia questionar a genuinidade do seu apostolado, menos os membros da igreja de Corinto. Isso, porque a conversão deles era uma prova da eficácia do seu ministério e o selo do seu apostolado (9.1,2). Aqueles que estavam questionando a legitimidade do seu apostolado não deveriam questionar. Por quê? Por duas razões:

1. O primeiro argumento de Paulo é colocado por meio de uma afirmativa: *Se não sou apóstolo para outrem, certamente, o sou para vós outros; porque vós sois o selo do meu apostolado no Senhor* (9.2). Ou seja, aquela igreja era filha do apóstolo Paulo. Ele gerou aqueles irmãos em Cristo Jesus. Paulo diz: [...] *ainda que tivésseis milhares de preceptores em Cristo, não teríeis, contudo, muitos pais; pois eu, pelo evangelho, vos gerei em Cristo Jesus* (4.15).
2. O segundo argumento de Paulo é outra afirmativa enfática: [...] *vós sois o selo do meu apostolado no Senhor* (9.2). E o que é um selo? Alguma coisa que dá ao outro o direito de posse. Quando se marcava alguma coisa ou objeto com o selo, ninguém poderia violar aquele objeto; era propriedade exclusiva e inalienável do dono. A igreja de Corinto tinha provas de sobejo da legitimidade do apostolado de Paulo.

Paulo menciona dois direitos essenciais de um apóstolo (9.4-6):

1. Primeiro, o direito de casar-se e levar consigo uma esposa; de ser acompanhado de uma mulher irmã no ministério itinerante, como fizeram os demais apóstolos, os irmãos do Senhor e Cefas (9.5).
2. O segundo direito que ele tinha como apóstolo era o direito de não ter de trabalhar secularmente enquanto estivesse trabalhando na obra do ministério. Atentemos para o seu argumento: *A minha defesa perante os que me interpelam é esta: não temos nós o direito de comer e beber? [...] Ou somente eu e Barnabé não temos direito de deixar de trabalhar?* (9.3,4,6). Assim, um apóstolo tinha dois direitos: O direito de casar-se e o direito de ser sustentado pela igreja. Paulo, porém, abriu mão desses dois direitos. Ele não se casou nem foi sustentado pela igreja de Corinto, antes trabalhou com as próprias mãos para o seu sustento pessoal. Mas Paulo deixou claro o seu direito: *Se outros participam desse direito sobre vós, não o temos nós em maior medida? Entretanto, não usamos desse direito; antes, suportamos tudo, para não criarmos qualquer obstáculo ao evangelho de Cristo* (9.12).

Havia obreiros que estavam sendo sustentados pela igreja de Corinto, enquanto Paulo precisou trabalhar para o próprio sustento. Paulo não brigava por salário. Ele escreveu: [...] *eu, porém, não me tenho servido de nenhuma destas coisas e não escrevo isto para que assim se faça comigo...* (9.15). Em outras palavras, Paulo está dizendo: *Eu não usei o direito de ser sustentado nem estou escrevendo esta carta para que vocês me sustentem*. Para arrematar o seu argumento, Paulo usa uma expressão extremamente forte: [...] *porque melhor me fora morrer, antes que alguém me anule esta glória* (9.15b). Paulo não só trabalhou para seu sustento em Corinto, mas também em Tessalônica (1Ts 2.9): *Porque, vos recordais, irmãos, do nosso labor e fadiga; e de como, noite e dia labutando para não vivermos à custa de nenhum de vós, vos proclamamos o evangelho de Deus* (1Ts 2.9). Era direito seu ser sustentado pelas igrejas, mas, Paulo trabalhou também em Éfeso enquanto pastoreou aquela igreja três anos. Vejamos seu testemunho: *De ninguém*

A LIBERDADE DA GRAÇA

cobicei prata, nem ouro, nem vestes; vós mesmos sabeis que estas mãos serviram para o que me era necessário a mim e aos que estavam comigo (At 20.33,34).

Direitos, direitos, direitos! Paulo tinha muitos direitos, mas não reclamava esses direitos. Paulo renunciou voluntariamente aos direitos que tinha de ser sustentado pela igreja por uma causa maior. Que causa maior era essa? Essa causa está muito claramente delineada nos versículos 12, 19 e 22. Ele argumenta: *Se outros participam desse direito sobre vós, não o temos nós em maior medida? Entretanto, não usamos desse direito, antes suportamos tudo para não criarmos qualquer obstáculo ao evangelho de Cristo* (9.12).

A palavra "obstáculo" é uma fenda no solo, um obstáculo no caminho. Paulo não quer criar impedimento para o avanço do evangelho. Em seguida ele afirma: *Porque, sendo livre de todos, fiz-me escravo de todos, a fim de ganhar o maior número possível* (9.19). Seus objetivos eram claros: não criar obstáculo para o evangelho e ganhar o maior número possível de pessoas para Cristo. Paulo conclui seu argumento dizendo: *Fiz-me fraco para com os fracos, com o fim de ganhar os fracos. Fiz-me tudo para com todos, com o fim de, por todos os modos, salvar alguns* (9.22). O propósito dele em abrir mão dos seus direitos, inclusive o direito de ser sustentado pela igreja era a salvação dos perdidos.

Em segundo lugar, **a experiência humana** (9.7). O segundo argumento que Paulo usa é o seguinte: *Quem jamais vai à guerra à sua própria custa? Quem planta uma vinha e não come do seu fruto? Ou quem apascenta um rebanho e não se alimenta do leite do rebanho?* (9.7).

Paulo utiliza três metáforas comuns para descrever um ministro cristão. O ministro é um soldado, um agricultor e um pastor. E ele diz o seguinte: Que soldado vai à guerra às próprias custas? Qual é o agricultor que colhe o fruto da lavoura e não tem o direito de comer desse fruto? Qual é o pastor que cuida do rebanho e não se alimenta do leite do rebanho?

Paulo usa a linguagem da experiência humana nessas três figuras para dizer que ele tinha o direito de receber o sustento da igreja. Ele utiliza também três figuras para a igreja. A igreja é como um exército, um campo e um rebanho. A lição era clara: o ministro cristão tem o direito de esperar os benefícios do seu labor. Se isso é verdade no âmbito secular, quanto mais no âmbito espiritual!

Em terceiro lugar, **a lei do Antigo Testamento** (9.8-12). O terceiro argumento que Paulo usa para reafirmar o direito de receber sustento da igreja é a lei do Antigo Testamento. Atentemos mais uma vez ao que o apóstolo escreve:

> *Porventura, falo isto como homem ou não o diz também a lei? Porque na lei de Moisés está escrito: Não atarás a boca ao boi, quando pisa o trigo. Acaso, é com bois que Deus se preocupa? Ou é, seguramente, por nós que ele o diz? Certo que é por nós que está escrito; pois o que lavra cumpre fazê-lo com esperança; o que pisa o trigo faça-o na esperança de receber a parte que lhe é devida. Se nós vos semeamos as coisas espirituais, será muito recolhermos de vós bens materiais? Se outros participam desse direito sobre vós, não o temos nós em maior medida?* (9.8-12).

Era muito comum usar o boi para debulhar o trigo. E Deus proveu meios na Sua Palavra para cuidar até dos animais. Se o animal deve comer depois de trabalhar, quanto mais os seus obreiros! Como Deus é maravilhoso! Até dos animais Ele tem cuidado. Deus impediu que se atasse a boca do boi na hora que estava trabalhando. Paulo pega esse princípio e aplica-o ao sustento pastoral. Paulo diz: Será que é com bois que Deus está preocupado?

O princípio está na Palavra não por causa de bois, mas por causa de seus servos. Paulo está dizendo que o obreiro que trabalha na obra de Deus tem o direito de estar sendo sustentado pela obra. Corroborando com esse argumento, Paulo ainda escreve: *Devem ser considerados merecedores de dobrados honorários os presbíteros que presidem bem, com especialidade os que se afadigam na palavra e no ensino. Pois a Escritura declara: Não amordaces o boi, quando pisa o grão. E ainda: O trabalhador é digno do seu salário* (1Tm 5.17,18). A lógica do apóstolo é a seguinte: *Se nós vos semeamos as coisas espirituais, será muito recolhermos de vós bens materiais?* (9.11).

Isso pode ser ilustrado com a experiência do povo judeu. Assim como os judeus semearam bênçãos espirituais na vida dos gentios, os gentios, agora, deveriam retribuir aos judeus as bênçãos materiais. Observe mais uma vez as palavras do apóstolo Paulo: *Porque aprouve à Macedônia e a Acaia levantar uma coleta em benefício dos pobres dentre os santos que vivem em Jerusalém. Isto lhes pareceu bem, e mesmo lhes são devedores; porque, se os gentios têm sido participantes dos valores espirituais dos judeus, devem também servi-los com bens materiais* (Rm 15.26,27). Esse é o princípio que Paulo está trabalhando e ele o repete na carta aos Gálatas: *Mas aquele que está sendo instruído na palavra faça participante de todas as coisas boas aquele que o instrui* (Gl 6.6).

Paulo recebeu suporte financeiro de outras igrejas para poder servir à igreja de Corinto (Fp 4.15,16; 2Co 11.8,9; 12.11-13). Na própria igreja de Corinto, outros obreiros receberam suporte financeiro (9.12), mas Paulo abriu mão desse direito para não criar obstáculo ao evangelho (9.12; 2Ts 3.6-9).

A linguagem que Paulo usou para os crentes de Corinto foi forte: *Despojei outras igrejas, recebendo salário, para vos poder servir, e, estando entre vós, ao passar privações, não me fiz pesado a ninguém; pois os irmãos, quando vieram da Macedônia, supriram o que me faltava; e, em tudo, me guardei e me guardarei de vos ser pesado* (2Co 11.8,9). Paulo chegou a passar privações enquanto pastoreou a igreja de Corinto, mas mesmo nessas circunstâncias adversas, ele não exigiu os seus direitos. A igreja de Corinto não foi inocentada pela sua omissão, Paulo deixou isso bem claro:

> *Tenho-me tornado insensato; a isto me constrangestes. Eu devia ter sido louvado por vós; porquanto em nada fui inferior a esses tais apóstolos, ainda que nada sou. Pois as credenciais do apostolado foram apresentadas no meio de vós, com toda a persistência, por sinais, prodígios e poderes miraculosos. Porque, em que tendes vós sido inferiores às demais igrejas, senão neste fato de não vos ter sido pesado? Perdoai-me esta injustiça* (2Co 12.11-13).

Em quarto lugar, **a prática do Antigo Testamento** (9.13). Paulo cita outro exemplo para legitimar o seu direito de receber sustento da igreja. O argumento agora está fundamentado na prática do Antigo Testamento. *Não sabeis vós que os que prestam serviços sagrados do próprio templo se alimentam? E quem serve ao altar do altar tira o seu sustento?* (9.13).

Se você ler atentamente o capítulo 9 de 1Coríntios perceberá que quase todo ele está em forma de perguntas. Eu imagino Paulo como um orador no tribunal, defendendo a sua causa. Ele está fazendo perguntas retóricas. Ele recorda o sacerdote e o levita no Antigo Testamento que cuidavam do templo, do ministério, e do altar. Quando alguém trazia a oferta, o dízimo e o sacrifício, o levita e o sacerdote recebiam para o seu sustento as primícias de tudo aquilo que era trazido à casa de Deus.

Os sacerdotes e os levitas recebiam o sustento financeiro dos sacrifícios e ofertas que eram trazidos ao templo. A regulamentação que governava a parte deles nas ofertas e nos dízimos está em Números 18.8-32; Levítico 6.14-7.36; Levítico 27.6-33. A aplicação feita pelo apóstolo Paulo é clara: Se os ministros do Antigo Testamento, que estavam sob a lei, recebiam sustento financeiro do povo a quem eles ministravam, não deveriam os ministros de Deus, no Novo Testamento, sob a graça, receberem também suporte financeiro?

Em quinto lugar, *o ensino de Jesus* (9.14). O último argumento que Paulo usa é provavelmente o mais forte, pois se trata de uma palavra do próprio Senhor Jesus: *Assim ordenou também o Senhor aos que pregam o evangelho, que vivam do evangelho* (9.14). Talvez Paulo esteja citando o que Jesus mencionou em Mateus 10.10 e Lucas 10.7 – [...] *digno é o trabalhador do seu salário*. Paulo diz que esse é um princípio fundamental que a igreja não pode negligenciar. Essa não é uma ordem qualquer, mas um mandamento direto do Senhor Jesus. Aquele que trabalha no ministério deve viver do ministério. A ordem é revestida da mais alta autoridade, visto que veio de Cristo. Dessa maneira, Paulo fecha o seu argumento dizendo que receber sustento da igreja era um direito legítimo e bíblico que lhe pertencia como apóstolo.

Ele defendeu seu direito de **recusar o suporte financeiro** da igreja (9.15-27)

Paulo tinha o direito de receber suporte financeiro da igreja, mas sendo um cristão maduro, desistiu de seus direitos. Quais foram os motivos levantados por Paulo que o levaram a abrir mão dos seus direitos?

Warren Wiersbe nomeia três motivos: amor ao evangelho (9.15-18), amor aos pecadores (9.19-23) e amor a si mesmo (9.24-27).[4]

Em primeiro lugar, *ele recusou o suporte financeiro da igreja por amor ao evangelho* (9.15-18). O apóstolo Paulo constrói seu argumento com as seguintes palavras:

> [...] *eu, porém, não me tenho servido de nenhuma destas coisas e não escrevo isto para que assim se faça comigo; porque melhor me fora morrer, antes que alguém me anule esta glória. Se anuncio o evangelho, não tenho de que me gloriar, pois sobre mim pesa essa obrigação; porque ai de mim se não pregar o evangelho! Se o faço de livre vontade, tenho galardão; mas, se constrangido, é, então, a responsabilidade de despenseiro que me está confiada. Nesse caso, qual é o meu galardão? É que, evangelizando, proponha, de graça, o evangelho, para não me valer do direito que ele me dá* (9.15-18).

Paulo não deseja ser um obstáculo ao evangelho (9.12). Ele não vê o ministério como uma fonte de lucro nem o evangelho como um produto de mercado. Paulo não era um mercadejador do evangelho (2Co 2.17). Ele não se servia do evangelho, ele servia ao evangelho. Ele não estava no ministério para locupletar-se, mas para gastar-se a favor das almas. Paulo não via a igreja como um balcão de negócio.

A igreja não era para o veterano apóstolo uma empresa familiar. Paulo não era o dono da igreja. Há líderes, atualmente, que fazem da igreja uma empresa particular, onde o evangelho é um produto, o púlpito é um balcão, o templo uma praça de negócios e os crentes consumidores. Há pastores que embolsam todo o dinheiro arrecadado na igreja para fins pessoais e se tornam grandes empreendedores, acumulando fortunas e vivendo no fausto. Há muitos pregadores inescrupulosos que enriquecem em nome do evangelho. Paulo tinha um comportamento diferente. Ele se recusou a aceitar dinheiro daqueles para quem ele ministrava. Ele queria que o evangelho estivesse livre de qualquer obstáculo para avançar.

Paulo não escreve essa carta para pedir suporte financeiro à igreja (9.15). Ele chega a dizer que preferia morrer a ter de fazer isso.

---

[4] WIERSBE, Warren W. *Comentário bíblico expositivo.* Vol. 5, 2006, p. 785-788.

A recompensa de Paulo não era financeira. Sua alegria era pregar o evangelho. Ele diz: [...] *pois sobre mim pesa essa obrigação; porque ai de mim se não pregar o evangelho!* (9.16).

É lamentável que haja hoje tantas igrejas que parecem mais uma empresa financeira do que uma agência do Reino de Deus; que haja tantos pastores com motivações duvidosas no ministério; que haja tantas pessoas enganadas, abastecendo a ganância insaciável de líderes avarentos e inescrupulosos. É triste ver que as indulgências da Idade Média estejam ressurgindo com roupagens novas dentro de algumas igrejas chamadas evangélicas. A salvação está sendo vendida e comercializada. A religião está sendo usada como um instrumento de exploração dos incautos e para o enriquecimento dos inescrupulosos.

Em segundo lugar, *Paulo recusou o suporte financeiro da igreja por amor aos pecadores* (9.19-23). Paulo dá o seu testemunho:

> *Porque, sendo livre de todos, fiz-me escravo de todos, a fim de ganhar o maior número possível* [...]. *Aos sem lei, como se eu mesmo o fosse, não estando sem lei para com Deus, mas debaixo da lei de Cristo, para ganhar os que vivem fora do regime da lei. Fiz-me fraco para com os fracos, com o fim de ganhar os fracos. Fiz-me tudo para com todos, com o fim de, por todos os modos, salvar alguns. Tudo faço por causa do evangelho, com o fim de me tornar cooperador com ele* (9.19,21-23).

Paulo não estava preso por ninguém, mas, voluntariamente ele se fez escravo de todos. Com que propósito? A fim de ganhar o maior número possível. Livre de todos os homens e ainda servo de todos os homens (9.19). Porque Paulo era livre, ele estava capacitado a servir aos outros e renunciar aos próprios direitos por amor a eles.

Muitos críticos julgam equivocadamente a atitude de Paulo, pensando que ele estivesse procedendo igual a um camaleão, mudando suas atitudes e mensagem a cada nova situação. Não é isso o que Paulo está ensinando. Paulo não está falando de vida dupla. O que ele está defendendo é uma maleabilidade, uma flexibilidade, e uma adaptabilidade metodológica para apresentar o evangelho em diversos contextos. William Barclay, corroborando com essa ideia, diz que Paulo não estava adotando uma personalidade hipócrita de duas caras, sendo uma coisa para uns e outra para outros.[5]

Paulo não apoia a ideia de ajustar a mensagem para agradar ao auditório. Paulo era um embaixador e não um político populista. Ele, porém, ensinava que precisamos ser sensíveis à cultura das pessoas a quem pregamos a fim de não criarmos obstáculo ao progresso do evangelho. Há dois perigos quanto à evangelização: o primeiro é mudar a mensagem, o segundo é engessar os métodos.

Paulo variou seus métodos para alcançar os melhores resultados. Quando ele pregava para os judeus, normalmente, começava o seu sermão com os patriarcas, vinculando as boas-novas do evangelho com a história do povo judeu. Porém, quando Paulo pregava aos gentios, ele tinha outra abordagem. Quando ele estava no Areópago, falando para os gregos, ele começou com o Deus da criação. Isso é ser sensível e usar sabedoria. Ele não adulterou o conteúdo do evangelho, mas apresentou-o de forma adequada aos seus ouvintes. O pregador precisa conhecer o texto e o contexto. Precisa conhecer a Palavra e as pessoas para quem prega.

Jesus também adotou um método flexível em Suas abordagens. Para Nicodemos, um doutor da lei, Jesus disse: Você precisa nascer de novo. Para a mulher samaritana, proscrita da sociedade e que se sentia escorraçada, Jesus pede um favor: Dá-me de beber. Para Zaqueu, um publicano odiado, Jesus disse: Eu quero ir à sua casa hoje. Para um paralítico desanimado, Jesus perguntou: Você quer ser curado? Jesus tinha diferentes abordagens para pessoas diferentes. Ele nunca mudou a mensagem, mas sempre variou os métodos.

O grande propósito da flexibilidade metodológica de Paulo era a salvação dos judeus, dos gentios e do maior número de pessoas (9.19-23). Uma abordagem flexível constrói pontes em vez de erguer muros. A sensibilidade cultural abre caminho para a evangelização eficaz.

Em terceiro lugar, *Paulo recusou o suporte financeiro da igreja por amor a si mesmo* (9.24-27). Vejamos suas palavras:

---

[5]BARCLAY, William. *I y II Corintios*, 1973, p. 95.

> *Não sabeis vós que os que correm no estádio, todos, na verdade, correm, mas um só leva o prêmio? Correi de tal maneira que o alcanceis. Todo atleta em tudo se domina; aqueles, para alcançar uma coroa corruptível; nós, porém, a incorruptível. Assim corro também eu, não sem meta; assim luto, não como desferindo golpes no ar. Mas esmurro o meu corpo e o reduzo à escravidão, para que, tendo pregado a outros, não venha eu mesmo a ser desqualificado (9.24-27).*

Por que Paulo usa essa figura? A cidade de Corinto era uma das cidades mais importantes do mundo antigo na área dos esportes. Afora os jogos olímpicos de Atenas, os jogos ístmicos eram os mais importantes do planeta naquela época. Paulo usa, agora, a figura do atleta. Ele se compara a um corredor e a um lutador. Paulo diz que o alvo do atleta é vencer. O ministro é um atleta, cujo alvo é vencer!

Paulo ensina quatro lições práticas.[6]

A vida cristã é um campo de batalha e não uma colônia de férias. É uma luta renhida e sem trégua. Você entra nessa luta como um boxeador, como alguém que vai travar uma batalha de vida ou morte. A palavra "luta", no grego, traz a ideia de agonia. Trata-se de uma luta agônica. Um atleta mal treinado não pode ganhar a corrida nem a luta.

A vitória na luta exige grande disciplina. Um atleta sem disciplina jamais será um vencedor. O que é disciplina? Um atleta, por exemplo, abdica de coisas boas por causa das coisas melhores. De que maneira? Ele tem de cuidar da sua dieta!

Quando alguém chega para um atleta com algumas guloseimas; por amor ao seu propósito de vencer, se dispõe a abrir mão dessas iguarias. Essas coisas podem ser boas, mas interferem no seu alvo maior. Assim, essas coisas se tornam impedimento para o cumprimento de seu alvo. Então, ele abre mão de um direito que tem, de uma coisa boa em si mesma, por algo melhor. Um atleta indisciplinado é desclassificado e se torna inapto para a luta.

O atleta, também, precisa correr de acordo com as normas. Não adianta vencer, é preciso fazê-lo de acordo com os princípios estabelecidos. Deus requer do atleta não apenas desempenho, mas também,

---

[6]BARCLAY, William. *I y II Corintios*, 1973, p. 97,98.

o atleta que corre e luta segundo as normas pode ter uma fé ida e ser coroado.

precisa se concentrar na sua meta. Um corredor não fica [olhando para] trás ou para os lados, jogando beijos para a torcida que está [nas arquibanca]das. Ele mira o alvo e corre na direção do alvo. Ele não [pode se encher] do aplauso do público nem se intimidar com vaias. Ele [precisa focar-]se obsessivamente no alvo e avançar com determinação. [Lembremo-nos] que nós estamos numa pista de corrida e não podemos nos [distrair com n]enhuma coisa. E qual é a nossa meta? Glorificar a Deus [e ga]nhar o máximo de pessoas para o evangelho! Paulo diz: Eu [abro mão p]ara ganhar o máximo de pessoas para Jesus. Eu abro mão [dos meus] direitos quando se trata de promover o evangelho.

Não podemos ganhar outros se dominarmos a nós mesmos. Paulo diz: *Mas [esmag]o o meu corpo* (9.27). Paulo tratava o seu corpo com severidade, [pa]ra não ser desqualificado. Paulo não está falando de perder a salvação, mas de perder o prêmio; está falando na possibilidade de se chegar ao final da corrida e não agradar ao seu Senhor.[7] Agora, se um atleta treina e corre à exaustão para receber uma medalha perecível, quanto mais nós deveríamos exercitar a disciplina para recebermos a coroa incorruptível.

Para alcançarmos o alvo de glorificar a Deus, levando aos pés de Jesus o maior número de pessoas, vale a pena todo esforço e disciplina. Precisamos sacrificar ganhos imediatos por recompensas eternas; prazeres imediatos por alegrias eternas.

Enfim, o apóstolo Paulo diz o seguinte: Meus irmãos, eu estou abrindo mão dos meus direitos por amor a mim mesmo. Eu não quero ser desqualificado. Como é triste ver tantas pessoas desqualificadas no meio da corrida, no meio do ministério.

O que é liberdade cristã? A liberdade cristã se manifesta de forma madura quando você tem direitos legítimos, mas, por amor aos outros, abre mão desses direitos. No dicionário do cristão, o *outro* vem na frente do *eu*. Na ética cristã, o amor prevalece sobre o próprio conhecimento. Paulo ensina e Paulo demonstra; e demonstra com a própria vida.

---

[7]MORRIS, Leon. *1Coríntios: Introdução e comentário*, 1983, p. 112.

10

O uso sábio da liberdade cristã

1 Coríntios 10.1-33

O APÓSTOLO PAULO PROSSEGUE O SEU ENSINAMENTO, concluindo essa seção sobre liberdade cristã. No capítulo 8, ele enfatizou que precisamos balancear o conhecimento com o amor, uma vez que o conhecimento ensoberbece, mas o amor edifica. No capítulo 9, o apóstolo exemplifica a questão da liberdade com a própria vida, evocando o tema do sustento pastoral, revelando que embora fosse um direito seu receber salário da igreja, voluntariamente abriu mão por razões mais nobres: amor ao evangelho, aos pecadores e a si mesmo.

No capítulo 10, concluindo essa seção, Paulo dá um exemplo negativo. Ele apresentou um exemplo positivo no capítulo 9, o exemplo da própria vida. Agora, no capítulo 10, ele dá um exemplo negativo, o exemplo do povo de Israel. Segundo Warren Wiersbe, Paulo nos ensina duas grandes lições nesse capítulo: nossa experiência religiosa deve ser balanceada com a precaução, cuidado e vigilância e também deve ser balanceada com a responsabilidade cristã.[1]

---

[1] WIERSBE, Warren W. *Comentário bíblico expositivo*. Vol. 5, 2006, p. 779-782.

A **experiência** deve ser balanceada com a **precaução** (10.1-22)

Talvez a frase central do capítulo 10 seja o versículo 12: *Aquele, pois, que pensa estar em pé veja que não caia.* Talvez o grande orgulho do povo da igreja de Corinto é que essa igreja se gloriava do seu elevado grau de espiritualidade. Eles estavam vaidosos de si mesmos. Eles estavam entusiasmados com o grau de espiritualidade que possuíam. Eles eram crentes narcisistas e vaidosos. Paulo, então, precisa adverti-los. A vaidade é o primeiro degrau da queda. A soberba precede a ruína. Um crente que aplaude a si mesmo e entoa "quão grande és tu" diante do espelho está à beira de uma queda. O apóstolo Paulo adverte sobre o grande perigo da autoconfiança (10.12).

Paulo usou a nação de Israel como exemplo para advertir os crentes de Corinto. Ele faz três advertências: privilégios não são garantia de sucesso (10.1-4), um bom começo não é garantia de um final feliz (10.5-12) e Deus pode capacitar-nos para vencermos as tentações se dermos ouvidos à Sua Palavra (10.13-22).[2]

Em primeiro lugar, ***Paulo adverte que privilégios não são garantia de sucesso***. Vejamos o que Paulo escreve:

> *Ora, irmãos, não quero que ignoreis que nossos pais estiveram todos sob a nuvem, e todos passaram pelo mar, tendo sido todos batizados, assim na nuvem como no mar, com respeito a Moisés. Todos eles comeram de um só manjar espiritual e beberam da mesma fonte espiritual; porque bebiam de uma pedra espiritual que os seguia. E a pedra era Cristo* (10.1-4).

A nação de Israel recebeu muitas bênçãos de Deus: proteção, orientação, sustento, perdão, mas, a despeito de tantos privilégios, Israel fracassou. Israel foi tirado do Egito com mão forte e poderosa. Israel tinha sido libertado do Egito pelo poder de Deus da mesma forma que os crentes têm sido redimidos do pecado (5.7,8). A Páscoa é um símbolo da cruz. E o êxodo que Israel recebeu de Deus é o mesmo êxodo que nós recebemos através da redenção em Cristo Jesus.

---

[2] WIERSBE, Warren W. *Comentário bíblico expositivo*. Vol. 5, 2006, p. 779,780.

O êxodo do Egito foi a libertação da nação de Israel das garras do inimigo, assim como nós fomos libertos das garras do diabo e do pecado por intermédio do sacrifício de Cristo. Israel foi liberto; ele teve o seu êxodo.

O povo de Israel se identificou com Moisés no mar Vermelho (batismo) da mesma forma que os cristãos se identificaram com Cristo pelo batismo. O que Paulo está querendo dizer? Ele usa duas figuras dos sacramentos. O povo de Israel passou pelos mesmos ritos sacramentais, que nós experimentamos no tempo da graça. O texto diz que todos eles passaram pelo mar e todos foram batizados assim na nuvem como no mar, com respeito a Moisés. Eles se identificaram com Moisés por meio desse batismo, ficando debaixo da liderança espiritual de Moisés, assim como nós, ao sermos batizados, ficamos debaixo da autoridade e do governo de nosso Senhor Jesus Cristo. Assim como o povo de Israel se identificou debaixo da liderança de Moisés, nós estamos identificados debaixo da liderança de Cristo.[3]

O povo de Israel comeu e bebeu alimentos espirituais e sobrenaturais do mesmo jeito que os cristãos se alimentam do corpo e do sangue de Cristo na Santa Ceia (Jo 6.63,68; 7.37-39). Eles receberam não apenas o batismo, mas, também, comeram de um só manjar espiritual e beberam de uma só fonte espiritual. Assim como nós comemos e bebemos uma comida espiritual, o corpo e o sangue de Jesus, eles comeram e beberam o alimento espiritual e sobrenatural. Eles também receberam o prenúncio dos sacramentos. Tanto Israel quanto a Igreja experimentaram os dois sacramentos profundamente significativos: Ser batizado numa demonstração de lealdade ao guia designado por Deus; e ser regularmente nutrido com alimento e bebida "sobrenaturais".

Esses privilégios todos, de ser arrancado da escravidão, de passar por um resgate milagroso, de passar por um batismo e de ser alimentado espiritualmente de maneira sobrenatural não pouparam Israel de um fragoroso fracasso espiritual.

Paulo é claro: *Entretanto, Deus não se agradou da maioria deles...* (10.5). Por que Paulo fala isso? Ele está corrigindo a vaidade e a soberba da igreja de Corinto. Paulo está evocando o exemplo negativo

---

[3] PRIOR, David. *A mensagem de 1Coríntios*, 1993, p. 179.

de Israel para exortar a igreja. Ele está dizendo à ensoberbecida igreja de Corinto para olhar para o exemplo de Israel e ver que a despeito de tantos privilégios que essa nação teve, Deus não se agradou da maioria deles. E para ser mais exato, de toda aquela multidão que saiu do Egito, eram seiscentos mil homens, fora crianças e mulheres, apenas duas pessoas entraram na terra prometida.

Aquele deserto se transformou no maior cemitério da história. Deus não se agradou da maioria daquele povo. O grande problema foi a exagerada autoconfiança. Eles caíram porque confiaram que eram fortes. Privilégios espirituais não são garantia de sucesso espiritual. O fato de você ser crente, de ler a Bíblia, de ter sido batizado, de participar da Ceia, de frequentar a igreja, de ouvir a mensagem de Deus, de cantar e orar ao Senhor não lhe garante sucesso espiritual.

Em segundo lugar, *Paulo adverte que um bom início não é garantia de um final feliz* (10.5-12). Quem começa bem nem sempre termina bem. Muitos que corriam bem, hoje estão longe do Senhor. Paulo mostra um fato extremamente marcante. Nenhuma geração da história da humanidade viu tantos milagres como aquela geração de quem Deus não se agradou. Aquela geração não apenas viu prodígios e milagres, mas foi a beneficiária desses milagres.

Israel viu as dez pragas no Egito nocauteando as divindades do panteão egípcio; viu o mar Vermelho se abrindo para eles passarem; viu o maná caindo do céu, a rocha brotando água, a sandália não envelhecendo em seus pés e a roupa não ficando rota no seu corpo. Que geração viu tantos prodígios? Contudo, mesmo assim, aquela geração foi reprovada por Deus. As gerações que mais viram milagres foram as mais endurecidas.

A Bíblia faz referência a três gerações que viram abundantes milagres. A primeira geração que viu estupendos milagres foi exatamente a geração de Moisés. A segunda geração foi a de Elias e Eliseu. A terceira geração que viu extraordinários e portentosos milagres foi a geração da época de Jesus e dos apóstolos. É perturbador saber que nunca houve tanta dureza de coração e incredulidade como nessas três gerações.

Os milagres em si não podem trazer o nosso coração para perto de Deus. Daquela geração toda, apenas dois homens entraram na terra. Os demais ficaram prostrados no deserto (Nm 14.30).

A geração de Moisés cometeu cinco tipos de pecados, todos gravíssimos. Paulo cataloga esses pecados que marcaram aquela geração reprovada. *Entretanto, Deus não se agradou da maioria deles, razão por que ficaram prostrados no deserto. Ora, estas coisas se tornaram exemplos para nós...* (10.5,6). Que pecados são esses?

a. *Cobiça*. Paulo diz: [...] *a fim de que não cobicemos as coisas más, como eles cobiçaram* (10.6). Aquele povo tinha tudo o que Deus dava: o maná que caía, a água que jorrava, as codornizes que Deus mandava. Mas aquele povo ainda estava insatisfeito e cobiçando mais coisas. Deus tinha prometido a eles uma terra que manava leite e mel. E eles cobiçaram as coisas ruins. Às vezes o mesmo acontece conosco. Deus nos promete toda a sorte de bênçãos em Cristo e nós continuamos a cobiçar as coisas más. Ficamos insatisfeitos com o que temos e queremos aquilo que é mau.

b. *Idolatria*. Paulo escreve: *Não vos façais, pois, idólatras, como alguns deles; porquanto está escrito: O povo assentou-se para comer e beber e levantou-se para divertir-se* (10.7). Quando Moisés subiu ao monte para receber as tábuas da lei, o povo fez um bezerro de ouro e começou a dançar e adorá-lo. Muitos de nós não temos um ídolo feito de ouro ou prata diante de quem nos prostramos, mas idolatria é tudo aquilo que ocupa o lugar de Deus em nossa vida, sejam pessoas, coisas ou sentimentos. Há muitos ídolos modernos que podem estar tomando o lugar de Deus em nossa vida.

c. *Imoralidade*. Paulo adverte: *E não pratiquemos imoralidade, como alguns deles o fizeram, e caíram, num só dia, 23 mil* (10.8). Houve um tempo em que os israelitas se misturaram com as mulheres moabitas e eles começaram não só a se prostituir, mas também a adorar os deuses dos moabitas. Há uma estreita conexão entre prostituição e idolatria na Bíblia. Onde se vê idolatria, aí também a prostituição está presente; onde se vê prostituição aí também a idolatria aparece.

d. *Colocar Deus à prova*. Paulo prossegue: *Não ponhamos o Senhor à prova, como alguns deles já fizeram e pereceram pelas mordeduras das serpentes* (10.9). Eles começaram a reclamar do pão que os fartava. Eles não aguentavam mais o maná. Começaram a murmurar contra

Deus e contra Moisés. Quantas vezes murmuramos contra Deus! Quantas vezes, também, somos mal-agradecidos pelas bênçãos de Deus!

e. *Murmuração contra Deus*. Paulo conclui: *Nem murmureis, como alguns deles murmuraram e foram destruídos pelo exterminador* (10.10). A murmuração provoca a ira de Deus. Ela é uma negação da bondade, da providência, do cuidado e do amor de Deus. O povo de Israel foi reprovado e pereceu no deserto por causa desses pecados.

Todos esses pecados que levaram Israel ao fracasso espiritual estão presentes na igreja de Corinto. Os mesmos pecados que levaram Israel ao fracasso levaram a igreja de Corinto também ao fracasso espiritual.

Paulo, agora, faz uma aplicação do que vem ensinando até agora, e diz: *Estas coisas lhes sobrevieram como exemplos e foram escritas para advertência nossa, de nós outros sobre quem os fins dos séculos têm chegado* (10.11). Hoje, Deus está usando o exemplo da história para nos advertir. A Bíblia foi escrita para a nossa advertência. Deus está nos advertindo quanto ao cuidado que devemos tomar para não cairmos no mesmo erro, não caminharmos pela mesma estrada, não termos o mesmo comportamento. Quem não aprende com as lições da história comete os mesmos erros da história. Precisamos fazer da história a nossa pedagoga e não a nossa coveira.

Os pecados da igreja são mais sérios do que os pecados dos israelitas que estavam sob a lei. Quando a igreja peca, o seu pecado é pior do que o do povo de Israel. E por duas razões: Primeiro, porque nós temos o exemplo deles como advertência. Segundo, porque eles estavam debaixo da lei e nós estamos debaixo da graça. O pecado do crente é pior do que o pecado do ateu. Quando um crente comete pecado, ele o faz contra o conhecimento, a bondade e a graça de Deus. Quando um crente comete pecado, ele ultraja a graça de Deus e pisa o sangue do Cordeiro.

Paulo menciona o castigo que Israel recebeu e usa três expressões: Ficaram prostrados (10.5b), caídos (10.8) e destruídos pelo exterminador (10.9,10). As mesmas causas que levaram o povo de Israel a cair derrubam os crentes ainda hoje. Acautelemo-nos!

Paulo, finalmente, adverte sobre o perigo da síndrome da superespiritualidade: *Aquele, pois, que pensa estar em pé veja que não caia* (10.12). Há aqueles que não estão em pé, mas pensam que estão. Muitos estão num terreno escorregadio e ainda estão batendo no peito e se ufanando. E Paulo adverte: Aquele que pensa que está em pé, veja que não caia!

Em terceiro lugar, **Paulo ensina que Deus pode nos capacitar para vencermos as tentações se permanecermos fiéis à Sua Palavra** (10.13-22). Atentemos para as palavras do apóstolo: *Não vos sobreveio tentação que não fosse humana; mas Deus é fiel e não permitirá que sejais tentados além das vossas forças; pelo contrário, juntamente com a tentação, vos proverá livramento, de sorte que a possais suportar* (10.13).

Deus permite que sejamos tentados (provados), porque Ele sabe até onde podemos suportar. A palavra "tentação" mencionada nesse versículo é *peirasmos*, uma palavra muito mais próxima de prova e teste, do que tentação. A tentação tem uma conotação negativa para nós. É algo colocado no nosso caminho para nos fazer pecar enquanto a prova é algo que Deus permite em nossa vida para nos depurar, purificar e fortalecer. Deus não tenta a ninguém, Deus prova (Tg 1.13). Quem tenta é o diabo. Quando Deus permite uma prova em nossa vida é para nos fortalecer e nos conduzir à vitória.

Paulo não diz que Deus vai livrá-lo da prova, mas com a prova Ele vai prover livramento. Às vezes queremos ficar livres da prova e libertos do problema. Deus não impediu que os três amigos de Daniel fossem jogados na fornalha; não impediu que Daniel fosse jogado na cova dos leões nem que Pedro fosse para a prisão. Deus não os livrou da prova, mas na prova.

Paulo fala três coisas acerca das provas: A tentação ou a prova é um fato para todos. É inevitável. Também, as tentações que nos sobrevêm não são únicas. Outras pessoas já passaram por elas. Finalmente, Deus sempre provê uma saída para a tentação. Temos livramento divino (10.13).

Paulo já tinha advertido os crentes de Corinto a fugirem da fornicação (6.18). Agora ele os adverte a fugirem da idolatria: *Portanto, meus amados, fugi da idolatria* (10.14). Havia sempre o perigo do crente convertido e batizado que participava da Ceia do Senhor ser convidado para ir ao templo do ídolo e participar de banquetes oferecidos aos ídolos. Paulo diz que se sentar à mesa do ídolo é ter associação com os demônios. Envolver-se com ídolo é envolver-se com demônios.

A idolatria é algo demoníaco. Quando se oferece um sacrifício a um ídolo é a demônios que ele é oferecido. Moisés diz: *Sacrifícios ofereceram aos demônios, não a Deus* (Dt 32.17). A mesma verdade é proclamada pelo salmista: [...] *pois imolaram seus filhos e suas filhas aos demônios* (Sl 106.37). A idolatria é extremamente perigosa. Ela é demoníaca e Paulo mostra à igreja a necessidade de se afastar de qualquer ritual que tenha conotação de idolatria.

Paulo, então, passa a usar duas ilustrações: a Santa Ceia e os sacrifícios judeus (10.16-22). Quando o crente participa da Santa Ceia, do pão e do vinho, ele está mantendo comunhão com o corpo e com o sangue de Cristo. Ele está entrando numa relação de intimidade com Jesus. Através da recordação da morte de Cristo, o crente entra em comunhão com o Cristo ressurreto. Da mesma maneira, quando o crente se assenta numa mesa e come a comida sacrificada a um ídolo, ele está participando e entrando em comunhão com os demônios. Se na Santa Ceia o crente está em contato com Jesus, na mesa do ídolo ele está em contato com os demônios.

Todos os que participam do cálice da bênção na celebração da Ceia participam dos resultados da morte expiatória de Cristo (10.16). David Prior cita Calvino: "A alma tem uma comunhão tão verdadeira no sangue, quanto o vinho em contato com a boca".[4] A aplicação é clara: Um crente não pode se tornar participante da comida do Senhor e participar da comida oferecida aos demônios sem expor a si mesmo a um grande perigo e sem provocar o Senhor (10.18-20). Paulo está dizendo que o crente é livre, mas não para fazer o que Deus condena. Ele não é livre para assentar-se à mesa dos ídolos. Ele não é livre para comer alimentos sacrificados a ídolos. Isso é estar associado a demônios e beber o cálice dos demônios.

David Prior diz que por trás de toda idolatria se esconde uma atividade demoníaca.[5] Diz o apóstolo: *Não podeis beber o cálice do Senhor*

---

[4] PRIOR, David. *A mensagem de 1Coríntios*, 1993, p. 185.
[5] PRIOR, David. *A mensagem de 1Coríntios*, 1993, p. 186.

e o cálice dos demônios (10.21). Não se pode participar da Santa Ceia e depois ir participar de uma festa idólatra. Essas pessoas oferecem seus sacrifícios aos demônios (10.20), bebem o cálice dos demônios (10.21), e participam da mesa dos demônios (10.21).[6] Esse contato com as forças demoníacas provoca zelos no Senhor. Quando um crente faz isso, ele provoca a ira de Deus (10.22).

Alguns se julgavam tão fortes que não se importavam nem mesmo com o que Deus havia determinado. Alguns diziam: A minha consciência não me agride, eu não sinto nenhum problema com isso. Paulo pergunta: Você é mais forte do que Deus? Você pode até se considerar mais forte que os crentes fracos, que se escandalizam em ver você assentado numa mesa de ídolos, mas você é mais forte do que Deus? Tentar a Deus é loucura. Por isso Paulo é categórico: [...] *fugi da idolatria* .

A **liberdade** deve ser balanceada com a **responsabilidade** (10.23-33)

Como balancear a liberdade cristã com a responsabilidade cristã? Paulo responde: *Todas as coisas são lícitas, mas nem todas convêm; todas são lícitas, mas nem todas edificam* (10.23). Paulo está dizendo para termos cuidado com a nossa liberdade, para que ela não venha ser motivo de tropeço na vida dos nossos irmãos. Você pode ter liberdade, mas se a sua liberdade for tropeço na vida do seu irmão, isso é pecado. Paulo já havia advertido: *Vede, porém, que esta vossa liberdade não venha, de algum modo, a ser tropeço para os fracos* (8.9). Paulo, agora, reforça: *Todas as coisas são lícitas, mas nem todas convêm; todas são lícitas, mas nem todas edificam*.

Em momento algum Paulo negou a liberdade do crente maduro para desfrutar seus privilégios em Cristo. Todas as coisas são lícitas, mas algumas atividades podem causar tropeço para os irmãos mais fracos. *E assim, por causa do teu saber, perece o irmão fraco, pelo qual Cristo morreu. E deste modo, pecando contra os irmãos, golpeando-lhes a consciência fraca,*

---

[6]PRIOR, David. *A mensagem de 1Coríntios*, 1993, p. 187.

é contra Cristo que pecais (8.11,12). A maturidade equilibra a liberdade com a responsabilidade.

Paulo fala sobre três tipos de responsabilidades que o crente precisa ter:

Em primeiro lugar, **precisamos ter responsabilidade com os irmãos da igreja** (10.24-30). A nossa liberdade precisa ter responsabilidade e a primeira responsabilidade que nós temos é para com os nossos irmãos: *Ninguém busque o seu próprio interesse e sim o de outrem* (10.24). Temos a responsabilidade de edificar nossos irmãos na fé e procurar o bem deles. A nossa liberdade em Cristo não nos dá o direito de ferirmos os nossos irmãos.

Paulo fala que comer carne é um assunto amoral, ou seja, não é virtude nem vício. Aquilo que é amoral, porém, dependendo do contexto, pode se tornar imoral. Paulo, entretanto, disse que comer carne poderia ser imoral e se tornar um ato prejudicial à consciência dos irmãos mais fracos em três circunstâncias: no templo do ídolo (8.10), no mercado (10.25) e na casa do incrédulo (10.27,28). Paulo com isso ensina que temos de ter responsabilidade com a nossa liberdade cristã para que não seja um tropeço na vida dos irmãos. Pecar contra um irmão é o mesmo que pecar contra Cristo (8.12).

Se o que eu estou fazendo, se o comportamento que estou adotando, se o vestuário que estou usando, as palavras que estou empregando, as atitudes que estou tomando em minha vida são motivos de tropeço para o meu irmão, a minha liberdade está em desacordo com o ensino das Escrituras.

Em segundo lugar, **nós temos a responsabilidade de glorificar a Deus em todas as coisas** (10.31). O apóstolo acentua: *Portanto, quer comais, quer bebais ou façais outra coisa qualquer, fazei tudo para a glória de Deus* (10.31).

Os crentes de Corinto estavam pensando assim: Por que eu não poderia desfrutar gostosamente a comida pela qual eu dou graças? Ora, eu estou comendo comida sacrificada ao ídolo, mas eu dei graças. E tudo o que é santificado pode ser recebido. Por que minha liberdade seria limitada pela consciência do irmão mais fraco? A resposta de Paulo é que não podemos glorificar a Deus sendo um tropeço para os nossos irmãos.

Então, Paulo lança o seguinte princípio: Fazei tudo para a glória de Deus. *Portanto, quer comais, quer bebais ou façais outra cousa qualquer, fazei tudo para a glória de Deus* (10.31). O primeiro princípio é não escandalizar o irmão. O segundo é que Deus seja glorificado. Deus nunca é glorificado se com a minha liberdade eu estou causando escândalo e tropeço para o meu irmão.

A glória de Deus não é promovida onde uso minha liberdade para fazer o irmão tropeçar e cair. Não temos o direito de usar nossa liberdade cristã para ferir a comunhão fraternal.

Em terceiro lugar, **nós temos a responsabilidade de procurar ganhar os perdidos** (10.32,33). O apóstolo Paulo acentua: *Não vos torneis causa de tropeço nem para judeus, nem para gentios, nem tampouco para a igreja de Deus* (10.32,33). Os judeus e gentios mencionados por Paulo aqui são os judeus e gentios convertidos. Além de não sermos motivo de tropeço para os salvos, devemos, também, nos esforçar para ganhar os perdidos para Cristo. Não devemos ser uma pedra de tropeço, mas uma pedra de passagem; não um abismo, mas uma ponte. Não podemos estorvar as pessoas de entrarem no Reino de Deus.

Jesus falou a respeito dos fariseus que ficavam à porta do Reino de Deus, e não entravam nem deixavam as outras pessoas entrarem. Há sempre o perigo de uma pessoa ser um entrave na conversão de outras pessoas por causa das suas atitudes e do mau uso da sua liberdade. Nós não devemos viver para satisfazer os nossos interesses, mas buscar o interesse e a salvação dos outros. Paulo dá o próprio testemunho: [...] *assim como também eu procuro, em tudo, ser agradável a todos, não buscando o meu próprio interesse, mas o de muitos, para que sejam salvos* (10.33).

Como temos usado nossa liberdade cristã? Há pessoas que estão defendendo a sua liberdade, mas na verdade são escravas dos próprios vícios. Elas são pedra de tropeço (8.13); destroem em vez de edificar (10.23); agradam a si mesmas em vez de glorificar a Deus (10.31), afastam as pessoas de Cristo em vez de ganhá-las para Cristo (10.33).

David Prior diz que encontramos a liberdade cristã em sua verdadeira criatividade quando seguimos as cinco regras fundamentais de Paulo para a convivência entre os cristãos:

1. Façam tudo para a glória de Deus (10.31) – em vez de determinar a sua liberdade.
2. Procurem em tudo ser agradáveis a todos (10.33) – sem reclamar os seus direitos.
3. Busquem o interesse de muitos (10.33) – não o seu bem-estar ou a sua satisfação pessoal.
4. Busquem a salvação de muitos (10.33) – sem ficar preocupados apenas com a sua salvação pessoal.
6. Sejam imitadores de Cristo (11.1) – sem promover a sua reputação.

Isso é liberdade cristã: livrar-se de si mesmo para glorificar a Deus, tornando-se semelhante a Cristo.[7]

---

[7] PRIOR, David. *A mensagem de 1Coríntios*, 1993, p. 189.

11

A **postura** da igreja no **culto**

1 Coríntios 11.1-34

O MUNDANISMO DA IGREJA ACABOU AFETANDO o culto e refletindo na adoração. Três problemas principais surgiram na igreja em relação ao culto: a posição da mulher, a maneira que a Ceia do Senhor estava sendo celebrada e o uso correto dos dons espirituais.[1] Do capítulo 11 ao 14, Paulo trata desses três problemas. Os dois primeiros são tratados aqui no capítulo 11.

Esse capítulo começa com o elogio de Paulo à igreja (11.2). *De fato, eu vos louvo porque, em tudo, vos lembrais de mim e retendes as tradições assim como vo-las entreguei* (11.2). O que seriam essas tradições? Os ensinamentos orais e o conteúdo da pregação que Paulo passava para a igreja. E ela estava guardando esse conteúdo. Paulo deu à igreja o que recebeu de Cristo: *Porque eu recebi do Senhor o que também vos entreguei: que o Senhor Jesus, na noite em que foi traído, tomou o pão* (11.23).

A tradição, portanto, era o ensino oral de Paulo. O evangelho que Paulo recebeu de Deus ele o transmitiu à igreja e esta o guardou e o observou. *E o que de minha parte ouviste através de muitas testemunhas, isso mesmo transmite a homens fiéis e também idôneos para instruir a outros*

---

[1] WAGNER, Peter. *Se não tiver amor*, 1983, p. 75.

(2Tm 2.2). Hoje o ensino está fundamentado não no ensino oral, mas na Palavra escrita. Nós temos a Palavra de Deus completa. Porém, ainda hoje, muitas pessoas confundem a tradição com o tradicionalismo. A tradição é a fé viva das pessoas que já morreram e o tradicionalismo é a fé morta das pessoas que ainda estão vivas.

Nesse capítulo Paulo cuidou de três problemas em relação ao culto.

O comportamento das mulheres no culto (11.3-16)

Para discernirmos o ensino de Paulo sobre a questão do véu, precisamos compreender o contexto cultural em que o véu foi usado. Leon Morris faz o seguinte comentário:

> Nas terras orientais o véu é o poder, a honra e a dignidade da mulher. Com o véu na cabeça, ela pode ir a qualquer lugar com segurança e profundo respeito. Ela não é vista; é sinal de péssimos modos ficar observando na rua uma mulher velada. Ela está só. As demais pessoas à sua volta lhe são inexistentes, como ela o é para elas. Ela é suprema na multidão... Porém, sem o véu, a mulher é algo nulo, que qualquer um pode insultar... A autoridade e a dignidade da uma mulher se esvaem com o véu que tudo cobre, quando ela se descarta dele.[2]

Corinto era uma cidade grega. Na província grega a manifestação religiosa mais popular eram os cultos ou as religiões de mistério. E nessas religiões, todos os membros eram do sexo masculino. As mulheres eram excluídas desses cultos de mistério.[3] Essas religiões refletiam o distorcido conceito de que as mulheres eram inferiores aos homens e não precisavam de religião. Esse era o pano de fundo cultural da época que Paulo chegou a Corinto.

No entanto, esse bandeirante do cristianismo chegou com uma mensagem nova, com as boas-novas do evangelho de Cristo. A pregação de Paulo trouxe uma nova perspectiva para as mulheres. As boas-novas do evangelho de Cristo trouxeram uma revolução

---

[2]MORRIS, Leon. *1Coríntios: Introdução e comentário*, 1983, p. 123,124.
[3]WAGNER, Peter. *Se não tiver amor*, 1983, p. 75.

profunda acerca do valor da mulher na sociedade. O cristianismo resgatou o valor e a dignidade da mulher. Ela não foi criada para ser inferior ao homem nem ocupar um lugar inferior a ele no plano da redenção. Paulo dá o seu testemunho: *Dessarte, não pode haver judeu nem grego; nem escravo nem liberto; nem homem nem mulher; porque todos vós sois um em Cristo Jesus* (Gl 3.28). O homem não é mais importante nem a mulher é menos importante, pois aos olhos de Deus, os dois estão no mesmo nível; têm o mesmo valor. Cristo morreu para o homem e para a mulher. A salvação é para o homem e também para a mulher.

Nessa mesma linha de pensamento, Paulo orienta: *No Senhor, todavia, nem a mulher é independente do homem, nem o homem, independente da mulher* (11.11). Há uma igualdade de direitos.

As mulheres cristãs de Corinto, porém, saíram de um extremo, onde eram desprezadas para outro extremo, o feminismo. As mulheres da igreja de Corinto começaram um movimento de libertação da mulher, quebrando alguns paradigmas culturais e com isso, elas provocaram escândalo no culto.

As mulheres cristãs de Corinto queriam abolir o uso do véu no culto. O véu era um símbolo da submissão e da integridade da mulher. Elas, porém, no afã de tomarem posse da sua liberdade, disseram: "Abaixo o véu"![4] Porém, o que era o véu? Ele não era apenas uma peça da indumentária feminina.

Na Grécia as roupas dos homens e das mulheres eram muito parecidas, exceto pela "cobertura da cabeça".[5] O que distinguia a mulher dos homens era o véu. Toda mulher descente e honrada usava o véu. Nenhuma mulher honesta ousava sair de casa sem o véu. Nenhuma mulher frequentava uma reunião pública sem usar o véu. Somente as prostitutas tinham ousadia e coragem de sair às ruas sem o véu. As profetisas pagãs do mundo greco-romano exerciam seu ofício com as cabeças descobertas e desgrenhadas.

---

[4] WAGNER, Peter. *Se não tiver amor*, 1983, p. 77.
[5] PRIOR, David. *A mensagem de 1Coríntios*, 1993, p. 192.

Esse comportamento naturalmente causava uma série de distração para os homens durante o culto, além de representar uma negação da submissão no Senhor que as mulheres casadas deviam ao marido.[6]

O véu, portanto, representava duas coisas na cultura de Corinto: a honradez e modéstia da mulher e a submissão ao seu marido.[7] Nesse sentido o véu era símbolo da dignidade e da modéstia feminina. Apenas as prostitutas e as sacerdotisas cultuais dos cultos pagãos saíam a público sem véu ou participavam de um culto pagão sem véu. Quando uma mulher era vista sem véu, seja na rua ou em uma cerimônia pagã ou mesmo na igreja, essa mulher estava desonrando a si mesma, dando motivo para que sua reputação fosse questionada. Agindo assim, ela também desonrava a seu marido (11.5).

Uma mulher em Corinto participando do culto público sem véu seria a mesma coisa que uma mulher chegar hoje num culto com trajes de banho. Você pode imaginar a reação? Isso provocaria escândalo e seria absolutamente inconveniente.

A cabeça coberta da mulher é a sua autoridade para orar e adorar, ou seja, usar seus dons espirituais na igreja, desde que mostre estar submissa a seu marido.[8]

O que aconteceu com as mulheres de Corinto quando elas receberam as boas-novas do evangelho? Elas perceberam que em Cristo eram livres. Não estavam mais debaixo do jugo cultural da cidade de Corinto. A reação imediata foi abolir o uso do véu. Paulo, porém, as exorta dizendo que se elas orarem e profetizarem sem o véu desonrarão a própria cabeça e o cabeça da mulher é o marido.

David Prior diz que nesse contexto, Paulo trabalha sobre quatro questões importantes para solucionar o problema do comportamento das mulheres no culto público.[9]

Em primeiro lugar, ***submissão***. Observemos a orientação do apóstolo Paulo:

---

[6] Prior, David. *A mensagem de 1Coríntios*, 1993, p. 193.
[7] Wagner, Peter. *Se não tiver amor*, 1983, p. 79.
[8] Rienecker, Fritz, e Rogers, Cleon. *Chave linguística do Novo Testamento grego*, 1985, p. 313.
[9] Prior, David. *A mensagem de 1Coríntios*, 1993, p. 192-198.

> *Quero, entretanto, que saibais ser Cristo o cabeça de todo homem, e o homem, o cabeça da mulher, e Deus, o cabeça de Cristo. Todo homem que ora ou profetiza, tendo a cabeça coberta, desonra a sua própria cabeça. Toda mulher, porém, que ora ou profetiza com a cabeça sem véu desonra a sua própria cabeça, porque é como se a tivesse rapada. Portanto, se a mulher não usa véu, nesse caso, que rape o cabelo. Mas, se lhe é vergonhoso o tosquiar-se ou raspar-se, cumpre-lhe usar véu* (11.3-6).

O apóstolo Paulo mostra o padrão de relacionamento que Deus estabeleceu na comunidade cristã (11.3). E ele nos mostra também uma ordem no Reino de Deus. Podemos dizer que é uma ordem lógica, pois a hierarquia divina é: Deus-Cristo-Homem-Mulher. A submissão da mulher ao homem não é uma questão de superioridade do homem ou inferioridade da mulher. Esse argumento é tão falso, quanto é falso o argumento de que Deus como cabeça de Cristo, torna Cristo inferior a Deus. A superioridade do marido em relação à esposa não é maior do que a de Deus em relação a Cristo, esclarece David Prior.[10]

Cristo não é inferior a Deus. Ele é coigual, coeterno e cosubstancial com o Pai. Porém, na economia da redenção, Cristo se submeteu ao Pai para vir ao mundo, fazer-se carne e morrer na cruz para resgate dos pecadores. A mulher não é inferior ao marido. No entanto, na posição que Deus a estabeleceu, ela está sujeita ao marido. Assim como Cristo se submeteu ao Pai, a mulher deve se submeter ao marido como cabeça.

O termo grego traduzido por "cabeça" é *kephale*, que em raras ocasiões significa "governante de uma comunidade", transmitindo normalmente o sentido de fonte ou origem, sendo usado em relação à nascente de um rio. Deus é, portanto, a fonte de Cristo. O Filho é eternamente gerado do Pai. Cristo (como criador) é a fonte do homem, e o homem (cedendo uma das suas costelas) é a fonte da mulher (11.8).[11]

As mulheres têm espaço na igreja. Paulo fala que a mulher orava e profetizava na igreja (11.5). Elas exercem um ministério de oração e palavra na igreja. Mas essa prática deveria ser exercida reconhecendo a

---

[10]PRIOR, David. *A mensagem de 1Coríntios*, 1993, p. 194.
[11]PRIOR, David. *A mensagem de 1Coríntios*, 1993, p. 194.

dignidade dela e a sujeição ao seu marido. Por isso, elas deveriam usar o véu, como símbolo de submissão. O véu era uma questão de segurança para a mulher. Protegia sua reputação e seu casamento.

Quando uma mulher saía às ruas com o véu demonstrava que tinha compromisso com a honra e com o marido. O uso do véu era proteção e escudo para a mulher. Ela caminhava firme e segura diante da multidão. Mexer com essa mulher era arriscado. Ela estava protegida pelo véu. Porém, se uma mulher saísse à rua sem o véu, ela se tornava totalmente vulnerável, com a sua honra comprometida.

Paulo orienta as mulheres dentro desse contexto cultural a usarem o véu também na igreja. Elas não deviam dar motivo para as pessoas suspeitarem da sua honra ou da sua submissão ao marido. Ao cobrir a cabeça, a mulher assegurava o seu lugar de dignidade e subordinação ao marido. Por isso, Paulo recomendou o uso do véu para a mulher no culto público. Devemos ser sensíveis à cultura em que vivemos para não criarmos obstáculo ao evangelho.

O véu é um símbolo. Ele fala da necessidade da prática da decência no culto divino. Transportando para nossa cultura esse costume, Paulo mostraria às mulheres a necessidade de elas se trajarem com decência para irem ao culto público na igreja. A maneira da mulher apresentar-se e trajar-se não deve criar escândalo nem trazer desconforto para os membros da congregação.

Em segundo lugar, *glória* (11.7-10). Depois de falar sobre a questão da submissão, Paulo fala sobre o homem como glória de Deus e a mulher como glória do marido. Ele usa três argumentos para provar que o homem é glória de Deus e a mulher é a glória do seu marido.

O primeiro argumento é o da origem. *Porque o homem não foi feito da mulher, e sim a mulher, do homem* (11.8). O segundo argumento é o da finalidade. Paulo fala que o homem reflete a glória de Deus, pois o homem não veio da mulher, ele procedeu de Deus e a mulher procedeu do homem. *Porque também o homem não foi criado por causa da mulher, e sim a mulher, por causa do homem* (11.9). O terceiro argumento é o da relação com os anjos. *Portanto, deve a mulher, por causa dos anjos, trazer véu na cabeça, como sinal de autoridade* (11.10). Leon Morris sugere: "Ao cobrir a sua cabeça, a mulher assegura o próprio lugar de dignidade e autoridade. Ao mesmo tempo, ela reconhece a sua subordinação".[12] F. F. Bruce afirma: "Em Cristo a mulher recebeu posição igual à do homem: ela podia orar ou profetizar nas reuniões da igreja, e o seu véu era um sinal dessa nova autoridade".[13] Barrett concorda: "O véu representa a autoridade dada à mulher sob a nova dispensação para fazer coisas que antes não lhe eram permitidas".[14]

O que os anjos têm a ver com o uso do véu na igreja por parte das mulheres? Existem duas razões. A primeira é que quando estamos reunidos em culto público, os anjos estão reunidos conosco. Isso é indiscutível. Eles estão reunidos para aprender com a igreja (Ef 3.10). A igreja está ensinando os anjos a multiforme sabedoria de Deus.

Paulo, então, mostra a necessidade de as mulheres reconhecerem a sua submissão aos seus maridos no culto público, usando o véu, sobretudo, em face da presença dos anjos. Os anjos não apenas estão presentes nos nossos cultos, mas eles aprendem com a igreja e cobrem o rosto quando adoram a Deus. De que maneira os anjos adoram a Deus? O profeta Isaías registra: "Serafins estavam por cima dele; cada um tinha seis asas: com duas cobriam o rosto, com duas cobriam os seus pés e com duas voava" (Is 6.2). Se os anjos cobrem o rosto para adorar a Deus, por reconhecer a majestade e a santidade de Deus, da mesma forma as mulheres devem cobrir o rosto, com o véu, por causa da autoridade que Deus tem sobre o homem e por causa da sujeição que elas têm a seu marido.

Em terceiro lugar, **interdependência**. O apóstolo é claro: *No Senhor, todavia, nem a mulher é independente do homem, nem o homem, independente da mulher. Porque, como provém a mulher do homem, assim também o homem é nascido da mulher; e tudo vem de Deus* (11.11,12).

Se a mulher veio do homem, por ter Deus criado a mulher a partir da costela do homem e o homem é nascido da mulher, então eles são interdependentes. O homem é a causa inicial da mulher, ela é a

---

[12] MORRIS, Leon. *1Coríntios: Introdução e comentário*, 1983, p. 124.
[13] BRUCE, F. F. *1 and 2Corinthians*. The New Century Bible Commentaries. Eerdmans and Marshall, Morgan & Scott, 1971, p. 106.
[14] BARRET, C. K. *A commentary on the First Epistle to the Corinthians*. Black's New Commentaries. A & C. Black, 1968, p. 255.

sua causa instrumental, mas ambos devem sua origem a Deus.[15] No Senhor, não há superioridade do homem nem inferioridade da mulher. Ambos são um e ambos são interdependentes. Não existe nenhuma chance de um querer se sobressair em detrimento do outro. Homem e mulher têm sua origem um no outro e ambos devem a sua existência a Deus. E no final Paulo diz: [...] *e tudo vem de Deus* (11.12).

Em quarto lugar, **natureza**. O apóstolo Paulo escreve: *Julgai entre vós mesmos: é próprio que a mulher ore a Deus sem trazer o véu? Ou não vos ensina a própria natureza ser desonroso para o homem usar cabelo comprido? E que, tratando-se da mulher, é para ela uma glória? Pois o cabelo lhe foi dado em lugar de mantilha* (11.13-16). Deus fez o homem e a mulher diferentes um do outro. O homem precisa manter sua diferença física da mulher. Seu vestuário deve ser diferente. O papel do homem é diferente do papel da mulher. O homem deve ser verdadeiramente masculino e a mulher verdadeiramente feminina, pois eles foram criados diferentes, têm características físicas, mentais e emocionais distintas. Eles exercem no casamento papéis diferentes e devem se vestir de forma diferente. Paulo diz que a apresentação do homem precisa ser diferente da apresentação da mulher. Essa diferença deve se manifestar na maneira de se vestir, e também, no comprimento do cabelo. Portanto, homem e mulher devem viver essa diferença tanto no seu aspecto físico, sexual, quanto, no vestuário e corte de cabelo.

A cultura moderna ocidental está tentando de todas as maneiras acabar com essa diferença entre homem e mulher. Fala-se hoje na moda *unissex*. Compra-se roupa que serve tanto para o homem quanto para a mulher. Os homens querem imitar as mulheres nos adereços, no tamanho do cabelo, na forma de se vestir e na maneira de se comportarem.

Todavia, esse não é o princípio de Deus. O propósito de Deus é que o homem seja diferente da mulher em todos os aspectos. O Criador não os fez um ser androgênico. Fê-los homem e mulher; macho e fêmea (Gn 1.27). O plano de Deus é que homens e mulheres tenham papéis

---

[15]RIENECKER, Fritz, e ROGERS, Cleon. *Chave linguística do Novo Testamento grego*, 1985, p. 313.

diferentes, embora complementares. O homem deve ser plenamente masculino e a mulher plenamente feminina.

Se Paulo tivesse de ensinar esse princípio a uma de nossas igrejas no Ocidente, ele não diria às mulheres que usassem véu na igreja. O véu não faz parte da nossa cultura. William Barclay chega a dizer que o uso do véu tem um significado puramente local e transitório.[16] Porém, o princípio permanece. As mulheres devem ser submissas aos seus maridos e precisam vestir-se com modéstia e pureza.

Problemas com respeito à Ceia do Senhor (11.17-34)

Há quatro grandes verdades que vamos destacar nesta exposição:

Em primeiro lugar, *as repreensões do apóstolo Paulo à igreja* (11.17-22). O apóstolo Paulo acabara de fazer um elogio à igreja de Corinto (11.2). Agora, porém, traz uma séria exortação: *Nisto, porém, que vos prescrevo, não vos louvo, porquanto vos ajuntais não para melhor, e sim para pior* (11.17).

O que estava acontecendo? Mais uma vez divisão na igreja de Corinto. As divisões na igreja haviam chegado a proporções alarmantes. Além do culto à personalidade em torno de alguns líderes (1.12), agora Paulo mostra que os crentes estavam indo à igreja e voltando para casa piores (11.17). O culto na igreja estava desembocando em certo esnobismo perverso e odioso por parte dos ricos. Eles estavam desprezando os pobres.[17] Os ricos estavam desprezando a Igreja de Deus e envergonhando os pobres. *Porque, ao comerdes, cada um toma, antecipadamente, a sua própria ceia; e há quem tenha fome, ao passo que há também quem se embriague* (11.21).

A Ceia era precedida pela Festa do Amor, a festa do *Ágape*. A Bíblia fala dessa festa em Judas 12. No dia em que a Ceia do Senhor era celebrada servia-se uma refeição completa. Os crentes comiam, bebiam, repartiam, se confraternizavam e depois, num clima de comunhão, celebravam a Ceia do Senhor. Essa foi uma prática da igreja apostólica que se perdeu na história.

---

[16] BARCLAY, William. *I y II Corintios*, 1973, p. 108.
[17] PRIOR, David. *A mensagem de 1Coríntios*, 1993, p. 199.

A Festa do *Ágape* era não apenas um tempo de comunhão, mas, também, e sobretudo, um ato de amor aos membros mais pobres da igreja. Era uma oportunidade para os cristãos ricos repartirem um pouco de seus bens materiais com os pobres. Uma vez que todos traziam de casa alguma coisa para comer e faziam uma espécie de ajunta-prato, os pobres poderiam participar de uma boa refeição pelo menos uma vez na semana. Depois desse banquete, então, eles celebravam a Ceia.[18]

Em segundo lugar, *a deturpação da Festa do Amor* (11.17-22,33,34). Na igreja de Corinto, durante a Festa do Amor, os ricos se isolavam e comiam à vontade as finas iguarias dos próprios banquetes que traziam de casa, e bebiam a ponto de se embriagarem. Do outro lado, porém, ficavam os pobres, que não tinham condições de trazer alimentos de casa e passavam fome. Depois de toda essa atitude odiosa de preconceito e desamor, eles se reuniam e celebravam a Ceia do Senhor. É nesse contexto que Paulo os reprova, dizendo-lhes que estavam se reunindo para pior. Essa não é a Ceia do Senhor que eles estavam participando. A atitude deles não era compatível com a celebração da Ceia do Senhor. Agindo dessa forma eles estavam desprezando a Igreja de Deus.

O que estava acontecendo nessa festa? Vejamos os seis pontos apresentados por Paulo que apontam a deturpação da Festa do Amor.

Eles se ajuntavam para pior. Paulo escreve: *Nisto, porém, que vos prescrevo, não vos louvo, porquanto vos ajuntais não para melhor, e sim para pior* (11.17). O culto deles não estava centrado em Deus nem era sensível ao próximo. Tudo girava em torno deles mesmos, de tal maneira que quando eles iam para a igreja, eles não adoravam a Deus nem serviam ao próximo. Assim, ao voltarem para casa, voltavam em estado pior. Eles cultuavam a si mesmos. Eles buscavam a satisfação do próprio eu. Então Paulo os exorta: Vocês estão se reunindo para pior. Leon Morris diz que "em vez da comunhão ser um ato eminentemente edificante, estava tendo um efeito dilacerante".[19]

Eles se reuniam, mas não havia harmonia no meio deles. Paulo diz: *Porque, antes de tudo, estou informado haver divisões entre vós quando vos*

---

[18] WAGNER, Peter. *Se não tiver amor*, 1983, p. 80.
[19] MORRIS, Leon. *1 Coríntios: Introdução e comentário*, 1983, p. 126.

reunis na igreja; e eu, em parte, o creio (11.18). Havia divisões, partidos, e cismas entre eles.

A palavra grega para "divisões" é *schismata*, a mesma palavra que Paulo empregou em (1.10), acerca das dissensões que tinham cindido a igreja em facções. Essas se intrometeram na mais santa das práticas de culto.[20] Eles estavam dentro da igreja, mas não tinham uma só alma. Os ricos estavam de um lado e os pobres do outro. Os crentes de Corinto valorizavam as pessoas pela grife da roupa que usavam, pelo título que as pessoas tinham e pela posição que as pessoas ocupavam na sociedade. O *status* social das pessoas dividia a igreja. Eles não tinham uma só alma, um só coração, um só sentimento, e um só propósito. Havia ajuntamento, mas não comunhão.

Eles participavam dos elementos da Ceia, mas não era a Ceia que eles celebravam. Paulo afirma: *Quando, pois, vos reunis no mesmo lugar, não é a ceia do Senhor que comeis* (11.20). Paulo está combatendo o perigo do ritualismo. Você pode assentar-se para celebrar a Ceia, comer o pão e beber o vinho e, ainda assim, não ter usufruído as bênçãos da comunhão da Mesa do Senhor. Por quê? Porque a motivação pode estar errada.

Os crentes de Corinto seguiam um ritual, mas o coração deles estava afastado do propósito divino. Eles tinham o ritual, mas não a essência representada pelo ritual. Deus está mais interessado na sinceridade do coração do que em rituais. Nós devemos celebrar a Páscoa com os asmos da sinceridade. Se participarmos do culto, assentando-nos ao redor da mesa do Senhor, não refletirmos sobre o significado da Ceia e ainda desprezarmos nossos irmãos, então, esse ritual é desprovido de qualquer valor. Deus não se impressiona com rituais pomposos, Ele quer a verdade no íntimo. O cerimonialismo é um grande perigo. Deus não se impressiona com os nossos ritos e cerimônias. Ele vê o coração do adorador.

Eles eram esnobes e orgulhosos (11.21). Os ricos, de um lado, comiam os melhores churrascos e bebiam os melhores vinhos até a embriaguez enquanto os pobres ficavam do outro lado passando fome. De um lado

---

[20] Morris, Leon. *1Coríntios: Introdução e comentário*, 1983, p. 126.

estavam os pobres com fome e do outro estavam os ricos bêbados.[21] Depois dessa feira de vaidades, os ricos ainda tinham a petulância de dizer: "Agora nós vamos celebrar a Ceia do Senhor". Agindo assim, feriam a comunhão, humilhavam os irmãos pobres e desonravam a Deus. É importante ressaltar que a atitude egoísta dessas pessoas estava em flagrante contraste com a oferta altruísta e sacrificial de Cristo que deu Sua vida para o resgate dos pecadores. A Ceia que eles celebravam apontava para a oferta sacrificial de Cristo e eles a celebravam com gestos de egoísmo e não de amor altruísta.[22]

Eles se entregavam a excessos dentro da igreja (11.21). Eles bebiam a ponto de chegar à embriaguez na Festa do Amor, antes da celebração da Ceia. Os ricos deixavam os pobres passando fome, enquanto comiam, empanturravam-se e embebedavam-se num claro sinal de excesso e falta de domínio próprio. Paulo diz que a atitude deles estava errada. Eles estavam se reunindo para pecar. Tanto a glutonaria quanto a bebedeira são obras da carne e não fruto do Espírito (Gl 5.19-21).

Eles desprezavam a Igreja de Deus e envergonhavam os pobres (11.22). A deturpação da Festa do Amor na igreja primitiva acabou abolindo-a completamente. Eles desprezavam a santidade de Deus, a santidade da igreja e o amor ao próximo.

Em terceiro lugar, ***o significado da Ceia do Senhor*** (11.23-26). A Ceia do Senhor está centralizada na morte expiatória de Cristo e no Seu sacrifício vicário. A cruz de Cristo e não o egoísmo humano está no centro dessa celebração. O sangue de Cristo é o selo da nova aliança. Por meio dele Deus perdoa os nossos pecados e nos salva da ira vindoura.

A Ceia do Senhor é uma proclamação dramatizada de quatro verdades essenciais da fé cristã. Não podemos nos assentar à mesa sem olhar para o sacrifício de Cristo. Warren Wiersbe destaca quatro pontos que Paulo ensinou sobre a Ceia e que devemos ainda hoje observar sempre que nos reunirmos ao redor da mesa do Senhor: devemos olhar para trás, para a frente, para dentro e ao redor.[23]

---

[21]MORRIS, Leon. *1Coríntios: Introdução e comentário*, 1983, p. 127.
[22]WENHAM, G. J. et all. *New Bible commentary*, 1994, p. 1179.
[23]WIERSBE, Warren W. *Comentário bíblico expositivo*. Vol. 5, 2006, p. 792,793.

Devemos olhar para trás. Quando você participa da Ceia, você deve olhar para trás, para a cruz de Cristo (11.26). Todas as vezes que comemos o pão e bebemos o cálice, anunciamos a morte do Senhor. Quando Jesus pegou o pão e o partiu, Ele disse: *Este pão é o meu corpo, que é partido por amor de vós. Tomai e comei, fazei isto em memória de mim*. Jesus está ordenando que a igreja se lembre não dos Seus milagres, mas da Sua morte. Devemos olhar para trás e nos lembrar por que Cristo morreu, como Cristo morreu, por quem Cristo morreu. Cristo é o centro da Ceia. A Ceia é uma pregação dramatizada do Calvário.

Devemos olhar para a frente. Quando participa da Ceia, você não olha somente para trás, mas também para a frente. Paulo diz: *Porque, todas as vezes que comerdes este pão e beberdes o cálice, anunciais a morte do Senhor, até que ele venha* (11.26). A Ceia nos aponta para a segunda vinda de Cristo. A eucaristia aponta para a *parousia*. Há um clima de expectativa em toda celebração da Ceia do Senhor (Lc 22.16,18). A segunda vinda de Cristo é a grande esperança do cristão num mundo onde o mal tem feito tantos estragos. Atrás, aponta para a Sua morte; à frente, aponta para a Sua volta.[24] William MacDonald, citando Godett, afirma: "A Ceia do Senhor é o elo entre Suas duas vindas, o monumento de uma, a garantia de outra".[25]

Devemos olhar para dentro. Quando você celebra a Ceia, não somente olha para trás e para a frente, mas também olha para dentro. Paulo exorta: *Examine-se, pois, o homem a si mesmo* (11.28). Você não olha para o seu irmão. Você não é o juiz do seu irmão. Em vez de examinar e julgar a vida alheia; volte as baterias para você mesmo, examine-se a si mesmo e julgue-se a si mesmo. Investigue o seu coração. Analise a sua vida. É digno observar que Paulo diz: Examine-se o homem a si mesmo e coma. Paulo não diz: Examine-se o homem e deixe de comer. Você não deve fugir da Ceia por causa do pecado, mas fugir do pecado por causa da Ceia. A Ceia é um instrumento de restauração. A Ceia é um tempo de cura, de reconciliação e restauração. A Ceia é o momento em que devemos aguçar os sentidos da nossa alma para examinar-nos e

---

[24]PRIOR, David. *A mensagem de 1Coríntios*, 1993, p. 201.
[25]MACDONALD, William. *Believer's Bible commentary*, 1995, p. 1789.

nos voltarmos para o Senhor. Na Ceia devemos correr do pecado para Deus e não de Deus para o pecado. A ordem de Paulo é: Examine-se e coma!

Devemos olhar ao redor. Quando você participa da Ceia, você olha para trás, para a cruz; você olha para a frente, para a segunda vinda de Cristo; você olha para dentro, para um autoexame e você também olha ao redor (11.33,34). O apóstolo Paulo escreve: *Assim, pois, irmãos meus, quando vos reunis para comer, esperai uns pelos outros. Se alguém tem fome, coma em casa, a fim de não vos reunirdes para juízo. Quanto às demais coisas, eu as ordenarei quando for ter convosco* (11.33,34). Paulo está orientando os crentes a esperarem uns pelos outros para uma comunhão verdadeira na Festa do Amor.

Na igreja de Corinto era costume os crentes trazerem suas iguarias de casa e comerem fartamente sem esperar uns pelos outros. Quando os menos favorecidos chegavam só encontravam as sobras. Havia até alguns pobres que passavam fome. O que Paulo nos ensina? Não temos essa prática da Festa do Amor atualmente, mas temos o princípio. Quando você se reunir para a Ceia, olhe ao seu redor, para seu irmão que está perto de você. Tem alguém faltando à igreja? Por que este ou aquele irmão ou irmã não está aqui assentado perto de nós?

A Ceia é um momento de comunhão. Somos um só pão. É isso o que Paulo deseja que a igreja entenda sobre a Ceia. Devemos procurar o Senhor e também os nossos irmãos. Devemos encontrar-nos com o Senhor e também com os nossos irmãos. Na Ceia os céus e a terra se tocam.

Em quarto lugar, ***os perigos em relação à Ceia do Senhor*** (11.27-32). Paulo alista alguns perigos com respeito à Ceia do Senhor.

Participar da Ceia do Senhor indignamente. Paulo escreve: *Por isso, aquele que comer o pão ou beber o cálice do Senhor, indignamente, será réu do corpo e do sangue do Senhor* (11.27). O que é participar da Ceia do Senhor dignamente?

João Calvino diz que participar da Ceia de forma digna é ter consciência da nossa própria indignidade. Quando temos consciência da nossa indignidade, mas ao mesmo tempo reconhecemos que por meio de Cristo somos habilitados a nos assentarmos à mesa, então participaremos da Ceia dignamente. A nossa dignidade é a consciência da nossa indignidade.

Leon Morris afirma que há um sentido em que todos têm de participar indignamente, pois ninguém jamais pode ser digno da bondade de Cristo para conosco. Mas em outro sentido podemos vir dignamente, isto é, com fé, e com a devida realização de tudo que é pertinente a tão solene rito. Negligenciar nisto é vir indignamente no sentido aqui censurado.[26] Participar da Ceia indignamente é assentar-se à mesa de forma leviana e irrefletida.

Precisamos discernir o que Cristo fez na cruz por nós. Precisamos compreender o Seu sacrifício vicário. Participar da Ceia irrefletidamente ou participar da Ceia hospedando pecado no coração, sem a devida disposição de arrependimento é fazê-lo de forma indigna. É tornar-se réu do corpo e do sangue de Jesus.

Ser réu do corpo e do sangue de Cristo Jesus é um pecado gravíssimo. Você só tem dois lados para estar em relação ao sangue. Você está debaixo dos benefícios do sangue ou está do lado daqueles que levaram Jesus para a cruz e O mataram. Você é assassino de Cristo ou é beneficiário do sangue de Cristo? Participar indignamente da Ceia é ser réu do corpo e do sangue de Cristo; é estar na mesma posição de Anás, Caifás, Pilatos e os soldados romanos que pregaram Jesus na cruz. Assim, só existem duas possibilidades: Você está debaixo dos benefícios do sangue de Cristo ou é réu do corpo e do sangue do Senhor. O apóstolo Paulo está dizendo que quem participa da Ceia indignamente se torna culpado de derramar o sangue de Cristo; isto é, coloca-se não do lado dos que estão participando dos benefícios da Sua paixão, mas do lado dos que foram culpados por Sua crucificação.[27]

Participar da Ceia do Senhor sem discernimento. O apóstolo Paulo escreve: *Examine-se, pois, o homem a si mesmo, e assim coma do pão, e beba do cálice; pois quem come e bebe sem discernir o corpo, come e bebe juízo para si. Eis a razão por que há entre vós muitos fracos e doentes e não poucos os que dormem* (11.28-30). Discernir o quê? Discernir o

---

[26] MORRIS, Leon. *1Coríntios: Introdução e comentário*, 1983, p. 131.
[27] PRIOR, David. *A mensagem de 1Coríntios*, 1993, p. 202.

corpo! Que corpo? Paulo está falando de dois corpos aqui. O primeiro corpo é o corpo físico de Cristo. É o corpo que foi moído e traspassado na cruz. Contudo, há outro corpo que precisa ser discernido. É o corpo místico de Cristo. Qual é o corpo místico de Cristo? A igreja!

Quando você vem para a Ceia, mas, despreza o seu irmão, fazendo acepção de pessoas, ou nutrindo mágoa em seu coração, você está participando da Ceia sem discernir o corpo. E se você participa da Ceia sem discernir o corpo, você está participando de forma indigna. O resultado é que um pecado espiritual produz consequências físicas: *Eis a razão por que há entre vós muitos fracos e doentes e não poucos que dormem* (11.30). Essas são as doenças *hamartiagênicas*, ou seja, doenças produzidas pelo pecado.

A igreja de Corinto, em virtude de pecados não tratados, tinha pessoas fracas, doentes e algumas que já haviam morrido. Leon Morris nessa mesma linha de pensamento diz que males espirituais podem ter resultados físicos. A razão da má saúde e mesmo da morte de alguns crentes de Corinto tem atrás de si uma atitude errada para com esse ofício sumamente solene."[28]

A igreja de Corinto não estava cumprindo o mandamento de amar uns aos outros. Portanto, ela não estava discernindo o corpo. A consequência da falta de discernimento do corpo levou a igreja a comer e beber juízo para si: fraqueza, doenças e morte (11.30).

Participar da Ceia do Senhor sem autojulgamento. Paulo alerta: *Porque, se nos julgássemos a nós mesmos, não seríamos julgados. Mas, quando julgados, somos disciplinados pelo Senhor, para não sermos condenados com o mundo* (11.31,32). Não podemos ser frouxos com nós mesmos. Se nós participarmos da Ceia do Senhor com pecados não confessados sobre nós; não teremos, então, discernido o corpo que foi partido para que esse pecado fosse perdoado.[29]

Não podemos ser condescendentes com os nossos próprios erros. Precisamos enfrentar a nós mesmos. Quando você vier para a Ceia, não

---

[28] MORRIS, Leon. *1Coríntios: Introdução e comentário*, 1983, p. 132.
[29] MACDONALD, William. *Believer's Bible commentary*, 1995, p. 1789.

trate a si mesmo com condescendência. Julgue a si mesmo. Enfrente os seus pecados com rigor. Porque se você não julgar a si mesmo, vai ser condenado com o mundo.

A celebração da Ceia é um momento de autoconfronto. O autoengano é um grande perigo. A igreja de Laodiceia olhou no espelho e disse: Estou rica e abastada. A igreja de Sardes disse: Eu estou viva! Mas, Jesus disse à primeira igreja que ela era pobre e miserável e à segunda que ela estava morta. Paulo é enfático: Julgue a si mesmo, examine a si mesmo para que você não seja julgado e condenado com o mundo. Matthew Henry diz que as ordenanças de Cristo podem nos fazer melhores, ou nos farão piores; se elas não nos quebrantarem e nos amolecerem; nos tornarão mais endurecidos.[30]

Quando você julga a si mesmo, é disciplinado por Deus e a disciplina de Deus traz salvação, cura, e vida. Todavia, quando não julgamos a nós mesmos, nos tornamos autoindulgentes, e o juízo torna-se inevitável. O juízo de Deus para o crente não é a perda da salvação nem a condenação eterna, mas a disciplina.

Na vida do crente, fraqueza, doença e morte podem ser disciplina de Deus para nos afastar de pecados mais terríveis e de consequências mais danosas. A disciplina de Deus visa a sempre nos fazer voltar para Ele e nos livrar da condenação do mundo.

---

[30]HENRY, Matthew. *Matthew's Henry commentary in one volume.* Grand Rapids, MI: Zondervan Publishing House, 1961, p. 1817.

12

O **propósito** de Deus para os dons espirituais

1 Coríntios 12.1-31

A IGREJA DE CORINTO TINHA SÉRIOS PROBLEMAS relacionados ao culto cristão. Analisamos dois desses problemas no capítulo anterior: A questão da decência, o traje feminino no culto e a questão do domínio próprio dos crentes em relação à Ceia do Senhor.

Veremos neste capítulo que a igreja de Corinto tinha, também, problemas em relação ao uso dos dons espirituais. Eles não estavam usando, mas abusando dos dons espirituais. Ainda hoje, o mau uso dos dons espirituais é um grave problema na igreja. Muitos crentes usam os dons como um instrumento de autopromoção. Essa altivez espiritual é um sintoma de imaturidade.

Os dons espirituais não foram dados à igreja para projeção humana nem como um aferidor para medir o grau da espiritualidade de uma pessoa. Os dons foram dados para a edificação do corpo. Pelo exercício dos dons a igreja cresce de forma saudável. Assim, os dons são importantíssimos e vitais para a igreja. Eles são os recursos que o próprio Espírito de Deus concedeu à igreja para que ela pudesse ter um crescimento saudável e também suprir as necessidades dos seus membros.

Há pelo menos quatro posições em relação aos dons dentro da igreja:

1. *Os cessacionistas*. São aqueles que creem que os dons de sinais registrados em 1Coríntios 12 foram restritos ao tempo dos apóstolos. Para os cessacionistas esses dons não são contemporâneos nem estão mais disponíveis na igreja contemporânea.
2. *Os ignorantes*. São aqueles que não conhecem nada sobre os dons. Paulo orienta os coríntios para não serem ignorantes com respeito aos dons espirituais. Havia gente na igreja que ignorava esse assunto, e por isso, não podia utilizar a riqueza dessa provisão divina para a igreja.
3. *Os medrosos*. São aqueles que têm medo dos dons. Aqueles que têm medo dos excessos. Medo de cair em extremos. O medo leva essas pessoas a enterrar os seus dons e não utilizá-los para a glória de Deus nem para a edificação do corpo.
4. *Os que creem na contemporaneidade*. São aqueles que creem que os mesmos dons espirituais concedidos pelo Espírito Santo no passado estão disponíveis para a igreja atualmente.

Desejo examinar algumas lições sobre os dons espirituais à luz desse texto.

O problema: os dons espirituais como **símbolo de *status*** (12.1-12)

O primeiro problema que encontramos na igreja de Corinto é que ela usou mal os dons. A igreja tinha todos os dons (1.7). Não lhe faltava dom algum. Porém, ela tentou colocar o dom de variedade de línguas como o dom mais importante, como um símbolo de *status* espiritual.[1]

É imperativo ressaltar que os dons espirituais não são aferidores de espiritualidade. Você não mede a espiritualidade de uma igreja pela presença dos dons espirituais nela. Se você fosse medir o grau de espiritualidade de uma igreja pelos dons, a igreja de Corinto seria campeã

---
[1] WAGNER, Peter. *Se não tiver amor*, 1983, p. 85.

de espiritualidade, pois tinha todos os dons; mas a realidade dessa igreja era outra.

Os crentes de Corinto não eram espirituais, mas carnais. Eles não eram maduros, mas infantis. Eles tinham carisma, mas não caráter. Eles tinham dons, mas não piedade. Era uma igreja que vivia em êxtase, mas não tinha um testemunho consistente. Tinha uma liturgia extremamente viva, mas a igreja não tinha a prática do evangelho. Faltava amor entre os crentes e santidade aos olhos de Deus. Era uma igreja de excessos, onde faltavam ordem e decência.

Os tempos mudaram, mas os mesmos erros do passado ainda estão sendo repetidos nas igrejas contemporâneas. Há igrejas que ainda ensinam que o dom de variedade de línguas é o selo e a evidência do batismo com o Espírito Santo. Há quem pense que o dom de variedade de línguas é o sinal da verdadeira espiritualidade. Assim, um crente que não fala em outras línguas não é uma pessoa espiritual, mas um crente de segunda categoria. Essa posição não tem amparo bíblico. É um equívoco. Todos os salvos são batizados pelo Espírito no corpo de Cristo (12.13), mas nem todos os crentes têm o dom de variedade de línguas (12.30).

É importante ressaltar que o dom de variedade de línguas tem valor. Tudo o que Deus dá é importante. Se o Espírito Santo é quem dá esse dom, então, ele tem valor. Porém, você precisa olhar a posição que esse dom ocupa na lista dos dons. Ele é o único dom que não é para a edificação do corpo, mas para a autoedificação. Portanto, na lista dos dons, ele sempre vem em último lugar. Também é importante ressaltar que em momento algum a Palavra de Deus coloca um dom espiritual, seja ele qual for, como o selo ou como a evidência do batismo com o Espírito Santo.

O batismo com o Espírito Santo é a sua inserção no corpo de Cristo (12.13). Todo aquele que foi regenerado, também foi batizado pelo Espírito no corpo de Cristo. Não é o falar em línguas que evidencia essa ligação no corpo, mas a conversão.

Vamos destacar alguns pontos para a nossa reflexão.

Em primeiro lugar, *o contraste entre o outrora e o agora*. Na vida do cristão há uma distinção entre o OUTRORA e o AGORA. Paulo fala da experiência de conversão, daquele divisor de águas na vida que separa o passado do presente. Assim diz o apóstolo: "Sabeis que, outrora, quando éreis gentios, deixáveis conduzir-vos aos ídolos mudos, segundo éreis guiados" (12.2,3). O que é que Paulo está ensinando? É que há uma distinção entre o outrora e o agora. Os ídolos, embora, mudos, guiavam, controlavam e dominavam os crentes de Corinto antes da conversão deles. O ídolo é mudo. Ele não tem vida, não fala, não ouve, não age, mas, a despeito disso o ídolo guia, controla, e dirige a vida daqueles que o veneram (Os 4.12). De que maneira? É que por trás do ídolo estão os demônios (10.20).

Assim, quando uma pessoa está sendo guiada por ídolos, ela está sendo controlada por demônios. O ídolo, ou uma imagem de escultura tem boca, mas não fala; tem olhos, mas não vê; tem ouvidos, mas não ouve; tem garganta, mas nenhum som sai da sua boca; tem mão, mas não apalpa; tem pé, mas não anda. Do mesmo modo são os que fazem e os que seguem os ídolos (Sl 115.5-8). A pessoa que faz um ídolo e o segue perde a capacidade de ver, ouvir e entender as coisas. Ela é controlada e guiada cegamente.

Os ídolos eram demônios que estavam agindo na vida dos coríntios e guiando a vida deles antes da conversão (12.2). David Prior alerta para o fato de que muitos cristãos de Corinto procediam do paganismo. Convém ressaltar, sobretudo, que as religiões gregas de mistério tinham as experiências espirituais como norma. As pessoas estavam acostumadas a ser guiadas por algum tipo de força sobrenatural ou demoníaca a um estado de transe, ou êxtase, ou a alguma atitude estranha.[2]

Paulo, então, mostra para a igreja que outrora eles eram conduzidos e guiados pelos ídolos. Mas agora, são guiados e controlados pelo Espírito Santo de Deus. *Por isso, vos faço compreender que ninguém que fala pelo Espírito de Deus afirma: Anátema, Jesus! Por outro lado, ninguém pode dizer: Senhor Jesus!, senão pelo Espírito Santo* (12.3).

Os crentes da igreja de Corinto vieram, na sua maioria, das religiões de mistério, do politeísmo pagão, onde eles eram incorporados por espíritos malignos e falavam em estado de êxtase. Agora, alguns desses crentes queriam importar essas práticas para a igreja.

---

[2] PRIOR, David. *A mensagem de 1Coríntios*, 1993, p. 205.

O grande problema é que algumas pessoas na igreja de Corinto estavam falando em estado de êxtase. E nesse momento de êxtase, algumas pessoas diziam: Anátema Jesus! Amaldiçoado seja Jesus! Paulo, então, corrige essa prática dizendo que uma pessoa guiada pelo Espírito de Deus não pode fazer isso, porque o Espírito de Deus não leva uma pessoa a falar e agir de maneira contrária a Jesus Cristo.

O ministério do Espírito Santo é glorificar e exaltar a Jesus. Ninguém pode confessar Jesus como Senhor e viver de conformidade com essa realidade sem a ação e o poder do Espírito Santo (12.3).

Em segundo lugar, *o contraste entre os ídolos e o Deus trino*. Paulo argumenta: *Ora, os dons são diversos, mas o Espírito é o mesmo. E também há diversidade nos serviços, mas o Senhor é o mesmo. E há diversidade nas realizações, mas o mesmo Deus é quem opera tudo em todos* (12.4-6). Aqui, a Trindade está presente. No versículo 4, Paulo se refere ao Espírito Santo; no versículo 5, a palavra *kyrios* refere-se ao Senhor Jesus Cristo e no versículo 6, Paulo refere-se a Deus Pai. A igreja de Corinto precisava entender isso. Ela havia abandonado os ídolos mudos e agora estava seguindo uma nova direção: a direção do Pai, do Filho e do Espírito Santo.

Em terceiro lugar, *a natureza dos dons espirituais* (12.4-6). Veja que Paulo está falando de "dons", de "serviços" e de "realizações". Isso vai nos falar acerca da natureza dos dons espirituais. Por que Paulo fala sobre dons, serviços e realizações? O dom tem uma tríplice natureza.

Quanto à origem dos dons eles são *charismata*. Paulo diz: *Ora os dons são diversos* (12.4). A palavra *charismata* vem de *charis*, graça. Assim, Paulo está falando da origem dos dons. O dom espiritual procede da graça de Deus. Nenhum homem tem competência para distribuir dons espirituais. Essa não é uma competência humana. Os dons são originados na graça de Deus e são ministrados, doados e distribuídos pelo Espírito Santo de Deus. Nenhum homem tem competência de distribuir dons espirituais. A origem dos dons nunca está no homem, mas sempre na graça de Deus.

Quanto ao modo de atuar, o dom é *diaconia*. Paulo prossegue: *E também há diversidade nos serviços* (12.5). A palavra "serviços" no grego é *diaconia*. Isso se refere ao modo de atuação do dom que é prontidão para servir. Os dons são dados não para projeção pessoal, mas para o serviço. O dom é *diaconia,* é para o serviço.

Deus nos dá dons para servirmos uns aos outros e não para tocarmos trombeta exaltando nossas virtudes ou habilidades. Um indivíduo jamais deveria acender as luzes da ribalta sobre si mesmo no exercício do dom espiritual. A finalidade do dom espiritual não é a autopromoção, mas a edificação do próximo.

Quanto à sua finalidade os dons são *energémata.* Paulo conclui: *E há diversidade nas realizações* (12.6). A palavra *energémata* vem de energia, de obras exteriores. É a energia de Deus operando nos cristãos e transbordando para a vida da comunidade.[3] O dom espiritual tem uma finalidade. Sua finalidade é a exteriorização de um ato, de um trabalho, de alguma realização. O dom espiritual é para ajudar alguém, fazer algo para alguém, trabalhar por alguém e realizar alguma coisa por alguém. Não é uma espiritualidade intimista e subjetiva. O dom sempre está se desdobrando em trabalho, ação, e realização em benefício de alguém. A finalidade do dom é a realização de alguma obra e ajuda concreta a alguém.

Em quarto lugar, *o propósito divino para os dons.* O apóstolo Paulo afirma: *A manifestação do Espírito é concedida a cada um visando a um fim proveitoso* (12.7). Destaco aqui duas coisas:

1. *Os dons são dados a cada membro do corpo.* Todos os crentes, salvos por Cristo Jesus, têm pelo menos um dom. A afirmação do apóstolo Paulo é categórica: "A manifestação do Espírito é concedida a cada um". Não existe ninguém convertido sem dons espirituais. Cada membro tem pelo menos um dom.
2. *Os dons têm um propósito.* Eles são dados visando a um fim proveitoso, ou seja, a edificação da igreja. O benefício não é próprio e pessoal, mas endereçado para a coletividade. O propósito dos dons é a edificação da igreja.

Em quinto lugar, *a variedade dos dons.* O apóstolo diz: *Porque a um é dada, mediante o Espírito, a palavra da sabedoria; e a outro, segundo o*

---

[3] PRIOR, David. *A mensagem de 1Coríntios,* 1993, p. 210.

mesmo Espírito, a palavra do conhecimento; a outro, no mesmo Espírito, a fé; e a outro, no mesmo Espírito, dons de curar; a outro, operações de milagres; a outro, profecia; a outro, discernimento de espíritos; a um, variedade de línguas; e a outro, capacidade para interpretá-las (12.8-10).

Paulo oferece cinco listas de dons espirituais: Romanos 12.6-8; 1Coríntios 12.8-10; 1Coríntios 12.28; 1Coríntios 14; Efésios 4.11-13. Não há crente sem dom nem crente com todos os dons (12.29-31). A lista em apreço pode ser sintetizada assim: Dons da palavra ou da pregação; dons de sinais ou de milagres e dons de serviço. Há variedade e diversidade de dons. O Espírito Santo é quem distribui, a fim de que não haja nenhuma falta, necessidade ou carência na Igreja de Deus.

Em sexto lugar, **a soberania do Espírito na distribuição dos dons**. Paulo diz: *Mas um só e o mesmo Espírito realiza todas estas coisas, distribuindo-as, como lhe apraz, a cada um, individualmente* (12.11). Paulo está falando que é o Espírito Santo quem distribui os dons e também quem age eficazmente na vida daquele que exerce o dom. O homem é apenas o instrumento, mas o poder é do Espírito. Assim, não faz sentido falarmos em homens poderosos. Quando uma pessoa tem o dom de milagres, dons de cura, não é a pessoa que tem o poder.

Atualmente se faz propaganda de homens poderosos, homens de poder, mas na verdade Paulo fala que [...] *um só e o mesmo Espírito realiza todas estas coisas*. A glória não é para o homem, mas para Deus e Deus não a reparte com ninguém.

O apóstolo Paulo usou quatro verbos-chave que ilustram a soberania de Deus na distribuição dos dons espirituais. O Espírito Santo distribui (12.11), Deus dispõe (12.18), Deus coordena (12.24) e Deus estabelece (12.28).[4] Do começo ao fim Deus está no controle. É Deus quem estabelece o corpo e quem coloca cada membro no corpo e distribui cada dom a cada pessoa conforme Seu propósito e soberana vontade. Do começo ao fim Deus está no controle. É isso que Paulo ensina à igreja.

---

[4] PRIOR, David. *A mensagem de 1Coríntios*, 1993, p. 209.

A igreja é um corpo (12.12-31)

A igreja é comparada a uma família, a um exército, a um templo, a uma noiva. Porém, a figura predileta de Paulo para descrever a igreja é o corpo. Por que Paulo tem predileção por essa figura? Porque ela é uma das mais completas para descrever a igreja. O apóstolo Paulo destaca três grandes verdades, que vamos considerar.

Em primeiro lugar, *a unidade do corpo* (12.12,13). O corpo é uno. Sua principal característica é a unidade. Todos os que creem em Cristo são um, fazem parte do mesmo corpo, da mesma família, do mesmo rebanho. Essa unidade não é organizacional nem denominacional, mas espiritual. Nós confessamos o mesmo Senhor (12.1-3), dependemos do mesmo Deus (12.4-6), ministramos no mesmo corpo (12.7-11), e experimentamos o mesmo batismo (12.12,13).

Peter Wagner cita dois fatores que mantêm a unidade do corpo:[5]

O sangue. Pode ser difícil estabelecer a unidade entre meus pés, minhas mãos e meus rins. Contudo, o mesmo sangue alimenta esses membros e todos os outros.

O sangue fornece vida aos membros e se impedirmos o sangue de chegar a alguns deles, esses morrerão rapidamente. O que é que me enxerta e me insere no corpo de Cristo? O que me torna um membro do Seu corpo? É o sangue do Cordeiro! Assim como o sangue é o elemento que unifica o corpo, o sangue de Cristo nos torna um.

Ninguém pode fazer parte da igreja a não ser por meio da expiação, da obra da redenção operada pelo sangue de Jesus Cristo. Ninguém entra na igreja sem primeiro ter se apropriado dos benefícios da morte de Cristo e do Seu sangue derramado.

O Espírito. Além do sangue, o que mantém o corpo uno é o espírito. Nunca descobriremos o espírito ou a alma de uma pessoa em algum de seus órgãos, membros ou glândulas. Em certo sentido, o espírito está em todos os membros do corpo. Em relação à igreja, diz o apóstolo Paulo: *Pois, em um só Espírito, todos nós fomos batizados em um corpo* (12.13). O Espírito Santo foi quem enxertou você no corpo. Você foi

---

[5] WAGNER, Peter. *Se não tiver amor*, 1983, p. 86,87.

batizado e introduzido no corpo pelo Espírito. Quem colocou você no corpo foi o Espírito Santo. Ele regenerou você, mudou a sua vida, converteu o seu coração. Um membro do corpo pode ser mais cheio do que outro membro, mas nenhum membro está sem o Espírito. Ser batizado pelo Espírito significa pertencer ao Corpo de Cristo. Ser cheio do Espírito significa que nosso corpo pertence a Cristo.

Obviamente, essa unidade de que Paulo fala não é denominacional. Não é uma unidade externa, mas mística e espiritual. É por isso que o ecumenismo é um grande equívoco. Qual é a grande bandeira do ecumenismo? É a de que nós temos de acabar com as nossas diferenças e ficar todos debaixo de um mesmo guarda-chuva. Não importa a sua crença. Não importa a sua teologia. Não importa o Deus que você crê. Vamos ficar juntos. Vamos adorar no mesmo altar. Mas esse não é o ensino das Escrituras. Não existe unidade fora da verdade. Não há unidade fora do Espírito Santo.

É impossível ser um com alguém que ainda não nasceu de novo e ainda não foi introduzido no Corpo de Cristo. Essa unidade é para os salvos que estão nas mais diversas denominações cristãs, mas não é uma unidade entre salvos e incrédulos. A unidade da igreja é espiritual. Você é um com qualquer irmão de qualquer denominação, em qualquer lugar do mundo. Essa unidade não é criada na terra, mas no céu; não é feita pelo homem, mas por Deus. Todos aqueles que creem em Cristo, de todos os lugares, de todos os tempos são um. Todos fazem parte da mesma igreja, do mesmo rebanho. Todos são ovelhas de Cristo e noiva do Cordeiro.

Em segundo lugar, *a diversidade do corpo* (12.14-20). O corpo embora uno tem uma grande diversidade de membros (12.14). O que torna o corpo bonito e funcional é o fato de ele ter seus membros harmoniosamente distribuídos e todos trabalhando juntos para o bem comum.

Os membros do corpo são belos quando distribuídos com proporcionalidade. Um nariz que se desenvolve além do normal deforma o rosto. O olho é um órgão lindo e nobre. Ele é o farol do corpo humano. Contudo, já imaginou se você encontrasse um olho de 75 quilos na rua? Você sairia correndo, pois esse olho gigante mais se assemelharia a um monstro.⁶ Paulo pergunta: *Se todo o corpo fosse olho, onde estaria o ouvido?* (12.17). A beleza do corpo está na sua diversidade e na sua proporcionalidade.

O corpo precisa das diversas funções dos membros para sobreviver (12.15-19). Um membro serve ao outro e todos trabalham em harmonia para o benefício e edificação do corpo. Imagine que você esteja com fome caminhando pela estrada e vê um pé de manga cheio de mangas maduras, mangas vermelhas, mangas bonitas, mangas cheirosas. O seu olho vê a manga. No entanto, não basta o olho ver. Você tem de usar a mão para pegar. Você tem de usar a boca e os dentes para morder e mastigar. Você tem de usar a língua para movimentar. Você tem de usar o esôfago para engolir. Você tem de usar o estômago para triturar. Você tem de usar o fígado para jogar a bílis ali. Você precisa de toda uma máquina funcionando para que aquela manga possa nutrir você e atender à sua necessidade.⁷ Assim, também, é a igreja. Ela é um corpo e nós precisamos ajudar uns aos outros.

Se eu cortasse o meu braço e o colocasse numa cadeira ao lado, ele seria meu braço ainda. Só que não valeria nada para o corpo. Esse braço só tem valor se tiver ligado ao corpo. Fora do corpo ele não tem valor. É inútil. Se eu cortasse minha mão e a colocasse numa cadeira, no outro lado da sala, ela ainda seria minha mão, mas não teria mais utilidade porque estaria separada dos outros membros do corpo. Da mesma maneira, o apóstolo Paulo está dizendo, que somos uma unidade. O membro tem valor na medida em que está inserido no corpo e na proporção em que ele trabalha para o bem comum do corpo.

Em terceiro lugar, *a mutualidade do corpo* (12.21-31). Quando Paulo fala da mutualidade do corpo, exorta a igreja sobre cinco questões importantes.

O perigo do complexo de inferioridade. Paulo escreve: *Se disser o pé: Porque não sou mão, não sou do corpo; nem por isso deixa de ser do corpo. Se o ouvido disser: Porque não sou olho, não sou do corpo; nem por isso deixa de o ser* (12.15,16).

---

⁶WAGNER, Peter. *Se não tiver amor*, 1983, p. 89.
⁷WAGNER, Peter. *Se não tiver amor*, 1983, p. 89.

Quando alguém reclama de não ter este ou aquele dom espiritual, está questionando a sabedoria de Deus. Isso é culpar a Deus de falta de sabedoria. Isso é questionar a unidade do corpo. Nenhum membro da igreja deve se comparar, nem se contrastar com outro membro da igreja. Você é único. Você é singular no corpo.

Deus colocou você no corpo como Lhe aprouve. Exerça a função que Deus lhe deu no corpo. Ficar ressentido por não ter este ou aquele dom espiritual é imaturidade. Devemos exercer nosso papel no corpo com alegria, zelo e fidelidade. Somos únicos e singulares para Deus.

O perigo do complexo de superioridade. O apóstolo Paulo afirma:

> *Não podem os olhos dizer à mão: Não precisamos de ti; nem ainda a cabeça, aos pés: Não preciso de vós. Pelo contrário, os membros do corpo que parecem ser mais fracos são necessários; e os que nos parecem menos dignos no corpo, a estes damos muito maior honra; também os que em nós não são decorosos, revestimos de especial honra. Mas os nossos membros nobres não têm necessidade disso. Contudo, Deus coordenou o corpo, concedendo muito mais honra àquilo que menos tinha* (12.21-24).

A Igreja de Deus não tem espaço para disputa de prestígio. A igreja não é uma feira de vaidades. O apóstolo Paulo pergunta: *Pois quem é que te faz sobressair? E que tens tu que não tenhas recebido? E, se o recebeste, por que te vanglorias, como se o não tiveras recebido?* (4.7). Não há espaço na igreja para a vanglória. Nenhum membro da igreja pode envaidecer-se pelos dons que recebeu.

A necessidade da mútua cooperação. Paulo ainda prossegue no seu argumento: [...] *para que não haja divisão no corpo; pelo contrário, cooperem os membros, com igual cuidado, em favor uns dos outros* (12.25). A igreja é como uma família unida; quando você mexe com um, mexe com todos, quando você abençoa a um, abençoa a todos. Na igreja cada um está buscando meios e formas de cooperar, de ajudar, de abençoar, de enlevar, de edificar a todos. O propósito do dom é para que não haja divisão no corpo. Você não está competindo nem disputando com ninguém na igreja, mas cooperando.

Paulo diz que não estamos competindo na igreja nem estamos brigando por um lugar ao sol. Devemos lutar para ajudar-nos uns aos outros para que não haja divisão na igreja. Precisamos cooperar e trabalhar a favor uns dos outros. Os dons são dados não para competição nem para demonstração de uma pretensa espiritualidade. O dom tem como objetivo a mútua cooperação.

A maior prioridade da sua vida é cuidar de seu irmão. É assim que acontece com o corpo. Por exemplo: Você, às vezes, gosta do paladar de uma comida. Porém, por uma deficiência de saúde o médico diz: Esse alimento não é bom para você. Então você abdica. Por que você abdica? Em benefício do corpo. Vamos imaginar que você esteja doente, com a garganta inflamada. Você precisa tomar antibiótico. O braço que não tem nada a ver com essa inflamação se oferece para tomar a agulhada. Isso significa que um membro está sofrendo pelo outro em benefício de todo o corpo.

A necessidade da empatia na alegria e na tristeza. De maneira que, se um membro sofre, todos sofrem com ele; e, se um deles é honrado, com ele todos se regozijam (12.26).

A psicologia revela que é mais fácil chorar com os que choram do que se alegrar com os que se alegram. São poucas as pessoas que têm a capacidade de celebrar a vitória do outro. E por que as pessoas têm dificuldade em celebrar a vitória do outro? Porque o mundo delas ainda está centrado no *eu*. No fundo, no fundo, as pessoas ainda estão dizendo, quem deveria ser promovido não era o *outro*, mas *eu*.

Paulo diz que precisamos aprender a ter empatia, a sofrer com os que sofrem e alegramo-nos com os que se alegram. Não estamos num campeonato dentro da igreja disputando quem é o mais talentoso, o mais dotado, o mais espiritual. Somos uma família. Somos um corpo. Devemos celebrar as vitórias uns dos outros e chorar as tristezas uns dos outros.

A necessidade de compreendermos que não somos completos em nós mesmos e que precisamos uns dos outros. Paulo escreve: *Ora, vós sois corpo de Cristo; e, individualmente, membros desse corpo. A uns estabeleceu Deus na igreja, primeiramente, apóstolos; em segundo lugar, profetas; em terceiro lugar, mestres; depois, operadores de milagres; depois, dons de curar, socorros, governos, variedades de línguas* (12.27,28).

Todos os membros da igreja têm dons, mas ninguém tem todos os dons espirituais. Paulo pergunta: *Porventura, são todos apóstolos? Ou, todos profetas? São todos mestres? Ou, operadores de milagres? Têm todos dons de curar? Falam todos em outras línguas? Interpretam-nas todos?* (12.29,30). Paulo faz uma saraivada de perguntas retóricas e para todas elas precisamos responder um NÃO sonoro e rotundo. Paulo está dizendo que nós precisamos uns dos outros. Não existe nenhum crente, na igreja, completo em si mesmo. Não somos autossuficientes; dependemos uns dos outros. É assim que a Igreja de Cristo funciona!

13

A superioridade do amor em relação aos dons

1 Coríntios 13.1-13

O CAPÍTULO 13 DE 1CORÍNTIOS é considerado a obra mais grandiosa, mais vigorosa e mais profunda que Paulo escreveu.[1] Paulo fala sobre a superioridade do amor sobre os dons, as excelências magníficas do amor e a perenidade do amor.

Todavia, o que é amor? Muitas pessoas relacionam o amor com a emoção. O coração bate forte, as mãos ficam geladas, perpassa um calafrio pela espinha. Então, as pessoas pensam: Isso é amor!

Outros relacionam o amor com um sentimento romântico e platônico. Limitam o amor a algo puramente sentimental, filosófico, e romântico. Para outros, ainda, o amor é uma atração irresistível ou um impulso passional. Trata-se apenas de uma paixão inflamada e indomável.

A palavra *amor* está profundamente desgastada. John Mackay afirma que uma das principais artimanhas do maligno é esvaziar o conteúdo das palavras. Se existe uma palavra que foi esvaziada, distorcida, e adulterada em seu significado é a palavra amor. Amor tornou-se símbolo de paixão, de sexo, sobretudo, de intercurso sexual fora do casamento. Esse tipo de amor tem trazido ódio, desgraças, divisões, lares arruinados e enfermidades.

---

[1] MORRIS, Leon. *1Coríntios: Introdução e comentário*, 1983, p. 145.

É óbvio que quando o apóstolo Paulo fala em amor, usa uma palavra específica, *ágape*. O amor *ágape* é o próprio amor de Deus. É o amor sacrificial, genuíno, puro. É o amor santo, que não busca seus interesses. É o amor que se entrega. É o amor que é mais do que emoção. É atitude, é ação. É amar o indigno. É amar até às últimas consequências. É amar como Cristo amou. Cristo amou a Igreja e a si mesmo se entregou por ela. David Prior diz que *ágape* é o amor pelos totalmente indignos. Provém antes da natureza daquele que ama, que de qualquer mérito do ser amado.[2]

Examinaremos esse capítulo dentro desse contexto. Quando você estuda as cartas do apóstolo Paulo às igrejas de Éfeso, Filipos, Colossos e Tessalônica, observa que ele agradece a Deus pelo amor existente entre aqueles irmãos. Paulo elogia aquelas igrejas pelo amor que tinham. Porém, Paulo não elogia a igreja de Corinto nesse particular. Ao contrário, Paulo elogia a igreja de Corinto pelos dons, mas não pelo amor. Corinto era uma igreja cheia de dons. Não faltava àquela igreja nenhum dom (1.7), entretanto, faltava-lhe a prática do amor.

Na verdade esse era o ponto vulnerável daquela igreja. Era uma igreja trôpega e frágil na prática do amor fraternal. A igreja de Corinto era imatura e carnal (3.3). Por essa razão, Paulo escreve o capítulo 13, o grande capítulo do amor. Infelizmente, costumamos ler esse capítulo sem considerar o contexto da carta.

O capítulo 13 está entre dois capítulos tratando de dons espirituais. Não foi cochilo do apóstolo Paulo colocar esse texto sobre o amor "sanduichado" entre dois capítulos que tratam de dons espirituais. Paulo está dizendo que todos os dons mais dramáticos e mais maravilhosos que podemos imaginar são inúteis, se não houver amor.[3] Como diz F. F. Bruce: "O exercício mais generoso dos dons espirituais não pode compensar a falta de amor".[4] Não podemos entender a mensagem desse capítulo a não ser que o interpretemos à luz deste contexto.

Paulo está condenando a carnalidade da igreja de Corinto e mostrando que a única saída para uma igreja carnal e imatura é o remédio do

---

[2]Prior, David. *A mensagem de 1Coríntios*, 1993, p. 242.
[3]Prior, David. *A mensagem de 1Coríntios*, 1993, p. 242.
[4]Bruce, F. F. *1 and 2Corinthians*, 1971, p. 124.

amor. Paulo diz que a vida comunitária sem amor não é nada (13.1-3); a seguir, ele descreve o que o amor é, o que o amor não é, e o que o amor faz (13.4-7). Finalmente, Paulo descreve a natureza duradoura e eterna do amor (13.8b-13). Dividiremos esse estudo em três partes distintas: A superioridade do amor, as virtudes do amor e a eternidade do amor.

A superioridade do amor (13.1-3)

O amor é superior a todos os dons extraordinários. Esse é o argumento de Paulo. A igreja de Corinto estava muito orgulhosa dos dons que tinha, especialmente os dons de sinais. Os crentes de Corinto acreditavam que aqueles que possuíam esses dons eram superiores aos demais. Eles chegaram a pensar que os detentores desses dons de sinais, especialmente, o falar em outras línguas, eram crentes de primeira categoria, que haviam alcançado um estágio mais elevado de intimidade com Deus. Então, eles estavam orgulhosos e ensoberbecidos por esses dons da igreja.

Paulo, porém, desmistifica esse equívoco deles, mostrando que o amor é superior aos dons. O amor é melhor do que o dom de línguas (13.1). O amor é melhor do que o dom de profecia e de conhecimento (13.2). O amor é melhor do que o dom de milagres (13.2). O amor é melhor do que o dom da contribuição sacrificial (13.3). O amor é melhor do que o próprio martírio, dar o seu corpo para ser queimado (13.3).

O amor é superior aos dons por duas razões: pelas suas qualidades e pela sua perenidade. Os dons cessam. Eles são apenas para esta vida. Os dons são apenas para este mundo. Eles são para a igreja militante. Porém, o amor é também para a Igreja triunfante. O amor transcende a história. Ele é eterno.

Paulo menciona cinco dons espirituais que a igreja de Corinto reputava como os mais importantes: línguas, profecia, conhecimento, fé, e contribuição sacrificial (dinheiro e vida). Paulo argumenta com a igreja que esses dons sem amor não têm nenhum valor. As maiores obras de caridade são de nenhum valor sem amor (13.3). O amor é melhor por causa da sua excelência intrínseca e também por causa da sua perpetuidade. Todos os dons, por mais nobres são inúteis, se não houver amor. O exercício mais generoso dos dons espirituais não pode compensar a falta de amor. O exercício desses dons sem o amor não tem nenhum valor para a edificação da igreja. A igreja de Corinto estava cheia de rachaduras, traumas, partidos, grupos, cisões, e divisões pela falta de amor. Dons sem amor não sinalizam maturidade espiritual.

Na igreja de Corinto havia complexo de inferioridade e complexo de superioridade em relação aos dons espirituais. Havia quem se sentia um zero à esquerda e outros que batiam no peito e se enchiam de empáfia, desprezando os demais. Eles viviam na igreja como se estivessem num campeonato de prestígio.

Em Corinto estava a igreja mais cheia de dons do Novo Testamento, mas também a igreja mais imatura e mais carnal, porque lhe faltava amor. A igreja buscava os dons do Espírito, mas não o fruto do Espírito.

Paulo faz três declarações duras acerca do cristão que não tem amor.[5]

Em primeiro lugar, *sem amor, eu ofendo os outros* (13.1). Paulo já havia ensinado que o amor edifica (8.1). Quando os dons são exercidos em amor, eles edificam a igreja. Mas quando os dons não são usados com amor, magoamos as pessoas. Paulo expõe esse assunto por meio de uma referência indireta aos devotos dos cultos de mistério gregos em Corinto, que adoravam Dionísio (deus da natureza) e Cibele (deusa dos animais selvagens).[6] Observe as três comparações que Paulo faz no final de cada um dos três versículos:

> *Ainda que eu fale as línguas dos homens e dos anjos, se não tiver amor, serei como o bronze que soa ou como o címbalo que retine. Ainda que eu tenha o dom de profetizar e conheça todos os mistérios e toda a ciência; ainda que eu tenha tamanha fé, a ponto de transportar montes, se não tiver amor, nada serei. E ainda que eu distribua todos os meus bens entre os pobres e ainda que entregue o meu próprio corpo para ser queimado, se não tiver amor, nada disso me aproveitará* (13.1-3).

O que essas figuras "bronze que soa" e "címbalo que retine" significam? "Bronze que soa" e "címbalo que retine" eram instrumentos usados no culto pagão em Corinto, o culto de mistério do deus Dionísio e da deusa Cibele.[7] Eram formas de se convocar os fiéis para adorar esses

---

[5] PRIOR, David. *A mensagem de 1Coríntios*, 1993, p. 243-245.
[6] PRIOR, David. *A mensagem de 1Coríntios*, 1993, p. 243.
[7] BARCLAY, William. *I y II Corintios*, 1973, p. 129.

deuses pagãos. Nas ruas de Corinto ecoava o toque dos gongos barulhentos e dos címbalos estridentes, instrumentos que caracterizavam esses adoradores. Ambos eram utilizados nas religiões de mistério para invocar a deidade, afastar os demônios ou despertar os adoradores. Não eram melodiosos nem produziam harmonia.[8] Era uma batida monótona, chocante, e doída que cansava e incomodava as pessoas. Era como o latido de um cão.

Igualmente desagradável é o uso do dom de falar em línguas sem a motivação controlada pelo amor. Paulo afirma que uma pessoa pode falar a língua dos homens e dos anjos, mas se não houver amor, vai cansar as pessoas, ferindo-as e ofendendo-as. Não importa se as línguas são humanas ou angelicais; sem amor, elas se tornam desagradáveis e rudes. O homem que se deixa levar pelo falar, antes que pelo fazer, vem a ser nada mais que mero som. A melhor linguagem do céu ou da terra, sem amor, é apenas barulho.[9]

Em segundo lugar, *sem amor, eu nada sou* (13.2). Os crentes de Corinto pensavam que aqueles que tinham o dom de profecia, línguas, conhecimento, e fé para realizar milagres eram os crentes "nota dez", pessoas muito importantes. Todavia, Paulo contesta essa ideia e diz que sem amor essas pessoas eram totalmente insignificantes. Sem amor, os crentes que têm os dons mais espetaculares, ganham nota zero e se tornam nulidade. Deus não se deleita num cristão sem amor. Deus não pode usar, para a Sua glória, um cristão sem amor, alerta David Prior.[10]

Em terceiro lugar, *sem amor, eu nada ganho* (13.3). Do conhecimento e dos feitos poderosos, Paulo se volta para os atos de misericórdia e dedicação. Havia uma ideia meritória quando alguém ofertava alguma coisa com sacrifício. Ou quando alguém entregava o próprio corpo para ser queimado. Nas religiões de mistério existia muito esse tipo de sacrifício. Os pais sacrificavam os próprios filhos a Moloque. Outros se entregavam a si mesmos, acreditando que com isso granjeariam a simpatia dos deuses. Ainda hoje há muitos religiosos radicais

---

[8] PRIOR, David. *A mensagem de 1Coríntios*, 1993, p. 244.
[9] MORRIS, Leon. *1Coríntios: Introdução e comentário*, 1983, p. 146.
[10] PRIOR, David. *A mensagem de 1Coríntios*, 1993, p. 244.

que se entregam a missões suicidas com a ilusão de que receberão recompensas na vida futura.

Exemplo disso é o acontecido no dia 11 de setembro de 2001, quando quatro pilotos muçulmanos, agindo em nome de Alá, sequestraram aeronaves americanas e fizeram delas armas de ataque contra o povo americano. Duas aeronaves foram lançadas sobre as torres gêmeas do World Trade Center, em Nova York, outra foi jogada sobre o Pentágono em Washington, DC e outra por intervenção dos passageiros, deixou de atingir seu alvo e caiu no Estado da Pennsylvania.

Paulo, já no primeiro século da era cristã, alertava para o fato de que ainda que a pessoa seja capaz de dar todos os seus bens e entregar o próprio corpo para ser queimado, se isso não for inspirado por uma motivação certa, por uma teologia certa, pelo amor, nada disso adiantaria. Sem amor, todo o sacrifício se perde e nada se ganha. O amor é superior aos dons.

As virtudes do amor (13.4-8)

O apóstolo Paulo destaca três verdades sobre o amor, que vamos considerar: o que é o amor? O que não é o amor? E o que o amor faz?

O que é o amor? O amor é paciente e benigno. O que não é o amor? O amor não é ciumento, não se ufana, não se ensoberbece. O amor não se conduz inconveniente, não procura os seus interesses e não se ressente do mal. O amor não se alegra com a injustiça, mas regozija-se com a verdade. O que o amor faz? O amor tudo sofre, tudo crê, tudo espera, tudo suporta; o amor jamais acaba.

O capítulo 13 de 1Coríntios é profundamente apologético. Paulo escreve esse texto para corrigir os problemas que a igreja estava vivenciando. Vamos examinar esses atributos do amor.

Em primeiro lugar, *o amor é paciente* (13.4). O amor paciente tem uma capacidade infinita de suportar.[11] O termo grego *makrothumein* sempre descreve a paciência com pessoas e não com circunstâncias.[12]

---

[11]Morris, Leon. *1Coríntios: Introdução e comentário*, 1983, p. 148.
[12]Morris, Leon. *1Coríntios: Introdução e comentário*, 1983, p. 148.

Trata-se daquela pessoa que tem poder para vingar-se, mas não o faz.[13] A palavra grega *makrothumia* é paciência esticada ao máximo. Num tempo em que os nervos das pessoas estão à flor da pele, o amor paciente é necessidade vital. Há pessoas que têm o pavio curto, e outras que nem têm pavio. As pessoas estão parecendo barris de pólvora: explodem ao sinal de qualquer calor. O amor tem uma infinita capacidade de suportar situações adversas e pessoas hostis. A ideia é a mesma da longanimidade. Quem ama tem um ânimo longo, um ânimo esticado ao máximo. O amor é paciente com as pessoas. Ele tem a capacidade de andar a segunda milha. Quando alguém o fere, ele dá a outra face. Ele não paga ultraje com ultraje.

Em segundo lugar, **o amor é benigno** (13.4). A palavra *benigno* dá a ideia de reagir com bondade aos que nos maltratam.[14] É ser doce para com todos.[15] Agora, como é que a igreja de Corinto se comportava em relação à paciência e à benignidade do amor?

Na igreja de Corinto havia divisões e contendas. Não existia paciência entre os crentes. Ao contrário, eles não se suportavam e havia divisão entre eles. Eles não eram unidos e não tinham a mesma disposição mental. Eles não eram do mesmo parecer. Eles eram indelicados em suas atitudes entre si. E Paulo então diz que a terapia de Deus para corrigir esse problema é o amor. Porque o amor é paciente e também benigno. Alguns crentes da igreja estavam levando os próprios irmãos a juízo perante incrédulos. Eles faziam injustiça uns contra os outros. Eles não apenas brigavam dentro da igreja, mas estavam levando essas querelas para o mundo. O remédio para solucionar esse pecado é o amor. O amor é paciente e é benigno.

Em terceiro lugar, **o amor não arde em ciúmes, não se ufana e não se ensoberbece** (13.4). O amor não se aborrece com o sucesso dos outros.[16] Não é preciso ser um psicólogo para saber disto: Nós temos mais dificuldade de nos alegrarmos com os que se alegram do que

---

[13] BARCLAY, William. *I y II Corintios*, 1973, p. 131.
[14] MORRIS, Leon. *1Coríntios: Introdução e comentário*, 1983, p. 148.
[15] BARCLAY, William. *I y II Corintios*, 1973, p. 132.
[16] MORRIS, Leon. *1Coríntios: Introdução e comentário*, 1983, p. 148.

chorar com os que choram. Temos uma dificuldade imensa de celebrar as vitórias do outro, de aplaudir o outro e nos alegrarmos com o triunfo e o sucesso do outro.

O amor não se ufana. A palavra "ufanar", nesse texto, significa cheio de vento.[17] Tem gente que parece um balão, cheio de vaidades. É como um poço de vaidades.

"Não se ensoberbece." Havia crentes na igreja de Corinto que estavam cheios de empáfia e vaidade. Havia aqueles que se vangloriavam na presença de Deus (1.29). Havia outros que se vangloriavam em homens (3.21), numa espécie de culto à personalidade. Paulo corrige a igreja dizendo que essa prática é contrária ao amor. O amor não tem ciúmes.

Em quarto lugar, *o amor não se conduz inconvenientemente nem procura seus próprios interesses* (13.5). O amor é a própria antítese do egoísmo.[18] Ele não é egocentralizado, mas outrocentralizado. Ele não vive para si mesmo, mas para servir ao outro. Leon Morris diz que o amor se preocupa em dar-se, e não em firmar-se.[19] Por que temos contendas dentro de casa, no trabalho e na igreja? Porque estamos sempre lutando pelo que é nosso e nunca pelo que é do outro! Só há contenda quando você briga pelos seus interesses, quando o egoísmo está na frente. Mas quando você coloca a causa do outro na frente da sua necessidade não existe contenda.

Em quinto lugar, *o amor não se exaspera e não se ressente do mal* (13.5). O amor não é melindroso. Não está predisposto a ofender-se. O amor está sempre pronto para pensar o melhor das outras pessoas, e não lhes imputa o mal.[20] O amor não é hipersensível. A hipersensibilidade é orgulho. Como se corrige isso? Através do amor que não se exaspera, que não se ressente do mal. Os crentes de Corinto estavam levando uns aos outros aos tribunais seculares diante de juízes não cristãos (6.5-7). Estavam brigando, fazendo injustiça, criando confusão e levando seus conflitos e tensões para fora da igreja. Eram egoístas e carnais. Só a prática do amor poderia restaurar a vida espiritual daquela igreja.

---

[17] MORRIS, Leon. *1Coríntios: Introdução e comentário*, 1983, p. 148.
[18] MORRIS, Leon. *1Coríntios: Introdução e comentário*, 1983, p. 148.
[19] MORRIS, Leon. *1Coríntios: Introdução e comentário*, 1983, p. 148.
[20] MORRIS, Leon. *1Coríntios: Introdução e comentário*, 1983, p. 148.

Em sexto lugar, *o amor não se alegra com a injustiça, mas regozija-se com a verdade* (13.6). Na igreja de Corinto havia práticas tão escandalosas que nem mesmo entre os pagãos se percebia. Pior do que a loucura de um homem deitar-se com a mulher do próprio pai foi a atitude da igreja em relação a esse fato. A igreja não lamentou, não chorou, antes se jactou da situação. Paulo, então, diz que o amor não se conduz inconvenientemente. O amor não pratica a injustiça, mas regozija-se com a verdade.

Em sétimo lugar, *o amor tudo sofre, tudo crê, tudo espera, tudo suporta* (13.7). Paulo passa do que o amor não é para o que o amor faz. Alguns irmãos da igreja de Corinto estavam usando mal a sua liberdade cristã. Por agir sem amor, eles faziam tropeçar os irmãos mais fracos. Agora, Paulo diz para a igreja que o amor tudo sofre. Significa que você abre mão de um direito que tem a favor do seu irmão. A ética cristã não é regida simplesmente pelo conhecimento, mas, sobretudo, pelo amor.

Paulo diz também que o amor tudo crê. A igreja de Corinto estava duvidando do apostolado de Paulo, dando créditos às pessoas mentirosas que se opunham ao seu ministério. Davam crédito à mentira, mesmo contra o seu pai espiritual, o apóstolo Paulo (4.3-5; 9.1-3). A igreja regida pelo amor, porém, crê naquilo que recebeu da parte de Deus. Ela recebe da parte de Deus a verdade e não abre mão da verdade. Ainda que essa verdade sofra ataques de todos os lados. A igreja regida pelo amor está sempre disposta a levar em conta as circunstâncias e ver nos outros o melhor.[21]

Paulo ainda diz que o amor tudo espera. Esse é o olhar prospectivo. A ideia não é a de um otimismo irracional, que deixa de levar em conta a realidade. É antes a recusa em tomar o fracasso como final. Decorrente de *tudo crê*, vem a confiança que olha para a vitória final pela graça de Deus.[22]

Prosseguindo, Paulo diz que o amor tudo suporta. Esse elemento traz a ideia de constância. Leon Morris diz que o verbo *hupomeno* denota não uma aquiescência paciente e resignada, mas uma fortaleza

---

[21] MORRIS, Leon. *1Coríntios: Introdução e comentário*, 1983, p. 149.
[22] MORRIS, Leon. *1Coríntios: Introdução e comentário:* 1983, p. 149.

ativa e positiva. É a resistência do soldado que, no calor da batalha, não fraqueja, mas continua vigorosamente na peleja.[23]

Por fim, Paulo afirma: *O amor jamais acaba* (13.8). O amor *ágape* nunca entra em colapso. Ele jamais sofre ruína. As muitas águas não podem apagá-lo (Ct 8.7).

David Prior aduz que, ao concluir esse parágrafo, Paulo trabalha três pontos importantes.[24]

1. *O amor e as trevas em nós mesmos* (13.4b,5a). Com o uso de cinco negativas, cada uma precedendo um verbo, Paulo diz que o amor simplesmente não faz essas coisas: Ele não se entrega ao ciúme, ao ufanismo ou à arrogância; resiste à tentação de reagir com aspereza ou egoísmo. Esses pecados todos estavam presentes na igreja de Corinto.
2. *O amor e as trevas dos outros* (13.5b,6). Paulo menciona três maneiras pelas quais as faltas dos outros nos levam à falta de amor: 1) Há pessoas que nos provocam – não podemos permitir que as pessoas determinem o nosso comportamento. 2) Há pessoas que falam e fazem mal contra nós – é crucial reconhecer o perigo de regozijar-se com o fracasso dos outros, e particularmente manter uma lista dos erros cometidos. O amor além de perdoar, esquece; e não mantém um registro das coisas ditas e feitas contra nós. 3) Há um mal intrínseco em nós mesmos – podemos cair na armadilha de nos regozijarmos não com o que é bom e verdadeiro, mas com o que é obscuro e sórdido. Encontramos um falso alívio quando vemos os outros fracassando e caindo.
3. *O amor e as aparentes trevas em Deus* (13.7). A palavra *tudo*, repetida quatro vezes nesse versículo, torna claro que o amor não é uma qualidade humana, mas um dom do próprio Deus. É apenas o amor de Deus em nós que nos capacita a sofrer, crer, esperar e suportar. Muitas vezes somos esmagados pela pergunta: por que, Senhor? Mas quando amamos, descansamos no fato de que Deus está no

---

[23]MORRIS, Leon. *1Coríntios: Introdução e comentário*, 1983, p. 149.
[24]PRIOR, David. *A mensagem de 1Coríntios*, 1993, p. 246-249.

controle. Aconteça o que acontecer, ficamos firmes porque sabemos que Deus está trabalhando para o nosso bem final (Rm 8.28).

A eternidade do amor (13.8-13)

Paulo menciona os três dons que ocupavam o alto da lista de prioridades da igreja de Corinto: línguas, profecia e conhecimento. Depois disso, afirma que o amor é superior a esses dons. Superior porque os dons são passageiros e o amor é eterno (13.10). A afirmação categórica de Paulo é: *O amor jamais acaba; mas, havendo profecias, desaparecerão; havendo línguas, cessarão; havendo ciência, passará...* (13.8). O verbo grego *piptei* significa literalmente "falhar" ou "entrar em colapso". O amor nunca cede às pressões. Ele ultrapassa a morte, chegando à eternidade.[25]

Línguas, profecia e conhecimento. Cada um deles passará a ser irrelevante ou será absorvido na perfeição da eternidade.[26] Esses dons sem amor não têm nenhuma validade. Ainda, os dons por mais importantes que sejam são temporários, mas o amor é eterno.

Paulo ilustra essa verdade geral de duas maneiras diferentes:

Em primeiro lugar, **ele menciona o crescimento desde a infância até a maturidade**. Diz o apóstolo: *Quando eu era menino, falava como menino, sentia como menino, pensava como menino; quando cheguei a ser homem, desisti das coisas próprias de menino* (13.11). Ele compara a infância com a maturidade. É como se a vida terrena fosse a infância. Como se a eternidade fosse a plena maturidade. Quando você chega à plenitude da sua maturidade, passa a conhecer as coisas com clareza.

Em segundo lugar, **ele usa a figura do espelho**. Paulo contrasta o reflexo de uma pessoa no espelho com a visão dela mesma, face a face. *Porque, agora, vemos como em espelho, obscuramente; então, veremos face a face. Agora, conheço em parte; então, conhecerei como também sou conhecido* (13.12).

Na época de Paulo os espelhos eram extremamente embaçados. Eles não eram tão nítidos quanto os de hoje. As pessoas se olhavam

---

[25] PRIOR, David. *A mensagem de 1Coríntios*, 1993, p. 249.
[26] PRIOR, David. *A mensagem de 1Coríntios*, 1993, p. 249.

no espelho e viam sua imagem turva, embaçada e obscurecida. Paulo utiliza essa figura para dizer que agora nós vemos como que por um espelho embaçado. Por mais que você conheça, ainda não está vendo plenamente. É por isso que Paulo em 2Coríntios 12, diz que quando foi ao terceiro céu, viu e ouviu coisas que não são lícitas de serem relatadas ao homem. Não conseguimos entender agora o esplendor e a glória do céu. O céu está muito além de qualquer descrição que nós possamos fazer.

Paulo ainda afirma que enquanto não virmos a Jesus como Ele é, teremos pouca maturidade. *Agora, conheço em parte; então, conhecerei como também sou conhecido* (13.12b). Conhecido por quem? Conhecido por Deus. Eu pergunto a você: o conhecimento de Deus é parcial? Deus conhece você parcialmente? Não! O conhecimento de Deus é completo. Eu não me conheço completamente. Os gregos diziam: "Conhece-te a ti mesmo". Coitados dos gregos. Até hoje estamos tentando. O homem não se conhece.

Alex Carrel, grande sociólogo, em seu livro, *O homem, esse desconhecido*, destaca o fato de que nós não nos conhecemos. O homem tem muito conhecimento. Ele é capaz de ir à lua, viajar pelo espaço sideral. O homem conhece muitos mistérios da ciência e consegue penetrar nos mistérios do macrocosmo e do microcosmo. O homem é um gigante. Todavia, ao mesmo tempo, ele é um ilustre desconhecido de si mesmo. Porém, quando chegar o fim e estivermos na eternidade, vamos conhecer plenamente, vamos ver Jesus face a face. Então, conheceremos como também somos conhecidos. Enquanto não virmos a Jesus, não veremos com total clareza as coisas de Deus! Nosso conhecimento aqui é limitado, mas então será pleno.

Todos os dons que temos são para esta vida. Mas o amor vai reinar no céu. Paulo argumenta com a igreja que o amor é esse oxigênio que vai existir no céu. Quando os dons desaparecerem e se tornarem obsoletos, o amor vai ser absolutamente necessário, porque o amor é exatamente o oxigênio que vai manter o relacionamento no céu. O que é o céu? O que é a vida eterna? É conhecer a Deus. E quem é Deus? Deus é amor. O céu é viver em amor, em comunhão com Deus e em comunhão uns com os outros.

Paulo, agora, argumenta que dentre as maiores virtudes: a fé, a esperança e o amor, o amor é o maior de todos. *Agora, pois, permanecem a fé, a esperança e o amor, estes três; porém o maior destes é o amor* (13.13). Sem amor não há cristianismo. Você pode ser ortodoxo, mas se não tiver amor, você não é um cristão. O apóstolo João diz que aquele que não ama ainda permanece nas trevas. Quem permanece nas trevas é aquele que ainda não nasceu de novo. Jesus disse que *Nisto conhecerão todos que sois meus discípulos se tiverdes amor uns aos outros* (Jo 13.35). O caminho da maturidade é o amor. O amor é o cumprimento da lei. O amor é o maior de todos os mandamentos. O amor é a apologética final. O amor é o grande remédio para os males da igreja.

William Barclay fala sobre a superioridade do amor: "A fé e a esperança são grandes, mas o amor é ainda maior. A fé sem o amor é fria, e a esperança sem ele é horrenda. O amor é o fogo que incendeia a fé e a luz que torna a esperança segura".[27]

---

[27]BARCLAY, William. *I y II Corintios*, 1973, p. 137.

14

Variedade de línguas e profecias na igreja

1 Coríntios 14.1-40

O CULTO TEM TRÊS ASPECTOS: Deus é adorado, o povo de Deus é edificado e os incrédulos são convencidos de seus pecados. Se formos à igreja para adorar com o propósito de demonstrarmos a nossa espiritualidade, estaremos laborando em erro. O culto é para a edificação e não para exibição. Mas a igreja de Corinto estava transformando o culto num palco de exibição em vez de um canal para edificação.

Nesse capítulo, Paulo conclui a seção sobre os dons espirituais. Os dons são contemporâneos e necessários para a edificação da igreja. É preciso esclarecer, entretanto, que não temos apóstolos e profetas hoje, como os do Antigo e Novo Testamentos. Aqueles eram instrumentos da revelação divina. Atualmente, não existem revelações novas dadas por Deus à Igreja. Toda a revelação de Deus está encerrada nas Escrituras. A Bíblia tem uma capa ulterior. Toda mensagem entregue à igreja deve ser submetida à doutrina autorizada dos apóstolos e profetas originais, conforme consta do cânon das Escrituras.[1]

Com respeito aos dons precisamos nos acautelar sobre o perigo da polarização. Há aqueles que têm caráter sem carisma e os que têm

---

[1]PRIOR, David. *A mensagem de 1Coríntios*, 1993, p. 252.

carisma sem caráter. Na igreja de Corinto havia dons do Espírito, mas não o fruto do Espírito. Eles tinham carisma, mas não caráter. Há outras igrejas que vão para o outro extremo: têm caráter, mas não carisma. Proclamam o fruto do Espírito, mas negam os dons do Espírito.

Há igrejas que se posicionam com credulidade infantil, aceitando qualquer fenômeno na igreja como ação do Espírito e há aquelas que se entregam ao racionalismo cético, completamente fechadas à manifestação do Espírito. Enquanto as primeiras se tornam faltos de discernimento, as outras cometem o pecado de apagar o Espírito. Os cessacionistas dizem que os dons eram para o tempo dos apóstolos; os místicos, todavia, atribuem tudo que acontece na igreja ao Espírito Santo.

Paulo basicamente se concentra em dois dons espirituais nesse capítulo: variedade de línguas e profecia.

O dom de variedade de línguas

Vamos destacar dez pontos importantes acerca do dom de variedade de línguas.

Em primeiro lugar, **Paulo mostra a necessidade de seguir o fruto do Espírito, que é o amor**. *Segui o amor e procurai, com zelo, os dons espirituais, mas principalmente que profetizeis* (14.1). A primeira coisa que Paulo fala sobre o dom de variedade de línguas é que aquele que fala em outras línguas fala a Deus e não aos homens. Ele não é um dom público, mas íntimo, particular, e pessoal. O dom de variedade de línguas é um dom para a sua intimidade com Deus.

Juan Carlos Ortiz afirma que o dom de variedade de línguas é o dom de pijama. Variedade de línguas não se assemelha à profecia, mas à oração e adoração. Você não se dirige às pessoas, mas a Deus. O exercício desse dom não é exibição nem evidência do batismo com o Espírito Santo. Sem o princípio regulador do amor, esse dom não passa de barulho sem sentido e sem propósito.

Em segundo lugar, **quem fala em outra língua não é entendido, porque fala em mistério**. *Pois quem fala em outra língua não fala a homens, senão a Deus, visto que ninguém o entende, e em espírito fala mistérios* (14.2). Ninguém o entende; nem ele mesmo. A língua é algo que acontece no âmbito espiritual e não no racional.

O apóstolo Paulo esclarece: *Pelo que, o que fala em outra língua deve orar para que a possa interpretar. Porque, se eu orar em outra língua, o meu espírito ora de fato, mas a minha mente fica infrutífera* (14.13). A própria pessoa que fala em outra língua não entende o que está falando. A mente dela não é edificada, pois não sabe o significado de suas palavras. Se essa pessoa não entende o que fala, muito menos, as outras pessoas entenderão. Ela está falando em mistério. David Prior orienta que o falar em outras línguas não envolve a mente (14.14), dirige-se apenas a Deus e não a outros seres humanos (14.2), reconhecendo-se que é para a "edificação" do próprio indivíduo (14.4), sendo também ininteligível, porque tal pessoa em espírito fala mistérios (14.2).[2]

Em terceiro lugar, **quem fala em outra língua edifica-se a si mesmo e não à igreja**. Paulo diz: *O que fala em outra língua a si mesmo se edifica, mas o que profetiza edifica a igreja* (14.4). Esse dom é íntimo e particular. Ele não visa à edificação da igreja, mas a sua intimidade com Deus. Seu propósito não é a edificação da igreja, mas a autoedificação. É por essa razão somente que esse dom é inferior aos demais dons. Todos os outros dons alistados na Bíblia são dons para a edificação da igreja; esse é o único dado para autoedificação.

Em quarto lugar, **quem fala em outra língua não se torna entendido, por isso não edifica a igreja** (14.5-11). Paulo apresenta três ilustrações a respeito do que ele fala nesses versículos. A primeira é quanto aos instrumentos musicais (14.7). Se uma pessoa assentar-se para tocar piano e não conhecer as partituras musicais arrancará do piano apenas barulho e música desagradável aos ouvidos. A segunda ilustração é a da trombeta (14.8). Se a pessoa der um sonido incerto ninguém se preparará para a batalha. Haverá confusão no meio do arraial dos soldados e não preparação para a batalha. A terceira ilustração que Paulo usa é de uma conversa interpessoal (14.9-11). Imagine você, um brasileiro, conversando com um japonês. Vocês não conhecem a língua um do outro. Por conseguinte, não haverá entendimento nem compreensão nessa possível conversa. Assim, Paulo diz que se você falar em outra

---

[2] PRIOR, David. *A mensagem de 1Coríntios*, 1993, p. 255.

língua, não poderá edificar a igreja, pois sua fala será incompreensível para as outras pessoas. A edificação passa pelo entendimento.

Em quinto lugar, **quem fala em outra língua não entende o que fala** (14.13-15). Não podemos ser despojados do nosso entendimento na adoração. Nosso culto precisa ser racional (Rm 12.2). A sua mente exerce um papel fundamental na adoração. Paulo nunca defendeu um culto catártico, de êxtase emocional. O culto aceitável a Deus é um culto racional e lógico, em que é preciso unir os três elementos básicos da nossa vida: razão, emoção e vontade. O crente precisa usar sua mente em cinco áreas: na oração (14.15), nos cânticos (14.16), nas ações de graça (14.17), na instrução (14.19) e no juízo (14.20).

Em sexto lugar, **quem fala em outra língua não pode edificar os outros**. "E, se tu bendisseres apenas em espírito, como dirá o indouto o amém depois da tua ação de graças? Visto que não entende o que dizes; porque tu, de fato, dás bem as graças, mas o outro não é edificado" (14.16,17). A pessoa que está falando em outra língua agradece a Deus, porém, quem está do seu lado não poderá dizer amém, por não entender o que está sendo falado. E se não entende não pode ser edificado.

Em sétimo lugar, **a variedade de línguas não é para pregação**. Esse é um dos pontos mais complexos na igreja contemporânea. Paulo dá seu testemunho: *Dou graças a Deus, porque falo em outras línguas mais do que todos vós. Contudo, prefiro falar na igreja cinco palavras com o meu entendimento, para instruir outros, a falar dez mil palavras em outra língua* (14.18,19). Por que o dom de variedade de línguas não é o instrumento usado para a pregação? É porque quem fala em outra língua fala a Deus e não aos homens. Mesmo que haja interpretação, a natureza do dom não é alterada. Ou seja, quando há interpretação, interpreta-se a oração e não a pregação. Portanto, quando uma pessoa começa a falar em outra língua, e o intérprete começa a trazer uma mensagem de Deus para os ouvintes está laborando em erro.

A interpretação não muda a essência do dom. Mesmo com a interpretação, variedade de língua é palavra do homem para Deus e não palavra de Deus para o homem. É comum vermos em alguns segmentos evangélicos, a prática desse suposto dom, como segue: *Meu servo* [...] e começa a falar a mensagem de Deus. Onde está o erro nessa prática?

Temos dois erros graves aqui. Primeiro: transformou línguas em profecia. Variedade de línguas é sempre palavra do homem para Deus e nunca palavra de Deus para o homem. Segundo: não há na Bíblia nenhuma profecia dada na primeira pessoa, como "meu servo". Toda profecia bíblica é dada na terceira pessoa: "Assim diz o Senhor".

Por que é errado dizer "meu servo"? Porque isso implica dizer que a pessoa que está entregando a mensagem é uma incorporação do próprio Deus. A pessoa que está ouvindo é serva de quem? De Deus ou do profeta que está falando? O profeta está falando em nome de Deus ou o profeta é Deus? O profeta não pode assumir o lugar de Deus, antes deve dizer: "Assim diz o Senhor". Quem fala é apenas o instrumento da mensagem e não sua fonte. Eu não posso me dirigir a outra pessoa, dizendo: "Meu servo!" Mesmo que haja interpretação, o dom de variedade de línguas é uma palavra dirigida a Deus e não à igreja. É oração e não pregação. Por que, então, há edificação quando há interpretação? É porque eu posso ser edificado com a oração de outra pessoa! Quando alguém ora na igreja somos edificados através da oração daquela pessoa. Mas em momento algum a oração se torna pregação.

Em oitavo lugar, *o uso errado do dom de variedade de línguas escandaliza os incrédulos*. Paulo diz: *Se, pois, toda a igreja se reunir no mesmo lugar, e todos se puserem a falar em outras línguas, no caso de entrarem indoutos ou incrédulos, não dirão, porventura, que estais loucos?* (14.23). Paulo referenda a legitimidade do dom de línguas, mas diz que ele precisa ser usado na igreja com critério.

Há parâmetros claros para o funcionamento do dom. O primeiro parâmetro que Paulo diz é que os crentes não podem falar em outras línguas ao mesmo tempo. Essa prática pode levar o indouto que entra no templo a pensar que os crentes estão loucos. Essa prática não contribuiria para o entendimento dos incrédulos nem para a edificação dos crentes.

Em nono lugar, *o uso do dom de variedade de línguas no culto público precisa ser com ordem*. O apóstolo Paulo orienta: *No caso de alguém falar em outra língua, que não sejam mais do que dois ou quando muito três, e isto sucessivamente, e haja quem interprete. Mas, não havendo intérprete, fique calado na igreja, falando consigo mesmo e com Deus*

(14.27,28). Paulo está dizendo que se houver intérprete pode falar, mas, no máximo três pessoas, e uma pessoa depois da outra. É preciso existir ordem no culto público.

O culto não pode ser uma babel de confusão. Se as pessoas falam ao mesmo tempo, o entendimento é prejudicado e a edificação se torna impossível.

Em décimo lugar, *o dom de variedade de línguas não deve ser proibido*. *Portanto, meus irmãos, procurai com zelo o dom de profetizar e não proibais o falar em outras línguas* (14.39). É muito importante dizer isso. Há crentes que jogam a criança fora com a água da bacia. Por causa dos excessos e equívocos cometidos no uso desse dom, muitos negam sua importância e o rejeitam. Porém, foi o Espírito Santo quem deu esse dom à igreja e tudo que o Espírito Santo dá é coisa boa. Portanto, não temos o direito de rejeitar nem de falar mal daquilo que é dádiva do Espírito Santo. O fato de uma pessoa usar o dom de forma errada não deve nos levar para o outro extremo, o de proibi-lo.

A igreja de Corinto usou de forma errada a Santa Ceia; contudo, Paulo não proibiu a igreja de celebrar a Santa Ceia. O importante é corrigir a prática e não proibi-la. Paulo diz que falar em línguas em particular tem o seu valor de autoedificação (14.2,3,28). Se Deus lhe deu esse dom, usufrua-o para a sua edificação. Se Deus não lhe deu, não tenha complexo de inferioridade.

Erros relacionados ao uso do dom de variedade de línguas

O apóstolo Paulo elenca vários erros relacionados ao uso do dom de variedade de línguas. Embora, alguns desses erros já tenham sido tratados neste capítulo, vamos reforçar esses pontos para maior esclarecimento.

Em primeiro lugar, *dar mais valor a esse dom do que aos outros*. Paulo orienta a igreja como segue: *Eu quisera que vós todos falásseis em outras línguas; muito mais, porém, que profetizásseis; pois quem profetiza é superior ao que fala em outras línguas, salvo se as interpretar, para que a igreja receba edificação* (14.5). A igreja de Corinto acreditava que falar em línguas era o supra-sumo.

Atualmente, se ensina em muitas igrejas que o crente que não fala em outras línguas não é espiritual, não está cheio do Espírito; ao contrário, é um crente de segunda categoria, que ainda não foi batizado com o Espírito Santo. Isso é ignorar as Escrituras e uma negação do ensino de Paulo.

Em segundo lugar, *pensar que o dom de línguas é uma prova de espiritualidade abundante* (1.7; 3.3; 13.1). Nenhum dom, seja ele qual for, é prova de espiritualidade. Não se mede espiritualidade pelos dons. Mede-se espiritualidade pelo fruto do Espírito (Gl 5.22,23). A igreja de Corinto tinha todos os dons, mas era imatura espiritualmente.

Em terceiro lugar, *pensar que esse dom é o selo e a evidência do batismo com o Espírito Santo* (12.13). Nenhum dom pode ser o selo do batismo do Espírito Santo. Porque todo salvo é batizado no corpo de Cristo pelo Espírito. E o dom espiritual é distribuído pelo Espírito conforme lhe apraz. Nenhum crente tem todos os dons (12.28-30). Do contrário não seríamos um corpo nem precisaríamos servir uns aos outros e suprir as necessidades uns dos outros.

Em quarto lugar, *pensar que todos os crentes devem ter esse dom* (12.30). Esse equívoco tem sido cometido em muitas igrejas contemporâneas. Há crentes imaturos que quase têm sentimento de culpa por não terem recebido esse dom. Há igrejas que chegam a induzir as pessoas a falar em outras línguas, ensinando alguns cacoetes para a pessoa enrolar a língua e emitir sons estranhos. Isso é imaturidade. Isso é uma conspiração contra o ensino das Escrituras.

Em quinto lugar, *pensar que todos podem falar em línguas ao mesmo tempo em culto público* (14.27). Essa prática é condenada por Paulo. Ela traz confusão e não edificação. Hoje as igrejas estão transformando o culto num ambiente místico, em que as pessoas buscam se sentir bem em vez de buscarem entendimento. O culto está se tornando sensório em vez de racional. A prática da glossolália coletiva em culto público está em total desacordo com o ensino da Palavra de Deus.

Em sexto lugar, *pensar que se pode falar em outras línguas em estado de êxtase* (14.32). Os cultos extáticos eram muito comuns nas religiões de mistério. Essa prática foi importada pela igreja de Corinto e assim, as pessoas se sentiam arrebatadas em espírito e começavam a falar em outras línguas de forma descontrolada. Alguns chegavam a entrar em tal estado de êxtase e descontrole que clamavam *Anátema Jesus!* Paulo diz que o espírito do profeta está sujeito ao profeta. Quem fala em outras línguas está no pleno domínio e controle da sua vontade. Ele fala quando quer e se cala quando quer. O dom deve ser exercido com domínio próprio e não em estado de êxtase.

Em sétimo lugar, *pensar que podiam falar em outras línguas no culto público sem interpretação* (14.2,5,9,11,13,16,27, 28,40). Paulo diz que se não há intérprete, a pessoa deve ficar calada na igreja. No culto deve existir ordem e decência. O culto é racional. Ele apela ao entendimento. Ele precisa ser consistente e coerente. Entremear na oração frases em outra língua (sem interpretação) não é sinal de maturidade, mas de desobediência ao ensino das Escrituras.

Em oitavo lugar, *pensar que a oração em línguas é superior à oração na língua pátria* (14.13-15). É muito comum ouvir pregadores afirmar que quem ora em línguas ora num nível superior de intimidade com Deus. Há aqueles que defendem que a oração em línguas alcança horizontes mais amplos e sobe às regiões mais altas no campo espiritual. A Bíblia em lugar algum ensina isso; ao contrário. Paulo diz: [...] *orarei com a mente; cantarei com o espírito* (14.15). Paulo diz que quem ora em línguas, deve pedir a Deus para que possa também interpretar. Quando você ora em línguas e pode entender o que está falando, aí sim, está alcançando entendimento.

O dom de **profecia**

Destacamos alguns pontos importantes para nossa reflexão.

Em primeiro lugar, *o que é dom de profecia?* É muito importante entender esse dom. Temos de fazer uma distinção entre o ofício de profeta no Antigo e Novo Testamentos com o dom de profecia. O que temos hoje é dom de profecia e não ofício de profeta. Como já dissemos, atualmente não temos mais nenhum profeta e nenhum apóstolo no sentido bíblico. Os profetas e apóstolos recebiam uma revelação nova e inspirada da parte de Deus para fazer parte do cânon das Escrituras. O cânon das Escrituras está fechado. Deus não revela mais nada novo à Sua Igreja à parte do que já está na Sua Palavra. Tudo o que Deus quis revelar para a Sua igreja está na Sua Palavra.

Não podemos acrescentar nem tirar mais nada do que está escrito. Paulo chega a dizer que [...] *ainda que nós ou mesmo um anjo vindo do céu vos pregue evangelho que vá além do que vos temos pregado, seja anátema* (Gl 1.8).

Então, o que é dom de profecia? É a explanação, a exposição, e a explicação fiel da Palavra de Deus conforme está nas Escrituras. Paulo diz que se alguém profetiza seja segundo a proporção da fé (Rm 12.6). O que é a proporção da fé? É o conteúdo das Escrituras! Se você profetiza, você tem de profetizar de acordo com o conteúdo das Escrituras. O apóstolo Pedro esclarece: *Se alguém fala, fale de acordo com os oráculos de Deus* (1Pe 4.11). Quem profetiza precisa se manter dentro dessas balizas da Palavra de Deus.

O que é pregar de acordo com os oráculos de Deus? É pregar exatamente o que está na Palavra de Deus. Paulo diz a Timóteo: [...] *prega a Palavra* (2Tm 4.2). A palavra é todo o conteúdo da pregação. O que é profecia? É a pregação da Palavra de Deus. Atente que profecia não é uma função ou posição que uma pessoa ocupa. Paulo diz que ele gostaria que todos na igreja profetizassem. Por quê? É só o pastor que prega a Palavra? É só o pastor que tem condições de compreender as Escrituras e transmiti-las? Absolutamente não! A Palavra está ao alcance de todo aquele que foi salvo por Jesus. Assim, todas as vezes que você lê a Bíblia, a interpreta fielmente e a proclama com fidelidade, você está profetizando.

Hoje, não há mais profetas no sentido daqueles profetas primeiros, que se tornaram o fundamento da igreja (Ef 2.20). Deus não revela mais algo novo. Não há uma segunda edição da Bíblia. O cânon da Escritura já está fechado. Todo ensino na igreja deve ser submetido à doutrina autorizada dos apóstolos e profetas (1Co 14.37,38).

É bem conhecida a expressão de Billy Graham: "Hoje, Deus não revela mais verdades novas; a Bíblia tem uma capa definitiva". Dom de profecia é expor a verdade revelada de Deus conforme está registrada nas Sagradas Escrituras (Gl 1.8,9) e não trazer mensagem nova da parte de Deus.

Em segundo lugar, *o dom de profecia é segundo a proporção da fé*. Como já consideramos, essa fé é o conteúdo das Escrituras (Rm 12.6;

1Pe 4.10,11; Jd 3). O dom de profecia precisa estar subordinado à autoridade apostólica (14.37).

Em terceiro lugar, **erros quanto ao exercício do dom de profecia**. O dom de profecia não é extático (14.29,31-33). Ele não é proclamado em estado de êxtase. *Tratando-se de profetas, falem apenas dois ou três, e os outros julguem* (14.29). Paulo ainda continua: *Porque todos podereis profetizar, um após outro, para todos aprenderem e serem consolados. Os espíritos dos profetas estão sujeitos aos próprios profetas; porque Deus não é de confusão, e sim de paz. Como em todas as igrejas dos santos...* (14.31-33). A profecia não pode ser anunciada em estado de êxtase nem a mensagem é entregue na primeira pessoa. O profeta não fala "meu servo", mas "assim diz o Senhor".

Em quarto lugar, **o dom de profecia precisa ser provado**. O dom de profecia não está acima do julgamento da congregação. Paulo orienta os crentes a serem ouvintes criteriosos. Ele diz: [...] *e os outros julguem* (14.29). O que é julgar? Porventura, significa que você deve ir para a igreja com o pé atrás, com um espírito crítico? Não! Que aspectos, então, precisamos julgar?

a. A mensagem glorifica a Deus? O apóstolo Pedro ordena: *Servi uns aos outros, cada um conforme o dom que recebeu, como bons despenseiros da multiforme graça de Deus. Se alguém fala, fale de acordo com os oráculos de Deus; se alguém serve, faça-o na força que Deus supre, para que, em todas as coisas, seja Deus glorificado, por meio de Jesus Cristo, a quem pertence a glória e o domínio pelos séculos dos séculos. Amém!* (1Pe 4.10,11). Você precisa questionar se a mensagem está sendo um instrumento para a glorificação de Deus ou para a exaltação do pregador. Se Deus não está sendo glorificado, então, essa profecia não é verdadeira.

b. A mensagem está de acordo com as Escrituras? O apóstolo Pedro escreveu: *Se alguém fala, fale de acordo com os oráculos de Deus* (1Pe 4.11). Nós não podemos ser ouvintes sem discernimento espiritual. Paulo elogiou a igreja de Bereia, que examinava as Escrituras para ver se o que ele estava falando era de fato a verdade (At 17.11). Cabe aos membros da igreja ouvir o pregador com a Bíblia aberta, examinando as Escrituras para saber se de fato o pregador está ensinando de acordo com a Palavra de Deus.

c. A mensagem edifica a igreja? (1Co 14.3,4,5,12,17,26). A profecia tem como finalidade a edificação da igreja. O apóstolo Paulo é claro: *Mas o que profetiza fala aos homens, edificando, exortando e consolando* (14.3).

d. O profeta se submete ao julgamento dos outros? (1Co 14.29). O pregador se submete ao julgamento dos outros? Ele é humilde para aprender com os outros?

e. O profeta está no controle de si mesmo? (1Co 14.32). Um pregador deve subir ao púlpito na dependência do Espírito, mas jamais sem domínio próprio. Êxtase não é sinal de direção do Espírito; ao contrário, é ausência de domínio próprio, que é fruto do Espírito (Gl 5.23).

Em quinto lugar, *os propósitos do dom de profecia* (14.3,4). O profeta fala aos homens para a edificação da igreja. Paulo emprega três palavras no versículo 3: Edificando, exortando e consolando. Esses são os mesmos propósitos das Escrituras. *Toda Escritura é inspirada por Deus e útil para o ensino, para repreensão, para correção, para educação na justiça, para que o homem de Deus seja perfeito e perfeitamente habilitado para toda boa obra* (2Tm 3.16,17). Na medida em que você expõe as Escrituras, as pessoas são edificadas, exortadas e consoladas. É isso o que Paulo está ensinando.

A profecia também produz convencimento de pecado. Paulo diz: *Porém, se todos profetizarem, e entrar algum incrédulo ou indouto, é ele por todos convencido e por todos julgado; tornam-se-lhe manifestos os segredos do coração, e, assim, prostrando-se com a face em terra, adorará a Deus, testemunhando que Deus está, de fato, no meio de vós* (14.24,25).

Quando a Palavra de Deus é exposta com fidelidade, ela mesma vai penetrando no coração das pessoas como espada de dois gumes, iluminando as regiões sombrias da alma, como luz bendita. A pessoa, então, fica perplexa, pensando: será que esse pregador conhece a minha vida? Será que alguém contou para ele o que eu estou passando? O que acontece é que o Espírito Santo de Deus aplica a verdade de Deus à necessidade dessa pessoa e o coração dela é descoberto. Assim, esse ouvinte é confrontado com a verdade de Deus e convencido da parte de Deus. Sua conclusão inequívoca é que de fato Deus está no meio da sua igreja. Esse é o propósito da profecia!

Warren Wiersbe diz que podemos concluir esse capítulo sintetizando-o em três verdades básicas: edificação (14.1-5,26b), entendimento (14.6-25) e ordem (14.26-40).[3]

1. *Edificação* (14.1-5). Paulo diz que o propósito dos dons é a edificação da igreja. Quem fala em outra língua edifica a si mesmo, enquanto quem profetiza edifica a igreja. Paulo corrige os equívocos da igreja de Corinto que dava mais valor ao dom de variedade de línguas do que ao de profecia; mais valor à edificação pessoal do que à edificação da igreja, mostrando que a profecia é superior às línguas, pois aquela edifica a igreja, enquanto quem fala em línguas edifica apenas a si mesmo.
2. *Entendimento* (14.6-25). Paulo passa agora a falar sobre a questão do entendimento espiritual. No culto público é preciso ter discernimento. Você precisa sair do culto público e poder dizer: Eu entendi. A minha mente foi clareada.
3. *Ordem* (14.26-40). No culto da igreja de Corinto não existia ordem. Há duas coisas fundamentais que precisam sempre estar juntas no culto público: seja tudo feito para edificação (14.26b), e também tudo seja feito com decência e ordem (14.40). Deve haver ordem no culto. Alegria e gozo na presença de Deus não são a mesma coisa que êxtase. O culto que agrada a Deus não é extático, mas um culto em que a sua mente está em plena atividade, suas emoções estão sendo alcançadas, e sua vontade é desafiada. Paulo dá várias orientações de ordem à igreja.

- Tanto o falar quanto o interpretar no culto público precisa ser feito com ordem (14.27-33). Onde o Espírito de Deus está

[3] WIERSBE, Warren W. *Comentário bíblico expositivo*. Vol. 5, 2006, p. 801-807.

agindo, há autocontrole. Êxtase é evidência de que o culto não está sendo dirigido pelo Espírito Santo.
- As mulheres não podiam quebrar a ordem do culto público (14.34,35). As mulheres oravam e profetizavam na igreja (11.5), mas no caso aqui as mulheres estavam importando suas práticas das religiões de mistério e conversando durante o culto ou interrompendo, em estado de êxtase, aqueles que pregavam.
- Paulo alerta os crentes sobre os perigos de novas revelações que chegam à igreja além da Palavra de Deus (14.36-40). Esse era um grande perigo que ocorria na igreja de Corinto e é um grande perigo ainda hoje. A igreja de Corinto questionava a autoridade apostólica de Paulo. Eles julgavam que não precisavam de um pastor, pois achavam que Deus falava direto com eles.

Então, Paulo os orienta, dizendo: *Porventura, a palavra de Deus se originou no meio de vós ou veio ela exclusivamente para vós outros? Se alguém se considera profeta ou espiritual, reconheça ser mandamento do Senhor o que vos escrevo* (14.36,37). Paulo está dizendo que se alguém se julga profeta tem de se submeter à autoridade apostólica. Um profeta verdadeiro se coloca debaixo da instrução e da autoridade das Escrituras.

Quando alguém questiona a autoridade das Escrituras, dizendo que Deus fala direto com ele, isso é uma prova de que se trata de um falso profeta. A autoridade do genuíno profeta é se colocar sob a autoridade apostólica. Diz Paulo: *E, se alguém o ignorar, será ignorado* (14.38). Uma das marcas do verdadeiro profeta é a sua obediência ao ensino apostólico.

O artigo V da Confissão reformada da França, adotada em 1559, expressa bem essa autoridade da Escritura: "Não é lícito aos homens, nem mesmo aos anjos, fazerem, nas Santas Escrituras, qualquer acréscimo, diminuição ou mudança. Por conseguinte, nem a antiguidade, nem os costumes, nem a multidão, nem a sabedoria humana, nem os juramentos, nem as sentenças, nem editos, nem os decretos, nem os concílios, nem as visões, nem os milagres se devem contrapor às Santas Escrituras; mas, ao contrário, por elas é que todas as coisas se devem examinar, regular e reformar".

15

A suprema importância da ressurreição de Cristo

1 Coríntios 15.1-58

A RESSURREIÇÃO DE CRISTO É O MAIOR MILAGRE da história ou é o maior embuste. Cristo venceu a morte, temos provas disso, porém, se Cristo não ressuscitou, somos um bando de pessoas enganadas. Jesus saiu do túmulo, ou então, uma mentira tem transformado o mundo. Com a ressurreição de Cristo, o cristianismo se mantém em pé ou cai.

A cruz sem a ressurreição é símbolo de fracasso e não de vitória. Se Cristo não tivesse ressuscitado, Ele não poderia ser Salvador. Se Cristo não tivesse ressuscitado, Ele seria o maior embusteiro da história. Se Cristo não ressuscitou um engano salvou o mundo. E. M. Bounds corretamente afirma: "A ressurreição de Cristo é a pedra fundamental da arquitetura de Deus, é o coroamento do sistema bíblico, o milagre dos milagres. A ressurreição salva do escárnio a crucificação e imprime à cruz glória indizível".[1]

Em nenhum lugar na Bíblia essa doutrina é tratada de maneira tão profunda, exaustiva e completa quanto nesse capítulo. Paulo sintetiza o evangelho em três fatos essenciais: Cristo morreu pelos nossos pecados; Ele foi sepultado e Ele ressuscitou dentre os mortos como dizem as Escrituras (15.3,4).

---

[1] BOUNDS, E. M. *A glória da ressurreição.* Miami, FL: Editora Vida,1980,p.27.

A igreja de Corinto começou a abandonar a sua fé e a substituir a teologia pela filosofia grega. A filosofia grega acreditava na imortalidade da alma, mas não na ressurreição do corpo. Ela acreditava na vida futura, mas não na ressurreição. Os gregos acreditavam no dualismo filosófico. Para eles o espírito era essencialmente bom, mas a matéria essencialmente má. Para os gregos, o corpo era um claustro, uma prisão da alma. Nada havia de bom no corpo. Então os gregos se inclinavam para o ascetismo ou para o hedonismo. Eles adotavam o enclausuramento ou a licenciosidade.

Quando Paulo pregou sobre a ressurreição na cidade grega de Atenas, o povo escarneceu de Paulo (At 17.32). Para os gregos a ressurreição era algo intolerável e absurdo. Para muitos a ressurreição era algo incrível (At 26.8). A doutrina da ressurreição era uma coisa execrável e abominável para a mentalidade grega. Os saduceus, os teólogos liberais de Jerusalém, influenciados pela filosofia grega, não acreditavam na ressurreição do corpo. Paulo, durante sua prisão em Jerusalém, disse ao sinédrio judeu que estava sendo julgado por causa da doutrina da ressurreição dos mortos. [...] *hoje sou eu julgado por vós acerca da ressurreição dos mortos* (At 23.6; 24.21).

Peter Wagner afirma que Paulo destaca três aspectos fundamentais da doutrina da ressurreição: A ressurreição no passado, como um fato histórico (15.1-11); a ressurreição no presente, como um artigo de fé (15.12-19) e a ressurreição no futuro, como uma esperança bendita (15.20-57).[2] Faremos a análise desse texto com algumas perguntas.

Os mortos ressuscitam?

O apóstolo Paulo menciona três provas da ressurreição de Cristo. Se você perguntasse para um grego se os mortos ressuscitam, ele responderia com um "não" rotundo e peremptório. Entretanto, Paulo diz à igreja de Corinto que os mortos ressuscitam. Na verdade, a ressurreição é a mais rica joia do evangelho.[3] E Paulo oferece três provas dessa verdade incontroversa.

---

[2] WAGNER, Peter. *Se não tiver amor*, 1983, p. 106-108.
[3] BOUNDS, E. M. *A glória da ressurreição*, 1980, p. 56.

Em primeiro lugar, *a salvação dos coríntios* (15.1,2). Um Salvador morto não poderia salvar ninguém. Se Cristo não ressuscitou, Ele não tem nenhuma credencial para salvar. Um redentor morto é impotente e nada pode fazer para redimir o pecador. Paul Beasley-Murray esclarece: "A salvação é um processo presente, com suas raízes no passado e sua consumação somente no futuro".[4]

Em segundo lugar, *as Escrituras do Antigo Testamento* (15.3,4). Cristo morreu pelos nossos pecados como diz a Escritura. Sua morte não foi um acidente nem Sua ressurreição uma surpresa. Tudo já estava profetizado. Jesus ressuscitou conforme dizem as Escrituras. A ressurreição de Cristo foi um acontecimento histórico, profetizado pelo próprio Deus.

Em terceiro lugar, *Cristo foi visto por várias testemunhas* (15.5-11). A ressurreição de Cristo foi um fato histórico incontroverso, com várias provas incontestáveis. Paulo diz que Jesus Cristo ressurreto foi visto por várias testemunhas, muitas das quais ainda estavam vivas. Foi visto por Pedro, por Tiago e pelos doze. Foi visto por mais de quinhentos irmãos de uma só vez. E muitos deles ainda estavam vivos. Se Paulo estivesse falando uma inverdade, obviamente seria contestado e cairia no ridículo. E depois Paulo disse: Cristo foi visto também por mim, o último dos apóstolos.

Essas são as provas históricas da ressurreição de Cristo. A ressurreição não é um fato científico. Porque fato científico é aquele que você pode levar para um laboratório e reproduzi-lo quantas vezes quiser. A ressurreição é uma prova judicial. Não tem como repetir essa prova. Todavia, ela tem evidências incontestáveis (Lc 1.3). Mas as provas da ressurreição de Cristo não são apenas provas históricas e judiciais, mas também provas morais, emocionais e existenciais. Isso pode ser verificado através da transformação na vida dos discípulos. Aqueles homens ficaram trancados com medo antes da ressurreição, mas depois que Cristo se levantou dentre os mortos, esses mesmos homens se tornaram audaciosos, ousados, e corajosos. Antes eles estavam trancados por medo; agora, eles são presos sem medo algum.

---

[4]BEASLEY-MURRAY, Paul. *The message of the resurrection*. Downer Groves, IL: InterVarsity Press, 2000, p. 122.

Os céticos têm atacado essa doutrina magna dizendo que Cristo não chegou a morrer, ou que os discípulos furtaram o Seu corpo, ou que os discípulos foram no túmulo errado. Porém, a verdade inconteste permanece em pé e toda a investida contra a doutrina da ressurreição de Cristo se cobre de pó.

É possível **crer** na ressurreição de Cristo e **negar** a ressurreição dos mortos? (15.12-19)

Vamos destacar alguns pontos para a nossa reflexão:

Em primeiro lugar, *o argumento lógico de Paulo é que se não há ressurreição de mortos, Cristo não ressuscitou*. E, *se não há ressurreição de mortos, então, Cristo não ressuscitou* (15.13). Seria possível desvincular a ressurreição de Cristo da ressurreição dos mortos? Absolutamente não! Negar a ressurreição dos mortos é negar a ressurreição de Cristo.

Por que Paulo faz essa pergunta? Porque na igreja de Corinto as pessoas estavam defendendo a veracidade da ressurreição de Cristo, mas negando a possibilidade da ressurreição dos mortos. Toda a argumentação de Paulo é que se não há ressurreição de mortos, então Cristo não ressuscitou. Essa é a lógica de Paulo: se os mortos não ressuscitam, então Cristo não ressuscitou. E se Cristo não ressuscitou, isso faz dEle um mentiroso. Isso faz dos apóstolos enganadores. Isso faz da Bíblia uma fábula e da salvação uma farsa. A lógica de Paulo é irresistível.

Em segundo lugar, *negar a ressurreição de Cristo é despir a mensagem cristã de sete pontos essenciais*. Se não há ressurreição, então, diz Paulo:

a. Cristo não ressuscitou. *E, se não há ressurreição de mortos, então, Cristo não ressuscitou [...] Porque, se os mortos não ressuscitam, também Cristo não ressuscitou* (15.13,16). Se Cristo não ressuscitou estamos seguindo um Cristo morto e impotente.
b. É vã a nossa pregação. *E, se Cristo não ressuscitou, é vã a nossa pregação...* (15.14). Se Cristo não ressuscitou a prática da pregação é perda de tempo. Ouvir uma mensagem cristã é algo desprovido de propósito. Se Cristo não ressuscitou a fé evangélica é vazia de sentido, de conteúdo e de qualquer proveito.

c. **É vã a vossa fé (15.14).** Se Cristo não ressuscitou nossa fé está baseada numa mentira, num engodo. Se Cristo não ressuscitou estamos fundamentando a nossa crença em algo vazio.
d. **Somos tidos por falsas testemunhas de Deus.** Paulo diz: *[...] e somos tidos por falsas testemunhas de Deus, porque temos asseverado contra Deus que Ele ressuscitou a Cristo, ao qual ele não ressuscitou, se é certo que os mortos não ressuscitam* (15.15). Se Cristo não ressuscitou estamos dizendo que Deus fez algo que Ele não fez.
e. **Permaneceis nos vossos pecados.** Paulo é enfático: *E, se Cristo não ressuscitou, é vã a vossa fé, e ainda permaneceis nos vossos pecados* (15.17). Se Cristo não ressuscitou a Sua morte não foi vicária e por isso ainda estamos perdidos. Se Cristo não ressuscitou os efeitos da Sua morte foram nulos. A ressurreição de Cristo é a evidência de que o sacrifício que Ele fez a favor dos pecadores foi aceito por Deus. É a ressurreição que autentica o sacrifício perfeito e cabal de Cristo na cruz.
f. **Os que dormiram em Cristo pereceram.** Paulo é categórico: *E ainda mais: os que dormiram em Cristo pereceram* (15.18). Se Cristo não ressuscitou não há esperança de bem-aventurança eterna. Se Cristo não ressuscitou, então a morte tem a última palavra. Concordo com E. M. Bounds quando diz: "A ressurreição de Cristo não só tira o véu de terror e escuridão de sobre o túmulo, mas também varre o abismo que nos separa de nossos mortos queridos".[5]
g. **Somos os mais infelizes de todos os homens.** Paulo conclui: *Se a nossa esperança em Cristo se limita apenas a esta vida, somos os mais infelizes de todos os homens* (15.19). Se Cristo não ressuscitou somos um bando de pessoas enganadas. Se Cristo não ressuscitou o hedonismo está com a razão. Se Cristo não ressuscitou, quem está vivendo sem freios e sem absolutos está com a razão. Se Cristo não ressuscitou, então, comamos e bebamos, porque amanhã morreremos. Então, não tem céu, nem inferno nem eternidade.

---

[5] BOUNDS, E. M. *A glória da ressurreição*, 1980, p. 29.

A conclusão inequívoca de Paulo é: *Mas, de fato, Cristo ressuscitou dentre os mortos, sendo ele as primícias dos que dormem* (15.20). Esta foi a segunda pergunta que fizeram: É possível crer na ressurreição de Cristo sem crer na ressurreição dos mortos? Paulo responde: Absolutamente, não! Não é possível crer numa verdade sem crer na outra. A ressurreição de Cristo é a garantia da nossa ressurreição. Se Cristo ressuscitou, nós também ressuscitaremos.

William Barclay diz que a ressurreição nos prova quatro grandes fatos que podem mudar totalmente a perspectiva que o homem tem da vida neste mundo e no mundo vindouro.[6]

1. A ressurreição prova que *a verdade é mais forte que a mentira*. Jesus é a verdade e os homens quiseram matá-Lo exatamente porque Ele falava a verdade (Jo 8.40). Se os inimigos de Cristo tivessem conseguido eliminá-Lo, a mentira teria prevalecido sobre a verdade. Porém, Cristo ressuscitou e hasteou para sempre a bandeira da verdade. A ressurreição é a garantia final da indestrutibilidade da verdade! E. M. Bounds de forma brilhante afirma: "A ressurreição de Cristo foi o grito de liberdade sobre o domínio dos mortos e a vitória que levou a morte em cadeias".[7]

2. A ressurreição prova que *o bem é mais forte que o mal*. Certa feita Jesus dirigiu-se aos Seus inimigos, dizendo que o diabo era o pai deles (Jo 8.44). As forças que crucificaram Jesus pertenciam ao mal, e se não houvesse ressurreição, o mal teria prevalecido.

3. A ressurreição prova que *o amor é mais forte que o ódio*. Jesus é o amor de Deus encarnado. Todavia, aqueles que O crucificaram estavam tomados de um ódio virulento. Esse ódio chegou ao extremo de chamar Jesus de endemoninhado e afirmar que Ele agia pelo poder do maioral dos demônios. Se a ressurreição não tivesse acontecido, o ódio teria triunfado sobre o amor.

4. A ressurreição prova que *a vida é mais forte que a morte*. Jesus é a vida. Sua vida não lhe foi tirada, Ele espontaneamente a deu. Se Sua vida

---

[6] BARCLAY, William. *I y II Corintios*, 1973, p. 158,159.
[7] BOUNDS, E. M. *A glória da ressurreição*, 1980, p. 27.

tivesse sido tirada dEle e se Ele não tivesse ressuscitado, a morte teria a última palavra.

Como os mortos ressuscitam? (15.35-50)

Diante da pergunta: como os mortos ressuscitam, Paulo ilustra usando três figuras.

Em primeiro lugar, *a figura da semente* (15.35-38,42-48). Como os mortos ressuscitarão? A primeira figura que Paulo usa para responder a essa pergunta é a figura da semente. *Mas alguém dirá: Como ressuscitam os mortos? E em que corpo vêm? Insensato! O que semeias não nasce, se primeiro não morrer; e, quando semeias, não semeias o corpo que há de ser, mas o simples grão, como de trigo ou de qualquer outra semente. Mas Deus lhe dá corpo como lhe aprouve dar e a cada uma das sementes, o seu corpo apropriado* (15.35-38).

A partir dos versículos 42 ao 48, Paulo fala acerca da semente. Ele diz que o corpo morto é uma semente: *Pois assim também é a ressurreição dos mortos. Semeia-se o corpo na corrupção...* O sepultamento de uma pessoa é uma semeadura. O que nasce da semente é da mesma natureza. Paulo emprega uma simples figura para nos ensinar a continuidade do corpo. Não é outro corpo que vai ressuscitar. Quando você planta uma semente de manga, você não espera encontrar um abacateiro. Se você semeia trigo, não espera colher cevada.

Quanto à ressurreição, há continuidade e também descontinuidade. O corpo ressurreto não é o mesmo, com as mesmas características do corpo que foi semeado. Ele é infinitamente superior. Assim como o bulbo de uma flor é feio, mas depois desabrocha uma bela flor, assim também é o corpo da ressurreição. A semente semeada morre, mas dela nasce uma planta linda e viçosa. Vamos manter nossa identidade no corpo da ressurreição.

Paulo cita quatro características do corpo ressurreto.

1. Semeia-se corpo corruptível e ressuscita-se corpo incorruptível (15.42). Esse corpo corruptível fica cansado, fraco e doente. Uns perdem cabelo, outros veem os cabelos ficando brancos. Alguém já disse que cada fio de cabelo branco que surge em nossa cabeça é

a morte nos chamando para um duelo. Nossa face fica enrugada, nossos braços flácidos, nossas pernas bambas. O vigor se desvanece, a beleza exterior vai desaparecendo. Na verdade, nosso corpo está sujeito à fraqueza e à corrupção do tempo. O corpo da ressurreição, porém, jamais ficará cansado, envelhecido, ou doente.

2. Semeia-se corpo em desonra e ressuscita-se corpo glorioso (15.42). Há corpos deformados, mutilados, enfraquecidos, doentes, porém, o apóstolo Paulo diz que o corpo que vai ressuscitar é um corpo glorioso. Esse corpo vai brilhar como o sol no seu fulgor (Dn 12.2). Será um corpo semelhante ao corpo da glória de Cristo (Fp 3.21).

3. Semeia-se corpo em fraqueza e ressuscita-se corpo de poder (15.43). Quando Jesus ressuscitou, Ele entrava numa sala fechada sem abrir a porta. Ele saía daqui e aparecia acolá num estalar de dedos. Cristo entrava em lugares trancados e aparecia em lugares distantes em questão de segundos. O corpo da ressurreição não estará mais limitado às leis da natureza. A Bíblia diz que nós vamos ter um corpo semelhante ao corpo da glória de Jesus Cristo (Fp 3.21).

4. Semeia-se corpo natural, ressuscita-se corpo espiritual (15.44). Corpo espiritual não é corpo etéreo. O corpo de Jesus, embora espiritual, era tangível. Ele podia aparecer e desaparecer, mas alguém podia tocar nEle. Ele mostrou Suas mãos com as marcas dos cravos. Ele não precisava de alimento, mas podia se alimentar. O espírito não tem carne e ossos como tem o corpo da ressurreição. O corpo da ressurreição é espiritual no sentido de que não tem mais o conflito entre o desejo carnal e o desejo espiritual. Reina supremo o espírito nesse corpo. Não há mais guerra existencial dentro dele.

Em segundo lugar, *a figura da carne*. Paulo afirma: *Nem toda carne é a mesma; porém uma é a carne dos homens, outra, a dos animais, outra, a das aves, e outra, a dos peixes* (15.39). Paulo não está sugerindo que haverá ressurreição de animais, aves e peixes. Ele ensina que se Deus foi capaz de fazer o homem, os animais, as aves e os peixes, dando a cada um deles um tipo de carne, e um tipo de corpo diferenciado, não poderia Deus dar-nos um corpo diferente na ressurreição? O argumento de Paulo é que se Deus é capaz de fazer diferentes tipos de corpos para os homens, para os animais, aves e peixes, por que não seria capaz de fazer diferentes tipos de corpos para nós na ressurreição? Assim como há diferentes tipos de carne, há também diferentes tipos de corpos da ressurreição.

Em terceiro lugar, *a figura dos corpos celestiais*. O apóstolo diz: *Também há corpos celestiais e corpos terrestres; e, sem dúvida, uma é a glória dos celestiais, e outra, a dos terrestres. Uma é a glória do sol, outra, a glória da lua, e outra, a das estrelas; porque até entre estrela e estrela há diferenças de esplendor* (15.40,41). Existem diferenças nos corpos celestes: sol, lua e estrelas. Uma estrela brilha mais; outra brilha menos. Todavia, estrelas são estrelas. Embora todos os corpos dos salvos na ressurreição estarão glorificados, nem todos os corpos terão o mesmo fulgor (Dn 12.2). Assim como há diferentes estrelas em fulgor, assim também os corpos dos salvos vão diferir em glória uns dos outros. Todos os vasos estarão cheios no céu, embora haverá vasos maiores que outros. Essa é a questão bíblica dos galardões!

Quais são as implicações da ressurreição dos mortos?

Warren Wiersbe comentando esse texto identifica quatro áreas da experiência cristã que são atingidas em função da ressurreição do corpo: o evangelismo (15.29), o sofrimento (15.30-32), a separação do pecado (15.33,34) e a morte (15.49-58).[8]

Em primeiro lugar, *o evangelismo*. O apóstolo Paulo afirma: *Doutra maneira, que farão os que se batizam por causa dos mortos? Se, absolutamente, os mortos não ressuscitam, por que se batizam por causa deles?* (15.29). Paulo não defende o batismo a favor dos mortos. Havia uma prática herética entre os coríntios de se batizarem a favor de pessoas que já haviam morrido, para que essas pessoas fossem salvas. Paulo cita essa prática herética deles para ressaltar que ela não teria sentido se não houvesse ressurreição. Paulo pergunta: Se vocês não creem na ressurreição dos mortos, por que adotam essa teologia do batismo pelos mortos? Paulo não está aprovando a prática do batismo pelos mortos, ele apenas a cita para reafirmar sua tese. A prática do batismo pelos mortos era herética por três razões:

---

[8]WIERSBE, Warren W. *Comentário bíblico expositivo*. Vol. 5, 2006, p. 810,811.

1. Porque a salvação é uma questão pessoal. Ninguém pode ajudar uma pessoa a alcançar a salvação depois da morte. O batismo pelos mortos ou as missas rezadas a favor de pessoas que já morreram não têm nenhum efeito, pois a salvação é pessoal.
2. Porque o tempo para se receber a salvação é nesta vida e não na vida além-túmulo. Com a morte cessam as oportunidades. Não se pode alterar o destino de uma pessoa que morreu. Depois da morte não há mais a possibilidade do arrependimento. Depois da morte vem o juízo (Hb 9.27).
3. Porque o batismo não é uma condição absoluta para a salvação. Eles pensavam isto: Se uma pessoa não for batizada estará perdida. Porém, o batismo não é condição indispensável para alguém ser salvo. O ladrão na cruz arrependido não foi batizado. Mesmo assim, Jesus disse que ele estaria com Ele no paraíso (Lc 23.43). Paulo explica que a crença na ressurreição tem uma implicação profunda na questão da evangelização.

Nós deveríamos ter muito mais paixão pela obra evangelística por crermos na doutrina da ressurreição. Se no dia final uns vão ressuscitar para a ressurreição da vida e outros para a ressurreição do juízo (Jo 5.28,29); se os homens caminham para a bem-aventurança eterna ou para a condenação eterna; se nós cremos que a morte não é o fim e que não existe aniquilamento do ímpio, mas penalidade eterna para os que rejeitam a graça de Deus, então, isto deve nos levar a um compromisso solene com a evangelização. Nós choramos quando os nossos irmãos morrem, mas devemos de igual modo chorar por aqueles que estão vivos e que precisam se arrepender. A ressurreição do corpo tanto para a vida quanto para o juízo deve nos levar ao evangelismo.

Em segundo lugar, *o sofrimento*. O apóstolo Paulo afirma: *E por que também nós nos expomos a perigos a toda hora? Dia após dia, morro! Eu vos protesto, irmãos, pela glória que tenho em vós outros, em Cristo Jesus, nosso Senhor. Se, como homem, lutei em Éfeso com feras, que me aproveita isso? Se os mortos não ressuscitam, comamos e bebamos, que amanhã morreremos* (15.30-32).

Paulo argumenta: Se não tem ressurreição, juízo final, e eternidade, para que vou ficar sofrendo por amor do evangelho? Seria masoquismo! Isso seria sofrer inutilmente! Por que suportar sofrimento e perigos se a morte é o fim de todas as coisas? Se não há ressurreição, juízo final, céu e inferno, então, o hedonismo está certo e os cristãos equivocados (15.32). Todavia, Paulo está dizendo que vale a pena sofrer se cremos na ressurreição. Os nossos sofrimentos no corpo terão reflexo na eternidade (2Co 5.10; 2Co 4.17,18).

O apóstolo Paulo é enfático: [...] *a nossa leve e momentânea tribulação produz para nós eterno peso de glória, acima de toda comparação* (2Co 4.17); *Porque para mim tenho por certo que os sofrimentos do tempo presente não podem ser comparados com a glória a ser revelada* (Rm 8.18).

Em terceiro lugar, *a separação do pecado* (15.33,34). A crença na ressurreição dos mortos nos leva a fugir do pecado e a usar os nossos corpos como templos do Espírito de tal maneira que Deus seja glorificado. Paulo diz: "Não vos enganeis: as más conversações corrompem os bons costumes. Tornai-vos à sobriedade, como é justo, e não pequeis; porque alguns ainda não têm conhecimento de Deus; isto, digo, para vergonha vossa" (15.33,34). Se você crê na ressurreição, no juízo final, nas penalidades eternas, na bem-aventurança eterna, então, você tem de se separar do pecado. Isso implica mudança de postura moral. Você não pode ter uma teologia e outra prática. Você não pode confessar uma verdade e viver de maneira contrária a essa mesma verdade.

Em quarto lugar, *a morte* (15.49-57). A morte passa a ter outra perspectiva para aquele que crê na ressurreição. A morte já não é mais sinal de desespero. A morte não é o fim. Ela não tem a última palavra. O apóstolo afirma: *Eis que vos digo um mistério: nem todos dormiremos, mas transformados seremos todos, num momento, num abrir e fechar d'olhos, ao ressoar da última trombeta. A trombeta soará, os mortos ressuscitarão incorruptíveis, e nós seremos transformados* (15.51,52). A morte não é mais um quarto fechado, sem janela como pensava Jean Paul Sartre. A morte é um quarto de janelas abertas para o trono de Deus. Quando Jesus voltar em majestade e glória, receberemos um corpo novo semelhante ao corpo da Sua glória.

Quando os mortos hão de ressuscitar? (15.20-24,51-57)

Quatro verdades são destacadas aqui:

Em primeiro lugar, *quando essa ressurreição dos mortos acontecerá?* A Bíblia diz que será na segunda vinda de Cristo (15.23,51,52). Haverá uma única ressurreição. Uns ressuscitarão para a ressurreição da vida e outros para a ressurreição do juízo. Ao ressoar da última trombeta, os mortos ressuscitarão, uns para a ressurreição da vida e outros para a ressurreição do juízo (Jo 5.28,29). A ressurreição de Cristo abriu o caminho para os que dormem. Isso é uma garantia de que todos os que estão em Cristo receberão também um corpo de glória semelhante ao dEle.

Em segundo lugar, *os mortos em Cristo são bem-aventurados.* Existem três razões para dizermos que uma pessoa que morre em Cristo é bem-aventurada:

1. Aquele que morre em Cristo descansa das suas fadigas. É por isso que a Bíblia chama a morte de um sono. Atente que não é sono da alma. A doutrina chamada de o "sono da alma" é herética. A alma não dorme. Quem dorme é o corpo. Enquanto o corpo dorme, a alma entra imediatamente na glória.
2. A Bíblia diz que quando Jesus voltar, a alma ou o espírito que está na glória com Jesus voltará com Ele entre as nuvens. Esse será um cortejo glorioso. A trombeta de Deus soará. Os coros angelicais cobrirão os céus. Todos os remidos desde Abel virão em glória com Jesus nesse grande e extraordinário cortejo.
3. Quando Jesus voltar, os mortos em Cristo vão ressuscitar antes da transformação dos vivos. Que encontro glorioso! Nosso corpo de glória se unirá ao espírito que virá com Cristo nas nuvens e assim estaremos para sempre com o Senhor (1Ts 4.14).

Em terceiro lugar, *a ressurreição será um evento repentino*. O apóstolo Paulo escreve: [...] *num momento, num abrir e fechar d'olhos, ao ressoar da última trombeta. A trombeta soará, os mortos ressuscitarão incorruptíveis, e nós seremos transformados* (15.52). "Momento" é a palavra grega *átomo*, de onde vem a palavra em português "átomo". Essa palavra era empregada para o dardejar da cauda de um peixe, para o faiscar de uma estrela e para o piscar de um olho. Será dessa forma, num momento, que os mortos em Cristo ressuscitarão.

Em quarto lugar, **na segunda vinda de Cristo, quando os mortos hão de ressurgir, a morte será finalmente tragada pela vitória** (15.54-57). Paulo termina esse capítulo dando um brado de vitória. Ele pergunta: *Onde está, ó morte, a tua vitória? Onde está, ó morte, o teu aguilhão?* (15.55). Agora, ele afirma: *Tragada foi a morte pela vitória [...] Graças a Deus, que nos dá a vitória por intermédio de nosso Senhor Jesus Cristo* (15.54,57). A morte, o último inimigo a ser vencido, será lançada no lago de fogo (Ap 20.14). Então, nós reinaremos com Cristo para sempre com corpos incorruptíveis e imortais. E. M. Bounds coloca esse auspicioso fato assim:

A ressurreição de Cristo destrona a tirania da morte, destrói seu terror e vence seu domínio, mantém anjos guardando nosso túmulo, semeia esperança e imortalidade na ruína. Sua ressurreição abre para nós um caminho através do sombrio domínio da morte; através dela a corrupção se veste de incorruptibilidade e a mortalidade se reveste de imortalidade. A morte é tragada, nossos lábios moribundos cantam a canção da vitória, e o momento da morte transforma-se no momento da coroação.[9]

Há quatro aplicações práticas, que merecem ser destacadas na conclusão desse glorioso capítulo.

1. A ressurreição de Cristo é a doutrina central da fé cristã. Não seguimos um Cristo preso na cruz, retido no túmulo, mas o Cristo vivo e Todo-poderoso.
2. A ressurreição de Cristo é a garantia de que Sua obra expiatória a nosso favor foi plenamente eficaz e aceita pelo Pai. Ele morreu pelos nossos pecados e ressuscitou para a nossa justificação.
3. A ressurreição de Cristo nos prova que a morte não tem a última palavra. O aguilhão da morte foi tirado. Cessou o poder da morte. A morte foi vencida. A morte que hoje arranca lágrimas dos nossos

---

[9]BOUNDS, E. M. *A glória da ressurreição*, 1980, p. 30.

olhos já foi vencida por Jesus. Não haverá mais a morte que nos tem feito chorar.
4. A ressurreição de Cristo nos mostra que a vida não é um simples viver nem a morte é um simples morrer. Se Cristo ressuscitou, também nós vamos ressuscitar. E se nós vamos ressuscitar, importa-nos trabalhar para Deus. A nossa obra no Senhor não é em vão. Portanto, devemos trabalhar com ardor na expansão do Reino de Deus (15.58). Que Deus nos ajude a viver de forma coerente com a fé que temos na ressurreição dos mortos.

16

Como usar **sabiamente** a mordomia cristã

1 Coríntios 16.1-24

ALGUÉM JÁ PERGUNTOU SE PAULO tomou um cafezinho no intervalo entre os capítulos 15 e 16.[1] Ele termina o capítulo 15 nas alturas excelsas da revelação de Deus, falando-nos sobre a ressurreição de Cristo, a ressurreição dos remidos, a segunda vinda de Cristo, a vitória retumbante sobre a morte, a transformação dos remidos e a consumação de todas as coisas. Após descrever essas verdades gloriosas, como que num anticlímax, Paulo conclui sua carta falando de dinheiro.

Ele desce do céu para a terra, sai do campo sobrenatural e espiritual para o natural e material. Segundo a homilética, a ciência da preparação e pregação de sermões, o último argumento de um sermão deve ser o mais forte. O sermão deve caminhar para um clímax.

Será que Paulo abandonou os preceitos da homilética? Será que a conclusão dessa carta é mesmo um anticlímax? Na verdade, nós somos cidadãos de dois mundos. Ao mesmo tempo em que somos cidadãos do céu, somos também cidadãos da terra. O anticlímax é apenas aparente. O que Paulo trata aqui é tão sagrado, tão precioso, como qualquer assunto da teologia cristã.

---
[1] WAGNER, Peter. *Se não tiver amor*, 1983, p. 111.

A responsabilidade social da igreja não pode ser desassociada da sua teologia do mundo porvir. A nossa teologia acerca das coisas futuras não é escapismo da nossa responsabilidade com as coisas do aqui e do agora.

De acordo com Warren Wiersbe, Paulo fala nesse capítulo sobre três aspectos da mordomia cristã: dinheiro, oportunidades e pessoas.[2]

A mordomia do **dinheiro**
A preocupação com os pobres (16.1-4)

Chamo a sua atenção para alguns aspectos.

Em primeiro lugar, *o compromisso de Paulo com a ação social* (16.1-4). Paulo não fala aqui de dízimo, mas de uma oferta que ele estava levantando entre as igrejas da Macedônia, da Galácia e da Acaia para os irmãos da igreja de Jerusalém, que estavam tendo dificuldades. Paulo não está fazendo uma campanha para aumentar a arrecadação da igreja, mas um levantamento de recursos para suprir uma necessidade emergente de irmãos na fé que passavam por uma grave e avassaladora crise econômica. É um socorro a pessoas necessitadas de Jerusalém. O princípio de Paulo é que os cristãos devem doar, do ponto de vista financeiro, para outras pessoas.

Em segundo lugar, *o problema em Jerusalém* (16.1-4). O que estava acontecendo em Jerusalém? A região da Judeia, onde estava Jerusalém, tinha sofrido uma grande fome (At 11.27,28), que empobreceu muitas pessoas.

Houve uma profecia por intermédio do profeta Ágabo, que haveria uma grande fome em Jerusalém (At 11.28). E de fato essa fome veio nos dias do imperador Cláudio. Não sabemos exatamente, se através de uma seca ou catástrofe natural. O certo é que a região da Judeia e Jerusalém enfrentou um grave problema econômico.

Alguns intérpretes da Bíblia, como Agostinho, sugeriram que essa crise econômica foi o resultado da política adotada pelos irmãos de venderem suas propriedades e dividir os recursos entre as pessoas necessitadas. Assim, a pobreza teria se democratizado e alastrado.

---

[2]WIERSBE, Warren W. *Comentário bíblico expositivo*. Vol. 5, 2006, p. 814.

O problema da pobreza da igreja de Jerusalém se agravou ainda mais com o martírio de Estêvão. Depois da morte de Estêvão todos os crentes, exceto os apóstolos, precisaram sair de Jerusalém (At 8.1). Começou uma implacável perseguição aos cristãos e eles tiveram de deixar suas propriedades e casas e fugir da Judeia.

A igreja de Antioquia já havia enviado uma ajuda financeira para os pobres da igreja de Jerusalém (At 11.29,30). Oito anos antes de escrever essa carta Paulo já assumira um compromisso público com os apóstolos Pedro [Cefas], Tiago e João, líderes da igreja de Jerusalém, de que ele iria para os gentios e de que além de realizar o seu ministério entre eles também cuidaria dos pobres. Eis o relato de Paulo: [...] *e, quando conheceram a graça que me foi dada, Tiago, Cefas e João, que eram reputados colunas, me estenderam, a mim e a Barnabé, a destra de comunhão, a fim de que nós fôssemos para os gentios, e eles, para a circuncisão; recomendando--nos somente que nos lembrássemos dos pobres, o que também me esforcei por fazer...* (Gl 2.9,10).

Quando Paulo recebeu a delegação de concentrar o seu ministério no mundo gentílico, ele aceitou, de igual maneira, o desiderato de concentrar a sua atenção no atendimento aos pobres. Para Paulo missões e ação social caminhavam de mãos dadas. Sempre que a igreja pensa só em evangelização e não faz ação social contraria o projeto de Deus. Sempre que a igreja pensa apenas em ação social e esquece da evangelização também está fora dos planos de Deus. Paulo pregava e também assistia aos pobres.

Paulo escreveu 2Coríntios mais ou menos um ano depois de 1Coríntios. Ele dá testemunho de que esse projeto de levantamento de ofertas para a igreja pobre de Jerusalém havia sido um sucesso (2Co 8.2-4). Dois anos depois, quando ele fez um apelo à igreja de Roma, ele incluiu Corinto (Acaia) como um bom exemplo (Rm 15.26). Paulo entendia que as igrejas gentílicas deveriam abençoar financeiramente a igreja de Jerusalém pelos benefícios espirituais recebidos dela (Rm 15.25-27). Paulo ainda exortou a igreja de Roma, dando um testemunho do sucesso que fora o levantamento de ofertas na Macedônia. E veja o princípio espiritual que Paulo ensina: *Porque aprouve à Macedônia e à Acaia levantar uma coleta em benefício dos pobres dentre os santos que vivem em Jerusalém. Isto lhes pareceu bem, e mesmo lhes são devedores; porque, se os gentios têm sido participantes dos valores espirituais dos judeus, devem também servi-los com bens materiais* (Rm 15.26,27).

Na Macedônia ficavam as igrejas de Filipos, Tessalônica e Bereia. Corinto situava-se na região da Acaia. Paulo dá testemunho para a igreja de Roma que a igreja de Corinto respondera positivamente ao desafio de ofertar para os crentes pobres da Judeia. Paulo diz que a igreja gentílica era devedora da igreja de Jerusalém. A igreja gentílica havia recebido benefícios espirituais e agora deveria retribuir com benefícios materiais.

G. J. Wenham diz que normalmente os judeus da dispersão enviavam dotes para seus irmãos judeus em Jerusalém, mas o fato de as igrejas gentílicas enviarem ofertas para os cristãos judeus mostrava a natureza do evangelho que quebra as grossas barreiras raciais.[3]

Em terceiro lugar, **os princípios básicos para contribuir** (16.1-4). Paulo destaca alguns princípios que devem reger a nossa contribuição.

O cristão deve doar para pessoas que não fazem parte da sua igreja (16.1). Não estou dizendo com isto que o cristão não deve doar para a igreja local. A igreja precisa aprender a doar também para além das próprias fronteiras. Não é fácil sensibilizar-se financeiramente por alguém que você nunca viu. Há um dito popular que diz que aquilo que os olhos não veem o coração não sente. Essa teologia não é bíblica. Paulo ensina que a igreja precisa contribuir para pessoas que estão fora do alcance dos seus olhos.

A igreja não vive só para si mesma. Egoísmo financeiro é um sinal de mundanismo e carnalidade. Uma igreja missionária é uma igreja viva, do ponto de vista da evangelização e solidária, do ponto de vista da ação social. Quais são os círculos de prioridades na contribuição? Devemos cuidar primeiro dos membros da nossa casa (1Tm 5.8). Depois devemos fazer o bem a todos, [...] *mas principalmente aos da família da fé* (Gl 6.10). A igreja não pode ser como o mar Morto, que só recebe. Ela precisa aprender a distribuir um pouco daquilo que Deus lhe dá.

---

[3]WENHAM, G. J. *New Bible commentary*, 1994, p. 1185.

Divulgue as necessidades. A primeira orientação é que as necessidades devem ser divulgadas de maneira clara e precisa. Paulo não tem constrangimento algum em contar para os coríntios que ele precisava de dinheiro e por que ele precisava desse dinheiro. Paulo não é apenas direto, mas também autoritário: [...] *como ordenei às igrejas da Galácia* (16.1). Paulo deu uma ordem às igrejas da Galácia e gostaria que a igreja de Corinto seguisse os mesmos princípios.

Pedir dinheiro de uma forma ética, bíblica, e correta, para motivos corretos é tão moral quanto você cuidar de sua família. Fazer doações para causas cristãs é uma obrigação cristã como ir à igreja, orar ou ser fiel à esposa. Pastores que ficam sem jeito, com medo, com muita preocupação de pedir dinheiro à igreja, ou falar de dinheiro à igreja para causas justas, não agem em consonância com a Bíblia. Jesus diz: *Mais bem-aventurado é dar que receber* (At 20.35). Uma igreja que tem recursos financeiros tem também responsabilidade de ajudar os pobres.

Doar é um ato de adoração. Paulo normatiza a contribuição, ensinando à igreja o seguinte: [...] *Cada um de vós ponha de parte, em casa, conforme a sua prosperidade, e vá juntando, para que se não façam coletas quando eu for* (16.2). O ato de ofertar é um ato cúltico. É um ato de adoração. É por isso que ele recomenda vincular essa oferta ao primeiro dia da semana. No dia de domingo quando a igreja se reunia para adorar e para cultuar, cada membro da igreja deveria ir ao culto preparado para contribuir, para atender à necessidade dos santos pobres. Doar é um ato de adoração ao Salvador ressurreto. Devemos fazê-lo com espontaneidade e alegria. É triste quando os crentes ofertam apenas como dever e não como um sacrifício agradável a Deus. Paulo apresenta o próprio testemunho à igreja de Filipos: *Recebi tudo e tenho abundância; estou suprido, desde que Epafrodito me passou às mãos o que me veio de vossa parte como aroma suave, como sacrifício aceitável e aprazível a Deus* (Fp 4.18).

Incentive a contribuição sistemática. O apóstolo Paulo ensina: [...] *cada um de vós ponha de parte, em casa...* (16.2). Paulo propôs planos funcionais para que a igreja de Corinto fosse mais efetiva na contribuição. "Pôr de parte em casa" significa separar regularmente o dinheiro para a oferta. Se não formos sistemáticos e regulares na contribuição, nunca vamos contribuir. Se esperarmos sobrar para contribuir, possivelmente não ofertaremos. Se fôssemos tão sistemáticos na contribuição, quanto nos nossos investimentos, a obra de Deus prosperaria muito mais.

A contribuição deve ser proporcional. O apóstolo Paulo esclarece: [...] *conforme a sua prosperidade...* (16.2). Paulo mostra duas coisas: não é para sobrecarregar uns nem deixar outros sem responsabilidade. Ninguém está isento de contribuir. A contribuição deve ser justa. Quem ganha mais deve contribuir mais. Quem ganha menos deve contribuir menos. Dentro da proporcionalidade todos estão contribuindo de igual modo. Um cristão de coração aberto não pode manter a mão fechada. A contribuição é uma graça e não um peso. Se nós apreciamos a graça de Deus a nós, deveremos ter alegria em expressar a graça por intermédio de nós, pela oferta generosa aos outros.

A contribuição deve ser privilégio de todos. Paulo prossegue: [...] *cada um de vós...* (16.2). Todas as pessoas podem e devem contribuir. Paulo esperava que cada membro da igreja participasse da oferta, tanto os ricos quanto os pobres. Os crentes da Macedônia chegaram a rogar insistentemente a graça de participar da contribuição aos santos (2Co 8.4). O que é graça? Graça é um dom imerecido de Deus. É Deus quem nos dá o privilégio imerecido de cooperarmos com a Sua obra.

O dinheiro deve ser administrado com transparência. O apóstolo conclui: *E, quando tiver chegado, enviarei, com cartas, para levarem as vossas dádivas a Jerusalém, aqueles que aprovardes. Se convier que eu também vá, eles irão comigo* (16.3,4). Paulo envia com cartas o dinheiro levantado à Judeia. Paulo tinha um comitê financeiro responsável para conduzir essa oferta levantada à igreja de Jerusalém (16.3,4; 2Co 8.16-24). Muitos obreiros perdem a credibilidade do seu testemunho pela falta de transparência em lidar com o dinheiro.

Oportunidades – A mordomia do tempo (16.5-9)

Paulo destaca dois pontos importantes.

Em primeiro lugar, ***a necessidade do sábio uso do tempo*** (16.5-9). O apóstolo Paulo recomenda: *Portanto, vede prudentemente como andais, não como néscios, e, sim, como sábios, remindo o tempo, porque os dias são maus* (Ef 5.15,16). Paulo era tão cuidadoso no uso do tempo quanto o era no uso do dinheiro. Não use o tempo à toa. Desperdiçar tempo é jogar fora as oportunidades que Deus coloca diante de nós. Não podemos usar mal o tempo nem perder as oportunidades.

Paulo informa à igreja de Corinto sobre os planos de sua futura viagem para visitar a igreja. Ele tem planos, projetos, e agenda. Ele quer cumprir essa agenda. *Porque não quero, agora, ver-vos apenas de passagem, pois espero permanecer convosco algum tempo, se o Senhor o permitir* (16.7). Paulo é um exemplo. Ao mesmo tempo em que ele tem seus planos, reconhece que esses planos somente serão realizados se Deus permitir.

Há dois extremos que precisamos evitar: não fazer planos ou fazer planos sem submetê-los à direção de Deus. *O coração do homem pode fazer planos, mas a resposta certa dos lábios vem do Senhor* (Pv 16.1). Todo o plano deve estar debaixo da direção de Deus (Tg 4.13-17).

Em segundo lugar, **a necessidade de aproveitar as oportunidades e entrar pelas portas que Deus abre**. O apóstolo diz: *Ficarei, porém, em Éfeso até ao Pentecostes; porque uma porta grande e oportuna para o trabalho se me abriu; e há muitos adversários* (16.8,9).

Duas coisas tremendas estão aqui lado a lado: Oportunidade e dificuldade. Aparentemente essas duas coisas não combinam. Somos levados a crer em nossos dias que oportunidade é símbolo de facilidade e não de dificuldade. Paulo vê as oportunidades como "uma porta grande e oportuna", mas também vê as dificuldades "e há muitos adversários".

Precisamos como Igreja de Deus estar muito apercebidos dessa verdade ensinada por Paulo. Embora Paulo estivesse em perigo em Éfeso (1Co 15.32), ele estava determinado a permanecer ali, enquanto essa porta estivesse aberta. Paulo enfrentou três focos de oposição em Éfeso.

1. Paulo enfrentou oposição das forças espirituais do ocultismo. Éfeso era uma cidade profundamente marcada pelo ocultismo e pela feitiçaria. Quando as pessoas se converteram, elas vieram a público e queimaram seus livros de magia e de ocultismo (At 19.19).
2. Paulo enfrentou a oposição da associação de ourives liderada por Demétrio. A evangelização desarticulou o mercado de imagens da deusa Diana. Houve um rebuliço na cidade (At 19.23-40).

3. Paulo enfrentou a oposição da hierarquia judaica (At 19.8,9). Os judaizantes de Éfeso se opuseram a Paulo. Ao mesmo tempo em que Paulo foi encurralado pela oposição dos judaizantes, também diz que uma grande porta se lhe abriu. O fato de Deus abrir as portas não significa que vamos ter passagem fácil. O fato de Deus abrir caminhos não significa que vamos ter uma jornada tranquila. Oportunidades de Deus são oportunidades com dificuldades, oportunidades com adversários. Em vez de ficarmos reclamando dos obstáculos, deveríamos usar as oportunidades e deixar os resultados com o Senhor. A lição que Paulo ensina é clara: a presença de oposição não indica que nos desviamos da vontade de Deus.

Pessoas – A mordomia dos relacionamentos (16.10-24)

Dois pontos merecem destaque no ensino de Paulo.

Em primeiro lugar, ***Paulo valoriza as pessoas*** (16.10-24). Paulo não era apenas um ganhador de almas, mas também um fazedor de amigos.[4] Paulo era um encorajador. Ele tinha a capacidade de mobilizar as pessoas para se envolverem na obra e no Reino de Deus. Vamos parar para fazer um *check-up* da nossa vida. Quem sou eu? Eu sou um fazedor de amigos? Você atrai as pessoas para perto de você? As pessoas gostam de conversar com você? Você conquista as pessoas? Ao conversar com você, as pessoas se sentem mais estimuladas a se envolver na obra de Deus?

Dinheiro e oportunidades não têm nenhum valor sem as pessoas. O maior patrimônio que uma igreja tem não é o seu prédio nem seu orçamento. O maior patrimônio que a igreja tem são as pessoas.[5] Paulo entendia isso. E Paulo valorizava as pessoas. Jesus investiu todo o Seu ministério em pessoas. Se as pessoas estiverem preparadas, mobilizadas, motivadas, não vai faltar dinheiro. A matéria-prima da igreja é gente.

Paulo valoriza, elogia e destaca o trabalho das pessoas. Ele nomina as pessoas, as elogia e as encoraja. Que coisa fantástica! Você tem o hábito de valorizar o trabalho das pessoas? Você tem o hábito de elogiar as pessoas pelo trabalho que elas realizam? Você tem o hábito de

---

[4]Wiersbe, Warren W. *Comentário bíblico expositivo*. Vol. 5, 2006, p. 817.
[5]Wiersbe, Warren W. *Comentário bíblico expositivo*. Vol. 5, 2006, p. 817.

encorajar as pessoas? Muitos pensam que quando as pessoas acertam não estão fazendo mais do que a obrigação. Se algo sai errado, então vem a crítica, mas se sai certo, não existe palavra alguma de encorajamento. Paulo sabia da importância do elogio. Um elogio faz um bem tremendo! Uma palavra de encorajamento é um bálsamo para a alma. Paulo nos ensina esse princípio. Temos de aprender esse princípio da Palavra de Deus de encorajar, estimular, e abençoar as pessoas.

Em segundo lugar, **Paulo nomina as pessoas** (16.10,11,15-19). Vejamos a palavra de Paulo: *E, se Timóteo for, vede que esteja sem receio entre vós, porque trabalha na obra do Senhor, como também eu; ninguém, pois, o despreze. Mas encaminhai-o em paz, para que venha ter comigo, visto que o espero com os irmãos* (16.10,11). Paulo prossegue: *E agora, irmãos, eu vos peço o seguinte* (sabeis que a casa de Estéfanas são as primícias da Acaia e que se consagraram ao serviço dos santos): *que também vos sujeiteis a esses tais, como também a todo aquele que é cooperador e obreiro* (16.15,16). Paulo continua: *Alegro-me com a vinda de Estéfanas, e de Fortunato, e de Acaico; porque estes supriram o que da vossa parte faltava. Porque trouxeram refrigério ao meu espírito e ao vosso. Reconhecei, pois, a homens como estes. As igrejas da Ásia vos saúdam. No Senhor, muito vos saúdam Áquila e Priscila e, bem assim, a igreja que está na casa deles* (16.17-19).

Áquila e Priscila eram pessoas extraordinárias (16.19,20). Esse casal foi grandemente usado por Deus em três grandes centros urbanos: Roma, Éfeso e Corinto. Eles tinham uma peculiaridade: dedicaram não apenas sua vida a Deus, mas também o lar. Eles abriram a porta do lar para a pregação do evangelho. Em cada local que esse casal estava, havia uma igreja de Deus na casa deles. Que abnegação! Esse casal foi grandemente usado por Deus e Paulo faz questão de elogiar isso.

Paulo faz uma advertência aos falsos crentes: *Se alguém não ama o Senhor, seja anátema. Maranata!* (16.22). O apóstolo termina sua carta invocando a graça do Senhor Jesus sobre a igreja: *A graça do Senhor Jesus seja convosco!* (16.23). Talvez essa seja a carta mais difícil que Paulo escreveu. A ferida feita pelo amigo é uma ferida que traz cura. Após exortar duramente essa igreja, Paulo diz: *O meu amor seja com todos vós, em Cristo Jesus* (16.24).

2Coríntios

O triunfo de um homem de Deus diante das dificuldades

1

O vigoroso **testemunho** de um **homem** de **Deus**

2 Coríntios 1.1-11

A SEGUNDA CARTA AOS CORÍNTIOS é a carta mais pessoal do apóstolo Paulo. Há um consenso praticamente unânime acerca de sua autoria. E. P. Gould categoricamente afirma que não há dúvidas de que essa carta foi escrita pelo apóstolo Paulo. A epístola é citada por Irineu, Atenágoras, Clemente de Alexandria e Tertuliano, todos pertencentes ao século II.[1]

Essa é a sua carta mais autobiográfica. Nela, o apóstolo conta suas lutas mais renhidas e suas aflições mais agônicas. Nessa carta, Paulo abre as cortinas da alma e mostra suas dores mais profundas, suas tensões mais íntimas e suas experiências mais arrebatadoras. Robert Gundry afirma corretamente que mais do que qualquer outra epístola de Paulo, 2Coríntios permite-nos sondar os sentimentos íntimos do apóstolo sobre si mesmo, sobre seu ministério apostólico e sobre seu relacionamento com as igrejas que fundava e nutria.[2] Nessa mesma

---

[1] GOULD, E. P. *Epístolas aos Coríntios* em Comentário Expositivo sobre el Nuevo Testamento editado por Alva Hovey. Tomo V. El Paso, TX. Casa Bautista de Publicaciones, 1973, p. 133.
[2] GUNDRY, Robert H. *Panorama do Novo Testamento*. São Paulo, SP: Edições Vida Nova, 1978, p.318.

linha de pensamento, Simon Kistemaker diz que nenhum outro livro do Novo Testamento retrata uma angústia emocional, física e espiritual com tanta profundidade e amplitude.[3]

Myer Pearlman diz que 2Coríntios, embora seja a carta mais pessoal de Paulo, é o menos sistemático dos seus escritos. Assemelha-se a um rio africano. Às vezes, corre calmamente e espera-se uma análise satisfatória, mas repentinamente aparece uma catarata e agitação terrível que se fendem às grandes profundezas de seu coração.[4]

A lista de sofrimentos de Paulo aparece três vezes nessa carta (4.7-12; 6.4-10; 11.23-28). A primeira lista demonstra que o sofrimento revela a glória de Deus (4.10-12,15). A segunda lista foi escrita para que o ministério de Paulo não fosse achado culpado (6.3), e, sim, para que Deus fosse glorificado. Paulo escreve a terceira lista para dizer aos seus leitores que ele serve a Cristo como servo bom e fiel.[5]

Local e data da carta

Após ter escrito a primeira epístola aos coríntios de Éfeso, Paulo sentiu a necessidade de fazer uma "visita dolorosa" a Corinto e voltar. Dolorosa por causa das relações tensas entre Paulo e os crentes dali, naquela época. Lucas não registra essa visita no livro de Atos. Entretanto, ela pode ser deduzida dos trechos de 2Coríntios 12.14 e 13.12, em que Paulo alude à sua futura visita como a "terceira" que faria. A declaração constante em 2Coríntios 2.1: *Isto deliberei por mim mesmo: não voltar a encontrar-me convosco em tristeza*, subentende que houvera no passado uma visita dolorosa, que dificilmente pode ser identificada com a primeira vez que Paulo esteve com eles, levando o evangelho.[6]

Paulo escreveu essa carta da província da Macedônia (2.13;7.5;9.2), no decurso da sua terceira viagem missionária, logo depois que recebeu o relato otimista de Tito após sua visita à igreja de Corinto. Simon

---

[3] Kistemaker, Simon. *2 Coríntios*. São Paulo, SP: Editora Cultura Cristã,, 2004, p.35.
[4] Pearlman, Myer. *Através da Bíblia livro por livro*. Miami, FL: Editora Vida, 1987,p.266.
[5] Kistemaker, Simon. *2Coríntios*, 2004, p. 38.
[6] Gundry, Robert H. *Panorama do Novo Testamento*, 1978, p. 319.

Kistemaker diz que podemos estar relativamente certos de que a epístola inteira foi completada em 56 d.C., provavelmente na segunda metade do ano. Da Macedônia, Paulo foi a Corinto, onde passou o inverno de 56/57, supervisionou a obra da coleta e compôs a epístola aos romanos.[7]

O conteúdo da carta

Paulo escreveu essa carta para falar das suas aflições e da necessidade de a igreja perdoar e restaurar o membro incestuoso que tumultuava a congregação e liderava a oposição ao seu ministério em Corinto (2.6-11). De igual modo Paulo falou sobre o levantamento da oferta para os pobres da Judeia, ao mesmo tempo em que fez uma sólida defesa do seu apostolado.

A palavra-chave dessa carta é *consolo*. James Hastings diz que o "consolo" é o grande tema de toda a carta. Ela está cheia, do começo ao fim, de sofrimento que se transforma em júbilo, fraqueza que se transforma em força, e derrota que se transforma em triunfo.[8] Henrietta Mears diz que a epístola começa com consolo (1.3) e termina com consolo (13.11). No meio da epístola temos a razão para o consolo (9.8). A fonte do consolo era esta gloriosa verdade: *A minha graça te basta, porque o poder se aperfeiçoa na fraqueza* (12.9).[9] Warren Wiersbe diz que no original dessa carta, o verbo "consolar" é usado dezoito vezes e o substantivo "consolação", onze vezes.[10]

Paulo aborda algumas verdades nessa carta que não trata em nenhuma das outras cartas, como a doutrina da nova aliança, o ministério da reconciliação, a habitação celeste, sua experiência de arrebatamento e visão beatífica do céu, seu espinho na carne e a firme defesa do seu apostolado. Concordo com Simon Kistemaker quando afirma que

---

[7] KISTEMAKER, Simon. *2Coríntios*, p. 33.
[8] HASTINGS, James. *The Great Texts of the Bible on II Corinthians-Galatians*. Vol. XVI. Grand Rapids, MI: Wm. B. Eerdmans Publishing Company, n/d, p.3.
[9] MEARS, Henrietta C.. *Estudo Panorâmico da Bíblia*. Deenfield, FL: Editora Vida, 1982, p.409-410.
[10] WIERSBE, Warren W.. *Comentário Bíblico Expositivo*. Vol. 5, 2006, p. 821.

essa carta é muito mais teológica no conteúdo do que a primeira carta aos coríntios.[11]

Vamos agora, expor o texto em tela.

Uma saudação aos irmãos (1.1,2)

As cartas primitivas traziam o nome e a saudação do remetente no início da correspondência, e não no fim. Destacaremos, aqui, alguns aspectos dessa saudação.

Em primeiro lugar, **Paulo se apresenta como representante de Cristo** (1.1). *Paulo, apóstolo de Cristo Jesus* [...]. A palavra "apóstolo" quer dizer "enviado". Cristo chamou dentre seus muitos discípulos, doze apóstolos. Com a morte de Judas Iscariotes, Matias foi escolhido para substituí-lo. Mais tarde, o próprio Senhor Jesus apareceu a Saulo, salvou-o, chamou-o e comissionou-o para ser apóstolo junto aos gentios. As credenciais de um apóstolo eram: ser testemunha ocular da ressurreição de Cristo e realizar, pelo poder de Deus, sinais e maravilhas (12.12). Paulo, embora chamado fora do tempo, viu a Jesus ressurreto e selou seu apostolado com milagres e prodígios. Paulo, embora chamasse a si mesmo de o maior pecador, o menor de todos os santos e o menor dos apóstolos, foi o maior evangelista da igreja, o maior pastor, o maior missionário, o maior plantador de igrejas e o maior teólogo. João Calvino diz que os falsos apóstolos, embora usassem esse mesmo título, "apóstolos de Cristo", usurpavam um título que não lhes pertencia.[12]

Em segundo lugar, **Paulo demonstra convicção do seu chamado** (1.1). [...] *pela vontade de Deus, e o irmão Timóteo*[...]. Paulo não havia constituído a si mesmo apóstolo, nem estava desempenhando o apostolado por indicação humana, mas era apóstolo pela vontade de Deus. Seu chamado veio do céu. Sua vocação tinha origem na própria vontade de Deus. Ao lado do apóstolo está seu filho na fé, Timóteo. Ele tinha servido à igreja local de Corinto (At 18.5). Alguns anos depois, Paulo o mandou de Éfeso a Corinto (1Co 4.17;16.10;At 19.22). Deduzimos

---

[11] KISTEMAKER, Simon. *2Coríntios*, 2004, p. 36.
[12] CALVIN, John. *Commentary on Corinthians*. Vol. 2, Grand Rapids, MI: Christians Classics Ethereal Library, 1999, p. 77.

que Timóteo tinha voltado de sua visita aos coríntios e estava agora na presença de Paulo.[13]

Em terceiro lugar, **Paulo se dirige à igreja de Deus** (1.1). [...] *à igreja de Deus que está em Corinto e a todos os santos em toda a Acaia*. A igreja tem um dono absoluto. Ela é de Deus. Não é nossa nem da denominação, ela é de Deus. Colin Kruse diz que, com frequência, Paulo considera as igrejas possessão de Deus (1.2;10.32;11.16;15.9;1Ts 2.14; 2Ts 1.4). Isso nos faz lembrar de que as igrejas não são, propriamente, meras associações de indivíduos que pensam de maneira semelhante, dotados de pendor religioso, mas comunidades pertencentes a Deus, com quem gozam de um relacionamento especial.[14] Simon Kistemaker diz acertadamente que o conceito *igreja* significa o ajuntamento do povo de Deus para adoração, louvor e comunhão.[15] Onde há pessoas lavadas no sangue do Cordeiro, adorando o Deus vivo, ali está a igreja de Deus.

A igreja de Deus está em Corinto, está em toda a Acaia, está em São Paulo, em Vitória, em Nova Iorque, em Londres, em Tóquio e em qualquer lugar que houver um santo; ou seja, alguém chamado das trevas para a luz, da escravidão para a liberdade e da perdição para a salvação. A igreja de Deus é transcultural, interdenominacional e universal.

Na saudação à igreja coríntia, Paulo inclui "todos os santos em toda a Acaia". Isso levou Charles Hodge a afirmar que essa carta não foi escrita exclusivamente para a igreja de Corinto, mas também para todos os crentes espalhados pela província da Acaia que estavam ligados à igreja de Corinto.[16]

A palavra *hagios*, "santos", usada aqui pelo apóstolo, de modo algum traz a ideia romana de canonização; ao contrário, seu uso por Paulo reflete o fato de que todos os crentes são chamados por Deus para ser sua possessão especial.[17] A Acaia é uma referência à província romana

---

[13] KISTEMAKER, Simon. *2Coríntios*, 2004, p. 59.
[14] KRUSE, Colin. *II Coríntios: Introdução e Comentário*. São Paulo, SP: Edições Vida Nova, 1994, p. 62.
[15] KISTEMAKER, Simon. *2Coríntios*, 2004, p. 60.
[16] HODGE, Charles. *2Corinthians*. Em The Classic Bible Commentary, ed. Owen Collins. Wheaton, IL: Crossway Books, 1999, p. 1255.
[17] KRUSE, Colin. *II Coríntios: Introdução e Comentário*, 1994, p. 62.

que incluía o sul da Grécia e tinha Corinto como sua capital, Cencreia e Atenas como cidades principais.[18]

Em quarto lugar, **Paulo roga as bênçãos mais excelentes sobre a igreja** (1.2). *Graça a vós outros e paz, da parte de Deus, nosso Pai, e do Senhor Jesus Cristo*. Graça e paz era a típica saudação apostólica aos crentes. Essas duas bênçãos sintetizam a essência da salvação. A graça é a causa da salvação e a paz o resultado dela. Graça e paz incluem todas as coisas boas que podem vir a acontecer a um pobre pecador deste lado do céu, diz William MacDonald.[19] Tanto a graça quanto a paz têm sua origem em Deus Pai e no Senhor Jesus Cristo. Não há graça sem a paz, nem há paz sem a graça. Não há graça nem paz fora do Pai e do Filho.

A palavra *charis*, "graça", refere-se ao dom imerecido de Deus que nos revela seu cuidado e ajuda. Tal graça foi primeiramente demonstrada pelo envio de Seu Filho ao mundo a fim de efetuar a salvação da humanidade (8.9;Rm 5.8). Já a palavra *eirene*, "paz", traz a ideia de bem-estar, integridade, e prosperidade desfrutados por todos os recipiendários da graça de Deus.[20]

Uma exaltação a Deus (1.3,4)

Paulo passa da saudação à igreja para a exaltação a Deus. Em vez de iniciar essa carta salientando os variados problemas da vida, ele enfatiza a pessoa e a obra de Deus em nosso favor. Essa é uma das mais belas doxologias do Novo Testamento. Paulo não podia cantar acerca das circunstâncias, mas podia exaltar aquele que estava acima e no controle das circunstâncias. Três verdades devem ser aqui destacadas.

Em primeiro lugar, **Deus deve ser exaltado por quem Ele é** (1.3). "Bendito seja o Deus e Pai de nosso Senhor Jesus Cristo, o Pai de misericórdias e Deus de toda consolação". A palavra *eulogeo*, "bendito", é

---

[18] KISTEMAKER, Simon. *2Coríntios*, 2004, p. 61; RIENECKER Fritz e ROGERS, Cleon. *Chave Linguística do Novo Testamento Grego*, p. 333.
[19] MACDONALD, William. *Believer's Bible Commentary*, 1995, p. 1820.
[20] KRUSE, Colin. *II Coríntios: Introdução e Comentário*, 1994, p. 63.

uma forma judaica de louvor a Deus, reconhecendo-o como a fonte de todas as bênçãos.[21] Warren Wiersbe diz que encontramos a expressão "Bendito seja Deus" em outras duas passagens do Novo Testamento: em Efésios 1.3 e em 1Pedro 1.3. No caso de Efésios 1.3, Paulo louva a Deus por aquilo que o Senhor fez no passado, quando *nos escolheu em Cristo antes da fundação do mundo* (Ef 1.4). Em 1Pedro 1.3, Pedro louva a Deus pelas bênçãos do futuro e "por uma viva esperança". Mas, em 1Coríntios 1.3, Paulo louva a Deus pelas bênçãos do presente, por aquilo que Deus estava fazendo naquele instante e lugar.[22]

Paulo faz três declarações distintas acerca de Deus.

1. *Deus é o Pai de nosso Senhor Jesus Cristo.* O Filho é eternamente gerado do Pai, a exata expressão do Pai. O Filho é a exegese do Pai. O Filho é coigual, coeterno e consubstancial com o Pai. O Filho e o Pai são um. R. C. H. Lenski interpreta essa correlação da seguinte forma: "Para Jesus, em Sua natureza humana, Deus é Seu Deus, e para Jesus, em Sua divindade, Deus é Seu Pai; seu Deus desde a encarnação, seu Pai desde toda a eternidade".[23] Warren Wiersbe diz que é por causa de Jesus Cristo que podemos chamar Deus de "Pai" e nos aproximar dEle como seus filhos. Deus vê em nós Seu Filho e nos ama como ama Seu Filho (Jo 17.23).[24]
2. *Deus é o Pai de misericórdias.* Essa expressão "pai de misericórdias" não significa apenas "pai misericordioso", mas a fonte inesgotável de todas as misericórdias de que os crentes são e serão objeto.[25] Deus é a fonte das misericórdias. Misericórdia é um atributo moral de Deus, que o leva a não dar ao pecador o que ele merece. Merecemos seu castigo, mas Ele nos dá Sua graça imerecida.

---

[21] RIENECKER, Fritz e ROGERS Cleon. *Chave Linguística do Novo Testamento Grego*, p. 333.
[22] WIERSBE, Warren W. *Comentário Bíblico Expositivo*. Vol. 5, 2006. 822.
[23] LENSKI, R. C. H. *The Interpretation of St. Paul's First and Second Epistle to the Corinthians*. Wartburg: Columbus, 1946, p.814.
[24] WIERSBE, Warren W. *Comentário Bíblico Expositivo*. Vol. 5, 2006. p. 822.
[25] BONNET, Luis y SCHROEDER Alfredo. *Comentário del Nuevo Testamento*. Tomo 3. El Paso, TX: Casa Bautista de Publicaciones, 1982, p.330.

Todas as misericórdias têm sua origem em Deus e só podem ser recebidas dEle. *As misericórdias do Senhor são a causa de não sermos consumidos* (Lm 3.22). A Bíblia fala da riqueza das misericórdias de Deus (Sl 5.7;69.16), da Sua terna misericórdia (Tg 5.11) e da grandeza da Sua misericórdia (Nm 14.19). Também fala da multidão das Suas misericórdias (Sl 51.1).[26]

3. *Deus é o Deus de toda consolação.* Não há consolação verdadeira, profunda e eterna a não ser em Deus. Dele emana toda sorte de consolo para nossa vida. Somente em Deus nossa alma encontra abrigo e refúgio. Só Ele é a cidade refúgio do nosso coração. Fora dEle prevalece uma tempestade avassaladora que traz inquietação e perturbação para nossa alma.

Em segundo lugar, **Deus deve ser exaltado pelo que Ele faz por nós** (1.4). "É Ele que nos conforta em toda a nossa tribulação". Matthew Henry diz que no mundo temos problemas, mas em Cristo, nós temos paz.[27] A palavra *paraklesis*, "encorajamento, conforto, consolação", denota o ficar ao lado de uma pessoa para encorajá-la enquanto estiver suportando pesadas provas.[28] Christian F. Kling está correto quando diz que o presente contínuo "que nos conforta" implica que essas consolações foram repetidas e continuaram sem interrupção.[29]

Bruce Barton está correto quando diz que a palavra *paraklesis* não implica que Deus livra Seu povo de todo desconforto, antes lhe dá ferramentas, treinamento e orientação para suportar vitoriosamente os problemas da vida.[30]

Deus não é uma fonte passiva de consolo, mas o agente ativo de toda consolação. É Deus quem nos conforta e nos anima em toda a nossa

---

[26]WIERSBE, Warren W. *Comentário Bíblico Expositivo*. Vol. 5, 2006. p. 822.
[27]HENRY, Matthew. *Matthew Henry's Commentary in one volume*. Grand Rapids, MI: Marshall Morgan & Scott Ltda, 1960, p. 1828.
[28]RIENECKER, Fritz e ROGERS Cleon. *Chave Linguística do Novo Testamento Grego*, p. 333.
[29]KLING, Christian Friedrich. *Second Epistle of Paul to the Corinthians*. Commentary on the Holy Scriptures. Ed. John Peter Lange. Vol. 10. Grand Rapids, MI: Zondervan Publishing House, 1980, p. 11.
[30]BARTON, Bruce B. e outros. *Life Application Bible Commentary on 1 e 2Coríntios*. Wheaton, IL: Tyndale House Publishers, 1999, p. 271.

tribulação. A palavra "tribulação" traz a ideia de um peso esmagador. Somos achatados por sentimentos, circunstâncias e ataques de dentro e de fora. Não existe cristianismo sem cruz. A vida cristã não é indolor. Aqui, a palavra grega para tribulação é *thlipsis*. Essa palavra descreve sempre pressão física real sobre o homem. William Barclay, citando R. C. Trench, escreve: "De acordo com a antiga lei inglesa aos que obstinadamente se negavam a confessar seus crimes, colocavam-se pesadas cargas sobre o peito e eram pressionados e esmagados até a morte". Esse era o sentido literal da palavra *thlipsis*.[31] Colin Kruse diz que essas tribulações incluíam as provações físicas, os perigos, as perseguições e ansiedades experimentadas no desempenho de sua comissão apostólica.[32] Concordo com Bruce Barton quando disse que as provas jamais são fáceis, mas é por intermédio delas que Deus burila e molda nosso caráter.[33]

É Deus quem nos assiste em nossas fraquezas. Quando cruzamos os vales da dor, é Ele quem nos segura pela mão. Quando as lágrimas grossas rolam pela nossa face, é Seu consolo que nos faz terapia. Quando ficamos prostrados e vencidos pelas lutas da vida, é o Seu braço forte que nos põe em pé.

Antes de trabalhar por meio de nós, Deus trabalha em nós. Antes de Deus nos usar, Ele nos molda. Nós somos nossas próprias ferramentas, e elas precisam estar afiadas. O sofrimento é o fogo que nos depura, limpa-nos e fortalece-nos. Pelo sofrimento, Deus leva-nos para o deserto, mas o deserto não nos destrói. O deserto é a escola superior do Espírito Santo, onde Deus nos treina. No deserto aprendemos a depender mais do provedor do que da provisão. No deserto Deus trabalha em nós antes de trabalhar por meio de nós. Os maiores líderes de Deus foram treinados no deserto. José do Egito foi provado no deserto da prisão antes de ser conduzido ao palácio. O profeta Elias escondeu-se no deserto e, depois, foi jogado na fornalha em Sarepta antes de triunfar no monte Carmelo. Até mesmo o Filho de Deus aprendeu pelas coisas que sofreu.

---

[31] BARCLAY, William. *I y II Corintios*. Vol. 9, Buenos Aires: Editorial La Aurora, 1973, p. 181.
[32] KRUSE, Colin. *II Coríntios: Introdução e Comentário*, 1994, p. 66.
[33] BARTON, Bruce B. e outros *Life Application Bible Commentary on 1 e 2Corintios*, p. 272.

Em terceiro lugar, **Deus deve ser exaltado pelo que Ele faz por meio de nós** (1.4). [...] *para podermos consolar os que estiverem em qualquer angústia, com a consolação com que nós mesmos somos contemplados por Deus*. O consolo de Deus é realizado em nós, mas não para em nós. Não somos um reservatório, mas um canal da consolação divina. Somos consolados para sermos consoladores. Deus nos abençoa para sermos abençoadores.

As angústias pelas quais passamos são pedagógicas. Deus não desperdiça sofrimento na vida de Seus filhos. Nossas angústias têm um propósito. Nossas feridas tornam-se fontes de consolo. Nossas lágrimas tornam-se óleo terapêutico. Nossas experiências, instrumentos de encorajamento para outras pessoas. As dificuldades que Paulo passou não foram um castigo por algo que ele havia feito, mas sim uma preparação para algo que ainda faria: ministrar aos necessitados.[34]

João Calvino diz que o apóstolo Paulo viveu não para si mesmo, mas para a igreja. E viveu de tal forma que os favores concedidos por Deus a ele, foram concedidos não para benefício próprio, mas para capacitá-lo a ajudar outros.[35] Nessa mesma linha de pensamento, William MacDonald diz que na medida em que somos confortados devemos procurar outros para passar essa consolação. Não deveríamos nos esquivar das enfermarias dos hospitais nem das casas do luto, antes deveríamos nos apressar para estar ao lado daqueles que precisam de encorajamento. Não somos confortados para vivermos confortáveis, mas para sermos confortadores.[36] O crente precisa ser como o mar da Galileia e não como o mar Morto. O primeiro recebe as águas do rio Jordão e as distribui. O segundo recebe as mesmas águas e as retém só para si. O primeiro é um lugar de vida, o segundo, um recinto de morte.

Russel Norman Champlin, citando Adam Clark, escreve:

> Que miserável pregador deve ser aquele cuja toda prática piedosa tenha sido adquirida pelo estudo e pela erudição, nunca pela experiência! Se a sua alma não houver passado por toda a dor de parto da

---

[34] WIERSBE, Warren W. *Comentário Bíblico Expositivo*. Vol. 5, 2006. p. 825.
[35] CALVIN, John. *Commentary on Corinthians*. Vol. 2, 1999, p. 79.
[36] MACDONALD, William. *The Believer's Bible Commentary*, 1995, p. 1820.

regeneração, se o seu coração não tiver sentido o amor de Deus derramado pelo Espírito Santo, não poderá ele nem instruir aos ignorantes e nem consolar aos aflitos.[37]

Warren Wiersbe alerta para o fato de que em tempos de sofrimento quase todos nós temos a tendência de pensar apenas em nós mesmos e de nos esquecermos dos outros. Em vez de sermos canais, transformamo-nos em cisternas. Também temos a tendência de pensar que é preciso experimentar exatamente a mesma provação a fim de ter capacidade de compartilhar com outros o encorajamento que Deus dá. Mas Paulo diz que quem sente o consolo de Deus na vida pode "consolar os que estiverem em qualquer angústia" (1.4b).[38]

Uma explicação do sofrimento (1.5-7)

Depois de tratar da origem, realidade e propósito do consolo, Paulo começa a falar sobre os sofrimentos do povo de Deus. Algumas verdades preciosas devem ser destacadas.

Em primeiro lugar, **Deus permite o sofrimento na vida de Seus filhos** (1.5). *Porque, assim como os sofrimentos de Cristo se manifestam em grande medida a nosso favor, assim também a nossa consolação transborda por meio de Cristo.* Os sofrimentos de Cristo, aqui, não são os vicários que Ele suportou por nós na cruz, pois esses são únicos e não podem ser compartilhados por ninguém, mas o nosso próprio sofrimento por amor a Ele.

Quando sofremos por Cristo, Ele sofre em nós e por nós. Quando Saulo perseguiu a igreja, perseguiu também a Cristo (At 9.4). Colin Kruse diz que a expressão "os sofrimentos de Cristo" significa, aqui, os sofrimentos suportados por causa de Cristo.[39] Paulo já havia suportado muitas provações e sofrimento por causa de Cristo. Ele já havia sido insultado (At 13.45); tinha sido objeto de complôs assassinos

---

[37]CHAMPLIN, Russell Norman. *O Novo Testamento Interpretado Versículo por Versículo.* Vol. 4. Guaratinguetá, SP: A Sociedade Religiosa A Voz Bíblica Brasileira, s/d, p.292.
[38]WIERSBE, Warren W. *Comentário Bíblico Expositivo.* Vol. 5, 2006, p. 824,825.
[39]KRUSE, Colin. *II Coríntios: Introdução e Comentário*, 1994, p. 67.

(At 14.5); tinha sido apedrejado (At 14.19,20), açoitado e lançado em prisão (At 16.22,23); escorraçado e enxotado por multidões alvoroçadas (At 17.8-10). Estava claro para Paulo que Deus não nos livra do sofrimento, mas no sofrimento. Deus não nos poupa dos problemas, mas nos problemas. Ele não nos livra das fornalhas, mas nas fornalhas. Ele não nos livra das covas dos leões, mas nas covas dos leões.

Warren Wiersbe diz que à medida que aumenta o sofrimento, também aumenta o suprimento da graça de Deus. O verbo *transbordar* lembra a enchente de um rio. *Antes, ele dá maior graça* (Tg 4.6). Deus tem graça abundante e suficiente para todas as nossas necessidades.[40] Simon Kistemaker diz que os sofrimentos que os cristãos suportam por Cristo são numerosos, porém o consolo que é dado a eles por meio de Cristo excede a toda espécie de agonia.[41]

Os sofrimentos na vida do cristão não são acidentais. Há determinados sofrimentos que sofremos exatamente porque pertencemos a Cristo. Estamos, assim, preenchendo o que resta dos sofrimentos de Cristo (Cl 1.24).

Em segundo lugar, **o nosso sofrimento produz consolo e salvação para outros** (1.6). *Mas, se somos atribulados, é para o vosso conforto e salvação*[...]. As provações que sofremos por Cristo e pelo Seu evangelho abrem portas de salvação para outras pessoas. As cadeias e tribulações de Paulo pavimentaram o caminho para a evangelização dos povos. A prisão, a tortura e a morte de milhares de cristãos durante os anos atrozes da perseguição romana robusteceram a igreja, e o evangelho penetrou em todos os corredores do Império. O sangue dos mártires é a sementeira do evangelho. O comunismo ateu, que abocanhou um terço do planeta a partir de 1917, perseguiu impiedosamente a igreja com o propósito de destruí-la. O comunismo está coberto de pó, mas a igreja avança vitoriosa e sobranceira. Mao Tse Tung, com truculência assassina, matou sessenta milhões de chineses no passado. Ele queria banir os cristãos da China. Mao Tse Tung está morto, mas a igreja está viva. Estima-se que existem cerca de duzentos milhões de crentes na China.

---

[40] WIERSBE, Warren W. *Comentário Bíblico Expositivo*. Vol. 5, 2006. p. 826.
[41] KISTEMAKER, Simon. *2Coríntios*, 2004, p. 66.

Em terceiro lugar, *o nosso conforto é instrumento de consolação para os demais crentes* (1.6b). [...] *se somos confortados, é também para o vosso conforto, o qual se torna eficaz, suportando vós com paciência os mesmos sofrimentos que nós também padecemos.* O nosso consolo deve ser uma fonte de consolação para os outros, um lenitivo para aliviar a dor dos outros, um remédio para as feridas dos outros. Quando somos consolados, esse consolo serve de estímulo e exemplo para os demais que estão passando pela tribulação a permanecerem firmes, certos de que sua consolação também virá.

William Barclay diz corretamente que a resposta a esse sofrimento reside na paciência. A palavra grega aqui utilizada é *hupomone*. A característica de *hupomone* não é a aceitação simples e resignada dos problemas e provas: é triunfo e vitória. Descreve o espírito que não só pode aceitar o sofrimento, mas também pode triunfar sobre ele.[42] Corroborando com esse entendimento, Fritz Rienecker diz que no grego clássico *hupomone* era usada também para a habilidade de uma planta viver sob circunstâncias desfavoráveis. Foi mais tarde usada para aquela qualidade que capacitava os homens a morrerem por seus deuses.[43]

Em quarto lugar, *os crentes não são poupados do sofrimento nem privados da consolação* (1.7). *A nossa esperança a respeito de vós está firme, sabendo que como sois participantes dos sofrimentos, assim o sereis da consolação.* O crente bebe tanto o cálice do sofrimento como a taça da consolação. Ele não é poupado das feridas nem privado do óleo da cura. Ser cristão não é ser poupado das provas, dos vales, dos desertos, das fornalhas, das covas dos leões, das prisões ou da morte. Mas ser crente é ser confortado em todas essas circunstâncias adversas.

Uma provação **desesperadora (1.8-10)**

Paulo se move do princípio geral – que Deus encoraja cristãos em suas provas – para sua situação particular.[44] Ele enriquece sua exposição

---

[42]BARCLAY, William. *I y II Corintios*, Vol. 9, 1973, p. 182.
[43]RIENECKER, Fritz e ROGERS Cleon. *Chave Linguística do Novo Testamento Grego*, 1985. p. 333.
[44]BARTON, Bruce B. e outros. *Life Application Bible Commentary on 1 e 2Corintios*, p. 274.

com uma ilustração pessoal. Ele abre espaço para contar à igreja uma dolorosa e dramática experiência vivida na cidade de Éfeso. William Barclay diz que o mais extraordinário acerca dessa passagem é que não temos nenhuma informação acerca dessa terrível experiência que Paulo atravessou em Éfeso.[45] Destacamos, aqui, alguns pontos.

Em primeiro lugar, *os crentes mais consagrados estão sujeitos às provas mais desesperadoras* (1.8). "Porque não queremos, irmãos, que ignoreis a natureza da tribulação que nos sobreveio na Ásia, porquanto foi acima das nossas próprias forças, a ponto de desesperarmos até da própria vida". Paulo não descreve o fato, mas declara como se sentiu depois de ter passado por esse terremoto existencial. Ele estava num beco sem saída. Ele estava em completo desespero.

João Calvino diz que Paulo usa nesse texto uma metáfora representando uma pessoa espremida debaixo de um peso esmagador ou um navio que está afundando devido ao excesso de carga. Obviamente Paulo não mede sua força em conexão com a ajuda de Deus, mas de acordo com o próprio sentimento de sua habilidade.[46]

Em Éfeso, ele enfrentou severa oposição tanto dos judeus como dos idólatras. Sua passagem por Éfeso revolucionou a cidade e trouxe grandes abalos para as estruturas espirituais da cidade. O culto à deusa Diana ficou seriamente abalado depois da estada de Paulo na capital da Ásia Menor. Possivelmente Paulo foi vítima de uma orquestração mortífera tanto dos judeus (At 20.19; 21.27) como dos gentios (At 19.23-40). Talvez tenha sido até mesmo sentenciado à morte.

Simon Kistemaker sugere quatro possíveis situações que o tenham levado ao desespero: 1) o motim instigado por Demétrio (At 19.23-41); 2) a luta contra as feras selvagens (1Co 15.32); 3) o aprisionamento por autoridades romanas (2Co 11.23); 4) um mal físico (2Co 12.7-10).[47]

Kistemaker ainda comenta que não está fora de cogitação pensar que Paulo tenha sido arrastado para várias sinagogas locais a fim de ser julgado perante as cortes judaicas. Os castigos que recebia eram as 39

---

[45] BARCLAY, William. *I y II Corintios*, Vol. 9, 1973, p. 183.
[46] CALVIN, John. *Commentary on Corinthians*. Vol. 2, 1999, p. 83.
[47] KISTEMAKER, Simon. *2Coríntios*, 2004, p. 73.

chicotadas prescritas. Ele revela: *Cinco vezes recebi dos judeus uma quarentena de açoites menos um* (11.24). Essas surras podiam ser perigosas quando administradas com severidade, especialmente se fossem repetidas em curto espaço de tempo. Além disso, as autoridades romanas fustigaram Paulo três vezes com varas (11.25). Lucas registra somente as chicotadas que Paulo e Silas receberam em Filipos (At 16.22) e deixa de registrar os outros dois incidentes.[48] Não importa, porém, que fato tenha acontecido ao apóstolo, o certo, é que sua natureza o levou a desesperar-se da própria vida.

Deus, porém, estava no controle das tribulações de Paulo. Ele se sentia oprimido como um animal de carga levando um peso grande demais. No entanto, Deus sabia exatamente quanto Paulo poderia suportar e manteve a situação sob controle.[49]

Em segundo lugar, *quando chegamos ao fim da linha, Deus estende Sua mão para nos socorrer* (1.9). "Contudo, já em nós mesmos, tivemos a sentença de morte, para que não confiemos em nós e sim no Deus que ressuscita os mortos". João Calvino diz que precisamos primeiro morrer para renunciarmos à confiança em nós mesmos. Precisamos primeiro ter consciência da nossa fraqueza para pormos nossa confiança no poder de Deus. Precisamos primeiro nos desesperar de nós mesmos para, depois, pormos nossa esperança em Deus.[50]

Essa sentença de morte pode ser uma referência a um veredicto oficial, talvez a uma ordem de prisão e execução de Paulo.[51] Colin Kruse tem uma posição diferente. Ele entende que não foi tanto um veredicto pronunciado por alguma autoridade externa, mas antes uma percepção nascida no coração e mente do apóstolo ao perceber as horrorosas malhas em que se viu preso, sem possibilidade de fuga.[52]

A circunstância vivida por Paulo na Ásia foi de tal monta que a única saída era a morte. Ele estava com o destino lavrado pelos homens.

---

[48] KISTEMAKER, Simon. *2Coríntios*, 2004, p. 73,74.
[49] WIERSBE, Warren W. *Comentário Bíblico Expositivo*. Vol. 5, 2006. p. 823.
[50] CALVIN, John. *Commentary on Corinthians*. Vol. 2, 1999, p. 85.
[51] WIERSBE, Warren W. *Comentário Bíblico Expositivo*. Vol. 5, 2006. p. 824.
[52] KRUSE, Colin. *II Coríntios: Introdução e Comentário*, 1994, p. 71.

A situação era humanamente irreversível. Era uma causa humanamente perdida. Nesse momento, nenhum recurso da terra poderia mudar a situação. Então, ele, que já carregava em si a sentença de morte e o atestado de óbito, deixou de confiar em si ou em qualquer outro recurso para pôr sua fé no Deus que ressuscita os mortos.

Kistemaker diz que o livramento que Deus providenciou para Paulo foi um tipo de ressurreição que se assemelha à experiência de Abraão e Isaque (Hb 11.19).[53] Você é realmente um gigante espiritual quando depende totalmente de Deus. Paulo compreendeu que Deus chama à existência as coisas que não existem. Compreendeu que Deus dá vida aos mortos e que para Ele não há impossíveis. Deus reverte situações humanamente impossíveis. Foi quando Abraão e Sara já estavam fisicamente amortecidos que o poder da ressurreição lhes permitiu ter o filho da promessa (Rm 4.16-25). O Deus que ressuscita os mortos é poderoso para nos dar livramento de qualquer dificuldade da vida.

Em terceiro lugar, *o Deus que agiu ontem continua agindo no desenrolar da história* (1.10). "O qual nos livrou e livrará de tão grande morte; em quem temos esperado que ainda continuará a livrar-nos". O mesmo Deus que levantou Jesus Cristo da morte livrou Paulo de um perigo mortal. O mesmo Deus que livrou Paulo da morte na Ásia continuou livrando-o de outros perigos em sua jornada. O crente é indestrutível até cumprir o propósito de Deus na terra. O Deus que agiu ontem, age hoje e continuará agindo amanhã. O Deus que fez é o Deus que faz e fará. Ele está no trono e trabalha até agora. Ele jamais abdicou do Seu poder de intervir milagrosamente na vida do Seu povo.

Uma intercessão abençoadora (1.11)

O cristão desfruta de três tipos de comunhão: no sofrimento, na consolação e nas orações.[54] Agora, trataremos dessa última comunhão, a comunhão da oração intercessória. O livramento do apóstolo é resultado de uma ação natural e de uma sobrenatural. Deus livra Seu povo

---

[53] KISTEMAKER, Simon. *2Coríntios*, 2004, p. 75.
[54] KLING, Christian F. *Second Epistle of Paul to the Corinthians*. Em Commentary on the Holy Scriptures, ed. Em John Peter Lange. Vol. 10, 1980, p. 15.

com mão forte e estendida por meio das orações dos santos. A oração move a mão de Deus. Concordo com David Thomas quando ele diz que a oração move a mão que move o universo.[55]

Nenhuma força é tão poderosa na terra como a oração da igreja. Os céus se movem pela oração. Os atos soberanos de Deus na história são respostas às orações da igreja. Paulo estava convencido da eficácia da oração intercessória e, reiteradamente, pedia orações a seus irmãos (Rm 15.30-32; Ef 6.18-20). Paulo pede as orações da igreja e conta com elas. Ele sabe que por meio delas ele será ajudado, e muitos outros crentes serão encorajados a dar graças a Deus. Duas verdades merecem destaque aqui.

Em primeiro lugar, *as orações da igreja ajudam os crentes* (1.11). *Ajudando-nos também vós, com as vossas orações a nosso favor*[...]. A oração modifica as coisas. Pela oração, mantemos os braços dos guerreiros fortalecidos no campo de batalha. Pela oração, encorajamos missionários a prosseguirem na sua empreitada de levar o evangelho até os confins da terra. Pela oração, cooperamos para que os pregadores anunciem a verdade com ousadia e unção do Espírito. Pela oração, encorajamos uns aos outros a prosseguir em meio às provas. A oração conecta o altar ao trono; a fraqueza humana à onipotência divina. Concordo com Frank Carver quando diz que a oração tem duas funções: ela enfatiza a total dependência do homem e a absoluta soberania de Deus; e ambas expressam e promovem a comunhão dos santos.[56]

Em segundo lugar, *as orações da igreja glorificam a Deus* (1.11). [...] *para que, por muitos, sejam dadas graças a nosso respeito, pelo benefício que nos foi concedido por meio de muitos*. As orações dos coríntios deveriam levar outros crentes a darem graças a Deus. Quando a igreja ora, o nome de Deus é exaltado. Quando os joelhos se dobram na terra, o nome de Deus é elevado no céu. Nada exalta tanto a Deus quanto um crente prostrado em oração!

---

[55] Thomas, David. *II Corinthians*. Em The Pulpit Commentary. Vol. 19. Grand Rapids, MI: Wm. B. Eerdmans Publishing Company, 1978, p. 17.
[56] Carver, Frank G. *A Segunda Epístola de Paulo aos Coríntios*. Em Comentário Bíblico Beacon. Vol. 8, Rio de Janeiro, RJ: CPAD, 2006, p.407.

2

Como se **defender** das **críticas**

2 Coríntios 1.12 – 2.1-11

OS SOFRIMENTOS DE PAULO TINHAM ORIGEM nos incrédulos e nos crentes. Ele sofria com as pessoas do mundo e com os membros da igreja. Ele sofria com os de fora da igreja e também com os domésticos da fé. No texto em tela, Paulo faz sua defesa diante das acusações assacadas contra ele por parte de alguns membros da igreja de Corinto. A acusação era de que Paulo não estava sendo honesto com a igreja ao mudar seus planos de visitá-los.

Acusaram Paulo de falta de integridade e de constância. Puseram em dúvida suas reais motivações. Lançaram sobre ele pesados e levianos libelos acusatórios, denegrindo sua pessoa e seu ministério.

Warren Wiersbe diz que os mal-entendidos que ocorrem entre os cristãos podem causar feridas profundas.[1] No texto em apreço, Paulo abre seu coração e revela como essas críticas dos coríntios o deixaram triste.

Paulo tinha prometido visitar a igreja em sua passagem pela Macedônia e passar com eles o inverno (1Co 16.5,6). Mas, agora, Paulo declara sua intenção de antecipar sua viagem e passar primeiro em Corinto, antes de ir à Macedônia (1.15,16), daí voltar a Corinto e de Corinto ser enviado à Judeia.

---

[1] WIERSBE, Warren W. *Comentário Bíblico Expositivo*. Vol. 5, p. 827.

Os problemas na igreja de Corinto haviam se agravado. Paulo fez, então, uma viagem dolorosa à igreja (2.1), e os resultados da sua visita não alcançaram o êxito esperado. Paulo precisou sair de Corinto, mas enviou imediatamente Tito para cumprir o propósito de disciplinar o irmão faltoso que capitaneava a oposição ao seu ministério na igreja. Paulo decidiu não voltar à igreja nesse clima de tristeza e angústia, em vez disso, escreveu-lhes uma carta dolorosa (2.4). Essa carta, levada por Tito, produziu resultados positivos nos crentes, e quando Tito voltou de Corinto, trouxe notícias alvissareiras que alegraram a alma do veterano apóstolo (7.5-16).

Agora, consideraremos algumas lições que apontam para a defesa que Paulo fez diante dos seus críticos.

Uma consciência limpa (2.12-14)

A glória de Paulo não estava na posição que ocupava, mas na qualidade de vida que vivia. Ele não dependia de elogios humanos nem desanimava com as críticas. Ele tinha o testemunho de sua consciência de que vivia de forma santa e sincera no mundo e diante da igreja, não pela força da sabedoria humana, mas estribado na graça divina. Os homens podiam ver suas ações, mas Deus via suas intenções. O juiz da sua consciência era Deus, e não os homens. Nesse sólido fundamento estava seu descanso.

William Barclay diz que a palavra grega *eilikrineia*, traduzida por "sinceridade," é muito interessante. Descreve algo que pode suportar a prova da luz do sol e pode ser mirado com o sol brilhando através dele. Feliz é o homem cujas ações suportam a luz do dia e que, como Paulo, pode dizer que não existem ações ocultas em sua vida.[2] Concordando com Barclay, Fritz Rienecker diz que a palavra *eilikrineia* significa: "julgado pelo sol" ou "determinado pela luz do sol".[3] O que isso significa? Significa que não havia regiões escuras e sombrias na vida de Paulo. O veterano apóstolo vivia na luz e não tinha nada a esconder.

---

[2] BARCLAY, William. *I y II Coríntios*. Vol. 9, 1973, p. 185,186.
[3] RIENECKER, Fritz e ROGERS Cleon. *Chave Linguística do Novo Testamento Grego*, 1985, p. 335.

Não havia flancos abertos na vida de Paulo. Não havia brechas no escudo da sua fé. Não havia mácula em seu caráter. Não havia nenhuma região nebulosa em sua vida. Sua vida pública e privada estava em perfeita ordem. Não havia um arquivo secreto em sua alma nem nada escondido debaixo do tapete em sua vida.

A palavra grega *suneidesis*, "consciência", do latim "saber com", é a capacidade interior que "sabe com" nosso espírito e dá sua aprovação quando fazemos o que é certo, mas acusa quando fazemos o que é errado.[4] Para o apóstolo Paulo, a consciência não é a voz de Deus dentro de nós como pensavam os estoicos, e tampouco ele restringia sua função aos atos do passado da pessoa, como se acreditava no mundo grego secular. Para Paulo, a consciência era a faculdade humana por meio da qual a pessoa aprova ou desaprova suas ações (quer executadas, quer apenas intencionadas) e as de outras pessoas.[5]

A consciência não é infalível como pensavam os romanos. Muitos têm uma consciência fraca, e outros, até mesmo uma consciência cauterizada. Há homens que perderam a sensibilidade espiritual e o senso moral. Agem como bestas feras.

A consciência é uma espécie de luz vermelha que acende no nosso interior sempre que violamos a lei instalada por Deus em nós (Rm 2.14,15). A consciência é uma sirene que toca em nossa alma sempre que transgredimos essas leis. Colin Kruse afirma que não se deve igualar a consciência à voz de Deus nem ainda à lei moral; é, antes, a faculdade humana que julga as ações à luz do padrão mais elevado que a pessoa consegue perceber. A consciência jamais poderá ocupar a posição de juiz supremo do comportamento humano. É possível que a consciência desculpe uma pessoa por algo que Deus não desculpará e vice-versa; é também possível que a consciência condene uma pessoa por algo que Deus não condena. Portanto, o julgamento final pertence só a Deus (1Co 4.2-5). No entanto, rejeitar a voz da consciência é o mesmo que arriscar o desastre espiritual (1Tm 1.19).[6]

---

[4]WIERSBE, Warren W. *Comentário Bíblico Expositivo*. Vol. 5, 2006, p. 827.
[5]KRUSE, Colin. *II Coríntios: Introdução e Comentário*, 1994, p. 76.
[6]KRUSE, Colin. *II Coríntios: Introdução e Comentário*, 1994, p. 76,77.

Herman Ridderbos conclui dizendo que para Paulo, a consciência significava a competência que permite uma pessoa ter "o senso de autoavaliação moral". No caso de Paulo, o testemunho de sua própria consciência era ilibado. Sua consciência o inocentava à luz de sua vida dedicada a servir a Deus.[7]

Um **coração amoroso** (1.15-20)

Os críticos estavam acusando Paulo de ter agido com leviandade e ter deliberado segundo a carne quando mudou os planos de sua viagem a Corinto. Eles atacavam Paulo, dizendo que ele não estava sendo íntegro em suas palavras (1.17,18). Seus críticos o haviam acusado de ser o tipo de homem que diz sim e não ao mesmo tempo. Diziam que fazia promessas frívolas com intenções enganosas.

Warren Wiersbe diz que os coríntios acusavam Paulo de seguir a *sabedoria humana* (1.12), de ignorar a vontade de Deus (1.17) e de fazer planos só para agradar a si mesmo. No entendimento desses críticos, Paulo dizia ou escrevia uma coisa, mas, na verdade, queria dizer outra! Seu sim era não, e seu não era sim.[8]

Paulo defende-se dessas desairosas críticas, fazendo importantes considerações. Destacamos três pontos importantes para nossa reflexão.

Em primeiro lugar, ***a resolução de Paulo de antecipar sua viagem a Corinto*** (1.15). *Com esta confiança, resolvi ir, primeiro, encontrar-me convosco* [...]. O projeto inicial de Paulo era ir da Macedônia a Corinto (1Co 16.5,6). Agora, Paulo vai de Corinto para a Macedônia (1.16). O zelo pastoral de Paulo o leva a priorizar sua visita à igreja de Corinto. Ele não hesita em mudar sua agenda e em alterar a ordem de suas prioridades para atender a uma causa urgente.

Em segundo lugar, ***o propósito de Paulo em antecipar sua viagem a Corinto*** (1.15b,16). Paulo menciona dois propósitos pelos quais antecipou sua viagem a Corinto.

---

[7]RIDDERBOS, Herman N. *Paul: An Outline of his Theology*. Grand Rapids, MI: Eerdmans, 1975, p. 288.
[8]WIERSBE, Warren W. *Comentário Bíblico Expositivo*. Vol. 5, 2006, p. 828.

1. *O benefício espiritual dos crentes* (1.15b). *Para que tivésseis um segundo benefício*. João Calvino interpreta o primeiro benefício como o período que passou entre eles os ganhando para o Senhor (At 18.11), e o segundo benefício seria a confirmação deles por meio de sua visita a fim de obterem progresso espiritual.[9] Paulo era o pai espiritual daqueles crentes (1Co 4.15). Durante dezoito meses ficou entre eles pregando a Palavra e orientando-os sobre o estilo de vida que agrada a Deus. Havia sérias dificuldades na vida da igreja como divisões, imoralidade, brigas, distorções de comportamento e de doutrina. O caso mais explosivo abordado por Paulo na primeira carta canônica não havia ainda sido resolvido. Os eruditos dizem que o membro incestuoso liderava a oposição a Paulo na igreja. Paulo, então, deseja ir a Corinto para ajudar a igreja a resolver esses dolorosos problemas.
2. *O benefício do próprio apóstolo* (1.16). Paulo como apóstolo e enviado de Cristo tinha o direito de requerer da igreja o sustento financeiro para ser encaminhado à Macedônia e, depois, à Judeia. Simon Kistemaker esclarece esse ponto dizendo que a frase "ser enviado por vós" não significa, meramente, que os coríntios diriam adeus a Paulo. Na igreja primitiva, essa era uma frase que obrigava os cristãos a prover para o missionário dinheiro, comida, bebida, roupa e proteção para sua viagem.[10] Como uma oferta já estava sendo levantada na igreja em prol dos pobres da Judeia (1Co 16.1-4), Paulo esperava que a igreja coríntia o ajudasse a chegar com essas ofertas à Judeia.

Em terceiro lugar, *o exemplo de Paulo para antecipar sua viagem a Corinto* (1.17-20). Diante da acusação de que Paulo estava sendo leviano e deliberando segundo a carne, falando uma coisa e fazendo outra (1.17), Paulo confronta a própria incoerência deles evocando três exemplos.

1. *A fidelidade de Deus* (1.18). Em vez de defender a si mesmo, Paulo remete os coríntios à fidelidade de Deus. Não há duplicidade em

---
[9] CALVIN, John. *Commentary on Corinthians*. Vol. 2, 1999, p. 93.
[10] KISTEMAKER, Simon. *2Coríntios*, 2004, p. 87.

Deus. Suas promessas são cumpridas.[11] Assim como Deus é fiel em Suas palavras, Paulo também é fiel em sua palavra à igreja. O sim de Deus não é não; nem o não de Deus é sim. Nossas palavras também devem ser coerentes, sinceras e verdadeiras. O Senhor Jesus nos instrui a ser claros e sinceros no que dizemos: *Seja, porém, a tua palavra: Sim, sim; não, não. O que disto passar vem do maligno* (Mt 5.37). Deus é coerente em Seu ser e verdadeiro em Suas palavras. Aqui estava o modelo que Paulo seguia!

2. *A Pessoa de Cristo* (1.19). Jesus Cristo, o Filho de Deus, não foi entre os crentes de Corinto inconstante e inconsistente. Ele não foi sim e não; mas sempre houve nEle o sim. A constância de Cristo é a constância de Paulo.

3. *As promessas de Deus* (1.20). As promessas de Deus não são duvidosas. Deus tem zelo em cumpri-las. Porque quantas são as promessas de Deus, tantas têm nEle o sim. As promessas de Deus são dignas de inteira aceitação. De igual forma, Paulo diz à igreja que não estava sendo leviano, mas sincero e verdadeiro em seus planos e motivações. A vida e as obras de Deus são o alicerce da vida e das obras de Paulo.

Uma **ação divina** (1.21-24)

Paulo prossegue no argumento de sua defesa, mostrando aos crentes de Corinto a grandiosa obra de Deus em seu favor. Diante de tão grande obra, não fazia sentido a acusação deles contra Paulo. Essa obra de Deus pode ser sintetizada em quatro pontos.

Em primeiro lugar, ***a confirmação*** (1.21). *Mas aquele que nos confirma convosco em Cristo* [...]. A palavra grega *bebaion*, traduzida por "confirma", é um termo que significa um relacionamento legal indiscutível ou indestrutível.[12] Nessa mesma linha de pensamento, Warren Wiersbe diz que o termo *confirmar* é de origem comercial e se refere à garantia de cumprimento de um contrato. A confirmação significava que o vendedor garantia a autenticidade e a qualidade do produto

---

[11]BARTON, Bruce B. e outros. *Life Application Bible Commentary on 1 e 2 Corinthians*, 1999, p. 283.
[12]CARVER, Frank G. *A segunda Epístola de Paulo aos Coríntios*, 2006, p. 410.

que vendia ou, ainda, que prestaria o serviço conforme o prometido. O Espírito Santo nos garante que Deus é confiável e cumprirá todas as Suas promessas.¹³

Ainda Colin Kruse nos ajuda a entender esse assunto, quando diz que a palavra *bebaion* é empregada com sentido legal nos papiros a respeito de uma garantia concedida de que certos compromissos serão cumpridos. No Novo Testamento, *bebaion* é usado de modo semelhante em conexão com a proclamação do evangelho, a qual é "confirmada" por sinais miraculosos, ou pela concessão de dons espirituais (Mc 16.20; 1Co 1.6).¹⁴

Em segundo lugar, **a unção** (1.21). [...] *e nos ungiu é Deus*. A palavra "unção" é derivada do conceito do Antigo Testamento. No Antigo Testamento, profetas, sacerdotes e reis eram ungidos para representar seu comissionamento como representantes de Deus diante do povo.¹⁵ Esse verbo no grego é *chrio*, ungir, visto que a unção com frequência era um rito de comissionamento. *Chrio* encontra-se em outros quatro lugares no Novo Testamento, uma vez em Hebreus 1.9 e três vezes nos escritos de Lucas (Lc 4.18; At 4.27; 10.38). Duas referências em Lucas são explicitamente à unção com o Espírito, sendo discutível se a terceira é referência implícita.¹⁶

Paulo foi ungido pelo Espírito com poder e para dar testemunho do evangelho aos gentios. Frank Carver diz que a unção traz consigo os conceitos da autenticidade e da confiabilidade (1Jo 2.20,27).¹⁷ Fritz Rienecker diz que a unção, aqui, refere-se à unção do Espírito Santo na conversão, recebida por todos os cristãos.¹⁸

Em terceiro lugar, **o selo do Espírito** (1.22). *Que também nos selou* [...]. O verbo *sphragizo*, "pôr um selo em", é empregado em documentos

---

¹³WIERSBE, Warren W. *Comentário Bíblico Expositivo*. Vol. 5, 2006, p. 829.
¹⁴KRUSE, Colin. *II Coríntios: Introdução e Comentário*, 1994, p. 82.
¹⁵BARTON Bruce B. e outros. *Life Application Bible Commentary on 1 e 2 Corinthians*, 1999, p. 286.
¹⁶KRUSE, Colin. *II Coríntios: Introdução e Comentário*, 1994, p. 83.
¹⁷CARVER, Frank G. *A Segunda Epístola de Paulo aos Coríntios*. Em Comentário Bíblico Beacon. Vol. 8, 2006, p. 410.
¹⁸RIENECKER, Fritz e ROGERS Cleon. *Chave Linguística do Novo Testamento Grego*, 1985, p. 336.

comerciais encontrados entre os papiros a respeito de selagem de cartas e envelopes, de modo que ninguém possa mexer em seu conteúdo. Significa marcar com um sinal identificador (Ap 7.3-8).[19] Simon Kistemaker diz que os selos denotam posse e autenticidade. Não só nos tempos antigos, como hoje, os selos são postos em documentos legais para autenticá-los. Por analogia, Deus põe um selo em Seu povo por dois motivos: para confirmar que eles Lhe pertencem e para protegê-los de dano.[20]

O selo é um símbolo de legitimidade, propriedade e inviolabilidade. A obra feita por nós e em nós é legítima e não falsa. Somos propriedade exclusiva de Deus, e ninguém pode nos arrancar de seus braços. Quando Deus nos sela, Ele deixa gravada a própria imagem do Seu Filho em nós (Rm 8.29). Esse selo de Deus garante a autenticidade do nosso relacionamento com Ele (Ef 1.13; 4.30). Por isso, Frank Carver diz que o selo é a marca de identificação e de segurança.[21]

Em quarto lugar, *o penhor do Espírito* (1.22). [...] e *nos deu o penhor do Espírito em nosso coração*. O penhor é um termo oriundo da prática comercial. William Barclay diz que a palavra grega *arrabon* traduzida por "penhor" correspondia à primeira parcela de um pagamento. Era uma palavra muito comum nos documentos legais dos gregos. Tratava-se da garantia do pagamento integral depois de efetivada a primeira parcela.[22]

Simon Kistemaker diz que Deus nos deu o Espírito Santo como um depósito, uma primeira prestação. Temos a garantia de que, depois do depósito inicial, vem uma prestação subsequente.[23] Nessa mesma linha de pensamento, Colin Kruse diz que *arrabon* era o depósito feito pelo comprador ao vendedor, como garantia de que o pagamento total seria efetuado no devido tempo.[24]

---

[19] KRUSE, Colin. *II Coríntios: Introdução e Comentário*, 1994, p. 83.
[20] KISTEMAKER, Simon. *II Coríntios*, 2004, p. 95.
[21] CARVER, Frank G. *A Segunda Epístola de Paulo aos Coríntios*. Em Comentário Bíblico Beacon. Vol. 8, 2006, p. 410.
[22] BARCLAY, William. *I y II Coríntios*. Vol. 9, 1973, p. 188,189.
[23] KISTEMAKER, Simon. *II Coríntios*, 2004, p. 96.
[24] KRUSE, Colin. *II Coríntios: Introdução e Comentário*, 1994, p. 83,84.

O Espírito nos foi dado como penhor; ou seja, como garantia da nossa total participação nas bênçãos da era vindoura (5.5). Já somos de Deus, mas o nosso resgate final será apenas na glorificação. Pelo penhor do Espírito uma parte do futuro já se faz presente e, assim, torna-se a garantia desse futuro. Frank Carver, citando J. B. Lightfoot, lança luz sobre esse assunto, quando escreve:

> O destinatário do dinheiro do penhor não apenas assegura a si mesmo o cumprimento do pacto por parte de quem paga, mas também garante que ele mesmo cumprirá sua parte no pacto. Pelo próprio ato da aceitação do pagamento parcial, ele se obriga a uma determinada reciprocidade. O dom do Espírito não é apenas um privilégio, mas também uma obrigação, [...] o Espírito tem, podemos dizer, uma garantia sobre nós.[25]

Por que Paulo faz essas afirmações nesse ponto de sua carta? Só para mostrar que a sua integridade e a verdade do evangelho baseiam-se na obra de Deus. É o Espírito de Deus que confirmou e ungiu o apóstolo Paulo; a presença do Espírito é que autenticou e selou a sua missão e mensagem. A implicação é que se a obra de Deus em sua vida garantia a confiabilidade do apóstolo nessa grandiosa obra superior da proclamação do evangelho, sem dúvida, garantirá também confiabilidade em questões de menor importância como seus planos de viagem.[26]

Uma **mudança** de **planos** (1.23,24-2.1-4)

Paulo agora vai argumentar por que decidiu mudar os planos e não voltar a Corinto conforme tinha prometido. Suas motivações não eram egoístas. Essa mudança de planos não se deveu a um defeito na sua integridade pessoal, mas sim à sua profunda preocupação por eles. O vetor que governava suas decisões era o amor. Alguns pontos merecem destaque.

Em primeiro lugar, ***o amor poupa as pessoas amadas*** (2.23). *Eu, porém, por minha vida, tomo a Deus por testemunha de que, para vos poupar, não*

---

[25] CARVER, Frank G. *A Segunda Epístola de Paulo aos Coríntios*. Em Comentário Bíblico Beacon, 2006, p. 411.
[26] KRUSE, Colin. *II Coríntios: Introdução e Comentário*, 1994, p. 84.

tornei ainda a Corinto. Já na primeira carta Paulo havia perguntado aos crentes de Corinto: *Que preferis? Irei a vós outros com vara ou com amor e espírito de mansidão?* (1Co 4.21). Depois que saiu de Corinto para Éfeso, Paulo retornou à igreja numa chamada visita dolorosa (2.1) e também escreveu uma carta dolorosa (2.4). Sendo assim, Paulo está decidido a não voltar nesse contexto e ambiente de hostilidade. Ele queria lhes dar algum tempo para o arrependimento, para que a sua vinda pudesse resultar em alegria.

Em segundo lugar, *o amor não oprime as pessoas amadas* (2.24). "Não que tenhamos domínio sobre a vossa fé, mas porque somos cooperadores de vossa alegria; porquanto, pela fé, já estais firmados". Paulo não governava a igreja de Deus como dominador do rebanho (1Pe 5.3). Ele não se sentia dono das ovelhas, mas cooperador dos santos. Colin Kruse está certo quando diz que o papel do apóstolo e de todos os ministros do evangelho é o de servo do povo de Deus (4.5), nunca o de tirano. Todavia, como nos revela o versículo 23, servir ao povo de Deus não significa fazer apenas o que agrada ao povo.[27] Há obreiros fraudulentos que agem como se fossem donos do rebanho. Governam a igreja como ditadores e não como servos de Deus e cooperadores dos irmãos.

Em terceiro lugar, *o amor não entristece as pessoas amadas* (2.1-4). Em 1Coríntios 16.5-7, Paulo havia informado seus leitores que ele pretendia visitá-los depois de passar pela Macedônia. Subsequentemente, ele mudou seus planos de modo que visitaria Corinto primeiro, a caminho da Macedônia, e outra vez ao voltar (1.15,16). Parece que Paulo realizou a primeira dessas visitas prometidas e, por causa do fato de essa visita ter-se transformado em algo doloroso tanto para os coríntios quanto para o próprio apóstolo (13.2; 2.1), este cancelou a visita de retorno e, em lugar da visita, escreveu-lhes a carta "severa".[28] A opinião de Simon Kistemaker é que essa carta "severa" tenha sido uma carta não canônica enviada à igreja depois da primeira carta canônica e antes dessa segunda carta que estamos expondo.[29] Nessa mesma linha

---

[27] KRUSE, Colin. *II Coríntios: Introdução e Comentário*, 1994, p. 84,85.
[28] KRUSE, Colin. *II Coríntios: Introdução e Comentário*, 1994, p. 85.
[29] KISTEMAKER, Simon. *II Coríntios*, 2004, p. 105.

de pensamento, Fritz Rienecker diz que a referência pode ter sido a uma carta perdida que Paulo escreveu entre a primeira e a segunda carta aos Coríntios.[30]

Paulo não queria voltar à igreja de Corinto em tristeza (2.1). Ele reconhecia que se ele os entristecesse, somente eles poderiam alegrá-lo (2.2). Paulo sabia que a alegria deles seria sua alegria (2.3). Por isso, em vez de visitá-los naquele clima de tristeza, escreveu-lhes uma carta, em meio às lágrimas, não para entristecê-los, mas para revelar-lhes seu imenso amor (2.4).

O amor põe os outros antes de si mesmo. Paulo não pensava em seus próprios sentimentos, mas sim nos sentimentos dos outros. Ele escreveu uma carta severa resultante da angústia de seu coração e envolta em amor cristão. Seu grande desejo era que a igreja obedecesse à Palavra, disciplinasse o transgressor e trouxesse de volta a pureza e a paz para a congregação.[31]

Uma **disciplina** necessária (2.5,6)

Na sua primeira carta aos Coríntios, Paulo tratou detalhadamente do problema de um jovem que havia cometido o pecado de incesto com a mulher do seu pai. Esse fato foi tão escandaloso que nem mesmo na pervertida cidade de Corinto essa prática encontrava apoio. Paulo deu ordens expressas à igreja para disciplinar aquele membro faltoso, dizendo-lhes: 1) entregue-o a satanás para a destruição da carne (1Co 5.5); 2) lançai fora o velho fermento (1Co 5.7); 3) expulsai, pois, de entre vós o malfeitor (1Co 5.13). Paulo disse que a igreja deveria chorar pelo pecado (1Co 5.1,2), julgar o pecado (1Co 5.3-5) e remover o pecado (1Co 5.6-13).

Quando Paulo fez a sua segunda visita a Corinto para tratar dos problemas surgidos devido a intrusos hostis (2Co 11.4,20), esse homem incestuoso agiu como líder da oposição e fez com que a ocasião fosse

---

[30]RIENECKER, Fritz e ROGERS Cleon. *Chave Linguística do Novo Testamento Grego*, 1985, p. 337.
[31]WIERSBE, Warren W. *Comentário Bíblico Expositivo*. Vol. 5, 2006, p. 829.

muito penosa para Paulo (2.1). Assim, estes versículos tocam o âmago da dissensão entre Paulo e os coríntios.³²

Paulo, agora, volta a falar sobre a necessidade de disciplinar esse membro faltoso. Três fatos são destacados por Paulo.

Em primeiro lugar, *o pecado não tratado produz tristeza nos obreiros de Deus* (2.5). *Ora, se alguém causou tristeza, não o fez apenas a mim, mas, para que eu não seja demasiadamente áspero, digo que em parte a todos vós.* Nada tira tanto a alegria dos obreiros de Deus como o pecado. Paulo suporta com alegria os açoites, as prisões, as ameaças, as privações e a própria morte, mas o pecado não tratado o deixa profundamente triste. A igreja deveria chorar pelo pecado como nós choramos no funeral de um ente querido.

A paz a qualquer custo não é um princípio bíblico, pois não pode haver paz espiritual verdadeira sem pureza. Problemas varridos para debaixo do tapete costumam se multiplicar e criar conflitos ainda maiores mais adiante.³³

Em segundo lugar, *o pecado não tratado produz tristeza na igreja de Deus* (2.5b). [...] *digo em parte a todos vós.* No começo, a igreja de Corinto, em vez de sentir tristeza, lamentar e chorar pela condição vergonhosa desse jovem incestuoso, vangloriou-se (1Co 5.1,2). Contudo, a tristeza de Paulo atingiu todos os crentes. O pecado deprime a igreja. O pecado tira a alegria e a força da igreja. O pecado afasta a presença de Deus da igreja e a torna frágil e vulnerável diante do inimigo.

Em terceiro lugar, *o pecado precisa ser confrontado e o faltoso precisa ser disciplinado* (2.6). *Basta-lhe a punição pela maioria.* A disciplina é um ato responsável de amor. O sacerdote Eli foi acusado de amar mais a seus filhos do que a Deus. Porque deixou de discipliná-los, eles pereceram. O rei Davi foi acusado de nunca contrariar seu filho Adonias. Quem ama disciplina. A disciplina é uma punição que traz cura. A disciplina é o remédio amargo que traz alívio para a igreja e

---

³²CARVER, Frank G. *A Segunda Epístola de Paulo aos Coríntios*. Em Comentário Bíblico Beacon. Vol. 8, 2006, p. 412.
³³WIERSBE, Warren W. *Comentário Bíblico Expositivo*. Vol. 5, 2006, p. 830.

restauração para o faltoso. João Calvino considerava a correta aplicação da disciplina como uma das marcas da igreja verdadeira.

Um **perdão** restaurador (2.7-10)

Depois de falar de disciplina, Paulo trata da questão do perdão e da restauração. Warren Wiersbe diz que Paulo instou a congregação a perdoar o homem e fundamentou essa admoestação em motivos incontestáveis: 1) deveriam perdoar o homem por amor a ele (2.7,8) – o perdão é o remédio que ajuda a curar o coração ferido; 2) por amor ao Senhor (2.9,10) – o homem havia pecado contra Paulo e contra a igreja, mas, acima de tudo, havia pecado contra o Senhor; e 3) por amor à igreja (2.11). Quando existe na igreja um espírito de rancor por causa de pecados, não tratamos os assuntos de forma bíblica. Quando nutrimos um espírito rancoroso, entristecemos o Espírito Santo e "damos lugar ao diabo" (Ef 4.27-32).[34]

Três verdades devem ser aqui destacadas.

Em primeiro lugar, *o perdão traz conforto e libertação da tristeza* (2.7). *De modo que deveis, pelo contrário, perdoar-lhe e confortá-lo, para que não seja o mesmo consumido por excessiva tristeza*. A disciplina alcançou o propósito desejado, e o homem que praticara tal loucura e se insurgira contra Paulo, está, agora, quebrantado e arrependido. A tristeza excessiva estava lhe consumindo a alma.

Colin Kruse diz que a palavra grega *katapino*, "consumido", também era empregada quando animais "devoravam" sua presa, e quando ondas e correntes de água "engoliam" pessoas e objetos.[35] Paulo, então, como pastor de almas e terapeuta espiritual exorta a igreja a perdoar esse irmão imediatamente e também o confortar.

A palavra conforto vem do grego *paraklesis* e significa encorajar, exortar e consolar. É a palavra usada para os discursos dos líderes e dos soldados que se animam mutuamente. Era usada para o envio de

---

[34] WIERSBE, Warren W. *Comentário Bíblico Expositivo*. Vol. 5, 2006, p. 830.
[35] KRUSE, Colin. *II Coríntios: Introdução e Comentário*, 1994, p. 88.

soldados hesitantes para a batalha.[36] No contexto da igreja, o perdão é uma necessidade essencial: 1) para o bem daqueles que fazem o mal (2.5-7); 2) para o bem-estar espiritual daqueles cujo papel é perdoar (2.8-10); e 3) para a integridade da comunhão da igreja (2.11).[37]

Frank Carver está correto quando afirma que o objetivo da punição não era a vingança, mas sim a restauração. O homem precisa ser reintegrado antes que a sua demasiada tristeza o leve ao desespero, afastando-o consequentemente da comunhão redentora da igreja.[38]

O perdão traz cura e conforto. O perdão é o cancelamento da dívida. O perdão é a faxina da mente, a assepsia da alma, a alforria das grossas correntes emocionais que nos prendem na masmorra das reminiscências amargas. Perdoar é apagar o registro das dívidas. Perdoar é lembrar sem sentir dor.

Em segundo lugar, *o amor deve ser ministrado aos que, arrependidos se voltam para Deus* (2.8-10). *Pelo que vos rogo que confirmeis para com ele o vosso amor* (2.10). A igreja não deveria apenas perdoar o faltoso arrependido, mas também ministrar a ele a abundância do Seu amor. O amor deve ser verbalizado e demonstrado. O amor apaga multidão de pecados. O amor sara as feridas. O amor restaura. O amor não joga no rosto daqueles que caíram as suas fraquezas. O amor não faz registro permanente dos fracassos. O amor vira as páginas do passado e escreve um novo capítulo cheio de doçura. O amor corre ao encontro daquele que volta arrependido e lhe coloca uma túnica nova, sandálias nos pés e anel no dedo. O amor celebra a volta dos pródigos à casa do Pai.

A palavra grega *kyrosai,* traduzida por "confirmeis" (2.8), era usada nos papiros para confirmar uma venda ou a ratificação de um compromisso. Portanto, a confirmação do amor, contida na exortação de Paulo, parece ser um ato formal a ser executado pela congregação, da mesma

---

[36]RIENECKER, Fritz e ROGERS Cleon. *Chave Linguística do Novo Testamento Grego*, 1985, p. 337.
[37]CARVER, Frank G. *A Segunda Epístola de Paulo aos Coríntios*. Em Comentário Bíblico Beacon. Vol. 8, 2006, p. 414.
[38]CARVER, Frank G. *A Segunda Epístola de Paulo aos Coríntios*. Em Comentário Bíblico Beacon. Vol. 8, 2006, p. 413.

maneira que a execução do castigo anteriormente parece ter assumido caráter formal e judicial.[39]

Em terceiro lugar, **a restauração deve ser uma atitude coletiva de toda a igreja** (2.10). *A quem perdoais alguma coisa, também eu perdoo* [...]. William Barclay está correto quando diz que a finalidade da disciplina não é tanto castigar o pecador, mas transformá-lo.[40] A restauração à comunhão da igreja deve ser uma atitude de toda a igreja na presença de Cristo. O propósito da disciplina não é a destruição do faltoso (1Co 5.5), mas sua restauração (2.10). A igreja precisa estar unida tanto no processo da disciplina (1Co 5.4,5) como na decisão da restauração (2.10). Simon Kistemaker está correto ao afirmar que quando um pecador se arrepende, tanto a reconciliação como a reintegração devem acontecer naturalmente.[41]

Uma ameaça perigosa (2.11)

O apóstolo Paulo conclui esse assunto exortando a igreja de forma incisiva: "Para que satanás não alcance vantagem sobre nós, pois não lhe ignoramos os desígnios". A palavra grega *pleonekteo*, "tirar vantagem de", era usada para a defraudação arrogante de uma pessoa, frequentemente mediante meios desonestos.[42] satanás alcança vantagem sobre a igreja quando ela deixa de disciplinar os faltosos e quando fracassa em restaurar os arrependidos. Paulo diz para os coríntios que esse irmão arrependido precisava ser perdoado, consolado, amado e restaurado. Do contrário, satanás alcançaria vantagem sobre a igreja. João Calvino entende que satanás pode alcançar vantagem sobre a igreja de duas formas: quando esta se torna rigorosa demais a ponto de não restaurar o faltoso arrependido e quando permite que a dissensão se levante entre os irmãos.[43] Destacamos aqui três pontos:

---

[39]KRUSE, Colin. *II Coríntios: Introdução e comentário*. 1994, p. 88,89.
[40]BARCLAY, William. *I y II Coríntios*. Vol. 9, 1973, p. 193.
[41]KISTEMAKER, Simon. *II Coríntios*, 1994, p. 115.
[42]RIENECKER, Fritz e ROGERS Cleon. *Chave Linguística do Novo Testamento Grego*, 1985, p. 338.
[43]CALVIN, John. *Commentary on Corinthians*. Vol. 2, 1999, p. 109.

Em primeiro lugar, *satanás alcança vantagem sobre a igreja quando ela deixa de ser uma comunidade terapêutica* (2.11). A igreja é uma comunidade de pessoas perdoadas e perdoadoras. Ela rejeita o pecado e acolhe os arrependidos. Deixar de acolher os que se voltam do pecado para Deus é sucumbir aos planos de satanás. Simon Kistemaker, citando João Calvino, afirma: "Sempre que deixamos de consolar aqueles que são movidos a uma sincera confissão de seu pecado, nós favorecemos o próprio satanás".[44] Nutrir má vontade para com um pecador arrependido em vez de lhe mostrar amor, misericórdia e graça é situação de que satanás sabe se aproveitar. O diabo odeia o perdão. Ele quer ver sempre desalento, desespero e trevas. Nessa atmosfera, satanás consegue se apoderar novamente de um pecador perdoado.[45]

Simon Kistemaker alerta para o fato de que os ressentimentos na congregação são aproveitados rapidamente por satanás para minar a saúde espiritual da igreja. É esquema de satanás frustrar o trabalho de Cristo em sua Igreja na terra. Espalhando o povo de Deus, satanás consegue bloquear o avanço da Igreja e do reino de Cristo.[46]

Em segundo lugar, *satanás alcança vantagem sobre a igreja quando induz os faltosos a pensar que não há chance de restauração* (2.11). Satanás tem duas estratégias. A primeira delas é induzir o homem a pensar que o pecado é inofensivo. A segunda é induzi-lo a crer que não há restauração para os que caíram em suas amarras. Se a igreja deixa de restaurar os que foram feridos e não os perdoa, satanás alcança vantagem em seu perverso intento.

Em terceiro lugar, *satanás é um inimigo perigoso e precisamos estar atentos* (2.11). Paulo diz para a igreja que "não ignoramos os seus desígnios". Esse adversário é perverso, é assassino, é ladrão, é mentiroso, é destruidor. Subestimar Seu poder e suas estratégias é uma consumada loucura. Paulo reconhece existir um desígnio ativo da parte de satanás para minar a fé, a devoção e a boa ordem da igreja.[47] Devemos nos sujeitar a Deus e resistir a satanás. Devemos nos fortalecer na força do poder de Deus e usar toda a sua armadura.

---

[44] KISTEMAKER, Simon. *II Coríntios*, 2004, p. 114.
[45] KISTEMAKER, Simon. *II Coríntios*, 2004, p. 117.
[46] KISTEMAKER, Simon. *II Coríntios*, 2004, p. 116.
[47] KRUSE, Colin. *II Coríntios: Introdução e Comentário*, 1994, p. 90.

3

O **segredo** de uma vida vitoriosa

2 Coríntios 2.12—3.1-3

O APÓSTOLO PAULO CONTINUA SUA DEFESA. Depois de ser acusado como homem inconstante e sem palavra, agora está sendo acusado de ser um apóstolo sem credencial. As acusações atingem seu caráter, sua apostolicidade e seu ministério.

Considerando os versículos 12 e 13, como introdução, destacamos alguns pontos.

Em primeiro lugar, ***Paulo era um pregador comprometido com o evangelho*** (2.12a). Paulo era fundamentalmente um pregador. Foi com esse propósito que chegou em Trôade (2.12). Esta era uma importante cidade portuária. Dessa cidade é que Paulo ouviu o chamado para passar à Macedônia (At 16.9). Essa cidade foi a porta de entrada do evangelho na Europa.

Em segundo lugar, ***Deus é quem abre portas para o evangelho*** (2.12b). Em Trôade uma porta se lhe abriu no Senhor para a pregação do evangelho. É Deus quem abre portas para o evangelho[1] (2.12) e também abre os corações para o evangelho (At 16.14). Havia uma população romana cosmopolita em Trôade, reforçada por peregrinos, em viagens

---
[1] Veja também Atos 14.27; 1Coríntios 16.9; Colossenses 4.3.

demoradas, distantes de seus lares, de todas as partes do mundo.² Além disso, havia liberdade total para Paulo falar, e muitos estavam dispostos a ouvir. Frank Carver, citando Agostinho, diz que até mesmo o início da fé é uma dádiva de Deus.³ Simon Kistemaker está com a razão quando diz que o esforço de evangelizar as pessoas só pode ser bem-sucedido quando o Senhor o abençoa. Pregadores pregam, e ouvintes ouvem, mas o efeito da Palavra falada depende do Espírito Santo para conduzir as pessoas à esfera do Senhor por meio da conversão e da fé.⁴

Paulo já tinha ido a Trôade durante a sua segunda viagem missionária (At 16.8). Mais tarde, passou uma semana em Trôade (At 20.6) e, já perto do fim de sua vida, deu instruções a Timóteo para trazer sua capa que estava na casa de Carpo em Trôade (2Tm 4.13).

Em terceiro lugar, *o pregador está sujeito a grandes angústias no ministério* (2.13). Mesmo diante de uma porta aberta para o evangelho, Paulo ausentou-se de Trôade rumo à Macedônia, por não ter encontrado ali a Tito com as notícias da igreja de Corinto. Paulo estava ansioso para saber se a visita de Tito tinha logrado êxito em Corinto, e se a igreja tinha acolhido suas determinações apostólicas. Mais uma vez, Paulo demonstrou Seu amor pela igreja de Corinto abandonando uma oportunidade missionária promissora e privando outros pela consideração que tinha por eles.⁵ Deus, porém, consolou Paulo com a chegada de Tito, que trouxe boas notícias acerca da submissão e do amor da igreja de Corinto a Paulo (7.5-7).

Agora, o apóstolo dá um suspiro profundo e, como que num longo intervalo, faz um longo desvio do assunto de que vinha tratando. Ele interrompe sua narrativa sobre a espera ansiosa por Tito e só continua seu relato em 2Coríntios 7.5. Levando isso em consideração, Simon Kistemaker diz que os versículos 12 e 13 mostram um contraste

---

²RIENECKER, Fritz e ROGERS Cleon. *Chave Linguística do Novo Testamento Grego*, 1985, p. 338.
³CARVER, Frank G. *A Segunda Epístola aos Coríntios*. Vol. 8. Em Comentário Bíblico Beacon, 2006, p. 414.
⁴KISTEMAKER, Simon. *II Coríntios*, 2004, p. 124.
⁵CARVER, Frank G. *A Segunda Epístola aos Coríntios*. Vol. 8. Em Comentário Bíblico Beacon, 2006, p. 414.

proposital entre o tom negativo de incerteza e um tom positivo de ação de graça.⁶ Nesse intervalo, ele introduz a gloriosa doutrina da nova aliança e passa a falar sobre as marcas de uma vida vitoriosa.

Agora, consideraremos o texto de 2Coríntios 2.14-3.1-3. Ray Stedman, um dos mais ilustres expositores bíblicos do século XX, em seu livro *A dinâmica de uma vida autêntica*, aborda o texto supra, apontando cinco marcas de uma vida vitoriosa.⁷ Tomaremos emprestado esses pontos e os exporemos a seguir.

Otimismo indestrutível (2.14a)

Graças, porém, a Deus [...] (2.14a). Paulo se volta de uma narrativa deprimente para um alegre hino de louvor.⁸ Ele estava muito angustiado em Trôade. Seu coração estava perturbado. Mesmo diante de uma porta aberta para a pregação do evangelho em Trôade, partiu para a Macedônia com o propósito de encontrar Tito. Ele estava ansioso para receber notícias da igreja de Corinto. Contudo, no meio desse torvelinho, sacudido por fortes rajadas de ventos, sacudido por sentimentos avassaladores, brota da alma do veterano apóstolo um hino de louvor a Deus.

Concordo com Ray Stedman quando diz que uma marca inconfundível do cristianismo radical é uma vida cheia de gratidão, mesmo em meio a provações e dificuldades. É uma espécie de otimismo indestrutível. Vemos isso claramente no livro de Atos, em que há uma nota de triunfo que vai do início ao fim, apesar dos perigos, dificuldades, perseguições, pressões e riscos que os cristãos primitivos enfrentaram. Essa mesma nota de ação de graças se reflete nas cartas de Paulo e também nas de João, Pedro e Tiago.⁹

A vida cristã é vitoriosa apesar das circunstâncias adversas. Apesar de tudo, devemos dar graças a Deus. É Deus quem dirige o nosso destino.

---

⁶KISTEMAKER, Simon. *II Coríntios*, 2006, p. 128.
⁷STEDMAN, Ray C. *A dinâmica de uma vida autêntica*. São Paulo, SP: SEPAL, s/d, p.19-32.
⁸KISTEMAKER, Simon. *II Coríntios*, 2006, p. 128.
⁹STEDMAN, Ray C. *A dinâmica de uma vida autêntica*, p. 19,20.

É Ele quem trabalha para que todas as coisas cooperem para o nosso bem. Não existe acaso, coincidência nem determinismo. Nenhum fio de cabelo da nossa cabeça pode ser tocado sem que Deus saiba, permita ou tenha um propósito. Deus não desperdiça sofrimento na vida de Seus filhos. O cristianismo não é estoicismo. Não é se render resignadamente a um destino implacável nem suportar heroicamente o sofrimento como se ele fosse inevitável. O cristianismo não é masoquismo. O cristão não cultua o sofrimento nem tem prazer na dor. Ao contrário, o cristão glorifica a Deus no vale da dor porque sabe que as rédeas da sua vida estão nas mãos de Deus.

Josafá, ilustre rei de Judá, certa feita, foi entrincheirado por três nações confederadas. Os inimigos estavam armados até os dentes e já estavam acampados ao redor de Jerusalém prontos para atacar o reino de Judá. Josafá teve medo e se pôs a buscar ao Senhor. Decretou um jejum e conclamou o povo a confiar em Deus. O rei reconheceu que não tinha forças nem estratégias para enfrentar aquela grande multidão que vinha contra ele, mas pôs seus olhos em Deus. Por orientação divina, mesmo sob esse clima de ameaça, os cantores começaram a cantar e a dar louvores a Deus. Tendo eles começado a cantar louvores a Deus, o Senhor pôs emboscada contra os inimigos, e eles foram desbaratados (2Cr 20.1-22). O louvor não foi consequência da vitória, mas a causa.

O patriarca Jó depois de perder toda a sua imensa fortuna, perdeu também, num único acidente, seus dez filhos. Um terremoto matou seus filhos, e uma avalanche inundou sua alma de profunda dor. Mas, ele, mesmo coberto de cinzas, ergueu-se do profundo do vale e exclamou vitorioso: *O Senhor Deus deu, o Senhor Deus tomou, bendito seja o nome do Senhor* (Jó 1.21).

Paulo e Silas estavam presos em Filipos. Tinham sido açoitados em praça pública e jogados no cárcere interior com os pés acorrentados e as mãos atadas. O futuro parecia incerto e não havia ninguém que pudesse interceder por eles. À meia-noite, em vez de estarem murmurando contra Deus ou gemendo de dor, estavam orando e cantando louvores a Deus. Aquelas orações e louvores encheram aquela prisão, e Deus mandou um terremoto que sacudiu a cadeia, abriu suas portas e quebrou as algemas dos prisioneiros. O carcereiro converteu-se a Cristo, e aquela situação de aparente fracasso transformou-se num cenário de gloriosa vitória (At 16.19-34).

Em toda e qualquer circunstância, o crente pode erguer-se das cinzas e exclamar: "Graças, porém, a Deus!" O sofrimento é o método pedagógico de Deus para nos ensinar verdades celestiais. Por isso, Paulo diz que podemos nos gloriar nas próprias tribulações (Rm 5.3,4).

Sucesso constante (2.14b)

[...] *que, em Cristo, sempre nos conduz em triunfo* [...] (2.14b). O triunfo do cristão não é esporádico, mas constante. A vida cristã não é uma descida vertiginosa ladeira abaixo, mas uma escalada gloriosa rumo à glória.

Paulo usa duas imagens para retratar o curso triunfal do evangelho: a metáfora da procissão triunfal de um general romano e a de uma oferta queimando num altar de sacrifício, enviando um aroma agradável a Deus.[10]

Há consenso quase unânime de que esse texto tem como pano de fundo o cortejo triunfal de um general romano que regressava à capital depois de uma campanha vitoriosa, exibindo os cativos capturados na batalha. Ray Stedman assim descreve essa cena:

> Paulo aqui tinha em mente um cortejo triunfal tipicamente romano. Sempre que um general romano regressava à capital após uma campanha vitoriosa, ele recebia uma celebração por parte do Senado. Armava-se uma grande procissão pelas ruas de Roma, em que se exibiam os cativos aprisionados na batalha. A carruagem em que ia o general vencedor era precedida por pessoas que carregavam guirlandas de flores e vasilhas com incenso perfumado. Estes eram os prisioneiros que iriam retornar à sua terra, agora conquistada por Roma, a fim de governá-la sob a direção do Império. Após a carruagem, vinham outros prisioneiros, arrastando pesadas correntes nos pés e nas mãos. Esses deveriam ser executados, pois os romanos criam que não poderiam

---

[10]CARVER, Frank G. *A Segunda Epístola aos Coríntios*. Vol. 8. Em Comentário Bíblico Beacon, 2006, p. 414,415.

confiar neles. Quando o cortejo passava entre as multidões que soltavam brados de triunfo, aquele incenso e flores perfumadas eram, para o primeiro grupo, "aroma de vida para vida", e para o segundo grupo, o mesmo cheiro era "cheiro de morte para morte".[11]

Fritz Rienecker acrescenta alguns dados importantes a esse cortejo dizendo que esse general marchava pela cidade, em uma longa procissão precedida pelos seus magistrados. Eles eram seguidos pelos trombeteiros, depois, pelos espólios tomados ao inimigo, seguidos pelo bezerro branco destinado ao sacrifício, depois, os cativos liderados pelo rei do país conquistado, e os oficiais do exército vitorioso e músicos cantando e dançando, e, por fim, o próprio general em cuja honra estava se fazendo a procissão.[12] Colin Kruse diz que Paulo representa a si mesmo nesse texto como um dos soldados do general vitorioso, partilhando da glória de seu triunfo.[13]

Simon Kistemaker, por outro lado, entende que nesse relato Deus é o sujeito e Paulo é o objeto do verbo *conduzir*. O verbo está no tempo presente e denota não um único ato, mas uma ação contínua. Além disso, o verbo é reforçado pelo advérbio *sempre*. E ainda, a expressão *em Cristo* qualifica o objeto *nos*. Assim, Deus é o vencedor que conduz Paulo continuamente à sua morte, como cativo e prisioneiro "em Cristo".[14]

Warren Wiersbe olha para esse texto sob outro ângulo. Comentando sobre essa prática romana ainda nos informa que o general só podia receber essa homenagem depois de alcançar vitória absoluta sobre o inimigo em solo estrangeiro, matando pelo menos cinco mil soldados inimigos e apropriando-se do território em nome do imperador. Esse desfile terminava seu percurso no *Circus Maximus*, onde cativos indefesos entretinham o povo lutando contra animais selvagens. Para os cidadãos de Roma, um triunfo romano completo era sempre uma

---

[11]STEDMAN, Ray C. *A dinâmica de uma vida autêntica*, p. 27,28.
[12]RIENECKER, Fritz e ROGERS Cleon. *Chave Linguística do Novo Testamento Grego*, 1985, p. 338.
[13]KRUSE, Colin. *II Coríntios: Introdução e Comentário*, 1994, p. 92.
[14]KISTEMAKER, Simon. *II Coríntios*, 2006, p. 130.

ocasião especial. De que maneira, porém, essa mensagem aplica-se a nós? Wiersbe responde dizendo que Jesus Cristo, o nosso grande comandante supremo, veio a um território estrangeiro (este mundo) e derrotou completamente o inimigo (satanás). Em vez de matar cinco mil pessoas, deu sua vida para que todos os que creem nEle tenham a vida eterna. Jesus Cristo ainda tomou para si os espólios da batalha – as almas perdidas sob a escravidão do pecado e de satanás (Lc 11.14-22; Ef 4.8; Cl 2.15). Que vitória magnífica![15] Concordo com James Hastings quando ele diz que o nosso Deus é o grande conquistador, e que nós engrossamos as fileiras do Seu glorioso cortejo triunfal.[16]

O cristianismo que Paulo vivia era timbrado por um sucesso constante. Mesmo diante de lutas avassaladoras, Paulo estava sempre firme, sobranceiro e confiante na vitória. Três pontos merecem destaque aqui.

Em primeiro lugar, *é Deus quem nos conduz em triunfo* (2.14b). A vitória vem de Deus. Não construímos o caminho do sucesso, ele é aberto por Deus. Não são nossas estratégias nem nosso esforço que nos levam a triunfar, mas é Deus quem nos toma pela mão e nos conduz vitoriosamente. O poder não vem do homem, mas de Deus. A força não vem de dentro, mas do alto. A questão não é autoajuda, mas ajuda do alto.

Em segundo lugar, *é por meio de Cristo que somos conduzidos em triunfo* (2.14b). O nosso triunfo vem do Deus Pai por meio do Deus Filho. Não temos triunfo à parte de Cristo. Fora da esfera de Cristo não há vitória espiritual. A vida cristã é absolutamente cristocêntrica. Todas as bênçãos que possuímos estão em Cristo. Não somos conduzidos em triunfo por nosso conhecimento, piedade, virtudes ou obras. A única maneira de você ser aceito por Deus, aprovado por ele e conduzido por ele em triunfo é estando em Cristo. O apóstolo João escreveu: *Aquele que tem o Filho tem a vida; aquele que não tem o Filho de Deus não tem a vida* (1Jo 5.12).

Li algures sobre um homem muito rico, amante da arte, que havia investido toda a sua fortuna em quadros famosos, dos mais excelentes

---

[15] WIERSBE, Warren W. *Comentário Bíblico Expositivo*. Vol. 5, 2006, p. 831.
[16] HASTINGS, James. *The Great Texts of the Bible on II Corinthians-Galatians*. Vol. XVI, p. 51-55.

pintores da Europa. Seu filho único, em viagem, caiu ferido num campo de batalha. Seu amigo mais chegado assistiu-lhe na hora da morte, dando-lhe consolo nos últimos suspiros de vida. Depois enviou a seu pai um quadro que ele mesmo pintara, do rosto do filho amado. O pai colocou o quadro numa bela moldura e dependurou-o entre seus quadros mais seletos. Anos depois, antes da sua morte, esse homem escreveu seu testamento e deu ordens a seu mordomo para fazer um leilão dos seus cobiçados quadros. O mordomo obedeceu à risca as orientações recebidas. Proclamou o leilão e na data marcada, um grupo seleto, de refinado gosto artístico se reuniu para comprar as preciosas relíquias. Para espanto dos presentes, o primeiro quadro a ser leiloado foi o do filho. Não havia nele nenhum toque artístico e não despertou nenhum interesse nos compradores. Depois de longa insistência, um comprador pagou o preço exigido, e imediatamente o mordomo comunicou o encerramento do leilão. A reação dos convidados foi imediata. Estavam inconformados. Mas o mordomo os fez calar quando leu o testamento de seu senhor: "Aquele que comprar o quadro do meu filho é o dono de todos os demais quadros, pois quem tem o filho, tem tudo".

Em terceiro lugar, *é constante o triunfo que temos em Cristo* (2.14b). Paulo diz que Deus *sempre* nos conduz em triunfo. Essa vitória não é passageira, mas constante. É triunfo na alegria e no choro, na saúde e na doença, na prosperidade e na adversidade, na aprovação e na rejeição.

Deus nos conduz em triunfo mesmo quando nossos planos são frustrados. Paulo esperava Tito em Trôade e não o encontrou. Tão angustiado ficou que deixou a cidade de portas escancaradas ao evangelho e partiu para a Macedônia a fim de encontrá-lo e, assim, buscar alívio para seu coração. Nesse contexto de aparente derrota, porém, é que ele ergue o seu brado de triunfo.

Nem sempre o que planejamos prospera. Paulo queria ir para a Ásia, e o Espírito de Deus o impediu, conduzindo-o à Macedônia (At 16.6-10). Paulo queria ir a Roma para compartilhar com eles algum dom espiritual e confirmá-los (Rm 1.11), mas chegou à capital preso e algemado (Ef 4.1). Sua prisão, entretanto, motivou os crentes de

Roma a pregarem com mais fervor, abriu-lhe a porta da oportunidade para evangelizar a guarda pretoriana (Fp 4.22) e ainda lhe possibilitou escrever cartas que têm abençoado o mundo ao longo dos séculos (Fp 1.12-14). Os planos de Deus jamais podem ser frustrados (Jó 42.2). O Sinédrio tentou impedir o crescimento da igreja, mas apenas acelerou esse crescimento. Os imperadores romanos tentaram destruir os cristãos com virulência descomunal, mas eles se multiplicaram. Maria Tudor tentou destruir o protestantismo na Inglaterra nos idos de 1553 a 1558, mas apenas promoveu e espalhou os protestantes para outras plagas. A obra de Deus é indestrutível. Em Cristo, o nosso sucesso é constante!

Deus nos conduz em triunfo mesmo quando as pessoas intentam o mal contra nós. Os falsos apóstolos queriam macular a honra e o apostolado de Paulo, mas esses obreiros impostores e fraudulentos foram desmascarados e o apóstolo saiu vitorioso e sobranceiro. Os irmãos de José do Egito intentaram o mal contra ele, odiando-o, desprezando-o, vendendo-o como mercadoria barata para o Egito, mas Deus o arrancou das profundezas da prisão e o pôs no palácio como governador do Egito e provedor do mundo. José disse para seus irmãos, mais de vinte anos depois: *Vós, na verdade, intentaram o mal contra mim; porém Deus o tornou em bem* (Gn 50.20).

Impacto inesquecível (2.14c-16)

O apóstolo Paulo escreve:

> [...] *E, por meio de nós, manifesta em todo lugar a fragrância do seu conhecimento. Porque nós somos para com Deus o bom perfume de Cristo, tanto nos que são salvos como nos que se perdem. Para estes, cheiro de morte para a morte; para com aqueles, aroma de vida para vida. Quem, porém, é suficiente para estas coisas?* (2.14-16).

Paulo trata do inesquecível impacto do cristão na vida das pessoas ao seu redor. O cristão é o bom perfume de Cristo. Ele exala aroma de vida para vida e cheiro de morte para morte. Simon Kistemaker diz que os desfiles romanos de vitória eram tanto religiosos como políticos, pois o general conquistador conduzia seus cativos ao templo de Júpiter, onde sacrifícios eram oferecidos.[17]

Destacamos alguns pontos importantes nesse texto.

Em primeiro lugar, *o pregador espalha a fragrância do conhecimento de Deus* (2.14c). Paulo usa a palavra grega *osmé*, fragrância, aroma agradável. Era costumeiro nas procissões triunfais se fazer acompanhar por aromas agradáveis de queima de plantas aromáticas nas ruas.[18] Paulo usa essa metáfora para dizer que Deus manifesta por nosso intermédio, pela pregação do evangelho, a fragrância do seu conhecimento. Deus é conhecido pelas suas obras e pela Sua graça. Ele mesmo se revelou na criação, na Sua Palavra e em Seu Filho. Quando pregamos o evangelho, espalhamos a fragrância do conhecimento de Deus. O conhecimento de Deus vem pela pregação do evangelho.

Em segundo lugar, *o pregador é o bom perfume de Cristo* (2.15). *Porque nós somos para com Deus o bom perfume de Cristo, tanto nos que são salvos como nos que se perdem* (2.15). Há três coisas a destacar nesse versículo.

1. *A identificação do perfume.* O perfume aqui não é uma substância, mas uma pessoa. Nós somos o bom perfume de Cristo. O pregador, ao proclamar o evangelho, espalha a fragrância do conhecimento de Deus. Nesse sentido, os pregadores são o próprio perfume.
2. *A conceituação do perfume.* Não somos apenas perfume de Cristo, mas o *bom* perfume de Cristo. Não somos um perfume qualquer, mas o bom perfume. Um bom perfume tem quatro características: 1) o bom perfume é precioso. Ele é feito das melhores essências, portanto, é mui valioso. Somos preciosos para Deus. Somos a menina dos seus olhos. 2) O bom perfume influencia sem alarde. O perfume não grita, ele penetra. Ele não fala, mas se impõe. O bom perfume não consegue se ocultar. O perfume existe para ser espalhado. Quando Maria, irmã de Lázaro, quebrou o vaso de alabastro

---

[17]KISTEMAKER, Simon. *II Coríntios*, 2006, p. 130,131.
[18]RIENECKER, Fritz e ROGERS Cleon. *Chave Linguística do Novo Testamento Grego*, 1985, p. 339.

com o perfume de nardo puro e o derramou sobre os pés de Jesus para ungi-Lo, toda a casa encheu-se com o perfume (Jo 12.3).
3) O bom perfume atrai as pessoas. Ele é embriagador e envolvente.
4) O bom perfume torna o ambiente mais agradável. É agradável aspirar o perfume inebriante do campo e dos jardins engrinaldados de flores. É agradabilíssimo sentir o aroma de um bom perfume. Assim somos nós, povo de Deus. Somos o bom perfume de Cristo.

3. *O efeito do perfume.* Colin Kruse diz que Paulo estende mais a metáfora e descreve as duas possíveis reações à pregação do evangelho, ao acrescentar as palavras "tanto nos que são salvos como nos que se perdem". O cheiro de incenso queimado perante os deuses numa procissão triunfal romana teria conotações diferentes para pessoas diferentes. Para o general vitorioso e seus soldados, bem como para as multidões que aplaudiam dando as boas-vindas, o perfume estaria associado à alegria da vitória. Contudo, para os prisioneiros de guerra tal perfume só poderia estar associado à fatalidade da escravidão ou morte que os aguardava. De modo semelhante, a pregação do evangelho seria aroma de vida para os que creem, mas cheiro de morte para morte para os que se recusam a obedecer.[19]

Somos perfume de Cristo tanto nos que são salvos como nos que se perdem. O cristão nunca é uma pessoa neutra. Isso porque ele proclama o evangelho que sempre exige um veredicto. Ao espalharmos, pela pregação, a fragrância do conhecimento de Deus, essa mensagem inevitavelmente exigirá uma resposta do homem. Aqueles que ouvem e creem são salvos; aqueles que ouvem e rejeitam se perdem. Frank Carver diz que o mesmo ato de salvação que destruiu a morte para os salvos, tornou a morte irrevogável para aqueles que se perdem.[20] Efeitos opostos seguem a mesma causa. O mesmo evangelho que abençoa uns, condena outros. O evangelho tem esta peculiaridade: ele toca as profundezas da natureza humana e atinge-a mais do que qualquer outra coisa.[21]

---

[19] KRUSE, Colin. *II Coríntios: Introdução e Comentário*, 1994, p. 93.
[20] CARVER, Frank G. *A Segunda Epístola aos Coríntios*. Vol. 8. Em Comentário Bíblico Beacon, 2006, p. 415.
[21] HASTINGS, James. *The Great Texts of the Bible on II Corinthians-Galatians*, p. 58.

Em terceiro lugar, *o pregador é agente de vida ou de morte* (2.16). "Para com estes, cheiro de morte para morte; para com aqueles, aroma de vida para vida. Quem, porém, é suficiente para estas coisas?" O evangelho sempre exige do homem uma decisão. Ninguém pode ficar neutro em relação ao evangelho. O homem é escravo da sua liberdade. Ele está obrigado a tomar uma decisão. Até os indecisos tomam a sua decisão, pois a indecisão é a decisão de não decidir e quem não se decide por Cristo, decide-se contra Ele. Jesus mesmo disse: *Quem não é por mim, é contra mim; quem comigo não ajunta, espalha.* Você é comparado a um indivíduo que está dentro de um bote rio abaixo à beira de um imenso abismo. Você não pode deixar de tomar uma decisão. Você pode decidir ignorar o problema. Pode decidir remar até a margem e livrar-se da morte ou pode ficar dentro do bote e ser esmagado pela fúria das águas. Só uma coisa você não pode fazer: deixar de tomar uma decisão.

Há aqui dois efeitos claros e solenes. 1) Para os que rejeitam o evangelho, somos cheiro de morte para morte. O mesmo evangelho que salva o arrependido condena o impenitente. O mesmo sol que amolece a cera, endurece o barro; 2) para os que aceitam o evangelho somos aroma de vida para vida. O mesmo aroma que simboliza morte para uns, representa vida pra outros. A mesma mensagem que sentencia de morte os rebeldes, promete perdão e vida aos arrependidos e contritos. O mesmo sol que endurece o barro amolece a cera. O mesmo mar que foi o caminho da libertação dos hebreus foi o lugar da morte dos egípcios.

Integridade irrefutável (2.17)

Porque nós não estamos, como tantos outros, mercadejando a Palavra de Deus; antes, em Cristo é que falamos na presença de Deus, com sinceridade e da parte do próprio Deus (2.17). Paulo denuncia os falsos apóstolos que estavam entrando na igreja de Corinto pregando um falso evangelho, com um falso comissionamento e com uma falsa motivação. Esses obreiros fraudulentos eram mascates da religião. Eles não tinham compromisso com Deus, com Sua Palavra nem com Seu povo; visavam apenas o lucro. Faziam da religião um instrumento para se abastar. Faziam da igreja uma empresa; do evangelho um produto; do púlpito, um balcão, e dos crentes, consumidores.

Destacamos aqui dois pontos importantes.

Em primeiro lugar, **como não se deve pregar o evangelho** (2.17). *Porque nós não estamos, como tantos outros, mercadejando a Palavra de Deus* [...]. A palavra grega usada por Paulo, *kapeléuo* significa mercadejar, mascatear, lucrar com um negócio. Comerciantes inescrupulosos usavam artifícios desonestos para adulterar o vinho, acrescentando-lhe água ou misturando o vinho ruim com o bom para aumentar os seus lucros. Esses taberneiros ainda utilizavam pesos e medidas falsos para auferirem lucros maiores.[22]

A palavra *kapeléuo* é usada na Septuaginta, em Isaías 1.22 para aqueles que misturavam vinho com água a fim de enganar os compradores. É usada por Platão para condenar os pseudofilósofos. Era usada nos papiros para um comerciante de vinho que costumava trapacear para se livrar de um estoque ruim. A palavra refere-se àqueles que mascateiam ou mercadejam com a Palavra de Deus para benefício próprio.[23] A palavra *kapeléo* pode ser traduzida também por "adulterar", uma vez que no original ela vem da mescla fraudulenta dos licores. Os comerciantes desonestos adulteram vinho para ter lucros mais expressivos.[24] Estamos assistindo, com profundo senso de vergonha, um vexatório comércio das coisas sagradas. Estamos desengavetando, nos redutos chamados evangélicos, as indulgências da Idade Média. Muitos pastores gananciosos, sem qualquer pudor, sem qualquer temor, diluem a mensagem do evangelho, torcem a verdade e pregam apenas sobre prosperidade, libertação, curas e milagres, sonegando ao povo a mensagem da cruz e, dessa maneira, assaltam o bolso de crentes incautos para se enriquecerem.

Frank Carver diz que essa imagem contém duas ideias. A primeira diz respeito aos motivos dos falsos obreiros; eles fazem do apostolado

---

[22] KRUSE, Colin. *II Coríntios: Introdução e Comentário*, 1994, p. 94.
[23] RIENECKER, Fritz e ROGERS Cleon. *Chave Linguística do Novo Testamento Grego*, 1985, p. 339.
[24] BONNET, L. e SCHROEDER A. *Comentario del Nuevo Testamento*. Tomo 3, 1982, p. 340.

um negócio para obter ganhos pessoais. A segunda implica método; eles adulteram o evangelho, com exigências mais palatáveis e perspectivas limitadas, com a finalidade de atender aos seus próprios interesses. Abraçar o ministério por motivos de ganho pessoal, ambição ou vaidade já significa adulterá-lo. Aquele que faz a Palavra servir aos seus propósitos em lugar de ser um servo da Palavra, modifica o próprio caráter do evangelho.[25]

Havia vários obreiros fraudulentos em Corinto que não tinham comissionamento de Deus, não tinham evangelho genuíno nem motivações puras, mas estavam diluindo o evangelho e mercadejando a Palavra para auferir lucro (4.2; 11.20). O vetor que norteava o ministério desses pregadores não era a verdade de Deus, mas as vantagens pessoais. Eles faziam do ministério uma fonte de lucro financeiro, e não uma agência de proclamação da verdade. Eles não promoviam a Cristo, mas a si mesmos. Eles não buscavam a glória de Deus, mas a exaltação de si mesmos.

Em segundo lugar, *como se deve pregar o evangelho* (2.17b). [...] *antes, em Cristo é que falamos na presença de Deus, com sinceridade e da parte do próprio Deus* (2.17b). Três verdades devem ser aqui destacadas.

1. *A procedência da mensagem*. Paulo não fala de si mesmo, em seu próprio nome, mas fala da parte do próprio Deus. Paulo não é a fonte da mensagem, mas o canal dela. Ele não gera a mensagem, mas a transmite. Ele não é dono da mensagem, mas servo dela. O pregador é um embaixador. Ele representa o seu país e fala da parte dele e em nome do governo que o comissionou. Simon Kistemaker está certo quando diz que um embaixador quando deixa de representar seu governo e fala o que pensa, é sumariamente demitido. Do mesmo modo, Paulo era obrigado a proclamar a própria Palavra de Deus com irrestrita fidelidade.[26]

---

[25] CARVER, Frank G. *A Segunda Epístola aos Coríntios*. Vol. 8. Em Comentário Bíblico Beacon, 2006, p. 415.
[26] KISTEMAKER, Simon. *II Coríntios*, 2006, p. 136.

2. *O método da mensagem*. Paulo fala em Cristo, na presença de Deus. Ele não usa malabarismos e subterfúgios para enganar as pessoas. Ele é íntegro na mensagem e também nos métodos. Ele prega uma mensagem que vem de Deus e a apresenta na presença de Deus. A vida do pregador é a vida da sua pregação. A pregação poderosa está enraizada no solo da vida do pregador. Não basta ser aprovado pelos homens, importa ter a aprovação de Deus. Não é suficiente falar na presença dos homens, é preciso falar na presença de Deus.

3. *A motivação do mensageiro*. Paulo fala na presença de Deus com sinceridade. A palavra *sinceridade* se refere a examinar algo à luz do sol. Significa falar com integridade e fidelidade. Os mascates da religião careciam tanto de sinceridade humana como de autoridade divina.[27] A mensagem de Paulo, porém, é divina; seu método é transparente e sua motivação é santa. Ele não prega para auferir lucro, mas para manifestar a fragrância do conhecimento de Deus. Seu coração não é governado pela ganância, mas pela sinceridade.

Realidade inegociável (3.1-3)

O apóstolo Paulo ainda continua sua defesa diante do ataque dos falsos apóstolos. Eles acusavam Paulo de ser um impostor. Diziam que ele não era um apóstolo legítimo. Ao mesmo tempo, para acicatar Paulo, esses obreiros ostentavam diante da igreja de Corinto cartas de recomendação, enquanto Paulo não as portava.

Os três versículos dessa seção (3.1-3) são versículos de transição e constituem uma ponte entre a última parte do capítulo anterior (2.14-17) e o restante do capítulo três.[28] Eles apresentam a defesa que Paulo faz do seu ministério apostólico; ou seja, dele mesmo, do seu trabalho e da sua mensagem.[29] A apostolicidade de Paulo, sua integridade,

---

[27] KISTEMAKER, Simon. *II Coríntios*, 2006, p. 135,136.
[28] KISTEMAKER, Simon. *II Coríntios*, 2006, p. 141.
[29] CARVER, Frank G. *A Segunda Epístola aos Coríntios*. Vol. 8. Em Comentário Bíblico Beacon, 2006, p. 416.

suas cartas, suas palavras e conduta estavam em jogo.[30] É diante dessa situação que Paulo mais uma vez apresenta sua defesa. Vejamo-la:

> *Começamos, porventura, outra vez a recomendar-nos a nós mesmos? Ou temos necessidade, como alguns, de cartas de recomendação para vós outros ou de vós? Vós sois a nossa carta, escrita em nosso coração, conhecida e lida por todos os homens, estando já manifestos como carta de Cristo, produzida pelo nosso ministério, escrita não com tinta, mas pelo Espírito de Deus vivente, não em tábuas de pedra, mas em tábuas de carne, isto é, nos corações* (3.1-3).

Destacamos quatro preciosas verdades desse texto.

Em primeiro lugar, *a verdade escrita no coração é a mais legível mensagem de Deus* (3.2,3). O mundo nem sempre lê as Escrituras, mas ele está sempre nos lendo. Somos uma carta aberta diante dos holofotes do mundo. Nossa vida é um *outdoor* de Deus estampado diante dos olhos do mundo. Somos como uma cidade iluminada no alto de um monte. Nossa vida é uma espécie de megafone de Deus nos ouvidos da história. Cada cristão é uma propaganda de Cristo. Juan Carlos Ortiz diz que nós somos o quinto evangelho lido pelo mundo. Cada crente é uma espécie de tradução do evangelho.

Cristo é o autor dessa carta. Também é o seu remetente. Ele a compôs. Não cabe nessa carta nenhum *pós-scriputum* estranho ao seu autor. Nenhuma mensagem espúria pode estar gravada em nossa vida. Nenhum parágrafo dessa carta pode macular a honra do seu autor. Somos uma composição divina. Somos o poema de Deus; somos a carta de Cristo.

Em segundo lugar, *a verdade escrita no coração é a mais duradoura mensagem de Deus* (3.3). A mensagem do evangelho não é escrita com tinta que se apaga, mas escrita pelo Espírito de Deus. Ela é escrita não em tábuas de pedra, mas no coração. Quando uma pessoa se converte a Cristo, ela é selada pelo Espírito Santo e batizada no corpo de Cristo. Ninguém pode desfazer a obra que Deus faz. Ninguém pode apagar a

---
[30] KISTEMAKER, Simon. *II Coríntios*, 2006, p. 142.

escrita do Espírito Santo nos corações transformados pelo evangelho.

A tinta não é apenas algo material, mas também perecível. O que foi feito em nós é algo espiritual e permanente. O Espírito Santo não está produzindo em nós uma caricatura de Cristo, mas nos transformando de glória em glória na própria imagem dEle (3.18).[31]

Em terceiro lugar, *a verdade escrita no coração é a mensagem mais convincente de Deus* (3.2). Uma vida transformada pelo evangelho é um argumento irresistível, irrefutável e irrevogável em favor da verdade. A vida transformada dos coríntios era a carta de recomendação de Paulo (1Co 6.9-11).

Só o evangelho de Cristo transforma vidas. Só a verdade de Deus ilumina os olhos daqueles que estão mergulhados no obscurantismo do preconceito e nas trevas espessas do pecado. Nenhuma mensagem é mais persuasiva do que uma vida transformada pelo poder de Deus.

Certa feita, um cético começou a questionar um crente novato na fé acerca da confiabilidade da Bíblia e dos seus milagres. Perguntou-lhe: "Você ainda acredita nesse relato de que Jesus multiplicou pães e peixes e transformou água em vinho?" O neófito respondeu: "Eu acredito firmemente nisso". "Mas, como você pode explicar isso?", perguntou o inquiridor incrédulo. "É que na minha casa, Jesus transformou cachaça em comida; ódio, em amor; brigas, em solidariedade; trevas, em luz; perdição, em salvação".

Em quarto lugar, *a verdade escrita no coração é a mensagem mais profunda de Deus* (3.3). A antiga aliança foi gravada em tábuas de pedra, mas a nova aliança foi escrita em tábuas de carne; isto é, nos corações. A lei é um mandamento externo, a graça é um princípio interno. A lei foi escrita fora de nós; a graça, dentro de nós. A primeira nos fala o que devemos fazer para Deus; a segunda, o que Deus fez por nós.

Depois de descrever as marcas de uma vida vitoriosa, Paulo faz uma pergunta perturbadora: [...] *quem, porém, é suficiente para estas coisas?* (2.16). Ele não dá a resposta imediatamente. Somente no capítulo 3, ele acende a candeia da verdade e nos mostra a resposta: *Não que, por*

---

[31] Veja ainda Romanos 8.29; Efésios 3.19; 4.13; Gálatas 5.22,23; Ezequiel 36.26,27.

nós mesmos, sejamos capazes de pensar alguma cousa, como se partisse de nós; pelo contrário, a nossa suficiência vem de Deus (3.5). Paulo desbanca os argumentos dos falsos mestres e dos falsos apóstolos que estavam invadindo a igreja de Corinto e questionando a integridade do seu apostolado, dizendo que a pregação deles estava baseada naquilo que fazemos para Deus, mas a sua pregação estava baseada naquilo que Deus fez por nós. Essa é a diferença fundamental entre viver na velha aliança ou viver na nova aliança. A velha aliança nos ensina a fazer o melhor para Deus, mas a nova aliança nos ensina que Deus fez tudo por nós.

4

A **superioridade** da nova aliança

2 Coríntios 3.4-18

NO CAPÍTULO ANTERIOR, PAULO FALOU SOBRE CINCO PONTOS distintivos de uma vida cristã vitoriosa: otimismo indestrutível, sucesso constante, impacto inesquecível, integridade irrefutável e realidade inegável. Também fez uma pergunta profunda: *Quem, porém, é suficiente para estas coisas?* (2.16). A pergunta ficou suspensa no ar até que no capítulo 3, versículos 4,5, ele deu a resposta: [...] *a nossa suficiência vem de Deus.*

Assim, Paulo introduz a doutrina da nova aliança e contrasta com a velha aliança. Frank Carver diz que, na Bíblia, "concerto ou aliança" refere-se a um acordo, não entre iguais, mas entre Deus e o Seu povo. A nova aliança é instituída pela graciosa oferta de Deus da Sua presença salvadora e confirmada pela resposta agradecida do Seu povo no cumprimento das suas obrigações. Paulo é ministro de uma nova aliança (Jr 31.31-34; Mt 26.28; 1Co 11.25) em contraste com a antiga (3.14; Êx 24.3-8; Gl 4.24).[1] Simon Kistemaker diz que Deus tomou a iniciativa de fazer as alianças, a antiga e a nova: a antiga no Sinai e a nova em Sião.[2]

---

[1] CARVER, Frank G. *A Segunda Epístola Aos Coríntios*. Em Comentário Bíblico Beacon. Vol. 8, 2006, p. 418.
[2] KISTEMAKER, Simon. *2 Coríntios*, 2005, p. 153.

William Barclay destaca a palavra "*nova*" aliança. Há duas palavras no grego para "novo". A primeira é *neós*, que fala de "novo" quanto ao tempo somente. A segunda é *kainós*, "novo" quanto à qualidade, e não somente quanto ao tempo. Se algo é *kainós*, introduz-se aí um elemento novo e distinto na situação. Essa é a palavra usada aqui pelo apóstolo Paulo.[3]

Antes de considerarmos os contrastes entre a velha e a nova aliança, importa-nos saber qual é a essência da nova aliança e como Paulo descobriu esse segredo da vida vitoriosa.

Somos saturados constantemente por mensagens que prometem o sucesso imediato. Livros de autoajuda enchem as bibliotecas e prometem a felicidade instantânea. A pressa para a vitória nos leva a buscar soluções estilo *fast food*: "aprenda inglês em um mês"; "leia este livro e torne-se o maior vendedor do mundo"; "você tem o poder, desperte o gigante adormecido que está em você". Paulo, porém, contraria essa enxurrada de conceitos humanistas e diz que a força não vem de dentro, vem de cima; não vem do homem, vem de Deus. A questão não é autoajuda, mas ajuda do alto.

A velha aliança é a tentativa de o homem fazer o seu melhor para agradar a Deus, mas a nova aliança é Deus fazendo tudo por nós. Na velha aliança tudo vem de mim, nada de Deus; na nova aliança, tudo vem de Deus, nada de mim.

Como Paulo descobriu o segredo da nova aliança? Não foi logo depois da sua conversão. Ele demorou pelo menos quatorze anos para aprender esse segredo. Logo que foi convertido na estrada de Damasco, Paulo foi batizado e começou a pregar a Palavra de Jesus (At 9.19b,20). Depois, foi para a região da Arábia (Gl 1.15-17). Ali, ficou cerca de três anos fazendo uma reciclagem em sua teologia. Examinou cada parte do Antigo Testamento e constatou que todo ele apontava para Jesus, o Messias. Depois desse seminário intensivo com Jesus, voltou a Damasco (Gl 1.17) passou a demonstrar que Jesus era o Cristo (At 9.22). Os judeus tentaram matá-lo em Damasco (At 9.23), e ele precisou fugir num cesto, à noite (At 9.25). Dali rumou para Jerusalém, mas não encontrou acolhida nos discípulos, pois todos o temiam

---

[3]BARCLAY, William. *I y II Coríntios*, 1973, p. 201.

(At 9.26). Por intervenção de Barnabé, integra-se à igreja de Jerusalém (At 9.27). Passou a pregar ousadamente em nome do Senhor, falando e discutindo com os helenistas (At 9.28,29), mas estes queriam tirar-lhe a vida. O próprio Senhor Jesus aparece para ele em um êxtase que ele teve, ordenando-lhe a sair da cidade, pois seu testemunho não seria aceito (At 22.17,18). Paulo discute com o Senhor, julgando ser o homem certo para alcançar aquele povo (At 22.19,20). No entanto, o Senhor não muda, é Paulo quem tem que mudar e mudar-se (At 22.21).

Diante da disposição dos helenistas em tirar-lhe a vida em Jerusalém, os discípulos o levaram até Cesareia e, dali, para Tarso, sua cidade natal (At 9.30). Logo que Paulo saiu de Jerusalém, a igreja passou a ter paz e a crescer (At 9.31). Isso certamente foi um golpe para suas pretensões. Em Tarso, ele ficou cerca de dez anos num completo ostracismo e anonimato (Gl 1.18; 2.1). Ele queria fazer a obra de Deus do seu jeito, na sua força, pelas suas estratégias. Paulo estava vivendo ainda na velha aliança. Nesse tempo, Deus estava lhe mostrando que não é por força nem por poder, mas pelo Espírito que a obra é feita (Zc 4.6). Mais tarde Paulo escreveu: *Se tenho de gloriar-me, gloriar-me-ei no que diz respeito à minha fraqueza. O Deus e Pai do Senhor Jesus, que é eternamente bendito, sabe que não minto* (2Co 11.30,31). Também dá seu testemunho aos filipenses: *Bem que eu poderia também confiar na carne. Se qualquer outro pensa que pode confiar na carne, eu ainda mais.* [...] *Mas o que, para mim, era lucro, isso considerei perda por causa de Cristo. Sim, deveras considero tudo como perda, por causa da sublimidade do conhecimento de Cristo Jesus, meu Senhor; por amor do qual perdi todas as coisas e as considero como refugo, para conseguir Cristo* (Fp 3.4-8). As coisas que ele antes considerava como qualificações para ser um sucesso diante de Deus e dos homens, (seus ancestrais, sua ortodoxia, sua moralidade e sua atividade), agora ele considera quase como esterco. Ele aprendeu a passar da velha aliança (tudo vem de mim; nada de Deus) para a nova aliança (tudo vem de Deus; nada de mim).[4]

Depois de quatorze anos aprendendo que nada vem de nós; e tudo, de Deus, Paulo, agora, estava pronto para a grande obra que Deus tinha

---

[4] STEDMAN, Ray. *A dinâmica de uma vida autêntica*, p. 44.

para ele. Foi, então, que explodiu um avivamento em Antioquia da Síria, e Barnabé vai ao seu encontro para convocá-lo para um novo desafio. Ray Stedman diz que foi um Saulo totalmente diferente que chegou a Antioquia. Castigado, humilhado, instruído pelo Espírito do Senhor, começou a ensinar a Palavra de Deus e, daí, lançou-se no grande ministério missionário, que eventualmente o levaria aos limites do Império Romano, proclamando o evangelho com grande força por todo o mundo.[5] Paulo, agora, compreende que tudo vem de Deus, e nada dele mesmo. Esse é o segredo da nova aliança!

Vamos considerar, agora, essa preciosa doutrina da nova aliança.

O contraste entre a **velha** e a **nova aliança** (3.4-11)

William Barclay, citando Agostinho, escreve: "Agiremos com falta ao Antigo Testamento se negarmos que ele provém do mesmo Deus bom e justo que o Novo. Por outro lado, interpretaremos mal o Novo, se pusermos o Antigo em seu mesmo nível".[6] O apóstolo faz quatro importantes contrastes entre a velha e a nova aliança. Usa figuras e símbolos fortes para retratar profundas verdades espirituais. Vejamos esses contrastes.

Em primeiro lugar, *tábuas de pedra e tábuas de carne* (3.3). A velha aliança foi um código de leis escrito em tábuas de pedra, fora de nós. A nova aliança é a própria Palavra de Deus escrita em nossos corações; ou seja, dentro de nós. Na velha aliança, a lei está em tábuas de pedra; na nova aliança, a lei está em tábuas de carne.

Ray Stedman está correto quando diz que a velha aliança se relaciona com pedras, com coisas; a nova se relaciona com corações, com pessoas.[7] Na velha aliança, esforçamo-nos para fazer o melhor para Deus; na nova aliança, Deus faz tudo por nós. Ele tira nosso coração de pedra e nos dá um coração de carne. Deus mesmo muda o nosso interior, escreve Sua lei em nossos corações e nos capacita a obedecê-la. Ele mesmo opera em nós tanto o querer quanto o realizar (Fp 2.13).

---

[5] STEDMAN, Ray. *A dinâmica de uma vida autêntica*, p. 43.
[6] BARCLAY, William. *I y II Coríntios*, 1973, p. 205.
[7] STEDMAN, Ray. *A dinâmica da vida espiritual*, p. 58.

Em segundo lugar, ***ministério da morte e ministério do Espírito*** (3.7,8). A velha aliança, gravada com letras em pedra é chamada por Paulo de ministério da morte. Isso porque a lei revela o pecado, mas não o tira. A lei condena, mas não absolve.

O problema não é a lei. Ela é santa, justa e boa (Rm 7.12,14). Contudo, o homem é rendido ao pecado, é escravo do pecado e não pode satisfazer as demandas da lei. A lei é inflexível e não inocenta o culpado (Êx 34.7). Segundo a lei, a alma que pecar, essa morrerá (Ez 18.4).

Fritz Rienecker está certo quando diz que a lei exige perfeita obediência e pronuncia a sentença de morte para o desobediente.[8] Em Romanos 7.10, o apóstolo Paulo diz: *E o mandamento que me fora para vida, verifiquei que este mesmo se me tornou para morte*. Embora Levítico 18.5 possa prometer vida a quem guardar a lei, Paulo sabia que ninguém conseguiria guardá-la, e que a lei só poderia pronunciar um veredicto de morte sobre o transgressor.[9]

Warren Wiersbe comentando o texto em apreço esclarece que em sua epístola aos Gálatas, Paulo ressalta as deficiências da lei: ela não é capaz de justificar o pecador (Gl 2.16), não tem poder de conceder o Espírito Santo (Gl 3.2), de dar uma herança (Gl 3.18), de dar vida (Gl 3.21) nem de dar liberdade (Rm 4.8-10). A glória da lei é, na verdade, a glória de um ministério de morte.[10]

Colin Kruse interpreta esta expressão: [...] *porque a letra mata* [...] (3.6), dizendo que o código escrito (a lei) mata quando usada de modo impróprio, isto é, como um sistema de regras que devem ser observadas a fim de estabelecer a autorretidão do indivíduo (Rm 3.20; 10-14). Usar a lei dessa forma inevitavelmente conduz à morte, visto que ninguém pode satisfazer às suas exigências e, portanto, todos ficam sob sua condenação. O ministério do Espírito é completamente diferente. É o ministério sob a nova aliança, sob a qual os pecados são perdoados para nunca mais serem lembrados, e as pessoas são motivadas e capacitadas

---

[8] RIENECKER, Fritz e ROGERS Cleon. *Chave Linguística do Novo Testamento Grego*, 1985, p. 340.
[9] KRUSE, Colin. *II Coríntios: Introdução e Comentário*, 1994, p. 102.
[10] WIERSBE, Warren W. *Comentário Bíblico Expositivo*. Vol. 5, 2006, p. 835.

pelo Espírito a fim de realizar aquilo que a aplicação imprópria da lei jamais poderia conseguir (Jr 31.31-34; Ez 36.25-27; Rm 8.3,4).[11]

O ministério do Espírito traz vida, porque na nova aliança o pecador é substituído por Cristo, e, em Cristo, ele recebe o perdão de seus pecados. O Filho de Deus veio ao mundo como nosso representante e fiador. Quando ele foi à cruz, Deus lançou sobre ele a iniquidade de todos nós (Is 53.6). Ele foi feito pecado por nós (2Co 5.21) e maldição por nós (Gl 3.13). Ele foi ferido e traspassado pelas nossas transgressões. Quando estava suspenso entre a terra e o céu, o próprio sol cobriu o Seu rosto e houve trevas sobre a terra. Nem mesmo o Pai pôde ampará-Lo. Naquele momento, Ele bebeu sozinho todo o cálice da ira de Deus contra o pecado. Então, vitoriosamente pegou o escrito de dívida que era contra nós, rasgou-o, anulou-o, encravou-o na cruz e bradou: "Está consumado" (Jo 19.30)! Cristo morreu a nossa morte, para vivermos Sua vida. Pela morte de Cristo temos vida abundante e eterna. O ministério do Espírito é aplicar em nós os benefícios da redenção de Cristo.

Em terceiro lugar, *o ministério da condenação e o ministério da justiça* (3.9,10). A velha aliança aponta a culpa e lavra a condenação. O problema, obviamente, não é a lei. Ela é santa, justa, boa e espiritual, mas a carne é fraca, doente e impotente (Rm 8.3). Uma vez que o homem não consegue guardar a lei, ela o condena. A lei exige perfeição absoluta. Se tropeçarmos num único ponto da lei, seremos considerados culpados por toda ela (Tg 2.10). Isso porque a lei exige perfeição absoluta. A Bíblia diz que maldito é aquele que não perseverar em toda a obra da lei para cumpri-la (Gl 3.10).

A nova aliança é o ministério da justiça porque o pecador é justificado por meio do sangue de Cristo (Rm 3.21-26). A justificação é um ato legal, forense e judicial. Cristo, como nosso substituto, paga a nossa dívida, sofre em Seu corpo o castigo do nosso pecado e morre em nosso lugar. Não apenas paga nossa dívida, dando-nos o perdão, mas também põe em nossa conta sua infinita justiça de tal maneira que já nenhuma condenação há para aqueles que estão em Cristo (Rm 8.1). Frank Carver está correto quando diz que a justiça sobre a qual Paulo

---

[11] KRUSE, Colin. *II Coríntios: Introdução e Comentário*, 1994, p. 100.

baseia a superioridade do seu ministério é "a justiça de Deus" revelada no "evangelho de Cristo" (Rm 1.16,17).[12]

Em quarto lugar, *o desvanecente e o permanente* (3.11). A glória do velho pacto foi desvanecedora e transitória. Colin Kruse está correto quando afirma que Paulo não deixa a implicação de que a própria lei estava se desvanecendo; o ministério da lei é que estava se desvanecendo. A lei como expressão da vontade de Deus para a conduta humana ainda é válida. De fato, Paulo diz que o propósito de Deus ao inaugurar a nova aliança do Espírito era exatamente este: que as exigências justas da lei pudessem ser cumpridas nas pessoas que andam segundo o Espírito (Rm 8.4). Entretanto, o tempo do ministério da lei chegou ao fim.[13]

A lei nos serviu de aio para nos conduzir a Cristo, a fim de que fôssemos justificados por fé (Gl 3.24). O fim da lei é Cristo (Rm 10.4). A lei aponta o pecado, mas não o remove. A lei é como uma lanterna. Ela clareia o caminho, mas não tira os obstáculos do caminho. A lei é como um prumo, que identifica a sinuosidade de uma parede, mas não a endireita. A lei é como um raio X que detecta um tumor, mas não o remove. A lei é como um telefonista, que ao pôr-nos em contato com a pessoa certa se retira de cena. A lei é transitória. Sua glória é desvanecedora. Quando nasce o sol, não precisamos mais ficar com a lamparina acesa.

Paulo diz que a velha aliança é como o brilho no rosto de Moisés. Essa glória foi desvanecedora, pois o brilho do seu rosto apagou. A lei teve uma glória, mas uma glória desvanecedora. O brilho no rosto de Cristo, porém, é permanente, e esse brilho representa a nova aliança, uma aliança permanente e mais revestida de glória.

Na nova aliança a força para uma vida vitoriosa não vem da terra, mas do céu; não vem de dentro, mas do alto; não vem do homem, mas de Deus. Ray Stedman ilustra essa verdade dizendo que se vivermos pelos nossos próprios recursos e não pela vida de Jesus em nós, então seremos como um homem que compra um carro, mas não sabe que ele

---

[12]CARVER, Frank G. *A Segunda Epístola aos Coríntios*. Em Comentário Bíblico Beacon. Vol. 8, 2006, p. 419.
[13]KRUSE, Colin. *II Coríntios: Introdução e Comentário*, 1994, p. 103.

já vem com motor. Esse homem empurrará o carro até em casa. Ele chega à sua casa com esse lindo automóvel e mostra para sua família seu belo *design*, sua pintura cromada e seu estofamento de couro. No dia seguinte, ele põe a família dentro do carro e sai empurrando-o rua afora. Busca novas informações sobre formas mais dinâmicas de empurrar o carro com mais eficiência. Participa de conferências especializadas na arte de empurrar carros. Até que um dia, alguém lhe diz que seu carro tem um motor e que ele não precisa mais fazer força. Toda a energia para o funcionamento vem não de seus braços, mas do motor.[14] Há muitas pessoas, ainda hoje, como esse homem. Querem empurrar o carro na força do braço. Querem viver na carne. Ainda estão presos à velha aliança com suas leis, ritos e cerimônias. Cristo nos libertou da lei. Agora, o poder não vem de nós, mas de Deus!

A ousadia daqueles que vivem na nova aliança (3.12,13)

Viver na nova aliança é viver com ousadia (3.12), pois é viver confiado a Deus, e não a nós mesmos. É viver na força do Onipotente, e não estribado em nossas fraquezas.

Paulo aplica por contraste e diz: *E não somos como Moisés, que punha véu sobre a face, para que os filhos de Israel não atentassem na terminação do que se desvanecia* (3.12). Moisés era um homem ousado. Enfrentou com uma vara o homem mais poderoso do mundo: o rei do Egito. Moisés foi criado no palácio do faraó. Foi educado como príncipe. Era um homem de cultura invulgar e de personalidade prismática. Mas quis libertar Seu povo do cativeiro usando violência. Quis fazer a coisa certa da forma errada. A valentia foi substituída pelo medo, e ele fugiu para o deserto. Durante quarenta anos viveu nas montanhas do Sinai, cuidando de ovelhas. Saiu do palácio para o deserto. Deixou os tapetes aveludados dos palácios para pisar nas pedras e areias escaldantes das montanhas escarpadas do Sinai. Trocou a erudição das ciências do Egito pelas agruras do campo, enfrentando o calor sufocante do dia e o frio gélido das noites do deserto. Deixou as glórias do Egito

---

[14]STEDMAN, Ray C. *A dinâmica de uma vida autêntica*, p. 64.

para abraçar o anonimato da vida pastoril. Desistiu dos sonhos de ser o libertador do Seu povo para ser pastor de ovelhas.

Embora Moisés tivesse desistido de seus sonhos, Deus não desistiu de Moisés. O deserto não era a estrada da fuga, mas o campo de treinamento. Moisés passara quarenta anos na Universidade do Egito aprendendo a ser alguém; e agora, mais quarenta anos no deserto aprendendo a ser ninguém. Os livros foram substituídos pelo cajado. As carruagens pelo bordão de pastor. As glórias do palácio pelas ovelhas. As pirâmides do Egito pelas montanhas alcantiladas do Sinai. Nesse tempo, Deus estava em silêncio, mas não inativo. Moisés tinha se esquecido dos gemidos do povo, mas Deus estava atento ao seu clamor. Moisés tinha virado a página do seu passado e desistido de ver o Seu povo liberto, mas Deus mantinha o seu olhar tanto em Moisés quanto na aflição de Seu povo. Finalmente, Deus chama Moisés no Sinai e o conclama para ser o libertador do Seu povo. Fala-lhe milagrosamente na sarça ardente. Revela-lhe Seu poder. Moisés tenta fugir da tarefa. Dá várias desculpas. Mas o chamado de Deus é irresistível. Nesses últimos quarenta anos de sua vida, Moisés aprendeu que Deus é Todo-poderoso.

Moisés voltou ao Egito e enfrentou com ousadia o maior monarca e o maior Império do mundo. Desafiou as divindades do Egito e tirou de lá o povo de Deus. Moisés viu o mar Vermelho transformando-se em estrada seca para o Seu povo e em cemitério para os seus inimigos. Presenciou fontes amargas transformarem-se em água doce. Enxergou água brotando da rocha, e o maná caindo do céu. Tornou-se um líder forte.

Mas houve um momento em que Moisés não foi ousado. Ele temeu. E quando ele temeu? Foi quando desceu do Sinai. Passou quarenta dias diante do Senhor no cume do monte. Deus se revelou a ele. O monte tremeu pela manifestação da glória de Deus. Ele recebeu das mãos do Senhor as tábuas da lei com os dez mandamentos. Foi um tempo glorioso na vida de Moisés. Ninguém antes dele vira coisas tão estupendas. Quando desceu do monte o seu rosto estava brilhando. O fulgor da glória de Deus resplandecia em sua face. A *shekiná* de Deus estava estampada em sua face. Ninguém podia olhar para ele por causa do intenso brilho de sua face. Então, Moisés colocou um véu sobre o rosto para que as pessoas pudessem se aproximar dele sem terem seus olhos toldados pela glória. Havia um fulgor divino resplandecendo em sua face. Contudo, com o tempo, o brilho do rosto de Moisés foi desvanecendo e acabando. Mas Moisés não tirou o véu. Ele não queria que as pessoas soubessem que a manifestação da glória tinha sido transitória e que o seu rosto não brilhava mais. Moisés temeu que percebessem ter-se apagado o brilho da sua face e continuou com o véu quando não mais precisava dele. O apóstolo disse que nesse momento, Moisés não foi ousado (3.12,13).[15]

O véu disfarça, esconde e separa. Muitas vezes, nós também tentamos esconder nosso fracasso espiritual, usando muitas máscaras. A vida cristã deve ser um contínuo remover de máscaras. Assim como Moisés escondeu Sua glória apagada atrás de um véu, assim também escondemos quem nós somos atrás de muitas máscaras. Que máscaras são essas?

Em primeiro lugar, *a máscara do legalismo*. Os fariseus puseram a máscara do legalismo e o véu do orgulho, da ortodoxia, da pureza e da obediência externa. Mas, Jesus os desmascarou e os chamou de hipócritas, de sepulcros caiados, que honravam a Deus apenas de lábios, enquanto o coração estava longe do Senhor. Os fariseus não tinham coragem de confrontar seus próprios pecados e condenavam na vida dos outros, aquilo que eles mesmos praticavam.

Em segundo lugar, *a máscara da coragem*. O apóstolo Pedro pôs o véu da coragem e da autoconfiança e fracassou. Ele se julgou melhor do que seus condiscípulos. Ele disse que estava pronto a ir com Jesus para a prisão e até para a morte, ainda que todos os demais abandonassem ao Senhor. Porque estava confiado à carne, vivendo na velha aliança, fracassou rotundamente e negou vergonhosamente ao seu Senhor.

Em terceiro lugar, *a máscara da filantropia*. Ananias e Safira, atraídos pelo exemplo de Barnabé e embriagados pelo desejo do aplauso humano, entregaram uma oferta aos pés dos apóstolos e trouxeram o dinheiro nas mãos, mas uma mentira no coração. Eles eram falsos filantropos. O desejo deles não era ajudar os necessitados, mas projetarem

---

[15] LOPES, Hernandes Dias. *Removendo Máscaras*. São Paulo, SP: Editora Hagnos, 2005, p.20-22.

a si mesmos. Por isso, foram desmascarados e fulminados pela morte. Eles mentiram ao Espírito Santo e pereceram.

Em quarto lugar, *a máscara da honestidade*. Os irmãos de José do Egito cometeram um crime e o esconderam durante vinte e dois anos. Endureceram o coração, amordaçaram a voz da consciência e viram impassíveis as lágrimas de Jacó. Mas o Deus que dirige a história reverteu aquela situação, e José, que fora vendido como escravo ao Egito, é agora governador. Seus irmãos precisam ir comprar alimento no Egito, e José os reconhece. Confronta-os, mas eles dizem em coro: "Somos homens honestos". Eles podiam ser tudo, menos homens honestos!

Em quinto lugar, *a máscara da duplicidade*. Essa é a máscara da vida dupla. Os outros têm preconceito, nós convicção; os outros são presunçosos, nós temos respeito próprio; os outros são gananciosos, nós procuramos prosperar; os outros são explosivos, nós temos ira santa.

A cegueira dos que vivem na velha aliança (3.14,15)

O apóstolo Paulo aborda dois aspectos importantes aqui.

Em primeiro lugar, *o embotamento dos sentidos* (3.14). *Mas os sentidos deles se embotaram. Pois até o dia de hoje, quando fazem a leitura da antiga aliança, o mesmo véu permanece não lhes sendo revelado que, em Cristo, é removido* (3.14). Os judeus continuavam indo à sinagoga e lendo o Antigo Testamento, porém, não discerniam sua mensagem central. Por que isso acontecia? Porque o diabo cegou o entendimento dos incrédulos para que lhes não resplandeça a luz do evangelho da glória de Cristo, o qual é a imagem de Deus (4.4). Os judeus continuavam religiosos. Eles continuavam fazendo a leitura da antiga aliança, mas não havia discernimento espiritual. Havia um véu cobrindo a percepção deles.

Simon Kistemaker diz que o evangelho lhes foi pregado, mas eles não o aceitaram pela fé (Hb 4.2). Seu modo de pensar tinha se tornado rígido, e seus processos mentais não estavam abertos à Palavra de Deus. O maligno controlava o pensamento deles.[16]

---

[16] KISTEMAKER, Simon. *2 Coríntios*, 2005, p. 170.

O apóstolo Paulo diz que assim como o véu impedia que os antigos israelitas vissem o brilho da face de Moisés, assim também o mesmo véu permanece, quando os judeus de sua época põem-se a ler o Antigo Testamento. Eles não conseguiam ver que a antiga aliança chegara ao fim, e que a nova aliança havia sido inaugurada.[17]

Em segundo lugar, *o véu sobre o coração* (3.15). *Mas até hoje, quando é lido Moisés, o véu está posto sobre o coração deles* (3.15). Toda a lei e os profetas apontam para Cristo. O fim da lei é Cristo. Mas os judeus leem a lei e não enxergam nela Cristo. Por que razão? Porque há um véu sobre os seus corações. Há uma cortina que impede a entrada da luz nos seus corações.

Simon Kistemaker diz que o véu representa uma recusa em aceitar o cumprimento da revelação de Deus em Jesus Cristo. Os compatriotas de Paulo tinham olhos, mas se recusavam a ver; ouvidos, mas não aceitavam ouvir; e tinham coração fechado. Sempre que as Escrituras eram lidas e explicadas durante os cultos da sinagoga, um véu cobria o entendimento deles.[18]

Frank Carver está certo quando diz que a recepção apropriada da mensagem de Moisés teria preparado o caminho para Cristo (Jo 5.46,47). Mas o véu permanece, uma vez que eles não estavam retornando a Cristo (Rm 9-11). Mas quando alguém se converte a Cristo, esse véu é retirado, da mesma maneira como Moisés removeu o véu do seu rosto na presença do Senhor (Êx 34.34).[19]

A remoção do véu na nova aliança (3.16-18)

Estive algumas vezes na cidade de Londres, na Inglaterra. Um dos lugares que mais gostava de visitar era o Museu Madame Tissot, o museu de cera. Ali tirei várias fotografias ao lado de personalidades de fama mundial. Deixei-me fotografar com a família real, com presidentes, artistas, cantores e grandes estrelas do esporte mundial. Quando mostrei essas fotos aos meus amigos, por um tempo, alguns chegaram a

---

[17] KRUSE, Colin. *II Coríntios: Introdução e Comentário*, 1994, p. 105.
[18] KISTEMAKER, Simon. *2 Coríntios*, 2005, p. 174.
[19] CARVER, Frank G. *A Segunda Epístola aos Coríntios*. Em Comentário Bíblico Beacon. Vol. 8, 2006, p. 420.

pensar que eu tivera acesso a essas referidas celebridades. Mas aquelas pessoas não eram reais. Os personagens de minhas fotografias eram apenas bonecos de cera.

Muitas vezes, representamos um papel diferente do que somos na vida real. Iguais aos bonecos de cera, nós nos tornamos acessíveis a todos que quiserem se aproximar de nós, mas na vida real somos muito sofisticados e não abertos à aproximação. A única maneira, portanto, de viver de forma autêntica é remover as máscaras. Para fazer isso, precisamos desistir de reunir os nossos melhores esforços para tentar agradar a Deus. Precisamos desistir de viver na antiga aliança. Precisamos entender que tudo provém de Deus. Dele vem a nossa suficiência (3.4,5). O poder para viver uma vida íntegra vem de Deus, e não de nós.

Paulo conclui essa exposição de maneira gloriosa. Ele trata de três temas esplêndidos.

Em primeiro lugar, *o véu é removido pela conversão a Cristo* (3.16). "Quando, porém, algum deles se converte ao Senhor, o véu lhe é retirado" (3.16). Pela conversão, as escamas caem dos olhos, o véu é removido do coração, e a luz da verdade penetra na alma. A conversão é uma transferência das trevas para a luz, da escravidão para a liberdade, da morte para a vida, da potestade de satanás para Deus, do reino das trevas para o reino de Cristo. Na conversão recebemos um novo nome, uma nova mente, uma nova vida, novos hábitos, novos gostos, novas preferências, novas inclinações, novos anseios. Na conversão morremos para o mundo, para o pecado, para a carne e ressuscitamos para uma nova vida em Cristo.

Na conversão nos tornamos filhos de Deus por adoção e por geração. Nascemos de cima, do alto, do Espírito. Ele nos torna coparticipantes da natureza divina. Na verdade, na conversão nos despojamos das roupagens do velho homem e nos revestimos de Cristo. Assim, as máscaras do engano, da mentira, da falsidade, da hipocrisia, da justiça própria e da dureza de coração que enchiam o guarda-roupa do velho homem não são mais compatíveis com a nova vida que recebemos em Cristo Jesus.

Viver em Cristo é viver na verdade, na luz, é viver sem máscaras.

Em segundo lugar, *a liberdade é alcançada pelo Espírito Santo* (3.17). *Ora, o Senhor é o Espírito; e, onde está o Espírito do Senhor, aí há liberdade*

(3.17). A velha aliança traz escravidão, mas a nova aliança produz liberdade. A velha aliança gesta o medo, mas a nova aliança produz ousadia. A velha aliança nos leva a pôr máscaras, a nova aliança é uma remoção dessas máscaras.

Colin Kruse diz que sob a nova aliança, em que o Espírito é a força operacional, há liberdade. Sob a antiga aliança, em que reina a lei, há escravidão.[20] A liberdade da lei concretizada pela presença vivificadora do Espírito Santo abrange a libertação do pecado (Rm 6.6,7), da morte (Rm 6.21-23; 7.10,11) e da condenação (Rm 8.1).[21]

O Espírito Santo nos liberta da tola ideia de viver de aparências. Quando vivemos no Espírito temos a liberdade de viver uma vida autêntica. Quando andamos no Espírito desistimos das desculpas infundadas para esconder ou justificar nossos pecados.

Esse versículo tem sido usado, muitas vezes, fora do seu contexto para justificar todo tipo de excessos litúrgicos na igreja, dizendo que temos a liberdade do Espírito para fazermos no culto o que achamos melhor. Isso é um engano. A liberdade que o Espírito nos dá não é para torcermos as Escrituras nem para vivermos ao arrepio da Sua lei, mas para vivermos vitoriosamente sobre o pecado. Na nova aliança há liberdade porque já não há memória de pecados (Rm 4.6-8), e nenhuma condenação para o pecador (Rm 8.1). O Espírito mesmo dá testemunho com o nosso espírito de que somos filhos de Deus (Rm 8.15,16), e mediante o andar no Espírito, as exigências justas da lei são satisfeitas em nós (Rm 8.3,4).[22]

James Hastings diz que liberdade não é licença para viver de qualquer maneira. Há dois tipos de liberdade: a falsa liberdade é aquela que o homem é livre para fazer o que quer; a verdadeira é aquela que o homem é livre para fazer o que deve.[23] Existe uma grande diferença entre "não pode" e o "pode não". Uma pessoa livre pode todas as coisas, mas ele pode não. Uma pessoa escrava não pode. Ele não pode

---

[20] KRUSE, Colin. *II Coríntios: Introdução e Comentário*, 1994, p. 106.
[21] CARVER, Frank G. *A Segunda Epístola aos Coríntios*. Em Comentário Bíblico Beacon. Vol. 8, 2006, p. 421.
[22] KRUSE, Colin. *II Coríntios: Introdução e Comentário*, 1994, p. 107.
[23] HASTINGS, James. *The Great Texts of the Bible on 2 Corinthians and Galatians*, p. 66.

deixar de fumar, de beber, de usar drogas, de mentir. Ele é escravo do pecado. A verdadeira liberdade é plena oportunidade de o homem fazer o melhor. A liberdade consiste não em se recusar a reconhecer o que está sobre nós, mas em respeitar o que está sobre nós. Cristo era plenamente livre, mas estava sujeito à vontade do Pai.

Onde está o Espírito do Senhor aí há liberdade e em nenhum outro lugar. Onde está o Espírito Santo é a esfera da liberdade. A presença do Espírito é uma realidade nos cristãos. Por isso, somente estes são verdadeiramente livres. O cristianismo tem o monopólio da verdadeira liberdade.[24]

O Espírito de Cristo oferece liberdade na esfera do pensamento, da conduta e da vontade. Jesus disse: *E conhecereis a verdade, e a verdade vos libertará* (Jo 8.32). Quem vive na nova aliança tem uma nova mente, uma nova vida e novos anseios.

Em terceiro lugar, **a transformação progressiva na imagem de Cristo** (3.18). *E todos nós, com o rosto desvendado, contemplando, como por espelho, a glória do Senhor, somos transformados, de glória em glória, na sua própria imagem, como pelo Senhor, o Espírito* (3.18). Esse versículo é o ponto culminante do capítulo. Na velha aliança, colhemos escravidão, morte e condenação, mas na nova aliança somos convertidos, libertos e transformados progressivamente na imagem de Cristo. O véu é retirado do coração não apenas no ato da conversão, mas o processo da santificação é um contínuo remover de máscaras.

Deus não apenas nos destinou para a glória, mas está empenhado em nos transformar à imagem do Rei da glória (Rm 8.29). O projeto eterno de Deus é nos transformar à imagem de Cristo e esculpir em nós o caráter de Cristo. O plano de Deus é que aqueles que foram convertidos a Cristo e foram libertos pelo Espírito Santo alcancem o pleno conhecimento do Filho de Deus, à perfeita varonilidade, à medida da estatura da plenitude de Cristo (Ef 4.13).

Warren Wiersbe diz que sob a antiga aliança somente Moisés subiu ao monte e teve comunhão com Deus; mas sob a nova aliança todos os cristãos têm o privilégio de desfrutar a comunhão com o Senhor. Por

---

[24] HASTINGS, James. *The Great Texts of the Bible on 2 Corinthians and Galatians*, p. 70

meio de Cristo, podemos entrar no Santo dos Santos (Hb 10.19,20); e não precisamos escalar uma montanha.[25]

Colin Kruse diz que a transformação na imagem do Senhor não acontece num certo ponto do tempo, mas trata-se de um processo contínuo. O verbo *metamorphoumetha*, "transformados", está no tempo presente, indicando a natureza contínua dessa transformação, enquanto as palavras "de glória em glória" enfatizam sua natureza progressiva.[26] Ainda Warren Wiersbe diz que essa palavra grega descreve uma mudança exterior resultante de um processo interior. A lei pode nos levar a Cristo (Gl 3.24), mas somente a graça pode nos tornar semelhantes a Cristo.[27]

---

[25] WIERSBE, Warren W. *Comentário Bíblico Expositivo*. Vol. 5, 2006, p. 837.
[26] KRUSE, Colin. *II Coríntios: Introdução e Comentário*, 1994, p. 108.
[27] WIERSBE, Warren W. *Comentário Bíblico Expositivo*. Vol. 5, 2006, p. 837.

5

O ministério da nova aliança

2 Coríntios 4.1-18

PAULO AINDA ESTÁ SE DEFENDENDO de seus acusadores e, na sua defesa, apresenta o glorioso ministério da nova aliança, o ministério que oferece às pessoas vida, salvação, justificação e tem poder para transformar vidas.

Analisaremos quatro verdades benditas apresentadas pelo apóstolo no texto em tela.

Um evangelho glorioso (4.1-6)

O evangelho não é produto da mente humana, mas da revelação divina. Sua origem está no céu, e não na terra. Sua oferta é graciosa, Seu poder é irresistível, sua evidência é luminosa. Destacaremos seis pontos importantes acerca desse evangelho.

Em primeiro lugar, *ele é concedido pela misericórdia divina, e não pelo mérito humano* (4.1). *Pelo que tendo este ministério, segundo a misericórdia que nos foi feita* [...]. Paulo foi um implacável perseguidor da igreja. Respirava ameaça contra os discípulos de Cristo. Ele não buscava a Cristo, mas Cristo o buscou, transformou-o, capacitou-o, comissionou-o e o fez ministro da nova aliança (1Tm 1.12-17).

Paulo queria destruir a igreja, mas tornou-se seu maior bandeirante. Antes da sua conversão, ele assolou a igreja; depois da sua conversão, transformou-se no maior plantador de igrejas. Ele que impôs terríveis sofrimentos aos discípulos de Cristo; sofre, agora, mais do que todos os outros discípulos. Jesus demonstrou a ele misericórdia, não levando em conta suas misérias, mas oferecendo a ele Sua graça. A palavra "misericórdia" indica exatamente a remoção apaixonada da miséria.[1]

Em segundo lugar, *ele nos dá forças para enfrentar o sofrimento* (4.1b). [...] *não desfalecemos*. A palavra grega *egkakoumen* significa perder a coragem, desfalecer, desanimar. Denota o covarde, o de coração mole.[2] Simon Kistemaker diz que esse verbo não tem que ver com fadiga física, mas com cansaço espiritual.[3] O evangelho é a melhor notícia que já ecoou no mundo, mas também é a que enfrenta a maior resistência e oposição do diabo, do mundo e da carne.

Paulo enfrentou toda sorte de sofrimento: perseguição, rejeição, oposição, abandono, apedrejamento, açoites, prisão, acusação, naufrágio e a própria morte. Mas esses sofrimentos todos, além da preocupação que tinha com todas as igrejas, não puderam demovê-lo nem desencorajá-lo, porque o chamado divino é sempre acompanhado da capacitação divina. Paulo jamais desistiu de pregar. Esse é um privilégio glorioso que os próprios anjos gostariam de ter.

Em terceiro lugar, *ele nos capacita a ser íntegros na pregação* (4.2). "Pelo contrário, rejeitamos as coisas que, por vergonhosas, se ocultam, não andando com astúcia, nem adulterando a Palavra de Deus; antes, nos recomendamos à consciência de todo homem, na presença de Deus, pela manifestação da verdade". Concordo com Simon Kistemaker quando diz que Paulo em sua defesa não é combativo, e sim positivo; isto é, ele fala sobre sua situação de vida, não sobre a de seus adversários.[4] Paulo destaca alguns pontos aqui.

O cristão verdadeiro vive na luz. Os falsos obreiros que estavam invadindo a igreja de Corinto e fazendo oposição a Paulo tinham

---

[1] RIENECKER, Fritz e ROGERS Cleon. *Chave Linguística do Novo Testamento Grego*, 1985, p. 342.
[2] RIENECKER, Fritz e ROGERS Cleon. *Chave Linguística do Novo Testamento Grego*, 1985, p. 342.
[3] KISTEMAKER, Simon. *2 Coríntios*, 2004, p. 192.
[4] KISTEMAKER, Simon. *2 Coríntios*, 2004, p. 193.

motivações escusas. Eles buscavam a promoção pessoal, e não a glória de Cristo. Eles estavam interessados no dinheiro do povo, e não na salvação do povo. Eles estavam envoltos em densas trevas do engano, e não na refulgente luz da verdade. Eles buscavam resultados, e não fidelidade. Queriam mais os aplausos dos homens do que a aprovação de Deus. Ray Stedman diz que nos dias de Paulo, havia homens que achavam ser necessário produzir resultados visíveis e instantâneos a fim de parecerem bem-sucedidos em seu ministério.[5]

O cristão verdadeiro não usa truques para pregar a Palavra. Os falsos mestres em Corinto estavam usando astúcias e truques para pregar. Eles usavam atrativos enganosos para atrair as pessoas. Esses falsos mestres estavam imitando a astúcia da serpente que enganou Eva no Éden (11.3; 11.14,15; 12.6). A palavra grega *panourgia*, "astúcia", aparece cinco vezes no Novo Testamento[6], sempre com conotação exclusivamente negativa.[7] Os falsos mestres estavam destilando o mesmo veneno da antiga serpente e promovendo de igual forma a morte. Esses falsos mestres astuciosamente usavam manobras psicológicas, táticas para impressionar e apelos emocionais para seduzir as pessoas com sua falsa mensagem.

O cristão verdadeiro não adultera a Palavra para ganhar os ouvintes. O verbo traduzido por "adulterando", *doloo*, no grego, só se encontra aqui no Novo Testamento. É empregado nos papiros a respeito da diluição do vinho com água, o que sugere que Paulo teria em mente a corrupção da Palavra de Deus mediante mistura com ideias estranhas.[8] Os falsos mestres, como mascates espirituais, estavam adulterando a Palavra de Deus, misturando suas ideias heterodoxas ao evangelho, adicionando a palha de seus ritos ao trigo da verdade. Hoje muitos pregadores estão adulterando a Palavra de Deus, pregando ao povo o que ele quer ouvir, e não o que ele precisa ouvir. Diluem a doutrina com a tradição humana, exigem o que Deus não ordena e proíbem o que não rejeita. Ray Stedman diz que adulterar a Palavra de Deus, torcendo o significado dos textos ou fazendo uma aplicação errada da verdade a

---

[5]STEDMAN, Ray C. *A dinâmica da vida autêntica*, p. 84.
[6]Lucas 20.23; 1Coríntios 3.19; 2Coríntios 4.2; 11.3; Efésios 4.14.
[7]KISTEMAKER, Simon. *2 Coríntios*, 2004, p. 194.
[8]KRUSE, Colin. *II Coríntios: Introdução e Comentário*, 1994, p. 110.

fim de obter uma aparência de sucesso é o grau mais elevado de desonestidade.⁹ Frank Carver está correto quando diz que não era costume de Paulo adulterar sua mensagem com quaisquer acréscimos ou alterações ou mesmo acomodá-la para agradar seus ouvintes, uma vez que a verdade salvadora de Deus não precisa que nada seja acrescentado a ela para que atinja os seus objetivos.¹⁰

O cristão verdadeiro vive de forma transparente na presença de Deus e dos homens. O contraste entre a prática da astúcia e a recomendação à consciência e entre a Palavra de Deus, que teria sido adulterada, e a verdade pura é muito claro.¹¹ A vida de Paulo é um mapa aberto. Não tem nada a esconder. Está pronto a submeter-se ao escrutínio dos homens, uma vez que vive na presença de Deus. Contudo, seu propósito não é apenas receber o aval dos homens, mas ser aprovado por Deus (1Co 4.3,4). O ministério de Paulo tem como alvo "a manifestação da verdade" (4.2b). Concordo com Ray Stedman quando diz que a verdade, tal como revelada em Jesus, é tão universal e essencial à vida humana que não há necessidade de expedientes psicológicos para elevá-la ou torná-la mais eficiente e interessante.¹²

Em quarto lugar, **ele nos adverte acerca de uma terrível oposição** (4.3,4). *Mas, se o nosso evangelho ainda está encoberto, é para os que se perdem que está encoberto, nos quais o deus deste século cegou o entendimento dos incrédulos, para que lhes não resplandeça a luz do evangelho da glória de Cristo, o qual é a imagem de Deus.* Se Paulo era um pregador tão fiel da Palavra, por que mais pessoas não criam em sua mensagem?¹³ Por que os falsos mestres eram tão bem-sucedidos em granjear convertidos? É porque satanás cega a mente do pecador, e o ser humano decaído tem mais facilidade em acreditar em mentiras do que em crer na verdade, diz Warren Wiersbe.¹⁴

---

⁹STEDMAN, Ray C. *A dinâmica de uma vida autêntica*, p. 85.
¹⁰CARVER, Frank G. *A Segunda Epístola de Paulo aos Coríntios.* Em Comentário Bíblico Beacon. Vol. 8, 2006, p. 423.
¹¹KRUSE, Colin. *II Coríntios: Introdução e Comentário*, 1944, p. 110.
¹²STEDMAN, Ray C. *A dinâmica de uma vida autêntica*, p. 86.
¹³Atos 13.44,45; 17.5-9; 18.5,6; 18.12-31; 19.8,9.
¹⁴WIERSBE, Warren W. *Comentário Bíblico Expositivo.* Vol. 5, 2006, p. 840.

Nessa mesma linha de pensamento, Simon Kistemaker diz que os adversários de Paulo acusaram-no de apresentar um evangelho que era encoberto e ineficaz. Com isso, reivindicavam que o evangelho deles era aberto, digno de nota e que estava ganhando muitos seguidores.[15] O problema não está no evangelho, mas sim na mente entenebrecida dos ouvintes. Assim como eles estão cegos para Cristo, Deus permanece oculto para eles.[16] Algumas verdades devem ser destacadas aqui.

O evangelho salva ou condena. O evangelho é o poder de Deus para a salvação não de todos os homens, mas daqueles que creem (Rm 1.16,17). Os que rejeitam o evangelho estão debaixo da condenação do evangelho. Para uns somos cheiro de vida para vida; para outros, aroma de morte para morte (2.15,16). O evangelho tem um poder intrínseco. Ele não depende da resposta dos ouvintes para manifestar-se poderoso.

O diabo interfere na mente dos ouvintes. O diabo é chamado por Paulo de *deus deste século* (4.4). A palavra grega *aion*, "século, era", refere-se a toda aquela massa de pensamentos, opiniões, máximas, especulações, esperanças, impulsos, objetivos, aspirações correntes a qualquer época no mundo.[17]

O diabo não dorme, não tira férias nem descansa. Ele age diuturnamente buscando obstaculizar a obra da evangelização. Ele age não nas emoções, mas na mente. Ele cega não os olhos, mas o entendimento. Ele torna o evangelho ininteligível para os incrédulos e para aqueles que perecem.

Simon Kistemaker diz corretamente que em Corinto muitos se recusavam a aceitar o evangelho, e, para estes, ele permanecia encoberto. A causa disso, porém, não se achava no próprio evangelho, que era suficientemente claro, nem em Cristo, que havia comissionado os apóstolos, mas nos ouvintes que rejeitavam a mensagem de Cristo.[18]

William MacDonald ilustra essa verdade dizendo que em nosso universo físico, o sol está sempre brilhando. Contudo, nem sempre nós

---

[15] KISTEMAKER, Simon. *2 Coríntios*, 2004, p. 197.
[16] CARVER, Frank G. *A Segunda Epístola de Paulo aos Coríntios*. Em Comentário Bíblico Beacon. Vol. 8, 2006, p. 424.
[17] RIENECKER, Fritz e ROGERS Cleon. *Chave Linguística do Novo Testamento Grego*, 1985, p. 342.
[18] KISTEMAKER, Simon. *2 Coríntios*, 2004, p. 197.

o vemos brilhar. A razão disso é que algumas vezes, nuvens densas se interpõem entre nós e o sol. Assim acontece com o evangelho. A luz do evangelho está sempre brilhando. Deus está sempre buscando resplandecer sua luz nos corações dos homens. Mas satanás põe várias barreiras entre os incrédulos e Deus. Pode ser a nuvem do orgulho, da rebelião, da justiça própria ou centenas de outras coisas.[19]

O diabo ataca os incrédulos com a cegueira espiritual. Assim como os judeus tinham um véu sobre o coração que só era removido pela conversão (3.15,16), assim também, ainda hoje, o diabo que é o príncipe das trevas (Ef 2.2), mantém os incrédulos sob um manto de trevas para que não lhes resplandeça a luz do evangelho da glória de Cristo, o qual é a imagem de Deus. Os que estão perdidos não são capazes de entender a mensagem do evangelho, pois satanás os mantém em trevas.

Warren Wiersbe diz que o mais triste é que satanás usa mestres religiosos (como os judaizantes) para enganar as pessoas.[20] Ray Stedman diz que o deus deste século conseguiu acostumar os incrédulos a viver com ilusões. Eles são levados a crer em fantasias e a considerar ilusões como sendo realidades.[21]

Em quinto lugar, **ele nos mantém longe da presunção** (4.5). *Porque não nos pregamos a nós mesmos, mas a Cristo Jesus como Senhor e a nós mesmos como vossos servos, por amor de Jesus.* O foco da pregação de Paulo era sobre Cristo e não sobre si mesmo, enquanto os falsos mestres em Corinto estavam pregando a si mesmos, construindo monumentos a si mesmos e promovendo a si mesmos.

Warren Wiersbe diz que os judaizantes gostavam de pregar sobre si mesmos e de se gabar de suas realizações (10.12-18). Não eram servos que tentavam ajudar o povo, mas sim ditadores que exploravam o povo.[22] Paulo, porém, não está numa cruzada de autopromoção para formar um fã clube. Ele não confiava em si mesmo, não promovia a si mesmo nem pregava a si mesmo. Paulo foi chamado para pregar a Cristo como Senhor. Notem que Paulo não foi chamado para pregar

---

[19]MacDonald, William. *Believer's Bible Commentary*, 1995, p. 1833.
[20]Wiersbe, Warren W. *Comentário Bíblico Expositivo*. Vol. 5, 2006, p. 840.
[21]Stedman, Ray C. *A dinâmica de uma vida autêntica*, p. 89.
[22]Wiersbe, Warren W. *Comentário Bíblico Expositivo*. Vol. 5, 2006, p. 840.

a Cristo apenas como um grande mestre. Jesus é o Senhor, e diante dEle, todos precisam depor suas armas. Todos precisam se render a Ele. Diante dEle, todo joelho deve se dobrar.

Aqui Paulo apresenta o conteúdo do evangelho. O Cristo crucificado (1Co 1.21), a quem Deus ressuscitou, é o Senhor soberano diante de quem todo joelho se dobra no céu, na terra e debaixo da terra (Fp 2.8-11). O mensageiro é servo, e não uma celebridade. O pregador não busca holofotes, mas exalta o Senhor. O pregador é servo da igreja, e não dono dela. Ele serve a igreja não porque é escravo das pessoas, mas porque ama a Jesus e está ao Seu serviço.

Colin Kruse diz que bem ao contrário da ideia de que, em sua pregação, Paulo promovia a sua própria autoridade e importância, ele diz que se considerava servo daqueles a quem pregava. Paulo reconhecia apenas um Senhor, e era em obediência a Ele que servia a humanidade.[23]

Em sexto lugar, *ele nos evidencia um poderoso milagre* (4.6). *Porque Deus, que disse: Das trevas resplandecerá a luz, ele mesmo resplandeceu em nosso coração, para iluminação do conhecimento da glória de Deus, na face de Cristo*. As pessoas estão perecendo porque a mente delas está imersa em densas trevas, e essas pessoas estão cegas em seu entendimento. Mas o caso delas não está totalmente perdido, pois Deus pode criar luz das trevas. Assim como Deus, na criação, fez a luz brotar das trevas (Gn 1.2,3), na nova criação, ele tira pecadores do Império das trevas e os transporta para o reino do Filho do Seu amor (Cl 1.13).

Fritz Rienecker diz que o criador da antiga criação também é o criador da nova.[24] Simon Kistemaker na mesma linha de pensamento diz que Deus dissipa as trevas tanto na criação física como na nova criação; ele elimina a escuridão, na esfera física, por intermédio do sol criado e a escuridão, na esfera espiritual, por intermédio do Filho não criado.[25] Assim, essa nova obra de Deus é maior que a primeira, pois

---

[23] KRUSE, Colin. *II Coríntios: Introdução e Comentário*, 1994, p. 112.
[24] RIENECKER, Fritz e ROGERS Cleon. *Chave Linguística do Novo Testamento Grego*, 1985, p. 342.
[25] KISTEMAKER, Simon. *2 Coríntios*, 2004, p. 203.

a criação visível torna-se uma figura da criação moral.²⁶ Na primeira criação, Deus ordenou à luz que brilhasse. Mas na nova criação, Ele mesmo brilhou em nossos corações.²⁷

A luz divina raiou em nós, iluminou os olhos da nossa alma e nos arrancou de uma densa escuridão para a luz da vida. Enquanto satanás cega a mente humana (4.4), Deus ilumina seu coração (4.6). Satanás impede a iluminação, mas Deus a providencia.²⁸ Foi isso que Deus fez com Paulo no caminho de Damasco. Uma luz mais forte do que o sol em seu fulgor brilhou ao meio-dia e o jogou ao chão (At 9.3,4). Essa luz era a própria manifestação da glória de Deus, na face de Cristo, invadindo o coração trevoso daquele raivoso perseguidor da igreja, fazendo dele o maior apóstolo, o maior missionário, o maior teólogo, o maior plantador de igrejas da história. Henry Foster diz que a glória de Deus é revelada na face de Cristo, é recebida no coração dos crentes e é refletida sobre os homens.²⁹

Um **tesouro** valioso (4.7-12)

O apóstolo Paulo passa da glória da nova criação para a fraqueza do vaso de barro. Passa da grandeza da sua missão à verdadeira miséria da sua fraqueza. Ele está pondo o machado na raiz de toda pretensão humana. Ele está nocauteando a tola ideia do culto à personalidade. O importante não é o obreiro, mas a obra. A glória não está no pregador, mas na pregação. O que é valioso não é o vaso, mas o tesouro que está no vaso. Destaco três importantes verdades nesse texto.

Em primeiro lugar, ***uma comparação sugestiva*** (4.7). *Temos, porém, este tesouro em vasos de barro, para que a excelência do poder seja de Deus e não de nós*. A palavra grega *thesauros*, "tesouro", refere-se àquilo que é valioso e muito caro, enquanto *ostrakinos*, "vasos de barro", fala da

---

[26]BONNET, L. y SCHROEDER A. *Comentario del Nuevo Testamento*. Tomo 3, 1982: p. 349,350.
[27]MACDONALD, William. *Believer's Bible Commentary*, 1995, p. 1833.
[28]KISTEMAKER, Simon. *2 Coríntios*, 2004, p. 204.
[29]FOSTER, Henry J. *The Preacher's Complete Homiletic Commentary on the Epistles of St. Paul to the Corinthians*. Vol. 27. Grand Rapids, MI: Baker Books, 1996, p. 467, 468.

cerâmica, aquilo que é feito de barro. A cerâmica coríntia era famosa no mundo antigo, e Paulo pode ter se referido às pequenas lamparinas de barro que eram baratas e frágeis ou, então, a vasos ou urnas de cerâmica. A ideia é de que o tesouro valioso é contido em recipientes frágeis e sem valor.[30]

Colin Kruse diz que os vasos de barro eram artigos encontrados virtualmente em todos os lares do antigo Oriente Médio. Eram baratos e quebravam com facilidade. Eram de baixo custo e de baixo valor intrínseco.[31]

Paulo compara e contrasta o evangelista com o evangelho; o pregador, com a pregação. O foco não deve estar no instrumento que prega a mensagem, mas no conteúdo da mensagem. O homem é apenas um vaso de barro, frágil, quebradiço e barato. Seu valor não é intrínseco. Mas dentro desse vaso existe um tesouro de inestimável valor. Esse tesouro é o evangelho. O vaso é perecível, mas o evangelho é indefectível. O vaso é frágil, mas o evangelho é poderoso. O vaso não tem beleza em si mesmo, mas o evangelho traz o fulgor da glória de Deus na face de Cristo. O vaso se quebra e precisa ser substituído, mas o evangelho é eterno e jamais pode ser mudado.

William MacDonald, citando John Jowett, diz que há alguma coisa muito errada quando o vaso rouba o tesouro de Sua glória, quando o mostruário chama mais atenção do que a joia que ele exibe. Há uma perversa ênfase quando a pintura recebe atenção secundária; e a moldura, atenção principal; quando os talheres de uma mesa ganham mais destaque do que a própria refeição. Há alguma coisa mortal no culto cristão quando "a excelência do poder" é nossa, e não de Deus. Esse tipo de excelência é extremamente débil e secará rapidamente como a erva.[32]

A fraqueza do vaso ressalta a excelência do poder de Deus. Deus é glorificado por meio de vasos frágeis, diz Warren Wiersbe.[33] Por isso, o

---

[30]RIENECKER, Fritz e ROGERS Cleon. *Chave Linguística do Novo Testamento Grego*, 1985, p. 343.
[31]KRUSE, Colin. *II Coríntios: Introdução e Comentário*, 1994, p. 114.
[32]MACDONALD, William. *Believer's Bible Commentary*, 1995, p. 1834.
[33]WIERSBE, Warren W. *Comentário Bíblico Expositivo*. Vol. 5, 2006, p. 841.

vaso não pode se orgulhar por ser portador de um tesouro. A glória não está no vaso, mas no tesouro. É preciso concentrar-se no tesouro, não no vaso. Paulo não temia o sofrimento nem as tribulações, pois sabia que Deus guardava o vaso, enquanto este guardasse o tesouro.[34]

Todo vaso tem um propósito, uma finalidade e uma função. Ele é feito para conter algo e para transportar algo. Paulo foi escolhido por Jesus, como vaso, para levar seu nome aos gentios (At 9.15). Precisamos ser vasos de honra, úteis e preparados para toda boa obra (2Tm 2.21). Warren Wiersbe diz corretamente que somos vasos para que Deus nos use. Somos vasos de barro para que possamos depender do poder de Deus, não de nossas forças.[35]

Em segundo lugar, **um contraste profundo** (4.8,9). *Em tudo somos atribulados, porém não angustiados; perplexos, porém não desanimados; perseguidos, porém não desamparados; abatidos, porém não destruídos.* Colin Kruse diz que o princípio geral enunciado no versículo 7 é ilustrado aqui numa série de quatro declarações paradoxais. Elas refletem, de um lado, a vulnerabilidade de Paulo e de seus companheiros, e, de outro lado, o poder de Deus que os sustenta.[36]

Não há ministério indolor. A vida cristã não é uma estufa espiritual nem uma sala *vip*. Ser cristão não é pisar tapetes aveludados, mas cruzar desertos abrasadores. Ser cristão não é ser aplaudido pelos homens, mas carregar no corpo as marcas de Jesus. Paulo faz aqui quatro contrastes.

Atribulados, mas não angustiados (4.8). A palavra grega *thlibómenoi*, "atribulados", significa afligir, sujeitar a pressões ou aquilo que oprime o espírito, enquanto a palavra *stenochoroumenoi*, "angustiados", traz a ideia de comprimir em lugar apertado. Tem que ver com o aperto de uma pequena sala, de um espaço confinado, e, daí, a dor que é sua ocasião.[37]

A tribulação é uma prova externa, enquanto a angústia é um sentimento interno. A tribulação produz angústia (Sl 116.3), mas Paulo

---

[34] WIERSBE, Warren W. *Comentário Bíblico Expositivo*. Vol. 5, 2006, p. 841.
[35] WIERSBE, Warren W. *Comentário Bíblico Expositivo*. Vol. 5, 2006, p. 840,841.
[36] KRUSE, Colin. *II Coríntios: Introdução e Comentário*, 1994, p. 114.
[37] RIENECKER, Fritz e ROGERS Cleon. *Chave Linguística do Novo Testamento Grego*, 1985, p. 343.

mesmo enfrentando circunstâncias tão adversas era fortalecido pelo Senhor. Quais as tribulações que Paulo enfrentou? Ele foi perseguido em Damasco, rejeitado em Jerusalém, esquecido em Tarso, apedrejado em Listra, açoitado em Filipos, escorraçado de Tessalônica e Bereia, chamado de tagarela em Atenas, de impostor em Corinto. Enfrentou feras em Éfeso, foi preso em Jerusalém, acusado em Cesareia, enfrentou um naufrágio a caminho de Roma e foi picado por uma cobra em Malta. Sofreu prisões, açoites, apedrejamento, fome, frio e pressão de todos os lados. Contudo, Deus o assistiu não o deixando sucumbir diante de tantas adversidades.

Perplexos, mas não desanimados (4.8). A perplexidade é uma encruzilhada mental que nos exige uma decisão pronta e imediata. A palavra grega *aporoumenoi*, "perplexos", significa estar em dúvida, estar perplexo. Nos papiros era usada para alguém arruinado pelos seus credores e que contemplava seu fim, enquanto a palavra *exaporoumenoi*, "desanimados", significa estar completamente perplexo ou em desespero. Essa palavra descreve o desespero em seu estado final.[38]

Perseguidos, mas não desamparados (4.9). A palavra grega *diokomenoi*, "perseguidos", traz a ideia de perseguir e caçar como a um animal, enquanto a palavra *egkataleipómenoi*, "desamparados", significa desertar, abandonar alguém em dificuldades.[39] Paulo se descreve como um fugitivo caçado por seus adversários, contudo, na última hora Deus lhe dava um escape.[40] Paulo sofreu duras perseguições desde o começo de sua conversão até o último dia da sua vida na terra. Não teve folga nem alívio. Foi perseguido pelos judeus e pelos gentios, pelo poder religioso e pelo poder civil. No entanto, jamais se sentiu desamparado. Quando foi apedrejado em Listra, levantou-se para prosseguir o projeto missionário. Quando foi preso em Filipos, cantou e orou à meia-noite. Quando foi preso em Jerusalém, deu testemunho diante do Sinédrio.

---

[38] RIENECKER, Fritz e ROGERS Cleon. *Chave Linguística do Novo Testamento Grego*, 1985, p. 343.
[39] RIENECKER, Fritz e ROGERS Cleon. *Chave Linguística do Novo Testamento Grego*, 1985, p. 343.
[40] KISTEMAKER, Simon. *2 Coríntios*, 2004, p. 210.

Quando foi levado para Roma como prisioneiro de Cristo, testemunhou ousadamente aos membros da guarda pretoriana. Mesmo quando ficou só em sua primeira defesa, em Roma, foi assistido pelo Senhor (2Tm 4.16-18).

Abatidos, mas não destruídos (4.9). A palavra grega *kataballómenoi*, "abatidos", significa lançar abaixo, derrubar violentamente. A palavra era usada para falar da derrubada de um oponente na luta ou de derrubar uma pessoa com a espada ou qualquer outra arma. Já a palavra *apollúmenoi*, "destruídos", significa destruir e perecer.[41] Paulo enfrentou circunstâncias desesperadoras, acima de suas forças (1.8). Foi acusado, perseguido, açoitado, aprisionado, mas jamais sucumbiu. Mesmo quando foi levado à guilhotina romana e teve seu pescoço decepado pelo verdugo, não foi destruído (2Tm 4.17,18), porque sabia que sua morte não era uma derrota, mas uma vitória, uma vez que morrer é lucro, é deixar o corpo e habitar com o Senhor, o que é incomparavelmente melhor.

Ray Stedman, trazendo essas verdades para os nossos dias, diz que esse texto pode se aplicar aos duros, rudes e esmagadores golpes que parecem vir do nada sobre a nossa vida, como um câncer, um acidente fatal, um ataque cardíaco, uma guerra medonha, um terremoto avassalador. Pelo poder de Deus, porém, somos capacitamos e, então, reagimos de forma transcendental a fim de que Deus seja glorificado, e as pessoas sejam impactadas pelo nosso testemunho.[42]

Em terceiro lugar, **uma identificação bendita** (4.10-12). *Levando sempre no corpo o morrer de Jesus, para que também a sua vida se manifeste em nosso corpo. Porque nós, que vivemos, somos sempre entregues à morte por causa de Jesus, para que também a vida de Jesus se manifeste em nossa carne mortal. De modo que, em nós operava a morte, mas, em vós, a vida*. Assim como se deve concentrar no tesouro, não no vaso, também se deve concentrar no Mestre, não no servo. Se sofremos, é por amor a Jesus. Se morremos para nosso ego, é para que a vida de Cristo seja revelada em

---

[41] RIENECKER, Fritz e ROGERS Cleon. *Chave Linguística do Novo Testamento Grego*, 1985, p. 343.
[42] STEDMAN, Ray. *A dinâmica de uma vida autêntica*, p. 100.

nós. Se passamos por tribulações, é para que Cristo seja glorificado. Ao servir a Cristo, a morte opera em nós, mas a vida opera naqueles para os quais ministramos.[43]

Concordo com Warren Wiersbe quando diz que a prova do verdadeiro ministério não está em suas condecorações, mas, sim, em suas escoriações. *Quanto ao mais, ninguém me moleste; porque eu trago no corpo as marcas de Jesus* (Gl 6.17).[44]

Uma **fé** vitoriosa (4.13-15)

O apóstolo Paulo destaca três verdades benditas acerca da fé vitoriosa.

Em primeiro lugar, **está baseada na revelação divina** (4.13). *Tendo, porém, o mesmo espírito da fé, como está escrito: Eu cri; por isso, é que falei. Também nós cremos; por isso, também falamos.* Paulo fundamenta sua fé não na sua subjetividade nem mesmo nas suas ricas experiências, mas na eterna Palavra de Deus. O fundamento da sua fé não é uma experiência subjetiva, mas a revelação objetiva. Ele cita o Salmo 116 para firmar sua fé. Ele está plantado na rocha da verdade. Suas âncoras estão firmadas nas Escrituras.

Em segundo lugar, **está fundamentada na ressurreição do corpo** (4.14). *Sabendo que aquele que ressuscitou o Senhor Jesus também nos ressuscitará com Jesus e nos apresentará convosco.* A maior prova da suprema grandeza do poder de Deus, apresentada pelo apóstolo Paulo, é a ressurreição de Cristo (Ef 1.19,20). Esse mesmo poder será aplicado também a nós, quando Deus, na segunda vinda de Cristo, levantará o nosso corpo da morte (Jo 5.28,29). Essa certeza de fé nos encoraja a enfrentar as lutas. A morte não tem mais a última palavra (1Co 15.54,55). Ela já foi vencida. Receberemos um corpo imortal, incorruptível, poderoso, glorioso, espiritual e celestial, semelhante ao corpo da glória de Cristo. Brilharemos como o sol no firmamento.

A ressurreição de Cristo é um conforto na aflição. O fato é certo; Cristo levantou-se da morte pelo poder de Deus. A inferência é justa;

---

[43] WIERSBE, Warren W. *Comentário Bíblico Expositivo*. Vol. 5, 2006, p. 841.
[44] WIERSBE, Warren W. *Comentário Bíblico Expositivo*. Vol. 5, 2006, p. 841.

Deus nos ressuscitará e nos apresentará em glória. A conclusão é inevitável; Deus nos libertará de todas as nossas aflições. Ele tem todo o poder e já se comprometeu a fazer isso. O dever é óbvio; devemos sofrer pacientemente.[45]

Em terceiro lugar, *está direcionada para a glória de Deus* (4.15). *Porque todas as coisas existem por amor de vós, para que a graça, multiplicando-se, torne abundantes as ações de graças por meio de muitos, para a glória de Deus.* O propósito final da nossa existência, do nosso trabalho, do nosso sofrimento e da própria igreja é a glória de Deus. O centro de todas as coisas não é o homem, mas Deus. O fim principal do homem não é buscar sua própria glória, mas glorificar a Deus e gozá-Lo para sempre. Warren Wiersbe diz corretamente que tudo que começa com a graça conduz à glória.[46]

Uma **convicção** maravilhosa (4.16-18)

Paulo prossegue em seu argumento. Em 2 Coríntios 4.1, ele afirma que não desanima porque percebe a grandeza do ministério que lhe fora confiado. Em 4.16-18, ele diz que não desanima porque, embora as aflições afetem o seu corpo, o seu espírito se renova a cada dia.[47] Paulo fala agora sobre três contrastes que enaltecem sua maravilhosa convicção.

Em primeiro lugar, *corpo fraco, espírito renovado* (4.16). *Por isso, não desanimamos; pelo contrário, mesmo que o nosso homem exterior se corrompa, contudo, o nosso homem interior se renova de dia em dia.* O nosso homem exterior é o nosso corpo; o nosso homem interior é o nosso espírito. O corpo fica cansado, doente e envelhecido, mas o espírito mais maduro, mais forte, mais renovado. O corpo enfraquece, mas o espírito renova-se. O tempo vai esculpindo em nossa face rugas profundas. Cada fio branco de cabelo em nossa cabeça é a morte nos chamando para um duelo. Os nossos olhos ficam embaçados, as nossas pernas ficam bambas, os nossos joelhos ficam trôpegos e as nossas mãos

---

[45] FOSTER, Henry J. *The Preacher's Complete Homiletic Commentary on the Epistle of St Paul to the Corinthians.* Vol. 27, 1996: p. 474.
[46] WIERSBE, Warren W. *Comentário Bíblico Expositivo.* Vol. 5, 2006, p. 842.
[47] KRUSE, Colin. *II Coríntios: Introdução e Comentário,* 1994, p. 117.

ficam descaídas. Mas não há rugas em nosso espírito. Não há fraqueza em nossa alma. Enquanto o homem exterior se corrompe, o nosso homem interior se renova.

Enquanto o homem exterior está perdendo a batalha, o homem interior está crescendo em direção à luz, aumentando em força e beleza. A lei do pecado e da morte está destruindo o corpo; a lei do Espírito de vida em Cristo Jesus está renovando o espírito.[48]

Os dois verbos (corromper e renovar) estão no presente, indicando um processo contínuo. Na mesma proporção que o corpo se enfraquece, o espírito se fortalece. Enquanto um caminha para a morte, o outro deslancha em direção da vida plena. William Barclay diz que os mesmos sofrimentos que podem debilitar o corpo do homem, fortalecem as fibras da sua alma.[49] Certa feita, um pastor foi visitar um crente piedoso no seu leito de morte. Perguntou-lhe: "Como você vai irmão?" Ele respondeu: "Eu estou indo muito bem. A casa onde moro está desmoronando, mas já estou de malas prontas para me mudar para uma mansão, casa não feita por mãos, eterna nos céus".

Em segundo lugar, **presente doloroso, futuro glorioso** (4.17). *Porque a nossa leve e momentânea tribulação produz para nós eterno peso de glória, acima de toda comparação*. As aflições são pesadas e contínuas, mas vistas sob a perspectiva da eternidade são leves e momentâneas. James Hastings diz que as aflições são precursoras da glória.[50]

No presente enfrentamos tribulação, mas no futuro estaremos na glória. Agora, há choro e dor, mas, então, Deus enxugará dos nossos olhos toda lágrima. Agora, a dor esmaga nosso corpo, aperta nosso peito e nos tira o fôlego, mas então, a dor não mais existirá. Agora gememos sob o peso da tribulação, mas, então, entraremos no gozo do Senhor. A tribulação por mais pesada e constante posta sob a ótica da eternidade torna-se leve e momentânea. Essa glória supera o sofrimento, tanto em intensidade quanto em duração, acima de toda comparação, diz Frank

---

[48] STEDMAN, Ray. *A dinâmica da vida autêntica*, p. 110.
[49] BARCLAY, William. *I y II Coríntios*, 1973, p. 213.
[50] HASTINGS, James. *The Great Texts of the Bible on II Corinthians-Galatians*. Vol. XVI, p. 111.

Carver.[51] Deus não desperdiça sofrimento na vida de seus filhos. Ele nunca fica em dívida com ninguém. Os sofrimentos do tempo presente não são para ser comparados com as glórias por vir a ser reveladas em nós (Rm 8.18).

Certamente as tribulações de Paulo não foram leves nem momentâneas (1.8,9; 2.4; 4.8,9; 6.4-10; 11.24-27). Ele, porém, as viu como leves e momentâneas. Viu-as como aliadas, e não como adversárias. Paulo diz que as tribulações longe de nos destruir, cooperam para o nosso bem, pois elas produzem para nós um eterno peso de glória, acima de toda comparação.

Em terceiro lugar, *coisas visíveis temporais, coisas invisíveis eternas* (4.18). *Não atentando nós nas coisas que se veem, mas nas que se não veem; porque as que se veem são temporais, e as que se não veem são eternas.* As coisas reais são as invisíveis. Essas são permanentes e eternas. Não vivemos pelo que vemos, mas pela fé, e a fé é a certeza de que nossa cidade permanente não é daqui. A fé é a convicção de que a nossa Pátria está no céu.

A fé não se apega às glórias do mundo porque vê um mundo invisível superior a este. Foi por isso que Abraão não se encantou com a planície de Sodoma, porque via uma cidade superior. A Palavra de Deus diz: *Pela fé* [Abraão], *peregrinou na terra da promessa como em terra alheia, habitando em tendas com Isaque e Jacó, herdeiros com ele da mesma promessa; porque aguardava a cidade que tem fundamentos, da qual Deus é o arquiteto e edificador* (Hb 11.9,10). Foi por isso que Moisés abandonou as glórias do Egito para receber uma recompensa superior. Diz a Escritura: *Pela fé, ele* [Moisés] *abandonou o Egito, não ficando amedrontado com a cólera do rei; antes, permaneceu firme como quem vê aquele que é invisível* (Hb 11.27).

---

[51]CARVER, Frank G. *A Segunda Epístola de Paulo aos Coríntios*. Em Comentário Bíblico Beacon. Vol. 8, 2006, p. 428.

6

Não estamos a caminho do fim, estamos a caminho do céu

2 Coríntios 5.1-10

PAULO ACABARA DE FALAR DE UM CORPO FRACO e de um espírito renovado (4.16), de um presente doloroso e de um futuro glorioso (4.17), e de coisas visíveis temporais e coisas invisíveis eternas (4.18). Agora, ele continua sua argumentação mostrando que a morte não é o fim da linha, mas o raiar de uma gloriosa eternidade. A morte não tem a última palavra, mas esperamos o glorioso corpo da ressurreição.

Num texto complexo[1], usando figuras variadas, Paulo fala da morte e da ressurreição; do corpo físico como uma tenda temporária e do corpo espiritual como um edifício permanente; da morte como um despir-se e do corpo glorificado como uma vestimenta garbosa com que nos vestimos. Destacaremos sete grandes verdades no texto em tela.

Uma **certeza** inequívoca (5.1)

Sabemos que, se a nossa casa terrestre deste tabernáculo se desfizer, temos da parte de Deus um edifício, casa não feita por mãos, eterna nos céus (5.1). Paulo está usando uma figura de linguagem para retratar a morte e a ressurreição. Ele menciona a tenda temporária para falar do corpo

---

[1] KISTEMAKER, Simon. *2 Coríntios*, 2004, p. 233.

físico, transitório, temporário, que se debilita, enfraquece, adoece e morre e menciona o edifício permanente para falar do corpo glorioso da ressurreição, que é permanente e eterno.

Enquanto a tenda é apenas uma moradia transitória para um viajante ou peregrino, a casa ou edifício é uma residência permanente.[2] Não somos um corpo que tem um espírito, mas um espírito que habita num corpo. A morte não pode matar a personalidade humana. A tenda, que é o corpo físico, é apenas um lugar de habitação, e não o homem essencial. Agora, caminhamos pelo deserto numa tenda provisória, mas há um templo permanente preparado para a alma, onde haverá estabilidade, poder e beleza.[3]

Fritz Rienecker, nessa mesma trilha de pensamento, diz que a figura da tenda, *skenos*, retratando o corpo humano sugere a sua não permanência e insegurança.[4] Colin Kruse destaca o fato de Paulo não utilizar nesse texto a palavra usual para tenda (*skene*), que se encontra profusamente na Septuaginta e várias vezes no Novo Testamento. Em vez disso, ele emprega a palavra *skenos*, que se encontra apenas duas vezes no Novo Testamento (5.1; 5.4) e apenas uma vez na Septuaginta. Em todos esses casos, a palavra "tenda" é usada no sentido figurado, reforçando a ideia da destruição do corpo na morte.[5]

Ray Stedman corretamente diz que uma barraca ou tenda é habitação transitória e temporária, enquanto a casa é uma habitação definitiva e permanente. Quando morrermos, mudaremos do que é temporário para o que é permanente; da barraca para a casa, eterna nos céus.[6] O apóstolo descreve o corpo ressurreto assim: *Porque é necessário que este corpo corruptível se revista da incorruptibilidade, e que o corpo mortal se revista da imortalidade. E quando este corpo corruptível se revestir de incorruptibilidade, e o que é mortal se revestir de imortalidade, então*

---

[2]MacDonald, William. *Believer's Bible Commentary*, 1995, p. 1837.
[3]Champlin, Russell Norman. *O Novo Testamento Interpretado Versículo por Versículo*. Vol. 4, p. 333.
[4]Rienecker, Fritz e Rogers Cleon. *Chave Linguística do Novo Testamento Grego*, 1985, p. 344.
[5]Kruse, Colin. *II Coríntios: Introdução e Comentário*, 1994, p. 120.
[6]Stedman, Ray C. *A dinâmica de uma vida autêntica*, p. 114.

se cumprirá a palavra que está escrita: Tragada foi a morte pela vitória (1Co 15.53,54).

Colin Kruse está correto em sua posição quando escreve: "Se a 'casa terrestre deste tabernáculo', do versículo 5.1, denota o corpo físico do crente, é razoável considerar 'o edifício, casa não feita por mãos, da parte de Deus', como referência a outro corpo, o corpo da ressurreição".[7]

Nos dias de Paulo, tanto a filosofia grega como a romana desprezava o corpo. Para eles, o corpo era apenas uma tumba. Plotino dizia que estava envergonhado de ter um corpo. Epíteto dizia de si mesmo: "Tu és uma pobre alma que deves carregar um cadáver". Sêneca escreveu: "Sou um ser superior, nascido para coisas mais elevadas, mas infelizmente sou um escravo do meu corpo, que considero apenas como uma cadeia imposta à minha liberdade. Em tão detestável habitação vive a minha alma livre".[8]

Paulo se distancia, aqui, da filosofia platônica que considerava o corpo apenas um claustro da alma. Ele reprova a filosofia grega que considerava o corpo coisa indigna e apenas um peso morto para a alma. Paulo confronta as ideias gnósticas que ensinavam que a matéria é essencialmente má e, por isso, abominavam a simples ideia da ressurreição. Para Paulo, a morte não é a libertação da alma da prisão do corpo, mas uma mudança de um corpo de fraqueza para um corpo de poder; de um corpo temporário para um corpo permanente; de um corpo terreno, para um corpo celestial; de um corpo mortal para um corpo imortal; de um corpo corruptível para um corpo incorruptível.

Digno de nota é o fato de que Paulo não olha para essa verdade como uma vaga possibilidade, como se fosse uma tênue esperança. Ele não lida com essa questão com a linguagem da conjectura hipotética, mas com a convicção da certeza experimental: *Sabemos* [...] (5.1). Paulo já havia tratado dessa matéria com diáfana clareza em outras cartas (1Co 15.1-58; 1Ts 4.13-18). Agora, sob outro ângulo, volta ao mesmo tema.

Esse é um assunto que sempre despertou interesse. Ainda hoje há muita especulação acerca da vida por vir ou o que acontece depois da morte. Muitos pensam que a morte é o fim da existência. Outros

---

[7] KRUSE, Colin: *II Coríntios: Introdução e Comentário*, 1994, p. 121.
[8] BARCLAY, William. *I y II Corintios*, 1973, p. 215.

pensam que depois da morte a alma fica vagando em busca de luz. Outros ainda pensam que depois da morte a alma se reencarna em outra pessoa. Ainda há aqueles que pensam que depois da morte, a alma vai para o purgatório, onde fica penando e purgando seus pecados. Há aqueles também que creem que a alma fica dormindo com o corpo na sepultura até o dia da ressurreição. Finalmente, há aqueles que acreditam que a alma dos ímpios é completamente aniquilada e deixa de existir. Essas teorias estão todas equivocadas. Não há amparo para elas nas Escrituras. O apóstolo Paulo não lida com pressuposições acerca desse tema, ele tem certeza. Não se trata apenas de uma lucubração humana, mas de uma revelação divina (1Ts 4.13-18).

Warren Wiersbe diz corretamente que nenhum cristão precisa consultar cartomantes, médiuns ou usar recursos esotéricos para descobrir o que o futuro lhe reserva do outro lado da morte. Nosso conhecimento vem não das sucursais do misticismo, mas da própria Palavra revelada de Deus.[9]

Um dia precisaremos afrouxar as estacas dessa tenda e levantar acampamento. Para Paulo, a morte é uma mudança de endereço (2Tm 4.6-8). É deixar uma tenda frágil e temporária e mudar-se para um edifício permanente, uma mansão feita não por mãos, eterna nos céus. O corpo físico, na linguagem de Paulo, é um lugar de morada temporária.

Um gemido profundo (5.2)

E, por isso, neste tabernáculo, gememos [...] *(5.2)*. Paulo desce do céu à terra, do corpo de glória para o corpo de fraqueza e mostra que enquanto não somos revestidos com esse corpo imortal e poderoso; enquanto estivermos morando neste tabernáculo; ou seja, neste corpo físico sujeito à doença, velhice, fraqueza e morte, nós gememos. O verbo grego *stenázomen* está no presente e isso enfatiza o contínuo gemer da vida terrena.[10] O gemido é uma expressão profunda de dor, desconforto e sofrimento. O gemido expressa nossa fraqueza e impotência.

---

[9]WIERSBE, Warren W. *Comentário Bíblico Expositivo*. Vol. 5, 2006, p. 843.
[10]RIENECKER, Fritz e ROGERS Cleon. *Chave Linguística do Novo Testamento Grego*, 1985, p. 345.

Escrevendo aos romanos, Paulo fala que a criação está gemendo aguardando a libertação do seu cativeiro (Rm 8.22). Os crentes estão gemendo aguardando a redenção do seu corpo (Rm 8.23) e o Espírito Santo está gemendo intercedendo por nós de forma intensa, agônica e eficaz (Rm 8.26).

Paulo descreve essencialmente uma aspiração positiva por tomar posse de uma "habitação celestial". Embora as aflições experimentadas pelo apóstolo possam ter-lhe causado gemidos e aumentado suas aspirações, isso tudo resultou num forte desejo por aquilo que Deus lhe havia prometido, um edifício em lugar de uma tenda, um corpo de glória em lugar de um corpo de fraqueza.[11]

Aqui não é o céu. Aqui não é o paraíso. Aqui encharcamos nossos olhos de lágrimas, ferimos nossos pés nos desertos causticantes, somos assolados pela dor. Aqui, nosso corpo, como uma tenda frágil, vai ficando desbotado, gasto e roto. Aqui, somos surrados pela fraqueza e pela doença. Aqui a morte nos mostra sua carranca. Aqui, enfrentamos a dor do luto, o chicote da saudade, a ausência dolorosa daqueles a quem amamos. Aqui, fazemos uma caminhada cheia de gemidos e lamentos.

Uma aspiração gloriosa (5.2b-4)

[...] *aspirando por sermos revestidos da nossa habitação celestial; se, todavia, formos encontrados vestidos e não nus. Pois, na verdade, os que estamos neste tabernáculo gememos angustiados, não por querermos ser despidos, mas revestidos, para que o mortal seja absorvido pela vida* (5.2b-4). Paulo muda a figura da tenda para a figura das vestes. Para ele, morrer é como ficar nu, mas na segunda vinda, os que estiverem vivos serão revestidos da imortalidade. Nosso corpo será glorioso como o fulgor do firmamento, como as estrelas, sempre e eternamente (Dn 12.3). Receberemos um corpo semelhante ao corpo da glória de Cristo (Fp 3.21). Esse corpo será incorruptível, glorioso, poderoso, espiritual e celestial (1Co 15.42-49). O que os crentes esperam com ansiedade não é a morte, mas a redenção do corpo (Rm 8.23).

---

[11] KRUSE, Colin. *II Coríntios: Introdução e Comentário*, 1994, p. 122.

Paulo descreve seu anseio pelo corpo novo e glorificado usando duas metáforas. Primeira, a metáfora do vestir um vestuário extra, que recobre o que já está usando: "Os que estamos neste tabernáculo [...] queremos ser [...] revestidos". Segunda metáfora, a de uma coisa que é devorada por outra, de tal forma que a primeira cessa de existir como era antes, mas é absorvida e transformada pela outra: "[...] que o mortal seja absorvido pela vida".[12] Simon Kistemaker diz que o verbo grego *ependysasthai,* "estar coberto por cima, recoberto", traz a ideia de se pôr uma roupa a mais, mais ou menos, como usar uma túnica sobre a roupa. Dessa maneira, Paulo está considerando aqui não a ressurreição dos mortos, mas sim a transformação dos vivos na vinda de Cristo. Está dizendo que nós aguardamos ansiosamente a volta de Cristo. Nessa ocasião, nosso corpo atual será transformado instantaneamente, quando receber a vestimenta adicional de nosso lar celestial na forma de um corpo glorificado (1Co 15.51; Fp 3.21).[13]

Kistemaker continua a sua argumentação dizendo que o corpo físico, com a morte, decompõe-se, e não veste imediatamente o corpo ressurreto. Assim, Paulo aplica a imagem de roupas aos crentes que estão vivos na vinda de Cristo, mas não àqueles cujo corpo desce para a sepultura. Somente aqueles que não passam pela morte e o túmulo têm um corpo físico que recebe uma roupagem adicional.[14]

Na mesma medida que gememos por causa das fraquezas do corpo físico devemos aspirar pelo revestimento do corpo de glória. Gememos angustiados não pelo desejo de morrer, mas pelo desejo de sermos tragados pela imortalidade. Gememos não para sermos despidos do corpo mortal, mas para sermos revestidos do corpo imortal. Ansiamos não pela morte, mas pela transformação. Somos atraídos não pela sepultura gélida, mas pela bela roupagem de um corpo de glória.

Ray Stedman, ilustre expositor bíblico, está equivocado quando pensa que imediatamente após a morte receberemos um corpo de glória.[15]

---

[12] KRUSE, Colin. *II Coríntios: Introdução e Comentário*, 1994, p. 123.
[13] KISTEMAKER, Simon. *2 Coríntios*, 2004, p. 241.
[14] KISTEMAKER, Simon. *2 Coríntios*, 2004, p. 241.
[15] STEDMAN, Ray C. *A dinâmica de uma vida autêntica*, p. 115-122.

Concordo plenamente com Simon Kistemaker quando diz que a ressurreição só ocorre no momento da volta de Cristo. Essa doutrina está bem consubstanciada ao longo das epístolas paulinas (1Ts 4.13-18; 1Co 15.22-28; 15.52-55; Rm 8.22-24; Fp 3.11,20,21; 2Tm 2.18). Não podemos encontrar apoio dos escritores do Novo Testamento para a visão de que os cristãos recebem seu corpo da ressurreição ao morrer.[16]

Um penhor seguro (5.5)

Ora, foi o próprio Deus quem nos preparou para isto, outorgando-nos o penhor do Espírito (5.5). A confiança inabalável do apóstolo Paulo acerca da posse do glorioso corpo da ressurreição não estava firmada na areia movediça dos sentimentos humanos, mas na rocha firme da própria ação de Deus.

O próprio Deus nos preparou para essa gloriosa esperança, dando-nos o penhor do Espírito. O verbo "preparar" pode ter o sentido de trabalhar diligentemente com e em uma pessoa, mais ou menos, como um instrutor treina um estudante, antecipando uma formatura e um trabalho.[17]

Concordo com Colin Kruse quando afirma que a esperança de Paulo não repousa apenas no conhecimento objetivo de que é Deus quem o está preparando para o glorioso futuro, mas baseia-se também na experiência subjetiva do Espírito de que ele usufrui. O Deus que prepara é também o Deus que nos outorgou o penhor do Espírito; isto é, uma garantia de redenção.[18]

Para que não fiquemos completamente envolvidos com esse esplêndido futuro e percamos todo o interesse pela vida presente, o apóstolo, sabiamente, relembra-nos que a base desse futuro é a existência atual. Ray Stedman lança luz sobre essa matéria, quando escreve:

> Ao preparar-nos para a glória futura, Deus nos concede o Seu Espírito Santo, como garantia. Não precisamos duvidar da ressurreição do nosso

---

[16] KISTEMAKER, Simon. *2 Coríntios*, 2004, p. 244,245.
[17] KISTEMAKER, Simon. *2 Coríntios*, 2004, p. 247.
[18] KRUSE, Colin. *II Coríntios: Introdução e Comentário*, 1994, p. 124.

corpo, pois a presença do Espírito da ressurreição em nosso coração nos dá certeza dela. Lembremos que o apóstolo diz: *Sabemos que aquele que ressuscitou ao Senhor Jesus, também nos ressuscitará com Jesus* (4.14). Além disso, o Espírito ressuscitou não apenas o corpo de Jesus, mas também o nosso espírito desde que nos tornamos crentes (4.16).[19]

O penhor do Espírito é a garantia de que a obra que Deus começou a fazer em nós será concluída (Fp 1.6). A palavra grega *arrabon*, "penhor", é um termo técnico usado nas áreas comerciais e legais.[20] Trata-se do pagamento da primeira prestação com a garantia de que as demais serão efetuadas. William Barclay diz que o *arrabon* é a primeira cota da vida por vir. Assim o cristão pode gozar aqui o sabor da vida eterna. Ele tem um pé nesta época; e o outro, na eternidade. Seu corpo está sobre a terra, mas seu coração está no céu.[21] Deus fez um contrato conosco dando-nos uma "entrada", em que ele assume o compromisso de continuar fazendo os pagamentos adicionais. Agora, estamos recebendo uma pequena amostra antecipada do Espírito, mas, no além, receberemos a porção toda que Deus tem reservada para nós.[22] Warren Wiersbe diz que no grego moderno, o termo traduzido por "penhor" significa "aliança de noivado". A igreja é a noiva de Jesus Cristo que aguarda o dia em que o noivo virá buscá-la para as núpcias.[23]

O penhor do Espírito é uma garantia de que caminhamos não para um fim tenebroso, mas para um alvorecer glorioso. Caminhamos não para a morte, mas para a vida eterna. Caminhamos não para o despojamento, mas para o revestimento. Caminhamos não para o desmoronamento de uma tenda rota, mas para a habitação de uma mansão permanente.

Uma confiança plena (5.6-8)

Temos, portanto, sempre bom ânimo, sabendo que, enquanto no corpo, estamos ausentes do Senhor; visto que andamos por fé e não pelo que vemos.

---

[19] STEDMAN, Ray C. *A dinâmica de uma vida autêntica*, p. 122,123.
[20] KISTEMAKER, Simon. *2 Coríntios*, 2004, p. 248.
[21] BARCLAY, William. *I y II Corintios*, 1973, p. 216.
[22] KISTEMAKER, Simon. *2 Coríntios*, 2004, p. 248.
[23] WIERSBE, Warren W. *Comentário Bíblico Expositivo*. Vol. 5, 2006, p. 844.

Entretanto, estamos em plena confiança, preferindo deixar o corpo e habitar com o Senhor (5.6-8). Paulo tem bom ânimo e tem plena confiança. O céu não era apenas o seu destino, mas também sua motivação.[24] Paulo sentia saudade do céu.[25] Frank Carver diz acertadamente que devido à presença do Espírito, Paulo podia estar não apenas confiante quanto ao futuro, mas também corajoso no presente.[26]

Enquanto estamos habitando nessa tenda frágil e temporária, estamos ausentes do Senhor. Agora, nós o vemos apenas pelos olhos da fé. Mas, depois, quando mudarmos desse tabernáculo terreno para a nossa mansão celestial, ou seja, quando recebermos um corpo de glória, semelhante ao corpo de Cristo, haveremos de estar com Ele fisicamente, vendo-O face a face. Nessa mesma linha de pensamento, Colin Kruse diz que "deixar o corpo" significa "habitar com o Senhor" no sentido de que, assim, o Senhor estará acessível à vista, não mais acessível somente pela fé.[27] Nas palavras do apóstolo João: *Haveremos de vê-lo como ele é* (1Jo 3.2).

Por essa razão, a morte, para o apóstolo Paulo, não era uma tragédia. Ele chegou a dizer: *Para mim o viver é Cristo, e o morrer é lucro* (Fp 1.21). Para o veterano apóstolo, morrer é partir para estar com Cristo, o que é incomparavelmente melhor (Fp 1.23). Morrer é deixar o corpo e habitar com o Senhor (5.8).

Somente aqueles que têm o Espírito Santo como penhor podem ter essa confiança. Aqueles que vivem sem essa garantia se desesperam na hora da morte. Na verdade, eles caminham para um lugar de trevas, e não para a cidade iluminada; caminham para um lugar de choro e ranger de dentes, e não para a festa das bodas do Cordeiro; caminham para o banimento eterno da presença de Deus, e não para o bendito lugar, onde Deus armará seu tabernáculo para sempre conosco.

---

[24] WIERSBE, Warren W. *Comentário Bíblico Expositivo*. Vol. 5, 2006, p. 844.
[25] MACDONALD, William. *Believer's Bible Commentary*, 1995, p. 1838.
[26] CARVER, Frank G. *A Segunda Epístola de Paulo aos Coríntios*. Em Comentário Bíblico Beacon. Vol. 8, 2006, p. 430.
[27] KRUSE, Colin. *II Coríntios: Introdução e Comentário*, 1994, p. 125.

Um esforço real (5.9)

É por isso que também nos esforçamos, quer presentes, quer ausentes, para lhe sermos agradáveis (5.9). Paulo costumava associar dever e doutrina, pois aquilo que Deus fez por nós deve nos motivar a fazer algo por Deus. Assim, Paulo passa da explicação para a motivação. Warren Wiersbe, citando Phillips Brooks, diz: "Não há verdade no cristianismo que não seja filha do amor e mãe do dever".[28]

A salvação não depende das obras, mas a recompensa no tribunal de Cristo depende delas. Um crente deveria sempre relembrar que a fé está ligada com salvação, e as obras estão ligadas com recompensa, diz William MacDonald.[29]

Paulo não é um místico que se desgostou do mundo e está buscando um refúgio monástico. O fato de amar o céu e desejar ir para a casa do Pai não tira seu entusiasmo em viver aqui e agora engajado com os projetos do Reino de Deus. Seu projeto de vida é agradar a Deus, quer na vida quer na morte. Na verdade, as pessoas que fizeram as coisas mais importantes na terra foram aquelas que mais amaram o céu.

Um tribunal justo (5.10)

Porque importa que todos nós compareçamos perante o tribunal de Cristo, para que cada um receba segundo o bem ou mal que tiver feito por meio do corpo (5.10). William Barclay corretamente diz que Paulo, embora estivesse pensando no céu e desejando a vida futura, nunca se esqueceu de que estava não somente no caminho da glória, mas, também, no caminho do juízo.[30]

Simon Kistemaker diz que ninguém está isento de ser convocado ao tribunal, pois a palavra que Paulo usa é "devemos"; a intimação para comparecer ao julgamento tem origem divina, pois Deus, por meio de Cristo, emite a intimação. Os acusados devem prestar contas a Deus (Rm 14.10) e, de Cristo, receberão o veredicto.[31]

---

[28] WIERSBE, Warren W. *Comentário Bíblico Expositivo*. Vol. 5, 2006, p. 845.
[29] MACDONALD, William. *Believer's Bible Commentary*, 1995, p. 1839.
[30] BARCLAY, William. *I y II Corintios*, 1973, p. 216.
[31] KISTEMAKER, Simon. *2 Coríntios*, 2004, p. 255.

Cada pessoa ouvirá o veredicto baseado em sua conduta na terra. Quando o Senhor voltar, todas as obras, sejam boas ou sejam más, serão reveladas (1Co 4.5). Obviamente, não se trata aqui de salvação pelas obras. Deus nos salva não por nossas obras para Ele, mas pela obra de Cristo por nós. Calvino corretamente disse: "Tendo assim nos recebido em seu favor, ele aceita graciosamente também as nossas obras, e é dessa aceitação imerecida que o galardão depende".[32]

A palavra grega usada pelo apóstolo Paulo aqui, *bema*, significa assento, plataforma, tribunal. Era em um tribunal onde se tomavam as decisões oficiais.[33] O *bema* era o lugar onde se faziam os discursos públicos ou de onde os magistrados comunicavam suas decisões. Também era o lugar do qual se distribuíam os prêmios aos vencedores dos Jogos Olímpicos.[34]

O tribunal de Cristo será justo. Ninguém poderá escapar dele. Aqui os homens driblam as leis, escapam da justiça e torcem o direito do inocente. Mas quem poderá escapar do tribunal de Cristo? William Barclay diz que o tempo é o campo de prova da eternidade.[35] O que plantamos aqui, colheremos na eternidade. O que fazemos aqui, reverberará na eternidade. Discamos o número do telefone aqui, e ele toca do outro lado do mundo. O bem ou o mal que fizermos por meio do corpo aqui receberá recompensa ou juízo no tribunal de Cristo no céu.

O tribunal de Cristo será imparcial. Muitos beneméritos aqui serão condenados no tribunal de Cristo. Aqui, a injustiça se assenta no trono e escarnece da virtude. Aqui, vemos um Herodes no trono; e, um João Batista na prisão. Aqui vemos um Nero dando ordens para se decapitar um homem da estatura do apóstolo Paulo. Aqui, vemos homens maus se assentando na cadeira de juiz e condenando os inocentes. Aqui, muitos facínoras escondem-se atrás das togas da lei, e pervertem a justiça e negam o direito ao inocente. Mas o tribunal de Cristo é justo e

---

[32] CALVIN, John. *II Corinthians*, p. 72.
[33] RIENECKER, Fritz e ROGERS Cleon. *Chave Linguística do Novo Testamento Grego*, 1985, p. 346.
[34] WIERSBE, Warren W. *Comentário Bíblico Expositivo*. Vol. 5, 2006, p. 846.
[35] BARCLAY, William. *I y II Corintios*, 1973, p. 216.

imparcial. Todos terão que comparecer diante dEle para ser julgados segundo as suas obras.

O tribunal de Cristo será meticuloso. Nossas palavras, ações, omissões e pensamentos serão julgados. O que nós semearmos, isso será o que colheremos (Gl 6.7,8). O Senhor retribuirá, a cada um, segundo o seu procedimento (Rm 2.6).

O tribunal de Cristo será revelador. O termo traduzido por "comparecer" também pode ser traduzido por "ser revelado". O verdadeiro caráter de nossas obras será exposto diante dos olhos perscrutadores do Salvador. A revelação envolverá tanto o caráter de nosso serviço (1Co 3.13) quanto as motivações que nos impeliram (1Co 4.5).[36] O tribunal dos homens julga apenas as ações, mas o tribunal de Cristo julga as intenções (1Co 4.5). No tribunal dos homens, muita coisa que é elevada entre os homens é abominação diante de Deus (Lc 16.15). O tribunal dos homens apenas condena os culpados e absolve os retos, mas o tribunal de Cristo condena os maus e ainda galardoa os retos.

O tribunal de Cristo será retribuidor. Será um lugar de prestação de contas, em que daremos um relatório de nossas obras (Rm 14.10-12). Será um lugar de recompensa e de reconhecimento para os fiéis (1Co 3.10-15; 4.1-6) e de condenação dos infiéis.[37]

---

[36] WIERSBE, Warren W. *Comentário Bíblico Expositivo*. Vol. 5, 2006, p. 846.
[37] WIERSBE, Warren W. *Comentário Bíblico Expositivo*. Vol. 5, 2006, p. 846.

7

A reconciliação, uma obra de Deus

2 Coríntios 5.11-21; 6.1,2

PAULO AINDA ESTAVA SE DEFENDENDO DOS ATAQUES dos falsos apóstolos. Eles o acusavam de pregar a mensagem errada e com a motivação errada. A resposta do veterano apóstolo é que dois fatores basilares governavam suas motivações no ministério: o temor a Deus e o amor de Cristo. Analisaremos esses dois pontos à guisa de introdução.

Em primeiro lugar, **o temor a Deus** (5.11-13). Temer a Deus significa profunda reverência por Deus. Aqui, particularmente, esse temor é visto em função do tribunal de Cristo, ante o qual teremos que comparecer.[1] Uma vez que todos nós compareceremos diante de Deus para prestarmos conta da nossa vida, resta-nos saber: como nos prepararmos para o tribunal de Cristo? Paulo oferece três respostas.

1. *Tema a Deus e mantenha a consciência limpa diante dos homens* (5.11). Somente aqueles que temem a Deus podem manter a consciência limpa diante dos homens. Paulo andava de forma íntegra com Deus e com os homens. Ele temia a Deus, por isso, nada tinha a esconder dos homens. Seus motivos e suas ações estavam abertos diante de Deus.

---

[1] MITCHELL, Daniel R. *The Second Epistle to the Corinthians*. Em The Complete Bible Commentary. Nashville, TN: Thomas Nelson Publishers, 1999, p.1514.

Não existia nenhum engano embutido em suas tentativas de persuadir os homens.[2] Fritz Rienecker diz que o temor do Senhor, nesse contexto, refere-se ao temor demonstrado pelo pensamento de comparecer perante o tribunal de Cristo e ter toda a vida exposta e avaliada.[3]

2. *Não dependa dos elogios dos homens, mas seja exemplo para eles* (5.12). Paulo, diferente de seus opositores, não dependia da recomendação dos homens nem de seus elogios para estar no ministério. Ao contrário, vivia de tal maneira que podia ser exemplo para todos. Paulo sabia que alguns em Corinto criticavam seus motivos e seus métodos, pelo que apresenta essa defesa da sua integridade.[4] Daniel Mitchell diz que Paulo não se gloriava em suas credenciais nem procurava se autoafirmar perante os coríntios, mas simplesmente sustentava sua integridade pessoal.[5] William MacDonald diz que os opositores de Paulo estavam interessados em aparência externa, e não em realidade interna.[6] Eles estavam centrados em si mesmos, e não centrados em Deus.[7] Simon Kistemaker diz que os oponentes de Paulo valorizavam cartas de recomendação (3.1), eloquência (10.10; 11.6), nascimento e herança judaica (11.22), visões e revelações (12.1) e a realização de milagres (12.12). Eles se gloriavam em possuir essas coisas externas.[8] Visões e revelações faziam parte da vida de Paulo, mas ele nunca exibiu essas experiências como distintivos de autoridade apostólica. Paulo estava interessado não em se promover, mas em expandir a Igreja de Cristo.[9] Warren Wiersbe diz que se vivermos apenas em função do louvor dos homens não receberemos o louvor de Deus no tribunal de Cristo.[10]

---

[2] KRUSE, Colin. *II Coríntios: Introdução e Comentário*, 1994, p. 128.
[3] RIENECKER, Fritz e ROGERS Cleon. *Chave Linguística do Novo Testamento Grego*, 1985, p. 346.
[4] KRUSE, Colin. *II Coríntios: Introdução e Comentário*, 1994, p. 128.
[5] MITCHELL, Daniel R. *The Second Epistle to the Corinthians*. Em The Complete Bible Commentary, 1999, p. 1514.
[6] MACDONALD, William. *Believer's Bible Commentary*, 1995, p. 1840.
[7] CARVER, Frank G. *A Segunda Epístola de Paulo aos Coríntios*. Em Comentário Bíblico Beacon. Vol. 8, 2006, p. 432.
[8] KISTEMAKER, Simon. *2 Coríntios*, 2004, p. 261,262.
[9] KISTEMAKER, Simon. *2 Coríntios*, 2004, p. 263.
[10] WIERSBE, Warren W. *Comentário Bíblico Expositivo*. Vol. 5, 2006, p. 846.

3. *Não se desencoraje com as críticas dos homens, mas viva para a glória de Deus* (5.13). Os críticos de Paulo o consideravam louco. A palavra grega usada pelo apóstolo indica um desequilíbrio mental, é estar fora de si ou enlouquecer.[11] Louco ele estava quando perseguia a igreja (At 26.11), mas seus inimigos diziam que ele havia perdido o juízo desde sua conversão (At 26.24). A loucura de Paulo em deixar tudo para servir a Cristo constituía-se em profunda lucidez. Se os homens o consideram louco, ele é louco por Deus. Se os homens pensam que ele conserva o juízo, é para servir à igreja.

Em segundo lugar, *o amor de Cristo* (5.14-17). O outro fator determinante que motivou Paulo a abraçar o ministério da nova aliança foi o amor de Cristo. O amor de Cristo o constrangeu, nos motivou e empurrou-o a entregar-se ao ministério da reconciliação. Colin Kruse diz que essa pressão constrangedora objetiva não o controle, mas a ação. É força mais motivacional que direcional. A fonte dessa pressão é o amor de Cristo.[12] Ray Stedman está correto quando diz que a motivação certa para os atos da vida cristã é o amor, e não o dever (Jo 14.15). O amor torna mais fácil a obediência; o amor tem prazer em fazer aquilo que agrada ao ser amado.[13] Warren Wiersbe diz que Cristo morreu para que vivêssemos por meio dele, para ele, com ele e ainda para que experimentássemos a realidade da nova criação.[14] Examinaremos esses quatro pontos.

1. *Cristo morreu para que vivêssemos por meio dEle* (5.14). A morte de Cristo é a nossa vida, pois Ele morreu a nossa morte para vivermos Sua vida. Isso é salvação. Ao morrer por todos, Jesus agiu como nosso representante. Quando Ele morreu, nós todos morremos nEle. Assim como o pecado de Adão se tornou o pecado de sua posteridade, a morte de Cristo tornou-se a morte de todos os que creem

---

[11] RIENECKER, Fritz e ROGERS Cleon. *Chave Linguística do Novo Testamento Grego*, 1985, p. 346.
[12] KRUSE, Colin. *II Coríntios: Introdução e Comentário*, 1994, p. 130.
[13] STEDMAN, Ray C. *A dinâmica de uma vida autêntica*, p. 134.
[14] WIERSBE, Warren W. *Comentário Bíblico Expositivo*. Vol. 5, 2006, p. 846, 848.

nEle (Rm 5.12-21; 1Co 15.21,22).[15] Que Cristo morreu na cruz do Calvário é fato; que Ele morreu por todos é evangelho. Mas como explicamos os dois termos, *por* e *todos*? A preposição grega *hyper*, "por", com relação à morte de Cristo significa substituição. Jesus é tanto nosso representante como nosso substituto. Já a palavra "todos" não pode significar todos indistintamente, pois se assim fosse todos seriam salvos. O universalismo, porém, é uma falácia. Só aqueles que em fé se aproximam da morte de Cristo é que estão incluídos na palavra *todos*.[16]

2. *Cristo morreu para que vivêssemos para Ele* (5.15). Porque Cristo morreu por nós, agora devemos viver para Ele. Isso é serviço. O Salvador não morreu por nós para vivermos uma vida egoísta e centrada em nós mesmos, mas morreu para vivermos para Ele. Obviamente, não servimos a Cristo para sermos salvos, mas porque já fomos salvos. As nossas boas obras não são a causa da nossa salvação, mas sua consequência.

3. *Cristo morreu para que vivêssemos com Ele* (5.16). Antes conhecíamos a Cristo pelas luzes da nossa razão ou pela intuição do nosso espírito. Agora, conhecemo-Lo pela sua própria revelação. Isso é comunhão. Esse conhecimento pessoal e transformador de Cristo transforma nosso relacionamento com Ele e com os outros. O apóstolo admite haver um tempo quando tudo quanto ele sabia sobre Cristo era o que os outros homens diziam a Seu respeito. Entretanto, agora ele não O conhece mais assim.[17] Na verdade, toda a perspectiva de vida de Paulo mudou. Coisas que antes haviam sido consideradas importantes, agora se veem despidas de valor (Fp 3.4-8). Ele não se orgulha mais da posição humana, apenas de sua posição diante de Deus, que é dom da graça (5.12).[18] Ray Stedman corretamente diz que talvez a melhor evidência de que a nova aliança está operando em nós é

---

[15] MacDonald, William. *Believer's Bible Commentary*, 1995, p. 1840.
[16] Kistemaker, Simon. *2 Coríntios*, 2004, p. 265,266.
[17] Mitchell, Daniel R. *The Second Epistle to the Corinthians*. Em The Complete Bible Commentary, 1999, p. 1515.
[18] Kruse, Colin. *II Coríntios: Introdução e Comentário*, 1994, p. 133.

a mudança que ocorre em relação à maneira como vemos os outros. Sua posição, casta, cor, sexo ou riqueza deixam de ser importantes. Todas as pessoas passam a ter um valor infinito, pois são feitas à imagem de Deus e podem ser remidas por intermédio de Cristo. Nada mais importa.[19]

4. *Cristo morreu para que vivêssemos a realidade da nova criação* (5.17). William MacDonald entende que Paulo não está falando aqui sobre novos hábitos, pensamentos e desejos de quem está em Cristo. Paulo não estaria descrevendo a prática do cristão, mas a posição do cristão.[20] Corroborando esse pensamento, Fritz Rienecker diz que não há aqui a ideia de mudança do passado da pessoa, mas, sim, mudança de sua posição em relação a Deus e ao mundo.[21] Estar em Cristo é participar antecipadamente da nova criação de Deus. É ter um gosto antecipado da restauração de todas as coisas. É pertencer a uma nova ordem. Isso é santificação.

Feita essa longa introdução, Paulo começa, agora, a tratar da questão crucial da reconciliação. Cinco pontos vitais são aqui abordados.

A necessidade da reconciliação (5.19)

A história já registrou muitos desastres de proporções gigantescas. Mas o maior desastre cósmico foi a Queda de nossos primeiros pais. Ela afetou toda a criação e jogou toda a raça humana no abismo do pecado. O pecado divide, desintegra e separa. O pecado provocou um abismo espiritual, pois separou o homem de Deus. Provocou um abismo social, pois separou o homem de seu próximo. Provocou um abismo psicológico, pois separou o homem de si mesmo, e provocou também um abismo ecológico, pois separou o homem da natureza, fazendo dele um depredador ou um adorador dessa mesma natureza.

---

[19] STEDMAN, Ray C. *A dinâmica de uma vida autêntica*, p. 135.
[20] MACDONALD, William. *Believer's Bible Commentary*, 1995, p. 1841.
[21] RIENECKER, Fritz e ROGERS Cleon. *Chave Linguística do Novo Testamento Grego*, 1985, p. 347.

O mundo está profundamente marcado pelas tensões do pecado. O homem é um ser em guerra com Deus, consigo, com o próximo e com a natureza. Nesse mundo empapuçado de ódio, ferido pelo pecado e distante de Deus, a reconciliação é uma necessidade imperiosa.

A palavra grega *katallassein*, "reconciliação", tem um rico significado. O verbo *allassein* significa "mudar". No grego clássico, *allassein* era utilizado para expressar a mudança da forma, da cor e da aparência. A palavra *katallassein*, no grego secular comum, adquire o sentido quase técnico de trocar dinheiro ou mudar por dinheiro. Depois, *katallassein* passou a significar especialmente a mudança da inimizade em amizade. Dessa forma, no grego clássico, *katallassein* é caracteristicamente a palavra que expressa a ideia de unir duas partes que estavam em conflito. A palavra *katallassein* é usada no Novo Testamento especialmente para descrever o restabelecimento das relações entre o homem e Deus.[22] Paulo diz: [...] *Deus estava em Cristo reconciliando consigo o mundo* [...] (5.19). No grego, a palavra *kosmos*, "mundo", não leva artigo definido aqui e, assim, expressa o sentido abrangente do termo. Obviamente, Paulo não está aderindo ao universalismo; antes, está dizendo que o amor de Deus em Cristo se estende tanto a judeus como a gentios do mundo todo.[23]

Ray Stedman, descrevendo o ministério da reconciliação, destaca nove pontos importantes: 1) origina-se em Deus, e não no homem (5.18); 2) é uma experiência pessoal (5.18); 3) compreende todo o universo (5.18,19); 4) elimina a condenação (5.19); 5) é entregue pessoalmente (5.19); 6) é investida de autoridade (5.20); 7) é aceita voluntariamente (5.20); 8) realiza o impossível (5.21); 9) é experimentada a cada momento (6.1,2).[24]

Destacaremos alguns pontos.

Em primeiro lugar, *o homem precisa se reconciliar com Deus porque o pecado o afasta de Deus*. A Bíblia diz que as nossas transgressões fazem

---

[22]BARCLAY, William. *Palabras Griegas Del Nuevo Testamento*. El Paso, TX: Casa Bautista de Publicaciones, 1977, p. 125, 126.
[23]KISTEMAKER, Simon. *2 Coríntios*, 2004, p. 277.
[24]STEDMAN, Ray C. *A dinâmica de uma vida autêntica*, p. 146.

separação entre nós e Deus (Is 59.2). Todos pecaram e destituídos estão da glória de Deus (Rm 3.23). Todos nós teremos que comparecer perante o tribunal de Cristo (5.10). Nesse dia, seremos julgados pelas nossas palavras, obras, omissões e pensamentos.

A reconciliação é uma necessidade vital porque existe uma barreira alienadora entre o homem e Deus, as nossas transgressões. A reconciliação é exatamente a remoção dessa barreira.

Em segundo lugar, *o homem precisa se reconciliar com Deus porque todo o impulso do seu coração é contra Deus*. Por natureza, somos filhos da ira. A inclinação da nossa carne é inimizade contra Deus. A vida que vivemos à parte de Deus é marcada pela cegueira e pela rebelião. Sem Cristo, o homem está cego, perdido, cativo e morto em seus delitos e pecados. O homem está no reino das trevas, na potestade de satanás, na casa do valente, seguindo o curso deste mundo, fazendo a vontade da carne, andando segundo o príncipe da potestade do ar (Ef 2.1-3). Como o filho pródigo, o homem rompeu com o Pai e foi para um país distante. Somos reconciliados com Deus ou perecemos eternamente. Voltamo-nos para Ele ou não há esperança para a nossa alma.

O autor da reconciliação (5.18)

Destacamos três pontos importantes para a nossa reflexão.

Em primeiro lugar, *a reconciliação é iniciativa divina* (5.18). *Ora, tudo provém de Deus* [...] (5.18). O homem é o ofensor, e Deus é o ofendido. A reconciliação deveria ter partido de nós, a parte ofensora, mas partiu de Deus, a parte ofendida. É a parte ofendida que toma a iniciativa da reconciliação. Deus restaurou o relacionamento entre si mesmo e nós.[25] O evangelho não é o homem buscando a Deus, mas Deus buscando o homem. Foi o homem quem caiu, afastou-se e rebelou-se. Mas é Deus quem busca. É Deus quem corre para abraçar. *Com amor eterno eu te amei e com benignidade eu te atraí* (Jr 31.3).

A Bíblia não fala de Deus tendo necessidade de reconciliar-Se com o homem. É o homem que precisa se reconciliar com Deus. Nós

---

[25] KISTEMAKER, Simon. *2 Coríntios*, 2004, p. 274.

mudamos; Deus nunca mudou. Seu amor por nós é eterno e incessante. William Barclay afirma corretamente que nada havia diminuído o amor de Deus; nada havia tornado esse amor em ódio; nada havia desvanecido o anelo do Seu coração. O homem pecou, mas Deus continuou amando o homem da mesma maneira.[26] Os puritanos diziam que não há nada que possamos fazer para Deus nos amar mais e nada que possamos fazer para Deus nos amar menos. Seu amor é eterno e imutável.

Deus poderia ter nos tratado como tratou os anjos rebeldes. Eles foram conservados em prisões eternas (Jd 6,13) e em permanente estado de perdição. Mas Deus providenciou, para nós, um caminho de volta para Ele. Cristo é esse caminho (Jo 14.6).

Em segundo lugar, *a reconciliação realizada pela cruz de Cristo é o resultado e não a causa do amor de Deus* (5.18). [...] *por meio de Cristo* [...] (5.18). É o Deus ofendido que toma a iniciativa da reconciliação e, por isso, providencia o meio para sua realização. Jesus não veio para abrandar o coração de Deus, mas para revelar Seu coração amoroso. Paulo destrói a falsa ideia de que foi o meigo Jesus que inclinou o coração insensível de Deus para nós. Mais uma vez, Barclay está calçado com a verdade quando escreve: "O efeito da cruz não mudou o coração de Deus, senão o do homem. Era o homem quem necessitava ser reconciliado com Deus, e não o revés. Está contra o pensamento paulino pensar que a ira de Deus se transformou em amor; e o Seu juízo, em misericórdia por causa da morte de Cristo".[27]

Na verdade, não foi a cruz de Cristo que gerou o amor de Deus; foi o amor de Deus que gerou a cruz (Jo 3.16; Rm 5.8; 8.32; 1Jo 4.10). A cruz não é a causa, mas o resultado do amor de Deus. A cruz estava cravada no coração de Deus desde a fundação do mundo (Ap 13.8).

Em terceiro lugar, *a cruz de Cristo foi o preço que Deus pagou para nos reconciliar consigo*. Deus nos amou e nos deu Seu Filho. Deus nos amou, e Cristo se encarnou. Deus nos amou, e Cristo sofreu em nosso lugar. Deus nos amou, e Cristo morreu por nós. A cruz é o maior arauto do amor de Deus por nós. A cruz é a prova cabal de que Deus está de

---

[26] BARCLAY, William. *Palabras Griegas Del Nuevo Testamento*, 1977, p. 127.
[27] BARCLAY, William. *Palabras Griegas Del Nuevo Testamento*, 1977, p. 127.

braços abertos para nos receber de volta ao lar. A nossa reconciliação com Deus custou-Lhe um preço infinito, a morte do Seu próprio Filho. Ele nos comprou não com coisas corruptíveis como prata ou ouro, mas com o sangue do Seu Filho bendito (1Pe 1.18,19). Quando Deus criou o universo, Ele apenas usou Sua palavra. "Haja luz. E houve luz". Quando Deus criou o homem, Ele pôs a mão no barro. Mas, quando Deus foi salvar o homem, Ele entrou no barro, pois o Verbo se fez carne e habitou entre nós.

O agente da reconciliação (5.18,19)

Destacamos dois pontos.

Em primeiro lugar, *Jesus Cristo é a ponte que nos liga a Deus*. Ray Stedman diz corretamente que à parte de Cristo, ninguém pode pensar que está mais perto de Deus que outra pessoa.[28] A nossa reconciliação com Deus dá-se por meio de Cristo, e não à parte dEle. Não há nada que podemos fazer para nos tornarmos aceitáveis a Deus. Foi o que Cristo fez por nós que pavimentou o nosso caminho de volta para Deus. Cristo é o único caminho de volta para Deus. Ele é a única porta de entrada no céu. Ele é o único mediador entre Deus e os homens. Ele é a escada mística de Jacó que liga a terra ao céu.

Em segundo lugar, *Jesus Cristo nos reconcilia com Deus pela Sua morte*. Quando Deus criou o universo, Ele falou, e tudo se fez. Quando Deus criou o homem, Ele pegou o barro e o fez à Sua imagem e semelhança. Quando, porém, Deus foi reconciliar o homem consigo, precisou enviar Seu Filho para morrer numa cruz. O preço da reconciliação foi a morte de Cristo. Não havia outro meio de sermos reconciliados com Deus. Cristo fez a reconciliação pelo sangue da Sua cruz (Cl 1.20).

Essa é a doutrina da substituição. Cristo assumiu o nosso lugar como nosso representante e fiador. Ele pagou a nossa dívida, morreu em nosso lugar e abriu para nós um novo e vivo caminho de retorno ao Pai. A cruz de Cristo é a ponte entre a terra e o céu. Nenhuma pessoa pode chegar até Deus a não ser por meio dessa ponte.

---

[28] STEDMAN, Ray C. *A dinâmica de uma vida autêntica*, p. 140.

A base da reconciliação (5.19)

Aqui está a glória mais excelsa do evangelho. O justo justifica o injusto, sem deixar de ser justo pela imputação da justiça do justo ao injusto. Deus é justo e justificador daquele que tem fé em Jesus (Rm 3.26). Com base nessa verdade, Ray Stedman afirma que a cruz de Cristo é o lugar onde satanás é sempre derrotado. Ela era o ás escondido na manga de Deus, e com o qual o diabo não contava. O grande acusador nunca poderá encontrar um fundamento pelo qual possa fazer o Deus justo se voltar contra nós, pois todos os nossos pecados foram separados de nós, para sempre, pela cruz.[29]

Paulo aborda a questão da imputação em três aspectos. Imputar algo a alguém significa pôr algo em sua conta. A imputação é um termo da área financeira e que significa, simplesmente, "pôr na conta de alguém". Quando fazemos um depósito bancário, o computador (ou o funcionário) transfere esse valor para nossa conta ou crédito. Quando Jesus morreu na cruz, todos os pecados Lhe foram imputados; ou seja, foram postos em Sua conta. Em decorrência disso, todos esses pecados foram pagos, e Deus não nos condena por eles. Além disso, Deus deposita a justiça de Cristo em nossa conta.[30]

A reconciliação baseia-se na imputação. Os que creem em Cristo jamais terão seus pecados imputados contra eles outra vez. Cristo foi feito pecado, da mesma maneira como nós somos feitos justiça. Cristo, que era inocente quanto ao pecado, entrou numa esfera completamente estranha a si mesmo, para que nós pudéssemos entrar numa esfera da qual nos alienamos.[31] Paulo fala no texto em apreço sobre três tipos de imputação: primeiro, Deus não imputa iniquidade aos pecadores (Sl 32.2). Segundo, Ele imputa o pecado dos pecadores a Cristo, o Cordeiro imaculado (1Pe 1.19). Terceiro, Ele imputa a justiça de Cristo aos pecadores (5.21).[32] Vejamos essas três imputações:

---

[29]STEDMAN, Ray C. *A dinâmica de uma vida autêntica*, p. 145.
[30]WIERSBE, Warren W. *Comentário Bíblico Expositivo*. Vol. 5, 2006, p. 849.
[31]CARVER, Frank G. *A Segunda Epístola de Paulo aos Coríntios*. Em Comentário Bíblico Beacon. Vol. 8, 2006, p. 436.
[32]MITCHELL, Daniel R. *The Second Epistle to the Corinthians*. Em The Complete Bible Commentary, 1999, p. 1515.

Em primeiro lugar, **Deus não pôs os nossos pecados em nossa conta** (5.19). Como o Deus justo pode ser reconciliado com o homem pecador? Como podemos ter comunhão com Deus se o nosso pecado faz separação entre nós e Ele? Como podemos ter comunhão com Deus, se Ele é luz, e o pecado é treva? Como podemos ser reconciliados com Deus, se Ele é benigno, e o nosso pecado, maligníssimo? Como podemos encontrar abrigo nos braços de Deus, se o pecado provoca Sua santa ira?

Deus não pode fazer vistas grossas ao pecado. A justiça violada de Deus precisa ser satisfeita. A alma que pecar, essa morrerá. Deus não inocentará o culpado. Deus não pode ter prazer no pecado. Ele é santo e não pode reagir favoravelmente ao pecado.

O que Deus fez então? *Ele não imputou aos homens as suas transgressões* (5.19). Essa figura é bancária. Deus não fez o lançamento da nossa dívida em nossa conta. Ele não puniu o nosso pecado em nós. Deus não é o calculador do pecado, mas o libertador do pecado. Agora, se Deus não inocenta o culpado (Êx 34.7), de quem, então, Deus cobrará essa conta?

Em segundo lugar, **Deus pôs os nossos pecados na conta de Cristo** (5.21). Cristo não conheceu pecado, mas foi feito pecado por nós. Ele que era bendito eternamente foi feito maldição por nós. Ele sofreu o castigo da lei que deveríamos sofrer. Ele bebeu o cálice da ira de Deus que deveríamos beber. Ele carregou no Seu corpo, sobre o madeiro, os nossos pecados. Deus lançou sobre Ele a iniquidade de todos nós. Ele foi ferido e traspassado pelas nossas transgressões. Naquele momento o sol escondeu o seu rosto e houve trevas ao meio-dia. Ele sentiu o desamparo do próprio Pai. Mas, vitoriosamente, Cristo deu um brado na cruz e gritou: "Está consumado!" A palavra grega *tetélestai* usada por Cristo na cruz significa "está pago!" Agora estamos quites com a lei e com a justiça de Deus.

Podemos ilustrar essa verdade com a carta de Paulo a Filemom. Onésimo era um escravo de Filemom. Certo dia, Onésimo roubou algo de seu senhor e fugiu para Roma. Onésimo poderia ter sido crucificado por seus crimes, mas, por providência divina, foi parar na mesma prisão onde estava Paulo. Este o gerou entre algemas, e Onésimo se converteu, tornando-se um filho amado do apóstolo. Paulo escreveu a carta a Filemom para encorajar seu amigo a perdoar Onésimo e recebê-lo de volta. *Recebe-o como se fosse a mim mesmo* (Fm 17). Paulo o envia de volta ao seu senhor com essa recomendação: *E se algum dano te fez ou se te deve alguma coisa, lança tudo em minha conta* (Fm 18). Paulo estava disposto a pagar a conta (imputação) para que Onésimo e Filemom se reconciliassem.[33]

Em terceiro lugar, **Deus pôs a justiça de Cristo em nossa conta** (5.21). Jesus não apenas pagou a nossa dívida, Ele nos tornou infinitamente ricos (8.9). A justificação é mais do que perdão. No perdão, nossa dívida foi totalmente quitada; na justificação, além da dívida ter sido quitada, ainda recebemos em nossa conta um depósito de valor infinito, a justiça de Cristo. A resposta da pergunta 60 do Catecismo de Heidelberg diz: "Deus concede e credita para mim a perfeita satisfação, a justiça e santidade de Cristo, como se eu nunca tivesse pecado nem houvera sido pecador, como se eu tivesse sido perfeitamente obediente como Cristo foi obediente por mim".

Não apenas nosso débito foi cancelado, mas um depósito imenso foi feito em nossa conta. É como se você devesse um milhão de reais ao banco e estivesse completamente falido, sem um centavo. Alguém, generosamente, deposita em sua conta um milhão de reais e sua dívida é quitada. Você está livre da dívida, isso é perdão. Mas, na justificação, não apenas sua dívida é perdoada, mas Deus faz um depósito de valor incalculável em sua conta, a infinita justiça de Cristo.

O embaixador da reconciliação (5.19,20)

O embaixador é um porta-voz oficial de uma nação num país estrangeiro.[34] A palavra grega usada por Paulo para "embaixador" é *presbeuein*. Esse termo tem um rico pano de fundo. William Barclay diz que as províncias romanas estavam divididas em duas formas. Uma parte estava sob o controle direto do Senado, e a outra, sob o controle

---

[33]WIERSBE, Warren W. *Comentário Bíblico Expositivo*. Vol. 5, 2006, p. 849.
[34]STEDMAN, Ray C. *A dinâmica de uma vida autêntica*, p. 143.

direto do imperador. As províncias pacíficas, onde não havia tropas, estavam sob a égide do Senado, e as províncias perigosas, que eram sede das tropas romanas, eram imperiais. Nelas, o *presbeutes* era o representante direto do imperador, o que administrava a província em favor do imperador. O *presbeutes* cumpria, assim, uma missão direta do imperador. Warren Wiersbe diz que este mundo encontra-se rebelado contra o Senhor. No que se refere a Deus, o mundo é uma "província imperial". Assim, Deus enviou seus embaixadores para declarar paz, e não guerra. *Rogamos que vos reconcilieis com Deus* (5.20). Que grande privilégio ser embaixador do céu para os pecadores rebeldes deste mundo.[35]

O embaixador, o *presbeutes*, tem um significado ainda mais interessante. Quando o Senado romano decidia que uma região devia converter-se em província enviava a ela dez *presbeutai* ou emissários, que junto com o general vitorioso, acertavam os termos da paz com os derrotados, determinavam os limites da nova província e promulgavam uma constituição para sua nova administração. Depois, voltavam, dando relatório de tudo ao Senado para que este ratificasse as decisões. Esses embaixadores eram, dessa forma, responsáveis por atrair os homens à família do Império Romano.[36]

Em face do exposto, podemos destacar algumas lições importantes.

Em primeiro lugar, **um embaixador tem o ministério da reconciliação** (5.18). Colin Kruse diz que Deus não só reconciliou o mundo consigo mesmo, mas também comissionou mensageiros para proclamar essas boas-novas. Todos quantos derem ouvidos ao chamado para o arrependimento e a fé experimentarão a alegria da reconciliação com Deus.[37]

Antes nós éramos inimigos de Deus; agora, somos embaixadores da reconciliação. Antes estávamos perdidos; agora, buscamos os perdidos. Neste mundo marcado pelo ódio, pela guerra e por relacionamentos quebrados entre o homem e Deus e entre o homem e seu

---

[35] WIERSBE, Warren W. *Comentário Bíblico Expositivo*. Vol. 5, 2006, p. 849,850.
[36] BARCLAY, William. *I y II Corintios*, 1973, p. 219,220.
[37] KRUSE, Colin. *II Coríntios: Introdução e Comentário*, 1994, p. 136.

próximo temos um glorioso ministério, o ministério da reconciliação. Ray Stedman é enfático quando diz que a boa-nova não nos chega por intermédio de anjos. Não nos é anunciada dos céus por vozes fortes, impessoais. Nem nos chega por nos debruçarmos sobre empoeirados volumes do passado. Em cada geração, ela é transmitida por homens e mulheres que falam de uma experiência que eles próprios viveram. Na verdade, o cristianismo autêntico é Cristo falando aos homens, pelo Espírito, por nosso intermédio nos dias de hoje.[38]

Em segundo lugar, **um embaixador prega a mensagem da reconciliação** (5.20). O embaixador exorta aos homens, em nome de Cristo, que se reconciliem com Deus. Charles Hodge alerta para o fato de que a palavra *katallassein*, "reconciliação", aqui, está na voz passiva. O homem não tem poder de por si mesmo reconciliar-se com Deus. O homem só pode receber a reconciliação providenciada por Deus. A reconciliação é efetuada pela morte de Cristo. Deus é agora propício a nós. Ele pode agora ser justo e o justificador do injusto. O que temos que fazer é não recusar a oferta do amor de Deus.[39] Nessa mesma linha de pensamento, Daniel Mitchell diz que Paulo não chama os pecadores para mudar a si mesmos, porque ele já afirmou que Deus é quem faz a reconciliação (5.18). Em vez disso, ele roga a eles que se submetam à obra reconciliadora de Deus.[40]

Em terceiro lugar, **um embaixador ostenta uma imensa responsabilidade** (5.20). O embaixador fala em nome do seu governo e representa o seu país. Destacamos três características de um embaixador:

1. *O embaixador vive em terra estranha.* Um embaixador é um cidadão de seu país em um país estrangeiro. Vive entre pessoas que quase sempre falam um idioma distinto, que têm uma tradição diferente e um estilo de vida também diferente.[41] Nós nascemos de cima, do alto, do Espírito. O céu não é apenas nosso destino, mas também

---

[38] STEDMAN, Ray C. *A dinâmica de uma vida autêntica*, p. 143,144.
[39] HODGE, Charles. *2 Corinthians*. In The Classic Bible Commentary, 1999, p. 1263.
[40] MITCHELL, Daniel R. *The Second Epistle to the Corinthians*. Em The Complete Bible Commentary, 1999, p. 1515.
[41] BARCLAY, William. *I y II Corintios*, 1973, p. 220.

nossa origem. Nossa Pátria está no céu. Aqui somos peregrinos e estrangeiros. Vivemos em terra estranha.

2. *O embaixador fala em nome do seu governo.* O embaixador não representa a si mesmo nem fala em seu próprio nome. Ele representa o seu governo. Ele fala em nome do seu país. Quando ele fala, sua voz é a de sua pátria. Transmite a mensagem, a decisão e a política de seu país.[42] Um embaixador seria sumariamente despedido caso descumprisse as ordens de quem o envia e deixasse de representar fielmente os interesses do seu país. Ray Stedman está correto quando diz que a palavra do embaixador tem o respaldo da nação que o enviou, mas apenas quando essa palavra representar realmente o pensamento e a vontade do Estado que representa.[43]

3. *O embaixador tem em suas mãos a honra de seu país.* Seu país é julgado por meio dele. Quando as pessoas escutam suas palavras e observam suas ações, dizem: "Essa é a maneira como esse país pensa e age". O embaixador quando age, não o faz apenas como agente, mas também como o representante legítimo de seu soberano.[44] A honra de Cristo e de sua igreja está nas mãos dos embaixadores de Deus.

Em quarto lugar, **todo embaixador precisa assumir solenes compromissos**. Destacamos três compromissos que um embaixador deve assumir:

1. *O embaixador deve transmitir a mensagem que ouviu.* O embaixador só pode falar em nome do seu governo a mensagem que recebeu do seu governo. Ele não cria a mensagem, ele a transmite. O embaixador entrega a mensagem do rei com a autoridade do rei, ele não fala como substituto do rei, mas em nome deste. Mudar a mensagem do evangelho para agradar aos homens ou auferir lucro, como faziam os falsos apóstolos, é um ato de rebelião contra Deus e conspiração contra Sua Palavra.

---

[42] BARCLAY, William. *I y II Corintios*, 1973, p. 220.
[43] STEDMAN, Ray C. *A dinâmica de uma vida autêntica*, p. 144.
[44] BARCLAY, William. *I y II Corintios*, 1973, p. 221.

2. *O embaixador vai para onde o seu país o envia*. O embaixador não determina o lugar para onde quer ser enviado. Ele é um servo do seu país, e não um autônomo. O embaixador de Cristo é um servo da missão, e não um autônomo que dirige sua própria agenda.
3. *O embaixador não se naturaliza, ele é sempre um estrangeiro*. Um embaixador não muda de cidadania. Ele nunca se naturaliza. Ele é sempre um representante de sua nação em terra estranha. Não devemos nos apegar a este mundo. Aqui somos embaixadores. Aqui representamos nossa Pátria. Não somos daqui. Estamos aqui em missão especial.

Em quinto lugar, **o embaixador tem uma mensagem solene e urgente** (5.20). A mensagem que anunciamos é a maior, a mais importante, a mais vital e a mais urgente mensagem que o homem pode ouvir. É a mensagem da reconciliação. O Deus que reconciliou o mundo consigo mesmo, pela morte de Seu Filho, agora apela ao mundo, por intermédio de seus embaixadores, para que se reconcilie com Ele.[45]

Algum juiz já implorou a um criminoso culpado para aceitar o seu perdão? Algum credor já instou com um devedor arruinado para receber o perdão completo da sua dívida? Ah! O Deus Todo-poderoso apela a você. Ele clama ao seu coração. Ele exorta-o a se reconciliar com Ele.

O apóstolo Paulo conclui esse tema, alertando para dois solenes perigos:

Primeiro, *o perigo de receber a graça de Deus em vão* (6.1). Depois de tudo o que Deus fez por você, da morte de Cristo em seu favor, do seu clamor eloquente e apaixonado para você se reconciliar com Ele, se você desprezar essa oferta de amor, nada mais lhe resta senão uma horrível expectativa de juízo. Receber a graça de Deus em vão é rejeitar a oferta da reconciliação, é escarnecer da graça, é fazer pouco caso do amor de Deus, é virar as costas para Deus.

Segundo, *o perigo de adiar sua decisão* (6.2). Hoje é o dia oportuno de você se reconciliar com Deus. Hoje, a porta da graça está aberta.

---

[45] KRUSE, Colin. *II Coríntios: Introdução e Comentário*, 1994, p. 137.

Hoje, o Espírito está apelando a você, por meio de um embaixador, em nome de Cristo, que você se reconcilie com Deus. Hoje, ainda é tempo oportuno de você se reconciliar com Deus. Amanhã pode ser tarde demais!

8

Uma **tempestade** de problemas

2 Coríntios 6.3-13

A VIDA CRISTÃ NÃO É UM MAR DE ROSAS, mas uma tempestade na qual não faltam nuvens pardacentas e trovões aterradores. Os covardes e medrosos que têm medo de decidir não entrarão no Reino de Deus. A vida cristã não é feita de amenidades, mas tecida por lutas renhidas. Ela não é uma viagem por águas calmas, mas uma navegação turbulenta em mares revoltos e encapelados. William Barclay, citando João Crisóstomo, diz que o texto em tela retrata uma tempestade de problemas.[1]

Paulo tratou da súbita honra de ser um ministro da nova aliança (3.6), um ministro da justiça (3.9), um ministro da reconciliação (5.18); de receber a palavra da reconciliação (5.19) e ser um embaixador de Deus (5.20). Por esse motivo, ele buscava viver de forma irrepreensível a fim de que o ministério não fosse censurado (6.3).

Paulo tinha o cuidado de não fazer coisa alguma que pudesse servir de tropeço tanto a incrédulos quanto a cristãos (Rm 14.1-23). A palavra grega *proskope*, "escândalo", significa uma ocasião para tropeçar, fazer alguma coisa que leva outros a tropeçar. Indica o ato de

---

[1] BARCLAY, William. *I y II Corintios*, 1973, p. 222.

obstruir os pés de uma pessoa, fazendo-a cair.² Já a palavra *momethe*, "censurado", implica ridículo e vergonha. Trata-se da desgraça e seu resultado.³

David Thomas alerta para o fato de que tão perverso é o homem que geralmente ele degrada alguns dos mais altos ofícios que lhe foram confiados. Há comerciantes que degradam o comércio. Há médicos que desonram a medicina. Há juízes que degradam a justiça. Há legisladores que pervertem as leis. Há reis que desonram o trono. Mas o que é pior e mais grave é que há ministros que desonram o próprio ministério.⁴

Simon Kistemaker diz corretamente que a conduta de um pastor nunca deve obstruir a obra do ministério do evangelho. Um pastor é sempre em primeiro lugar um ministro da Palavra e, depois, um servo do Senhor para o Seu povo. Quando um ministro do evangelho quebra a lei moral de Deus, a igreja não consegue mais testemunhar efetivamente para o mundo. A igreja se torna objeto de riso, pois a poluição do pecado mostra a contradição entre atos e palavras. O ato pecaminoso condena a mensagem do evangelho.⁵

Paulo não se recomendava à igreja como os falsos obreiros buscando glórias humanas (5.12), mas recomendava-se como ministro de Deus nas variegadas provas da vida cristã (6.4). Ray Stedman diz que a recomendação a que Paulo se refere no capítulo 5 é a que é feita com palavras: uma autorrecomendação presunçosa que objetiva apenas impressionar os outros. Aqui, no capítulo 6, é uma recomendação de feitos e atitudes, que falam por si mesmos.⁶

Daniel Mitchell corretamente diz que um leitor desatento pensará que o relato de Paulo, nos versículos 4 a 10, é uma coletânea de

---

²RIENECKER, Fritz e ROGERS Cleon. *Chave Linguística do Novo Testamento Grego*, 1985, p. 349.
³RIENECKER, Fritz e ROGERS Cleon. *Chave Linguística do Novo Testamento Grego*, 1985, p. 349.
⁴THOMAS, David. *II Corinthians*. Em The Pulpit Commentary, 1978: p. 148.
⁵KISTEMAKER, Simon. *2 Coríntios*, 2004, p. 300.
⁶STEDMAN, Ray C. *A dinâmica de uma vida autêntica*, p. 149.

experiências sem qualquer conexão. Contudo, uma observação mais detalhada do texto provará que Paulo fez um cuidadoso e lógico arranjo de vinte e sete categorias, dividido em três grupos de nove cada. Nos versículos 4 e 5, seus pensamentos estão sobre suas provações. Nos versículos 6 e 7, sobre a divina provisão; e nos versículos 8 a 10, sobre a vitória sobre as circunstâncias adversas.[7]

O apóstolo Paulo começa esse catálogo de provas com uma das virtudes mais robustas da vida cristã, a paciência triunfadora (6.4). A palavra grega usada, *hupomone*, não pode ser traduzida ao pé da letra. William Barclay diz que ela não descreve o tipo de mentalidade que se assenta com as mãos cruzadas e a cabeça baixa até que passe a tormenta de problemas, em resignação pacífica. Descreve, ao contrário, a habilidade de suportar as coisas de uma maneira tão triunfante que as transforma profundamente.[8] Crisóstomo, o maior pregador do Oriente, chama *hupomone* de a raiz de todo o bem, a mãe da piedade, o fruto que não seca jamais, a fortaleza que nunca pode ser conquistada, o porto que não conhece tormentas. Para Crisóstomo, *hupomone* é a rainha das virtudes, fundamento de todas as ações justas, paz no meio da guerra, calma na tempestade, segurança nos tumultos.[9]

Nessa mesma linha de pensamento, Ray Stedman diz que essa paciência não é uma capacidade natural de suportar algumas dificuldades da vida, mas um corajoso triunfo que recebe todas as pressões da vida e sai delas com um brado de alegria. Não somente essa pessoa não se deixa abater pelas dificuldades, mas mostra-se até grata pela oportunidade de passar por elas, sabendo que isso trará glória a Deus.[10]

Concordo com Colin Kruse quando diz que "paciência", aqui, é o cabeçalho geral de nove elementos que Paulo relaciona a fim de recomendar seu ministério.[11] Examinaremos o texto em apreço sob quatro perspectivas.

---

[7] MITCHELL, Daniel R. *The Second Epistle to the Corinthians*. Em The Complete Bible Commentary, 1999, p. 1516.
[8] BARCLAY, William. *I y II Corintios*, 1973, p. 222,223.
[9] BARCLAY, William. *I y II Corintios*, 1973, p. 223.
[10] STEDMAN, Ray C. *A dinâmica de uma vida autêntica*, p. 151.
[11] KRUSE, Colin. *II Coríntios: Introdução e Comentário*, 1994, p. 141.

Quando o mar se revolta na vida cristã (6.3-5)

Paulo aborda três grupos, cada um composto de três situações, em que a paciência é aplicada.

Em primeiro lugar, *os conflitos internos da vida cristã* (6.4). O apóstolo Paulo menciona três conflitos internos que a paciência triunfadora nos capacita a vencer. Esse primeiro grupo expressa termos genéricos a que todos os cristãos estão sujeitos.[12]

- *As aflições* (6.4). A palavra grega que Paulo usa é *thlipsis*, que significa pressão física, aflição ou tribulação. Representam aquelas situações que são cargas para o coração humano, aquelas desilusões que podem destroçar a vida.[13]
- *As privações* (6.4). A palavra grega *anagké* significa literalmente as necessidades da vida.[14] Fritz Rienecker diz que essa palavra é usada no sentido de sofrimento, muito possivelmente torturas.[15] São aquelas cargas inevitáveis da vida que retratam necessidades materiais, emocionais e até físicas.
- *As angústias* (6.4). A palavra grega que Paulo utiliza, *stenochoria*, significa um lugar muito apertado. Essa palavra era usada para descrever a condição de um exército encurralado num desfiladeiro estreito e rochoso, sem lugar para escapar.[16] Há momentos na vida cristã que nos sentimos entrincheirados, cercados por todos os lados e, nesses momentos, precisamos da paciência triunfadora para aguardarmos o livramento de Deus.

Em segundo lugar, *as tribulações externas da vida cristã* (6.5). Mais uma vez, o apóstolo Paulo menciona três circunstâncias difíceis que ele enfrentou como ministro da nova aliança. Esse segundo grupo apresenta exemplos particulares.[17]

---

[12]KRUSE, Colin. *II Coríntios: Introdução e Comentário*, 1994, p. 141.
[13]BARCLAY, William. *I y II Corintios*, 1973, p. 223.
[14]BARCLAY, William. *I y II Corintios*, 1973, p. 223.
[15]RIENECKER, Fritz e ROGERS Cleon. *Chave Linguística do Novo Testamento Grego*, 1985, p. 349.
[16]BARCLAY, William. *I y II Corintios*, 1973, p. 223.
[17]KRUSE, Colin. *II Coríntios: Introdução e Comentário*, 1994, p. 141.

- *Os açoites* (6.5). O sofrimento de Paulo não era apenas espiritual, mas também físico. Paulo foi açoitado várias vezes, fustigado com varas e até apedrejado. É exatamente porque os cristãos primitivos enfrentaram as fogueiras, as feras e toda sorte de castigos físicos que hoje recebemos o legado do cristianismo. O próprio Paulo dá seu testemunho: *Cinco vezes recebi dos judeus uma quarentena de açoites menos um; fui três vezes fustigado com varas; uma vez, apedrejado* [...] (11.24,25). Esses açoites lhe deixaram cicatrizes, pelo que escreveu: *Quanto ao mais, ninguém me moleste; porque eu trago no corpo as marcas de Jesus* (Gl 6.17).
- *As prisões* (6.5). Paulo foi preso várias vezes. O livro de Atos registra sua prisão em Filipos, Jerusalém, Cesareia e Roma. Paulo passou vários anos do seu ministério na cadeia. Ele terminou os seus dias numa masmorra romana, de onde saiu para ser decapitado. Ao longo dos séculos, um séquito de crentes em Cristo suportou prisões e esteve disposto a abandonar sua liberdade em vez da fé.[18]
- *Os tumultos* (6.5). Paulo não enfrentou apenas a severidade da lei judaica e romana por onde passou, mas também a violência da multidão tresloucada. A palavra grega usada por Paulo, *akatastasia*, significa instabilidade, multidões em rebelião e desordens civis (At 13.50; 14.19; 16.19; 19.29). Esses tumultos referem-se àqueles perigos criados pelos homens.[19] Em quase toda cidade por onde passou, Paulo enfrentou multidões enfurecidas, incitadas principalmente pelos judeus. Em Antioquia da Pisídia, os judeus incitaram as mulheres da alta posição e os principais da cidade a expulsar Paulo de seu território (At 13.49-52). Em Icônio, houve um complô para apedrejar Paulo e ele precisou sair da cidade (At 14.5,6). Em Listra, uma ensandecida multidão apedrejou Paulo (At 14.19). Em Filipos, uma multidão alvoroçada prendeu Paulo e Silas, açoitando-os e lançando-os na prisão (At 16.22,23). Em Tessalônica, uma turba procurando Paulo alvoroçou a cidade e arremeteu-se contra Jasom e sua

---

[18] BARCLAY, William. *I y II Corintios*, 1973, p. 223.
[19] RIENECKER, Fritz e ROGERS Cleon. *Chave Linguística do Novo Testamento Grego*, 1985, p. 349.

casa (At 17.5). Em Éfeso, houve um grande tumulto, e os amigos de viagem de Paulo foram presos (At 19.23-40). Mesmo durante o ministério de Paulo em Corinto, ele também foi preso, e procuraram levá-lo diante do governador (At 18.12-17). Simon Kistemaker diz que o pior caso de agitação civil ocorreu em Jerusalém. Ali, o povo amotinado procurou matar Paulo (At 21.30-32).[20] Por todo o lugar que Paulo pregou o evangelho, ele defrontou-se com ensandecidas multidões.[21]

Em terceiro lugar, *as tribulações naturais da vida cristã* (6.5b). As três provas que Paulo passa a mencionar não vieram de fora nem de dentro, mas foram abraçadas voluntariamente por ele. Trata-se de provações assumidas voluntariamente por ele.[22]

- *Os trabalhos* (6.5b). A palavra grega *kopos*, usada por Paulo, é muito sugestiva, pois descreve o trabalho que leva ao esgotamento, o tipo de tarefa que exige todas as forças que o corpo, a mente e o espírito do homem podem dar.[23] Fritz Rienecker diz que *kopos* implica trabalhar até fatigar-se, o cansaço que segue após o uso das forças ao máximo.[24] Paulo chega a declarar que trabalhou mais do que todos os outros apóstolos (1Co 15.10).
- *As vigílias* (6.5b). Algumas vezes, Paulo passava noites em oração e, outras vezes, não conseguia dormir em virtude dos tumultos e perseguições, quase sem trégua, que vinham a ele de todos os lados. A palavra grega *agrupnia*, "vigílias", refere-se àquelas ocasiões em que Paulo voluntariamente ficava sem dormir ou encurtava suas horas de sono a fim de devotar mais tempo ao seu trabalho

---

[20]KISTEMAKER, Simon. *2 Coríntios*, 2004, p. 302.
[21]BARTON, Bruce B e outros. *Life Application Bible Commentary on 1 & 2 Corinthians*, 1999, p. 362,363.
[22]COLIN, Kruse. *II Coríntios: Introdução e Comentário*, 1994, p. 141.
[23]BARCLAY, William. *I y II Corintios*, 1973, p. 225.
[24]RIENECKER, Fritz e ROGERS Cleon. *Chave Linguística do Novo Testamento Grego*, 1985, p. 349.

evangélico, ao cuidado de todas as igrejas e à oração.[25] Paulo seguiu o exemplo de Jesus (Mc 1.35; Lc 6.12), passando muitas horas da noite e da madrugada em oração.

- *Os jejuns* (6.5b). Os jejuns referidos por Paulo podem ser tanto os voluntários como os involuntários. A palavra grega *nesteía*, "jejuns", refere-se ao jejum voluntário a fim de poder realizar mais trabalhos.[26] Contudo, esses jejuns podem também se referir àqueles momentos em que Paulo passou privações (11.9) e até fome (11.27; 1Co 4.11; Fp 4.12).

Quando Deus nos capacita a enfrentar as tempestades na vida cristã (6.6,7)

O apóstolo Paulo deixa de lado as provas e tribulações, que a paciência lhe permitiu vencer, e passa a referir-se à série de elementos com os quais Deus o equipou para enfrentar as tempestades da vida cristã. Mais uma vez, ele os reúne em três grupos de três cada um.[27]

Em primeiro lugar, *as qualidades que Deus outorga à mente* (6.6). Três virtudes basilares da vida cristã são dadas a Paulo, capacitando-o para ser um ministro da reconciliação.

- *A pureza* (6.6). A palavra grega *hagnotes*, utilizada por Paulo nesse texto, era definida pelos gregos como "evitar cuidadosamente todos os pecados que estão contra os deuses".[28] Ser puro é estar livre de toda mancha e contaminação tanto da carne como do espírito (7.1). É ter vida pura e motivos puros.[29] É ter ações puras (1Tm 5.22) e pensamentos puros (Fp 4.8).

---

[25]RIENECKER, Fritz e ROGERS Cleon. *Chave Linguística do Novo Testamento Grego*, 1985, p. 349.
[26]RIENECKER, Fritz e ROGERS Cleon. *Chave Linguística do Novo Testamento Grego*, 1985, p. 349.
[27]BARCLAY, William. *I y II Corintios*, 1973, p. 225.
[28]BARCLAY, William. *I y II Corintios*, 1973, p. 225.
[29]RIENECKER, Fritz e ROGERS Cleon. *Chave Linguística do Novo Testamento Grego*, 1985, p. 349.

- *O saber* (6.6). Esse não é conhecimento teórico, mas o conhecimento daquilo que se deve fazer. Concordo com Bruce Barton quando ele diz que Paulo não se refere aqui à riqueza de informações, mas a um claro entendimento da mensagem do evangelho. Cristo havia revelado a Paulo o mistério da salvação (Ef 3.6).[30] Nessa mesma linha de pensamento, Simon Kistemaker diz que aqui não é o conhecimento intelectual "que ensoberbece" (1Co 8.1) que está em apreço, mas o conhecimento experimental de Deus e de sua salvação.[31]
- *A longanimidade* (6.6). A palavra grega *makrothumia*, utilizada por Paulo aqui, é paciência com pessoas difíceis, enquanto *hupomone* é paciência com circunstâncias difíceis. Longanimidade é o autodomínio que não revida o mal apressadamente.[32] A longanimidade é a habilidade de suportar as pessoas mesmo quando elas estão equivocadas ou são cruéis.[33] Refere-se a um demorado refletir mental antes de dar lugar aos sentimentos e à ação.

Em segundo lugar, **as qualidades que Deus outorga ao coração** (6.6). Mais uma vez, Paulo utiliza o método de elencar três virtudes.

- *A bondade* (6.6). A palavra grega *chrestotes* é o oposto de severidade. É uma benevolência compassiva. Ser bom é pensar mais nos outros do que em si mesmo.[34] Barnabé foi chamado de bom (At 11.24). Ele é sempre visto na Bíblia como um homem que está investindo na vida dos outros.
- *O Espírito Santo* (6.6). Nenhuma palavra ou ação bondosa pode ser realizada sem a intervenção do Espírito Santo. William MacDonald diz que tudo que Paulo fez, foi feito no poder e em submissão ao Espírito Santo.[35] Ele pregou no poder do Espírito (1Co 2.4; 1Ts 1.5).

---

[30] BARTON, Bruce B. e outros. *Life Application Bible Commentary on 1 & 2 Corinthian*, 1999, p. 364.
[31] KISTEMAKER, Simon. *2 Coríntios*, 2004, p. 304.
[32] KISTEMAKER, Simon. *2 Coríntios*, 2004, p. 304.
[33] BARCLAY, William. *I y II Corintios*, 1973, p. 226.
[34] BARCLAY, William. *I e II Coríntios*. 1973, p. 226.
[35] MACDONALD, William. *Believer's Bible Commentary*, 1995, p. 1843.

- *O amor não fingido* (6.6). A palavra grega usada por Paulo é *ágape*. Significa uma invencível benevolência. É aquele tipo de amor que não paga o mal com o mal, mas vence o mal com o bem. É o amor que não se vinga, mas se entrega sacrificialmente em favor da pessoa amada. Esse amor não é misturado com outros sentimentos egoístas.

Em terceiro lugar, **as qualidades que Deus outorga para a pregação do evangelho** (6.7). Seguindo sua metodologia, Paulo menciona mais três qualidades concedidas por Deus, equipando-o para a pregação da Palavra.

- *A Palavra da verdade* (6.7). Paulo tinha recebido tanto a Palavra de Deus como a força para proclamá-la. Ele não gerou a Palavra, ele a recebeu. Ele não transmite o que vem de dentro, mas o que vem do alto. Não se trata de palavra de homens, mas da palavra da verdade.
- *O poder de Deus* (6.7). Paulo anunciava a Palavra no poder de Deus (1Co 2.4; 1Ts 1.5). Sem poder não há pregação. A pregação é lógica em fogo. É a mensagem de Deus que emana da Palavra por meio de um homem que está em chamas para Deus. Paulo não apenas falava do poder, ele experimentava o poder.
- *As armas de justiça* (6.7). Essas armas eram tanto de defesa quanto de combate. Tratava-se do escudo usado na mão esquerda; e a espada, na mão direita (10.3-5; Rm 13.12; Ef 6.10-20). O escudo era a arma de defesa; e a espada, a arma de combate. A vida cristã é um combate sem trégua. Lutamos não contra o sangue e a carne, mas contra principados e potestades (Ef 6.12). Nessa peleja não há campo neutro. Somos um guerreiro ou uma vítima. Não podemos entrar nessa refrega sem armas adequadas (10.4,5).

Os grandes **paradoxos nas tempestades** da vida cristã (6.8-10)

O apóstolo Paulo passa agora a mencionar nove paradoxos e antíteses da vida cristã. Trata-se de uma série de contrastes profundos. Aqui está clara a profunda diferença que existe entre a perspectiva de Deus e a perspectiva dos homens. Ray Stedman diz que o crente constitui-se num enigma para os outros, numa perpétua contradição para os que não os compreendem, pois sua vida consiste numa série de paradoxos.[36]

Colin Kruse diz corretamente que em cada uma dessas antíteses, uma parte representa uma avaliação do seu ministério "segundo a carne", e a outra parte, o verdadeiro ponto de vista de alguém que está em Cristo.[37] David Thomas diz que esses paradoxos falam dos dois lados opostos da vida de um homem de Deus: o lado secular e o lado espiritual. O lado visto pelo homem, e o lado visto por Deus.[38]

Concordo com Bruce Barton quando diz que essa passagem contrasta como Deus avaliou o ministério de Paulo com a maneira como seus críticos o avaliaram. O verdadeiro discípulo experimenta tanto o topo da montanha como as regiões mais baixas dos vales mais profundos. Ele oscila entre a honra e a desonra, entre a infâmia e a boa fama, entre a vida e a morte.[39] Consideraremos esses paradoxos.

Em primeiro lugar, ***honra e desonra*** (6.8). Aos olhos do mundo, Paulo era um homem despojado de toda honra. Era considerado o lixo do mundo e a escória de todos (1Co 4.13), mas aos olhos de Deus era mui honrado. A palavra grega *atimia,* usada para desonra, significa a perda dos direitos de cidadão, a privação dos direitos civis. Ainda que Paulo tivesse perdido todos os direitos como cidadão do mundo, tinha recebido a maior de todas as honras. Ele era cidadão do Reino de Deus. Ele tombou como mártir na terra, decapitado numa tosca cela romana, mas levantou-se como príncipe no céu (2Tm 4.6-8).

Em segundo lugar, ***infâmia e boa fama*** (6.8). Os opositores de Paulo criticavam cada uma de suas ações e palavras, além de odiá-lo com ódio consumado. Além disso, Paulo sofria infâmia de seus próprios filhos na fé. Embora Paulo e seu ministério obtivessem o reconhecimento de muitos crentes coríntios (1Co 16.15-18), outros o desonravam e falavam dele pelas costas (10.10; 11.7; 1Co 4.10-13,19). Contudo, a despeito de ser difamado na terra, recebeu certamente boa fama no céu.

---

[36] STEDMAN, Ray C. *A dinâmica de uma vida autêntica*, p. 156.
[37] KRUSE, Colin. *II Coríntios: Introdução e Comentário*, 1994, p. 143.
[38] THOMAS, David. *II Corinthians*, 1978: p. 149.
[39] MACDONALD, William. *Believer's Bible Commentary*, 1995, p. 1844.

Em terceiro lugar, ***enganador e sendo verdadeiro*** (6.8). Os críticos de Paulo o consideravam um charlatão ambulante e um impostor. Para eles, Paulo não era um autêntico apóstolo. Todavia, sua vida, sua conduta e seu ministério irrepreensível refutaram peremptoriamente as acusações levianas de seus inimigos. Paulo andou com consciência limpa diante de Deus e diante dos homens. Ele estava convicto de que sua mensagem era a verdade do próprio Deus.

Em quarto lugar, ***desconhecido, entretanto bem conhecido*** (6.9). Os judeus que o caluniavam diziam que Paulo era um "joão-ninguém" a quem faltava autoridade apostólica e a quem podiam denegrir à vontade. Mas, para seus filhos na fé, Paulo era conhecido e amado.

O apóstolo Paulo foi, sem sombra de dúvidas, o maior apóstolo, o maior teólogo, o maior evangelista, o maior missionário e o maior plantador de igrejas da história. A palavra grega *agooumenoi*, traduzida por "desconhecidos", traz a ideia de ser ignorante. Refere-se a "não valer nada", sem as credenciais adequadas. Paulo não recebeu reconhecimento do mundo de seu tempo, porque o mundo, a literatura, a política e a erudição não se preocupavam com ele e não faziam dele fonte de conversas diárias, nem o procuravam como grande orador.[40] Contudo, Paulo é hoje mais conhecido do que qualquer imperador romano. Importa mais receber reconhecimento de Deus do que dos homens. Importa mais ser amado pelos cristãos do que odiado pelo mundo.

Em quinto lugar, ***morrendo, contudo vivendo*** (6.9). Paulo viveu sob constante ameaça de morte. Foi apedrejado em Listra, açoitado em Filipos, enfrentou feras em Éfeso e foi atacado por uma multidão furiosa em Jerusalém. Simon Kistemaker diz que o poder divino que ressuscitou Jesus dos mortos impediu que Paulo sofresse uma morte prematura.[41] Sua vida despertou fúria no inferno e tumulto na terra. Paulo, porém, viveu para completar sua carreira e cumprir cabalmente seu ministério (At 20.24; 2Tm 4.6-8).

---

[40] RIENECKER, Fritz e ROGERS Cleon. *Chave Linguística do Novo Testamento Grego*, 1985, p. 349,350.
[41] KISTEMAKER, Simon. *2 Coríntios*, 2004, p. 309.

A julgar-se pelos padrões mundanos, a carreira de Paulo foi miserável. Ele esteve continuamente exposto a perigos de morte, sempre perseguido por multidões enfurecidas e por autoridades civis, mas Deus livrou-o vezes e vezes sem conta (1.8-10). Portanto, contra todas as expectativas, enquanto o propósito de Deus não se concretizou nele, ele escapou da morte.[42]

Em sexto lugar, *castigado, porém, não morto* (6.9). Muitas vezes, Paulo enfrentou açoites, cadeias, prisões, tumultos e até apedrejamento. Contudo, Deus o preservou da morte a fim de que ele cumprisse o propósito de levar o evangelho até aos confins da terra.

Fritz Rienecker diz que os cristãos não devem entender suas aflições como indicação da reprovação divina, mas, sim, devem regozijar-se nelas como oportunidades graciosamente oferecidas para glorificar o nome divino.[43] Concordo com Simon Kistemaker quando diz que Deus não castiga seu próprio povo por quem Cristo morreu, pois nossa punição pelo pecado foi posta sobre Cristo. Seu Filho sofreu em nosso lugar para que nós pudéssemos ser absolvidos. Portanto, é incorreto dizer que os crentes sofrem a ira de Deus. O castigo mencionado aqui, pelo apóstolo, são medidas corretivas de Deus, têm o objetivo de nos levar para mais perto dEle.[44]

Em sétimo lugar, *entristecido, mas sempre alegre* (6.10). As tristezas de Paulo vinham das circunstâncias; sua alegria emanava de sua comunhão com Deus. Ele se alegrava não nas circunstâncias, mas apesar delas (At 16.19-26). Sua alegria não era nem presença de coisas boas nem ausência de coisas ruins. Sua alegria era uma Pessoa. Sua alegria era Jesus. A fonte da sua alegria não estava na terra, mas no céu; não nos homens, mas em Deus.

Em oitavo lugar, *pobre, mas enriquecendo a muitos* (6.10). Paulo não era como os falsos apóstolos que ganhavam dinheiro mercadejando a Palavra (2.17). Paulo era pobre. A palavra *ptokós,* usada por Paulo,

---

[42] KRUSE, Colin. *II Coríntios: Introdução e Comentário,* 1994, p. 143.
[43] RIENECKER, Fritz e ROGERS Cleon. *Chave Linguística do Novo Testamento Grego,* 1985, p. 350.
[44] KISTEMAKER, Simon. *2 Coríntios,* 2004, p. 310.

significa extremamente pobre, miserável, indigente, destituído. Descreve a pobreza abjeta de quem não tem, literalmente, nada e que está num perigo real e iminente de morrer de fome.[45] Warren Wiersbe ainda diz que *ptokós* significa penúria completa, como aquela de um mendigo.[46] Ele não tinha dinheiro, mas tinha um tesouro mais precioso do que todo o ouro da terra, o bendito evangelho de Cristo (4.7). Ele enriquecia as pessoas não de coisas materiais, mas de bênçãos espirituais.

Em nono lugar, **nada tendo, mas possuindo tudo** (6.10). Paulo não possuía riquezas terrenas, mas era herdeiro dAquele que é o dono de todas as coisas. O ímpio tem posse provisória, mas o cristão é dono de todas as coisas que pertencem ao Pai (Lc 15.31). Somos herdeiros de Deus e coerdeiros com Cristo (Rm 8.17). O ímpio tendo tudo aqui, nada levará (1Tm 6.7). Nós, nada tendo aqui, possuímos tudo.

A importância do **amor para enfrentar** as tempestades da vida cristã (6.11-13)

O apóstolo Paulo conclui essa passagem buscando o fortalecimento de seu relacionamento com os seus filhos na fé da igreja de Corinto. A influência negativa dos falsos apóstolos havia abalado o relacionamento daqueles crentes com seu pai espiritual, mas apesar de todos os problemas e tristezas que a igreja lhe havia causado, Paulo ainda amava profundamente os cristãos de Corinto.[47] Três verdades são destacas aqui pelo apóstolo.

Em primeiro lugar, **o amor deve ser verbalizado** (6.11). *Para vós outros, ó coríntios, abrem-se os nossos lábios* [...] (6.11a). Paulo não apenas ama seus filhos na fé, mas declara esse amor. O amor precisa ser declarado, e não apenas sentido. O amor não é apenas um substantivo, mas também um verbo. É uma ação e uma atitude, mais do que um sentimento.

Em segundo lugar, **o amor deve ser demonstrado** (6.11,12). [...] *e alarga-se o nosso coração. Não tendes limites em nós; mas estais limitados*

---

[45] RIENECKER, Fritz e ROGERS Cleon. *Chave Linguística do Novo Testamento Grego*, 1985, p. 350.
[46] WIERSBE, Warren W. *Comentário Bíblico Expositivo*. Vol. 5, 2006, p. 852.
[47] WIERSBE, Warren W. *Comentário Bíblico Expositivo*. Vol. 5, 2006, p. 852.

em vossos próprios afetos (6.11,12). Paulo não apenas abre os lábios, mas alarga também o coração para amar os coríntios. Ele não apenas verbaliza Seu amor, mas também o demonstra com profundidade superlativa. Os crentes de Corinto estavam represando seus afetos e deixando de demonstrar a Paulo Seu amor. Colin Kruse diz que eles permitiram que os acontecimentos do passado e as críticas assacadas contra Paulo restringissem seu afeto pelo apóstolo.[48] Simon Kistemaker diz que as restrições dos coríntios mostravam uma falta de amor e um excesso de suspeitas.[49] Os coríntios chegaram a criticar a pregação de Paulo (11.6; 1Co 2.1-4), suas cartas (2Co 1.13) e sua presença entre eles (10.9,10). Enquanto o amor de Paulo por eles era intenso, o afeto deles por Paulo estava esfriando. A palavra grega *splangchna*, traduzida por "afetos", significa entranhas, partes interiores. Refere-se, propriamente ao coração, fígado e pulmões e é usada para descrever a sede das emoções mais profundas.[50]

Em terceiro lugar, *o amor deve ser retribuído* (6.13). "Ora, como justa retribuição (falo-vos como a filhos), dilatai-vos também comigo" (6.13). Paulo, como pai espiritual dos coríntios dá-lhes Seu amor e deseja receber amor de seus filhos. Aqueles que recebem amor devem retribuir amor. Os coríntios precisam se livrar de todos os pensamentos negativos que têm contra Paulo, e encher seus corações com amor para com ele.

---

[48]KRUSE, Colin. *II Coríntios: Introdução e Comentário*, 1994, p. 144.
[49]KISTEMAKER, Simon. *2 Coríntios*, 2004, p. 315.
[50]RIENECKER, Fritz e ROGERS Cleon. *Chave Linguística do Novo Testamento Grego*, 1985, p. 350.

9

Realidades inegociáveis na vida cristã

2 Coríntios 6.14–7.1-16

A PASSAGEM QUE CONSIDERAREMOS PARECE ser uma digressão do apóstolo. Ele introduz um novo tema, como fez em 2.14 ao sentir necessidade imperativa de dar graças e falar da nova aliança. Agora, ele introduz uma série de exortações para, em seguida, retomar o assunto abandonado em 2.13.

O texto em tela apresenta-nos cinco verdades fundamentais: uma aliança desigual (6.14-16); uma separação necessária (6.17); uma purificação abrangente (7.1); uma acolhida solicitada (7.2-4) e uma consolação restauradora (7.5-16).

Uma aliança desigual (6.14-16)

Na vida cristã, há relacionamentos que precisamos cultivar e outros que precisamos abandonar. Algumas verdades importantes são aqui abordadas.

Em primeiro lugar, **uma exigência clara** (6.14a). *Não vos ponhais em jugo desigual com os incrédulos* [...] (6.14a). A expressão *ginesthe heterozygountes*, "jugo desigual", contém a ideia de alguém estar num jugo desnivelado.[1] O pano de fundo aqui é a proibição de pôr animais

---

[1] KRUSE, Colin. *II Coríntios: Introdução e Comentário*, 1994, p. 145.

de natureza diferentes sob o mesmo jugo. Havia uma proibição de "lavrar com junta de boi e jumento" (Dt 22.10) e também de fazer cruzamento de animais de diferentes espécies (Lv 19.19). Além do mais, o boi era um animal limpo, enquanto o jumento era impuro (Dt 14.1-8). A ideia que Paulo está transmitindo é que existem certas coisas que são essencialmente distintas e fundamentalmente incompatíveis, que jamais podem ser naturalmente unidas.[2] Incluídos na metáfora estão o casamento (1Co 7.12-15) e, pelo menos, todos os problemas éticos de que se tratou na primeira carta aos Coríntios (6.5-10; 10.14; 14. 4).

O chamado cristão tem a finalidade de evitar esses relacionamentos íntimos com os pagãos que comprometem a coerência cristã no culto e na ética (1Co 5.9-13). Não se pretende nenhuma exclusividade farisaica. Paulo mesmo foi sensível à cultura da época, mas não à custa da integridade da fé cristã e dos seus padrões morais (1Co 9.19-23).[3] Um crente não deve pôr-se debaixo do mesmo jugo com um incrédulo em, pelo menos, duas áreas: vida conjugal e participação em práticas cultuais pagãs. Vejamos um pouco mais detidamente essas duas áreas.

- *A vida conjugal.* O casamento entre um crente e um incrédulo está em desacordo com a Palavra de Deus (1Co 7.39). Esse princípio foi reprisado inúmeras vezes para o povo de Israel e repetidas vezes desobedecido (Ne 9.2; 10.28; 13.1-9,23-31). No caso de um crente já estar casado com um incrédulo, essa passagem não autoriza separação ou divórcio (1Co 7.12-16).
- *As práticas cultuais pagãs.* O contexto prova que o propósito de Paulo nesse texto é proibir os crentes de se unirem com os incrédulos no culto pagão (1Co 10.14-22). Paulo ataca com vigor a tese da união entre todas as religiões. Ele resiste fortemente ao ecumenismo universalista. O pensamento de que toda religião é boa e todo caminho leva a Deus está em completo descompasso com a Escritura. Não há comunhão verdadeira fora da verdade.

---

[2]BARCLAY, William. *I y II Corintios*, 1973, p. 231.
[3]CARVER, Frank G. *A Segunda Epístola de Paulo aos Coríntios*. Em Comentário Bíblico Beacon. Vol. 8, 2006, p. 441.

Em segundo lugar, ***uma impossibilidade absoluta*** (6.14b-16a). Paulo faz cinco perguntas retóricas e antitéticas e espera receber um sonoro não como resposta em todas elas. Cada pergunta aborda uma área específica da vida. William MacDonald nos oferece uma interessante análise do texto como segue:[4]

- *A esfera do comportamento moral.* "Que sociedade pode haver entre a justiça e a iniquidade?" (6.14). A justiça e a iniquidade não podem ter comunhão. São opostos morais. Frank G. Carver diz que a incoerência é total entre a justiça do cristão (5.21) e a injustiça ou a ilegalidade do pagão.[5]
- *A esfera do entendimento espiritual. Ou que comunhão, das trevas com a luz?* (6.14). As trevas e a luz não podem coexistir. Aonde a luz chega, as trevas precisam se retirar. Antes da sua conversão, o homem é filho das trevas e habita no reino das trevas. Na conversão, ele é transportado para o Reino da luz. Simon Kistemaker diz que a luz e a comunhão andam juntas, mas a luz e as trevas pertencem a duas esferas diferentes. Escuridão espiritual é destituída não só de luz, como também de amor.[6] Quem odeia seu irmão está nas trevas.
- *A esfera da autoridade. Que harmonia, entre Cristo e o maligno?* (6.15). Paulo enfatiza o contraste entre Cristo e o maligno como os principais governadores de suas respectivas esferas de justiça e iniquidade, luz e trevas, santidade e profanação.[7] Uma pessoa crente está debaixo da autoridade de Cristo e deleita-se em obedecê-lo. O incrédulo, entretanto, é filho da ira, é governado pelo príncipe da potestade do ar, está na casa do valente, no reino das trevas, na potestade de satanás. Participar da mesa de ídolos é o mesmo que participar da mesa dos demônios (1Co 10.14-22). Como é impossível servir a dois senhores ao mesmo tempo, um crente não pode participar da mesa do Senhor e da mesa dos demônios ao mesmo tempo.

---

[4]MacDonald, William. *Believer's Bible Commentary*, 1995, p. 1845.
[5]Carver, Frank G. *A Segunda Epístola de Paulo aos Coríntios*. Em Comentário Bíblico Beacon. Vol. 8, 2006, p. 441.
[6]Kistemaker, Simon. *2 Coríntios*, 2004, p. 322.
[7]Kistemaker, Simon. *2 Coríntios*, 2004, p. 323.

- *A esfera da fé. Ou que união, do crente com o incrédulo?* (6.15). Com essas palavras ele não está dizendo que crentes não podem ter contato nenhum com os incrédulos, pois, nesse caso, os crentes teriam de sair do mundo (1Co 5.9,10). Ele instrui os crentes a não compartilharem do estilo de vida dos incrédulos.[8] O contexto aqui é relativo ao culto. Paulo não defendia uma vida eremita, monástica e isolada da sociedade, mas combatia frontalmente a ideia de o crente participar de um culto pagão.
- *A esfera da adoração. Que ligação há entre o santuário de Deus e os ídolos?* (6.16). O templo é o lugar onde Deus escolhe habitar, embora Ele não possa ser restrito apenas a um edifício feito por mãos humanas (1Rs 8.27; 2Cr 6.18; Is 66.1,2; At 7.49,50). A comunidade cristã é o próprio templo da habitação de Deus, e, os crentes, como morada de Deus, não podem se envolver com o culto dos ídolos. Ídolos aqui não significam somente imagens de escultura, mas qualquer objeto que se interpõe entre a alma e Cristo. Esses ídolos podem ser dinheiro, prazer ou coisas materiais.[9] Colin Kruse adverte que o perigo da idolatria jaz no envolvimento com os poderes demoníacos, ativos nos ídolos, provocando o zelo e a ira de Deus (1Co 8.4-6; 10.19-22).[10]

Cada uma dessas palavras (sociedade, comunhão, harmonia, união e ligação) refere-se à presença de algo em comum. O termo "harmonia", por exemplo, dá origem à nossa palavra "sinfonia" e se refere à bela música resultante quando os músicos leem a mesma partitura e seguem o mesmo regente. Que confusão seria se cada músico tocasse à própria maneira, diz Warren Wiersbe.[11]

Em terceiro lugar, **uma conclusão inequívoca** (6.16b). *Porque nós somos santuário do Deus vivente, como Ele próprio disse: Habitarei e andarei entre eles; serei o seu Deus, e eles serão o meu povo* (6.16b). Deus

---

[8] KISTEMAKER, Simon. *2 Coríntios*, 2004, p. 324.
[9] MACDONALD, William. *Believer's Bible Commentary*, 1995, p. 1845.
[10] KRUSE, Colin. *II Coríntios: Introdução e Comentário*, 1994, p. 147.
[11] WIERSBE, Warren W. *Comentário Bíblico Expositivo*. Vol. 5: 2006, p. 853.

habita no crente individualmente (1Co 6.16-20) e também habita na igreja (1Co 3.16,17). O Deus que nem os céus dos céus podem contê-lo habita plenamente na igreja. O Pai (Ef 3.19), o Filho (Ef 1.23) e o Espírito Santo (Ef 5.18) habitam em cada crente. Somos a morada de Deus. Ele habita entre nós e em nós. Somos o Seu povo, e ele é o nosso Deus. Simon Kistemaker menciona os três estágios dessa habitação de Deus entre Seu povo: a encarnação (Jo 1.14), a habitação interior de Cristo no coração do crente (Ef 3.17) e a habitação de Deus com Seu povo na nova terra (Ap 21.3).[12]

Ter sociedade com a justiça, comunhão com as trevas, harmonia com o maligno, união com o incrédulo e ligação com os ídolos é conspirar contra essa verdade bendita.

A lógica de Paulo é que os crentes devem efetuar essa ruptura porque a igreja é o templo do Deus vivente. O termo grego *naós*, "templo", refere-se ao santuário interno onde a presença divina estava localizada, como distinção de toda a área do templo (*hieron*).[13]

Uma separação necessária (6.17,18)

O apóstolo Paulo prossegue e diz: *Por isso, retirai-vos do meio deles, separai-vos, diz o Senhor; não toqueis em coisas impuras; e eu vos receberei, serei vosso Pai, e vós sereis para mim filhos e filhas, diz o Senhor todo-poderoso* (2Co 6.17,18). Warren Wiersbe diz que a ordem de Deus para Seu povo é "retirai-vos", indicando um ato decisivo da parte deles. "Separai-vos", por outro lado, sugere devoção a Deus com um propósito especial. A separação não é apenas um ato negativo de se retirar. Devemos nos separar do pecado para Deus.[14]

Duas coisas devem ser aqui ressaltadas:

Em primeiro lugar, **uma separação exigida** (6.17). *Por isso, retirai-vos do meio deles, separai-vos, diz o Senhor; não toques em coisas impuras* [...] (6.17). Deus escolheu a igreja para ser um povo separado do mundo,

---

[12]KISTEMAKER, Simon. *2 Coríntios*, 2004, p. 326.
[13]CARVER, Frank G. *A Segunda Epístola de Paulo aos Coríntios*. Em Comentário Bíblico Beacon. Vol. 8, 2006, p. 441.
[14]WIERSBE, Warren W.. *Comentário Bíblico Expositivo*. Vol. 5, 2006, p. 853.

embora no mundo. A igreja está no mundo, mas não é do mundo. A igreja deve estar no mundo, mas o mundo não deve estar na igreja, assim como um barco deve estar na água, mas a água não deve estar no barco. A igreja estava vivendo numa sociedade pagã, mas não devia fazer parte de suas práticas pagãs. O crente convive com pessoas não convertidas, mas não deve se associar às suas práticas pecaminosas. O crente deve se afastar de qualquer forma de mal, seja comercial, social ou religioso.

Essa separação é uma advertência encontrada em toda a Bíblia. Deus advertiu Israel a não se misturar com as nações pagãs (Nm 33.50-56). Os profetas insistiram com o povo de Israel para deixar os ídolos pagãos e adorar exclusivamente ao Senhor. Jesus falou sobre a necessidade de ser guardado da contaminação do mundo (Jo 17.14-17). A igreja foi exortada a não receber aqueles que rejeitam a doutrina de Cristo (2 Jo 10,11).

William Barclay fala sobre três áreas que, muitas vezes, um crente precisava abandonar ao converter-se a Cristo. Primeiro, o seu ofício. Algumas profissões no mundo antigo estavam ligadas à idolatria. Em Éfeso, por exemplo, muitas pessoas viviam da fabricação de imagens da deusa Diana. Ainda hoje há pessoas que trabalham com bebidas alcoólicas, tabaco, jogo, artigos religiosos ligados à idolatria e feitiçaria e várias outras coisas incompatíveis com a fé cristã. F. W. Cherrington era um homem rico, herdeiro de uma grande cervejaria. Certa feita, ele viu um homem bêbado saindo de um bar e espancando a esposa. Ao olhar mais detidamente, ele viu que aquele bar ostentava um grande cartaz da sua cervejaria. Imediatamente, tomou uma decisão: "O golpe que esse homem desferiu não derrubou apenas sua mulher, mas também a minha empresa". No mesmo dia, ele tomou a decisão de mudar de ramo. Segundo, a vida social. Os crentes eram convidados a se assentar com os incrédulos em mesas de ídolos. As festas pagãs e os sindicatos comerciais, com seus padroeiros, eram coisas comuns no mundo pagão. Os crentes tinham que fazer uma escolha entre a prosperidade e a fidelidade; entre a popularidade e a obediência a Cristo. Terceiro, a vida familiar. A conversão, muitas vezes, trouxe grandes conflitos na família. Maridos, esposas e filhos eram abandonados pelos demais membros da família após sua conversão.[15]

---

[15] BARCLAY, William. *I y II Coríntios*, 1973, p. 232,233.

Em segundo lugar, ***uma comunhão oferecida*** (6.17b,18). [...] *e eu vos receberei, serei vosso Pai, e vós sereis para mim filhos e filhas, diz o Senhor Todo-poderoso* (6.17b,18). Na mesma medida em que o crente se aparta do mundo, aproxima-se de Deus. Ele rompe vínculos com o mundo e estreita o relacionamento com Deus.

É um ledo engano fazer amizade com o mundo com o propósito de ganhá-lo para Deus. A amizade do mundo é inimizade contra Deus (Tg 4.4). Amar ao mundo é desprezar o amor de Deus (1Jo 2.15-17). Conformar-se com o mundo, é deixar de ser transformado por Deus (Rm 12.1,2). Viver no mundo é ser condenado com ele (1Co 11.32).

Uma purificação abrangente (7.1)

Tendo, pois, ó amados, tais promessas, purifiquemo-nos de toda impureza, tanto da carne como do espírito, aperfeiçoando a nossa santidade no temor de Deus (7.1). A ruptura ética com o antigo modo de vida deve ser decisiva (tempo aoristo) e, ao mesmo tempo, abrangente, "de toda impureza da carne e do espírito", ou seja, de pecados exteriores e interiores.[16] Simon Kistemaker diz que a referência à carne e ao espírito deve ser interpretada como a pessoa completa a serviço de Deus.[17] Duas coisas são destacadas aqui pelo apóstolo Paulo:

Em primeiro lugar, ***o lado negativo da santificação*** (7.1a). A impureza da carne inclui todas as formas de impurezas físicas, enquanto a impureza do espírito cobre as impurezas interiores da vida, motivações, desejos e pensamentos.[18] O filho pródigo cometeu o pecado da carne, mas seu irmão mais velho "virtuoso" cometeu o pecado do espírito. Não era sequer capaz de se relacionar com o próprio pai.[19] A palavra grega *molysmos*, "impureza", encontra-se apenas aqui, em todo o Novo Testamento, e só três vezes na Septuaginta. Em todos os casos denota conspurcação religiosa.[20]

---

[16]CARVER, Frank G. *A Segunda Epístola de Paulo aos Coríntios*. Em Comentário Bíblico Beacon. Vol. 8, 2006, p. 442.
[17]KISTEMAKER, Simon. *2 Coríntios*, 2004, p. 330.
[18]MACDONALD, William. *Believer's Bible Commentary*, 1995, p. 1846.
[19]WIERSBE, Warren W. *Comentário Bíblico Expositivo*. Vol. 5, 2006, p. 854.
[20]KRUSE, Colin. *II Coríntios: Introdução e Comentário*, 1994, p. 149.

Em segundo lugar, *o lado positivo da santificação* (7.1b). Deus não somente dá o lado negativo da santificação, mas também o lado positivo. "[...] aperfeiçoando a nossa santidade no temor de Deus". Não somente devemos descartar e despojar-nos de todo tipo de contaminação e impureza, mas também nos tornarmos progressivamente semelhantes a Jesus. A santificação é um processo contínuo que dura enquanto dura a vida na terra. Devemos caminhar de força em força, de fé em fé, sendo transformados de glória em glória na imagem de Cristo. Nosso alvo é atingir a estatura do varão perfeito. É conhecida a oração de Robert McCheyne: "Senhor, faz-me tão santo quanto é possível a um homem ser santo deste lado de cá do céu".[21]

Uma acolhida solicitada (7.2-4)

Depois da digressão feita em 6.14-7.1, Paulo volta a tratar de seu relacionamento pessoal com a igreja de Corinto. Frank G. Carver diz que, às aparentes divagações de Paulo, nós devemos alguns dos mais ricos tesouros bíblicos (2.14-7.4; 1Co 13; Fp 2.5-11).[22] Era nesses interlúdios que ele compartilhava, com a igreja, as lições mais profundas.

Paulo já havia escancarado as comportas do seu coração para expressar seu profundo amor pela igreja (6.11,12). Ele também já havia rogado a retribuição de Seu amor (6.13). Agora, ele, mais uma vez, pede hospedagem no coração dos crentes e elenca algumas razões pelas quais solicita o acolhimento.

Em primeiro lugar, *ele não tratou ninguém com injustiça* (7.2). Paulo não foi um mercenário, mas um pastor. Ele esteve em Corinto não para explorar o rebanho de Deus, mas para apascentar as ovelhas de Cristo. Seu propósito não foi explorar os crentes, mas servi-los. Hoje, vemos muitos líderes inescrupulosos se abastecendo das ovelhas, em vez de pastorear as ovelhas.

Em segundo lugar, *ele não corrompeu ninguém* (7.2). Paulo não causou mal algum à igreja. Seu exemplo e ensino não corromperam

---

[21] MacDonald, William. *Believer's Bible Commentary*, 1995, p. 1846.
[22] Carver, Frank G. *A Segunda Epístola de Paulo aos Coríntios*. Em Comentário Bíblico Beacon. Vol. 8, 2006, p. 444.

ninguém nem incentivaram o comportamento imoral.²³ Há muitos escândalos hoje que provocam verdadeiros terremotos morais na igreja. Há líderes que em vez de guiar o povo de Deus pelas sendas da verdade, desvia-os pelos atalhos da heterodoxia e do descalabro moral.

Em terceiro lugar, *ele não explorou ninguém* (7.2). O verbo grego *pleonekteo* é usado com a ideia de explorar as pessoas, com o objetivo de lucro financeiro.²⁴ Fritz Rienecker diz que essa palavra significa tirar vantagem de alguém, defraudar, agir desonestamente para lucro próprio. Refere-se à atitude egoísta de alguém que está disposto a fazer tudo para satisfazer seus desejos.²⁵ Paulo não cobiçou de ninguém nem prata nem ouro. Ele trabalhou com suas próprias mãos para se sustentar e ainda ajudar os necessitados. Ele não estava atrás do dinheiro do povo, mas velando por suas almas.

Em quarto lugar, *ele sempre manteve uma lealdade sincera* (7.3). "Não vos falo para vos condenar; porque já vos tenho dito que estais em nosso coração para, juntos, morrermos e vivermos". Colin Kruse diz que a ideia básica é que as pessoas assim envolvidas nutrem entre si uma amizade que se sustentará ao longo da vida e as manterá unidas até mesmo na morte.²⁶ A comunhão cristã é tão sólida, tão profunda e tão duradoura que nem mesmo a morte pode encerrá-la. Somos um aqui e seremos um por toda a eternidade (Jo 17.24).

Em quinto lugar, *ele sempre acreditou na lealdade dos irmãos* (7.4). A despeito do ataque desferido contra a integridade do apóstolo pelo ofensor (7.12), Paulo ainda cria fortemente na lealdade básica dos coríntios para com ele. Tal lealdade precisava apenas ser liberta das restrições oriundas dos dolorosos eventos passados e das críticas com respeito à integridade do apóstolo.²⁷

---

²³KRUSE, Colin. *II Coríntios: Introdução e Comentário*, 1994, p. 151.
²⁴KRUSE, Colin. *II Coríntios: Introdução e Comentário*, 1994, p. 151.
²⁵RIENECKER, Fritz e ROGERS Cleon. *Chave Linguística do Novo Testamento Grego*, 1985, p. 351,352.
²⁶KRUSE, Colin. *II Coríntios: Introdução e Comentário*, 1994, p. 152.
²⁷KRUSE, Colin. *II Coríntios: Introdução e Comentário*, 1994, p. 152.

Uma consolação restauradora (7.5-16)

Podemos examinar esse tema da consolação sob três perspectivas diferentes: a consolação de Tito a Paulo, de Paulo aos coríntios e dos coríntios a Tito.

Em primeiro lugar, **Tito consola a Paulo** (7.5-7). Paulo retoma o assunto deixado no capítulo 2.13. Depois de sua visita traumática a Corinto, chegou a Trôade e mesmo tendo uma porta aberta para a evangelização, não teve paz em seu espírito e foi para a Macedônia com o propósito de encontrar Tito (2.12,13). Sua estada na Macedônia foi extremamente atribulada. Ele não teve nenhum alívio, ao contrário, teve lutas por fora e temores por dentro (7.5).

Uma vez que a visita de Paulo a Corinto não lograra êxito, enviou à igreja uma carta dolorosa por intermédio de Tito. Essa carta tinha como propósito orientar a igreja a disciplinar o membro faltoso que liderava a oposição contra Paulo na igreja. Agora, estava ansioso e até mesmo aflito para saber as notícias oriundas de Corinto.

A chegada de Tito com notícias alvissareiras foi um bálsamo para o apóstolo. O próprio Deus, Pai de toda consolação (1.3), consolou-o com a chegada de Tito (7.6). Simon Kistemaker diz corretamente que Deus nunca abandona Seu próprio povo, mas, no tempo certo, Ele lhes manda livramento. Seus olhos estão nos Seus filhos que passam por sofrimentos, tanto físicos como mentais, por amor do Seu reino. Ele ouve as orações deles e responde às necessidades, quando estão desanimados e humilhados.[28] O consolo de Paulo foi triplo: ele ficou feliz com a resposta positiva da igreja à sua carta; ficou feliz pela maneira fidalga com que a igreja tratou Tito e também ficou feliz pela expressão eloquente da saudade, do pranto e do zelo da igreja por ele (7.7).

Em segundo lugar, **Paulo consola os coríntios** (7.8-13a). Paulo explica para a igreja que o propósito de enviar-lhes a carta dolorosa não foi para feri-los com a espada da tristeza, mas curá-los com o bisturi do genuíno arrependimento. O propósito de Paulo em escrever a carta dolorosa não foi apenas para desmascarar o malfeitor nem mesmo se

---

[28] KISTEMAKER, Simon. *2 Coríntios*, 2004, p. 347.

defender, mas para que a igreja pudesse manifestar Seu amor por ele diante de Deus (7.12).

Paulo está feliz porque os coríntios estão tristes (7.9). Só que essa tristeza é a tristeza do arrependimento, a tristeza que produz vida. Paulo fala sobre dois tipos de tristeza: a tristeza piedosa e a tristeza mundana. Uma conduz à vida; a outra desemboca na morte. Podemos ver alguns casos de tristeza "segundo Deus" na Bíblia: Davi (2Sm 12.13; Sl 51), Pedro (Mc 14.72) e o Filho Pródigo (Lc 15.17-24). Temos também alguns casos de "tristeza segundo o mundo", como o de Esaú (Hb 12.15-17) e Judas Iscariotes (Mt 27.3-5).[29] Consideraremos esses tipos de tristeza:

A tristeza piedosa produz vida (7.9,10a). A tristeza segundo Deus é a ferida que cura, é a assepsia da alma, é a faxina da mente. É a tristeza que leva o homem a fugir do pecado para Deus, e não de Deus para o pecado. É a tristeza que leva o homem a abominar o pecado, e não apenas as consequências dele. A tristeza pelo pecado produz arrependimento verdadeiro, e o arrependimento atinge três áreas vitais da vida: razão, emoção e vontade.

Arrependimento é em primeiro lugar mudança de mente. É transformação intelectual. É abandonar conceitos e valores errados e adotar os princípios e valores de Deus.

Arrependimento é também mudança de emoções. É sentir tristeza pelo erro, e não apenas pelas consequências dele. É sentir nojo do pecado.

Mas, finalmente, arrependimento implica uma mudança da vontade. É dar meia-volta e seguir um novo caminho. Judas Iscariotes passou pelas duas primeiras fases do arrependimento: intelectual e emocional. Ele reconheceu seu erro, confessou-o, sentiu tristeza por ele, mas não se voltou para Deus. Essa é a diferença entre remorso e arrependimento. A tristeza piedosa não para no primeiro ou segundo estágio, mas avança para o terceiro, que é uma volta para Deus! Foi assim com Pedro. Ele não apenas reconheceu seu erro e chorou por ele, mas voltou-se para Cristo. Foi assim com o filho pródigo. Não apenas caiu em si, mas voltou para a casa do Pai, arrependido.

---

[29] KRUSE, Colin. *II Coríntios: Introdução e Comentário*, 1994, p. 156.

A tristeza mundana produz morte (7.10b). A tristeza do mundo produz morte. Essa é a tristeza daqueles que se enroscam no cipoal da culpa e caem no atoleiro da autoflagelação. É a tristeza daqueles que açoitam a si mesmos não porque estão quebrantados, mas porque foram apanhados em seu pecado. É o sentimento daquela pessoa que está triste não porque roubou, mas porque foi flagrada e apanhada no ato do roubo. Essa tristeza produz morte, pois não vem acompanhada de arrependimento verdadeiro. Essa é a tristeza do remorso.

Em terceiro lugar, *os coríntios consolam a Tito* (7.13b-16). [...] *e acima desta nossa consolação, muito mais nos alegramos pelo contentamento de Tito, cujo espírito foi recreado por todos vós* (7.13). Tito também estava profundamente preocupado com o tipo de recepção que encontraria em Corinto. Assim, a alegria de Paulo foi dobrada quando ele soube que o espírito de Tito foi recreado por toda a igreja.

A razão para a alegria de Paulo, acima e além do seu consolo, era porque ele não tinha sido "envergonhado" por ter se gloriado junto a Tito sobre o comportamento esperado dos coríntios (7.14).[30] Eles o haviam aceitado como a autoridade representativa do apóstolo (7.15). Paulo, então, fecha o círculo dessa consolação restauradora, dizendo: *Alegro-me porque, em tudo, posso confiar em vós* (7.16).

Frank Carver diz que esse é o delicado eixo ao redor do qual gira toda a epístola, pois serve como uma perfeita transição ao que vem a seguir no restante da carta. À luz da sua justificada confiança nos coríntios, Paulo tem a coragem de levantar o tema da sua responsabilidade em relação aos cristãos que passavam por necessidades (capítulos 8 e 9) e de denunciar os falsos apóstolos que estavam minando a sua autoridade na igreja (capítulos 10 a 13).[31]

Paulo encerra essa seção importante de sua carta com uma expressão de confiança na igreja: *Alegro-me porque em tudo posso confiar em vós* (7.16). O sentimento de alegria do apóstolo (7.13-16) está intimamente

---

[30] CARVER, Frank G. *A Segunda Epístola de Paulo aos Coríntios*. Em Comentário Bíblico Beacon. Vol. 8, 2006, p. 446.
[31] CARVER, Frank G. *A Segunda Epístola de Paulo aos Coríntios*. Em Comentário Bíblico Beacon. Vol. 8, 2006, p. 446,447.

ligado ao completo bem-estar daqueles com quem ele está amorosamente preocupado, seja o seu cooperador (7.13,14) sejam os seus filhos espirituais (7.15,16).³²

---

³²CARVER, Frank G. *A Segunda Epístola de Paulo aos Coríntios*. Em Comentário Bíblico Beacon. Vol. 8, 2006, p. 447.

10

Uma **filosofia bíblica** acerca da contribuição cristã

2 Coríntios 8.1-24

ANTES DE TRATAR DO TEMA CONTRIBUIÇÃO CRISTÃ, precisamos entender o contexto. No governo do imperador romano Cláudio, houve um período de grande fome em todo o mundo, fato esse profetizado por Ágabo (At 11.27,28). Nesse mesmo tempo, os judeus que moravam em Roma foram expulsos (At 18.2), e uma pobreza assoladora atingiu os cristãos da Judeia. Os discípulos de Cristo em Antioquia, conforme suas posses, enviaram socorro aos irmãos que moravam na Judeia por intermédio de Barnabé e Saulo (At 11.29,30). O apóstolo Paulo, ao ser enviado aos gentios, assumiu o compromisso de não se esquecer dos pobres, o que efetivamente esforçou-se por cumprir (Gl 2.9,10). Durante suas viagens missionárias nas províncias da Macedônia, Acaia e Ásia Menor esforçou-se para levantar uma oferta especial destinada aos pobres da Judeia (1Co 16.1-4; 2Co 8.1-24; 2Co 9.1-15). Paulo deu testemunho à igreja de Roma acerca dessa oferta, levantada pelos irmãos da Macedônia e Acaia, destinada aos pobres dentre os santos que viviam em Jerusalém (Rm 15.25-27). Paulo não só levantou essa oferta entre as igrejas gentílicas, mas a entregou com fidelidade (At 24.16-18). O volume dessa oferta deve ter sido grande, uma vez que o próprio rei Félix esperava receber algum dinheiro de Paulo (At 24.25,26).

A contribuição cristã é uma prática bíblica, legítima e contemporânea. Andrew Murray diz que o homem é julgado pelo seu dinheiro tanto no reino deste mundo quanto no reino dos céus. O mundo pergunta: quanto esse indivíduo possui? Cristo pergunta: como esse homem usa o que tem? O mundo pensa, sobretudo, em ganhar dinheiro; Cristo, na forma de dá-lo. E quando um homem dá, o mundo ainda pergunta: quanto dá? Cristo pergunta: como dá? O mundo leva em conta o dinheiro e sua quantidade; Cristo, o homem e seus motivos. Nós perguntamos quanto um indivíduo dá. Cristo pergunta quanto lhe resta. Nós olhamos a oferta. Cristo pergunta se a oferta foi um sacrifício.[1] Com respeito à contribuição cristã há dois extremos que devem ser evitados:

Em primeiro lugar, **ocultar o tema**. Há igrejas que jamais falam sobre dinheiro com medo de escandalizar as pessoas. Há aqueles que ainda hoje pensam que dinheiro é um tema indigno de ser tratado na igreja. O apóstolo não pensava assim. Ele, na verdade, assumiu o compromisso em seu apostolado de jamais esquecer-se dos pobres (Gl 2.10). Agora, está cumprindo Sua promessa, fazendo um grande levantamento de ofertas para os pobres da Judeia.

Em segundo lugar, **desvirtuar o tema**. Há ainda o grande perigo de pedir dinheiro com motivações erradas e para finalidades duvidosas. Há muitos pregadores inescrupulosos que usam de artifícios mentirosos e arrancam dinheiro dos incautos para abastecer-se. Há igrejas que usam métodos heterodoxos e escusos para fazer levantamento de gordas ofertas destinadas não à assistência dos necessitados, mas ao enriquecimento de obreiros fraudulentos.

No texto em tela, Paulo aborda vários princípios que devem reger a contribuição cristã. Examinemo-os.

A contribuição cristã **é uma graça de Deus** concedida à igreja (8.1)

Também, irmãos, vos fazemos conhecer a graça de Deus concedida às igrejas da Macedônia (8.1). Paulo ensinou à igreja que contribuir é um ato de

---

[1] MURRAY, Andrew. *O dinheiro*. Rio de Janeiro, RJ: Danprewan Editora, 1994, p. 12,13.

graça. Ele usou nove palavras diferentes para referir-se à oferta, mas a que emprega com mais frequência é graça.[2] Paulo dá testemunho à igreja de Corinto sobre a graça da contribuição que Deus concedeu às igrejas da Macedônia (Filipos, Tessalônica e Bereia). O propósito do apóstolo é estimular a igreja de Corinto, que vivia numa região rica, a crescer também nessa graça, uma vez que a generosidade dos macedônios, que viviam numa região pobre, era uma expressão da graça de Deus em suas vidas.[3]

Nesse texto, o apóstolo Paulo usa a palavra *graça* seis vezes em relação ao ato de contribuir (8.1,4,6,9,19;9.14). A graça é um favor divino independentemente do merecimento humano. A graça, em Deus, é sua compaixão pelos que são indignos. Sua graça é maravilhosamente gratuita. Sempre é concedida sem levar em conta o mérito. Deus dedica a sua vida a dar e tem deleite em dar.[4] A contribuição, portanto, não é um favor que fazemos aos necessitados, mas um favor imerecido que Deus faz a nós. A graça é a força, o poder, a energia da vida cristã, tal como ela age em nós por intermédio do Espírito Santo. A graça ama e se regozija em dar, em oferecer. Se temos a graça de Deus em nós, ela se mostrará no que oferecemos aos outros. E em tudo o que dermos, devemos fazê-lo estando conscientes de que é a graça de Deus que opera em nós.[5]

Ralph Martin diz que a graça da contribuição é a atividade inspirada pela graça de Deus que nos leva a dar.[6] Paulo sabia, também, que essa coleta era uma dívida que os gentios tinham para com os judeus (Rm 15.27) e um fruto de sua vida cristã (Rm 15.28).[7]

A igreja de Corinto havia assumido o compromisso de participar dessa oferta (16.1-4), mas, embora manifestasse progresso noutras áreas (8.7), estava lerda na prática dessa graça. Podemos ser zelosos em outras áreas da vida cristã e sermos remissos na área da generosidade. Podemos ser zelosos da doutrina, mas termos um coração insensível para socorrer

---

[2] WIERSBE, Warren W. *Comentário Bíblico Expositivo*. Vol. 5, 2006, p. 857.
[3] KRUSE, Colin. *II Coríntios: Introdução e Comentário*, 1994, p. 160.
[4] MURRAY, Andrew. *O dinheiro*. 1994, p. 39.
[5] MURRAY, Andrew. *O dinheiro*. 1994, p. 40.
[6] MARTIN, Ralph P. *II Corinthians*. Word Biblical Commentary. Vol 40. Waco, TX: Thomas Nelson INc., 1986,p.255.
[7] WIERSBE, Warren W. *Comentário Bíblico Expositivo*. Vol. 5, 2006, p. 857.

os necessitados. A igreja de Corinto estava aparelhada de várias graças, mas estava estacionada no exercício da graça da contribuição.

A contribuição cristã **é paradoxal** em sua ação (8.2)

Os crentes da Macedônia enfrentavam tribulação e pobreza. Eles eram perseguidos pelas pessoas e oprimidos pelas circunstâncias. Eles eram pressionados pela falta de quietude e pela falta de dinheiro. Essas duas situações adversas, entretanto, não os impediu de contribuírem com generosidade e alegria. Frank Carver diz que sob perseguições e na pobreza, a graça produziu, na Macedônia, "duas das mais adoráveis flores do caráter cristão: a alegria e a generosidade".[8] Dois paradoxos são aqui ventilados por Paulo:

Em primeiro lugar, *tribulação* **versus** *alegria*. *Porque, no meio de muita prova de tribulação, manifestaram abundância de alegria* [...] (8.2). Os macedônios tinham muitas aflições. Eles foram implacavelmente perseguidos (At 16.20; Fp 1.28,29; 1Ts 1.6; 2.14; 3.39), mas isso não foi impedimento para eles contribuírem com generosidade. Longe de se capitularem à tristeza, murmuração e amargura por causa da tribulação, os crentes macedônios exultavam com abundante alegria. A reação deles foi transcendental. Mui frequentemente quando passamos por tribulações perdemos a alegria e nos encolhemos pensando apenas em nós mesmos. Os macedônios mostraram que a alegria do crente não é apenas presença de coisas boas nem apenas ausência de coisas ruins. Nossa alegria não vem de fora, mas de dentro. Sua fonte não está nas circunstâncias, mas em Cristo. Colin Kruse diz corretamente que os cristãos macedônios conheciam a alegria de ser recipiendários da rica liberalidade de Deus e, nessa alegria, contribuíram generosamente.[9]

Em segundo lugar, *profunda pobreza versus grande riqueza*. [...] *e a profunda pobreza deles superabundou em grande riqueza da sua generosidade* (8.2b). Os macedônios não ofertaram porque eram ricos, mas apesar de serem pobres. Eles eram pobres, mas enriqueciam a muitos; nada

---

[8] CARVER, Frank G. *A Segunda Epístola de Paulo aos Coríntios*. Em Comentário Bíblico Beacon. Vol. 8, 2006, p. 450.
[9] KRUSE, Colin. *II Coríntios: Introdução e Comentário*, 1994, p. 161.

tinham, mas possuíam tudo (6.10). Eles não deram do que lhes sobejava, mas apesar do que lhes faltava. A extrema pobreza deles os impulsionou a serem ricos em generosidade. Eles eram generosos, embora fossem também necessitados. Andrew Murray diz que é digno de nota que haja mais generosidade nos pobres do que nos ricos. Isso, porque a ilusão da riqueza ainda não os empederniu; aprenderam a confiar em Deus com vistas ao dia de amanhã.[10]

A expressão "profunda pobreza" significa "miséria absoluta" e descreve um mendigo que não tem coisa alguma, nem mesmo a esperança de receber algo. Embora a área da Macedônia, que incluía Filipos, Tessalônica e Bereia, tivesse sido rica, os romanos haviam tomado posse das minas de ouro e prata, e controlavam o país, deixando-o pobre e sem união política.[11] Nessa mesma linha de pensamento Simon Kistemaker diz que, durante o século I da era cristã, a economia havia se deteriorado, e a província foi levada a uma grande pobreza. Guerras, invasões de bárbaros, a colonização romana e a reestruturação da província contribuíram para uma posição financeira deprimente. Ao mesmo tempo em que as cidades da Macedônia estavam empobrecidas, Corinto florescia financeiramente por causa do volume de comércio de seus portos. Em suma, havia uma diferença clara entre a Macedônia e Corinto em termos econômicos. Paulo refere-se a esse contraste.[12] O argumento de Paulo é que quando experimentamos a graça de Deus em nossa vida, não usamos as circunstâncias difíceis como desculpa para deixar de contribuir.[13]

A contribuição cristã **é transcendente** em sua oferta (8.3-5)

Para encorajar os crentes de Corinto a crescer na graça da contribuição, Paulo aborda dois exemplos de contribuição transcendente: 1) o exemplo da doação humana, retratada na oferta sacrificial dos macedônios

---

[10]MURRAY, Andrew. *O dinheiro*. 1994, p. 41.
[11]RIENECKER, Fritz e ROGERS Cleon. *Chave Linguística do Novo Testamento Grego*, 1985, p. 354.
[12]KISTEMAKER, Simon. *2 Coríntios*, 2004, p. 380.
[13]WIERSBE, Warren W. *Comentário Bíblico Expositivo*. Vol. 5, 2006, p. 857,858.

(8.3-5), e o exemplo da doação de Cristo, fazendo-se pobre para nos fazer ricos (8.9).[14] O exemplo da contribuição dos macedônios foi transcendente em três aspectos:

Em primeiro lugar, ***na disposição voluntária de dar além do esperado***. *Porque eles, testemunho eu, na medida de suas posses e mesmo acima delas, se mostraram voluntários* (8.3). Os macedônios não deram apenas proporcionalmente, mas deram acima de suas posses. Eles fizeram uma oferta sacrificial. É digno de destaque que eles contribuíram sacrificialmente num contexto de tribulação e pobreza. A oferta deles foi uma oferta de fé, pois deram além de sua capacidade. João Calvino lamentava, no seu tempo, que os pagãos contribuíssem mais aos seus deuses para expressar suas superstições, do que o povo cristão contribuía para Cristo, para expressar Seu amor. Geralmente os que mais contribuem não são os que mais têm, mas os que mais amam e os que mais confiam no Senhor. De um coração generoso sempre parte uma oferta sacrificial (1Jo 3.16-18).

Em segundo lugar, ***na disposição de dar mesmo quando não é solicitado***. *Pedindo-nos, com muitos rogos, a graça de participarem da assistência aos santos* (8.4). Paulo usa, nesse versículo, três palavras magníficas: *charis* (graça), *koinonia* (participarem) e *diakonia* (assistência). A contribuição financeira era entendida como um ministério cristão.[15] Os macedônios não contribuíram em resposta aos apelos humanos, mas como resultado da graça de Deus concedida a eles. Não foi Paulo quem rogou para que contribuíssem com os pobres da Judeia, foram eles que rogaram a Paulo o privilégio de fazê-lo. Não foi iniciativa de Paulo pedir dinheiro aos macedônios para os pobres da Judeia, foi iniciativa dos macedônios oferecerem dinheiro a Paulo para assistir os santos da Judeia. Os cristãos da Macedônia entenderam a verdade das palavras de Jesus: *Mais bem-aventurado é dar que receber* (At 20.35).

Na vida cristã existem três motivações: 1) você precisa fazer: é a lei; 2) você deve fazer: é a responsabilidade moral; 3) você quer fazer: é a graça. Maria, irmã de Marta, deu com alegria ao Senhor o que

---

[14] OLFORD, Stephen. *A graça de dar*. Miami, FL: Editora Vida, 1986, p. 42, 43.
[15] KRUSE, Colin. *II Coríntios: Introdução e Comentário*, 1994, p. 162.

tinha de melhor. Deu com espontaneidade, com prodigalidade e com a mais santa e pura das motivações (Jo 12.1-3). O bom samaritano deu o melhor que tinha para alguém a quem nem mesmo conhecia. Warren Wiersbe está correto quando diz que a graça nos liberta não apenas do pecado, mas também de nós mesmos. A graça de Deus abre nosso coração e nossa mão.[16]

Em terceiro lugar, **na disposição de dar a própria vida, e não apenas dinheiro**. *E não somente fizeram como nós esperávamos, mas também se deram a si mesmos primeiro ao Senhor, depois a nós, pela vontade de Deus* (8.5). Os macedônios não deram apenas uma prova de sua generosidade e comunhão, deram a eles próprios. A verdadeira generosidade só existe quando há a entrega do próprio eu.[17] Precisamos investir não apenas dinheiro, mas também vida. Precisamos dar não apenas nossos recursos, mas também a nós mesmos. Concordo com Jim Elliot, o mártir do cristianismo entre os índios aucas do Equador: "Não é tolo aquele que dá o que não pode reter para ganhar o que não pode perder". Quando perguntaram para o missionário Charles Studd, que deixara as glórias do mundo esportivo na Inglaterra para ser missionário na China, se não estava fazendo um sacrifício grande demais, ele respondeu: "Se Jesus Cristo é Deus e Ele deu Sua vida por mim, não há sacrifício tão grande que eu possa fazer por amor a Ele". Os macedônios se deram ao Senhor e ao apóstolo Paulo antes de ofertarem aos santos da Judeia. Quando o nosso coração se abre, o nosso bolso se abre também. Antes de trazermos nossas ofertas, precisamos oferecer a nossa própria vida.

A contribuição cristã **é progressiva** em sua prática (8.6,7,10.11)

Destacamos três pontos importantes aqui.

Em primeiro lugar, **um bom começo não é garantia de progresso na contribuição** (8.6). *O que nos levou a recomendar a Tito que, como começou,*

---

[16] WIERSBE, Warren W. *Comentário Bíblico Expositivo*. Vol. 5, 2006, p. 858.
[17] RIENECKER, Fritz e ROGERS Cleon. *Chave Linguística do Novo Testamento Grego*, 1985, p. 354.

assim também complete esta graça entre vós (8.6). Não somos o que prometemos, somos o que fazemos. Há uma grande diferença entre prometer e cumprir.[18] A igreja de Corinto manifestara um bom começo na área da contribuição, mas depois retrocedeu. Tito é enviado a eles para despertá-los a crescerem também nessa graça. Não era suficiente apenas boas intenções. As vitórias do passado não são suficientes para nos conduzir em triunfo no presente.

Em segundo lugar, **progresso em outras áreas da vida cristã não é garantia de crescimento na generosidade** (8.7). *Como, porém, em tudo, manifestais superabundância, tanto na fé e na palavra como no saber, e em todo cuidado, e em nosso amor para convosco, assim também abundeis nesta graça* (8.7). A igreja de Corinto teve um expressivo progresso espiritual depois das exortações feita pelo apóstolo Paulo na primeira carta. A igreja demonstrou progresso em quatro áreas: 1) ela era ortodoxa: abundava em fé; 2) ela era evangelística: abundava em palavra; 3) ela era estudiosa: abundava em ciência; 4) ela era bem organizada: abundava em cuidado. Mas havia uma deficiência na igreja. Ela não estava crescendo na graça da generosidade, a graça da contribuição. Ainda hoje encontramos crentes cheios de fé, hábeis na Palavra, cultos e diligentes. Mas na contribuição, eles são nulos.

Em terceiro lugar, **não se assiste os necessitados apenas com boas intenções** (8.10). No ano anterior, os crentes de Corinto tinham começado não só a prática da contribuição, mas também tinham o desejo sincero de prosseguir nessa graça (8.10). A prática tinha precedido o querer. Mas, agora, por lhes faltar o querer, a prática estava inativa. Paulo, então, os encoraja a não ficarem apenas nas boas intenções, mas avançarem para uma prática efetiva. Não se assiste os santos com boas intenções. O apóstolo Paulo escreve: *Completai, agora, a obra começada, para que, assim como revelastes prontidão no querer, assim a levais a termo, segundo as vossas posses* (8.11). Warren Wiersbe diz que a disposição não é um substituto para a ação.[19]

---

[18] WIERSBE, Warren W. *Comentário Bíblico Expositivo*. Vol. 5, 2006, p. 859.
[19] WIERSBE, Warren W. *Comentário Bíblico Expositivo*. Vol. 5, 2006, p. 859.

A contribuição cristã **não é resultado da pressão dos homens**, mas do exemplo de Cristo (8.8,9)

Há igrejas que estão desengavetando as indulgências da Idade Média e vendendo as bênçãos de Deus, cobrando taxas escorchantes por seus serviços. Há igrejas que levantam dinheiro apenas para se enriquecer, lançando mão de metodologias abusivas. A igreja não pode imitar o mundo. Este enriquece tirando dos outros; o cristão enriquece dando aos outros.[20] A contribuição cristã não deve ser compulsória. Não devemos contribuir por pressão psicológica. Contribuição cristã não é uma espécie de barganha com Deus.

Paulo destaca duas motivações legítimas para a contribuição cristã:

Em primeiro lugar, *a contribuição deve ser motivada pelo amor ao próximo*. Paulo diz que devemos contribuir não por constrangimento, mas espontaneamente; não com tristeza, mas com alegria, porque Deus ama a quem dá com alegria. Agora o apóstolo Paulo diz: *Não vos falo na forma de mandamento* [...] (8.8a). A motivação da generosidade, da contribuição é o amor. Paulo prossegue: [...] *mas, para provar, pela diligência de outros, a sinceridade do vosso amor* (8.8b). Sem amor, até mesmo nossas doações mais expressivas são pura hipocrisia. A natureza humana acaricia a hipocrisia, as motivações impróprias, a pretensão e a contribuição para ser vista pelos homens. A palavra "sincero" vem de duas palavras latinas que significam "sem cera". Os artífices dos países do Oriente Médio fabricavam estatuetas preciosas de porcelana fina. Eram de natureza tão frágil que todo cuidado era pouco para que não rachassem quando fossem queimados nos fornos. Negociantes desonestos aceitavam as estatuetas rachadas a um preço muito mais baixo e, então, enchiam as rachaduras com cera, antes de pô-las à venda. Mas os negociantes honestos exibiam a sua porcelana perfeita com os dizeres: *sine cera* ou "sem cera". A mordomia cristã não é resultado da legislação eclesiástica, nem um esquema para arrancar o dinheiro dos homens. É a consequência natural de uma experiência com Deus, a reação natural do coração que foi tocado pelo Espírito Santo.

---

[20] CARVER, Frank G. *A Segunda Epístola de Paulo aos Coríntios*. Em Comentário Bíblico Beacon. Vol. 8, 2006, p. 456.

O apóstolo Paulo disse que podemos dar todos os nossos bens aos pobres, mas se isso não é motivado pelo amor, não terá nenhum valor (1Co 13.3).

Em segundo lugar, *a contribuição é resultado do exemplo de Cristo*. O apóstolo Paulo escreve: *Pois conheceis a graça de nosso Senhor Jesus Cristo, que, sendo rico, se fez pobre por amor de vós, para que, pela sua pobreza, vos tornastes ricos* (8.9). Cristo foi o maior exemplo de generosidade. Graça por graça. Damos dinheiro? Cristo deu sua vida! Damos bens matérias? Ele nos deu a vida eterna. Cristo, sendo rico, fez-se pobre para nos fazer ricos. Cristo esvaziou-Se, deixando as glórias excelsas do céu para se fazer carne e habitar entre nós. Ele nasceu numa cidade pobre, numa família pobre e viveu como um homem pobre que não tinha onde reclinar a cabeça. Jesus nasceu numa manjedoura, cresceu numa carpintaria e morreu numa cruz. Ele constitui-se para nós o exemplo máximo de generosidade. Se Cristo deu tudo por nós, incluindo sua própria vida, para nos fazer ricos da Sua graça, devemos de igual modo, oferecer nossa vida e nossos bens numa expressão de terna generosidade.

A contribuição cristã **é proporcional** na sua expressão (8.12-15)

A contribuição cristã deve ser segundo a prosperidade (1Co 16.2) e segundo as posses (2Co 8.11). Não dá liberalmente quem não oferta proporcionalmente. Não dá com alegria quem não dá proporcionalmente. A proporção é a prova da sinceridade. Uma condição decorre da outra. Deus é o juiz. Jesus elogiou a pequena oferta da viúva pobre, dizendo que ela havia sido maior do que a dos demais ofertantes. Os outros haviam dado sobras; a oferta da viúva era sacrificial. Duas verdades devem ser destacadas aqui sobre a proporcionalidade da oferta.

Em primeiro lugar, *a contribuição proporcional deve ser vista como um privilégio, e não como um peso*. *Porque não é para que os outros tenham alívio, e vós, sobrecarga; mas para que haja igualdade* (8.13). Paulo propõe um privilégio, e não um peso. Deve existir igualdade de bênçãos e igualdade de responsabilidades. Não seria justo que só a Macedônia suportasse a despesa, como não seria conveniente que só ela desfrutasse da bênção de contribuir. Quando há proporcionalidade na oferta não há sobrecarga para ninguém. Quem muito recebe, muito pode dar. Quem pouco recebe, do pouco que tem ainda oferece uma oferta sacrificial. Devemos contribuir de acordo com a nossa renda, para que Deus não torne a nossa renda de acordo com a nossa contribuição.

Em segundo lugar, **a contribuição proporcional promove igualdade, e não desequilíbrio**. *Suprindo a vossa abundância, no presente, a falta daqueles, de modo que a abundância daqueles venha a suprir a vossa falta, e, assim, haja igualdade, como está escrito: O que muito colheu não teve demais; e o que pouco colheu, não teve falta* (8.14,15). Os bens que Deus nos dá não são para ser acumulados, mas distribuídos. Não devemos desperdiçar o que Deus nos dá nem acumular bens egoisticamente. Os que tentavam armazenar e guardar o maná descobriram que isso não era possível, pois o alimento se deteriorava e cheirava mal (Êx 16.20). A lição é clara: devemos guardar o que precisamos e compartilhar o que podemos.[21] A semente que multiplica não é a que comemos, mas a que semeamos. Hoje, suprimos a necessidade de alguém. Amanhã, esse alguém pode suprir a nossa necessidade. A vida dá muitas voltas. O provedor de hoje pode ser o necessitado de amanhã, e o necessitado de hoje pode ser o provedor de amanhã. O bem que semeamos hoje colheremos amanhã. O próprio campo onde semeamos hoje tornar-se-á a lavoura frutuosa que nos alimentará amanhã.

A contribuição cristã **é marcada por honestidade** em sua administração (8.16-24)

É preciso ter coração puro e mãos limpas para lidar com dinheiro. Há muitos obreiros que são desqualificados no ministério porque não lidam com transparência na área financeira. Judas Iscariotes, embora apóstolo de Cristo, era ladrão. Sua maneira desonesta de lidar com o dinheiro o levou a vender a Jesus por míseras trinta moedas de prata. Muitos pastores e líderes, ainda hoje, perdem o ministério porque não administram com transparência o dinheiro que arrecadam na igreja.

---

[21] WIERSBE, Warren W. *Comentário Bíblico Expositivo*. Vol. 5, 2006, p. 860.

Paulo mostra a necessidade de administrar com honestidade os recursos arrecadados na igreja. Destacaremos cinco pontos importantes.

Em primeiro lugar, *a fidelidade de Paulo à Sua promessa* (8.19). Paulo assumiu o compromisso de cuidar dos pobres (Gl 2.10) e, agora, afirma que ministrava essa graça da contribuição às igrejas (8.19). Promessa feita, promessa cumprida. O maior teólogo do cristianismo não divorciava evangelização de assistência aos necessitados.

Em segundo lugar, *o propósito de Paulo em arrecadar ofertas* (8.19). [...] *para a glória do próprio Senhor e para mostrar a nossa boa vontade*. O fim último das ofertas levantadas entre as igrejas gentílicas era a glória de Cristo. Quando os santos são assistidos, o Senhor da igreja é glorificado. O propósito de Paulo não era reter o dinheiro arrecadado em suas mãos, mas demonstrar sua disposição em servir os santos.

Em terceiro lugar, *o cuidado preventivo de Paulo* (8.20). O apóstolo prossegue, e diz: *Evitando, assim, que alguém nos acuse em face desta generosa dádiva administrada por nós* (8.20). Paulo sabia que tinha inimigos e críticos dispostos a acusá-lo de desonestidade na administração dessas ofertas.[22] Ele, então, toma medidas práticas para se prevenir. A palavra grega *stellomenoi* significa "tomar precauções". Essa palavra era usada como uma metáfora náutica com o significado de "recolher ou encurtar a vela, quando se ia aproximando da praia, a fim de evitar perigos na navegação.[23] Paulo é diligente em despertar a igreja para contribuir, mas também é cuidadoso na forma de arrecadar as ofertas e administrá-las. Paulo não lida sozinho com dinheiro. Ele está acompanhado de Tito (8.16,17) e de mais dois irmãos altamente conceituados nas igrejas (8.18,22,23).

Em quarto lugar, *a honestidade de Paulo* (8.21). *Pois o que nos preocupa é procedermos honestamente, não só perante o Senhor, como também diante dos homens* (8.21). Paulo é integro e também prudente. Ele cuida da sua piedade e também da sua reputação. Ele não apenas age com transparência diante de Deus, mas também com lisura diante dos

---

[22] BARCLAY, William. *I y II Corintios*, 1973, p. 241.
[23] RIENECKER, Fritz e ROGERS Cleon. *Chave Linguística do Novo Testamento Grego*, 1985, p. 356.

homens. Ele não deixa brecha para suspeitas nem dá motivos para acusações levianas. Frank Carver diz que esse versículo indica que Paulo reconhecia a importância não somente de ser honesto, mas também de parecer honesto diante dos homens.[24] Desconsiderar a opinião pública é na verdade uma grande tolice.

Em quinto lugar, *os elogios de Paulo* (8.16-18,22-24). Paulo elogia seus companheiros de ministério, especialmente aqueles que militam com ele no levantamento e administração dessa oferta (8.16-18,22-24) e também elogia a igreja (8.24). Paulo tinha o dom de ver o lado positivo das coisas e das pessoas. Paulo não somente pensava o bem acerca das pessoas, mas tinha a coragem de dizer isso para elas. Paulo era um aliviador de tensões e um construtor de pontes de amizade. Suas palavras eram aspergidas pelo óleo terapêutico do encorajamento.

Warren Wiersbe sintetiza e conclui o texto que acabamos de expor, oferecendo-nos quatro importantes princípios sobre a contribuição cristã; 1) ela começa com a entrega da nossa própria vida ao Senhor (8.1-7); 2) ela é motivada pela graça (8.8,9); 3) ela requer fé (8.10-15); 4) ela requer também fidelidade (8.16-24).[25]

---

[24]CARVER, Frank G. *A Segunda Epístola de Paulo aos Coríntios*. Em Comentário Bíblico Beacon. Vol. 8, 2006, p. 454.
[25]WIERSBE, Warren W. *With the Word*, 1991, p. 761.

11

A contribuição pela graça

2 Coríntios 9.1-15

A EVANGELIZAÇÃO E A AÇÃO SOCIAL caminham de mãos dadas. Paulo foi o maior desbravador do cristianismo no século I, e também o grande bandeirante da assistência aos necessitados. Não somente foi enviado aos gentios para levar-lhes o evangelho, mas, também, comprometeu-se a se lembrar dos pobres (Gl 2.10).

Por onde Paulo passou, desincumbiu-se fielmente dessa tarefa. Ele usou o exemplo das igrejas da Galácia (Derbe e Listra) para estimular os irmãos da Acaia, especialmente os de Corinto (1Co 16.1). Ele usou o exemplo da disposição inicial da igreja de Corinto (9.1-3) para estimular as igrejas da Macedônia (Filipos, Tessalônica e Bereia) e também a resposta alegre, surpreendente e sacrificial dos crentes macedônios para despertar os crentes coríntios (8.1-6). Finalmente, Paulo usou o exemplo da oferta levantada em benefício dos pobres da Judeia, pela Macedônia e Acaia, para testemunhar aos crentes de Roma (Rm 15.25,26).

William Barclay fala sobre quatro maneiras de contribuir: 1) por obrigação; 2) para agradar a si mesmo; 3) para alimentar o orgulho; 4) pela compulsão do amor.[1]

---

[1] BARCLAY, William. *I y II Corintios*, 1973, p. 242,243.

O texto que exporemos mostra-nos cinco resultados da contribuição pela graça. Vamos aqui considerá-los.

Quando você contribui, sua oferta estimula outras pessoas (9.1-5)

A disposição inicial dos crentes de Corinto em participar da oferta aos santos da Judeia encorajou as igrejas da Macedônia a ser surpreendentemente generosas (9.1-3). Mas a igreja de Corinto, passado um ano da promessa feita, perdeu o entusiasmo, e Paulo usa o exemplo das igrejas da Macedônia para despertá-la novamente (8.1-6). A Palavra de Deus nos ensina a estimular-nos uns aos outros ao amor e às boas obras (Hb 10.24). Não se trata aqui de imitação carnal, mas de emulação espiritual.[2]

Nós estamos sempre influenciando alguém, seja para o bem, seja para o mal. Não somos neutros. Com grande tato pastoral, o apóstolo destaca quatro pontos importantes aqui acerca da oferta.

Em primeiro lugar, ***nosso engajamento na obra de Deus estimula outros*** (2Co 9.1,2). O apóstolo Paulo escreve: *Ora, quanto à assistência a favor dos santos, é desnecessário escrever-vos, porque bem reconheço a vossa presteza, da qual me glorio junto aos macedônios, dizendo que a Acaia está preparada desde o ano passado; e o vosso zelo tem estimulado a muitíssimos* (9.1,2). Paulo gloriou-se do exemplo dos coríntios junto aos macedônios, e essa atitude inicial dos coríntios despertou muitíssimos irmãos a abraçarem a obra da assistência aos necessitados da Judeia. Um exemplo positivo vale mais do que mil palavras. Quando abraçamos a obra de Deus, outras pessoas são despertadas a fazer o mesmo.

Em segundo lugar, ***disposição e ação precisam caminhar juntas*** (9.3,4). A igreja de Corinto havia perdido o entusiasmo inicial de contribuir para os pobres da Judeia (8.6,7), e Paulo não queria ficar envergonhado diante dos macedônios nem deixar os próprios crentes de Corinto em situação constrangedora. Por isso, enviou-lhes Tito (8.6,7) e também

---

[2]WIERSBE, Warren W. *Comentário Bíblico Expositivo*. Vol. 5, 2006, p. 863.

mais dois irmãos (9.3) para ajudá-los a abundar também na graça da contribuição. Leiamos o relato de Paulo:

> Contudo, enviei os irmãos, para que o nosso louvor a vosso respeito, neste particular, não se desminta, a fim de que, como venho dizendo, estivésseis preparados, para que, caso alguns macedônios forem comigo e vos encontrem desapercebidos, não fiquemos nós envergonhados (para não dizer, vós) quanto a esta confiança (9.3,4).

O ensino de Paulo é claro: não basta disposição, é preciso ação. Não somos o que prometemos, mas o que fazemos. Não se constroem templos, não se sustenta missionários nem se assiste aos necessitados apenas com promessas e intenções, mas com ações concretas de contribuição. Não basta apenas ter boa intenção de contribuir. O caixa do supermercado não quitará seus compromissos só por você dizer: "Pretendia trazer o pagamento, mas tive que gastar o dinheiro em coisa mais urgente".

Em terceiro lugar, *a contribuição precisa ser metódica* (9.5). Paulo escreve: *Portanto, julguei conveniente recomendar aos irmãos que me precedessem entre vós e preparassem de antemão a vossa dádiva já anunciada [...]* (9.5a). Em 1Coríntios 16.1 Paulo já havia ensinado à igreja de Corinto que a oferta precisa ser periódica ("no primeiro dia da semana"), pessoal (cada um de vós), previdente ("ponha de parte"), proporcional ("conforme a sua prosperidade") e fiel ("e vá ajuntando para que não façam coletas quando eu for"). Agora, Paulo reforça seu argumento dizendo aos coríntios que eles precisavam se preparar de antemão para essa oferta (9.5a). Se as necessidades são constantes, nossa contribuição não pode ser esporádica.

Em quarto lugar, *a contribuição precisa ser generosa* (9.5b). Paulo conclui: *[...] para que esteja pronta como expressão de generosidade e não de avareza* (9.5b). Deus é generoso em sua dádiva. Ele deu o melhor, deu tudo, deu a si mesmo, deu o Seu próprio Filho. Jesus é generoso em sua dádiva. Ele deu sua própria vida. O apóstolo João escreve: *Nisto conhecemos o amor: que Cristo deu a sua vida por nós; e devemos dar nossa vida pelos irmãos* (1Jo 3.16). Porque somos filhos de Deus precisamos expressar o caráter e as ações do nosso Pai na manifestação de nossa generosidade. A palavra grega *pleonexia*, avareza, indica o desejo ávaro de ter mais, à custa dos outros.³ *Pleonexia* é o oposto de generosidade.⁴ Enquanto o avarento quer tudo que tem só para si e inclusive o que é do outro, o generoso reparte com alegria o que tem com os outros. Só existem três filosofias de vida com respeito ao dinheiro. 1) a avareza: os que vivem para explorar os outros. Essa filosofia pode ser sintetizada assim: "O que é meu, é meu; e o que é seu deve ser meu também"; 2) a indiferença: os que vivem de forma insensível à necessidade dos outros. Essa filosofia pode ser resumida assim: "O que é seu é seu; o meu é meu"; 3) a generosidade: os que vivem para fazer o bem aos outros. Essa filosofia pode ser definida assim: "O que é seu é seu; mas o que é meu pode ser seu também". Concordo com Frank Carver quando disse que o mundo enriquece tirando dos outros; o cristão, dando aos outros.⁵

William Barclay diz corretamente que nunca ninguém perdeu nada por ser generoso. Ao contrário, a pessoa generosa será rica em amor, rica em amigos, rica em ajuda e rica para com Deus.⁶

Quando você contribui, sua oferta abençoa a você mesmo (9.6-11)

Frank Carver diz que nossas ofertas têm um tríplice efeito: abençoam aos outros, abençoam a nós e glorificam a Deus.⁷ O apóstolo Paulo diz que nossa contribuição não apenas estimula a outros, mas também abençoa a nós. Somos os principais beneficiados quando contribuímos. A contribuição é uma semeadura que fazemos em nosso próprio campo. Esse é um investimento que fazemos em nós mesmos. Quanto mais distribuímos, mais temos. Quanto mais semeamos, mais colhemos. Quanto mais abençoamos, mais somos abençoados. Concordo

---

³RIENECKER, Fritz e ROGERS Cleon. *Chave Linguística do Novo Testamento Grego*, 1985, p. 356.
⁴CARVER, Frank G. *A Segunda Epístola de Paulo aos Coríntios*. Em Comentário Bíblico Beacon. Vol. 8, 2006, p. 455.
⁵CARVER, Frank G. *A Segunda Epístola de Paulo aos Coríntios*. Em Comentário Bíblico Beacon. Vol. 8, 2006, p. 456.
⁶BARCLAY, William. *I y II Corintios*, 1973, p. 244,245.
⁷CARVER, Frank G. *A Segunda Epístola de Paulo aos Coríntios*. Em Comentário Bíblico Beacon. Vol. 8, 2006, p. 455.

com Warren Wiersbe quando diz que ofertar não é algo que fazemos, mas algo que somos. É um estilo de vida para o cristão que compreende a graça de Deus.[8]

O apóstolo Paulo oferece-nos quatro importantes princípios acerca da contribuição no texto em apreço.

Em primeiro lugar, *o princípio da proporção* (9.6). Diz o apóstolo Paulo: *E, isto afirmo: aquele que semeia pouco, pouco também ceifará; e o que semeia com fartura com abundância também ceifará* (9.6). Essa é uma figura tirada da agricultura, mas que se aplica também à vida moral e espiritual. Paulo diz que aquilo que o homem semear, isso também ceifará (Gl 6.7). A colheita é proporcional à semeadura. Colin Kruse é mais específico quando diz que o tamanho da colheita é sempre diretamente proporcional ao tamanho da sementeira espalhada.[9] O dinheiro é uma semente. Devemos semeá-lo em vez de armazená-lo. A semente que se multiplica não é a que comemos, mas a que semeamos. Jamais devemos comer todas as sementes. Precisamos replantar continuamente as sementes de nossos rendimentos. Quando Deus nos dá uma colheita, voltamos a arar a terra outra vez; e, ainda, muitas outras vezes. Jesus disse que se a semente não morrer, fica ela só, mas se morrer produzirá muitos frutos (Jo 12.24). Antes de podermos efetuar uma ceifa financeira, nosso dinheiro deve morrer. Devemos desistir dele. Devemos semeá-lo. A viúva pobre semeou duas moedas (Mt 12.41-44), e sua colheita é conhecida no mundo inteiro. A Bíblia diz que quando você semeia dinheiro, você colhe dinheiro. *A quem dá liberalmente, ainda se lhe acrescenta mais e mais; ao que retém mais do que é justo, ser-lhe-á em pura perda. A alma generosa prosperará, e quem dá de beber será dessedentado* (Pv 11.24,25). Jesus ensinou: *Dai, e dar-se-vos-á; boa medida, recalcada, sacudida, transbordante, generosamente vos darão [...]* (Lc 6.38). A Palavra de Deus diz que *o generoso será abençoado* (Pv 22.9), *o que dá ao pobre não terá falta* (Pv 28.27), *quem se compadece do pobre ao Senhor empresta, e este lhe paga seu benefício* (Pv 19.27).

Quando semeamos dinheiro, colhemos não apenas dinheiro, mas também, e, sobretudo, bênçãos espirituais. O apóstolo Paulo diz: *Certos*

---

[8] WIERSBE, Warren W. *Comentário Bíblico Expositivo.* Vol. 5, 2006, p. 864.
[9] KRUSE, Colin. *II Coríntios: Introdução e Comentário*, 1994, p. 175,176.

de que cada um, se fizer alguma coisa boa, receberá isso outra vez do Senhor [...] (Ef 6.8). Ouçamos ainda a voz do profeta Isaías:

> Se abrires a tua alma ao faminto e fartares a alma aflita, então, a tua luz nascerá nas trevas, e a tua escuridão será como o meio-dia. O Senhor te guiará continuamente, fartará a tua alma até em lugares áridos e fortificará os teus ossos; serás como um jardim regado e como um manancial cujas águas jamais faltam (Is 58. 10,11).

Em segundo lugar, ***o princípio da motivação*** (9.7). Paulo escreve: *Cada um contribua segundo tiver proposto no coração, não com tristeza ou por necessidade; porque Deus ama a quem dá com alegria* (9.7). É importante ressaltar que Paulo não está tratando nesse texto de dízimo, mas de oferta para assistência aos crentes pobres da Judeia. Quanto ao dízimo não podemos retê-lo, subtraí-lo nem administrá-lo; antes, devemos entregá-lo com fidelidade à casa do tesouro (Ml 3.8-10). Quanto, porém, à intencionalidade das ofertas, precisamos observar duas coisas:

1. *A oferta não deve ser uma obrigação imposta, mas uma ação voluntária.* Simon Kistemaker diz que Paulo não emite uma ordem, não promulga um decreto ou regulamento, não exerce força.[10] A contribuição não deve ser por coerção, mas por compulsão. Deus se importa não apenas com a contribuição, mas também com a motivação. Não basta dar, é preciso dar com a intenção correta. Podemos fazer uma coisa certa como ofertar, com a motivação errada, promover a nós mesmos. Os fariseus davam esmolas com uma mão e tocavam trombeta com a outra (Mt 6.2-4). Ananias e Safira contribuíram não para promover a obra de Deus nem para assistir os necessitados, mas para exaltarem a si mesmos (At 5.1-11). Muitas pessoas contribuem para os necessitados para angariar méritos diante de Deus. Pensam que podem ser salvas pelas suas obras. A Bíblia, porém, diz que devemos fazer boas obras não para sermos salvos, mas porque fomos salvos.

---
[10] KISTEMAKER, Simon. *2 Coríntios*, 2004, p. 436.

Nossa contribuição deve ser resultado da graça de Deus em nós, e não a causa dela por nós.

2. *A oferta não deve ser dada com tristeza, mas com alegria.* William MacDonald diz que é possível contribuir e fazê-lo sem alegria. É possível contribuir sob a pressão de um apelo emocional ou público constrangimento.[11] Não devemos contribuir apenas porque outros estão fazendo ou por um desencargo de consciência. Não devemos contribuir por necessidade nem com tristeza, mas com alegria, pois Deus ama a quem dá com alegria. O princípio de Jesus é: *Mais bem-aventurado é dar que receber* (At 20.35). Devemos contribuir com grande exultação. O privilégio de dar é mais sublime do que a alegria de receber. A palavra grega usada por Paulo é *hilaron*, da qual vem nossa palavra hilariante. Deveríamos pular de alegria pelo fato de Deus nos conceder a graça de contribuir.

Em terceiro lugar, ***o princípio da distribuição*** (9.8,9). O argumento de Paulo é eloquente: *Deus pode fazer-vos abundar em toda graça, a fim de que, tendo sempre, em tudo, ampla suficiência, superabundeis em toda boa obra, como está escrito: Distribuiu, deu aos pobres, a Sua justiça permanece para sempre* (9.8,9). Ao longo do versículo 8 o conceito *todo* aparece cinco vezes: *toda graça; tudo; todo tempo, todas as coisas, toda boa obra.*[12] Deus nos abençoa para sermos abençoadores. Deus semeia no nosso campo para semearmos no campo alheio. Deus nos supre para suprirmos outros. Deus nos enriquece com suas bênçãos para sermos ricos de boas obras. Deus nos dá com fartura para distribuirmos generosamente aos pobres. Aqui está o ministério do pobre e o ministério do rico. É pura perda reter mais do que é justo. É como receber salário e pô-lo num saco furado. É ter sem usufruir. É possuir sem desfrutar. É comer sem fartar-se. É beber sem saciar. É vestir-se sem se aquecer (Ag 1.6). Os ricos que armazenam apenas para si descobrem que aquilo que entesouram com avareza se transforma em combustível para sua própria destruição (Tg 5.3).

---

[11] MacDonald, William. *Believer's Bible Commentary*, 1995, p. 1854.
[12] Kistemaker, Simon. *2 Coríntios*, 2004, p. 437.

Simon Kistemaker diz que o fluxo espiritual e material de dádivas que vêm de Deus ao crente nunca pode parar no beneficiário. Deve ser passado adiante para aliviar as necessidades de outras pessoas na igreja e na sociedade (Gl 6.10; 1Tm 6.17,18; 2Tm 3.17). O crente deve ser sempre um canal humano por meio do qual a graça divina flui para enriquecer a outros.[13]

O termo "suficiência" significa recursos interiores adequados.[14] A palavra grega usada por Paulo é *autarkeia*. Era uma palavra favorita dos estoicos. Não descreve a suficiência do homem que possui todo tipo de coisas em abundância, mas o estado do homem que não tem dedicado sua vida a acumular possessões, mas a eliminar necessidades. Descreve o homem que tem aprendido a contentar-se com muito pouco e a não desejar nada. É óbvio que tal pessoa poderá dar muito mais aos que a rodeiam devido ao fato que deseja muito pouco para si mesma. Muitas vezes queremos tanto para nós mesmos que não deixamos nada para os demais.[15] Fritz Rienecker diz que *autarkeia* indica a independência em relação a circunstâncias externas, especialmente em relação ao serviço de outras pessoas. O sentido aqui é que quanto menos um homem requer de si mesmo, mais ele terá para suprir as necessidades dos outros.[16] Colin Kruse, nessa mesma linha de pensamento, ainda lança luz sobre esse assunto quando escreve,

> O sentido da palavra *autarkeia* tem recebido certas conotações pelo seu emprego nas discussões éticas desde o tempo de Sócrates. Na filosofia cínica e na estoica, essa palavra era utilizada para caracterizar a pessoa autossuficiente. Assim foi que Sêneca, estoico e contemporâneo de Paulo entendia *autarkeia* como sendo a orgulhosa independência das circunstâncias exteriores, e de outras pessoas, e que constituía a verdadeira felicidade. Paulo empregava essa palavra de modo diferente. Para o apóstolo, *autarkeia* denota não a autossuficiência humana, mas a suficiência oriunda da graça de Deus; como tal, *autarkeia* possibilitava

---

[13] KISTEMAKER, Simon. *2 Coríntios*, 2004, p. 438.
[14] WIERSBE, Warren W. *Comentário Bíblico Expositivo*. Vol. 5, 2006, p. 865.
[15] BARCLAY, William. *I y II Corintios*, 1973, p. 245.
[16] RIENECKER, Fritz e ROGERS Cleon. *Chave Linguística do Novo Testamento Grego*, 1985, p. 357.

não a independência dos outros, mas a capacidade de abundar em boas obras a favor dos outros.[17]

Corroborando a Kruse, Kistemaker diz que *autarkeia* não pode ser interpretado como autossuficiência ou autoconfiança no sentido de "autodependência", pois somos todos completamente dependentes de Deus para nos suprir em cada necessidade. Deus nos provê suficientemente para o propósito de nossa dependência dEle e para o apoio a nossos semelhantes.[18]

Concordo com Frank Carver quando diz que a graça de Deus é uma graça que doa e que é capaz de engordar a alma mais magra e mesquinha.[19]

Em quarto lugar, *o princípio da provisão* (9.10,11). O apóstolo Paulo deixa claro que tudo que temos vem de Deus, pois é Ele quem dá semente ao que semeia. Também ensina que jamais nos faltará semente sempre que abrirmos as mãos para semearmos na vida de outras pessoas, uma vez que é Deus quem supre nossa sementeira. Paulo ainda ensina que quanto mais damos, mais temos para dar, pois Deus é quem aumenta a nossa sementeira e multiplica os frutos da nossa justiça. Atentemos para o que escreve o apóstolo:

> Ora, aquele que dá semente ao que semeia e pão para alimento também suprirá e aumentará a vossa sementeira e multiplicará os frutos da vossa justiça; enriquecendo-vos, em tudo, para toda generosidade, a qual faz que, por nosso intermédio, sejam tributadas graças a Deus (9.10,11).

Quando você contribui, sua oferta **abençoa outros** (9.12)

O apóstolo escreve: *Porque o serviço desta assistência não só supre a necessidade dos santos, mas também redunda em muitas graças a Deus* (9.12). Quando contribuímos com generosidade e alegria, essa contribuição promove dois resultados abençoadores.

---

[17] KRUSE, Colin. *II Coríntios: Introdução e Comentário*, 1994, p. 177.
[18] KISTEMAKER, Simon. *2 Coríntios*, 2004, p. 438,439.
[19] CARVER, Frank G. *A Segunda Epístola de Paulo aos Coríntios*. Em Comentário Bíblico Beacon. Vol. 8, 2006, p. 456.

Em primeiro lugar, *supre necessidades materiais dos necessitados* (9.12a). A igreja é uma família, e nessa família nenhuma pessoa deveria passar necessidade. O que Deus nos dá com abundância deve estar a serviço de Deus na assistência aos necessitados. Os recursos de Deus para suprir os necessitados estão em nossas mãos. Toda a provisão de Deus para o avanço do Seu reino está em nossas mãos. Somos mordomos de Deus, e não donos de seus recursos. Somos diáconos de Deus, e os recursos de Deus que estão em nossas mãos devem estar disponíveis para suprirmos a mesa dos pobres. Essa assistência é um serviço que prestamos não apenas aos homens, mas, sobretudo, a Deus. A palavra usada por Paulo para "assistência" é *leitourgia*, da qual vem a nossa palavra "liturgia". No grego clássico a palavra era usada acerca de cidadãos ricos que faziam serviços públicos, financiando coros para as peças de teatro. No uso judaico e no grego koinê, indica o serviço ou culto religioso.[20] Colin Kruse diz que Paulo considera a contribuição cristã não apenas um serviço prestado aos necessitados, mas também um ato de culto (serviço) prestado a Deus.[21]

Os cristãos gentios poderiam ter encontrado várias desculpas para não contribuir, como, por exemplo: "A escassez de alimentos e a pobreza na Judeia não são culpa nossa"; ou: "As igrejas mais próximas da Judeia é que deveriam ajudar"; ou ainda: "Cremos na importância de ofertar, mas também acreditamos que devemos cuidar primeiro de nossos necessitados". A graça nunca procura um motivo, busca apenas uma oportunidade.[22]

Em segundo lugar, *promove gratidão a Deus no coração dos assistidos* (9.12b). As mãos que se abrem para contribuir abrem os corações para agradecer. Quando abrimos o bolso para dar, os corações se abrem para render graças a Deus. Jesus já havia ensinado esse mesmo princípio: *Assim brilhe também a vossa luz diante dos homens, para que vejam as vossas boas obras e glorifiquem a vosso Pai que está nos céus* (Mt 5.16).

---

[20] RIENECKER, Fritz e ROGERS Cleon. *Chave Linguística do Novo Testamento Grego*, 1985, p. 358.
[21] KRUSE, Colin. *II Coríntios: Introdução e Comentário*, 1994, p. 179.
[22] WIERSBE, Warren W. *Comentário Bíblico Expositivo*. Vol. 5, 2006, p. 866.

Quando você contribui, sua oferta glorifica a Deus (9.13)

O apóstolo escreve: *Visto como, na prova desta administração, glorificam a Deus pela obediência da vossa confissão, quanto ao evangelho de Cristo e pela liberalidade com que contribuís para eles e para todos* (9.13). A generosidade da igreja promove a glória de Deus, pois aqueles que são beneficiários do nosso socorro glorificam a Deus pela nossa obediência. Paulo destaca dois pontos importantes nesse versículo:

Em primeiro lugar, **quando a teologia se transforma em ação Deus é glorificado** (9.13a). Os judeus crentes glorificaram a Deus ao ver que os gentios não apenas confessavam a teologia ortodoxa, mas também agiam de maneira ortoprática. Jesus falou do sacerdote e do levita que passaram ao largo ao ver um homem ferido (Lc 10.31,32). Não basta ter boa doutrina, é preciso pôr essa doutrina em prática. Os crentes da Judeia glorificaram a Deus não apenas porque os gentios creram, mas, sobretudo, porque obedeceram. A palavra grega *homologia*, "confissão", usada por Paulo, refere-se a uma confissão objetiva que tem que ver especialmente com "confessar a Cristo ou ao ensino de sua Igreja".[23] Warren Wiersbe relata o caso de um cristão rico que, em seu culto doméstico diário, orava pelas necessidades dos missionários que sua igreja sustentava. Certo dia, depois que o pai terminou de orar, o filho pequeno lhe disse: "Pai, se eu tivesse seu talão de cheques, poderia responder a suas orações".[24]

Em segundo lugar, **quando o amor deixa de ser apenas de palavras Deus é glorificado** (9.13b). Os gentios contribuíram com liberalidade não apenas para os crentes da Judeia, mas, também, para outros necessitados. Eles não amaram apenas de palavras, mas de fato e de verdade (1Jo 3.17,18). O amor não é aquilo que ele diz, mas aquilo que ele faz.

---

[23] RIENECKER, Fritz e ROGERS Cleon. *Chave Linguística do Novo Testamento Grego*, 1985, p. 358.
[24] WIERSBE, Warren W. *Comentário Bíblico Expositivo*. Vol. 5, 2006, p. 867.

Quando você contribui, sua oferta **produz camaradagem espiritual entre os irmãos** (9.14)

O apóstolo Paulo diz: *Enquanto oram eles a vosso favor, com grande afeto, em virtude da superabundante graça de Deus que há em vós* (9.14). Os crentes judeus, vendo a infinita graça de Deus em operação nos crentes gentios, nutriram afeto por eles e oraram por eles. Dessa forma, um dos maiores propósitos da coleta, no que concerne a Paulo, era promover a unidade da igreja.[25] Os legalistas da igreja haviam acusado Paulo de opor-se aos judeus e à Lei. As igrejas gentias estavam afastadas da igreja de Jerusalém, tanto em termos geográficos quanto culturais. Paulo deseja evitar uma divisão da igreja, e essa oferta fazia parte de seu plano de prevenção.[26]

Duas coisas podem ser vistas como resultado da nossa contribuição cristã.

Em primeiro lugar, *a intercessão por nós* (9.14a). Quando nossas mãos se abrem, os joelhos se dobram. Quando abrimos o coração para dar, os corações se aquecem para interceder. A contribuição produz comunhão. As dádivas materiais promovem bênçãos espirituais. Nunca estamos tão próximos de alguém como quando oramos por ele. É impossível orar por alguém sem amá-lo ao mesmo tempo. Por isso, Paulo diz que os crentes judeus oravam pelos gentios com grande afeto.

Em segundo lugar, *o reconhecimento da graça de Deus em nós* (9.14b). As pessoas veem em nós a superabundante graça de Deus não apenas quando falamos coisas bonitas, mas quando praticamos ações certas. Aqueles que são receptáculo da graça devem ser canais dela para outras pessoas.

O apóstolo Paulo termina sua exposição sobre a contribuição pela graça afirmando que tudo quanto dermos ainda não é retribuição adequada pelo dom inefável de Deus: *Graças a Deus pelo seu dom inefável!* (9.15). A palavra grega *dorea*, traduzida por "dom" nesse versículo, é o presente indescritível e soberano de Si mesmo em Seu Filho. Aqui

---

[25] KRUSE, Colin. *II Coríntios: Introdução e Comentário*, 1994, p. 180.
[26] WIERSBE, Warren W. *Comentário Bíblico Expositivo*. Vol. 5, 2006, p. 867.

está a fonte de toda a graça e todo o amor que fluem pelas igrejas, como resultado da oferta.[27] Simon Kistemaker diz que essa dádiva de Deus ao mundo é o nascimento, o ministério, o sofrimento, a morte, a ressurreição, a ascensão e a volta final de Seu Filho. Para Paulo, a ideia de Deus entregar Seu Filho à humanidade é espantosa.[28] Já a palavra grega *anekdiegetos*, "inefável", refere-se a alguma coisa que não pode ser descrita com palavras, recontada, ou explicada em detalhes. A ação de Deus não pode ser descrita com palavras humanas.[29] Essa palavra não se encontra no grego clássico nem nos papiros. Ela só aparece aqui em todo o Novo Testamento, e parece que foi cunhada pelo apóstolo Paulo a fim de descrever o inefável dom de Deus.[30] Simon Kistemaker diz que nesta terra nunca poderemos sondar a profundidade do amor de Deus por nós, o valor infinito de nossa salvação e o dom da vida eterna. A dádiva de Deus é realmente indescritível.[31]

Concordo com Colin Kruse quando afirma que, para Paulo, todas as contribuições cristãs devem ser efetuadas à luz do dom inefável de Deus, devem ser feitas com alegria no coração e como expressão de gratidão a Deus e, também, como demonstração de nosso interesse amoroso pelos necessitados que a receberão e nossa união com eles.[32]

Aqueles que receberam a maior dádiva de Deus, o Seu Filho bendito, devem expressar sua gratidão sendo generosos na partilha do que têm recebido. Jamais poderemos atingir esse nível de doação. Estaremos sempre aquém da generosidade de Deus.

---

[27] CARVER, Frank G. *A Segunda Epístola de Paulo aos Coríntios*. Em Comentário Bíblico Beacon. Vol. 8, 2006, p. 457.
[28] KISTEMAKER, Simon. *2 Coríntios*, 2004, p. 451.
[29] RIENECKER, Fritz e ROGERS Cleon. *Chave Linguística do Novo Testamento Grego*, 1985, p. 358.
[30] KRUSE, Colin. *II Coríntios: Introdução e Comentário*, 1994, p. 180.
[31] KISTEMAKER, Simon. *2 Coríntios*, 2004, p. 451.
[32] KRUSE, Colin. *II Coríntios: Introdução e Comentário*, 1994, p. 180.

12

O ministério como um campo de batalha

2 Coríntios 10.1-18

O MINISTÉRIO DE PAULO FOI VITORIOSO, mas não sem lutas. Por onde passava havia tumultos, revoltas, motins, açoites, apedrejamento e prisões. Ele enfrentou ataques dos judeus e dos gentios. Foi encurralado por pessoas difíceis e circunstâncias adversas. Suportou provações e privações. Ele, além de trazer no corpo as marcas de Cristo em virtude da fome, frio, encarceramento, apedrejamento e inúmeros açoites, trazia na alma, também, a preocupação com todas as igrejas. De todas as igrejas que fundou, nenhuma foi tão amada como a igreja de Corinto, e nenhuma lhe deu tanto trabalho.

Nessa carta, Paulo está defendendo seu ministério. Seus inimigos vinham de fora e também de dentro da igreja. A oposição ao apóstolo era apoiada por uma minoria na igreja que acolhia os falsos apóstolos, dando guarida a seus falsos ensinos.

Werner de Boor diz que nos capítulos 1 a 7, Paulo olha retrospectivamente para a dolorosa tensão entre ele e a igreja, tensão que agora obteve uma solução feliz. Nos capítulos 10 a 13, ele olha para o futuro, para a nova visita em Corinto. Essa visita não tornará a acontecer *em tristeza* (2.1), porém, provavelmente, trará consigo uma última luta com aqueles que desencaminharam e confundiram a igreja.[1]

---

[1] BOOR, Werner de. *Cartas aos Coríntios*. Curitiba, PR: Editora Evangélica Esperança, 2004, p. 440.

Paulo muda completa e drasticamente seu estilo nos últimos quatro capítulos. Alguns estudiosos chegam até a pensar que essa última parte da carta seja a carta dolorosa que Paulo escreveu à igreja. Nossa compreensão é que a transição de Paulo tem por finalidade desbancar a onda de oposição contra ele, surgida em sua ausência, ao mesmo tempo em que desmascara a petulância dos falsos apóstolos. Concordo com Daniel Mitchell quando diz que nos nove primeiros capítulos Paulo escreveu para a maioria da congregação que o amava e o apreciava. Nos quatro últimos capítulos, dirigiu-se ao pequeno grupo que resistia a ele.[2]

Paulo não se defendia pessoalmente, mas defendia seu ministério e sua autoridade apostólica. Não se envolveu em uma "competição de personalidades" com outros ministros.[3] Simon Kistemaker está correto quando diz que Paulo pode até suportar ataques ao seu caráter, pois sabe que está longe de ser perfeito. Mas não pode permitir ataques contra a obra do Espírito, na igreja, por intermédio dele.[4] Paulo admite que vive no mundo, mas não se sujeita a seus padrões.

O texto em tela nos fala sobre o ministério como um campo de batalha. Destacamos quatro importantes lições para nossa reflexão.

A posição defensiva do obreiro (10.1-3)

Paulo começa a parte mais densa e pesada da sua carta com palavras amáveis e cheias de ternura. Três verdades merecem ser destacadas:

Em primeiro lugar, ***uma apresentação despretensiosa*** (10.1,2a). *E eu mesmo, Paulo, vos rogo, pela mansidão e benignidade de Cristo, eu que, na verdade, quando presente entre vós, sou humilde; mas, quando ausente, ousado para convosco, sim, eu vos rogo que não tenha de ser ousado, quando presente* [...] (10.1,2a). Paulo tinha autoridade para dar ordens à igreja, mas ele pede. A palavra grega *parakaleo*, usada por Paulo, traz a ideia de rogar, solicitar, pedir com humildade. Paulo não se põe numa torre de marfim, encastelado em sua prepotência para humilhar as pessoas

---

[2] MITCHELL, Daniel R. *The Second Epistle to the Corinthians*, 1999, p. 1522.
[3] WIERSBE, Warren W. *Comentário Bíblico Expositivo*. Vol. 5, 2006, p. 869.
[4] KISTEMAKER, Simon. *2 Coríntios*, 2004, p. 463.

com sua autoridade. Ele pede e roga com mansidão e benignidade. Que motivo mais poderoso poderia invocar?

A palavra grega *prautes*, "mansidão", significa poder sob controle. As pessoas mais enérgicas e ousadas não são aquelas que dominam os outros pela força, mas as que dominam a si mesmas pela mansidão. Aristóteles definiu *prautes* como o termo médio entre estar demasiadamente enojado e nunca enojar-se. Trata-se daquela virtude que não se ofende quando a insulta é pessoal, mas reage firmemente quando se trata de fazer justiça a outrem.[5] Fritz Rienecker diz que *prautes* denota a atitude humilde e gentil que se expressa em uma aceitação paciente de ofensas, livre de malícia e desejos de vingança.[6] A mansidão era uma virtude social altamente valorizada, sendo o contrário da fúria repentina e grosseira. Mansidão não é moleza nem complacência com o pecado. Cristo foi manso quando, cheio de compaixão, recebeu pecadores, sem, contudo, minimizar seus pecados. É à luz dessa mansidão afetuosa que Paulo roga à igreja.[7]

A palavra grega *epieikeia*, "benignidade", tem um significado muito rico. Os gregos a definiam como "aquele que é justo e ainda melhor que o justo". O homem que tem *epieikeia* é aquele que sabe que em última análise a norma cristã não é a justiça, mas o amor. Dessa forma, Paulo está dizendo que não está buscando seus direitos, aferrado à lei para impor regras, mas considera a situação com o amor de Cristo.[8] Fritz Rienecker diz que *epieikeia* denota uma firmeza paciente, humilde, capaz de submeter-se às injustiças e maus tratos, sem ódio nem maldade, confiando em Deus a despeito de tudo.[9]

Em segundo lugar, **uma acusação maliciosa** (10.2b). [...] *alguns que nos julgam como se andássemos em disposições de mundano proceder* (10.2b). Os homens que se opunham a Paulo eram judeus (11.22) que afirmavam

---

[5] BARCLAY, William. *I y II Corintios*, 1973, p. 248.
[6] RIENECKER, Fritz e ROGERS Cleon. *Chave Linguística do Novo Testamento Grego*, 1985, p. 359.
[7] KRUSE, Colin. *II Coríntios: Introdução e Comentário*, 1994, p. 183.
[8] BARCLAY, William. *I y II Corintios*, 1973, p. 248,249.
[9] RIENECKER, Fritz e ROGERS Cleon. *Chave Linguística do Novo Testamento Grego*, 1985, p. 359.

ser apóstolos de Cristo (11.13). Eles foram à igreja de Corinto, trabalharam lá por um curto período e, a seguir apoderaram-se do crédito por tudo que foi realizado (10.12-18). Eles eram homens arrogantes, prepotentes e tirânicos (10.12; 11.18,20).[10]

Os opositores de Paulo o acusavam de ser inconsistente em seu caráter, difuso em sua conduta, dúbio em sua postura e desprovido de autoridade. Acusavam Paulo de ser grave e forte nas cartas, mas fraco em pessoa e desprezível nas palavras (10.10). Acusavam Paulo de não ter coragem de dizer pessoalmente a eles o que escrevia em suas cartas. Os falsos apóstolos foram duros e cáusticos com Paulo, taxando-o de homem de duas caras, de viver em duplicidade. Os falsos apóstolos interpretaram a benignidade de Paulo como fraqueza.

Colin Kruse, por outro lado, entende que a acusação dos opositores de Paulo se direcionava também a outra área. Acompanhemos seu raciocínio,

> Andar na carne, no conceito dos adversários de Paulo, provavelmente significava agir sem autoridade alguma (11.20,21), sem experimentar visões e revelações (12.1), sem executar sinais miraculosos (12.11,12), não sendo uma pessoa mediante quem Cristo estaria falando (13.3). Na verdade, diriam talvez esses inimigos de Paulo, "andar na carne" significava executar um empreendimento puramente humano utilizando o engano e a malícia (12.16-18).[11]

Em terceiro lugar, **uma resposta audaciosa** (10.3). *Porque, embora andando na carne, não militamos segundo a carne* (3.3). O apóstolo Paulo não aceita a acusação leviana assacada contra ele nem se cala diante da afronta. Seus acusadores queriam esvaziar sua autoridade apostólica e denegrir sua integridade moral. Paulo responde a seus opositores que, embora viva na carne; ou seja, está sujeito à fraqueza da natureza humana, não milita segundo a carne;ou seja, não anda segundo os ditames da carne. "Andar na carne" significa participar da existência

---

[10] CARVER, Frank G. *A Segunda Epístola de Paulo aos Coríntios.* Em Comentário Bíblico Beacon. Vol. 8, 2006, p. 458.
[11] KRUSE, Colin. *II Coríntios: Introdução e Comentário*, 1994, p. 184,185.

humana normal com todas as suas limitações. "Não militar segundo a carne" significa não desempenhar o ministério cristão com meros recursos humanos, isento do poder de Deus, com a tendência concomitante a empregar meios duvidosos (1.17; 4.2; 12.16-18).[12]

Colin Kruse diz que Paulo reage diante das levianas acusações de seus opositores usando abundantemente metáforas militares (10.3-6). O apóstolo emprega inúmeras imagens bélicas (10.3b), armas, milícia, destruição de fortalezas (10.4), destruição de altivez (literalmente "todas as coisas elevadas"; isto é, torres), cativeiro (10.5) e prontidão para punir toda desobediência (isto é, levar à corte marcial) (10.6).[13]

A posição ofensiva do obreiro (10.4-6)

O conflito entre as forças de Deus e as de satanás é espiritual e precisa ser travado com armas espirituais. As armas do mundo encarnam o inverso das regras de Deus: a mentira em lugar da verdade; as trevas em lugar da luz; a tristeza em lugar da alegria e a morte em lugar da vida.[14] Paulo lança mão de uma linguagem militar para fazer sua defesa. Como soldado de Cristo põe-se na ofensiva e nos ensina algumas preciosas lições.

Em primeiro lugar, *a natureza das nossas armas* (10.4). *Porque as armas da nossa milícia não são carnais e sim poderosas em Deus* [...] (10.4a). A vida cristã não é um parque de diversões, mas um campo de guerra. Estamos numa milícia, e não numa estufa espiritual. A palavra grega *hopla*, "armas", é uma palavra genérica usada tanto para armas de defesa como de ataque.[15] O termo "milícia" significa "campanha". O ataque do inimigo nessa cidade fazia parte de uma grande campanha militar. Os poderes do inferno atacavam a igreja e era importante não ceder nenhum território.[16] Nesse campo de guerra, as armas carnais são impróprias e inadequadas. Nossas armas são poderosas em Deus. São

---

[12] KRUSE, Colin. *II Coríntios: Introdução e Comentário*, 1994, p. 185.
[13] KRUSE, Colin. *II Coríntios: Introdução e Comentário*, 1994, p. 185.
[14] KISTEMAKER, Simon. *2 Coríntios*, 2004, p. 468.
[15] RIENECKER, Fritz e ROGERS Cleon. *Chave Linguística do Novo Testamento Grego*, 1985, p. 359.
[16] WIERSBE, Warren W. *Comentário Bíblico Expositivo*. Vol. 5, 2006, p. 870.

armas que constroem em vez de destruir. São armas que dão vida em vez de matar.

Em segundo lugar, *o poder das nossas armas* (10.4b-5). [...] *para destruir fortalezas; anulando sofismas e toda altivez que se levante contra o conhecimento de Deus, e levando cativo todo pensamento à obediência de Cristo* (10.4b-5). Essas armas espirituais, poderosas em Deus, são eficazes para algumas finalidades.

Elas destroem a resistência do inimigo (10.4). Essas armas destroem fortalezas. A palavra grega *ochuroma*, encontra-se apenas aqui em todo o Novo Testamento. "Fortaleza" nos papiros tinha o significado de prisão.[17] Essas fortalezas são muralhas que resistem, portas que se fecham, e paredes que aprisionam. Simon Kistemaker diz que essas fortalezas aparecem em formas múltiplas, mas são essencialmente a mesma: são sistemas, esquemas, estruturas e estratégias que satanás maquina para frustrar e obstruir o progresso do evangelho de Cristo.[18] O inimigo tem suas fortalezas. Essas fortalezas parecem inexpugnáveis. Mas as armas que usamos podem detonar essas muralhas, fazer ruir essas resistências. O evangelho é a dinamite de Deus que quebra pedreiras graníticas, arrebenta rochas sedimentadas e demole toda oposição.

Elas anulam as estratégias do inimigo (10.4). Essas armas anulam sofismas. A palavra grega *logismos* significa raciocínio, reflexão, pensamento. A batalha é travada no campo das ideias. Essa guerra não é travada contra as pessoas em si, mas contra padrões de pensamentos, filosofias, teorias, visões e táticas.[19] O diabo cega o entendimento dos incrédulos (4.4). Ele distorce a verdade, dissemina o erro e espalha a mentira. As nossas armas desmantelam esses sofismas, desnudam esses artifícios e aniquilam esses raciocínios falazes.

Elas acabam com o orgulho do inimigo (10.5). Essas armas são poderosas em Deus para anular toda altivez que se levante contra o conhecimento dele. Colin Kruse diz que tanto a fortaleza (10.4) quanto a torre

---

[17] RIENECKER, Fritz e ROGERS Cleon. *Chave Linguística do Novo Testamento Grego*, 1985, p. 359.
[18] KISTEMAKER, Simon. *2 Coríntios*, 2004, p. 469.
[19] KISTEMAKER, Simon. *2 Coríntios*, 2004, p. 469.

ou altivez (10.5) simbolizam os argumentos intelectuais, as racionalizações erigidas pelos seres humanos contra o evangelho. Bruce Barton relembra o fato de que Paulo já havia dito para os coríntios que o evangelho da cruz era considerado tolice e loucura para aqueles que viam o mundo pelas lentes da filosofia grega (1Co 1.18-25). Quando Paulo pregou o evangelho para os filósofos atenienses, eles desprezaram sua mensagem. Para os filósofos, o evangelho era pura tolice (At 17.32).[20] Entretanto, mediante a proclamação do evangelho, essa argumentação oca é destruída, e os pecadores são salvos.[21] Há muitos falsos intelectuais que tentam ridicularizar a verdade de Deus. Há muitos homens soberbos que escarnecem da fé cristã, blasonando do alto de sua prepotência, palavras ácidas contra o conhecimento de Deus. Esses homens soberbos e insolentes escarnecem da inerrância da Bíblia e pisam com escárnio suas doutrinas. William MacDonald diz que isso pode ser aplicado hoje aos arrazoados dos cientistas, evolucionistas, filósofos e livres pensadores que não têm espaço para Deus em seus esquemas e cosmovisão.[22] Mas quando usamos a verdade de Deus, essa altivez arrogante cai por terra e cobre-se de pó.

Elas aprisionam o pensamento do inimigo (10.5). Paulo continua ampliando a metáfora militar. Quando se conquista uma fortaleza também se fazem prisioneiros. As armas espirituais não aprisionam homens, mas ideias. Elas libertam os homens, levando todo pensamento cativo à obediência de Cristo. Colin Kruse diz que essa imagem é a de uma fortaleza rompida; os que ali dentro se abrigavam, por detrás de muralhas, estão sendo levados em cativeiro. Portanto, o propósito do apóstolo não é apenas demolir os falsos argumentos, mas também conduzir os pensamentos das pessoas sob o senhorio de Cristo.[23]

Aqui, "levar cativo" no tempo presente do verbo indica que o ato de fazer prisioneiros está em andamento, a batalha está sendo ganha e a vitória é inclusiva (todo pensamento). A conquista não visa subjugar

---

[20]BARTON, Bruce B., e outros. *Life Application Bible Commentary on 1 & 2 Corinthian*, 1999, p. 417.
[21]KRUSE, Colin. *II Coríntios: Introdução e Comentário*, 1994, p. 186.
[22]MACDONALD, William. *Believer's Bible Commentary*, 1995, p. 1856.
[23]KRUSE, Colin. *II Coríntios: Introdução e Comentário*, 1994, p. 186.

pessoas, mas pensamentos. Não há menção de derramamento de sangue e matança nesse campo de batalha. Antes, todas as teorias são capturadas e forçadas a obedecer a Cristo. A cultura aqui é conquistada para Cristo e permanece intacta, mas seus componentes são transformados para servi-Lo. Quando as pessoas se arrependem, experimentam uma inversão completa em seu modo de pensar que, a partir daí, dirigem suas ações à obediência a Cristo.[24] Por essa obediência a Cristo, a razão escapa da escravidão do erro e do pecado e volta a encontrar sua verdadeira liberdade para a qual foi criada (Jo 8.32).[25]

Em terceiro lugar, *a eficácia das nossas armas* (10.6). [...] *e estando prontos para punir toda desobediência, uma vez completa a vossa submissão* (10.6). Paulo, como um guerreiro espiritual da milícia de Cristo, trajando armas espirituais, não só desmantela a resistência, as estratégias, a soberba e os pensamentos do inimigo, mas também tem autoridade para punir a desobediência daqueles que se entregam ao erro. A linguagem usada por Paulo é que os rebeldes seriam levados à corte marcial e punidos por sua desobediência. Era uma desobediência que tratava com leviandade a verdade do evangelho (11.4), em razão do que seus detratores poderiam ser chamados de *falsos apóstolos, obreiros fraudulentos* e até mesmo servos de satanás (11.13-15).[26]

A autoridade espiritual do obreiro (10.7-11)

No Reino de Cristo a autoridade não se demonstra pela força, mas pela mansidão e benignidade. Maior é o que serve, e não o que é servido. Os que fazem uma viagem arrogante para o topo da pirâmide despencam para o chão, mas aqueles que se humilham são elevados pelo próprio Deus ao ápice da pirâmide. Warren Wiersbe diz que Paulo usava sua autoridade para fortalecer a igreja, enquanto os judaizantes usavam a igreja para fortalecer a autoridade deles.[27] Nossa autoridade

---

[24]KISTEMAKER, Simon. *2 Coríntios*, 2004, p. 471.
[25]BONNET, L. e SCHROEDER A. *Comentario del Nuevo Testamento*. Tomo 3, 1982: p. 380,381.
[26]KRUSE, Colin. *II Coríntios: Introdução e Comentário*, 1994, p. 187.
[27]WIERSBE, Warren W. *Comentário Bíblico Expositivo*. Vol. 5, 2006, p. 871.

não emana de nós mesmos, ela vem de Cristo. Três verdades devem ser aqui destacadas:

Em primeiro lugar, *o fundamento da autoridade* (10.7). *Observai o que está evidente. Se alguém confia em si que é de Cristo, pense outra vez consigo mesmo que, assim como ele é de Cristo, também nós o somos* (10.7). Os falsos apóstolos confiavam em si mesmos que eram de Cristo. Pensavam que Cristo era um monopólio deles. Estavam estribados numa base falsa. Eles haviam alistados a si mesmos, mas não pertenciam ao comandante nem seguiam suas pegadas. Paulo, porém, foi alistado no exército de Deus não por si mesmo, mas convocado pelo próprio comandante. Concordo com William Barclay quando escreveu que o problema do cristão arrogante é que ele acha que Cristo lhe pertence, e não que ele pertence a Cristo.[28]

Em segundo lugar, *a delegação da autoridade* (10.8,9). *Porque, se eu me gloriar um pouco mais a respeito da nossa autoridade, a qual o Senhor nos conferiu para edificação e não para destruição vossa, não me envergonharei, para que não pareça ser meu intuito intimidar-vos por meio de cartas* (10.8,9). A autoridade de Paulo vem de Jesus e não dele mesmo. Ele não consagrou a si mesmo apóstolo, ele foi chamado por Cristo para ser apóstolo. Ele não precisava de cartas de recomendação como os falsos apóstolos. A própria igreja de Corinto era sua carta. Sua autoridade não procedia da terra, mas do céu; não de homens, mas do próprio Deus.

Paulo exerce seu apostolado para a edificação, e não para destruição. Paulo não exerce uma autoridade arrogante. Ele não exigia respeito pela intimidação, ele o conquistava pelo seu exemplo. Sua liderança não inspirava medo, mas obediência. Concordo com Simon Kistemaker quando diz que Jesus nos concede poder, nunca para uso pessoal, mas sempre para o avanço de Sua causa.[29]

Em terceiro lugar, *o uso da autoridade* (10.10,11). *As cartas, com efeito, dizem, são graves e fortes; mas a presença pessoal dele é fraca, e a palavra, desprezível. Considere o tal isto: que o que somos na palavra por cartas,*

---

[28]BARCLAY, William. *I y II Corintios*, 1973, p. 253.
[29]KISTEMAKER, Simon. *2 Coríntios*, 2004, p. 478.

estando ausentes, tal seremos em atos, quando presentes (10.10,11). Os inimigos de plantão de Paulo o acusavam de inconsistência, duplicidade e hipocrisia. Denegriam seu caráter, dizendo que não tinha coragem de enfrentar as pessoas nem os problemas cara a cara. Maculavam sua honra dizendo que era um obreiro covarde, que só rugia como leão à distância, mas quando estava perto era tímido e fraco como um cordeiro. A acusação aqui não é à oratória de Paulo, mas ao caráter do apóstolo. Ele, porém, se defende dizendo que a tese dos acusadores será desmantelada. Ele irá à igreja e não poupará os insubmissos e rebeldes.

Frank Carver afirma que os falsos apóstolos estavam acusando Paulo pelo fato de ele ter ido a Corinto não *com ostentação de linguagem ou de sabedoria* (1Co 2.1,2), mas apenas anunciando *a Jesus Cristo, e a este crucificado* (1Co 1.23). Esse discurso não os teria impressionado nem alcançado os padrões da retórica grega.[30]

A aprovação do obreiro (10.12-18)

Nos versículos 12 a 18, Paulo assume a ofensiva e satiriza seus adversários que se autoelogiam. Ele desbanca a pretensa autoridade e legitimidade dos falsos apóstolos e faz uma defesa irresistível do seu apostolado. Segundo Warren Wiersbe, Paulo trata basicamente de duas coisas aqui: parâmetros falsos (10.12) e parâmetros verdadeiros (10.13-18).[31] Consideraremos essas duas verdades:

Em primeiro lugar, **parâmetros falsos** (10.12). *Porque não ousamos classificar-nos ou comparar-nos com alguns que se louvam a si mesmos; mas eles, medindo-se consigo mesmos e comparando-se consigo mesmos, revelam insensatez* (10.12). Os falsos apóstolos comissionavam a si mesmos e legitimavam seu próprio apostolado. O chamado deles não vinha de Cristo. O poder deles não procedia do Espírito Santo. A pregação deles não estava baseada nas Escrituras, e a vida deles não estava arraigada na integridade. Consequentemente, eles eram falsos apóstolos, falsos obreiros e falsos crentes.

---

[30]CARVER, Frank G. *A Segunda Epístola de Paulo aos Coríntios*. Em Comentário Bíblico Beacon. Vol. 8, 2006, p. 462.
[31]WIERSBE, Warren W. *Comentário Bíblico Expositivo*. Vol. 5, 2006, p. 872,873.

É insensatez escolher a si mesmo, aprovar a si mesmo e elogiar a si mesmo. É uma consumada loucura bater palmas e aclamar a si mesmo e cantar: "Quão grande és tu", diante do espelho.

Colin Kruse diz que um método popular usado pelos mestres a fim de atrair discípulos, nos dias de Paulo, era comparar-se a si mesmos com outros mestres. Os falsos apóstolos em Corinto procuravam aparência física imponente e eloquência arrebatadora (10.1,10; 11.20,21), cobravam uma taxa sobre cada sermão pregado (11.7-11), exibiam ascendência judaica impecável (11.21b-22), experiências espirituais impressionantes (12.1-6), realização de sinais apostólicos (12.12) e outra exibição de autoridade e poder (11.19,20) a fim de comprovar que Cristo estava falando por meio deles (13.3). Observe-se a natureza triunfalista desses critérios. Não há espaço para expressões de fraqueza, sofrimento, perseguição e prisão que, com frequência, constituíam a porção de Paulo, e que o próprio Jesus afirmara ser a experiência de todos quantos o seguissem.[32]

Em segundo lugar, ***parâmetros verdadeiros*** (10.13-18). O apóstolo Paulo deixa claro que o seu apostolado não teve sua origem em sua própria escolha, nem mesmo veio por delegação da igreja ou por cartas de recomendação de algum líder religioso. Ele foi chamado, capacitado e enviado por Cristo. Três perguntas elucidam a questão aqui discutida.[33]

Eu estou no lugar que Deus reservou para mim? (10.13,14). *Nós, porém, não nos gloriaremos sem medida, mas respeitamos o limite da esfera de ação que Deus nos demarcou e que se estende até vós. Porque não ultrapassamos os nossos limites como se não devêssemos chegar até vós, posto que já chegamos até vós com o evangelho de Cristo* (10.13,14). A palavra grega *kanon*, "limite", que Deus delineou para Paulo consiste em seu trabalho missionário em terras gentílicas.[34] Paulo tinha autorização e autoridade para pregar em Corinto. Seu ministério era legítimo. Ele havia sido comissionado por Cristo para pregar aos gentios (At 9.15; 22.21; Gl 2.9; Ef 3.1-13), e não

---

[32]KRUSE, Colin. *II Coríntios: Introdução e Comentário*, 1994, p. 191.
[33]WIERSBE, Warren W. *Comentário Bíblico Expositivo*. Vol. 5, 2006, p. 873,874.
[34]KRUSE, Colin. *II Coríntios: Introdução e Comentário*, 1994, p. 192.

para edificar sobre um fundamento posto por outros homens (Rm 15.20). Dentro desses limites, ele havia trabalhado como um missionário pioneiro junto aos gentios, até mesmo em Corinto. Paulo não estava indo além daquilo que lhe havia sido comissionado. Ele foi o primeiro a chegar em Corinto com o evangelho (1Co 3.6). Ele lançou o fundamento (1Co 3.10,11) e se tornou o pai espiritual dos coríntios no evangelho (1Co 4.15). Assim, com aguda ironia, Paulo mostrou que seus oponentes são, de fato, desqualificados como seus competidores. Eles nada mais eram do que proselitistas que, como todos de sua classe, se ocupam com a invasão do trabalho de outros.[35]

Paulo não estava invadindo campo alheio; os falsos apóstolos, sim, esses eram impostores, obreiros fraudulentos que não tinham entrado no redil pelas portas, antes, haviam pulado o muro como ladrões e salteadores e estavam devorando o rebanho de Deus.

Frank Carver diz que como um atleta corredor nos jogos ístmicos, Paulo se mantém dentro da faixa que lhe é designada, em vivo contraste com seus oponentes, a quem Deus "não havia designado nenhuma faixa, nem mesmo alguma que levasse a Corinto".[36]

Deus é glorificado por intermédio do meu ministério? (10.15-17). Paulo prossegue em sua defesa com palavras firmes:

> *Não nos gloriando, fora de medida nos trabalhos alheios e tendo esperança de que, crescendo a vossa fé, seremos sobremaneira engrandecidos entre vós, dentro da nossa esfera de ação, a fim de anunciar o evangelho para além das vossas fronteiras, sem com isto nos gloriarmos de coisas já realizadas em campo alheio. Aquele, porém, que se gloria, glorie-se no Senhor* (10.15-17).

Paulo tinha um ministério aprovado. Os crentes de Corinto eram seus filhos na fé, e eles mesmos eram sua carta de recomendação. Paulo estava cônscio de que o crescimento espiritual dos coríntios destacava seu ministério e abria-lhe portas para conquistar horizontes

---

[35] CARVER, Frank G. *A Segunda Epístola de Paulo aos Coríntios*. Em Comentário Bíblico Beacon. Vol. 8, 2006, p. 463.
[36] CARVER, Frank G. *A Segunda Epístola de Paulo aos Coríntios*. Em Comentário Bíblico Beacon. Vol. 8, 2006, p. 462.

mais largos. Paulo, todavia, não se envaidece do seu trabalho. Ele não busca glória para si mesmo. Ele tem consciência que tudo vem de Deus, por meio de Deus e para Deus. Ele se gloria em Cristo, e não nos resultados otimistas do seu trabalho. Paulo tem consciência de que haverá de prestar conta do seu ministério. A prova final se dará no tribunal de Cristo *e, então, cada um receberá seu louvor da parte de Deus* (1Co 4.5).

Eu sou aprovado por Deus e estou recebendo elogio dEle? (10.18). *Porque não é aprovado quem a si mesmo se louva, e sim aquele a quem o Senhor louva* (10.18). Podemos elogiar a nós mesmos ou receber elogios dos outros e, ainda assim, sermos reprovados por Deus. A igreja de Laodiceia exaltou-se dando nota máxima a si mesma em todas as áreas. Mas Cristo a reprovou em todos os itens. O autoelogio é desprezível. A Bíblia diz: *Seja outro o que te louve, e não a tua boca* (Pv 27.2). Deus detesta o louvor próprio. Jesus explicitou essa verdade na parábola do fariseu e do publicano. Aquele que se exaltou foi humilhado, mas o que se humilhou, desceu para sua casa justificado.

De igual modo não devemos fundamentar nosso ministério em elogio de homens. Nossa aprovação deve vir de Deus. A palavra grega *dokimos*, "aprovado", carrega a ideia de aprovação depois de um teste. Pouco importa o que o indivíduo mesmo diga à guisa de autoelogio, e tampouco o julgamento feito pelos outros. O que importa é o elogio que o Senhor mesmo proferir (1Co 4.1-5). Foi sob essa rubrica que Paulo desenvolveu seu trabalho apostólico.[37]

Frank Carver diz que a aprovação de Deus é a única marca de legitimidade no ministério. Paulo se gloria não por ser apóstolo, mas por Deus ter feito dele um apóstolo. O servo de Cristo só pode gloriar-se do que Cristo fez, do que está fazendo e do que ele prometeu fazer.[38]

Warren Wiersbe, ao comentar o texto em tela, disse que satanás procura cegar as mentes para a luz do evangelho de Deus (4.3-6), fortalecer as mentes contra a verdade de Deus (10.1-6) e seduzir as mentes

---

[37] KRUSE, Colin. *II Coríntios: Introdução e Comentário*, 1994, p. 194.
[38] CARVER, Frank G. *A Segunda Epístola de Paulo aos Coríntios*. Em Comentário Bíblico Beacon. Vol. 8, 2006, p. 464.

a apartarem-se do amor de Deus (11.1-4).[39] O mesmo autor afirma ainda que, no capítulo 10 da segunda carta aos Coríntios, Paulo oferece alguns conselhos práticos para termos vitória nessa batalha espiritual.[40]

Primeiro, *seja semelhante a Cristo* (10.1). A ousadia deve ser balanceada com a mansidão, uma vez que o poder de Deus é experimentado em humildade. Satanás é o nosso inimigo, e não as pessoas que ele subjuga.

Segundo, *use armas espirituais* (10.2-6). Possivelmente Paulo tinha em mente a vitória de Josué em Jericó quando as muralhas ruíram pela fé. O próprio apóstolo nos ensina a usar toda a armadura de Deus (Ef 6.10-20).

Terceiro, *mantenha seus olhos no Senhor* (10.7-11). O fato de alguns crentes coríntios terem acusado Paulo de inconsistência, deu a satanás oportunidade para trabalhar em suas vidas.

Quarto, *aceite a esfera do trabalho que Deus lhe confiou* (10.12-16). Cada cristão, como um soldado de Cristo, tem uma área específica de atuação. Se cada um fizer sua parte fielmente, seguindo as ordens de Cristo, a igreja ganhará a batalha.

Quinto, *busque somente a glória de Deus* (10.17,18). Como poderíamos nos gloriar de vitórias que somente Deus pode dar? Paulo cita Jeremias 9.24 para nos relembrar que a glória só pertence a Deus.

---

[39] WIERSBE, Warren W. *With the Word*, 1991, p. 762.
[40] WIERSBE, Warren W. *With the Word*. 1991, p. 762,763.

13

A defesa do apostolado de Paulo

2 Coríntios 11.1-33

OS FALSOS MESTRES HAVIAM CHEGADO A CORINTO. Eles eram judeus e proclamavam-se apóstolos de Cristo. Traziam cartas de recomendação e ostentavam suas credenciais. Quanto ao talento, eram oradores profissionais. Quanto ao desempenho, gabavam-se de feitos miraculosos. Quanto à personalidade, eram arrogantes. Quanto à integridade, eram impostores, avarentos e aproveitadores do rebanho, buscando o dinheiro do povo, e não o seu bem-estar espiritual. Paulo os chama de falsos apóstolos e obreiros fraudulentos.

Quem eram esses falsos apóstolos que ameaçavam a igreja de Corinto? Alguns estudiosos entendem que eram os mesmos judaizantes que atacaram as igrejas da Galácia (Gl 1.6-9). Esses falsos mestres exigiam dos gentios rituais adicionais à fé para ser salvos. Eles negavam a salvação pela graça e impunham sobre o povo pesados fardos da lei. Eram legalistas que pregavam outro evangelho, diferente e oposto ao evangelho de Cristo.

Outros eruditos, porém, defendem que os falsos apóstolos, confrontados pelo apóstolo Paulo nessa carta, eram hereges de outro estofo.[1]

---

[1] BARTON, Bruce B., e outros. *Life Application Bible Commentary on 1 & 2 Corinthian*, 1999, p. 430.

A questão aqui não é o legalismo, mas o triunfalismo. Esses falsos apóstolos pregavam um evangelho sem cruz. Vangloriavam-se em seus feitos, e não em suas fraquezas. A ênfase que encontramos aqui são eloquência e conhecimento (11.6), exibição de autoridade (11.20), visões e revelações (12.1) e execução de sinais apostólicos (12.12,13).[2]

Diante do ataque insolente desses falsos apóstolos a Paulo e sua mensagem, no texto em tela, Paulo faz uma eloquente defesa do seu apostolado. Concordo com Simon Kistemaker quando diz que Paulo reconhece que se os falsos apóstolos forem capazes de destruir o fundador da igreja de Corinto, eles terão toda a liberdade para ensinar suas heresias (11.4).[3] Obviamente, o propósito do apóstolo não é apenas resgatar sua imagem diante da igreja de Corinto, mas restabelecer a verdade do evangelho que estava sendo atacada naquela igreja. Não se trata de uma defesa meramente personalista. Mas da defesa da fé, uma vez, entregue aos santos.

Hoje, como naquele tempo, a verdade de Deus tem sido também atacada por muitos falsos mestres. Precisamos nos acautelar e defender, com firmeza, a fé evangélica que nos foi confiada.

Acompanharemos esse veterano apóstolo nessa empreitada.

O cuidado pastoral de Paulo pela igreja (11.1-6)

Paulo era o pai espiritual dos crentes de Corinto (1Co 4.15). Não podia ver passivamente seus filhos na fé serem atacados pelos falsos mestres. O que estava em jogo não era apenas sua reputação como apóstolo, mas o próprio evangelho de Cristo.

Paulo inicia sua defesa, dizendo: *Quisera eu me suportásseis um pouco mais na minha loucura. Suportai-me, pois* (11.1). A loucura a que Paulo se refere nesse versículo é a de empregar os mesmos métodos dos falsos mestres para combatê-los; ou seja, destacar seus próprios feitos e adotar um princípio que ele mesmo já havia reprovado: *Porque não é aprovado quem a si mesmo se louva, e sim aquele a quem o Senhor louva*

---

[2]KRUSE, Colin. *II Coríntios: Introdução e Comentário*, 1994, p. 197.
[3]KISTEMAKER, Simon. *2 Coríntios*, 2004, p. 500.

(10.18). Paulo considera a exibição de suas credenciais (11.21-12.13) uma verdadeira insensatez. Mas dadas as circunstâncias de Corinto, ele é forçado a fazê-lo.

Destacamos quatro aspectos importantes acerca do cuidado pastoral de Paulo pela igreja.

Em primeiro lugar, **seu zelo** (11.2). *Porque zelo por vós com zelo de Deus; visto que vos tenho preparado para vos apresentar como virgem pura a um só esposo, que é Cristo* (11.2). Paulo assume aqui a posição de um pai que vela pela pureza da filha até o dia do casamento. A igreja é a noiva de Cristo e deve apresentar-se a Ele, nas bodas, como uma virgem pura e incontaminada. Como pai espiritual dos coríntios, Paulo tem zelo por eles e não admite que sejam enganados por falsos amores e falsos amantes. Simon Kistemaker diz que Paulo vigia os crentes como um pai que fica atento para proteger sua filha antes de ela ser dada em casamento ao seu futuro esposo.[4] A igreja é a noiva de Cristo, e ela deve apresentar-se a Ele santa, gloriosa, imaculada, sem ruga nem defeito (Ef 5.27)

Colin Kruse lança luz sobre o assunto quando escreve:

> O casamento entre os judeus do tempo de Paulo compunha-se de duas cerimônias separadas: o noivado e a cerimônia nupcial, que consumava o casamento. Em geral, entre uma e outra cerimônia decorria um ano, mas durante esse período a noiva era considerada legalmente a esposa do noivo, embora permanecesse virgem. O contrato de noivado tinha valor legal, e só podia ser rompido pela morte ou por uma carta formal de divórcio. A infidelidade ou a violência de uma noiva assim desposada era considerada adultério, e como tal recebia punição legal. Esse costume matrimonial nos dá o contexto cultural da afirmação de Paulo aqui.[5]

Em segundo lugar, **seu temor** (11.3). *Mas receio que, assim como a serpente enganou a Eva com a sua astúcia, assim também seja corrompida a vossa mente e se aparte da simplicidade e pureza devidas a Cristo* (11.3).

---

[4] KISTEMAKER, Simon. *2 Coríntios*, 2004, p. 501.
[5] KRUSE, Colin. *II Coríntios: Introdução e Comentário*, 1994, p. 195; KISTEMAKER, Simon. *2 Coríntios*, 2004, p. 502.

Os falsos apóstolos estavam pregando em Corinto uma nova versão do evangelho. Eles eram servos de satanás, e não de Deus. Estavam a serviço da mentira, e não da verdade. O propósito deles era enganar, e não edificar. A bandeira deles era desviar os crentes da simplicidade e pureza devidas a Cristo. O termo traduzido por "simplicidade" significa "sinceridade, devoção única". Um coração dividido conduz a uma vida corrompida e a um relacionamento destruído.[6]

A arma desses falsos apóstolos era a mesma da serpente, a astúcia. No jardim do Éden a serpente enganou Eva questionando a Palavra de Deus, negando a Palavra de Deus e, por fim, substituindo-a pela própria mentira.[7] De igual forma, os falsos apóstolos torciam a Palavra de Deus com o propósito de enganar. Suas setas eram dirigidas à mente. Enganam-se aqueles que pensam que o sexo era o fruto proibido, que os nossos primeiros pais comeram. A sedução da serpente atingiu a mente de Eva. O primeiro ataque de satanás não é moral, mas teológico. Primeiro, as pessoas se desviam da verdade, depois, elas corrompem-se, moralmente. Primeiro, a mente corrompe-se, depois, o coração endurece. Primeiro, vem a impiedade, depois, a corrupção (Rm 1.18).

Bruce Barton lança luz sobre o assunto quando escreve,

> O foco aqui é a mente dos coríntios. O pecado começa com os pensamentos. A serpente, primeiro tentou convencer Eva que a Palavra de Deus não era o melhor para ela, que havia mais vantagens em desobedecer a Deus do que obedecê-Lo. Satanás sabia que se a mente fosse convencida, as ações seguiriam imediatamente. Eva foi persuadida pela mentira de satanás, e, em seguida, comeu do fruto proibido. Da mesma forma, os falsos mestres eram servos de satanás, enganando os coríntios para abandonarem sua devoção a Cristo. Paulo sabia que a mente é o principal campo de batalha na guerra espiritual (10.5). Por essa razão, tratou com os falsos mestres de forma tão incisiva.[8]

---

[6]WIERSBE, Warren W. *Comentário Bíblico Expositivo*. Vol. 5, 2006, p. 875.
[7]WIERSBE, Warren W. *Comentário Bíblico Expositivo*. Vol. 5, 2006, p. 876.
[8]BARTON, Bruce B., e outros. *Life Application Bible Commentary on 1 & 2 Corinthian*, 1999, p. 429.

Em terceiro lugar, *sua denúncia* (11.4). *Se, na verdade, vindo alguém, prega outro Jesus que não temos pregado, ou se aceitais espírito diferente que não tendes recebido, ou evangelho diferente que não tendes abraçado, a esse, de boa mente, o tolerais* (11.4). A igreja de Corinto estava sendo tolerante com os falsos apóstolos e intolerante com Paulo. Esses falsos apóstolos traziam na bagagem três coisas absolutamente diferentes.

1. *Eles pregavam um outro Jesus* (11.4). O Jesus dos falsos apóstolos não era o Jesus da Bíblia. Eles pregavam um Jesus triunfalista, o Jesus dos milagres, das curas, das coisas espetaculares, e não o Jesus crucificado (1Co 1.23) que experimentou fraqueza, humilhação, perseguição, sofrimento e morte.[9] Esse outro Jesus, apenas de glória e poder, parece mais atraente, mas não é o Jesus verdadeiro. A centralidade da Bíblia não está nos milagres de Jesus, mas na sua morte vicária em nosso favor. Vemos hoje uma grande ênfase na prosperidade, curas e milagres e pouca pregação sobre o sacrifício, a abnegação e o sofrimento.
2. *Eles tinham um outro espírito* (11.4). O espírito deles era de arrogância, e não de humildade. Era autoritário, e não manso (11.20). Era inspirado por satanás, e não por Deus (11.13-15). Eles se vangloriavam de suas obras, de seus talentos e de sua procedência, e não de suas fraquezas. Eles exaltavam-se a si mesmos, aplaudiam a si mesmos e repudiavam qualquer postura de abnegação.
3. *Eles abraçavam um outro evangelho* (11.4). Só há um evangelho, é o evangelho da cruz, da graça, do favor imerecido de Deus, do arrependimento do pecado e da fé em Cristo. É o evangelho que glorifica a Deus, exalta a Cristo e exige do homem arrependimento e fé em Cristo para ser salvo. Os falsos apóstolos apresentavam uma nova versão do evangelho, e essa versão era não apenas diferente, mas, um falso evangelho.

Em quarto lugar, *sua convicção* (11.5,6). *Porque suponho em nada ter sido inferior a esses tais apóstolos. E, embora seja falto no falar, não*

---
[9] KRUSE, Colin. *II Coríntios: Introdução e Comentário*, 1994, p. 196.

o sou no conhecimento; mas, em tudo e por todos os modos, vos temos feito conhecer isto (11.5,6). Com insolente arrogância, os falsos apóstolos se apresentaram à igreja de Corinto não apenas solapando a autoridade apostólica de Paulo, mas também pondo a si mesmos como superiores a ele.

Como mestres da retórica grega davam mais ênfase à forma do que ao conteúdo, mais valor à eloquência do que à verdade, mais importância à embalagem do que ao produto. Paulo não está se desqualificando como orador. Temos vários de seus discursos registrados na Bíblia, e, neles, Paulo revela pleno domínio da retórica. Mas Paulo não se apresenta como um erudito da oratória, mas como um mestre da verdade. A comparação que os falsos apóstolos faziam entre eles e Paulo, dando a si mesmos nota máxima, era uma consumada tolice. A tendência de falar mal dos outros é uma das maneiras mais aviltantes de autoelogio.

A abnegação pessoal de Paulo pela igreja (11.7-15)

Os falsos apóstolos, como os oradores e mestres profissionais da época, cobravam por seus discursos. Quanto mais caro um orador cobrava, mais importante ele parecia ser aos olhos do povo.

Werner de Boor diz que naquela época havia muitos pregadores itinerantes que divulgavam uma série de filosofias, visões de mundo, religiões ou cultos. Muitos deles apenas visavam obter o dinheiro de seus ouvintes (2.17). Paulo queria se diferenciar de modo radical e claro desses personagens duvidosos.[10]

Os coríntios avaliavam um orador pela quantidade de dinheiro que ele conseguia arrancar do seu auditório. Um bom orador podia amealhar uma grande quantidade de dinheiro, mas um orador medíocre nada conseguia. Uma vez que Paulo não pedia dinheiro quando pregava, os falsos mestres o taxavam de pregador amador.[11] Agora, eles acusam Paulo de ser um apóstolo sem credencial por ter pregado de graça aos

---

[10] BOOR, Werner de. *Carta aos Coríntios*, 2004, p. 454.
[11] BARTON, Bruce B. *Life Application Bible Commentary on 1 & 2 Corinthian*, 1999, p. 432.

coríntios. Eles diziam que Paulo se negava a aceitar dinheiro, porque seu ensino não valia nada.[12] Paulo enfrenta seus críticos ousadamente. Destacamos quatro pontos importantes para a nossa reflexão.

Em primeiro lugar, **uma pergunta perturbadora** (11.7). "Cometi eu, porventura, algum pecado pelo fato de viver humildemente, para que fôsseis vós exaltados, visto que gratuitamente vos anunciei o evangelho de Deus?" Paulo não estava fazendo pouco caso dos coríntios nem estava se rebaixando pelo fato de não ter cobrado salário da igreja. Os opositores estavam invertendo os fatos. Paulo não humilhava os crentes com essa atitude, mas os exaltava. Não era falta de amor por eles, mas demonstração de abnegado afeto.

Os falsos apóstolos usavam a política financeira de Paulo como "prova" de que ele não era um verdadeiro apóstolo. Afinal, diziam eles, se ele fosse mesmo um apóstolo teria aceitado ser sustentado por eles. Mas, Paulo pregava de graça o verdadeiro evangelho para a igreja, enquanto seus opositores pregavam um falso evangelho e ainda roubavam da igreja.[13] Werner de Boor diz que a "pobreza" de Paulo era uma espécie de escândalo para os coríntios. Afinal, essa situação não era digna de um verdadeiro enviado de Deus! Um autêntico "emissário" do grande Rei não podia ser tão humilde e precário.[14] Ainda hoje, há aqueles que pensam que um crente fiel precisa necessariamente ser rico, e que toda ostentação de riqueza é sinal da bênção de Deus. Ledo engano. Há muitos ricos pobres e muitos pobres ricos (Pv 13.7).

Em segundo lugar, **um testemunho ousado** (11.8,9). *Despojei outras igrejas, recebendo salário, para vos poder servir, e, estando entre vós, ao passar privações, não me fiz pesado a ninguém; pois os irmãos, quando vieram da Macedônia, supriram o que me faltava; e, em tudo, me guardei e me guardarei de vos ser pesado* (11.8,9). Paulo não estava atrás do dinheiro dos coríntios (12.14). A motivação dele não era o lucro. Ele não fazia do ministério um negócio para se enriquecer. Não via a igreja como uma oportunidade para locupletar-se. Hoje, há muitos pastores que

---

[12]BARCLAY, William. *I y II Corintios*, 1973, p. 258.
[13]WIERSBE, Warren W. *Comentário Bíblico Expositivo*. Vol. 5, 2006, p. 877.
[14]BOOR, Werner de. *Carta aos Coríntios*, 2004, p. 453.

fazem da igreja uma empresa familiar e transformam o evangelho num produto, o púlpito num balcão, o templo em praça de negócio e os crentes em consumidores.

Embora Paulo considerasse legítimo o obreiro ser sustentado pela igreja (1Co 9.1-12; 1Tm 5.17; Gl 6.6), para não criar obstáculos ao avanço do evangelho e não dar munição aos seus críticos (11.12), ele abriu mão de receber salário das igrejas durante o tempo em que as pastoreava. E isso, por amor ao evangelho (1Co 9.15-18), por amor aos pecadores (1Co 9.19-23) e por amor a si mesmo (1Co 9.24-27).

Paulo dá testemunho que durante seu pastorado de dezoito meses em Corinto passou privações e necessidades. Nesse tempo, ele despojou outras igrejas para servir a igreja de Corinto. A palavra grega *sylao*, "despojar", é muito forte. Nos papiros era usada com o sentido de "pilhar" e, no grego clássico, era empregada de modo predominante em contextos militares com o significado de "despojar" (um soldado morto de sua armadura).[15] Os irmãos pobres da Macedônia (2Co 8.2) supriram suas necessidades; enquanto os coríntios que viviam na abastança lhe fecharam o coração. Paulo não recebeu dinheiro da igreja no passado nem receberá no futuro. Ele não está atrás dos bens dos crentes, mas luta por suas almas (12.14).

Em terceiro lugar, **uma defesa eloquente** (11.10-12). *A verdade de Cristo está em mim; por isso, não me será tirada esta glória nas regiões da Acaia. Por que razão? É porque não vos amo? Deus o sabe. Mas o que faço e farei é para cortar ocasião àqueles que a buscam com o intuito de serem considerados iguais a nós, naquilo em que se gloriam* (10.10-12). Diante da acusação falsa dos apóstolos impostores, de que Paulo não amava os crentes por não receber salário deles, Paulo reafirma Seu amor pelos crentes (11.11) e sua disposição de não dar munição aos inimigos que se vangloriavam, querendo ser iguais a ele (11.12).

Em quarto lugar, **uma condenação categórica** (11.13-15). *Porque os tais são falsos apóstolos, obreiros fraudulentos, transformando-se em apóstolos de Cristo. E não é de admirar, porque o próprio satanás se transforma em anjo de luz. Não é muito, pois, que os seus próprios ministros se*

---

[15] KRUSE, Colin. *II Coríntios: Introdução e Comentário*, 1994, p. 200.

transformem em ministros de justiça; e o fim deles será conforme as suas obras (11.13-15). Paulo, agora descerra a cortina e arranca as máscaras desses embusteiros da fé. Eles não têm legitimidade. São falsos apóstolos. Nunca foram enviados por Cristo. Eles se fizeram apóstolos e se disfarçam de apóstolos de Cristo. Eles revestiram a si mesmos dessa autoridade.

A motivação deles não era a glória de Deus, mas o dinheiro. São obreiros fraudulentos. A palavra grega *dolios,* significa "enganador, trapaceiro, fraudulento". O significado básico da palavra é "isca para peixe", daí, qualquer estratagema para enganar ou prender.[16] Eles não são verdadeiros nem a mensagem deles está estribada na verdade.

O mesmo satanás que se transforma em anjo de luz para enganar fez desses falsos apóstolos ministros de justiça. O fim deles, porém, será a condenação no tribunal de Cristo (5.10).

A loucura deliberada de Paulo pela igreja (11.16-23a)

Paulo emprega, agora, as mesmas armas dos inimigos para combatê-los. Paulo não concorda com a atitude deles de se gabarem de seus feitos. Na verdade, acha isso uma loucura (11.1) e uma insensatez (11.16). Paulo sabe que o autoelogio conduz à destruição (Sl 12.13; Pv 16.18). Sabe que a vanglória rouba a Deus da honra que só Ele merece (Sl 96.8; 97.6). Sabe que só Deus pode ser glorificado (1Co 10.31). Mas, Paulo tem de fazê-lo, não por si mesmo, mas pelo evangelho que está pregando.

Concordo com Warren Wiersbe quando diz que Paulo só estava se gloriando para o bem da igreja, enquanto os falsos mestres se gloriavam visando o benefício próprio; ou seja, aquilo que poderiam obter da igreja. A motivação de Paulo era pura; a motivação deles era egoísta.[17]

Paulo está consciente de que o ato de gloriar-e que está prestes a cometer é um ato de insensatez, mas ele não quer que os coríntios o considerem um insensato por fazê-lo. Não fora a ingenuidade deles

---

[16] RIENECKER, Fritz e ROGERS Cleon. *Chave Linguística do Novo Testamento Grego,* 1985, p. 362.
[17] WIERSBE, Warren W. *Comentário Bíblico Expositivo.* Vol. 5, 2006, p. 878,879.

em face das asserções dos falsos apóstolos, Paulo não precisaria gloriar-se (12.11).[18]

Destacamos, aqui, três pontos importantes.

Em primeiro lugar, *a metodologia aplicada* (11.16-19). O autoelogio já havia sido considerado por Paulo como algo reprovado (10.18). Mas tendo em vista que os coríntios valorizavam os falsos apóstolos por esse critério e que o que estava em jogo não era sua reputação, mas o evangelho de Cristo, Paulo escreve:

> *Outra vez digo: ninguém me considere insensato; todavia, se o pensais, recebei-me como insensato, para que também me glorie um pouco. O que falo, não o falo segundo o Senhor e sim como por loucura, nesta confiança de gloriar-me. E, posto que muitos se gloriam segundo a carne, também eu me gloriarei. Porque, sendo vós sensatos, de boa mente tolerais os insensatos* (11.16-19).

Paulo reconhece que não fala segundo o Senhor, e sim como por loucura. Já que os falsos apóstolos batiam no peito e arrotavam suas vantagens pessoais e seus feitos portentosos, Paulo enumera também suas credenciais. O propósito do apóstolo é desbancar a arrogância desses obreiros fraudulentos e mostrar à igreja que nesse quesito seus adversários sofrem uma derrota fragorosa quando se comparam com ele.

Nessa mesma linha de pensamento, William Barclay diz que Paulo tem que adotar métodos que lhe são absolutamente desagradáveis. Tem de afirmar sua autoridade, apresentar suas credenciais, falar acerca de si mesmo e comparar-se com aqueles que buscavam seduzir a igreja de Corinto. Essa tarefa não lhe agrada. Instintivamente está contra ela e se desculpa cada vez que tem de falar dessa maneira. Mas Paulo sabia que o que estava em jogo não era sua dignidade, mas a honra de Jesus Cristo.[19]

Em segundo lugar, *a tolerância reprovada* (11.20). *Tolerais quem vos escravize, quem vos devore, quem vos detenha, quem se exalte, quem vos esbofeteie no rosto* (11.20). Os crentes de Corinto prestigiavam os falsos

---

[18] KRUSE, Colin. *II Coríntios: Introdução e Comentário*, 1994, p. 204.
[19] BARCLAY, William. *I y II Coríntios*, 1973, p. 255.

mestres que os oprimiam ao mesmo tempo em que eram intolerantes com Paulo, seu pai espiritual. As descrições feitas por Paulo, que vão de escravização, roubo, controle e orgulho a violência física, mostram um aumento na severidade.[20] Paulo destaca cinco atitudes desses falsos apóstolos.

1. *Eles escravizam seus seguidores.* Esses falsos apóstolos são agentes de escravidão em vez de serem arautos da liberdade. Eles ensinavam uma doutrina legalista contrária ao evangelho da graça. Eles também iludiam o povo com uma mensagem triunfalista, porém, mentirosa.
2. *Eles se apropriam gananciosamente de seus bens.* Eles devoram as ovelhas em vez de apascentá-las. Estão interessados no dinheiro dos crentes, e não em suas vidas. Eles abocanham tudo que o podem da igreja. Colin Kruse diz que a palavra grega *katesthiei*, "consumir", provavelmente se refere às ambiciosas exigências dos intrusos quanto à remuneração.[21]
3. *Eles enganam seus seguidores.* O verbo "deter" tem o sentido de enganar. A imagem é de um pássaro preso em uma armadilha ou de um peixe enroscado num anzol. Os falsos mestres haviam lançado a isca e fisgado os coríntios.[22]
4. *Eles se comportam com arrogância.* Exaltam a si mesmos em vez de exaltarem a Cristo. Buscam seus próprios interesses em vez de buscar a edificação dos crentes.
5. *Eles eram truculentos em suas atitudes.* Esbofeteiam os crentes em vez de velar por suas almas (At 23.2). O verbo grego *dero* significa "esfolar" um animal e, mais comumente, "bater, espancar".[23] É provável que se trate de uma referência a ataques verbais, não a violência física; os judaizantes não hesitavam em humilhar os coríntios em público.[24]

---

[20]KISTEMAKER, Simon. *2 Coríntios*, 2004, p. 532.
[21]KRUSE, Colin. *II Coríntios: Introdução e Comentário*, 1994, p. 205.
[22]WIERSBE, Warren W. *Comentário Bíblico Expositivo*. Vol. 5, 2006, p. 879.
[23]KRUSE, Colin. *II Coríntios: Introdução e Comentário*, 1994, p. 205.
[24]WIERSBE, Warren W. *Comentário Bíblico Expositivo*. Vol. 5, 2006, p. 879.

Paulo reprova essa atitude passiva dos crentes de Corinto em relação aos falsos apóstolos. A tolerância deles era um sinal de sua decadência espiritual.

Em terceiro lugar, **o desafio proposto** (11.21-23a). *Ingloriamente o confesso, como se fôramos fracos. Mas, naquilo em que qualquer tem ousadia, com insensatez o afirmo, também eu a tenho. São hebreus? Também eu. São israelitas? Também eu. São da descendência de Abraão? Também eu. São ministros de Cristo? (Falo como fora de mim.) Eu ainda mais [...]* (11.21-23a). Os coríntios pensavam que a mansidão de Paulo era um sinal de fraqueza, e a arrogância dos judaizantes, um sinal de poder.[25] O apóstolo pega uma a uma as coisas de que seus adversários se gabam: o "pedigree" israelita e a presunção de serem servos de Cristo (11.22,23), visões e revelações (12.1) e a execução de sinais portentosos (12.12). A seguir, Paulo refestela-se em vanglória de si mesmo para demonstrar que em ponto nenhum é inferior a qualquer daqueles homens. Todavia, tanto aqui (11.21-23) como em outros três lugares do discurso (11.30; 12.1,11), Paulo demonstra como se sente mal ao gloriar-se – "falo como fora de mim".[26]

Já que os falsos apóstolos estavam se exaltando ao se compararem com Paulo, dizendo que eram superiores a ele, Paulo aceita o desafio ainda que admita que essa era uma atitude insensata.

Os falsos apóstolos não logram êxito em relação a Paulo em nenhum dos quesitos de comparação. Paulo evoca quatro comparações.

1. *Pretendiam ser hebreus.* William Barclay diz que essa palavra se refere especialmente aos judeus que recordavam e falavam o antigo idioma judeu em sua forma aramaica, que era corrente na época de Paulo. Havia judeus espalhados por todo o mundo. Muitos deles haviam esquecido sua língua nativa e falavam apenas o grego. Os judeus da Palestina que haviam preservado o seu idioma desprezavam esses judeus estrangeiros. Seguramente os que se opunham a Paulo em Corinto acusavam Paulo de ser um cidadão de Tarso

---

[25] WIERSBE, Warren W. *Comentário Bíblico Expositivo.* Vol. 5, 2006, p. 879.
[26] KRUSE, Colin. *II Coríntios: Introdução e Comentário*, 1994, p. 206,207.

e não um judeu de sangue puro como eles.²⁷ Concordando com Barclay, Fritz Rienecker diz que o termo "hebreu" enfatiza o judeu puro, sem mistura de raça e, algumas vezes, pode enfatizar um judeu que fala hebraico ou um judeu da Palestina.²⁸ Se eles se consideravam hebreus da gema que mantinham a tradição da língua materna, Paulo tirava nota dez nesse item.

2. *Pretendiam ser israelitas.* Essa palavra descreve o judeu como membro do povo escolhido de Deus (Dt 6.4). O termo enfatiza o caráter social e religioso, bem como as promessas e bênçãos nacionais provindas de Deus.²⁹ Se eles se consideravam israelitas legítimos, e não apenas prosélitos, Paulo alcançava nota máxima também nesse quesito.

3. *Pretendiam ser descendentes de Abraão.* Se eles se julgavam descendência de Abraão, herdeiros da promessa, segundo a aliança, Paulo era totalmente aprovado também nesse particular (Fp 3.5,6). Colin Kruse sugere que "hebreus" deve ser entendido de modo étnico; e "israelitas", de modo religioso e social, enquanto "descendência de Abraão" deveria ser entendido teologicamente.³⁰

4. *Pretendiam ser ministros de Cristo.* Se eles se julgavam ministros de Cristo, embora não o fossem, Paulo era um verdadeiro ministro de Cristo, um servo do Deus Altíssimo. As credenciais que Paulo vai enumerar doravante não são uma coleção de medalhas, mas uma lista de cicatrizes. Até aqui Paulo fez um prelúdio daquilo que será doravante uma extensa lista de seus sofrimentos pela igreja.

O sofrimento intenso de Paulo pela igreja (11.23b-33)

Aquilo que os falsos apóstolos consideram uma vergonha, Paulo ostenta como triunfo. Enquanto eles se vangloriam de sua retórica, Paulo se

---

[27] BARCLAY, William. *I y II Corintios*, 1973, p. 261.
[28] RIENECKER, Fritz e ROGERS Cleon. *Chave Linguística do Novo Testamento Grego*, 1985, p. 363.
[29] RIENECKER, Fritz e ROGERS Cleon. *Chave Linguística do Novo Testamento Grego*, 1985, p. 363.
[30] KRUSE, Colin. *II Coríntios: Introdução e Comentário*, 1994, p. 207.

gloria em suas fraquezas. Enquanto eles se ufanam de receber dinheiro da igreja, Paulo era esmagado pela preocupação com todas as igrejas. Enquanto mostram seus troféus, Paulo mostra o catálogo de seus sofrimentos por Cristo. Destacamos seis aspectos do sofrimento de Paulo.

Em primeiro lugar, **trabalhos extenuados** (11.23b). [...] *em trabalhos, muito mais* [...] (11.23b). Paulo foi imbatível nesse item. Não apenas suplantou em muito os falsos apóstolos nesse particular, mas trabalhou até mesmo mais do que os legítimos apóstolos de Cristo (1Co 15.10). O ministério de Paulo não teve pausa. Ele trabalhou diuturnamente, sem intermitência, com saúde ou doente; em liberdade ou na prisão, na fartura ou passando necessidades jamais deixou de trabalhar pela causa de Cristo.

Em segundo lugar, **castigos físicos extremados** (11.23b-25). [...] *muito mais em prisões; em açoites, sem medida; em perigos de morte, muitas vezes. Cinco vezes recebi dos judeus uma quarentena de açoites menos um; fui três vezes fustigado com varas; uma vez, apedrejado* [...] (11.23b-25). Destacamos aqui os vários castigos sofridos por Paulo.

As prisões. Paulo foi preso várias vezes. O livro de Atos relata sua prisão em Filipos, em Jerusalém, em Cesareia e em Roma. Paulo passou preso boa parte da sua atividade apostólica. Ele podia estar encarcerado, mas a Palavra de Deus não estava algemada. Era um embaixador em cadeias. Jamais se sentiu prisioneiro de homens, mas sempre prisioneiro de Cristo.

Os açoites. Não foram poucas as vezes que Paulo foi açoitado. O livro de Atos não é exaustivo nesses relatos. Temos informação que ele foi açoitado em Filipos, mas muitas outras vezes seu corpo foi surrado a ponto de dizer para os gálatas que trazia no corpo as marcas de Cristo (Gl 6.17). Cinco vezes recebeu dos judeus trinta e nove açoites. Esse castigo era tão severo que muitos sucumbiam a ele. Fritz Rienecker descreve assim esses açoites:

> Era o método judaico baseado em Deuteronômio 25.2-5. A pessoa tinha as suas duas mãos presas a um poste e suas roupas eram removidas, de modo que seu peito ficava a descoberto. Com um chicote feito de uma correia de bezerro e duas de couro de jumento ligadas a um

longo cabo, a pessoa recebia um terço das trinta e nove chicotadas no tórax e dois terços nas costas.³¹

Os perigos de morte. O ministério de Paulo foi turbulento. Não teve folga nem descanso. Aonde ele chegava havia um tumulto para matá-lo. Foi perseguido em Damasco, apedrejado em Listra, açoitado em Filipos, escorraçado de Tessalônica, enxotado de Bereia, levado ao tribunal em Corinto, perturbado em Éfeso, preso em Jerusalém, acusado em Cesareia, mordido por uma víbora em Malta e decapitado em Roma.

O flagelo de ser fustigado com varas. Se a quarentena de açoites era um castigo judaico (Dt 25-1-3), fustigar com varas era um castigo romano. Paulo sofreu castigo tanto de judeus como de gentios. O livro de Atos só relata os açoites que Paulo sofreu em Filipos. Mas, aqui ele nos informa que três vezes foi fustigado com varas.

O apedrejamento. Paulo foi apedrejado em Listra e foi arrastado da cidade como morto. Deus o levantou milagrosamente para prosseguir seu trabalho missionário. A vida de Paulo é um milagre; seu sofrimento, um monumento; suas cicatrizes, seu vibrante testemunho.

Em terceiro lugar, *viagens perigosas* (11.25,26). [...] *em naufrágio, três vezes; uma noite e um dia passei na voragem do mar; em jornadas, muitas vezes; em perigos de rios, em perigos de salteadores, em perigos entre patrícios, em perigos entre gentios, em perigos na cidade, em perigos no deserto, em perigos no mar, em perigos entre falsos irmãos* (11.25,26). As viagens de Paulo foram aventuras épicas, cercadas sempre de muitos perigos. O livro de Atos só relata o naufrágio que Paulo enfrentou em sua viagem para Roma, e obviamente quando Paulo escreveu essa carta, ele ainda não havia ocorrido. Portanto, Paulo enfrentou quatro naufrágios. Não sabemos onde nem quando, mas um dia e uma noite ficou à deriva na voragem do mar. Nas suas andanças enfrentou perigos nos mares, nos rios, nas cidades e no deserto. Enfrentou perigos entre judeus e entre gentios. Enfrentou perigos no meio dos pagãos e também entre falsos irmãos.

---

³¹RIENECKER, Fritz e ROGERS Cleon. *Chave Linguística do Novo Testamento Grego*, 1985, p. 364.

Em quarto lugar, *privações e necessidades dolorosas* (11.27). *Em trabalhos e fadigas, em vigílias, muitas vezes; em fome e sede, em jejuns, muitas vezes; em frio e nudez* (11.27). Paulo trabalhava não só na obra, mas também para seu sustento, e isso com fadiga. Dormia pouco e trabalhava muito. Tinha senso de urgência. Nas suas jornadas a pé ou de navio, passou fome e sede muitas vezes. Não poucas vezes a situação era tão grave que mesmo tendo pão, preferia jejuar. Nem sempre tinha roupas suficientes e adequadas para as estações geladas de inverno. Enfrentou frio e também nudez.

Em quinto lugar, *preocupação com todas as igrejas* (11.28). *Além dessas coisas exteriores, há o que pesa sobre mim diariamente, a preocupação com todas as igrejas* (11.28). A atitude de Paulo em relação aos falsos apóstolos era gritantemente diferente. Enquanto eles se abasteciam das igrejas, Paulo se desgastava por amor a elas, e fazia isso diariamente. Enquanto Paulo usava sua autoridade para fortalecer as igrejas, eles usavam as igrejas para fortalecer sua autoridade. Enquanto Paulo trabalhava para servir as igrejas, eles se abasteciam das igrejas. Enquanto eles esbofeteavam os crentes no rosto, Paulo carregava os fardos dos crentes no coração.

Warren Wiersbe diz que as outras experiências haviam sido exteriores e ocasionais, mas o peso das igrejas era interior e constante.[32]

Em sexto lugar, *fuga ignominiosa* (11.32,33). *Em Damasco, o governador preposto do rei Aretas montou guarda na cidade dos damascenos, para me prender; mas, num grande cesto, me desceram por uma janela da muralha abaixo, e assim, me livrei das suas mãos* (11.32,33). No auge da narrativa de seus sofrimentos, Paulo fala da experiência humilhante em Damasco. Paulo descreve de forma vívida a primeira situação de sofrimento após sua conversão. Entrou na cidade de Damasco para prender os crentes e, agora, é ele quem estava preso. Os judeus resolveram tirar-lhe a vida e vigiaram os portões da cidade (At 9.23,24), enquanto o governador gentio também montava guarda na porta para o prender (11.32). O livramento de Paulo não teve nada de espetaculoso. Escapou

---

[32] WIERSBE, Warren W. *Comentário Bíblico Expositivo*. Vol. 5, 2006, p. 878.

de forma humilhante. William Barclay chega mesmo a afirmar que para Paulo essa fuga clandestina de Damasco era o pior dos açoites. O valente Paulo precisa fugir de forma inusitada na calada da noite.

Colin Kruse diz que essa fuga ignominiosa de Damasco, que Paulo narra, contém pouquíssimos elementos de que ele pudesse se vangloriar.[33] É o primeiro de muitos "perigos de morte" que ele experimentou. Esses primeiros acontecimentos nos marcam profundamente. E precisamente essa imagem da recordação revela de forma singular sua "fraqueza".[34]

Paulo conclui essa listagem de sofrimento jogando uma pá de cal na presunção de seus oponentes. Enquanto eles se gloriavam em suas virtudes e realizações, Paulo diz: *Se tenho de gloriar-me, gloriar-me-ei no que diz respeito à minha fraqueza* (11.30). Paulo sabia que sua autoridade não vinha de suas habilidades, mas de seu chamado (Rm 1.1,5); não de sua força, mas de sua fraqueza; não de seus feitos, mas de suas cicatrizes.

---

[33] KRUSE, Colin. *II Coríntios: introdução e Comentário*. 1994, p. 211.
[34] BOOR, Werner. *Carta aos Coríntios*, 2004, p. 464.

14

As **glórias** e os **sofrimentos** da vida cristã

2 Coríntios 12.1-21

PAULO AINDA CONTINUA DESFRALDANDO A BANDEIRA de sua defesa. Os falsos apóstolos diziam que ele não tinha experiências tão arrebatadoras quanto eles nem credenciais suficientes para o apostolado. Diziam que Paulo tinha interesses inconfessos em seu trabalho pastoral e não tinha estatura espiritual para confrontar os crentes face a face, como fazia em suas cartas.

O texto em tela é uma resposta do apóstolo a essas levianas acusações. Quatro verdades axiais são aqui destacadas: as visões de Paulo, os sofrimentos de Paulo, as credenciais de Paulo e a terceira visita de Paulo à igreja. Colin Kruse diz que a ostentação de Paulo sai agora das tribulações apostólicas e entra nas visões e revelações. Por intermédio dessa revelação Paulo aprendeu a simultaneidade da fraqueza e do poder.[1] Simon Kistemaker diz que a visão tinha o objetivo de encorajar Paulo em Sua obra pelo Senhor, durante a qual enfrentaria aflição e maus tratos físicos.[2]

---
[1] KRUSE, Colin. *II Coríntios: Introdução e Comentário*, 1994, p. 212,213.
[2] KISTEMAKER, Simon. *2 Coríntios*, 2004, p. 576.

As visões de Paulo (12.1-6)

Os crentes de Corinto tinham constrangido Paulo a usar um método que ele mesmo desaprovava: o método de gloriar-se, de contar suas vantagens (12.11). Mas uma vez que estava em jogo o evangelho e não propriamente a reputação do apóstolo, Paulo destaca suas próprias experiências e põe na mesa suas credenciais, desbancando, assim, as pretensões soberbas de seus opositores.

Destacamos alguns pontos acerca das visões de Paulo:

Em primeiro lugar, *a procedência das visões* (12.1). *Se é necessário que me glorie, ainda que não convém, passarei às visões e revelações do Senhor* (12.1). Paulo teve várias visões ao longo do seu ministério. A primeira delas foi no caminho de Damasco, onde viu o Cristo glorificado. Ali sua vida foi transformada (At 9.3; 22.6). Paulo teve ainda outras visões, como em Jerusalém (At 22.17,18), em Trôade (At 16.8-10), em Corinto (At 18.9-11) e novamente em Jerusalém (At 23.11). Das muitas visões e revelações que Paulo havia recebido, ele agora seleciona uma que lhe acorrera quatorze anos antes.

Antes de Paulo enfrentar os sofrimentos mais angustiantes por amor a Cristo, o Senhor mesmo o arrebatou ao paraíso para mostrar-lhe as glórias do céu e falar-lhe palavras indizíveis (12.1-6). Assim também aconteceu com o apóstolo João na Ilha de Patmos (Ap 4,5). Antes de ele ver o desatar dos sete selos, desencadeando brutal perseguição contra a igreja, ele foi chamado ao céu para ver que Deus estava no trono, que o livro da história estava na mão do Cordeiro, e que a vitória retumbante da Igreja já estava consumada.

Em segundo lugar, *o relato das visões* (12.2-4). Paulo relata sua própria experiência nos seguintes termos:

> *Conheço um homem em Cristo que há quatorze anos, foi arrebatado até ao terceiro céu (se no corpo ou fora do corpo, não sei, Deus o sabe) e sei que o tal homem (se no corpo ou fora do corpo, não sei, Deus o sabe) foi arrebatado ao paraíso e ouviu palavras inefáveis, as quais não é lícito ao homem referir* (12.2-4).

Paulo faz questão de relatar esse fato extraordinário na terceira pessoa, para não chamar demasiada atenção para si mesmo. Não fazia dessa visão a plataforma do seu ministério. Não fazia dessa experiência a marca do seu testemunho. Ele cita esse arrebatamento de forma quase que forçada e, ainda, assim, diz que essa forma de gloriar-se não é conveniente (12.1). Fritz Rienecker diz que fazia parte do estilo rabínico pôr uma palavra impessoal (homem) no lugar da primeira ou segunda pessoa quando o autor falava acerca de si mesmo.[3] Concordo com D. A. Carson quando diz que o texto não faz sentido se Paulo está se gloriando das revelações de outra pessoa em defesa própria contra os oponentes.[4]

Paulo nem mesmo sabe se teve essa visão no corpo ou fora do corpo. O que sabe é que foi arrebatado ao terceiro céu, ao paraíso, e aí ouviu coisas tão gloriosas que não é lícito ao homem se referir. Colin Kruse diz que quando Paulo afirma que não sabe se seu arrebatamento temporário ocorreu no corpo ou se fora do corpo, deixa aberta a possibilidade de ambas as formas, ficando claro assim que ele não aceitaria o postulado gnóstico de que o mundo material é inerentemente mau. Ao mesmo tempo, ele não exclui a possibilidade de uma experiência espiritual fora do corpo.[5]

Em terceiro lugar, *a grandeza das visões* (12.2-4). Paulo foi arrebatado ao terceiro céu. Essa expressão deve significar o céu mais elevado, onde está a presença de Deus.[6] O terceiro céu corresponde ao "paraíso", o céu dos céus, onde Deus habita em glória.[7] O terceiro céu é definido por Paulo como o paraíso, lugar de bem-aventurança eterna, dentro das próprias cortes celestes (Lc 23.43; Ap 2.7; 12.4).

O céu não é uma imaginação fantasiosa, mas uma realidade inegável. David Stern diz que o terceiro céu não são as nuvens (o primeiro céu) ou o céu onde estão as estrelas (o segundo céu), mas o lugar onde Deus está; uma dimensão espiritual.[8] Nessa mesma linha de pensamento,

---

[3] RIENECKER, Fritz e ROGERS Cleon. *Chave Linguística do Novo Testamento Grego*, 1985, p. 365.
[4] CARSON, D. A. *From Triumphalism to Maturity*. Grand Rapids, MI: Baker Books, 1984, p.136.
[5] KRUSE, Colin. *II Coríntios: Introdução e Comentário*, 1994, p. 216.
[6] RIENECKER, Fritz e ROGERS Cleon. *Chave Linguística do Novo Testamento Grego*, 1985, p. 365.
[7] WIERSBE, Warren W. *Comentário Bíblico Expositivo*. Vol. 5, 2006, p. 881.
[8] STERN, David H. *Comentário Judaico do Novo Testamento*, 2008: p. 558.

John Albert Bengel escreve: "O primeiro céu é o das nuvens, o segundo o das estrelas e o terceiro é o espiritual".[9] Simon Kistemaker complementa: "Assim, o primeiro céu se refere à atmosfera; o segundo céu ao espaço e o terceiro céu à morada de Deus".[10]

William Barclay diz que a palavra "paraíso" provém de um termo persa que significa "jardim amuralhado". Quando um rei persa desejava conferir honra especial a alguém, o fazia acompanhando esse alguém pelos jardins do seu palácio. Paulo teve a magnífica experiência de ser arrebatado ao jardim de Deus.[11]

Em quarto lugar, *o perigo das visões* (12.5,6). O apóstolo Paulo conclui seu relato: *De tal coisa me gloriarei; não, porém, de mim mesmo, salvo nas minhas fraquezas. Pois, se eu vier a gloriar-me, não serei néscio, porque direi a verdade; mas abstenho-me para que ninguém se preocupe comigo mais do que em mim vê ou de mim ouve* (12.5,6). Os falsos apóstolos estavam cheios de orgulho por causa de suas experiências, mas Paulo, de forma radicalmente diferente, não aplaude a si mesmo. Ele gloria-se das visões, mas não de si mesmo. Ele gloria-se nas suas fraquezas, e não nas suas experiências arrebatadoras. Paulo não está construindo monumentos ao seu próprio nome. Não está recrutando fãs para si mesmo. Ele não busca glória para seu próprio nome. Frank Carver diz que Paulo tinha tão pouca intenção de explorar esse acontecimento que durante quatorze anos guardou-o como um segredo, até que lhe foi arrancado à força. Eis aqui o mais raro dos exemplos: uma jactância sem jactância.[12]

Os sofrimentos de Paulo (12.7-10)

Depois da glória vem a dor, depois do êxtase vem o sofrimento. Paulo faz uma transição das visões celestiais para o espinho na carne. Deus sabe equilibrar, em nossa vida, as bênçãos e os fardos, o sofrimento e a

---

[9]BENGEL, John Albert. *Bengel's New Testament Commentary*. Vol. 2, Grand Rapids, MI: Kregel, 1981, p. 330.
[10]KISTEMAKER, Simon. *2 Coríntios*, 2004, p. 569.
[11]BARCLAY, William. *I y II Corintios*, 1973, p. 266.
[12]CARVER, Frank G. *A Segunda Epístola de Paulo aos Coríntios*. Em Comentário Bíblico Beacon. Vol. 8, 2006, p. 479.

glória. Warren Wiersbe diz: "Que contraste gritante entre as duas experiências do apóstolo! Passou do paraíso à dor, da glória ao sofrimento. Provou a bênção de Deus no céu e sentiu os golpes de satanás na terra. Passou do êxtase à agonia".[13] Examinaremos alguns pontos importantes.

Em primeiro lugar, *o sofrimento é inevitável* (12.7). Paulo dá seu testemunho: *E, para que não me ensoberbecesse com a grandeza das revelações, foi-me posto um espinho na carne, mensageiro de satanás, para me esbofetear, a fim de que não me exalte* (12.7). Não há vida indolor. É impossível passar pela vida sem sofrer. O sofrimento é inevitável. O sofrimento de Paulo é tanto físico quanto espiritual. Elencamos aqui dois aspectos do sofrimento do apóstolo.

O espinho na carne (12.7). O que seria esse espinho na carne de Paulo? Há muitas ideias e nenhuma resposta conclusiva. Calvino acreditava que o espinho na carne eram as tentações espirituais. Lutero achava que eram as perseguições dos judeus. A palavra grega *skolops*, "espinho", só aparece aqui em todo o Novo Testamento. Trata-se de qualquer objeto pontiagudo. Era a palavra usada para estaca, lasca de madeira ou ponta do anzol.[14] O que era esse espinho na carne de Paulo? Muitas respostas têm sido dadas. Vejamos algumas delas:

- Primeiro, *perturbações espirituais*. Calvino acreditava que o espinho na carne de Paulo consistia nessas tentações que o afligiam. Trata-se das limitações de uma natureza corrompida pelo pecado, os tormentos da tentação ou a opressão demoníaca.[15]
- Segundo, *perseguição e oposição*. Lutero pensava que o espinho na carne de Paulo eram as muitas e variadas perseguições sofridas tanto nas mãos dos judeus como nas mãos dos gentios.
- Terceiro, *enfermidades físicas*. A lista abrange desde a epilepsia, gagueira, enxaqueca, ataques de febre malária até deficiência visual.[16] A maioria dos estudiosos concorda que esse termo *skolops*

---

[13]WIERSBE, Warren W. *Comentário Bíblico Expositivo*. Vol. 5, 2006, p. 883.
[14]KRUSE, Colin. *II Coríntios: Introdução e Comentário*, 1994, p. 218.
[15]KRUSE, Colin. *II Coríntios: Introdução e Comentário*, 1994, p. 219.
[16]KRUSE, Colin. *II Coríntios: Introdução e Comentário*, 1994, p. 219.

deve ser interpretado literalmente; isto é, Paulo suportava dor física.[17] Pessoalmente, sou inclinado a pensar que esse espinho na carne era uma deficiência visual de Paulo (At 9.9; Gl 4.15; 6.11; Rm 16.22; At 23.5).

A oração não atendida (12.8,9). Assim como Jesus orou três vezes no Getsêmani para Deus afastar-lhe o cálice, e o Pai não o atendeu, mas enviou um anjo para o consolar, Paulo orou também três vezes para Deus tirar o espinho de sua carne, porém, a resposta de Deus não foi a suspensão do espinho e sim a força para suportá-lo. Deus nem sempre nos livra do sofrimento, mas nos dá graça para enfrentá-lo vitoriosamente. Paulo orou na aflição: orou ao Senhor, orou com insistência e especificamente e, mesmo assim, Deus lhe disse não.

Em segundo lugar, *o sofrimento é indispensável* (12.7-10). O sofrimento é indispensável. Assim como Jesus aprendeu pelas coisas que sofreu, também nós aprendemos pelo sofrimento (Rm 5.3-5). Por que o sofrimento é indispensável?

Para evitar o ensoberbecimento (12.7). O espinho na carne impediu que Paulo inchasse ou explodisse de orgulho diante das gloriosas visões e revelações do Senhor. O sofrimento nos põe no nosso devido lugar. Ele quebra nossa altivez e esvazia toda nossa pretensão de glória pessoal. É o próprio Deus quem nos matricula na escola do sofrimento. O propósito de Deus não é a nossa destruição, mas nossa qualificação para o desempenho do ministério. O fogo da prova não pode chamuscar sequer um fio de cabelo da nossa cabeça, ele só queima as nossas amarras. O fogo das provas nos livra das amarras, e Deus nos livra do fogo.

O apóstolo Paulo diz que o espinho na carne era um mensageiro de satanás. Ao mesmo tempo em que o mensageiro de satanás infligia sofrimento ao apóstolo, esbofeteando-lhe com golpes fulminantes, Deus tratava com seu servo, usando essa estranha providência, para o manter humilde. O campo de atuação de satanás é delimitado por Deus. Satanás tinha a intenção de esbofetear Paulo, Deus tinha a intenção de aperfeiçoar o apóstolo.

---

[17] KISTEMAKER, Simon. *2 Coríntios*, 2004, p. 580.

Para gerar dependência constante de Deus (12.8). *Por causa disto, três vezes pedi ao Senhor que o afastasse de mim* (12.8). O sofrimento levou Paulo à oração. O sofrimento nos mantém de joelhos diante de Deus para nos pôr em pé diante dos homens. J. I. Packer diz: "Se eu passar quarenta anos orando a Deus e não tiver nenhuma resposta, já terá valido a pena, pois passei quarenta anos em comunhão com Deus, na dependência dEle". Simon Kistemaker está correto quando diz que Paulo sabe que Deus está no controle, não satanás. Se satanás realizasse seu desejo, ele teria preferido que o apóstolo Paulo fosse orgulhoso em vez de humilde.[18] Concordo com D. A. Carson: "Os interesses de satanás seriam muito melhor servidos caso Paulo se tornasse insuportavelmente arrogante".[19]

Para mostrar a suficiência da graça (12.9). *Então, ele me disse: A minha graça te basta, porque o poder se aperfeiçoa na fraqueza. De boa vontade, pois, mais me gloriarei nas fraquezas, para que sobre mim repouse o poder de Cristo* (12.9). A graça de Deus é melhor do que a vida. A graça de Deus é que nos capacita a enfrentar vitoriosamente o sofrimento. A graça de Deus é o tônico para a alma aflita, o remédio para o corpo frágil, a força que põe de pé o caído. Warren Wiersbe diz que a graça de Deus é a provisão dEle para tudo que precisamos, quando precisamos. A graça nunca está em falta.[20] Ela está continuamente disponível. James Hastings está correto quando diz que não devemos orar por vida fácil. Devemos orar para sermos homens e mulheres capacitados pela graça. Não devemos orar por tarefas iguais ao nosso poder, mas orar por poder igual às nossas tarefas.[21]

Para trazer fortalecimento de poder (12.9). O poder de Deus se aperfeiçoa na fraqueza. Quando somos fracos, aí é que somos fortes. Esse é o grande paradoxo do cristianismo. A força ciente de que é forte, na verdade, é fraqueza, mas a fraqueza ciente de que é fraca, na verdade,

---

[18] KISTEMAKER, Simon. *2 Coríntios*, 2004, p. 583.
[19] CARSON, D. A. *From Triumphalism to Maturity*, 1984, p. 145.
[20] WIERSBE, Warren W. *Comentário Bíblico Expositivo*. Vol. 5, 2006, p. 884.
[21] HASTINGS, James. *The Great Texts of the Bible*. Vol. XVI. Grand Rapids, MI: Wm.B.Eerdmans Publishing Company, n.d., p. 291.

é força.²² O poder de Deus revela-se nos fracos, diz Colin Kruse.²³ Paulo pediu para Deus substituição, mas Deus lhe deu transformação. Deus não removeu sua aflição, mas lhe deu capacitação para enfrentá-la vitoriosamente. Deus não deu explicações para Paulo, fez-lhe promessas: "A minha graça te basta". Não vivemos de explicações, vivemos de promessas. Nossos sentimentos mudam, mas as promessas de Deus são sempre as mesmas.²⁴ James Hastings está coberto de razão quando afirma que nós precisamos desesperadamente da graça de Deus quando somos tomados por um senso de pecado

O poder de Deus é suficiente para o cansaço físico. Paulo suportou toda sorte de privações físicas: fome, sede e nudez. Suportou todo tipo de perseguição: foi açoitado, apedrejado, fustigado com varas e preso. Enfrentou todo tipo de perigos: de rios, de mares, de desertos, no campo, na cidade, entre estrangeiros, entre patrícios e até no meio de falsos irmãos. Enfrentou toda sorte de pressões emocionais: preocupava-se dia e noite com as igrejas. Mas o poder de Deus o sustentou em todas essas circunstâncias. William Barclay cita a experiência do grande avivalista do século XVIII, John Wesley. Ele pregou 42.000 sermões. Viajou a cavalo cerca de 7.000 quilômetros por ano. Pregou três vezes por dia. Aos 83 anos escreveu em seu diário: "Nunca me canso, nem pregando, nem viajando, nem escrevendo".²⁵

Em terceiro lugar, *o sofrimento é pedagógico* (12.9). A vida é a professora mais implacável: primeiro dá a prova e, depois, a lição. C. S. Lewis disse que "Deus sussurra em nossos prazeres e grita em nossas dores". A dor sempre tem um propósito, mais que uma causa. Deus não desperdiça sofrimento na vida de seus filhos. Se Deus não remove o espinho é porque ele está trabalhando em nós para, depois, trabalhar por meio de nós.

Vejamos algumas lições importantes destacadas por Charles Stanley em seu livro *Como lidar com o sofrimento?*²⁶

---

²²WIERSBE, Warren W. *Comentário Bíblico Expositivo*. Vol. 5, 2006, p. 884.
²³KRUSE, Colin. *II Coríntios: Introdução e Comentário*, 1994, p. 220.
²⁴WIERSBE, Warren W. *Comentário Bíblico Expositivo*. Vol. 5, 2006, p. 884.
²⁵BARCLAY, William. *I y II Corintios*, 1973, p. 268.
²⁶STANLEY, Charles. *Como lidar com o sofrimento*. Eenda Nova, MG: Editora Betânia, 1995, p. 137-147.

Primeiro, *há um propósito divino em cada sofrimento* (12.7). Há um propósito divino no sofrimento. No começo dessa carta, Paulo diz que o nosso sofrimento e a nossa consolação são instrumentos usados por Deus para abençoar outras pessoas (1.3). Na escola da vida, Deus está nos preparando para sermos consoladores. Quando Deus não remove "o espinho" é porque tem uma razão. Deus sempre tem um propósito no sofrimento. O propósito é de não nos ensoberbecermos.

Segundo, *é possível que Deus resolva nos revelar o propósito do nosso sofrimento* (12.7). No caso de Paulo, Deus decidiu revelar-lhe a razão de ser do "espinho": evitar que o apóstolo ficasse orgulhoso. Quando Paulo orou nem perguntou por que estava sofrendo, apenas pediu a remoção do sofrimento. Não é raro Deus revelar as razões do sofrimento. Ele revelou a Moisés a razão de não lhe ser permitido entrar na terra prometida. Disse a Josué por que ele e seu exército foram derrotados em Ai. O nosso sofrimento tem por finalidade nos humilhar, aperfeiçoar-nos, burilar--nos e nos usar. É possível, também, que Deus não nos dê explicações diante do sofrimento. Foi o que aconteceu com o patriarca Jó. Ele perdeu seus bens, seus filhos, sua saúde, o apoio de sua mulher e de seus amigos, e diante de seus questionamentos, nenhuma explicação lhe foi dada. Deus restaurou sua sorte, mas não lhe disse a razão de seu sofrimento.

Terceiro, *Deus nunca nos repreende se perguntarmos por que ou se pedirmos que Ele remova o sofrimento* (12.8,9). Não há evidência de que Deus tenha repreendido Paulo pelo fato dEle ter-lhe pedido que removesse o espinho. Deus entende nossa fraqueza. Ele espera que clamemos quando estivermos passando por sofrimento. Ele nos manda lançar sobre Ele toda a nossa ansiedade. Jó ergueu ao céu dezesseis vezes a pergunta: por quê? Ele levantou sua queixa trinta e quatro vezes. Ele espremeu sua ferida. Ele gritou com toda a força da sua alma. Jesus no Getsêmani pediu a remoção da sua dor: *Meu Pai, se for possível, afasta de mim este cálice; contudo, não seja como eu quero, mas como tu queres* (Mt 26.39).

Quarto, *o sofrimento pode ser um dom de Deus* (12.7). Temos a tendência de pensar que o sofrimento é algo que Deus faz contra nós, e não por nós. Jacó disse: *Tendes-me privado de filhos; José já não existe, Simeão não está aqui, e ides levar a Benjamim! Todas estas coisas em sobrevêm* (Gn 42.36). O espinho de Paulo era uma dádiva, pois por causa desse incômodo Deus protegeu Paulo daquilo que ele mais temia: ser desqualificado espiritualmente (1Co 9.27). Ele sabia que o orgulho destrói. Viu-o como algo que Deus fez a seu favor, e não contra ele.

Quinto, *satanás pode ser o agente do sofrimento* (12.7). Espere um pouco: é satanás ou Deus quem está por trás do espinho na carne de Paulo? Como é que um mensageiro de satanás pode cooperar para o bem de um servo de Deus? Parece uma contradição total. A inferência é que Deus, na sua soberania, usa os mensageiros de satanás na vida dos seus servos. As bofetadas de satanás não anulam os propósitos de Deus, mas contribuem para eles. Até mesmo os esquemas satânicos podem ser usados em nosso benefício e no avanço do Reino de Deus. O diabo intentou contra Jó para afastá-lo de Deus, mas só conseguiu pô-lo mais perto do Senhor.

Sexto, *Deus nos conforta em nossas adversidades* (12.9). A resposta que Deus deu a Paulo não era a que ele esperava nem a que ele queria, mas era a que ele precisava. Deus respondeu a Paulo que Ele não o havia abandonado. Ele não sofria sozinho. Deus estava no controle da sua vida e operava nele com eficácia. Precisamos compreender que Deus está conosco. Que Ele está no controle. Que Ele é soberano, bom e fiel. Jó entendeu isso: *Bem sei que tudo podes, e nenhum dos teus planos pode ser frustrado* (Jó 42.1).

Sétimo, *a graça de Deus é suficiente nas horas de sofrimento* (12.9). Deus não deu a Paulo o que ele pediu, deu-lhe algo melhor, melhor que a própria vida: a Sua graça. A graça de Deus é melhor que a vida; pois por ela enfrentamos o sofrimento vitoriosamente. O que é graça? É a provisão de Deus para cada uma das nossas necessidades. O nosso Deus é o Deus de toda a graça (1Pe 5.10).

Oitavo, *pode ser que Deus decida que é melhor não remover o sofrimento* (12.9). De todos os princípios, esse é o mais difícil. Quantas vezes nós já pensamos e falamos: "Senhor por que estou sofrendo? Por que desse jeito? Por que até agora? Por que o Senhor ainda não agiu?" Joni Eareckson ficou tetraplégica e, numa cadeira de rodas, dá testemunho de Jesus. Fanny Crosby ficou cega com 42 dias e morreu aos 92 anos sem jamais perder a doçura. Escreveu mais de 4.000 hinos. Dietrich Bonhoeffer foi enforcado no dia 9 de abril de 1945 numa prisão nazista.

Se Deus não remover o sofrimento, Ele nos assiste em nossa fraqueza, consola-nos com Sua graça e nos assiste com Seu poder.

Nono, *nossa alegria não se baseia na natureza de nossas circunstâncias* (12.10). O que determina a vida de um indivíduo não é o que lhe acontece, mas como reage ao que lhe acontece. Não é o que as pessoas lhe fazem, mas como ele responde a essas pessoas. Há pessoas que são infelizes tendo tudo; há outras que são felizes nada tendo. A felicidade não está fora de nós, mas dentro de nós. Há pessoas que pensam que a felicidade está nas coisas: casa, carro, trabalho, renda. Mas Paulo era feliz mesmo passando por toda sorte de adversidades (11.24-27). Mesmo passando por todas essas lutas, é capaz de afirmar: *Pelo que sinto prazer nas fraquezas, nas injúrias, nas necessidades, nas perseguições, nas angústias, por amor de Cristo. Porque, quando sou fraco, então, é que sou forte* (12.10). O mesmo Paulo comenta na sua carta aos Filipenses: *Não estou dizendo isso, porque esteja necessitado, pois aprendi a adaptar-me a toda e qualquer circunstância. Sei o que é passar necessidade e sei o que é ter fartura. Aprendi o segredo de viver contente em toda e qualquer situação, seja bem alimentado, seja com fome, tendo muito ou passando necessidade* (Fp 4.10,11).

Décimo, *a chave para crescermos nos sofrimentos é vê-los em função do amor de Cristo* (12.10). Paulo sofria por amor a Cristo. Sua razão de viver era glorificar a Cristo. O que importava era agradar a Cristo, servir a Cristo, tornar Cristo conhecido. Jim Elliot, o missionário mártir entre os aucas, disse: "Não é tolo perder o que não se retém, para ganhar o que não se pode perder". Deus pode usar até o nosso sofrimento para Sua glória. Paulo diz aos filipenses que as coisas que lhe aconteceram contribuíram para o progresso do evangelho (Fp 1.12).

Em quarto lugar, *o sofrimento é passageiro* (12.1-7). O sofrimento deve ser visto à luz da revelação do céu, do paraíso. O sofrimento do tempo presente não é para se comparar com as glórias por vir a serem reveladas em nós (Rm 8.18). A nossa leve e momentânea tribulação produz, para nós, eterno peso de glória (4.14-16). Aqueles que têm a visão do céu são os que triunfam diante do sofrimento. Aqueles que ouvem as palavras inefáveis do paraíso são aqueles que não se intimidam com o rugido do leão.

Deus mostrou a glória da herança antes do fogo do sofrimento. Deus abriu as cortinas do céu, antes de apontar as areias esbraseantes do deserto. O sofrimento é por breve tempo, o consolo é eterno. A dor vai passar; o céu jamais! A caminhada pode ser difícil. O caminho pode ser estreito. Os inimigos podem ser muitos. O espinho na carne pode doer. Mas a graça de Cristo nos basta. Só mais um pouco e nós estaremos para sempre com o Senhor. Então, o espinho será tirado, as lágrimas serão enxugadas, e não haverá mais pranto, nem luto nem dor.

As credenciais de Paulo (12.11-13)

Paulo escreve:

> *Tenho-me tornado insensato; a isto me constrangestes. Eu devia ter sido louvado por vós; porquanto em nada fui inferior a esses tais apóstolos, ainda que nada sou. Pois as credenciais do apostolado foram apresentadas no meio de vós, com toda a persistência, por sinais, prodígios e poderes miraculosos. Porque, em que tendes vós sido inferiores às demais igrejas, senão neste fato de não vos ter sido pesado? Perdoai-me esta injustiça* (12.11-13).

Paulo deixa de falar de seus sofrimentos para falar de suas credenciais. Ele as apresenta não porque tem prazer em enaltecer-se, mas porque foi constrangido a isso pela igreja. Os coríntios comparavam Paulo com os falsos apóstolos e davam mais valor a estes (12.11). Em vez de elogiar Paulo, os coríntios elogiam seus opositores. Os coríntios não ajudaram Paulo financeiramente, mas sustentavam esses falsos obreiros. Paulo, com firmeza, diz que nesse ponto a igreja de Corinto havia sido inferior a todas as demais, e ele pede perdão à igreja pela injustiça de não ter cobrado deles seu sustento (12.13).

As credenciais de Paulo são apresentadas no meio da igreja com toda persistência por meio de sinais, prodígios e poderes miraculosos (12.12). Paulo foi chamado por Cristo para o apostolado e enviado por Cristo aos gentios. O próprio Senhor autenticou seu apostolado por meio de sinais, prodígios e poderes miraculosos. O poder para a operação desses sinais e maravilhas estava em Deus. Esses milagres foram feitos não para o engrandecimento de Paulo, mas para a glória de Cristo e promoção do evangelho. O milagre não é o evangelho, mas abre portas para o evangelho. O milagre não tem poder de transformar os corações, mas prepara-os para o evangelho transformador.

A terceira viagem de Paulo a Corinto (12.14-21)

Depois que Paulo expõe suas credenciais, mostra a determinação de fazer sua terceira visita à igreja de Corinto. As duas visitas anteriores foram: a visita missionária pioneira e a visita "dolorosa". A terceira visita planejada por Paulo é mencionada nesse capítulo três vezes (12.14,20,21). Nessa visita Paulo estava disposto a confrontar e repreender firmemente a igreja. Qual era o propósito dessa terceira visita?

Em primeiro lugar, **demonstrar que buscava o bem espiritual dos crentes, e não o dinheiro deles** (12.14). Paulo é enfático: [...] *não vou atrás dos vossos bens, mas procuro a vós outros* (12.14). Os falsos mestres buscavam o dinheiro do povo, e não o bem espiritual do povo. Não pastoreavam o rebanho, mas se serviam dele. O vetor do ministério deles era o lucro, e não a edificação espiritual dos crentes. Paulo é totalmente diferente desses obreiros fraudulentos. Ele não anda atrás de dinheiro. Como pai espiritual dos crentes de Corinto, entesoura para eles. Diz Paulo: [...] *não devem os filhos entesourar para os pais, mas os pais, para os filhos* (12.14).

Em segundo lugar, **demonstrar sua prontidão em gastar-se em favor da alma dos crentes** (12.15). *Eu de boa vontade me gastarei e ainda me deixarei gastar em prol da vossa alma. Se mais vos amo, serei menos amado?* (12.15). Paulo era como uma vela; estava pronto a brilhar com a mesma intensidade até o fim. Ele não buscava conforto, mas o bem espiritual dos crentes. Ele não corria atrás de benefícios pessoais, mas lutava para ver os crentes sendo enriquecidos na graça.

Paulo já havia declarado Seu amor aos crentes de Corinto (6.11,12) e pedido a eles um retorno mais expressivo desse amor (6.13). Agora, espera, nessa visita, ser mais amado pelo povo, uma vez que dedica a ele amor tão acendrado.

Em terceiro lugar, **demonstrar que seus cooperadores eram tão íntegros financeiramente como ele** (12.16-18). Os falsos mestres acusavam Paulo de explorar a igreja por meio de seus colaboradores (12.16,17), apropriando-se de parte da coleta levantada para os pobres da Judeia.

Mas Paulo os refuta dizendo que seus colaboradores, longe de explorarem a igreja, seguiram em suas mesmas pisadas, pois tinham andado no mesmo espírito. *Porventura, vos explorei por intermédio de algum daqueles que vos enviei? Roguei a Tito e enviei com ele outro irmão; porventura, Tito vos explorou? Acaso, não temos andado no mesmo espírito? Não seguimos nas mesmas pisadas?* (6.17,18).

Paulo mandou Tito a Corinto três vezes: primeiro, para resolver o assunto do pecador que se arrependeu (2.13; 7.6,13); depois, para começar a operação da coleta do dinheiro para os santos em Jerusalém (8.6); e, por último, para completar a tarefa de reunir os fundos (8.17,18,22).

Em quarto lugar, **demonstrar sua preocupação com o estado espiritual dos crentes** (12.19-21). Paulo teme encontrar os crentes despreparados espiritualmente nessa visita. Havia duas áreas vulneráveis na vida dos crentes de Corinto:

A área dos relacionamentos (12.20). *Temo, pois, que, indo ter convosco, não vos encontre na forma em que vos quero, e que também vós me acheis diferente do que esperáveis, e que haja entre vós contendas, invejas, iras, porfias, detrações, intrigas, orgulho e tumultos* (12.20). Paulo teme que haja entre os crentes contendas, invejas, iras, porfias, detrações, intrigas, orgulho e tumulto. Todos esses pecados listados em pares estão ligados à área dos relacionamentos. A igreja de Corinto era um amontoado de gente, mas não uma família unida. Eles não agiam como um corpo, em que cada membro coopera com o outro. Ao contrário, estavam agindo antropofagicamente, devorando uns aos outros pelas contendas e intrigas.

William Barclay ajuda-nos a compreender melhor esses pecados de relacionamento: 1) contendas (*eris*) é uma palavra que denota rivalidade e competição, discórdia acerca de prestígio; 2) invejas (*zelos*) é o desejo mesquinho de ter o que não lhe pertence; o espírito que cobiça as posses alheias; 3) iras (*thumoi*) assinala explosões repentinas de ira apaixonada. É uma espécie de intoxicação da alma que arrasta o homem a fazer coisas das quais se arrependerá amargamente; 4) porfias, (*eritheia*) denota aquilo que se faz apenas visando uma recompensa. É uma ambição egoísta, centrada em si mesma, que jamais se dispõe a servir o próximo; 5) detrações, (*katalaliai*) refere-se a um ataque realizado a viva voz, os insultos e acusações lançados em voz alta e em público; 6) intrigas (*psithurismoi*) refere-se a algo ainda mais desagradável. Trata-se de uma campanha de murmurações e maledicência espalhada de ouvido em ouvido, buscando desacreditar a pessoa. Se detração é um ataque frontal, a intriga é um movimento clandestino que envenena insidiosamente a atmosfera; 7) orgulho (*phusioseis*) é aquela atitude em que o indivíduo magnifica a si mesmo e suas funções; 8) Tumultos (*akatastasia*), refere-se a anarquia.[27]

A área da pureza sexual (12.21). *Receio que, indo outra vez, o meu Deus me humilhe no meio de vós, e eu venha a chorar por muitos que, outrora, pecaram e não se arrependeram da impureza, prostituição e lascívia que cometeram* (12.21). Paulo temia encontrar muitos crentes ainda prisioneiros dos mesmos pecados e aberrações sexuais que caracterizaram sua vida pagã. Impureza, prostituição e lascívia são termos progressivos que revelavam uma completa decadência moral. 1) Impureza (*akatharsia*) é um termo genérico para impureza e vida desregrada. É tudo aquilo que impede que um homem tenha comunhão com Deus. É o oposto de pureza; 2) prostituição (*porneia*), refere-se à promiscuidade no relacionamento sexual; 3) lascívia (*aselgeia*), indica o desacato deliberado da decência em público.[28] A palavra *aselgeia* é o vício do homem com não mais vergonha do que um animal na gratificação de seus desejos físicos.[29] William Barclay diz que *aselgeia* é uma palavra intraduzível. Não significa somente impureza sexual, mas também uma insolência desenfreada. É a atitude da alma que desconhece os limites da disciplina. Trata-se da pessoa que não aceita restrições nem tem compromisso com a decência. Não se importa com a opinião pública, tampouco com sua própria reputação. É o espírito descaradamente egoísta, que perdeu a honra e a vergonha e está disposto a tomar o que desejar, ainda que isso ofenda desavergonhadamente a Deus e aos homens.[30]

---

[27] BARCLAY, William. *I y II Corintios*, 1973, p. 273, 274.
[28] CARVER, Frank G. *A Segunda Epístola de Paulo aos Coríntios*. Em Comentário Bíblico Beacon. Vol. 8, 2006, p. 489.
[29] RIENECKER, Fritz e ROGERS Cleon. *Chave Linguística do Novo Testamento Grego*, 1985, p. 368.
[30] BARCLAY, William. *I y II Corintios*, 1973, p. 274, 275.

15

Exortações pastorais

2 Coríntios 13.1-13

O APÓSTOLO PAULO ESTÁ CONCLUINDO SUA CARTA mais pessoal. Aqui, ele abriu o coração e falou de suas experiências mais íntimas, de suas dores mais profundas e de Seu amor mais acendrado. De todas as igrejas que Paulo plantou, nenhuma recebeu tanto cuidado pastoral, conselhos e visitas quanto a igreja de Corinto. Também nenhuma igreja significava mais para Paulo do que a dificultosa comunidade de Corinto.[1] Por outro lado, nenhuma lhe fez sofrer tanto.

Paulo está fazendo preparativos para sua terceira visita à igreja. Não será uma visita amistosa, mas confrontadora. Bruce Barton diz que, nesse capítulo, Paulo deixa de se defender e confronta diretamente os coríntios.[2] Caso não haja arrependimento terá de disciplinar os faltosos. Contudo, antes de viajar para Corinto, ora a Deus para que a igreja emende seus caminhos e busque uma vida de perfeição.

Algumas exortações importantes são destacadas nesse capítulo. Vejamo-las.

---

[1] KISTEMAKER, Simon. *2 Coríntios*, 2004, p. 618.
[2] BARTON, Bruce B., e outros. *Life Application Bible Commentary on 1 & 2 Corinthian*, 1999, p. 466.

A disciplina dos faltosos (13.1,2)

Havia na igreja um grupo que dava guarida ao ensino dos falsos apóstolos. Não apenas a teologia deles estava errada, mas também a vida deles estava em descompasso com a verdade. Havia não apenas oposição a Paulo (13.3), mas também relacionamentos quebrados (12.20) e imoralidade na vida desses membros (12.21).

Paulo está indo a Corinto com o propósito de instaurar um tribunal e disciplinar aos que insistem na prática do erro. Na sua primeira visita a Corinto, Paulo plantou a igreja. Sua segunda visita foi dolorosa e precisou sair da cidade sem solucionar os graves problemas que a atacavam; porém, enviou, à igreja, Tito para pôr em ordem a situação pendente. Mas, agora, está pronto a ir à igreja pela terceira vez e dessa feita não poupará aqueles que de forma contumaz permanecem no erro.

Com respeito à disciplina, duas coisas devem ser ressaltadas.

Em primeiro lugar, *a acusação precisa ser fundamentada* (13.1). *Esta é a terceira vez que vou ter convosco. Por boca de duas ou três testemunhas, toda questão será decidida* (13.1). As acusações serão examinadas e julgadas. Paulo está aplicando um princípio da lei mosaica de que nenhuma acusação deve ser recebida contra alguém sem vir consubstanciada por duas ou três testemunhas (Dt 19.15). Esse mesmo princípio foi referendado por Jesus (Mt 18.16; Jo 8.17). Agora, Paulo está dizendo que aplicará o mesmo critério para disciplinar os faltosos (1Tm 5.19).

Para proteger um inocente, o juiz civil ou eclesiástico exigia que mais de uma testemunha apresentasse provas indisputáveis de delito.[3] Warren Wiersbe diz que ao tratar do pecado na igreja local devemos saber dos fatos, não apenas dos boatos.[4]

Outros eruditos como Calvino[5] e Werner de Boor, porém, acreditam que as testemunhas exigidas por Paulo seja uma referência às suas próprias três visitas à igreja. O juízo, então, já podia começar. As premissas já haviam sido cumpridas.[6] Matthew Henry, por sua vez, acredita que

---

[3] Kistemaker, Simon. *2 Coríntios*, 2004, p. 618.
[4] Wiersbe, Warren W. *Comentário Bíblico Expositivo*. Vol. 5, 2006, p. 887.
[5] Calvin, John. *Commentary on Corinthians*. Vol. 2, 1999, p. 293.
[6] Boor, Werner de. *Carta aos Coríntios*, 2004, p. 479.

essas testemunhas referem-se às suas epístolas, pelas quais admoestou os coríntios.[7]

Em segundo lugar, *a disciplina precisa ser aplicada* (13.2). *Já o disse anteriormente e torno a dizer, como fiz quando estive presente pela segunda vez; mas, agora, estando ausente, o digo aos que, outrora, pecaram e a todos os mais que, se outra vez for, não os pouparei* (13.2). Essas palavras não estão sendo dirigidas a todos os membros da igreja, mas a algumas pessoas que estavam vivendo de forma escandalosa, na prática da imoralidade, e se recusavam a emendar seus caminhos (12.20,21) bem como aqueles que aprovavam sua atitude (1Co 5.2,6).

Depois de alertá-los algumas vezes, Paulo está disposto a não mais retardar a disciplina desses membros faltosos. Colin Kruse diz que Paulo já havia ameaçado que em sua segunda visita haveria de tomar providências disciplinares contra esses membros faltosos (1Co 4.18-21), mas na ocasião do evento ele se retirou sem cumprir suas ameaças; preferiu escrever-lhes uma carta "severa". Agora, todavia, pronto para realizar sua terceira visita, o apóstolo adverte seus leitores de que não os poupará dessa vez.[8] Ele não pretende inocentar pecadores impenitentes.

A disciplina é uma das marcas da igreja verdadeira. O pecado é como fermento na massa. Se não for removido, contamina toda a igreja. A disciplina visa a proteção da igreja e a correção do faltoso. A disciplina, portanto, é um ato responsável de amor, e Paulo está pronto a aplicá-la.

A dúvida dos rebeldes (13.3,4)

Em vez de esses crentes rebeldes se arrependerem de seus pecados, eles procuraram provas para desqualificar Paulo como apóstolo. Dois fatos devem ser aqui destacados:

Em primeiro lugar, *a busca das provas* (13.3). *Posto que buscais prova de que, em mim, Cristo fala, o qual não é fraco para convosco; antes, é poderoso em vós* (13.3). Influenciados pelos falsos apóstolos, alguns crentes de

---

[7] HENRY, Matthew. *Matthew Henry's Commentary in one volume.* Grand Rapids, MI: Marshall, Morgan & Scott, 1960, p. 1837.
[8] KRUSE, Colin. *II Coríntios: Introdução e Comentário*, 1994, p. 232.

Corinto que teimavam em viver na prática do pecado, buscavam provas contra Paulo, argumentando que Cristo não falava por intermédio dele. Na verdade, esses crentes queriam amordaçar a voz da consciência para viver desbragadamente na imoralidade. Eles não queriam ser confrontados em seu estilo de vida. Em vez de corrigir sua conduta errada, procuraram desqualificar aquele que os exortava.

Paulo argumenta que o Cristo que ele anunciou à igreja não era fraco neles. Portanto, ao rejeitarem a Paulo, na verdade, estavam rejeitando o próprio Cristo.

Em segundo lugar, *a evidência dos fatos* (13.4). *Porque, de fato, foi crucificado em fraqueza; contudo, vive pelo poder de Deus. Porque nós também somos fracos nele, mas viveremos, com ele, para vós outros pelo poder de Deus* (13.4). Esse texto revela a dialética da fé cristã. Cristo foi crucificado em fraqueza. Ele desceu da Sua glória. Esvaziou-Se e fez-Se carne. Deixou de lado Seus privilégios e vestiu-Se de pele humana. Tornou-se pobre. Foi humilhado até a morte, e morte de cruz (Fp 2.8). Suou sangue e foi esbofeteado. Foi cuspido e pregado numa cruz. Mas por meio de Sua morte triunfou sobre o diabo e suas hostes. Por intermédio da Sua morte pavimentou o caminho da nossa reconciliação com Deus. Por meio de Sua morte remiu-nos do pecado e, pelo poder de Deus, ressuscitou dentre os mortos e está vivo pelos séculos dos séculos.

Frank Carver está correto quando diz que no ministério de Jesus em benefício dos pecadores, a extremidade de Sua fraqueza tornou-se o ponto no qual Deus, pela ressurreição de Seu Filho, e da maneira mais convincente, revelou o Seu poder de resgatar os homens de seus pecados (At 2.22-36; Rm 4.25; 5.10; 1Co 15.16,17). As duas coisas se unem em Cristo: a infinita paciência da cruz e a inexorável justiça do trono.[9]

Nessa mesma linha de pensamento Werner de Boor diz:

> Sem dúvida, a vida do apóstolo mostra a peculiar dialética de "fraqueza" e "força" de que Paulo falara detalhadamente e que culminara na frase: *Quando sou fraco, então é que sou forte* (12.10). Essa dialética está

---

[9] Frank, G. Carver. *A Segunda Epístola de Paulo aos Coríntios*. Em Comentário Bíblico Beacon. Vol. 8, 2006, p. 490.

enraizada na vida do próprio Cristo. Em Jesus e Sua cruz a "loucura" e a "fraqueza" de Deus se tornaram visíveis perante todo o mundo, como Paulo já dissera em 1Coríntios 1.25. São parte obrigatória da admirável atuação de Deus. Por isso também agora Paulo volta a afirmar: "Porque, de fato, foi crucificado em fraqueza". Precisamente desse modo, porém, Ele conquistou a vitória e todo o poder redentor. Por isso, Ele foi ressuscitado por Deus e "vive pelo poder de Deus".[10]

Os rebeldes em Corinto, influenciados pelos falsos apóstolos, davam muito valor à expressão de força e poder. Valorizavam eloquência, visões, revelações e milagres. Mas Paulo diz que, assim como Cristo da fraqueza tirou poder, ele, Paulo, sendo fraco em Cristo, vive com Ele, para a igreja, pelo poder de Deus. O poder, e não a fraqueza, marcará sua iminente visita à igreja.

O autoexame dos acusadores (13.5,6)

Paulo inverte a situação. Ele diz a esses crentes rebeldes que em vez de eles o examinarem, eles deveriam examinar a si mesmos. Em vez de buscarem provas contra ele, deveriam investigar a si mesmos. Em vez de olharem para fora, deveriam olhar para dentro.

Paulo confronta-os dizendo que em vez de eles o desqualificarem, deveriam observar se eles mesmos não estavam desqualificados. Concordo com William MacDonald quando diz que a vida dos coríntios era a prova cabal do apostolado de Paulo, pois foi por intermédio de Paulo que eles foram conduzidos ao Salvador. Se eles desejavam ver suas credenciais, eles deveriam olhar para si mesmos.[11]

Colin Kruse é da opinião que os coríntios estavam confiantes demais de que eles eram habitação de Cristo, de modo que a pergunta de Paulo visa sacudi-los e despertá-los para as implicações morais dessa grandiosa realidade.[12]

---

[10] BOOR, Werner de. *Carta aos Coríntios*, 2004, p. 480.
[11] MACDONALD, William. *Biliever's Bible commentary*, 1995, p. 1869.
[12] KRUSE, Colin. *II Coríntios: Introdução e Comentário*, 1994, p. 234.

Concordo com Warren Wiersbe quando diz que aqueles que examinam e condenam os outros mais depressa são, muitas vezes, os mesmos que têm dentro de si os pecados mais sérios. Aliás, uma forma de melhorar nossa imagem é jogar lama na imagem dos outros.[13] A forma mais indigna de nos promovermos é diminuindo as outras pessoas.

Três verdades devem ser aqui observadas:

Em primeiro lugar, *em vez de acusar os outros, avalie a si mesmo* (13.5a). *Examinai-vos a vós mesmos se realmente estais na fé* [...] (13.5). Esses crentes rebeldes estavam acusando Paulo de não ser um apóstolo legítimo; agora, Paulo confronta-os, ordenando-lhes a examinarem a si mesmos se eram de fato crentes legítimos. Há pessoas que estão na igreja, mas não são convertidas. Têm seu nome no rol de membros da igreja, mas não no livro da vida. São contundentes na disposição de acusar os outros, mas incapazes de examinarem seu próprio coração. Enxergam um cisco no olho do outro, mas não veem a trave que está no seu próprio.

Werner de Boor diz acertadamente que esse autoexame não tem cunho moral. Trata-se da *fé*. Paulo não pergunta se eles têm fé, mas se estão na fé. Desse modo, a fé é caracterizada como o espaço abrangente em que se desenrola toda a vida de um ser humano, como o poder determinante e configurador que perpassa todo o pensar e falar, fazer e deixar de fazer.[14]

Há alguns critérios que a Palavra nos oferece para sabermos se somos de fato filhos de Deus: temos o testemunho do Espírito no coração (Rm 8.9,16)? Amamos os irmãos (1Jo 3.14)? Praticamos a justiça (1Jo 2.29; 3.9)? Muitos dos problemas da igreja de Corinto eram causados por pessoas que se diziam salvas, mas que, na verdade, nunca haviam se arrependido nem crido em Jesus Cristo. Ainda hoje há um batalhão de pessoas não convertidas nas igrejas, e são essas as que dão mais trabalho.

Em segundo lugar, *em vez de provar os outros, prove a si mesmo* (13.5b). [...] *provai-vos a vós mesmos* [...] (13.5b). Os coríntios buscavam provas contra Paulo (13.3). Eles vasculharam sua vida para o desqualificar como apóstolo de Cristo. Agora, Paulo diz que eles deveriam

---

[13] WIERSBE, Warren W. *Comentário Bíblico Expositivo*. Vol. 5, 2006, p. 888.
[14] BOOR, Werner de. *Carta aos Coríntios*, 2004, p. 481.

provar a si mesmos. Deveriam voltar suas baterias para si mesmos e verificar se de fato pertenciam a Cristo e sua igreja.

Em terceiro lugar, *em vez de reprovar os outros, aprove a si mesmo* (13.5c,6). [...] *ou não reconheceis que Jesus Cristo está em vós? Se não é que já estais reprovados. Mas espero reconheçais que não somos reprovados* (13.5c,6). Matthew Henry está correto quando escreve: "Se Jesus Cristo estava nos coríntios, isso era uma prova de que Cristo falava por intermédio de Paulo. Se, portanto, eles poderiam convencer a si mesmos que estavam aprovados, então, Paulo confiava que eles poderiam saber que ele não estava reprovado.[15]

Uma vez que só há um Cristo e um evangelho – o Cristo pregado por Paulo, e o evangelho anunciado por ele aos coríntios – ao desprezarem essa mensagem estavam dando a si mesmos uma nota de reprovação. Por outro lado, ao aprovarem Paulo como apóstolo – aquele por intermédio de quem Cristo fala – estavam aprovando a si mesmos.

O encorajamento dos santos (13.7-10)

Paulo, agora, encoraja os crentes de Corinto e o faz usando duas armas poderosas.

Em primeiro lugar, *a oração* (13.7-9). Paulo escreve:

> *Estamos orando a Deus para que não façais mal algum, não para que, simplesmente, pareçamos aprovados, mas para que façais o bem, embora sejamos tidos como reprovados. Porque nada podemos contra a verdade, senão em favor da própria verdade. Porque nos regozijamos quando nós estamos fracos e vós, fortes; e isto é o que pedimos: o vosso aperfeiçoamento* (13.7-9).

A oração de Paulo tem dois propósitos fundamentais:

Ele ora para que os crentes pratiquem o que é certo (13.7,8). Havia muitos pecados na igreja de Corinto: divisões (1Co 1.10-12), imoralidade (1Co 5.1), contendas (1Co 6.7), uso abusivo da liberdade cristã (1Co 8.10; 10.24-28), atitudes inadequadas com respeito à ceia do

---

[15] HENRY, Matthew. *Matthew Henry's Commentary in one volume*. 1960 p. 1837.

Senhor (1Co 11.17-22), ao culto (1Co 12.3), aos dons (1Co 12.16,21), e à ressurreição (1Co 15.12). Alguns desses pecados não haviam sido ainda superados por alguns membros da igreja (12.20,21). Por influência dos falsos apóstolos, alguns crentes lideravam uma frente de oposição ao próprio ministério de Paulo (13.3).

Em vez de condenar seus opositores, Paulo ora por eles. E ora para que pratiquem o bem. Sua preocupação não é sua reputação, muito menos sua superioridade pessoal, mas o aperfeiçoamento dos crentes, pois diz: *Porque nada podemos contra a verdade, senão em favor da verdade* (13.8). A verdade, aqui, entende-se como sendo o evangelho; o que Paulo afirma é que ele jamais poderia agir de modo que fosse contrário ao evangelho ou às suas implicações.[16] Paulo quer apenas a obediência, a pureza e a unidade da igreja. Exercer a sua autoridade apenas por vaidade seria prostituir o seu apostolado. O correto recebimento do evangelho é o grande objetivo da sua vida, em torno do qual giram todas as demais coisas.[17] Cumpria-lhe lutar irredutivelmente a favor da verdade, contra a inverdade e falta de autenticidade (11.13-15).

Ele ora para que os crentes sejam aperfeiçoados (13.9). Fritz Rienecker diz que a palavra grega *katartisis*, "aperfeiçoamento", é usada no sentido de juntar partes quebradas dos ossos ou reconciliar partidos e refere-se, aqui, ao crescimento na santidade.[18] Corroborando esse pensamento, Warren Wiersbe diz que, como termo técnico da medicina, significa: "Corrigir uma fratura óssea, pôr no lugar um membro retorcido". Também pode significar "preparar um navio para uma viagem" e "equipar um exército para a batalha".[19] Essa palavra grega também é usada para consertar redes (Mt 4.21).Há flancos abertos em nossa vida que precisam ser reparados. Há brechas que precisam ser tapadas. Paulo ora para que essas deficiências sejam tratadas e que os crentes sejam aperfeiçoados para o serviço divino.

---

[16]KRUSE, Colin. *II Coríntios: Introdução e Comentário*, 1994, p. 235.
[17]CARVER, Frank G. *A Segunda Epístola de Paulo aos Coríntios*. Em Comentário Bíblico Beacon. Vol. 8, 2006, p. 491.
[18]RIENECKER, Fritz e ROGERS Cleon. *Chave Linguística do Novo Testamento Grego*, 1985, p. 369.
[19]WIERSBE, Warren W. *Comentário Bíblico Expositivo*. Vol. 5, 2006, p. 889.

Em segundo lugar, *a Palavra* (13.10). *Portanto, escrevo estas coisas, estando ausente, para que, estando presente, não venha a usar de rigor segundo a autoridade que o Senhor me conferiu para edificação, e não para destruir* (13.10). A carta de Paulo é uma epístola inspirada, a verdadeira Palavra de Deus ao povo. Eles deveriam receber essa carta por intermédio de Tito, acolhendo essas palavras como palavras do próprio Deus. A epístola tem a mesma autoridade que a presença do próprio apóstolo. Paulo tem a expectativa de que ao receberem a carta possam se arrepender a fim de que na sua visita não tenha que exercer sua autoridade para disciplinar os faltosos.

A exortação aos fiéis (13.11,12)

Paulo está concluindo sua carta, fechando as cortinas e apagando a luz do palco. Antes, porém, tem uma série de exortações à igreja.

Em primeiro lugar, *a alegria deve ser a marca do crente* (13.11). Paulo escreve: *Quanto ao mais, irmãos, adeus!* (13.11). Simon Kistemaker diz que o adeus de Paulo tem um sentido mais profundo do que uma mera palavra de despedida, pois transmite a ideia de alegria (Fp 4.4).[20] A expressão "adeus" na língua grega é *chairete*, que significa "regozijai-vos".[21] É mesma expressão que aparece em 1Tessalonicenses 5.16: *Regozijai-vos sempre*. A alegria deve ser a marca do crente. Isso porque o evangelho é a boa-nova de grande alegria. O Reino de Deus é alegria. O fruto do Espírito é alegria, e a ordem de Deus é: "Alegrai-vos". Werner de Boor diz que a alegria não pode morrer, nem mesmo nessa igreja problemática em Corinto que passou por amargas experiências e que, por ocasião da visita de seu apóstolo, talvez precise vivenciar dias duros e dolorosos. Paulo está convencido de que essa alegria é capaz de permanecer viva na igreja, assim como brilha em seu coração em todas as circunstâncias. A alegria não é coisa automática, ela requer preservação e fomentação.[22]

---

[20] KISTEMAKER, Simon. *2 Coríntios*, 2004, p. 636.
[21] RIENECKER, Fritz e ROGERS Cleon. *Chave Linguística do Novo Testamento Grego*, 1985, p. 369.
[22] BOOR, Werner de. *Carta aos Coríntios*, 2004, p. 484.

Em segundo lugar, *o progresso espiritual é o alvo do crente* (13.11). *Aperfeiçoai-vos* (13.11). O crente não pode ficar estagnado. Ele precisa crescer na graça e no conhecimento de Cristo. Ele precisa ser santificado na verdade. Sua vida precisa ser transformada de glória em glória na imagem de Cristo. Para alcançar esse propósito, os coríntios precisariam abandonar os ensinos errados dos falsos apóstolos, acertarem seus relacionamentos uns com os outros (12.20) e romperam com as práticas imorais (12.21).

Em terceiro lugar, *o encorajamento mútuo é o compromisso dos crentes* (13.11). *Consolai-vos* (13.11). A vida cristã não é um parque de diversões. Na vida cristã enfrentamos mares revoltos, desertos inóspitos e estradas juncadas de espinhos. Precisamos ser bálsamo de Deus na vida uns dos outros nessa jornada. Precisamos ser aliviadores de tensão, tornando o fardo dos irmãos mais leve.

Em quarto lugar, *a unidade de pensamento deve ser buscada pelos crentes* (13.11). *Sede do mesmo parecer* (13.11). A palavra grega *froneite* significa "ser harmonioso em pensamento e alvos".[23] A igreja é um corpo, e todos os membros devem trabalhar sob a direção da mesma cabeça. Uma igreja onde os crentes vivem em conflito, alimentando suas vaidades pessoais, brigando por opiniões pessoais, o testemunho da igreja é prejudicado.

Em quinto lugar, *a harmonia nos relacionamentos deve ser uma bandeira dos crentes* (13.11). "Vivei em paz; e o Deus de amor e de paz estará convosco". William Barclay está correto quando diz que nenhuma congregação pode adorar ao Deus da paz com espírito amargurado.[24] Os crentes não são rivais, são parceiros. Devem viver em harmonia, e não em guerra. A unidade de pensamento precisa desembocar em unidade de relacionamento. Onde há união entre o povo de Deus, ali Deus ordena a vida e a bênção (Sl 133.1-3). Quando vivemos em paz uns com os outros é que o Deus da paz vem habitar conosco. Werner de Boor diz que Deus é diferente do que imaginamos. Involuntariamente

---

[23] RIENECKER, Fritz e ROGERS Cleon. *Chave Linguística do Novo Testamento Grego*, 1985, p. 369.
[24] BARCLAY, William. *I y II Corintios*, 1973, p. 276.

traçamos sua natureza de acordo com nosso próprio modo de ser duro e autoritário. A natureza de Deus, porém, é caracterizada pelo amor que Ele concede e pela paz que Ele institui. Ele é o Deus de amor e paz![25]

Em sexto lugar, *a afetividade deve ser uma marca característica dos crentes* (13.12). *Saudai-vos uns aos outros com ósculo santo. Todos os santos vos saúdam* (13.12). O ósculo santo era a maneira santa, pura e efusiva com que os crentes cumprimentavam uns aos outros. Os crentes devem cumprimentar uns aos outros com alegria, com graça e com efusividade. Os crentes devem ter santas, sinceras e intensas afeições uns pelos outros. Não há espaço na igreja para indiferença, frieza e preconceito. Devemos acolher a todos com desvelo e carinho.

A bênção trinitariana (13.13)

A graça do Senhor Jesus Cristo, e o amor de Deus, e a comunhão do Espírito Santo sejam com todos vós (13.13). Paulo conclui essa carta com uma bênção trinitariana. Essa bênção é uma síntese da mensagem do evangelho. É um resumo precioso de tudo aquilo que Paulo ensinou até aqui. Embora a palavra "Trindade" não apareça na Bíblia, seu conceito é meridianamente claro em toda a Escritura. Vamos destacar esses três pontos basilares da fé cristã:

Em primeiro lugar, *a graça do Senhor Jesus Cristo* (13.13). A graça do Senhor Jesus Cristo é revelada a nós em sua encarnação, morte e ressurreição. Sendo Deus, Ele se fez homem; sendo Rei dos reis, se fez servo; sendo rico se fez pobre; sendo bendito se fez maldição; sendo santo se fez pecado; sendo o autor da vida morreu em nosso lugar. Nossa salvação está baseada não em nossos méritos ou obras, mas totalmente na graça de Jesus Cristo; ou seja, nos méritos de Cristo e na Sua obra vicária na cruz. Para Calvino, a graça aqui denota todo o benefício da redenção.[26]

A graça do Senhor Jesus Cristo é totalmente imerecida e, no entanto, maravilhosamente generosa e espantosamente voltada para o bem-estar dos pecadores.[27]

---

[25] BOOR, Werner de. *Carta aos Coríntios*, 2004, p. 485.
[26] CALVIN, John. *Commentary on Corinthians*. Vol. 2, 1999, p. 302.
[27] KRUSE, Colin. *II Coríntios: Introdução e Comentário*, 1994, p. 238.

Em segundo lugar, *o amor de Deus* (13.13). O amor de Deus é a fonte de onde jorra a graça do Senhor Jesus Cristo. A cruz não é a causa do amor de Deus, mas seu resultado. Deus não passou a nos amar depois que Cristo morreu por nós, mas Cristo morreu por nós porque Deus nos amou com amor eterno. O amor de Deus não está fundamentado em quem somos ou no que fazemos. A causa do amor de Deus não está em nós, mas nEle mesmo. Não há nada que possamos fazer para Deus nos amar mais nem nada que possamos fazer para Ele nos amar menos. O superlativo amor de Deus é totalmente imerecido e espantosamente generoso.

R. C. H. Lenski pergunta: "Se o pecador curva sua cabeça aos pés trespassados do Senhor porque ele está abismado diante de tamanha graça, será que ele não ficará completamente perdido nesse oceano do amor que é tão grande e tão bendito como o próprio Deus?"[28]

Em terceiro lugar, *a comunhão do Espírito Santo* (13.13). Conhecemos a graça do Senhor Jesus Cristo e experimentamos o amor de Deus mediante a comunhão do Espírito Santo. Somente o Espírito Santo pode aplicar em nós a graça. Somente Ele pode nos revelar o amor de Deus. Somente o Espírito pode convencer-nos do pecado, regenerar--nos e santificar-nos.

Warren Wiersbe diz que a graça do Senhor Jesus Cristo nos traz à memória seu nascimento, quando Ele se fez pobre a fim de nos tornar ricos (2Co 8.9). O amor de Deus nos leva ao Calvário, onde Deus deu Seu Filho como sacrifício por nossos pecados (Jo 3.16). A comunhão do Espírito Santo nos lembra o Pentecostes, quando o Espírito de Deus veio e revestiu a igreja de poder (At 2.1-47).[29] Que agora também acabem em Corinto as tensões e dissensões, as rivalidades e as discórdias, porque a graça do Senhor Jesus Cristo e o amor de Deus e a comunhão do Espírito Santo pertencem a todos.[30]

---

[28]LENSKI, R. C. H. *The Interpretation of St. Paul's First and Second Epistle to the Corinthians.* Columbus: Wartburg, 1946, p. 1340,1341
[29]WIERSBE, Warren W. *Comentário Bíblico Expositivo.* Vol. 5, 2006, p. 890.
[30]BOOR, Werner de. *Carta aos Coríntios,* 2004, p. 487.

Gálatas

A carta da liberdade cristã

1

Uma **introdução** à Carta aos Gálatas

Gálatas 1.1

A CARTA DE PAULO AOS GÁLATAS é a sua epístola mais polêmica. Seu tom apologético é vivo, e suas palavras são contundentes. Paulo havia evangelizado os gálatas, que alegremente receberam a palavra do evangelho. Depois que Paulo se foi, vieram mestres judaizantes, dizendo que o cristianismo era apenas um tipo de judaísmo melhorado, e que os cristãos gentios também deviam guardar a lei, se quisessem ser salvos (At 15.1,5). Os gálatas os estavam seguindo e com isso se desviavam da verdade do evangelho.[1] A epístola de Paulo aos Gálatas diz respeito a essa controvérsia judaizante, em função da qual se reuniu o Concílio de Jerusalém (At 15.1-35).

Robert Gundry diz que, tivessem prevalecido os seus pontos de vista, não somente o evangelho teria sido subvertido como uma dádiva gratuita da parte de Deus, mas também o movimento cristão poderia ter-se dividido para formar uma igreja judaica – pequena, laboriosa, mas que finalmente se dissiparia – e uma igreja gentílica, teologicamente desarraigada e tendente ao sincretismo pagão. Ou, mais provavelmente ainda, a missão cristã entre os gentios quase certamente teria

---

[1] ORR, Guilherme W. *27 chaves para o Novo Testamento*. São Paulo: Imprensa Batista Regular, 1976, p. 30.

cessado, e o cristianismo haveria de experimentar a morte de muitas das seitas judaicas; porquanto a maioria dos gentios se mostrava indisposta a viver como judeus. Deus, entretanto, não permitiria que os Seus propósitos fossem distorcidos pelo sectarismo. E a Epístola aos Gálatas é a grande carta patente da liberdade cristã, que nos livra de todas as opressivas teologias de salvação por intermédio dos esforços humanos, e que, entretanto, serve de grandiosa afirmação da unidade e igualdade de todos os crentes, dentro da Igreja de Jesus Cristo.[2]

A carta é ríspida quando aborda a questão judaizante (5.12) ou quando repreende os crentes gálatas (4.20). William Barclay compara Gálatas a uma espada flamejante brandindo nas mãos de um grande guerreiro.[3] Os torpedos dos judaizantes estavam voltados para atacar em duas direções: à legitimidade do apostolado de Paulo e à integridade de sua teologia. A defesa desses dois pontos é o núcleo dessa missiva. O apóstolo Paulo estava determinado a libertar o evangelho das tentativas judaizantes de aliená-lo.[4]

Gálatas foi possivelmente a primeira carta escrita por Paulo e por consequência o primeiro livro canônico do Novo Testamento. Só por isso, já mereceria nossa mais prestimosa atenção. Porém, essa epístola é a carta magna da liberdade cristã. Tem sido chamada a "declaração da independência cristã".[5] Gálatas é o coração do evangelho. Ela proclama tanto a liberdade cristã como a universalidade do evangelho.

A Carta aos Gálatas teve um papel fundamental na história da igreja. Ao lado de Romanos, essa missiva é um dos esteios da gloriosa doutrina da justificação pela fé. Foi pela descoberta de seu bendito conteúdo que Lutero deflagrou a reforma no século XVI. Para Lutero, durante a reforma, Gálatas foi a fortaleza de onde, entrincheirado, ele combateu a violência e todos os erros da Roma papal. Foi pela leitura do prefácio dessa carta, escrito por Lutero, que João Wesley teve sua

---

[2] GUNDRY, Robert H. *Panorama do Novo Testamento*, 1978, p. 290.
[3] BARCLAY, William. *Gálatas y Efesios*. Buenos Aires: La Aurora, 1973, p. 13.
[4] POHL, Adolf. *Carta aos Gálatas*. Curitiba: Editora Evangélica Esperança, 1995, p. 26.
[5] TOGNINI, Enéas; BENTES, João Marques. *Janelas para o Novo Testamento*, 2009, p. 181.

genuína experiência de conversão depois de vários anos nas lides da pregação. Wesley ficou tão empolgado com o comentário de Lutero sobre essa epístola que chegou a dizer que era o principal livro da literatura universal.[6] Lutero a considerava o melhor dos livros da Bíblia. Essa carta tem sido chamada "o grito de guerra da reforma".[7]

O autor da carta (1.1)

Gálatas é o mais genuíno do genuíno que temos de Paulo.[8] A autoria paulina de Gálatas é um consenso praticamente unânime entre todos os estudiosos ao longo dos séculos. Até mesmo os críticos mais radicais subscrevem essa convicção. O próprio herege Marcion colocou Gálatas na proa de sua lista das cartas paulinas.[9] Merrill Tenney afirma com razão que a Epístola aos Gálatas é aceita como paulina tanto pelos críticos conservadores como pelos críticos radicais.[10]

Há abundantes testemunhos internos e externos que apontam a autoria paulina de Gálatas. Vejamos essas duas evidências.

Em primeiro lugar, *as evidências internas*. O nome de Paulo ocorre na saudação (1.1) e também no corpo da carta (5.2). Praticamente todo o capítulo 1 e o 2 são autobiográficos; os debates do capítulo 3 (3.1-6,15) foram postos na primeira pessoa do singular; os apelos do capítulo 4 se referem diretamente às relações existentes entre os destinatários da epístola e o seu autor (4.11,12-20); a intensidade do testemunho de Paulo aparece no capítulo 5 (5.2,3); e a conclusão, no capítulo 6, termina com uma alusão aos sofrimentos do autor por amor a Cristo (6.17). Merrill Tenney tem razão quando diz que a Epístola aos Gálatas não é um ensaio que pudesse ter sido escrito por qualquer pessoa para em seguida ser atribuído a Paulo. É uma obra calorosa e íntima que não pode ser separada do próprio autor.[11]

---

[6]TOGNINI, Enéas; BENTES, João Marques. *Janelas para o Novo Testamento*, p. 182.
[7]HENDRIKSEN, William. *Gálatas*. Grand Rapids, MI: TELL, 1984, p. 11.
[8]POHL, Adolf. *Carta aos Gálatas*, 1995, p. 16.
[9]HARRISON, Everett. *Introducción al Nuevo Testamento*, 1980, p. 267.
[10]TENNEY, Merrill C. *Gálatas*. São Paulo: Vida Nova, 1980, p. 48.
[11]TENNEY, Merrill C. *Gálatas*, 1980, p. 46,47.

Em segundo lugar, *as evidências externas*. Há diversas referências dos principais Pais da igreja nos primeiros séculos confirmando a autoria paulina de Gálatas. Essa epístola foi largamente reconhecida e empregada no século II. Nada menos de 25 versículos são citados por Irineu, que mencionou a epístola pelo nome. Ela também foi abordada nos comentários de Orígenes. Jerônimo e Pelágio, no século IV, e um grupo de escritores latinos no século IX, tornaram-na tema de seus estudos. Do ano 900 a 1500, porém, poucos comentários de qualquer espécie foram escritos a respeito. No século XVI, durante a reforma, reacendeu-se o interesse pelos estudos bíblicos; e, por intermédio do comentário de Lutero, o livro de Gálatas recuperou a sua proeminência na literatura eclesiástica.[12]

Para quem a carta foi escrita

A Carta aos Gálatas é uma missiva circular do apóstolo Paulo. Ela foi dirigida às igrejas da Galácia (1.2). Essa epístola fazia o rodízio nas reuniões cristãs de uma região e era lida em público, prática comum no século I (1Ts 5.27; Cl 4.16).

Se a autoria de Paulo da Carta aos Gálatas é matéria líquida e certa, identificar os destinatários não é coisa fácil de fazer. Não existe consenso entre os eruditos acerca desse assunto. Como já afirmamos, Gálatas é a única carta de Paulo escrita a um grupo de igrejas, em vez de a uma única e determinada igreja. O problema é que o termo "gálatas" pode ter um significado geográfico e outro étnico. Teria Paulo escrito a carta aos povos celtas que habitaram no norte da Ásia Menor, ou às igrejas que ele e Barnabé estabeleceram na primeira viagem missionária ao sul da Galácia? Para dar essa resposta, duas teorias foram criadas: a teoria da Galácia do Norte e a teoria da Galácia do Sul. A primeira situa essa carta num período posterior à segunda viagem missionária; e a segunda, no final da primeira viagem missionária.

Durante séculos, os estudiosos debateram se Paulo escreveu Gálatas a uma ou a outra região da Galácia. A Galácia do Sul foi formada

---
[12]TENNEY, Merrill C. *Gálatas*, 1980, p. 19,20.

pelos romanos, a partir de 64 a.C. Em 25 d.C., recebeu o estado pleno de província romana. Eruditos da envergadura do bispo anglicano J. B. Lightfoot defendem a tese de que Paulo escreveu essa carta aos gálatas étnicos da região norte da Galácia; tal posição foi mais tarde refutada por outro erudito, um catedrático de Cambridge chamado Sir William Ramsey, que, depois de acurados estudos arqueológicos na região, e estribado nos registros do livro de Atos, chegou à conclusão de que essa epístola foi escrita às igrejas do Sul da Galácia fundadas por Paulo e Barnabé quando de sua primeira viagem missionária, ou seja, Antioquia da Pisídia, Icônio, Listra e Derbe (At 13.13–14.25).

Hoje, o peso da erudição recai sobre a Galácia do Sul. Lightfoot quase no fim da vida, aderiu à tese de Ramsay.[13] Donald Guthrie está correto quando diz ser preferível supor que essa epístola foi endereçada àquelas igrejas sobre as quais temos bastante informação do que àquelas das quais nada sabemos, e sobre as quais nem sequer existe certeza quanto à sua existência.[14]

Subscrevemos essa posição por achá-la mais consistente com os fatos e circunstâncias.

Quando a Carta aos Gálatas foi escrita

Se os destinatários da epístola não são matéria de consenso entre os eruditos, também não o é a questão da data. Isso porque a data está estreitamente ligada aos destinatários da epístola. Se a teoria da Galácia do Norte for a verdadeira, então essa missiva foi escrita por volta do ano 55 d.C., provavelmente de Éfeso, após a terceira viagem missionária. Entretanto, se a teoria da Galácia do Sul estiver certa, essa carta deve ter sido escrita por volta do ano 49 d.C., provavelmente logo após o retorno dos missionários pioneiros à igreja de Antioquia da Síria (At 14.26,27).

Subscrevemos a teoria de que Paulo escreveu essa carta às igrejas de Antioquia da Pisídia, Icônio, Listra e Derbe, estabelecidas na primeira

---

[13]TOGNINI, Enéas; BENTES, João Marques. *Janelas para o Novo Testamento*, p. 192.
[14]GUTHRIE, Donald. *Gálatas: introdução e comentário*. São Paulo: Vida Nova, 1984, p. 34.

viagem missionária. O fato de Paulo não mencionar nessa epístola, sua carta mais apologética contra os judaizantes, as decisões do Concílio de Jerusalém acerca da posição oficial da igreja, desobrigando os crentes gentios de se submeterem à circuncisão e aos demais ritos da lei judaica, parece favorecer a tese de que Paulo a escreveu antes mesmo desse concílio, ou seja, da cidade de Antioquia da Síria. Esposam essa ideia vários eruditos do passado e do presente, como Calvino e John Stott. O reformador Calvino chega a escrever:

> Quanto a mim, creio que Gálatas foi escrita antes de o concílio ser instalado e de os apóstolos tomarem a decisão final a respeito de observâncias cerimoniais. Enquanto seus oponentes reivindicavam falsamente o nome de apóstolos e se esforçavam para estragar a reputação de Paulo, quão negligente ele teria sido se houvesse negligenciado os decretos que circulavam entre eles e minimizavam a posição deles! Sem dúvida, esta palavra lhes teria fechado a boca: "Vocês trazem contra mim a autoridade dos apóstolos. Mas quem não conhece a decisão deles? Portanto, eu os vejo convencidos de mentira descarada. Em nome dos apóstolos, vocês colocam sobre os gentios a necessidade de guardar a lei; mas apelo aos escritos deles, que colocam em liberdade a consciência humana".[15]

O livro de Atos menciona cinco visitas de Paulo à cidade de Jerusalém depois de sua conversão (At 9.26; 11.30; 15.2; 18.22; 21.17). A primeira delas aconteceu três anos depois de sua conversão (At 9.26; Gl 1.17,18). A segunda visita ocorreu quando ele e Barnabé foram levar ofertas levantadas na igreja de Antioquia da Síria aos crentes pobres de Jerusalém (At 11.30). A terceira visita ocorreu por ocasião do Concílio de Jerusalém, quando os apóstolos e presbíteros decidiram que a causa judaizante laborava em erro (At 15.1-35). A quarta visita de Paulo a Jerusalém foi bem rápida, logo no final da segunda viagem missionária (At 18.22). A quinta e última visita do apóstolo a Jerusalém foi após sua terceira viagem missionária, quando ele levou aos pobres da Judeia

---

[15] CALVINO, João. *Gálatas*. São José dos Campos: Fiel, 2007, p. 42.

a oferta levantada entre as igrejas da Macedônia e Acaia (At 21.17). Foi por ocasião da última visita que Paulo foi preso.

Parece-nos mais razoável, portanto, que Paulo tenha escrito essa carta às igrejas da Galácia depois de sua segunda visita a Jerusalém e antes da terceira. A despeito dessas evidências, entrementes, outros eruditos defendem a tese de que não podemos ter certeza quanto a esse assunto. Enéas Tognini chega a afirmar: "Segundo penso, só Deus sabe quando e onde Paulo escreveu Gálatas".[16]

Os propósitos da Carta aos Gálatas

Se há controvérsia em torno da data e do destino exatos da Epístola aos Gálatas, o propósito da carta, entretanto, não deixa nenhuma dúvida.

Uma retrospectiva dos acontecimentos nos ajudará a entender melhor o contexto. Antioquia da Síria era a terceira maior cidade do mundo, uma cidade verdadeiramente cosmopolita. Ali havia uma comunidade de judeus crentes (At 11.19-26). Essa comunidade cresceu e ali os discípulos foram chamados pela primeira vez de cristãos (At 11.26). A igreja de Antioquia tornou-se uma igreja multirracial (At 13.1). Dela saíram os missionários Barnabé e Saulo, que, passando pela Galácia do Sul, estabeleceram igrejas nas cidades de Antioquia da Pisídia, Icônio, Listra e Derbe.

Nessas cidades, os gentios acolhiam o evangelho com alegria, mas os judeus faziam implacável oposição a Paulo e Barnabé (At 13.50; 14.2,4; 14.19). Ao retornar para Antioquia, relataram quantas coisas fizera Deus e como abrira aos gentios a porta da fé (At 14.27). Certamente a notícia da conversão abundante dos gentios chegou a Jerusalém. De Jerusalém desceram alguns indivíduos, da seita dos fariseus que haviam crido (At 15.1,5), e começaram a perturbar os irmãos em Antioquia. Paulo e Barnabé os confrontam (At 15.2). Por serem eles ligados à igreja de Jerusalém, Paulo leva a questão aos apóstolos e presbíteros de Jerusalém, e, para sanar essa questão doutrinária, o concílio reúne-se e chega à conclusão de que os judaizantes laboravam em erro (At 15.6-29). A decisão

---

[16] TOGNINI, Enéas; BENTES, João Marques. *Janelas para o Novo Testamento*, p. 187.

do concílio foi promulgada e divulgada entre as igrejas de Antioquia, Síria e Cilícia (At 15.22-35), bem como às igrejas da Galácia do Sul (At 16.1-4). A atitude dos falsos mestres judaizantes saídos da própria igreja de Jerusalém e de outros oriundos da Ásia Menor continuou, entretanto, a perturbar a igreja gentílica antes e depois do Concílio de Jerusalém. Os decretos eclesiásticos infelizmente não resolvem na base todos os problemas doutrinários da igreja.

Walter Elwell e Robert Yarbrough destacam que Paulo escreve essa missiva para trazer um grupo de igrejas na Galácia (1-6) de volta ao evangelho (1.2), do qual repentinamente se haviam afastado. O novo "evangelho" que elas abraçaram não era evangelho nenhum na verdade (1.7). O verdadeiro evangelho, aquele que Paulo pregou e que elas aceitaram, vinha mediante revelação de Jesus Cristo diretamente a Paulo (1.12). É o mesmo evangelho pregado por outros apóstolos (2.7-9). Isto significa que versões alteradas do evangelho devem ser consideradas necessariamente distorções inaceitáveis. Nem mesmo visões angelicais ou uma mensagem diferente do próprio Paulo deveria atrair os gálatas para trocar sua primeira fé por uma fé revisada (1.8).[17]

A Carta aos Gálatas foi escrita com dois principais propósitos em vista: o primeiro foi a defesa do apostolado de Paulo, e o segundo, a defesa do evangelho anunciado por Paulo. Essas duas vertentes estavam estreitamente interligadas. Era impossível atingir uma sem afetar a outra. Vamos destacar esses dois pontos.

Em primeiro lugar, *a defesa do apostolado de Paulo*. Os judaístas solapavam a autoridade de Paulo como apóstolo de Jesus Cristo. Para tanto, tornavam nebulosa a sua relação com os primeiros apóstolos e os cristãos de Jerusalém. Eles espalhavam que Paulo era ávido por receber agrados dos homens (1.10). Também diziam que Paulo era inferior aos apóstolos de Jerusalém. Donald Guthrie tem razão em dizer que toda a autoridade apostólica de Paulo estava em jogo. Caso permitisse que fosse aceita a ideia de ele ser inferior aos apóstolos de Jerusalém, sem defesa de sua parte, sua missão apostólica correria risco. Paulo faz questão de

---

[17]ELWELL, Walter A.; YARBROUGH, Robert W. *Descobrindo o Novo Testamento*. São Paulo: Cultura Cristã, 2002, p. 298.

afirmar que seu apostolado (1.1) e Seu evangelho (1.12) não tinham procedência humana, mas divina,[18] e que ele não era inferior aos apóstolos de Jerusalém, os quais haviam reconhecido seu apostolado (2.7-10).

Em segundo lugar, *a defesa do evangelho proclamado por Paulo*. Os judaístas combatiam ardorosamente a liberdade que Paulo anunciava por meio do evangelho. Os fariseus já haviam formado uma confraria que visava santificar pela obediência à lei todo o dia a dia de seus membros, do berço ao ataúde. Para isso, não apenas contavam cuidadosamente os 613 mandamentos citados no Antigo Testamento (365 ordens e 248 proibições), mas ainda os rodeavam com um círculo de determinações adicionais. Essas eram as "tradições dos anciãos", mencionadas em Marcos 7.1-13, às quais Jesus contrapôs os verdadeiros mandamentos de Deus. Agora esses pregadores judaístas, como falsos irmãos, queriam introduzir não a lei inteira, mas somente "um pouquinho" dela (5.9; 3.15), enquanto eles mesmos não a guardavam (6.13).

O problema de acrescentar alguns preceitos da lei à fé como condição para a salvação é que esses falsos mestres estavam atacando o coração do próprio cristianismo. Os judaístas pensavam que nenhum gentio poderia ser salvo a menos que se tornasse primeiro judeu. O argumento de Paulo é que acrescentar alguns preceitos da lei à fé não apenas anula a própria lei (6.13) e a fé, mas também rechaça a graça de Cristo (5.2-4). Essa tentativa de combinar o cristianismo com o judaísmo foi chamada por Paulo de "outro evangelho", e o apóstolo o condena sem rodeios, dizendo que deveria ser "anátema" (1.7-9).[19]

Concordo com Everett Harrison quando ele diz que a porção doutrinária da epístola tem como intenção demonstrar que o crente não é justificado pelas obras da lei, mas por meio da fé em Cristo (2.16); que de todos os modos a lei não foi dada para esse propósito, senão preparar o caminho para a obra redentora de Cristo (3.19), e que o Espírito Santo que é dado aos crentes produz um fruto tão agradável que nenhum esforço carnal de guardar a lei pode rivalizar com Ele (5.22).[20]

---

[18]GUTHRIE, Donald. *Gálatas: introdução e comentário*, p. 21.
[19]ORR, Guilherme W. *27 chaves para o Novo Testamento*, p. 31.
[20]HARRISON, Everett. *Introducción al Nuevo Testamento*, p. 268.

Donald Guthrie está coberto de razão quando destaca que a Carta aos Gálatas contém tanto uma advertência séria contra o legalismo como também combate com veemência a libertinagem. Paulo não confundia liberdade com libertinagem (5.13). Ao invés de afrouxar os padrões, o apóstolo favorece exatamente o inverso. O tipo de cristianismo que ele defendia faz exigências rigorosas ao homem, a despeito do antilegalismo. A exigência principal é o exercício do amor.[21]

Características especiais da Carta aos Gálatas

A Carta aos Gálatas tem algumas características especiais, que vamos destacar aqui.

Em primeiro lugar, **Gálatas é a carta mais apologética de Paulo**. Gálatas é tanto uma defesa do apostolado de Paulo como de sua teologia. Logo depois que Paulo passou por essa região plantando igrejas, os judaizantes subiram de Jerusalém e começaram a disseminar seus falsos ensinos entre os crentes gentios, dizendo-lhes que precisavam cumprir alguns ritos da lei judaica, como a circuncisão, para serem salvos. Esses pregadores itinerantes, colimando objetivos nefastos, atacavam tanto Paulo como sua pregação. O apóstolo, longe de se intimidar, escreve essa carta fazendo uma robusta defesa do seu apostolado e do evangelho que proclamava.

Quem eram esses pregadores itinerantes? Com certeza tratava-se de judeus; pelo menos eles se arvoravam como tais (2Co 11.22). Esses judaístas pertenciam à ala radical dos judeus-cristãos que voltavam a conferir à lei peso maior que ao evangelho (At 15.1-5).[22] Ensinavam uma mescla de judaísmo e cristianismo. Para eles, o cristianismo deveria operar dentro da esfera da lei mosaica. A fé em Cristo não seria suficiente; precisava ser complementada pela obediência à lei de Moisés. E, dentre os preceitos mosaicos, eles frisavam a guarda das festas religiosas e do sábado (4.9,10), bem como a necessidade da circuncisão (5.2; 6.12). Paulo entendeu que, se a causa judaizante prevalecesse, o cristianismo seria apenas uma seita do judaísmo.[23]

---

[21] GUTHRIE, Donald. *Gálatas: introdução e comentário*, p. 51.
[22] POHL, Adolf. *Carta aos Gálatas*, 1995, p. 22.
[23] TOGNINI, Enéas; BENTES, João Marques. *Janelas para o Novo Testamento*, p. 182,183.

Esses falsos pregadores deturpavam o evangelho (1.7). Eles perturbavam os crentes gentios (1.7), deixando-os inseguros quanto à doutrina evangélica (5.10). Eles impediam o progresso espiritual dos gálatas (5.7), persuadindo (5.8) e constrangendo esses cristãos neófitos por meio da pressão psicológica (6.12). O propósito desses judaizantes era afastar os crentes gentios do apóstolo Paulo (4.17). Na verdade eles incitavam os novos crentes a se rebelarem contra Paulo (5.12) e já haviam conseguido levar alguns deles a se tornarem inimigos de Paulo (4.16).[24] É verdade que havia alguns que permaneceram fiéis ao apóstolo, mas a disputa entre esses dois grupos tornou-se tão acirrada a ponto de eles quase se destruírem uns aos outros (5.15,26).

Adolf Pohl ressalta que a ação maléfica desses falsos mestres foi tão avassaladora, que as igrejas estavam a ponto de se bandearem definitivamente para eles (1.6; 3.3,4; 4.9,11,21). Os mestres instalados por Paulo já ficavam sem sustento (Gl 6.6-10). As igrejas da Galácia, em tão breve tempo, corriam o risco de despedir-se do cristianismo.[25]

Em segundo lugar, *Gálatas deve ser a carta mais antiga escrita por Paulo*. Mui provavelmente Gálatas foi a primeira epístola escrita por Paulo e o primeiro livro canônico do Novo Testamento. Se aceitarmos a tese da Galácia do Sul, então Paulo escreveu essa epístola de Antioquia da Síria, logo depois da primeira viagem missionária ou no mais tardar de Corinto, por ocasião de sua segunda viagem missionária.

Em terceiro lugar, *Gálatas é o segundo livro mais autobiográfico de Paulo*. Mais que em qualquer epístola, Paulo defende seu apostolado contra os ataques de fora; e, no quesito autobiografia, Gálatas só perde para a Segunda Carta aos Coríntios. É consenso entre os eruditos que depois da Segunda Carta aos Coríntios, a carta mais pessoal de Paulo, Gálatas vem em seguida como uma epístola com forte ênfase autobiográfica. Paulo desfilava suas experiências pessoais porque elas exemplificavam as verdades que ele defendia. Everett Harrison diz com razão que Paulo demonstra grande versatilidade em sua apresentação, ao recorrer à Escritura, à experiência, à lógica, a advertências, exortações

---

[24] POHL, Adolf. *Carta aos Gálatas*, 1995, p. 21.
[25] POHL, Adolf. *Carta aos Gálatas*, 1995, p. 21.

e outros métodos para lograr o propósito de defender seu apostolado e Seu evangelho.[26]

Em quarto lugar, **Gálatas é a carta magna da liberdade cristã**. Concordo com William Hendriksen, quando diz que a todos os que estão dispostos a crer na Palavra de Deus, Gálatas mostra o caminho para a verdadeira liberdade (5.1). Essa liberdade genuína não é o legalismo nem a libertinagem. É a liberdade de ser "escravo de Cristo".[27] Paulo lida nessa epístola com a própria essência do cristianismo. Se os judaizantes tivessem triunfado, a obra evangélica estaria comprometida e o cristianismo não passaria de uma mera seita judaica.

Gálatas é a resposta de Deus para os numerosos falsos cultos de hoje em dia, os quais propõem uma mistura do judaísmo com o cristianismo. Enéas Tognini tem razão quando diz que no passado, hoje e sempre, Gálatas é arma poderosa para derrotar o sacramentalismo pagão da Roma papal, o legalismo moderno de leis e preceitos de guarda de determinados dias e abstenção de certos alimentos. Todos os ensinos que atentam contra a pessoa e a obra do Senhor Jesus, como as doutrinas fantasiosas de Joseph Smith e Brigham Young, fundadores do mormonismo, e as distorções da seita Testemunhas de Jeová, são veementemente combatidas pela mensagem de Gálatas. Assim, Gálatas ergueu-se no passado, está em pé hoje e assim permanecerá, para sempre, com a bandeira da plena liberdade em Cristo, nas balizas do Santo Espírito de Deus.[28]

Em quinto lugar, **Gálatas é a carta mais rica em figuras de linguagem**. Donald Guthrie diz que Gálatas nos chama a atenção pelo grande número de figuras de linguagem. As mais típicas são: o olhar que fascina (3.1), a exposição de notícias (3.1), a função do aio (3.24), a ilustração do parto (4.19), o jugo (5.1), a competição esportiva (5.7), o fermento (5.9), o escândalo, ou pedra de tropeço (5.11), a ferocidade dos animais selvagens (5.15), a colheita dos frutos (5.22), o processo de semear e ceifar (6.7), a família (6.10) e o processo de ferretear (6.17). Essas metáforas

---

[26] HARRISON, Everett. *Introducción al Nuevo Testamento*, p. 276.
[27] HENDRIKSEN, William. *Gálatas*, p. 11.
[28] TOGNINI, Enéas; BENTES, João Marques. *Janelas para o Novo Testamento*, p. 182.

demonstram a larga gama dos interesses do apóstolo e seu senso agudo do valor da linguagem metafórica ao inculcar suas lições.[29]

As principais ênfases da Carta aos Gálatas

A carta de Paulo aos Gálatas é um tesouro inesgotável de gloriosas verdades que ornam a fé cristã. De acordo com Myer Pearlman, Paulo trata aqui sobre o apóstolo da liberdade (capítulos 1,2); a doutrina da liberdade (capítulos 3,4); e a vida de liberdade (capítulos 5,6).[30] Já William Hendriksen divide a epístola da seguinte maneira: a origem do evangelho (capítulos 1,2); a defesa do evangelho (capítulos 3,4); e a aplicação do evangelho (capítulos 5,6).[31] Na verdade, Paulo faz uma defesa pessoal (capítulos 1,2); uma defesa da teologia (nos capítulos 3,4); e uma defesa da ética cristã (nos capítulos 5,6). Apresentamos, a seguir, uma síntese das principais ênfases dessa epístola.

Em primeiro lugar, *a liberdade cristã*. Merrill C. Tenney diz que a Epístola aos Gálatas incorpora o ensino germinal sobre a liberdade cristã que separou o cristianismo do judaísmo e o lançou em uma carreira de conquista missionária.[32] A liberdade cristã é o tema central da epístola, particularmente no que se relaciona à liberdade da escravidão do legalismo, que é a consequência natural de quem busca adquirir a salvação por meio das obras.[33]

A lei impõe uma maldição aos que não cumprem toda a lei. Nenhum pecador cumpre toda a lei. Mas Cristo tomou sobre si a maldição da lei, livrando assim os que nEle confiam (3.10-14). A lei escraviza os homens a noções elementares; Cristo os liberta. É insensatez tornar-se livre em Cristo, para então submeter-se de novo à lei (4.8-11; 5.1; 3.19). A liberdade cristã, porém, não é sinônimo de anarquia ou de licenciosidade. A fé em Cristo atua mediante o amor, e assim cumpre a lei de Cristo (5.6; 5.13; 6.10).[34] Estou de acordo com Merrill Tenney

---

[29]GUTHRIE, Donald. *Gálatas: introdução e comentário*, p. 17,18.
[30]PEARLMAN, Myer. *Através da Bíblia*, 1987, p. 270.
[31]HENDRIKSEN, William. *Gálatas*, p. 31.
[32]TENNEY, Merrill C. *Gálatas*. São Paulo: Vida Nova, 1980, p. 13.
[33]TENNEY, Merrill C. *Gálatas*, 1980, p. 26.
[34]TOGNINI, Enéas; BENTES, João Marques. *Janelas para o Novo Testamento*, p. 190.

quando ele diz que a liberdade consiste não na capacidade de desobedecer a Deus impunemente, mas, antes, na capacidade de obedecer-lhe espontaneamente, sem nenhum impedimento eficaz.[35]

Em segundo lugar, *a justificação pela fé*. A Carta aos Gálatas foi a pedra fundamental da reforma protestante, porque seu ensino sobre a salvação exclusivamente pela graça tornou-se o tema dominante da pregação dos reformadores.[36] Paulo refuta os judaizantes mostrando para eles que Abraão, o pai da fé, não foi justificado por obras, mas pela fé. O propósito da lei não é salvar, mas convencer o homem do seu pecado, tomá-lo pela mão e levá-lo ao Salvador.

Concordo com Enéas Tognini quando ele alega que Abraão não foi aceito por Deus por ter sido circuncidado, mas foi circuncidado por ter sido aceito por Deus, mediante a fé. A promessa divina de Abraão cumpre-se em Cristo, e não na lei, pelo que as bênçãos decorrentes da promessa são estendidas a todos os que creem em Cristo (3.6-9,15-22).[37] O verdadeiro filho de Abraão não é aquele que tem o sangue de Abraão correndo nas veias, mas o que tem a fé de Abraão habitando em seu coração, pois a salvação não se baseia na obra que fazemos para Deus, mas na obra que Deus fez por nós em Cristo. A salvação não é resultado do mérito humano, mas presente da graça divina. A justificação é pela fé, e não pelas obras!

Em terceiro lugar, *a suficiência da obra de Cristo*. Os judaizantes eram sinergistas. Pregavam uma salvação provinda em parte das obras e em parte da fé. Para eles a salvação era o somatório das obras mais a fé, uma espécie de parceria entre o homem e Deus, na qual o homem entraria com o esforço das obras e Deus com a oferta da graça mediante a fé. Pelo ensino dos mestres judaizantes o homem receberia a salvação como um prêmio de seus méritos, e não como uma oferta da graça. Essa pregação, contudo, estava aquém da lei e ultrajava a graça. Não podemos acrescentar coisa alguma à obra de Cristo. A salvação não é um troféu que se ostenta, mas um presente que se recebe. O fundamento

---

[35] TENNEY, Merrill C. *Gálatas*, 1980, p. 16.
[36] TENNEY, Merrill C. *Gálatas*, 1980, p. 13.
[37] TOGNINI, Enéas; BENTES, João Marques. *Janelas para o Novo Testamento*, p. 190.

da salvação está na toda-suficiente obra de Cristo e não nos pretensos méritos humanos (2.21).

Adolf Pohl com razão afirma: "O Crucificado é a realidade que sustenta tudo e sem a qual todo o nosso mundo pereceria. Ela constitui praticamente o mar da verdade que nos rodeia de todos os lados".[38] Se a circuncisão e o ritual judaico fossem a base da aceitação do pecador por parte de Deus, Cristo teria morrido em vão (2.21).

Em quarto lugar, *a obra do Espírito Santo*. A santificação não resulta do esforço da carne, mas da ação do Espírito. O poder para uma nova vida não vem de dentro, mas do alto; não das obras da lei, mas do poder do Espírito Santo. Os crentes devem andar no Espírito (5.16), produzir o fruto do Espírito (5.22,23) e viver no Espírito (5.25).

---

[38] POHL, Adolf. *Carta aos Gálatas*, 1995, p. 27.

2

A defesa do **apostolado** e do **evangelho** de Paulo

Gálatas 1.1-5

O APÓSTOLO PAULO ESTÁ SOB ATAQUE, assim como o evangelho da graça. A atmosfera espiritual está pesada. As nuvens pardacentas da tempestade já estão formadas. Trovões ribombam por todos os lados, e relâmpagos fuzilam despedindo seus raios mortíferos. Paulo está agitado. O sangue ferve-lhe nas veias. Uma santa indignação toma conta do apóstolo. Sua vida e sua mensagem estão sendo impiedosamente atacadas pelos judaizantes. Essa carta é uma defesa contundente do seu apostolado e do evangelho que ele anuncia. Já no introito dessa epístola, esse paladino da liberdade cristã dá uma resposta à altura aos seus críticos (1.1). Ao longo da carta, brandindo a espada da verdade, Paulo vai desfazendo com vigor irresistível os argumentos falaciosos de seus opositores (1.6-9; 3.1,10; 5.4,12; 6.12,13).

William MacDonald salienta que cada frase desses cinco primeiros versículos é cheia de significado. Paulo já trata, mesmo que de forma embrionária, dos dois temas principais que serão desenvolvidos em toda a carta, ou seja, sua própria autoridade como apóstolo e Seu evangelho da graça de Deus.[1]

---

[1] MacDonald, William. *Believer's Bible commentary*, , 1995, p. 1.876.

Os judaizantes desencadearam um poderoso ataque contra a autoridade do evangelho de Paulo. Eles contestavam o evangelho da justificação pela fé somente, insistindo na necessidade da circuncisão e na observação de certos preceitos da lei para a salvação (At 15.1,5). Tendo solapado o evangelho de Paulo, continuavam minando também a sua autoridade.

O texto em apreço (1.1-5) pode ser dividido em cinco pontos básicos.

O remetente (1.1)

As cartas antigas começavam com o nome do remetente, seguido do nome do destinatário. Em seguida havia uma saudação e palavras gratulatórias. Paulo não foge à regra, porém aproveita o ensejo para, de saída, já fazer sua defesa diante dos ataques dos adversários. Destacamos aqui quatro pontos importantes.

Em primeiro lugar, **Paulo tem consciência de sua autoridade apostólica**. *Paulo, apóstolo...* (1.1a). A palavra *apóstolo* significa "alguém enviado com uma comissão".[2] A referida palavra já possuía uma conotação exata. Significava um mensageiro especial, com um *status* especial, desfrutando uma autoridade e um comissionamento que procediam de um organismo mais elevado que ele próprio.[3] Porém, no uso neotestamentário, o termo "apóstolo" traz o sentido de alguém que falava com toda a autoridade daquele que o enviou.[4] Sua importância ficava claramente condicionada pela posição de quem o enviou. Donald Guthrie diz que Paulo se apresenta como um embaixador, apresentando suas credenciais. Seu apostolado levava o carimbo da origem divina.[5]

O termo "apóstolo" é aplicado a um círculo único de pessoas na igreja de Cristo de todos os tempos e lugares. Concordo com John Stott quando diz que "apóstolo" não era uma palavra comum, que pudesse ser aplicada a qualquer cristão, como as palavras "crente", "santo", ou

---

[2] WIERSBE, Warren W. *Comentário bíblico expositivo*. Vol. 5, 2006, p. 892.
[3] STOTT, John. *A mensagem de Gálatas*. São Paulo: ABU, 1989, p. 15.
[4] HENDRIKSEN, William. *Gálatas*, p. 37.
[5] GUTHRIE, Donald. *Gálatas: introdução e comentário*, p. 66.

"irmão". Era um termo especial reservado aos doze e a um ou dois outros que o Cristo ressuscitado designara pessoalmente. Portanto, não pode haver sucessão apostólica. Os apóstolos foram homens chamados diretamente por Jesus e por Ele comissionados. Pela natureza do caso, ninguém poderia sucedê-los. Eles foram únicos.[6]

Os apóstolos não tiveram sucessores. A igreja é apostólica hoje na medida em que segue a doutrina dos apóstolos. Laboram em erro aqueles que atribuem a si mesmos esse ofício ou aceitam da igreja essa posição. Paulo não se autodenominou apóstolo nem foi constituído apóstolo pela igreja. Ele recebeu seu apostolado do próprio Senhor Jesus e tem plena consciência de que sua autoridade não emana dele mesmo, mas dAquele que o constituiu como tal. O apostolado certamente não era uma instituição democrática. Sua autoridade independia de nomeação humana.[7]

Em segundo lugar, **Paulo tem consciência de que sua autoridade apostólica não foi delegada por homens nem mesmo pela igreja**. ... *não da parte de homens, nem por intermédio de homem algum...* (1.1b). O apostolado de Paulo não era de fonte humana ou por agência humana. Este era o ponto no qual seus inimigos o desafiavam e procuravam minar-lhe a autoridade.[8] Paulo não recebeu seu apostolado da parte de Ananias, quando este impôs as mãos sobre ele, nem foi nomeado como tal pelos apóstolos de Jerusalém (1.15-17). Ele destaca que seu chamado não veio dos homens, mas de Deus; não veio da terra, mas do céu.

John Stott diz que o apostolado de Paulo não é humano em nenhum sentido, mas essencialmente divino.[9] Paulo ainda acrescenta no capítulo 1 de Gálatas quatro novos argumentos acerca da procedência do seu apostolado. Ele é apóstolo não pela aprovação das pessoas (1.10a); não para agradar as pessoas (1.10b); não segundo a maneira humana (1.11); e não recebido nem aprendido de seres humanos (1.12).[10]

---

[6]Stott, John. *A mensagem de Gálatas*, p. 15.
[7]Guthrie, Donald. *Gálatas: introdução e comentário*, p. 66.
[8]Howard, R. E. "A Epístola aos Gálatas." In: *Comentário bíblico Beacon*. Vol. 9, Rio de Janeiro: CPAD, 2005, p. 26.
[9]Stott, John. *A mensagem de Gálatas*, p. 15.
[10]Pohl, Adolf. *Carta aos Gálatas*, 1999, p. 34.

Em terceiro lugar, **Paulo tem consciência de que sua autoridade apostólica procede tanto de Jesus Cristo como de Deus Pai.** ... *mas por Jesus Cristo e por Deus Pai, que o ressuscitou dentre os mortos* (1.1c). Depois da dupla exclusão do ser humano, seguem-se duas informações positivas. Primeiro, "mas por Jesus Cristo". Paulo está debaixo de um envio emitido diretamente por Cristo. Atrás de sua boca está imediatamente a boca do Senhor, mais precisamente, do Senhor exaltado. Segundo, "e por Deus Pai, que o ressuscitou dentre os mortos".[11] Paulo se converteu e foi chamado por Jesus no caminho de Damasco. Jesus revelou-se a ele na Arábia e deu-lhe a revelação do evangelho (Gl 1.15-17). Paulo não aprendeu sua doutrina aos pés dos apóstolos em Jerusalém, mas a recebeu por revelação direta de Jesus. Paulo é enfático em dizer que foi o Senhor ressuscitado quem o comissionou (1Co 9.1; 15.8,9).

Concordo com Donald Guthrie quando diz que a ressurreição de Cristo baniu todas as dúvidas acerca da autenticidade de suas reivindicações, e, posto que a categoria de Paulo estava inextricavelmente vinculada à de Cristo, a ressurreição passou a ser de importância vital sempre que ele pensava no seu ofício apostólico. Além disso, se a ressurreição de Cristo não fosse um fato, a experiência na estrada de Damasco não teria passado de alucinação.[12] É claro que a ressurreição de Cristo tem um peso especial no apostolado de Paulo. É como se ele dissesse: "Fui comissionado pelo Senhor ressurreto e glorificado: sou um apóstolo de pleno direito, uma testemunha qualificada de Sua ressurreição, e um sinal de Seu poder".[13]

Nessa mesma linha de pensamento, William MacDonald declara que a ressurreição de Cristo era prova da completa satisfação de Deus com a obra de Cristo para a nossa salvação. Aparentemente os gálatas não estavam completamente satisfeitos com a obra do Salvador, uma vez que acrescentavam a ela os próprios esforços para serem aceitos por Deus.[14]

---

[11] POHL, Adolf. *Carta aos Gálatas*, 1999, p. 34.
[12] GUTHRIE, Donald. *Gálatas: introdução e comentário*, p. 67,68.
[13] RIENECKER, Fritz; ROGERS, Cleon. *Chave linguística do Novo Testamento grego*, 1985, p. 370.
[14] MACDONALD, William. *Believer's Bible commentary*, p. 1.875.

Vale ressaltar que o empenho de Paulo em defender de forma tão robusta e vigorosa o seu apostolado tem a ver com a preservação da integridade do evangelho. Uma vez que o evangelho por ele anunciado estava em jogo, se Paulo não fosse um apóstolo de Jesus Cristo, então as pessoas poderiam rejeitar esse evangelho – e sem dúvida o fariam. Porém, como o que Paulo transmitia era a mensagem de Cristo, ele não podia suportar tal rejeição. Por isso Paulo defendia sua autoridade apostólica, a fim de defender também a sua mensagem.[15] Concordo com a explicação de William Hendriksen: "Dado que a mensagem de Paulo está respaldada pela autoridade divina, os que rechaçam a ele e ao Seu evangelho rechaçam a Cristo e, portanto, ao Pai que o enviou e quem o ressuscitou dentre os mortos".[16]

Não temos liberdade para discordar dos apóstolos. Eles não falavam de si mesmos. Por trás deles estava a autoridade de Cristo, e não a autoridade eclesiástica. Os apóstolos não eram apóstolos da igreja, mas de Cristo. Eles não geraram a mensagem, apenas a transmitiram fielmente. Falaram com autoridade, e isso da parte do próprio Deus. Por esse motivo, não podemos exaltar nossas opiniões acima da deles nem colocar-nos no mesmo nível. Cabe-nos acolher com mansidão o que eles escreveram e pregaram.

Em quarto lugar, **Paulo tem consciência de que há outros parceiros no ministério, mas não com a mesma autoridade**. *E todos os irmãos meus companheiros...* (1.2). Como afirmamos na introdução deste livro, subscrevemos a tese de que Paulo escreveu essa epístola depois de sua primeira viagem missionária, quando possivelmente estava em Antioquia da Síria ou no máximo em Corinto. Esses irmãos, que são chamados de companheiros do apóstolo, não são todos os membros da igreja, mas líderes que cooperavam com Paulo nas lides do ministério. William Hendriksen tem razão quando escreve: "A palavra *todos* dá a entender unanimidade de pensamento, e não imensidade numérica".[17] Paulo compartilhou com eles o conteúdo dessa carta, e eles estavam em

---

[15] STOTT, John. *A mensagem de Gálatas*, p. 16.
[16] HENDRIKSEN, William. *Gálatas*, p. 38.
[17] HENDRIKSEN, William. *Gálatas*, p. 39.

sintonia com o apóstolo em suas solenes advertências, mas não eram coautores da epístola, embora fossem corremetentes. Eram irmãos e companheiros, mas não apóstolos como Paulo. Gálatas é integralmente obra pessoal de Paulo.

John Stott tem razão ao dizer que, embora Paulo tenha prazer em associar-se a eles na saudação, desembaraçadamente coloca-se em primeiro lugar, atribuindo a si mesmo um título que é negado aos outros. Eles são todos "irmãos"; ele, único entre os demais, é "um apóstolo".[18] Estou de acordo com Adolf Pohl no sentido de que, por mais cônscio que Paulo fosse de seu apostolado (1.1), de forma alguma essa consciência o levava na direção de um cargo monárquico de bispo. Um apóstolo pede no lugar de Cristo (2Co 5.20), porém não governa no lugar de Cristo.[19]

Concluímos essa argumentação destacando outro ponto digno de nota. O fato de outros irmãos se unirem a Paulo nesse escrito confessional, como numa espécie de comunhão de fé, deveria fazer os gálatas perceber em que isolamento eles estavam prestes a cair pela influência deletéria dos judaizantes.

Os destinatários (1.2)

Se identificar o remetente dessa epístola é um assunto meridianamente claro, apontar os destinatários tem sido matéria de acalorada discussão. Os destinatários são definidos apenas como: ... *às igrejas da Galácia* (1.2). Como já afirmamos no capítulo anterior, subscrevemos a teoria de que Paulo escreveu para as igrejas que ele e Barnabé fundaram no sul da província da Galácia, ou seja, as igrejas de Antioquia da Pisídia, Icônio, Listra e Derbe. Essa é a única carta circular do apóstolo Paulo. Ele escreve não a uma igreja, mas a um grupo de igrejas. Essas igrejas estavam enfrentando o mesmo problema e correndo os mesmos riscos. Portanto, a carta deveria ser lida, em forma de rodízio, em todas elas, com a mesma ênfase e senso de urgência.

---

[18] STOTT, John. *A mensagem de Gálatas*, p. 15.
[19] POHL, Adolf. *Carta aos Gálatas*, 1999, p. 35.

John Stott defende, com propriedade, que no Novo Testamento fica claro que a chamada "igreja de Deus" (Gl 1.13), a igreja universal, se divide em "igrejas" locais. Não, evidentemente, em denominações, mas em congregações. Portanto, o versículo 2b poderia ser traduzido da seguinte maneira: "às congregações cristãs da Galácia".[20]

Essas igrejas haviam sido assaltadas pela influência nociva dos falsos mestres judaizantes, que atacavam impiedosamente tanto Paulo quanto sua pregação. O apóstolo escreve a essas igrejas para fazer uma robusta defesa tanto de sua autoridade apostólica como da integridade do Seu evangelho. Ao mesmo tempo, Paulo censura essas igrejas por sua falta de firmeza na fé e por sua inclinação em seguir esses aventureiros da fé (1.6; 3.1). Paulo omite em Gálatas as elogiosas referências aos crentes, que são comuns nas outras epístolas, como: *amados de Deus* (Rm 1.7), *santificados em Cristo Jesus* (1Co 1.2), *santos e fiéis* (Ef 1.1). A atmosfera ainda estava tensa.[21]

A saudação (1.3)

Depois de fazer a defesa do seu apostolado contra os falsos mestres, Paulo saúda a igreja. Mesmo levantando denúncias tão graves acerca da inconstância dos gálatas, Paulo ainda os considera irmãos (3.26; 5.10) e lhes dirige uma saudação cristã, trazendo à baila as verdades essenciais do evangelho: a graça e a paz. Essas duas palavras são uma síntese do evangelho. A paz fala da natureza da salvação, e a graça diz respeito à sua fonte.

Martinho Lutero diz apropriadamente que a graça liberta do pecado, enquanto a paz acalma a consciência atribulada pelo pecado. Já que o pecado e a consciência são os dois carrascos que nos atormentam, a graça trabalha na remissão de pecados e a paz atua no apaziguamento da consciência atormentada. Obviamente o perdão não pode vir pelo cumprimento da lei, porque nenhum pecador é capaz de cumpri-la. Ao contrário, a lei revela o pecado, acusa, aterroriza a consciência, declara

---

[20]STOTT, John. *A mensagem de Gálatas*, p. 13.
[21]HENDRIKSEN, William. *Gálatas*, p. 40.

a ira de Deus e leva as pessoas ao desespero. Somente pela graça o pecado pode ser removido, e somente a paz pode acalmar a consciência culpada. Por essa razão é impossível que a consciência seja aplacada a não ser pela paz que vem por intermédio da graça.[22]

Vamos aqui destacar esses dois pontos vitais do evangelho.

Em primeiro lugar, *a graça é a raiz da salvação*. *Graça a vós outros...* (1.3a). A graça é a fonte da salvação. A salvação não é uma conquista das obras, mas um presente da graça. Não é um troféu que ostentamos, mas uma dádiva imerecida que recebemos. A salvação não é fruto da obra que fazemos para Deus, mas resultado da obra que Deus fez por nós em Cristo Jesus. A palavra grega *charis*, "graça", carrega a ideia de inclinar-se. Porém, a "graça da parte de Deus, nosso Pai" extrapola nossa capacidade de imaginação. É como se a ponta da torre de uma catedral se inclinasse profundamente até um capim frágil que vegeta lá embaixo nas frestas do calçamento. Desta forma, e de modo mais incrível, Deus nos alegra com Ele próprio: Aqui estou, estou com vocês, sou de vocês, vocês são meus.[23] Isso é graça!

William Hendriksen é esclarecedor, quando define a graça de Deus à luz desse versículo:

> A graça significa o favor espontâneo e imerecido de Deus em ação, a operação de sua benevolência derramada livremente dando a salvação a pecadores que têm um sentido de culpabilidade e correm a Ele em busca de refúgio. É a ação do Juiz que não somente perdoa a pena, mas também cancela a culpa do ofensor, e ainda o adota como seu próprio filho.[24]

Em segundo lugar, *a paz é o fruto da salvação*. ... *e paz, da parte de Deus, nosso Pai, e do nosso Senhor Jesus Cristo* (1.3b). Se a graça é a raiz, a paz é o fruto. Se a graça é a fonte, a paz é o fluxo que corre dessa fonte. A graça é a causa da salvação, e a paz é o seu resultado. Por causa

---

[22] LUTHER, Martin. "Galatians." In: *The classic Bible commentary*. Editado e compilado por Owen Collins. Wheaton, IL: Crossway Books, 1999, p. 1.284.
[23] POHL, Adolf. *Carta aos Gálatas*, 1999, p. 36,37.
[24] HENDRIKSEN, William. *Gálatas*. São Paulo: Cultura Cristã, 1999, p. 41.

da graça temos a paz com Deus e a paz de Deus. Somos restaurados. O ser humano torna-se novamente humano. Desmancham-se lembranças que fazem adoecer, mas também bloqueios atuais e, por fim, o fechamento para o futuro. A elevada e forte paz vinda de Deus e Cristo inunda as resistências, por mais firmes que possam ser.[25]

William Hendriksen argumenta que a graça traz paz e a paz é tanto um estado (o da reconciliação com Deus) como uma condição (a convicção interior de que pela reconciliação está tudo bem). A paz é a grande bênção que Cristo outorga à Sua igreja por Seu sacrifício expiatório (Jo 14.27). Essa é a paz que excede todo o entendimento (Fp 4.7). Não é a projeção de um céu espelhado nas águas de um lago pitoresco, mas a fenda da rocha onde o Senhor esconde os Seus filhos na hora da tormenta. Essa paz pode ser comparada às asas de uma galinha que abriga e protege seus filhotes da fúria do vendaval.[26]

Ambas, a graça e a paz, são dádivas tanto do Pai como do Senhor Jesus Cristo. Não geramos a graça nem criamos a paz. Essas bênçãos emanam do trono de Deus para nós, não por causa de quem somos ou fazemos, mas por causa de quem Deus é e do que Ele fez por nós em Cristo Jesus.

O evangelho (1.4)

Depois de defender seu apostolado, Paulo passa a defender Seu evangelho. Paulo vai da saudação para o grande evento histórico no qual a graça de Deus foi exibida e do qual deriva a sua paz, ou seja, a morte de Jesus Cristo na cruz.[27]

Já na introdução de sua carta, Paulo resume o conteúdo da sua mensagem apostólica, focando na obra de Cristo. Três verdades são aqui destacadas.

Em primeiro lugar, *a natureza do sacrifício de Cristo na cruz*. *O qual Se entregou a Si mesmo pelos nossos pecados...* (1.4a). Cristo não foi para a

---

[25] POHL, Adolf. *Carta aos Gálatas*, 1999, p. 37.
[26] HENDRIKSEN, William. *Gálatas*, p. 41.
[27] STOTT, John. *A mensagem de Gálatas*, p. 18.

cruz por fraqueza. Ele não foi pregado no madeiro como um mártir. Ele não foi morto porque Judas o traiu em troca de dinheiro nem porque Pilatos o sentenciou por covardia. Ele foi crucificado porque Se entregou voluntariamente por amor (Jo 10.11,17,18). Ele amou Sua igreja e por ela Se entregou. John Stott, porém, tem razão quando afirma: "A morte de Jesus Cristo não foi primordialmente uma demonstração de amor, nem um exemplo de heroísmo, mas, sim, um sacrifício pelo pecado".[28] Adolf Pohl chama a atenção para o fato de que nada é afirmado com tanta frequência e unanimidade acerca da morte de nosso Senhor como isto, de que foi uma morte em favor de alguém. Ele não morreu uma morte particular para si próprio, mas uma morte vicária, substitutiva. Como inocente, deixou-se executar como culpado, para que os culpados assumissem o lugar do justo.[29]

Cristo não Se entregou por amor às glórias e aos reinos deste mundo. Ele Se entregou pelos nossos pecados. Sua morte foi uma oferta pelos pecadores e um sacrifício pelo pecado. Ele morreu pelos nossos pecados segundo as Escrituras (1Co 15.3). Foram os nossos pecados que o levaram à cruz. Ele carregou no Seu corpo, no madeiro, os nossos pecados e por eles foi traspassado. Martinho Lutero interpreta brilhantemente esse versículo nos seguintes termos: "Ele deu. O quê? Não ouro, nem prata, nem animais de sacrifício, nem cordeiros pascais, nem anjos, mas a Si mesmo. Pelo quê? Não por uma coroa, nem por um reino, nem por nossa santidade ou justiça, mas por nossos pecados".[30]

Em segundo lugar, *o propósito do sacrifício de Cristo na cruz*. ... *para nos desarraigar deste mundo perverso* (1.4b). Paulo diz que a morte de Cristo teve um propósito definido. Ele Se entregou à morte de cruz para nos arrebatar do poder deste mundo, para nos transportar do reino das trevas para o reino da luz, para nos arrancar da casa do valente e nos arrebatar da potestade de satanás. O evangelho é uma libertação, uma emancipação de um estado de servidão. O cristianismo é a religião da libertação. Donald Guthrie observa que o verbo *exaireo* é inesperado,

---
[28] STOTT, John. *A mensagem de Gálatas*, p. 18.
[29] POHL, Adolf. *Carta aos Gálatas*, 1999, p. 37.
[30] LUTHER, Martin. "Galatians", p. 1.284.

porque não ocorre em nenhum outro lugar nas epístolas de Paulo. Sugere a libertação de alguém, sob o poder de outra pessoa. O quadro é de Cristo como um vencedor que levou a efeito uma operação de salvamento bem-sucedida.[31]

William Hendriksen destaca o fato de que a palavra *exaireo*, que significa "resgatar", pressupõe que os que recebem esse benefício estão em grande perigo do qual são totalmente incapazes de livrar-se. Assim José foi resgatado de todas as suas aflições (At 7.10), Israel foi resgatado da casa da servidão no Egito (At 7.34), Pedro foi resgatado das mãos de Herodes (At 12.11), e Paulo foi resgatado das mãos dos judeus e gentios (At 23.27; 26.17). O resgate que aqui se descreve (1.4) é muitíssimo mais glorioso, porque tem a ver com aqueles que por natureza são inimigos do resgatador, e foi efetuado por intermédio da morte voluntária do resgatador.[32]

Paulo diz que Cristo morreu para nos libertar e nos desarraigar deste mundo perverso. A palavra "mundo" aqui não é *kosmos*, mas *aionos*. William Hendriksen revela que a palavra *aionos* denota o mundo em movimento, enquanto *kosmos*, ainda que usada em diversos sentidos, assinala o mundo em repouso. Desse modo, refere-se ao mundo do ponto de vista de tempo e mudança. É o mundo ou era que segue apressado para o seu fim, e no qual, apesar de todos os seus prazeres e tesouros, não há nada de valor permanente.[33] Alvah Hovey argumenta que a presente era está descrita aqui como moralmente má, porque são malvados os homens que lhe dão caráter, como descrito por Paulo em Romanos 1.18-32.[34] Em contraste com este mundo ou era presente, está o mundo vindouro, a era gloriosa, que, embora já foi inaugurada na primeira vinda de Cristo, só será consumada em sua segunda vinda.

Essa palavra traz a ideia de que o mundo aqui é a dispensação do mal. Não existe campo neutro. Quem não está no Reino de Cristo, está

---

[31] GUTHRIE, Donald. *Gálatas: introdução e comentário*, p. 70.
[32] HENDRIKSEN, William. *Gálatas*, p. 42.
[33] HENDRIKSEN, William. *Gálatas*, p. 42,43.
[34] HOVEY, Alvah. *Comentario expositivo sobre el Nuevo Testamento: 1Coríntios -2Tesalonicenses*. Buenos Aires: Casa Bautista de Publicaciones, 1973, p. 212.

sob o domínio desse reino do mal. Portanto, Jesus foi à cruz para nos desarraigar do domínio do maligno, ou seja, nos libertar da presente dispensação do maligno, uma vez que o mundo jaz no maligno.

Precisamos entender que a Bíblia divide a história em duas dispensações: "esta dispensação" e a "dispensação futura". A nova dispensação já foi inaugurada com a vinda de Cristo. Quando alguém se converte, é transportado da dispensação presente para a dispensação futura, ou seja, do domínio de satanás para o reino da graça. Para os que creem, a "presente era perversa" não é mais a verdadeira realidade. Apesar de ainda viverem cronologicamente nela, e de serem também atribulados por ela, eles foram legalmente expatriados desta era e transportados ...*para o reino do Filho do Seu amor* (Cl 1.13).[35]

Em terceiro lugar, **a origem do sacrifício de Cristo**. ... *segundo a vontade de nosso Deus e Pai* (1.4c). Tanto o resgate dessa dispensação maligna quanto os meios pelos quais ele foi efetuado estão de acordo com a vontade de Deus.[36] Donald Guthrie diz corretamente que a vontade do Pai nos atos redentores de Cristo é um aspecto importante da teologia de Paulo e realmente faz parte integrante de toda a teologia cristã, excluindo qualquer noção de que o que aconteceu a Cristo tenha sido causado pelas circunstâncias. Tudo fazia parte de um plano para derrubar o mal e libertar o homem de Seu poder.[37]

Reafirmamos, portanto, que Cristo foi à cruz não por um acidente, nem porque as forças do mal prevaleceram sobre ele. O sacrifício de Cristo na cruz foi voluntário (1.4a) e absolutamente em conformidade com a vontade de Deus Pai (1.4b). Foi o Pai quem o entregou por amor. Adolf Pohl acertadamente escreve: *O amor divino por nós não poupou o Filho, e tampouco o Pai, de modo que Deus sofreu pessoalmente, Deus se sacrificou pessoalmente e realizou um empenho total: Deus estava em Cristo* (2Co 5.19).[38]

---

[35] POHL, Adolf. *Carta aos Gálatas*, 1999, p. 39.
[36] STOTT, John. *A mensagem de Gálatas*, p. 20.
[37] GUTHRIE, Donald. *Gálatas: introdução e comentário*, p. 71.
[38] POHL, Adolf. *Carta aos Gálatas*, 1999, p. 38.

A doxologia (1.5)

Depois que Paulo defende seu apostolado e o conteúdo sacrossanto do Seu evangelho, desabotoa sua alma num caudal glorioso de exaltação a Deus Pai por tão surpreendente plano redentor, dizendo: *A quem seja a glória pelos séculos dos séculos. Amém!* (1.5). Paulo avança da contemplação da ação para a veneração de quem a realiza. A pessoa agora compreende que Deus não apenas age assim, mas é também assim. Seu agir brotou de seu ser imutável.[39]

Os judaizantes estavam pervertendo o evangelho ao acrescentar as obras e os méritos humanos à perfeita e cabal obra de Cristo. Com isso, buscavam glória para si mesmos. Mas a obra de Cristo foi completa e perfeita. Nada podemos acrescentar a ela e não podemos buscar para nós mesmos nenhuma glória. Por isso, Paulo combate os falsos mestres que minimizavam a obra da redenção de Deus e assim roubavam Sua glória, ao mesmo tempo em que se volta a Deus para exaltá-lo, dizendo que somente a Ele pertence a glória pelos séculos dos séculos.

---

[39] POHL, Adolf. *Carta aos Gálatas*, 1999, p. 39.

3

A **defesa** do evangelho

Gálatas 1.6-12

AS IGREJAS DA GALÁCIA ESTAVAM SENDO SEDUZIDAS pelos falsos mestres, e o evangelho estava sob fogo cruzado. Os judaizantes espalhavam entre as igrejas gentílicas que Paulo não era um apóstolo autorizado e que sua mensagem não era verdadeira. Esses embaixadores do engano perverteram o evangelho, proclamando que a fé em Cristo não era suficiente para a salvação (At 15.1,5). Tornaram a obra de Cristo na cruz insuficiente e acrescentaram as obras da lei como condição indispensável para a salvação. Contra esses falsos mestres, com firmeza e coragem, Paulo empunha a espada do Espírito, para repreender a igreja e anatematizar os hereges.

No capítulo anterior vimos como Paulo defendeu o seu apostolado (1.1) e o Seu evangelho (1.4). Agora, ele continuará na mesma toada, fazendo uma vigorosa defesa do evangelho (1.6-12). Alguns pontos devem ser aqui destacados.

O abandono do evangelho (1.6,7)

As igrejas da Galácia estavam abandonando as fileiras do evangelho, dando as costas para Deus e voltando outra vez para a escravidão da lei. Vamos examinar aqui alguns pontos importantes relacionados a essa situação.

Em primeiro lugar, *o espanto do apóstolo Paulo*. *Admira-me que estejais passando tão depressa daquele que vos chamou na graça de Cristo...* (1.6a). Paulo está perplexo com a atitude das igrejas da Galácia. Aqueles irmãos abraçaram o evangelho para logo depois abandoná-lo, trocando-o por uma mensagem diferente, outro evangelho, que de fato, não era evangelho. Paulo está admirado ao ver a rapidez com que esses crentes estavam apostatando da fé.

Em vez de dar graças a Deus pela igreja no introito da sua carta, como de costume fazia nas outras epístolas, Paulo revela seu espanto pela inconstância e instabilidade dos gálatas. Na verdade, Gálatas é a única carta em que não há oração, nem louvor, nem ação de graças, nem elogios.[1] Concordo, entretanto, com William Hendriksen, quando ele distingue que, no que tange à igreja, Paulo demonstra consternação e não indignação, assombro e não ressentimento. Ainda que Paulo os reprove, não os rechaça.[2]

Em segundo lugar, *a apostasia dos crentes*. *... que estejais passando tão depressa...* (1.6). As igrejas da Galácia estavam virando a casaca e abandonando, com grande rapidez, a fé evangélica, a ponto de trocar o verdadeiro evangelho por um evangelho falso. Estavam abandonando a graça para colocar-se, de novo, debaixo do jugo da lei. Isso era uma consumada apostasia. O reformador João Calvino denuncia esse mesmo desvio em seus dias, ao escrever: "Os papistas decidiram conservar um Cristo pelas metades e um Cristo mutilado, e nada mais, e estão, portanto, separados de Cristo. Estão saturados de superstições, as quais são frontalmente opostas à natureza de Cristo".[3] O que diríamos nós acerca da apostasia galopante que atinge os redutos chamados evangélicos, em que o sincretismo religioso está substituindo o evangelho? Mais do que nunca, a mensagem de Gálatas é atual e oportuna.

Voltando ao texto, é importante ressaltar que o verbo usado por Paulo está na voz ativa, e não na passiva; está no tempo presente, e não no passado. Assim, o sentido não é "que tenhais sido afastados tão

---

[1] STOTT, John. *A mensagem de Gálatas*, p. 22.
[2] HENDRIKSEN, William. *Gálatas*, p. 46.
[3] CALVINO, João. *Gálatas*. São Paulo: Paracletos, 1998, p. 29.

depressa", mas "que estejais passando tão depressa". O uso do tempo presente indica claramente que os gálatas estavam em pleno processo de abandono.[4] Estavam desviando-se de Deus e do Seu evangelho. A palavra grega *metatithemi* significa "transferir a fidelidade". É usada em referência a soldados do exército que se rebelam ou desertam, e a pessoas que mudam de partido na política, na filosofia ou na religião. Os gálatas eram vira-casacas religiosos e desertores espirituais. Estavam abandonando o evangelho da graça para abraçar o evangelho das obras.[5]

Em terceiro lugar, **o abandono ao Deus da Palavra e à Palavra de Deus**.... *que estejais passando tão depressa daquele que vos chamou na graça de Cristo para outro evangelho* (1.6). O cristianismo não é apenas a adoção de um credo, mas também a sustentação de um relacionamento. A apostasia não é apenas o abandono da doutrina ortodoxa, mas também a deserção do próprio Deus. Os crentes da Galácia estavam abandonando não apenas o evangelho pregado por Paulo, mas também o Deus anunciado pelo apóstolo. Quando uma pessoa se afasta do evangelho, ela não está apenas deixando para trás a doutrina ou a igreja, mas está distanciando-se do próprio Deus.

William Hendriksen corretamente defende que os crentes gálatas não estavam se apartando meramente de uma posição teológica, mas estavam transferindo sua lealdade dAquele que em Sua graça e *misericórdia* os havia chamado.[6] Warren Wiersbe tem razão ao argumentar que os cristãos da Galácia não estavam apenas "mudando de religião" ou "mudando de igreja"; na verdade, estavam abandonando a própria graça de Deus! Pior ainda, estavam deixando o próprio Deus da graça![7] Os gálatas, com Seu evangelho diferente, estavam saindo da graça para dentro da qual tinham sido chamados.[8]

John Stott apresenta essa ideia com diáfana clareza:

---

[4]HOWARD, R. E. *A Epístola aos Gálatas*, p. 28.
[5]RIENECKER, Fritz; ROGERS, Cleon. *Chave linguística do Novo Testamento grego*, p. 370; STOTT, John. *A mensagem de Gálatas*, p. 22,23.
[6]HENDRIKSEN, William. *Gálatas*, p. 46.
[7]WIERSBE, Warren W. *Comentário bíblico expositivo*, p. 894.
[8]GUTHRIE, Donald. *Gálatas: introdução e comentário*, p. 73.

Paulo diz que a deserção dos gálatas convertidos estava relacionada com a experiência e também com a teologia. Ele não os acusa de desertarem do evangelho da graça com vistas a outro evangelho, mas de desertarem *dAquele* que os chamara na graça. Em outras palavras, teologia e experiência, fé cristã e vida cristã, andam juntas e não podem ser separadas. Afastar-se do evangelho da graça é afastar-se do Deus da graça.[9]

Esse *outro* evangelho a que Paulo se refere é o evangelho das obras anunciado pelos judaizantes. A mensagem deles está sintetizada nos seguintes termos: *Se não vos circuncidardes segundo o costume de Moisés, não podeis ser salvos* (At 15.1). Eles não negavam a necessidade da fé em Jesus para a salvação, mas acrescentavam à fé as obras da lei. Para eles, era necessário que Moisés completasse o que Cristo havia feito, ou seja, era preciso acrescentar nossas obras à obra de Cristo, e assim concluir a obra inacabada de Cristo.[10] Para o apóstolo Paulo, a ideia de acrescentar méritos humanos ao mérito de Cristo era repugnante. A obra de Cristo na cruz foi consumada, e o evangelho de Cristo oferece salvação unicamente pela graça mediante a fé (Ef 2.8,9). O evangelho é o único meio pelo qual os homens podem ser salvos da condenação, pois sem o evangelho nenhuma pessoa pode ser aceita diante de Deus.

Segundo David Stern, esse outro evangelho que os gálatas abraçaram era o *legalismo*. E o legalismo é o falso princípio de que Deus aceita as pessoas, considerando-as justas e dignas de estar em Sua presença, com base em sua obediência a um conjunto de regras, e isso à parte de colocarem sua confiança em Deus, sujeitando-se aos cuidados dEle, amando-O e aceitando o Seu amor por elas.[11]

Precisamos acautelar-nos acerca dos falsos profetas que ainda hoje distorcem o evangelho e perturbam a igreja com suas perniciosas heresias. Jesus nos alertou: *Acautelai-vos dos falsos profetas, que se vos apresentam disfarçados em ovelhas, mas por dentro são lobos roubadores* (Mt 7.15).

---

[9] STOTT, John. *A mensagem de Gálatas*, p. 23.
[10] STOTT, John. *A mensagem de Gálatas*, p. 23.
[11] STERN, David. *Comentário judaico do Novo Testamento*, 2009, p. 562.

O autor aos Hebreus ainda nos adverte: *Não vos deixeis envolver por doutrinas várias e estranhas...* (Hb 13.9).

Em quarto lugar, **outro evangelho não é o evangelho verdadeiro**. *... para outro evangelho, o qual não é outro...* (1.6,7). Paulo usa aqui um trocadilho de palavras para desmascarar o outro evangelho anunciado pelos judaizantes. Há duas palavras na língua grega para "outro": *heteros* (outro de outra substância, diferente) e *allos* (outro da mesma substância). Paulo declara ironicamente que eles se voltaram para outro (*heteros*) evangelho, o qual não é outro (*allos*). O que os falsos mestres pregavam é um evangelho *heteros*, "de tipo diferente", e não um evangelho *allos*, "do mesmo tipo".[12] O verdadeiro evangelho é o evangelho da graça, da salvação pela fé em Cristo. O outro evangelho, denunciado por Paulo, é o evangelho das obras, que acrescenta ao sacrifício de Cristo os ritos da lei, por exemplo a circuncisão, como condição para a salvação (At 15.1). Paulo diz que esse *outro* evangelho é um evangelho diferente, de outra natureza, com outro conteúdo, e não pode ser aceito como evangelho. Esse *outro* evangelho não passa de um falso evangelho. Concordo com John Stott quando diz que a mensagem dos falsos mestres não era um evangelho alternativo; era um evangelho pervertido.[13]

William Hendriksen ainda esclarece esse ponto ao destacar que os gálatas estavam volvendo para um evangelho *diferente*, quer dizer, a um evangelho que difere radicalmente do que haviam recebido de Paulo. O evangelho de Paulo consistia em: *...o homem não é justificado por obras da lei, e sim mediante a fé em Cristo Jesus* (2.16; Rm 3.24; Ef 2.8; Tt 3.4-7). Os gálatas estavam abandonando esse evangelho em favor de um diferente, que proclamava a fé mais as obras da lei como o caminho da salvação. Era um evangelho só de nome, mas não o era na realidade.[14] Nessa mesma linha de pensamento, Warren Wiersbe diz que os judaizantes afirmavam pregar "o evangelho", mas não é possível haver dois evangelhos, um com base nas obras e outro com base na graça. "Eles estão pregando outro evangelho", escreve Paulo, "mas uma

---

[12]HOWARD, R. E. *A Epístola aos Gálatas*, p. 28.
[13]STOTT, John. *A mensagem de Gálatas*, p. 27,28.
[14]HENDRIKSEN, William. *Gálatas*, p. 47.

mensagem *diferente* – tão diferente do verdadeiro evangelho que, afinal, não é evangelho".[15]

A perversão do evangelho (1.7)

O apóstolo Paulo faz uma transição da apostasia dos crentes para a ação perniciosa dos falsos mestres. Esses paladinos do engano são identificados por duas ações: perturbavam a igreja e pervertiam o evangelho. Concordo com John Stott quando diz que falsificar o evangelho resulta sempre na perturbação da igreja. Não se pode mexer no evangelho e deixar a igreja intacta, pois esta é criada pelo evangelho e vive por ele.[16] Vamos detalhar um pouco mais esses dois pontos a seguir.

Em primeiro lugar, **os falsos mestres perturbavam a igreja**. *... há alguns que vos perturbam...* (1.7). Os judaizantes perturbavam a igreja ao induzir os novos crentes a deixarem o cristianismo puro e simples, pregado por Paulo, para voltar às fileiras do judaísmo. Eles alarmavam esses crentes neófitos ao agregarem as obras à fé, exigindo dos crentes gentios a circuncisão como requisito indispensável para a salvação.

O verbo grego *tarasso* significa "sacudir, agitar". As congregações gálatas haviam sido lançadas pelos falsos mestres a um estado de confusão: confusão intelectual de um lado e facções de luta de outro (At 15.24).[17]

Em segundo lugar, **os falsos mestres pervertiam o evangelho**. *... e querem perverter o evangelho de Cristo* (1.7). O evangelho de Cristo é o evangelho da graça, que oferece salvação ao pecador, não com base nas suas obras, mas com base no sacrifício perfeito, completo e cabal de Cristo. A causa meritória da salvação é a obra que Cristo fez por nós, e não a obra que fazemos para ele; e a causa instrumental da salvação é a fé, e não os rituais da lei. Qualquer mensagem que negue e torça essa verdade axial é uma perversão da mensagem cristã.

A palavra grega *metastrepsai* significa "inverter". Os falsos mestres não estavam apenas corrompendo o evangelho, mas realmente

---

[15] WIERSBE, Warren W. *Comentário bíblico expositivo*, p. 894.
[16] STOTT, John. *A mensagem de Gálatas*, p. 24.
[17] STOTT, John. *A mensagem de Gálatas*, p. 24.

o estavam invertendo, virando-o de costas e de cabeça para baixo.[18] Warren Wiersbe explica que esse termo é usado apenas três vezes no Novo Testamento (At 2.20; Gl 1.7; Tg 4.9). Significa "fazer uma reviravolta, passar a seguir em direção contrária, inverter". Em outras palavras, os judaizantes haviam invertido e virado os ensinamentos em direção contrária, levando-os de volta à lei.[19]

A singularidade do evangelho (1.8,9)

Depois de falar da apostasia da igreja e da ação nociva dos falsos mestres, Paulo reafirma a singularidade do evangelho, evocando a maldição divina para todos aqueles que pervertem o evangelho e perturbam a igreja com falsas doutrinas. A razão de Paulo tratar desse assunto de forma tão enérgica é que estava em jogo tanto a glória de Cristo quanto a pureza da igreja. Na linguagem de William Hendriksen, a própria essência do evangelho corria perigo. Por isso, Paulo é tão veemente e intolerante com os falsos mestres, pois se tratava da glória de Deus e da salvação do homem.[20] Destacamos aqui alguns pontos importantes.

Em primeiro lugar, *o evangelho é maior do que os apóstolos*. *Mas, ainda que nós [...] vos pregue evangelho que vá além do que vos temos pregado, seja anátema* (1.8). Paulo estava tão convencido de que não havia outro evangelho, que invocou a maldição de Deus sobre a própria vida, num caso hipotético de vir a pregar um evangelho que fosse além daquele que já havia anunciado aos gálatas. O evangelho é maior do que o apóstolo, e a mensagem maior do que o mensageiro. Não é a pessoa do mensageiro que dá valor à sua mensagem; antes, é a natureza da mensagem que dá valor ao mensageiro. Por isso, nem o próprio Paulo nem um anjo poderia alterar a mensagem. O evangelho não era de Paulo, mas de Cristo. Este fato o tornava imutável.[21] Donald Guthrie é oportuno quando alerta:

---

[18] STOTT, John. *A mensagem de Gálatas*, p. 24.
[19] WIERSBE, Warren W. *Comentário bíblico expositivo*, p. 894.
[20] HENDRIKSEN, William. *Gálatas*, p. 46.
[21] GUTHRIE, Donald. *Gálatas: introdução e comentário*, p. 74.

Nos tempos modernos tem havido uma forte tendência no sentido de confundir as personalidades com o conteúdo do evangelho, mas a inclusão do próprio Paulo ou mesmo de um anjo na possibilidade de um anátema torna indisputavelmente clara a superioridade da mensagem sobre o mensageiro.[22]

F. F. Bruce está coberto de razão quando diz que não é o mensageiro o que mais importa e sim a mensagem. O evangelho pregado por Paulo não era o verdadeiro evangelho porque Paulo era quem o pregava; era o verdadeiro evangelho porque foi o Cristo ressurreto quem o entregou a Paulo para ser pregado.[23] Concordo com Warren Wiersbe quando diz que a prova do ministério de uma pessoa não é sua popularidade (Mt 24.11), nem os sinais e prodígios miraculosos que ela realiza (Mt 24.23,24), mas sim Sua fidelidade à Palavra de Deus (Is 8.20; 1Tm 4.1-5; 1Jo 4.1-6).[24]

Ainda nessa trilha de pensamento, John Stott faz um solene e oportuno alerta:

> Ao ouvirmos as multifárias opiniões dos homens e mulheres da atualidade, sejam faladas, escritas, irradiadas ou televisionadas, devemos sujeitar cada uma delas a estes dois rigorosos testes: Tal opinião é coerente com a livre graça de Deus e com o claro ensinamento do Novo Testamento? Caso contrário, devemos rejeitá-la, por mais augusto que seja o mestre. Mas, se for aprovada nestes testes, então vamos abraçá-la e apegar-nos a ela. Não devemos comprometê-la como os judaizantes nem desertá-la como os gálatas, mas viver por ela e procurar torná-la conhecida dos outros.[25]

Paulo diz que tanto os falsos mensageiros como a falsa mensagem são anátema. A palavra grega *anathema*, traduzida por "anátema", era usada para indicar banimento divino, a maldição de Deus sobre qualquer

---

[22] GUTHRIE, Donald. *Gálatas: introdução e comentário*, p. 75.
[23] BRUCE. F. F. *The Epistle to the Galatians*. Grand Rapids, MI: William B. Eerdmans, 1982, p. 83.
[24] WIERSBE, Warren W. *Comentário bíblico expositivo*, p. 895.
[25] STOTT, John. *A mensagem de Gálatas*, p. 29.

coisa ou pessoa entregue por Deus ou em nome de Deus à destruição e ruína. Paulo deseja, assim, que os falsos mestres sejam colocados sob banimento, maldição ou anátema de Deus. Ele expressa desejo de que o juízo de Deus recaia sobre eles.[26] Adolf Pohl é muito oportuno quando afirma que o evangelho transfere o cristão da área da maldição para a área da bênção, mas, por meio da apostasia, o abençoado escolhe novamente seu lugar no âmbito da maldição.[27] Somente o evangelho oferece salvação sem dinheiro e sem preço. Onde quer que a lei tenha uma maldição para aqueles que falham em cumpri-la, o evangelho tem uma maldição para aqueles que procuram mudá-lo.[28]

Em segundo lugar, ***o evangelho é maior do que os anjos***. *Mas, ainda que [...] um anjo vindo do céu vos pregue evangelho que vá além do que vos temos pregado, seja anátema* (1.8). Depois de afirmar que o evangelho é maior do que os apóstolos, Paulo afirma que ele é maior do que os próprios anjos. Ainda que um anjo descesse do céu para anunciar outro evangelho, esse ser celestial deveria ser de pronto rejeitado e amaldiçoado. João Calvino é enfático quando escreve:

> Com o fim de fulminar os falsos apóstolos ainda mais violentamente, Paulo invoca os próprios anjos. Também não diz simplesmente que não deveriam ser ouvidos caso anunciassem algo diferente, mas declara que devem ser tidos como seres execráveis.[29]

Jamais o céu enviaria um mensageiro com um segundo evangelho. Tudo entre o céu e a terra depende de que seja preservado o evangelho único. Do contrário, Deus não seria Deus, pois sua última palavra seria degradada a uma palavra penúltima.[30]

Em terceiro lugar, ***o evangelho é maior do que os falsos mestres***. "Assim, como já dissemos, e agora repito, se alguém vos prega evangelho que vá além daquele que recebestes, seja anátema" (1.9). Depois de

---

[26] HENDRIKSEN, William. *Gálatas*, p. 49; STOTT, John. *A mensagem de Gálatas*, p. 25.
[27] POHL, Adolf. *Carta aos Gálatas*, 1999, p. 44.
[28] MACDONALD, William. *Believer's Bible commentary*, p. 1.876.
[29] CALVINO, João. *Gálatas*, 1998, p. 32.
[30] POHL, Adolf. *Carta aos Gálatas*, 1999, p. 44.

lidar com dois casos hipotéticos no versículo 8, Paulo menciona uma possibilidade real no versículo 9. O apóstolo Paulo, como representante plenamente autorizado de Cristo, pronuncia a maldição sobre os judaizantes, que estavam cometendo o horrendo crime de chamar de *falso* o verdadeiro evangelho e tratando de colocar o falso, ruinoso e perigoso evangelho no lugar daquele que salva.[31]

Qualquer indivíduo que se levantar para perturbar a igreja, perverter o evangelho e pregar outro que vá além do evangelho da graça deve ser rejeitado. Esse "alguém" tem uma abrangência universal. Todo e qualquer indivíduo, sem exceção, em qualquer lugar e, em qualquer tempo, que distorcer o evangelho está debaixo da maldição divina. Com respeito ao evangelho não podemos ficar aquém nem ir além; não podemos retirar nem acrescentar nada. O evangelho é completo em si mesmo. Qualquer subtração ou adição perverte-o.

Em quarto lugar, *o evangelho pregado e recebido traz bênção, mas o evangelho adulterado gera maldição* (1.8,9). O evangelho pregado por Paulo foi o mesmo recebido pelos crentes da Galácia. Esse evangelho deu-lhes liberdade e salvação. Agora, eles estavam rapidamente abandonando esse evangelho para abraçar uma mensagem diferente, cujo resultado era escravidão. Paulo fica estupefato com a insensatez dos crentes gálatas e invoca um anátema aos falsos mestres que mudaram a mensagem, perverteram o evangelho e perturbaram a igreja.

Donald Guthrie diz que a única mudança do versículo 8 para o versículo 9 é a substituição de "que recebestes" por "que vos temos pregado". O enfoque muda, portanto, dos mensageiros para os ouvintes. Os dois juntos refletem o aspecto cooperativo da origem de cada nova comunidade de crentes. Paulo não só pregou pessoalmente o evangelho, mas este foi também plenamente reconhecido por aqueles que o receberam.[32]

A motivação do evangelho (1.10)

Os mestres judaizantes começaram a atacar não apenas o apostolado de Paulo e sua mensagem, mas também suas motivações. Diziam que

---

[31] HENDRIKSEN, William. *Gálatas*, p. 49.
[32] GUTHRIE, Donald. *Gálatas: introdução e comentário*, p. 76.

Paulo diminuía as exigências do evangelho para alcançar o favor dos homens. Afirmavam que o apóstolo desobrigava os crentes gentios da circuncisão para agradar aos homens. Acusaram Paulo de ajustar sua mensagem de forma que fosse atraente aos homens e lhes ganhasse o favor.[33] O apóstolo Paulo, porém, não era um político, mas um embaixador. Seu propósito não era agradar aos homens, mas levar a eles a mensagem da salvação. Por isso, Paulo não se intimidou diante desse ataque. Sua resposta foi imediata. Vejamos aqui dois pontos importantes.

Em primeiro lugar, **Paulo não negociou a verdade para procurar o favor dos homens**. *Porventura, procuro eu, agora, o favor dos homens ou o de Deus?...* (1.10a). Os mestres do judaísmo estavam assacando contra Paulo as mais levianas acusações, não apenas pervertendo sua mensagem, mas duvidando de suas motivações. Paulo não fazia do seu ministério uma plataforma de relações públicas. Ele era um arauto, e não um bajulador. Jamais transigiu com a verdade para agradar a homens e jamais vendeu sua consciência para auferir alguma vantagem pessoal (2Co 2.17). Paulo era um apóstolo, e não um apóstata.

Em segundo lugar, **Paulo estava a serviço de Cristo, e não dos homens**. *... Ou procuro agradar a homens? Se agradasse ainda a homens, não seria servo de Cristo* (1.10b). Paulo tinha plena consciência de a quem estava servindo. Quem é servo de Cristo não busca holofotes. Quem é servo de Cristo não depende de elogios nem se desencoraja com as críticas. Quem é servo de Cristo não está atrás de sucesso nem de glórias humanas. Quem é servo de Cristo não muda a mensagem para atrair os ouvintes. O propósito do ministério de Paulo não era agradar aos homens, mas servir a Cristo.

A origem do evangelho (1.11,12)

O apóstolo Paulo passa da motivação do evangelho para a origem do evangelho. Mais uma vez, ele defende Seu evangelho, mostrando de forma eloquente que este não é segundo o homem e não foi aprendido de homem algum. Nem a fonte do Seu evangelho nem o método pelo

---

[33] HOWARD, R. E. *A Epístola aos Gálatas*, p. 29.

qual Paulo o recebeu eram humanos. O evangelho lhe veio por revelação de Jesus Cristo. Isto não diz respeito a uma revelação geral, disponível a todos que a recebessem, mas a uma revelação especial e pessoal para Paulo.[34] Dois pontos merecem destaque.

Em primeiro lugar, **o verdadeiro evangelho não tem origem humana**. *Faço-vos, porém, saber, irmãos, que o evangelho por mim anunciado não é segundo o homem, porque eu não o recebi, nem o aprendi de homem algum...* (1.11,12a). O evangelho anunciado por Paulo não lhe chegou mediante instrução humana, da mesma forma ele aprendeu as doutrinas do judaísmo aos pés de Gamaliel. Também Seu evangelho anunciado não foi recebido nem aprendido de homem algum. Sua natureza não é humana; sua origem é divina. Assim como no preâmbulo da carta (1.1) Paulo afirmou ser divina a origem de sua comissão apostólica, agora ele afirma ser de origem divina o Seu evangelho apostólico (1.12). Nem a sua missão nem a sua mensagem derivavam de homem algum; ambas lhe vieram diretamente de Deus e de Jesus Cristo.[35]

Concordo com Donald Guthrie quando diz que o evangelho pregado por Paulo não foi forjado pelo intelecto humano. Não é um sistema filosófico, nem uma fé religiosa criada por algum gênio religioso. Não era nem mesmo um desenvolvimento humano da religião judaica. O evangelho de Paulo não é humano, mas divino; não é natural, mas sobrenatural. Seu molde ou padrão era outro. Outra espécie de mente estava por detrás dele.[36]

Em segundo lugar, **o verdadeiro evangelho é revelação divina**. *... mas mediante revelação de Jesus Cristo* (1.12b). O evangelho é de Cristo, vem de Cristo e glorifica a Cristo. Sua origem não é terrena, mas celestial; não é humana, mas divina; não está focada no homem, mas em Cristo. Jesus Cristo foi tanto o agente por meio do qual veio a revelação quanto o conteúdo da própria revelação. Por isso, os gálatas têm diante de si, no evangelho de Paulo, uma grandeza incondicional, na qual não há nada para revisar, diminuir ou acrescentar.[37]

---

[34] HOWARD, R. E. *A Epístola aos Gálatas*, p. 31.
[35] STOTT, John. *A mensagem de Gálatas*, p. 31.
[36] GUTHRIE, Donald. *Gálatas: introdução e comentário*, p. 78.
[37] POHL, Adolf. *Carta aos Gálatas*, 1999, p. 47.

4

A defesa do **apostolado** de **Paulo**

Gálatas 1.13-24

GÁLATAS FOI A PRIMEIRA CARTA ESCRITA PELO APÓSTOLO PAULO. Ele a redigiu para defender seu apostolado e Seu evangelho. Os judaizantes haviam invadido as igrejas da Galácia, perturbando os crentes e pervertendo o evangelho, acrescendo as obras da lei à fé em Cristo como condição indispensável para a salvação.

Mais uma vez Paulo defende seu apostolado contra os ataques desses falsos mestres. Eles diziam que Paulo não era um apóstolo autêntico e que sua mensagem não era genuína. Afirmavam que o evangelho anunciado por Paulo era de segunda mão, aprendido de homens, e não recebido do próprio Deus. No texto em apreço, Paulo usará três argumentos em sua defesa, fazendo uma retrospectiva da sua vida.

Paulo, **o perseguidor** (1.13,14)

Paulo começa sua defesa voltando ao passado. Seu comportamento pretérito, quando ele engrossava as fileiras do judaísmo, não era um fato desconhecido de seus críticos. O apóstolo destaca dois aspectos que vamos aqui considerar.

Em primeiro lugar, ***Paulo era um religioso fanático***. *Porque ouvistes qual foi o meu proceder no judaísmo [...]. E, na minha nação, quanto ao* *judaísmo, avantajava-me a muitos da minha idade, sendo extremamente zeloso das tradições de meus pais* (1.13,14). A palavra grega *anastrofen*, "proceder", significa "modo de vida" e envolve mais do que o comportamento no sentido das atividades externas. Refere-se ao estilo de vida como um todo, ético, mental e religioso.[1] Paulo ressalta dois pontos com respeito ao seu proceder no judaísmo:

Primeiro, **seu destaque entre seus pares**. Paulo foi circuncidado ao oitavo dia, da linhagem de Israel, da tribo de Benjamim, hebreu de hebreus, da seita dos fariseus e um zeloso e implacável perseguidor do evangelho (Fp 3.3-6). Ele era um judeu puro-sangue. Tendo nascido em Tarso da Cilícia, ainda jovem foi enviado por seus pais a Jerusalém para aprender a lei aos pés de Gamaliel (At 22.3). Destacou-se como estudante erudito, poliglota, de cultura invejável. Quando esteve em Atenas, a capital intelectual do mundo, a terra de Péricles, Sócrates, Platão e Aristóteles, discutiu com os filósofos epicureus e estoicos (At 17.17,18). Ao escrever sua carta a Tito, citou Epimênides, um filósofo do século 6 antes de Cristo (Tt 1.12). Paulo era um homem de cultura enciclopédica, de personalidade prismática e temperamento forte, um líder do judaísmo, um rabino de qualidades incomparáveis em sua nação.

Segundo, **seu zelo pela tradição dos seus pais**. Paulo foi educado para ser um rabino. Foi criado aos pés do grande mestre Gamaliel, segundo a exatidão da lei de seus antepassados (At 22.3). Viveu como fariseu de acordo com a seita mais severa da sua religião (At 26.5). Percorria com grande desenvoltura os corredores do saber teológico. A tradição dos pais era mais do que a lei escrita; incluía também, e sobretudo, o corpo de ensino oral que era complementar à lei escrita e gozava dentro do judaísmo de igual autoridade.[2] Paulo conhecia com profundidade tanto a lei escrita como a lei oral, ou seja, aquele acervo com milhares de regulamentos que interfeririam profundamente no cotidiano do povo judeu devoto.[3]

---

[1] GUTHRIE, Donald. *Gálatas: introdução e comentário*, p. 79.
[2] RIENECKER, Fritz; ROGERS, Cleon. *Chave linguística do Novo Testamento grego*, p. 371.
[3] POHL, Adolf. *Carta aos Gálatas*, 1999, p. 52.

Donald Guthrie é da opinião que a palavra grega *paradoseis*, quando usada em relação ao judaísmo, refere-se geralmente àquela coleção de ensinamentos orais que eram complementares à lei escrita, e que, de fato, possuíam autoridade equivalente à da lei. Saulo, como fariseu estudioso, teria sido bem treinado nas minúcias dessas tradições orais.[4] William Hendriksen vai além quando diz que o judaísmo de que Paulo fala não era a revelação do Antigo Testamento, cujas linhas – históricas, tipológicas, psicológicas e proféticas – convergiam a Belém, ao Calvário e ao Monte dos Oliveiras. Ao contrário, era aquela religião que sepultava a santa lei de Deus sob o peso das tradições humanas, o corpo inteiro da lei oral que suplementava a lei escrita (Mt 5.21-48; 15.3,6; 23.1-36).[5]

Paulo fazia parte da elite intelectual do judaísmo. Possivelmente era um membro do Sinédrio e o seu braço direito na perseguição à igreja. Adolf Pohl diz que as perseguições desmedidas brotam do zelo desmedido pelas tradições paternas (Fp 3.6). Paulo se revelou como antagonista implacável do evangelho não apesar de ser, mas precisamente porque era, um judeu exemplar, um fariseu de puro-sangue.[6]

Em segundo lugar, **Paulo era um perseguidor implacável**. *Porque ouvistes qual foi o meu proceder outrora no judaísmo, como sobremaneira perseguia eu a igreja de Deus e a devastava* (1.13). Paulo foi um dos maiores perseguidores da igreja. Ele se autodenominou insolente, blasfemo e perseguidor (1Tm 1.13). Disse que era o menor dos apóstolos, que não era nem mesmo digno de ser chamado apóstolo, pois perseguiu a igreja de Deus (1Co 15.9). Ele devastou a igreja (Gl 1.13), assolou a igreja (At 8.3) e exterminou em Jerusalém aqueles que invocavam o nome de Jesus (At 9.21). Paulo foi uma fera selvagem, que respirava ameaças e morte contra os discípulos de Cristo (At 9.1), e perseguiu a religião do Caminho até a morte (At 22.4). Ele não respeitava domicílio doméstico, pois entrava nas casas e arrastava homens e mulheres para lançá-los na prisão (At 8.3). Não poupava nem os lugares sagrados, pois entrava nas sinagogas para castigar os crentes, forçando-os a

---

[4] GUTHRIE, Donald. *Gálatas: introdução e comentário*, p. 82.
[5] HENDRIKSEN, William. *Gálatas*, p. 59.
[6] POHL, Adolf. *Carta aos Gálatas*, 1999, p. 52.

blasfemar. Depois de lançar muitos dos santos nas prisões, contra eles dava o seu voto, quando os matavam (At 26.9-11). Paulo perseguiu os cristãos (At 26.11), a religião dos cristãos (At 22.4) e o Deus dos cristãos (At 26.9).

Paulo perseguiu a Igreja de Deus com violência e selvageria, de forma intensa, em excesso, sem medidas e continuamente. A expressão *katha hyperbolen* significa literalmente "além das medidas, excessivamente" e chama atenção para o tremendo entusiasmo que ele levou a efeito seu propósito de perseguir a Igreja de Deus.[7] Paulo usou todas as suas forças e toda a sua influência nessa causa ensandecida. Como uma fera selvagem, que salta sobre a presa para devorá-la, esse fariseu fanático se lançou contra a igreja de Deus de forma veemente. Seu propósito era devastar a igreja de Deus, exterminando os discípulos de Jesus. William Hendriksen diz que a perseguição promovida por Paulo era não apenas violenta ao extremo, mas também dirigida ao mais precioso tesouro de Deus, sua Igreja e, com os propósitos mais sinistros, ou seja, devastá-la totalmente.[8]

O termo grego *eporthoun*, "devastar", era usado para soldados que devastavam uma cidade.[9] Essa palavra é extremamente forte e significa "destruir" ou "pilhar" com a nítida conotação de devastação bélica. Assim, Paulo está descrevendo que sua conduta antes da conversão era uma verdadeira guerra pessoal contra a igreja de Cristo.[10] Calvino defende que, durante toda a sua vida, Paulo nutrira tão profunda rejeição pelo evangelho, que se tornara um inimigo mortal e um destruidor do cristianismo.[11] Concluímos, portanto, que, como sistema religioso, o judaísmo era a antítese direta do cristianismo.[12]

Paulo, o convertido (1.15,16)

Depois de falar do seu passado, Paulo passa a tratar do seu presente e contar como foi sua conversão. Ao destacar que a transformação

---

[7] GUTHRIE, Donald. *Gálatas: introdução e comentário*, p. 80.
[8] HENDRIKSEN, William. *Gálatas*, p. 58.
[9] RIENECKER, Fritz; ROGERS, Cleon. *Chave linguística do Novo Testamento grego*, p. 371.
[10] HOWARD, R. E. *A Epístola aos Gálatas*, p. 32.
[11] CALVINO, João. *Gálatas*, 2007, p. 33.
[12] GUTHRIE, Donald. *Gálatas: introdução e comentário*, p. 80.

ocorrida em sua vida não havia sido causada pelos judeus nem pela igreja, mas, sim, por um milagre espiritual operado pelo próprio Deus, mais uma vez Paulo defende seu apostolado, pela legitimidade de sua conversão.[13] Destacamos aqui quatro pontos fundamentais.

Em primeiro lugar, *a eleição incondicional*. *Quando, porém, ao que me separou antes de eu nascer...* (1.15a). Não foi Paulo quem escolheu a Deus, mas foi Deus quem o escolheu. Deus não o escolheu porque previu que Paulo iria crer em Cristo, mas Paulo recebeu o dom da fé porque Deus o escolheu. Deus não o escolheu porque Paulo havia praticado boas obras; ele foi escolhido e separado antes mesmo de nascer. A eleição de Deus não se baseia no mérito, pois quando Deus o chamou Paulo era blasfemo, insolente e perseguidor. A eleição divina é incondicional. Como Deus conheceu Jeremias antes que fosse formado no ventre da sua mãe e o consagrou e o constituiu profeta antes de sair da madre (Jr 1.5), assim também Deus escolheu Paulo antes de seu nascimento (1.15). O chamado de Paulo foi feito antes que o apóstolo pudesse pensar por si mesmo, e isto deve comprovar que o Seu evangelho não era de sua própria fabricação.[14] Deus separou Paulo não apenas para a salvação, mas também com um propósito especial: que ele fosse o instrumento a levar essa salvação aos gentios (At 9.15; 22.15; 26.16-18). Calvino destaca aqui três passos: 1) a predestinação eterna; 2) a destinação desde o ventre; e 3) a chamada, que é o efeito e o cumprimento dos dois primeiros passos.[15]

Em segundo lugar, *a chamada irresistível*. *... e me chamou pela Sua graça...* (1.15b). A eleição é incondicional e a graça é irresistível. Deus chama, e chama eficazmente. O mesmo Deus que escolhe é também o Deus que chama e, quando Ele chama, Sua voz é irresistível. Há dois chamados: um externo e outro interno, um dirigido aos ouvidos e outro ao coração. O próprio Paulo ensinou em sua Epístola aos Romanos: *Aos que [Deus] predestinou, a esses também chamou...* (Rm 8.30). Jesus diz: *As minhas ovelhas ouvem a minha voz; eu as conheço, e elas me seguem*

---

[13] WIERSBE, Warren W. *Comentário bíblico expositivo*, p. 898.
[14] GUTHRIE, Donald. *Gálatas: introdução e comentário*, p. 82.
[15] CALVINO, João. *Gálatas*, 2007, p. 35.

(Jo 10.27). Diz ainda: *Todo aquele que meu Pai me dá, esse virá a mim; e o que vem a mim, de modo nenhum, o lançarei fora* (Jo 6.37). De acordo com Calvino, Paulo quis mostrar que sua chamada dependia da eleição secreta de Deus e que ele fora ordenado apóstolo não por esforço próprio, porque se preparara para desempenhar esse nobre ofício ou porque Deus o considerara digno de perfazê-lo, e sim porque, antes mesmo de nascer, já havia sido separado pelo desígnio secreto de Deus.[16] John Stott destaca que Paulo não merecia misericórdia, nem a pedira. Mas a misericórdia fora ao seu encontro, e a graça o chamara.[17]

Em terceiro lugar, **a revelação sobrenatural**. ... *aprouve revelar Seu Filho em mim...* (1.15b,16). Deus revelou Jesus a Paulo e essa revelação não foi apenas no nível intelectual, mas, sobretudo, no nível experimental. A experiência que Paulo teve no caminho de Damasco mudou sua vida. O próprio Cristo ressurreto, a quem Paulo perseguira, apareceu-lhe e transformou sua vida. Sua conversão não foi um sugestionamento psicológico nem uma histeria emocional, mas uma revelação sobrenatural, que transformou radicalmente seu viver.

John Stott tem razão quando escreve: "Paulo perseguia a Cristo porque cria que este era um impostor. Agora os seus olhos estavam abertos para ver Jesus não como um charlatão, mas como o Messias dos judeus, Filho de Deus e o Salvador do mundo".[18] Concordo com Warren Wiersbe quando diz que o mesmo Cristo que ensinou aqui na terra também ensinou, do céu, ao apóstolo Paulo. Assim, Paulo não inventou seus ensinamentos; ele os "recebeu" (Rm 1.5; 1Co 11.23; 15.3). Isso significa que o Cristo dos quatro evangelhos e o Cristo das epístolas é a mesma pessoa; não há conflito algum entre Cristo e Paulo.[19]

Adolf Pohl está certo ao afirmar que essa revelação foi o cerne da experiência de Paulo. Essa revelação não ocorreu apenas diante dos seus olhos físicos, mas se passou de forma avassaladora dentro dele. O termo grego para "revelação", *apokaypsis,* está relacionado com

---

[16] CALVINO, João. *Gálatas*. 2007, p. 35,36.
[17] STOTT, John. *A mensagem de Gálatas*, p. 33.
[18] STOTT, John. *A mensagem de Gálatas*, p. 33.
[19] WIERSBE, Warren W. *Comentário bíblico expositivo*, p. 901.

kálymma, "invólucro". Um "invólucro", que até então lhe obscurecia a verdade e a realidade do Crucificado, veio ao chão. Em 2Coríntios 3.16 Paulo escreve: *Mas quando alguém se converte ao Senhor, o véu* (invólucro) *é retirado.*[20]

Em quarto lugar, **a missão transcultural**. ... *para que eu o pregasse entre os gentios...* (1.16b). O propósito de Deus era revelar Seu Filho Jesus a Paulo e por intermédio de Paulo; o apóstolo deveria conhecer o Filho de Deus e torná-Lo conhecido não apenas aos judeus (At 9.15; 26.20,23), mas também e, sobretudo, aos gentios (At 13.47; 15.12; 18.6; 22.21; 26.17; 28.28; Rm 11.13; Gl 2.2; Ef 3.1,6,8; 1Tm 2.7; 2Tm 1.11; 4.17).

Os mesmos gentios, considerados indignos do amor de Deus pelos fariseus, grupo religioso a que Paulo pertencia, agora são alvos da graça de Deus. Paulo não apenas recebe a revelação de Jesus Cristo, mas também a comissão de pregá-Lo aos gentios (At 22.21; 26.15-28). Revelação e comissão chegam a Paulo ao mesmo tempo. O conteúdo da pregação de Paulo não é apenas uma doutrina, mas uma pessoa. Ele foi chamado para proclamar Cristo.

Concluo este ponto, hipotecando apoio a John Stott quando diz que Saulo de Tarso fora um oponente fanático do evangelho. Mas Deus se agradou fazer dele um pregador do mesmo evangelho ao qual ele antes se opunha tão ferozmente. Sua escolha antes de nascer, sua vocação histórica e a revelação de Cristo nele, tudo isso foi obra de Deus. Portanto, nem a sua missão apostólica nem sua mensagem vinham dos homens.[21]

Paulo, **o apóstolo** (1.16-24)

Depois de falar do seu passado como perseguidor da igreja, e do seu presente como homem a quem Deus revelou Cristo e comissionou para proclamar Cristo aos gentios, Paulo passa a descrever como foi sua convocação para o apostolado. O propósito de Paulo é defender-se da acusação de não ser um apóstolo legítimo. Seu argumento é que

---

[20] POHL, Adolf. *Carta aos Gálatas*, 1999, p. 54,55.
[21] STOTT, John. *A mensagem de Gálatas*, p. 34.

logo depois de sua conversão ele não consultou ninguém acerca das doutrinas do cristianismo nem mesmo subiu a Jerusalém para receber dos apóstolos a autorização para pregar. Seu apostolado e sua comissão lhe foram dados por revelação direta de Jesus.

Paulo faz uma cuidadosa síntese dos primeiros anos do seu ministério, com o propósito de mostrar que era impossível ter recebido o conteúdo do Seu evangelho de qualquer homem ou mesmo dos apóstolos que estavam em Jerusalém. Vamos acompanhar essa trajetória.

Em primeiro lugar, **Paulo foi a Arábia para ficar a sós com Deus**. *... sem detença, não consultei carne e sangue, nem subi a Jerusalém para os que já eram apóstolos antes de mim, mas parti para as regiões da Arábia...* (1.16b-17). "Não consultei carne e sangue" é uma expressão comum para denotar os seres humanos em geral, usualmente em contraste com Deus. Ninguém poderia afirmar que o evangelho de Paulo fosse desenvolvido por ele mesmo, mediante consultas a outras pessoas.[22]

Donald Guthrie, de forma brilhante, mostra a defesa do apostolado de Paulo nos seguintes termos:

> Paulo já na sua saudação inicial reivindicou o ofício apostólico, e agora faz uma alusão passageira àquilo que, na realidade, constitui o ponto crucial da sua teologia. Ele reconhece o fato da apostolicidade dos líderes de Jerusalém, mas admite apenas uma distinção temporal entre o seu ofício e o deles. Na questão de tempo estavam à sua frente, mas não na importância do ofício. Sua comissão apostólica era tão boa quanto a deles; e, portanto, não havia necessidade de confirmarem o seu ofício, embora tivessem chegado cronologicamente antes dele. Deve ser lembrado que Paulo não está, de modo algum, demonstrando desprezo pelos apóstolos originais, mas respondendo à altura às zombarias daqueles que supunham que seu apostolado fosse inferior ou secundário.[23]

Paulo havia sido um fariseu que buscava agradar a Deus pela justiça própria. Acreditava ser aceito por Deus por sua religiosidade e suas boas obras. Por causa de seu autoengano, chegou a perseguir furiosamente

---

[22] GUTHRIE, Donald. *Gálatas: introdução e comentário*, p. 84.
[23] GUTHRIE, Donald. *Gálatas: introdução e comentário*, p. 84,85.

a Igreja de Deus para devastá-la. Logo que se converteu, porém, quis ficar a sós com Deus. Nesse momento não sentiu necessidade de orientação humana, mas da presença e da ajuda de Deus. Ele precisava de um tempo de quietude e solidão para reorganizar sua mente, seus conceitos, seus valores, sua teologia. Concordo com William Barclay, quando diz que, antes de falar aos homens, Paulo precisou falar com Deus.[24] Só se levantam diante dos homens aqueles que primeiro se prostram diante de Deus.

Paulo passou cerca de três anos na Arábia fazendo um seminário intensivo com Jesus. A Arábia ficava cerca de 320 quilômetros ao sul de Damasco e 160 quilômetros a sudeste de Jerusalém. R. E. Howard lembra que a Arábia era um deserto e não uma metrópole próspera. Ali, Paulo teve comunhão com Deus em vez de comunicação com os homens.[25] Porque Jesus passara três anos treinando seus apóstolos, agora investe três anos em Paulo, como um apóstolo chamado fora do tempo. Nesse período Paulo releu o Antigo Testamento e descobriu que aquele mesmo Jesus que outrora perseguira era de fato o Messias (At 9.22). O ensino detalhado de Paulo em Damasco, provando que Jesus é o Cristo, provavelmente aconteceu depois de sua estada na Arábia.[26]

Em segundo lugar, **Paulo retornou a Damasco para corrigir o erro que havia praticado**. ... *e voltei, outra vez, para Damasco* (1.17b). Paulo bufava como fera selvagem quando foi a Damasco. O propósito da sua ida a Damasco era, caso achasse alguns que fossem do Caminho, fossem homens ou mulheres, levá-los presos para Jerusalém (At 9.1,2). A comunidade cristã de Damasco conhecia a fama de Paulo como perseguidor (At 9.13,21). Ele era um touro feroz e indomável que recalcitrava contra os aguilhões. Mas de repente o domador de touros bravos jogou esse valente perseguidor ao chão e bradou-lhe aos ouvidos: *Saulo, Saulo por que me persegues? Dura coisa é recalcitrares contra os aguilhões* (At 26.14). O touro bravo estava caído, vencido, subjugado. O maior perseguidor do cristianismo fora convertido.

---

[24]BARCLAY, William. *Gálatas y Efesios*, p. 24.
[25]HOWARD, R. E. *A Epístola aos Gálatas*, p. 34.
[26]GUTHRIE, Donald. *Gálatas: introdução e comentário*, p. 87.

Logo após ter sido curado, batizado e revestido com o Espírito Santo, Paulo passou a pregar nas sinagogas de Damasco, afirmando que Jesus é o Filho de Deus (At 9.20). Em seguida, foi para a Arábia, onde passou três anos recebendo revelação de Cristo Jesus (1.15-17). Depois disso, voltou outra vez para Damasco. E, agora, ele não apenas afirmava que Jesus é o Filho de Deus, mas o demonstrava, provando detalhada, exaustiva e meticulosamente que Cristo é o Messias (At 9.22). Paulo voltou a Damasco para dar testemunho de Jesus aos que outrora perseguira.

A tese de Paulo é que, nos primeiros três anos depois de sua conversão, tempo em que recebeu o conteúdo da doutrina que passou a ensinar, ele não tivera contato com nenhum mestre humano nem mesmo com aqueles que já eram apóstolos antes dele. Portanto, a tese dos seus críticos, de que seu evangelho era de segunda mão, não passava de falácia.

Em terceiro lugar, **Paulo foi a Jerusalém para enfrentar o seu passado**. *Decorridos três anos, então, subi a Jerusalém para avistar-me com Cefas e permaneci com ele quinze dias; e não vi outro dos apóstolos, senão Tiago, irmão do Senhor. Ora, acerca do que vos escrevo, eis que diante de Deus testifico que não minto* (1.18-20). Antes de sua conversão, Paulo vivia em Jerusalém. Ali se criou aos pés de Gamaliel (At 22.3). Possivelmente foi um dos membros do Sinédrio, pois procediam desse supremo concílio judaico as ordens para perseguir os cristãos, e Paulo era seu agente maior (At 8.1; 9.1; 22.19,20; 26.9-11). Sua volta a Jerusalém não foi fácil. Ele arriscou sua vida. Seus amigos de antes, os judeus, reclamariam Seu sangue, porque para eles Paulo era um renegado e traidor. Já os cristãos poderiam rejeitá-lo por pensar que ele estava sabotando a fé cristã e se infiltrava na igreja para persegui-la (At 9.26).[27]

O propósito da viagem de Paulo a Jerusalém foi pessoal, e não oficial (At 9.26-29).[28] Ele foi avistar Pedro, o líder da igreja de Jerusalém, para mostrar que nunca estivera em desarmonia com os apóstolos e, a essa altura, estava em plena harmonia com todas as opiniões deles.[29]

---

[27] BARCLAY, William. *Gálatas y Efesios*, p. 25.
[28] MACDONALD, William. *Believer's Bible commentary*, p. 1877.
[29] CALVINO, João. *Gálatas*, 2007, p. 38.

O verbo grego *historesai*, "avistar", era usado no sentido de "fazer turismo" e significa "visitar com o propósito de conhecer uma pessoa". Paulo foi visitar os apóstolos não por ter recebido tal ordem, mas de sua própria vontade; não para aprender alguma coisa com eles, mas apenas para conhecer Pedro.[30]

Paulo não foi a Jerusalém para receber autorização ou para aprender teologia, mas para desfrutar de comunhão. Concordo com William Hendriksen, quando escreve: "É evidente que Paulo não foi a Jerusalém para receber a ordem de pregar o evangelho nem tampouco para descobrir seu significado. Ele já havia recebido sua missão como também Seu evangelho, e os recebeu do próprio Senhor Jesus".[31]

Em Jerusalém Paulo passou apenas quinze dias, tempo insuficiente para aprender o conteúdo do evangelho que já proclamava entre os gentios. Vale destacar ainda que grande parte daquelas duas semanas em Jerusalém foi ocupada em pregações (At 9.28,29). Ademais, os outros apóstolos deviam estar fora da cidade nesse período, em atividades missionárias, uma vez que Paulo não os encontrou (1.19). Apenas viu Tiago, irmão do Senhor, pastor e líder da igreja jerosolimitana. Resumindo, a primeira visita de Paulo a Jerusalém deu-se apenas depois de três anos, durou apenas duas semanas, e ele encontrou apenas dois apóstolos. Portanto, é ridículo sugerir que tenha recebido o Seu evangelho dos apóstolos em Jerusalém.[32]

Em quarto lugar, **Paulo foi a Síria e Cilícia para enfrentar sua cidade natal**. *Depois, fui para as regiões da Síria e da Cilícia* (1.21). Tarso, na Cilícia, foi a cidade onde Paulo nasceu. Ele estava ali obviamente não porque fosse de sua vontade voltar à sua terra natal, mas porque não podia mais permanecer em Jerusalém (At 9.29,30). Aliás, o próprio Deus o mandou sair de Jerusalém (At 22.17-21). Na verdade, Paulo foi levado a Cesareia e dali enviado a Tarso (At 9.30). Em Tarso precisou encontrar seus amigos de infância e juventude. Muitos deles possivelmente o consideravam um louco por pregar agora o que tentara antes

---

[30] STOTT, John. *A mensagem de Gálatas*, p. 36.
[31] HENDRIKSEN, William. *Gálatas*, p. 67.
[32] STOTT, John. *A mensagem de Gálatas*, p. 36.

destruir. O ponto é que em todo esse tempo Paulo não aprendeu o evangelho que pregava aos gentios de homem algum, nem mesmo dos apóstolos de Jerusalém. Seus argumentos são absolutos e irrefutáveis.

Em quinto lugar, **Paulo e sua mensagem são motivos de glória ao nome de Deus entre as igrejas da Judeia**. *E não era conhecido de vista das igrejas da Judeia, que estavam em Cristo. Ouviam somente dizer: Aquele que, antes, nos perseguia, agora, prega a fé que, outrora, procurava destruir. E glorificavam a Deus a meu respeito* (1.22-24). Paulo está fechando seu argumento de que não aprendeu nem recebeu sua mensagem de homem algum, nem daqueles que já eram apóstolos antes dele, pois nem mesmo era conhecido pessoalmente das igrejas da Judeia que estavam em Cristo. Essas igrejas glorificavam a Deus a seu respeito tanto pela sua conversão como pela sua pregação e, se o faziam, era porque o evangelho que proclamava era e é o único evangelho verdadeiro, evangelho crido pelos judeus crentes e combatido pelos falsos mestres judaizantes.

F. F. Bruce tem razão quando escreve: "Durante os anos que seguiram a breve visita de Paulo a Jerusalém, bem como o pequeno intervalo que a precedeu, ele estava ativamente engajado na pregação do evangelho, sem requerer ou receber nenhuma autorização para fazê-lo da parte dos líderes da igreja mãe".[33] Ainda Lutero corrobora com essa ideia ao colocar na boca de Paulo as seguintes palavras, em sua defesa:

As igrejas testemunham, não somente em Damasco, Arábia, Síria, e Cilícia, mas também na Judeia, que eu tenho pregado a mesma fé que primeiramente persegui. E essas igrejas glorificaram a Deus em mim; não porque eu ensinei que a circuncisão e a lei de Moisés deveriam ser guardadas, mas pela pregação da fé, e pela edificação das igrejas pelo meu ministério no evangelho.[34]

Concordo com John Stott quando diz: "As igrejas da Judeia não glorificam a Paulo, mas a Deus em Paulo, reconhecendo que este era um troféu extraordinário da graça de Deus".[35] Donald Guthrie tem razão ao defender que, quando Paulo relatou ser ele a causa de as igrejas

---

[33] BRUCE. F. F. *The Epistle to the Galatians*, p. 105.
[34] LUTHER, Martin. *Galatians*, p. 1.288.
[35] STOTT, John. *A mensagem de Gálatas*, p. 36.

da Judeia louvarem a Deus, não havia sinal de jactância da sua parte, porque ele nunca cessou de maravilhar-se diante daquilo que a graça de Deus efetuara na sua própria vida, e sentia-se imensamente grato quando outras pessoas também reconheciam o fato.[36]

Concluo esta exposição com a síntese de John Stott:

> O que Paulo diz em Gálatas 1.13-24 pode ser resumido da seguinte forma: o fanatismo de sua carreira antes da conversão, a iniciativa divina na sua conversão e depois, o seu isolamento quase total dos líderes da igreja de Jerusalém, tudo contribuía para provar que sua mensagem não era humana, mas divina. Além disso, essas evidências históricas e circunstanciais não poderiam ser contestadas. O apóstolo pode confirmar e garantir com isso com uma solene afirmação: *Ora, acerca do que vos escrevo, eis que diante de Deus testifico que não minto* (1.20).[37]

---

[36] GUTHRIE, Donald. *Gálatas: introdução e comentário*, p. 91.
[37] STOTT, John. *A mensagem de Gálatas*, p. 37.

5
o evangelho de Paulo é o mesmo dos apóstolos de Jerusalém

Gálatas 2.1-10

O APÓSTOLO PAULO AINDA ESTÁ DEFENDENDO seu apostolado e Seu evangelho. Os inimigos ainda são os mesmos, os judaizantes. O propósito deles também é o mesmo, ou seja, perverter o evangelho e perturbar a igreja. A acusação desses falsos irmãos é que o evangelho pregado por Paulo era diferente do evangelho pregado pelos apóstolos de Jerusalém, dos quais Paulo não possuía o aval e com os quais não estava em consonância. John Stott diz que eles estavam tentando romper a unidade do círculo apostólico, ao alegar abertamente que os apóstolos se contradiziam.

No capítulo 1 Paulo mostrou que o Seu evangelho vinha de Deus e não dos homens. Agora, ele mostra que o Seu evangelho não é diferente, mas precisamente o mesmo dos outros apóstolos. A fim de provar que o Seu evangelho é independente do evangelho dos outros apóstolos, Paulo destacou que fizera apenas uma breve visita a Jerusalém em quatorze anos. A fim de provar que o Seu evangelho era, contudo, idêntico ao evangelho deles, o apóstolo agora diz que, ao fazer a devida visita a Jerusalém, o Seu evangelho fora endossado e aprovado pelos demais.[1]

---
[1] STOTT, John. *A mensagem de Gálatas*, p. 40.

Conforme Warren Wiersbe, Paulo explicou no capítulo 1 sua independência dos outros apóstolos; agora, no capítulo 2, destaca sua interdependência com respeito aos apóstolos.[2] O texto em tela é uma resposta a esses críticos de plantão.

Vamos destacar cinco pontos importantes no texto em apreço.

A viagem de Paulo (2.1,2)

Paulo fez cinco viagens a Jerusalém depois de sua conversão. A primeira delas ocorreu três anos após sua conversão (1.17,18; At 9.26), quando passou quinze dias com o apóstolo Pedro e com Tiago (1.18,19). A segunda visita está relacionada ao socorro financeiro que Barnabé e ele levaram aos pobres da Judeia (At 11.29,30; 12.25). A terceira visita tem a ver com o Concílio de Jerusalém para resolver a questão judaizante (At 15.2-29). A quarta visita foi uma passagem muito rápida ao final da segunda viagem missionária e antes da terceira viagem missionária (At 18.22). A quinta e última visita de Paulo a Jerusalém aconteceu quando ele foi levar uma oferta das igrejas da Macedônia e Acaia aos pobres da Judeia, ocasião em que o apóstolo terminou preso (At 21.17).

Um dos pontos mais difíceis dessa epístola é identificar se essa viagem de Paulo a Jerusalém foi a segunda ou a terceira. Não há consenso entre os estudiosos sobre essa matéria. Calvino, F. F. Bruce, Duncan, Ellis, Emmet, Hoerber, Knox, Stott são da opinião de que essa viagem é a segunda; porém, outros eruditos do mesmo calibre, como Berkhof, Eerdman, Findlay, Greijdanus, Grosheide, Lightfoot, Rendall, Robertson, Warren Wiersbe, defendem a tese de que se trata da terceira viagem. Há pontos fortes e fracos em ambos os lados. No entanto, estou inclinado a crer que essa viagem de Paulo a Jerusalém é uma referência à sua segunda e não à terceira visita.[3] Ou seja, a Carta aos Gálatas foi escrita antes do Concílio de Jerusalém, e não depois dele. Concordo com Calvino quando escreve:

---

[2] WIERSBE, Warren W. *Comentário bíblico expositivo*, p. 906.
[3] HENDRIKSEN, William. *Gálatas*, p. 77-84.

É ilógico imaginar que Pedro teria usado tal dissimulação (2.11-21), se a controvérsia já houvesse sido resolvida e o decreto apostólico, publicado. Mas, nessa passagem, Paulo escreve que viera a Jerusalém e, somente depois, acrescenta que repreendera a Pedro, por causa de um ato de dissimulação, um ato que, com certeza, Pedro não teria cometido, exceto em questões duvidosas.[4]

Se a Carta aos Gálatas tivesse sido escrita depois do Concílio de Jerusalém, bastaria a Paulo mostrar às igrejas a decisão dos presbíteros e apóstolos de Jerusalém isentando os gentios do rito da circuncisão, e ele já teria tapado a boca dos insolentes judaizantes.

Destacamos aqui três pontos importantes.

Em primeiro lugar, **os companheiros de Paulo**. *Catorze anos depois, subi outra vez a Jerusalém com Barnabé, levando também a Tito* (2.1). Não podemos ter completa garantia de que esses quatorze anos se passaram depois de sua conversão ou depois de sua primeira viagem a Jerusalém (At 9.26). Isso, porém, não altera em nada o cerne da questão que será tratada nessa viagem. Em qualquer das duas interpretações, a declaração demonstra que um período considerável decorreu sem que houvesse intercâmbio oficial entre o apóstolo e os líderes em Jerusalém.[5]

O que de fato importa são os companheiros que seguem Paulo nessa visita a Jerusalém. Barnabé é judeu, e Tito, gentio. Barnabé é um judeu ligado ao ministério gentílico, e Tito é um gentio convertido à fé cristã, produto daquela mesma missão gentia que estava então em discussão e que os judaizantes punham em dúvida.[6] Ambos são importantes na defesa do evangelho pregado por Paulo.

Barnabé foi o companheiro de Paulo na primeira viagem missionária, e Tito era filho na fé de Paulo (Tt 1.4). Barnabé, sendo judeu, estava de pleno acordo com o evangelho pregado por Paulo, evangelho esse que não foi modificado pelos apóstolos de Jerusalém (2.6-10); e Tito, sendo um gentio, foi aceito sem precisar submeter-se ao rito da circuncisão (2.3-5).

---

[4]CALVINO, João. *Gálatas*, 2007, p. 42.
[5]GUTHRIE, Donald. *Gálatas: introdução e comentário*, p. 92.
[6]STOTT, John. *A mensagem de Gálatas*, p. 40.

Citado oito vezes em 2Coríntios e uma vez em 2Timóteo, Tito foi o destinatário da carta do Novo Testamento que leva o seu nome (Tt 1.4). Donald Guthrie ressalta que o ponto principal da menção de Tito é dar exemplo de um gentio cristão cujo relacionamento com a circuncisão pode ser considerado típico para todos os gentios.[7] A brecha nas fileiras apostólicas era um mito que só estava na cabeça dos falsos mestres.

Concordo com John Stott quando diz que Paulo levou Tito a Jerusalém não para despertar atritos, mas para estabelecer a verdade do evangelho: que judeus e gentios são aceitos por Deus nos mesmos termos, a saber, a fé em Jesus Cristo, e, portanto, todos devem ser aceitos pela igreja sem nenhuma discriminação.[8]

Em segundo lugar, *a motivação de Paulo*. *Subi em obediência a uma revelação...* (2.2a). Paulo foi a Jerusalém em obediência a uma revelação divina, e não por uma convocação humana. Ele foi não para buscar aprovação dos homens, mas para obedecer a um mandato de Deus; não para receber autorização dos apóstolos de Jerusalém para pregar, mas para defender o evangelho que pregava. Como diz Calvino, Paulo não foi posto no ofício apostólico por determinação dos outros apóstolos; foi reconhecido por eles como um apóstolo.[9]

Em terceiro lugar, *o propósito de Paulo*. *... e lhes expus o evangelho que prego entre os gentios, mas em particular aos que pareciam de maior influência, para, de algum modo, não correr ou ter corrido em vão* (2.2b). O propósito dessa viagem de Paulo a Jerusalém era expor o evangelho pregado por ele entre os gentios aos cristãos de Jerusalém e aos apóstolos. Paulo estava muito interessado em que os crentes e os apóstolos conhecessem o conteúdo de sua pregação. Donald Guthrie tem razão quando diz que, às vezes, as congregações nas reuniões missionárias revelam uma grande falta de interesse pela natureza do evangelho que está sendo pregado.[10]

---

[7] GUTHRIE, Donald. *Gálatas: introdução e comentário*, p. 95.
[8] STOTT, John. *A mensagem de Gálatas*, p. 42.
[9] CALVINO, João. *Gálatas*, 2007, p. 43.
[10] GUTHRIE, Donald. *Gálatas: introdução e comentário*, p. 93.

Se a acusação dos judaizantes, de que Paulo pregava um evangelho diferente do evangelho pregado pelos demais apóstolos, pudesse ser provada, a causa do evangelho entre os gentios estaria perdida. O propósito de Paulo era provar que não havia uma fenda entre ele e os demais apóstolos. Não havia dois evangelhos, nem conflito entre os apóstolos. Os ministérios eram diferentes, mas o evangelho era o mesmo. Os mensageiros tinham dons e campos de atuação diferentes, mas a mensagem era a mesma.

O evangelho de Paulo (2.2-6)

O propósito da viagem era reafirmar a essência do evangelho pregado por Paulo entre os gentios. Destacamos aqui quatro pontos importantes.

Em primeiro lugar, *o evangelho pregado aos gentios é o mesmo pregado aos judeus*. ... *e lhes expus o evangelho que prego entre os gentios...* (2.2). A tese de Paulo é que não havia conflito entre o evangelho da circuncisão e o evangelho da incircuncisão; entre o evangelho pregado entre os judeus e o evangelho pregado entre os gentios; entre o evangelho pregado pelos apóstolos de Jerusalém e o evangelho pregado por ele. A mensagem que Paulo pregou aos crentes da Galácia foi: *Tomai, pois, irmãos, conhecimento de que se vos anuncia remissão de pecados por intermédio deste; e, por meio dele, todo o que crê é justificado de todas as coisas das quais vós não pudestes ser justificados pela lei de Moisés* (At 13.38,39).

Só existe um evangelho. Um evangelho diferente seria outro evangelho, um falso evangelho, um evangelho que deveria ser anátema. Como John Stott reconhece, não existe um evangelho paulino, outro petrino e outro ainda joanino, como se fossem totalmente diferentes um do outro. Isso é um erro. Os apóstolos não se contradizem. Há diferença de estilos, de ênfase e de esfera, mas há um único evangelho. Paulo evidenciou nessa passagem que estava de pleno acordo com os apóstolos de Jerusalém, e estes com ele. O evangelho não mudou com o passar dos séculos. Seja pregado a jovens ou a velhos, no Leste ou no Oeste, a judeus ou a gentios, a pessoas cultas ou a ignorantes, a cientistas ou a leigos, embora a sua apresentação possa variar, a substância continua sendo a mesma. Paulo e Pedro tiveram diferentes comissionamentos, mas uma mensagem comum.[11]

Em segundo lugar, *o evangelho pregado aos gentios é o evangelho da liberdade* (2.3-5). Vejamos o relato do apóstolo:

> *Contudo, nem mesmo Tito, que estava comigo, sendo grego, foi constrangido a circuncidar-se. E isto por causa dos falsos irmãos que se entremeteram com o fim de espreitar a nossa liberdade que temos em Cristo Jesus e reduzir-nos à escravidão; aos quais nem ainda por uma hora nos submetemos, para que a verdade do evangelho permanecesse entre vós* (2.3-5).

Tito foi levado por Paulo como um exemplo de que é possível um gentio ser salvo sem ser circuncidado. Para os judaizantes a presença de um gentio incircunciso na igreja era uma afronta, enquanto para Paulo era a evidência da eficácia da graça e da liberdade do evangelho. Se cedesse à pressão dos judaizantes para circundar Tito, Paulo estaria comprometendo a essência do evangelho. A própria liberdade cristã estaria danificada. Isso seria voltar à escravidão da lei.

É claro que a liberdade cristã não é sinônimo de licenciosidade (5.13). Adolf Pohl está certo ao conjeturar que o cristão livre não é o ser humano deixado solto, mas aquele que vive com seu libertador e para o seu libertador. Fora do senhorio de Cristo a liberdade é uma ilusão; tão somente encobriríamos nossas paixões e desejos com uma palavra grandiosa.[12]

John Stott está absolutamente correto, quando escreve:

> Introduzir obras da lei e fazer a nossa aceitação depender de nossa obediência a regras e regulamentos era fazer o homem livre retroceder para a escravidão. Neste princípio Tito era um teste. Era verdade que ele era um gentio incircunciso, mas era também um cristão convertido. Tendo crido em Jesus, fora aceito por Deus em Cristo, e isso, dizia Paulo, era suficiente. Nada mais era necessário para a sua salvação, como o confirmou mais tarde o Concílio de Jerusalém (At 15.11).[13]

---

[11] STOTT, John. *A mensagem de Gálatas*, p. 46,47.
[12] POHL, Adolf. *Carta aos Gálatas*, 1999, p. 66.
[13] STOTT, John. *A mensagem de Gálatas*, p. 43.

Quando se tratava da defesa do evangelho, Paulo era absolutamente inflexível. Esses falsos irmãos, como espiões e traidores, como agentes de serviço secreto, introduziram-se furtivamente na igreja para perturbar os crentes e perverter o evangelho. Mas encontraram em Paulo um muro de concreto, uma rocha inabalável e um apóstolo intransigente. Paulo era flexível com os irmãos fracos, mas inflexível com os falsos irmãos. Quando se trata da verdade do evangelho não podemos ceder uma polegada nem transigir com uma vírgula. Negociar a verdade é cair na vala da apostasia. David Stern defende claramente que aqueles que insistem na circuncisão dos gentios (2.3-5) não possuem um evangelho melhor e mais puro, mas uma perversão do evangelho (1.6-9), reprovada pelas próprias pessoas para cuja autoridade eles apelavam (2.8,9; 5.11).[14]

Em terceiro lugar, *o evangelho pregado entre os gentios não depende da aprovação dos homens*. *E, quanto àqueles que pareciam ser de maior influência (quais tenham sido, outrora, não me interessa; Deus não aceita a aparência de homem)...* (2.6a). Paulo não estava depreciando os apóstolos de Jerusalém, mas sim as reivindicações extravagantes e exclusivas estabelecidas para eles pelos judaizantes. John Stott enfatiza que as palavras de Paulo não são uma negação da autoridade apostólica deles, nem uma indicação de desrespeito. Paulo simplesmente está dizendo que, embora aceite o seu posto de apóstolos, não se sente intimidado por suas pessoas, como acontecia com os judaizantes.[15]

Calvino alega que a razão dessa santa jactância de Paulo não era a consideração por sua própria pessoa, e sim a necessidade de proteger sua doutrina. A controvérsia não se referia a indivíduos; portanto, não era um conflito de ambições. Em outras palavras, Paulo não questionava a dignidade dos apóstolos, e sim a vanglória indolente de seus adversários. A fim de apoiar pretensões indignas, eles enalteciam Pedro, Tiago e João, tirando proveito da veneração que a igreja lhes tributava, para satisfazerem seu desejo intenso de prejudicar Paulo. A intenção de Paulo, nessa passagem, não era esclarecer quem eram os apóstolos. O objetivo dele era desmascarar os falsos apóstolos.[16]

---

[14] STERN, David. *Comentário judaico do Novo Testamento*, p. 569.
[15] STOTT, John. *A mensagem de Gálatas*, p. 44.
[16] CALVINO, João. *Gálatas*, 2007, p. 48-50.

Em quarto lugar, *o evangelho pregado entre os gentios não aceita acréscimos*.... *esses, digo, que me pareciam ser alguma coisa nada me acrescentaram* (2.6b). Paulo está declarando que Seu evangelho não precisava de revisão, aprovação ou acréscimo. O evangelho de Paulo não era deficiente como insinuavam os falsos mestres. Os apóstolos de Jerusalém não precisaram acrescentar coisa alguma à pregação de Paulo entre os gentios. O evangelho pregado por Paulo não havia sido criado por ele nem mesmo tinha recebido dos apóstolos que vieram antes dele, mas fora recebido do próprio Senhor Jesus. Consequentemente, sua mensagem era a verdade do evangelho (2.5), a mensagem da "...nossa liberdade que temos em Cristo Jesus" (2.4), a mensagem completa e imutável.

O ministério de Paulo (2.7-9a)

Paulo passa da defesa do Seu evangelho para o alcance do seu ministério. Deus lhe deu a graça de pregar aos gentios, enquanto deu a Pedro o privilégio de pregar aos judeus. Seu ministério direcionava-se especialmente aos gentios, enquanto o ministério de Pedro se direcionava especialmente aos judeus. Os dois apóstolos não eram rivais, mas parceiros. Tinham ministérios diferentes, dirigidos a públicos diferentes, mas anunciavam o mesmo evangelho da graça. Destacamos aqui dois pontos importantes.

Em primeiro lugar, *o ministério de Paulo aos gentios era vocação divina, e não delegação humana*. *Antes, pelo contrário, quando viram que o evangelho da incircuncisão me fora confiado, como a Pedro o da circuncisão* (2.7). Paulo não pregou aos gentios porque deliberou fazê-lo por conta própria, nem porque Pedro ou os demais apóstolos o comissionaram para esse mister. O mesmo Jesus que o chamou, esse mesmo também lhe designou o campo. Sua vocação e esfera do seu ministério foram determinados por Cristo Jesus. A tese judaizante de que Paulo era um apóstolo inferior aos demais esbarra na verdade de que seu chamado apostólico é divino e o alcance de seu ministério foi apontado pelo próprio Deus.

O fato de o ministério de Paulo estar direcionado aos gentios não significa desatenção para com os judeus. O apóstolo sentia um grande peso em seu coração pelo Seu povo (Rm 9.1-3). Sempre que chegava em uma cidade, dirigia-se primeiro à sinagoga, caso houvesse uma, e começava seu trabalho no meio do seu próprio povo. Da mesma forma, Pedro também não estava excluído de ministrar aos gentios (At 8;10). No entanto, cada um concentraria seus esforços no campo que o Espírito Santo havia lhe designado. Tiago, Pedro e João falariam aos judeus; Paulo falaria aos gentios.[17]

Em segundo lugar, **o ministério de Paulo aos gentios era capacitação divina, e não treinamento humano**. *Pois aquele que operou eficazmente em Pedro para o apostolado da circuncisão também operou eficazmente em mim para os gentios* (2.8). O Senhor não apenas conduziu Paulo aos gentios, mas o capacitou eficazmente para esse trabalho, da mesma forma que fez com Pedro em relação aos judeus. O chamado vem de Deus, assim como o poder e a capacitação para exercer o ministério. Paulo não é apóstolo por vontade própria nem exerce o apostolado com poder próprio. Tanto sua vocação quanto Seu poder vêm de Deus.

A aprovação de Paulo (2.9)

As colunas da igreja em Jerusalém, Tiago, Cefas e João, não apenas reconheceram o apostolado de Paulo endereçado aos gentios, mas também estenderam a ele e a Barnabé a destra de comunhão, a fim de que fossem uns para os gentios, e outros, para a circuncisão. Destacamos aqui dois pontos.

Em primeiro lugar, **a liderança da igreja está unida em torno do único evangelho**. *E, quando conheceram a graça que me foi dada, Tiago, Cefas e João, que eram reputados colunas, me estenderam, a mim e a Barnabé, a destra de comunhão...* (2.9a). Os colunas de Jerusalém não excluíam Paulo e Barnabé, como os judaizantes almejavam, mas reconheciam os colunas de Antioquia como da mesma altura. Selaram de modo demonstrativo a sua comunhão por meio do aperto de mão com validade legal.[18] A tese dos judaizantes estava derrotada. Os apóstolos de Jerusalém e Paulo não estão em conflito, mas dando as

---

[17] WIERSBE, Warren W. *Comentário bíblico expositivo*, p. 905.
[18] POHL, Adolf. *Carta aos Gálatas*, 1999, p. 70.

mãos em sinal de total concordância acerca do único evangelho a ser pregado, quer entre os gentios, quer entre os judeus. Se a liderança da igreja estivesse dividida quanto ao conteúdo do evangelho, a igreja não prosperaria, pois uma casa dividida contra si mesma não permanece em pé. A verdade do evangelho é o cimento que nos une. Não há unidade fora da verdade. O ecumenismo que pretende unir todas as crenças debaixo do mesmo teto é um falacioso engano. Não existe unidade onde a verdade é sacrificada. Concordo com Warren Wiersbe quando escreve:

> A grande preocupação de Paulo era com "a verdade do evangelho" (Gl 2.5,14), não com a "paz da igreja". A sabedoria que Deus envia do alto é "primeiramente pura; depois pacífica" (Tg 3.17). A "paz a qualquer custo" não era a filosofia de ministério de Paulo, e também não deve ser a nossa.[19]

Em segundo lugar, *a liderança da igreja reconhece a diferença de ministérios*. ... *a fim de que nós fôssemos para os gentios, e eles, para a circuncisão* (2.9b). Os líderes da igreja de Jerusalém selaram a unidade cristã ao darem a Paulo e a Barnabé a destra de comunhão, enquanto rechaçavam as ideias heréticas dos judaizantes. Não havia mais dúvida de que a suposta fenda entre os apóstolos e Paulo não passava de uma fantasia na mente desses falsos irmãos que se intrometeram na igreja para perverter o evangelho. O fato, porém, de existir um só evangelho não significa que o evangelho não tenha endereçamentos distintos. Enquanto Paulo e Barnabé são enviados aos gentios, os apóstolos são enviados aos judeus. O mesmo evangelho deve ser pregado a gentios e judeus. A mensagem é a mesma, mas a forma é diferente. O conteúdo é o mesmo, mas a abordagem é diferente. A teologia é a mesma, mas o método é diferente. Adolf Pohl corretamente sintetiza: "Um novo grupo alvo da proclamação demanda diferente apresentação, ênfase e concentração".[20]

---

[19] WIERSBE, Warren W. *Comentário bíblico expositivo*, p. 905.
[20] POHL, Adolf. *Carta aos Gálatas*, 1999, p. 68.

O compromisso de Paulo (2.10)

O apóstolo Paulo passa das considerações teológicas acerca do conteúdo e da defesa do evangelho para os aspectos práticos – o auxílio aos pobres.[21] Doutrina e prática andam juntas. A teologia cristã precisa desembocar na prática do amor cristão. A salvação é só pela fé, independentemente das obras, mas a fé salvadora não vem só, ela produz obras. A fé sem obras é morta. A fé opera pelo amor. A fé é a fonte; as obras, o fluxo que corre dessa fonte. A fé é a raiz; as obras, os frutos. A fé a causa; as obras, a consequência. Não somos salvos *pelas* obras, mas *para* as obras. O mesmo evangelho que liberta do pecado, também assiste os necessitados. Duas verdades são aqui destacadas.

Em primeiro lugar, **não há conflito entre fé e obras**. *Recomendando-nos somente que nos lembrássemos dos pobres...* (2.10). O evangelho da graça é integral. Ele provê salvação para a alma e redenção para o corpo. É transcendental e ao mesmo tempo assistencial. Não existe conflito entre evangelização e ação social. Fé e obras não se excluem; completam-se. Quando o coração está aberto para Deus, está também franqueado para o próximo. A conversão do coração passa também pela generosidade do bolso. Quem ama a Deus também serve ao próximo. Quem adora a Deus também socorre o necessitado.

Em segundo lugar, **não há conflito entre evangelização e ação social**. *... o que também me esforcei por fazer* (2.10b). Não há conflito entre a pregação do evangelho e o cuidado dos pobres. Paulo foi um homem que se afadigou na Palavra. Ele se gastou pelo evangelho. Pregou com senso de urgência e também com lágrimas. Ao mesmo tempo, porém, esforçou-se para socorrer os pobres. Foi a Jerusalém duas vezes com o propósito de levar ofertas aos necessitados (At 11.29,30; 21.17). Compromisso assumido, compromisso cumprido. A pobreza dos crentes da Judeia despertou a simpatia das igrejas gentias (Rm 15.25-27; 1Co 16.1-4; 2Co 8–9). Evangelização sem ação social gera um pietismo alienado; ação social sem evangelização produz um assistencialismo humanista. Ao longo dos séculos o evangelho de Cristo tem sido o vetor inspirador

---

[21] WIERSBE, Warren W. *Comentário bíblico expositivo*, p. 906.

para as maiores obras sociais do mundo, criando hospitais, escolas, asilos e dezenas de instituições que cuidam do ser humano de forma integral.

Concluímos esta exposição com a perspectiva de William Hendriksen. Ele diz que ajudar os pobres é requerido na lei de Deus (Êx 23.10,11; 30.15; Lv 19.10; Dt 15.7-11), na exortação dos profetas (Jr 22.16; Dn 4.27; Am 2.6,7) e no ensino de Jesus (Mt 7.12; Lc 6.36,38; Jo 13.29). É fruto da gratidão do crente pelos benefícios recebidos. Aqueles que recebem misericórdia tornam-se misericordiosos. Paulo diz que aqueles que recebem benefícios espirituais devem retribuir com benefícios materiais (Rm 15.26,27). Jesus é o maior exemplo de generosidade (2Co 8.9). O homem generoso receberá grande recompensa (Mt 25.31-40).[22]

---

[22]HENDRIKSEN, William. *Gálatas*, p. 94.

6

O evangelho da
graça sob ataque

Gálatas 2.11-14

ESSA É UMA DAS PASSAGENS MAIS CONSTRANGEDORAS da Bíblia e uma das mais polêmicas dessa carta. Vemos aqui Pedro e Paulo, os dois maiores líderes da igreja, num profundo conflito. O livro de Atos destaca de forma singular a liderança desses dois homens. A primeira parte de Atos concentra-se na liderança de Pedro, e a segunda parte do livro enfatiza a liderança de Paulo. A Pedro foi confiado o apostolado da circuncisão, e a Paulo o da incircuncisão, ou seja, Pedro direcionou seu ministério aos judeus e Paulo aos gentios.

Não há dúvida alguma de que, tanto Pedro quanto Paulo são homens convertidos e chamados por Jesus para serem apóstolos. Ambos foram investidos de autoridade. Ambos são respeitados nas igrejas por sua liderança. Ambos já haviam sido poderosamente usados por Deus. Aqui, porém, vemos Paulo confrontando Pedro face a face. Concordo com John Stott quando diz: "Não que Pedro negasse o evangelho em sua doutrina, pois Paulo se esmera em demonstrar que ele e os apóstolos de Jerusalém estavam unidos quanto ao evangelho (2.1-10), e ele repete este fato aqui (2.15,16). A ofensa de Pedro contra o evangelho foi na sua conduta".[1]

---

[1] STOTT, John. *A mensagem de Gálatas*, p. 49.

Paulo segue mantendo a independência essencial tanto de Seu evangelho como de sua posição.[2] Em outras palavras, Paulo ainda está defendendo seu apostolado diante dos seus críticos. O que ele vem provando até agora é que tanto o seu apostolado quanto a sua mensagem não foram recebidos de homem algum, nem mesmo dos apóstolos de Jerusalém. Paulo provou ainda que Seu evangelho é independente dos apóstolos de Jerusalém, mas não diferente do evangelho pregado por eles. Não temos dois evangelhos, um endereçado aos judeus e outro aos gentios. Temos um único evangelho, com abordagens diferentes, mas com o mesmo conteúdo. Nessa mesma linha de pensamento Donald Guthrie pondera que a razão de Paulo mencionar esse confronto pessoal com Pedro era solidificar seus argumentos anteriores de não ter sido convocado a submeter seus programas de ação às autoridades de Jerusalém. Quando resistiu até mesmo publicamente a Pedro diante da igreja de Antioquia, Paulo não poderia ter dado evidência mais clara da sua posição apostólica.[3] Para David Stern, Paulo está afirmando aqui que a sua autoridade está tão bem fundamentada que ele podia opor-se publicamente ao emissário líder Pedro. Paulo não fez isso para se autopromover, mas porque Pedro, na posição de modelo a ser seguido, estava agindo de forma errada, e os gálatas precisavam ser alertados.[4]

Agora, Paulo evidencia que o evangelho é maior do que o apóstolo, e demonstra que a verdade está acima da personalidade. Obviamente o foco dessa passagem não é destacar uma disputa das vaidades pessoais. Não se trata de um jogo de interesse pessoal. Paulo não está tentando promover-se diante dos seus críticos, ao mesmo tempo em que diminuía Pedro. O que está em jogo nesse texto não é uma luta pessoal por prestígio, mas a defesa da verdade, a integridade e a credibilidade do próprio evangelho da graça.

Vale destacar ainda que o texto em tela coloca o machado da verdade na raiz da pretensa tese romana do primado de Pedro e sua superioridade sobre os demais apóstolos. Aqui Pedro está sendo corrigido

---

[2]HENDRIKSEN, William. *Gálatas*, p. 97.
[3]GUTHRIE, Donald. *Gálatas: introdução e comentário*, p. 103.
[4]STERN, David. *Comentário judaico do Novo Testamento*, p. 570.

por Paulo. Pedro agira de forma inconsistente com o evangelho que ele mesmo pregava, e por isso está sendo repreendido.

Destacamos alguns pontos para a nossa reflexão.

Uma **atitude incompatível** com o evangelho da graça (2.11-13)

A cena move-se de Jerusalém para Antioquia, do centro do judaísmo para o quartel-general da igreja gentílica. Antioquia é a terceira maior cidade do Império Romano e o lugar onde primeiramente os discípulos de Cristo foram chamados cristãos. Nessa cidade o evangelho prosperou e a partir daí alcançou o mundo. Quatro fatos nos chamam a atenção aqui.

Em primeiro lugar, *Pedro visita o quartel-general da igreja gentílica. Quando, porém, Cefas veio a Antioquia, resisti-lhe face a face, porque se tornara repreensível* (2.11). Não sabemos exatamente quando foi essa visita de Pedro a Antioquia. Precisamos deixar claro que essa Antioquia é a capital da Síria, e não a Antioquia da Pisídia. Adolf Pohl diz que, depois de Roma e Alexandria, Antioquia era a cidade mais importante do mundo antigo, e naquele tempo estava no auge de sua existência.[5] Nessa grande metrópole do mundo antigo florescia uma igreja multirracial e multicultural, como uma das provas mais eloquentes da unidade gerada pelo evangelho.

Concordamos com Calvino que essa visita precedeu ao Concílio de Jerusalém, porque não faria sentido Pedro ter agido de forma tão instável depois da decisão tomada pelos apóstolos e presbíteros com respeito à aceitação dos gentios na comunidade cristã sem a necessidade de observar os preceitos judaicos. O certo é que Pedro vai a Antioquia, o quartel-general da igreja gentílica, e nessa visita tropeça em seu testemunho, tornando-se inconsistente.

Em segundo lugar, *Pedro inicialmente acolhe os crentes gentios. Com efeito, antes de chegarem alguns da parte de Tiago, comia com os gentios...* (2.12). William Hendriksen é da opinião que Paulo se referia à

---
[5] POHL, Adolf. *Carta aos Gálatas*, 1999, p. 78.

refeição de comunhão da *festa do ágape* da igreja primitiva, ao final da qual a Ceia do Senhor era celebrada (1Co 11.17-34). Essa refeição era uma demonstração do amor fraternal, especialmente quando os mais abastados repartiam com os crentes pobres, pelo menos uma vez por semana, uma refeição mais substanciosa. William Barclay informa que, para muitos crentes oriundos do escravagismo, essa era a única refeição decente da semana.[6] No entanto, não tardou para que o propósito dessas refeições se desviasse. Em Corinto, por exemplo, houve uma segregação social, quando os irmãos ricos se apartaram dos irmãos pobres (1Co 11.17-22), enquanto em Antioquia houve uma segregação racial, quando os cristãos judeus se apartaram dos cristãos gentios (2.12).[7]

Pedro tinha plena convicção de que os gentios convertidos faziam parte da igreja de Cristo. Ele aprendeu sobre a universalidade do evangelho com o próprio Jesus (Jo 3.16; 4.42; 10.16; 12.32; 17.19,20). Depois do Pentecostes, ele mesmo abriu a porta do evangelho aos gentios, indo à casa de Cornélio, um gentio piedoso, por orientação do Espírito, para pregar-lhes o evangelho e recebê-los à comunhão da igreja pelo batismo (At 10.9-16,28). O próprio Pedro defendeu sua conduta diante da igreja de Jerusalém, mostrando que a porta do evangelho estava aberta aos gentios tanto quanto aos judeus (At 11.1-18). De forma consistente ao evangelho e de acordo com suas próprias convicções e prática, ao chegar em Antioquia, Pedro uniu-se aos gentios, comendo com eles e, tendo comunhão irrestrita com eles, como irmãos em Cristo. Seus antigos escrúpulos judaicos haviam sido vencidos. Ele compreendia a universalidade do evangelho da graça (2.12).

Em terceiro lugar, **Pedro posteriormente afasta-se dos crentes gentios**. ... *quando, porém, chegaram, afastou-se e, por fim, veio a apartar--se, temendo os da circuncisão* (2.12b). A teologia de Pedro continuava intacta, crendo ele que os gentios faziam parte da igreja, mas sua atitude estava em desacordo com sua teologia. Havia uma esquizofrenia entre sua doutrina e sua conduta; entre sua fé e sua prática. Pedro cavou um abismo entre sua convicção e sua ação. Pedro, temendo desagradar

---

[6]BARCLAY, William. *Gálatas y Efesios*, p. 28.
[7]HENDRIKSEN, William. *Gálatas*, p. 98.

um grupo de judeus radicais, conhecidos como "os da circuncisão" (At 15.1,5), a quem Paulo chamou de "falsos irmãos", acabou ferindo a comunhão fraternal e afastando-se dos crentes gentios. Por causa dos falsos irmãos, Pedro virou as costas para os verdadeiros irmãos.

Donald Guthrie afirma com profunda sensibilidade: "Fica a cargo de nossa imaginação descobrir o que os crentes gentios pensaram quando não apenas Pedro e todos os crentes judeus, mas também Barnabé, se separaram deles".[8] Certamente esses crentes machucados por essa postura procuraram Paulo, e o apóstolo, então, enfrentou a situação com profundidade, clareza e coragem.

Em quarto lugar, **Pedro finalmente torna-se um mau exemplo para os demais crentes judeus**. *E também os demais judeus dissimularam com ele, a ponto de o próprio Barnabé ter-se deixado levar pela dissimulação deles* (2.13). Um líder nunca é neutro. Liderança é sobretudo influência. Um líder influencia sempre, para o bem ou para o mal. Pedro, por ser um líder, acabou por exercer uma péssima influência sobre os demais judeus, inclusive sobre o próprio Barnabé, um dos esteios da obra missionária entre os gentios. Pedro acabou criando uma fissura dentro da igreja de Antioquia. Em vez de trabalhar em prol da unidade e da edificação da igreja, laborou para a sua divisão e enfraquecimento.

A atitude de Pedro e dos demais judeus é chamada por Paulo de dissimulação. O termo grego *sunupekrithesan* significa hipocrisia. Fritz Rienecker e Cleon Rogers explicam que o significado básico da palavra é "responder de baixo", em referência aos atores que falavam por detrás de máscaras. A palavra indica o ocultamento do caráter sob pretensos sentimentos.[9] Um indivíduo hipócrita é aquele que age como um ator, representando um papel diferente da sua vida real. Segundo Donald Guthrie, a palavra grega usada aqui é a mesma para os atores que escondiam suas verdadeiras personalidades por trás dos papéis desempenhados. A implicação é que nem Pedro nem os demais judeus estavam agindo sinceramente quando se apartaram. Agiram, na realidade, contra a própria consciência e deram uma impressão totalmente falsa.[10]

---

[8] GUTHRIE, Donald. *Gálatas: introdução e comentário*, p. 104,105.
[9] RIENECKER, Fritz; ROGERS, Cleon. *Chave linguística do Novo Testamento grego*, p. 374.
[10] GUTHRIE, Donald. *Gálatas: introdução e comentário*, p. 105.

John Stott está correto quando diz que Pedro agiu com falta de sinceridade. Ele se afastou da mesa dos crentes gentios não governado por algum princípio teológico, mas por medo covarde de um pequeno grupo. Na verdade Pedro fez em Antioquia exatamente o que Paulo se recusou a fazer em Jerusalém, isto é, ceder diante da pressão. O mesmo Pedro que negou Jesus diante de uma criada, negou-o agora com medo do partido da circuncisão. Ele continuou crendo no evangelho, mas falhou na sua prática. Ele contradisse o evangelho com sua atitude, porque lhe faltou coragem nas convicções.[11] João Calvino é enfático ao declarar: "É tolice defender o que o Espírito Santo condenou pelos lábios de Paulo. Essa não era uma questão de assuntos humanos; envolvia a pureza do evangelho, que corria o risco de ser contaminado pelo fermento do judaísmo".[12]

Precisamos estar atentos para o fato de que, se a vida do líder é a vida da sua liderança, os pecados do líder são os mestres do pecado. Os pecados do líder são mais graves, mais hipócritas e mais danosos do que o pecado das demais pessoas. São mais graves porque o líder peca com maior conhecimento; são mais hipócritas porque o líder condena o pecado dos outros, mas pratica os mesmos pecados que condena; são mais danosos porque, quando o líder tropeça, mais pessoas são influenciadas por seu fracasso.

Uma **atitude perigosa** ao evangelho da graça (2.11-13)

O comportamento de Pedro em Antioquia teria um desdobramento devastador na igreja se o apóstolo Paulo não o tivesse repreendido. Em relação a essa ação hipócrita de Pedro e dos demais judeus em Antioquia, três pontos devem ser destacados.

Em primeiro lugar, *o conteúdo* (2.11-13). O que na verdade Pedro fez? Ele se apartou dos crentes gentios mesmo depois de ter-se unido a eles em suas refeições. Pedro rompeu a comunhão com aqueles que outrora considerava irmãos. Ele abandonou aqueles que inicialmente

---

[11] STOTT, John. *A mensagem de Gálatas*, p. 50,51.
[12] CALVINO, João. *Gálatas*, 2007, p. 58.

havia acolhido. A unidade espiritual da igreja estava sendo atacada em suas raízes. O muro que já havia sido derrubado pelo sangue de Cristo estava sendo reerguido pelo preconceito judaico.

Em segundo lugar, *a motivação* (2.12). A motivação de Pedro para agir de forma inconsistente foi o medo de um grupo radical de judeus que haviam descido de Jerusalém. Possivelmente esse grupo não representava Tiago nem era comissionado por ele, uma vez que Tiago, líder da igreja de Jerusalém, se posicionara contra essa prática no Concílio de Jerusalém (At 15.24). O fato é que esses embaixadores da circuncisão se apresentaram como delegados apostólicos (At 15.1). Como disse John Stott, eles foram até mais longe do que isso, ensinando que era impróprio que crentes judeus circuncidados participassem da mesma mesa com os crentes gentios incircuncisos, ainda que os últimos cressem em Jesus e tivessem recebido o batismo.[13]

É muito provável que esse grupo fosse o mesmo que estava pervertendo o evangelho e perturbando a igreja, exigindo dos crentes gentios a circuncisão para serem salvos. Pedro estava negando o que outrora havia afirmado. Por medo, estava negociando a essência do evangelho da graça. John Stott tem razão quando diz que, em sua política perniciosa, esses mestres judaizantes ganharam um convertido notável na pessoa do apóstolo Pedro, pois este, que anteriormente comia com esses cristãos gentios, agora se afastou e se separou deles, como uma pessoa tímida se esquiva dos seus observadores.[14] Temendo perder sua reputação diante desses falsos embaixadores de Tiago, Pedro vacila e pouco a pouco começa a apartar-se dos gentios, até que chega a separar-se completamente a ponto de não comer mais com eles.[15]

Em terceiro lugar, *o resultado* (2.13). O resultado da inconsistência de Pedro é que o seu mau exemplo foi seguido pelos demais judeus, inclusive pelo próprio Barnabé, companheiro de Paulo na primeira viagem missionária na província da Galácia e na segunda visita a Jerusalém (2.1,9). O mesmo Barnabé que permanecera firme ao lado de Paulo em

---

[13] STOTT, John. *A mensagem de Gálatas*, p. 49.
[14] STOTT, John. *A mensagem de Gálatas*, p. 49,50.
[15] HENDRIKSEN, William. *Gálatas*, p. 101.

Jerusalém agora fraqueja em Antioquia, cedendo à pressão dos judaizantes. Dessa forma, a atitude de Pedro estava contribuindo com a causa judaizante e trazendo transtornos para a comunhão no corpo de Cristo. A dissimulação de Pedro e dos demais judeus foi uma enchente que levou tudo de roldão.[16] Infelizmente, na história da igreja, a inconsistência tem muitas vezes obscurecido o testemunho da verdade.[17]

Warren Wiersbe considera que a hipocrisia de Pedro o levou a negar cinco doutrinas cristãs: 1) a unidade da igreja (2.14); 2) a justificação pela fé (2.15,16); 3) a liberdade da lei (2.17,18); 4) o evangelho (2.19,20); 5) e a graça de Deus (2.21).[18]

Uma atitude necessária em defesa do evangelho da graça (2.11-16)

O fato de o apóstolo Paulo ter repreendido o apóstolo Pedro, e isso de forma pública, mostra que não havia uma superioridade deste sobre aquele. Paulo tapou a boca dos seus adversários ao registrar esse fato. A passagem em apreço nos mostra quatro verdades.

Em primeiro lugar, *o evangelho é maior do que qualquer personalidade* (2.11). O evangelho está acima do homem, e não o homem acima do evangelho. O evangelho é maior do que a personalidade. Pedro era um apóstolo de Jesus Cristo, designado como tal antes de Paulo (1.17). Era também uma das "colunas" da igreja (2.9), a quem Deus confiara o evangelho da circuncisão (2.7). Paulo não negou nem esqueceu esses fatos alvissareiros, mas nem por isso deixou de repreender Pedro ao perceber sua atitude errada. Por ter-se tornado repreensível, Pedro foi advertido por Paulo publicamente. Não há aqui nenhuma indicação do primado de Pedro nem de infalibilidade papal. Se Paulo estivesse numa posição de inferioridade a Pedro, sua atitude seria inadmissível. Como já dissemos, o que está em pauta aqui não é uma disputa de poder nem um festival de vaidades, mas a defesa do evangelho da graça.

---

[16]STOTT, John. *A mensagem de Gálatas*, p. 51.
[17]GUTHRIE, Donald. *Gálatas: introdução e comentário*, p. 106.
[18]WIERSBE, Warren W. *Comentário bíblico expositivo*, p. 908,909.

Lutero é absolutamente enfático quando diz que Paulo está lidando aqui com o principal ponto de toda a doutrina cristã. Todas as outras coisas tornam-se sem valor sem esse ponto crucial. Quem é Pedro? Quem é Paulo? O que é um anjo do céu? O que são todas as outras criaturas diante da doutrina da justificação? Se nós a conhecemos, estamos na luz. Se a ignoramos, estamos na mais miserável escuridão. Se essa doutrina estiver sendo atacada, não devemos ter medo de repreender ainda que seja Pedro, ou mesmo que seja um anjo do céu.[19]

Em segundo lugar, *a atitude de Paulo em relação à hipocrisia de Pedro* (2.11,12). Paulo resistiu a Pedro publicamente (2.11) e arrazoou com ele acerca de sua atitude inconsistente (2.14-16). Por que Paulo resistiu a Pedro face a face em vez de conversar com ele pessoal e particularmente? Por que Paulo repreendeu Pedro na presença de todos em vez de fazer isso em secreto? Um problema público precisa ter um tratamento público. A repreensão precisa ter o mesmo alcance da ofensa. Pecados privados devem ser tratados de forma particular, mas pecados públicos devem ser tratados de forma pública. João Calvino é claro neste sentido: "Este exemplo nos ensina que os que cometem pecados notórios a todos devem ser repreendidos publicamente, no âmbito da igreja. O propósito é que o pecado de tais pessoas não se torne um exemplo perigoso, ao ser deixado impune".[20]

Paulo não era homem de meias medidas nem de colocar panos quentes, empurrando para debaixo do tapete a solução de um problema que punha em risco o futuro da igreja. Ele agiu de forma rápida, clara e incisiva. É lamentável que a igreja contemporânea esteja perdendo esse compromisso e essa coragem. Colocamos a unidade acima da verdade e com isso sacrificamos a ambas.

Paulo não apenas repreendeu Pedro publicamente, mas, sobretudo, apresentou-lhe os motivos eloquentes e irrefutáveis pelos quais ele estava agindo dessa forma. Repreensão sem argumentação é despotismo. Pedro estava sendo inconsistente, influenciando os crentes judeus a serem hipócritas. A atitude de Pedro estava em desacordo com

---

[19] LUTHER, Martin. *Galatians*, p. 1.290.
[20] CALVINO, João. *Gálatas*, 2007, p. 58.

sua doutrina. Sua prática estava na contramão de sua teologia. John Stott diz com razão que, se Paulo não tivesse protestado naquele dia, toda a igreja teria derivado para uma água parada, estagnando, ou então haveria uma permanente rixa entre o cristianismo gentio e o judeu – um Senhor, mas duas mesas do Senhor. A notável coragem de Paulo naquela ocasião, resistindo a Pedro, preservou tanto a verdade do evangelho como a fraternidade internacional da igreja.[21]

Em terceiro lugar, *a motivação de Paulo em repreender a Pedro*. *Quando, porém, vi que não procediam corretamente segundo a verdade do evangelho, disse a Cefas, na presença de todos: Se, sendo tu judeu, vives como gentio, e não como judeu, por que obrigas os gentios a viverem como judeus?* (2.14). A motivação de Paulo em repreender Pedro não era uma disputa de poder ou de primazia. Também não era uma explosão de mau gênio ou temperamento descontrolado, nem um sentimento de inveja que aflorara em seu peito, em virtude das insinuações dos falsos mestres de que ele não tinha a mesma autoridade de Pedro. Paulo agiu de forma firme em defesa da verdade do evangelho. O que estava em jogo não era uma disputa pessoal de honra ao mérito, mas a integridade do evangelho da graça. Não podemos calar a nossa voz quando o evangelho está sendo minado pela falsa doutrina ou pela falsa conduta. Não podemos pôr os relacionamentos acima da verdade do evangelho. Não podemos manter a paz a qualquer preço. A ferida feita pelo amigo é melhor do que a bajulação. Com sua atitude firme e leal, Paulo não perdeu a amizade de Pedro e ainda salvou a integridade do evangelho.

A verdade do evangelho foi o eixo central da discussão tanto em Jerusalém (2.5) como em Antioquia (2.14). E que verdade era essa tão importante pela qual Paulo lutou? O contexto nos mostra que é a doutrina da justificação pela graça, por intermédio da fé (2.15-17). Distorcer essa verdade do evangelho é colocar-se sob maldição (1.8,9). Em Jerusalém Paulo se recusou a submeter-se mesmo que por um momento aos judaizantes (2.5). Agora, em Antioquia, movido por essa

---

[21] STOTT, John. *A mensagem de Gálatas*, p. 51.

mesma veemente lealdade para com o evangelho, enfrenta Pedro face a face porque o comportamento deste comprometia tal verdade.[22]

John Stott é enfático ao dizer que, se Deus justifica os judeus e os gentios nos mesmos termos, simplesmente pela fé no Cristo crucificado, não vendo diferença entre eles, quem somos nós para negar comunhão aos crentes gentios apenas porque não são circuncidados? Se, para aceitá-los, Deus não exige a tal obra da lei chamada circuncisão, como nos atrevemos a lhes impor uma condição, a qual o próprio Deus não impõe? Se Deus os aceitou, como podemos nós rejeitá-los? Se Ele os aceita na Sua comunhão, vamos nós negar-lhes a nossa? Ele os reconciliou consigo mesmo; como podemos afastar-nos daqueles a quem Deus reconciliou? O princípio está bem explicado em Romanos 15.7: *Portanto, acolhei-vos uns aos outros, como também Cristo nos acolheu*.[23]

João Calvino afirma que, se os judeus, com toda a sua distinção, se viram forçados a recorrer à fé em Cristo, muito mais necessário é que os gentios busquem a salvação pela fé. Portanto, o significado dessas palavras de Paulo é: Nós, que parecemos exceder aos outros e que, pelo benefício da aliança, temos sempre desfrutado do privilégio de estar perto de Deus, não encontramos nenhuma maneira de obter a salvação, exceto por meio da fé em Cristo. Por que, então, devemos estabelecer outra maneira para os gentios? Porque, se a lei fosse necessária ou proveitosa à salvação daqueles que cumpriam seus preceitos, ela o teria sido especialmente para nós, a quem foi outorgada. Porém, se a abandonamos e nos voltamos para Cristo, não devemos, de igual modo, exigir que os gentios a ela se submetam.[24]

Em quarto lugar, *o resultado da repreensão de Paulo a Pedro*. Subscrevemos a tese de que a Carta aos Gálatas foi escrita antes do Concílio de Jerusalém. Foi exatamente essa causa judaizante que induziu Pedro a cometer um deslize, motivando a realização daquele concílio. Esse ponto de vista mostra que o resultado da repreensão feita por Paulo foi positivo, uma vez que abortou a pretensão dos falsos

---

[22]STOTT, John. *A mensagem de Gálatas*, p. 53.
[23]STOTT, John. *A mensagem de Gálatas*, p. 53,54.
[24]CALVINO, João. *Gálatas*, 2007, p. 59.

irmãos de exigir dos crentes gentios o cumprimento dos preceitos da lei judaica. Pedro e Barnabé, que haviam caído na armadilha dos judaizantes, agindo de forma hipócrita, acolheram a repreensão e voltaram à sensatez. O testemunho que ambos deram no Concílio de Jerusalém mostra de forma eloquente que eles rejeitaram os postulados judaizantes e reafirmaram a doutrina da justificação pela graça mediante a fé. O testemunho de Pedro no Concílio de Jerusalém é absolutamente claro: *Deus não fez nenhuma distinção entre nós e eles, purificando seus corações pela fé* (At 15.9).

Uma **atitude preventiva** para manter a **pureza** do evangelho da graça

O texto em tela nos alerta para algumas atitudes preventivas, que devem estar presentes na vida da igreja.

Em primeiro lugar, ***doutrina e prática precisam caminhar de mãos dadas***. Não podemos separar o que Deus uniu. Doutrina sem vida gera racionalismo estéril; vida sem doutrina produz misticismo histérico. Precisamos manter teologia e vida, doutrina e prática, ortodoxia e piedade numa aliança inseparável. Pedro foi repreendido porque, embora tivesse várias vezes afirmado e reafirmado sua fé na salvação pela graça, independentemente das obras, estava agindo agora em desacordo com essa crença, ao apartar-se dos crentes gentios em virtude de escrúpulos judaicos. Sua conduta reprovava sua teologia. R. E. Howard tem razão quando diz que o medo de nossos amigos pode fazer que transijamos nossas convicções.[25]

Concordo com John Stott quando diz:

> Hoje em dia diversos cristãos e pessoas repetem o mesmo erro de Pedro. Recusam-se a ter comunhão com outros crentes cristãos professos a não ser que estes sejam totalmente imersos na água (outra forma de batismo não os satisfaz), ou que tenham sido episcopalmente confirmados (insistem que apenas as mãos de um bispo na sucessão histórica

---

[25] HOWARD, R. E. *A Epístola aos Gálatas*, p. 39.

são adequadas), ou que sua pele tenha determinada cor, ou que venham de determinada classe social (geralmente a de cima) e assim por diante. Tudo isso é uma séria afronta ao evangelho. A justificação é só pela fé; não temos o direito de acrescentar uma forma particular de batismo, de confirmação ou alguma condição denominacional, racial ou social. Deus não insiste nessas coisas para nos aceitar em sua comunhão; por isso não devemos insistir nelas também. Que exclusividade eclesiástica é esta que nós praticamos e Deus não? Será que somos mais conservadores do que Ele? A única barreira para termos comunhão com Deus, e consequentemente uns com os outros, é a incredulidade, a falta da fé salvadora em Jesus Cristo.[26]

Em segundo lugar, *comunhão e repreensão não são excludentes, mas complementares*. Não podemos sacrificar a verdade em nome da comunhão. Não podemos fechar os olhos aos desvios doutrinários nem aos deslizes de conduta em nome do amor fraternal. Pedro dera a destra de companhia a Paulo em Jerusalém, mas Paulo repreende Pedro em Antioquia. O evangelho não pode ser uma plataforma de relações públicas. Comunhão e repreensão não são coisas que se excluem; antes, se completam. A verdade precisa ser defendida em todo tempo e em qualquer lugar. John Stott diz que devemos dar graças a Deus por Paulo, que enfrentou Pedro face a face; por Atanásio; que enfrentou o mundo inteiro quando o cristianismo abraçou a heresia ariana; e por Lutero, que se atreveu a desafiar até mesmo o papado. Onde estão os homens desse calibre nos dias de hoje?[27]

Em terceiro lugar, *o confronto honesto é melhor do que a lisonja hipócrita*. É melhor o confronto honesto do que a lisonja hipócrita. É melhor exortar o irmão, olhando em seus olhos, do que calar-se em Sua presença e falar mal pelas costas. As feridas feitas com amor trazem cura, mas a bajulação dos hipócritas adoece. Paulo não fez uma campanha na igreja de Antioquia para desmoronar a credibilidade de Pedro. Se isso tivesse acontecido, os laços fraternais teriam sido estremecidos,

---

[26] STOTT, John. *A mensagem de Gálatas*, p. 55.
[27] STOTT, John. *A mensagem de Gálatas*, p. 56.

e a igreja se enfraqueceria. A honestidade de lidar com o problema de forma franca, transparente e verdadeira restabeleceu a verdade e os relacionamentos.

Em quarto lugar, *autoridade e humildade não são coisas incompatíveis*. Pedro era um verdadeiro apóstolo e um verdadeiro líder. Incorreu em erro e foi repreendido. Não se sentiu ofendido nem rompeu seu relacionamento com Paulo por causa da repreensão. Ao contrário, acertou sua conduta e associou-se com Paulo em defesa do evangelho no Concílio de Jerusalém. A humildade de Pedro em acolher a repreensão de Paulo não destruiu sua autoridade nem apagou o brilho do seu ministério.

7

A justificação pela fé

Gálatas 2.15-21

O APÓSTOLO PAULO ABANDONA seus comentários históricos e passa a uma discussão teológica dos princípios implícitos nos incidentes que acabam de ser mencionados, embora ainda se dirija mentalmente a Pedro e seus companheiros cristãos judeus (2.15).[1]

O apóstolo introduz a gloriosa doutrina da justificação pela fé no contexto do conflito que teve com o apóstolo Pedro. Pedro se apartara dos crentes gentios com medo do grupo da circuncisão e já não comia com eles. Essa atitude era um retrocesso, pois além de ferir a comunhão da igreja, atacava também o evangelho da graça. Se a causa judaizante tivesse logrado êxito, a salvação seria uma conquista das obras, e não um presente da graça. Paulo aproveita essa situação para introduzir a doutrina da justificação pela fé.

Warren Wiersbe destaca que esta é a primeira vez que o termo *justificação* aparece na epístola e, provavelmente, nos textos de Paulo, uma vez que Gálatas deve ter sido a primeira carta escrita de Paulo. A grande pergunta é: *Como pode o homem ser justo para com Deus?* (Jó 9.2). A resposta é clara: *O justo viverá pela sua fé* (Hc 2.4). Este conceito é tão vital que três livros do Novo Testamento o explicam para nós: Romanos

---

[1] GUTHRIE, Donald. *Gálatas: introdução e comentário*, p. 107.

(1.17), Gálatas (3.11) e Hebreus (10.38). Romanos explica o significado de "o justo"; Gálatas explica "viverá"; e Hebreus explica "pela fé".[2]

A justificação pela fé é a doutrina central do cristianismo. A reforma protestante a restabeleceu. Sempre que a igreja caminhou na verdade, essa doutrina foi sustentada. Sempre que entrou em declínio, foi esquecida. Com ela a igreja mantém-se em pé ou cai. John Stott tem razão ao dizer que ela é central na mensagem da epístola, fundamental no evangelho pregado por Paulo e realmente essencial no próprio cristianismo. Ninguém pode jamais entender o cristianismo sem entender a justificação.[3] Martinho Lutero referiu-se à doutrina da justificação como o principal, o mais importante, e o mais especial artigo da doutrina cristã. Ele chegou a dizer que, se o artigo da justificação for alguma vez perdido, toda a verdadeira doutrina ficará perdida.[4]

A doutrina da justificação pela fé distingue o cristianismo das demais religiões. Através dos séculos o homem tem empregado diversos métodos e meios para justificar a si mesmo (Lc 10.29), como um acendrado esforço para guardar a lei, o ascetismo rigoroso, a tortura física, os sacrifícios para aplacar as divindades, a invocação de anjos, o apelo a santos, a compra de indulgências, as missas, o humanitarismo e a adesão a grupos religiosos, políticos ou filosóficos.[5] As religiões tentam abrir caminho da terra para o céu, mas o cristianismo é o novo e vivo caminho aberto por Cristo, por meio do Seu sangue, do céu para a terra. O apóstolo diz que tudo provém de Deus, que em Cristo reconciliou consigo o mundo.

Vamos destacar agora alguns pontos importantes para a nossa reflexão.

A **justificação** é uma **doutrina essencial** da fé cristã (2.15,16)

A justificação é uma doutrina evangélica revelada por Deus, e não descoberta pelo homem. Tanto judeus como gentios são salvos da mesma maneira: não pelas obras da lei, mas pela graça de Deus. Ambos foram

---

[2] WIERSBE, Warren W. *Comentário bíblico expositivo*, p. 908.
[3] STOTT, John. *A mensagem de Gálatas*, p. 57.
[4] STOTT, John. *A mensagem de Gálatas*, p. 57,58.
[5] HENDRIKSEN, William. *Gálatas*, p. 107.

justificados pela fé, e não pelas obras. Se a justificação pelas obras fosse o caminho da salvação, o homem receberia a glória por essa salvação. Mas a justificação por meio da fé posiciona Deus no centro do palco da redenção e destina a ele toda a glória pela nossa salvação.

John Stott diz que a palavra "justificação" é um termo legal que foi tomado emprestado dos tribunais. É exatamente o oposto de "condenação". Condenar é declarar uma pessoa culpada; "justificar" é declará-la sem culpa, inocente ou justa. Na Bíblia, essa palavra significa o ato imerecido do favor de Deus por meio do qual ele coloca diante de si o pecador, não apenas perdoando ou isentando-o da culpa, mas também aceitando-o e tratando-o como justo.[6] Concordo com Warren Wiersbe quando ele diz que a justificação não é apenas "perdão", pois uma pessoa poderia ser perdoada e depois voltar a pecar e tornar-se culpada novamente. Uma vez que fomos "justificados pela fé", nunca mais seremos declarados culpados diante de Deus. A justificação também é diferente de "indulto", pois um criminoso indultado ainda tem uma ficha na qual constam seus crimes. Quando um pecador é justificado pela fé, seus pecados passados não são mais lembrados nem usados contra ele, e Deus não registra mais suas transgressões (Sl 32.1,2; Rm 4.1-8).[7]

Destacamos aqui alguns pontos na elucidação dessa gloriosa doutrina.

Em primeiro lugar, *a justificação é um ato, e não um processo* (2.16). A justificação é um ato exclusivo de Deus, e não uma obra humana. É um ato irrepetível, completo e eficaz, e não um processo. A justificação não possui graus, uma vez que o menor crente está tão justificado quanto o maior santo. Todos aqueles que creem no Senhor Jesus estão justificados de igual modo, ou seja, nenhum cristão é mais justificado do que outro. Se fôssemos justificados pelas obras, isso implicaria um processo gradual.[8]

Em segundo lugar, *a justificação tem na morte de Cristo sua causa meritória* (2.21). Não somos justificados pelas obras da lei nem mesmo por causa da nossa fé. Não somos justificados por aquilo que fazemos

---

[6]STOTT, John. *A mensagem de Gálatas*, p. 58.
[7]WIERSBE, Warren W. *Comentário bíblico expositivo*, p. 909.
[8]WIERSBE, Warren W. *Comentário bíblico expositivo*, p. 908,909.

para Deus, mas por aquilo que Deus fez por nós. A única obra que Deus aceita como base da nossa justificação é a obra de Seu Filho na cruz do Calvário. O sacrifício expiatório de Cristo é a causa meritória da nossa justificação. Somos justificamos em virtude da Sua morte em nosso lugar e em nosso favor. Warren Wiersbe ressalta que Deus justifica pecados e não "pessoas boas".[9] Paulo diz que Deus justifica o ímpio (Rm 4.5).

João Calvino esclarece que os falsos apóstolos não rejeitavam a Cristo nem a fé, mas exigiam que as cerimônias fossem juntadas a ambos. Se Paulo tivesse admitido essa junção, eles estariam perfeitamente de acordo, e não haveria necessidade de perturbar a igreja com esse debate desagradável.[10] William Hendriksen é meridianamente claro quando diz que a justificação, como ato judicial de Deus, não descansa nas obras do homem (3.11; 5.4; Rm 3.20,28), nem mesmo na fé como uma obra do homem (Ef 2.8), mas unicamente na graça soberana de Deus em Cristo. Somente a obra mediadora consumada por Cristo provê a base legal em virtude da qual a justificação do homem chega a ser possível e também um fato real. Cristo satisfez completamente as demandas da lei de Deus; não só pagou nossa dívida, mas também rendeu a obediência que nós mesmos devíamos (3.24; Rm 3.24; 2Co 5.21; Ef 1.7).[11]

Em terceiro lugar, *a justificação tem na fé sua causa instrumental* (2.16). Somos salvos não pela fé, mas pela graça mediante a fé. A fé não é a causa meritória, mas a causa instrumental da justificação. Donald Guthrie com razão registra: "A justificação não procede da fé assim como não procede das obras, mas é apropriada pela fé".[12] Apropriamo-nos do que Cristo fez por nós pela fé. A fé é a mão estendida que recebe o presente da vida eterna. Os judaizantes, entretanto, pleiteavam uma justificação fundamentada em Cristo e nas obras. Paulo, porém, nada sabia a respeito dessa semijustificação. Calvino está coberto de razão quando diz que não podemos ser justificados pela justiça de Cristo, a menos que sejamos pobres e destituídos de

---

[9] WIERSBE, Warren W. *Comentário bíblico expositivo*, p. 909.
[10] CALVINO, João. *Gálatas*, 2007, p. 62.
[11] HENDRIKSEN, William. *Gálatas*, p. 106,107.
[12] GUTHRIE, Donald. *Gálatas: introdução e comentário*, p. 108.

nossa justiça. Consequentemente, temos de atribuir tudo ou nada à fé ou às obras.[13]

William Hendriksen explica que a justificação pela fé, mesmo sendo essa fé um dom de Deus, não reduz o homem à mera passividade. Não é muito ativa a árvore que recebe da terra a água e os minerais bem como a luz e o calor do sol? O mesmo sucede com a fé. É receptiva, mas não passiva (Jo 3.16; Fp 2.12,13).[14]

Em quarto lugar, *a justificação tem nas obras sua consequência óbvia* (2.19). Não somos salvos *pelas* obras, mas *para* as obras. As obras não são a causa da nossa justificação, mas seu resultado. Somos salvos pela graça somente pela fé, mas a fé salvadora nunca vem só. A fé sem obras é morta. As obras são a evidência da nossa justificação.

Precisamos fazer aqui uma distinção entre justificação e santificação. A justificação é um ato, e a santificação é um processo. A justificação acontece fora de nós, e a santificação ocorre dentro de nós. A justificação acontece no tribunal de Deus, e a santificação se dá em nosso coração. William Hendriksen reconhece que a justificação é uma questão de *imputação* (pôr na conta de): a culpa do pecador é imputada a Cristo, e a justiça de Cristo é imputada ao pecador (2Co 5.21). A santificação é uma questão de *transformação* (2Co 3.17,18). Na justificação o Pai toma a iniciativa (Rm 8.33); na santificação o Espírito Santo é o agente (2Ts 2.13). A justificação é um veredicto judicial dado de uma vez para sempre; a santificação é um processo que continua toda a vida.[15]

É importante ressaltar ainda que justificação e santificação são distintas, mas não separadas. William Hendriksen é assaz oportuno quando escreve:

> Ao justificar o pecador, Deus pode ser considerado como o juiz que preside um tribunal de justiça. O prisioneiro está assentado no banco dos réus. O juiz absolve o prisioneiro, declarando-o justo e livre de culpa. Mas a história não termina aqui. O juiz volta-se para esse homem

---

[13]CALVINO, João. *Gálatas*, 2007, p. 62,63.
[14]HENDRIKSEN, William. *Gálatas*, p. 107.
[15]HENDRIKSEN, William. *Gálatas*, p. 106.

livre, agora, adota-o como filho, concedendo-lhe Seu Espírito (4.5,6; Rm 8.15). Aqui é onde justificação e santificação se encontram, porque a pessoa justificada, por pura gratidão e por meio do poder capacitador do Espírito Santo, começa a lutar contra seus pecados e a realizar boas obras para a glória do seu Juiz e Pai. As boas obras jamais justificam a ninguém, mas não é menos certo que nenhuma pessoa justificada quer viver sem elas (Ef 2.8-10).[16]

A justificação é a **maior necessidade** do homem (2.15,16)

A maior necessidade do homem não é a saúde, o prazer, a riqueza ou o poder, mas a salvação. A maior tragédia do homem não é a pobreza, a doença e a morte, mas estar separado de Deus e sob Sua ira. O pecado é a maior tragédia do homem. O pecado é pior do que a fome, do que a pobreza, do que a doença e do que a própria morte. Todos esses males juntos não podem separar o homem de Deus, mas o pecado o separa agora de Deus e depois o afasta para sempre da presença do Altíssimo.

Por que a justificação é a maior necessidade do homem?

Em primeiro lugar, *porque o homem é pecador e não pode salvar a si mesmo* (2.15). Como pode o homem pecador ter comunhão com o Deus santo? Como pode aquele que está arruinado e falido moral e espiritualmente ter sua dívida quitada diante de Deus? Como pode o transgressor ser justificado diante do reto e justo juiz?

Em segundo lugar, *porque o homem é impuro e não pode purificar a si mesmo* (2.15). O pecado é uma mácula que contamina. O homem está sujo e não pode lavar a si mesmo. Todo o seu ser está contaminado e poluído pelo pecado e ele não pode purificar a si mesmo. Sua justiça não passa de trapos de imundícia aos olhos de Deus.

Em terceiro lugar, *porque o homem é filho da ira e não pode alcançar o favor de Deus por si mesmo* (2.15). O pecado é maligníssimo aos olhos de Deus. Por isso, o pecador morto em seus delitos e pecados, escravo do mundo, da carne e do diabo, é filho da ira e está debaixo da ira de Deus. Como tal, não pode alcançar por si mesmo o favor de Deus.

---

[16]HENDRIKSEN, William. *Gálatas*, p. 106.

Em quarto lugar, *porque o homem é imperfeito e não pode cumprir a perfeita lei de Deus* (2.15). No céu só podem entrar pessoas perfeitas. O pecado não entra no céu. Nada contaminado entra no céu. O homem é transgressor da lei. Ele peca por palavras, obras, omissão e pensamento. A lei exige do homem perfeição, mas ele é imperfeito e por isso não pode ser justificado por suas obras.

A justificação é **recebida pela fé** e não pelas obras (2.16)

Paulo refuta os judaizantes, mostrando que a justificação não se dá mediante os preceitos da lei, mas por intermédio da fé. Não somos salvos por observar a circuncisão ou abstinência de alimentos ou outros preceitos da lei. Não somos justificados por aquilo que fazemos para Deus. Os judaizantes pensavam que a única maneira de o homem ser justificado é por meio do trabalho duro; é preciso lutar. É preciso fazer tudo o que a lei ordena e evitar tudo o que a lei proíbe. Isso é tentar estabelecer a própria justiça (Rm 10.3). Mas essa interpretação dos falsos mestres não passava de uma ilusão terrível. Nunca ninguém foi justificado pelas obras da lei, uma vez que a lei exige a perfeição, e nenhum homem é perfeito. A lei revela o pecado em vez de tirá-lo. A lei é como uma radiografia: mostra o tumor, mas não é o bisturi que o remove; a lei é como um prumo: mostra a sinuosidade do muro, mas não o levanta; a lei é como uma lanterna: mostra o obstáculo do caminho, mas não o remove. O propósito da lei é servir-nos de aio, que nos toma pela mão e nos leva a Cristo.

O homem é pecador, pois peca por palavras, obras, omissão e pensamentos. Todos comparecerão perante o tribunal de Deus para prestar contas. Grandes e pequenos, religiosos e incrédulos, lá estarão perante o reto Juiz. Naquele dia os livros serão abertos, e os homens serão julgados segundo as suas obras. E pelas obras ninguém poderá ser justificado diante de Deus. Pelas obras todos serão condenados, pois no céu só entrarão pessoas perfeitas. A lei exige perfeição. O homem, porém, não é perfeito e consequentemente não pode ser salvo pelos seus méritos. O que o homem não pôde fazer, entrementes, Deus fez por ele, enviando Seu Filho como nosso substituto e representante. Jesus assumiu o nosso lugar, e Deus fez cair sobre ele a iniquidade de todos nós. Jesus levou sobre si os nossos pecados e carregou a nossa culpa. Foi ferido de Deus e traspassado pelas nossas iniquidades. Obedeceu à lei vivendo em total pureza e santidade e morreu pelos nossos pecados, dando um grande brado na cruz: Está consumado!

Acerca da justificação, três verdades são destacadas aqui.

Em primeiro lugar, **a declaração geral**. *Sabendo, contudo, que o homem não é justificado por obras da lei e sim mediante a fé em Cristo Jesus...* (2.16a). John Stott diz que Paulo não tem em mente ninguém em especial; o apóstolo é deliberadamente vago. Apenas "o homem", qualquer homem, qualquer mulher. Depois Paulo diz: "Sabendo". Não apresenta uma opinião experimental, mas uma afirmação dogmática. Pedro e Paulo estavam de acordo acerca da doutrina da justificação pela fé.[17]

Em segundo lugar, **a declaração pessoal**. Não apenas "sabendo", mas "... também temos crido em Cristo Jesus, para que fôssemos justificados pela fé em Cristo" (2.16b). Isto é, nossa certeza acerca do evangelho é mais do que intelectual; nós o testamos pessoalmente em nossa experiência. Paulo está propondo uma doutrina que ele mesmo já pôs à prova.[18]

Em terceiro lugar, **a declaração universal**. *... e não por obras da lei, pois, por obras da lei, ninguém será justificado* (2.16c). O princípio teológico e a experiência pessoal estão agora confirmados pelas Escrituras. O apóstolo cita a declaração categórica do Salmo 143.2. A expressão grega é ainda mais forte do que em português. Refere-se à "toda carne", a humanidade sem exceção. Seja qual for a nossa educação religiosa, nossos antecedentes educacionais, nosso *status* social ou nossa origem racial, o caminho da salvação é o mesmo. Ninguém pode ser justificado por obras da lei; toda a carne tem de ser justificada pela fé em Cristo.[19]

A justificação é uma **doutrina atacada** ontem e hoje (2.17,18)

Paulo está levantando e refutando aqui os argumentos falaciosos dos judaizantes. Ele passa da exposição para a argumentação,

---

[17] STOTT, John. *A mensagem de Gálatas*, p. 60,61.
[18] STOTT, John. *A mensagem de Gálatas*, p. 61.
[19] STOTT, John. *A mensagem de Gálatas*, p. 61.

apresentando-nos os ataques desferidos pelos falsos mestres e as armas usadas para derrotá-los.

Em primeiro lugar, *os falsos mestres acusavam essa doutrina de promover o pecado*. *Mas se, procurando ser justificados em Cristo, fomos nós mesmos também achados pecadores, dar-se-á o caso de ser Cristo ministro do pecado? Certo que não!* (2.17). Os falsos mestres consideravam perigosa a doutrina da justificação pela fé independentemente das obras, alegando que ela promovia o pecado e induzia à indolência moral. Para esses paladinos da heresia que perturbavam a igreja e torciam a sã doutrina, a pregação de Paulo sobre a justificação pela fé incentivava a quebra da lei e levava os homens a pecarem. Paulo refuta esses falsos mestres, mostrando que, se a tese deles fosse verdadeira, Cristo seria o ministro do pecado, uma vez que somos justificados pela fé em Cristo, e só pensar nessa ideia já seria uma consumada loucura e uma inevitável blasfêmia. Jesus não veio para edificar o reino do pecado, mas para destruí-lo (1Jo 3.8). Ora, se Cristo se manifestou para destruir o pecado, não poderia ao mesmo tempo restaurar a sua força. Com esse argumento irresistível, Paulo repele a calúnia dos falsos mestres.[20]

Em segundo lugar, *os falsos mestres acusavam essa doutrina de perseverar no pecado* (2.17). Os falsos mestres haviam pervertido a verdade do evangelho, pois viam a justificação como salvação no pecado e não do pecado. Paulo argumenta que somos justificados em Cristo, ou seja, ligados a Cristo. Em Cristo morremos e ressuscitamos. Em Cristo temos nova vida. É impossível vivermos no pecado, nós que para ele já morremos. Andamos com a certidão de óbito no bolso. Devemos considerar-nos mortos para o pecado e vivos para Deus. Quando nos unimos a Cristo em sua morte, nossa vida antiga acaba; é ridículo sugerir que podemos retornar a ela.[21]

Em terceiro lugar, *os falsos mestres acusavam essa doutrina de desestimular os melhores esforços humanos*. *Porque, se torno a edificar aquilo que destruí, a mim mesmo me constituo transgressor* (2.18). Aqueles que querem ser justificados diante de Deus pelas obras pensam que podem

---
[20]CALVINO, João. *Gálatas*, 2007, p. 65.
[21]STOTT, John. *A mensagem de Gálatas*, p. 63.

alcançar o favor de Deus com o melhor de seus esforços. Pensam que pódem atingir a perfeição pelas obras. Voltar à lei é tornar a edificar aquilo que havia sido derrubado pela morte de Cristo. Fazer isso, segundo Paulo, é incorrer em transgressão.

A justificação é a **fonte** de uma **nova vida** (2.19-21)

Em vez de viver no pecado e para o pecado, uma pessoa justificada vive para Deus. A justificação abre ao homem o caminho da intimidade com Deus. Essa vida para Deus é marcada por quatro realidades.

Em primeiro lugar, *o crente vive para Deus morrendo para lei. Porque eu, mediante a própria lei, morri para a lei, a fim de viver para Deus...* (2.19). Os falsos mestres acusavam o evangelho de aniquilar a justiça que temos pela lei. Mas é a lei que nos força a morrer para ela mesma; pois, ao ameaçar a nossa destruição, não nos deixa nada, senão desespero, e assim nos impede de nela confiar. Tão logo a lei começa a viver em nós, ela inflige um golpe fatal, pelo qual morremos. A lei traz em seu próprio âmago a maldição que nos mata.[22]

Como o homem pode morrer para a lei, se a lei é boa, justa e espiritual? Paulo trata desse assunto no capítulo 7 de sua Carta aos Romanos. Paulo compara a lei a um marido perfeccionista. Esse marido é espiritual, santo, justo e bom (Rm 7.12,14). Não podemos divorciar-nos dele. Estamos ligados até que morra. Mas esse marido não morre e não podemos agradá-lo nem nos separar dele. Então, morremos na morte de Cristo e ressuscitamos para uma nova vida. Estamos agora livres do primeiro marido e podemos contrair núpcias com um novo marido, aquele que morreu por nós e ressuscitou para a nossa justificação (Rm 4.25). João Calvino diz que essa morte não é o fim de tudo, e sim a origem de uma vida melhor, porque Deus nos resgata do naufrágio da lei e, mediante Sua graça, nos restaura para outra vida.[23]

Em segundo lugar, *o crente vive para Deus sendo crucificado com Cristo. Estou crucificado com Cristo* (2.19b). Enxertados na morte de

---

[22] CALVINO, João. *Gálatas*, 2007, p. 65.
[23] CALVINO, João. *Gálatas*, 2007, p. 66.

Cristo extraímos dessa morte uma energia secreta, assim como os brotos extraem vigor da raiz.[24] Estar crucificado com Cristo arranca do isolamento toda a nossa existência espiritual com todas as suas circunstâncias, como podemos encontrar repetidamente em Paulo: sofrer com, morrer com, ser crucificado com, ser sepultado com, ser ressuscitado com, tornar-se vivo com, ser glorificado com, ser coerdeiro com e reinar com. Essa crucificação com Deus encontra-se sob a marca da comunhão.[25]

Em terceiro lugar, *o crente vive para Deus quando Cristo vive nele*. *Logo, já não sou eu quem vive, mas Cristo vive em mim; e esse viver que, agora, tenho na carne, vivo pela fé no Filho de Deus, que me amou e a Si mesmo se entregou por mim* (2.20). Somos salvos pela fé em Cristo (ele morreu por nós) e vivemos pela fé em Cristo (ele vive em nós).[26] Paulo não vivia mediante a sua própria vida; era animado pelo poder secreto de Cristo. Assim como a alma energiza o corpo, também Cristo trazia vida a seus membros. Os crentes vivem fora de si mesmos; eles vivem em Cristo.[27]

João Calvino diz que Cristo vive em nós de duas maneiras: uma consiste em governar-nos por meio de Seu Espírito e dirigir todas as nossas ações; a outra, em tornar-nos participantes de Sua justiça, de modo que, embora nada possamos fazer por nós mesmos, somos aceitos aos olhos de Deus. A primeira, se relaciona à regeneração; a segunda, à justificação pela graça.[28]

Essa vida em Cristo consiste em fé, e isso implica que ela é um segredo oculto dos sentidos humanos. A vida, pois, que obtemos pela fé, não é visível aos olhos, mas é percebida interiormente, na consciência, pelo poder do Espírito.[29]

Por amor, diz Paulo: "Cristo Se entregou por mim". A expiação tem sua fonte no amor de Cristo. Ele morreu por nós por amor. "Por mim" é muito enfático. Não é suficiente contemplar a Cristo como aquele

---

[24]Calvino, João. *Gálatas*, 2007, p. 66.
[25]Pohl, Adolf. *Carta aos Gálatas*, 1999, p. 90.
[26]Wiersbe, Warren W. *Comentário bíblico expositivo*, p. 909.
[27]Calvino, João. *Gálatas*, 2007, p. 67.
[28]Calvino, João. *Gálatas*, 2007, p. 67.
[29]Calvino, João. *Gálatas*, 2007, p. 67.

que morreu pela salvação do mundo, se não experimentarmos as consequências dessa morte e não formos capacitados a reivindicá-la como a sua própria morte.[30]

Em quarto lugar, *o crente vive para Deus confiando na graça*. *Não anulo a graça de Deus; pois, se a justiça é mediante a lei, segue-se que morreu Cristo em vão* (2.21). Desprezar a graça de Deus é uma clamorosa ingratidão. Fazer pouco do sacrifício de Cristo é uma ofensa ao sacrificial amor de Deus. Se a justificação é pelas obras, então não teria havido nenhum valor na morte de Cristo e ele teria morrido sem nenhuma recompensa, pois a recompensa de sua morte consiste no fato de que ele nos reconciliou com o Pai ao fazer expiação pelos nossos pecados.

Nessa mesma linha de pensamento, John Stott diz que os dois alicerces da religião cristã são a graça de Deus e a morte de Cristo. O evangelho cristão é o evangelho da graça de Deus. A fé cristã é a fé do Cristo crucificado. Assim, se alguém insiste que a justificação é pelas obras e que se pode alcançar a salvação por esforço próprio, está solapando os fundamentos da religião cristã. Está anulando a graça de Deus e tornando supérflua a morte de Cristo.[31] A graça diz: "Não há distinção! Todos são pecadores, e todos podem ser salvos pela fé em Cristo". A lei diz: "Há distinção. A graça de Deus não é suficiente; também precisamos da lei". O argumento de Paulo é que a volta à lei anula a cruz. Enquanto a lei diz: "Faça!", a graça diz: "Já foi feito!"[32]

Donald Guthrie diz que a ideia de Cristo ter morrido sem propósito algum era tão inconcebível para o apóstolo, que ele nem sequer considerava a possibilidade de existir alternativa senão rejeitar a justificativa mediante a lei.[33]

Concluo com as palavras de João Calvino:

> Se a morte de Cristo é a nossa redenção, então, éramos cativos; se ela é o pagamento, então, éramos devedores; se é a expiação, então, éramos

---

[30] CALVINO, João. *Gálatas*, 2007, p. 68.
[31] STOTT, John. *A mensagem de Gálatas*, p. 63,64.
[32] WIERSBE, Warren W. *Comentário bíblico expositivo*, p. 910.
[33] GUTHRIE, Donald. *Gálatas: introdução e comentário*, p. 113.

culpados; se é a purificação, então, éramos imundos. No sentido contrário, aquele que atribui às obras a sua purificação, o seu perdão, a sua expiação, a Sua justiça ou o seu livramento, torna inútil a morte de Cristo.³⁴

---

³⁴CALVINO, João. *Gálatas*, 2007, p. 69.

8

Evidências da justificação pela fé

Gálatas 3.1-14

NOS PRIMEIROS DOIS CAPÍTULOS DESSA EPÍSTOLA, o apóstolo Paulo tratou de sua defesa pessoal. Agora, nos dois capítulos seguintes, ele defenderá, de forma mais objetiva, a doutrina da justificação pela fé.

As igrejas da Galácia estavam sendo invadidas pelos falsos mestres, pregando um falso evangelho, com uma falsa motivação, e assim retrocediam na fé e voltavam ao jugo do judaísmo. Essa falta de firmeza da igreja gera um profundo desgosto no apóstolo, e ele, de forma contundente, exorta a igreja e faz uma robusta defesa da doutrina da justificação pela fé.

John Stott diz que o afastamento dos gálatas do evangelho era não apenas uma espécie de traição espiritual (1.6), mas também um ato de loucura (3.1).[1] Isso porque o conteúdo do evangelho é Cristo, e este crucificado. O evangelho oferece a justificação (3.8) e o dom do Espírito (3.2-5). O evangelho exige não obras, mas fé. Recebemos o Espírito pela fé (3.2-5) e somos justificados pela fé (3.8). Assim é o verdadeiro evangelho do Antigo e do Novo Testamento, o evangelho que o próprio Deus começou a pregar a Abraão (3.8) e que o apóstolo Paulo continuou

---

[1] STOTT, John. *A mensagem de Gálatas*, p. 65.

pregando em seu tempo. É a apresentação de Jesus Cristo crucificado diante dos olhos dos homens,. Nessa base tanto a justificação como o dom do Espírito são oferecidos. E se exige apenas a fé.²

Logo no início desse capítulo, Paulo faz duas solenes advertências.

Em primeiro lugar, **abandonar o evangelho da graça é consumada insensatez**. *Ó gálatas insensatos!...* (3.1). As igrejas da Galácia estavam perdendo o juízo, agindo sem discernimento, desprovidas de capacidade de raciocinar com clareza. A palavra grega *anoetos*, "insensatos", significa tolo, espiritualmente néscio e descreve uma ação sem sabedoria.³ Donald Guthrie diz que essa palavra sugere não só incapacidade de pensar quanto falha em fazer uso dos poderes mentais.⁴ Paulo insinua que o tropeço deles era mais uma questão de demência do que de ingenuidade.⁵ Aqueles crentes haviam crido em Cristo e sido salvos pela graça e, agora, estavam retornando e colocando-se novamente debaixo do jugo da lei. Esse retrocesso é uma consumada insensatez. Jesus fez essa mesma acusação repetidas vezes (Mc 7.18; Lc 24.25).

Qual é a diferença entre a lei e o evangelho? Entre as obras e a fé? A lei diz: "Faça isto"; o evangelho diz: "Cristo já fez tudo". A lei exige obras humanas; o evangelho exige fé na realização de Cristo. A lei faz exigências e nos incita a obedecer; o evangelho faz promessas e nos incita a crer. Assim a lei e o evangelho se opõem um ao outro. Na esfera da justificação, o estabelecimento da lei é a abolição do evangelho.⁶ É por isso que Paulo considera esse desvio da igreja uma consumada loucura.

Em segundo lugar, **dar ouvidos aos falsos mestres é ser enfeitiçado pela mentira**. *...Quem vos fascinou a vós outros...* (3.1). A palavra grega usada aqui, *abaskanen*, carrega a ideia de um feitiço, ou seja, significa enfeitiçar, lançar um encanto, procurar prejudicar alguém mediante um mau-olhado ou palavras malignas.⁷ Adolf Pohl diz que a conversa fiada dos falsos mestres praticamente hipnotizou os crentes da Galácia de tal

---

²STOTT, John. *A mensagem de Gálatas*, p. 70,71.
³RIENECKER, Fritz; ROGERS, Cleon. *Chave linguística do Novo Testamento grego*, p. 375.
⁴GUTHRIE, Donald. *Gálatas: introdução e comentário*, p. 114.
⁵CALVINO, João. *Gálatas*, 2007, p. 71.
⁶STOTT, John. *A mensagem de Gálatas*, p. 67.
⁷RIENECKER, Fritz; ROGERS, Cleon. *Chave linguística do Novo Testamento grego*, p. 375.

forma que eles não ofereceram nenhuma resistência a essa falsa doutrina (2.4,14; 2Co 11.19,20).[8]

Os crentes da Galácia estavam fascinados, enfeitiçados, completamente cegos. Depois de desfrutarem do evangelho com tal clareza, foram afetados pelo engano de satanás. Paulo diz que eles estavam fascinados e com a "mente desordenada" não apenas porque desobedeciam à verdade, mas também porque, após receberem um ensino tão claro, tão completo, tão amável e tão poderoso, apostataram imediatamente.

William Hendriksen observa corretamente que os gálatas não se deram conta de que um Cristo *suplementado* é um Cristo *suplantado*.[9] Paulo detecta por trás dos falsos mestres a atividade do próprio diabo, o espírito da mentira, a quem o Senhor Jesus chamou de ...*mentiroso e pai da mentira* (Jo 8.44). Grande parte da nossa estupidez cristã para entender e aplicar o evangelho talvez se deva a esse "feitiço".[10]

No texto em tela, Paulo usa dois argumentos para expor as evidências irrefutáveis da justificação pela fé em contraposição ao falso ensino da justificação pelas obras da lei. Vamos examinar esses dois argumentos.

A justificação pela fé é **provada pela experiência dos crentes** (3.1-5)

Paulo começa sua argumentação apelando para a experiência dos crentes da Galácia. Faz a eles cinco perguntas retóricas para mostrar que, desde o início até o fim da vida cristã, eles haviam sido salvos pela fé, e não pelas obras da lei. Destacamos aqui cinco pontos para a nossa reflexão.

Em primeiro lugar, *os crentes contemplam a morte de Cristo pela fé*. ... *ante cujos olhos foi Jesus Cristo exposto como crucificado?* (3.1). O evangelho pregado por Paulo aos gálatas tinha como centro a mensagem da cruz. Essa mensagem era tão viva, eloquente e poderosa que o Cristo crucificado foi mostrado a eles como que num grande *outdoor*. Mesmo assim, desviaram dele os olhos. Matthew Henry diz que os

---

[8] POHL, Adolf. *Carta aos Gálatas*, 1999, p. 98.
[9] HENDRIKSEN, William. *Gálatas*, p. 120.
[10] STOTT, John. *A mensagem de Gálatas*, p. 65.

gálatas tiveram a mensagem da cruz pregada a eles e a Ceia do Senhor ministrada entre eles e, em ambas, Cristo crucificado foi manifestado a eles.[11]

A palavra grega *proegraphe* era usada para descrever todas as notícias ou proclamações públicas, e indica um anúncio público no qual a validade de um fato específico é anunciada.[12] Era usada em referência a editais, leis e notícias expostos em algum lugar público para que fossem lidos e também com relação a quadros e retratos.[13] Adolf Pohl ainda é bastante enfático ao escrever:

> Quando na Antiguidade se desenrolava na praça comercial diante da multidão estupefata um cartaz com um edito imperial, esse ato inaugurava uma nova situação legal. Desse momento em diante esse decreto estava em vigor. Transgredi-lo trazia consequências. Sua publicação era um acontecimento que interferia de maneira transformadora na vida. Desse modo, cerca de cinco anos antes, a pregação de Paulo ocupou irresistivelmente o espaço na vida dos leitores da carta, confirmada por manifestações espirituais e pelos frutos (3.4,5).[14]

Nessa mesma trilha de pensamento, Warren Wiersbe afirma que Paulo apresentou Cristo abertamente aos gálatas, com grande ênfase em sua morte na cruz pelos pecadores. Eles ouviram essa verdade, creram nela e obedeceram; como resultado, nasceram de novo e passaram a fazer parte da família de Deus.[15] A justificação pelas obras da lei é uma negação da cruz. O argumento irresistível do apóstolo Paulo é que a tentativa da salvação pelas obras anula a graça e esvazia a cruz (2.21).

John Stott tem razão quando diz que o evangelho não é uma instrução generalizada acerca do Jesus da história, mas uma proclamação específica do Cristo crucificado. A palavra grega *estauromenos*,

---

[11] HENRY, Matthew. *Matthew Henry's commentary*, 1960, p. 1.840.
[12] RIENECKER, Fritz; ROGERS, Cleon. *Chave linguística do Novo Testamento grego*, p. 375.
[13] STOTT, John. *A mensagem de Gálatas*, p. 69.
[14] POHL, Adolf. *Carta aos Gálatas*, 1999, p. 99.
[15] WIERSBE, Warren W. *Comentário bíblico expositivo*, p. 913.

"crucificado", destaca que a obra de Cristo foi completada na cruz e que os benefícios de sua crucificação serão sempre atuais, válidos e disponíveis. Os pecadores podem ser justificados não por causa de suas obras, mas devido à obra expiatória de Cristo; não em virtude de algo que eles fizeram, mas por causa do que Cristo fez. O evangelho não é um bom conselho aos homens, mas as boas-novas acerca de Cristo; não é um convite para se fazer alguma coisa, mas uma declaração do que Deus já fez; não é uma exigência, mas uma oferta.[16]

Em segundo lugar, *os crentes começam a vida cristã pela fé*. *Quero apenas saber isto de vós: recebestes o Espírito pelas obras da lei ou pela pregação da fé?* (3.2). Lutero diz que a própria experiência dos gálatas estava contra eles, a saber, eles receberam o Espírito Santo, não por meio da observância da lei, mas pela fé no evangelho.[17] Nenhuma pessoa pode tornar-se cristã sem o Espírito Santo, pois se alguém não tem o Espírito de Cristo, esse tal não é dEle (Rm 8.9). No entanto, o Espírito nos é dado não pelas obras da lei, mas pela pregação da fé. Nossa entrada na família de Deus, quando recebemos o Espírito Santo, é pela porta da fé, e não pelo corredor das obras. Pedro usa esse mesmo argumento em sua defesa perante os irmãos por haver batizado pessoas incircuncisas (At 10.47; 11.13-18). Paulo e Barnabé fizeram o mesmo no debate que travaram em Jerusalém sobre esse assunto (At 15.2,12). A vida do crente começa no Espírito e prossegue no Espírito. O crente é nascido do Espírito (Jo 3.5), regenerado pelo Espírito (Tt 3.5), selado pelo Espírito (Ef 1.13,14), habitado pelo Espírito (1Co 3.17) e batizado no corpo de Cristo pelo Espírito (1Co 12.13). Deve andar no Espírito (5.16) e ser cheio do Espírito (Ef 5.18).

Em terceiro lugar, *os crentes crescem na vida cristã pela fé*. *Sois assim insensatos que, tendo começado no Espírito, estejais, agora, vos aperfeiçoando na carne?* (3.3). A nossa transformação contínua à imagem de Cristo é obra do Espírito (2Co 3.18). A vida cristã é vivida no poder do Espírito e pela fé de ponta a ponta. Todos os seus estágios são desenvolvidos pela fé, na força do Espírito, e não pelas obras. Os crentes da Galácia

---

[16]STOTT, John. *A mensagem de Gálatas*, p. 66.
[17]LUTHER, Martin. *Galatians*, p. 1.292.

haviam começado no Espírito e, agora, estavam voltando ao jugo da lei. Isso não era progresso, mas retrocesso.

Uma vez que fomos salvos por meio do Espírito, não pela carne, e pela fé, não pela lei, nada mais justo do que continuar no Espírito.[18] Para Donald Guthrie, o que Paulo quer dizer é que abandonar o Espírito exclui a possibilidade de completar a obra.[19] Para William Hendriksen, a presença ativa do Espírito assinala a presença interna de Cristo. Consequentemente, os gálatas estavam começando a renunciar a Cristo como seu único e todo-suficiente Salvador. Estavam agindo como o filho pródigo, que deixou a casa do pai, com toda a segurança, paz, amor e comunhão, para andar errante por lugares estranhos e adversos, onde sofreria fome e necessidade.[20]

Em quarto lugar, *os crentes suportam o sofrimento pela fé*. *Terá sido em vão que tantas coisas sofrestes? Se, na verdade, foram em vão* (3.4). Os crentes da Galácia sofreram no começo da vida cristã nas mãos dos pagãos e também nas mãos dos judeus radicais (At 13.45,50; 14.2-6,19,22). Sofrer por causa da justiça é bem-aventurança. Porém, se eles estavam afastando-se do evangelho que no começo abraçaram, esse sofrimento havia sido em vão. Quando somos pelo evangelho, devemos alegrar-nos. Isso porque a nossa leve e momentânea tribulação produzirá para nós eterno peso de glória (2Co 4.14-16). Os sofrimentos do tempo presente não se comparam às glórias a serem reveladas em nós (Rm 8.18).

Em quinto lugar, *os crentes recebem as intervenções milagrosas de Deus pela fé*. *Aquele, pois, que vos concede o Espírito e que opera milagres entre vós, porventura, o faz pelas obras da lei ou pela pregação da fé?* (3.5). O evangelho chegou aos crentes da Galácia com manifestação de poder e prodígios (At 14.3). Mesmo diante das provas mais amargas, os discípulos transbordavam de alegria e do Espírito Santo (At 13.52). Tanto a dádiva do Espírito como a operação de milagres chegaram à igreja da Galácia pela pregação da fé, e não pelas obras da lei. O Pai continua a suprir o Espírito em poder e em bênção, e isso é feito pela fé, não pelas

---

[18] WIERSBE, Warren W. *Comentário bíblico expositivo*, p. 913.
[19] GUTHRIE, Donald. *Gálatas: introdução e comentário*, p. 115.
[20] HENDRIKSEN, William. *Gálatas*, p. 122.

obras da lei. Esses milagres incluem transformações extraordinárias na vida dos crentes, bem como maravilhas no meio da igreja.[21]

A justificação pela fé é **confirmada nas Escrituras** (3.6-14)

O apóstolo Paulo faz uma transição da experiência dos crentes da Galácia para as Escrituras. Ele tira os olhos do presente e volta-os para o passado. Equilibra a experiência subjetiva dos cristãos da Galácia com o ensinamento objetivo da Palavra inalterável de Deus.[22] Vale ressaltar que não julgamos as Escrituras pela nossa experiência, mas testamos nossas experiências pelas Escrituras. Paulo passa a citar várias passagens do Antigo Testamento para provar que a salvação é pela fé em Cristo, não pelas obras da lei.

Uma vez que os judaizantes desejavam levar os crentes de volta à lei, Paulo cita a própria lei! Uma vez que eles engrandeciam a figura de Abraão em sua religião, Paulo usa Abraão como uma das testemunhas.[23] Nessa mesma linha de pensamento, William Hendriksen diz que provavelmente Paulo dedicou tanta atenção a Abraão porque seus oponentes alardeavam que eram seus descendentes, como se essa circunstância biológica lhes proporcionasse uma posição mais alta diante de Deus, e como se a justiça que Deus colocara na conta de Abraão fosse uma dívida que Deus lhe devia por suas obras. Por isso, Paulo se refere a Gênesis 15.6 mostrando que ensina o contrário e colocando a ênfase na fé, e não nas obras.[24]

Destacamos aqui quatro pontos importantes para a nossa reflexão.

Em primeiro lugar, ***Abraão, o pai dos crentes foi justificado pela fé***. *É o caso de Abraão, que creu em Deus, e isso lhe foi imputado para justiça. Sabei, pois, que os da fé é que são filhos de Abraão* (3.6,7). Deus fez uma promessa a Abraão, Abraão creu em Deus, e a fé de Abraão foi creditada como justiça (Gn 15.6). Abraão é o pai da nação judaica e também

---

[21]WIERSBE, Warren W. *Comentário bíblico expositivo*, p. 914.
[22]WIERSBE, Warren W. *Comentário bíblico expositivo*, p. 912.
[23]WIERSBE, Warren W. *Comentário bíblico expositivo*, p. 914.
[24]HENDRIKSEN, William. *Gálatas*, p. 128.

o pai dos crentes. Ele foi justificado muito antes de a lei ser dada. Ele foi justificado pela fé, e não pelas obras da lei. Se o pai dos crentes foi justificado pela fé, por que seus filhos seriam justificados pelas obras da lei?

Adolf Pohl pergunta: Quem era esse *Abraão* mencionado em Gálatas 3.6? É bom notar que sua circuncisão aconteceu, conforme Gênesis 17.10-14,23-27, somente uma década depois de sua justificação. Gênesis 15.6 testemunha que foi declarado justo o Abraão incircunciso (Rm 4.11,12), justificado por fé, não pela lei. Ainda não era um israelita, mas um *arameu errante* (Dt 26.5b), pertencendo à comunidade cultual da divindade lunar, que tinha seus centros religiosos em Ur e Harã. Segundo Romanos 4.5 era um "ímpio". Foi a ele que Deus chamou para junto de si, começando por meio dele a história da bênção para os povos do mundo (Gn 12.1-3).[25]

Warren Wiersbe argumenta que Paulo começa citando Moisés para mostrar que a justiça de Deus foi "depositada na conta" de Abraão somente por sua crença na promessa de Deus (Gn 15.6). O termo "imputado", em Gálatas 3.6 e Gênesis 15.6, tem o mesmo significado de Romanos 4.11,22-24. A palavra grega significa "creditar na conta de alguém". Quando um pecador crê em Cristo, a justiça de Deus é creditada em sua conta. Mais do que isso, os pecados dessa pessoa deixam de ser registrados nessa conta (Rm 4.1-8; 2Co 5.21). Assim, diante de Deus o histórico está sempre limpo e, portanto, o que creu não pode jamais ser julgado por seus pecados.[26]

Em segundo lugar, **os gentios são justificados pela fé**. Ora, *tendo a Escritura previsto que Deus justificaria pela fé os gentios, preanunciou o evangelho a Abraão: Em ti, serão abençoados todos os povos. De modo que os da fé são abençoados com o crente Abraão* (3.8,9). Aqui Paulo está citando Gênesis 12.3; Gn 22.17,18; At 3.25. Convém examinarmos que bênção era essa e como todas as nações viriam a herdá-la. A bênção é a justificação, a maior de todas as bênçãos, pois os verbos "justificar" e "abençoar" são usados como equivalentes no versículo 8. E o meio pelo

---

[25] POHL, Adolf. *Carta aos Gálatas*, 1999, p. 105.
[26] WIERSBE, Warren W. *Comentário bíblico expositivo*, p. 914.

qual a bênção seria herdada é a fé. Sendo assim, os gálatas já eram filhos de Abraão, não pela circuncisão, mas pela fé.[27]

A salvação do começo ao fim se manteve sempre do mesmo jeito. Sempre foi pela fé e jamais pelas obras. Tanto os judeus como os gentios são salvos da mesma maneira. Ambos são salvos pela fé. Por isso, Deus preanunciou o evangelho a Abraão e nele abençoou todos os povos, de tal modo que os da fé são abençoados com o crente Abraão. Os filhos de Abraão não são aqueles que têm o sangue judeu correndo em suas veias, mas os que têm a fé de Abraão habitando em seu coração.

William Hendriksen é assaz oportuno quando expõe o texto em apreço:

> Esta passagem ensina a importante verdade, que muitos rechaçam deploravelmente, de que a igreja das duas dispensações, a antiga e a nova, é uma só igreja. Todos os crentes habitam na mesma tenda (Is 54.1-3). Quando terminou a antiga dispensação não foi necessário que se levantasse outra tenda; simplesmente se ampliou a antiga. Todos os filhos de Deus estão representados pela mesma oliveira. Não foi necessário desarraigar a antiga oliveira, só se enxertaram novos ramos entre os antigos (Rm 11.17). Os nomes de todos os filhos de Deus estão escritos no mesmo livro da vida. Todos são predestinados, chamados, justificados e glorificados. Todos participam e participarão das glórias da dourada Jerusalém, a cidade em cujas portas estão escritos os nomes das doze tribos dos filhos de Israel, e em cujos fundamentos estão gravados os nomes dos doze apóstolos do Cordeiro.[28]

Voltando ao ponto central da justificação pela fé, Warren Wiersbe evidencia a lógica de Paulo: se Deus prometeu salvar os gentios pela fé, os judaizantes estavam errados em querer levar os cristãos gentios de volta para a lei. Os verdadeiros "filhos de Abraão" não são os judeus por descendência física, mas os judeus e os gentios que creem em Jesus Cristo.[29]

---

[27] STOTT, John. *A mensagem de Gálatas*, p. 69.
[28] HENDRIKSEN, William. *Gálatas*, p. 133.
[29] WIERSBE, Warren W. *Comentário bíblico expositivo*, p. 914.

Calvino diz que a expressão do versículo 9, "De modo que os da fé são abençoados com o crente Abraão", é bastante enfática. Eles são abençoados não com o Abraão circuncidado, não com pessoas que têm o direito de se gloriar nas obras da lei, não com os hebreus, não com pessoas que confiam em sua própria dignidade, mas com o Abraão, que, pela fé somente, obteve a bênção. Nenhuma qualidade pessoal é levada em conta aqui; somente a fé. A palavra "abençoados" é usada de forma variada nas Escrituras; aqui, porém, ela significa *adoção à herança da vida eterna*.[30]

Em terceiro lugar, **a justificação é pela fé, e não pelas obras da lei**. *Todos quantos, pois, são das obras da lei estão debaixo de maldição; porque está escrito: Maldito todo aquele que não permanece em todas as coisas escritas no livro da lei, para praticá-las. E é evidente que, pela lei, ninguém é justificado diante de Deus, porque o justo viverá pela fé. Ora, a lei não procede de fé, mas: Aquele que observar os seus preceitos por eles viverá* (3.10-12). A lógica de Paulo é irresistível: Quem transgride o menor dos mandamentos da lei é maldito. Todos são culpados dessa transgressão. Logo, todos são malditos.[31] Calvino é claro em afirmar que a lei justifica aquele que cumpre todos os seus mandamentos, enquanto a fé justifica aqueles que são destituídos do mérito das obras e confiam exclusivamente em Cristo. Ser justificado pelos próprios méritos e ser justificado pela graça de outrem são sistemas irreconciliáveis: um é anulado pelo outro.[32]

Destacamos aqui alguns pontos importantes na análise do texto em tela.

A lei exige perfeição (3.12). A lei é santa, e o mandamento é santo, justo e bom (Rm 7.12). Aquele que observar os preceitos da lei, por eles viverá (3.12). O problema é que somos pecadores e não conseguimos cumprir as demandas da lei. Warren Wiersbe diz que a lei não é um "bufê religioso" do qual as pessoas escolhem o que lhes agrada.[33] Tiago

---

[30]CALVINO, João. *Gálatas*, 2007, p. 80.
[31]CALVINO, João. *Gálatas*, 2007, p. 81.
[32]CALVINO, João. *Gálatas*, 2007, p. 82.
[33]WIERSBE, Warren W. *Comentário bíblico expositivo*, p. 915.

escreveu: *Pois qualquer que guarda toda a lei, mas tropeça em um só ponto, se torna culpado de todos* (Tg 2.10). Paulo, citando Deuteronômio 27.26, diz que maldito é todo aquele que não permanece em todas as coisas escritas no livro da lei, para praticá-las (3.10). Paulo declara que pela lei vem o pleno conhecimento do pecado (Rm 3.20). O papel da lei não é salvar o pecador, mas mostrar o seu pecado, tomá-lo pela mão e levá-lo ao Salvador (3.24).

A lei impõe maldição (3.10). Aqueles que buscam a justificação pelas obras da lei estão debaixo de maldição, pois é essa a sentença que a lei impõe para aqueles que não permanecem em perfeita obediência aos seus preceitos. Paulo diz que só há dois caminhos pelos quais o homem pode ser salvo: o caminho da lei e o caminho da fé. O caminho da lei está baseado nas obras do homem e exige perfeição; como o homem não é perfeito, a lei o coloca debaixo de maldição. O caminho da fé descansa nas obras de Cristo e, porque ele é perfeito e realizou obras perfeitas, podemos ser salvos pela fé.

A lei produz frustração (3.11). A lógica de Paulo é irrefutável: "É evidente que, pela lei, ninguém é justificado diante de Deus, porque o justo viverá pela fé". Aqueles que buscam a salvação pelas obras da lei não têm esperança. Já entram nessa corrida derrotados. Ninguém, jamais, conseguiu alcançar o padrão exigido pela lei. Por isso, ninguém é justificado diante de Deus pela lei. Ela só pode gerar frustração. Concordo com William Barclay, quando ele diz que o caminho da lei e o da fé são totalmente antitéticos; não se pode dirigir a vida por ambos ao mesmo tempo; uma escolha é imperativa e necessária. A única escolha lógica e sensata é abandonar a vida do legalismo e entrar pelo caminho da fé.[34]

A fé é o único meio da justificação. O justo viverá pela fé (3.11b). Esta é uma citação de Habacuque 2.4, repetida por Paulo em Romanos 1.17. Somos justificados não pelas nossas obras, mas pela obra de Cristo. Apropriamo-nos da justificação não pelas obras da lei, mas pela fé. Deus justifica não o justo, mas o injusto pela justiça do Justo a ele imputada. Deus é justo e justificador daquele que tem fé. William Hendriksen

---

[34] BARCLAY, William. *Gálatas y Efesios*, p. 36.

explica que depender da lei significa depender de si mesmo. Exercer a fé significa depender de Cristo.³⁵

Nessa mesma linha de raciocínio, John Stott diz que fé é tomar posse de Jesus Cristo pessoalmente. O valor da fé não é intrínseco, mas está totalmente no seu objeto, Jesus Cristo. Cristo é o Pão da vida; a fé alimenta-se dele. Cristo foi levantado na cruz; a fé olha para ele.³⁶ Donald Guthrie sintetiza essa verdade essencial do cristianismo: "A *fé* fica sendo a fé em Cristo; *justo* significa ser contado como justo aos olhos de Deus, *viver* refere-se ao plano superior da vida, abrangendo a vida eterna.³⁷

Em quarto lugar, *a justificação é por intermédio de Cristo*. *Cristo nos resgatou da maldição da lei, fazendo-se ele próprio maldição em nosso lugar, porque está escrito: Maldito todo aquele que for pendurado em madeiro; para que a bênção de Abraão chegasse aos gentios, em Jesus Cristo, a fim de que recebêssemos, pela fé, o Espírito prometido* (3.13,14). Tendo afirmado que a justificação é pela fé, Paulo agora diz que é por intermédio de Cristo. Paulo passa da causa instrumental para a causa meritória da justificação. Somos justificados por causa do sacrifício de Cristo e recebemos essa justificação pela fé.

Warren Wiersbe aponta que esses dois versículos são um excelente resumo de tudo o que Paulo vem dizendo ao longo dessa seção. A lei coloca os pecadores sob maldição? Cristo nos redime dessa maldição! Desejamos a bênção de Abraão? Ela é recebida por meio de Cristo! Desejamos o dom do Espírito, mas somos gentios? Por meio de Cristo, esse dom é concedido aos gentios! Tudo aquilo de que precisamos encontra-se em Cristo! Não há motivo algum para voltar a Moisés.³⁸

Destacamos aqui alguns pontos para melhor compreendermos o texto em tela.

A justificação tem como causa meritória o sacrifício expiatório de Cristo (3.13). Depois de mostrar a total impossibilidade de o homem ser

---

³⁵ HENDRIKSEN, William. *Gálatas*, p. 137.
³⁶ STOTT, John. *A mensagem de Gálatas*, p. 77.
³⁷ GUTHRIE, Donald. *Gálatas: introdução e comentário*, p. 121.
³⁸ WIERSBE, Warren W. *Comentário bíblico expositivo*, p. 915.

justificado pelas obras da lei, Paulo apresenta o remédio, mostrando que Cristo nos resgatou e nos abriu o caminho da salvação. Cristo foi nosso representante, fiador e substituto. Ele assumiu o nosso lugar e levou sobre si os nossos pecados. Foi traspassado pelas nossas transgressões. Bebeu sozinho o cálice amargo da ira de Deus que deveríamos beber e sofreu o golpe da lei que deveríamos sofrer. Fez-se pecado e maldição por nós. Morreu em nosso lugar e em nosso favor. O sacrifício de Cristo é a causa meritória da nossa salvação, enquanto a fé é a sua causa instrumental.

John Stott tem razão quando diz que a maldição foi transferida de nós para Cristo. Ele a colocou voluntariamente sobre si mesmo, a fim de nos libertar dela. É essa transferência da maldição que explica o horrível grito de abandono e solidão que ele enunciou na cruz.[39] Estou de pleno acordo com a declaração de Adolf Pohl de que Cristo não se fez maldição porque transgrediu a lei. Ao contrário, foi obediente até a morte e morte de cruz. Ele ...*se ofereceu sem mácula a Deus* (Hb 9.14), ...*sem defeito e sem mácula* (1Pe 1.19). Porém, se não suportou a maldição por Si, Ele a suportou por nós, "...o justo pelos injustos" (1Pe 3.18).[40]

A justificação implica a plena satisfação das demandas da lei (3.13). A justificação é um ato, e não um processo. É um ato jurídico, legal e forense, e não uma experiência subjetiva. Acontece fora de nós, e não em nós, no tribunal de Deus, e não em nosso coração. Porque Cristo se fez maldição por nós e morreu em nosso lugar, pagando a nossa dívida, estamos quites com a lei de Deus e com a justiça de Deus. Não há mais nenhuma condenação para aqueles que estão em Cristo Jesus.

A justificação redunda em resgate da maldição da lei (3.13). A obra de Cristo na cruz foi a maior missão resgate do mundo. No mês de outubro de 2010 a imprensa mundial aplaudiu, com emoção, o resgate de 33 mineiros soterrados, 70 dias, a 700 metros, nas entranhas da terra, numa mina de cobre, no deserto do Atacama, no norte do Chile. O Filho de Deus desceu às profundezas do abismo, quando foi pendurado

---

[39] STOTT, John. *A mensagem de Gálatas*, p. 75.
[40] POHL, Adolf. *Carta aos Gálatas*, 1999, p. 115.

na cruz, pois ali se fez maldição. Ali sorveu cada gota do cálice amargo da ira de Deus. Ali foi ferido e traspassado pelos nossos pecados. Ali desbaratou os principados e potestades e anulou o escrito de dívida que era contra nós. Foi no Calvário que Cristo nos resgatou da maldição da lei, do Império das trevas e da potestade de satanás. A palavra grega *exegorasen*, usada no versículo 10, contém a ideia de comprar no mercado, redimir, pagar o preço pela libertação de um escravo.[41]

A justificação pela fé é a bênção de Abraão destinada a todos os que creem (3.14). Deus não tem duas formas de salvar o pecador. Abraão foi justificado pela fé, e assim todos os gentios recebem essa bênção de Abraão, a justificação, pela fé. A justificação é em Cristo, e não à parte de Cristo. O Espírito prometido, que nos convence do pecado, da justiça e do juízo, nos é dado pela fé, e não pelas obras da lei.

Concluo esta exposição com as oportunas palavras de William Hendriksen:

> Entre todas as pedras preciosas que resplandecem na coroa da bênção de Abraão (a bênção que recebeu), com toda segurança, esta era uma das mais preciosas, a saber, que por ele – mais precisamente, por meio de sua semente, o Messias – uma quantidade inumerável de pessoas seria abençoada. Por meio de Cristo e Seu Espírito, o Espírito da promessa (At 1.4,5; Ef 1.13), o rio da graça (Ez 47.3-5) continuaria seu curso sem fim, abençoando primeiramente aos judeus, mas depois também aos homens de toda raça, tanto gentios como judeus. Sim, o rio da graça flui pleno, abundante, refrescante, frutificante para todos. E, para receber a bênção, a saber, a realização da promessa: "Eu serei o teu Deus", a única coisa da qual se necessita é a fé, a confiança no Cristo crucificado, porque foi no Calvário que as chamas da ira de Deus descarregaram toda sua fúria, e os crentes de todas as nações, tribos e línguas são salvos para sempre![42]

---

[41] RIENECKER, Fritz; ROGERS, Cleon. *Chave linguística do Novo Testamento grego*, p. 376.
[42] HENDRIKSEN, William. *Gálatas*, p. 139.

9

A relação da lei com a promessa

Gálatas 3.15-29

O APÓSTOLO PAULO AINDA ESTÁ COMBATENDO os judaizantes que perturbavam a igreja e tentavam perverter o evangelho. Esses falsos mestres não aceitavam o princípio de *sola fides* (justificação somente pela fé). Insistiam em que o homem precisava contribuir com sua salvação. Consequentemente, acrescentavam à fé as obras da lei como outro fundamento essencial para o indivíduo ser aceito por Deus.[1]

Os falsos mestres tentavam ancorar seus argumentos sofismáticos no Antigo Testamento, especialmente evocando a figura do patriarca Abraão e do legislador Moisés. Paulo, inspirado pelo Espírito de Deus, com lógica irretocável e sabedoria brilhante, responde a esses intrusos entrando no próprio campo que eles lavravam para desconstruir seus argumentos ardilosos.

John Stott, com grande perspicácia espiritual, diz que o mesmo Deus que deu a promessa a Abraão também deu a lei a Moisés. Deus é um (3.20), isto é, o Deus de Abraão e o Deus de Moisés são uma e a mesma pessoa. Não podemos colocar Abraão e Moisés um contra o outro, nem a promessa e a lei, uma contra a outra, como se tivéssemos

---

[1] STOTT, John. *A mensagem de Gálatas*, p. 79.

de rejeitar uma para aceitar a outra. Se Deus é o autor de ambas, deve ter tido algum propósito para elas. Qual é, então, a relação entre a promessa e a lei? Nos versículos 15 a 18 Paulo diz que a lei não anulou a promessa e nos versículos 19 a 22 diz que a lei iluminou a promessa.[2] Nos versículos 23 e 24 Paulo descreve o que éramos sob a lei, e nos versículos 25 a 29, o que somos em Cristo.[3] A lei não nos salva, mas nos toma pela mão e nos leva a Cristo, o Salvador.

Warren Wiersbe, ilustre expositor bíblico, destaca quatro verdades essenciais no texto em tela, as quais vamos aqui, considerar.[4]

A lei **não pode revogar** a promessa (3.15-18)

Abraão foi justificado diante de Deus não pelas obras da lei, mas pela fé na promessa. Essa promessa lhe foi dada antes da lei e antes mesmo de sua circuncisão. A lei não apenas veio depois da promessa, mas não podia revogar a promessa. Destacamos aqui quatro pontos importantes.

Em primeiro lugar, ***Deus espera que todo pacto seja honrado***. "Irmãos, falo como homem. Ainda que uma aliança seja meramente humana, uma vez ratificada, ninguém a revoga ou lhe acrescenta alguma coisa" (3.15). Um pacto é um acordo feito entre duas pessoas que, uma vez firmado e selado, pela lei, as obriga a guardar suas palavras e Suas promessas. Se mesmo entre os homens uma aliança firmada precisa ser honrada e um pacto ratificado não pode ser alterado, uma vez que ninguém pode revogá-lo ou acrescentar-lhe coisa alguma, quanto mais Deus é fiel para manter Sua promessa. Calvino diz: "Se os contratos humanos são tidos como obrigatórios, quanto mais obrigatória é a aliança que Deus estabeleceu".[5]

Quando duas partes concluem um acordo, este não pode ser mudado por terceiros, mesmo vários anos depois. As únicas pessoas que podem alterar o acordo original são aquelas que o firmaram. Acrescentar ou remover qualquer coisa do "contrato" seria ilegal. Se essa regra vale

---

[2] STOTT, John. *A mensagem de Gálatas*, p. 81.
[3] STOTT, John. *A mensagem de Gálatas*, p. 89.
[4] WIERSBE, Warren W. *Comentário bíblico expositivo*, p. 917-921.
[5] CALVINO, João. *Gálatas*, 2007, p. 85.

para acordos feitos entre pecadores, então se aplica ainda mais ao Deus santo.[6]

John Stott chama a atenção para a palavra grega *diatheke*, traduzida por "aliança". No grego clássico e nos papiros, o termo era comumente usado para definir "testamento", significado reafirmado por Fritz Rienecker e Cleon Rogers.[7] Paulo está destacando que os desejos e as promessas expressos em um testamento são inalteráveis. Ora, se o testamento de um homem não pode ser alterado nem modificado, muito menos as promessas de Deus, que são imutáveis.[8]

Em segundo lugar, **Deus fez um pacto com Abraão e seu descendente.** *Ora, as promessas foram feitas a Abraão e ao seu descendente. Não diz: E aos descendentes, como se falando de muitos, porém como de um só: E ao teu descendente, que é Cristo* (3.16). Como podemos saber que uma pessoa é justificada pela fé, e não pelas obras? É que as promessas de Deus foram feitas a Abraão (Gn 17.7,8) e a Cristo, o seu descendente (3.16). Ora, se Abraão foi justificado pela fé (Gn 15.6), igualmente o será a sua descendência: *Não foi por intermédio da lei que a Abraão ou a sua descendência coube a promessa de ser herdeiro do mundo, e sim mediante a justiça da fé. Pois, se os da lei é que são os herdeiros, anula-se a fé e cancela-se a promessa* (Rm 4.13,14). Convém observar que não foi Abraão quem fez uma aliança com Deus; antes, foi Deus quem fez uma aliança com Abraão, uma aliança de graça.[9] Calvino também destaca que a aliança repousa exclusivamente em Cristo. Se Cristo é o fundamento da aliança, segue-se que esta é gratuita. A lei tomava em consideração os homens e as suas obras; enquanto a promessa leva em conta a graça de Deus e a fé.[10]

O propósito de Deus não era apenas de dar a terra de Canaã aos judeus, mas, sobretudo, salvar os crentes, que estão em Cristo. Essa promessa de Deus é livre e incondicional. Não havia obras a realizar, nem

---

[6]WIERSBE, Warren W. *Comentário bíblico expositivo*, p. 917.
[7]RIENECKER, Fritz; ROGERS, Cleon. *Chave linguística do Novo Testamento grego*, p. 376.
[8]STOTT, John. *A mensagem de Gálatas*, p. 81,82.
[9]WIERSBE, Warren W. *Comentário bíblico expositivo*, p. 917.
[10]CALVINO, João. *Gálatas*, 2007, p. 87.

leis a obedecer, nem méritos a estabelecer, nem condições a preencher. E, como um testamento humano, essa promessa divina é inalterável. Continua em vigor nos dias de hoje, pois nunca foi rescindida. Deus não faz promessas a fim de quebrá-las. Ele nunca anula nem modifica sua vontade.[11]

Em terceiro lugar, *Deus deu o seu pacto de fé antes de dar a lei. E digo isto: uma aliança já anteriormente confirmada por Deus, a lei, que veio quatrocentos e trinta anos depois, não a pode ab-rogar, de forma que venha a desfazer a promessa* (3.17). Como podemos saber que uma pessoa é justificada pela fé somente? Porque Deus deu Sua promessa de fé a Abraão antes de dar a lei a Moisés. A promessa de fé precede o pacto da lei. Abraão foi justificado pela fé mais de quatro séculos antes de a lei ser dada. A aliança da fé tem suas raízes na eternidade, uma vez que antes de ela ter sido dada a Abraão no tempo, foi dada a Cristo na eternidade. Porque a promessa da justificação pela fé veio antes da lei, ela não pode ser ab-rogada pela lei. Warren Wiersbe ressalta que, em virtude de Deus ter feito Sua promessa pactual com Abraão por meio de Cristo, nem mesmo Moisés pode mudar essa aliança. Não se pode acrescentar coisa alguma a ela nem tirar coisa alguma dela.[12]

Em quarto lugar, *Deus deu a herança pela promessa e não pela lei.* "Porque, se a herança provém de lei, já não decorre de promessa; mas foi pela promessa que Deus a concedeu gratuitamente a Abraão" (3.18). A herança concedida a Abraão foi a justificação, e ele não foi justificado pela lei, mas pela fé, e isso, gratuitamente. Abraão não mereceu nem conquistou essa herança; ele a recebeu gratuitamente pela fé. William Hendriksen está absolutamente correto quando diz que a salvação é um dom gratuito de Deus, e não uma conquista do homem.[13]

A lei **não é maior** do que a **promessa** (3.19,20)

O apóstolo Paulo enfatiza agora a superioridade da promessa em relação à lei, destacando três pontos importantes.

---

[11] STOTT, John. *A mensagem de Gálatas*, p. 82.
[12] WIERSBE, Warren W. *Comentário bíblico expositivo*, p. 917,918.
[13] HENDRIKSEN, William. *Gálatas*, p. 147.

Em primeiro lugar, *a lei foi dada para revelar o pecado, não para removê-lo*. "Qual, pois, a razão de ser da lei? Foi adicionada por causa das transgressões..." (3.19a). Como podemos saber que a lei não justifica o pecador nem o faz aceitável diante de Deus? Porque o propósito da lei é revelar o pecado em vez de removê-lo. William Barclay diz que vemos aqui, ao mesmo tempo, a força e a debilidade da lei. Sua força está em que ela define o pecado; sua debilidade em que ela nada pode fazer para remediá-lo.[14] Donald Guthrie chama a atenção para a palavra grega *parabaseis*, "transgressões", que Paulo usa tendo em mente faltas intencionais, ou seja, o desvio do caminho certo. A lei havia definido o caminho certo e tornara os homens conscientes dele. A lei, porém, não tinha poder para refrear as transgressões; somente o evangelho poderia realizar tal coisa.[15]

A lei é como um *espelho* que mostra a sujeira do nosso rosto, mas não a remove. A lei é como um *prumo* que mostra a sinuosidade da nossa vida, mas não a endireita. A lei é como uma *luz* que mostra o obstáculo do caminho, mas não o remove. A lei é como uma *tomografia computadorizada* que mostra os tumores escondidos em nossas entranhas, mas não é o bisturi que os cirurgia.

A lei torna o homem consciente do seu pecado e de sua condenação. Paulo disse: *Até ao regime da lei havia pecado no mundo, mas o pecado não é levado em conta quando não há lei* (Rm 5.13). *Pela lei vem o pleno conhecimento do pecado* (Rm 3.20); *...onde não há lei, também não há transgressão* (Rm 4.15); *...eu não teria conhecido o pecado, senão por intermédio da lei* (Rm 7.7) e *A fim de que, pelo mandamento, o pecado se mostrasse sobremaneira maligno* (Rm 7.13). Como diz John Stott, a função da lei não é conceder a salvação, mas convencer os homens de sua necessidade.[16]

Em segundo lugar, *a lei foi temporária, e não permanente*. *Foi adicionada por causa das transgressões, até que viesse o descendente a quem se fez a promessa...* (3.19b). Por que sabemos que a lei não pode justificar

---

[14] BARCLAY, William. *Gálatas y Efesios*, p. 39.
[15] GUTHRIE, Donald. *Gálatas: introdução e comentário*, p. 130.
[16] STOTT, John. *A mensagem de Gálatas*, p. 83.

o pecador nem torná-lo aceitável diante de Deus? Porque a lei foi temporária. Ela foi dada para cumprir uma missão e, após tê-la concluído, retira-se de cena. A lei vigorou até Cristo. Quando Cristo chegou, ela encerrou seu trabalho. O apóstolo Paulo diz: *Porque o fim da lei é Cristo, para justiça de todo aquele que crê* (Rm 10.4).

Jesus Cristo cumpriu a lei que o pecador não podia cumprir e com sua morte deu-nos a salvação que a lei não podia dar (Rm 8.3). Concordo com Warren Wiersbe quando escreve: "É evidente que uma lei temporária não pode ser maior do que uma aliança permanente. Com a morte e ressurreição de Cristo, a lei foi revogada e seus requesitos justos são cumpridos em nós por meio do Espírito (Rm 7.4; 8.1-4)".[17]

Em terceiro lugar, *a lei foi dada por meio de um mediador, e não diretamente por Deus. ... e foi promulgada por meio de anjos, pela mão de um mediador. Ora, o mediador não é de um, mas Deus é um* (3.19c,20). Como podemos saber que a lei não pode justificar o pecador nem torná-lo aceitável diante de Deus? Porque a lei não foi dada diretamente por Deus, mas por meio de um mediador; portanto, ela é inferior à promessa. Dois pontos saltam aos olhos aqui.

Primeiro, *a lei não foi dada diretamente por Deus*. A lei veio de Deus, mas foi dada por anjos a Moisés e então aos homens (3.19; Dt 33.2; Sl 68.17; At 7.53; Hb 2.2). Moisés se colocou como um mediador entre Deus e o homem na dádiva da lei; portanto, a lei veio ao homem de terceira mão, ou seja, de Deus para os anjos, destes para Moisés e, por fim, de Moisés para o povo. Mas não foi assim com a promessa feita a Abraão. Quando firmou sua aliança com Abraão, Deus o fez pessoalmente, sem nenhum mediador. Deus mesmo deu Sua promessa de graça e justiça. Abraão recebeu a promessa diretamente de Deus. Consequentemente, a promessa é superior à lei.

Segundo, *a promessa de justiça foi dada somente por Deus*. No pacto da lei, tanto o homem como Deus tem responsabilidades. O homem precisa guardar a lei e, se a guardar totalmente, por ela viverá. Se não a guardar, estará sob sua maldição. No pacto da lei Deus justifica o justo, mas na promessa Deus justifica o ímpio. A promessa da justiça foi dada

---

[17] WIERSBE, Warren W. *Comentário bíblico expositivo*, p. 918.

por Deus sem necessidade de mediador. A justificação não decorre da obediência à lei, mas da fé na promessa, ou seja, o próprio Deus é quem justifica o pecador. William Barclay sustenta que a debilidade da lei residia em sua dependência de duas pessoas; não somente do legislador, mas também do transgressor. A graça, porém, depende inteiramente de Deus; nada que o homem faça pode anulá-la.[18]

Warren Wiersbe conclui: "A lei foi temporária e exigiu um mediador. A aliança era permanente e não exigiu nenhum mediador. A conclusão só poderia ser uma: a aliança era maior que a lei".[19]

A lei não é contrária à promessa (3.21-25)

O argumento de Paulo é que a lei não contradiz a promessa; antes coopera com ela, a fim de cumprir o propósito de Deus. Apesar de a lei e a graça serem opostas, elas se complementam.[20] A lei cumpre seu papel no propósito de preparar o homem a receber pela fé a promessa. A lei toma o pecador pela mão e o leva a Cristo. Destacamos quatro pontos importantes aqui.

Em primeiro lugar, *a lei não tem poder de oferecer vida, mas prepara o homem para recebê-la*. *É, porventura, a lei contrária às promessas de Deus? De modo nenhum! Porque, se fosse promulgada uma lei que pudesse dar vida, a justiça, na verdade, seria procedente de lei* (3.21). A lei não pode justificar o pecador porque não pode dar vida; ao contrário, ela produz morte, uma vez que revela o pecado e o salário do pecado é a morte. *A alma que pecar, essa morrerá* (Ez 18.20) e *maldito todo aquele que não permanece em todas as coisas escritas no Livro da lei* (3.10; Dt 27.26), para praticá-las. A lei é mandamento gravado numa tábua de pedra. Está fora do homem e não tem nenhum poder para capacitá-lo. A lei exige obediência, mas não oferece nenhuma ajuda ao homem. Citando Lutero, John Stott diz que o ponto principal da lei é tornar os homens piores, não melhores; isto é, a lei mostra o pecado dos homens, para

---

[18] BARCLAY, William. *Gálatas y Efesios*, p. 40.
[19] WIERSBE, Warren W. *Comentário bíblico expositivo*, p. 918,919.
[20] WIERSBE, Warren W. *Comentário bíblico expositivo*, p. 919.

que por meio desse conhecimento eles se tornem humildes, assustados, desanimados e quebrantados, e desse modo sejam levados a buscar a graça, ou seja, a Semente bendita, que é Cristo.[21]

A lei não tem poder para dar vida. Não que a lei seja imperfeita; é que ela lida com o homem, que é imperfeito. Consequentemente, a justiça não decorre da lei, mas da promessa. Warren Wiersbe tem razão em dizer que, se fosse possível obter vida e justiça pela lei, não teria sido necessário Jesus Cristo morrer na cruz. Mas Jesus morreu, comprovando que a lei jamais poderia dar vida e justificar o pecador.[22] Tanto a lei quanto a promessa, porém, tinham suas respectivas esferas, que não se sobrepunham, nem entravam em choque entre si, pois Deus podia perdoar aqueles que sua própria lei condenava, mas este era um ato de graça, assim como a promessa também constituía um ato de graça.[23]

Em segundo lugar, *a lei não tem poder de libertar do pecado, mas prepara o homem para encontrar o libertador*. *Mas a Escritura encerrou tudo sob o pecado, para que, mediante a fé em Jesus Cristo, fosse a promessa concedida aos que creem* (3.22). O papel da lei não é justificar, mas condenar. Não é remover o pecado, mas revelá-lo. Não é declarar o homem justo, mas torná-lo consciente de sua culpa. A Escritura ou a lei de Deus revela de forma irrefutável que o homem é um transgressor da lei. Todos os homens estão sob o pecado, presos na masmorra escura do pecado e acorrentados por suas algemas, uma vez que *...todos pecaram e carecem da glória de Deus* (Rm 3.23).

A lei não nos torna pecadores; ela revela que somos pecadores. O propósito da lei é convencer o homem de que ele é pecador e precisa do Salvador. Quando o homem olha para a lei e vê que é pecador, tem consciência de que está perdido e condenado e de que necessita desesperadamente do Salvador. A lei prepara o caminho da fé. A lei pavimenta a estrada para Cristo. John Stott é categórico: "A verdadeira função da lei é confirmar a promessa e torná-la indispensável.

---

[21] STOTT, John. *A mensagem de Gálatas*, p. 85.
[22] WIERSBE, Warren W. *Comentário bíblico expositivo*, p. 919.
[23] GUTHRIE, Donald. *Gálatas: introdução e comentário*, p. 134.

Em outras palavras, a promessa de Deus a Abraão foi confirmada por Moisés e cumprida em Cristo".[24]

Antes de o evangelho ser apresentado ao homem, este precisa ser confrontado pela lei. É a lei que desmascara o pecado e condena o homem. Somente um homem consciente de sua culpa busca o Salvador. O evangelismo que ignora a lei enfraquece a graça. Sem a lei o homem não consegue ver o brilho da graça. É na escuridão da noite que vemos o brilho das estrelas. Da mesma forma, é no contexto da escuridão densa do pecado e do juízo que o evangelho resplandece. John Stott apresenta esse conceito de forma esplêndida:

> Só depois que a lei nos fere e esmaga é que admitimos a nossa necessidade do evangelho para atar nossas feridas. Só depois que a lei nos aprisiona é que anelamos que Cristo nos liberte. Só depois que a lei nos tiver condenado e matado é que vamos clamar a Cristo por justificação e vida. Só depois que a lei nos tiver levado ao desespero é que vamos crer em Jesus. Só depois que a lei nos tiver humilhado até o inferno é que vamos buscar o evangelho para nos elevar até o céu.[25]

Em terceiro lugar, *a lei mantém o homem na prisão até mostrar-lhe a porta de escape de fé. Mas, antes que viesse a fé, estávamos sob a tutela da lei e nela encerrados, para essa fé que, de futuro, haveria de revelar-se* (3.23). Os falsos mestres estavam induzindo os crentes da Galácia a se voltarem da fé para as obras da lei. Isso era um retrocesso, marcha à ré, uma vez que o propósito da lei era manter o homem sob tutela, na prisão, para a liberdade da fé em Cristo Jesus.

Paulo diz que a lei era uma prisão para o homem. Adolf Pohl explica que Deus prendeu Seu povo rebelde, de maneira que ele não tinha condições de escapar de sua culpa. A lei como prisão contradiz integralmente a doutrina judaica. Lá ela é considerada um muro protetor para fora, contra intrusos não autorizados do mundo gentílico. Aqui, porém, ela é um muro para dentro, de modo que os internos não podem

---

[24] STOTT, John. *A mensagem de Gálatas*, p. 85.
[25] STOTT, John. *A mensagem de Gálatas*, p. 86,87.

escapar nem romper a esfera sagrada de Deus, e o pecado permanece sendo pecado que exclui da casa paterna.[26]

Antes de a fé vir, ou seja, antes de Cristo morrer pelos nossos pecados, os homens eram prisioneiros sob a lei. O termo grego *phroureo*, "sob tutela", significa sob custódia, guardado em prisão. Essa palavra significa proteger com guardas militares. Quando aplicada a uma cidade, era usada tanto no sentido de manter o inimigo fora como de guardar os habitantes dentro, para não fugirem ou desertarem.[27] A lei nos mantinha na prisão, confinados e prisioneiros. A lei mostra o homem exatamente onde ele caiu. Acusa-o e condena-o. A lei não tem nenhum poder para tirar esse homem da prisão nem para lhe dar vida. A única esperança do pecador é surgir alguém para libertá-lo da prisão. Foi isso que Cristo fez!

Sintetizando o texto examinado até agora, John Stott diz que em Gálatas 3.15-22 o apóstolo Paulo recapitulou dois mil anos de história do Antigo Testamento, desde Abraão, passando por Moisés, até Cristo. Mostrou também como esses grandes nomes bíblicos estão relacionados entre si no desenrolar do propósito de Deus, como Deus deu uma promessa a Abraão e uma lei a Moisés, e como por meio de Cristo ele cumpriu a promessa que a lei revelara ser indispensável, pois esta condenava o pecador à morte, enquanto a promessa lhe oferecia justificação e vida eterna.[28]

Em quarto lugar, *a lei é o guardião do homem até conduzi-lo a Cristo*. *De maneira que a lei nos serviu de aio para nos conduzir a Cristo, a fim de que fôssemos justificados por fé. Mas, tendo vindo a fé, já não permanecemos subordinados ao aio* (3.24,25). A palavra grega *paidagogos* significa literalmente "tutor, guia, guardião de crianças".[29] David Stern diz que, embora a palavra portuguesa "pedagogia" seja derivada dela, o *paidagogos* não possuía nenhuma função de ensino. O *paidagogos* era um disciplinador severo, contratado para realizar um serviço, com o menino tendo

---

[26]POHL, Adolf. *Carta aos Gálatas*, 1999, p. 128,129.
[27]STOTT, John. *A mensagem de Gálatas*, p. 89.
[28]STOTT, John. *A mensagem de Gálatas*, p. 88.
[29]STOTT, John. *A mensagem de Gálatas*, p. 90.

de lhe obedecer.[30] A lei é o aio, o pedagogo ou o guardião que prepara o homem para ver sua necessidade de Cristo e o conduz a Cristo.

Warren Wiersbe acrescenta que, em várias famílias romanas e gregas, os escravos mais bem-educados levavam e buscavam as crianças na escola e cuidavam delas durante o dia. Alguns também participavam da educação das crianças, protegendo, proibindo e, por vezes, disciplinando. Esse é o aio ao qual Paulo se refere.[31] John Stott sustenta, porém, que o *paidagogos* não era o professor da criança, e, sim, aquele que a disciplinava.[32] J. B. Phillips pensa que o equivalente moderno é "governanta severa". William Barclay esclarece que o *paidagogos* também tinha a obrigação de cuidar para que o menino não caísse nas tentações ou nos perigos da vida e adquirisse as qualidades essenciais de um homem.[33] O *paidagogos* era encarregado dos meninos entre os 6 e 16 anos, cuidando do seu comportamento e acompanhando-o sempre que saísse de casa.[34]

Vale ressaltar que o aio não era o pai da criança. Seu trabalho era preparar essa criança para a maturidade. Quando a criança a atingisse, a função do aio deixaria de ser necessária. Da mesma forma, a lei foi uma preparação para a chegada de Cristo. O papel da lei é levar o homem a Cristo, o verdadeiro Mestre, o único que pode libertar, perdoar e salvar. O papel da lei é levar os homens a Cristo, a fim de que sejam justificados por fé; mas, tendo vindo a fé, já não permanecem mais subordinados ao aio. Calvino diz que sob o Reino de Cristo não há mais infância que necessite ficar sob a tutela de um *paidagogos* e, em consequência, a lei resigna de seu ofício.[35] Em outras palavras, a lei era uma preparação para Cristo, e a lei era temporária.

Vimos até aqui que a lei não pode mudar a promessa, e a lei não é maior do que a promessa. Também vimos que a lei não é contrária à promessa: as duas trabalham juntas para levar os pecadores ao Salvador.

---

[30] STERN, David. *Comentário judaico do Novo Testamento*, p. 597.
[31] WIERSBE, Warren W. *Comentário bíblico expositivo*, p. 919.
[32] STOTT, John. *A mensagem de Gálatas*, p. 90.
[33] BARCLAY, William. *Gálatas y Efesios*, p. 41.
[34] RIENECKER, Fritz; ROGERS, Cleon. *Chave linguística do Novo Testamento grego*, p. 377.
[35] CALVINO, João. *Gálatas*, 2007, p. 100.

A lei **não pode fazer o que a promessa faz** (3.26-29)

O apóstolo conclui seu argumento da superioridade da promessa sobre a lei mostrando três coisas que a promessa nos dá e que a lei não nos pode dar.

Em primeiro lugar, *a fé em Cristo nos faz filhos de Deus*. *Pois todos vós sois filhos de Deus mediante a fé em Cristo Jesus; porque todos quantos fostes batizados em Cristo de Cristo vos revestistes* (3.26,27). Pela lei temos consciência de que somos pecadores culpados; pela promessa somos justificados pela fé e pela fé somos feitos filhos de Deus. Não somos justificados pelos nossos méritos, mas pelos méritos de Cristo. Não somos salvos pelas nossas obras, mas pela obra de Cristo. Não somos aceitos na família de Deus por nós mesmos, mas somos filhos de Deus mediante a fé em Cristo Jesus. Quando cremos em Cristo, recebemos o poder de sermos feitos filhos de Deus (Jo 1.12). John Stott apresenta essa verdade de forma sublime:

> Deus não é mais nosso juiz, que por meio da lei nos condenou e nos aprisionou. Nem é mais nosso tutor, que pela lei nos restringe e castiga. Já não o tememos pensando no castigo que merecemos; nós o amamos com devoção filial profunda. Não somos prisioneiros à espera da execução final de nossa sentença, nem filhos menores sob a disciplina de um tutor, mas filhos de Deus e herdeiros de seu glorioso reino, desfrutando o *status* e os privilégios de filhos adultos.[36]

Quando somos batizados em Cristo, somos revestidos de Cristo (Rm 13.14; Ef 4.20-32; 6.11-17; Cl 3.8-17). Esse batismo do Espírito identifica o cristão com Cristo e o torna parte do corpo de Cristo (1Co 12.13). O batismo com água é um símbolo exterior dessa obra interior do Espírito Santo (At 10.44-48).[37] Não é o batismo com água que nos liga a Cristo, assim como não é a circuncisão que nos justifica. A fé interior garante a união com Cristo, e o batismo exterior é a representação visível dessa união.

---

[36] STOTT, John. *A mensagem de Gálatas*, p. 91.
[37] WIERSBE, Warren W. *Comentário bíblico expositivo*, p. 920.

Em segundo lugar, *a fé em Cristo elimina todas as distinções e preconceitos*. *Dessarte, não pode haver judeu nem grego; nem escravo nem liberto; nem homem nem mulher; porque todos vós sois um em Cristo Jesus* (3.28). Os judeus radicais agradeciam a Deus diariamente por não serem gentios, mulheres e escravos. Mas a fé em Cristo une judeus e gentios, homens e mulheres, escravos e livres. Não há barreiras nem preconceitos de raça, gênero ou condição social. Todos aqueles que creem em Cristo pertencem à mesma família e são igualmente aceitos por Deus. Pertencemos a Deus e uns aos outros. Os muros que nos separavam foram derrubados. Somos todos iguais na necessidade de salvação e na incapacidade de ganhá-la ou merecê-la, como somos iguais porque ela nos é por Deus oferecida livremente em Cristo. No Reino de Deus não existe preconceito racial, estratificação social nem desvalorização do gênero.

Donald Guthrie tem razão em escrever: "Em Cristo não há nem europeus nem asiáticos, nem africanos nem chineses, nem outros grupos raciais propriamente ditos. Em Cristo há um novo vínculo que transcende as barreiras da cor, cultura e costumes".[38]

Em terceiro lugar, *a fé em Cristo nos faz herdeiros da promessa*. *E, se sois de Cristo, também sois descendentes de Abraão e herdeiros segundo a promessa* (3.29). Vimos que em Cristo pertencemos a Deus e uns aos outros. Em Cristo também pertencemos a Abraão. Somos a descendência espiritual de Abraão, pois em Cristo nos tornamos herdeiros da promessa que Deus lhe fez. Jesus Cristo é o descendente de Abraão e aqueles que pertencem a Cristo são os verdadeiros descendentes de Abraão e herdeiros da promessa feita a ele. Essa promessa fala da herança da justificação, da salvação e da bem-aventurança eterna (Rm 8.15-17).

Concluo esta exposição citando mais uma vez Warren Wiersbe: "No Antigo Testamento, encontramos a *preparação* para Cristo; nos evangelhos, a *apresentação* de Cristo; e, de Atos a Apocalipse, a *apropriação* de Cristo".[39]

---

[38] GUTHRIE, Donald. *Gálatas: introdução e comentário*, p. 139.
[39] WIERSBE, Warren W. *Comentário bíblico expositivo*, p. 921.

10

Servidão da lei ou liberdade de Cristo?

Gálatas 4.1-11

O APÓSTOLO PAULO NÃO INTRODUZ ASSUNTO NOVO no capítulo 4. Ele continua com o mesmo tema, usando apenas uma ilustração diferente. Em Gálatas 3.24,25 disse que a lei nos serviu de *paidagogos*, ou seja, de "aio" que nos conduz a Cristo; mas, tendo cumprido sua missão, não devemos mais viver subordinados à lei. Agora, em Gálatas 4.1,2 ele afirma que a lei é como um "tutor" e um "curador" para um filho menor. Quando esse filho chega à idade adulta, não precisa mais ficar sujeito a tutores e curadores, ou seja, quando Cristo vem, e recebemos a graça, tomamos posse da promessa.

Paulo faz um contraste entre a condição do homem sob a lei (4.1-3) e a sua condição em Cristo (4.4-7), fundamentando nesse contraste um veemente apelo quanto à vida cristã (4.8-11).[1]

Paulo está perplexo com os crentes da Galácia, porque eles não apenas estavam trocando o evangelho verdadeiro por outro evangelho (1.6), mas também estavam trocando sua liberdade em Cristo pela escravidão da lei (4.9).

No texto em apreço, Paulo fala sobre três assuntos, que analisamos a seguir.

---
[1] STOTT, John. *A mensagem de Gálatas*, p. 96.

A servidão sob o **domínio da lei** (4.1-3)

Figuras falam mais do que discursos, e exemplos são mais eloquentes do que palavras. Paulo acabara de falar sobre o "aio", e agora, passa a falar sobre o "tutor" e o "curador". O aio era o servo contratado pelo pai da criança até que ela chegasse à idade própria para ir por si mesma ao mestre. Já o tutor e o curador cuidavam dessa criança herdeira até que ela chegasse à idade adulta para usufruir seus plenos direitos. Paulo usa como ilustração a lei romana para lançar luz sobre a relação do crente com a lei mosaica. Já no tempo do Antigo Testamento, antes de Cristo vir e quando estávamos debaixo da lei, éramos herdeiros, herdeiros da promessa que Deus fez a Abraão. Mas ainda não havíamos herdado a promessa. Éramos como crianças durante os anos da minoridade; nossa infância foi uma espécie de escravidão.[2] Para melhor compreendermos o assunto em tela, destacamos alguns pontos.

Em primeiro lugar, *a servidão sob a lei romana* (4.1,2). Quando um pai morria, deixando um filho herdeiro ainda criança, passava a vigorar o testamento nomeando tutores e curadores para cuidar desse filho menor até a idade adulta, quando, então, o herdeiro tomava posse dos seus plenos direitos.

Donald Guthrie diz que estas duas palavras (tutor e curador) talvez se refiram às pessoas a quem o menor devia prestar contas de seus atos segundo a lei romana, ao primeiro até a idade de 14 anos, e ao segundo até a idade de 25 anos.[3] De acordo com F. F. Bruce, na lei romana, até atingir a idade dos 14 anos, o herdeiro ficava sob o controle do tutor, nomeado pelo pai; então, até atingir a idade dos 25 anos, ficava sob o controle do curador, nomeado pelo *praetor urbanus* (pretor da cidade).[4] Paulo usa seu conhecimento da lei romana para mostrar nossa relação com a lei mosaica. Três coisas nos chamam a atenção aqui.

- *Herdeiro, porém não livre. Digo, pois, que, durante o tempo em que o herdeiro é menor, em nada difere de escravo...* (4.1a). A palavra grega

---

[2] STOTT, John. *A mensagem de Gálatas*, p. 97.
[3] GUTHRIE, Donald. *Gálatas: introdução e comentário*, p. 141.
[4] BRUCE. F. F. *The Epistle to the Galatians*, p. 192.

nepios significa criança ou alguém sem entendimento. Aqui descreve um "menor", em qualquer estágio de sua minoridade.[5] O filho menor é o herdeiro e o dono de tudo, mas é tratado como escravo. Ele ainda não pode assumir o controle da herança nem dela dispor. Até chegar à idade adulta, está sob o cuidado e o controle de tutores e curadores.

- *Herdeiro, porém não dono de fato. ... em nada difere de escravo, posto que é ele senhor de tudo* (4.1b). Mesmo sendo o dono e o senhor de tudo legalmente, o herdeiro ainda não pode assumir o controle da herança. O filho menor é o herdeiro e o dono de direito, mas não de fato.
- *Herdeiro, porém não ainda. Mas está sob tutores e curadores até ao tempo predeterminado pelo pai* (4.2). O pai deixa escrito no testamento o tempo exato em que o filho deve tomar posse da herança. Até esse tempo chegar, o herdeiro está sob o controle de tutores e curadores.

Em segundo lugar, **a servidão sob a lei judaica**. *Assim, também nós, quando éramos menores, estávamos servilmente sujeitos aos rudimentos do mundo* (4.3). Paulo diz que nós, judeus e gentios, antes da vinda de Cristo éramos como filhos menores e vivíamos servilmente, de igual modo, sujeitos aos rudimentos do mundo, ou seja, aos preceitos da lei. Mesmo na antiga dispensação éramos herdeiros da promessa, mas não estávamos de posse dela. A lei é comparada aqui com os ...*rudimentos do mundo* (4.3) e *rudimentos fracos e pobres* (4.9), dos quais precisamos ser resgatados (4.5). William Hendriksen diz que, assim como um menino desprovido de maturidade deve ser governado por regras e prescrições, também nós, antes que chegasse a luz do evangelho, estávamos escravizados aos rudimentos do mundo.[6]

A palavra grega *stoicheia*, "rudimentos", pode ser traduzida por "coisas elementares", "as letras do alfabeto", "o abecê que aprendemos na escola" ou "os poderes espirituais que dominam o mundo".[7] Warren Wiersbe diz que Israel passou cerca de quinze séculos no jardim da

---

[5] RIENECKER, Fritz; ROGERS, Cleon. *Chave linguística do Novo Testamento grego*, p. 378.
[6] HENDRIKSEN, William. *Gálatas*, p. 164.
[7] BARCLAY, William. *Gálatas y Efesios*, p. 45.

infância e na escola primária, aprendendo os fundamentos da vida espiritual, a fim de estar preparado para a vinda de Cristo. Quando isso acontecesse, o povo receberia a revelação plena, pois Jesus Cristo é o "Alfa e o Ômega". Ele é a última Palavra de Deus (Hb 1.1-3). Por isso, o legalismo não é um passo rumo à maturidade; é um passo de volta à infância. A lei não era a revelação final de Deus; era apenas a preparação para essa revelação definitiva em Cristo. É importante conhecermos os rudimentos do alfabeto, pois ele é o fundamento para a compreensão de toda a língua. Porém, se uma pessoa passar os dias em uma biblioteca recitando o alfabeto em vez de ler toda a literatura maravilhosa a seu redor, mostra-se imatura e ignorante. Debaixo da lei, os judeus eram como crianças vivendo sob a condição de servos, não como filhos adultos desfrutando a liberdade.[8]

Donald Guthrie destaca ainda que, se *stoicheia* fala dos poderes espirituais que dominavam o mundo, o mundo pagão achava-se escravizado a tais espíritos.[9] Agora, como a servidão da lei pode ser chamada de servidão a maus espíritos, se ela foi dada por Deus, e não por satanás, por meio de anjos (3.19), bons espíritos, e não maus? John Stott responde:

> O que Paulo quer dizer é que o diabo tomou essa coisa boa (a lei) e a distorceu para os seus próprios propósitos malignos, a fim de escravizar homens e mulheres. Exatamente como o guardião da criança pode maltratá-la durante sua minoridade, e até mesmo tiranizá-la de uma forma que seus pais jamais pretendiam, o diabo explorou a boa lei de Deus a fim de tiranizar pessoas da maneira que Deus jamais intentou. Deus pretendia que a lei revelasse o pecado e levasse os homens a Cristo; satanás usou-a para revelar o pecado e levar os homens ao desespero. Deus pretendia que a lei fosse um passo intermediário na nossa justificação; satanás usa-a como passo final para a nossa condenação. Deus pretendia que a lei fosse um degrau para a liberdade; satanás usa-a como um beco sem saída, enganando os simplórios e levando-os a crer que não há escape da sua terrível escravidão.[10]

---

[8] WIERSBE, Warren W. *Comentário bíblico expositivo*, p. 923.
[9] GUTHRIE, Donald. *Gálatas: introdução e comentário*, p. 142.
[10] STOTT, John. *A mensagem de Gálatas*, p. 98.

A liberdade sob o **domínio de Cristo** (4.4-7)

Atingimos a idade adulta quando Cristo veio, quando a lei nos deixou aos pés de Cristo, quando tomamos posse da herança sem a necessidade de tutores e curadores. O papel da lei nunca foi salvar-nos, mas sim conduzir-nos a Cristo. Buscar salvação pela lei é anular a graça e escarnecer da cruz. Alguns pontos devem ser aqui destacados.

Em primeiro lugar, *quando veio o Filho de Deus? Vindo, porém, a plenitude do tempo, Deus enviou Seu Filho...* (4.4a). A vinda de Cristo ao mundo não foi casual. Ele veio na plenitude do tempo, o tempo predeterminado pelo Pai (4.2). Fritz Rienecker e Cleon Rogers enfatizam com razão: "Deus preparou o mundo para a vinda de Seu Filho naquela data específica da história. Isso indica que Deus é o Senhor da história e que age neste mundo para levar a cabo seus propósitos".[11]

Concordo com Adolf Pohl quando disse: "Não foi o tempo que colocou Deus em movimento, porque os povos estivessem maduros ou uma lei numérica se manifestasse, mas foi Deus quem fez o tempo andar".[12] Tudo foi planejado desde a eternidade. A vinda de Cristo ao mundo fazia parte da agenda celeste, de um calendário estabelecido pelo próprio Deus Pai, "que marcava a conclusão da antiga era e a aurora da nova".[13]

O que seria essa plenitude do tempo? Deus preparou o mundo para a chegada do Seu Filho. Os judeus ofereceram ao mundo as Escrituras; os gregos, a língua universal; e os romanos, as leis e as estradas que facilitaram o trânsito célere dos mensageiros e da mensagem. John Stott sintetiza essa plenitude dos tempos da seguinte forma:

> Foi o período em que Roma conquistou e subjugou o mundo conhecido, quando as estradas romanas foram abertas a fim de facilitar as viagens e quando as legiões romanas as guardavam. Também foi o período em que a língua grega e sua cultura deram certa coesão à sociedade. Ao mesmo tempo, os antigos deuses mitológicos da Grécia e de Roma

---

[11] RIENECKER, Fritz; ROGERS, Cleon. *Chave linguística do Novo Testamento grego*, p. 378.
[12] POHL, Adolf. *Carta aos Gálatas*, 1999, p. 143.
[13] GUTHRIE, Donald. *Gálatas: introdução e comentário*, p. 143.

começaram a perder a influência sobre o povo comum, de modo que nos corações e mentes em toda parte brotou a fome de uma religião que fosse real e que satisfizesse. Além disso, foi o período em que a lei de Moisés acabou a Sua obra de preparar as pessoas para a vinda de Cristo, mantendo-as sob tutela e na prisão, de modo que elas ansiavam ardentemente pela liberdade com a qual Cristo as libertaria.[14]

Em segundo lugar, *quem é o Filho de Deus?* Deus enviou Seu Filho, nascido de mulher... (4.4b). O Filho de Deus é preexistente. Antes de vir ao mundo, ele já existia em glória eterna com o Pai. Ele não passou a existir; ele é o Pai da eternidade. Não foi criado; é o criador. Não teve começo; é a origem de todas as coisas. Com isso, queremos dizer que o Filho de Deus é divino. Ele é Deus coigual, coeterno e consubstancial com o Pai. Deus de Deus, Luz de Luz, autoexistente, imenso, infinito, eterno, imutável, Onipotente, onisciente e onipresente.

Mas este, que nem os céus dos céus pode conter, nasceu de mulher, ou seja, entrou no nosso meio pela porta do nascimento, fez-se carne, vestiu a nossa pele, calçou as nossas sandálias e tornou-se em tudo semelhante a nós, exceto no pecado (Hb 2.17; 4.15). Ele é perfeitamente Deus[15] e perfeitamente Homem.[16] É divino e humano. Como Deus, Jesus não teve mãe. Como homem, não teve pai. Para ser nosso redentor, Jesus precisava ser Deus e homem. Precisava ser Deus para oferecer um sacrifício perfeito e de valor infinito, e também precisava ser homem, para nos representar. Nessa linha de pensamento, William Hendriksen esclarece que, para nos salvar, Jesus Cristo precisava ter em uma só Pessoa tanto a natureza divina como a humana; a divina para poder dar a Seu sacrifício um valor infinito; e a humana, porque, já que foi um homem, Adão, que pecou, um homem devia pagar pelo pecado e entregar sua vida a Deus em perfeita obediência.[17]

Adolf Pohl escreve sobre a singularidade do envio do Filho de Deus ao mundo:

---

[14] STOTT, John. *A mensagem de Gálatas*, p. 98.
[15] Jo 1.1; 8.58; 17.5; Rm 8.3; 2Co 8.9; Fp 2.6; Cl 1.15; Hb 1.3.
[16] Jo 1.14.
[17] HENDRIKSEN, William. *Gálatas*, p. 167.

Todo ano Deus enviava sol e chuva, frio e calor e toda variedade de bênçãos naturais. Enviou julgamento de purificação aos povos, mas também proteção e livramentos. Enviou também sempre de novo pessoas especiais: modelos éticos, governantes capazes, intelectuais sábios, inventores agraciados, artistas geniais e profetas poderosos (Hb 1.1). Sem esse suprimento permanente o mundo há muito tempo teria caído na podridão. Agora, contudo, deu-se o envio do Filho e esse envio está fora e além de qualquer padrão.[18]

Em terceiro lugar, *como veio o Filho de Deus?* ... *nascido sob a lei* (4.4c). O Filho de Deus, como segundo Adão, nasceu para cumprir a lei que o primeiro Adão quebrou. Ele não veio para anular a lei, mas para cumpri-la. Ele a obedeceu plenamente. Ele a cumpriu totalmente. Ele satisfez plenamente todas as exigências da lei. Essa foi sua obediência ativa à lei de Deus. Mas Ele também a obedeceu passivamente, ou seja, como nosso representante e substituto, Jesus, para nos resgatar da maldição da lei, fez-se maldição em nosso lugar. Não tendo culpa pessoal, assumiu a nossa culpa. Não tendo pecado pessoal, fez-Se pecado por nós. E assim carregou no madeiro, em Seu corpo, os nossos pecados, e sofreu o golpe da lei que deveríamos sofrer, morrendo a nossa morte para nos dar a Sua vida. O reformador Calvino traduz essa mesma verdade nas seguintes palavras:

> O Filho de Deus, que por direito era isento de toda sujeição, tornou-Se sujeito à lei. Por quê? Ele fez isso em nosso lugar, a fim de obter a liberdade para nós. Um homem livre, ao constituir-se fiador, redime o escravo; ao pôr em si mesmo as algemas, ele as tira do outro. De modo semelhante, Cristo decidiu tornar-Se obrigado a cumprir a lei, a fim de obter isenção para nós.[19]

Em quarto lugar, *por que veio o Filho de Deus? Para resgatar os que estavam sob a lei....* (4.5a). O nosso resgate foi o propósito da vinda de Cristo ao mundo (1.4; 3.13; 4.5). A vinda de Cristo ao mundo foi

---
[18] POHL, Adolf. *Carta aos Gálatas*, 1999, p. 144.
[19] CALVINO, João. *Gálatas*, 2007, p. 110.

uma missão resgate, o qual se deu por meio de Sua morte. O propósito de Deus de enviar Seu Filho ao mundo foi não apenas nos libertar do maior mal, mas também abençoar-nos com o maior bem.[20] A palavra "resgatar" significa libertar mediante um preço.[21] Estávamos encerrados sob o pecado. Éramos prisioneiros e não podíamos livrar-nos da maldição que a lei nos havia imposto. O Filho de Deus, então, como nosso fiador, representante e substituto, assumiu o nosso lugar, pagou o nosso resgate com o Seu sangue e nos livrou do cativeiro da lei e de sua maldição. A redenção tem um aspecto duplo: a libertação *da* escravidão à lei e a libertação *para* alguma coisa melhor – neste caso, para a filiação.[22]

Em quinto lugar, **que resultados produziu a vinda do Filho de Deus?** (4.5b-7). A vinda do Filho de Deus produziu três gloriosos resultados. Porque Jesus veio ao mundo, três coisas acontecem.

Os crentes são adotados como filhos de Deus. ... a fim de que recebêssemos a adoção de filhos (4.5b). Um filho adotivo era anteriormente um não filho. Alcançou a condição de filho pelo caminho da graça.[23] Com a vinda do Filho de Deus, somos recebidos como filhos adultos de Deus, ou seja, não precisamos mais de tutores nem de curadores. Podemos tomar posse imediatamente da liberdade de filhos. O que a lei não podia fazer por nós, Cristo fez. A lei só podia revelar nosso pecado, tomar-nos pela mão e conduzir-nos a Cristo, mas não podia conceder-nos a posse da herança. O pensamento de Paulo parece que Deus enviou Seu Filho para obter outros filhos. Trata-se de uma transformação notável de categoria: da escravidão para a filiação.[24]

Warren Wiersbe destaca que a palavra grega *huiothesia*, "adoção", significa colocar na posição de filho adulto. Está relacionada à nossa posição dentro da família de Deus; não somos crianças pequenas, mas filhos adultos com todos os privilégios correspondentes a essa posição. Por isso, quando um pecador crê em Cristo e é salvo, no que se

---

[20]HENDRIKSEN, William. *Gálatas*, p. 168.
[21]WIERSBE, Warren W. *Comentário bíblico expositivo*, p. 923.
[22]GUTHRIE, Donald. *Gálatas: introdução e comentário*, p. 144.
[23]POHL, Adolf. *Carta aos Gálatas*, 1999, p. 145.
[24]GUTHRIE, Donald. *Gálatas: introdução e comentário*, p. 145.

refere à sua *condição*, é um "recém-nascido espiritual" que precisa crescer (1Pe 2.2,3), mas, no que se refere à sua *posição*, é um filho adulto que pode lançar mão da riqueza do Pai e desfrutar todos os privilégios maravilhosos de sua filiação. Entramos na família de Deus pela regeneração, mas desfrutamos a família de Deus pela adoção.[25]

Os crentes recebem o Espírito Santo de Deus. E, porque vós sois filhos, enviou Deus ao nosso coração o Espírito de Seu Filho... (4.6a). Paulo não perde a esperança em relação aos crentes da Galácia, apesar de estar perplexo acerca da conduta deles (4.11). Eles são filhos de Deus, pois Deus lhes enviou o Filho e também o Espírito de Seu Filho. Deus enviou Jesus para nos redimir na cruz e o Espírito Santo para aplicar em nós a redenção. John Stott diz: "O Pai enviou o Seu Filho para que tivéssemos o *status* da filiação, e enviou o Seu Espírito para que tivéssemos uma *experiência* dela".[26] O Espírito é o penhor e a garantia de nossa adoção e nos dá a inabalável confiança de que Deus cuida de nós com amor paternal (2Co 1.22; 5.5; Ef 1.13,14).

Deus enviou o Espírito não como enviou a lei, gravada em tábuas de pedra, fora de nós; mas enviou-O ao nosso coração, para termos uma experiência profunda e real de transformação espiritual. Na mesma linha, Adolf Pohl considera que de nada adiantaria que o Espírito fosse derramado genericamente no mundo, no ar, na literatura, na opinião pública, em vez de ser derramado em nosso coração. Em todos esses casos, seria gerada somente uma autoridade exterior, como na lei de Moisés, que surge diante dos olhos somente anotada em tábuas de pedra. As exigências da lei não têm força para mudar alguma coisa, apenas esmagam. Uma lei completamente diferente precisa surgir: a lei do Espírito que vivifica (Rm 8.2; 2Co 3.6).[27]

Os crentes têm intimidade com Deus.... que clama: Aba, Pai (4.6b). Deus enviou Seu Filho para habitar *entre* nós e o Seu Espírito para habitar *em* nós. É o próprio Espírito do Filho que ora em nós, por nós, ao Deus que está acima de nós. Adolf Pohl diz que o Espírito é o iniciador da

---

[25] WIERSBE, Warren W. *Comentário bíblico expositivo*, p. 922.
[26] STOTT, John. *A mensagem de Gálatas*, p. 100.
[27] POHL, Adolf. *Carta aos Gálatas*, 1999, p. 147.

oração que atrai a noiva para a sua oração (Ap 22.17).[28] É o Espírito de súplicas que nos conduz à intimidade com o Pai, chamando-O de *Aba, Pai. Aba* é um diminutivo aramaico de "Pai". É a palavra que o próprio Jesus usou no Getsêmani, numa íntima oração a Deus. Expressa uma íntima comunhão e confiança filial.[29]

Os crentes se tornam herdeiros de Deus. De sorte que já não és escravo, porém filho; e, sendo filho, também herdeiro por Deus (4.7). A santa Trindade está em ação em nossa salvação. O Pai envia o Filho para nos resgatar da maldição da lei e nos envia o Espírito de Seu Filho para habitar em nós e nos levar à sala do trono. Deixamos de ser escravos e filhos menores para sermos filhos adultos, com pleno direito de tomar posse da herança. Diante dessa gloriosa verdade, a atitude dos crentes da Galácia de voltarem aos rudimentos da lei era um retrocesso deplorável. Como o filho pródigo, porém, os gálatas desejavam que seu Pai os aceitasse como servos, quando, na verdade, eles eram filhos (Lc 15.18,19). Não é difícil, porém, ver o contraste entre filho e servo: o filho tem a mesma natureza do pai, o servo não; o filho tem um pai, o servo tem um senhor; o filho obedece por amor, o servo obedece por temor; o filho é rico, o servo é pobre; o filho tem futuro, o servo não tem nenhuma perspectiva.[30]

A escravidão sob o **domínio do legalismo** (4.8-11)

O apóstolo Paulo faz uma aplicação aos crentes da Galácia, mostrando--lhes quem eles eram antes de Cristo, no que se tornaram em Cristo e o que estavam voltando a ser depois de Cristo. John Stott sintetiza esse apelo de Paulo aos gálatas: *Se vocês eram escravos e agora são filhos, se não conheciam a Deus mas agora vieram a conhecê-lo e são conhecidos dEle, como podem retornar à antiga escravidão? Como podem deixar-se escravizar pelos espíritos muito elementares dos quais Jesus Cristo os resgatou?*[31]

---

[28] POHL, Adolf. *Carta aos Gálatas*, 1999, p. 147.
[29] HENDRIKSEN, William. *Gálatas*, p. 170.
[30] WIERSBE, Warren W. *Comentário bíblico expositivo*, p. 924.
[31] STOTT, John. *A mensagem de Gálatas*, p. 100.

Warren Wiersbe diz que os gálatas largaram a escola da graça para se matricular no jardim da infância da lei. Abriram mão da liberdade em troca da servidão. Desistiram do poder do evangelho em troca da fraqueza da lei; abdicaram da riqueza do evangelho em troca da pobreza da lei.[32]

Destacamos aqui quatro pontos.

Em primeiro lugar, *uma escravidão aos deuses pagãos*. "Outrora, porém, não conhecendo a Deus, servíeis a deuses que, por natureza, não o são" (4.8). Antes de o evangelho chegar à Galácia por intermédio de Paulo e Barnabé, os galeses eram pagãos e adoravam muitos deuses. O paganismo tinha seus deuses, embora esses não fossem verdadeiros.[33] Os galeses não conheciam o Deus verdadeiro, por isso serviam a esses deuses estranhos. Eles eram escravos dos demônios, em vez de serem servos do Deus Altíssimo. Vinham de um berço de trevas e eram cegos espiritualmente. Mas essa densa cegueira espiritual não é apenas uma questão de atraso cultural. O homem pós-moderno, bafejado pela mais requintada cultura, ainda hoje endeusa objetos, fenômenos da natureza, contingências naturais, conceitos de ponta ou realizações recordes, prestando-lhes veneração.

Em segundo lugar, *uma conversão ao Deus verdadeiro*. *Mas agora que conheceis a Deus ou, antes, sendo conhecidos por Deus...* (4.9a). A conversão dos crentes da Galácia não foi uma iniciativa deles, mas de Deus. Não foram eles que conheceram a Deus, mas foi Deus quem os conheceu, os amou e os escolheu (Rm 8.29,30). Deus os visitou em Sua misericórdia, pôs Seu amor sobre eles e os escolheu para a vida eterna. Assim como Jesus conhece Suas ovelhas (Jo 10.14), o Senhor conhece os que Lhe pertencem (2Tm 2.19).[34]

A salvação deles não foi uma questão de méritos ou obras; eles foram salvos pela graça. Preciso concordar com Adolf Pohl quando ele diz que, na linguagem bíblica, conhecer uma pessoa não se limita a um ato racional. No conhecer dá-se também o reconhecimento. Confirma-se

---

[32]WIERSBE, Warren W. *Comentário bíblico expositivo*, p. 924.
[33]GUTHRIE, Donald. *Gálatas: introdução e comentário*, p. 147.
[34]HENDRIKSEN, William. *Gálatas*, p. 172.

a comunhão com essa contraparte. Quando Pedro diz acerca de Jesus: *Não O conheço* (Mc 14.68), não declara que lhe faltam informações sobre a pessoa de Cristo, mas nega que tenha comunhão com Ele. Quando Jesus declara, no último julgamento, a certas pessoas: *Nunca vos conheci* (Mt 7.23), isso não significa: "Há uma lacuna na minha memória a respeito dessas pessoas", mas sim: "Vocês não faziam parte de fato do meu círculo de discípulos".[35]

Em terceiro lugar, **uma volta ingrata à escravidão do legalismo**. *... como estais voltando, outra vez, aos rudimentos fracos e pobres, aos quais, de novo, quereis ainda escravizar-vos? Guardais dias, e meses, e tempos, e anos* (4.9b,10). João Calvino afirma que apartar-se de Deus depois de havê-lo conhecido é a mais perversa ingratidão. É como abandonar "o manancial de águas vivas" e cavar *...cisternas rotas, que não retêm as águas* (Jr 2.13). Quanto mais intensa é a manifestação da graça de Deus para conosco, maior é a nossa culpa em desprezá-la.[36]

Antes da conversão, os crentes da Galácia eram escravos do paganismo. Depois da conversão, estavam tornando-se escravos do legalismo. Estavam saindo de uma escravidão e entrando em outra. Paulo diz que o legalismo judaico, ou seja, a busca da salvação ou da santificação pela observância de preceitos da lei, não passa de rudimentos fracos e pobres que conduzem à escravidão. A lei é um rudimento débil porque é impotente. Pode definir o pecado, mas não removê-lo. A debilidade básica e inata da lei está no fato de que ela pode diagnosticar a enfermidade, mas não curá-la.[37]

Precisamos deixar claro que o problema dos crentes da Galácia não era guardar dias, meses, tempos e anos, mas fazê-lo com a intenção de alcançar o favor de Deus, como se esses preceitos fossem a causa meritória da salvação. Isso é anular a graça e tornar a morte de Cristo uma coisa vã (2.21). Ao chamar as cerimônias de "rudimentos fracos e pobres", Paulo os vê fora de Cristo e, o que é pior, em oposição a Ele. Os falsos apóstolos negligenciavam as promessas e se esforçavam para

---

[35] POHL, Adolf. *Carta aos Gálatas*, 1999, p. 150.
[36] CALVINO, João. *Gálatas*, 2007, p. 114.
[37] BARCLAY, William. *Gálatas y Efesios*, p. 46,47.

colocar esses rudimentos em oposição a Cristo, como se Cristo sozinho não fosse suficiente.[38]

Na mesma linha de pensamento, Warren Wiersbe adverte: "Todos devemos ter cuidado com o espírito legalista que alimenta a carne, conduz ao orgulho e transforma um acontecimento exterior em substituto para uma experiência interior".[39] Merrill Tenney diz que esses ritos jamais poderiam ser, em si mesmos, a realidade das coisas espirituais. Podiam tão somente prefigurar ou tipificar determinadas realidades. Os dias, meses, tempos e anos eram comemorativos de certas experiências históricas ou eram emblemas da aproximação de Deus; mas a celebração dessas ocasiões em realidade não levava os celebrantes para mais perto de Deus.[40]

John Stott tem razão quando afirma que a religião deles degenerou em um formalismo exterior. Já não era mais livre e alegre comunhão de filhos com o Pai; tornou-se uma enfadonha rotina de regras e regulamentos.[41] Adolf Pohl é preciso em sua observação: "Quando Cristo se desvanece no centro, ressaltam as margens. O periférico torna-se o essencial, coisas secundárias se impõem como absolutas. Pessoas não libertas socorrem-se nos ritos. Assim procedem escravos, não filhos".[42]

Em quarto lugar, *uma frustração legítima do apóstolo*. *Receio de vós tenha eu trabalhado em vão para convosco* (4.11). O abandono do verdadeiro evangelho por outro evangelho (1.6) e o abandono da liberdade da graça para a escravidão do legalismo (4.9) eram processos em andamento na igreja da Galácia. Paulo estava vendo seu trabalho missionário ser esvaziado pela influência nociva dos falsos mestres judaizantes; em vez de crescerem na liberdade com a qual Cristo os libertara, os crentes deslizavam de volta à antiga escravidão, embora a vida cristã seja a vida de filhos, e não de escravos; de liberdade, e não de escravidão.

---

[38] CALVINO, João. *Gálatas*, 2007, p. 115.
[39] WIERSBE, Warren W. *Comentário bíblico expositivo*, p. 925.
[40] TENNEY, Merrill C. *Gálatas*, 1978, p. 159.
[41] STOTT, John. *A mensagem de Gálatas*, p. 101.
[42] POHL, Adolf. *Carta aos Gálatas*, 1999, p. 151.

Concluímos esta exposição, citando mais uma vez Calvino:

> Os falsos apóstolos não apenas pretendiam colocar sobre a igreja o jugo da servidão judaica, mas também enchiam a mente daqueles crentes com superstições perversas! Trazer o cristianismo de volta ao judaísmo era, em si mesmo, um grande mal. Contudo, um erro ainda mais grave ocorria quando, em oposição à graça de Cristo, eles estabeleciam os rituais meritórios e pretendiam que esse tipo de adoração granjeasse o favor de Deus. Quando essas doutrinas eram aceitas, a adoração a Deus era corrompida, a graça de Cristo anulada, e a liberdade de consciência oprimida.[43]

---

[43] CALVINO, João. *Gálatas*, 2007, p. 116.

11

Paulo, o pastor de coração quebrantado

Gálatas 4.12-20

O TEXTO EM TELA NOS MOSTRA DE FORMA VÍVIDA e eloquente o verdadeiro coração pastoral de Paulo.[1] O teólogo doutrinador é agora o pastor cheio de ternura e compaixão. O mesmo apóstolo que empunhara o cetro da doutrina é agora o pastor que suplica humildemente às suas ovelhas. O mesmo embaixador de Cristo que tem autoridade para ensinar e exortar agora se apresenta como uma mãe em dores de parto. William Hendriksen considera essa uma das passagens mais emocionantes de todas as epístolas de Paulo. O apóstolo implora e agoniza, porque não pode suportar a ideia de que os destinatários continuem vagando cada vez mais longe do lar, mesmo sendo aqueles irmãos que o trataram de forma tão afetuosa e receberam o evangelho com tanta avidez.[2]

John Stott diz que em Gálatas 1–3 vemos Paulo, o apóstolo, o teólogo, o defensor da fé; agora vemos Paulo, o homem, o pastor, o apaixonado das almas.[3] Warren Wiersbe realça que Paulo equilibra aqui repreensão e amor, passando das "palmadas" para os "abraços".[4] Para

---
[1] GUTHRIE, Donald. *Gálatas: introdução e comentário*, p. 150.
[2] HENDRIKSEN, William. *Gálatas*, p. 177.
[3] STOTT, John. *A mensagem de Gálatas*, p. 104.
[4] WIERSBE, Warren W. *Comentário bíblico expositivo*, p. 925.

William Barclay, Paulo usa aqui o argumento do coração em vez de usar o argumento do intelecto.[5] Já para Howard, Paulo não estava mais argumentando; estava implorando.[6]

A passagem nos mostra um relacionamento cada vez mais profundo, um amor cada vez mais acendrado. Paulo chama os crentes da Galácia de "irmãos" e "filhos" e apresenta-se a eles como uma "mãe". Todo esse parágrafo enfatiza relacionamentos. Nos versículos 13 a 16 Paulo enfatiza a atitude dos gálatas para com ele, e nos versículos 17 a 20 sua própria atitude para com eles. Vamos destacar na passagem em apreço cinco verdades importantes.

O apelo de Paulo (4.12)

Paulo muda o tom de sua voz e a natureza de seu discurso. Três coisas nos chamam a atenção no versículo 12.

Em primeiro lugar, *um pastor que se identifica com as ovelhas*. *Sede qual eu sou; pois também eu sou como vós...* (4.12). Paulo se identificara com os crentes da Galácia e agora queria que eles se identificassem com ele, no mesmo amor e na mesma doutrina. Teologia e vida são os elos que devem mantê-los unidos. Paulo apela aos gálatas para se tornarem como ele, numa referência à liberdade da lei e à liberdade que eles têm como filhos de Deus.[7] Por que Paulo faz isso? Porque, sendo ele judeu de nascimento, escolhera o método da fé. Eles, tendo aceitado a fé cristã uma vez, estavam agora prontos a recusá-la a favor do método da lei, que até o apóstolo rejeitara.[8]

Para John Stott, esse apelo só pode significar uma coisa. Paulo desejava que os gálatas se tornassem iguais a ele na sua vida e fé cristã, que fossem libertados da influência maligna dos falsos mestres e que compartilhassem suas convicções acerca da verdade como encontrada em Jesus, acerca da liberdade com a qual Cristo nos libertou. Em outras palavras, Paulo queria que se tornassem como ele na sua

---

[5] BARCLAY, William. *Gálatas y Efesios*, p. 48.
[6] HOWARD, R. E. *A Epístola aos Gálatas*, p. 56.
[7] RIENECKER, Fritz; ROGERS, Cleon. *Chave linguística do Novo Testamento grego*, p. 379.
[8] HOWARD, R. E. *A Epístola aos Gálatas*, p. 56.

liberdade cristã.⁹ Na mesma linha de pensamento, Donald Guthrie argumenta:

> Paulo tinha sido um judeu acorrentado pela lei, mas se tornara como os judeus na ocasião em que foram convertidos, isto é, libertados dos escrúpulos das observâncias legais. Seu apelo, portanto, é que lhe imitassem, permanecendo livres de tais escrúpulos. A força do apelo está no fato de Paulo saber por experiência própria aquilo que os gálatas não sabem, isto é, a angústia da escravidão do legalismo judaico.¹⁰

Quando Paulo diz: "pois também eu sou como vós", a referência é provavelmente às suas visitas a eles. Quando Paulo os visitou na Galácia, não manteve distância, nem assumiu ares de dignidade, mas foi igual aos gálatas. Colocou-se no lugar deles e identificou-se com eles. Embora fosse judeu, tornou-se um gentio como eles (1Co 9.20-22).¹¹ John Stott destaca que Paulo está ensinando aqui um importante princípio e uma grande estratégia para pastores e missionários: quando buscamos ganhar outras pessoas para Cristo, nossa intenção é fazê-las iguais a nós, enquanto o meio para chegar a esse fim é fazer-se igual a elas. Para que elas se tornem iguais a nós em nossa convicção e experiência cristã, temos de primeiramente nos tornar iguais a elas em compaixão cristã.¹²

Em segundo lugar, **um pastor que se humilha diante das ovelhas**. *Irmãos, assim vos suplico...* (4.12b). Paulo tinha autoridade para ordenar, mas como pastor resolve rogar. Como um pastor sábio, Paulo deixa de lado a repreensão e começa a usar súplicas.¹³ Entre nada menos de dez palavras diferentes no idioma grego para "pedir", *deomai* encontra-se num nível elevado.¹⁴ É essa palavra que Paulo usa. A humildade não diminui Paulo; antes, o enaltece e pavimenta o caminho para relacionamentos mais profundos com os crentes da Galácia. A humildade não é o despojamento da autoridade, é Sua glória mais excelsa.

---

⁹STOTT, John. *A mensagem de Gálatas*, p. 105.
¹⁰GUTHRIE, Donald. *Gálatas: introdução e comentário*, p. 150.
¹¹STOTT, John. *A mensagem de Gálatas*, p. 105.
¹²STOTT, John. *A mensagem de Gálatas*, p. 105.
¹³CALVINO, João. *Gálatas*, 2007, p. 117.
¹⁴POHL, Adolf. *Carta aos Gálatas*, 1999, p. 152.

Em terceiro lugar, *um pastor que anseia por relacionamentos mais profundos com as ovelhas. Em nada me ofendestes* (4.12c). Paulo não tem queixas quanto ao tratamento que lhe dispensaram antes. Ao contrário, o comportamento deles então fora exemplar.[15] Paulo evoca o passado para lançar luz no presente e pavimentar o caminho do futuro. Ele quer restabelecer os laços estremecidos. Paulo é um pastor, não um falso mestre. Seu interesse é buscar o bem das ovelhas, não o próprio bem-estar. Ele anseia por relacionamentos profundos, não por recompensas pessoais. Ele busca conhecer as ovelhas, não explorá-las.

A enfermidade de Paulo (4.13,14)

Paulo foi certamente o maior teólogo, o maior evangelista, o maior pastor e o maior plantador de igrejas do cristianismo. Ele plantou igrejas nas províncias da Galácia, Macedônia, Acaia e Ásia Menor. Escreveu a maior parte do Novo Testamento. Enfrentou toda sorte de pressões e privações, foi preso, açoitado, fustigado com varas e apedrejado. Superou naufrágios e terminou várias vezes escorraçado das cidades. Foi não poucas vezes acusado pelos incrédulos e também pelos crentes, perseguido pelos de fora e também pelos de dentro da igreja. Porém, além de todas as circunstâncias adversas, Paulo também lidou com o drama da enfermidade. Ele, que foi instrumento de Deus para curar tantos enfermos em muitos lugares, não alcançou para si mesmo a cura.

Duas verdades merecem destaque na passagem em apreço.

Em primeiro lugar, **doente, porém não inativo**. *E vós sabeis que vos preguei o evangelho a primeira vez por causa de uma enfermidade física* (4.13). A enfermidade de Paulo enfraquecia seu corpo e doía em sua carne, mas não paralisava seus pés nem fechava seus lábios. A doença de Paulo não o tornou inativo; apenas mais quebrantado e dependente da graça. Longe de impedi-lo de ir à Galácia, a enfermidade foi a causa que o levou àquela província. Longe de ser uma porta fechada para o ministério, foi uma porta aberta para a evangelização.

---

[15] STOTT, John. *A mensagem de Gálatas*, p. 106.

Identificar a doença de Paulo é um assunto ainda em debate. Donald Guthrie diz que não há como saber qual era a enfermidade do apóstolo e conjecturar parece inútil.[16] É provável que essa doença seja o mesmo espinho na carne mencionado em 2Coríntios 12.7. A palavra grega *astheneia* define uma fraqueza ou enfermidade física. Alguns defendem que Paulo foi contaminado por malária nos pântanos infestados de mosquitos do litoral da Panfília (At 13.13), tendo chegado à Galácia sob o poder de uma ardente febre. Outros defendem que sejam os variados sofrimentos e perseguições suportados por Paulo quando passou por essa região (2Tm 3.10,11).

Outros ainda defendem a tese de que a enfermidade de Paulo era um problema de oftalmia, ou seja, um problema de visão. São muitas as razões que nos levam a pensar nessa tese. Quando Paulo se converteu no caminho de Damasco, ficou cego pelo fulgor da revelação de Cristo (At 9.8,9). Três dias depois Ananias orou por ele, quando lhe caíram dos olhos como que umas escamas, e Paulo tornou a ver (At 9.17,18). Logo na sua primeira viagem missionária, somos informados que Paulo foi à Galácia por causa de uma enfermidade física, e os crentes se compadeceram a tal ponto que estavam dispostos a arrancar os próprios olhos para lhe dar (4.15). Quando encerra a Carta aos Gálatas, o apóstolo diz: *Vede com que letras grandes vos escrevi de meu próprio punho* (6.11). Paulo usava um amanuense para escrever suas cartas. Além disso, quando esteve preso em Jerusalém, não conseguiu reconhecer o sumo sacerdote à sua frente (At 23.1-5).

Em segundo lugar, **doente, porém não rejeitado**. *E, posto que a minha enfermidade na carne vos foi uma tentação, contudo, não me revelastes desprezo nem desgosto...* (4.14a). A doença de Paulo não foi um impedimento para o apóstolo nem uma barreira para as igrejas da Galácia, mesmo sendo a enfermidade considerada tanto por judeus e gentios um sinal do desagrado de Deus.[17] Eles não se envergonharam de Paulo por causa de sua enfermidade. Não o trataram com indiferença desdenhosa nem com aversão repulsiva. Não o desprezaram por causa de

---

[16] GUTHRIE, Donald. *Gálatas: introdução e comentário*, p. 151.
[17] Jó 4.7; Jo 9.2; At 28.4.

sua aparência e fragilidade. É muito provável que a doença de Paulo o deixasse com uma aparência desfigurada a ponto de ser uma tentação para os crentes da Galácia. Estes, ao contrário, acolheram-no como um enviado de Deus, como um anjo de Deus, como um embaixador em nome de Cristo, como se fosse o próprio Cristo. Deram-lhe a honra devida, por estar falando em nome de Cristo a palavra de Cristo.

Warren Wiersbe corretamente diz que é maravilhoso quando as pessoas aceitam os servos de Deus não em função de sua aparência exterior, mas sim porque são representantes do Senhor e trazem consigo a mensagem dEle.[18]

A acolhida de Paulo (4.14b,15)

Paulo relembra aos crentes da Galácia como fora a sua chegada entre eles antes da maléfica influência dos falsos mestres. Recorda como a atitude deles no passado fora benigna e como agora eles se haviam tornado duros e cáusticos. Há um ditado que diz: "Quando os filhos são pequenos, pisam nos pés da mãe; quando crescem, pisam em seu coração". Duas atitudes marcaram os crentes da Galácia nessa acolhida a Paulo, quando ele lhes pregou o evangelho pela primeira vez.

Em primeiro lugar, ***Paulo foi recebido com honra***. ... *antes, me recebestes como anjo de Deus, como o próprio Cristo Jesus* (4.14b). Paulo foi recebido como anjo, ou seja, como mensageiro de Deus e como o próprio Cristo. Uma vez que era um apóstolo de Cristo, Paulo falava em nome dele e o representava. Assim, quem recebe o enviado de Cristo recebe o próprio Cristo. Jesus disse: *Quem vos recebe, a mim me recebe; e quem me recebe, recebe aquele que me enviou* (Mt 10.40). Segundo Adolf Pohl os gálatas não veneraram Paulo como figura celestial, uma atitude que o apóstolo com certeza não elogiaria. O episódio estava no nível de 1Tessalonicenses 2.13, não de Atos 14.11-15.[19]

Em segundo lugar, ***Paulo foi recebido com empatia***. *Que é feito, pois, da vossa exultação? Pois vos dou testemunho de que, se possível fora,*

---

[18] WIERSBE, Warren W. *Comentário bíblico expositivo*, p. 926.
[19] POHL, Adolf. *Carta aos Gálatas*, 1999, p. 153.

teríeis arrancado os próprios olhos para mos dar (4.15). Os crentes da Galácia não apenas acolheram Paulo com efusividade, mas também com profunda compaixão. Estavam prontos a arrancar os próprios olhos para dá-los a Paulo. Estavam dispostos a fazer sacrifícios para socorrê-lo. Demonstravam empatia e disposição para o sacrifício.

A rejeição de Paulo (4.16-18)

A influência maligna dos falsos mestres nas igrejas da Galácia levou os crentes a mudarem radicalmente sua postura em relação ao apóstolo. Longe de acolher Paulo; agora, eles o rejeitam veementemente. Dois pontos merecem destaque.

Em primeiro lugar, **Paulo é considerado inimigo por causa da verdade**. *Tornei-me, porventura, vosso inimigo, por vos dizer a verdade?* (4.16). A pregação da verdade passou a ser vista pelos crentes da Galácia como uma afronta. Tornaram-se inimigos de Paulo por este lhes pregar a verdade. Mas qual era a verdade que Paulo estava pregando e que despertou nesses crentes tamanha aversão? Era a verdade de que eles estavam abandonando o evangelho da graça para retrocederem à escravidão da lei. Os crentes da Galácia preferiram ser bajulados pelos falsos mestres judaizantes a serem confrontados pela verdade pelo apóstolo. A verdade, porém, que fere a consciência é o remédio que traz cura, mas o bálsamo da mentira é o veneno que mata. João Calvino diz que a verdade nunca é detestável, exceto em face da perversidade e malícia daqueles que não suportam ouvi-la. O ódio pela verdade transforma amigos em inimigos.[20]

John Stott oportunamente destaca que temos aqui uma importante lição. Quando os gálatas reconheceram a autoridade apostólica de Paulo, eles o trataram como um anjo de Deus, como Cristo Jesus. Porém, quando não gostaram de sua mensagem, tornaram-se inimigos dele. A autoridade de um apóstolo não acaba quando ele começa a ensinar verdades impopulares. Não podemos ser seletivos na leitura da doutrina apostólica do Novo Testamento. Os apóstolos de

---

[20] CALVINO, João. *Gálatas*, 2007, p. 121.

Jesus Cristo têm autoridade em tudo o que ensinam, quer gostemos, quer não.[21]

Em segundo lugar, **Paulo é abandonado por causa dos falsos mestres**. *Os que vos obsequiam não o fazem sinceramente, mas querem afastar-vos de mim, para que o vosso zelo seja em favor deles. É bom ser sempre zeloso pelo bem e não apenas quando estou convosco* (4.17,18). Os falsos mestres encheram os crentes da Galácia de elogios e bajulações, mas não eram honestos nessa devoção. Seus encômios não eram sinceros. Eram palavras agradáveis, mas hipócritas. O propósito desses falsos mestres era afastar os crentes de Paulo e consequentemente da verdade do evangelho. Eles queriam que os crentes fossem fiéis a eles, e não a Cristo. Calvino diz que esse é o estratagema comum a todos os ministros de satanás. Ao produzirem nas pessoas um desgosto por seu pastor, esperam, depois, atraí-las para si mesmos. E, deposto o rival, assumem o seu lugar.[22]

Mas o zelo de Paulo por eles não era hipócrita. A verdade era a marca tanto da teologia de Paulo como de seu comportamento. Ele testemunhou o mesmo aos crentes de Corinto: *Porque zelo por vós com zelo de Deus; visto que vos tenho preparado para vos apresentar como virgem pura a um só esposo, que é Cristo. Mas receio que, assim como a serpente enganou a Eva com a sua astúcia, assim também seja corrompida a vossa mente e se aparte da simplicidade e pureza devidas a Cristo* (2Co 11.2,3).

Mais uma vez John Stott é oportuno ao escrever:

> Quando o cristianismo é considerado como liberdade em Cristo (e é o que é), os cristãos não ficam em subserviência para com os seus mestres humanos, porque sua ambição é alcançar a maturidade em Cristo. Mas quando o cristianismo transforma-se em servidão a regras e regulamentos, suas vítimas ficam inevitavelmente sujeitas, amarradas aos seus mestres, como na Idade Média.[23]

---

[21] STOTT, John. *A mensagem de Gálatas*, p. 108.
[22] CALVINO, João. *Gálatas*, 2007, p. 122.
[23] STOTT, John. *A mensagem de Gálatas*, p. 108.

A agonia de Paulo (4.19,20)

Depois de tratar os crentes da Galácia de irmãos e filhos, Paulo se apresenta a eles como uma mãe, que está em agonia de parto para dar à luz. Quatro verdades merecem destaque aqui.

Em primeiro lugar, **um pastor que aprofunda relacionamentos**. *Meus filhos...* (4.19a). Como apóstolo e pai na fé dos crentes da Galácia, Paulo demonstrou várias vezes seu profundo desgosto pela atitude imatura deles ao abandonar tão depressa o evangelho verdadeiro por um falso evangelho (1.6,7). Chamou-os de insensatos (3.1). Chega a dizer que pensou ter trabalhado em vão entre eles (4.11). Agora, porém, Paulo, num tom pastoral, cheio de ternura, os chama de *irmãos* (4.12), *filhos* (4.19) e apresenta-se a eles como uma *mãe* (4.19).

William Barclay diz que ninguém pode deixar de ver o profundo afeto dessas palavras: "Meus filhos". O diminutivo tanto no latim como no grego expressa sempre um profundo afeto. João usa com frequência essa expressão; mas Paulo não a utiliza em nenhuma outra passagem. Aqui seu coração desabrocha. Ele suspira com ternura pelos filhos desviados.[24] Na mesma linha de pensamento, Donald Guthrie mostra que é surpreendente ver que Paulo usa *teknia*, um termo de afeição especial numa epístola que começa sem nenhuma saudação afetuosa.[25]

O amor de Paulo pelos crentes da Galácia levou-o à agonia. A agonia da mãe que está prestes a dar à luz não termina em choro, mas em alegria. Não termina em desespero, mas em vívida esperança.

Em segundo lugar, **um pastor que gera filhos espirituais**. *... por quem, de novo, sofro as dores de parto...* (4.19b). Paulo não era um teólogo de gabinete. Não era apenas um mestre doutrinador, mas, sobretudo, um evangelista, um ganhador de almas. O apóstolo não foi apenas pai espiritual daqueles crentes, mas também uma mãe que os deu à luz e por eles sofreu as dores do parto. Paulo agoniza pelos crentes da Galácia até o fim, comparando seu sofrimento às dores de parto. Ele já estivera em trabalho de parto por eles anteriormente, quando da conversão dos

---

[24]BARCLAY, William. *Gálatas y Efesios*, p. 50.
[25]GUTHRIE, Donald. *Gálatas: introdução e comentário*, p. 154.

gálatas, quando eles nasceram de novo; agora o afastamento deles provocava outro parto. Mais uma vez, Paulo estava em trabalho de parto. Na primeira vez houvera uma espécie de aborto; dessa vez, ele anseia que Cristo seja verdadeiramente formado neles.[26]

Donald Guthrie diz que em 1Tessalonicenses 2.7, Paulo retrata a si mesmo como uma ama, ao passo que aqui é mais arrojado na sua ilustração, pois usa a metáfora do parto. Pensa na dor e nas dificuldades ligadas ao parto e transfere a figura de linhagem para o próprio relacionamento com suas "criancinhas".[27]

Em terceiro lugar, **um pastor que busca a maturidade dos crentes**. ... *até ser Cristo formado em vós* (4.19c). Paulo não se satisfaz em que Cristo habite neles; anseia ver Cristo formado neles e vê-los transformados à imagem de Cristo.[28] A palavra grega *morfothe* deixa claro que a forma significa a forma essencial, e não a aparência exterior. A ideia, portanto, é de caráter realmente semelhante a Cristo.[29]

Os crentes da Galácia que estavam voltando à escravidão do judaísmo, abandonando sua liberdade em Cristo, eram como abortos, filhos que não chegaram a nascer e desenvolver. Paulo, porém, não desistiu deles, mas sofria novamente por eles, como que uma segunda gestação, a fim de que nascessem saudáveis para a maturidade. Não basta nascer, é preciso crescer rumo à maturidade. Portanto, qualquer sistema religioso que não produza o caráter de Cristo na vida de seus adeptos não é totalmente cristão.

Adolf Pohl diz com razão que no meio dos gálatas o evangelho foi mudado (1.6), de modo que faltava agora a "verdade do evangelho" (2.5,14) e, em decorrência, também a "liberdade do evangelho" a que faziam jus (2.4). Eles estavam caindo de volta sob a escravidão dos fracos e precários rudimentos do mundo, entre outras, na forma de observação religiosa do calendário judaico (4.8-11). Tudo isso, porém, atingia o próprio Cristo. Perdeu o sentido para eles a vinda de Cristo

---

[26] STOTT, John. *A mensagem de Gálatas*, p. 109.
[27] GUTHRIE, Donald. *Gálatas: introdução e comentário*, p. 154,155.
[28] STOTT, John. *A mensagem de Gálatas*, p. 109.
[29] RIENECKER, Fritz; ROGERS, Cleon. *Chave linguística do Novo Testamento grego*, p. 379.

dentro das condições da lei (3.25; 4.4,5). Ele tinha "morrido em vão", não produzindo justiça (2.21) para eles. Ele não "servia para nada" (5.2), um Cristo impotente e, sob esse aspecto, sem perfil (5.4).[30]

Nas palavras de Calvino, os gálatas precisavam ser outra vez nutridos no ventre, como se ainda não estivessem plenamente formados. Ser Cristo formado em nós é o mesmo que sermos formados em Cristo. Ele nasce em nós para que vivamos sua vida. Visto que a genuína imagem de Cristo foi deformada por meio das superstições introduzidas pelos falsos apóstolos, Paulo se esforça para restaurá-la em toda a sua perfeição e esplendor. Isto é feito pelos ministros do evangelho, quando eles dão leite às crianças e alimento sólido aos adultos (Hb 5.13,14).[31]

Em quarto lugar, **um pastor que fica perplexo com a imaturidade de seus filhos**. *Pudera eu estar presente, agora, convosco e falar-vos em outro tom de voz; porque me vejo perplexo a vosso respeito* (4.20). Paulo está boquiaberto e perplexo com a inconstância dos gálatas. A palavra grega *aporeomai*, traduzida por "perplexo", significa literalmente estar sem caminho, de maneira que não se sabe ir nem para a frente nem para trás, dependendo, constrangido, de ajuda.[32] Paulo não pode entender como eles saíram da escravidão dos deuses falsos para outra escravidão, a escravidão do legalismo judaico. Não consegue entender como eles deixaram a verdade para abraçar a mentira; como abandonaram seu pastor para dar guarida às bajulações dos falsos mestres.

A despeito de estar perplexo e desnorteado, Paulo lastima ter de usar um tom tão firme e agressivo; ele anseia por vê-los face a face, pois confia em que irão cooperar e, portanto, poderá mudar o tom de voz. Seu forte desejo é mostrar-lhes o calor do seu coração.[33]

Calvino diz que, se os ministros do evangelho querem fazer alguma coisa, devem esforçar-se para formar a Cristo, e não eles próprios, em seus ouvintes.[34] Fazendo uma síntese da passagem em apreço, queremos concluir esta exposição com as palavras de John Stott:

---

[30] POHL, Adolf. *Carta aos Gálatas*, 1999, p. 156.
[31] CALVINO, João. *Gálatas*, 2007, p. 123.
[32] POHL, Adolf. *Carta aos Gálatas*, 1999, p. 153.
[33] GUTHRIE, Donald. *Gálatas: introdução e comentário*, p. 155.
[34] CALVINO, João. *Gálatas*, 2007, p. 123,124.

O que deveria importar ao povo não é a aparência do pastor, mas se Cristo está falando por intermédio dele. E o que deveria importar ao pastor não é a boa vontade das pessoas, mas se Cristo está sendo formado nelas. A igreja precisa de gente que, ouvindo o pastor, ouça a mensagem de Cristo, e de pastores que, trabalhando entre as pessoas, busquem a imagem de Cristo. Apenas quando o pastor e a congregação mantiverem assim os olhos em Cristo, só então o seu relacionamento mútuo vai se manter sadio, proveitoso e agradável ao Deus Todo-poderoso.[35]

---

[35] STOTT, John. *A mensagem de Gálatas*, p. 111.

12

A liberdade da fé ou a escravidão da lei?

Gálatas 4.21-31

O APÓSTOLO PAULO ESTÁ CONCLUINDO A SEÇÃO DOUTRINÁRIA de sua Carta aos Gálatas. Está usando seu último argumento para provar a justificação pela graça, mediante a fé, no lugar da salvação pelas obras da lei. O contexto ainda mostra que Paulo está refutando os falsos mestres judaizantes que perturbavam a igreja e adulteravam a verdade. À guisa de introdução, dois pontos devem ser destacados.

Em primeiro lugar, **um chamado ao debate**. *Dizei-me vós, os que quereis estar sob a lei...* (4.21a). Paulo está chamando para o debate aqueles que se opunham a seu ensino e queriam estar sob a lei, rejeitando o evangelho da graça. Paulo não se esconde nem se intimida. Ele entra na arena do confronto, aceita o debate e como apologeta afiado se levanta em defesa da verdade.

Adolf Pohl diz que, diante da pressão dos judaístas (6.12,13), os crentes da Galácia já haviam concordado em se deixar circuncidar (5.2). O argumento de Paulo é que quem queria a circuncisão na prática queria a lei (5.3) e queria estar sob a lei (4.21).[1]

Dizei-me vós, os que quereis estar sob a lei... (4.21a). Essas palavras de Paulo são endereçadas às pessoas cuja religião é legalista, que imaginam

---
[1] POHL, Adolf. *Carta aos Gálatas*, 1999, p. 158,159.

que o caminho a Deus é por meio da observância de certas regras. São indivíduos que transformam o evangelho em lei e supõem que o seu relacionamento com Deus depende de uma obediência restrita a regulamentos, tradições e cerimônias. São até crentes professos, mas que vivem escravizados por esses preceitos.[2]

Em segundo lugar, **um alerta aos debatedores**. ... *acaso, não ouvis a lei?* (4.21b). Paulo vai ao terreno de seus opositores e os chama para o confronto em seu próprio território, capturando-os com o laço de sua própria lógica. Paulo diz aos seus opositores que estar sob a lei é o caminho da servidão, pois a verdade dos fatos é que aqueles que estão sob a lei estão debaixo de escravidão. Isso porque a própria lei da qual querem ser servos se levantará como seu juiz para condená-los. A lei foi dada não para salvar, mas para mostrar a necessidade do Salvador. O propósito da lei é revelar o pecado, tomar o pecador pela mão e levá-lo ao Salvador. A lei não é um fim, mas um meio. Seu papel não é abrir as portas da prisão, mas encerrar o pecador na prisão, a fim de que ele se desespere de si mesmo e busque o libertador.

John Stott diz que são três os estágios no argumento desse parágrafo: o primeiro é histórico, o segundo é alegórico, e o terceiro, pessoal. Nos versículos históricos (4.22,23), Paulo lembra a seus leitores que Abraão teve dois filhos: Ismael, filho de uma escrava, e Isaque, filho de uma mulher livre. Nos versículos alegóricos (4.24-27), ele argumenta que esses dois filhos e suas mães representam duas religiões: uma religião de servidão, que é o judaísmo, e uma religião de liberdade, que é o cristianismo. Nos versículos pessoais (4.28-31), ele aplica a sua alegoria a nós. Se somos cristãos, não somos como Ismael (escravos), mas como Isaque (livres). Finalmente, o apóstolo demonstra o que devemos esperar se nos parecemos com Isaque.[3]

O método alegórico era bem conhecido dos rabinos. Foi adotado pela escola de Alexandria e seguido por Orígenes e outros Pais da igreja. De acordo com William Barclay, para os rabinos judeus toda passagem da Escritura possuía quatro significados: 1) *Peshat*: o significado simples e

---

[2]STOTT, John. *A mensagem de Gálatas*, p. 112,113.
[3]STOTT, John. *A mensagem de Gálatas*, p. 113.

literal; 2) *Remaz*: o significado sugerido; 3) *Derush*: o significado implícito, que se deduzia por investigação; 4) *Sod*: o sentido alegórico. As primeiras letras dessas quatro palavras – PRDS – são as consoantes da palavra "paraíso" (*paradise* em inglês), e segundo os rabinos, quando alguém conseguia penetrar esses quatro significados diferentes, alcançava a glória do paraíso.[4]

O que é uma alegoria? Roy Zuck esclarece que alegorizar é procurar um sentido oculto ou obscuro que se acha por trás do significado mais evidente do texto, mas lhe está distante e na verdade dissociado. Em outras palavras, o sentido literal é uma espécie de código que precisa ser decifrado para revelar o sentido mais importante e oculto. Segundo esse método, o literal é superficial, e o alegórico é o que apresenta o verdadeiro significado.[5]

João Calvino tem o cuidado de explicar que o texto em tela não endossa o método alegórico como a maneira normativa de interpretarmos as Escrituras. O verdadeiro significado da Escritura é o natural e o óbvio. Certamente Paulo não quis dizer que Moisés escreveu a história para que ela fosse transformada em uma alegoria.[6] R. E. Howard está certo quando diz que Paulo usou métodos rabínicos em virtude do seu desejo de enfrentar seus oponentes no nível deles e por ter sido essa sua formação educacional.[7] Dessa forma, nesse caso, a alegoria foi uma ilustração confirmatória da verdade que, por argumentação, Paulo já havia provado convincentemente.[8]

Vamos agora examinar essa passagem e observar suas implicações espirituais.

Os **dois filhos** de Abraão – **duas realidades** espirituais (4.22-27)

Os judeus gloriavam-se no fato de serem descendentes de Abraão. Viam nesse parentesco um refúgio seguro de sua salvação. Julgavam-se filhos de

---

[4] BARCLAY, William. *Gálatas y Efesios*, p. 51.
[5] ZUCK, Roy B. *A interpretação bíblica*. São Paulo: Vida Nova, 1994, p. 34.
[6] CALVINO, João. *Gálatas*, 2007, p. 126.
[7] HOWARD, R. E. *A Epístola aos Gálatas*, p. 58.
[8] HOWARD, R. E. *A Epístola aos Gálatas*, p. 60.

Abraão e por isso livres (Jo 8.31-44). Porém, os verdadeiros filhos de Abraão não são seus descentes físicos, mas seus descendentes espirituais. Ser filho de Abraão não é ter o sangue de Abraão correndo em suas veias, mas ter a fé de Abraão em seu coração (3.29; Rm 4.16).

Paulo confronta aqueles que cultivavam uma falsa esperança no seu parentesco com Abraão para dizer que o patriarca tinha dois filhos, porém de mães diferentes e de naturezas diferentes. Ismael era filho de Hagar, uma mulher escrava, e nasceu segundo a carne. Isaque era filho de Sara, a mulher livre, e nasceu segundo a promessa.

John Stott argumenta que Isaque não nasceu segundo a natureza, mas, antes, contra a natureza. Seu pai tinha 100 anos de idade e sua mãe, que fora estéril, tinha mais de 90 anos. Hebreus 11.11 diz o seguinte: *Pela fé, também, a própria Sara recebeu poder para ser mãe, não obstante o avançado de sua idade, pois teve por fiel aquele que lhe havia feito a promessa*. Ismael nasceu segundo a natureza, mas Isaque contra a natureza, sobrenaturalmente, por meio de uma promessa excepcional de Deus.[9]

Ismael é símbolo da lei, e Isaque é símbolo da graça. Um nasceu segundo a carne, e o outro segundo a promessa. Essas duas diferenças entre os filhos de Abraão, Ismael tendo nascido escravo segundo a natureza, e Isaque tendo nascido livre segundo a promessa, Paulo considera "alegóricas". Todos são escravos por natureza, até que no cumprimento da promessa de Deus sejam libertados. Portanto, todos são Ismaéis ou Isaques, sejam escravos por natureza ou livres pela graça de Deus.[10]

Vamos examinar mais detidamente esses dois filhos.

Em primeiro lugar, **Ismael, símbolo da escravidão**. Ismael é filho de Abraão e Hagar. Nasceu da mulher escrava, não por promessa de Deus, mas por precipitação humana. Nasceu como fruto da incredulidade de Abraão e Sara, que por um momento duvidaram da promessa. Quatro verdades podem ser ditas acerca de Ismael como símbolo da escravidão daqueles que vivem sob a lei.

Primeiro, *Ismael é filho da escrava. Pois está escrito que Abraão teve dois filhos, um da mulher escrava...* (4.22a). Ismael era filho de Abraão, mas

---

[9]STOTT, John. *A mensagem de Gálatas*, p. 114.
[10]STOTT, John. *A mensagem de Gálatas*, p. 114.

não filho da promessa. Era filho de Abraão, mas não filho da mulher livre. Era filho de Abraão, mas não o prometido por Deus. Era filho de Abraão, mas não o herdeiro de Abraão. De acordo com o direito antigo, uma escrava sempre dava à luz para a escravidão, mesmo quando o pai da criança era um homem livre. Não bastava ser filho de Abraão. Era preciso ser filho de Abraão como Isaque, o filho livre e herdeiro, não como Ismael.[11]

Segundo, *Ismael nasceu segundo a carne. Mas o da escrava nasceu segundo a carne...* (4.23a). Ismael nasceu de forma natural. Não houve nenhum milagre em sua concepção. Não foi prometido nem houve nenhuma intervenção sobrenatural de Deus em seu nascimento. Seu nascimento foi uma escolha puramente humana, um esforço da carne.

Donald Guthrie tem razão em dizer que Ismael foi o resultado da confiança de Abraão no planejamento humano em vez da confiança na promessa de Deus.[12] William Hendriksen diz que, quando Paulo afirma que Ismael "nasceu segundo a carne", ele tem duas coisas em mente: que Ismael nasceu segundo um propósito carnal (Gn 16.2) e em virtude da capacidade física que Abraão e Hagar tinham (Gn 16.4).[13] Adolf Pohl complementa que Abraão e Sara tentaram empurrar a aliança para a linhagem de Ismael e é nesse sentido que agem "segundo a carne", a saber, distantes de Deus.[14]

Terceiro, *Ismael nasceu para a escravidão. Estas coisas são alegóricas; porque estas mulheres são duas alianças; uma, na verdade, se refere ao monte Sinai, que gera para escravidão; esta é Hagar* (4.24). Hagar, mãe de Ismael é o símbolo da antiga aliança. Na antiga aliança tudo depende do homem. Essa é a lei. Ela ordena ao homem: "Faça, e você viverá". A lei exige tudo. Exige perfeição. Àqueles que não cumprem seus preceitos, lavra-lhes a sentença de morte, pois maldito é aquele que não permanecer em toda a obra da lei para cumpri-la (3.13). A lei não liberta, mas escraviza. A lei não salva, mas condena. Os que vivem sob a lei são filhos da escrava e nascem para a escravidão.

---

[11] POHL, Adolf. *Carta aos Gálatas*, 1999, p. 159.
[12] GUTHRIE, Donald. *Gálatas: introdução e comentário*, p. 157.
[13] HENDRIKSEN, William. *Gálatas*, p. 189.
[14] POHL, Adolf. *Carta aos Gálatas*, 1999, p. 160.

Quarto, *Ismael persegue o filho da livre. Como, porém, outrora, o que nascera segundo a carne perseguia ao que nasceu segundo o Espírito, assim também agora* (4.29). Possivelmente Isaque foi desmamado aos 3 anos de idade, segundo a tradição dos hebreus. Nesse tempo, Ismael já era um adolescente de 17 anos. Foi exatamente na festa de Isaque que Ismael caçoou do irmão e o desprezou. Paulo viu nessa atitude um ato de perseguição que perdurou entre os povos procedentes de Ismael e o povo procedente de Isaque; também viu uma perseguição que avançou pelos séculos sem conta da parte daqueles que querem ser salvos pela lei aos que recebem a salvação pela fé em Cristo Jesus.

Em segundo lugar, **Isaque é símbolo da liberdade**. Isaque é filho de Abraão e Sara. É filho da promessa e herdeiro das bênçãos. Warren Wiersbe diz que Isaque ilustra o cristão em vários aspectos: ele nasceu pelo poder de Deus, trouxe alegria, cresceu e foi desmamado, e acabou perseguido.[15] Quatro verdades são destacadas por Paulo acerca de Isaque.

Primeiro, *Isaque nasceu como filho da mulher livre. ... e outro da livre* (4.22b). Sara, mãe de Isaque, era a legítima mulher de Abraão. Era mulher livre, e não uma escrava. Isaque nasceu da livre, e não da escrava. Nasceu para a liberdade, e não para a escravidão.

Segundo, *Isaque nasceu mediante a promessa. ... o da livre, mediante a promessa* (4.23b). Se Ismael nasceu de uma conjunção puramente carnal entre Abraão e Hagar, Isaque nasceu por intervenção sobrenatural de Deus. E isso por duas razões. Primeiro, porque tanto Abraão como Sara já estavam avançados em idade e não poderiam mais gerar naturalmente. Isaque é fruto de um milagre de ressurreição (Rm 4.17-25). Segundo, porque Sara era estéril, e seu ventre estéril não poderia conceber. Por isso, Isaque é filho da promessa e nasceu no tempo de Deus, da maneira sobrenatural de Deus.

Terceiro, *Isaque nasceu segundo o Espírito. Como, porém, outrora, o que nascera segundo a carne perseguia ao que nasceu segundo o Espírito, assim também agora* (4.29). Isaque nasceu por intervenção direta de Deus. Ele não nasceu apenas por uma conjunção carnal entre Abraão

---

[15]WIERSBE, Warren W. *Comentário bíblico expositivo*, p. 928.

e Sara, mas mediante uma ação milagrosa do próprio Espírito Santo. Assim também são os crentes em Cristo. Eles nascem não segundo a carne nem segundo a vontade do homem, mas de cima, do alto, do Espírito.

Quarto, *Isaque nasceu para ser o herdeiro de tudo. Contudo, que diz a Escritura? Lança fora a escrava e seu filho, porque de modo algum o filho da escrava será herdeiro com o filho da livre* (4.30). Ismael, o filho da escrava não herdou com Isaque, o filho da mulher livre. Isaque é o herdeiro de tudo. As bênçãos espirituais são dádivas da graça, e não resultado do esforço humano. As riquezas eternas são confiadas aos filhos, ou seja, aqueles que recebem a Cristo como Salvador, e não aos escravos que vivem sob a tirania da lei (Rm 8.17).

As **duas mulheres – duas alianças** (4.22-27)

Tendo apresentado Ismael e Isaque como dois filhos de Abraão, representando aqueles que vivem na escravidão sob a lei e aqueles que vivem na liberdade sob a graça, Paulo agora apresenta as duas mulheres de Abraão, bem como as duas Jerusaléns, símbolos da antiga e da nova aliança. Assim, as duas mulheres, Hagar e Sara, bem como as duas Jerusaléns, a terrena e a celestial, representam as duas alianças, a antiga e a nova. John Stott esclarece de forma objetiva essas duas alianças:

É impossível entender a Bíblia sem entender as duas alianças. Afinal, nossa Bíblia está dividida no meio, em dois Testamentos, o Antigo e o Novo, apresentando as duas "Alianças", a Antiga e a Nova. Uma aliança é um acordo solene entre Deus e os homens, por meio do qual ele os transforma em Seu povo e promete ser o seu Deus. Deus estabeleceu a antiga aliança por intermédio de Moisés e a nova por intermédio de Cristo, cujo sangue a ratificou. A antiga aliança (mosaica) fundamentava-se na lei; mas a nova aliança (cristã), figurada em Abraão e profetizada por Jeremias, fundamentava-se em promessas. Na lei Deus colocou responsabilidades sobre as pessoas e disse: "Farás... não farás..."; mas, na promessa, Deus assume Ele próprio a responsabilidade, dizendo: "Eu farei...".[16]

---

[16]STOTT, John. *A mensagem de Gálatas*, p. 115.

Vamos olhar mais detidamente essas mulheres, símbolos da antiga e da nova aliança.

Em primeiro lugar, **Hagar, símbolo da velha aliança**. Hagar é a mulher escrava que gera para a escravidão. Ela é tipificada pelo monte Sinai e pela Jerusalém terrena. Representa aqueles que confiam na lei para a sua salvação. Três fatos nos são apresentados por Paulo.

Primeiro, *Hagar é escrava. Mas o da escrava nasceu segundo a carne...* (4.23a). Cinco vezes nesta seção, Hagar é chamada de "escrava" (4.22,23,30,31). Hagar não era mulher de Abraão, mas foi dada a ele como tal, para dessa relação temporária nascer um filho, com a vã expectativa de que fosse o filho da promessa. Mas a precipitação humana não anula o propósito de Deus, nem a escrava substitui a livre, da mesma forma que o filho da escravidão não pode ser o filho da promessa nem o herdeiro das bênçãos.

Segundo, *Hagar é símbolo do monte Sinai e da Jerusalém atual. Ora, Hagar é o monte Sinai, na Arábia, e corresponde à Jerusalém atual, que está em escravidão com seus filhos* (4.25). Paulo diz que Hagar é o monte Sinai e corresponde à Jerusalém atual. Ela e seus filhos estão em escravidão. Esse é o judaísmo. Esse é o legalismo. O Sinai e Jerusalém representam a religião estribada no mérito. É a religião das obras. É a religião da escravidão. Adolf Pohl diz que Hagar é mãe do escravagismo, e, conforme Gálatas 3.22–4.3, a lei é uma prisão, um vigilante ou tutor. Quem tem a lei como mãe, a ponto de não ter nada além do que a lei lhe dá, permanece perpetuamente escravo.[17]

Warren Wiersbe alerta para o fato de o legalismo ser um dos maiores problemas entre os cristãos ainda hoje. O legalismo não significa determinar padrões espirituais; significa idolatrar esses padrões e pensar que somos espirituais porque lhes obedecemos. Também significa julgar outros cristãos com base nisso. Alguém pode deixar de fumar, beber e frequentar casas de espetáculos, por exemplo, e ainda assim não ser espiritual. Os fariseus viviam de acordo com padrões elevados, e ainda assim crucificaram a Jesus.[18] R. E. Howard conclui esse

---

[17] POHL, Adolf. *Carta aos Gálatas*, 1999, p. 160.
[18] WIERSBE, Warren W. *Comentário bíblico expositivo*, p. 931.

ponto, dizendo que a comunidade judaica (que vive pela lei) é filha da Jerusalém na Palestina, mas a comunidade cristã (que vive pela fé) é filha da Jerusalém eterna.[19]

Terceiro, *Hagar gera para a escravidão. ... uma, na verdade, se refere ao monte Sinai, que gera para a escravidão; esta é Hagar* (4.24b). Hagar é a mãe daqueles que confiam na lei para a sua salvação. Mas a religião do legalismo só pode gerar para a escravidão. Os filhos dessa religião são escravos. Eles não podem atingir as exigências da lei. Consequentemente, são escravos.

Adolf Pohl é oportuno quando destaca o fato de que Hagar corresponde não só ao monte Sinai, mas também à Jerusalém atual, que está em escravidão com seus filhos. Jerusalém era naquele tempo a sede e a retaguarda dos legalistas. Os judeus disseram para Jesus: *Somos descendência de Abraão e jamais fomos escravos de alguém* (Jo 8.33). Quem se volta para a lei, pode até morar exteriormente em Jerusalém, mas espiritualmente emigrou da terra da promissão e habita entre os ismaelitas. Visto sob esse ângulo, Ismael não somente é o ancestral dos árabes, mas alegoricamente de todas as pessoas legalistas, sejam árabes, judeus ou gentios. Ao tornar-se reduto da lei, Jerusalém deixa de ser a cidade santa.[20]

Warren Wiersbe tem razão quando diz que Hagar tentava fazer o que só Sara poderia realizar, e por isso fracassou. A lei não pode dar vida (3.21), nem justiça (2.21), nem o dom do Espírito (3.2), nem uma herança espiritual (3.18). Isaque era o herdeiro de Abraão, mas Ismael não participou dessa herança (Gn 21.10). Os judaizantes tentavam transformar Hagar em mãe outra vez, enquanto Paulo sentia dores de parto por seus convertidos para que se tornassem semelhantes a Cristo. Não há religião nem legislação que possa dar vida ao pecador. Somente Cristo pode fazer isso por meio do evangelho.[21]

Em segundo lugar, **Sara, símbolo da nova aliança**. Hagar, a escrava, é o monte Sinai e a Jerusalém atual. Ela é o símbolo da antiga aliança, na qual o homem está debaixo da lei e é escravo dela. No entanto, Sara,

---

[19]HOWARD, R. E. *A Epístola aos Gálatas*, p. 59.
[20]POHL, Adolf. *Carta aos Gálatas*, 1999, p. 161.
[21]WIERSBE, Warren W. *Comentário bíblico expositivo*, p. 929.

a mulher livre, é símbolo da Jerusalém lá do alto. É a mãe de todos os filhos da promessa, aqueles que nasceram do Espírito. Quatro verdades nos são apresentadas sobre Sara.

Primeiro, *Sara é a mulher livre. ... o da livre, mediante a promessa* (4.23). Sara é a esposa legítima de Abraão, a mulher livre, a mãe do filho da promessa, a que gerou de forma milagrosa aquele que deveria ser o herdeiro de todas as bênçãos.

Segundo, *Sara é a Jerusalém lá de cima. Mas a Jerusalém lá de cima é livre, a qual é nossa mãe* (4.26). Sara é o símbolo daqueles que nasceram do alto, de cima, do Espírito. Os filhos de Sara têm o céu como origem e destino. Eles nasceram do céu, são cidadãos do céu, estão-se preparando para o céu e irão para o céu. Sara representa todos aqueles que foram salvos pela fé em Cristo, independentemente das obras da lei.

João Calvino está coberto de razão ao declarar que a Jerusalém "lá de cima", ou celestial, não está contida no céu, nem devemos procurá-la fora deste mundo; pois a igreja está espalhada por todo o mundo, sendo peregrina e estrangeira na terra (Hb 11.13). Então, por que Paulo diz que ela é do céu? Porque tem sua origem na graça celestial; pois os filhos de Deus ...*não nasceram do sangue, nem da vontade da carne, nem da vontade do homem* (Jo 1.13), mas pelo poder do Espírito de Deus. A Jerusalém celestial, que deriva sua origem do céu e pela fé habita em cima, é a mãe dos crentes.[22]

William Hendriksen diz ainda que o céu é a mãe da igreja porque foi o céu que deu à luz seus filhos. O céu é a nossa pátria (Fp 3.20). Nossa vida é governada pelo céu. É no céu que estão assegurados nossos direitos e são promovidos nossos interesses. É para o céu que sobem nossas orações. É no céu que está a nossa esperança. O nosso Salvador vive no céu. Alguns de nossos amigos já estão no céu. E em breve nós também estaremos no céu, onde receberemos a herança, da qual já temos o penhor.[23]

Terceiro, *Sara é mãe dos crentes. ... a qual é nossa mãe* (4.26). Aqueles que creem e são salvos pela graça são filhos de Sara. Esses são os que nascem do Espírito e são livres. Se Hagar gera para a escravidão; Sara gera para

---

[22]CALVINO, João. *Gálatas*, 2007, p. 129,130.
[23]HENDRIKSEN, William. *Gálatas*, p. 192.

a liberdade e para a vida. Paulo diz que Sara corresponde à Jerusalém de cima. Ela é a mãe dos cristãos, isto é, eles são nascidos e vivem a partir da esfera do Deus revelado, do Cristo exaltado e do Espírito Santo, sendo como tais livres da lei, filhos nascidos em liberdade.[24]

Calvino diz que a igreja é mãe dos crentes e aqueles que se recusam ser filhos da igreja em vão desejam ter a Deus como seu Pai; pois é somente pelo ministério da igreja que somos nascidos de Deus (1Jo 3.9), conduzindo por meio dos vários estágios da infância e da juventude, até que cheguemos à maturidade.[25]

Quarto, *Sara é mãe de numerosos filhos*. Porque está escrito: *Alegra-te, ó estéril, que não dás à luz, exulta e clama, tu que não estás de parto; porque são mais numerosos os filhos da abandonada que os da que tem marido* (4.27). Sara era estéril, mas seus filhos se multiplicaram como as estrelas do céu e as areias da terra. Seus filhos são todos aqueles, judeus e gentios, que creram em Cristo e foram salvos dentre todos os povos, raças, tribos e nações. Com esse argumento Paulo está dizendo que não basta reivindicar a Abraão por nosso pai. O importante é considerar quem é nossa mãe.

Concordo com John Stott que não podemos aplicar o texto de Isaías 54.1, citado aqui pelo apóstolo como uma referência a Hagar e Sara. O profeta está-se dirigindo aos exilados no cativeiro da Babilônia. Ele compara a sua condição no exílio, sob o juízo divino, à de uma mulher estéril finalmente abandonada por seu marido, e o seu estado futuro depois da restauração à de uma mulher fértil com mais filhos do que as outras. Em outras palavras, Deus promete que, depois do retorno, o Seu povo será mais numeroso do que antes. Essa promessa recebeu cumprimento literal, ainda que parcial, na restauração dos judeus na terra prometida. Mas o seu cumprimento espiritual, verdadeiro, diz Paulo, está no crescimento da igreja, uma vez que o povo cristão constitui a descendência de Abraão.[26]

---

[24] POHL, Adolf. *Carta aos Gálatas*, 1999, p. 161.
[25] CALVINO, João. *Gálatas*, 2007, p. 130.
[26] STOTT, John. *A mensagem de Gálatas*, p. 116.

A lei não pode dar vida nem fertilidade; o legalismo é estéril. Se as igrejas tivessem capitulado ao legalismo, teriam ficado estéreis, mas, porque permaneceram firmes na graça, mostraram-se prolíficas e se propagaram por todo o mundo.[27]

As aplicações pessoais (4.28-31)

Paulo passa da alegoria às aplicações pessoais. Ele evoca os eventos históricos, explica-os e agora faz as devidas aplicações. Chamamos a atenção para quatro verdades.

Em primeiro lugar, **uma declaração categórica**. *Vós, porém, irmãos, sois filhos da promessa, como Isaque* (4.28). Paulo chama os crentes da Galácia de irmãos e diz a eles que, embora pressionados e seduzidos pelos falsos mestres, eles eram filhos da promessa como Isaque, e não filhos da escravidão como Ismael. Eles haviam nascido do Espírito, e não da carne. Eram filhos de Abraão espiritualmente, e não fisicamente. Eram filhos não por natureza, mas sobrenaturalmente. Eram membros da família de Deus, e não apenas adeptos de uma religião legalista.

Em segundo lugar, **uma certeza esclarecedora**. *Como, porém, outrora, o que nascera segundo a carne perseguia ao que nasceu segundo o Espírito, assim também agora* (4.29). Na cerimônia em que Isaque foi desmamado, Ismael caçoou e zombou de seu irmão. Assim como no passado Ismael ridicularizara Isaque, também seus descendentes espirituais, aqueles que confiam na carne e são escravos da lei, perseguem os filhos livres, os filhos da promessa, aqueles que nascem do Espírito. Os legalistas sempre se levantaram, se levantam e se levantarão para perseguir a igreja de Deus. Essa tensão jamais deixou de existir. É uma guerra sem trégua.

João Calvino diz que devemos encher-nos de horror não somente diante das perseguições externas, quando os inimigos do cristianismo nos destroem com fogo e espada; quando nos aprisionam, torturam, açoitam; mas também quando tentam, com blasfêmias, subverter a nossa confiança que descansa nas promessas de Deus; quando

---

[27]WIERSBE, Warren W. *Comentário bíblico expositivo*, p. 931.

ridicularizam nossa salvação, quando lançam cinicamente escárnio contra todo o evangelho.[28]

John Stott tem razão quando afirma que a perseguição da verdadeira igreja, a descendência espiritual de Abraão, nem sempre vem do mundo, mas dos religiosos, ou seja, da igreja nominal, os filhos de Ismael. O Senhor Jesus foi cruelmente perseguido, rejeitado, zombado e condenado por sua própria nação. Os oponentes mais impetuosos do apóstolo Paulo foram os membros da igreja oficial, os judeus. A estrutura monolítica do papado medieval perseguiu todas as minorias protestantes com crueldade e ferocidade ininterrupta.[29] Os crentes devem esperar um destino duplo: a dor da perseguição e o privilégio da herança. Ao mesmo tempo em que somos rejeitados pelos homens, somos amados por Deus como filhos e herdeiros.

Em terceiro lugar, **uma ordem expressa**. *Contudo, que diz a Escritura? Lança fora a escrava e seu filho, porque de modo algum o filho da escrava será herdeiro com o filho da livre* (4.30). Assim como Sara deu ordem a Abraão para lançar fora de casa Hagar e Ismael, também devemos lançar fora da nossa vida espiritual toda espécie de legalismo carnal. Donald Guthrie diz que os gálatas precisavam de uma ação igualmente firme para impedir que a liberdade cedesse lugar à escravidão. O legalismo não pode existir lado a lado com a promessa.[30]

Não há aliança entre a confiança nos méritos de Cristo e a confiança na carne. Não existe harmonia entre a fé em Cristo e a confiança nas obras. Precisamos romper com o legalismo. Precisamos mandar embora todo sistema religioso que escravize as pessoas.

R. E. Howard corretamente diz que não pode haver divisão de herança. Paulo está fazendo uma ilustração dramática do conflito irreconciliável entre a salvação pelas obras e a salvação pela fé. Os que são os verdadeiros filhos – pela fé – são os herdeiros de tudo.[31]

---

[28]CALVINO, João. *Gálatas*, 2007, p. 132.
[29]STOTT, John. *A mensagem de Gálatas*, p. 117.
[30]GUTHRIE, Donald. *Gálatas: introdução e comentário*, p. 162.
[31]HOWARD, R. E. *A Epístola aos Gálatas*, p. 60.

Warren Wiersbe acertadamente escreve:

> É impossível a lei e a graça, a carne e o Espírito entrarem em acordo e conviverem. Deus não pediu a Hagar e a Ismael que voltassem de vez em quando para fazer uma visita; foi um rompimento permanente. Os judaizantes do tempo de Paulo – e de nossos dias – tentam conciliar Sara com Hagar e Isaque com Ismael, uma conciliação contrária à Palavra de Deus. É impossível misturar a lei com a graça, a fé com as obras e a justificação que Deus concede com a tentativa humana de merecer a justificação.[32]

Os verdadeiros herdeiros da promessa de Deus a Abraão não são os filhos da descendência física, os judeus, mas os filhos por descendência espiritual, os crentes, judeus e gentios. A rejeição aqui não é aos judeus, mas aos judeus incrédulos. Todos aqueles que creem em Cristo, quer judeus, quer gentios, são herdeiros de Abraão.

Em quarto lugar, **uma constatação inequívoca**. *E, assim, irmãos, somos filhos não da escrava, e sim da livre* (4.31). Paulo conclui seu argumento demolidor dizendo para os crentes da Galácia que somos filhos da graça, e não da lei; de Sara, e não de Hagar; da livre, e não da escrava. Consequentemente, nossa conduta deve expressar nossa fé. Se somos filhos da livre, devemos tomar posse da nossa liberdade em vez de viver como escravos, pois apenas em Cristo podemos herdar as promessas, receber a graça e desfrutar da liberdade de Deus.[33] Nas palavras de Merrill Tenney, "abraçar o legalismo, portanto, não seria um passo à frente, mas a reversão ao paganismo, com suas cerimônias fúteis e tentativas inúteis".[34]

---

[32] WIERSBE, Warren W. *Comentário bíblico expositivo*, p. 930.
[33] STOTT, John. *A mensagem de Gálatas*, p. 119.
[34] TENNEY, Merrill C. *Gálatas*, 1978, p. 163.

13

Liberdade ameaçada

Gálatas 5.1-12

ESSA É A ÚLTIMA SEÇÃO DESSA CARTA. Paulo passa da argumentação para a exortação. Até aqui argumentou que somos livres em Cristo, filhos da mulher livre, e não da escrava; agora, nos exorta a mantermos firme essa liberdade. A verdade estabelecida e vigorosamente defendida nos capítulos precedentes é agora aplicada à vida nos capítulos 5 e 6.[1]

Os falsos mestres acusavam Paulo de ensinar um evangelho permissivo que desembocava em anarquia religiosa. Paulo refuta seus opositores, mostrando que não tem vida desregrada aquele que depende da graça de Deus, sujeita-se ao Espírito de Deus, vive na prática das boas obras e procura glorificar a Deus. Consequentemente, o perigo não está no evangelho, mas no legalismo.

O texto em tela fala de duas religiões: a religião humanista e a religião cristocêntrica; a religião da graça e a religião das obras; a religião verdadeira e a religião falsa. Paulo faz dois contrastes. O primeiro entre os que praticam essas religiões (5.1-6), e o segundo entre os que pregam essas religiões (5.7-12).[2] Destacamos quatro pontos importantes

---
[1] HENDRIKSEN, William. *Gálatas*, p. 199.
[2] STOTT, John. *A mensagem de Gálatas*, p. 120.

na exposição do texto em apreço: 1) escravidão (5.1); 2) legalismo (5.2-4); 3) fé (5.5,6); e 4) obediência (5.7-12).

Escravidão – vivendo fora da esfera da liberdade (5.1)

O apóstolo acabara de argumentar com os crentes da Galácia que eles eram filhos de Abraão, não da mulher escrava, mas sim da livre. Eram filhos de Sara, e não de Hagar. Eram filhos da promessa, e não escravos da lei. Destacamos quatro pontos na análise do versículo 1.

Em primeiro lugar, *éramos escravos antes de Cristo. Para a liberdade foi que Cristo nos libertou...* (5.1). Antes de Cristo nos libertar, éramos escravos do diabo, da carne e do mundo. Vivíamos escravizados na coleira do pecado. Estávamos na potestade de satanás, na casa do valente, no reino das trevas, andando segundo o curso deste mundo, segundo o príncipe da potestade do ar, do espírito que agora atua nos filhos da desobediência. Éramos filhos da ira (Ef 2.2,3).

Em segundo lugar, *fomos libertados por Cristo. Para a liberdade foi que Cristo nos libertou...* (5.1). Não alcançamos nossa liberdade por nós mesmos. Não fomos libertados por causa de nossa obediência à lei. Nossa liberdade foi uma obra de resgate realizada por Cristo. Foi ele quem nos arrancou do Império das trevas. Foi ele quem quebrou nossos grilhões e despedaçou nossas cadeias. Foi ele quem nos libertou do pecado, da morte e do inferno. Em Cristo somos livres, verdadeiramente livres; livres não para pecar, mas para cumprir a vontade de Deus.

Adolf Pohl evoca a transação de escravos na antiguidade para elucidar esse magno assunto. Um escravo podia ser comprado no mercado de escravos unicamente para continuar seu serviço sob o novo proprietário, ou seja, não era resgatado para a verdadeira liberdade.[3] Assim também pensavam alguns escribas: que Deus havia resgatado os israelitas do Egito não para serem seus filhos, mas seus escravos. Não era essa a interpretação do apóstolo Paulo. Deus nos libertou para a verdadeira liberdade. De fato somos livres em Cristo Jesus.

---

[3]POHL, Adolf. *Carta aos Gálatas*, 1999, p. 166.

John Stott tem razão quando vê Jesus Cristo como o libertador, a conversão como o ato de emancipação, e a vida cristã como a vida de liberdade.[4] Essa liberdade cristã é a liberdade de consciência, liberdade da tirania da lei, da luta terrível para guardar a lei com a intenção de ganhar o favor de Deus. É a liberdade da aceitação divina e do acesso a Deus por intermédio de Cristo.[5] Calvino argumenta acertadamente que somos livres porque *Cristo nos resgatou da maldição da lei, fazendo-Se Ele próprio maldição em nosso lugar* (3.13); porque Cristo anulou o poder da lei, até onde ela nos mantinha sujeitos ao juízo de Deus, sob pena de morte eterna; e também porque Cristo nos resgatou da tirania do pecado, de satanás e da morte.[6]

Em terceiro lugar, **precisamos manter nossa liberdade em Cristo**. *Permanecei, pois, firmes...* (5.1). Nossa liberdade é sempre espreitada. Muitos inimigos tentam convencer-nos de que ainda somos escravos. Os crentes da Galácia haviam sido libertados da escravidão do paganismo (4.8) e dos rudimentos do mundo (4.3), mas agora estavam tornando-se novamente escravos do legalismo (4.9-11). Precisamos vigiar para que nossa liberdade não seja arrancada de nós. Não podemos colocar nosso pescoço na coleira do legalismo religioso como queriam os judaizantes. Não podemos viver como escravos na casa do pai, como propôs o filho pródigo. Somos livres! Calvino observa que, se permitirmos que os homens escravizem nossa consciência, seremos despojados de uma bênção inestimável e, ao mesmo tempo, insultaremos a Cristo, o autor da liberdade.[7]

Concordo com Adolf Pohl quando diz que o carvalho não se prende com as raízes ao chão somente para resistir contra a tempestade, mas também para extrair alimento do solo. Para se defender contra tentativas de subjugação, é necessária a incessante prática da liberdade a partir de Deus.[8] William Hendriksen exemplifica que a melhor ideia

---

[4]STOTT, John. *A mensagem de Gálatas*, p. 121.
[5]STOTT, John. *A mensagem de Gálatas*, p. 121.
[6]CALVINO, João. *Gálatas*, 2007, p. 136.
[7]CALVINO, João. *Gálatas*, 2007, p. 136.
[8]POHL, Adolf. *Carta aos Gálatas*, 1999, p. 167.

dessa ordenança, "permanecei firmes", é a de um soldado no meio do campo de batalha, que, em vez de fugir, oferece forte resistência ao inimigo e o vence.[9]

É triste constatar, porém, que alguns cristãos se assustam com a liberdade que possuem na graça de Deus; por isso, procuram uma comunhão legalista e ditatorial, na qual deixam outros tomar as decisões por eles. São como adultos voltando ao berço.[10]

Em quarto lugar, **não podemos sujeitar-nos outra vez à escravidão**. *... e não vos submetais, de novo, a jugo de escravidão* (5.1). Cristo não nos libertou a fim de que nos tornássemos novamente escravos.[11] Os crentes da Galácia estavam sendo persuadidos pelos falsos mestres a voltar da graça para a lei; do evangelho para o legalismo; da liberdade para a escravidão; da cruz de Cristo para os ritos judaicos. Eles, que já haviam saído da escravidão da idolatria, estavam agora voltando à escravidão do legalismo. O apóstolo Pedro disse no Concílio de Jerusalém que esse jugo era insuportável (At 15.10). Donald Guthrie entende que a figura do jugo é uma metáfora apropriada para a servidão, porque um animal com o jugo não tem alternativa senão se submeter à vontade de seu dono.[12]

Legalismo – vivendo fora da esfera da graça (5.2-4)

O apóstolo Paulo refuta com veemência a ideia de uma salvação realizada em parte por Cristo e em parte pelos esforços humanos. William Hendriksen diz que um Cristo suplementado é um Cristo suplantado.[13] A obra de Cristo na cruz foi completa, cabal e suficiente. Acrescentar o esforço humano ao sacrifício de Cristo como base para a nossa salvação é uma afronta à graça de Deus. Paulo usa três frases para descrever as perdas que o cristão sofre quando deixa a graça e se volta para a lei: 1) *Cristo de nada vos aproveitará* (5.2); 2) *Está obrigado a guardar toda a*

---

[9] HENDRIKSEN, William. *Gálatas*, p. 201.
[10] WIERSBE, Warren W. *Comentário bíblico expositivo*, p. 933.
[11] GUTHRIE, Donald. *Gálatas: introdução e comentário*, p. 163.
[12] GUTHRIE, Donald. *Gálatas: introdução e comentário*, p. 163.
[13] HENDRIKSEN, William. *Gálatas*, p. 203,204.

lei (Gl 5.3); 3) *De Cristo vos desligastes* (5.4). Isso nos leva à triste conclusão: *Da graça decaístes* (5.4).

Chamamos a atenção para esses três pontos destacados por Paulo.

Em primeiro lugar, **a salvação pela lei anula o sacrifício de Cristo**. Eu, *Paulo, vos digo que, se vos deixardes circuncidar, Cristo de nada vos aproveitará* (5.2). De acordo com Donald Guthrie, Paulo quer dizer aqui que, se a circuncisão for uma necessidade para a salvação, a obra de Cristo seria insuficiente; e, assim, não teria então proveito para aqueles que confiam na circuncisão. Colocando a questão em outros termos, os gentios que se submetem à circuncisão estão realmente se submetendo a um sistema legal do qual Cristo os libertou. Desfazem a Sua obra e de fato anulam a mensagem essencial do evangelho.[14]

William MacDonald, ao citar Jack Hunter, é assaz esclarecedor neste ponto:

> No contexto da Carta aos Gálatas, a circuncisão para o apóstolo Paulo não era uma operação cirúrgica nem meramente uma observância religiosa. Representava um sistema de salvação pelas boas obras. Declarava um evangelho do esforço humano à parte da graça divina. A circuncisão era a lei suplantando a graça; Moisés suplantando Cristo. Isso porque acrescentar alguma coisa a Cristo é anulá-lo. Um Cristo suplementado é um Cristo suplantado. Cristo é o único Salvador – solitário e exclusivo. Nesse contexto circuncisão é o mesmo que apartar-se de Cristo.[15]

Conforme os falsos mestres insistiam, a circuncisão não era simplesmente uma operação física, nem um rito cerimonial, mas um símbolo teológico. Representava um tipo especial de religião, isto é, a salvação por meio das boas obras em obediência à lei. O lema dos falsos mestres era: *Se não vos circuncidardes segundo o costume de Moisés, não podeis ser salvos* (At 15.1,5). Eles estavam declarando que a fé em Cristo era insuficiente para a salvação. Moisés precisava concluir o que Cristo havia começado.[16]

---

[14] GUTHRIE, Donald. *Gálatas: introdução e comentário*, p. 164.
[15] MACDONALD, William. *Believer's Bible commentary*, p. 1.890.
[16] STOTT, John. *A mensagem de Gálatas*, p. 122.

A salvação pela lei anula completamente a graça de Deus. Se a justiça é mediante a lei, Cristo morreu em vão (2.21). São as feridas de Cristo que nos trazem vida, e não a remoção do prepúcio. É a morte de Cristo na cruz que nos salva, e não uma cirurgia em nossa carne. Os crentes da Galácia estavam sendo constrangidos pelos falsos mestres a se circuncidarem (6.12). Ceder a essa pressão, entretanto, era apartar-se de Cristo e viver completamente sem os benefícios da cruz.

Calvino tem razão quando diz que os falsos apóstolos não negavam a Cristo, nem desejavam que ele fosse totalmente colocado de lado; mas eles faziam tal distinção entre a graça de Cristo e as obras da lei, que não restava mais do que uma meia salvação por meio de Cristo. O apóstolo Paulo argumenta que Cristo não pode ser dividido desse modo e que ele "de nada... aproveitará", a menos que seja aceito em sua totalidade.[17]

Em segundo lugar, *a salvação pela lei exige obediência total à lei*. *De novo, testifico a todo homem que se deixa circuncidar que está obrigado a guardar toda a lei* (5.3). Paulo não só se dirige às igrejas como a "uma massa" ou às congregações da Galácia uma por uma, mas a cada membro individual e pessoalmente.[18] Abandonar o caminho da graça para seguir o caminho da lei é entrar por uma estrada cujo destino final é a condenação. Não porque a lei seja má, mas porque o homem é pecador. Não é possível ser salvo parcialmente pela graça e parcialmente pela lei. Escolhemos um caminho ou outro. Pelo caminho da graça, somos salvos pela fé em Cristo independentemente das obras; pelo caminho da lei, precisaríamos ser absolutamente perfeitos para entrarmos no céu. Como não há justo nenhum sequer, como todos pecam por palavras, obras, omissões e pensamentos, o caminho da lei é de condenação, e não de salvação.

Conforme dissemos anteriormente, os falsos mestres haviam transformado a circuncisão num símbolo teológico. Para eles, esse rito passou a ser uma obra meritória e uma confissão de obediência à lei. Warren Wiersbe, porém, alerta para o fato de que não podemos aproximar-nos da lei como se estivéssemos num bufê espiritual, em que

---

[17] CALVINO, João. *Gálatas*, 2007, p. 137.
[18] HENDRIKSEN, William. *Gálatas*, p. 204.

escolhemos apenas o que nos agrada. Quem se propõe a viver sob a lei deve guardar toda a lei (3.10; Tg 2.9-11). Imagine um motorista que passou deliberadamente um sinal vermelho. A seguir, ele é parado por um guarda de trânsito que pede sua carteira de habilitação. No mesmo instante, o motorista começa a se defender: "Pois é, seu guarda. Sei que passei por um farol vermelho, mas nunca assaltei ninguém, nunca cometi adultério, nem soneguei impostos". O policial sorri enquanto preenche a multa, pois sabe que a obediência do motorista a todas as outras leis não compensa sua desobediência à lei de trânsito. É uma única e mesma lei que protege o obediente e castiga o transgressor. O que se orgulha em guardar uma parte da lei e, ao mesmo tempo, transgride outra, confessa que merece ser castigado.[19]

Em terceiro lugar, *a salvação pela lei desemboca em tragédia irremediável*. *De Cristo vos desligastes, vós que procurais justificar-vos na lei; da graça decaístes* (5.4). Pode parecer que o que Paulo afirma aqui está em contradição com a doutrina da perseverança dos santos, uma doutrina não só bíblica, mas também mui prezada por Paulo.[20] Na verdade, não existe nenhum conflito. Paulo está falando sob a perspectiva da responsabilidade humana.[21] Viver sob a égide da lei é viver fora da esfera da graça. Buscar a salvação pelos ritos da lei é desligar-se de Cristo e decair da graça. Não há salvação fora de Cristo, nem à parte da graça. Logo, não há salvação para aqueles que tentam alcançar o favor de Deus por meio dos rituais da lei.

John Stott pondera que é preciso escolher entre a religião da lei e a religião da graça, entre Cristo e a circuncisão. Não podemos acrescentar a circuncisão (ou qualquer coisa) a Cristo como coisa necessária à salvação, pois Cristo é suficiente em si mesmo. Se acrescentarmos alguma coisa a Cristo, nós o perdemos. A salvação está em Cristo somente pela graça, somente pela fé.[22] Nessa mesma linha, Adolf Pohl diz que não se pode estar ao mesmo tempo em dois andares de um prédio. Quem

---

[19] WIERSBE, Warren W. *Comentário bíblico expositivo*, p. 934.
[20] Romanos 8.29-39; Efésios 1.13,14; Filipenses 1.6.
[21] HENDRIKSEN, William. *Gálatas*, p. 204.
[22] STOTT, John. *A mensagem de Gálatas*, p. 122.

escolhe o recinto da lei e da justiça pela lei retira-se de sua posição na graça (Rm 5.2; 2Pe 3.17,18). Que terrível autoexclusão de Cristo![23]

Fé – vivendo na esfera do Espírito (5.5,6)

Paulo faz um contraste entre o *vós* (5.1-4) e o *nós* (5.5); entre a lei e a fé; entre a carne e o Espírito; entre os crentes que estavam sendo arrastados pela sedução dos falsos mestres à escravidão da lei e os crentes que se mantinham firmes na liberdade em Cristo Jesus. Destacamos aqui dois pontos importantes.

Em primeiro lugar, **quando olhamos para a frente, vemos um futuro de glória**. *Porque nós, pelo Espírito, aguardamos a esperança da justiça que provém da fé* (5.5). O crente não confia em si mesmo, nas suas obras ou na sua observância da lei para a sua salvação. Pelo Espírito Santo, aguarda a esperança da justiça que provém da fé. Não trabalhamos para a nossa salvação. Aguardamos a esperança da justiça, ou seja, aguardamos a glória por vir, que nos é oferecida pela fé. Não é o que fazemos para Deus que nos garante o céu; mas é o que Deus fez por nós em Cristo Jesus. O céu não é um prêmio que merecemos, mas uma oferta que recebemos. Não é uma conquista das obras, mas um presente da graça. O crente vive neste mundo com os olhos no céu. Vive um presente de dor, mas aguardando um futuro de glória. A esperança da justiça que aguardamos é a bem-aventurança eterna, o céu de glória, a herança imaculada.

Em segundo lugar, **quando olhamos para o presente, vemos um compromisso de amor**. *Porque, em Cristo Jesus, nem a circuncisão, nem a incircuncisão têm valor algum, mas a fé que atua pelo amor* (5.6). A circuncisão em si mesma não tem valor algum. Não nos tornamos mais aceitáveis a Deus por nos submetermos a ela, nem somos rejeitados por Deus por não a recebermos. Calvino assevera que, no Reino de Cristo ou na igreja, a circuncisão, com seus apêndices, está abolida.[24] James Hastings chama atenção para o fato de que a verdadeira religião não

---

[23] POHL, Adolf. *Carta aos Gálatas*, 1999, p. 168.
[24] CALVINO, João. *Gálatas*, 2007, p. 140.

consiste em coisas externas como nomes e formas, comida e bebida, ritos e cerimônias.²⁵ Por isso, a luta de Paulo não era pelo rito em si, mas pela conotação teológica que os judaizantes estavam dando à circuncisão. Esses falsos mestres queriam complementar a obra perfeita de Cristo pela circuncisão, elegendo esse rito como condição indispensável para a salvação.

O apóstolo destaca que o que importa não é o rito da circuncisão, mas a fé que atua pelo amor. Com isso, Paulo está dizendo que as obras são importantes não como causa, mas como resultado da salvação. William Hendriksen diz que as obras são os frutos, e não a raiz.²⁶ Não somos salvos *pelas* obras, mas *para* as obras. Somos salvos só pela fé, mas a fé que salva não vem só; sempre vem acompanhada de boas obras. A fé que recebemos não é uma fé morta, mas operosa. Ela atua pelo amor. Adolf Pohl ressalta que o verbo "atuar" consta no grego como uma forma de *energeo*. O substantivo *energeia*, que reencontramos na nossa palavra "energia", significa "força eficaz". Assim, de certo modo, o crente é um "feixe de energia", pois está cheio de energia que ama e tenta expandir-se.²⁷

Obediência – vivendo na esfera da verdade (5.7-12)

Na parte final desse parágrafo, Paulo foca sua atenção na influência perniciosa dos falsos mestres e volta suas baterias contra eles de forma contundente. Agora o contraste é entre *ele*, o falso mestre "que vos perturba" (5.10b), e *eu*, o apóstolo Paulo que lhes ensina a verdade de Deus.²⁸ Segundo John Stott, Paulo traça aqui todo o curso da falsa doutrina: sua origem (5.8), seu efeito (5.7,10,12) e seu fim (5.10b).²⁹ Ao mesmo tempo, Paulo se dirige aos crentes, convocando-os à obediência.

Cinco pontos devem ser aqui observados.

Em primeiro lugar, **obedeça à verdade porque a vida é uma corrida**. "Vós corríeis bem; quem vos impediu de continuardes a obedecer à

---

²⁵HASTINGS, James. *The great texts of the Bible.* Vol. XVI. s/d, p. 387.
²⁶HENDRIKSEN, William. *Gálatas*, p. 206.
²⁷POHL, Adolf. *Carta aos Gálatas*, 1999, p. 169.
²⁸STOTT, John. *A mensagem de Gálatas*, p. 123.
²⁹STOTT, John. *A mensagem de Gálatas*, p. 124.

verdade?" (5.7). Paulo relembra aos crentes o começo da caminhada espiritual deles. Eles receberam Paulo como um anjo de Deus (4.14). Começaram correndo bem a carreira cristã. Mas os falsos mestres entraram na pista de corrida para tirá-los da pista onde estavam correndo, e os gálatas perderam o rumo. Fritz Rienecker e Cleon Rogers dizem que o quadro é o de um corredor que deixou seu progresso ser bloqueado, ou que ainda está correndo, mas no curso errado.[30] Os judaizantes lhes obstruíram a corrida. Os crentes foram impedidos de prosseguir nessa pista de corrida e perderam a direção. Um corredor precisa correr segundo as regras. Não pode mudar de pista. Não pode distrair-se nem olhar para trás.

Vale destacar que em momento algum Paulo usa a imagem da corrida para dizer às pessoas como ser salvas. Antes, refere-se sempre aos cristãos em sua vida com o Senhor. Somente "os cidadãos gregos com plenos direitos poderiam participar das competições esportivas". Tornamo-nos cidadãos do céu pela fé em Cristo; então, o Senhor nos coloca em nosso percurso e corremos para ganhar o prêmio. Não corremos para ser salvos, mas sim porque já somos salvos e desejamos realizar a vontade de Deus em nossa vida.[31]

Em segundo lugar, **obedeça à verdade porque o falso ensino não procede de Deus**. *Esta persuasão não vem dAquele que vos chama* (5.8). Paulo diz que essa influência para desviar-se da pista de corrida e perder o rumo na corrida, esse desvio do caminho da graça para entrar nos labirintos da confiança na lei, não é uma persuasão feita por Deus. Essa sedução vem dos arautos do engano, dos pregoeiros da mentira, dos profetas da conveniência. Deus é consistente com Sua Palavra. Aquilo que não está fundamentado nas Escrituras não procede de Deus. Precisamos passar todo ensino e prática que acontece na igreja pelo filtro da Escritura. Desviar-nos do evangelho da graça é aceitar persuasão de homens, e não de Deus.

Em terceiro lugar, **obedeça à verdade porque um pouco de heresia é suficiente para fazer um grande estrago**. *Um pouco de fermento leveda*

---

[30] RIENECKER, Fritz; ROGERS, Cleon. *Chave linguística do Novo Testamento grego*, p. 381.
[31] WIERSBE, Warren W. *Comentário bíblico expositivo*, p. 935.

toda a massa (5.9). Paulo deixa de lado a figura esportiva para usar a linguagem da culinária. Deixa o estádio de corrida para entrar na cozinha. O fermento é símbolo da hipocrisia (Mt 16.6-12), do pecado (1Co 5.6) e da falsa doutrina (5.9). O fermento, por menor que seja em quantidade, transmite sua acidez a toda a massa. Devemos ser muito cautelosos, não permitindo que uma imitação substitua a sã doutrina do evangelho.[32] Uma heresia não é algo inofensivo. É como um pouco de fermento que leveda a massa toda. Não podemos ser tolerantes com a falsa doutrina. Não podemos transigir com a verdade. Não podemos fazer vistas grossas a esse fermento que, muitas vezes, de forma sutil e quase invisível penetra na igreja para destruí-la.

Em quarto lugar, **obedeça à verdade por causa da confiança que os outros têm em você**. *Confio de vós, no Senhor, que não alimentareis nenhum outro sentimento...* (5.10a). Paulo confia não no homem, mas em Cristo, por meio do qual os crentes da Galácia vão romper com os falsos ensinos e voltar à sensatez da verdade, usufruindo a liberdade que já têm em Cristo Jesus. As pessoas nos observam e esperam que continuemos firmes na corrida da carreira cristã sem nos desviarmos para a direita ou para a esquerda.

Em quinto lugar, **obedeça à verdade porque os falsos mestres serão julgados por Deus**. *... mas aquele que vos perturba, seja ele quem for, sofrerá a condenação. Eu, porém, irmãos, se ainda prego a circuncisão, por que continuo sendo perseguido? Logo, está desfeito o escândalo da cruz. Tomara até se mutilassem os que vos incitam à rebeldia* (5.10b-12). Os falsos mestres não ficarão impunes. Serão julgados não apenas por um concílio eclesiástico, mas, sobretudo, pelo próprio Deus. Destacamos aqui quatro pontos.

Os falsos mestres serão julgados porque perturbam a igreja de Deus. Paulo diz que os falsos mestres perturbam a igreja (5.10b). Eles pervertem o evangelho, transtornam a igreja e incitam os crentes à rebeldia. Espreitam a liberdade dos crentes e colocam novamente um jugo de escravidão sobre aqueles que já haviam alcançado a verdadeira liberdade.

---

[32]CALVINO, João. *Gálatas*, 2007, p. 143.

Os falsos mestres perturbam os que são livres e acomodam os que são escravos. Eles dizem: "Paz, paz" aos que estão em perigo e garantem aos que estão seguros em Cristo que sua fé no Salvador não é suficiente.

Os falsos mestres serão julgados porque espalham boataria sobre os ministros de Cristo (5.11). Paulo não pregava que o ritual da circuncisão fosse necessário para a salvação, mas os falsos mestres diziam que ele anunciava isso. Ao contrário, o fato de Paulo não pregar circuncisão foi a principal razão pela qual os judeus o perseguiram com tanta virulência. De forma sarcástica, Paulo pergunta a eles: *Se eu ainda prego a circuncisão,* [como vocês dizem] *por que continuo sendo perseguido?* Esses falsos mestres atacaram Paulo com o propósito de desacreditá-lo. Esqueceram, entretanto, que uma coisa que Deus não tolera é o ataque contra seus ungidos.

Os falsos mestres serão julgados porque se sentiram ofendidos pela cruz. Logo, está desfeito o escândalo da cruz (5.11b). Paulo pregou a cruz, anunciando que uma pessoa é justificada e aceita por Deus somente pela cruz de Cristo. Os falsos mestres ficaram ofendidos com essa pregação. Eles sustentavam que a morte de Cristo não era suficiente para tornar uma pessoa aceitável a Deus. Diziam que a cruz não era o bastante; era preciso algo mais. O argumento de Paulo, porém, é que a salvação pelas obras da lei é falsa. A salvação não é resultado do que fazemos para Deus, mas do que Cristo fez por nós na cruz.

Paulo se coloca em completo contraste com os falsos mestres. Eles pregavam a circuncisão; ele pregava a Cristo e a cruz. Pregar a circuncisão é dizer aos pecadores que eles podem salvar-se por meio de suas próprias boas obras; pregar a Cristo crucificado é dizer-lhes que eles não podem salvar-se e só Cristo pode salvá-los por meio da cruz. A mensagem da circuncisão é totalmente inofensiva e popular, porque é lisonjeira; a mensagem de Cristo crucificado, entretanto, é ofensiva ao orgulho humano e impopular. Assim, pregar a circuncisão é fugir da perseguição; pregar a Cristo crucificado é buscá-la. As pessoas detestam ouvir que só podem ser salvas ao pé da cruz e opõem-se ao pregador que lhes diz isso.[33]

---

[33] STOTT, John. *A mensagem de Gálatas*, p. 125.

Nesta sociedade em que a tolerância a qualquer preço é aplaudida com entusiasmo, precisamos reafirmar que o cristianismo não é amorfo nem aceita ficar assentado na zona de conforto da neutralidade. Não podemos ser como os judaizantes que queriam abraçar a Cristo e a circuncisão ao mesmo tempo, acrescendo a circuncisão a Cristo de modo a ficar com os dois. Precisamos optar. A "circuncisão" e Cristo são mutuamente exclusivos. Não podemos ao mesmo tempo abraçar a religião da graça e a religião das obras.

Os falsos mestres serão julgados porque merecem condenação (5.12). Já que os judaizantes lutavam tanto pela circuncisão, Paulo deseja que eles apliquem a si mesmos uma circuncisão radical a ponto de serem castrados e não mais gerarem "filhos da escravidão". Paulo deseja que os falsos mestres virem suas facas contra si mesmos.[34] O apóstolo expressa o desejo de que seus oponentes não parem apenas na circuncisão, mas cheguem à própria emasculação.

Talvez haja uma referência aqui às práticas do antigo culto a Cibele.[35] William Barclay observa que a Galácia era vizinha da Frígia. E a grande devoção dessa parte do mundo era o culto a Cibele. A prática dos sacerdotes e adoradores de Cibele consistia em mutilar-se, castrando-se. Os sacerdotes de Cibele eram eunucos. É como se Paulo dissesse para os falsos mestres: "Já que vocês seguem por esse caminho do qual a circuncisão é o começo, vocês deveriam ir até o fim, castrando-se como os sacerdotes pagãos".[36]

Adolf Pohl pensa que não deve ser essa a interpretação, pois a castração de um ser humano é condenada no Antigo Testamento como algo gentílico (Dt 23.1).[37] Entendo, porém, que o que Paulo diz é que os falsos mestres deveriam dirigir o seu zelo contra si próprios a fim de praticarem em si mesmos a intervenção da circuncisão até o exagero.

Calvino lembra que a indignação de Paulo aumenta, levando-o a rogar que a destruição sobrevenha aos impostores que haviam enganado

---

[34] GUTHRIE, Donald. *Gálatas: introdução e comentário*, p. 170.
[35] RIENECKER, Fritz; ROGERS, Cleon. *Chave linguística do Novo Testamento grego*, p. 382.
[36] BARCLAY, William. *Gálatas y Efesios*, p. 54.
[37] POHL, Adolf. *Carta aos Gálatas*, 1999, p. 173.

aos gálatas.[38] Essa mesma atitude teve o Senhor Jesus, quando disse: *Aquele que fizer tropeçar a um desses pequeninos que creem em mim, melhor lhe fora dependurar uma pedra de moinho no pescoço e lançar-se ao mar* (Mt 18.6). No contexto da carta, Paulo chega aqui ao ataque mais furioso contra as pessoas da circuncisão (além de Gl 1.8,9; 4.17,30; 6.12,13).[39]

John Stott diz que aos nossos ouvidos o sentimento de Paulo parece grosseiro e malicioso. Mas podemos ter certeza de que não era a expressão de um espírito descontrolado, nem de sede de vingança, mas do seu profundo amor pelo povo e pelo evangelho de Deus.[40] Atrevo-me a dizer que, se nos preocupássemos com a igreja e com a Palavra de Deus como Paulo se preocupava, também desejaríamos que os falsos mestres deixassem de existir.

Nessa mesma linha de pensamento, Calvino conclui: "Sinceramente não desejo a ninguém a perdição, porém o amor pela igreja me leva quase ao êxtase, de modo que não consigo pensar em mais nada. Quem não sabe nada desse amor zeloso não é um verdadeiro pastor".[41]

---

[38]Calvino, João. *Gálatas*, 2007, p. 145.
[39]Pohl, Adolf. *Carta aos Gálatas*, 1999, p. 170.
[40]Stott, John. *A mensagem de Gálatas*, p 125.
[41]Calvino, João. *Gálatas*, 2007, p. 145.

14

A capacitação do **Espírito** para uma vida santa

Gálatas 5.13-26

PAULO TRANSMITIU A BASE DOUTRINÁRIA para as igrejas da Galácia; agora, está aplicando a doutrina. A teologia desemboca na ética; o conhecimento produz vida. A influência perniciosa dos falsos mestres entre as igrejas gentílicas trouxe grande confusão acerca dos limites da liberdade cristã. Mais tarde Paulo tratou desse mesmo tema em sua Primeira Carta aos Coríntios (6.12; 8.9,13; 9.12,19,22; 10.23,24; 11.1).

Paulo, no texto em tela, esclarece a igreja sobre esse momentoso tema.

Compreendendo a **liberdade cristã** (5.13-15)

Há dois extremos perigosos com respeito à liberdade cristã: o legalismo de um lado e a licenciosidade de outro. Há aqueles que querem regular a liberdade apenas por regras exteriores. Esses caem na armadilha do legalismo e privam as pessoas da verdadeira liberdade em Cristo. Porém, há aqueles que, em nome da liberdade, sacodem de si todo o jugo da lei e querem viver sem nenhum preceito ou limite. Esses confundem liberdade com licenciosidade e caem na prática de pecados escandalosos.

William Hendriksen ilustra esse fato dizendo que a vida cristã é semelhante a atravessar uma pinguela que cruza sobre um lugar onde se encontram dois rios contaminados: um é o legalismo e o outro é a libertinagem. O crente não deve perder o equilíbrio para não cair dentro das faltas refinadas do judaísmo nem nos grosseiros vícios do paganismo.[1] Concordo com John Stott quando diz que o cristianismo não é escravidão, mas um chamamento da graça para a liberdade.[2] A liberdade cristã, porém, não é liberdade para pecar, mas liberdade de consciência, liberdade para obedecer. O cristão salvo pelo sangue de Cristo é livre para viver em santidade.

Destacamos aqui quatro verdades importantes.

Em primeiro lugar, *a liberdade cristã não é uma licença para pecar*. *Porque vós, irmãos, fostes chamados à liberdade; porém não useis da liberdade para dar ocasião à carne...* (5.13a). No versículo 13 temos um chamado, uma advertência e um mandamento. Veremos neste ponto o chamado e a advertência e, no próximo ponto, analisaremos o mandamento. Fomos chamados para a liberdade, e não para a escravidão do pecado. Calvino destaca que, após exortar os gálatas a não permitirem nenhum impedimento de sua liberdade (5.1), Paulo agora lhes recomenda que sejam moderados em usá-la (5.13).[3]

Fomos chamados para uma vida nova e não para viver com o pescoço na coleira do pecado. A liberdade cristã não é uma licença para pecar, mas o poder para viver em novidade de vida. A liberdade cristã não é licenciosidade, mas deleite na santidade. A liberdade cristã é a liberdade *do* pecado, não a liberdade *para* pecar. É uma liberdade irrestrita para aproximar-se de Deus como seus filhos, não uma liberdade irrestrita para chafurdar em nosso egoísmo. A licenciosidade desenfreada não é liberdade alguma; é outra forma mais terrível de servidão, uma escravidão aos desejos de nossa natureza caída.[4]

Jesus disse que aquele que pratica o pecado é escravo do pecado (Jo 8.34). Paulo disse que o homem antes da sua conversão é escravo de toda a sorte de paixões e prazeres (Tt 3.3). A palavra "liberdade"

---

[1] HENDRIKSEN, William. *Gálatas*, p. 217.
[2] STOTT, John. *A mensagem de Gálatas*, p. 128.
[3] CALVINO, João. *Gálatas*, 2007, p. 146.
[4] STOTT, John. *A mensagem de Gálatas*, p. 128,129.

está profundamente desgastada. Muitos defendem a liberdade do amor livre, a prática irrestrita do aborto, o uso indiscriminado das drogas e o homossexualismo. Isso, porém, não é liberdade; é escravidão.

A palavra grega *aphorme*, traduzida por *"ocasião* à carne", era usada no contexto militar em referência a um lugar do qual se faz um ataque, se lança uma ofensiva. Portanto, significa um lugar vantajoso e também uma oportunidade ou pretexto. Assim, a nossa liberdade em Cristo não deve ser usada como um pretexto para a autoindulgência.[5] Nessa mesma linha, Donald Guthrie explica que a palavra *aphorme* é um vocábulo militar para "base de operações". Dessa forma, a carne é representada como um oportunista, sempre pronto a aproveitar-se de qualquer oportunidade.[6]

Em segundo lugar, **a liberdade cristã não é uma permissão para explorar o próximo**. ... *sede, antes, servos uns dos outros, pelo amor* (5.13b). Calvino declara que o método para impedir a liberdade de irromper em abuso imoderado e licencioso é regulá-la pelo *amor*.[7] Quem ama não explora, mas serve o próximo. Somos livres para amar e servir, e não para explorar nosso próximo. O amor não pratica o mal contra o próximo. Como na parábola do bom samaritano, o cristão não agride o próximo nem passa de largo para não se envolver com os feridos, caídos à margem da estrada; mas vê, aproxima-se e cuida do próximo, ainda que seja seu inimigo. Concordo com John Stott quando diz: "Somos livres em nosso relacionamento com Deus, mas escravos em nosso relacionamento com os outros".[8]

Não podemos usar o próximo como se fosse uma *coisa* para nos servir; temos de respeitá-lo como *pessoa* e nos dedicar a servi-Lo. Pelo amor temos de nos tornar *douleuete*, "escravos" uns dos outros, não um senhor com uma porção de escravos, mas um pobre escravo com uma porção de senhores, sacrificando o nosso bem pelo bem dos outros, e não o bem deles pelo nosso. A liberdade cristã é serviço, não egoísmo.[9]

---

[5] STOTT, John. *A mensagem de Gálatas*, p. 128.
[6] GUTHRIE, Donald. *Gálatas: introdução e comentário*, p. 171.
[7] CALVINO, João. *Gálatas*, 2007, p. 146.
[8] STOTT, John. *A mensagem de Gálatas*, p. 130.
[9] STOTT, John. *A mensagem de Gálatas*, p. 129.

Em terceiro lugar, *a liberdade cristã não é uma autorização para ignorar a lei*. *Porque toda a lei se cumpre em um só preceito, a saber: Amarás o teu próximo como a ti mesmo* (5.14). Somos libertos da condenação da lei, mas não dos seus preceitos. Não nos aproximamos mais da lei com o propósito de sermos aceitos por Deus; mas porque já fomos aceitos em Cristo, aproximamo-nos da lei para obedecer a Deus.

John Stott destaca com razão que, embora não possamos ser aceitos por Deus por guardarmos a lei, depois que somos aceitos continuamos guardando a lei por causa do amor que temos a Deus, que nos aceitou e nos deu o Seu Espírito para nos capacitar a guardá-la.[10] William Hendriksen complementa a ideia dizendo que a *motivação* do crente para obedecer a esse mandamento é a gratidão pela redenção consumada por Cristo; o *poder* para realizá-la é proporcionado pelo Espírito de Cristo (5.1,13,25).[11]

A síntese da lei é o amor, o amor a Deus e ao próximo. Aqui Paulo usa uma figura de linguagem, na qual ele toma uma parte como o todo. É que podemos ver a face de Deus no próximo e, quando amamos o próximo, estamos amando a Deus quem o criou. Calvino diz que Deus resolve provar o nosso amor para com ele por meio do amor ao nosso irmão. É por isso que o amor é chamado de *...o cumprimento da lei* (Rm 13.8,10). Não porque o amor ao próximo seja superior à adoração a Deus, mas porque é a prova dessa adoração. Deus é invisível, mas se representa nos irmãos. O amor para com os homens flui do amor a Deus.[12]

Em quarto lugar, *a liberdade cristã não é uma chancela para destruir o próximo*. *Se vós, porém, vos mordeis e devorais uns aos outros, vede que não sejais mutuamente destruídos* (5.15). Somos livres para amar e servir uns aos outros, e não para devorar e destruir uns aos outros. Nas igrejas da Galácia, os dois extremos – os legalistas e os libertinos – destruíram a comunhão.[13] Os dois verbos gregos *dakno*, "morder", e *katesthio*,

---

[10] STOTT, John. *A mensagem de Gálatas*, p. 131.
[11] HENDRIKSEN, William. *Gálatas*, p. 220.
[12] CALVINO, João. *Gálatas*, 2007, p. 147,148.
[13] WIERSBE, Warren W. *Comentário bíblico expositivo*, p. 938.

"devorar", sugerem animais selvagens engajados em uma luta mortal. Desse modo, a força da alma e a saúde do corpo, o caráter e os recursos, são consumidos por lutas e intrigas.[14]

Devemos agir como irmãos, e não como feras ou como cães e gatos sempre envolvidos em conflitos. É o Espírito da vida que habita em nós, e não o instinto da morte. Morder e devorar são atos destrutivos, uma conduta mais apropriada a animais selvagens do que a irmãos em Cristo.[15] Donald Guthrie diz que o apóstolo pensa numa alcateia de animais selvagens precipitando-se cada um contra a garganta do outro. É uma representação viva não só da desordem total, como também da mútua destruição.[16]

Compreendendo o **conflito cristão** (5.16-18)

O apóstolo Paulo identificou dois grandes perigos que atacavam as igrejas da Galácia. O primeiro é passar da liberdade para a escravidão (5.1), e o segundo implica transformar a liberdade em licenciosidade. Nos versículos 13 a 15, Paulo enfatizou que a verdadeira liberdade cristã se expressa no autocontrole, no serviço de amor ao próximo e na obediência à lei de Deus. A questão agora é: como essas coisas são possíveis? E a resposta é: pelo Espírito Santo. Só ele pode manter-nos verdadeiramente livres.[17] Encontramos em Gálatas cerca de quatorze referências ao Espírito Santo. Quando cremos em Cristo, o Espírito passa a habitar dentro de nós (3.2). Somos "nascidos segundo o Espírito", como Isaque (4.29). É o Espírito no coração que nos dá a certeza da salvação (4.6); e é o Espírito que nos capacita a viver para Cristo e a glorificá-Lo (5.16,18,25).

A vida cristã é um campo de batalha. Trava-se nesse campo uma guerra sem trégua entre a carne e o Espírito. O Espírito e a carne têm desejos diferentes, e é isso o que gera os conflitos.

Destacamos aqui três pontos importantes.

---

[14]RIENECKER, Fritz; ROGERS, Cleon. *Chave linguística do Novo Testamento grego*, p. 382.
[15]STOTT, John. *A mensagem de Gálatas*, p. 130.
[16]GUTHRIE, Donald. *Gálatas: introdução e comentário*, p. 172.
[17]STOTT, John. *A mensagem de Gálatas*, p. 132.

Em primeiro lugar, ***como vencer a batalha interior***. *Digo, porém: andai no Espírito e jamais satisfareis à concupiscência da carne* (5.16). A "carne" representa o que somos por nascimento natural, e o "Espírito", o que nos tornamos pelo novo nascimento, o nascimento do Espírito.[18] A carne tem desejos ardentes que nos arrastam para longe de Deus, pois os impulsos da carne são inimizade contra Deus. Os desejos da carne levam à morte. A palavra grega *epithumia*, traduzida por "concupiscência", é geralmente usada no sentido de ansiar por coisas proibidas.[19] A única maneira de triunfar sobre esses apetites é andar no Espírito. Se alimentarmos a carne, fazendo provisão para ela, fracassaremos irremediavelmente. Porém, se andarmos no Espírito, jamais satisfaremos esses apetites desenfreados da carne.

Adolf Pohl diz que todos os povos conhecem bem a ideia de que a vida é como um caminho que precisa ser trilhado. O movimento básico da vida humana, portanto, é o passo da caminhada. Trata-se de mais do que um mecânico "esquerda-direita, esquerda-direita". Todo caminho inclui um "de onde" e um "para onde". Podemos desviar-nos do caminho. Assim o "andar" constitui um movimento com sentido, direção e, por conseguinte, qualidade. Da parte da carne surgem pressões transversais. Contra elas Paulo faz valer agora forças pneumáticas. Andem *no Espírito*.[20]

A carne tem uma inclusão para aquilo que é sujo. Somente pelo Espírito de Deus podemos caminhar em santidade. Warren Wiersbe ilustra isso da seguinte maneira:

> A ovelha é um animal limpo, que evita a sujeira, enquanto o porco é um animal imundo, que gosta de se revolver na lama (2Pe 2.19-22). Depois que a chuva cessou e que a arca se encontrava em terra firme, Noé soltou um corvo, mas a ave não voltou (Gn 8.6,7). O corvo é uma ave carniceira, portanto deve ter encontrado alimento de sobra. Mas, quando Noé soltou uma pomba (uma ave limpa), ela voltou (Gn 8.8-12). Quando soltou a pomba pela última vez e ela não voltou, Noé soube,

---

[18] STOTT, John. *A mensagem de Gálatas*, p. 133.
[19] GUTHRIE, Donald. *Gálatas: introdução e comentário*, p. 173.
[20] POHL, Adolf. *Carta aos Gálatas*, 1999, p. 182,183.

ao certo, que ela havia encontrado um lugar limpo para pousar e que, portanto, as águas haviam baixado. A velha natureza é como o porco e o corvo, sempre procurando algo imundo para se alimentar. Nossa nova natureza é como a ovelha e a pomba, ansiando por aquilo que é limpo e santo.[21]

Em segundo lugar, *como entender a natureza dessa batalha interior*. *Porque a carne milita contra o Espírito, e o Espírito, contra a carne, porque são opostos entre si; para que não façais o que, porventura, seja do vosso querer* (5.17). Fomos salvos da condenação e do poder do pecado, mas não ainda da presença do pecado. No campo do nosso coração ainda se trava uma guerra sem pausa, o conflito permanente entre a carne e o Espírito. Eles são opostos entre si. Alimentar, portanto, a carne é ultrajar, entristecer e apagar o Espírito. Precisamos sujeitar nossa vontade ao Espírito em vez de entregar o comando da nossa vida à carne.

William Hendriksen fala sobre essa batalha para três grupos diferentes de pessoas: 1) o libertino não tem esse conflito porque segue suas inclinações naturais; 2) o legalista que confia em si mesmo não consegue vitória nesse conflito; 3) o crente experimenta um conflito agonizante, mas alcança a vitória, pois o Espírito que nele habita o capacita a triunfar.[22]

Em terceiro lugar, *como viver livre da condenação do preceito exterior*. *Mas, se sois guiados pelo Espírito, não estais sob a lei* (5.18). Estar sob a lei significa derrota, escravidão, maldição e impotência espiritual, porque a lei não pode salvar (3.11-13,21-23,25; 4.3,24,25; 5.1). É o Espírito que nos põe em liberdade (4.29; 5.1,5).[23] A lei exige de nós perfeição e por isso mesmo nos condena, pois não somos perfeitos. Estar sob a lei é estar sob maldição, pois maldito é aquele que não persevera em toda a obra da lei para cumpri-la. Porém, quando somos guiados pelo Espírito, já não estamos debaixo da tutela da lei e, por isso, somos livres.

---

[21] WIERSBE, Warren W. *Comentário bíblico expositivo*, p. 938,939.
[22] HENDRIKSEN, William. *Gálatas*, p. 222,223.
[23] HENDRIKSEN, William. *Gálatas*, p. 224.

O Espírito não é apenas um vendedor de mapas para o destino da liberdade; é o próprio guia que nos toma pela mão, nos guia pelo caminho até a glória final. O Espírito é visto como um guia, a quem se espera que o cristão siga.

Compreendendo as **obras da carne** (5.19-21)

Depois de falar do conflito entre a carne e o Espírito na vida do salvo, o apóstolo passa a falar sobre as obras da carne na vida daqueles que não herdarão o Reino de Deus. Há outras listas de pecados semelhantes a essa nos escritos de Paulo (Rm 1.18-32; 1Co 5.9-11; 6.9; 2Co 12.20,21; Ef 4.19; 5.3-5; Cl 3.5-9; 1Ts 2.3; 4.3-7; 1Tm 1.9,10; 6.4,5; 2Tm 3.2-5; Tt 3.3,9,10). Essa lista, embora extensa, não é exaustiva, pois não esgota todas as obras da carne, uma vez que Paulo conclui dizendo: ... *e coisas semelhantes a estas* (5.21). Vamos classificar essas obras da carne em cinco grupos.

Em primeiro lugar, **os pecados sexuais**. Ora, *as obras da carne são conhecidas e são: prostituição, impureza, lascívia* (5.19). John Stott diz que a nossa velha natureza é secreta e invisível; mas as suas obras, as palavras e atos pelos quais ela se manifesta são públicos e evidentes.[24] A palavra grega *faneros*, traduzida por "conhecidas", significa claro e manifesto. Os primeiros três pecados da lista são pecados da área sexual. Essas três palavras são suficientes para mostrar que todas as ofensas sexuais, sejam elas públicas ou particulares, "naturais" ou "anormais", entre pessoas casadas ou solteiras, devem ser classificadas como obras da carne.[25]

Essas palavras revelam uma progressão na transgressão. *Prostituição* indica pecado em área específica da vida: a área das relações sexuais; *impureza* indica profanação geral da personalidade, manchando toda esfera da vida; *lascívia* indica amor ao pecado tão despreocupado e tão audacioso que a pessoa deixa de se preocupar com o que Deus ou os homens pensam de suas ações.[26]

---

[24] STOTT, John. *A mensagem de Gálatas*, p. 134.
[25] STOTT, John. *A mensagem de Gálatas*, p. 134.
[26] HOWARD, R. E. *A Epístola aos Gálatas*, p. 70.

- *Prostituição.* A palavra grega *porneia*, traduzida por "prostituição", refere-se a toda sorte de pecado sexual, seja adultério, fornicação, masturbação, incesto ou homossexualismo. Trata-se de um termo amplo que descreve toda sorte de relacionamentos sexuais ilícitos e imorais.[27] Quando Paulo escreveu essa carta, no século I, a imoralidade sexual era uma prática comum no mundo gentílico. William Barclay diz que *porneia* é a prostituição, e *porne* é uma prostituta. Há probabilidade de que todas essas palavras tenham ligação com o verbo *pernumi*, que significa "vender". Essencialmente, *porneia* é o amor que é comprado ou vendido – o que não é amor de modo algum.[28] Na Grécia o relacionamento sexual antes e fora do casamento era praticado sem nenhuma vergonha. Os gregos tinham amantes para o prazer, concubinas para as necessidades diárias do corpo e esposas para gerar filhos. Quase todos os grandes pensadores gregos tinham suas amantes. Alexandre Magno tinha sua Taís; Aristóteles tinha sua Herpília; Platão sua Arquenessa; Péricles sua Aspásia; Sófocles sua Arquipe. Roma aprendeu a pecar com a Grécia. Quando a frouxidão moral grega invadiu Roma, tornou-se tristemente mais grosseira. A classe alta da sociedade romana tornou-se obscenamente promíscua. O palácio transformou-se em um antro de prostituição. A sociedade desde o mais alto escalão até o mais simples era cheia de homossexualidade.[29] É com esse pano de fundo que Paulo escreve sobre as obras da carne.
- *Impureza.* A palavra grega *akatharsia*, traduzida por "impureza", é um termo mais geral, o qual, embora às vezes possa denotar impureza ritual, refere-se aqui à impureza moral. Essa impureza inclui a impureza dos atos, palavras, pensamentos e intenções do coração.[30] William Barclay diz que o termo era usado para descrever o pus de uma ferida não desinfetada.[31]

---

[27] BARCLAY, William. *As obras da carne e o fruto do Espírito*. São Paulo: Vida Nova, 1985, p. 25.
[28] BARCLAY, William. *As obras da carne e o fruto do Espírito*, p. 25,26.
[29] BARCLAY, William. *As obras da carne e o fruto do Espírito*, p. 25-27.
[30] HENDRIKSEN, William. *Gálatas*, p. 227.
[31] BARCLAY, William. *Gálatas y Efesios*, p. 57.

- *Lascívia*. A palavra grega *aselgeia,* traduzida por "lascívia", significa literalmente a libertinagem de modo geral, mas sem dúvida é usada aqui para a lascívia nas relações sexuais.[32] *Aselgeia* refere-se à devassidão, um apetite libertino e desavergonhado.[33] Trata-se daqueles atos indecentes que chocam o público.[34] Um homem entregue à lascívia não conhece freio algum, só pensa no seu prazer e já não se importa com o que pensam as pessoas.[35]

Em segundo lugar, *os pecados religiosos. ... idolatria, feitiçarias...* (5.20a). Esses dois pecados falam de ofensa a Deus, pois são uma perversão do culto a Deus. Lightfoot diz que, se *eidololatria,* "idolatria", é o impudente culto prestado a outros deuses, "feitiçarias" é o intercâmbio secreto com os poderes do mal.[36]

- *Idolatria.* A palavra grega *eidolatria,* traduzida por "idolatria", refere-se à adoração de deuses feitos pela mão do homem. É o pecado no qual as coisas materiais chegam a ocupar o lugar de Deus.[37] Idolatria é colocar qualquer coisa antes de Deus e das pessoas. Devemos adorar a Deus, amar as pessoas e usar as coisas.[38]
- *Feitiçarias.* A palavra grega *pharmakeia,* traduzida por "feitiçarias", significa uso de remédios ou drogas. O termo significa também o uso de drogas com propósitos mágicos. A linha divisória entre a medicina e a magia não era muito nítida naqueles dias, como continua ocorrendo em muitas culturas tribais hoje em dia.[39]

Em terceiro lugar, *os pecados sociais. ... inimizades, porfias, ciúmes, iras, discórdias, dissensões, facções, invejas...* (5.20b,21a). Esses oito pecados

---

[32] GUTHRIE, Donald. *Gálatas: introdução e comentário*, p. 175,176.
[33] WIERSBE, Warren W. *Comentário bíblico expositivo*, p. 939.
[34] RIENECKER, Fritz; ROGERS, Cleon. *Chave linguística do Novo Testamento grego*, p. 382.
[35] BARCLAY, William. *Gálatas y Efesios*, p. 57.
[36] LIGHTFOOT, J. B. *Commentary on the Epistle to the Galatians.* Grand Rapids, MI: Zondervan, 1957, p. 311.
[37] BARCLAY, William. *Gálatas y Efesios*, p. 57.
[38] WIERSBE, Warren W. *Comentário bíblico expositivo*, p. 939.
[39] GUTHRIE, Donald. *Gálatas: introdução e comentário*, p. 176.

envolvem transgressões ligadas aos relacionamentos. *Inimizade* é uma atitude mental que provoca e afronta outras pessoas. *Porfias* e *ciúmes* referem-se a rivalidades. As *iras* são acessos de raiva, e as *discórdias* dizem respeito às ambições interesseiras e egoístas que criam divisões na igreja. *Dissensões* e *facções* são termos análogos; o primeiro sugere divisão, e o segundo, rompimentos causados por um espírito partidário. As *invejas* indicam rancores e o desejo profundo de ter aquilo que os outros têm.[40] Vamos detalhar um pouco mais esses termos.

- *Inimizades*. A palavra grega *exthrai*, traduzida por "inimizades", significa hostilidade, animosidade. Trata-se daquele sentimento hostil nutrido por longo tempo, que se enraíza no coração. A ideia é a de um homem que se caracteriza pela hostilidade para com seu semelhante. É o oposto do amor.
- *Porfias*. A palavra grega *eris*, traduzida por "porfias", significa lutas, discórdias, contendas, querelas. Traz a ideia de alguém que luta contra a pessoa com a finalidade de conseguir alguma coisa, como posição, promoção, bens, honra, reconhecimento. É a rivalidade por recompensa.
- *Ciúmes*. A palavra grega *zelos*, traduzida por "ciúmes", significa querer e desejar possuir aquilo que o outro tem. Podem ser tanto coisas materiais quanto reconhecimento, honra ou posição social. Implica entristecer-se não apenas porque não se tem algo, mas porque outra pessoa o tem.
- *Iras*. A palavra grega *thumoi*, traduzida por "iras", significa arder em ira ou ter indignação. Trata-se de um temperamento violento e explosivo, presente em pessoas que estouram por qualquer motivo e manifestam destempero emocional. A palavra *thumoi* não é tanto um ódio que perdura quanto uma cólera que se inflama e se apaga no momento.[41]
- *Discórdias*. A palavra grega *eritheiai*, traduzida por "discórdias", significa conflitos, lutas, contendas. Trata-se de um espírito partidário

---

[40]WIERSBE, Warren W. *Comentário bíblico expositivo*, p. 939,940.
[41]BARCLAY, William. *Gálatas y Efesios*, p. 58.

e tendencioso. Descreve a pessoa que busca um cargo ou posição não para servir ao próximo, mas para auferir proveito próprio.[42]

- *Dissensões*. A palavra grega *dichostasiai*, traduzida por "dissensões", significa sedição, rebelião, e também posicionar-se uns contra os outros. Trata-se daquele sentimento que só pensa no que é seu, e não também no que é dos outros.
- *Facções*. A palavra grega *aireseis*, traduzida por "facções", significa heresias, a rejeição das crenças fundamentais em Deus, Cristo, as Escrituras e a igreja. Envolve abraçar crenças sem o respaldo da verdade. É muito provável que Paulo tenha usado o termo com referência aos elementos divisores na igreja que desembocaram em grupos ou seitas. Tais grupos exclusivos (ou panelinhas) fragmentaram a igreja. É mais que natural que esses grupos se considerassem certos e todos os outros errados. Paulo condenou semelhante sectarismo, tachando-o de "obras da carne".[43]
- *Invejas*. A palavra grega *fthonoi*, traduzida por "invejas", vai além dos ciúmes. É o espírito que deseja não somente as coisas que pertencem aos outros, mas se entristece pelo fato de outras pessoas possuírem essas coisas. Os invejosos não apenas desejam o que pertence aos outros, mas anseiam que os outros sofram por perder essas coisas. Trata-se das pessoas que se alegram com a tristeza dos outros. Não é tanto o desejo de ter as coisas, mas o desejo de que os outros as percam. É entristecer-se por algum bem alheio. Eurípedes chamou a inveja de "a maior enfermidade entre os homens".[44]

Em quarto lugar, **os pecados pessoais**. ... *bebedices, glutonarias e coisas semelhantes a estas...* (5.21b). Esses dois últimos pecados têm a ver com a intemperança ou o abuso e a falta de domínio próprio na área de comida e bebida.

- *Bebedices*. A palavra grega *methai*, "bebedices", refere-se à pessoa que se embriaga na busca de sensualidade ou prazer. No mundo antigo

---

[42]BARCLAY, William. *Gálatas y Efesios*, p. 58.
[43]HOWARD, R. E. *A Epístola aos Gálatas*, p. 72.
[44]BARCLAY, William. *Gálatas y Efesios*, p. 58.

tratava-se de um vício comum. Os gregos bebiam mais vinho do que leite. Até as crianças bebiam vinho.⁴⁵ A embriaguez, contudo, transforma homens em feras.

- *Glutonarias*. A palavra grega *komoi*, "glutonarias", refere-se a uma busca desenfreada pelo prazer, seja em relação à comida ou a qualquer prazer. A palavra pode ser traduzida também por "orgias". O termo tem uma história interessante. *Komos* era um grupo de amigos que acompanhavam o vencedor nos jogos depois de sua vitória. Dançavam, riam e cantavam suas canções. Também descreve os grupos de devotos de Baco, o deus do vinho. O termo significa rebeldia não refreada e desgovernada. É diversão que se degenera em licenciosidade.⁴⁶

Em quinto lugar, *o julgamento para os que vivem na carne*. ... *a respeito das quais eu vos declaro, como já, outrora, vos preveni, que não herdarão o Reino de Deus os que tais coisas praticam* (5.21c). Paulo não está falando de um ato pecaminoso, mas sim do hábito de pecar. Aqueles que praticam o pecado não herdarão o Reino de Deus. Aqueles que vivem na prática do pecado e não se deleitam na santidade nem mesmo encontrariam ambiente no céu.

Compreendendo o **fruto do Espírito** (5.22-26)

O apóstolo Paulo faz um contraste entre as obras da carne e o fruto do Espírito. Se as obras falam de esforço, o fruto é algo natural. Donald Guthrie diz que a mudança das "obras" para "fruto" é importante porque remove a ênfase do esforço humano.⁴⁷ As obras da carne são resultado do nosso labor; o fruto do Espírito é realização do Espírito em nós. Concordo com R. E. Howard quando escreve: "Uma obra é algo que o homem produz por si mesmo; um fruto é algo que é produzido por um poder que não é dele mesmo".⁴⁸ O fruto do Espírito tem origem sobrenatural, crescimento natural e maturidade gradual.

---

⁴⁵BARCLAY, William. *Gálatas y Efesios*, p. 58,59.
⁴⁶BARCLAY, William. *Gálatas y Efesios*, p. 59.
⁴⁷GUTHRIE, Donald. *Gálatas: introdução e comentário*, p. 178.
⁴⁸HOWARD, R. E. *A Epístola de Gálatas*, p. 73.

James Hastings aborda três verdades importantes sobre o fruto do Espírito: 1) a natureza do fruto; 2) sua variedade; e 3) seu cultivo. O fruto de que Paulo está tratando é a criação do Espírito Santo. Ele não brota da nossa natureza, nem é produto da educação mais refinada. Esse fruto é variado, uma vez que Paulo menciona nove virtudes morais que são produzidas pelo próprio Espírito. Finalmente, esse fruto precisa ser cultivado de forma espontânea para que se torne proveitoso e assaz saboroso.[49]

Quatro verdades devem ser aqui observadas.

Em primeiro lugar, *o Espírito produz em nós o seu próprio fruto*. *... o fruto do Espírito é: amor, alegria, paz, longanimidade, benignidade, bondade, fidelidade, mansidão, domínio próprio. Contra estas coisas não há lei* (5.22,23). Segundo Juarez Marcondes Filho, o fruto do Espírito não pode ser criado artificialmente nem pode ser simulado. Ninguém frutificará alheio à operação do Espírito Santo.[50] Vale ressaltar que Paulo não fala de frutos, mas do fruto. Essas nove virtudes são como que gomos de um mesmo fruto. Não podemos ter um fruto e ser desprovidos de outros. As nove virtudes produzidas em nós pelo Espírito podem ser classificadas em três áreas: 1) a atitude do cristão para com Deus; 2) a atitude do cristão para com outras pessoas; e 3) a atitude do cristão para com ele mesmo.

Virtudes ligadas ao nosso relacionamento com Deus. *Mas o fruto do Espírito é: amor, alegria, paz...* (5.22a). Essa tríade tem a ver com nossa relação com Deus, pois o primeiro amor do cristão é o Seu amor a Deus, sua principal alegria é a sua alegria em Deus e a sua paz mais profunda é a sua paz com Deus.[51] Vamos destacar aqui essas palavras.

- *Amor*. A palavra grega *agape*, traduzida por "amor", inclui tanto amor a Deus como o amor ao próximo. Bem sabemos que na língua grega há quatro termos para amor: 1) *Eros* é o amor de um homem por

---

[49]HASTINGS, James. *The great texts of the Bible*, p. 397-410.
[50]MARCONDES FILHO, Juarez. *Vivendo a excelência*. Londrina: Descoberta, 2007, p. 20-22.
[51]STOTT, John. *A mensagem de Gálatas*, p. 135.

uma mulher; é o amor imbuído de paixão. 2) *Filia* é o amor caloroso para os nossos achegados e familiares. É um sentimento profundo do coração. 3) *Storge* aplica-se particularmente ao amor dos pais pelos filhos. 4) *Agape* é o termo cristão e significa benevolência invencível.[52]

- *Alegria*. A palavra grega *chara*, traduzida por "alegria", é a alegria fundamentada num relacionamento consistente com Deus. Não é a alegria que provém das coisas terrenas ou triunfos passageiros, nem mesmo é a alegria de triunfar sobre um rival; antes, é o gozo que tem Deus como seu fundamento.[53]
- *Paz*. A palavra grega *eirene*, traduzida por "paz", refere-se fundamentalmente à paz com Deus. Era usada para descrever a tranquilidade e a serenidade que goza um país sob um governo justo. Significa não apenas ausência de problemas, mas, sobretudo, a consciência de que nossa vida está nas mãos de Deus.

Virtudes ligadas ao nosso relacionamento com o próximo. ... longanimidade, benignidade, bondade... (5.22b). Essas três virtudes estão conectadas com a nossa relação com o próximo: *longanimidade* é paciência para com aqueles que nos irritam ou perseguem, *benignidade* é uma questão de disposição, e *bondade* refere-se a palavras e atos.[54] Vamos examinar mais detidamente essas palavras.

- *Longanimidade*. A palavra grega *makrothumia*, traduzida por "longanimidade", significa ânimo espichado ao máximo. É a pessoa tardia em irar-se. Trata-se de paciência para suportar injúrias de outras pessoas. Descreve o homem que, tendo condições de vingar-se, não o faz.
- *Benignidade*. A palavra grega *crestotes*, traduzida por "benignidade", significa gentileza. Refere-se a uma disposição gentil e bondosa para com os outros. O jugo de Cristo é *crestos* (Mt 11.30). Trata-se de uma amável bondade.

---

[52] BARCLAY, William. *Gálatas y Efesios*, p. 59.
[53] BARCLAY, William. *Gálatas y Efesios*, p. 60.
[54] STOTT, John. *A mensagem de Gálatas*, p. 135.

- *Bondade*. A palavra grega *agathosyne*, traduzida por "bondade", refere-se à bondade ativa como um princípio energizante. A bondade pode reprovar, corrigir e disciplinar; mas a benignidade só pode ajudar. Trench diz que Jesus mostrou *agathosyne* quando purificou o templo e expulsou os que o transformaram em um mercado, mas manifestou *crestotes* quando foi amável com a mulher pecadora que Lhe ungiu os pés.[55]

Virtudes ligadas ao nosso relacionamento com nós mesmos. ... fidelidade, mansidão, domínio próprio. Contra estas coisas não há lei (5.22c,23). A última tríade de virtudes tem a ver com nossa relação com nós mesmos. Vejamos:

- *Fidelidade*. A palavra grega *pistis*, traduzida por "fidelidade", significa fé, lealdade. Descreve a pessoa que é digna de confiança.
- *Mansidão*. A palavra grega *prautes*, traduzida por "mansidão", significa dócil submissão. É poder sob controle. A palavra era usada para um animal que foi domesticado e criado sob controle.
- *Domínio próprio*. A palavra grega *egkrateia*, traduzida por "domínio próprio", significa autocontrole, domínio dos próprios desejos e apetites. Aplicava-se à disciplina que os atletas exerciam sobre o próprio corpo (1Co 9.25) e o domínio cristão do sexo (1Co 7.9).

Em segundo lugar, **os salvos crucificaram a carne**. *E os que são de Cristo Jesus crucificaram a carne, com as suas paixões e concupiscências* (5.24). O verbo grego *estaurosan*, "crucificados", no aoristo, indica uma ação completa no passado e pode naturalmente referir-se à conversão.[56] Estamos ligados a Cristo na sua crucificação, morte, sepultamento, ressurreição e ascensão. Estamos assentados com Cristo nas regiões celestiais, acima de todo principado e potestade. Devemos assumir essa posição e andar com a carteira de óbito do velho homem no bolso (2.20; 5.24; Rm 6.6). John Stott diz que nós é que agimos aqui. Não

---

[55] BARCLAY, William. *Gálatas y Efesios*, p. 61.
[56] RIENECKER, Fritz; ROGERS, Cleon. *Chave linguística do Novo Testamento grego*, p. 383.

se trata de "morrer", o que já experimentamos por meio de nossa união com Cristo; é, antes, um deliberado "matar" (Mc 8.34).[57] Essa rejeição que o cristão faz de sua velha natureza tem de ser impiedosa, dolorosa e decisiva. Crucificamos a carne; não vamos jamais arrancar os pregos.[58] Warren Wiersbe enfatiza que a crucificação é um tipo de morte que ninguém pode aplicar sobre si mesmo. Por isso, Paulo afirma que a carne já foi crucificada. É nossa responsabilidade *crer* nisso e *agir* de acordo.[59]

Em terceiro lugar, **os salvos vivem de forma coerente em relação a Deus**. *Se vivemos no Espírito, andemos também no Espírito* (5.25). Se o Espírito habita em nós e em nós produz seus frutos, precisamos agora andar no Espírito. Não pode existir inconsistência em nossa vida. O verbo grego *stoichomen*, "andemos", significa ficar numa fila, caminhar em linha reta, comportar-se adequadamente. A palavra era usada para o movimento numa linha definida, como numa formação militar ou numa dança. O tempo presente aponta para a ação habitual contínua.[60]

Paulo fala de duas experiências distintas: *...andar no Espírito* (5.16,25) e *...ser guiado pelo Espírito* (5.18). Há uma diferença clara entre "ser guiado pelo Espírito" e "andar pelo Espírito", pois a primeira expressão está na voz passiva, e a segunda, na ativa. É o Espírito quem guia, mas quem anda somos nós.[61]

Em quarto lugar, **os salvos vivem de forma coerente em relação aos irmãos**. *Não nos deixemos possuir de vanglória, provocando uns aos outros, tendo inveja uns dos outros* (5.26). O orgulho e a inveja são obras da carne e não fruto do Espírito. Esses pecados são, portanto, incompatíveis na vida do salvo.

Dos muitos males existentes em nossa sociedade e, particularmente, na igreja, a ambição é a mãe de todos eles. Por isso, Paulo exorta a nos

---

[57] STOTT, John. *A mensagem de Gálatas*, p. 137.
[58] STOTT, John. *A mensagem de Gálatas*, p. 137-139.
[59] WIERSBE, Warren W. *Comentário bíblico expositivo*, p. 940.
[60] RIENECKER, Fritz; ROGERS, Cleon. *Chave linguística do Novo Testamento grego*, p. 383.
[61] STOTT, John. *A mensagem de Gálatas*, p. 139.

precavermos desse erro, pois a *kenodoxia*, "vanglória", nada mais é do que a ambição ou o anelo por honras, por meio dos quais cada pessoa deseja exceder as demais. A palavra refere-se a uma pessoa que sabe como tentar conseguir um respeito ao qual não faz jus, e demonstra, por suas ações, conversa fiada, vanglória e ambição.[62] Entre os crentes, aquele que deseja glória humana se aparta da verdadeira glória. Não é lícito nos gloriarmos, exceto em Deus. Qualquer tipo de glória é pura vaidade. Provocar uns aos outros e ter inveja uns dos outros são atitudes filhas da ambição.[63]

---

[62] RIENECKER, Fritz; ROGERS, Cleon. *Chave linguística do Novo Testamento grego*, p. 383.
[63] CALVINO, João. *Gálatas*, 2007, p. 156.

15

Igreja, a comunidade do amor

Gálatas 6.1-10

NO CAPÍTULO 5, PAULO TRATOU DA VIDA NO ESPÍRITO, agora ele passa a falar sobre a ética do Espírito. Paulo aplica princípios práticos de como essa vida no Espírito funciona. A lei de Cristo se cumpre no amor, e a igreja é a comunidade do amor. Destacamos dois pontos importantes sobre a igreja como uma comunidade de ajuda e socorro: a igreja é uma comunidade terapêutica e uma comunidade diaconal, ou seja, de serviço.

Igreja, uma comunidade **terapêutica** (6.1-5)

A igreja de Cristo recebeu o Espírito (3.2), nasceu segundo o Espírito (4.29), anda no Espírito (5.16), é guiada pelo Espírito (5.18), produz o fruto do Espírito (5.22,23) e vive no Espírito (5.25). Mas ainda não está no céu. Ainda há a terrível possibilidade de quedas e fracassos. Fomos libertados da condenação do pecado e do poder do pecado, mas não ainda da presença do pecado. Estamos sujeitos a fraquezas e quedas. É nesse contexto que a igreja é também uma comunidade terapêutica. À luz do texto em tela, destacamos seis pontos importantes.

Em primeiro lugar, ***uma queda repentina***. *Irmãos, se alguém for surpreendido nalguma falta...* (6.1a). O termo *surpreendido* indica que não se trata de um caso de desobediência deliberada.[1] Não houve um propósito maldoso antes da ação.[2] A palavra grega *paraptoma*, "falta", significa literalmente "pisar fora do caminho",[3] dar um passo em falso ou resvalar os pés num caminho perigoso.[4] Por que Paulo levanta esse caso hipotético? Porque nada revela mais claramente a perversidade do legalismo do que a maneira como os legalistas tratam aqueles que pecaram.[5]

Paulo alerta também que o pecado é como um laço, uma armadilha posta em nosso caminho. O pecado pode surpreender-nos. Todos nós precisamos estar atentos. A expressão de Paulo "se alguém" inclui a todos, sem exceção. Aquele que pensa que está em pé, veja que não caia. Há terrenos escorregadios diante dos nossos pés. Não podemos andar despercebidamente. Precisamos viver com discernimento e prudência e fugir até da aparência do mal.

Em segundo lugar, **um confronto amoroso**. ... *vós, que sois espirituais, corrigi-o com espírito de brandura; e guarda-te para que não sejas também tentado* (6.1b). Calvino enfatiza que muitos lançam mão dos erros dos irmãos, usando-os como ocasião para insultá-los e atingi-los com linguagem rude e censuradora.[6] Precisamos destacar alguns pontos na passagem em apreço.

Quem deve lidar com aqueles que caem? Paulo diz que os crentes espirituais são aqueles que andam no Espírito, produzem o fruto do Espírito e são guiados pelo Espírito. Esses é que devem tomar a iniciativa de cuidar daqueles que são surpreendidos pelo pecado. Obviamente os crentes espirituais não devem ser entendidos como uma elite espiritual dentro da igreja. Todos os crentes devem e podem ser espirituais. O contexto mostra que Paulo está mais preocupado com aqueles que vão lidar com o caído do que com a própria pessoa que resvalou os pés. Lidar com a disciplina na igreja sem total dependência do Espírito pode produzir mais doença do que cura. Nessa mesma trilha de pensamento,

---

[1] WIERSBE, Warren W. *Comentário bíblico expositivo*, p. 943.
[2] POHL, Adolf. *Carta aos Gálatas*, 1999, p. 192.
[3] GUTHRIE, Donald. *Gálatas: introdução e comentário*, p. 183.
[4] BARCLAY, William. *Gálatas y Efesios*, p. 62.
[5] WIERSBE, Warren W. *Comentário bíblico expositivo*, p. 943.
[6] CALVINO, João. *Gálatas*, 2007, p. 157.

Adolf Pohl observa que é notável que Paulo dedique ao caso do pecado somente o primeiro terço do versículo 1, e os dois terços seguintes e os quatro versículos restantes aos que o corrigem. O apóstolo parece preocupar-se mais com os exortadores do que com os pegos em falha. São os primeiros que podem tornar o caso realmente problemático, bem pior do que a falta propriamente dita.[7]

O que deve ser feito com aqueles que caem? A única maneira de levantar aqueles que caíram em pecado é a confrontação. Paulo diz: "... corrigi-o". O termo grego *katartizo* significa "pôr em ordem" e "restaurar à condição anterior". Como o verbo no grego está no presente, destaca uma ação contínua. A correção é para a restauração, não se constituindo geralmente num único ato, mas em um procedimento persistente.[8] A palavra *katartizo* era usada no grego secular como um termo médico, referindo-se a encanar um osso fraturado ou deslocado. Em Marcos 1.19, o termo foi aplicado aos apóstolos que estavam "remendando suas redes".[9] O fiel que caiu em pecado é como um osso fraturado no corpo que precisa ser restaurado.[10] Essa palavra aponta também para a motivação daquele que corrige. Seu intento não é tripudiar sobre o faltoso, mas ajudá-lo a colocar-se em pé. William Barclay diz que toda a atmosfera do termo usado por Paulo põe a ênfase não no castigo do faltoso, mas na sua cura; a correção não é uma pena, mas uma restauração.[11]

Essa correção é um confronto necessário. A igreja é uma comunidade de confrontação. Preferimos a dor do confronto ao falso consolo da conivência. Não confrontar aqueles que caem nas teias do pecado é uma atitude indigna da igreja de Deus. É claro que corrigir não significa expor o faltoso ao ridículo, humilhá-lo ou execrá-lo. Não temos o direito de esmagar a cana quebrada nem de apagar a torcida que fumega. Devemos ser intolerantes com o pecado, mas compassivos com o pecador. John Stott cita as palavras de Lutero quanto a este mandamento:

---

[7] POHL, Adolf. *Carta aos Gálatas*, 1999, p. 192.
[8] GUTHRIE, Donald. *Gálatas: introdução e comentário*, p. 183.
[9] STOTT, John. *A mensagem de Gálatas*, p. 147.
[10] WIERSBE, Warren W. *Comentário bíblico expositivo*, p. 943.
[11] BARCLAY, William. *Gálatas y Efesios*, p. 63.

"Vá até ele, estenda-lhe a mão, levante-o novamente, console-o com palavras brandas e abrace-o com braços de mãe".[12]

Como confrontar aqueles que caem? A confrontação precisa ser feita com absoluto espírito de amor. O confronto precisa ser com "espírito de *brandura*". A mesma palavra grega "brandura" (*praotes*), aparece em 5.23 como parte do fruto do Espírito, pois a mansidão é uma característica da verdadeira espiritualidade. Apenas os espirituais são mansos.[13] A dureza, a insensibilidade e a hipocrisia não podem estar presentes no processo da confrontação. Precisamos ter a ternura de Cristo e a doçura do Espírito de Deus a fim de que a pessoa ferida pelo pecado possa ser curada e restaurada. Nesse contexto é apropriado citar 2Tessalonicenses 3.15: *Todavia, não o considereis por inimigo, mas adverti-o como irmão*. Calvino tem razão em dizer que nenhum homem está preparado para repreender um irmão, se ainda não foi bem-sucedido em obter um espírito gentil.[14]

A igreja não é uma comunidade geradora de traumas e doenças, mas um lugar de cura e restauração. Não somos um exército que executa seus soldados feridos; somos uma clínica que cuida com amor daqueles que foram surpreendidos e caíram nas malhas insidiosas do pecado. Se a palavra "corrigir" era usada na medicina para restaurar um osso quebrado, significa que a pessoa que cai nessa armadilha fica machucada. Precisamos tratá-la com tato e com brandura, a fim de não a deixarmos ainda mais traumatizada e doente.

Entretanto, quando o mal é premeditado, e permanece renitente e inflexível no meio da igreja, quando ademais pleiteia publicamente por seguidores e os seduz, quando portanto há o perigo do efeito fermento (5.8,9), o amor traça divisórias claras e não permite que o mal encontre almofadas em vez de oposição. *O amor não se alegra com a injustiça* (1Co 13.6) O amor não sorri impassível diante de tudo, mas deixa notar claramente para o que diz não. Isso pode chegar a ponto da separação: *Lançai fora o velho fermento* (1Co 5.7). No entanto, mesmo

---

[12] STOTT, John. *A mensagem de Gálatas*, p. 147.
[13] STOTT, John. *A mensagem de Gálatas*, p. 148.
[14] CALVINO, João. *Gálatas*, 2007, p. 158.

no momento em que um "mau elemento" é lançado fora, ele continua sendo objeto de preocupação e esperança (1Co 5.5b).[15]

Que precauções devem ser tomadas ao se confrontar aqueles que caem? A confrontação precisa ser feita com cautela e humildade. Paulo acrescenta: "e guarda-te para que não sejas também tentado". Calvino observa que não é sem razão que o apóstolo muda do plural para o singular. Ele dá vigor à sua exortação quando se dirige individualmente a cada crente, instando a que cuide de si mesmo.[16] Concordo com Donald Guthrie no sentido de que o autoexame só pode ser individual. O verbo grego usado, *skopeo,* significa uma consideração firme, como contemplar o alvo antes de dar um tiro.[17]

Quem corrige não pode jactar-se, julgando-se melhor do que o indivíduo corrigido. Todos temos a mesma estrutura: somos pó. Se nos apartarmos um minuto apenas da graça de Deus, podemos também tropeçar e cair. Somos todos vulneráveis e dependentes da misericórdia de Deus. Portanto, precisamos vigiar para não condenar nos outros aquilo que nós mesmos praticamos, ou para não cair em práticas semelhantes àquelas que reprovamos na vida dos nossos irmãos. Por mais perspicazes que sejamos em detectar os erros alheios, não conseguimos ver, como disse alguém, "a mochila pendurada às nossas costas".[18]

Em terceiro lugar, **uma ordem necessária**. *Levai as cargas uns dos outros e, assim, cumprireis a lei de Cristo* (6.2). A confrontação não é apenas verbal; implica também ajuda prática. O apóstolo Paulo nos exorta a "levar as cargas uns dos outros". A dor dos nossos irmãos deve doer também em nós. O fardo dos nossos irmãos deve pesar também sobre nós. Cada um deve pôr seu ombro debaixo das cargas daquele irmão que está gemendo. Essas cargas precisam ser carregadas coletivamente.[19] Corrige com eficácia aquele que, além de falar a verdade em amor com os que tropeçam, também alivia o peso que os esmaga.

---

[15] POHL, Adolf. *Carta aos Gálatas*, 1999, p. 193.
[16] CALVINO, João. *Gálatas*, 2007, p. 159.
[17] GUTHRIE, Donald. *Gálatas: introdução e comentário*, p. 184.
[18] CALVINO, João. *Gálatas*, 2007, p. 159.
[19] HENDRIKSEN, William. *Gálatas*, p. 240.

Amor apenas de palavras é hipocrisia. Ação é o que a Palavra de Deus nos recomenda se queremos ver levantar aqueles que caíram. A ajuda prática aos feridos é a forma mais eficaz de a igreja se apresentar como uma comunidade terapêutica.

É quando levamos as cargas uns dos outros que cumprimos a lei de Cristo. John Stott diz que a "lei de Cristo" é amar aos outros como ele nos ama; este foi o novo mandamento que Ele nos deu (Jo 13.34,35). Assim, como Paulo já havia declarado em Gálatas 5.14, amar o próximo é cumprir a lei. É impressionante que "amar ao próximo", "levar os fardos uns dos outros" e "cumprir a lei" sejam expressões equivalentes.[20] Concordo com William Hendriksen quando diz que Cristo não apenas promulgou essa lei, mas também a exemplificou. Note a ternura com que Jesus tratou a mulher pecadora (Lc 7.36-50), o ladrão penitente (Lc 23.43), Simão Pedro (Lc 22.61; Jo 21.15-17), o paralítico de Jerusalém (Jo 5.14) e a mulher que foi apanhada em adultério (Jo 8.11).[21]

É muito provável que Paulo esteja condenando aqui a atitude dos legalistas. Eles não estavam interessados em carregar fardos, mas em colocá-los nos ombros das pessoas (At 15.10). Os fariseus eram especialistas em atar fardos difíceis de carregar nos ombros dos homens (Mt 23.4). O legalista é sempre mais severo com outras pessoas do que consigo mesmo.

Em quarto lugar, **um julgamento equivocado**. *Porque, se alguém julga ser alguma coisa, não sendo nada, a si mesmo se engana* (6.3). Um autoexame falso leva ao autoengano. Donald Guthrie diz que o verbo enganar, que não ocorre em nenhum outro lugar no Novo Testamento, significa iludir a própria mente. O apóstolo dá a entender que qualquer crente que alega ser "alguma coisa" está enchendo sua mente de fantasia.[22] Por isso, um dos grandes perigos do confronto aos que tropeçam é dirigir-nos a eles com um ar de arrogância, arrotando nossa pretensa santidade. Nada é mais contrário à santidade do que o orgulho. O legalista tende

---

[20]STOTT, John. *A mensagem de Gálatas*, p. 145.
[21]HENDRIKSEN, William. *Gálatas*, p. 241.
[22]GUTHRIE, Donald. *Gálatas: introdução e comentário*, p. 185.

a denegrir a imagem dos outros só para melhorar a própria imagem. Segundo Adolf Pohl, entra em cartaz aqui o grotesco teatro de alguém que se debruça sobre o cisco no olho de seu irmão, dizendo: "Sossega, tenho de ajudar-te", enquanto no próprio olho uma trave balança para lá e para cá. Esta seria uma caricatura da disciplina eclesiástica.[23]

Jesus condenou o fariseu que se julgou melhor do que os demais homens. Jesus desmascarou os fariseus que queriam apedrejar a mulher apanhada em flagrante adultério, sendo eles também culpados. A igreja de Laodiceia foi reprovada ao dar nota máxima a si mesma, estando em precária situação diante de Deus. Concordo com William Hendriksen quando ele escreve: "O que nos faz ternos e generosos, humildes e mansos, compassivos e prestativos para com os demais é o fato de dar-nos conta do pouco que nós somos".[24]

Em quinto lugar, **uma atitude sensata**. *Mas prove cada um o seu labor e, então, terá motivo de gloriar-se unicamente em si e não em outro* (6.4). Aquele que mira a si mesmo no espelho da conduta de outra pessoa se contempla favoravelmente. Em vez de fazer isso, deveria contemplar-se no espelho da lei de Deus e do exemplo de Cristo.[25] Não é correto comparar-nos com aqueles que caem; devemos antes olhar para Cristo, a fim de sermos transformados de glória em glória na sua imagem. Não devemos comparar-nos com os que tropeçam e caem, mas devemos lutar para atingir a plenitude da estatura de Cristo. A palavra grega *dokimazeto*, "prove", usada pelo apóstolo Paulo, significa aprovar depois de um teste ou exame. Era usada para testar se os metais eram puros.[26]

Em sexto lugar, **uma responsabilidade pessoal**. *Porque cada um levará o seu próprio fardo* (6.5). Uma leitura superficial pode sugerir contradição entre o versículo 2, *Levai as cargas uns dos outros*, e o versículo 5, *...cada um levará o seu próprio fardo*. Não há nenhuma contradição, porém. É que Paulo está usando termos diferentes. A palavra grega *baros*,

---

[23]POHL, Adolf. *Carta aos Gálatas*, 1999, p. 195.
[24]HENDRIKSEN, William. *Gálatas*, p. 241.
[25]HENDRIKSEN, William. *Gálatas*, p. 242.
[26]RIENECKER, Fritz; ROGERS, Cleon. *Chave linguística do Novo Testamento grego*, p. 384.

"carga" (6.2), significa uma carga pesada ou peso esmagador; já a palavra grega *phortion,* "fardo" (6.5), é um termo comum para o pacote[27] ou a mochila de um soldado.

R. E. Howard diz que Paulo passa das obrigações sociais do cristão (6.2) para a responsabilidade que cada pessoa tem por sua alma. Na comunhão cristã, as cargas são compartilhadas uns com os outros em amor, mas há certa carga que é peculiar ao próprio indivíduo.[28] Warren Wiersbe alerta que devemos ajudar uns aos outros a carregar os grandes pesos da vida, mas há certas responsabilidades pessoais que cada pessoa deve carregar sozinha. "Cada soldado deve levar a própria mochila." O vizinho pode dar carona a meus filhos até a escola quando meu carro está na oficina, mas não pode assumir as responsabilidades que me dizem respeito como pai.[29]

Nessa mesma linha de pensamento, John Stott diz que devemos carregar os fardos que são pesados demais para uma pessoa carregar sozinha. Há, porém, um fardo que não podemos partilhar, e esse é a nossa responsabilidade diante de Deus no dia do juízo. Naquele dia você não poderá carregar o meu pacote, nem eu poderei carregar o seu. "Cada um levará o próprio fardo."[30]

Igreja, uma comunidade **diaconal** (6.6-10)

Paulo faz uma transição da disciplina eclesiástica para a ajuda aos irmãos. A igreja é uma comunidade que compartilha as bênçãos. Paulo nos dá um preceito (6.6), instando-nos a compartilhar uns com os outros. Oferece-nos um princípio (6.7,8), ou seja, o princípio da semeadura e da colheita. E, finalmente, aponta-nos uma promessa: ... *porque a seu tempo ceifaremos* (6.9). No entanto, por trás dessa promessa, esconde-se um perigo: cansar-se da obra do Senhor e acabar desfalecendo.[31]

---

[27]STOTT, John. *A mensagem de Gálatas*, p. 146.
[28]HOWARD, R. E. *A Epístola aos Gálatas*, p. 81.
[29]WIERSBE, Warren W. *Comentário bíblico expositivo*, p. 945.
[30]STOTT, John. *A mensagem de Gálatas*, p. 146.
[31]WIERSBE, Warren W. *Comentário bíblico expositivo*, p. 945,946.

John Stott diz que há três esferas da experiência cristã nas quais Paulo vê o princípio da semeadura e da colheita operando: 1) o ministério cristão (6.6); 2) a santidade cristã (6.8); 3) a prática do bem do cristão (6.9,10). Quanto ao primeiro ponto, o trabalhador é digno de seu trabalho. Há, porém, dois perigos: o abuso por parte do ministro e o abuso por parte da igreja. Quanto ao segundo ponto, precisamos entender que, se no capítulo 5, a vida cristã é comparada a um campo de batalha, e a carne e o Espírito são dois combatentes em guerra um contra o outro, no capítulo 6, a vida cristã é comparada a uma propriedade rural, e a carne e o Espírito são dois campos que nós semeamos. Quanto ao terceiro ponto, nos versículos 9 e 10 o serviço cristão é um trabalho cansativo e exigente. Somos tentados a desanimar, a relaxar e até mesmo a desistir. Na primeira, a semente é a Palavra de Deus, semeada pelos mestres na mente e no coração da congregação. Na segunda, a semente são nossos pensamentos e atos, semeados no campo da carne ou do Espírito. Na terceira, a semente são as boas obras, semeadas na vida de outras pessoas na comunidade.[32]

Três verdades são aqui destacadas.

Em primeiro lugar, **como devemos ser uma comunidade diaconal**. *Mas aquele que está sendo instruído na palavra faça participante de todas as coisas boas aquele que o instrui* (6.6). Quem recebe bens espirituais deve compartilhar e repartir bens materiais. Esse princípio está meridianamente claro nas Escrituras. Atentemos para as palavras de Paulo:

> *Porque aprouve à Macedônia e à Acaia levantar uma coleta em benefício dos pobres dentre os santos que vivem em Jerusalém. Isto lhes pareceu bem, e mesmo lhes são devedores; porque, se os gentios têm sido participantes dos valores espirituais dos judeus, devem também servi-los com bens materiais* (Rm 15.26,27).

O apóstolo Paulo pergunta: *Se nós vos semeamos as coisas espirituais, será muito recolhermos de vós bens materiais?* (1Co 9.11). Os mestres fiéis que repartem com seus alunos a Palavra de Deus devem receber

---

[32] STOTT, John. *A mensagem de Gálatas*, p. 152-157.

deles recompensas materiais. Calvino diz que é desditoso defraudar dos meios de sobrevivência aqueles por cuja instrumentalidade nossa alma é alimentada; e recusar uma recompensa terrena àqueles de quem recebemos bênçãos celestiais.[33] O mesmo autor ainda salienta: "Um dos artifícios de satanás é privar de sustento os ministros piedosos, de modo que a igreja fique destituída desse tipo de ministro".[34] O apóstolo Paulo é enfático: *Agora, vos rogamos, irmãos, que acateis com apreço os que trabalham entre vós e os que vos presidem no Senhor e vos admoestam; e que os tenhais com amor em máxima consideração, por causa do trabalho que realizam* (1Ts 5.12,13). E Paulo ainda exorta: *Devem ser considerados merecedores de dobrados honorários os presbíteros que presidem bem, com especialidade os que se afadigam na palavra e no ensino* (1Tm 5.17).

Quanto a essa matéria do sustento daqueles que ensinam a Palavra, dois extremos devem ser evitados: a ganância por parte do obreiro e a usura por parte da igreja. Há obreiros que fazem do ministério do ensino da Palavra um meio de enriquecimento. O propósito principal deles não é cuidar das ovelhas de Cristo, mas apascentar a si mesmos. Paulo diz à igreja de Corinto: ... *não vou atrás dos vossos bens, mas procuro a vós outros* (2Co 12.14). Diz ainda aos presbíteros de Éfeso: *De ninguém cobicei prata, nem ouro, nem vestes* (At 20.33). Entretanto, há igrejas que sonegam a seus ministros o sustento devido. A igreja de Corinto, por exemplo, que era generosa com os falsos obreiros (2Co 11.20), sonegou a Paulo o seu sustento (2Co 11.8,9). Nesse quesito, a igreja de Corinto acabou tornando-se inferior às demais igrejas (2Co 12.13).

Em segundo lugar, **por que devemos ser uma comunidade diaconal** (6.7-9). Algumas lições devem ser aqui notadas.

Semeadura e colheita são princípios universais. Não vos enganeis: de Deus não se zomba; pois aquilo que o homem semear, isso também ceifará (6.7). Tudo o que plantamos, nós colhemos. O homem é livre para escolher, mas não é livre para escolher as consequências do que

---

[33] CALVINO, João. *Gálatas*, 2007, p. 163.
[34] CALVINO, João. *Gálatas*, 2007, p. 163.

escolhe.³⁵ Esta é a lei da causa e efeito. Colhemos exatamente a mesma natureza daquilo que semeamos. Uma árvore má não dá bons frutos. Em termos de quantidade, colhemos mais do que semeamos. Há uma multiplicação na colheita. Quem semeia ventos, colhe tempestades. Querer subverter esse princípio é tentar zombar de Deus.

O contexto mostra que Paulo ainda está tratando do sustento dos ministros fiéis da Palavra. Deixar de investir no sustento daqueles que se afadigam na Palavra é sonegar a semente da vida a esse solo que produz bênçãos espirituais. De acordo com Calvino, essa passagem contém evidência de que o costume de menosprezar os ministros fiéis não surgiu em nossos dias. Mas esse menosprezo não ficará impune.³⁶

Há dois tipos de semeadura e dois tipos de colheita. Porque o que semeia para a sua própria carne da carne colherá corrupção; mas o que semeia para o Espírito do Espírito colherá vida eterna (6.8). No que concerne às coisas espirituais, só há duas semeaduras: semeamos para a carne ou para o Espírito; e apenas duas colheitas: colhemos corrupção ou vida eterna. Quem semeia para a própria carne não pode colher vida eterna; quem semeia para o Espírito não pode colher corrupção. A raiz determina o fruto, e não o fruto a raiz. Semear para a própria carne significa buscar a satisfação das necessidades desta vida, sem nenhuma consideração pela vida futura, mas semear no Espírito significa buscar os valores da vida que permanece.

Nessa mesma linha de pensamento, William Hendriksen diz que semear para a carne significa deixar que a velha natureza se expresse livremente, enquanto semear no Espírito significa deixar que o Espírito se expresse como ele quer. Já os termos "corrupção" e "vida eterna" devem ser entendidos em um sentido duplo: qualitativo e quantitativo. Do ponto de vista quantitativo, os dois são parecidos: ambos durarão para sempre. A "corrupção", por exemplo, longe de indicar uma aniquilação, assinala uma *destruição eterna* (2Ts 1.9). A vida eterna tem de igual forma uma duração eterna (Mt 25.46). Qualitativamente, e isso tanto a respeito da alma como do corpo, as duas expressões compõem

---

³⁵HOWARD, R. E. *A Epístola aos Gálatas*, p. 82.
³⁶CALVINO, João. *Gálatas*, 2007, p. 164.

um forte contraste. Os que semeiam para a carne serão levantados para a vergonha e a condenação eterna (Dn 12.2). Sua morada será nas trevas exteriores (Mt 8.11.12). Entretanto, aqueles que semearam para o Espírito resplandecerão como a luz do firmamento e como as estrelas eternamente (Dn 12.3).[37]

É possível cansar-se na obra e da obra. E não nos cansemos de fazer o bem... (6.9a). Não é apenas o pecado que cansa; fazer o bem também pode produzir cansaço. Nem sempre praticar o bem traz recompensas imediatas. Nem sempre quem recebe o bem reconhece e agradece a seu benfeitor. Por isso, muitos estão cansados na obra e da obra. Neste mundo há os que fazem o mal, os que pagam o bem com o mal, e os que pagam o bem com o bem e o mal com o mal. Mas nós devemos fazer o bem, pagar o mal com o bem e jamais nos cansarmos de fazer o bem. Paulo nos instrui a não nos cansarmos de ajudar ao nosso próximo, de praticar boas ações e de exercer generosidade, pois o vasto número de necessitados nos sucumbe; e os pedidos que se acumulam sobre nós, vindos de todos os lados, exaurem a nossa paciência. Nosso fervor é abrandado pela frieza de outras pessoas.[38]

A recompensa pode demorar, mas ela é certa. ... porque a seu tempo ceifaremos, se não desfalecermos (6.9b). A semeadura muitas vezes é feita com lágrimas, mas a colheita é certa, segura e jubilosa (Sl 126.5,6). Ela pode demorar, mas não falhará. A recompensa da semeadura é prometida pelo próprio Deus.

Em terceiro lugar, **quando devemos ser uma comunidade diaconal**. *Por isso, enquanto tivermos oportunidade, façamos o bem a todos, mas principalmente aos da família da fé* (6.10). Com respeito à prática do bem, devemos observar aqui três coisas.

- *O tempo.* Calvino diz que nem toda estação é própria para lavrar e semear. Os agricultores ativos e prudentes observarão o tempo apropriado e não permitirão indolentemente que esse tempo se torne

---

[37]HENDRIKSEN, William. *Gálatas*, p. 245.
[38]CALVINO, João. *Gálatas*, 2007, p. 166.

inútil.³⁹ Devemos fazer o bem sempre que tivermos oportunidade. Não podemos ser omissos como o sacerdote e o levita que passaram de largo diante do drama de um homem caído à beira do caminho. A necessidade do próximo é a oportunidade escancarada diante dos nossos olhos.

- *O alcance*. Devemos fazer o bem a todos, e não apenas a um grupo seleto. Não deve existir barreira étnica, cultural nem religiosa para a prática do bem. Nosso amor deve estender-se a todos.
- *A prioridade*. Devemos fazer o bem a todos, mas a prioridade é assistir os da família da fé. A nossa maior prioridade é nossa família, pois aquele que não cuida da sua família é pior do que os incrédulos (1Tm 5.8). Depois devemos cuidar dos domésticos da fé (6.10), do nosso próximo de forma geral (6.2) e até mesmo dos nossos inimigos (Rm 12.20).

---

³⁹CALVINO, João. *Gálatas*, 2007, p. 166.

16

A religião **falsa** e a religião **verdadeira**

Gálatas 6.11-18

PAULO ESTÁ CONCLUINDO SUA CARTA AOS GÁLATAS. O mesmo embate que se travou desde o início da carta ainda está em andamento. Agora, porém, Paulo desmascara os falsos mestres e mostra sua real motivação. A questão não era tanto zelo religioso, mas conveniência. Eles queriam escapar da perseguição por causa da cruz de Cristo. Os judaizantes não estavam preparados para suportar o opróbrio que cai sobre os seguidores dAquele que morreu sob a maldição da lei. Por esta razão, entregaram-se a uma busca desenfreada de glória para si mesmos, ao fazer discípulos de sua causa hipócrita.

Merrill Tenney afirma que essa porção da epístola tem a intenção de servir de sumário do significado do livro inteiro. Paulo aplicou o golpe inicial e o testemunho final, que tirou seu ensino do terreno do argumento abstrato para o terreno da realidade pessoal concreta.[1]

Nas últimas palavras da epístola, Paulo faz um contraste entre a falsa e a verdadeira religião; entre os falsos ministros e os ministros verdadeiros. Ele já havia deixado claro que era necessário escolher entre a escravidão e a liberdade (5.1-12), entre a carne e o Espírito (5.13-26),

---

[1] TENNEY, Merrill C. *Gálatas*, 1978, p. 234.

entre o viver para si mesmos e viver para os outros (6.1-10). Agora, apresenta um quarto contraste: viver em função do louvor dos homens ou viver para a glória de Deus (6.11-18). Com isso, o apóstolo trata da questão da *motivação*.[2]

Destacamos alguns pontos para a nossa reflexão.

Paulo revela suas **motivações** (6.11)

Paulo fundou as igrejas da Galácia. Gerou aqueles crentes em Cristo (4.19) e chamou-os de filhos (4.19) e "irmãos" (3.15). Eram preciosos para ele e, por isso, o apóstolo tinha zelo por eles. Agora pede a atenção deles, começando com ímpeto: *Vede com que letras grandes vos escrevi de meu próprio punho* (6.11).

É sabido que Paulo usava um amanuense ou secretário para escrever suas cartas. Ele as ditava, e o escrevente anotava fielmente o que Paulo dizia. Ao final da missiva, Paulo colocava o seu próprio nome. Porém, Paulo diz aqui que escreveu com grandes letras e de próprio punho. Isso pode significar duas coisas: 1) Paulo escreveu toda a carta; 2) Paulo tomou a pena do secretário e antes de colocar sua assinatura escreveu essas últimas palavras. Geralmente Paulo fazia isso apenas para colocar a sua assinatura como garantia contra falsificações (2Ts 3.17). Às vezes, incluía uma exortação final ou a bênção apostólica. Nessa ocasião, porém, ele escreve algumas sentenças finais de próprio punho.[3]

O que Paulo quis dizer com a expressão: "Vede com que letras grandes vos escrevi"?

Em primeiro lugar, **Paulo está demonstrando sua ênfase**. Paulo dá redobrada ênfase ao que está escrevendo na conclusão dessa carta. Ele chama a atenção para esse conteúdo. É como se Paulo estivesse usando letras garrafais e acendendo as luzes sobre o conteúdo escrito. O que ele está escrevendo não pode passar despercebido. É matéria de valor capital. É mensagem vital para a igreja.

---

[2] WIERSBE, Warren W. *Comentário bíblico expositivo*, p. 948.
[3] STOTT, John. *A mensagem de Gálatas*, p. 158.

John Stott, em sintonia com a maioria dos comentaristas, é de opinião que Paulo usou letras grandes deliberadamente, ou porque estivesse tratando os seus leitores como crianças (repreendendo sua imaturidade espiritual e, portanto, escrevendo com letras para crianças), ou simplesmente por questão de ênfase, para chamar a atenção e despertar a mente, como se, hoje em dia, usasse letras maiúsculas ou sublinhasse as palavras.[4] Adolf Pohl reforça que na Antiguidade uma letra grande tinha a mesma intenção do sublinhado em nossas cartas, ou do tipo itálico e negrito em nossa técnica de impressão.[5]

Em segundo lugar, **Paulo está demonstrando sua deficiência física**. Alguns intérpretes bíblicos opinam que Paulo está revelando aqui a razão pela qual usava um secretário. Segundo esses eruditos, Paulo tinha uma grave deficiência visual (4.13-15) e por isso não podia escrever senão usando letras grandes. Não podemos confirmar essa tese categoricamente, mas ela não está de todo desprovida de fundamento. Warren Wiersbe diz que, se o apóstolo sofria mesmo de algum problema de visão, esse parágrafo de encerramento certamente tocou ainda mais fundo no coração de seus leitores.[6]

Paulo desmascara os **falsos mestres** (6.12,13)

Paulo passa de suas verdadeiras motivações em escrever essa carta para as falsas motivações dos legalistas que constrangiam os crentes gentios a se circuncidarem. Com isso, Paulo evidencia que o cristianismo não é fundamentalmente uma religião de cerimônias externas, mas algo interior e espiritual, algo do coração.[7]

Quais eram as reais motivações desses falsos mestres?

Em primeiro lugar, *os falsos mestres buscavam a aprovação dos homens para escaparem da perseguição*. *Todos os que querem ostentar-se na carne, esses vos constrangem a vos circuncidardes, somente para não serem perseguidos por causa da cruz de Cristo* (6.12). Calvino conjectura que

---

[4]STOTT, John. *A mensagem de Gálatas*, p. 159.
[5]POHL, Adolf. *Carta aos Gálatas*, 1999, p. 204.
[6]WIERSBE, Warren W. *Comentário bíblico expositivo*, p. 948.
[7]STOTT, John. *A mensagem de Gálatas*, p. 159.

esses homens não se importavam com a edificação dos crentes; eram guiados por desejos ambiciosos de conquistar o aplauso popular.⁸

Os judaizantes eram arrogantes por um lado e persuasivos por outro. Ostentavam-se na carne e constrangiam os crentes gentios a se circuncidarem. O grito de guerra deles era: *Se não vos circuncidardes* [...] *não podeis ser salvos* (At 15.1); assim negavam que a salvação fosse exclusivamente pela fé em Cristo. A circuncisão havia sido dada por Deus a Abraão como um sinal de sua aliança (Gn 17.9,10). Mas em si mesma ela não era nada. Os judaizantes, porém, elevaram a circuncisão a uma ordenança de importância central, sem a qual ninguém poderia ser salvo.⁹

Esses judaizantes andavam de peito estufado, gloriando-se na carne; eram bons marqueteiros e sabiam "vender o seu peixe", pois constrangiam os crentes da Galácia a se circuncidarem. A empáfia desses judaizantes, porém, com sua balofa ostentação carnal, tinha como finalidade fazer proselitismo dentro da igreja para escapar da perseguição.

William Barclay assegura que os romanos respeitavam a religião judaica. Sua prática era permitida oficialmente. A circuncisão constituía a marca indiscutível do judeu, de modo que eles viam na circuncisão o salvo-conduto que lhes daria segurança no caso de se instalar uma perseguição. A circuncisão os preservava tanto do ódio dos judeus como da lei romana.¹⁰ Nessa mesma direção, Adolf Pohl afirma que o temor desses falsos mestres estava ligado ao judaísmo farisaico com seu centro em Jerusalém. Isso porque o judaísmo representava uma religião estabelecida e "lícita" perante o Estado romano, com privilégios nada insignificantes. Diante da desconfiada Roma, seguramente seria bom poderem permanecer à sombra do judaísmo. Sabedores de que a exigência mínima para ser considerado judeu era precisamente a circuncisão, fizeram disso sua bandeira para se livrarem do sofrimento.¹¹ Já que a circuncisão era o emblema do judaísmo, ostentar essa marca na

---

⁸CALVINO, João. *Gálatas*, 2007, p. 167.
⁹STOTT, John. *A mensagem de Gálatas*, p. 159.
¹⁰BARCLAY, William. *Gálatas y Efesios*, p. 66.
¹¹POHL, Adolf. *Carta aos Gálatas*, 1999, p. 205.

carne era livrar-se da perseguição que vinha tanto de fora, por parte dos romanos, como de dentro, por parte dos judeus.

Calvino diz que esses homens bajulavam os judeus, mas perturbavam a igreja toda em favor de seu próprio ensino e não sentiam nenhum escrúpulo em colocar um jugo tirânico sobre a consciência das pessoas, para que ficassem livres de inquietações físicas. O medo da cruz os levou a corromperem a genuína pregação da cruz.[12] Concordo com Donald Guthrie quando escreve:

> Os judaizantes estão lutando para alcançar um meio-termo entre a posição judaico não cristã do judaísmo ortodoxo e a posição cristã não judaica de Paulo. Temiam a perseguição do partido ortodoxo, e, ao mesmo tempo, sua política os colocava em oposição direta a Paulo.[13]

Paulo, por sua vez, era perseguido porque pregava a graça de Deus e a salvação sem as obras da lei (5.11). Os judaizantes se faziam passar por cristãos aos membros da igreja e por seguidores da lei mosaica aos que observavam a lei. Assim, evitavam ser perseguidos pelos legalistas por causa de sua identificação com a cruz de Cristo e de seu efeito devastador sobre a lei.[14]

A cruz de Cristo era tanto uma pedra de tropeço como um escândalo naquela época (1Co 1.18-31). Para um cidadão do século I, a cruz não era um adorno, mas o tipo mais desprezível de morte. A cruz representava rejeição e vergonha. Envolver-se com um Messias que havia sido morto na cruz era colocar os pés numa estrada crivada de espinhos e expor-se a grande perseguição. Esses mestres queriam circuncidar os crentes da Galácia para livrar a própria pele. Os legalistas, que enfatizavam a circuncisão em lugar da crucificação, granjearam muitos adeptos. Sua religião era bem aceita, pois evitava a vergonha da cruz.[15]

Por que a cruz de Cristo provoca perseguições e enraivece tanto o mundo? É porque a cruz diz algumas verdades muito desagradáveis

---

[12]CALVINO, João. *Gálatas*, 2007, p. 168.
[13]GUTHRIE, Donald. *Gálatas: introdução e comentário*, p. 193.
[14]WIERSBE, Warren W. *Comentário bíblico expositivo*, p. 949.
[15]WIERSBE, Warren W. *Comentário bíblico expositivo*, p. 949.

acerca de nós mesmos, isto é, nós somos pecadores, estamos sob a maldição da lei de Deus e não podemos salvar a nós mesmos. Cristo assumiu o nosso pecado e a maldição exatamente porque não havia outra forma de nos vermos livres deles.[16] A cruz nos reduz a nada. Ela fura o balão da nossa vaidade. Fere mortalmente o nosso orgulho e a nossa soberba. É ao pé da cruz que voltamos ao nosso tamanho normal, diz John Stott.[17]

Em segundo lugar, *os falsos mestres revelam sua hipocrisia ao ostentar os números estatísticos*. *Pois nem mesmo aqueles que se deixam circuncidar guardam a lei; antes, querem que vos circuncideis, para se gloriarem na vossa carne* (6.13). Os judaizantes não eram apenas arrogantes e persuasivos, mas também hipócritas. Exigiam dos outros aquilo que não praticavam. Falavam uma coisa e faziam outra. Pertenciam ao mesmo grupo dos fariseus, sobre os quais Jesus disse: *...porque dizem e não fazem* (Mt 23.3). Jesus chamou esse grupo de hipócritas (Mt 23.13-15,23,25,27,29) e raça de víboras (Mt 23.33). Paulo desmascara esses hipócritas, mostrando que sua reverência à lei era apenas uma máscara para encobrir seu verdadeiro objetivo: ganhar mais convertidos para a sua causa. Tudo o que eles desejavam era ter estatísticas para relatar e receber mais glórias para si mesmos.[18] John Stott declara que os judaizantes eram obcecados por estatísticas eclesiásticas. Eles idolatravam os números. Caíram na rede da numerolatria. Quando se gabavam de tantas circuncisões em determinado ano, eram exatamente como muitos ministros que ainda hoje se gabam de ter feito tantos batismos no ano.[19] O que importa não é se uma pessoa foi circuncidada ou batizada, mas se ela nasceu de novo e é nova criatura. O que importa não é o externo, mas o interno; não é o símbolo, mas o simbolizado; não é o batismo com água, mas o batismo do Espírito.

Sujeitar-se à circuncisão era escolher o caminho da lei com o propósito de ser aceito por Deus. Era abraçar as obras e repudiar a fé. Deixar-se

---

[16] STOTT, John. *A mensagem de Gálatas*, p. 162.
[17] STOTT, John. *A mensagem de Gálatas*, p. 162.
[18] WIERSBE, Warren W. *Comentário bíblico expositivo*, p. 949.
[19] STOTT, John. *A mensagem de Gálatas*, p. 160.

circuncidar era, consequentemente, anular toda a obra de Cristo (2.21; 5.2). Os falsos mestres judaizantes, porém, exigiam dos gentios algo que eles mesmos não cumpriam. Estavam sendo hipócritas, pois requeriam dos gentios o cumprimento da lei, mas eles mesmos não a observavam. O que de fato queriam era ostentar o número de adeptos que estavam conseguindo dentro da igreja. Eram proselitistas, e não evangelistas. Eram pescadores de aquário, e não pescadores de homens. Viam o seu sucesso em seus números estatísticos, e não em Sua fidelidade à verdade.

Warren Wiersbe afirma que o principal objetivo desses falsos mestres não era ganhar almas para Cristo nem ajudar os cristãos a crescerem na graça. Seu propósito era ganhar mais convertidos para então se gabar. Eles desejavam causar excelente impressão exterior. Não realizavam a obra para o bem da igreja nem para a glória de Deus, mas somente para a própria glória.[20]

John Stott pressupõe que, ao se concentrarem na circuncisão, os judaizantes cometeram outro erro, pois a circuncisão não era apenas um ritual exterior e físico; era também uma obra humana, realizada por um ser humano em outro ser humano. Mais do que isso: como símbolo religioso, a circuncisão obrigava as pessoas a guardarem a lei (At 15.5). A religião humana começava com uma obra humana (circuncisão) e continuava com mais obras humanas (obediência à lei).[21]

Paulo se gloria na **cruz de Cristo** (6.14-18)

Paulo faz um contraste entre os falsos mestres que se gloriavam na carne, e ele, ministro verdadeiro, que se gloriava exclusivamente na cruz de Cristo. Paulo conhecia a Pessoa da cruz; Jesus é mencionado pelo menos 45 vezes nessa carta. Paulo conhecia o poder da cruz; a cruz deixou de ser uma pedra de tropeço para ele e se tornou a pedra fundamental de sua mensagem. Paulo conhecia o propósito da cruz; esse propósito era mostrar ao mundo o Israel de Deus, formado de judeus e gentios.[22]

---

[20] WIERSBE, Warren W. *Comentário bíblico expositivo*, p. 948.
[21] STOTT, John. *A mensagem de Gálatas*, p. 161.
[22] WIERSBE, Warren W. *Comentário bíblico expositivo*, p. 950.

Destacamos aqui alguns pontos importantes.

Em primeiro lugar, *a cruz de Cristo é a nossa única fonte de exultação*. *Mas longe esteja de mim gloriar-me, senão na cruz de nosso Senhor Jesus Cristo...* (6.14a). A cruz não era uma coisa da qual Paulo procurava fugir; antes, era o motivo de seu orgulho. Enquanto os falsos mestres se gloriavam na carne, Paulo se gloriava na cruz. Não podemos gloriar-nos em nós mesmos e na cruz ao mesmo tempo. Temos de escolher. Só quando nos humilharmos e nos reconhecermos como pecadores que merecem o inferno, deixaremos de nos gloriar em nós mesmos, buscaremos a salvação na cruz e passaremos o restante de nossos dias gloriando-nos na cruz.[23]

A cruz de Cristo foi o lugar onde o amor de Deus pelos pecadores refulgiu com maior esplendor. A cruz de Cristo foi o palco onde se manifestou a mais radiante justiça de Deus. A cruz de Cristo foi onde nossos pecados foram sentenciados. Foi pela cruz que o caminho de volta para Deus se abriu. Foi pela cruz que fomos reconciliados com Deus. A cruz é nossa fonte de vida.

Em segundo lugar, *a cruz de Cristo é o palco onde estamos crucificados para o mundo e o mundo para nós*. *... pela qual o mundo está crucificado para mim, e eu, para o mundo* (6.14b). Nós estávamos no Calvário. Estávamos cravados na cruz do centro. Fomos crucificados com Cristo. E nessa identificação estamos também crucificados para o mundo e o mundo para nós. Morremos para o mundo, e o mundo morreu para nós. Perdemos o encanto pelo mundo, e o mundo perdeu o encanto por nós.

Merrill Tenney afirma que, tão certo como Cristo morreu e dessa maneira cortou a conexão entre ele mesmo e o mundo, o crente é emancipado das cadeias com as quais o mundo o trazia algemado.[24] Porque o mundo está crucificado para nós, o crente jamais precisa seguir pelo caminho do mundo, isto é, pelo caminho do pecado, da corrupção, da morte e do julgamento. Jesus morreu para libertar-nos do mundo. Porque estamos crucificados para o mundo, o crente rejeita as atrações

---

[23] STOTT, John. *A mensagem de Gálatas*, p. 162.
[24] TENNEY, Merrill C. *Gálatas*, 1978, p. 235.

e prazeres do mundo. Por essa causa o crente torna-se uma pessoa não atraente para o mundo.

Adof Pohl lança luz sobre o assunto em tela quando escreve:

> Na Sexta-Feira da Paixão Deus inverteu a situação de tal maneira que para Paulo o mundo aparece como acusado, refutado, condenado e executado. Com isso, também, caducaram os direitos do mundo sobre ele. O mundo não tem mais nada a comandá-lo, e Paulo não está mais comprometido com nenhum de seus conceitos, critérios, normas e demandas. Paulo foi desconectado do mundo por meio da cruz de Cristo. No contrafluxo, o mundo declarou Paulo deserdado.[25]

Em terceiro lugar, *a cruz de Cristo cria um novo homem*. Pois nem a circuncisão é coisa alguma, nem a incircuncisão, mas o ser nova criatura (6.15). A circuncisão é uma incisão na carne. É algo externo. Não produz mudança interior. Ostentá-la não nos coloca mais perto de Deus. Não somos aceitos por Deus pela circuncisão nem somos rejeitados pela incircuncisão. O que importa para Deus é ser nova criatura, e essa transformação interior é produzida pelo Espírito. Calvino é enfático quando escreve: "A circuncisão era um disfarce aos olhos dos homens, mas a regeneração é a verdade aos olhos de Deus".[26]

Concordo com John Stott quando diz:

> O que realmente importa não é se uma pessoa foi circuncidada (ou batizada), mas se ela nasceu de novo e se é agora uma nova criatura [...]. A circuncisão e o batismo são coisas da "carne", cerimônias externas e visíveis realizadas por pessoas; a nova criação é um nascimento do Espírito, um milagre interior e invisível realizado por Deus.[27]

Nessa mesma linha de pensamento, Merrill Tenney entende que nem a observância nem a abstinência da circuncisão revestem-se de alguma consequência espiritual; a questão real depende de o indivíduo

---

[25] POHL, Adolf. *Carta aos Gálatas*, 1999, p. 207.
[26] CALVINO, João. *Gálatas*, 2007, p. 172.
[27] STOTT, John. *A mensagem de Gálatas*, p. 160.

possuir ou não aquela nova vida que o torna uma nova criatura em Cristo. Se tal pessoa possui essa vida, nada mais tem importância; e, se não a possui, nenhum rito externo poderá proporcioná-la.[28]

John Stott sugere que, no decorrer da história, o povo de Deus tem-se inclinado a repetir esse erro. Os profetas de Israel denunciaram a religiosidade sem vida. Deus por intermédio dos profetas queixou-se: *Este povo se aproxima de mim, e com a sua boca e com os seus lábios me honra, mas o seu coração está longe de mim e o seu temor para comigo consiste só em mandamentos de homens* (Is 29.13). Esse mesmo formalismo religioso marcou a igreja medieval antes da reforma. O mesmo se deu com o anglicanismo do século XVII, até que João Wesley e George Whitefield nos devolveram o evangelho. E muito "igrejismo" contemporâneo faz o mesmo: não passa de exibição seca, enfadonha, lúgubre e morta. Mas a essência é interior; as formas externas de nada valem se falta a realidade interior.[29]

William Hendriksen diz que essa "criação" é nova em contraste com a natureza velha do homem. É infinitamente melhor do que a velha. É obra de Deus. É produto daquele que diz: *Eis que faço novas todas as coisas* (Ap 21.5). É uma criação que sai novinha em folha do coração do Deus Todo-poderoso, e é um penhor seguro das glórias mais maravilhosas que estão por vir como resultado de Seu poder transformador.[30]

Em quarto lugar, **a cruz de Cristo traz paz e misericórdia sobre a igreja**. E, *a todos quantos andarem de conformidade com esta regra, paz e misericórdia sejam sobre eles e sobre o Israel de Deus* (6.16). A igreja é o Israel de Deus. A igreja do Antigo e do Novo Testamento é um povo só. Os judeus e gentios que se gloriam na cruz de Cristo, e são novas criaturas, são o Israel de Deus.

John Stott lança luz sobre esse assunto, destacando que nesse versículo Paulo ensina três grandes verdades sobre a igreja.

A igreja é o Israel de Deus. "Todos quantos andarem de conformidade com esta regra" e "o Israel de Deus" não são dois grupos, mas

---

[28]TENNEY, Merrill C. *Gálatas*, 1978, p. 236.
[29]STOTT, John. *A mensagem de Gálatas*, p. 161.
[30]HENDRIKSEN, William. *Gálatas*, p. 254.

apenas um. A partícula conectiva *kai* deveria ser traduzida por "a saber", e não "e", ou então ser omitida. A igreja desfruta uma continuidade direta com o povo de Deus no Antigo Testamento. Aqueles que estão em Cristo hoje são *...a verdadeira circuncisão* (Fp 3.3), *...descendentes de Abraão* (3.29) e *...o Israel de Deus* (6.16).[31] David Stern discorda dessa posição, considerando-a antissemítica,[32] porém a maioria dos intérpretes a confirma. Embora a frase "Israel de Deus" não ocorra em outra parte do Novo Testamento, o contexto favorece a interpretação de que Paulo está falando sobre toda a igreja, formada de judeus e gentios. R. E. Howard chega a afirmar que há provas de que, na era apostólica, "novo Israel" se tornou nome favorito para referir-se à igreja (3.8; 3.29; Fp 3.3; Rm 2.28,29; 9.6-8).[33]

Nessa mesma linha de pensamento, Adolf Pohl escreve:

> Ao pronunciar o "e" Paulo de forma alguma está pensando num segundo organismo, diferente da igreja de Cristo, quem sabe a nação de Israel fora de Cristo, que não segue o padrão do versículo 15, para o qual o mundo ainda não foi crucificado por meio de Cristo e para o qual a questão da circuncisão ainda representa tudo. Não, então o "critério" recém-estabelecido já seria de novo inválido. Então realmente haveria *outro evangelho* (Gl 1.6,7), e Paulo teria, nos traços finais, revogado toda a sua carta. Isso não pode ser. Por isso resulta da sequência do pensamento inequivocamente que com "Israel de Deus" ele saúda a igreja de judeus e gentios como um só povo da salvação. Depois que o apóstolo abençoou no começo especialmente os fiéis na Galácia, abalados na fé, ele amplia, por meio desse "e" cumulativo, a bênção para a igreja geral na terra.[34]

A igreja tem uma regra para a sua orientação. A palavra grega para regra é *kanon*, que significa uma vara de medir ou régua. Era a medida padrão do carpinteiro. A igreja tem uma regra pela qual se orientar. É

---

[31] STOTT, John. *A mensagem de Gálatas*, p. 163.
[32] STERN, David. *Comentário judaico do Novo Testamento*, p. 617.
[33] HOWARD, R. E. *A Epístola aos Gálatas*, p. 86.
[34] POHL, Adolf. *Carta aos Gálatas*, 1999, p. 207.

o cânon da Escritura, a doutrina dos apóstolos, a doutrina da cruz de Cristo. Essa é a regra pela qual a igreja deve andar e continuamente julgar-se e reformar-se.[35]

A igreja desfruta paz e misericórdia apenas quando segue essa regra. A igreja só tem paz e só desfruta da misericórdia quando anda em conformidade com a verdade revelada de Deus. Uma igreja apóstata não desfruta da paz de Deus nem de Sua misericórdia. A paz é a serenidade de coração, que é a porção de todos aqueles que têm sido justificados pela fé (Rm 5.1). Em meio às tormentas da vida eles estão seguros porque encontraram refúgio na fenda da rocha. No dia da ira, Deus esconde nessa fenda a todos os que se refugiam nEle (Sf 1.2; 2.3; 3.12). A paz e a misericórdia são inseparáveis. Se a misericórdia de Deus não fosse manifesta a Seu povo, o povo jamais haveria gozado a paz.[36]

Em quinto lugar, *a cruz de Cristo dá propósito às cicatrizes da vida*. *Quanto ao mais, ninguém me moleste; porque eu trago no corpo as marcas de Jesus* (6.17). Paulo não queria ser mais molestado pelos falsos mestres judaizantes. Ele deu tudo de si. Se apesar disso alguém rejeitar suas palavras e continuar atiçando a briga, Paulo com essa declaração sacode a poeira dos pés (Mt 10.14).[37]

As insígnias de seu apostolado eram suas prisões, cadeias, açoites, apedrejamentos e muitos tipos de tratamento injurioso que ele sofreu por testemunhar o evangelho.[38] Mesmo tendo sido circuncidado ao oitavo dia (Fp 3.5), Paulo não ostentava sua circuncisão como emblema de suas credenciais apostólicas, mas mostrou as marcas de Jesus, os sinais de sua atroz perseguição.

A palavra grega para "marcas" é *stigmata*. Sem dúvida essas marcas foram os ferimentos que ele recebeu em diversas perseguições por amor a Cristo. Paulo foi apedrejado na cidade de Listra, na província da Galácia (At 14.19). Ele recebeu dos judeus 195 açoites e foi três vezes fustigado com varas pelos romanos (2Co 11.23-25). Paulo foi preso em

---

[35] STOTT, John. *A mensagem de Gálatas*, p. 163.
[36] HENDRIKSEN, William. *Gálatas*, p. 254.
[37] POHL, Adolf. *Carta aos Gálatas*, 1999, p. 208.
[38] CALVINO, João. *Gálatas*, 2007, p. 173.

Filipos, Jerusalém, Cesareia e Roma. Seu sofrimento pelo evangelho e os ferimentos que seus perseguidores lhe infligiram e as cicatrizes que ficaram eram as "marcas de Jesus". Essas eram suas verdadeiras credenciais, e isso bastava. Por essa razão, Adolf Pohl chegou a dizer que em Paulo não somente se podia ouvir, mas ao mesmo tempo se podia ver a mensagem da cruz.[39]

A palavra *stigmata* era usada também no grego secular para referir-se ao ferretear dos escravos como um sinal de posse, à marcação de um escravo como um sinal de seu senhor, ou alguma cicatriz distinguível a fim de demonstrar a quem ele pertencia. Paulo era um escravo de Cristo e havia recebido essa marcação nas diversas perseguições sofridas pelo evangelho. Assim como a cruz deixara cicatrizes em Cristo, semelhantemente os sofrimentos de Paulo por Cristo deixaram-lhe o corpo marcado. Esses memoriais visíveis, de perseguições e conflitos, ele exibia alegremente, até mesmo orgulhosamente.[40]

A palavra *stigmata* era usada ainda em referência a "tatuagens religiosas". Talvez Paulo estivesse declarando que a perseguição, e não a circuncisão, era a autêntica "tatuagem" cristã.[41] Em outras palavras, as marcas de Jesus seriam cicatrizes da perseguição. Concordo com Calvino quando diz: "Aos olhos do mundo, essas marcas eram vergonhosas e infames, mas diante de Deus e dos anjos elas excedem todas as honras do mundo".[42]

Paulo conclui essa carta da liberdade invocando a bênção sobre a igreja: *A graça de nosso Senhor Jesus Cristo seja, irmãos, com o vosso espírito. Amém!* (6.18). Paulo começa a carta com a graça (1.3) e a termina com a graça (6.18). Toda a carta foi dedicada ao tema da graça de Deus, seu favor imerecido a pecadores indignos. Paulo levava as marcas de Jesus em seu corpo e a graça de Jesus em seu espírito.[43] Essa graça só pode ser realmente desfrutada quando atinge o nosso *espírito*. Portanto,

---

[39]POHL, Adolf. *Carta aos Gálatas*, 1999, p. 208.
[40]TENNEY, Merrill C. *Gálatas*, 1978, p. 236.
[41]STOTT, John. *A mensagem de Gálatas*, p. 165.
[42]CALVINO, João. *Gálatas*, 2007, p. 173.
[43]STOTT, John. *A mensagem de Gálatas*, p. 165.

devemos pedir a Deus que prepare em nossa alma uma habitação para a Sua graça.[44]

A palavra "irmãos" acrescenta calor à saudação final. Não ocorre em nenhuma outra das conclusões epistolares de Paulo. Já a palavra hebraica *Amém*, "assim seja", usada para enfatizar e confirmar uma declaração[45] só fecha essa carta e a Epístola aos Romanos. Não era um hábito formal de Paulo. Na verdade, aqui, ele deseja acrescentar peso à sua conclusão.[46] Como R. E. Howard diz, "com o escritor, todos os que lerem essa carta podem dizer: Amém!"[47]

---

[44]CALVINO, João. *Gálatas*, 2007, p. 173.
[45]RIENECKER, Fritz; ROGERS, Cleon. *Chave linguística do Novo Testamento grego*, p. 385.
[46]GUTHRIE, Donald. *Gálatas: introdução e comentário*, p. 197.
[47]HOWARD, R. E. *A Epístola aos Gálatas*, p. 87.

Efésios

Igreja, a noiva gloriosa de Cristo

1

A igreja de Deus, o povo mais rico do mundo

Efésios 1.1-14

A CARTA DE PAULO PARA OS EFÉSIOS É UMA DAS JOIAS mais belas de toda a literatura universal. Tesouros belíssimos e assaz preciosos podem ser encontrados em cada versículo dessa obra inspirada. Aqui Paulo não trata de problemas particulares, como o faz na maioria de suas missivas. Ao contrário, descerra as cortinas do tempo, penetra nos refolhos da eternidade e traz aos homens as verdades mais consoladoras da graça.

Os grandes temas da fé cristã ornam a coroa dessa epístola. Os capítulos mais destacados da soteriologia e da eclesiologia podem ser encontrados nessa obra-prima do apóstolo. Paulo começa essa carta como um maestro regendo uma grande orquestra. Já na introdução, leva seus leitores ao arroubo de uma extasiada doxologia. Como que num fôlego só, despeja, em catadupas de sua alma em ebulição, as verdades mais gloriosas acerca da obra da Trindade em favor da igreja, a noiva de Cristo.

Paulo aborda nessa missiva alguns temas que não trata com tanta profundidade nas demais, como a questão da reconciliação dos judeus com os gentios, o mistério do evangelho, a plenitude do Espírito, a família e a batalha espiritual. Essa é uma carta não apenas teológica, mas, sobretudo, prática. Ela tange de forma profunda e clara os princípios que devem nortear a família e a igreja neste mundo inundado de escuridão.

Nessa carta, como acontece nas demais, Paulo une de forma equilibrada doutrina e vida, teologia e ética. Nos três primeiros capítulos, Paulo lança as bases da doutrina e, nos três últimos, aplica a doutrina. A teologia é mãe da ética, e a ética é filha da teologia. A vida decorre da doutrina, e a doutrina é o fundamento da vida. Não podemos glorificar a Deus com a plenitude do nosso coração e com o vazio da nossa cabeça nem podemos glorificar a Deus com a plenitude da nossa cabeça e com o vazio do nosso coração. Conhecimento sem vida é orgulho estéril; vida sem conhecimento é experiencialismo vazio. Precisamos ter a mente cheia de luz e o coração inflamado pelo fogo. Precisamos de ortodoxia e ortopraxia; de doutrina certa e de vida certa.

Alguns eruditos consideram Efésios uma carta circular,[1] e não apenas uma epístola dirigida particularmente à igreja de Éfeso, uma vez que Paulo não trata ali de problemas locais como o faz nas outras epístolas. Mesmo que isso seja um fato, isso em nada deslustra a integridade e a pertinência de sua mensagem. Efésios também é considerada uma carta gêmea de Colossenses. Escritas do mesmo local, no mesmo período e levadas às igrejas pelo mesmo portador, ambas tratam basicamente das mesmas coisas. Curtis Vaughan diz que a carta aos Efésios alcança um campo mais vasto do que qualquer outra epístola do Novo Testamento, com exceção, talvez, da Carta para os Romanos. Ela abrange os judeus e os gentios, o céu e a terra, o passado e o presente e os tempos futuros.[2] A ênfase fundamental de Colossenses é apresentar Cristo como Cabeça da igreja, e a ênfase essencial de Efésios é a apresentar a igreja como corpo de Cristo.

O apóstolo dos gentios escreveu essa carta de sua primeira prisão em Roma. O missionário veterano já tinha passado por agruras terríveis antes de chegar à capital do Império. Ele tinha sido perseguido em Damasco, rejeitado em Jerusalém e esquecido em Tarso. Ele já tinha sido apedrejado em Listra, açoitado em Filipos, escorraçado de Tessalônica, enxotado de Bereia, chamado de tagarela em Atenas e de impostor em Corinto. Enfrentou feras em Éfeso, foi preso em Jerusalém e acusado

---

[1] HENDRIKSEN, William. Efésios. São Paulo: Cultura Cristã, 1992, p. 80.
[2] VAUGHAN, Curtis. Efésios. Miami: Vida, 1986, p. 10.

em Cesareia. Enfrentou um naufrágio avassalador ao dirigir-se a Roma e foi picado por uma cobra em Malta. Já tinha sido fustigado três vezes com varas pelos romanos e recebido 195 açoites dos judeus (2Co 11.24,25).

O velho apóstolo chegou a Roma preso e algemado. Durante dois anos, ficou numa casa alugada sob custódia do imperador. Vigiado pela guarda pretoriana, a guarda de elite do palácio imperial composta de 16 mil soldados de escol, encorajou os crentes de Roma e escreveu cartas para as igrejas das províncias da Macedônia e da Ásia Menor. Longe de se considerar prisioneiro de César, deu a si mesmo o título de prisioneiro de Cristo Jesus (3.1), prisioneiro no Senhor (4.1) e embaixador em cadeias (6.20). As circunstâncias, nem mesmo as mais adversas, não levaram esse gigante de Deus a sucumbir. Ao contrário, ele foi um canal de consolo para as igrejas, porque estava ligado à fonte eterna. Ele foi um arauto de boas notícias, um embaixador do céu, um homem que ardeu de zelo por Cristo e doou-se com a mesma intensidade até sua voz ser silenciada pelo martírio.

Estudar essa carta é pisar em solo sagrado. Precisamos fazê-lo com os pés descalços, o coração esbraseado e os olhos untados de lágrimas. Não podemos tratar de coisas tão sublimes com a alma seca como um deserto. Não estamos penetrando pelos umbrais de uma obra puramente acadêmica, mas entrando nas salas espaçosas do palácio do Rei da glória.

Minha ardente oração é que o estudo dessa carta inflame sua alma, aqueça seu coração, abra seus lábios e apresse seus pés para anunciar ao mundo que Jesus Cristo nos amou e Se entregou por nós. Que Ele morreu pelos nossos pecados, mas ressuscitou para a nossa justificação e está à destra de Deus Pai, de onde governa soberanamente os céus e a terra e de onde há de vir para buscar a igreja, a Sua amada noiva.

A carta para os Efésios é a coroa dos escritos de Paulo.[3] Alguns eruditos consideram-na a composição mais divina da raça humana.[4] William Barclay vê Efésios como a rainha das epístolas paulinas.[5] John Mackay, ilustre presidente do Seminário de Princeton, em seus tempos

---

[3] STOTT, John. *A mensagem de Efésios*. São Paulo: ABU Editora, 1986, p. 1.
[4] HENDRIKSEN, William. *Efésios*, p. 41.
[5] BARCLAY, William. *Galatas y Efesios*, 1973, p. 69.

áureos, considerou Efésios o maior e o mais amadurecido de todos os escritos paulinos.[6] Willard Taylor, citando F. F. Bruce, diz que Efésios é a pedra de cobertura da estrutura maciça dos ensinamentos de Paulo.[7]

Mackay era de opinião que, de todos os livros da Bíblia, Efésios era o mais convincente para a situação atual, tanto da igreja como do mundo. Aqui, Deus e homem, Cristo crucificado e Cristo ressurreto, doutrina e música, pensamento teológico e viver diário, vida no lar e vida no mundo, experiência arrebatadora de segurança em Cristo e consciência de perigo iminente, calma íntima e turbulência externa no caminho da vida reconciliam-se sob os rios do mais iluminado pensamento que jamais cintilou na mente humana.[8]

A largueza do interesse de Paulo e a extensão da sua visão na Carta para os Efésios são igualmente supreeendentes. Seu interesse abarca tudo quanto Deus tem feito a favor do homem, o que Ele tem feito ao homem e o que Ele faz e pode fazer por intermédio do homem.[9]

Como já afirmamos, Paulo estava preso em Roma quando escreveu a carta para os Efésios. Essa carta trata da igreja e do glorioso propósito de Deus para ela, nela e por intermédio dela. Paulo abre essa carta falando sobre três coisas:

Em primeiro lugar, **Paulo apresenta-se como o remetente da carta** (1.1). "Paulo, apóstolo de Cristo Jesus pela vontade de Deus." Embora alguns teólogos do século XX de viés liberal tenham ousado pôr em dúvida a autoria paulina dessa carta, praticamente todos os eruditos desde o século I apontam Paulo como autor dessa missiva.[10] Willard Taylor diz que, já no século II, os pais da igreja atribuíram a epístola a Paulo de Tarso. Inácio de Antioquia (martirizado em 115 d.C.) conhecia a epístola para Efésios e sabia que era paulina. O bispo Policarpo de Esmirna e também os autores da epístola de Barnabé e do pastor de

---

[6]MACKAY, John. *A ordem de Deus e a desordem do homem*. Rio de Janeiro: Confederação Evangélica do Rio, 1959, p. 8.
[7]TAYLOR, Willard H. *A epístola aos Efésios*. Em Comentário Bíblico Beacon, vol. 9. Rio de Janeiro: CPAD, 2006, p. 107.
[8]MACKAY, John. *A ordem de Deus e a desordem do homem*, p. 11.
[9]MACKAY, John. *A ordem de Deus e a desordem do homem*, p. 23.
[10]STOTT, John. *A mensagem de Efésios*, p. 2.

Hermas dão evidências de atribuir Efésios ao apóstolo Paulo. A autoria paulina é sustentada por outros líderes cristãos do século II, incluindo Irineu de Lyon, Clemente de Alexandria e Tertuliano de Cartago. O famoso Cânon Muratoriano (190 d.C.) traz Efésios em sua relação de livros cristãos autorizados.[11]

Paulo é apóstolo de Cristo não por inspiração própria, ou por usurpação, nem mesmo por qualquer indicação do homem, mas por vontade de Deus.[12] A igreja não nomeia apóstolos; eles são chamados por Jesus. Nenhum homem pode constituir a si mesmo apóstolo; esse papel é da economia exclusiva de Cristo. Não temos mais apóstolos na igreja contemporânea, uma vez que a revelação de Deus está completa nas sagradas Escrituras. Hoje, seguimos o ensinamento dos apóstolos, conforme revelação registrada nas Escrituras. Russell Shedd diz que a palavra *apóstolo*, que indica o reconhecimento da autoridade de Paulo, baseia-se numa palavra aramaica, *shaliah*. Esse termo sugere que o apóstolo é aquele que é comissionado não apenas como missionário que leva uma mensagem; não apenas como embaixador que tem sua carta selada para entregar a um rei de outro país; mas como *procurador* que substitui aquele que o mandou. Ele pode tomar iniciativas. Assim, o que ele faz e fala, o realiza em Cristo. Paulo, como apóstolo, nos traz uma mensagem inspirada, com autoridade.[13]

Em segundo lugar, **Paulo indica os destinatários da carta** (1.1). *Aos santos e fiéis em Cristo Jesus que estão em Éfeso*. A cidade de Éfeso era a capital da Ásia Menor e a maior metrópole da Ásia. Abrangia uma extensa área, e a sua população era superior a 300 mil habitantes. Ela era o centro do culto de Diana, a deusa da fertilidade, cujo templo, localizado a cerca de 1.600 metros da cidade, era considerado uma das sete maravilhas do mundo antigo e constituía o principal motivo de orgulho para Éfeso. Quatro vezes maior do que o Partenon de Atenas, o templo de Éfeso levou, segundo a tradição, 220 anos para ser construído. Corria, na época, um dito popular de que "o Sol nada via mais belo no seu

---

[11] TAYLOR, Willard H. *A epístola aos Efésios*, p. 107.
[12] HENDRIKSEN, William. *Efésios*, p. 90.
[13] SHEDD, Russell. *Tão grande salvação*. São Paulo: ABU Editora, 1978, p. 10,11.

trajeto do que o templo de Diana".[14] Paulo esteve três anos na cidade de Éfeso e, ali, plantou uma pujante igreja, que se tornou influenciadora em todos os rincões da Ásia Menor.

A igreja de Éfeso tem dois endereços: ela é cidadã do mundo (está em Éfeso) e cidadã do céu (está em Cristo). Francis Foulkes diz que toda a vida do cristão está em Cristo. Como a raiz enterrada na terra, o ramo ligado à videira, o peixe está no mar e o pássaro, no ar, também o lugar da vida do cristão é em Cristo.[15] A palavra *santo* não quer dizer uma pessoa que não peca.[16] Os *santos* não são pessoas mortas canonizadas, mas pessoas vivas separadas por Deus para viver uma vida diferente. *Fiéis* são todos aqueles que confiam em Cristo Jesus. Todo aquele que é fiel também é santo, e todo santo é fiel. A palavra grega *hagioi*, "santos", quer dizer separados. Nos dias do Antigo Testamento, o tabernáculo, o templo, o sábado e o próprio povo eram santos por ser consagrados, separados para o serviço de Deus. Uma pessoa não é "santa" nesse sentido por mérito pessoal; ela é alguém separada por Deus e, por conseguinte, é chamada a viver em santidade.[17]

Em terceiro lugar, **Paulo roga bênçãos especiais para os destinatários** (1.2). *Graça a vós e paz da parte de Deus nosso Pai e do Senhor Jesus Cristo.* O apóstolo fala de graça e paz tanto da parte de Deus Pai como do Senhor Jesus. A graça é a causa da salvação, e a paz é o resultado dela. A graça é a raiz, e a paz é o fruto. Essas bênçãos não emanam do homem; nem mesmo fluem da igreja. Elas só podem ser dadas por Deus mesmo. William Hendriksen diz que a paz pertence ao fluir de bênçãos espirituais que emanam dessa fonte, Deus. Essa paz é o sorriso de Deus que se faz presente no coração dos redimidos, a segurança da reconciliação por meio do sangue de Cristo, a verdadeira integridade e prosperidade espirituais.[18] William Barclay diz que, na Bíblia, a palavra grega *eirene*, "paz", nunca tem um sentido negativo, ou seja, nunca é apenas ausência de tribulações, dificuldades e aflições, mas relaciona-se

---

[14] VAUGHAN, Curtis. *Efésios*, p. 17.
[15] FOULKES, Francis. *Efésios: introdução e comentário*. São Paulo: Vida Nova, 1963, p. 38.
[16] SHEDD, Russell. *Tão grande salvação*, p. 11.
[17] FOULKES, Francis. *Efésios: introdução e comentário*, p. 37.
[18] HENDRIKSEN, William. *Efésios*, 1992, p. 92.

com o supremo bem do homem, isto é, tudo aquilo que faz com que a vida seja verdadeiramente digna de ser vivida. Dessa forma, a paz cristã é algo absolutamente independente das circunstâncias externas.[19]

Em quarto lugar, **Paulo fala sobre o objetivo da carta** (1.3). *Bendito o Deus e Pai de nosso Senhor Jesus Cristo, que nos abençoou com todas as bênçãos espirituais nas regiões celestiais em Cristo.* Paulo escreve essa carta para falar que a igreja é um povo muito abençoado. Ao focar sua atenção nessas bênçãos superlativas, o apóstolo prorrompe em bendita doxologia, dizendo: "Bendito seja o Deus e Pai de nosso Senhor Jesus Cristo."

De acordo com Westcott, essa passagem (Ef 1.3-14) é *um salmo de louvor pela redenção e consumação das coisas criadas, cumpridas em Cristo pelo Espírito segundo o propósito eterno de Deus.*[20] Concordo com Russell Shedd quando ele diz que toda doutrina deve ser como um fundamento, ou solo, em que cresce constantemente a vitalidade de adoração e de culto.[21] Mas adoração e culto a quem? Francis Foulkes diz que, no Novo Testamento, a palavra grega *eulogetos*, "bendito", é usada somente com referência a Deus. Só Ele é digno de ser bendito. Os homens são benditos quando recebem Suas bênçãos; Deus é bendito quando é louvado por tudo o que gratuitamente confere ao homem e ao seu mundo.[22]

Essa belíssima introdução de Paulo pode ser comparada a uma bola de neve rolando colina abaixo e ganhando volume ao descer.[23] Longe de pôr os holofotes em sua dolorosa situação como prisioneiro em Roma, o apóstolo eleva seus pensamentos às alturas excelsas das gloriosas bênçãos espirituais que temos nas regiões celestes. John Stott destaca que, no grego original, os doze primeiros versículos (1.3-14) formam uma única sentença gramatical complexa. As palavras fluem da boca de Paulo numa torrente contínua. Ele não faz pausa para tomar fôlego,

---

[19]BARCLAY, William. *Galatas y Efesios*, 1973, p. 81,82.
[20]WESTCOTT, B. F. *St. Paul's Epistle to the Ephesians.* Grand Rapids, MI: William B. Eerdmans Publishing Company, 1950, p. 4.
[21]SHEDD, Russell. *Tão grande salvação*, p. 12.
[22]FOULKES, Francis. *Efésios: introdução e comentário*, p. 39.
[23]HENDRIKSEN, William. *Efésios*, p. 93.

nem pontua as frases com pontos finais.²⁴ John Mackay escreve numa linguagem poética: "Essa adoração rapsódica é comparável à abertura de uma ópera, que contém as sucessivas melodias que se seguirão".²⁵

Três verdades merecem ser, aqui, destacadas:

A fonte de nossas bênçãos. Deus, o Pai, nos faz ricos em Jesus Cristo. Ele é o dono do universo, e nós somos Seus filhos e herdeiros. Antes de Paulo descrever essas riquezas, ele prorrompe numa doce doxologia de exaltação a Deus, o Pai. Embora essa seja a carta mais eclesiológica do Novo Testamento, sua atenção se volta para Deus, e não propriamente para a igreja, uma vez que tudo é dEle, por meio dEle e para Ele (Rm 11.36).

A natureza de nossas bênçãos. Nós temos toda sorte de bênção espiritual. No Antigo Testamento, o povo tinha bênçãos materiais como recompensa por sua obediência (Dt 28.1-13). Mas, hoje, temos toda sorte de bênção espiritual. O espiritual é mais importante que o material.

A esfera das bênçãos. Nas regiões celestiais em Cristo. Essa frase não aparece em outras epístolas paulinas. Russell Shedd é de opinião que Paulo quer chamar nossa atenção para a realidade de que, quando estamos em Cristo, já estamos como que levantados deste mundo e muitos fatores que normalmente controlariam nossas atitudes no mundo adquirem nova realidade: a realidade da exaltação de Cristo.²⁶ As pessoas não convertidas estão interessadas primariamente nas coisas terrenas, porque esse é o lugar em que vivem. Elas são filhas deste mundo (Lc 16.8). Mas a vida do cristão está centrada no céu. Sua cidadania encontra-se no céu (Fp 3.20). Seu nome está escrito no céu (Lc 10.20). Seu Pai está no céu (Cl 3.1).²⁷

Concordo com Curtis Vaughan quando diz que a expressão "regiões celestiais" não se refere a uma localização física, mas a uma esfera de realidade espiritual à qual o crente foi elevado em Cristo, o que quer dizer se tratar não do céu futuro, mas do céu que existe no cristão e

---

[24] STOTT, John. *A mensagem de Efésios*, p. 13.
[25] MACKAY, John. *A ordem de Deus e a desordem do homem*, p. 24.
[26] SHEDD, Russell. *Tão grande salvação*, p. 13,14.
[27] WIERSBE, Warren W. *Comentário bíblico expositivo.* Vol. 6, 2006, p. 10.

em torno dele no presente. Os crentes, na realidade, pertencem a dois mundos (Fp 3.20). Da perspectiva temporal, pertencem à terra; mas espiritualmente vivem em comunhão com Cristo e, por conseguinte, pertencem à esfera celestial.[28]

O cristão é cidadão do céu. Há uma segunda esfera em que ele vive: "em Cristo". Todas as bênçãos recebidas são *em Cristo*. A ideia aparece não menos de doze vezes nos primeiros catorze versículos dessa epístola. Os crentes são fiéis em Cristo (1.1), escolhidos nEle (1.4), recebem a graça nEle (1.6), têm a redenção nEle (1.7), são feitos herança nEle (1.11), são selados nEle (1.13) e assim por diante.[29] Foulkes tem razão quando diz que a vida do cristão está erguida acima das coisas passageiras. Ele está no mundo, mas também está no céu, pois não é limitado pelas coisas materiais que se dissipam. Vida, neste instante, se é vida em Cristo, é nas regiões celestes.[30]

O apóstolo Paulo, inspirado pelo Espírito Santo, fala da procedência trinitariana das bênçãos que a igreja recebe. Curtis Vaughan diz que, no texto grego, os versículos 3-14 constituem um sublime período, cujos elementos são entrelaçados e habilmente reunidos. A fim de auxiliar o leitor a não perder a conexão do pensamento, a versão King James põe um ponto final depois dos versículos 6, 12 e 14. De acordo com essa pontuação, lê-se em três estrofes o inspirado hino de Paulo. A primeira (v. 3-6) relaciona-se com o passado, tendo o misericordioso plano do Pai como centro. A segunda (v. 7-12) relaciona-se com o presente e gira em torno da obra redentora de Cristo. A terceira (13-14) aponta para a futura consumação da redenção e exalta o ministério do Espírito Santo.[31]

Bênçãos procedentes de Deus, o Pai (Ef 1.4-6)

As estrofes mencionadas no ponto anterior são relacionadas aos aspectos da redenção divina e, ao mesmo tempo, cada estrofe que termina com o estribilho *para o louvor da glória da Sua graça* (1.6), *para o*

---

[28] VAUGHAN, Curtis. *Efésios*, p. 21.
[29] VAUGHAN, Curtis. *Efésios*, p. 22.
[30] FOULKES, Francis. *Efésios: introdução e comentário*, p. 40.
[31] VAUGHAN, Curtis. *Efésios*, p. 19.

louvor da Sua glória (1.12) ou *em louvor da Sua glória* (1.14) nos traz os ensinamentos das bênçãos que a obra redentora de Deus nos oferece.

Vejamos, portanto, as bênçãos procedentes do Pai:

Em primeiro lugar, **Deus nos escolheu** (Ef 1.4). *Como também nos elegeu nEle, antes da fundação do mundo, para sermos santos e irrepreensíveis diante Ele*. A eleição é um ato da livre e soberana graça de Deus. Em momento algum Paulo trata da questão da eleição como um tema para discussões frívolas e acadêmicas. Ao contrário, ele entra nesse terreno com os pés descalços, com humildade e reverência. Ele abre esse assunto com doxologia e adoração, dizendo: "Bendito seja o Deus e Pai". A Bíblia nunca argumenta a doutrina da eleição; simplesmente a põe diante de nós. Francis Foulkes tem razão quando diz que a doutrina da eleição não é levantada como um assunto de controvérsia ou de especulação.[32]

Concordo com John Stott quando diz que a doutrina da eleição não foi inventada por Agostinho de Hipona nem por Calvino de Genebra. Pelo contrário, é, sem dúvida, uma doutrina bíblica, e nenhum cristão bíblico pode ignorá-la.[33] A Bíblia não só não discute o tema, mas nos proíbe de discutí-lo: *Ele* [Deus] *tem misericórdia de quem quer e endurece a quem quer. Então me dirás: Por que Deus se queixa ainda? Pois, quem pode resistir à Sua vontade? Mas quem és tu, ó homem, para argumentares com Deus? Por acaso a coisa formada dirá ao que a formou: Por que me fizeste assim?* (Rm 9.18-20).

Dr. Gambrell, presidente da Convenção Batista do Sul de 1917 a 1920, disse que grandes reavivamentos têm resultado da pregação heroica das doutrinas da graça, pois Deus honra a pregação que O honra. Diz ele: "Vamos trazer artilharia pesada do céu e trovejar contra essa nossa época presunçosa, como fizeram Whitefield, Edwards, Spurgeon e Paulo, e os mortos receberão vida em Cristo".

As provas bíblicas acerca da eleição divina são incontestáveis. Charles Spurgeon diz que, por meio dessa verdade da eleição, fazemos uma peregrinação ao passado e contemplamos pai após pai da igreja, mártir após

---

[32] FOULKES, Francis. *Efésios: introdução e comentário*, p. 40.
[33] STOTT, John. *A mensagem de Efésios*, p. 17.

mártir levantar-se e vir apertar nossa mão.[34] Se crermos nessa doutrina teremos atrás de nós uma nuvem de testemunhas: Jesus, os apóstolos, os mártires, os santos, os reformadores, os avivalistas, os missionários. Se crermos nessa doutrina estaremos acompanhados por Jesus, Pedro, João, Paulo, Agostinho, Crisóstomo, Lutero, Calvino, Zuínglio, John Knox, John Owen, Thomas Goodwin, Jonathan Edwards, George Whitefield, Charles Spurgeon, John Broadus, Martyn Lloyd-Jones, John Stott e tantos outros. Se crermos nessa doutrina teremos atrás de nós os grandes credos e confissões reformadas. Se crermos nessa doutrina teremos ao nosso lado o testemunho das Escrituras e da história da igreja.

Paulo fala sobre vários aspectos da eleição em *O autor da eleição*. Deus, o Pai, é o autor da eleição. Não fomos nós quem escolhemos a Deus; foi Ele quem nos escolheu (2Ts 2.13; Jo 15.16). Os pecadores perdidos, entregues a si mesmos, não procuram a Deus (Rm 3.10,11); Deus, em Seu amor, é quem procura os pecadores (Lc 19.10). Deus não nos escolheu porque previu que creríamos em Jesus; Ele nos escolheu para crermos em Jesus (At 13.48). Deus não nos escolheu por causa da nossa santidade, mas para sermos santos e irrepreensíveis (1.4). Deus não nos escolheu por causa das nossas boas obras, mas para as boas obras (2.10). Deus não nos escolheu por causa da nossa obediência, mas para a obediência (1Pe 1.2). A fé, a santidade, as boas obras e a obediência não são a causa, mas o resultado da eleição. A causa da eleição divina não está no objeto amado, mas nAquele que ama. Deus nos escolheu não por causa dos nossos méritos, mas apesar dos nossos deméritos. A eleição divina é incondicional.

O tempo da eleição (1.4). Spurgeon dizia que enquanto não recuarmos até ao tempo em que o universo inteiro dormia na mente de Deus como algo que ainda não havia nascido, enquanto não penetrarmos na eternidade em que Deus, o Criador, vivia na comunhão da Trindade, quando tudo ainda dormia dentro dEle, quando a criação inteira repousava em seu pensamento todo abrangente e gigantesco, não teremos nem começado a sondar o princípio, o momento em que Deus nos escolheu. Deus nos escolheu quando o espaço celeste não era ainda agitado pelo

---

[34] SPURGEON, Charles Haddon. *Eleição*. São Paulo: Fiel, 1987, p. 7,8.

marulhar das asas de um único anjo, quando ainda não existia qualquer ser, ou movimento, ou tempo, e quando coisa alguma nem ser nenhum, exceto o próprio Deus, existia, e Ele estava sozinho na eternidade.³⁵

A eleição divina não foi um plano de última hora porque o primeiro plano de Deus fracassou. O pecado de Adão não pegou Deus de surpresa. Deus não ficou roendo as unhas com medo de o homem estragar tudo no Éden. Deus planejou a nossa salvação antes mesmo de lançar os fundamentos da terra. Antes que houvesse céu e terra, Deus já havia decidido nos escolher em Cristo para a salvação. Ele nos escolheu antes dos tempos eternos (2Tm 1.9). Ele nos escolheu desde o princípio para a salvação (2Ts 2.13). Ele nos escolheu antes da fundação do mundo (1.4).

Esse plano jamais foi frustrado nem anulado. Mesmo diante da nossa rebeldia e transgressão, o plano de Deus permanece intato e vitorioso. Paulo diz: *E os que predestinou, a eles também chamou; e os que chamou, a eles também justificou; e os que justificou, a eles também glorificou* (Rm 8.30).

Nenhum problema neste mundo ou no mundo por vir pode cancelar essa eleição divina. Paulo pergunta: *Quem trará alguma acusação contra os escolhidos de Deus? É Deus quem os justifica; quem os condenará? Cristo Jesus é quem morreu, ou, pelo contrário, quem ressuscitou dentre os mortos, o qual está à direita de Deus e também intercede por nós* (Rm 8.33,34). O apóstolo ainda diz: *Aquele que começou a boa obra em vós irá aperfeiçoá-la até o dia de Cristo Jesus* (Fp 1.6). Nossa vida está segura nas mãos de Jesus, e das Suas mãos ninguém pode nos tirar (Jo 10.28).

O agente da eleição (1.4). Deus nos escolheu em Cristo. A eleição não anula a cruz de Cristo; antes, a inclui. Não somos salvos à parte de Cristo e de Seu sacrifício vicário, mas através de Sua morte substitutiva. A eleição é o fundamento e a raiz de todas as bênçãos subsequentes.³⁶ Deus não nos escolheu em nós mesmos, por nossos méritos, mas em Cristo. À parte de Cristo não existe eleição. Todas as bênçãos espirituais que recebemos estão centralizadas em Cristo. Ninguém pode se

---

³⁵SPURGEON, Charles Haddon. *Eleição*, p. 22.
³⁶HENDRIKSEN, William. *Efésios*, p. 97.

considerar um eleito de Deus mantendo-se ainda rebelde a Cristo.

O objeto da eleição (1.4). "[Deus] *nos* elegeu" (grifo do autor). Isso prova que a salvação não é universalista. Paulo está escrevendo aos crentes (1.1) e aos santos e irrepreensíveis (1.4). Esse "nos" refere-se a todos os homens sem distinção (etnia, cultura, religião), mas não a todos os homens sem exceção. Karl Barth afirma erroneamente que, em conexão com Cristo, todos os homens, sem exceção, são eleitos e que a distinção básica não é entre eleitos e não eleitos e, sim, entre os que têm consciência de sua eleição e os que não a têm.[37]

O propósito da eleição. Deus nos escolheu em Cristo para *sermos santos e irrepreensíveis* (1.4). A santidade e a irrepreensibilidade são o propósito de Deus na eleição. Nenhuma pessoa deve considerar-se eleita de Deus se não vive em santidade. A santificação não é a causa, mas a prova da nossa eleição. A eleição é a raiz da salvação, não seu fruto! Vejamos com mais detalhe os propósitos da eleição.

A santidade (1.4). Enganam-se aqueles que pensam que a doutrina da eleição promove e estimula uma vida relaxada. Somos eleitos para a santidade, e não para o pecado. Somos salvos do pecado, e não no pecado. Jesus se manifestou para desfazer as obras do diabo (1Jo 3.8). Uma pessoa que se diz segura de sua salvação e não vive em santidade está provando que não é eleita. A Bíblia diz que devemos confirmar a nossa eleição. William Barclay afirma corretamente que a palavra grega *hagios*, "santo", contém sempre a ideia de diferença e de separação. Algo que é *hagios* é diferente das coisas ordinárias. Um templo é santo porque é diferente dos demais edifícios. Um sacerdote é santo porque é diferente do homem comum; uma vítima é santa porque é diferente dos demais animais; o dia do repouso é santo porque é diferente dos demais dias. Deus é santo por excelência porque é diferente dos homens. Assim, Deus escolhe o cristão para que seja diferente dos demais homens.[38]

Muitos, para sua própria ruína, pervertem a doutrina da eleição quando afirmam "Sou um eleito de Deus" mas se assentam no ócio e praticam a iniquidade com ambas as mãos. F. F. Bruce comenta com

---

[37]HENDRIKSEN, William. *Efésios*, p. 96,97.
[38]BARCLAY, William. *Galatas y Efesios*, p. 83.

sabedoria: "O amor de Deus que nos predestina é recomendado mais por aqueles que levam vida santa e semelhante à de Cristo do que por aqueles cuja tentativa de desembaraçar o mistério termina em disputas sobre questões irrelevantes de lógica".

Aqueles que não são santos não podem ter comunhão com Deus nem jamais verão a Deus. No céu, só entrarão os santos. Uma pessoa que não ama a santidade não suportaria o céu.

Spurgeon argumenta: por que você reclama da eleição divina? Você quer ser santo? Então você é um eleito. Mas se você diz que não quer ser santo nem viver uma vida piedosa, por que você reclama por não ter recebido aquilo que não deseja? Curtis Vaughan cita a conhecida advertência de Spurgeon aos seus ouvintes:

> Ninguém poderá julgar-se eleito de Deus a menos que tenha a convicção de estar em Cristo. Não imagineis que alguma espécie de decreto firmado no mistério da eternidade salve as vossas almas, a menos que creais em Cristo. Não imagineis que sereis salvos mesmo que não tenhais fé. Essa é a mais abominável e maldita heresia que tem arruinado milhares. Não tomeis a eleição divina como uma espécie de travesseiro para dormirdes sossegado, porque podereis perder-vos.[39]

A irrepreensibilidade (1.4). A palavra grega *amomos*, "irrepreensível", é a palavra veterotestamentária para um sacrifício imaculado.[40] Essa palavra quer dizer "sem qualquer espécie de mancha". Era a palavra usada para um animal apto para o sacrifício perfeito. William Barclay diz corretamente que a palavra *amomos* concebe toda a vida e todo o homem como uma oferenda a Deus. Cada parte da nossa vida, nosso trabalho, nosso lazer, nossa vida familiar, nossas relações pessoais deve fazer parte da nossa oferenda a Deus.[41]

A eleição tem como alvo nos levar a uma vida limpa, pura, santa. Somos a noiva do Cordeiro que está se adornando para Ele. Não somos escolhidos para viver na lama, mas para viver como luzeiros do mundo

---

[39] VAUGHAN, Curtis. *Efésios*, p. 25
[40] STOTT, John. *A mensagem de Efésios*, p. 18.
[41] BARCLAY, William. *Galatas y Efesios*, p. 84.

e apresentar-nos a Jesus como a noiva pura, santa e sem defeito (5.27).

A comunhão com Deus (1.5). *E nos predestinou para si mesmo.* Deus nos predestinou para Ele, para vivermos diante dEle. Deus não nos escolheu para vivermos longe dEle, sem intimidade com Ele, sem comunhão com Ele. Fomos eleitos para Deus, para andarmos com Deus, para nos deleitarmos em Deus. Ele é a nossa fonte de prazer. Ele é o amado da nossa alma. Na presença dEle é que encontramos plenitude de alegria (Sl 16.11).

Podemos concluir dizendo que a doutrina da eleição é uma revelação divina, e não uma especulação humana; ela é um incentivo à santidade, e não uma desculpa para o pecado; é um estímulo à humildade, e não um motivo para o orgulho; é um encorajamento à evangelização, e não uma razão para o descuido missionário.

Em segundo lugar, **Deus nos adotou** (1.5b). *Segundo a boa determinação de Sua vontade, para sermos filhos adotivos por meio de Jesus Cristo.* No mundo romano, a família baseava-se no regime *patria potestas,* ou seja, o poder do pai. Sob a lei romana, o pai possuía poder absoluto sobre seus filhos enquanto estes vivessem. Podia vendê-los, escravizá-los e até mesmo matá-los. O pai tinha direito de vida e de morte sobre os filhos. A adoção consistia em passar de um *patria potestas* para outro. O filho adotivo ganhava uma nova família, passava a usar o nome do novo pai e herdava seus bens. Essa adoção apagava o passado e iniciava uma nova relação.[42] Deus escolheu-nos e destinou-nos para sermos membros de Sua própria família. A eleição da graça outorga a nós não apenas um novo nome, um novo *status* legal e uma nova relação familiar, mas também uma nova imagem, a imagem de Cristo (Rm 8.29).

A adoção é algo lindo. Um filho natural pode vir quando os pais não esperam ou até mesmo quando não querem ou ainda não se sentem preparados. Mas a adoção é um ato consciente, deliberado e resoluto de amor. É uma escolha voluntária. Na lei romana, os filhos adotivos desfrutavam dos mesmos direitos dos filhos legítimos. Um filho adotivo recebe o nome da nova família e torna-se herdeiro natural dessa

---

[42] BARCLAY, William. *Galatas y Efesios,* p. 85,86.

família. Somos filhos de Deus. Recebemos um novo nome, uma nova herança. Francis Foulkes tem razão quando afirma que um filho adotado deve sua posição à graça, e não ao direito.[43] Deus nos predestinou para sermos conformes à imagem de Seu Filho (Rm 8.29). O interesse divino é que sejamos transformados em réplicas, imagens de Jesus Cristo e retratos vivos dEle.[44]

Mas somos ainda filhos gerados por Deus. Somos nascidos do alto, de cima, do céu, do Espírito. Somos coparticipantes da natureza divina. Deus nos escolheu para vivermos como filhos amados. *O próprio Espírito dá testemunho ao nosso espírito de que somos filhos de Deus* (Rm 8.16).

Em terceiro lugar, **Deus nos aceitou** (1.6). *Para o louvor da glória da Sua graça, que nos deu gratuitamente no Amado*. Não podemos fazer a nós mesmos aceitáveis a Deus. Nossa justiça é como trapo de imundícia aos seus olhos. Mas Ele, por Sua graça, fez-nos aceitáveis em Cristo. "Cristo habita para sempre no amor infinito de Deus, e como estamos em Cristo, o amor de Deus para com Cristo está em nós de uma maneira maravilhosa."[45] Quando o filho pródigo chegou em casa com as vestes rasgadas e sujas da lama do chiqueiro, seu pai o abraçou e o beijou e lhe deu nova roupagem! Ele se tornou aceitável ao pai. É como se alguém tomasse um leproso e o transformasse num jovem radiante.[46]

Bênçãos procedentes de Deus, o Filho (1.7-12)

Todas as bênçãos que recebemos do Pai, recebemo-las em Cristo. Somos abençoados nEle. Paulo destaca quatro bênçãos gloriosas procedentes de Jesus Cristo. Aqui a atenção é desviada do céu para a terra, do passado para o presente e, em certo sentido, do Pai para o Filho:[47]

Em primeiro lugar, **Jesus nos redimiu** (1.7a). *Nele temos a redenção, [...] pelo Seu sangue*. William Barclay diz que a palavra *apolytrosis*,

---

[43] FOULKES, Francis. *Efésios: introdução e comentário*, p. 41.
[44] SHEDD, Russell. *Tão grande salvação*, p. 15.
[45] FOULKES, Francis. *Efésios: introdução e comentário*, p. 42.
[46] FOULKES, Francis. *Efésios: introdução e comentário*, p. 42.
[47] HENDRIKSEN, William. *Efésios*, p. 104.

"redimir", era usada para o resgate do homem feito prisioneiro de guerra ou escravo. Ela aplica-se também à libertação do homem da pena de morte merecida por algum crime. É a palavra que se usa para se referir à libertação divina dos filhos de Israel da escravidão do Egito, assim como o resgate contínuo do povo eleito em tempo de tribulação. Em cada caso, o homem é redimido e libertado de uma situação de que era incapaz de se libertar por si mesmo ou de uma dívida que jamais poderia pagar por seus próprios meios.[48]

A palavra *redimir* quer dizer "comprar e deixar livre mediante pagamento de um preço". Foulkes diz que a ideia fundamental de "redenção" é de tornar livre uma coisa ou pessoa que se tornara propriedade de outrem.[49] Na época de Paulo, o Império Romano tinha cerca de 60 milhões de escravos, e eles, geralmente, eram vendidos como uma peça de mobília. Mas um homem podia comprar um escravo e dar-lhe liberdade. Foi isso que Cristo fez por nós.[50] O preço da nossa redenção foi o Seu sangue (1.7; 1Pe 1.18,19). Isso quer dizer que estamos livres da lei (Gl 5.1), da escravidão do pecado (Rm 6.1), do mundo (Gl 1.4) e do poder de satanás (Cl 1.13,14).

Em segundo lugar, **Jesus Cristo nos perdoou** (1.7b). *O perdão dos nossos pecados* [...], *segundo a riqueza da Sua graça*. O verbo *perdoar* quer dizer "levar embora". Cristo morreu para levar nossos pecados embora a fim de que nunca mais sejam vistos. Não há qualquer acusação registrada contra nós, pois nossos pecados foram levados embora.[51] O nosso perdão é baseado no sacrifício expiatório de Cristo. O perdão de Cristo é completo. Ele morreu para remover a culpa do nosso pecado. Ele é o Cordeiro que tira o pecado do mundo (Jo 1.29). Agora nenhuma acusação pode prosperar contra nós, porque Cristo já rasgou o escrito de dívida que era contra nós (Cl 2.14). Ele perdoou-nos, e dos nossos pecados jamais se lembra. O perdão de Cristo é imerecido, imediato e completo.

---

[48]BARCLAY, William. *Galatas y Efesios*, p. 87.
[49]FOULKES, Francis. *Efésios: introdução e comentário*, p. 43.
[50]WIERSBE, Warren W. *Comentário bíblico expositivo*, p. 13.
[51]WIERSBE, Warren W. *Comentário bíblico expositivo*, p. 13.

Em terceiro lugar, ***Jesus Cristo nos revelou a vontade de Deus*** (1.8-10). O apóstolo Paulo escreve:

> *Que Ele [Deus] fez multiplicar-se para conosco em toda sabedoria e prudência. E fez com que conhecêssemos o mistério da sua vontade, segundo a Sua boa determinação, que nEle [Cristo] propôs para a dispensação da plenitude dos tempos, de fazer convergir em Cristo todas as coisas, tanto as que estão no céu como as que estão na terra* (1.8-10).

Deus não apenas recebe e perdoa àqueles que Ele reconciliou consigo mesmo como filhos; Ele também os ilumina com a compreensão do Seu propósito. Sua graça é derramada sobre nós em toda a sabedoria e prudência (1.8). A palavra grega *sophia*, "sabedoria", é o conhecimento que olha para o coração das coisas, que as conhece tal como realmente são, e *phronesis*, "prudência", é a compreensão que leva a agir corretamente.[52] Como William Barclay diz: "Cristo outorga aos homens a habilidade de ver as grandes venturas da eternidade e de resolver os problemas de cada instante". Os homens têm essa sabedoria e prudência porque Deus revela o mistério da Sua vontade. Esse mistério é a maneira pela qual Deus traz a uma unidade restaurada o universo inteiro, que se tornara desordenado devido à rebelião e ao pecado do homem.[53]

O pecado separou o homem de Deus, do próximo, de si mesmo e da própria natureza. O pecado desintegra, rasga e separa todas as coisas; mas, em Cristo, Deus juntará todas as coisas na consumação dos séculos. Nós somos parte desse grande plano de Deus. John Mackay tem razão quando diz que Deus constituiu a Jesus Cristo como centro unificador de um vasto esquema de unidade por meio do qual as ordens celestes e terrestres, separadas como estão agora por um grande abismo entre o sobrenatural e o natural e pelo abismo ainda maior do santo e do pecaminoso, serão de novo reunidas em uma única e unida comunidade.[54]

Francis Foulkes diz que a palavra grega *anakephalaiosasthai*, "fazer convergir", era usada no sentido de juntar várias coisas e apresentá-las

---

[52]FOULKES, Francis. *Efésios: introdução e comentário*, p. 44.
[53]FOULKES, Francis. *Efésios: introdução e comentário*, p. 44.
[54]MACKAY, John. *A ordem de Deus e a desordem do homem*, p. 55.

como uma só.⁵⁵ O plano de Deus para a plenitude dos tempos, quando o tempo voltar a fundir-se na eternidade, é fazer convergir nEle (em Cristo) todas as coisas, tanto as do céu como as da terra (1.10). No tempo presente, ainda há discórdia no universo, mas, na plenitude do tempo, esta cessará, e aquela unidade pela qual ansiamos virá com o domínio de Jesus Cristo.⁵⁶

Uma grande questão deve ser aqui levantada. Quais são essas "todas as coisas" que convergirão em Cristo e estarão debaixo de Cristo como cabeça? Será que Paulo estaria insinuando uma salvação universal? Não, absolutamente não. Com certeza, elas incluem os cristãos vivos e os cristãos mortos, a igreja na terra e a igreja no céu. Ou seja, os que estão *em* Cristo agora (1.1) e que *em Cristo* receberam bênção (1.3), eleição (1.4), adoção (1.5), graça (1.6) e redenção (1.7). Parece também que Paulo está se referindo à renovação cósmica, à regeneração do universo, à libertação da criação que geme.⁵⁷ Por essa razão, Francis Foulkes diz que é uma heresia de nossa época dividir a vida em sagrada e secular. Cristo está relacionado com todas as coisas, e todas acharão seu verdadeiro lugar e unidade nEle.⁵⁸

Em quarto lugar, **Jesus Cristo nos fez herança** (1.11,12). *Nele também fomos feitos herança, predestinados conforme o propósito dAquele que faz todas as coisas segundo o desígnio da Sua vontade, a fim de sermos para o louvor da Sua glória, nós, os que antes havíamos esperado em Cristo*. Em Cristo, temos uma linda herança (1Pe 1.1-4) e também somos uma herança. Aqueles que são porção de Deus têm Sua herança nEle.⁵⁹ Somos valiosos nEle. Pense no preço que Deus pagou por você para que fosse herança dEle. Deus, o Filho, é o dom de Deus, o Pai, para nós. E somos o dom do amor de Deus para o Filho. Somos a herança de Deus, o corpo de Cristo, o seu edifício, a sua noiva, a menina dos olhos de Deus, a delícia de Deus. O povo de Deus são os santos de Deus (1.1), a herança de Deus (1.11) e a possessão de Deus (1.14).

---

⁵⁵FOULKES, Francis. *Efésios: introdução e comentário*, p. 45.
⁵⁶STOTT, John. *A mensagem de Efésios*, p. 20,21.
⁵⁷STOTT, John. *A mensagem de Efésios*, p. 22,23.
⁵⁸FOULKES, Francis. *Efésios: introdução e comentário*, p. 46.
⁵⁹FOULKES, Francis. *Efésios: introdução e comentário*, p. 46.

Bênçãos procedentes de Deus, o Espírito Santo (1.13,14)

Movemo-nos da eternidade passada (1.4-6) e da história passada (1.7-12) para a experiência imediata e a expectativa futura dos crentes (1.13,14).[60] O apóstolo Paulo destaca duas bênçãos gloriosas procedentes do Espírito Santo: selo e garantia.

Em primeiro lugar, *temos o selo do Espírito Santo* (1.13). "Nele, também vós, tendo ouvido a palavra da verdade, o evangelho da vossa salvação, e nEle também crido, fostes selados com o Espírito Santo da promessa." O Espírito Santo selou-nos. O processo inteiro da salvação é ensinado nesse versículo. Ele mostra como um pecador torna-se santo: ele ouve o evangelho da salvação, como Cristo morreu pelos seus pecados e ressuscitou; ele crê com a fé que traz a salvação e, depois, é selado com o Espírito Santo. Você recebe o Espírito Santo imediatamente após confiar em Cristo.

O que representa o selo do Espírito? William Hendriksen fala de três funções do selo: garantir o caráter autêntico de um documento (Et 3.12), marcar uma propriedade (Ct 8.6) e proteger contra violação e dano (Mt 27.66).[61] Warren Wiersbe ainda fala sobre quatro aspectos da selagem do Espírito.[62]

1. *O selo fala de uma transação comercial consumada.* Até hoje, quando documentos legais importantes são tramitados, recebem um selo oficial para indicar a conclusão da transação. Jesus consumou Sua obra de redenção na cruz. Ele comprou-nos com Seu sangue. Somos propriedade exclusiva dEle. Portanto, fomos selados como garantia dessa transação final. Os compradores de madeira em Éfeso colocavam o selo na madeira e, depois, enviavam seus mercadores para buscá-la.
2. *O selo fala de um direito de posse.* Francis Foulkes diz que, no mundo antigo, o selo representava o símbolo pessoal do proprietário ou do remetente de alguma coisa importante, e, por isso, tal como numa carta, distinguia o que era verdadeiro do que era espúrio. Era

---

[60] WIERSBE, Warren W. *Comentário bíblico expositivo*, p. 14.
[61] HENDRIKSEN, William. *Efésios*, p. 116.
[62] WIERSBE, Warren W. *Comentário bíblico expositivo*, p. 14,15.

também a garantia de que o objeto selado havia sido transportado intato.[63] Deus pôs o Seu selo sobre nós porque nos comprou para sermos sua propriedade exclusiva (1Co 6.19,20; 1Pe 2.9). John Stott diz que o selo é uma marca de possessão e de autenticidade. O gado e até mesmo os escravos eram marcados com um selo por seus donos a fim de indicar a quem pertenciam. Mas tais selos eram externos, ao passo que o de Deus está no coração. Deus põe Seu Espírito no interior de Seu povo a fim de marcá-lo como sua propriedade.[64]

3. *O selo fala de segurança e proteção.* O selo romano sobre a tumba de Jesus era a garantia de que ele não seria violado (Mt 27.62-66). Assim o crente pertence a Deus. O Espírito foi-nos dado para estar para sempre conosco. Ele jamais nos deixará.
4. *O selo fala de autenticidade.* O selo, bem como a assinatura do dono, atesta a genuinidade do documento. O apóstolo Paulo diz: *Se alguém não tem o Espírito de Cristo, não pertence a Cristo* (Rm 8.9).

Em segundo lugar, **temos a garantia do Espírito Santo** (1.14). *Que é a garantia da nossa herança, para a redenção da propriedade de Deus, para o louvor da Sua glória.* O apóstolo Paulo também falou do Espírito Santo como garantia. O Espírito Santo nos foi dado como garantia. A palavra grega *arrabon*, de origem hebraica, entrou no uso da língua grega provavelmente por intermédio dos fenícios. Era usada no grego moderno tanto para aliança como para a primeira prestação, depósito, entrada.[65]

William Barclay diz que, no grego clássico, *arrabon* significava o sinal em dinheiro que um comerciante tinha de depositar com antecedência ao fechar um contrato, dinheiro que perderia caso a operação não se consumasse.[66] A palavra *garantia*, portanto, representa a primeira parcela de um pagamento, a garantia de que o pagamento integral será efetuado. O Espírito Santo é o primeiro pagamento que garante aos

---

[63] FOULKES, Francis. *Efésios: introdução e comentário*, p. 48.
[64] STOTT, John. *A mensagem de Efésios*, p. 26.
[65] STOTT, John. *A mensagem de Efésios*, p. 27.
[66] BARCLAY, William. *Palabras Griegas Del Nuevo Testamento*. Argentina: Casa Bautista de Publicaciones, 1977, p. 45.

filhos de Deus que Ele terminará Sua obra em nós, levando-nos para a glória (Rm 8.18-23; 1Jo 3.1-3). Vale ressaltar que a coisa dada está relacionada com a coisa garantida – o presente com o futuro – da mesma forma que a parte está relacionada com o todo. É de tipo igual. Assim, a vida espiritual do cristão hoje é do mesmo tipo que sua futura vida glorificada; o reino dos céus é um reino presente; o crente já está assentado com Cristo nas regiões celestes. O dom presente do Espírito é só uma pequena fração do dom futuro.[67]

William Barclay tem razão quando diz que a experiência do Espírito Santo que temos neste mundo é uma antecipação das alegrias e bênçãos do céu.[68] Assim, a garantia, ou primeira parcela, é a comprovação da glória por vir, glória que não se manifestará apenas quando a alma e o corpo se separarem, mas também, e especialmente, na grande consumação de todas as coisas, na segunda vinda de Cristo.[69]

A redenção tem três estágios: fomos redimidos – justificação (1.7); estamos sendo redimidos – santificação (Rm 8.1-4) e seremos redimidos – glorificação (1.14). A palavra *garantia*, como dissemos, tem também o sentido de anel de noivado, de compromisso.[70] É a garantia de que a promessa de fidelidade será guardada. Nossa relação com Deus é uma relação de amor. Jesus é o noivo, e a Sua igreja é a noiva.

Todas essas riquezas vêm pela graça de Deus e são para a glória de Deus. Toda a obra do Pai (1.6), do Filho (1.12) e do Espírito Santo (1.13,14) tem uma fonte (a graça) e um propósito (a glória de Deus). O nosso fim principal é glorificar a Deus, e o fim principal de Deus é glorificar a si mesmo.

---

[67] TAYLOR, Willard H. *A epístola aos Efésios*, p. 128.
[68] BARCLAY, William. *Gálatas y Efesios*, p. 94.
[69] HENDRIKSEN, William. *Efésios*, p. 117.
[70] FOULKES, Francis. *Efésios: introdução e comentário*, p. 49.

2

A igreja de Deus, o povo mais poderoso do mundo

Efésios 1.15-23

AS ORAÇÕES DE PAULO SÃO O PONTO CULMINANTE da sua teologia. A oração é o índice do seu senso de valores. Ela é o espelho da vida interior.[1] Em Efésios 1.1-14, Paulo mostra-nos que somos o povo mais rico do mundo. Mas, agora, ele pede para Deus abrir o nosso entendimento a fim de que saibamos que somos o povo mais poderoso do mundo. Ele começa com uma grande bênção (1.1-14) e continua com uma grande intercessão (1.15-23).[2]

Em suas orações na prisão (1.15-23; 3.14-21; Fp 1.9-11; Cl 1.9-12), Paulo menciona as bênçãos que deseja que os crentes conheçam. Em nenhuma das orações, Paulo pede bênçãos materiais. Há dois extremos em relação à questão das bênçãos de Deus: primeiro, alguns cristãos apenas oram em favor de novas bênçãos espirituais, aparentemente ignorando o fato de que Deus já os abençoou em Cristo com toda sorte de bênção. Segundo, outros ficam negligentes e não demonstram vontade de conhecer nem de experimentar com maior profundidade seus privilégios cristãos.[3]

---

[1] Vaughan, Curtis. *Efésios*, p. 36.
[2] Stott, John. *A mensagem de Efésios*, p. 29.
[3] Stott, John. *A mensagem de Efésios*, p. 29.

Paulo não pede o que não temos, mas pede que Deus abra os olhos do nosso coração para sabermos o que já temos. John Stott está coberto de razão quando escreve: "A fé vai além da razão, mas baseia-se nela. O conhecimento é a escada através da qual a fé sobe mais alto, é o trampolim de onde pula mais longe".[4] A palavra grega usada por Paulo, *epignosis*, "conhecimento", deve ser distinguida de *gnosis*, cuja tradução também é "conhecimento". A palavra composta *epignosis* é uma amplitude de *gnosis*, denotando um conhecimento mais amplo e mais completo. Esse conhecimento pleno é aquele que advém de intimidade experimental. É mais do que conhecimento acadêmico e teórico. É pessoal.[5]

Paulo ora para que a igreja tenha **discernimento espiritual**

O apóstolo faz um duplo pedido em sua oração:

Em primeiro lugar, *ele pede Espírito de sabedoria* (1.17). *Para que o Deus de nosso Senhor Jesus Cristo, o Pai da glória, vos dê o espírito de sabedoria*. Aristóteles definia *sofia*, "sabedoria", como o conhecimento das coisas mais preciosas. Cícero, como o conhecimento das coisas humanas e divinas. A sabedoria é a resposta aos problemas eternos da vida e da morte, de Deus e do homem, do tempo e da eternidade.[6] Sabedoria é o conhecimento iluminado por Deus. A mente natural não consegue discernir as coisas espirituais. Somos como Geazi; só vemos com os olhos da carne, mas não com os olhos espirituais. Sabedoria é olhar para a vida com os olhos de Deus. É ver a vida como Deus a vê. Sabedoria não é sinônimo de conhecimento. Há muitas pessoas que têm conhecimento, mas são tolas. A sabedoria é o uso correto do conhecimento. Russell Shedd entende que sabedoria representa olhar para a vida com os olhos de Deus e perceber o que Ele está fazendo, para, depois, envolver-se nisso.[7]

Em segundo lugar, *ele pede Espírito de revelação* (1.17b). *[...] e de revelação no pleno conhecimento dEle*. Só o Espírito de Deus pode abrir

---
[4] STOTT, John. *A mensagem de Efésios*, p. 42.
[5] TAYLOR, Willard H. *A epístola aos Efésios*, p. 130.
[6] BARCLAY, William. *Galatas y Efesios*, p. 88.
[7] SHEDD, Russell. *Tão grande salvação*, p. 25.

as cortinas da nossa alma para que entendamos as riquezas de Deus. Paulo não fala aqui da prática de buscar novas revelações à parte das Escrituras. Ele não está falando que os crentes devem buscar outra fonte de conhecimento da vontade de Deus além das Escrituras. Espírito de revelação, segundo Russell Shedd, quer dizer a visão de todas as coisas, não apenas deste mundo que está desaparecendo, segundo Paulo (1Co 7.31), mas a visão dos valores tal como eles são traduzidos no céu.[8] John Rockefeller foi o primeiro bilionário do mundo. Por muitos anos, ele viveu comendo apenas bolachas de água e sal e tomando leite por causa de sua enfermidade e preocupação com as posses. Ele raramente tinha uma boa noite de sono. Era rico, mas miserável. Quando ele começou a distribuir sua riqueza com outros em obras de filantropia e permitiu que outros fossem abençoados com sua riqueza, curou-se e viveu até alcançar uma ditosa velhice.

Paulo ora para que a igreja **conheça a Deus plenamente** (1.17)

Uma coisa é conhecer a respeito de Deus; outra, bem diferente, é conhecer a Deus. O ateu diz que não há Deus para se conhecer. O agnóstico diz que, se há Deus, Ele não pode ser conhecido. Mas Paulo encontrou Deus na pessoa de Jesus e entendeu que o homem não pode conhecer nem a si mesmo sem o verdadeiro conhecimento de Deus. O conhecimento de Deus é a própria essência da vida eterna. Conhecer a Deus pessoalmente é salvação (Jo 17.3). Conhecer a Deus progressivamente é santificação (Os 6.3). Conhecer a Deus perfeitamente é glorificação (1Co 13.9-12).[9] Paulo reúne três grandes verdades que deseja que os crentes saibam. Elas referem-se ao chamamento, à herança e ao poder de Deus.

A esperança do chamamento de Deus (1.18)

Paulo escreve: *Iluminados os olhos do vosso coração, para que saibais qual é a esperança do chamamento* (1.18a). O mundo antigo era um mundo sem

---

[8] Russell Shedd. *Tão grande salvação*, p. 26.
[9] Wiersbe, Warren W. *Comentário bíblico expositivo*, p. 18.

esperança (2.12). Dizia uma expressão popular: "Nunca ter nascido é a maior felicidade; a segunda, é morrer ao nascer".[10] Para os crentes, contudo, o futuro era glorioso: pois Deus Pai nos escolheu e nos adotou; Deus Filho nos redimiu e nos perdoou, e Deus Espírito Santo nos selou e nos deu Sua garantia. O futuro não era mais algo que se devia temer ou que se devia aceitar com resignação. Deveria, agora, ser encarado com anelo e segurança.

Paulo ora para que a igreja venha a conhecer e a experimentar essa gloriosa esperança. Ele ora para que a igreja possa usufruir toda sua riqueza espiritual. Deus chamou-nos a alguma coisa e para alguma coisa. Deus chamou-nos para sermos de Jesus Cristo e para a santidade. Deus chamou-nos para a liberdade e para a paz. Deus chamou-nos para o sofrimento e para o Seu reino de glória. Tudo isso estava na mente de Deus quando nos chamou.[11] Concordo com Francis Foulkes quando ele diz que essa esperança não é apenas um vago e melancólico anseio pelo triunfo da bondade, mas algo garantido pela possessão presente do Espírito como garantia.[12]

A glória da herança de Deus (1.18)

John Stott é de opinião que a expressão grega *Quais são as riquezas da glória da Sua herança nos santos* (1.18b) pode se referir tanto à herança de Deus como à nossa herança, ou seja, à herança que Ele recebe ou à herança que Ele outorga.[13] Francis Foulkes diz que alguns interpretam essa declaração com o sentido de aquilo que Deus possui em Seus santos. Eles são "a porção do Senhor", como o versículo 11 mostrou. Mas essa ideia dificilmente se encaixa a este contexto.[14] Meu entendimento é que Paulo está falando que Deus é a nossa herança. Salmo 16.5 diz que Deus é a nossa herança. Mas, agora, Paulo diz que nós somos a herança de Deus. Aqui não é a herança que Deus outorga, mas a herança que Ele

---

[10] VAUGHAN, Curtis. *Efésios*, p. 40.
[11] STOTT, John. *A mensagem de Efésios*, p. 33.
[12] FOULKES, Francis. *Efésios: introdução e comentário*, p. 53.
[13] STOTT, John. *A mensagem de Efésios*, p. 33.
[14] FOULKES, Francis. *Efésios: introdução e comentário*, p. 53.

recebe. Essa frase não se refere à nossa herança em Cristo (1.11), mas à Sua herança em nós. Essa é uma tremenda verdade. Deus olha para nós e vê em nós Sua gloriosa riqueza, Sua preciosa herança. Jesus verá o fruto do seu penoso trabalho e ficará satisfeito (Is 53.11). Paulo expressa, aqui, o desejo de que os crentes compreendam quão preciosos eles são para Deus. Eles são o troféu da graça de Deus. O tesouro deles está em Deus, e, num sentido bem verdadeiro, o tesouro de Deus está nos santos.[15]

Paulo ora para que os crentes possam entender quão preciosos eles são para Deus. Somos a igreja que Deus comprou com o sangue de Seu amado Filho (At 20.28). Somos a noiva do Filho de Deus. O Senhor escolheu-nos para sermos a Sua porção eterna. Ele nos fez troféus da Sua graça e monumentos para a Sua glória.

Se o chamamento aponta para o passado, a herança aponta para o futuro. Nós somos a riqueza de Deus, o presente de Deus, o tesouro de Deus, a menina dos olhos de Deus. Somos filhos, herdeiros, coerdeiros, santuários, ovelhas e a delícia de Deus.

A grandeza do poder de Deus (1.19-23)

Se o chamamento de Deus olha para o passado e a herança, para o futuro, o poder de Deus olha para o presente.[16] Paulo enfatiza o poder de Deus usando quatro palavras distintas para a palavra *poder* no versículo 19: *E qual é a suprema grandeza do Seu poder para conosco, os que cremos, segundo a atuação da força do Seu poder*: 1) *dunamis* – traz a ideia de uma dinamite, um poder irresistível; 2) *energeia* – o poder que trabalha como uma energia; 3) *kratos* – poder ou força exercida; 4) *ischus* – poder, grande força inerente.[17] Paulo faz uso dessas quatro palavras para enfatizar a plenitude e a certeza desse poder. Esse poder é tão tremendo que é o mesmo que Deus exerceu para ressuscitar Seu Filho.

O poder de Deus que está à nossa disposição é visto em três eventos sucessivos: a ressurreição de Cristo (1.20a); a ascensão e entronização de Cristo (1.20b,21); o senhorio de Cristo sobre a igreja e o universo (1.22,23).

---

[15] VAUGHAN, Curtis. *Efésios*, p. 42.
[16] STOTT, John. *A mensagem de Efésios*, p. 34.
[17] HENDRIKSEN, William. *Efésios*, p. 127.

Qual é a medida do poder de Deus? Algo do superlativo desse poder é ressaltado pelo notável acúmulo de termos: "suprema grandeza do Seu poder", "atuação", "força", "poder" (1.19). Essa abundância de palavras sugere a ideia de poder cuja simples expressão exaure os recursos da linguagem e chega a desafiar a enumeração.

Qual é a suprema demonstração do poder de Deus? Leiamos o relato do apóstolo:

> *Que atuou em Cristo, ressuscitando-O dentre os mortos e fazendo-O sentar à Sua direita nos céus, muito acima de todo principado, autoridade, poder, domínio, e de todo nome que se possa ser pronunciado, não só nesta era, mas também na vindoura. Também sujeitou todas as coisas debaixo dos Seus pés, para seja como o cabeça sobre todas as coisas, e o deu à Igreja, que é o Seu corpo, a plenitude dAquele que preenche tudo em todas as coisas* (1.20-23).

O poder que atua nos crentes é o poder da ressurreição. É o poder que ressuscitou a Cristo dentre os mortos, assentou-O à direita de Deus e lhe deu a soberania sobre o universo inteiro. Esse poder é como um caudal impetuoso que arrasta com sua força os obstáculos que encontra pelo caminho. F. F. Bruce afirma que a morte de Cristo é a principal demonstração do amor de Deus, mas a ressurreição de Cristo é a principal demonstração do poder de Deus.[18] Ao desenvolver esse tema, Paulo apresenta três afirmações a respeito do que Deus faz em Cristo e por Seu intermédio:

Em primeiro lugar, *a ressurreição e exaltação de Cristo* (1.20,21). A ressurreição autenticou o ministério do Senhor, selou Sua obra de redenção, marcou o começo de Sua glorificação e foi a confirmação pública de que o Pai aceitou Seu sacrifício.[19] Depois de haver ressuscitado a Cristo dentre os mortos, Deus manifestou Seu poder fazendo-O assentar-se *à Sua direita* (1.20,21). A "direita" de Deus é uma figura de linguagem indicando o lugar de supremo privilégio e autoridade. A mais alta honra e autoridade no universo foi tributada a Cristo

---

[18] BRUCE, F. F. *The Epistle to the Ephesians*. New York: Fleming H. Revell Company, 1961, p. 30.
[19] VAUGHAN, Curtis. *Efésios*, p. 44.

(Mt 28.18). Ele foi entronizado acima de todo principado e autoridade (1.21). Cristo domina sobre todos os seres inteligentes, bons e maus, angelicais e demoníacos.

Em segundo lugar, *o domínio universal de Cristo* (1.22). A exaltação de Cristo abrange o soberano domínio sobre toda a criação. A cabeça que um dia foi coroada com espinhos leva agora o diadema da soberania universal.[20] Todas as coisas estão sujeitas a Cristo. Todo o joelho se dobra diante dEle no céu, na terra e debaixo da terra (Fp 2.9-11). Tanto a igreja como o universo têm em Cristo o mesmo Cabeça. Todas as coisas estão debaixo dos Seus pés. Isso significa que tudo está sujeito e subordinado a Ele. As palavras implicam absoluta sujeição. A mais alta honra e autoridade no universo foi tributada a Cristo (Mt 28.18).[21]

Em terceiro lugar, *a preeminência de Cristo sobre a igreja* (1.22,23). Deus estabeleceu uma relação singular entre Cristo e a igreja. Cristo é o grande dom de Deus para a igreja.[22] O fato de Cristo ser o Cabeça da igreja ressalta três coisas: primeiro, Cristo tem autoridade suprema sobre a igreja. Ele a governa, guia e dirige. Segundo, entre Cristo e a igreja existe uma união vital, tão íntima e real como é a da cabeça com o corpo. É uma união íntima, terna e indissolúvel. Terceiro, a igreja é inteiramente dependente de Cristo. De Cristo, a igreja deriva sua vida, Seu poder e tudo quanto é necessário à sua existência.[23] Concordo com John Stott quando diz que tanto o universo quanto a igreja têm em Jesus Cristo o mesmo Cabeça.[24]

A igreja é a plenitude de Cristo. A igreja está cheia da Sua presença, animada pela Sua vida, cheia com os Seus dons, poder e graça.[25] A igreja é o prolongamento da encarnação de Cristo. A igreja é o Seu corpo em ação na terra. A igreja está cheia da própria Trindade: Filho (1.23), Pai (3.19) e Espírito Santo (5.18). Concordo com William Hendriksen quando diz que, no tocante à sua essência divina, Cristo em sentido

---

[20] VAUGHAN, Curtis. *Efésios*, p. 45.
[21] VAUGHAN, Curtis. *Efésios*, p. 44.
[22] VAUGHAN, Curtis. *Efésios*, p. 46.
[23] VAUGHAN, Curtis. *Efésios*, p. 47.
[24] STOTT, John. *A mensagem de Efésios*, p. 37.
[25] VAUGHAN, Curtis. *Efésios*, p. 48.

algum pode depender da igreja nem ser completado por ela. Contudo, como Esposo, Ele é incompleto sem a esposa; como Videira, não se pode pensar nEle sem os ramos; como Pastor, não se pode vê-lo sem suas ovelhas; e também como Cabeça, ele encontra sua plena expressão em Seu corpo, a igreja.[26]

À luz do que Paulo pediu, como você avalia a sua vida espiritual? Você tem usufruído as riquezas que tem em Cristo? Você tem crescido no relacionamento íntimo com Deus? Você conhece mais a Deus? Você tem fome de Deus? Você compreende a esperança do seu chamado: de onde Deus o chamou, para que Deus o chamou e para onde Deus o chamou? Você compreende quão valioso você é para Deus? Você tem experimentado de forma prática o poder da ressurreição em sua vida?

---

[26] HENDRIKSEN, William. *Efésios*, p. 132.

3
A igreja de Deus, o povo chamado da sepultura para o trono

Efésios 2.1-10

O PRIMEIRO CAPÍTULO DE EFÉSIOS acentua o amplo alcance do plano de Deus, o qual inclui o universo todo e se estende de eternidade a eternidade. O capítulo 2 mostra a historificação desse plano na vida de Seu povo, por meio da ressurreição espiritual dos crentes.[1]

Tendo descrito nossa possessão espiritual em Cristo, Paulo volta-se, agora, para nossa posição em Cristo. Fomos tirados da sepultura e conduzidos ao trono. Paulo, primeiro, sonda as profundezas do pessimismo acerca do homem e, depois, sobe às alturas do otimismo acerca de Deus.[2]

O que Paulo faz nesse parágrafo é pintar um contraste vívido entre o que o homem é por natureza e o que pode vir a ser mediante a graça de Deus. Curtis Vaughan diz que as duas ideias dominantes são "Estando vós mortos" (2.1) e "Ele [Deus] vos deu vida" (2.4,5). O parágrafo todo é uma espécie de biografia espiritual contando como eram os destinatários da carta de Paulo antes de conhecer o evangelho de Cristo (2.1-3), o que vieram a ser "em Cristo Jesus" (2.4-6) e qual o propósito de Deus em realizar tão extraordinária transformação (2.7-10).[3]

---

[1] VAUGHAN, Curtis. *Efésios*, p. 51.
[2] STOTT, John. *A mensagem de Efésios*, p. 44.
[3] VAUGHAN, Curtis. *Efésios*, p. 52.

Warren Wiersbe sugere uma percepção preciosa desse texto. Ele fala de quatro grandes obras realizadas na vida do homem que saiu da sepultura para o trono: a obra do pecado contra nós, a obra de Deus por nós, a obra de Deus em nós e a obra de Deus por nosso intermédio.[4]

A obra do **pecado contra nós** (2.1-3)

A condição do homem é desesperadora sem Deus. O diagnóstico que Paulo faz se refere ao homem caído em uma sociedade caída em todos os tempos e em todos os lugares. Esse é um retrato da condição humana universal.[5] O pecado não é como uma dessas enfermidades que alguns homens contraem e outros não. É algo em que todo ser humano está envolvido e de que todo ser humano é culpado. O pecado não é uma simples erupção esporádica, mas o estado, a condição universal do homem.[6] Paulo elenca quatro fatos dramáticos a respeito do homem antes de sua conversão:

Em primeiro lugar, *o homem está morto* (2.1). *Ele vos deu vida, estando vós mortos nas vossas transgressões e pecados*. Antes de argumentar o sentido dessa morte espiritual, deixe-me explicar o que ela não é. Ela não quer dizer que o homem que está morto em seus pecados não possa fazer coisas boas. O indivíduo não regenerado pode levar uma vida moralmente aprovada, civilmente decente e familiarmente responsável. Uma pessoa não regenerada pode ser um bom cidadão, um bom pai, uma boa mãe, um bom filho. Os pecadores podem fazer o bem àqueles que lhes fazem bem (Lc 6.33). Às vezes, os bárbaros revelam *muita bondade* (At 28.2). Portanto, o que quer dizer a expressão "Mortos nas vossas transgressões e pecados"? É claro que Paulo está falando de uma morte espiritual. Antes de Cristo, o homem está vivo para as atrações do pecado, mas morto para Deus. O homem é incapaz de entender e apreciar as coisas espirituais. Ele não possui vida espiritual nem pode fazer nada que possa agradar a Deus. Da mesma maneira que a pessoa morta

---

[4] WIERSBE, Warren W. *Comentário bíblico expositivo*, p. 21-26.
[5] STOTT, John. *A mensagem de Efésios*, p. 45.
[6] BARCLAY, William. *Palabras Griegas Del Nuevo Testamento*, p. 91.

fisicamente não responde a estímulos físicos, também a pessoa morta espiritualmente é incapaz de responder a estímulos espirituais.

Um cadáver não vê, não ouve, não sente, não tem fome nem sede. Ele está morto. Também uma pessoa morta espiritualmente não tem percepção para as coisas espirituais nem gosto por elas. Uma pessoa morta espiritualmente não tem apetitue pelas coisas espirituais. Não tem prazer nas coisas lá do alto. As iguarias do banquete de Deus não lhe apetecem. O indivíduo morto em suas transgressões e pecados não se deleita em Deus.

A causa da morte são as transgressões e os pecados. A palavra grega *paraptoma*, "transgressão", quer dizer queda, dar um passo em falso que envolve ultrapassar uma fronteira conhecida ou desviar do caminho certo. Já a palavra grega *hamartia*, "pecado", quer dizer errar o alvo, ou seja, ficar aquém de um padrão. Pecado é não chegar a ser o que deveria ou poderia ser.[7] Russell Shedd ilustra esse "errar o alvo" com a história de dois caçadores que estão à procura de um coelho mas matam um ao outro em vez de ao coelho. A intenção é completamente contrariada, frustrada; isso é o pecado.[8]

William Barclay tem razão quando diz que, no Novo Testamento, *hamartia* não descreve um ato definido de pecado, mas um estado de pecado, do qual dimanam as ações pecaminosas.[9] Juntas, as duas palavras *paraptoma* e *hamartia* abrangem os aspectos positivo e negativo, ou ativo e passivo, do mau procedimento do homem, ou seja, nossos pecados de comissão e omissão. Diante de Deus somos tanto rebeldes como fracassados. Como resultado disso, estamos mortos.[10]

O salário do pecado é a morte (Rm 6.23). Morte é separação. Da mesma forma que a morte separa o corpo da alma, a morte espiritual separa o homem de Deus, a fonte da vida. É como se o mundo todo fosse um imenso cemitério e cada pedra tumular tivesse a mesma inscrição: "Morto por causa do pecado".[11]

---

[7]BARCLAY, William. *Galatas y Efesios*, p. 102.
[8]SHEDD, Russell. *Tão grande salvação*, p. 33,34.
[9]BARCLAY, William. *Palabras Griegas Del Nuevo Testamento*, p. 91.
[10]STOTT, John. *A mensagem de Efésios*, p. 46.
[11]VAUGHAN, Curtis. *Efésios*, p. 52.

É importante ressaltar que o incrédulo não está apenas doente; ele está morto. Ele não necessita apenas de restauração, mas de ressurreição.[12] Não basta uma reforma; ele precisa nascer de novo. O mundo é um grande cemitério cheio de pessoas mortas espiritualmente. Embora elas estejam vivas fisicamente, estão desprovidas de vida espiritual. Embora estejam em plena atividade mental, estão completamente mortas espiritualmente.

Em segundo lugar, *o homem é desobediente* (2.2,3a). *Nos quais andastes no passado, no caminho deste mundo, segundo o príncipe do poderio do ar, do espírito que agora age nos filhos da desobediência, entre os quais todos nós também antes andávamos*. Há três forças que levam o homem a essa desobediência: o mundo, o diabo e a carne.

Vejamos o que é o mundo. O mundo aqui não é sinônimo da natureza criada por Deus. O mundo é o sistema que pressiona cada pessoa para se conformar aos seus valores (Rm 12.2). O apóstolo João é enfático ao dizer que quem ama o mundo não pode amar a Deus (1Jo 2.15-17). Tiago declara com a mesma ênfase que quem é amigo do mundo é inimigo de Deus (Tg 4.4). Sempre que os homens são desumanizados – pela opressão política, econômica, moral e social, vemos a ação do mundo. Trata-se de uma escravidão cultural. As pessoas são escravas desse sistema do mesmo modo que os súditos eram arrastados pelos generais romanos por grossas correntes amarradas no pescoço depois de uma conquista.[13] John Stott esclarece esse ponto com as seguintes palavras:

> Sempre que os seres humanos são desumanizados – pela opressão política ou pela tirania burocrática, por um ponto de vista secular (repudiando a Deus), ou amoral (repudiando absolutos), ou materialista (glorificando o mercado consumidor), pela pobreza, pela fome ou pelo desemprego, pela discriminação racial ou por qualquer forma de injustiça – aí podemos detetar os valores subumanos do "presente século" e "deste mundo".[14]

---

[12] Wiersbe, Warren W. *Comentário bíblico expositivo*, p. 21.
[13] Shedd, Russell. *Tão grande salvação*, p. 34.
[14] Stott, John. *A mensagem de Efésios*, p. 47.

Vejamos acerca do diabo. Trata-se do espírito que atua nos filhos da desobediência. O diabo é o patrono dos desobedientes. Ele rebelou-se contra Deus e deseja que os homens também desobedeçam a Deus. Ele tentou Eva no Éden com a mentira e levou nossos pais à desobediência. O diabo é um inimigo invisível, porém real. Ele não dorme nem tira férias. Ele é violento como um dragão e venenoso como uma serpente. Ele ruge como leão e se apresenta travestido até de anjo de luz. Não podemos subestimar seus desígnios; antes, devemos nos acautelar, sabendo que esse arqui-inimigo veio para roubar, matar e destruir.

Vejamos a respeito da carne. A carne não é o nosso corpo, mas a nossa natureza caída com a qual nascemos (Sl 51.5; 58.3) e que deseja controlar a nossa mente e o nosso corpo, levando-nos a desobedecer a Deus. Há um impulso em nosso interior para fazer o mal. O mal não está apenas nas estruturas exteriores a nós, mas, sobretudo, procede do interior do nosso próprio coração. A inclinação da nossa natureza é a inimizade contra Deus. Praticamos o mal porque a inclinação do nosso coração é toda para o mal. O homem não pode mudar sua natureza. O profeta Jeremias pergunta: *Pode o etíope mudar a sua pele ou o leopardo as suas pintas? Poderíeis vós fazer o bem, estando treinados para fazer o mal?* (Jr 13.23).

Em terceiro lugar, **o homem é depravado** (2:3b). *Seguindo os desejos carnais, fazendo a vontade da carne e da mente*. O homem não convertido vive para agradar a vontade da carne e os desejos do pensamento. Suas ações são pecaminosas porque seus desejos são pecaminosos. O homem é escravo do pecado. Ele anda com o pescoço na coleira do diabo e no cabresto do pecado. O homem está em estado de depravação total. Todas as áreas da sua vida foram afetadas pelo pecado: razão, emoção e volição. Isso não quer dizer que o incrédulo não posssa fazer o bem natural, social e moral. Ele sensibiliza-se com as causas sociais. Ele compadece-se. Ele ajuda as pessoas. Mas ele não pratica obras com o reconhecimento de que são para a glória de Deus nem com gratidão pela salvação.

John Stott conclui esse ponto dizendo que, antes de Jesus Cristo nos libertar, estávamos sujeitos a influências opressoras tanto internas como externas. No exterior, estava o *mundo* (a cultura secular prevalecente); no interior, estava a *carne* (nossa natureza caída); e, além desses dois, operando ativamente por meio dessas influências, havia aquele espírito maligno, o *diabo*, o príncipe do reino das trevas, que nos mantinha em cativeiro.[15]

Em quarto lugar, **o homem está condenado** (2.3c). *E éramos por natureza filhos da ira, assim como os demais.* O homem não convertido, por natureza, é filho da ira e, pelas obras, é filho da desobediência. A pessoa incrédula, não salva, já está condenada (Jo 3.18). À parte de Cristo, o homem está morto por causa do pecado, escravizado pelo mundo, pela carne e pelo diabo, além de condenado sob a ira de Deus.[16] A ira de Deus é sua reação pessoal frente a qualquer pecado, qualquer rebelião contra Ele.[17] É Sua santa repulsa a tudo aquilo que conspira contra Sua santidade. A ira de Deus não é apenas para esta vida, mas também para a era vindoura. Aqueles que vivem debaixo da ira de Deus são entregues a si mesmos pela escolha deliberada que fizeram de rejeitar o conhecimento de Deus e de se entregar a toda sorte de idolatria e devassião; além disso, terão de suportar por toda a eternidade a manifestação plena do furor do Deus Todo-poderoso.

A obra de Deus **por nós** (2.4-9)

Somos redimidos por quatro atividades que Deus realizou em nosso favor, salvando-nos das consequências dos nossos pecados. Deus oferece vida aos mortos, libertação aos cativos e perdão aos condenados. Paulo, agora, contrasta o que somos por natureza com o que somos pela graça, a condição humana com a compaixão divina, a ira de Deus com o amor de Deus.

Curtis Vaughan afirma com acerto que, nesse parágrafo, Paulo, admiravelmente, mostra-nos o contraste entre a condição atual dos crentes e sua condição anterior. Antes, eles eram objeto da ira de Deus; agora, são beneficiários de Sua misericórdia (2.4). Antes, eles estavam

---

[15] STOTT, John. *A mensagem de Efésios*, p. 49.
[16] STOTT, John. *A mensagem de Efésios*, p. 52.
[17] SHEDD, Russell. *Tão grande salvação*, p. 35.

presos pelas garras da morte espiritual; agora, ressuscitaram para uma vida nova (2.5,6). Antes, eles eram escravos do pecado; agora, são salvos pela graça de Deus (2.5). Antes, eles caminhavam pela estrada dos desobedientes; agora, usufruem da companhia de Deus (2.5,6).[18] Quatro verdades gloriosas merecem destaque:

Em primeiro lugar, **Deus nos amou** (2.4). *Mas Deus, que é rico em misericórdia, pelo imenso amor com que nos amou*. Por natureza, Deus é amor. Mas o amor de Deus na relação com os pecadores transforma-se em graça e misericórdia. Deus é rico em misericórdia (2.4) e em graça (2.7), e essas riquezas tornam possível a salvação do pecador. Somos salvos pela misericórdia e pela graça de Deus. Tanto a misericórdia como a graça vêm a nós por meio do sacrifício de Jesus Cristo na cruz. Foi no Calvário que Deus demonstrou seu repúdio ao pecado e Seu amor pelos pecadores.

Paulo não só fala sobre a nossa salvação, mas fala também sobre a motivação de Deus em nos salvar e enumera quatro palavras: amor, misericórdia, graça e bondade. Ao ressuscitar a Cristo, Deus demonstrou a suprema grandeza de Seu poder (1.19,20), e Ele, ao nos salvar, demonstrou a suprema riqueza de Sua graça (2.7).[19]

Em segundo lugar, **Deus nos ressuscitou** (2.5). *Estando nós ainda mortos em nossos pecados, deu-nos vida juntamente com Cristo* (pela graça sois salvos). Deus tirou-nos da sepultura espiritual em que o pecado nos havia posto. Deus realizou uma poderosa ressurreição espiritual em nós por meio do poder do Espírito Santo. Quando cremos em Cristo, passamos da morte para a vida (Jo 5.24). Recebemos vida nova: a vida de Deus em nós.

Em terceiro lugar, **Deus nos exaltou** (2.6). *E nos ressuscitou juntamente com Ele, e com Ele nos fez assentar nas regiões celestiais em Cristo Jesus*. Não só saímos da sepultura e fomos ressuscitados, mas também fomos exaltados. Porque estamos unidos a Cristo, somos exaltados com Ele. Agora, assentamo-nos com Ele nas regiões celestiais, acima de todo principado e potestade. As três fases da exaltação de Cristo

---

[18] VAUGHAN, Curtis. *Efésios*, p. 57.
[19] STOTT, John. *A mensagem de Efésios*, p. 55.

– ressurreição, ascensão e assentar-se no trono – agora são repetidas na vida dos salvos – em Cristo, Deus deu-nos vida (2.5), ressuscitou-nos (2.6a) e fez-nos assentar nas regiões celestiais (2.6b). Esses três eventos históricos – "deu-nos vida", "ressuscitou-nos" e "fez-nos assentar" – são os degraus da exaltação!

Em quarto lugar, **Deus nos guardou** (2.7-9). *Para mostrar nos séculos vindouros a suprema riqueza da Sua graça, pela sua bondade para conosco em Cristo Jesus. Porque pela graça sois salvos, por meio da fé, e isto não vem de vós, é dom de Deus; não vem das obras, para que ninguém se orgulhe.* O último propósito de Deus em nossa salvação é que por toda a eternidade a igreja possa glorificar Sua graça (1.6,12,14). A meta principal de Deus na nossa salvação é Sua própria glória. Concordo com John Stott quando diz que não podemos empertigar-nos no céu como pavões. O céu está cheio das façanhas de Cristo e dos louvores de Deus. Realmente, haverá uma demonstração no céu. Não uma demonstração de nós mesmos, mas, sim, uma demonstração da incomparável riqueza da graça, da misericórdia e da bondade de Deus por meio de Jesus Cristo.[20]

A salvação é um presente, não uma recompensa. Certa feita, perguntaram a uma mulher romana: "Onde estão as suas joias?" Ela chamou seus filhos e, apontando para eles, disse: "Eis aqui as minhas joias".[21] Somos as joias preciosas de Deus. Somos os troféus da Sua graça. Para reforçar a declaração positiva de que fomos salvos somente pela graça de Deus por meio da confiança em Cristo, Paulo acrescentou duas negações que se equilibram. A primeira é: *E isto não vem de vós, é dom de Deus* (2.8b); a segunda é: *Não vem das obras, para que ninguém se orgulhe* (2.9).[22]

A salvação não pode ser pelas obras, porque a obra da salvação já foi plenamente realizada por Cristo na cruz (Jo 19.30). Não podemos acrescentar mais nada à obra completa de Cristo. Agora não existe mais necessidade de sacrifícios e rituais. Fomos reconciliados com Deus.

---

[20] STOTT, John. *A mensagem de Efésios*, p. 56.
[21] HENDRIKSEN, William. *Efésios*, p. 151.
[22] STOTT, John. *A mensagem de Efésios*, p. 56.

O véu do templo foi rasgado. Pela graça, somos salvos. Tanto a fé como a salvação são dádivas de Deus.

A salvação é pela graça, mas também "por meio da fé". É a graça que nos salva pela instrumentalidade da fé. É bem conhecida a expressão usada por Calvino: "A fé traz a Deus uma pessoa vazia para que se possa encher das bênçãos de Cristo".[23] É muito importante ressaltar que Paulo não está falando de qualquer tipo de fé. A questão não é a fé, mas o objeto da fé. Não é fé na fé. Não é fé nos ídolos. Não é fé nos ancestrais. Não é fé na confissão positiva. Não é fé nos méritos. É fé em Cristo, o Salvador!

A obra de Deus em nós (2.10a)

O apóstolo Paulo diz: *Pois somos feitura dele, criados em Cristo Jesus* (2.10a; ARA). A palavra grega para "feitura" é *poiema*, que quer dizer "poema". Somos a obra de arte de Deus, a obra-prima do Todo-poderoso. A salvação é a nova criação de Deus. Não criamos a nós mesmos. Não produzimos vida em nós mesmos. A salvação é uma obra exclusiva de Deus por nós e em nós. Deus está trabalhando em nós. Ele ainda não terminou de escrever o último capítulo da nossa vida. Seu propósito eterno não é só nos levar para a glória, mas nos transformar à imagem do Rei da glória.

Muitas pessoas olharam para Abraão e viram nele um velho senil, sonhando em ser pai aos cem anos de idade. Mas Abraão acreditou contra toda a esperança e tornou-se um gigante na fé, o pai de todos os que creem. Para muitos, Moisés era um louco desvairado ao deixar as riquezas do Egito para esperar uma recompensa espiritual e eterna. Mas ele abdicou dos tesouros da terra para ser um visionário celestial e tomar posse da cidade construída não por mãos de homem, mas cujo arquiteto e fundador é Deus. Muitos olhavam para Pedro apenas como um pescador rude, uma pedra bruta, mas Jesus fez dele uma joia preciosa, lapidada e rica para Seu reino.

Deus predestinou-nos para sermos conformes à imagem de Seu Filho (Rm 8.29). Deus está esculpindo em nós o caráter de Cristo

---

[23] VAUGHAN, Curtis. *Efésios*, p. 62.

pelo poder do Espírito Santo (2Co 3.18). O cinzel que Deus usa para nos transformar é Sua Palavra. Deus põe-nos na bigorna do ferreiro para transformar-nos, de um instrumento trincado e enferrujado, num instrumento útil para Sua obra.

Aqui encontramos três letras "P": 1) o poeta – Deus; 2) a pena – Cristo; e 3) o poema – homem. Deus está trabalhando em nós. A conversão não é o fim da obra, mas o início dela. O que Deus começou na conversão e continua na santificação é consumado na glorificação. Um dia teremos um corpo semelhante ao corpo de glória de Cristo (Fp 3.21) e então brilharemos como as estrelas (Dn 12.3) e como o Sol em seu fulgor.

O mesmo poder que tirou você da sepultura e lhe deu vida espiritual pode, agora, santificar sua vida para que você possa ser um belo poema para Deus! Deus trabalha em nós antes de trabalhar por nosso intermédio. Deus trabalhou oitenta anos em Moisés para usá-lo por quarenta anos. Deus trabalhou em José antes de levá-lo ao trono do Egito. Deus treinou Davi no deserto antes de pô-lo no trono de Israel. O poema de Deus, que é sua vida, ainda está sendo escrito.

A obra de Deus **por nosso intermédio** (2.10b)

Criados em Cristo Jesus para as boas obras, previamente preparadas por Deus para que andássemos nelas (2.10b). Não fomos salvos pelas boas obras, mas para as boas obras. É só pela fé que somos justificados, mas a fé que justifica jamais vem sozinha. Não somos salvos pela fé mais as obras, mas pela fé que produz obras. A salvação é uma obra monergística de Deus. Em relação à salvação, as obras são o resultado, não a causa. Nossas obras não nos levam para o céu, mas levamos nossas boas obras para o céu (Ap 14.13).

A tensão entre fé e obras não é nova. Lutero chegou a pensar que Tiago estivesse contradizendo Paulo (Rm 3.28; Tg 2.4; Rm 4.2,3; Tg 2.21). Logo, Lutero chamou a epístola de Tiago de carta de palha[24]

---

[24] GIBSON, E. C. S. *The Pulpit Commentary*. Vol. 21. Grand Rapids, MI: Eerdmans Publishing Company, 1978, p. 38.

e sentiu que a epístola de Tiago não tinha o peso do evangelho.[25] Mas será que Tiago está contradizendo Paulo? Absolutamente não. Eles se complementam. Paulo falou que a causa da salvação é a justificação só pela fé. Tiago diz que a evidência da salvação são as obras da fé. Paulo olha para a causa da salvação e fala da fé. Tiago olha para a consequência da salvação e fala das obras. A questão levantada por Paulo era: "Como a salvação é recebida?" A resposta é: "Só pela fé". A pergunta de Tiago era: "Como essa fé verdadeira é reconhecida?" A resposta é: "Pelas obras!" Assim, Tiago e Paulo não estão se contradizendo, mas se completando. Somos justificados diante de Deus pela fé; somos justificados diante dos homens pelas obras. Deus pode ver nossa fé, mas os homens só podem ver nossas obras.[26]

John Stott é pertinente quando diz que antigamente andávamos em "transgressões e pecados" nos quais o diabo nos prendera; agora andamos nas "boas obras", conforme Deus eternamente planejou que fizéssemos. O contraste é total. É um contraste entre dois estilos de vida (o mau e o bom) e, por trás deles, dois senhores (o diabo e Deus). O que poderia ter ocasionado semelhante mudança? Apenas uma nova criação pela graça e pelo poder de Deus.[27]

Paulo fala sobre as obras que são resultado da salvação. Elas têm duas características:

Em primeiro lugar, *elas são boas obras*. Elas são boas em contraposição às obras inspiradas pelo diabo, pelo mundo e pela carne (2.2,3). Essas obras não devem ser vistas em nós para nossa exaltação, mas para a glória de Deus (Mt 5.16).

Em segundo lugar, *elas são previamente preparadas por Deus*. Enquanto o descrente anda segundo o curso deste mundo, o crente anda nas boas obras que Deus preparou para ele de antemão. Isso quer dizer que Deus tem um plano para nossa vida e que podemos realizar, em vida, esse plano que Deus traçou para nós.

---

[25]BOYCE, James Montgomery. *Creio sim, mas e daí?* São Paulo: Cultura Cristã, 1999, p. 55.
[26]LOPES, Hernandes Dias. *Tiago – transformando provas em triunfo*. São Paulo: Hagnos, 2007, p. 46.
[27]STOTT, John. *A mensagem de Efésios*, p. 57.

4

A maior missão de paz da história

Efésios 2.11-22

O PRIMEIRO-MINISTRO DA INGLATERRA, Neville Chamberlain, retornou exultante da Alemanha, em setembro de 1938, proclamando que tinha convencido Adolf Hitler a desistir da guerra. Um ano depois, Hitler invadiu a Polônia, e, no dia 3 de setembro de 1939, a Inglaterra declarou guerra contra a Alemanha. A grande missão de paz de Chamberlain havia fracassado.[1]

A maioria das missões de paz do mundo tem fracassado. O mundo é como um terreno minado: há minas explodindo a todo momento. O Oriente Médio é como um barril de pólvora. As intervenções internacionais tentam implantar uma falsa paz sob o manto da opressão e da escravidão.

O único pacto de paz verdadeiro e eficaz foi o que Deus fez em Jesus. Essa é a maior missão de paz da história. Deus reconciliou judeus e gentios num único corpo e reconciliou o mundo consigo mesmo por meio de Jesus (2Co 5.18).

Warren Wiersbe diz que esse parágrafo pode ser sintetizado em três palavras: separação, reconciliação e unificação.[2]

---

[1] WIERSBE, Warren W. *Comentário bíblico expositivo*, p. 27.
[2] WIERSBE, Warren W. *Comentário bíblico expositivo*, p. 27-32.

Separação – o que os gentios eram (2.11,12)

Dois fatos importantes acerca dos gentios são destacados pelo apóstolo Paulo:

Em primeiro lugar, *os gentios eram objeto do desprezo dos judeus* (2.11). *Portanto, lembrai-vos de que, no passado, vós, gentios por natureza, chamados incircuncisão pelos que se chamam circuncisão, feita pela mão de homens.* O desprezo que os judeus sentiam pelos gentios era tão grande que não era lícito a um judeu assistir a uma mulher gentia dar à luz. O casamento de um judeu com uma gentia correspondia à morte dele, e, imediatamente, celebrava-se o ritual do enterro do moço ou da moça. Entrar numa casa gentia tornava um judeu impuro e o deixava inapto para participar do culto público. Para os judeus, os gentios eram apenas combustível para o fogo do inferno. Quando Deus chamou a Abraão e lhe deu um sinal na carne (a circuncisão), não era para que os judeus se gloriassem disso, mas para que fossem uma bênção para os gentios. Mas Israel falhou em testemunhar para os gentios. Israel corrompeu-se como e com as nações gentílicas.

Em segundo lugar, *os gentios eram espiritualmente falidos* (2.12). *Estáveis naquele tempo sem Cristo, separados da comunidade de Israel, estranhos às alianças da promessa, sem esperança e sem Deus no mundo.* Em Efésios 2.1-3, Paulo já havia descrito a terrível condição espiritual de gentios e judeus, mostrando que eles eram escravos da carne, do mundo e do diabo. Agora, Paulo resume essa falência espiritual dos gentios em cinco frases descritivas e negativas.

Eles estavam sem Cristo. Eles estavam separados de Cristo, sem nenhuma relação com o Messias. Enquanto os judeus aguardavam o Messias, eles não O aguardavam nem sabiam nada sobre Ele. Os efésios adoravam a Diana em vez de adorar a Cristo. Eles viviam imersos numa imensa escuridão espiritual.

Eles estavam separados da comunidade de Israel. Os gentios permaneciam fora do círculo daqueles que adoravam o Deus verdadeiro. Deus havia chamado a Israel e lhe dado Sua lei e Suas bênçãos. A única maneira de um gentio desfrutar dessas bênçãos era se fazer um prosélito.

Os gentios eram estranhos às alianças da promessa. Essas alianças foram os acordos relativos à promessa do Messias feitas a Abraão e aos seus descendentes. Os gentios eram estranhos e estrangeiros. Não havia alianças com eles.

Os gentios não tinham esperança. Os gentios não tinham esperança de uma vitória sobre a morte (1Ts 4.13-18). O futuro dos gentios era como uma noite sem estrelas.[3] O mundo gentio entregava-se ao prazer desbragado, ora por não crer na eternidade (epicureus), ora por viver esmagado pelo fatalismo (estoicos).

Os gentios viviam sem Deus no mundo. Quem não tem Deus não tem esperança. Embora Paulo tenha usado a palavra grega *atheoi*, não devemos concluir que os gentios eram ateus. Eles tinham muitos deuses (Atos 17.16-23; 1Co 8.5), mas não conheciam o Deus verdadeiro nem tinham relação alguma com Ele (1Co 8.4-6).[4] Seus deuses eram vingativos e caprichosos. Eles viviam sob o tacão das ameaças e debaixo da ditadura do medo. Eles não conheciam o Deus criador, sustentador, redentor e consolador. Curtis Vaughan diz corretamente que olhar para o futuro sem esperança já é algo terrível; mas não ter no coração a fé em Deus é inexprimivelmente trágico.

Reconciliação – o que Deus fez pelos gentios (2.13-18)

Em Efésios 2.13, a expressão "Mas agora" faz paralelo com "Mas Deus", de Efésios 2.4. Ambos os textos falam da graciosa intervenção de Deus em favor de pecadores perdidos. Inimizade é a palavra-chave nessa sessão. Primeiro, inimizade entre judeus e gentios (2.13-15) e, segundo, inimizade entre pecadores e Deus (2.16-18). Paulo descreve aqui a maior missão de paz da história. Jesus não apenas reconciliou judeus e gentios, mas também pôs ambos em um corpo: a igreja.[5]

A palavra grega *katallassein*, "reconciliação", usada pelo apóstolo Paulo, é muito sugestiva. No grego secular comum, tinha o sentido de trocar dinheiro ou trocar por dinheiro. Depois passou a representar a troca da inimizade pela amizade, ou seja, unir duas partes que estavam em conflito. Paulo usa a palavra *katallassein* para descrever o restabelecimento

---

[3] VAUGHAN, Curtis. *Efésios*, p. 70.
[4] VAUGHAN, Curtis. *Efésios*, p. 71.
[5] WIERSBE, Warren W. *Comentário bíblico expositivo*, p. 28.

das relações entre o homem e Deus. Fato digno de nota é que a iniciativa e a ação dessa reconciliação é sempre divina, nunca do homem. Em Cristo, Deus não só estava reconciliando o mundo consigo, mas também enviando seus embaixadores ao mundo para rogar aos homens que se reconciliassem com Ele. Portanto, a tarefa do pregador é quebrantar o coração dos homens à vista do coração quebrantado de Deus.[6]

O apóstolo Paulo fala aqui sobre dois tipos de inimizade:

Em primeiro lugar, *a inimizade entre judeus e gentios* (2.13-15). Acompanhemos o relato de Paulo:

> *Mas agora, em Cristo Jesus, vós, que antes estáveis longe, viestes para perto pelo sangue de Cristo, pois Ele é a nossa paz. De ambos os povos fez um só e, derrubando a parede de separação, em Seu corpo desfez a inimizade; isto é, a lei dos mandamentos contidos em ordenanças, para em si mesmo criar dos dois um novo homem, fazendo assim a paz* (2.13-15).

Durante séculos, os judeus foram diferentes dos gentios na religião, na indumentária, na dieta alimentar e nas leis. Pedro resistiu ao projeto de Deus de incluir os gentios em sua agenda evangelística (Atos 10). Os judeus crentes repreenderam Pedro por ter entrado na casa de um gentio para evangelizá-lo (Atos 11). Precisou haver uma conferência dos líderes da igreja, em Jerusalém, para discutir o lugar dos gentios na igreja (Atos 15). Foi então que eles concluíram que tanto judeus como gentios são salvos do mesmo modo – pela fé em Jesus Cristo. A inimizade tinha acabado. Agora, tanto judeus como gentios, em Cristo, são um novo homem (2.15). Os gentios não apenas subiram para a posição dos judeus, mas ambos se tornaram algo *novo* e maior; é relevnate o fato de a palavra "novo" aqui ser *kainós*, que quer dizer novo não apenas no tempo, mas novo no sentido de que traz ao mundo um novo tipo de criação, uma nova qualidade de criação que não existia antes.[7]

Antes, sem Cristo, os gentios estavam distantes (2.13), mas, agora, por estarem em Cristo, se aproximaram (2.13). Essa aproximação não se deu pelos ensinos de Cristo, mas pelo sangue de Cristo (2.13).

---

[6]BARCLAY, William. *Palabras Griegas Del Nuevo Testamento*, p. 127,128.
[7]FOULKES, Francis. *Efésios: introdução e comentário*, p. 71.

A abolição das leis dos mandamentos não está em contradição com o que Jesus ensinou no sermão do monte. Ele aboliu as leis cerimoniais que separavam as pessoas umas das outras: circuncisão, sacrifícios, alimentos, regras acerca de pureza, festas, sábado (Cl. 2.11,16-21). A cruz cumpriu todas as prefigurações do sistema cerimonial do Antigo Testamento.

A lei fazia distinção entre puros e impuros. Os gentios eram impuros (Lv 11.44-47). No templo, havia uma parede que separava os gentios dos judeus (At 21.28-31). Para que judeus e gentios fossem reconciliados, essa parede foi derrubada, e o véu do templo foi rasgado. A maldição da lei caiu sobre Jesus. Ele se fez maldição em nosso lugar. Agora Jesus é Senhor de judeus e gentios (Rm 10.12,13). Jesus derrubou o muro que separava os judeus dos gentios. Ainda há muros que separam uma pessoa da outra. São os muros do preconceito, das ideologias e do racismo.

Em Jesus Cristo, judeus e gentios se tornaram *um*. Cristo estabeleceu a paz, pois Ele é a nossa paz (2.14); Ele fez a paz (2.15) e Ele proclamou a paz (2.17).

Em segundo lugar, *a inimizade entre pecadores e Deus* (2.16-18). Paulo escreve: *E pela cruz reconciliar ambos com Deus em um só corpo, tendo por ela destruído a inimizade. E vindo Ele, proclamou a paz a vós que estáveis longe e também para os que estavam perto; pois por meio dEle ambos temos acesso ao Pai no mesmo Espírito*. Não apenas os gentios precisam ser reconciliados com os judeus; mas ambos, judeus e gentios, precisam ser reconciliados com Deus (At 15.9,11). O mesmo ensina Paulo (Rm 3.22,23). A cruz de Cristo destruiu a inimizade do homem com Deus. A cruz de Cristo matou a inimizade que existia entre o homem e Deus.[8] A cruz foi onde Deus puniu o nosso pecado. A cruz foi onde Deus satisfez Sua justiça. A cruz é onde nossos pecados foram condenados. Por intermédio da cruz somos reconciliados com Deus. Pela cruz, Deus é justo e ainda o nosso justificador. Não é Deus que se reconcilia com o homem, mas o homem que se reconcilia com Deus, pois foi o pecado que criou a separação e a inimizade. A iniciativa da reconciliação, entretanto, é de Deus (2.15,17; 2Co 5.18).

---

[8] FOULKES, Francis. *Efésios: introdução e comentário*, p. 71.

Paulo, agora, diz que por meio de Jesus, judeus e gentios têm acesso ao Pai em um Espírito (2.18). Francis Foulkes diz corretamente que "acesso" é provavelmente a melhor tradução da palavra grega *prosagoge*. Nas cortes orientais, havia um *prosagoge* que introduzia as pessoas à presença do rei. O pensamento pode ser o de considerar Cristo como o *prosagoge*, mas a forma da expressão na cláusula inteira sugere antes que, por meio dEle, há um caminho de aproximação (3.12). Ele é a Porta, o Caminho para o Pai (Jo 10.7,9; 14.6); por intermédio dEle, os homens, embora pecadores, uma vez reconciliados, podem se aproximar *com confiança do trono da graça* (Hb 4.16).[9]

Unificação – o que judeus e gentios são em Cristo (2.19-22)

Paulo usa três figuras para ilustrar a unidade de crentes judeus e gentios na igreja:[10]

Em primeiro lugar, **ele fala sobre uma nação** (2.19a). *Assim, não sois mais estrangeiro, nem imigrantes; pelo contrário, sois concidadãos dos santos.* Israel era a nação escolhida de Deus, mas eles rejeitaram seu redentor e sofreram as consequências disso. O reino foi tirado deles e dado a outra nação (Mt 21.43). Essa outra nação é a igreja (1Pe 2.9). No Antigo Testamento, as nações foram formadas pelos três filhos de Noé: Sem, Cam e Jafé. No livro de Atos, vemos essas três famílias unidas em Cristo. Em Atos 8, um descendente de Cam é salvo, o ministro da fazenda da Etiópia. Em Atos 9, um descendente de Sem é salvo no caminho de Damasco, Saulo de Tarso, o qual se tornou o apóstolo Paulo. Em Atos 10, um descendente de Jafé é salvo, Cornélio. O pecado dividiu a humanidade, mas Cristo faz dela uma nova nação. Todos os crentes das diferentes nacionalidades formam a nação santa que é a igreja.[11] Francis Foulkes diz que em relação ao povo da aliança de Deus, os gentios eram *xenoi* e *paraikos*, "estrangeiros" e "imigrantes", isto é, pessoas que, ainda que vivessem no mesmo país, tinham, contudo, os mais superficiais direitos de cidadania. Essa era a situação anterior, mas,

---

[9]Foulkes, Francis. *Efésios: introdução e comentário*, p. 72.
[10]Wiersbe, Warren W. *Comentário bíblico expositivo*, p. 30.
[11]Wiersbe, Warren W. *Comentário bíblico expositivo*, p. 30,31.

de agora em diante, já não o é. Nas palavras do apóstolo, agora são "concidadãos dos santos".[12]

Em segundo lugar, **Paulo fala sobre uma família** (2.19b). [...] *e membros da família de Deus*. Pela fé, entramos para a família de Deus, e Deus tornou-se nosso Pai. Essa família está no céu e também na terra (3.15). Os crentes vivos na terra e os crentes que dormem em Cristo no céu; não importa a nacionalidade, somos todos irmãos, membros da mesma família.[13] Não deve haver mais barreira racial, cultural, linguística nem econômica. Somos um em Cristo. Temos o mesmo Espírito. Fomos salvos pelo mesmo sangue. Temos o mesmo Pai. Somos herdeiros da mesma herança. Moraremos juntos no mesmo lar.

Em terceiro lugar, **Paulo fala sobre um santuário** (2.20-22). Paulo conclui seu argumento ao escrever:

> *Edificados sobre o fundamento dos apóstolos e profetas, sendo o próprio Cristo Jesus a principal pedra de esquina. Nele, o edifício inteiro, bem ajustado, cresce para ser templo santo no Senhor, no qual também vós, juntos, sois edificados para morada de Deus no Espírito* (2.20-22).

No livro de Gênesis, Deus andou com Seu povo (5.22,24; 6.9). No livro de Êxodo, Deus decidiu morar com Seu povo (25.8). Deus habitou no tabernáculo (Êx 40.34-38) até que os pecados de Israel afastaram a glória de Deus do tabernáculo (1 Sm 4). A seguir, Deus habitou no templo (1Rs 8.1-11). Mas, novamente, Israel pecou, e a glória do Senhor abandonou o templo (Ez 10.18,19). Deus, então, habitou no corpo de Seu Filho (Jo 1.14), a quem os homens despiram e pregaram na cruz. Hoje, por meio de Seu Espírito, Deus habita na igreja, não no templo de pedra (At 7.48-50). Ele habita no coração daqueles que confiam em Cristo (1Co 6.19,20) e na igreja coletivamente (2.20-22).[14]

O santuário é edificado sobre a verdade revelada de Deus: o fundamento dos apóstolos (2.20). A igreja descansa sobre o acontecimento totalmente único de ser Cristo seu centro, mas na qual os apóstolos e

---

[12] FOULKES, Francis. *Efésios: introdução e comentário*, p. 72.
[13] WIERSBE, Warren W. *Comentário bíblico expositivo*, p. 31.
[14] WIERSBE, Warren W. *Comentário bíblico expositivo*, p. 31.

profetas – na plenitude do Espírito, e guiados por Ele, e fazendo suas obras em intimidade única com Cristo – tiveram uma participação indispensável e intransmissível. Aos apóstolos e profetas, a Palavra de Deus foi revelada de modo único (3.5). Por terem recebido, crido e testemunhado essa Palavra, eles foram o início da construção sobre a qual outros deveriam ser edificados (Mt 16.16-18).[15] O alicerce desse santuário é o próprio Cristo, e não Pedro (2.20b). Cristo é quem dá à igreja unidade e solidez. Somos ainda um templo inacabado. Estamos ainda sendo edificados (2.22). Só depois, no novo céu e na nova terra, ouviremos a voz: *O tabernáculo de Deus está entre os homens* (Ap 21.3).

Francis Foulkes tem razão em dizer que a igreja não pode ser considerada um edifício terminado enquanto não chegar o dia final, quando o Senhor virá. Ela está crescendo mais e mais até que venha a ser o que está no propósito de Deus.[16] A igreja cresce não como um edifício de pedras mortas, mas com um crescimento orgânico de pedras vivas (1Pe 25). Esse edifício cresce como um corpo (4.15). Esse edifício cresce para se tornar um santuário dedicado ao Senhor. Vale ressaltar que a palavra grega usada para santuário aqui não é a palavra comum para santuário, *hieron*, referindo-se ao templo e suas dependências de uma forma geral, mas a palavra *naos*, "o santuário interior", ou "santo dos santos". O templo, nos dias do Antigo Testamento, quando era considerado *naos*, era acima de tudo o lugar especial do encontro de Deus com Seu povo. Era o lugar em que a glória de Deus descia e se manifestava pela Sua presença. Cristo, ao vir à terra, tornou obsoleto o tabernáculo, templo feito por mãos de homens. Ele mesmo tornou-se o lugar de habitação divina entre os homens (Jo 1.14). E esse templo já não está mais entre os homens, pois Deus, agora, procura para Sua habitação homens e mulheres regenerados pelo Seu Espírito.

Warren Wiersbe sintetiza Efésios 2.1-22 em quatro pontos distintos: 1) da morte para a vida; 2) da escravidão para a liberdade; 3) do túmulo para o trono, e 4) da separação para a reconciliação.[17]

---

[15] FOULKES, Francis. *Efésios: introdução e comentário*, p. 73.
[16] FOULKES, Francis. *Efésios: introdução e comentário*, p. 74.
[17] WIERSBE, Warren W. *With the Word*, p. 773,774.

5

O maior **mistério** da história

Efésios 3.1-13

NO CAPÍTULO 1 DE EFÉSIOS, Paulo mostrou o plano eterno de Deus, escolhendo a igreja em Cristo para a salvação, e orou para que Deus mostrasse para a igreja a grandeza desse chamado, a riqueza dessa herança e a suprema grandeza do poder que estava à sua disposição.

No capítulo 2 de Efésios, Paulo mostrou o estado de perdição e condenação em que se encontravam judeus e gentios: escravos da carne, do mundo e do diabo. Revelou, ainda, a triste situação dos gentios: separados de Deus e separados de Israel. E, ainda mais, mostrou como ambos, judeus e gentios, foram reconciliados para formar um só povo.

Agora, no capítulo 3, Paulo vai falar sobre o maior mistério de Deus na história. É por causa desse mistério que ele está preso. Martyn Lloyd-Jones diz que o que realmente pôs Paulo na prisão foi ele pregar por toda parte que o evangelho de Jesus Cristo era tanto para judeus como para gentios. Foi isso que, mais que qualquer outra coisa, enfureceu os judeus. Foi esse estilo de mensagem que culminou em sua prisão em Jerusalém e seu subsequente envio para Roma.[1]

Há aqui dois pontos a destacar: primeiro, Paulo considera-se prisioneiro de Cristo, não de Nero. Paulo não olhava para a vida a

---

[1] LLOYD-JONES, D. M. *As insondáveis riquezas de Cristo.* São Paulo: PES, 1992, p. 20,21.

partir de uma perspectiva puramente humana. Ele sempre via a vida pela ótica da soberania de Deus (3.1; 4.1; 6.20). Segundo, Paulo considera-se prisioneiro por amor dos gentios. Os crentes de Éfeso podiam se perguntar: por que Paulo está preso em Roma? Por que Deus permite essas coisas? Paulo explica que está preso pela causa dos gentios. Ele está preso por pregar que os gentios foram reconciliados com Deus e reconciliados com os judeus para formar um só corpo em Cristo. Deus o chamou para pregar aos gentios (At 9.15; 26.13-18). Paulo, por ser apóstolo dos gentios, foi acusado, perseguido e preso pelos judeus (At 21.30-33). Os judeus, quando souberam que ele, Paulo, tinha levado o evangelho para os gentios, arremeteram-se contra ele (At 22.22,23). Paulo foi preso em Jerusalém, Cesareia e Roma por ter abraçado a causa gentia.

Esse parágrafo trata de dois privilégios que Deus concedeu a Paulo: *uma revelação* (3.2,3; 2) e *uma comissão* (3.7,8). Está claro que esses dois dons da graça – a revelação e a comissão –, o mistério revelado e o mistério confiado a ele, estão estreitamente relacionados entre si. Curtis Vaughan tem razão quando diz que falar de uma "dispensação" da graça de Deus é reconhecer que o favor de Deus não é concedido como um "luxo" para ser desfrutado privadamente, mas como um privilégio que deve ser jubilosamente compartilhado com outros (1Pe 4.10).[2]

O mistério **revelado** (3.1-6)

Convido você a ler, com atenção, um dos relatos mais sublimes das Escrituras e revelado ao apóstolo Paulo:

> *Por essa razão, eu, Paulo, sou prisioneiro de Cristo Jesus por amor de vós, gentios. Se é que sabeis da dispensação da graça de Deus, que me foi concedida em vosso favor, e como por revelação me foi manifestado o mistério, conforme vos escrevi acima em poucas palavras, de forma que, quando ledes, podeis perceber a minha compreensão do mistério de Cristo. Esse é o mistério que em outras gerações não foi manifestado aos homens, da forma como se revelou agora no Espírito aos Seus santos apóstolos e profetas, isto é, que os gentios são*

---

[2] VAUGHAN, Curtis. *Efésios*, p. 82.

coerdeiros, membros do mesmo corpo e coparticipantes da promessa em Cristo Jesus por meio do evangelho (3.1-6).

A primeira coisa que Paulo faz é definir o que é mistério. Ele emprega três vezes nesse parágrafo a palavra *mistério* (3.3,4,9). A palavra grega *mysterion*, "mistério", tem um sentido diferente daquele entendido na língua portuguesa. As palavras em português e em grego não têm o mesmo sentido. Em português, ela quer dizer algo obscuro, oculto, secreto, enigmático, inexplicável, até mesmo incompreensível. No grego, quer dizer um segredo que já foi revelado.

Concordo com John Stott quando diz que no cristianismo não existem "mistérios" esotéricos reservados para uma elite espiritual. Ao contrário, os "mistérios" cristãos são verdades que, embora estejam além da compreensão humana, foram revelados por Deus e, portanto, agora, pertencem abertamente a toda a igreja. Mais abertamente, *mysterion* é uma verdade que esteve oculta ao conhecimento ou entendimento dos homens, mas que, agora, foi desvendada pela revelação de Deus.[3]

O evangelho não está ao alcance apenas de uma elite espiritual, mas é aberto a toda a igreja (3.5). Nessa mesma linha de pensamento, John Mackay escreve: "Hoje em dia, entendemos por *mistério* alguma coisa estranha, inescrutável, enigmática, algo que necessita ser decifrado e para o qual é imprescindível uma chave. Para Paulo, entretanto, *mistério* era um segredo antes escondido e agora desvendado.[4]

Em seguida, Paulo diz que Cristo é a fonte e a substância do mistério. Paulo chama esse mistério de "o mistério de Cristo" (3.4). Essa é uma verdade revelada que Paulo não descobriu por pesquisa nem informação do homem, mas por revelação divina (3.3).

Paulo declara a natureza exata do mistério com ênfase e clareza no versículo 6: *Isto é, que os gentios são coerdeiros, membros do mesmo corpo e coparticipantes da promessa em Cristo Jesus por meio do evangelho*. Assim, o mistério diz respeito a Cristo e a um único povo, judeu e gentio.

---
[3]STOTT, John. *A mensagem de Efésios*, p. 80,81.
[4]MACKAY, John. *A ordem de Deus e a desordem do homem*, p. 54,55.

Para definir melhor esse mistério, Paulo usa no versículo 6 três expressões compostas paralelas: coerdeiros (*synkleronoma*), membros do mesmo corpo (*syssoma*) e coparticipantes (*summetocha*).

Resumindo, podemos dizer que *o mistério de Cristo* é a união completa entre judeus e gentios por meio da união de ambos com Cristo. É essa dupla união, com Cristo e entre eles, a essência do mistério. Deus revelara esse mistério a Paulo (3.3), aos santos apóstolos e profetas (3.5) e aos Seus santos (Cl 1.26). Agora, portanto, esse mistério é uma possessão comum da igreja universal.[5]

O Antigo Testamento já revelara que Deus tinha um propósito para os gentios. Prometera que todas as famílias da terra seriam abençoadas através da posteridade de Abraão; que o Messias receberia as nações como Sua herança; que Israel seria dado como uma luz para as nações. Jesus também falou da inclusão dos gentios e comissionou seus discípulos a fazer discípulos de todas as nações (Mt 28.18-20).

Mas o que é absolutamente novo é que a teocracia (a nação judaica sob o governo de Deus) terminaria e seria substituída por uma nova comunidade inter-racial, a igreja, e que essa igreja seria o *corpo de Cristo*. Judeus e gentios seriam incorporados em Cristo e em Sua igreja em igualdade, sem qualquer distinção. Essa união completa entre judeus, gentios e Cristo era radicalmente nova, e Deus revelou-a a Paulo, vencendo o arraigado preconceito judaico. Em Efésios 3.5, Paulo diz que, agora, a luz brilha totalmente. A expressão "como" mostra que o sol da revelação está, agora, brilhando em seu pleno fulgor.

O mistério **comissionado** (3.7-13)

Tendo discorrido sobre o mistério revelado, leiamos, agora, o que diz o apóstolo Paulo sobre o mistério comissionado:

> *Fui feito ministro desse evangelho, segundo o dom da graça de Deus, que me foi concedida conforme a atuação do Seu poder. A mim, o menor de todos os santos, foi concedida a graça de anunciar aos gentios as riquezas*

---

[5] STOTT, John. *A mensagem de Efésios*, p 81.

insondáveis de Cristo e de mostrar a todas qual é a dispensação do mistério, que desde os séculos esteve oculto em Deus, que tudo criou, para que agora ela seja manifestada, por meio da igreja, aos principados e poderios nas regiões celestiais, segundo o eterno propósito que fez em Cristo Jesus nosso Senhor, no qual temos ousadia e acesso a Deus com confiança, pela fé que nEle temos. Portanto, peço-vos que não vos desanimeis por causa das minhas tribulações por vossa causa; elas são a vossa glória (3.7-13).

No fim do versículo 6, Paulo equiparou o *mistério* ao *evangelho*. É por meio do evangelho que judeus e gentios são unidos a Cristo. O mistério foi a verdade revelada a Paulo, e o evangelho é a verdade proclamada por Paulo (3.7).[6]

O apóstolo Paulo fala sobre o grande privilégio de ser despenseiro desse mistério. Ele chama a si mesmo de *o menor de todos os santos* (3.8) ou o membro mais vil do povo santo, ou "menor do que o mínimo". O nome Paulo quer dizer pequeno. Segundo a tradição, ele era de pequena estatura. Sentia-se indigno por causa de seu passado (1Co 15.9). Ele disse acerca de seu passado: *Apesar de eu ter sido blasfemo, perseguidor e arrogante* (1Tm 1.13). Ao dizer que era o menor dos santos, Paulo não estava sendo nem hipócrita nem se afundando na autopiedade. Ele combina humildade pessoal com autoridade apostólica. Na verdade, ele, ao minimizar a si mesmo, engrandecia seu ofício.

Paulo ainda fala sobre a necessidade do poder de Deus para anunciar esse mistério. O ministério da pregação é um *dom*, mas não pode ser exercido sem *poder* (3.7). Paulo usa duas palavras gregas para definir poder: *energia* e *dinamis*. Ambas descrevem a invencibilidade do evangelho.

Paulo desenvolve o privilégio de pregar o evangelho em três etapas:

Em primeiro lugar, **pregar aos gentios o evangelho das insondáveis riquezas de Cristo** (3.8). O evangelho são boas-novas. Essas boas-novas têm que ver com as insondáveis riquezas de Cristo. O que são essas riquezas? 1) ressurreição da morte do pecado; 2) libertação da escravidão da carne, do mundo e do diabo; 3) entronização vitoriosa com Cristo nas regiões celestiais; 4) reconciliação com Deus; 5) reconciliação uns

---

[6]STOTT, John. *A mensagem de Efésios*, p. 82.

com os outros – o fim da hostilidade, a derrubada do muro da inimizade; 6) o ingresso na família de Deus; 7) a herança gloriosa em Cristo no novo céu e na nova terra.

Essas riquezas são *anexniastos,* "insondáveis", ou seja, inesgotáveis, inexploráveis, inexauríveis. O sentido literal da palavra grega *anexniastos* é "cuja pista não pode ser achada". Como a terra é vasta demais para ser explorada; como o mar é profundo demais para ser sondado, também o é o evangelho de Cristo.[7] Ele está além do nosso entendimento. Não precisamos viver como mendigos já que temos as riquezas insondáveis desse evangelho bendito.

Em segundo lugar, ***manifestar o mistério a todos os homens*** (3.9). O versículo 9 não é a repetição do versículo 8. Há três diferenças revelantes: 1) a pregação do evangelho, agora, é definida não como *euangelizo,* mas, sim, como *photizo.* Agora, o pensamento muda do conteúdo da mensagem (boas-novas) para a condição daqueles aos quais é proclamada (nas trevas da ignorância e do pecado).[8] Concordo com o que disse Lenski: "Pregar o evangelho aos gentios era como expor o profundo mistério à plena luz do dia de maneira que todos pudessem vê-lo".[9] Essa era a missão que Paulo tinha recebido de Cristo: *Para lhes abrir os olhos a fim de que se convertam das trevas para a luz, e do poder de satanás para Deus* (At 26.18). O diabo cega o entendimento das pessoas (2Co 4.4). Evangelizar é levar luz onde há trevas (2Co 4.6), para que os olhos sejam abertos para ver. 2) Entre os versículos 8 e 9 há uma mudança de ênfase. No versículo 8, a mensagem de Paulo é Cristo; no versículo 9, a mensagem de Paulo é a igreja. 3) Paulo dirige seu ministério, no versículo 8, aos gentios e, no versículo 9, a todos os salvos sem distinção. Por isso Paulo menciona que o Deus que criou o universo agora começou uma nova criação, a igreja, e, um dia, a completará. No final, Deus unirá todas as coisas em Cristo e debaixo de Cristo (1.9,10). Em Efésios 3.9, Paulo junta criação e redenção. O Deus que, no princípio, criou todas as coisas no fim criará todas as coisas de novo.

---

[7] STOTT, John. *A mensagem de Efésios,* p. 84.
[8] STOTT, John. *A mensagem de Efésios,* p. 84,85.
[9] LENSKI, R. C. H. *The Interpretation of St. Paul's Epistles to the Galatians, to the Ephesians, and to the Philippians.* Ohio: The Wartburg Press. Columbus, 1946, p. 447.

Em terceiro lugar, ***tornar conhecidas a sabedoria de Deus para os poderes cósmicos*** (3.10). O evangelho é endereçado aos homens, mas traz também lições para os anjos. Paulo diz que Deus está formando uma comunidade multirracial e multicultural como uma bela tapeçaria. Esse novo povo, formado por judeus e gentios, reconciliado com Deus e uns com os outros, revela a multiforme (*polupoikilos*) sabedoria de Deus. Essa palavra quer dizer "variegado" e foi usada por escritores clássicos com referência a roupas e flores. Era usada para descrever flores, coroas, tecidos bordados e tapetes trançados. Essa palavra também foi usada para descrever "a emaranhada beleza de um bordado" ou a intérmina variedade de matizes nas flores. Eis, diz o apóstolo, como é a sabedoria de Deus que a igreja declara.[10] A igreja como uma comunidade multirracial e multicultural é, portanto, como uma bela tapeçaria. Seus membros vêm de uma vasta gama de situações singulares. Nenhuma outra comunidade humana se assemelha a ela. Sua diversidade e harmonia são sem igual. É a nova sociedade de Deus.

Paulo também diz que a igreja está no palco da história como o maior espetáculo do mundo. Enquanto o evangelho se espalha em todas as partes do mundo, essa nova comunidade cristã de cores variadas desenvolve-se. É como a encenação de um grande drama. A história é o teatro, o mundo é o palco, e os membros da igreja de todos os países são os atores. O próprio Deus escreveu a peça, dirige-a e a produz. Ato após ato, cena após cena, a história continua a desdobrar-se. Mas quem está no auditório? São os anjos. Eles são os espectadores do drama da salvação. "A história da igreja cristã fica sendo uma escola superior para os anjos."[11] Por meio da antiga criação (o universo), Deus revelou Sua glória aos seres humanos. Por meio da nova criação (a igreja), Deus revelou sua sabedoria aos anjos.[12] Os anjos olham fascinados ao ver judeus e gentios sendo incorporados na igreja como iguais.

Quando você compreende o que é a igreja e o que a igreja tem em Cristo, isso lhe dá grande confiança para viver uma vida poderosa.

---

[10] Foulkes, Francis. *Efésios: introdução e comentário*, p. 82.
[11] Stott, John. *A mensagem de Efésios*, p. 86,87.
[12] Stott, John. *A mensagem de Efésios*, p. 87.

Paulo usa três palavras-chave no versículo 12: *ousadia, acesso e confiança*. O plano eterno de Deus não dispensa você de orar. A soberania de Deus não anula a responsabilidade do homem. Deus está no controle, mas Paulo pede que os crentes não desanimem. Deus está no controle, mas Paulo se põe de joelhos para orar (3.14).

A palavra *ousadia* é ausência de barreira e de medo. A palavra grega *parresia*, "ousadia", quer dizer expressar-se com liberdade. Refere-se a uma ausência de temor, de timidez ou de vergonha de se aproximar de Deus (Hb 4.16; 10.19).[13] A palavra "acesso" aponta para o fato de que tanto judeus como gentios (2.18) têm acesso ao Pai em um Espírito. E, finalmente, a palavra "confiança" afirma a certeza da aprovação divina. As três palavras são postas juntas de maneira a chegar ao sentido pleno da verdade anunciada pelo apóstolo, isto é, que, pela fé em Cristo, temos acesso irrestrito e confiante a Deus.[14] Agora, todos temos liberdade de nos aproximar livremente de Deus por meio de Cristo. Paulo quer que os crentes entendam que o plano de Deus da redenção prosseguirá a despeito de sua prisão. O plano de Deus não falhou porque ele está na prisão. Nem suas aflições o afastaram do caminho do dever.

Vemos de forma clara a centralidade bíblica da igreja na teologia de Paulo. A igreja ocupa lugar central na história. O versículo 11 alude ao eterno propósito de Deus. A história não é uma coletânea de eventos desconexos; não é a história das nações, dos reis, da queda e levantamento de Impérios, mas é a história de Deus formando um povo para si mesmo para reinar eternamente com Ele. A igreja ocupa lugar central no evangelho. Cristo morreu para nos reconciliar com Deus e para nos reconciliar uns com os outros. A igreja ocupa lugar central na vida cristã. Paulo termina esse parágrafo (3.13) como começou (3.1). Sofrimento e glória estão profundamente interligados entre si. Se o nosso sofrimento traz glória para os outros, bendito seja Deus!

---

[13] FOULKES, Francis. *Efésios: introdução e comentário*, p. 83.
[14] VAUGHAN, Curtis. *Efésios*, p. 90.

6

A oração mais ousada da história

Efésios 3.14-21

A PRIMEIRA ORAÇÃO DE PAULO, nessa carta, enfatiza a necessidade de iluminação; ela enfatiza a capacitação. A ênfase agora não é no *conhecer*, mas no *ser*.[1] Essa oração é geralmente considerada a mais sublime, a de mais longo alcance e a mais nobre de todas as orações das epístolas paulinas e, possivelmente, de toda a Bíblia.[2] Essa oração é o ponto culminante da teologia de Paulo. É considerada a oração mais ousada da história. Paulo está preso, algemado, na antessala da morte, no corredor do martírio, com o pé na supultura e com a cabeça próxima da guilhotina de Roma. Ele tem muitas necessidades físicas e materiais imediatas e urgentes, porém não faz nenhuma espécie de pedido a Deus com relação a essas necessidades.

Os homens podem colocar Paulo atrás das grades, mas não podem enjaular sua alma. Eles podem algemar suas mãos, mas não podem algemar a Palavra de Deus em seus lábios. Eles podem proibir Paulo de viajar, visitar e pregar nas igrejas, mas não podem impedir Paulo de orar pelas igrejas. Sobre isso Lloyd-Jones escreve:

---

[1] WIERSBE, Warren W. *Comentário bíblico expositivo*, p. 39.
[2] VAUGHAN, Curtis. *Efésios*, p. 92.

O importante para nós é saber que Paulo está realmente dizendo que, embora prisioneiro, embora um perverso inimigo o tenha encarcerado, o tenha posto em grilhões, o tenha impossibilitado de visitar os efésios e de pregar-lhes (ou de ir a qualquer outro lugar para pregar), há uma coisa que o inimigo não pode fazer – não pode impedi-lo de orar. Ele ainda pode orar. O inimigo pode confiná-lo numa cela, pode meter ferrolhos e trancas nas portas, pode algemá-lo a soldados, pode pôr grades nas janelas, pode enclausurá-lo e confiná-lo fisicamente, entretanto nunca poderá obstruir o caminho do coração do crente mais humilde para o coração do Deus eterno.[3]

Paulo estava na prisão, mas não inativo. Ele estava realizando um poderoso ministério na prisão: o ministério da intercessão. Paulo nunca separou o ministério da instrução do ministério da oração. Instrução e oração andam juntas. Hoje, a maioria dos teólogos tem abandonado a trincheira da oração. Separamos a academia da piedade, a pregação da oração. Precisamos retornar às origens!

O preâmbulo da oração

John Stott, com oportuna lucidez, diz que o prelúdio indispensável a toda petição é a revelação da vontade de Deus. Não temos autoridade alguma para orar por qualquer coisa que Deus não revelou ser sua vontade. Por isso, a leitura da Bíblia e a oração devem caminhar sempre juntas. Nas Escrituras Deus revelou a Sua vontade, e é na oração que pedimos que Ele a realize.[4]

Na introdução de sua oração, podemos aprender três coisas importantes com o apóstolo Paulo:

Em primeiro lugar, **a postura de Paulo revela reverência** (3.14). *Por essa razão, dobro meus joelhos perante o Pai.* Os judeus normalmente oravam de pé, mas Paulo se põe de joelhos. Essa postura era usada em ocasiões especiais ou em circunstâncias excepcionais (Lc 22.41; At 7.60).[5] A Bíblia

---

[3] LLOYD-JONES, D. M. *As insondáveis riquezas de Cristo*, p. 96.
[4] STOTT, John. *A mensagem de Efésios*, p. 94.
[5] VAUGHAN, Curtis. *Efésios*, p. 92.

não sacraliza a postura física com que devemos orar. Temos exemplos de pessoas orando em pé, assentadas, ajoelhadas, andando e até mesmo deitadas. Obviamente, não podemos ser desleixados com nossa postura física quando nos apresentamos Àquele que está assentado num alto e sublime trono. Um santo de joelhos enxerga mais longe do que um filósofo na ponta dos pés. Quando a igreja ora, a mão Onipotente que dirige o universo se move para agir providencialmente na história. Concordamos com a expressão "Quando o homem trabalha, o homem trabalha; mas quando o homem ora, Deus trabalha".

Em segundo lugar, **a motivação de Paulo revela exultação pela obra de Deus na igreja** (3.14,15). O apóstolo diz: *Por essa razão, dobro meus joelhos perante o Pai, de quem toda família nos céu e na terra recebe o nome.* Em Efésios 3.1,14, Paulo fala da gloriosa reconciliação dos gentios com Deus e dos gentios com os judeus, formando uma única igreja, o corpo de Cristo. A igreja da terra e a igreja do céu são a mesma igreja, a família de Deus. Paulo fala aqui da igreja militante na terra e da igreja triunfante no céu como uma única igreja. Somos a mesma igreja (Hb 12.22,23).[6] O nome de todos os crentes, sejam os que ainda estão na terra, sejam os que já estão no céu, está escrito em um só livro da vida e gravado no peitoral do único Sumo Sacerdote.[7]

Paulo se dirige a Deus como nosso Pai, temos confiança e intimidade; ousadia, acesso e confiança (3.12). Russell Shedd diz que a paternidade de Deus é um "arquétipo", não havendo nada neste mundo que não tenha sua origem em Deus. Toda a ideia de paternidade se manifesta, tanto no céu como na terra, referindo-se à figura original da paternidade de Deus.[8] Aquele que é o Pai dos homens é também a fonte da confraternidade e unidade em todas as ordens de seres finitos.[9] Francis Foulkes, nessa mesma linha de pensamento, diz que cada um recebe de Deus sua existência, seu conceito e sua experiência de paternidade. O nome do Pai não emergiu de nós, mas veio do alto até nós.

---

[6]HENDRIKSEN, William. *Efésios*, p. 212.
[7]HENDRIKSEN, William. *Efésios*, p. 212.
[8]SHEDD, Russell. *Tão grande salvação*, p. 50.
[9]VAUGHAN, Curtis. *Efésios*, p. 93.

A um Pai assim, Pai de todos, o único em quem a paternidade é vista com perfeição, é que os homens se dirigem quando oram.[10]

Em terceiro lugar, *a audácia de Paulo revela sua confiança* (3.16). Paulo manifesta o desejo de que Deus atenda às suas súplicas *segundo as riquezas da Sua glória* (3.16). A glória de Deus não é um atributo de Deus, mas o fulgor pleno de todos os atributos de Deus. Curtis Vaughan diz que o apóstolo tinha em mente os ilimitados recursos que estão disponíveis a Deus.[11] Podemos fazer pedidos audaciosos a Deus. Seus recursos são inesgotáveis.

O **conteúdo** da oração (3.16-19)

Nessa oração, as petições de Paulo são como degraus de uma escada, cada uma delas subindo mais, porém, baseadas todas no que veio antes. Solidamente entrelaçadas, cada ideia leva à ideia seguinte. O ponto culminante da oração está nas últimas palavras do versículo 19: *Para que sejais preenchidos até a plenitude de Deus.*[12] O que Paulo pede a Deus?

Em primeiro lugar, a oração de Paulo *é uma súplica por poder interior* (3.16,17). *Para que, segundo as riquezas da Sua glória, vos conceda que sejais interiormente fortalecidos com poder pelo Seu Espírito. E que Cristo habite pela fé em vosso coração, a fim de que, arraigados e fundamentados em amor* [...]. Paulo não está pedindo que haja mudança nas circunstâncias em relação a si mesmo nem em relação aos outros. Ele ora pedindo poder. A preocupação de Paulo não é com as coisas materiais, mas com as coisas espirituais. As orações de hoje, tão centradas no homem, na busca imediata de prosperidade e curas, estão longe do ideal dessa oração paulina. A oração de Paulo não é apenas espiritual, mas também específica. Paulo não divaga em sua oração. Ele não usa expressões genéricas. Ele não pede alívio dos problemas, mas poder para enfrentá--los. O poder é concedido pelo Espírito. A presença do Espírito na vida é a evidência da salvação (Rm 8.9), mas o poder do Espírito é a evidência da capacitação para a vida (At 1.8). Jesus realizou Seu ministério na

---

[10] FOULKES, Francis. *Efésios: introdução e comentário*, p. 85.
[11] VAUGHAN, Curtis. *Efésios*, p. 94.
[12] VAUGHAN, Curtis. *Efésios*, p. 94,95.

terra sob o poder do Espírito Santo (Lc 4.1,14; At 10.38). Há 59 referências ao Espírito Santo no livro de Atos, um quarto de todas as referências do Novo Testamento.

Precisamos ser fortalecidos com poder porque somos fracos, porque o diabo é astucioso, porque nosso homem interior (mente, coração e vontade) depende do poder do alto para viver em santidade. Martyn Lloyd-Jones comenta sobre a experiência de Dwight L. Moody, em Nova Iorque:

> Subitamente quando caminhava na Wall Street lhe sobreveio o Espírito Santo; foi batizado com o Espírito Santo. Diz-nos ele que a experiência foi tão tremenda, tão gloriosa, que ele ficou em dúvida se poderia aguentá-la, num sentido físico; tanto assim que ele clamou a Deus para que segurasse a sua mão, para que ele não caísse na rua. Foi assim por causa da glória transcendental da experiência. Pode-se ver a mesma coisa nas experiências de Jonathan Edwards e David Brainerd.[13]

O poder do Espírito Santo nos é dado de acordo com as riquezas da Sua glória. Essas duas petições caminham juntas. As duas se referem ao ponto mais íntimo do cristão, "seu homem interior", de um lado, e "seu coração", de outro. Lloyd-Jones diz que o homem interior é o oposto do corpo e todas suas faculdades e funções. Inclui o coração, a mente e o espírito do homem regenerado, do homem que está em Cristo Jesus.[14] O poder do Espírito e a habitação de Cristo referem-se à mesma experiência. É mediante o Espírito que Cristo habita em nosso coração (Rm 8.9).[15]

Cada cristão é habitado pelo Espírito Santo e é templo do Espírito Santo. A habitação de Cristo, aqui, porém, é uma questão de intensidade. Havia duas palavras distintas para "habitar": *paroikéo* e *katoikéo*. A primeira palavra quer dizer habitar como estrangeiro (2.19). Era usada para o peregrino que está morando longe de sua casa. *Katoikéo*, por outro lado, tem o sentido de estabelecer-se em algum lugar.

---

[13] LLOYD-JONES, D. M. *As insondáveis riquezas de Cristo*, p. 121.
[14] LLOYD-JONES, D. M. *As insondáveis riquezas de Cristo*, p. 113.
[15] STOTT, John. *A mensagem de Efésios*, p. 96.

Refere-se a uma habitação permanente em contraste com a temporária, e é usada tanto para a plenitude da divindade habitando em Cristo (Cl 2.9) quanto para a plenitude de Cristo habitando no coração do crente (3.17).

A palavra que foi escolhida, *katoikein*, denota a residência em contraste com o alojamento; a habitação do dono da casa em seu próprio lar em contraste com o viajante que sai do caminho para pernoitar em algum lugar e que, no dia seguinte, já terá ido embora.[16] Russell Shedd ainda lança luz sobre a palavra *katoikéo*, quando diz que ela significa tomar conta de toda a casa, tendo procuração ou autorização completa, de forma a poder fazer limpeza nas despensas se quiser, mudar a mobília como quiser, jogar fora o que quiser. Ele é o dono da casa.[17]

A palavra *katoikéo* também tem o sentido de sentir-se bem ou sentir-se em casa. Cristo sente-se em casa em nosso coração. Os mesmos anjos que se hospedaram na casa de Abraão também se hospedaram na casa de Ló, em Sodoma. Mas eles não se sentiram do mesmo jeito em ambas as casas.

Uma coisa é ser habitado pelo Espírito, outra é ser cheio do Espírito. Uma coisa é ter o Espírito residente, outra é ter o Espírito presidente. O coração do crente é o lugar da habitação de Cristo, no qual Ele está presente não apenas para consolar e animar, mas para reinar. Cristo, em alguns, está apenas presente; em outros, Ele é proeminente e, em outros ainda, Ele é preeminente.[18] Se Cristo está presente em nosso coração, algumas coisas não podem estar (2Co 6.17,18; Gl 5.24).

Em segundo lugar, a oração de Paulo *é uma súplica por aprofundamento no amor fraternal* (3.17b). *Arraigados e fundamentados em amor.* Para que Paulo pede poder do Espírito e plena soberania de Cristo em nós? Paulo ora para que os crentes sejam fortalecidos para amar. Nessa nova comunidade que Deus está formando, o amor é a virtude mais importante. Precisamos do poder do Espírito e da habitação de Cristo para amar uns aos outros, principalmente atravessando o profundo

---

[16] STOTT, John. *A mensagem de Efésios*, p. 97.
[17] SHEDD, Russell. *Tão grande salvação*, p. 52.
[18] VAUGHAN, Curtis. *Efésios*, p. 96.

abismo racial e cultural que, anteriormente, separava-nos. Martyn Lloyd-Jones faz um solene alerta sobre esse ponto:

> O propósito de toda doutrina, o valor de toda instrução, é levar-nos à Pessoa do nosso Senhor e Salvador Jesus Cristo. A falta de entendimento desse ponto tem sido uma armadilha para muitos na Igreja através dos séculos. Para alguns cristãos professos, a armadilha é perturbar-se acerca do conhecimento; essas pessoas já se acham numa posição falsa. Outros podem ver claramente que é para termos conhecimento que as Escrituras nos concitam a isso, e, assim, eles se põem a buscar conhecimento. Então, o diabo entra e transforma isso numa coisa puramente intelectual. O resultado é que eles têm cabeças repletas de conhecimento e de doutrina, mas os seus corações são frios e duros como pedras. O verdadeiro conhecimento cristão é conhecimento de uma Pessoa. E porque é conhecimento de uma Pessoa, leva ao amor, porque Ele é amor.[19]

Paulo usa duas metáforas para expressar a profundidade do amor: uma procedente da *botânica* e outra, da *arquitetura*. Ambas enfatizam profundidade em contraste com superficialidade.[20] Devemos estar tão firmes como uma árvore e tão sólidos como um edifício. O amor deve ser o solo em que a vida deve ser plantada; o amor deve ser o fundamento em que a vida deve ser edificada.

Uma árvore precisa ter suas raízes profundas no solo se ela quiser encontrar provisão e estabilidade. Assim também é o crente. Precisamos estar enraizados no amor de Cristo.

A parte mais importante num edifício é sua fundação. Se ele não cresce com solidez para baixo, ele não pode crescer com segurança para cima. As tempestades da vida provam se as nossas raízes e a fundação da nossa vida são profundas (Mt 7.24-27).

O amor é a principal virtude cristã (1Co 13.1-3). O amor é a evidência do nosso discipulado (Jo 13.34,35). O amor é a condição para realizarmos a obra de Deus (Jo 21.15-17). O amor é o cumprimento da lei (1Co 10.4). O conhecimento incha, mas o amor edifica (1Co 8.2).

---

[19] LLOYD-JONES, D. M. *As insondáveis riquezas de Cristo*, p. 165.
[20] STOTT, John. *A mensagem de Efésios*, p. 97.

Em terceiro lugar, a oração de Paulo *é uma súplica pela compreensão do amor de Cristo* (3.18,19). *Vos seja possível compreender, juntamente com todos os santos, a largura, o comprimento, a altura e a profundidade desse amor e assim conhecer esse amor de Cristo, que excede todo o entendimento, para que sejais preenchidos até a plenitude de Deus.* O apóstolo passa, agora, do nosso amor pelos irmãos para o amor de Cristo por nós. Precisamos de força e poder para compreender o amor de Cristo. A ideia central do pedido provém de duas ideias: *compreender* (3.18) e *conhecer* (3.19). A primeira sugere compreensão intelectual. Representa apossar-se de alguma coisa, tornando-a sua propriedade. Mas o verbo *conhecer* refere-se a um conhecimento alcançado pela experiência. Portanto, a súplica implica que os crentes tenham um conhecimento objetivo do amor de Cristo e uma profunda experiência nEle.

Paulo ora para que possamos *compreender* o amor de Cristo em suas plenas dimensões: qual a largura, o comprimento, a altura e a profundidade dele (3.18). A referência às dimensões tem o propósito de falar da imensurabilidade desse amor. O amor de Cristo é suficientemente largo para abranger a totalidade da humanidade (Ap 5.9,11; 7.9; Cl 3.11), suficientemente comprido para durar por toda a eternidade (Jr 31.3; Ap 13.8; Jo 13.1), suficientemente profundo para alcançar o pecador mais degradado (Is 53.6,7) e suficientemente alto para levá-lo ao céu (Jo 17.24).[21]

Russell Shedd entende que a *largura* do amor de Cristo abrange membros de toda tribo, língua, povo e nação. O evangelho é tão largo que não se pode excluir nenhuma entidade, nenhuma comunidade humana. O seu *comprimento* aponta para o tempo, começando no Éden, logo após a queda do homem, até o fim, quando Jesus voltar. Nunca houve nem haverá, até Cristo voltar, um intervalo na operação poderosa e salvadora do evangelho. A terceira dimensão é sua *altura* que vem do mais alto céu e desce até o mais baixo inferno. E, finalmente, sua *profundidade:* chegará até os piores pecadores, já descritos eficientemente (2.1-3). Não há nenhum pecador ou rebelde que não possa ser incluído em tão grande salvação.[22]

---

[21] VAUGHAN, Curtis. *Efésios*, p. 97.
[22] SHEDD, Russell. *Tão grande salvação*, p. 54.

Alguns pais da igreja viram nessas quatro dimensões um símbolo da própria cruz de Cristo. É inatingível a magnitude do amor de Cristo pelos homens. O conhecimento do amor de Cristo deve ser obtido no contexto da comunhão fraternal. Paulo diz: "Vos seja possível compreender, juntamente *com todos os santos*" (grifo do autor). O isolamento e a falta de comunhão com os crentes é um obstácuo à compreensão do amor de Cristo pelos homens. Precisamos da totalidade da igreja, sem barreira de etnia, cultura, cor e denominação, para compreender o grande amor de Cristo por nós. Os santos contarão uns aos outros sobre suas descobertas e experiências a respeito de Cristo. Veja Salmo 66.16: *Todos vós que temeis a Deus, vinde e ouvi, e eu contarei o que tem ele feito por mim.*

O apóstolo continua: *E assim conhecer esse amor de Cristo, que excede todo o entendimento.* O amor de Cristo é por demais largo, comprido, profundo e alto até mesmo para todos os santos entenderem. O amor de Cristo é tão inescrutável quanto suas riquezas são insondáveis (3.8). Sem dúvida, passaremos a eternidade explorando as riquezas inesgotáveis da graça e do amor de Cristo. Passaremos a eternidade contemplando o amor de Cristo, maravilhando-nos e extasiando-nos com isso. Entretanto, o que nos cabe é começar nisso aqui e agora, nesta vida.[23] O amor de Cristo tem quatro dimensões, mas elas não podem ser medidas. Nós somos tão ricos em Cristo que as nossas riquezas não podem ser calculadas nem mesmo pelo mais hábil contabilista.

Em quarto lugar, a oração de Paulo **é uma súplica pela plenitude de Deus** (3.19b). *Para que sejais preenchidos até a plenitude de Deus.* Provavelmente, nenhuma oração poderá ser mais sublime que essa porque ela inclui todas as outras. O seu sentido pleno está além da nossa compreensão, e é bem provável que ela tivesse vindo a ser a oração que os efésios estimassem como a de mais alto nível espiritual.[24] Nessa carta aos efésios, Paulo fala-nos que devemos ser cheios da plenitude do Filho (1.23), do Pai (3.19) e do Espírito Santo (5.18). Devemos ser cheios da própria Trindade. Embora Deus seja transcendente e nem os céus dos

---

[23] LLOYD-JONES, D. M. *As insondáveis riquezas de Cristo*, p. 194.
[24] VAUGHAN, Curtis. *Efésios*, p. 98.

céus possam contê-lo (2Cr 6.18), ele habita em nós de forma plena. O pedido de Paulo é que sejamos tomados de toda a plenitude de Deus! Deus está presente em cada célula, em cada membro do corpo, em cada área da vida. Tudo é tragado pela presença e pelo domínio de Deus.

Devemos ser cheios não apenas com a plenitude de Deus, mas até a plenitude de Deus. Devemos ser santos como Deus é santo e perfeitos como Deus é perfeito (1Pe 1.16; Mt 5.48). Devemos ficar cheios até o limite, cheios até aquela plenitude de Deus que os seres humanos são capazes de receber sem deixar de permanecer humanos. Isso também quer dizer que seremos semelhantes a Cristo, ou seja, alcançaremos o propósito eterno de Deus (Rm 8.29; 2Co 3.18). Representa, outrossim, que atingiremos a plenitude do amor, do qual Paulo acabara de falar em sua oração. Então, se cumprirá a oração do próprio Jesus: *Para que o amor com que me amaste esteja neles, e eu também neles esteja* (Jo 17.26).

Nós gostamos de medir a nós mesmos, comparando-nos com os crentes mais fracos que conhecemos. Então, orgulhamo-nos: "Bem, estou melhor do que eles". Paulo, porém, fala-nos que a medida é Cristo e que não podemos nos orgulhar sobre coisa alguma. Quando tivermos alcançado a plenitude de Cristo, então, teremos chegado ao limite.

A **conclusão** da oração

Na conclusão dessa magnífica oração do apóstolo Paulo, ele trata de dois pontos muito importantes:

Em primeiro lugar, ***a capacidade de Deus de responder às orações*** (3.20). *Àquele que é poderoso para fazer bem todas as coisas, além do que pedimos ou pensamos, pelo poder que age em nós*. John Stott diz que a capacidade de Deus de responder às orações é declarada pelo apóstolo de modo dinâmico numa expressão composta de sete etapas:[25] 1) Deus é poderoso para fazer, pois Ele não está ocioso, inativo nem morto. 2) Deus é poderoso para fazer o que pedimos, pois escuta a oração e a responde. 3) Deus é poderoso para fazer o que pedimos ou pensamos, pois lê nossos pensamentos. 4) Deus é poderoso para fazer tudo quanto

---

[25] STOTT, John. *A mensagem de Efésios*, p. 100.

pedimos ou pensamos, pois sabe de tudo e tudo pode realizar. 5) Deus é poderoso para fazer mais do que tudo que pedimos ou pensamos, pois suas expectativas são mais altas do que as nossas. 6) Deus é poderoso para fazer muito mais do que tudo quanto pedimos ou pensamos, pois Sua graça não é dada por medidas racionadas. 7) Deus é poderoso para fazer infinitamente mais do que tudo quanto pedimos ou pensamos conforme o Seu poder que opera em nós, pois é o Deus da superabundância.

Em segundo lugar, *a doxologia ao Deus que responde às orações* (3.21). *A Ele seja a glória na igreja e em Cristo Jesus, por todas as gerações, para todo o sempre. Amém*. Nada poderia ser acrescentado a essa oração de Paulo senão a doxologia: "a ele seja a glória". Deus é o único que tem poder para ressuscitar e fazer com que o sonho se torne realidade. O poder vem da parte dEle; a glória deve ser dada a Ele. Conclui o apóstolo: *A Ele seja a glória na igreja e em Cristo Jesus, por todas as gerações, para todo o sempre. Amém*. A igreja é a esfera em que a glória de Deus se manifesta. Concordo com Curtis Vaughan quando diz que nada podemos acrescentar à inerente glória de Deus, mas podemos viver de tal modo que nossa vida contribua para que outros também possam contemplar a Sua glória.[26] A Deus seja a glória no corpo e na cabeça, na comunidade da paz e no Pacificador, por todas as gerações (na história) e para todo o sempre (na eternidade).

---

[26] VAUGHAN, Curtis. *Efésios*, p. 100.

7

A gloriosa unidade da igreja

Efésios 4.1-16

TODAS AS CARTAS DE PAULO CONTÊM EQUILÍBRIO entre teologia e vida, doutrina e dever. Essa carta não é diferente. Os três primeiros capítulos lidam com doutrina, nossas riquezas em Cristo, enquanto os últimos três explanam o dever, nossas responsabilidades em Cristo. A palavra-chave nesses últimos três capítulos é *andar*: 1) andar em unidade (4.1-16); 2) andar em pureza (4.17–5.17); 3) andar em harmonia (5.18–6.9); 4) andar em vitória (6.10-24).[1]

Russell Shedd diz que os três primeiros capítulos fornecem uma visão do todo, começando antes da criação, quando Deus planejou nossa incorporação no novo homem, e como Ele nos resgatou do Império das trevas e está formando Sua obra de arte. E essa obra unifica e derruba todas as barreiras culturais, raciais e até mesmo religiosas, como constatamos no caso do judeu e do gentio.[2]

Francis Foulkes está correto quando diz que a conduta cristã tem origem na doutrina cristã e que o dever cristão deriva diretamente do débito indizível de gratidão que ele tem por tudo aquilo que recebeu

---

[1] WIERSBE, Warren W. *Comentário bíblico expositivo*, p. 44.
[2] SHEDD, Russell. *Tão grande salvação*, p. 58.

em Cristo. Aqueles que foram escolhidos por Deus para se assentar com Cristo nas regiões celestiais devem se lembrar que a honra de Cristo está envolvida em seu viver diário. Esse é um princípio que deve servir de guia em todas as situações.[3]

John Stott diz que Paulo avança da nova sociedade para os novos padrões nos quais ela deve andar. Volta-se da exposição para a exortação, da doutrina para o dever, daquilo que Deus faz para aquilo que devemos ser e fazer. Paulo ensinou e orou pela igreja; agora, dirige-lhe um apelo solene. A instrução, a intercessão e a exortação constituem um trio fundamental na vida do cristão.[4]

Paulo vê sua prisão como uma oportunidade de abençoar a igreja e não de se entregar à autopiedade. Paulo é tanto um prisioneiro de Cristo como um prisioneiro por amor a Cristo. As prisões de Paulo foram uma bênção. Contribuíram para o bem da igreja. Estimularam os novos crentes. Paulo evangelizou a guarda pretoriana, 16 mil soldados de escol, a elite militarizada do palácio do imperador, e escreveu cartas que se perpetuaram e ainda abençoam milhões de pessoas em todo o mundo. Paulo é prisioneiro no Senhor.

Paulo faz um clamor veemente e não um pedido indiferente. Deus, em Seu amor, urge conosco para vivermos para a Sua glória. A ênfase na antiga aliança era: "Se vocês me obedecerem, eu abençoarei vocês". Mas na nova aliança a ênfase é: "Eu já abençoo vocês. Agora, em resposta ao meu amor e graça, obedeçam-me".

Paulo conecta doutrina com vida. A conjunção *portanto* é uma ponte entre o que Paulo tinha ensinado e o que pedirá (4.1). A vida é consequência da doutrina. A doutrina é a base da vida. O que cremos determina como vivemos.

Paulo ensina que o nosso andar precisa refletir a vida de Deus. Andar de modo digno de Deus representa viver do mesmo jeito que Deus vive. A palavra "digno" traz a ideia de uma balança, em que há equilíbrio entre a vida de Deus e a nossa vida.[5] A igreja tem duas características

---

[3] Foulkes, Francis. *Efésios: introdução e comentário*, p. 90.
[4] Stott, John. *A mensagem de Efésios*, p. 103.
[5] Rienecker, Fritz e Rogers, Cleon. *Chave linguística do Novo Testamento grego*, p. 393.

aqui: 1) é um só povo: judeus e gentios, a única família de Deus; 2) é um povo santo, distinto do mundo secular.[6]

A ideia básica desse texto é a unidade dos crentes em Cristo. É uma aplicação prática da doutrina. Concordo com Warren Wiersbe quando ele diz que, para entender essa unidade, devemos entender quatro importantes fatos: a graça, o fundamento, os dons e o crescimento da unidade.[7]

A graça da unidade (4.1-3)

Paulo exorta em relação à graça da unidade nos seguintes termos:

> Portanto, eu, prisioneiro no Senhor, peço-vos que andeis de modo digno para com o chamado que recebestes, com toda humildade e mansidão, com paciência, suportando-vos uns aos outros em amor, procurando cuidadosamente manter a unidade do Espírito no vínculo da paz (4.1-3).

O apóstolo Paulo fala de unidade, não de uniformidade. Unidade vem do interior, é uma graça espiritual, enquanto uniformidade é resultado de pressão exterior.[8] Essa unidade não é externa nem mecânica, mas interna e orgânica. Ela não é imposta por força exterior, senão que, pela virtude do poder de Cristo que habita o crente, procede de dentro do organismo da igreja. Portanto, os que em seu zelo ecumênico se mostram ansiosos para desfazer todos os limites denominacionais a fim de criar uma gigantesca superigreja não podem encontrar aqui nenhum apoio.[9]

Paulo usa mais uma vez a figura do corpo para descrever a unidade. Ele enumera quatro virtudes que caracterizam o andar digno do cristão. A unidade não é criada, mas preservada (4.3). Ela já existe por obra de Deus, não do homem. Portanto, ecumenismo não possui amparo na Palavra de Deus. A unidade da igreja não é construída pelo homem, mas pelo Deus triúno.

Paulo fala também sobre a necessidade de se preservar a unidade do Espírito no vínculo da paz. A unidade é orgânica, mas precisa ser preservada. Como essa unidade é preservada?

---

[6]STOTT, John. *A mensagem de Efésios*, p. 103.
[7]WIERSBE, Warren W. *Comentário bíblico expositivo*, p. 44-49.
[8]WIERSBE, Warren W. *Comentário bíblico expositivo*, p. 44.
[9]HENDRIKSEN, William. *Efésios*, p. 226.

Em primeiro lugar, **agindo com humildade** (4.2) A palavra grega *tapeinophrosine*, "humildade", foi cunhada pela fé cristã. A humildade era desprezada pelos romanos, pois era sinal de fraqueza. Tinha o sentido de baixo, vil, ignóbil. A *megalopsiquia*, o contrário de humildade, é que era considerada virtude. Ebehard Hahn define humildade como a renúncia à imposição de interesses pessoais.[10] Francis Foulkes diz acertadamente que, em Cristo, a humildade tornou-se uma virtude. Sua vida e morte foram serviço e sacrifício sem qualquer preocupação quanto à reputação (Fp 2.6). Como o cristão é chamado a seguir Seus passos, a humildade ocupa uma parte insubstituível no caráter cristão.[11] Humildade representa pôr Cristo em primeiro lugar, os outros, em segundo lugar e o eu, em último lugar. Cristo apresentou-se como alguém manso e humilde de coração. A primeira bem-aventurança cristã é ser humilde de espírito. William Barclay diz que a humildade provém: 1) do conhecimento que temos de nós mesmos. Quem sabe que veio do pó, é pó e voltará ao pó não pode ser orgulhoso; 2) do confronto da própria vida com a vida de Cristo à luz das exigências de Deus. Quando reconhecemos que Cristo é santo e puro e somos desafiados a imitá-lo, então precisamos ser humildes; 3) da consciência de que somos criaturas totalmente dependentes de Deus. Não podemos viver um minuto sequer sem o cuidado de Cristo. Nosso dinheiro, saúde e amigos não podem nos valer. Não podemos pensar a respeito de nós mesmos além do que convém nem aquém (Rm 12.3). Cristo é o exemplo máximo de humildade: Ele a si mesmo se esvaziou.[12]

Em segundo lugar, **agindo com mansidão** (4.2). A palavra grega *prautes*, "mansidão", não é sinônimo de fraqueza; ao contrário, é a suavidade dos fortes, cuja força está sob controle. É a qualidade de uma personalidade forte que, mesmo assim, é senhora de si mesma e serva de outras pessoas.[13]

---

[10] HAHN, Ebehard. *Carta aos Efésios*. Em Cartas aos Efésios, Filipenses e Colossenses. Curitiba: Editora Esperança, 2006, p 77.
[11] FOULKES, Francis. *Efésios: introdução e comentário*, p. 90.
[12] BARCLAY, William. *Galatas y Efesios*, p. 142,143.
[13] STOTT, John. *A mensagem de Efésios*, p. 105.

A palavra grega *prautes* era usada no grego clássico com o bom sentido de suavidade de tratamento ou docilidade de caráter.[14] Uma pessoa mansa é aquela que não insiste em seus direitos nem reivindica sua própria importância ou autoridade. Na verdade, uma pessoa mansa abre mão de seus direitos. Uma pessoa mansa prefere, antes, sofrer o agravo do que o infligir (1Co 6.7). Abraão é um exemplo de mansidão. Ele deixou Ló fazer a melhor escolha (Gn 13.7-18). A mansidão é poder sob controle. É a virtude daqueles que não perdem o controle. Moisés era manso e, no entanto, veja quão tremendo poder ele exerceu. Jesus era manso e virou a mesa dos cambistas. Você tem poder, mas esse poder está sob controle. Era o termo usado para um animal adestrado. Uma pessoa mansa controla seu temperamento, impulsos, língua e desejos. É a pessoa que possui completo domínio de si mesma. Ao comparar mansidão com humildade, chegamos à conclusão de que o homem manso pensa bem pouco em suas reivindicações pessoais, como também o homem humilde pensa bem pouco em seus méritos pessoais.[15]

Em terceiro lugar, **agindo com paciência** (4.2). William Barclay diz que o substantivo *makrothymia* e o verbo *makrothymein* são palavras tipicamente cristãs, pois descrevem uma virtude cristã que os gregos não consideravam virtude.[16] É a atitude de nunca revidar. A palavra grega *makrothymia* quer dizer aguentar com paciência pessoas provocadoras.[17] É o estado de espírito estendido ao máximo. É a firme paciência no sofrimento ou infortúnio.[18] Crisóstomo dizia que paciência é o espírito que tem o poder de vingar-se, mas nunca o faz. É a pessoa que aguenta o insulto sem amargura nem lamento. O amor tudo suporta!

Em quarto lugar, **agindo com um amor que suporta os irmãos** (4.2). A palavra "suportar" aqui não é aguentar o outro com resignação estoica, mas servir de amparo e suporte para o outro. Fazer isso não por um dever amargo, mas com amor. "Suportar em amor" é a manifestação

---

[14] FOULKES, Francis. *Efésios: introdução e comentário*, p. 90.
[15] STOTT, John. *A mensagem de Efésios*, p. 105.
[16] BARCLAY, William. *Palabras Griegas Del Nuevo Testamento*, p. 149,150.
[17] STOTT, John. *A mensagem de Efésios*, p. 106.
[18] FOULKES, Francis. *Efésios: Introdução e comentário*, p.91.

prática da paciência. Representa ser clemente com as fraquezas dos outros, não deixando de amar o próximo nem os amigos por causa de suas faltas, ainda que talvez nos ofendam ou desagradem.[19]

O fundamento da unidade (4.4-6)

Tendo abordado a graça da unidade, Paulo passa a falar sobre o fundamento da unidade: *Há um só corpo e um só Espírito, como também fostes chamados em uma só esperança do vosso chamado; há um só Senhor, uma só fé, um só batismo; e um só Deus e Pai de todos, que é sobre todos, por todos e está em todos* (4.4-6).

Muitas pessoas, hoje, esforçam-se para unir as religiões de forma não bíblica. Elas dizem: "Não estamos interessados em doutrinas, mas em amor". Dizem: "Vamos esquecer as doutrinas; elas só nos dividem. Vamos simplesmente amar uns aos outros".[20] Mas Paulo não discute a unidade cristã sem antes falar do evangelho (capítulos 1 a 3). Unidade edificada sobre outra base que não a verdade bíblica é o mesmo que edificar uma casa sobre a areia. A unidade cristã baseia-se na doutrina da Trindade: *Um só Espírito* (4.4), *um só Senhor* (4.5) *e um só Deus e Pai de todos* (4.6).

Paulo nomeia aqui algumas realidades básicas que unem todos os cristãos.

- *Um só corpo* (4.4). Só existe uma igreja verdadeira, o corpo de Cristo, formada de judeus e gentios, a única família no céu e na terra. Uma pessoa só começa a fazer parte desse corpo quando é convertida e batizada pelo Espírito nesse corpo. Nenhuma igreja local ou denominação pode arrogar-se a pretensão de ser a única igreja verdadeira. A igreja de Cristo é supradenominacional.
- *Um só Espírito* (4.4). É o mesmo Espírito que habita na vida de cada crente. O apóstolo Paulo diz que *se alguém não tem o Espírito de Cristo, não pertence a Cristo* (Rm 8.9).

---

[19] FOULKES, Francis. *Efésios: introdução e comentário*, p. 91.
[20] WIERSBE, Warren W. *Comentário bíblico expositivo*, p. 45.

- *Uma só esperança* (4.4). É a esperança da volta gloriosa de Jesus, quando os mortos em Cristo receberão um corpo de glória, e os vivos serão transformados e arrebatados para encontrar o Senhor Jesus nos ares. Nesse tempo, todas as coisas serão restauradas e, então, haverá novos céus e nova terra.
- *Um só Senhor* (4.5). Este é o nosso Senhor Jesus Cristo que morreu por nós, ressuscitou e vive por nós e, um dia, virá para nós. É difícil crer que dois crentes que dizem obedecer ao mesmo Senhor sejam incapazes de andar juntos em unidade. Alguém perguntou a Gandhi, líder espiritual da Índia: "Qual é o maior impedimento para o cristianismo na Índia?" Ele respondeu: "Os cristãos". Confessar o senhorio de Cristo é um grande passo na direção da unidade entre o Seu povo.
- *Uma só fé* (4.5). Essa fé tanto é o conteúdo da verdade que cremos, o nosso credo (Jd 3; 2Tm 2:2), como é a nossa confiança pessoal em Cristo como Senhor e Salvador.
- *Um só batismo* (4.5). Esse é o batismo pelo Espírito no corpo de Cristo (1Co 12.13). Não se trata aqui do sacramento do batismo que a igreja administra, mas daquela operação invisível que o próprio Espírito Santo realiza. Paulo não está falando aqui da forma do batismo (aspersão, efusão e imersão), mas do sentido do batismo, que é a nossa união com Cristo e Sua igreja.
- *Um só Deus e Pai* (4.6). Deus é o Pai de toda a igreja, tanto a da terra como a do céu. Deus é sobre todos, age por meio de todos e está em todos.

Os dons da unidade (4.7-11)

Paulo passa, agora, a falar sobre os dons da unidade:

> Mas a graça foi concedida a cada um de nós conforme a medida do dom de Cristo. Por isso foi dito: Subindo para o alto, levou cativo o cativeiro e deu dons aos homens. O que significa "Ele subiu", senão que também desceu às partes baixas da terra? Aquele que desceu é o mesmo que também subiu muito acima de todos os céus, para preencher todas as coisas. E Ele designou uns como apóstolos, outros como profetas, outros como evangelistas e ainda outros como pastores e mestres (4.7-11).

O primeiro aspecto que Paulo trata é da variedade na unidade (4.7). Ele move-se daquilo que todos os cristãos têm em comum para aquilo que difere um cristão do outro: os dons espirituais. Os dons são dados para unir e edificar a igreja. Os dons são habilidades dadas aos crentes para que sirvam a Deus e aos irmãos de tal modo que Cristo seja glorificado, e os crentes sejam edificados. É importante ressaltar que: 1) todo cristão possui algum dom; 2) existe grande variedade de dons; 3) o Senhor glorificado é soberano na distribuição dos dons. Os dons são *charismata*; logo, "carismático" não é um termo que possa ser corretamente aplicado a determinado grupo ou movimento da igreja, visto que, de acordo com o Novo Testamento, toda a igreja é uma comunidade carismática. É o corpo de Cristo, e cada um de seus membros tem um dom (*charisma*) para exercer ou uma função para cumprir.[21]

O segundo aspecto que Paulo aborda é: como você pode descobrir e desenvolver os seus dons? Sua resposta é clara: pela comunhão na igreja (4.7). Os dons não são brinquedos particulares para o nosso próprio deleite, mas são ferramentas com as quais devemos trabalhar em prol dos outros. Se os dons não forem usados para a edificação dos outros, transformam-se em armas de combate aos outros, como aconteceu na igreja de Corinto (1Co 12–14).

O terceiro aspecto que Paulo foca é que Cristo levou cativo o cativeiro e deu dons aos homens (4.8,9). Cristo, por meio de Sua morte, ressurreição e glorificação, tirou as correntes do cativeiro satânico; isto é, a humanidade cativa a satanás passou a ser o espólio de Cristo. Assim, fomos transferidos do Império das trevas e de sua escravatura e tornamo-nos escravos de Cristo e de Sua justiça.[22] Cristo ascendeu ao céu como o supremo vencedor. A figura aqui é de um conquistador militar conduzindo seus cativos e distribuindo o espólio entre seus seguidores. Aqui, entretanto, os cativos não são os inimigos, mas Seu próprio povo. Os pecadores que estiveram sob o domínio da carne, do mundo e do diabo, agora, são cativos de Cristo. Quando Cristo veio à terra, foi ao mais fundo da humilhação. Quando ascendeu ao céu, Ele alcançou o máximo da exaltação. A seguir, Ele deu dons aos homens.

---

[21] STOTT, John. *A mensagem de Efésios*, p. 111.
[22] SHEDD, Russell. *Tão grande salvação*, p. 59.

Que dons são esses, chamados dons de Cristo à igreja?

O dom de apóstolo (4.11). Jesus tinha muitos discípulos, mas apenas doze apóstolos. Um discípulo é um seguidor, um apóstolo é um comissionado. Os apóstolos tinham de ter três qualificações: 1) conhecer pessoalmente a Cristo (1Co 9.1,2); 2) ser testemunha titular da Sua ressurreição (At 1.21-23); 3) ter o ministério autenticado com milagres especiais (2Co 12.12). Nesse sentido, não temos mais apóstolos hoje. Num sentido geral, todos nós fomos chamados para ser enviados (Jo 20.21). O verbo grego *apostello* quer dizer "enviar", e todos os cristãos são enviados ao mundo como embaixadores e testemunhas de Cristo para participar da missão apostólica de toda a igreja.[23] Expressamos nossa convicção de que, hoje, uma igreja apostólica é aquela que segue a doutrina dos apóstolos, e não aqueles que dão a seus líderes o título de apóstolos. Francis Foulkes é categórico quando afirma: "A partir da própria definição de apóstolo, é evidente que seu ministério devia cessar com a morte da primeira geração da igreja".[24]

O dom de profeta (4.11). Os profetas não eram apenas aqueles que previam o futuro, mas, sobretudo, aqueles que proclamavam a Palavra de Deus. Eles recebiam suas mensagens diretamente do Espírito Santo. Não temos mais mensagens revelacionais. O cânon da Bíblia está completo. Hoje não temos mais profetas, mas o dom de profecia, que é a exposição fiel das Escrituras. Concordo com John Stott quando diz que ninguém pode reivindicar uma inspiração comparável àquela dos profetas nem usar a fórmula introdutória deles: "Assim diz o Senhor". Se isso fosse possível, teríamos de acrescentar as palavras de tal pessoa às Escrituras, e toda a igreja teria de escutar e obedecer.[25] Francis Foulkes ainda corrobora: "O ministério, ou pelo menos o nome, de profeta logo deixou de existir na igreja. Sua obra, que era receber e declarar a Palavra de Deus sob inspiração direta do Espírito, era mais vital antes da existência do cânon das Escrituras do Novo Testamento".[26]

---

[23] STOTT, John. *A mensagem de Efésios*, p. 114,115.
[24] FOULKES, Francis. *Efésios: introdução e comentário*, p. 98.
[25] STOTT, John. *A mensagem de Efésios*, p. 116.
[26] FOULKES, Francis. *Efésios: introdução e comentário*, p. 98.

O dom de evangelista (4.11). Os evangelistas eram os missionários itinerantes.[27] Todos os ministros devem fazer a obra do evangelista (2Tm 4.5). Os apóstolos e profetas lançaram o fundamento da igreja, e os evangelistas edificaram sobre esse fundamento, ganhando os perdidos para Cristo. Cada membro da igreja deve ser uma testemunha de Cristo (At 2.41-47; 8.4; 11.19-21), mas há pessoas a quem Jesus dá o dom especial de ser um evangelista. Podemos presumir que o trabalho deles era uma obra itinerante de pregação orientada pelos apóstolos, e parece ser justo chamá-los de "a milícia missionária da igreja".[28] O fato de não termos esse dom não nos desobriga de evangelizar. John Stott lança luz sobre esse assunto, quando escreve:

> Ao referir-se ao dom de evangelista, talvez se refira ao dom da pregação evangelística, ou de fazer o evangelho especialmente claro e relevante aos descrentes, ou de ajudar as pessoas medrosas a dar o passo da entrega a Cristo, ou o testemunho pessoal eficiente. Provavelmente, o dom de evangelista tome todas estas formas diferentes e outras mais. Deve ter algum relacionamento com ministério evangelístico, seja na evangelização de massa, na evangelização pessoal, na evangelização pela literatura, na evangelização por filmes, na evangelização pelo rádio e pela televisão, na evangelização pela música ou pelo emprego de algum outro meio de comunicação.[29]

O dom de pastores e mestres (4.11). Pastores e mestres constituem um só ofício com dupla função.[30] Deus chama alguns para ser pastores e mestres. O pastor ensina e exorta. Ele alimenta, cuida, protege, vigia e consola as ovelhas (At 20.28-30). Ele faz isso por meio da Palavra. A Palavra é o alimento, a vara e também o cajado que o pastor usa. Embora todo pastor deva ser um mestre, nem todo mestre é um pastor. Todos os cinco dons vistos até aqui estão ligados ao ensino das Escrituras. A Palavra é o grande instrumento para a edificação da igreja.

---

[27] HENDRIKSEN, William. *Efésios*, p. 244.
[28] FOULKES, Francis. *Efésios: introdução e comentário*, p. 99.
[29] STOTT, John. *A mensagem de Efésios*, p. 117.
[30] VAUGHAN, Curtis. *Efésios*, p. 110.

O crescimento da unidade (4.12-16)

Os dons concedidos por Cristo para a igreja têm objetivos claros:

Aperfeiçoamento dos santos (4.12). *Tendo em vista o aperfeiçoamento dos santos.* Não encontramos em nenhuma outra passagem do Novo Testamento a palavra grega *katartismos*, "aperfeiçoamento", embora o verbo correspondente seja usado no sentido de consertar as redes (Mc 1.19).[31] Também era empregada para o ato de restaurar um osso quebrado. Em política, o termo era usado para pôr de acordo facções opostas. A palavra pode ter o sentido de "aperfeiçoar" o que está deficiente na fé dos cristãos e dá a ideia de levar os santos a se tornarem aptos para o desempenho de suas funções no corpo, sem deixar implícita a restauração de um estado desordenado.[32]

O *desempenho do serviço* (4.12b). *Para a obra do ministério.* A função principal dos pastores e mestres não é fazer a obra, mas treinar os crentes para fazer a obra. A palavra grega *diakonia*, "serviço", é usada aqui não para descrever a obra de pastores, mas, sim, a obra do chamado laicato, ou seja, de todo o povo de Deus, sem exceção. Aqui temos evidência indiscutível de como o Novo Testamento vê o ministério: não como prerrogativa de uma elite clerical, mas, sim, como a vocação privilegiada de todo o povo de Deus.[33] Concordo com William Barclay quando diz que o trabalho da igreja não consiste só na pregação e ensino, mas também no serviço prático.[34] Precisamos exercer a diaconia e socorrer os necessitados.

A *edificação do Corpo de Cristo* (4.12c). *Para a edificação do corpo de Cristo.* A finalidade do exercício dos dons é a edificação da igreja. Estou de acordo com John Stott quando diz que todos os dons espirituais são dons para o serviço. Não são dados para o uso egoísta, mas, sim, para o uso altruísta, isto é, para servir às outras pessoas.[35]

As evidências do crescimento espiritual da igreja podem ser vistas em quatro aspectos:

---

[31] FOULKES, Francis. *Efésios: introdução e comentário*, p. 99.
[32] FOULKES, Francis. *Efésios: introdução e comentário*, p. 100.
[33] STOTT, John. *A mensagem de Efésios*, p. 120.
[34] BARCLAY, William. *Galatas y Efesios*, p. 156.
[35] STOTT, John. *A mensagem de Efésios*, p. 121.

Em primeiro lugar, *a maturidade espiritual ou semelhança com Cristo* (4.13). *Até que todos cheguemos à unidade da fé e do pleno conhecimento do Filho de Deus, ao estado de homem feito, à medida da estatura da plenitude de Cristo.* Nossa meta é o crescimento espiritual. Cristo é nossa vida, nosso exemplo, nossa meta e nossa força. Devemos imitá-Lo e chegar à plenitude da Sua estatura. A igreja impõe aos seus membros nada menos que a meta da perfeição. Precisamos ser um reflexo do próprio Cristo, pois Ele vive em nós.

Em segundo lugar, *a estabilidade espiritual* (4.14). *Para que não mais sejamos mais inconstantes como crianças, levados ao redor por todo vento de doutrina, pela mentira dos homens, pela astúcia na invenção do erro.* Naturalmente, devemos ser semelhantes às crianças em sua humildade e inocência (Mt 18.3; 1Co 14.20), mas não em sua ignorância nem em sua instabilidade. As crianças instáveis são como barquinhos num mar tempestuoso, inteiramente à mercê dos ventos e das ondas.[36] A palavra grega usada por Paulo sugere a fúria das águas. Trata-se de uma agitação tão violenta que pode tontear a pessoa.[37] Um crente maduro não é jogado de um lado para o outro pelas novidades espirituais que surgem no mercado da fé. Há crentes que vivem embarcando em todas as ondas de novidades heterodoxas que assaltam a igreja e jamais se firmam na verdade. Vivem atrás de experiências e não têm discernimento para identificar os falsos ensinos. Os modismos vêm e vão. As novidades religiosas são como goma de mascar, perdem logo o doce, e as pessoas começam a mastigar borracha e, logo, precisam de outra novidade.

Em terceiro lugar, **seguir a verdade em amor** (4.15). *Pelo contrário, seguindo a verdade em amor, cresçamos em tudo nAquele que é a cabeça, Cristo.* A verdade sem amor é brutalidade, mas amor sem verdade é hipocrisia. *As feridas provocadas por um amigo são boas, mas os beijos de um inimigo são traçoeiros* (Pv 27.6). Aquilo que os cristãos defendem e a maneira como o fazem deve contrastar totalmente com os homens mencionados no versículo 14. Esses homens enganam os outros em benefício próprio, ao passo que o cristão deve levar adiante a verdade

---

[36] STOTT, John. *A mensagem de Efésios*, p. 123.
[37] FOULKES, Francis. *Efésios: introdução e comentário*, p. 101,102.

a fim de trazer benefício espiritual aos outros e deve fazer isso de uma forma tão cativante como só o amor é capaz de fazer.[38]

Em quarto lugar, *a cooperação espiritual* (4.16). *Nele o corpo inteiro, bem ajustado e ligado pelo auxílio de todas as juntas, segundo a correta cooperação de cada parte, efetua o seu crescimento para edificação de si mesmo no amor.* É só de Cristo, como Cabeça, o corpo recebe toda sua capacidade para crescer e para desenvolver sua atividade, recebendo, assim, uma direção única para funcionar como entidade coordenada.[39] Cada membro do corpo, não importa o quão insignificante pareça ser, tem um ministério importante a exercer para o bem do corpo. O corpo cresce, quando os membros crescem. E eles crescem quando alimentam uns aos outros com a Palavra de Deus. Crianças não podem se cuidar sozinhas. Precisamos uns dos outros. Um cristão isolado não pode ministrar aos outros nem receber ministração.

Temos aqui a visão de Paulo para a igreja. A nova sociedade de Deus deve demonstrar amor, unidade, diversidade e maturidade sempre crescente. Essas são as características de uma vida digna da vocação do nosso chamado.

---

[38] FOULKES, Francis. *Efésios: introdução e comentário*, p. 102.
[39] FOULKES, Francis. *Efésios: introdução e comentário*, p. 103.

8
Um novo estilo de vida
Efésios 4.17-32)

EM EFÉSIOS 4.1-16, PAULO TRATOU DA UNIDADE DA IGREJA. Nesse parágrafo, ele trata da pureza da igreja. Paulo faz o mesmo tipo de introdução nos versículos 1 e 17. A pureza é uma característica do povo de Deus tão indispensável quanto a unidade.

Mais uma vez, faço coro ao que escreveu Warren Wiersbe ao afirmar a tríplice ênfase de Paulo no texto em apreço: admoestação, argumentação e aplicação.[1]

Admoestação – uma clara ruptura com os velhos costumes pagãos (4.17-19)

O apóstolo começa enfatizando o fator intelectual no modo de vida das pessoas. Quando Paulo descreve os pagãos, chama a atenção para algumas coisas: 1) vaidade de seus próprios pensamentos; 2) obscurecimento de entendimento; 3) ignorância em que vivem. Suas mentes estão vazias, seus entendimentos estão obscurecidos e eles vivem na ignorância. Isso os tornou empedernidos, licenciosos e impuros.

---
[1] WIERSBE, Warren W. *Comentário bíblico expositivo*, p. 50-55.

Francis Foulkes tem razão quando diz que, sem o conhecimento de Deus, tudo, em última análise, é vaidade, pois não há qualquer sentido e propósito em nada. Pode haver muito conhecimento, mas não há luz de sabedoria na mente, pois o entendimento está obscurecido.[2]

Depois, Paulo começa a falar sobre o caminho dos gentios. A vida cristã começa com *arrependimento*, que é a mudança de mente. Toda a vida da pessoa precisa mudar quando ela confia em Cristo, incluindo seus valores, suas metas e seus conceitos da vida. A ordem de Paulo é: "Não andeis mais como andam os gentios". Agora que você é crente, sua vida precisa ser diferente. Como é a vida dos gentios?

Primeiro, Paulo fala da *vaidade de seus próprios pensamentos* (4.17). *Portanto, digo e dou testemunho no Senhor que não andeis mais como andam os gentios, em pensamentos fúteis*. Os cristãos pensam de forma diferente das pessoas não salvas. O pensamento dos pagãos é um pensamento fútil, cheio de soberba e empáfia. Quem não conhece a Deus, não conhece o mundo ao seu redor nem a si mesmo (Rm 1.21-25). Temos muita ciência e pouca sabedoria.

Segundo, Paulo fala sobre *entendimento obscurecido* (4.18a). "Obscurecidos no entendimento." Os gentios pensam que eles são iluminados porque rejeitam a Bíblia e o conhecimento de Deus e creem na última filosofia, quando, na realidade, eles estão em trevas. O apóstolo Paulo diz: *Dizendo-se sábios, tornaram-se loucos* (Rm 1.22). Mas eles pensam que são sábios. Satanás cegou a mente deles (2Co 4.3-6).

Terceiro, Paulo diz que os gentios vivem *alheios à vida de Deus* (4.18b). "Separados da vida de Deus." Vivem sem esperança e sem Deus no mundo. Vivem separados de Deus. Adoram outros deuses e abandonam o Deus vivo.

Quarto, Paulo afirma que os gentios *vivem na ignorância* (4.18c). *Pela ignorância* [...]. João Calvino, no início de Sua obra *Institutas da religião cristã*, diz acertadamente que o verdadeiro conhecimento começa com Deus. Quem não conhece a Deus é escravo da ignorância. A verdade e a vida caminham juntas. Se você crê na verdade de Deus, então você recebe a vida de Deus.

---

[2]FOULKES, Francis. *Efésios: introdução e comentário*, p. 105.

Quinto, Paulo trata da *dureza de coração dos gentios* (4.18d). [...] *e dureza do coração*. A palavra grega que Paulo usa é *porosis*. *Póros* era uma pedra mais dura do que o mármore.³ Essa palavra era usada na medicina para calo ou formação óssea nas juntas. Quer dizer petrificar, tornar duro e insensível.⁴ O termo chegou a ter o sentido de perda de toda capacidade sensitiva. Paulo diz que a mente deles se tornou dura como pedra, e a consciência ficou cauterizada. Nesse coração duro como pedra não há lugar para Deus nem para os lídimos valores morais.⁵ Paulo diz que os pagãos chegam a ponto de perder a sensibilidade.

William Barclay está coberto de razão quando diz que o horrível do pecado é seu efeito petrificador.⁶ No começo, a pessoa sente vergonha ao pecar. Depois, perde o pudor, o temor e o horror. Peca sem remorso nem pesar. A consciência petrifica-se. Há uma lenda que retrata bem esse processo da petrificação. Essa lenda fala da dependência do álcool. Conta a lenda que o álcool é uma composição formada pelo sangue do pavão, do leão, do macado e do porco. Quando o homem começa a beber sente-se bonito, atraente como um pavão. Depois, sente-se forte e valente como um leão. Em seguida, começa a fazer mesuras como um macaco. Mas, no fim, chafurda na lama como um porco. Esse é o processo do pecado. O estágio final dessa escalada é a perda total da tristeza pelo pecado. A consciência está abafada, a mente cauterizada e o coração endurecido. O passo seguinte é a conduta ultrajante, sem qualquer preocupação com padrões pessoais nem sanções sociais. É a rendição desavergonhada a toda sorte de imoralidade.⁷

Sexto, Paulo diz que os gentios *entregam-se à dissolução para cometer toda sorte de impureza* (4.19a). *Havendo se tornado insensíveis, entregaram-se à devassidão*. Nada os refreia de satisfazer seu desejo imundo. A dureza de coração leva, primeiro, às trevas mentais; depois, à insensibilidade da alma e, finalmente, à vida desenfreada. Devassidão ou

---

³Barclay, William. *Galatas y Efesios*, p. 159.
⁴Stott, John. *A mensagem de Efésios*, p. 128,129.
⁵Foulkes, Francis. *Efésios: introdução e comentário*, p. 105.
⁶Barclay, William. *Galatas y Efesios*, p. 160.
⁷Foulkes, Francis. *Efésios: introdução e comentário*, p. 106.

lascívia, aqui, é a tradução da palavra grega *aselgeia*: disponibilidade para qualquer prazer. O homem sempre procura ocultar seu pecado, mas o que tem *aselgeia* em sua alma não tem cuidado com o choque que seu pecado possa causar na opinião pública. Ele perde a decência e a vergonha.[8] Tendo perdido a sensibilidade, as pessoas perdem todo o autocontrole. William Barclay diz que, em muitos aspectos, *aselgeia* é a palavra mais feia das que figuram na lista de pecados do Novo Testamento. Trata-se da disposição para os prazeres, disposição que não aceita qualquer forma de disciplina nem de autocontrole. É o espírito que não conhece limitações e se entrega desenfreadamente ao desvario dos desejos insensatos. Ao pé da letra, o homem que tem *aselgeia* é aquele que perdeu completamente a vergonha e já não se importa mais com a opinião dos outros.[9]

Sétimo, Paulo diz que os gentios *entregam-se à avidez* (4.19b). *Para cometer com avidez todo tipo de impureza*. A palavra grega *pleonexia* quer dizer avidez arrogante ou execrável desejo de possuir. Trata-se do desejo ilícito de possuir o que pertence a outro, ou seja, o espírito pelo qual o homem está sempre disposto a sacrificar seu próximo para satisfazer seus caprichos. *Pleonexia* é o desejo irresistível de ter aquilo a que não se tem direito algum: sejam bens, sexo ou qualquer outra coisa.[10] Francis Foulkes diz que *pleonexia* é o desejo de ter mais do que é devido, a paixão de possuir sem qualquer consideração para com o que seja justo ou para com o direito das outras pessoas.[11]

William Barclay afirma que *pleonexia*, no grego clássico, tem o sentido de cobiça feroz, ou seja, o espírito do homem que emprega todos os meios possíveis para se aproveitar de seu próximo. É defraudar o outro com astúcia. É usar de esperteza para conseguir o que não é lícito? É ambição desmedida. É o maldito amor de possuir aquilo que não é legítimo. É o injusto desejo de ter tudo aquilo que não lhe pertence.[12]

---

[8] BARCLAY, William. *Galatas y Efesios*, p. 160.
[9] BARCLAY, William. *Palabras Griegas Del Nuevo Testamento*, p. 46,47.
[10] BARCLAY, William. *Galatas y Efesios*, p. 161.
[11] FOULKES, Francis. *Efésios: introdução e comentário*, p. 106.
[12] BARCLAY, William. *Palabras Griegas Del Nuevo Testamento*, p. 178.

Esse é o retrato da sociedade contemporânea. Essa imagem está estampada em todos os jornais e noticiários. Vemô-la nas esquinas das ruas. Em cada canto da cidade há *outdoors* fazendo propaganda do pecado sem nenhum pudor. A sociedade está falida moralmente.

Argumentação – a verdade tal como ela é em Jesus (4.20-24)

Acompanhemos o relato de Paulo:

> *Mas vós não aprendestes assim de Cristo. Se é que de fato O ouviste, nEle fostes instruídos, conforme a verdade que está em Jesus, a vos despir do velho homem, do vosso procedimento anterior, que se corrompe pelos desejos maus e enganadores, e a vos renovar no espírito da vossa mente, e a vos revestir do novo homem, criado segundo Deus em verdadeira justiça e santidade* (4.20-24).

Paulo contrasta a vida do ímpio com a vida do crente, quando usa o *vós* v.p.119 e o *mas*. A ênfase é novamente a mente ou a cosmovisão do cristão: 1) aprendestes de Cristo; 2) se de fato O ouviste; 3) nEle fostes instruídos; 4) vos renovar no espírito da vossa mente; 5) e vos revestir do novo homem, criado segundo Deus em verdadeira justiça e santidade.

É importante notar que Paulo fala de aprender com Cristo, e não sobre Cristo (4.20). Aprender com Cristo representa ter um estreito relacionamento com Ele. Aprender sobre Cristo é ter informações sobre Ele. Uma pessoa pode conhecer sobre Cristo e não ser salva. Posso aprender sobre Rui Barbosa porque tenho livros sobre sua vida, mas jamais posso aprender de Rui Barbosa, porque ele está morto. Jesus Cristo está vivo. Portanto, posso aprender com Cristo.

Cristo é a substância, o mestre e o ambiente de ensino (4.21). Cristo é o conteúdo do ensino: aprendemos com Cristo. Mas Cristo também é o mestre: "o ouviste". Outrossim, Cristo é o ambiente: "nEle fostes instruídos, conforme a verdade que está em Jesus". Quanto mais conheço a Palavra de Deus, mais conheço o Filho de Deus. Aprender com Cristo não é nada além do que tirar a nossa velha humanidade como uma roupa podre e vestir a nova humanidade criada na imagem de Deus como uma roupa nova (4.22-24).¹³ A conversão básica deve ser seguida pela conversão diária.

Tornar-se cristão envolve uma mudança radical (4.22-24). Envolve o repúdio do nosso próprio "eu" antigo, da nossa humanidade caída, e a adoção de um novo "eu" ou da humanidade criada de novo. Veja o contraste entre os *dois homens*: o velho se corrompe, o novo é criado segundo Deus; o velho era dominado por paixões descontroladas, o novo foi criado em justiça e santidade; os desejos do velho eram do engano, a justiça do novo é da verdade. O pagão se corrompe por causa da futilidade de sua mente. O cristão se renova por causa da renovação de sua mente.

Tornar-se cristão envolve tirar as vestes da sepultura e vestir-se de novas roupagens. Lázaro esteve na sepultura por quatro dias. Cristo ressuscitou-o, e Lázaro levantou-se do sepulcro, mas coberto da mortalha. Cristo ordenou: "Desatai-o e deixai-o ir". Devemos também, da mesma forma, tirar as roupagens do velho homem e revestir-nos das roupagens do novo homem.

Aplicação (4.25-32)

Paulo não apenas expôs princípios, mas, agora, aplica-os a diferentes áreas da vida. Paulo chama alguns pecados pelo nome. Cinco diferentes pecados são mencionados, os quais a igreja precisa evitar. Esses pecados tratam dos relacionamentos entre os crentes. As ordens negativas vêm balanceadas com ordens positivas. Cada ordem dada vem respaldada por uma argumentação teológica:

Em primeiro lugar, **Paulo fala sobre a mentira** (4.25). *Por isso, abandonai a mentira, e cada um fale a verdade com seu próximo, pois somos membros uns dos outros.* A mentira é a afirmação contrária aos fatos, falada com o propósito de enganar.¹⁴ A mentira abrange toda a espécie de trapaças.¹⁵ O diabo é o pai da mentira (Jo 8.44). Quando falamos a verdade, Deus está trabalhando em nós; quando falamos a mentira, o

---
¹³STOTT, John. *A mensagem de Efésios*, p. 132.
¹⁴WIERSBE, Warren W. *Comentário bíblico expositivo*, p. 52.
¹⁵VAUGHAN, Curtis. *Efésios*, p. 120.

diabo está agindo por nosso intermédio. Os mentirosos, ou seja, aqueles que são controlados pela mentira, não herdarão o Reino de Deus (Ap 22.15). O primeiro pecado condenado na igreja primitiva foi o da mentira (At 5.1-11). A mentira destrói a comunhão da igreja, diz o apóstolo Paulo. A comunhão é edificada na confiança. A falsidade subverte a comunhão, ao passo que a verdade a fortalece.[16]

Em segundo lugar, **Paulo fala sobre a ira** (4.26,27). *Quando sentirdes raiva, não pequeis; e não conserveis a vossa raiva até o pôr do sol; nem deis lugar ao diabo.* Há dois tipos de raiva: a justa (4.26) e a injusta (4.31). Precisamos sentir raiva justa: a ira de Wilberforce contra a escravidão na Inglaterra é um exemplo de raiva justa. A raiva de Moisés contra a idolatria é outro exemplo clássico. A raiva de Lutero contra as indulgências é um dos mais claros exemplos desse ensinamento de Paulo. A raiva de Jesus no templo ao expulsar os cambistas é o exemplo por excelência desse princípio bíblico.

Se Deus odeia o pecado, Seu povo também deve odiá-lo. Se o mal desperta Sua raiva, também deve despertar a nossa (Sl 119.53). Ninguém deve ficar raivado a não ser que esteja raivado contra a pessoa certa, no grau certo, na hora certa, pelo propósito certo e no caminho certo.

Paulo qualifica sua expressão permissiva *sentirdes raiva* com três negativos:[17] 1) "Não pequeis". Devemos nos assegurar de que nossa raiva esteja livre de orgulho, despeito, malícia ou espírito de vingança; 2) "Não conserveis a vossa raiva até o pôr do sol". Paulo não está permitindo a você ficar com raiva durante um dia, ele está exortando a não armazenar a raiva, pois pode virar raiz de amargura; 3) "Nem deis lugar ao diabo". O diabo gosta de ficar espreitando as pessoas zangadas para tirar proveito da situação, como fez com Caim.

Jay Adams, em seu livro *O conselheiro capaz*, fala sobre duas maneiras erradas de lidar com a raiva: a primeira delas é a ventilação da raiva. Há pessoas que são explosivas, que atiram estilhaços para todos os lados, ferindo as pessoas com seu destempero emocional. A segunda maneira errada de lidar com a raiva é o congelamento dela. O indivíduo

---

[16] STOTT, John. *A mensagem de Efésios*, p. 136.
[17] STOTT, John. *A mensagem de Efésios*, p. 137.

não a joga para fora, mas para dentro. O resultado disso é a amargura. A solução para o congelamento da raiva é o perdão. É espremer o pus da ferida até o fim, fazendo uma assepsia da alma, uma faxina da mente, uma limpeza do coração.

Em terceiro lugar, **Paulo fala sobre o roubo** (4.28). *Aquele que roubava, não roube mais; pelo contrário, trabalhe, fazendo com as mãos o que é bom, para que tenha o que repartir com quem está passando necessidade.* Deus estabelece o direito de propriedade. O roubo inclui toda sorte de desonestidade que visa tirar do outro aquilo que lhe pertence: pesos, medidas, salários, trabalho, impostos, dízimo etc. Da mesma forma como o diabo é mentiroso e assassino, é também ladrão (Jo 10.10). Ele fez de Judas um ladrão (Jo 12.6). Quando ele tentou Eva, ele a levou a roubar (tomou do fruto proibido). Ela fez de Adão um ladrão, porque ele também tomou do fruto. O primeiro Adão foi ladrão e foi expulso do paraíso, mas o último Adão, Cristo, voltou-se para um ladrão e lhe disse: *Hoje estarás comigo no paraíso* (Lc 23.43).

Não basta ao desonesto parar de furtar. Paulo dá mais duas ordens: trabalhar para o sustento próprio e trabalhar para ajudar os outros. Ao invés de ser parasita da sociedade, ser benfeitor![18] Francis Foulkes tem razão quando diz que a motivação cristã para ganhar não é ter o suficiente somente para si e para os seus, e, além disso, ter talvez para o conforto e o luxo, mas ter para dar aos necessitados. Dessa maneira, a filosofia cristã de trabalho é elevada bem acima do pensamento acerca do que é certo ou correto no "campo econômico"; é elevada a uma posição em que não há lugar para o egoísmo nem motivo para o lucro pessoal.[19]

Em quarto lugar, Paulo fala sobre *palavras torpes* (4.29,30; ARA). *Não saia da vossa boca nenhuma palavra torpe, e sim unicamente a que for boa para edificação, conforme a necessidade, e, assim, transmita graça aos que ouvem. E não entristeçais o Espírito de Deus, no qual fostes selados para o dia da redenção.* O apóstolo volta-se do uso das nossas mãos para o uso da nossa boca. A palavra *torpe* vem do grego *sapros*, palavra que

---

[18]STOTT, John. *A mensagem de Efésios*, p. 138.
[19]FOULKES, Francis. *Efésios: introdução e comentário*, p. 112.

se emprega para árvores e frutos podres[20] e peixe podre.[21] É o tipo de palavra que prejudica os ouvintes. Um cristão não pode ter uma boca suja (Rm 3.14). Quando o coração muda, a boca também muda. Nossa comunicação precisa ser positiva: 1) boa; 2) edificante; 3) necessária; 4) transmissora de graça aos que ouvem.

Jesus disse que há uma conexão entre o coração e a boca. A boca fala do que o coração está cheio. Também prestaremos conta no dia do juízo por todas as palavras frívolas que proferimos (Mt 12.33-37). Nossa língua pode ser uma fonte de vida ou um instrumento de morte (Tg 3.5-8). Podemos animar as pessoas ou destruí-las com a nossa língua (Pv 12.18). A fala torpe entristece o Espírito que é santo. A. W. Tozer é oportuno quando escreve: "O Espírito Santo é uma Pessoa viva e deve ser tratado como tal. Nunca devemos pensar nEle como uma energia cega nem como uma força impessoal. Ele ouve, vê e sente como qualquer outra pessoa. Podemos agradá-Lo ou entristecê-Lo. Ele responderá ao nosso tímido esforço por conhecê-Lo e virá ao nosso encontro no meio do caminho".[22]

Em quinto lugar, **Paulo fala sobre a amargura** (4.31,32). *Toda amargura, cólera, ira, gritaria e blasfêmias sejam eliminadas do meio de vós, bem como toda maldade. Pelo contrário, sede bondosos e tende compaixão uns para com os outros, perdoando uns aos outros, assim como Deus vos perdoou em Cristo.* Paulo usa aqui seis atitudes pecaminosas nos relacionamentos: 1) *amargura* – a palavra grega *pikria*, "amargura", refere-se a um espírito azedo, uma conversa azeda, um espírito ressentido que se recusa a se reconciliar. É aquele estado irritado de mente que mantém o homem em perpétua animosidade – que tende a ter opiniões duras e descaridosas acerca dos seres humanos e das coisas –, que o torna fechado, irratadiço e repulsivo em seu relacionamento em geral[23]; 2) *cólera* – a palavra grega *thymos*, "cólera", traz a ideia de uma fúria

---
[20] STOTT, John. *A mensagem de Efésios*, p. 139.
[21] SHEDD, Russell. *Tão grande salvação*, p. 67.
[22] TOZER, A. W. *A vida cheia do Espírito*. Em Cinco votos para obter poder espiritual. São Paulo: Editora dos Clássicos, 2004, p. 48,49.
[23] RIENECKER, Fritz e Rogers, Cleon. *Chave linguística do Novo Testamento grego*, p. 396.

apaixonada²⁴. Refere-se a uma ira temporária; 3) *ira* – a palavra grega *orge*, "ira", tem que ver com uma hostilidade mais firme e sombria, ou seja, uma ira mais sutil e profunda; 4) *gritaria* – a palavra grega *krauge*, "gritaria", descreve as pessoas que erguem a voz numa altercação, começam a gritar e até a berrar umas contra as outras; 5) *blasfêmia* – a palavra grega *blasphemia*, "blasfêmia", quer dizer falar mal dos outros, especialmente pelas costas, difamando e destruindo a reputação das pessoas; 6) *malícia* – a palavra grega *kakia*, "malícia", quer dizer má vontade, incluindo o desejar e tramar o mal contra as pessoas.²⁵

Essas atitudes pecaminosas devem ser substituídas pela benignidade, compaixão e perdão. Esse é o modo de andar digno de Deus.

---

²⁴RIENECKER, Fritz e Rogers, Cleon. *Chave linguística do Novo Testamento grego*, p. 396.
²⁵STOTT, John. *A mensagem de Efésios*, p. 140.

9

Imitadores de Deus

Efésios 5.1-17

VIVEMOS DOIS EXTREMOS QUANDO SE TRATA DE IMITAR A DEUS. Primeiro, a teologia de que o homem é um semi-deus. O homem fala e há poder em suas palavras. Ele decreta, e as coisas acontecem. Ele ordena, e o mundo espiritual precisa se pôr em movimento em obediência às suas ordens. Segundo, a teologia de que Deus é um ser em desuso. O mundo secularizado não leva Deus em conta. Explica tudo pela ciência. Não há lugar nem espaço para Deus.

Não podemos imitar a Deus em sua soberania, onipotência, onisciência e onipresença. Não podemos imitar a Deus na criação nem na redenção.

A imitação a Deus é um ensino claro das Escrituras (Mt 5.43-48; Lc 6.35; 1Jo 4.10,11). Devemos imitar também a Cristo (Jo 13.34; 15.12; Rm 15.2,3,7; 2Co 8.7,9; Fp 2.5; 1Jo 3.16).

Paulo argumenta que os filhos são como seus pais. Os filhos aprendem pela imitação. Deus é amor (1Jo 4.8); por isso, os crentes devem andar em amor. Deus é luz (1Jo 5.8); portanto, os crentes devem andar como filhos da luz. Deus é verdade (1Jo 5.6); por isso, os crentes devem andar em sabedoria.[1]

---

[1] WIERSBE, Warren W. *Comentário bíblico expositivo*, p. 56.

Andar em **amor** (5.1,2)

Paulo escreve: *Portanto, sede imitadores de Deus, como filhos amados; e andai em amor como Cristo, que também nos amou e Se entregou por nós a Deus como oferta e sacrifício com aroma suave* (5.1,2). O que é ser um imitador de Deus? A palavra *imitar* vem da mesma palavra que mímica. A mímica era a parte mais importante no desempenho de um orador. Três coisas faziam parte da vida de um grande orador: teoria, mímica e prática. Se você quiser ser um grande orador, então imite os grandes oradores do passado. Mas, se você quiser ser santo, então imite a Deus.

Quais são os limites dessa imitação? Paulo diz que devemos imitar a Deus no amor. Andar em amor denota uma ação habitual. É fazer do amor a principal regra da nossa vida. Esse amor possui duas características distintas: primeiro, *o perdão*. (Deus amou-nos e perdoou-nos (4.32); assim, também devemos amar e perdoar (5.1)); segundo, *o sacrifício* (5.2). Esse amor não é mero sentimento. Ele tudo dá pelo irmão sem levar em conta nenhum sacrifício por aquele a quem é dedicado. O sacrifício de Cristo foi agradável a Deus no sentido de que satisfez Sua justiça e adquiriu eterna e eficaz redenção para nós.

Andar como **filhos da luz** (5.3-14)

Paulo passa do autossacrifício, para a autoindulgência. A ordem "andai em amor" é seguida da condenação da perversão do amor. Os crentes são santos (5.3,4), são reis (5.5,6) e são luz (5.7-14).

Paulo, ao tratar do assunto santidade, menciona os pecados dos quais é preciso fugir: *Mas a prostituição e todo tipo de impureza ou cobiça nem sequer sejam mencionados entre vós, como convém a santos, nem haja indecências, nem conversas tolas, nem gracejos obscenos; pois essas coisas são inconvenientes; pelo contrário, haja ações de graças* (5.3,4). Os pecados estão ligados a dois grupos: pecados do sexo (5.3) e pecados da língua (5.4).

Os pecados do sexo não deviam estar presentes na vida dos crentes. A infidelidade conjugal era espantosamente comum nos dias de Paulo. O homossexualismo havia séculos era admitido como uma maneira normal de proceder. Dos quinze imperadores romanos, catorze eram homossexuais. A imoralidade grassava nos templos de Afrodite, em Corinto, e de Diana, em Éfeso. A imoralidade sexual era uma prática comum nesse tempo.

Os pecados da língua também não deviam estar presentes na vida dos crentes. Conversação tola, palavras vãs ou chocarrices não devem fazer parte do vocabulário dos crentes. Os cristãos não devem falar palavras obcenas, contar piadas imorais nem se envolver com mexericos fúteis.

Porque somos a nova sociedade de Deus devemos adotar padrões novos e porque decisivamente nos despojamos da velha vida e nos revestimos da nova vida devemos usar roupas apropriadas. Agora, Paulo acrescenta mais dois incentivos à santidade.

Em primeiro lugar, **Paulo alerta para a certeza do julgamento**. *Porque bem sabeis que nenhum devasso, ou impuro, ou avarento, que é idólatra, tem herança no Reino de Cristo e de Deus. Ninguém vos engane com palavras sem sentido; pois é por causa dessas coisas que a ira de Deus vem sobre os desobedientes. Portanto, evitai a companhia deles* (5.5-7). Devemos abster-nos da imoralidade, porque nosso corpo foi criado por Deus, é unido a Cristo e é habitado pelo Espírito (1Co 6.12-20). Dessa forma, a licenciosidade não convém aos santos (5.3,4).

Agora, Paulo menciona o temor do julgamento. Os imorais podem escapar do julgamento da terra, mas não do juízo de Deus. Paulo diz que os imorais não herdarão o Reino de Cristo (5.5). O Reino de Cristo é o reino de justiça, e dele será excluída toda injustiça (1Co 6.9,10; Gl 5.21). Aquele que se entrega ao pecado sexual como uma obsessão idólatra e não se arrepende não pode ser salvo.

Paulo fala sobre o engano dos falsos mestres que tentam silenciar a voz de Deus (5.6). Muitas pessoas dizem que a Bíblia é reducionista, que o problema não é o pecado, mas a culpa. O mundo acha natural e aplaude o que Deus condena. Mas quem faz isso não rejeita a homens, mas a Deus. Ele é o vingador contra todas essas coisas (1Ts 4.4-8).

O apóstolo trata ainda da manifestação da ira de Deus sobre os filhos da desobediência (5.6). Os filhos da desobediência são aqueles que conhecem a lei de Deus e deliberadamente a desobedecem. Sobre esses vem a ira de Deus agora e na eternidade (4.17-19; Rm 1.24,26,28).

Paulo exorta os filhos de Deus a evitar a companhia dos impuros (5.7). Porque o Reino de Deus é justo e a ira de Deus sobrevirá aos injustos, os cristãos não devem ser participantes com eles. Paulo não está proibindo você de conviver com essas pessoas, mas de ser coparticipante com elas e parceiro de seus pecados.

Em segundo lugar, **Paulo fala sobre o fruto da luz** (5.8-14). Três são as responsabilidades decorrentes do conceito de que os crentes são "luz no Senhor".

Eles têm de andar como filhos da luz (5.8). *Pois no passado éreis trevas, mas agora sois luz no Senhor. Assim, andai como filhos da luz.* Antes não apenas andávamos em trevas, mas éramos trevas. Agora, não só estamos na luz, mas somos luz. Devemos viver de acordo com o que somos. A luz purifica, ilumina, aquece, aponta a direção, avisa sobre os perigos e produz vida.

Aqueles que são luz no Senhor devem produzir frutos luminosos (5.9,10). [...] *(pois o fruto da luz está em toda bondade, justiça e verdade), procurando saber o que é agradável ao Senhor.* Toda bondade, justiça e verdade contrastam com a vida impura e lasciva daqueles que são trevas e vivem nas trevas. A bondade (*agathesyne*) é certa generosidade de espírito. A justiça (*dikaiosyne*) é dar aos homens e a Deus o que lhes pertence. A verdade (*aletheia*) não é simplesmente algo intelectual que se absorve com a mente. A verdade é moral; não só é algo que se conhece, mas que se faz.[2]

Os filhos da luz precisam condenar as obras infrutíferas das trevas (5.11). *E não vos associeis às obras infrutíferas das trevas; pelo contrário, condenai-as.* Precisamos não ser cúmplices e reprová-las, ou seja, desmascarar o que elas são, trazendo-as para a luz.

As obras das trevas são indizivelmente más: *Pois é vergonhoso até mesmo mencionar as coisas que eles fazem às escondidas* (5.12). A indústria pornográfica e os estúdios de Holywood fazem grande sucesso porque promovem o proibido, escancaram o que é sujo e podre.

O pecado não pode ficar oculto diante da luz: *Mas todas essas coisas, sendo condenadas, manifestam-se pela luz, pois tudo que se manifesta*

---

[2] BARCLAY, William. *Galatas y Efesios*, p. 172.

é luz (5.13). O versículo 14 é uma conclusão natural: *Por isso se diz: Desperta, tu que dormes, levanta-te dentre os mortos, e Cristo te iluminará.* A nossa condição anterior em Adão é vividamente descrita em termos de sono, de morte e de trevas. Cristo liberta-nos de tudo isso. A conversão não é nada menos do que despertarmos do sono, ressuscitarmos dentre os mortos e sermos trazidos das trevas para a luz de Cristo.

Andar em **sabedoria** (5.15-17)

Paulo apresenta várias razões para andarmos de forma sábia: 1) a vida é curta (5.16a); 2) os dias são maus (5.6b); 3) Deus nos deu uma mente (5.17a); e 4) Deus tem um plano para nossa vida (5.17b). Os versos 15-17 definem o andar da sabedoria em dois pontos:

Primeiro, **as pessoas sábias tiram o maior proveito do seu tempo** (5.15,16; ARA). *Portanto, vede prudentemente como andais; não como néscios, e sim como sábios, remindo o tempo, porque os dias são maus.* O verbo "remir" quer dizer comprar de volta. Aqui, tem o sentido de tirar o maior proveito do tempo. "Tempo", *kairós*, refere-se a cada oportunidade que surge.[3]

Russell Shedd define a expressão 'remir o tempo' como aproveitar o tempo. O cristão deve usar o seu tempo (como pode usar seu dinheiro, sua capacidade, seu conhecimento, sua mente) para retirar de satanás o tempo. Comprar "para libertar" do poder satânico aquilo que ele já escravizou no mundo. A característica do nosso século é gastar mais e mais tempo sem trazer benefício para o que é divino. Satanás tenta nos pressionar para que, pela falta de tempo, não pensemos nos valores reais. O Senhor deseja que resgatemos as horas para ele.[4]

Com certeza, as pessoas sábias têm consciência de que o tempo é um bem precioso. Todos nós temos a mesma quantidade de tempo ao nosso dispor: 60 minutos por hora, 24 horas por dia. As pessoas sábias empregam seu tempo de forma proveitosa. Li algures sobre um aviso

---
[3] STOTT, John. *A mensagem de Efésios*, p. 150,151.
[4] SHEDD, Russell. *Tão grande salvação*, p. 70.

no boletim de uma igreja. O aviso era assim: 1) "PERDIDAS, ontem, nalgum lugar entre o nascer e o pôr do sol, duas horas de ouro, cada uma cravejada com sessenta minutos de diamante. Nenhuma recompensa é oferecida, pois foram-se para sempre!" 2) "RESOLVIDO: nunca perder um só momento de tempo, mas, sim, tirar proveito dele da maneira mais proveitosa que puder".[5]

Segundo, **as pessoas sábias discernem a vontade de Deus** (5.17). *Por isso, não sejais insensatos, mas entendei qual a vontade do Senhor*. O próprio Jesus orou: *Não seja feita a minha vontade, mas a tua* (Lc 22.42); e ensinou-nos a orar: *Seja feita a tua vontade, assim na terra como no céu* (Mt 6.10). Nada é mais importante na vida do que descobrir e praticar a vontade de Deus. A coisa mais importante na vida é estar no centro da vontade de Deus. O jovem missionário Ashbel Green Simonton, pioneiro do presbiterianismo no Brasil, era o caçula de nove irmãos. Seu pai era médico, deputado federal e presbítero. Formado no Seminário de Princeton, esse jovem brilhante recebeu o chamado para vir para o Brasil ao ouvir um sermão de seu professor Charles Hodge. Muitos tentaram demovê-lo dessa arriscada empreitada, uma vez que precisaria renunciar ao conforto de sua casa, à riqueza da sua nação e vir para um país de muitas doenças endêmicas. Quando as pessoas lhe diziam que essa decisão era muito perigosa, ele sempre respondia: "O lugar mais seguro para um homem estar é no centro da vontade de Deus". Simonton chegou ao Brasil no dia 12 de agosto de 1859. Em apenas oito anos de um profícuo ministério, ele deixou plantada uma igreja que hoje é uma forte denominação. Simonton morreu jovem, com 34 anos de idade, mas deixou em solo pátrio uma igreja que influencia a sociedade brasileira e é uma voz altissonante a proclamar o evangelho da graça.

---

[5] STOTT, John. *A mensagem de Efésios*, p. 151.

10

Como ter uma vida **cheia** do Espírito Santo

Efésios 5.18-21

PAULO, NESSA SEÇÃO PRÁTICA, fala sobre a unidade e a pureza da igreja. Agora, ele fala sobre novos relacionamentos. No restante da carta, ele concentra-se em mais duas dimensões do viver cristão.

A primeira dimensão diz respeito aos relacionamentos práticos (lar e trabalho), e a segunda dimensão diz respeito ao inimigo que enfrentamos. Essas duas responsabilidades (o lar e o trabalho, de um lado, e o combate espiritual, de outro) são bem diferentes entre si. O marido e a esposa, os pais e os filhos, os senhores e os servos são seres humanos visíveis e tangíveis, ao passo que o diabo e suas hostes, dispostos a trabalhar contra nós, são seres demoníacos, invisíveis e intangíveis. Nossa fé deve estar à altura dessas duas dimensões.

Paulo introduz essas duas dimensões com um imperativo e quatro gerúndios: enchei-vos + falando + louvando + dando graças + sujeitando.

A importância da plenitude do Espírito Santo

O apóstolo Paulo escreve:

> *E não vos embriagueis com vinho, que leva à devassidão, mas enchei-vos do Espírito, falando entre vós com salmos, hinos e cânticos espirituais, cantando e louvando ao Senhor no coração, e sempre dando graças por tudo a Deus, o*

Pai, em nome de nosso Senhor Jesus Cristo, sujeitando-vos uns aos outros no temor de Cristo (5.18-21).

Seria impossível exagerar a importância que o Espírito Santo exerce em nossa vida: Paulo já falou que somos selados pelo Espírito (1.13,14) e que não devemos entristecer o Espírito (4.30). Agora, ele ordena que sejamos cheios do Espírito (5.18). É o Espírito Santo quem nos convence de que pecamos. É ele quem opera em nós o novo nascimento. É ele quem nos ilumina o coração para entendermos as Escrituras. É ele quem nos consola e intercede por nós com gemidos inexprimíveis. É ele quem nos batiza no corpo de Cristo. É ele quem testifica com o nosso espírito que somos filhos de Deus. É ele quem habita em nós.

Todavia, é possível ser nascido do Espírito, ser batizado com o Espírito, habitado pelo Espírito, selado pelo Espírito e, ainda assim, estar sem a plenitude do Espírito. Nós que já temos o Espírito, que somos batizados no Espírito, devemos, agora, ser cheios do Espírito. Billy Graham é enfático sobre esse assunto: "Todos os cristãos devem ser cheios do Espírito. Qualquer coisa menos que isso é só parte do plano de Deus para nossa vida".[1]

Duas ordens: uma negativa e outra positiva

A questão levantada pelo apóstolo Paulo é: embriaguez ou enchimento do Espírito? Concordo com William MacDonald quando diz que as Escrituras não condenam o uso do vinho, mas condenam seu abuso. O uso do vinho como medicinal é recomendado (Pv 31.6; 1Tm 5.23). Jesus transformou água em vinho para ser consumido numa festa de casamento (Jo 2.1-11). Mas o uso do vinho se torna abuso sob certas circunstâncias: 1) o uso do vinho torna-se abuso quando descamba para o excesso (Pv 23.29-35); 2) o uso do vinho torna-se abuso quando o indivíduo passa a ser dominado por ele (1Co 6.12b); 3) o uso do vinho torna-se abuso quando essa prática ofende a consciência fraca de outro crente (Rm 14.13; 1Co 8.9); 4) o uso do vinho torna-se abuso

---

[1] GRAHAM, Billy. *O Espírito Santo*. São Paulo: Vida Nova, 1980, p. 94.

quando fere o testemunho cristão na comunidade e, portanto, não glorifica a Deus (1Co 10.31); e 5) o uso do vinho torna-se abuso quando há alguma dúvida na mente do cristão sobre essa prática (Rm 14.23).[2]

O apóstolo começa fazendo determinada comparação entre a embriaguez e a plenitude do Espírito.

Vejamos, em primeiro lugar, *a semelhança superficial*. Quando uma pessoa está bêbada, dizemos que está sob a influência do álcool; e, com certeza, um cristão cheio do Espírito está sob a influência e o poder do Espírito Santo.[3] Em ambas as proposições, há uma mudança de comportamento: a personalidade da pessoa muda quando ela está bêbada. Ela se desinibe; não se importa com o que os outros pensam dela. Abandona-se aos efeitos da bebida! O crente cheio do Espírito entrega-se ao controle do Espírito, e sua vida fica livre e desinibida.

Vejamos, em segundo lugar, *o contraste profundo*. Na embriaguez, o homem perde o controle de si mesmo; no enchimento do Espírito, ele ganha o controle de si, pois o domínio próprio é fruto do Espírito.[4] Martyn Lloyd-Jones, médico e pastor, disse: "O vinho e o álcool, farmacologicamente falando, não são estimulantes, mas depressivos. O álcool sempre está classificado na farmacologia entre os depressivos. O álcool é um ladrão de cérebros. A embriaguez, deprimindo o cérebro, tira do homem o autocontrole, a sabedoria, o entendimento, o julgamento, o equilíbrio e o poder para avaliar as coisas. Ou seja, a embriaguez impede o homem de agir de maneira sensata. O que o Espírito Santo faz é exatamente o oposto. Ele não pode ser posto num manual de farmacologia, mas ele é estimulante, antidepressivo. Ele estimula a mente, o coração e a vontade".

Vejamos, em terceiro lugar, *o resultado oposto*. O resultado da embriaguez é a dissolução (*asotia*). As pessoas que estão bêbadas entregam-se a ações desenfreadas, dissolutas e descontroladas. Perdem o pudor e a vergonha, conspurcam a vida e envergonham o lar. Trazem desgraças,

---

[2]MacDonald, William. *Believer's Bible Commentary*, p. 1944.
[3]Stott, John. *A mensagem de Efésios*, p. 152.
[4]Stott, John. *A mensagem de Efésios*, p. 152.

lágrimas, pobreza, separação e opróbrio à família. Buscam uma fuga para seus problemas no fundo de uma garrafa, mas o que encontram é apenas um substituto barato, falso, maldito e artificial para a verdadeira alegria. A embriaguez leva à ruína. A palavra grega *asotia* envolve não apenas a ação descontrolada do homem bêbado, mas também a ideia de desperdício.[5] Ebehard Hahn diz ainda que *asotia*, "dissolução", é a fruição desmedida, caracterizando, aqui, o modo de vida de Sodoma e Gomorra (2Pe 2.7). Concretamente, a expressão pode referir-se ao desregramento sexual (13.13).[6]

Todavia, o resultado da plenitude do Espírito é totalmente diferente. Em vez de nos aviltar e embrutecer, o Espírito nos enobrece, enleva e eleva. Torna-nos mais humanos, mais parecidos com Jesus. O apóstolo, agora, lista os quatro benefícios de se estar cheio do Espírito Santo.

Os benefícios do enchimento do Espírito Santo

O apóstolo Paulo fala sobre quatro benefícios da plenitude do Espírito:

O primeiro resultado é **comunhão** (5.19a). Paulo diz: "Falando *entre vós* com salmos". Esse texto nos fala de comunhão cristã. O crente cheio do Espírito não vive resmungando, reclamando da sorte, criando intrigas, cheio de amargura, inveja e ressentimento; sua comunicação é só de enlevo espiritual para a vida do irmão. John Stott diz que o contexto é o culto público. Alguns dos salmos que cantamos são, na realidade, não a adoração a Deus, mas, sim, a exortação mútua. Um bom exemplo é Salmo 95.1: *Vinde, cantemos ao Senhor com alegria, cantemos com júbilo à rocha da nossa salvação*. Essa é a comunhão na adoração, um convite recíproco ao louvor.[7]

O enchimento do Espírito é remédio de Deus para toda sorte de divisão na igreja. A falta de comunhão na igreja é carnalidade e infantilidade espiritual (1Co 3.1-3). No culto público, o crente cheio do Espírito Santo edifica o irmão, sendo bênção em sua vida.

---

[5] FOULKES, Francis. *Efésios: introdução e comentário*, p. 125.
[6] HAHN, Ebehard. *Carta aos Efésios*, p. 94.
[7] STOTT, John. *A mensagem de Efésios*, p. 154.

O segundo resultado é **adoração** (5.19b). Diz Paulo: *Cantando* [...] *hinos e cânticos espirituais, cantando e louvando* ao Senhor *no coração* (grifo do autor). Aqui, o cântico não é *entre vós*, mas, sim, *ao Senhor*. Não é adoração fria, formal e sem entusiasmo. O crente cheio do Espírito adora a Deus com entusiasmo e profusa alegria. Ele usa toda sua mente, emoção e vontade para adorar a Deus. Um culto vivo não é carnal nem morto. Não podemos confundir entusiasmo com barulho carnal nem com emocionalismo. O culto verdadeiro é em espírito e em verdade. É um culto cristocêntrico, alegre, reverente e vivo. John Stott com razão diz que, sem dúvida, os cristãos cheios do Espírito têm um cântico de alegria no coração, e o culto público cheio do Espírito é uma celebração jubilosa dos atos poderosos de Deus.[8]

O terceiro resultado é **gratidão** (5.20). Paulo prossegue: *E sempre dando graças por tudo a Deus, o Pai, em nome de nosso Senhor Jesus Cristo*. O crente cheio do Espírito não está cheio de queixas e murmuração, mas de gratidão. Embora o texto diga que devemos sempre dar graças *por tudo*, é necessário interpretar corretamente esse versículo. Não podemos dar graças por *tudo*, como pelo mal moral. Uma noção estranha está conquistando popularidade em alguns círculos cristãos: a noção de que o grande segredo da liberdade e da vitória cristãs é o louvor incondicional – o marido deve louvar a Deus pelo adultério da esposa; a esposa deve louvar a Deus pela embriaguez do marido; os pais devem louvar a Deus pelo filho que foi para as drogas e pela filha que se perdeu. Stott tem razão quando diz que o "tudo" pelo qual devemos dar graças a Deus deve ser qualificado pelo seu contexto, a saber, "a Deus, o Pai, em nome de nosso Senhor Jesus Cristo". Nossas ações de graças devem ser por tudo que é consistente com a amorosa paternidade de Deus e com a revelação de si mesmo que nos concedeu em Jesus Cristo.[9]

Dar graças pelo mal moral é insensatez e blasfêmia. Naturalmente, os filhos de Deus aprendem a não discutir com o Senhor nos momentos de sofrimento, mas, sim, a confiar nEle e, na verdade, dar-Lhe

---

[8] STOTT, John. *A mensagem de Efésios*, p. 154.
[9] STOTT, John. *A mensagem de Efésios*, p. 154.

graças por Sua amorosa providência mediante a qual Ele pode fazer até mesmo o mal servir aos Seus bons propósitos (Gn 50.20; Rm 8.28).

Mas isso é louvar a Deus por ser Deus, e não O louvar pelo mal. Fazer isso seria reagir de modo insensível à dor das pessoas (ao passo que a Bíblia nos manda chorar com os que choram). Fazer isso seria desculpar e até encorajar o mal (ao passo que a Bíblia nos manda odiá-lo e resistir ao diabo). O mal é uma abominação para o Senhor, e não podemos louvá-Lo nem dar-Lhe graças por aquilo que Ele abomina.

O quarto resultado é *submissão* (5.21). Por fim, o apóstolo Paulo diz: *Sujeitando-vos uns aos outros no temor de Cristo*. Uma pessoa cheia do Espírito não pode ser altiva, arrogante nem soberba. Os que são cheios do Espírito Santo têm o caráter de Cristo, são mansos e humildes de coração. Em Cristo, devemos ser submissos uns aos outros. Francis Foulkes diz que o entusiasmo que o Espírito Santo inspira não deve ser expresso individualmente, mas em comunhão. Paulo viu os perigos do individualismo na comunidade cristã (1Co 14.26-33) e censurou esse erro (Fp 2.1; 4.2). Paulo sabia que o segredo de manter a comunhão de gozo na comunidade era a ordem e a disciplina que vêm da submissão espontânea de uns aos outros.[10] O versículo 21 é um versículo de transição e forma a ponte entre as duas seções desse capítulo. Não devemos pensar que a submissão que Paulo recomenda às esposas, às crianças e aos servos seja outra palavra para inferioridade. Igualdade de valor não é identidade de papel.

Duas perguntas devem ser feitas: de onde vem a autoridade e como essa autoridade deve ser exercida?

A autoridade vem de Deus. Por trás do marido, do pai, do patrão, devemos discernir o próprio Senhor que lhes deu a autoridade que têm. Portanto, se quiserem se submeter a Cristo, submetam-se a eles. Mas a autoridade dos maridos, pais e patrões não é ilimitada, nem as esposas, filhos e empregados devem prestar obediência incondicional. A autoridade só é legítima quando exercida debaixo da autoridade de Deus e em conformidade com ela. Devemos obedecer à autoridade humana até o ponto em que não sejamos levados a desobedecer à autoridade de

---

[10] FOULKES, Francis. *Efésios: introdução e comentário*, p.127.

Deus. Se a obediência à autoridade humana envolve a desobediência a Deus, nesse ponto, a desobediência civil passa a ser nosso dever cristão: *É mais importante obedecer a Deus que aos homens* (At 5.29).

A autoridade nunca deve ser exercida de modo egoísta, mas, sim, sempre em prol dos outros para cujo benefício foi outorgada. Quando Paulo descreve os deveres dos maridos, dos pais e dos senhores, em nenhum caso ele está mandando exercer autoridade. Ao contrário, explícita ou implicitamente, adverte-os contra o uso impróprio da autoridade, proíbe-os de explorar sua posição e, em vez disso, conclama-os a lembrar de suas responsabilidades e dos direitos da outra parte. Assim, os maridos devem amar, os pais não devem provocar ira nos filhos, e os patrões devem tratar seus empregados com justiça.

Um marido cheio do Espírito Santo ama a esposa como Cristo ama a igreja. Uma esposa cheia do Espírito submete-se ao marido como a igreja a Cristo. Pais cheios do Espírito criam os filhos na admoestação do Senhor. Filhos cheios do EspíritO obedecem seus pais. Patrões cheios do Espírito tratam seus empregados com dignidade. Empregados cheios do Espírito trabalham com empenho em favor de seu patrão.

Os imperativos do enchimento do Espírito Santo

A forma exata do verbo *plerouste* é sugestiva e, isso, por várias razões:[11]

Em primeiro lugar, *o verbo está no modo imperativo*. *Enchei-vos* não é uma proposta alternativa, uma opção, mas um mandamento de Deus. Ser cheio do Espírito é obrigatório, não opcional. Não ser cheio do Espírito Santo é pecado. Certa feita, um diácono da Igreja Batista do Sul, dos Estados Unidos, procurou Billy Graham para falar-lhe acerca da necessidade de disciplinar um diácono por causa de embriaguez. O evangelista veterano perguntou se algum diácono daquela igreja já havia sido disciplinado por não ser cheio do Espírito Santo. Temos a tendência de ver a transgressão apenas na embriaguez, e não na falta da plenitude do Espírito. A ordem para ser cheio do Espírito é válida

---

[11] STOTT, John. *A mensagem de Efésios*, p. 156,157.

para todos os cristãos em qualquer época e em qualquer lugar. Não há exceções. A conclusão lógica é que, se recebemos a ordem de ser cheios do Espírito, estamos pecando se não formos. E o fato de não estarmos cheios dEle é um dos maiores pecados contra o Espírito Santo.[12] Uma das orações do grande reavivamento do País de Gales foi esta:

> Enche-me, Espírito,
> Mais que cheio quero estar;
> Eu, o menor dos teus vasos,
> Posso muito transbordar.[13]

A. W. Tozer é enfático quando diz que todo cristão pode receber um derramamento abundante do Espírito Santo em uma porção muito além da recebida na conversão.[14] Conforme já comentamos, Dwigt L. Moody experimentou esse derramamento do Espírito Santo quando andava, certa feita, pela Wall Street, em Nova Iorque. A partir daquele dia, seus sermões eram os mesmos em conteúdo, mas não em resultado. Quando ele pregava, os corações se derretiam. Ele chegou a dizer que não trocaria essa expericiência bendita nem mesmo por todo o ouro do mundo.

David Brainerd, missionário entre os índios peles-vermelhas que experimentou poderoso avivamento no meio da selva e viu centenas de índios antropófagos sendo salvos, escreve em seu diário: "Oh! Uma hora com Deus ultrapassa infinitamente todos os prazeres e deleites deste mundo terreno".[15] No dia 8 de agosto de 1745, o próprio Brainerd relata a manifestação poderosa do Espírito, enquanto pregava aos índios:

> Enquanto eu discursava publicamente, o poder de Deus pareceu descer sobre a assembleia como um vento impetuoso, o qual, com espantosa energia, derrubava a todos à sua frente. Fiquei admirado diante da influência espiritual que toma conta quase que totalmente da audiência,

---

[12] GRAHAM, Billy. *O Espírito Santo*, p. 96.
[13] GRAHAM, Billy. *O Espírito Santo*, p. 97.
[14] TOZER, A. W. *A vida cheia do Espírito*, p. 38.
[15] EDWARDS, Jonathan. *A vida de David Brainerd*. São José dos Campos: Fiel, 1993, p. 24.

não podendo compará-la com outra coisa senão com a força irresistível de uma poderosa torrente de uma inundação crescente, que, com seu insuportável peso e pressão, leva de roldão a tudo e a qualquer coisa em seu caminho. Quase todas as pessoas, sem importar a idade, foram envolvidas, inclinando-se sob a força da convicção, e quase ninguém foi capaz de resistir ao choque daquela surpreendente operação divina. Homens e mulheres idosos, que tinham sido viciados em álcool por muitos anos, e até algumas crianças pequenas, de não mais de seis ou sete anos, pareciam estar aflitos devido ao estado de suas almas, genuinamente sensibilizadas para com o perigo que corriam, com a maldade de seus corações, com a sua miséria por estarem privados de Cristo.[16]

Em segundo lugar, *o verbo está na forma plural*. Essa ordem é endereçada à totalidade da comunidade cristã. Ninguém dentre nós deve ficar bêbado; todos nós, porém, devemos encher-nos do Espírito Santo. A plenitude do Espírito Santo não é um privilégio elitista, mas, sim, uma possibilidade para todo o povo de Deus. Curtis Vaughan diz que a experiência da plenitude do Espírito Santo não deve ser encarada como excepcional nem como prerrogativa de alguns poucos privilegiados.[17] Nas palavras do profeta Joel, a promessa do derramamento do Espírito rompe as barreiras social, etária e sexual (Jl 2.28,29).

Em terceiro lugar, *o verbo está na voz passiva*. O sentido é: "Deixai o Espírito encher-vos". Essa expressão pode ser parafraseada assim: deixem que o Santo que os selou e os santificou envolva-os e possua-os de tal forma que vocês sejam como vasos imergidos em sua corrente pura; e, depois, entregando o coração sem reservas a Ele, vocês sejam vasos imersos, mas abertos; "nEle" e "cheios" nEle, quando Ele recebe continuamente, ocupa continuamente e consagra todas as partes da natureza de vocês, todos os departamentos da vida de vocês.[18] Ninguém pode encher a si mesmo do Espírito. Nenhum homem pode soprar sobre o outro para que ele receba a plenitude do Espírito. O sentido não é o quanto mais do Espírito nós temos, mas o quanto mais o Espírito tem

---

[16] EDWARDS, Jonathan. *A vida de David Brainerd*, p. 107,108.
[17] VAUGHAN, Curtis. *Efésios*, p. 130.
[18] TAYLOR, Hillard H. *A Epístola aos Efésios*, p. 179.

de nós. O quanto Ele controla a nossa vida. Ser cheio do Espírito é não O entristecer, nem apagá-Lo, mas submeter-se à Sua autoridade, influência e poder.

Em quarto lugar, *o verbo está no tempo presente contínuo*. No grego há dois tipos de imperativo: 1) aoristo – que descreve uma ação única. Exemplo: em João 2.7, Jesus disse *Enchei de água as talhas*. O imperativo é aoristo, visto que as talhas deviam ser enchidas uma só vez; 2) presente contínuo – descreve uma ação contínua. Exemplo: em Efésios 5.18, quando Paulo nos diz *Enchei-vos do Espírito*, é imperativo presente, o que subentende que devemos continuar a nos encher.

A plenitude do Espírito não é uma experiência de uma vez para sempre que nunca podemos perder, mas, sim, um privilégio que deve ser continuamente renovado pela submissão à vontade de Deus. Fomos selados de uma vez por todas, mas temos a necessidade diária de enchimento.

11

Como ter o céu em seu lar

Efésios 5.22-33

WILLIAM HENDRIKSEN, ESCRITOR ERUDITO, é absolutamente pertinente quando diz que nenhuma instituição sobre a face da terra é tão sagrada quanto a família. Nenhuma é tão básica. Conforme a atmosfera moral e religiosa na família, assim será na igreja, na nação e na sociedade em geral.[1]

John Mackay diz com razão que a vida no lar, como instituição primária e básica da sociedade, exige tratamento especial. O lar, por sua própria natureza, deveria ser a morada do amor. Entretanto, a realidade, mui frequentemente, é bem outra. Um dos problemas do lar é o autoritarismo; o outro é o hedonismo. O autorismo busca governar pela força. O resultado é uma casa de bonecos ou uma casa de loucos. O autoritarismo produz o silêncio sepulcral e uma ordem imposta pelo medo ou uma caótica desordem causada pelo desespero. O hedonismo, por sua vez, é o culto exclusivista e egoístico da felicidade própria.[2] No século I, quando Paulo escreveu essa missiva, tanto o autoritarismo quanto o hedonismo estavam presentes na família.

---

[1] HENDRIKSEN, William. *Efésios*, p. 308.
[2] MACKAY, John. *A ordem de Deus e a desordem do homem*, p. 144.

Um dos maiores problemas da civilização antiga era o pouco valor dado às mulheres. Elas não eram vistas como pessoas, mas como propriedade do pai quando solteiras e do marido depois de casadas.

Esse triste fato estava presente na *cultura judaica*. Os judeus tinham um baixo conceito das mulheres. Os judeus, pela manhã, agradeciam a Deus por Ele não lhes ter feito "um pagão, um escravo ou uma mulher". As mulheres não tinham direitos legais. Elas eram propriedade do pai, quando solteiras, e do marido, quando casadas.

Um outro fato presente na cultura judaica era o divórcio. Na época em que a igreja cristã nasceu, o divórcio era tragicamente fácil. Um homem podia divorciar-se de sua mulher por qualquer motivo, pelo simples fato de a mulher ter posto muito sal em sua comida ou por ela sair em público sem véu. A mulher não tinha nenhum direito ao divórcio, mesmo que seu marido se tornasse um leproso, um apóstata ou se envolvesse em coisas sujas. "O marido podia divorciar-se por qualquer motivo, enquanto a mulher não podia divorciar-se por nenhum motivo." Quando nasceu a igreja cristã, o laço matrimonial estava em perigo no judaísmo.[3]

A mulher também era desvalorizada na *cultura grega*. A situação era pior no mundo helênico. A prostituição era parte essencial da vida grega. Demóstenes disse: "Temos prostitutas para o prazer; concubinas para o sexo diário e esposas com o propósito de ter filhos legítimos". Xenofonte disse: "A finalidade das mulheres é ver pouco, escutar pouco e perguntar o mínimo possível". Os homens gregos esperavam que a mulher cuidasse da casa e dos filhos, enquanto eles buscavam prazer fora do casamento. Na Grécia, não havia processo para divórcio. Era matéria simplesmente de capricho. Na Grécia, o lar e a vida familiar estavam próximos da extinção, e a fidelidade conjugal era absolutamente inexistente.[4]

O preconceito contra a mulher estava presente também na *cultura romana*. Nos dias de Paulo, a situação em Roma era ainda pior. A degeneração de Roma era trágica. A vida familiar estava entrando

---

[3]BARCLAY, William. *Galatas y Efesios*, p. 177.
[4]BARCLAY, William. *Galatas y Efesios*, p. 178.

em colapso. Sêneca disse: "As mulheres se casavam para divorciar e se divorciavam para casar". Os romanos ordinariamente não datavam os anos com números, mas com os nomes dos cônsules. Sêneca disse: "As mulheres datavam seus anos com os nomes de seus maridos". O poeta romano Marcial nos fala de uma mulher que teve dez maridos. Juvenal fala de uma que teve oito maridos em cinco anos. Jerônimo afirma que em Roma vivia uma mulher casada com seu 23º marido.[5] A fidelidade conjugal em Roma estava quase em total bancarrota.

Paulo escreve Efésios 5.22-33 nesse contexto de falência da virtude e de desastre da família. Ele aponta para algo totalmente novo e revolucionário naqueles dias.

Na *cultura pós-moderna*, o conceito de família está confuso. Há confusão de papéis no casamento. A família não pode ser acéfala nem bicéfala. Deus pôs o homem como cabeça da esposa e líder do lar. William Hendriksen está correto quando diz que um lar sem cabeça é um convite ao caos.[6] O novo Código Civil Brasileiro parece não reconhecer a diferença de papéis. Reconhece-se a legitimidade de relações que a Bíblia chama de adultério. As relações homossexuais estão se tornando cada vez mais aceitáveis. A infidelidade conjugal atinge mais de 50% dos casais. O índice de divórcio aumenta assustadoramente, mesmo na terceira idade. A cultura pós-moderna está voltando às mesmas práticas reprováveis dos tempos primitivos.

O papel da **esposa** (5.22-24)

Falando sobre o papel da esposa, Paulo escreve:

> *Mulheres, cada uma de vós seja submissa ao marido, assim como ao Senhor; pois o marido é o cabeça da mulher, assim como Cristo é o cabeça da igreja, sendo Ele mesmo o Salvador do corpo. Mas, assim como a igreja está sujeita a Cristo, também as mulheres sejam em tudo submissas ao marido* (5.22-24).

---

[5] BARCLAY, William. *Galatas y Efesios*, p. 179.
[6] HENDRIKSEN, William. *Efésios*, p. 308.

É relevante o fato de, nessa seção, os maridos e as esposas serem lembrados de seus deveres e não de seus direitos.[7] O apóstolo Paulo, inspirado pelo Espírito Santo, ordena que as mulheres sejam subsmissas ao marido. Mas o que é submissão? Essa palavra está profundamente desgastada em nossos dias. John Mackay diz corretamente que uma das maiores artimanhas do diabo é esvaziar o sentido das grandes palavras cristãs. Antes de prosseguirmos, portanto, precisamos entender com clareza o que não é submissão.

Em primeiro lugar, ***submissão não é inferioridade***. Devemos desinfetar a palavra "submissão" de seus sentidos adulterados. A mulher não é inferior ao homem. Ela foi tão feita à imagem de Deus quanto o homem. Ela foi tirada da costela do homem e não dos pés. Ela é auxiliadora idônea (aquela que olha nos olhos) e não uma escrava. Aos olhos de Deus, ela é coigual com o homem (Gl 3.28; 1Pe 3.7). Concordo com John Stott quando diz que não devemos pensar que a submissão que Paulo recomenda às esposas, às crianças e aos servos seja outra palavra para inferioridade.[8] De igual forma, não devemos aceitar a ideia de uma obediência cega e servil. Submissão é pôr-se debaixo da missão de outra pessoa. A missão do marido é glorificar a Deus, amando a esposa como Cristo amou a igreja e a Si mesmo Se entregou por ela, e a missão da esposa é sustentar seu marido nessa missão. Russell Shedd entende que submissão traz a ideia de apoiar e encorajar.[9]

Em segundo lugar, ***submissão não é obediência incondicional***. A submissão da esposa a Jesus é uma submissão absolutamente exclusiva. Todos nós somos servos de Cristo. Nunca se afirma, porém, que a esposa deva ser escrava ou serva do marido. Nossa relação com Jesus é uma relação de submissão completa, inteira e absoluta. Não é essa a exortação dirigida às esposas. Se a submissão da esposa ao marido implicar sua insubmissão a Cristo, ela precisa desobedecer ao marido, para obedecer a Cristo. A autoridade do marido, dos pais e dos patrões não é ilimitada, nem a submissão das esposas, dos filhos e dos empregados é incondicional.

---

[7] FOULKES, Francis. *Efésios: introdução e comentário*, p. 127.
[8] STOTT, John. *A mensagem de Efésios*, p. 161.
[9] SHEDD, Russell. *Tão grande salvação*, p. 74.

O princípio é claro: devemos nos submeter até o ponto em que a obediência à autoridade do homem não envolva a desobediência a Deus; nesse ponto, a "desobediência civil" passa a ser nosso dever cristão.[10]

Agora, vejamos o que representa submissão:

Em primeiro lugar, **devemos entender que a mulher deve ser submissa ao marido por causa de Cristo** (5.22). *Mulheres, cada uma de vós seja submissa ao marido, assim como ao Senhor.* A submissão da esposa ao marido não é igual à submissão a Cristo, mas por causa de Cristo. A submissão da esposa ao marido é uma expressão da submissão da esposa a Cristo. A esposa submete-se ao marido por amor e obediência a Cristo.[11] A esposa submete-se ao marido para a glória de Deus (1Co 10.31). A esposa submete-se ao marido para que a Palavra de Deus não seja blasfemada (Tt 2.3-5).

John Stott está certo ao dizer que as mulheres, por trás do marido, do pai e do Senhor devem discernir o próprio Senhor, que lhes deu a autoridade que têm. Assim, se elas quiserem submeter-se a Cristo, submeter-se-ão a eles, visto que é a autoridade de Cristo que exercem.[12]

Concordo com Francis Foulkes quando diz que o casamento ilustra a relação da igreja com Cristo de modo mais adequado do que a ilustração da relação do templo com a pedra angular ou até mesmo que a relação do corpo com seu Cabeça. Saímos, aqui, de ilustrações inanimadas ou do campo biológico para uma ilustração tirada da área mais profundamente pessoal.[13]

Em segundo lugar, **devemos observar que a submissão da esposa ao marido é sua liberdade** (5.23). *Pois o marido é o cabeça da mulher, assim como Cristo é o Cabeça da igreja, sendo Ele mesmo o Salvador do corpo.* A submissão não é escravidão, mas liberdade. A verdade liberta. Só sou livre quando obedeço às leis do meu país. Um trem só é livre quando corre em cima dos trilhos. John Stott está correto quando diz o ensino bíblico é que Deus deu ao homem uma certa liderança, e que sua esposa encontra a si mesma e seu verdadeiro papel dado por Deus não na

---

[10] STOTT, John. *A mensagem de Efésios*, p. 163.
[11] LLOYD-JONES, D. M. *La Vida en el Espiritu*. Grand Rapids, MI: TELL, 1983, p. 91.
[12] STOTT, John. *A mensagem de Efésios*, p. 162.
[13] FOULKES, Francis. *Efésios: introdução e comentário*, p. 128.

rebelião contra o marido nem contra a liderança dele, mas, sim, na submissão voluntária e alegre.[14]

Em terceiro lugar, *à luz do ensino de Paulo, a submissão da esposa ao marido é Sua glória* (5.24). *Mas, assim como a igreja está sujeita a Cristo, também as mulheres sejam em tudo submissas ao marido*. Assim como a glória da igreja é ser submissa a Cristo, também a glória da esposa é ser submissa ao marido. A submissão da igreja a Cristo é voluntária, devotada, sincera e entusiástica. É uma submissão motivada pelo amor.[15] A igreja só é bela quando se submete a Cristo. A submissão da igreja a Cristo não a desonra nem a desvaloriza. A igreja só é feliz quando se submete a Cristo. Quando a igreja deixa de se submeter a Cristo, ela perde sua identidade, seu nome, sua reputação e Seu poder. A submissão não é a um senhor autoritário, autocrático, déspota e insensível, mas a alguém que a ama a ponto de dar sua vida por ela.

A submissão da esposa não é a um tirano, mas a um marido que a ama como Cristo ama a igreja. O Cabeça do corpo é o Salvador do corpo; a característica de sua condição de cabeça não é tanto a de Senhor, mas, sobretudo, a de Salvador.

Em quarto lugar, *a submissão da esposa ao marido é a sua missão* (5.22). A palavra "submissão" indica que a missão da esposa é sustentar a missão do marido, e a missão do marido é amar a esposa a ponto de morrer por ela. A mulher submissa faz bem ao marido todos os dias de sua vida e pavimenta o caminho do amor do marido por ela.

O papel do marido (5.25-33)

Ao detalhar o papel do marido, Paulo escreve:

> *Maridos, cada um de vós ame a sua mulher, assim como Cristo amou a igreja e a si mesmo Se entregou por ela, a fim de santificá-la, tendo-a purificado com o lavar da água, pela palavra, para apresentá-la a si mesmo como igreja gloriosa, sem mancha, nem ruga, nem qualquer coisa semelhante, mas santa e irrepreensível. Assim o marido deve amar sua mulher como ao próprio corpo.*

---

[14] Stott, John. *A mensagem de Efésios*, p. 165.
[15] Hendriksen, William. *Efésios*, p. 310.

Quem ama sua mulher, ama a si mesmo. Pois ninguém jamais odiou o próprio corpo; antes, alimenta-o e dele cuida; e assim também Cristo em relação à igreja; porque somos membros do seu corpo. Por isso o homem deixará pai e mãe e se unirá a sua mulher, e os dois serão uma só carne. Esse mistério é grande, mas eu me refiro a Cristo e à igreja. Entretanto, também cada um de vós ame sua mulher como a si mesmo, e a mulher respeite o marido (5.25-33).

Se a palavra que caracteriza o dever da esposa é *submissão*, a palavra que caracteriza o dever do marido é *amor*.[16] O marido que deseja que a esposa lhe seja submissa como a igreja o é a Cristo deve amá-la como Cristo ama a igreja.

O amor do marido pela esposa deve ser perseverante, santificador, sacrificial, romântico, protetor e provedor. Ele deve amar a esposa não apenas como a si mesmo, mas mais do que a si mesmo. Cristo amou a igreja e a si mesmo Se entregou por ela. Esse é o modelo prescrito por Deus para ser seguido pelo marido.

Assim, o marido nunca deve usar sua liderança para sufocar a esposa nem para impedi-la de se expressar. O conceito de autoridade nas Escrituras não tem que ver com poder, domínio e opressão. A liderança do marido não é uma permissão para agir com autoritarismo, mas uma oportunidade para servir com amor. A ênfase de Paulo não está na autoridade do marido, mas em Seu amor (5.25,28,33). O que representa ser submisso? É entregar-se a alguém. O que representa amar? É entregar-se por alguém. Assim submissão e amor são dois aspectos da mesmíssima coisa.[17]

O apóstolo usa cinco verbos para definir a ação do marido: 1) amar – o amor de Cristo pela igreja foi proposital, sacrificial, santificador, altruísta, abnegado e perserverante; 2) entregar-se – o amor não é egoísta, mas devotado à pessoa amada; 3) santificar – o amor visa o bem da pessoa amada; 4) purificar – o amor busca a perfeição da pessoa amada; 5) apresentar – o amor visa a felicidade plena com a pessoa amada.

Como o marido deve cuidar da esposa?

---

[16] STOTT, John. *A mensagem de Efésios*, p. 169.
[17] STOTT, John. *A mensagem de Efésios*, p. 177.

Em primeiro lugar, *o marido deve cuidar da vida espiritual da esposa* (5.25-27). *Maridos, cada um de vós ame a sua mulher, assim como Cristo amou a igreja e a Si mesmo Se entregou por ela, a fim de santificá-la, tendo-a purificado com o lavar da água, pela palavra, para apresentá-la a si mesmo como igreja gloriosa, sem mancha, nem ruga, nem qualquer coisa semelhante, mas santa e irrepreensível.* O marido é responsável pela vida espiritual da esposa e dos filhos. Ele é o sacerdote do lar. O marido precisa buscar a santificação da esposa. Deve ser a pessoa que mais exerça influência espiritual sobre ela.

Em segundo lugar, *o marido deve cuidar da vida emocional da esposa* (5.28,29). *Assim o marido deve amar sua mulher como ao próprio corpo. Quem ama sua mulher, ama a si mesmo. Pois ninguém jamais odiou o próprio corpo; antes, alimenta-o e dele cuida; e assim também Cristo em relação à igreja.* Os maridos devem amar sua mulher como ao próprio corpo. O marido fere a si mesmo ferindo a esposa. Crisóstomo disse: "O olho não trai o pé colocando-o na boca da cobra". Paulo diz ainda que ninguém jamais odiou o próprio corpo; antes o alimenta e cuida dele. Mas como o marido cuida da esposa?

Ele não deve abusar dela. O homem pode abusar de seu corpo comendo e bebendo em excesso. O homem que faz isso é néscio, porque, ao maltratar seu corpo, ele mesmo sofre. O marido que maltrata a esposa é néscio.[18] Ele machuca a si mesmo ao ferir a esposa. Um marido pode abusar da esposa: sendo rude, não dedicando tempo, atenção e carinho a ela, ou usando palavras e gestos grosseiros para feri-la, ou sendo infiel a ela.

Ele não deve descuidar dela. Um homem pode descuidar de seu corpo. E se o faz, ele é néscio e sofre por isso. Se você estiver com a garganta inflamada, não pode cantar nem pregar. Todo seu trabalho é prejudicado. Você tem ideias e mensagens, mas não pode transmití-las. O marido descuida da esposa com reuniões intérminas, com televisão, com internet, com roda de amigos.[19] Há viúvas de maridos vivos. Há maridos que querem viver a vida de solteiro. O lar é apenas um albergue.

---

[18] LLOYD-JONES, D. M. *La Vida en el Espiritu*, p. 192,193.
[19] LLOYD-JONES, D. M. *La Vida en el Espiritu*, p. 193.

O marido deve zelar pela esposa: alimentá-la e cuidar dela. Como o homem sustenta o corpo? Martyn Lloyd-Jones sugere as seguintes ações:[20] 1) a dieta – o homem deve pensar em sua dieta, em sua comida. Deve ingerir alimento suficiente e fazer isso com regularidade. Também o marido deveria pensar no que ajuda sua esposa; 2) prazer e deleite – quando ingerimos nosso alimento, não pensamos só em termos de calorias ou proteínas. Não somos puramente científicos. Pensamos também naquilo que nos dá prazer. Dessa maneira, o marido deve tratar a esposa. Ele deve pensar no que a agrada. O marido deve ser criativo no sentido de sempre agradar a esposa; 3) exercício – a analogia do corpo exige mais esse ponto. O exercício é fundamental para o corpo. O exercício é igualmente essencial para o casamento. É o diálogo harmonioso, a quebra da rotina desgastante; 4) carícias – a palavra *cuidar* só aparece aqui e em 1Tessalonicenses 2.7. A palavra *cuidar* quer dizer *acariciar*. O marido precisa ser sensível às necessidades emocionais e sexuais da esposa. O marido precisa aprender a ser romântico, cavalheiro, gentil e cheio de ternura.

Em terceiro lugar, ***o marido deve cuidar da vida física da esposa*** (5.30). *Porque somos membros do seu corpo.* O marido deixa todos os outros relacionamentos para concentrar-se na esposa, ou seja, deve amar a esposa com um amor que transcende todas as outras relações humanas. Ele deixa pai e mãe. Sua atenção volta-se para sua mulher. Seu propósito é agradá-la. Sua união com ela é monogâmica, monossomática e indissolúvel. Assim, marido e mulher tornam-se uma só carne. O sexo é bom e uma bênção divina na vida do casal. Deve ser desfrutado plenamente, em santidade e pureza. Primeira Coríntios 7.3-5 e Provérbios 5.15-19 mostram como deve ser abundante essa relação sexual.

Numa época como a nossa de falência da virtude, enfraquecimento da família e explosão de divórcio, essa ideia cristã do casamento deve ser difundida com mais frequência entre o povo. Curtis Vaughan conclui dizendo que o dever da esposa é respeitar o marido, e o dever do marido é merecer o respeito dela (5.33).[21]

---

[20] Lloyd-Jones, D. M. *La Vida en el Espiritu*, p. 195-198.
[21] Vaughan, Curtis. *Efésios*, p. 138.

12

Pais e filhos vivendo segundo a direção de Deus

Efésios 6.1-4

DUAS PALAVRAS RESUMEM O DEVER DOS FILHOS para com os pais: obediência e honra.[1] Quando Paulo escreveu essa carta aos efésios, estava em vigência no Império Romano o regime do *pater postestas*. O pai tinha direito absoluto sobre o filho: podia casá-lo, divorciá-lo, escravizá-lo, vendê-lo, rejeitá-lo, prendê-lo e até mesmo matá-lo.[2]

Hoje, vivemos o outro extremo. O ano de 1960 irrompeu com os *hippies*, um movimento de contracultura. Os jovens revoltaram-se contra a autoridade dos pais e rebelaram-se contra toda sorte de autoridade institucional. O apóstolo Paulo diz que a desobediência aos pais é um sinal evidente de decadência da sociedade (Rm 1.30; 2Tm 3.2).

Se nosso cristianismo não é capaz de mudar nosso relacionamento com a família, ele está falido. É impossível ser um jovem fiel, abençoado e cheio do Espírito sem obedecer aos pais. Certa feita, Mahatma Gandhi abordou um bêbado que entoava canções elogiando-o como o líder pacificista indiano. Ele repreendeu firmemente o bêbado com estas palavras: "Você é do tipo que entoa canções a mim mas não obedece aos meus ensinamentos".

---

[1] VAUGHAN, Curtis. *Efésios*, p. 138.
[2] BARCLAY, William. *Galatas y Efesios*, p. 184.

Lloyd-Jones é de opinião que pais e filhos cristãos, famílias cristãs, têm uma oportunidade singular de testemunhar ao mundo pelo simples fato de ser diferentes. Podemos ser verdadeiros evangelistas mostrando essa disciplina, essa lei e ordem, essa relação correta entre pais e filhos. Podemos ser instrumentos nas mãos de Deus para que muitas pessoas cheguem ao conhecimento da verdade.[3]

O dever dos filhos com os pais (6.1-3)

O apóstolo menciona três motivos que devem levar os filhos a ser obedientes aos pais: a natureza, a lei e o evangelho:[4]

Em primeiro lugar, *a natureza* (6.1). *Filhos, sede obedientes a vossos pais no Senhor, pois isso é justo.* A obediência dos filhos aos pais é uma lei da própria natureza; é o comportamento-padrão de toda a sociedade. Os moralistas pagãos, os filósofos estoicos, a cultura oriental (chineses, japoneses e coreanos), as grandes religiões, como confucionismo, budismo e islamismo, também defendem essa bandeira. Lloyd-Jones tem razão quando diz que é algo antinatural os filhos desobedecerem aos pais.[5] A desobediência aos pais é um sinal de decadência moral da sociedade e um sinal do fim dos tempos (Rm 1.28-30; 2Tm 3.1-3).[6]

Em segundo lugar, *a lei* (6.2,3). *Honra teu pai e tua mãe; este é o primeiro mandamento com promessa, para que vivas bem e tenhas vida longa sobre a terra.* Honrar é mais do que obedecer (Êx 20.12; Dt 5.16). Os filhos não devem prestar só obediência aos pais, mas também devotar amor, respeito e cuidado a eles. É possível obedecer sem honrar. O irmão do filho pródigo obedecia ao pai, mas não o honrava. Há filhos que desamparam os pais na velhice. Há filhos que trazem flores para o funeral dos pais, mas jamais os presentearam com um botão de rosa enquanto estavam vivos.

---

[3] LLOYD-JONES, D. M. *La Vida en el Espiritu*, p. 215.
[4] STOTT, John. *A mensagem de Efésios*, p. 179.
[5] LLOYD-JONES, D. M. *La Vida en el Espiritu*, p. 219.
[6] STOTT, John. *A mensagem de Efésios*, p. 179.

Honrar pai e mãe é honrar a Deus (Lv 19.1-3). A desonra aos pais era um pecado punido com a morte (Lv 20.9; Dt 21.18-21). Resistir à autoridade dos pais é insurgir-se contra a autoridade do próprio Deus.

Honrar pai e mãe traz benefícios (6.2,3). A promessa consiste em prosperidade e longevidade. No Antigo Testamento, as bênçãos eram terrenas e temporais, como a posse da terra. No Novo Testamento, nós somos abençoados com toda sorte de bênçãos espirituais em Cristo (Ef 1.3). O filho obediente livra-se de grandes desgostos. Vejamos, por exemplo, algumas coisas que são importantes: 1) ouvir os pais – quantos desastres, casamentos errados, perdas, lágrimas e mortes seriam evitados se os filhos escutassem os pais; 2) ter cuidado com as seduções (Pv 1.10) – drogas, sexo, namoro, abandono da igreja e amigos.

Em terceiro lugar, *o evangelho* (6.1): "Filhos, sede obedientes a vossos pais *no Senhor*" (grifo do autor). Colossenses 3.20 fala que os filhos devem obedecer aos pais em tudo; já Efésios 6.1 equilibra a ordem dizendo que devem obedecer no Senhor. O que Paulo está ensinando? Os filhos devem obedecer aos pais porque eles são servos de Cristo. Eles devem obedecer aos pais por causa do relacionamento que têm com Cristo.

Em Cristo, a família é resgatada à plenitude de seu propósito original. Nosso relacionamento familiar é restaurado porque estamos no Senhor. Porque estamos em Cristo, nossos relacionamentos são purificados do egocentrismo ruinoso. Os filhos aprendem a obedecer aos pais porque isso é agradável ao Senhor (Cl 3.20).

O dever dos pais com os filhos (6.4)

Paulo exorta os pais não a exercer sua autoridade, mas a contê-la.[7] Mediante o *Pátria potestas*, o pai podia não só castigar os filhos, mas também vendê-los, escravizá-los, abandoná-los e até mesmo matá-los. Sobretudo os fracos, doentes e aleijados tinham pouca chance de sobreviver.

Paulo ensina, entretanto, que o pai cristão deve imitar outro modelo. A paternidade é derivada de Deus (3.14,15; 4.6). Os pais devem cuidar

---

[7] STOTT, John. *A mensagem de Efésios*, p. 184.

dos filhos como Deus Pai cuida de Sua família. Na verdade, é o Senhor quem cria os filhos por intermédio dos pais.

Paulo enfatiza *uma exortação negativa*: *E vós, pais, não provoqueis a ira dos vossos filhos* (6.4a). A personalidade da criança é frágil, e os pais podem abusar de sua autoridade usando ironia e ridicularização. O excesso ou ausência de autoridade provoca ira nos filhos. O excesso ou ausência de autoridade leva os filhos ao desânimo. Cada criança é uma pessoa peculiar e precisa ser respeitada em sua individualidade.

Os pais podem provocar a ira dos filhos por excesso de proteção ou favoritismo. Quando Isaque revelou preferência por Esaú, e Rebeca predileção por Jacó, eles jogaram um filho contra o outro e trouxeram grandes tormentos sobre si mesmos.

Há pais que provocam a ira em seus filhos revelando contínuo descontentamento com o desempenho deles. Os filhos não conseguem agradar os pais em nada. Semelhantemente, os pais provocam ira nos filhos por não reconhecer as diferenças entre eles. Cada filho é um universo distinto.

Outra forma de provocar ira nos filhos é o silêncio gélido, a falta de diálogo. Esse foi o principal abismo que Davi cavou no relacionamento com seu filho Absalão. Os pais podem provocar ira nos filhos por meio de palavras ásperas ou de agressão física. Finalmente, os pais podem provocar ira nos filhos por falta de consistência na vida e na disciplina. Os pais devem ser espelho dos filhos, e não carrascos deles.

William Hendriksen, nessa mesma linha de pensamento, aborda seis atitudes dos pais que provocam ira nos filhos: 1) excesso de proteção; 2) favoritismo; 3) desestímulo; 4) não reconhecimento do fato de que o filho está crescendo e, portanto, tem o direito de ter suas próprias ideias e de que não precisa ser uma cópia exata do pai para ter êxito na vida; 5) negligência; e 6) palavras ásperas e crueldade física.[8]

Paulo ressalta *são as exortações positivas* (6.4). Paulo destaca quatro coisas:

Em primeiro lugar, **os pais devem cuidar da vida física e emocional dos filhos**. *Mas criai-os* (6.4b). A palavra grega *ektrepho*, *criar*, quer dizer

---

[8] HENDRIKSEN, William. *Efésios*, p. 326.

nutrir, alimentar.⁹ É a mesma palavra que aparece em 5.29. Calvino traduziu essa expressão por "sejam acalentados com afeição". Hendriksen traduziu por "tratai deles com brandura". As crianças precisam de segurança, limites, amor e encorajamento. Os filhos não precisam só de roupas, remédios, teto e educação, mas também de afeto, amor e encorajamento.

Em segundo lugar, *os pais precisam treinar os filhos por meio da disciplina*. [...] *na disciplina* (6.4c). A palavra grega *paideia*, "disciplina", tem o sentido de treinamento por meio da disciplina. A disciplina se dá por meio de regras e normas, de recompensas e, se necessário, de castigo (Pv 13.24; 22.15; 23.13,14; 19.15).¹⁰ Só pode disciplinar (fazer discípulo) quem tem domínio próprio. Que direito tem um pai de disciplinar o filho, se ele mesmo precisa ser disciplinado? Russell Shedd diz que a palavra *paideia*, em grego, representa o treinamento que produz uma reação automática no filho, de modo que, quando o pai chama, ele vem.¹¹

Em terceiro lugar, *os pais precisam encorajar os filhos através da palavra*. [...] *e instrução* (6.4d). A palavra grega *nouthesia*, "admoestação", quer dizer educação verbal.¹² É educar eficazmente por meio da palavra falada, seja de ensino, seja de advertência, seja de estímulo.¹³ Se houver apenas advertência, os filhos ficam desanimados; se houver apenas estímulo, eles ficam mimados. Esse equilíbrio entre advertência e estímulo é fundamental para a educação dos filhos. Russell Shedd diz que essa palavra *nouthesia* quer dizer que os filhos devem começar, desde pequeninos, a distinguir entre o que é certo e o que é errado. Devem ser instruídos acerca do que é certo e errado, segundo o que Deus fala em Sua Palavra.¹⁴

Em quarto lugar, *os pais são responsáveis pela educação cristã dos filhos*. [...] *do Senhor* (6.4e). A expressão "do Senhor" revela que os

---

⁹STOTT, John. *A mensagem de Efésios*, p. 186.
¹⁰HENDRIKSEN, William. *Efésios*, p. 326.
¹¹SHEDD, Russell. *Tão grande salvação*, p. 79.
¹²STOTT, John. *A mensagem de Efésios*, p. 187.
¹³HENDRIKSEN, William. *Efésios*, p. 327.
¹⁴SHEDD, Russell. *Tão grande salvação*, p. 80.

responsáveis pela educação cristã dos filhos não são: o Estado, a escola nem mesmo a igreja, mas os próprios pais. Sob a economia divina, os filhos pertencem, antes e acima de tudo, aos pais.[15] Por detrás dos pais, está o Senhor. Ele é o Mestre e o administrador da disciplina. A preocupação básica dos pais não é apenas que seus filhos se submetam a eles, mas que cheguem a conhecer o Senhor a fim de obedecer-lhe de todo o coração (Dt 6.4-8).[16]

Os pais devem se preocupar mais com a lealdade dos filhos a Cristo do que com qualquer outra coisa; mais até mesmo do que com a saúde, com o vigor e o brilho intelectual deles, com a prosperidade material, com a posição social ou com que não sofram grandes tristezas e infortúnios.[17]

Concordo com Wiliam Hendriksen quando diz que toda a atmosfera em que a educação é transmitida deve ser tal que o Senhor possa pôr sobre ela seu selo de aprovação, uma vez que o próprio cerne da educação cristã é este: conduzir o coração dos filhos ao coração do Seu Salvador.[18]

---

[15] HENDRIKSEN, William. *Efésios*, p. 327.
[16] STOTT, John. *A mensagem de Efésios*, p. 188.
[17] FOULKES, Francis. *Efésios: introdução e comentário*, p. 137.
[18] HENDRIKSEN, William. *Efésios*, p. 327.

13

Patrões e empregados

Efésios 6.5-9

OS "SERVOS" DESSA PASSAGEM ERAM ESCRAVOS e não servos no sentido moderno da palavra. A escravidão parece ter sido universal no mundo antigo. Uma alta porcentagem da população do Império Romano consistia em escravos.

Havia cerca de 60 milhões de escravos no Império Romano. Eles constituíam a força de trabalho e incluíam não somente os empregados domésticos e os trabalhadores manuais, mas também pessoas cultas, como médicos, professores e administradores.[1]

Curtis Vaughan, nessa mesma linha de pensamento, diz que entre os escravos existiam trabalhadores domésticos, funcionários, mestres, doutores e pessoas de muitas outras profissões. Os escravos não tinham direitos. Eram mera propriedade de seus senhores, existindo apenas para o conforto, conveniência e prazer de seus donos.[2] Os servos podiam ser herdados ou comprados. Os prisioneiros de guerra, em geral, tornavam-se escravos.

Duas coisas precisam ser destacadas:

---

[1] STOTT, John. *A mensagem de Efésios*, p. 189.
[2] VAUGHAN, Curtis. *Efésios* p. 141.

Primeiro, *a impessoalidade dos escravos*. Legalmente, o escravo não era uma pessoa, mas uma coisa. Aristóteles dizia que não podia haver nenhuma amizade entre o senhor e o escravo, visto que um escravo é apenas uma ferramenta viva, assim como uma ferramenta é um escravo inanimado.[3] O escravo era uma espécie de propriedade que tinha alma.[4] Os escravos velhos e doentes eram abandonados sem alimento e entregues à morte. Eram como uma ferramenta imprestável.[5]

Segundo, *a desumanização dos escravos*. A legislação romana dizia que os escravos eram apenas bens móveis sem direitos, aos quais o senhor podia tratar, ao pé da letra, como quisesse. O *patria familia* dava direito ao senhor de castigar, confinar e matar seus escravos. Os escravos podiam ser torturados e mutilados; seus dentes podiam ser arrancados e seus olhos, vazados; alguns deles eram jogados às feras e até mesmo crucificados.

Como os apóstolos trataram a questão da escravidão? Os apóstolos não se consideravam reformadores sociais. Eram, antes de tudo, arautos das boas-novas da salvação em Cristo. Os apóstolos, porém, não fecharam os olhos à escravidão. Na verdade, anunciavam os verdadeiros princípios (como o da absoluta igualdade espiritual entre senhores e escravos) que acabaram destruindo essa terrível mancha da civilização. O procedimento dos apóstolos para com esse mal social foi semelhante ao do lenhador que tira a casca da árvore e a deixa morrer.[6]

O cristianismo provocou não uma revolução política, social e econômica, mas uma revolução moral e espiritual. Se o cristianismo tivesse se envolvido com causas políticas, antes que com espirituais, ele teria promovido um banho de sangue e destruído no nascedouro a religião cristã. Os textos de Efésios 6.5-9, Colossenses 3.22–4:1, Filemom 16 e Tiago 5.1-6 minam as bases da escravidão.

John Eadie esclarece esse ponto de forma magistral:

> O cristianismo não atacava diretamente as formas de vida social vigentes nem procurava promover uma revolução, aliás justificável, por meio

---

[3] Barclay, William. *Galatas y Efesios*, p. 188.
[4] Stott, John. *A mensagem de Efésios*, p. 189.
[5] Barclay, William. *Galatas y Efesios*, p. 189.
[6] Vaughan, Curtis. *Efésios*, p. 141.

de processos externos. Tal empreendimento teria sufocado com sangue a religião nascente. O evangelho realizou obra mais nobre. Não permaneceu indiferente recusando-se a falar ao escravo até que tivesse conquistado a liberdade e lhe caíssem as algemas [...], mas desceu ao nível da sua degradação, tomou-o pela mão, pronunciando-lhe aos ouvidos palavras de bondade, e deu-lhe uma liberdade que os grilhões não puderam impedir nem a tirania pôde esmagar pela força.[7]

O cristianismo triunfou sobre a escravidão. Foi a religião cristã que apagou essa mancha da civilização. Os reformadores trataram da questão do mistério do pobre e do ministério do rico. A pregação dos avivalistas John Wesley e George Whitefield pavimentaram o caminho da abolição da escravatura na Inglaterra. Wilberforce, mais tarde, acabou com a escravidão na Inglaterra. A Guerra Civil dos Estados Unidos acabou com a escravidão, com a vitória dos estados do norte sobre os estados do sul. No Brasil, a escravidão foi vencida em 1888. Em nenhum país cristão a escravidão pode prevalecer.

Em Efésios 6.5-9, Paulo mostra três aspectos de um relacionamento transformado que liquidou com a escravidão: 1) igualdade (6.9) – diante de Deus, os senhores e os escravos eram iguais; 2) justiça (6.9) – *fazei o mesmo para com eles* (Cl 3.22–4:1); 3) fraternidade (Fm 16) – *não mais como escravo; aliás, melhor do que escravo, como irmão amado*. Assim, a escravidão foi abolida de dentro para fora.

O dever dos empregados em relação aos seus patrões (6.5-8)

Como se deve exercer a obediência? Paulo fala sobre vários aspectos dessa obediência:

Em primeiro lugar, *os empregados devem ser respeitosos* (6.5). *Vós, escravos, obedecei a vossos senhores deste mundo, com temor e tremor, com sinceridade de coração, assim como a Cristo.* Obedecer com tremor e temor não quer dizer terror servil, mas, antes, o espírito de solicitude

---

[7] EADIE, John. *Commentary on the Epistle to the Ephesians.* Grand Rapids, MI: Zondervan Publishing House, s.d., p. 446.

de quem possui o verdadeiro sentido de responsabilidade. É o cuidado de não deixar nenhum dever sem ser cumprido. Paulo não aconselha os escravos a se rebelar, mas a ser cristãos na condição em que estão. O cristianismo não é um escape das circunstâncias, mas a transformação delas.

Em segundo lugar, *os empregados devem ser íntegros* (6.5b). *Com sinceridade de coração*, refere-se a fazer o trabalho com realismo, sem duplicidade e sem fingimento.[8] É agir com integridade e sinceridade, sem hipocrisia nem segundas intenções. Fazer um bom trabalho é a vontade de Deus. Não existe dicotomia entre o secular e o sagrado. Quando você é um bom funcionário, isso redunda em glória para o nome de Cristo. Essa é uma liturgia que agrada a Deus. O empregado precisa ser honesto. Ele precisa honrar sua empresa.

Em terceiro lugar, *os empregados devem ser coerentes espiritualmente. Como a Cristo* (6.5c). Como ao Senhor quer dizer que o empregado deve encarar a obediência ao seu senhor terreno como uma espécie de serviço prestado ao próprio Senhor Jesus. Essa é a essência da submissão da esposa ao marido, dos filhos aos pais e dos empregados aos patrões. Eles devem obedecer porque são servos de Cristo. Eles devem ser leais aos patrões por causa do compromisso que têm com o senhorio de Cristo.

Um empregado crente, mas infiel, que faz corpo mole, que trai seu patrão, sua empresa, que não dá o melhor de si, está traindo o próprio Senhor Jesus. A convicção do trabalhador crente é que cada trabalho que realiza deve ser suficientemente bom como se fosse apresentá-lo ao Senhor. É uma liturgia ao Senhor. O crente deve trafegar da empresa para o templo com a mesma devoção. A questão do trabalho e da relação patrão-empregado, mais do que um problema econômico e social, é uma questão espiritual.

Em quarto lugar, *os empregados não precisam ser vigiados, pois eles têm respeito próprio*. *Não servindo só quando observados, como para agradar os homens, mas como servos de Cristo, fazendo de coração a vontade de Deus* (6.6). Paulo combate aqui o pecado da preguiça. Eles não

---

[8] VAUGHAN, Curtis. *Efésios*, p. 142.

precisam ser vigiados para fazer seu melhor. O propósito deles não é bajular o patrão. Eles têm dignidade e respeito próprio. O empregado honesto não trabalha apenas quando o patrão está olhando. Eles sabem que Jesus está olhando e é a Jesus que querem agradar. Eles não se satisfazem com trabalho malfeito.

Em quinto lugar, **os empregados servem aos seus patrões de boa vontade, como se estivessem servindo a Cristo**. *Servindo de boa vontade como se servissem ao Senhor e não aos homens* (6.7). Paulo combate aqui o pecado da desonestidade. O empregado crente considera-se escravo de Cristo e, por isso, tudo o que faz, o faz com toda sua alma e com alegria. Seu coração e alma estão em seu serviço. Ele sabe que o Senhor também é seu juiz.

Finalmente, Paulo fala sobre *um incentivo à obediência* (6.8). *Sabendo que cada um, se fizer alguma coisa boa, receberá isso outra vez do Senhor, seja servo, seja livre*. A expressão "sabendo que" tem força causal e estimula a realização do desempenho fiel do escravo. Todo o bem que você fizer voltará a você (6.8). Deus é o galardoador. Também todo o mal que você fizer voltará a você (Cl 3.25). Você colhe o que semeia (Gl 6.7). Devemos, em última instância, servir a Cristo, e não aos homens. Receberemos nossa recompensa de Cristo, não dos homens.

O dever dos patrões em relação aos empregados (6.9)

As obrigações não estão apenas do lado dos escravos e dos empregados. Os senhores e patrões também têm deveres. Isso era abolutamente revolucionário nos dias de Paulo. O versículo 9 contém três coisas: um princípio, uma proibição e um estímulo.[9]

Em primeiro lugar, **o princípio da igualdade diante de Deus** (6.9a). *E vós, senhores, fazei o mesmo para com eles*. Se você, patrão, espera receber respeito, demonstre respeito; se espera receber serviço, preste serviço. É uma aplicação da regra áurea: *Como quereis que os outros vos façam, assim também fazei a eles* (Lc 6.31). Paulo não admite nenhuma superioridade privilegiada dos senhores, como se eles mesmos pudessem

---
[9] VAUGHAN, Curtis. *Efésios*, p. 143.

deixar de mostrar a própria cortesia que desejam receber. O patrão deve entender que, apesar de ser patrão, ele não deixa de ser servo de Deus. Deus é seu juiz. Ele vai prestar conta ao Senhor. Se o patrão espera o melhor de seu empregado, deve também fazer o melhor para ele. O patrão não pode explorar os empregados. O problema do trabalho ficaria resolvido se tanto empregado como patrão observassem a Palavra de Deus.

Em segundo lugar, *a proibição*. *Deixando de ameaçá-los* (6.9b). No tempo de Paulo, os escravos viviam sob o medo de ameaças. O patrão crente precisa abandonar essa prática de ameaçar seus empregados. Os empregados devem ser tratados com bondade e respeito, nunca com violência ou humilhação. Eric Fromm, eminente psiquiatra, fala de dois tipos de autoridade: imposta e adquirida. A verdadeira autoridade não é aquela que impomos pela força, mas aquela que conquistamos pelo exemplo. O tratamento respeitoso é um elemento motivacional básico. O empregado motivado produz mais. A autoridade dos maridos, pais e patrões é uma oportunidade para servir e cuidar, não para oprimir. Humilhar, oprimir e ameaçar um empregado por ele estar em uma posição mais fraca é um grave pecado aos olhos de Deus. O patrão também pode oprimir o empregado, pagando-lhe um salário de fome ou retendo fraudulentamente seu salário (Tg 5.1-6).

Em terceiro lugar, *o incentivo*. *Sabendo que o Senhor, que é Senhor tanto deles como vosso, está no céu e não faz diferença entre as pessoas* (6.9c). Os patrões crentes são responsáveis diante de Deus pelo modo como tratam seus empregados. Eles não são superiores nem melhores aos olhos de Deus. Tanto eles como seus empregados ajoelham-se diante do mesmo Senhor, que não faz diferença entre as pessoas. Deus não demonstra parcialidade nem favoritismo. Muitos homens que governaram foram servos antes de ser líderes: José, Moisés, Josué, Davi, Neemias. Antes de você se tornar um líder, precisa aprender a ser servo. Um provérbio africano diz: "O chefe é o servo de todos". Jesus diz que aquele que quiser ser grande entre os outros deve ser servo de todos (Mt 20.27). O patrão que se esquece que tem um Senhor no céu fracassa em ser um bom patrão sobre a terra.

14

A mais **terrível** **batalha** mundial

Efésios 6.10-24

A VIDA CRISTÃ NÃO É UM PARQUE DE DIVERSÕES nem uma colônia de férias. Não vivemos numa redoma de vidro nem numa estufa espiritual. Ao contrário, vivemos num campo minado pelo inimigo, uma arena de lutas renhidas, de combates sem trégua. Há uma luta mundial, suprarracial, supraterrena, espiritual e contínua.

Não existe pessoa neutra nessa guerra. Não existe tempo de trégua nessa conflagração. Não existe acordo de paz. Existem só duas categorias: aqueles que estão alistados no exército de Deus e aqueles que pertencem ao exército de satanás.

Quanto a essa matéria há dois perigos, dois extremos, ambos nocivos à vida da igreja:[1]

Primeiro, *subestimar o inimigo*. Há muitas pessoas incautas que negam a existência do diabo, desconhecem Seu poder, suas armas, seus agentes e suas estratégias. Acham que o diabo é apenas uma lenda, um mito ou uma energia negativa. Subscrever essa posição é cair nas teias desse ardiloso e vetusto inimigo. O diabo é mais perigoso em sua astúcia do que em sua ferocidade. Faz parte do seu jogo esconder

---
[1] LOPES, Hernandes Dias. *Marcado para vencer*. São Paulo: Candeia, 1999, p. 11,12.

sua identidade. A negação do diabo é a expressão mais escandalosa de satanismo.

Segundo, *superestimar o inimigo*. Há aqueles que falam mais do diabo do que de Deus. Falam tanto do poder, das armas e das estratégias dele que subestimam o poder de Deus. Fazem do diabo o protagonista de quase todas as ações. Uma dor de cabeça que a pessoa sente, facilmente resolvida por uma aspirina, atribui-se ao poder de satanás. O pneu do carro que fura no trânsito é artimanha do maligno. Aqueles que embarcam nessa vertente hermenêutica transferem para o diabo toda a responsabilidade pessoal. O homem já não é mais culpado nem precisa de arrependimento. Ele é apenas uma vítima. Esse tipo de interpretação está em desacordo com as Escrituras. Não podemos confundir a ação do diabo com as obras da carne. Certa feita, uma jovem senhora entrou em meu gabinete pastoral e me pediu para orar em favor de seu pai porque, segundo ela, estava dominado pelo espírito do adultério. Disse-lhe que o adultério é obra da carne e não um espírito demoníaco. Seu pai precisava de arrependimento. Ele não era uma vítima, mas o responsável por seu ato.

Antes de falar contra quem devemos lutar, Paulo deixa claro contra quem não é a nossa luta. Nossa luta não é contra carne e sangue, ou seja, não é contra pessoas. Nossa luta não é física, mas espiritual. Muitas vezes, o povo de Deus sofre terrivelmente por não entender contra quem está lutando. Seria uma tragédia um soldado sair para a batalha de armas em punho e muita disposição para a luta mas sem saber contra quem deve lutar. É um grande perigo alguém detonar suas armas sem ter um alvo certo. Há muitos cristãos que estão entrando na batalha e ferindo os próprios irmãos. Estão atingindo com seus torpedos os próprios aliados, em vez de bombardear o arraial do inimigo.[2]

Dito isso à guisa de introdução, precisamos perguntar: contra quem é nossa luta? Warren Wiersbe destaca quatro pontos no texto em apreço: o inimigo, o equipamento, a energia e o encorajamento.[3] Detalhemos esses pontos.

---
[2] LOPES, Hernandes Dias. *Marcado para vencer*, p. 13.
[3] WIERSBE, Warren W. *Comentário bíblico expositivo*, p. 74-79.

O inimigo contra quem lutamos nessa batalha (6.11-13)

O apóstolo Paulo descreve nosso arqui-inimigo de forma clara:

> *Revesti-vos de toda a armadura de Deus, para que possais permanecer firmes contra as ciladas do diabo; pois não é contra pessoas de carne e sangue que temos de lutar, mas sim contra principados e poderios, contra os príncipes deste mundo de trevas, contra os exércitos espirituais da maldade nas regiões celestiais. Por isso, tomai toda a armadura de Deus, para que possais resistir no dia mau e, havendo feito tudo, permanecer firmes* (6.11-13).

Não podemos lutar contra quem não conhecemos. Quais são as características desse inimigo? Efésios 6.11,12 diz que o diabo, mesmo não sendo onipresente, onisciente e Onipotente, tem seus agentes espalhados por toda parte, e esses seres caídos estão a seu serviço para guerrear contra o povo de Deus.

Chamamos a atenção para algumas verdades: 1) o reino das trevas possui uma organização. O diabo não é tão tolo a ponto de não ser organizado. É o que podemos chamar de "a ordem da desordem"; 2) existe uma estratificação de poder no reino das trevas. Paulo fala de principados, poderios, príncipes deste mundo de trevas e exércitos espirituais do mal. Existe uma cadeia de comando. Existem cabeças e subalternos. Líderes e liderados. Quem manda e quem obedece; 3) o reino das trevas articula-se contra a igreja. O diabo e seus demônios rodeiam a terra e passeiam por ela. Eles investigam nossa vida, buscando uma oportunidade para nos atacar. Esse inimigo não dorme, não tira férias nem descansa. Esse inimigo tem um variado arsenal. Ele usa "ciladas" (*metodeia*). Para cada pessoa, ele usa uma estratégia diferente. Ele ousa mudar os métodos.[4]

Destacamos, agora, algumas características desse terrível inimigo:

Em primeiro lugar, *é um inimigo invisível* (6.11,12). O diabo e seus agentes são seres reais, porém invisíveis. Esse inimigo espreita-nos 24 horas por dia. Ele é como um leão que ruge ao nosso derredor. Ele escuta cada palavra que você fala, vê cada atitude que você toma e

---

[4] LOPES, Hernandes Dias. *Marcado para vencer*, p. 14.

acompanha cada ato que você pratica escondido. Ele é um inimigo espiritual. Você não pode guerrear contra ele com armas carnais. Ele não pode ser destruído com bombas atômicas. Ele age de forma inesperada.

Em segundo lugar, *é um inimigo maligno* (6.11,12). A Bíblia o chama de diabo, satanás, assassino, ladrão, mentiroso, destruidor, tentador, maligno, serpente, dragão, Abadom e Apoliom. Seu intento é roubar, matar e destruir. Ele sabe que já está sentenciado à perdição eterna e quer levar consigo homens e mulheres.

Em terceiro lugar, *é um inimigo astuto* (6.11). Ele usa ciladas, armadilhas e ardis. Ele age dissimuladamente como uma serpente. Ele disfarça-se. Ele transfigura-se em anjo de luz. Seus ministros parecem ser ministros de justiça. Ele usa voz mansa. Ele usa muitas máscaras. Ele tenta enganar as pessoas levando-as a duvidar da Palavra de Deus, exaltando o homem ao apogeu da glória. Ele também age assustadoramente como um leão. Ele ruge para assustar.

Paulo fala que precisamos tomar toda a armadura de Deus para poder resistir no dia mau (6.13). O "dia mau" é o dia de duras provas, os momentos mais críticos da vida, quando o diabo e seus subordinados sinistros nos assaltam com grande veemência. O "dia mau" refere-se àqueles dias críticos de tentação ou de constante assalto satânico que todos os filhos de Deus conhecem. Nesses dias, somos subitamente assaltados, sem nenhum aviso, nenhum sinal de tempestade, nenhuma queda do barômetro.[5]

O diabo e seus asseclas ameaçam e intimidam as pessoas com o propósito de destruí-las. Eles atacam com fúria no dia mau. Eles também agem com diversidade de métodos. Eles estudam cada pessoa para saber o lado certo para atacá-la. Sansão, Davi, Pedro foram derrubados porque o diabo variou seus métodos.

Entre as histórias do livro *Mil e uma noites* encontramos a de Simbad nos mares da Índia. Enorme rocha magnética destacava-se no meio das águas tranquilas com aspecto inocente, sem oferecer perigo. Mas, quando o navio de Simbad se aproximou dela, a poderosa força magnética de que estava impregnada a rocha arrancou todos os pregos e

---
[5]VAUGHAN, Curtis. *Efésios*, p. 148.

cavilhas que mantinham unida a estrutura do barco. Desfeito em pedaços, o navio condenou à morte os que nele viajavam. As forças do mal continuam em ação. Precisamos estar atentos para identificá-las; do contrário sofreremos sérios danos.[6] William Hendriksen, escrevendo sobre essas ciladas do diabo, afirma:

> Alguns destes manhosos ardis e malignos estratagemas são: confundir a mentira com a verdade de forma a parecer plausíveis (Gn 3.4,5,22); citar (melhor, citar erroneamente) as Escrituras (Mt 4.6); disfarçar-se em anjo de luz (2Co 11.4) e induzir seus "ministros" a fazerem o mesmo, "aparentando ser apóstolos de Cristo" (2Co 11.13); arremedar a Deus (2Ts 2.1-4,9); reforçar a crença humana de que ele não existe (At 20.22); entrar em lugar onde não se esperava que entrasse (Mt 24.15; 2Ts 2.4); e, acima de tudo, prometer ao homem que por meio das más ações pode-se chegar a obter o bem (Lc 4.6,7).[7]

Em quarto lugar, *é um inimigo persistente* (6.13b). *E, havendo tudo feito, permanecer firmes*. O diabo e suas hostes não ensarilham suas armas. Ao ser derrotados, eles voltam com novas estratégias. Foi assim com Jesus no deserto, onde foi tentado (Lc 4.13). Elias fugiu depois de uma grande vitória. Sansão foi subjugado pelos filisteus depois de vencê-los. Davi venceu exércitos, mas caiu na teia da luxúria. Pedro caiu na armadilha da autoconfiança.

Em quinto lugar, *é um inimigo numeroso* (6.12). Paulo fala de principados, poderios, príncipes deste mundo de trevas e exércitos espirituais do mal. O diabo e seus anjos estão tentando, roubando e matando pessoas em todo o mundo. Eles são numerosos. Não podemos vencer esses terríveis exércitos do mal sozinhos nem com nossas próprias armas.

Em sexto lugar, *é um inimigo oportunista* (6.11,14). Mesmo depois que o vencemos, precisamos continuar firmes (6.11,14), porque ele sempre procura um novo jeito de atacar. Quando o crente deixa de usar toda a armadura de Deus, ele encontra uma brecha, entra e faz um estrago (4.26,27). Não podemos ter vitória nessa guerra se não usarmos todas as

---

[6] LOPES, Hernandes Dias. *Marcado para vencer*, p. 16.
[7] HENDRIKSEN, William. *Efésios*, p. 339.

peças da armadura. Não podemos permitir que o inimigo nos encontre indefesos. O diabo e suas hostes buscam uma estratégia para nos atacar de súbito, sem nenhum aviso, sem nenhum sinal de tempestade.

Alistamos a seguir algumas dessas interferências do diabo na vida do povo de Deus: 1) ele furta a Palavra do coração (Lc 8.12); 2) ele semeia o joio no meio do trigo (Mt 13.24-30); 3) ele opõe-se ao pregador (Zc 3.1-5); 4) ele intercepta a resposta às orações dos santos (Dn 10); 5) ele oprime pessoas com enfermidades (Lc 13.10-17); 6) ele resiste à obra missionária (1Ts 2.8); 7) ele atormenta as pessoas em cujo coração não há espaço para o perdão (Mt 18.23-35); 8) ele usa a arma da dissimulação (2Co 11.14,15); 9) ele usa a arma da intimidação (1Pe 5.8); 10) ele age na disseminação de falsos ensinos (1Tm 4.1); e 11) ele ataca a mente dos homens (2Co 4.4).[8]

O equipamento que precisamos para essa batalha (6.14-17)

O apóstolo listou seis equipamentos imprescindíveis para entrarmos nessa peleja. Que equipamentos são esses?

Em primeiro lugar, *Paulo fala do cinturão da verdade* (6.14a). *Portanto, permanecei firmes, trazendo em volta da cintura a verdade*. Satanás é o pai da mentira (Jo 8.44), mas o crente cuja vida é controlada pela verdade pode vencê-lo. A máscara da mentira um dia cai. O cinturão é o que segurava as outras partes da armadura juntas. A verdade é a força integrante na vida de um crente vitorioso. Um homem de integridade, com uma consciência limpa, pode enfrentar o inimigo sem medo, como Lutero enfrentou a Dieta de Worms. O cinturão é que segurava a espada. A não ser que você pratique a verdade, você não pode usar a Palavra da verdade. Davi viveu um ano mentindo sobre seu caso com Bate-Seba, e tudo começou a ir de mal a pior em sua vida.

Em segundo lugar, *Paulo falou sobre a couraça da justiça* (6.14b). *E vestindo a couraça da justiça*. Essa peça da armadura, feita de metal, cobria o guerreiro do pescoço ao peito. Protegia o coração e os órgãos vitais. Esse é um símbolo da justiça que o crente tem em Cristo

---

[8] LOPES, Hernandes Dias. *Marcado para vencer*, p. 25-34.

(2Co 5.21), como também o caráter justo que o crente exerce em sua vida diária (4.24). A couraça representa a vida devota e santa, ou seja, a retidão moral. Sem a justiça de Cristo e a santidade pessoal não há defesa contra as acusações de satanás (Zc 3.1-3). Satanás é o acusador, mas sua acusação não prospera por causa da justiça de Cristo imputada a nós (Rm 8.34). Mas nossa justiça posicional em Cristo, sem uma justiça prática na vida diária, apenas dá a satanás oportunidade para nos atacar.

Em terceiro lugar, **Paulo falou sobre o calçado do evangelho** (6.15). *Calçando os pés com a disposição para o evangelho da paz.* Os soldados romanos usavam uma sandália com cravos na sola para lhes dar segurança e agilidade na caminhada e corrida por lugares escarpados. Se quisermos ficar firmes e de pé na luta, precisamos estar calçados com o evangelho (que nos dá paz com Deus e com o próximo). Precisamos ter pés velozes para anunciar o evangelho da paz aos perdidos (Is 52.7). O diabo declara guerra para destruir os homens, mas nós somos embaixadores do evangelho da paz (2Co 5.18-20).

Em quarto lugar, **Paulo falou sobre o escudo da fé** (6.16). *E usando principalmente o escudo da fé, com o qual podereis apagar todos os dardos em chamas do maligno.* Esse escudo media 1,60 m de altura por 70 cm de largura. Ele protegia todo o corpo do soldado. Era feito de madeira e coberto por um couro curtido. Quando os soldados lutavam emparelhados, formavam como que uma parede contra o adversário. Uma das armas mais terríveis eram os dardos de fogo porque não apenas feriam, mas também incendiavam. O diabo lança dardos de fogo em nosso coração e mente: mentiras, pensamentos blasfemos, pensamentos de vingança, dúvidas e ardentes desejos de pecar. Se não apagarmos esses dardos pela fé, eles acendem fogo em nosso interior e nós desobedecemos a Deus. Na aljava do diabo há toda espécie de dardos ardentes. Alguns dardos inflamam a dúvida, outros a lascívia, a cobiça, a vaidade e a inveja. Curtis Vaughan diz que esses dardos de fogo eram flechas untadas com breu ou com outro material combustível e acesas imediatamente antes de ser lançadas contra o adversário. Não só feriam, como também queimavam.[9]

---

[9]VAUGHAN, Curtis. *Efésios*, p. 150.

Em quinto lugar, **Paulo falou sobre o capacete da salvação** (6.17a). *Tomai também o capacete da salvação.* Satanás ataca a mente. Essa foi a estratégia pela qual ele derrotou Eva. Essa peça da armadura fala de uma mente controlada por Deus. Infelizmente, muitos crentes dão pouco valor à mente, à razão, ao conhecimento. Quando Deus controla nossa mente, satanás não pode levar o crente a fracassar. O crente que estuda a Bíblia e está firmado na Palavra de Deus não cede às propostas sedutoras do diabo facilmente.

Em sexto lugar, **Paulo falou sobre a espada do Espírito** (6.17b). *E a espada do Espírito, que é a Palavra de Deus.* A espada do Espírito é arma de ataque. Essa espada é a Palavra de Deus. Vencemos os ataques do diabo e triunfamos sobre ele por meio da Palavra. É pela Palavra que saqueamos o reino das trevas, a casa do valente. É pela Palavra que os cativos são libertos. A Palavra é poderosa, viva e eficaz. Moisés quis libertar os israelitas com a espada carnal e fracassou, mas quando usou a espada do Espírito o povo foi liberto. Pedro quis defender a Cristo com a espada e fracassou, mas quando brandiu a espada do Espírito, multidões se renderam a Cristo. Cristo venceu satanás no deserto usando a espada do Espírito. As viagens de Paulo, pregando o evangelho, plantando igrejas e arrancando vidas da potestade de satanás para Deus é uma descrição eloquente de como ele usou a espada do Espírito.

Precisamos conhecer a Palavra. A Bíblia nos afasta do pecado ou o pecado nos afasta da Bíblia. Infelizmente, há crentes mais comprometidos com a coluna esportiva do jornal do dia do que com a Palavra bendita de Deus.

O poder para vencer essa guerra (6.10-13)

A guerra espiritual não é uma ficção. O fato de o nosso inimigo ser invisível não quer dizer que é irreal. Para enfrentá-lo e vencê-lo não podemos usar armas convencionais. Precisamos de armas espirituais poderosas em Deus para desfazer sofismas e desbaratar o inimigo (2Co 10.4). Destacamos aqui cinco verdades:[10]

---

[10] LOPES, Hernandes Dias. *Marcado para vencer*, p. 34-39.

Em primeiro lugar, *precisamos do revestimento do poder de Deus* (6.10). *Finalmente, fortalecei-vos no Senhor e na força do Seu poder.* Não podemos entrar nessa arena de combate fiados em nossa própria força. Precisamos ser revestidos com poder. Sem autoridade espiritual seremos humilhados nessa peleja. Não basta falar de poder, é preciso experimentá-lo. A igreja contemporânea está sem poder, como os discípulos de Cristo, no sopé do monte da transfiguração (Lc 9.40). Estamos sem poder porque perdemos muitas vezes o foco com discussões inócuas, enquanto deveríamos orar, jejuar, crer e fazer a obra de Deus na força do Seu poder (Mc 9.14). Hoje, a igreja tem extensão, mas não tem profundidade; tem influência política, mas não tem autoridade moral; tem poder econômico, mas está vazia de poder espiritual. Estamos precisando de poder, de uma capacitação especial do Espírito de Deus. Não falamos de um desempenho diante dos homens; não falamos de um poder cosmético que tem brilho, mas não calor; que tem aparência, mas não substância. Precisamos de um batismo de fogo, e não de fogo estranho; precisamos de uma obra do céu, e não dos embustes da terra.

Em segundo lugar, *precisamos do revestimento de toda a armadura de Deus* (6.11,13). *Revesti-vos de toda a armadura de Deus.* [...] *Por isso, tomai toda a armadura de Deus.* Já observamos que Paulo fala de sete peças da armadura, e sete é o número da perfeição. É preciso revestir-se de *toda* a armadura de Deus sem deixar nenhuma brecha ou flanco aberto.

Em terceiro lugar, *precisamos de vigilância constante* (6.11). Ficar firme contra as ciladas do diabo é ficar atento, de olhos abertos, vigiando a todo instante. É ficar de prontidão para o combate. É não dormir em meio à luta, como os discípulos de Jesus dormiram no Getsêmani. Vigiar é não brincar com o pecado, é fugir da tentação. É não ficar flertando com situações sedutoras. Concordo com Lloyd-Jones quando diz que o diabo não precisa usar suas "ciladas" contra o incrédulo, contra o não cristão. Ele não precisa fazer isso.[11] O incrédulo já está na casa do valente, na potestade de satanás, no reino das trevas. O diabo escala seus demônios mais terríveis para atacar os filhos de Deus.

---

[11] Lloyd-Jones, D. M. *O combate cristão.* São Paulo: PES, 1991, p. 88.

Em quarto lugar, *precisamos estar a postos e não ceder às pressões* (6.13). *Para que possais resistir no dia mau.* Se não estivermos atentos, corremos o risco de ficar revoltados e amargurados com Deus ao nos depararmos com o dia mau. Por falta de discernimento espiritual, muitos ficam zangados com as pessoas, desanimados espiritualmente e até mesmo decepcionados com Deus.

Em quinto lugar, *precisamos continuar atentos mesmo depois de uma vitória consagradora* (6.13). *E, havendo feito tudo, permanecer firmes.* Nossa luta contra o diabo e suas hostes continuará até que ele seja lançado no lago de fogo. Enquanto vivermos aqui, teremos luta. Aqui não é lugar de descanso, mas de guerra. Viver é lutar. A vida é uma luta ativa, incessante e sem pausas. Nessa peleja não existe o cessar-fogo. Não existe trégua. Não existem acordos de paz. Depois de uma vitória, não devemos arriar as armas, pois não há momento mais vulnerável na vida de um indivíduo do que depois de uma grande vitória. O segredo da vitória é a vigilância constante.

A energia com a qual devemos lutar essa guerra (6.18-20)

A oração é a energia que capacita o soldado crente a usar a armadura e brandir a espada do Espírito. A Palavra de Deus dirigida aos homens é deveras poderosa, especialmente quando ela se acha em íntima relação com a palavra dos homens dirigidas a Deus. Não podemos lutar nessa guerra com nossas próprias forças, no nosso próprio poder. Moisés orou, e Josué brandiu a espada contra Amaleque. Oração e ação caminham juntas (Êx 17.8-16). A oração é o poder para a vitória. Paulo fala sobre seis coisas importantes a respeito da oração:

Em primeiro lugar, *o tempo da oração* (6.18). *Orando em todo tempo.* Isso quer dizer que devemos estar em constante comunhão com Deus. É errado dizer: "Senhor, vimos agora à Tua presença", porque o crente jamais tem licença para sair da presença do Senhor. O crente deve orar sempre, porque ele está sempre exposto ao ataque do inimigo.

Em segundo lugar, *a natureza da oração* (6.18). *Com toda oração e súplica* é mais do que um tipo de oração. Devemos usar súplica, intercessão e ação de graças. O crente que ora apenas pedindo coisas está perdendo o real sentido da oração, que é se manter em intimidade com Deus, deleitando-se nEle.

Em terceiro lugar, *a esfera da oração* (6.18). *No Espírito* quer dizer que essa oração precisa ser motivada e assistida pelo Espírito (Rm 8.26,27). Não é oração feita no monte ou em línguas, mas no Espírito. O Espírito assiste-nos em nossa fraqueza, porque não sabemos orar como convém. O Espírito é como o fogo que faz o incenso da oração subir como aroma suave diante de Deus. É possível, porém, orar ferventemente, mas na carne.

Em quarto lugar, *a vigilância da oração* (6.18). *E, para isso mesmo, vigiando*. Devemos orar de olhos abertos. Devemos orar e vigiar. Devemos fazer como Neemias: *Nós, porém, oramos ao nosso Deus; e colocamos guardas para proteger-nos de dia e de noite* (Ne 4.9). Orar e vigiar é o segredo da vitória sobre o mundo (Mc 13.33), a carne (Mc 14.38) e o diabo (6.18). Porque Pedro dormiu, e não orou nem vigiou, ele foi derrotado no Getsêmani (Mc 14.29-31, 67-72).

Em quinto lugar, *a perseverança da oração* (6.18). *Com toda perseverança*. A igreja primitiva orou com perseverança (At 1.14; 2.42; 6.4), e também devemos orar da mesma forma (Rm 12.12). Robert Law disse: "A oração não é para fazer a vontade do homem no céu, mas para fazer a vontade de Deus na terra".

Em sexto lugar, *o alcance da oração* (Ef 6.18-20). *E súplica por todos os santos, e também por mim, para que a palavra me seja dada quando eu abrir a boca, para que possa, com ousadia, tornar conhecido o mistério do evangelho, pelo qual sou embaixador na prisão, para que nele eu tenha coragem para falar como devo*. Somos um exército, precisamos orar uns pelos outros e orar por todos os santos. Quando um soldado cai, tornamo-nos mais vulneráveis. Precisamos uns dos outros. Precisamos orar uns pelos outros. Nenhum soldado, ao entrar em combate, ora só por si mesmo, mas também por seus companheiros. Eles constituem um exército, e o sucesso de um é o sucesso de todos.[12] Paulo pede oração por si mesmo, não para se livrar da prisão, mas para tornar-se mais eficaz na proclamação do evangelho.

---

[12]VAUGHAN, Curtis. *Efésios*, p. 152.

O encorajamento para lutar essa guerra (6.21-24)

O apóstolo Paulo menciona duas verdades que devem nos encorajar a entrar nessa batalha certos da vitória:

Em primeiro lugar, ***não estamos sozinhos na batalha*** (6.21,22). *E para que vós também possais saber como estou e o que estou fazendo, Tíquico, irmão amado e fiel ministro no Senhor, vos informará de tudo. Eu o estou enviando com esse objetivo, para que saibais da nossa situação e para que ele vos conforte o coração.* Não estamos lutando essa guerra sozinhos. Há outros soldados, outros crentes que estão lutando conosco, e devemos nos esforçar para encorajar uns aos outros. Paulo encorajou os efésios. Tíquico foi um encorajamento para Paulo. Agora, Paulo envia Tíquico para encorajar os efésios. Paulo compartilhava seus problemas e desafios. Ele queria que o povo soubesse o que Deus estava fazendo, como suas orações estavam sendo respondidas, e o que satanás estava fazendo para opor-se à obra de Deus.

É um grande encorajamento fazer parte da família de Deus. Não existe em qualquer passagem do Novo Testamento sustentação para a ideia de um crente isolado. O crentes são como ovelhas, eles precisam estar no meio do rebanho. Cristãos são como soldados, precisam estar juntos e lutar juntos as guerras do Senhor.

Em segundo lugar, ***mesmo em guerra, somos o povo mais abençoado do mundo*** (6.23,24). *A paz esteja com os irmãos, e também o amor com fé, da parte de Deus Pai e do Senhor Jesus Cristo. A graça esteja com todos os que amam nosso Senhor Jesus Cristo com amor que não se abala.* Observe as palavras usadas por Paulo na conclusão dessa carta: paz, amor, fé e graça. Paulo era prisioneiro em Roma, mas, mesmo assim, ele era mais rico que o imperador. Não importa em que circunstâncias possamos estar; se estamos em Cristo, somos abençoados com toda a sorte de bênçãos espirituais.

Aleluia! Amém!

Filipenses

Igreja, a noiva gloriosa de Cristo

1

A **organização** da primeira **igreja** cristã da Europa

Atos 16.6-40

ANTES DE EXPOR A CARTA DE PAULO AOS FILIPENSES, precisamos analisar a plantação dessa igreja. De todas as igrejas que Paulo plantou, essa foi a mais ligada ao apóstolo e a que nasceu num parto de mais profunda dor.

À guisa de introdução, precisamos enfatizar dois pontos:

Em primeiro lugar, *o programa missionário da Igreja deve ser conduzido pelo céu, e não pela terra*. O apóstolo Paulo estava a caminho da sua segunda viagem missionária, com Silas, Timóteo e Lucas, com o propósito de abrir novos campos e plantar novas igrejas. Paulo tinha um plano ousado para evangelizar a Ásia, mas aprouve a Deus mudar o rumo da sua jornada e direcioná-lo para a Europa. A agenda missionária da Igreja deve ser dirigida por Deus, e não pelos obreiros; deve ser definida no céu, e não na terra. Paulo abriu mão do seu projeto e abraçou o projeto de Deus, e a Igreja entrou na Europa.

Em segundo lugar, *a porta que Deus abre nem sempre nos conduz por um caminho fácil, porém nos conduz para um destino vitorioso*. Deu apontou o caminho missionário para onde os plantadores deveriam ir, deu-lhes sucesso na missão, mas não sem dor, sem sofrimento ou sem sangue. O sofrimento não é incompatível com o sucesso da obra. Muitas vezes, o solo fértil da evangelização é regado pelas lágrimas, suor e sangue daqueles que proclamam as boas-novas do evangelho.

Paulo e Silas foram açoitados e presos em Filipos, mas o mesmo Deus que abriu o coração de Lídia também abriu as portas da cadeia, libertando os Seus servos.

Vejamos alguns pontos principais do texto em tela:

Filipos, a porta de entrada do evangelho na Europa

A entrada de Paulo na Europa, por orientação divina, foi um divisor de águas na história do mundo. Foi uma decisão insondável e soberana de Deus de direcionar a obra missionária para o Ocidente, e não para o Oriente. A história das civilizações ocidentais foi decisivamente influenciada por essa escolha divina. Até hoje, algumas nações orientais estão imersas em trevas enquanto o Ocidente foi bafejado por essa mensagem bendita desde priscas eras.

O desejo de Paulo era entrar na Ásia. Sua agenda missionária o levava para outras paragens. Contudo, Deus o redirecionou, mudou a sua agenda, a sua rota, o seu itinerário, e, assim, a Europa, e não a Ásia, tornou-se o palco dessa grande empreitada evangelizadora de Paulo. Esta foi a primeira e principal penetração do evangelho em território gentio.

A importância estratégica da cidade de Filipos para se plantar uma igreja

Três fatos auspiciosos nos chamam a atenção:

Em primeiro lugar, *a importância dos melhores métodos para alcançar os melhores resultados*. Deus apontou o rumo, deu a mensagem, e Paulo adotou os melhores métodos. Paulo era um homem que enxergava sobre os ombros de gigantes. Ele tinha a visão do farol alto. Era um missionário estratégico. Ele era íntegro e também relevante. Jamais ousou mudar a mensagem, mas sempre teve coragem para usar os melhores métodos.

Paulo se concentrava em lugares estratégicos. Ele era um plantador de igrejas que tinha critérios claros para fazer investimentos. Passava apressado em determinadas regiões e se fixava em outras, e isso não aleatoriamente. Ele buscava sempre alcançar cidades estratégicas que pudessem irradiar a mensagem do evangelho. Não foi por acaso que Paulo se deteve em Filipos para ali plantar a primeira igreja da Europa.

Em segundo lugar, *a localização geográfica da cidade de Filipos*. Filipos era uma cidade estratégica pela sua geografia. Ela ficava entre o Oriente e o Ocidente. Era a ponte de conexão entre dois continentes. William Barclay diz que Filipe da Macedônia fundou a cidade, que levava seu nome por uma razão muito particular. Em toda a Europa, não existia um lugar mais estratégico. Há aqui uma cadeia montanhosa que divide a Europa da Ásia, o Oriente do Ocidente. Assim, Filipos dominava a rota da Ásia à Europa. Filipe fundou essa cidade para dominar a rota do Oriente ao Ocidente[1] Alcançar Filipos era abrir caminhos para a evangelização de outras nações. A evangelização e a plantação de novas igrejas exigem cuidado, critério e planejamento. Precisamos usar de forma mais racional e inteligente os obreiros de Deus e os recursos de Deus.

A cidade de Filipos era chamada de Krenides, *fontes*, um lugar com abundantes fontes e ribeiros, cujo solo era fértil e rico em prata e ouro, explorados desde a antiga época dos fenícios. Mesmo que na época de Paulo essas minas já estivessem exauridas, isso fez da cidade um importante centro comercial do mundo antigo, atraindo, assim, pessoas de diversas partes do mundo[2]

Em terceiro lugar, *a importância histórica da cidade de Filipos*. Vários fatores históricos importantes podem ser aqui destacados:

O fundador da cidade. Filipos era o cenário de importantes acontecimentos, mundialmente conhecidos. Essa cidade foi fundada por Filipe, pai do grande imperador Alexandre Magno, de quem recebeu o nome. Filipe da Macedônia tomou a cidade dos tracianos por volta do ano 360 a.C.[3]

A fundamental batalha travada na cidade. Filipos foi palco de uma das mais importantes batalhas travadas em toda a história do Império

---

[1] BARCLAY, William. *Filipenses, Colosenses, I y II Tesalonicenses*. Buenos Aires: La Aurora, 1973, p. 10.
[2] BARCLAY, William. *Filipenses, Colosenses, I y II Tesalonicenses*, p. 9.
[3] MOTYER, J. A. *The message of Philippians*. Downers Grove, Illinois: Inter-Varsity Press, 1991, p. 15.

Romano, quando o exército leal ao imperador assassinado Júlio César lutou sob o comando de Otávio (mais tarde o imperador Augusto) e Marco Antônio e derrotou as forças rebeldes de Brutus e Cassius. Foi por causa deste auspicioso acontecimento que a dignidade de colônia foi conferida à cidade de Filipos[4]. Os destinos do Império foram decididos nessa cidade.

Filipos é feita colônia romana. Filipos foi elevada à honrada posição de colônia romana. Essas colônias eram instituições admiráveis. Tinham grande importância militar. Havia em Roma o costume de enviar grupos de soldados veteranos que cumpriam seu período de trabalho militar e mereciam a cidadania; estes eram levados a centros estratégicos de rotas importantes. Essas colônias eram os pontos focais dos caminhos do grande Império. Os caminhos eram traçados de tal maneira que podiam enviar reforços, com toda rapidez, de uma colônia a outra, as quais se estabeleciam para salvaguardar a paz e dominar os centros estratégicos mais distantes do vasto Império Romano[5]. Filipos tornou-se uma espécie de Roma em miniatura. O imperador Augusto, ao conferir o *ius Italicum* a Filipos, proporcionou a seus cidadãos os mesmos privilégios daqueles que viviam na Itália, ou seja, o privilégio de propriedade, transferência de terras, pagamento de taxas, administração e lei[6] Nessas colônias, se falava o idioma de Roma, se usavam vestimentas romanas, se observavam os costumes romanos. Seus magistrados tinham títulos romanos e realizavam as mesmas cerimônias praticadas em Roma. Eram partes de Roma, miniaturas da cidade de Roma.[7]

O poder do evangelho na formação da igreja de Filipos

J. A. Motyer diz que a plantação da igreja de Filipos mostra três coisas importantes: do ponto de vista humano, a igreja nasceu com oração, pregação e compromisso sacrificial com a obra de Deus. Do outro ponto

---

[4]Motyer, J. A. *The message of Philippians*, p. 15.
[5]Barclay, William. *Filipenses, Colosenses, I y II Tesalonicenses*, p. 10.
[6]Lake, K. e Cadbury H. J. *The beginnings of christianity*. 4. ed. F. J. Foakes Jackson e K. Lake (Macmillan, 1993), p. 190.
[7]Barclay, William. *Filipenses, Colosenses, I y II Tesalonicenses*, p. 10.

de vista, a plantação da igreja é uma obra de Deus. É Deus quem abre o coração, liberta o cativo e abre as portas da prisão e as recâmaras da alma. Finalmente, a plantação da igreja tem que ver com a batalha espiritual. É um confronto direto com as forças ocultas das trevas.[8] A primeira igreja estabelecida na Europa, na colônia romana de Filipos, nos revela o poder do evangelho em alcançar pessoas de raças diferentes, de contextos sociais diferentes, com experiências religiosas diferentes, dando a elas uma nova vida em Cristo. Destacamos alguns pontos aqui:

Em primeiro lugar, *o evangelho chega até as pessoas pela graça soberana de Deus*. Atos 16.10-34 fala sobre a conversão, em Filipos, de três pessoas totalmente diferentes umas das outras, um verdadeiro retrato da eficácia do evangelho em transformar vidas.

A conversão de Lídia (At 16.13,14). É Deus quem toma a iniciativa na conversão de Lídia. É Ele quem abre o coração dessa mulher. Não apenas Lídia se converte, mas toda a sua casa (At 16.15). E não apenas sua família é batizada, mas sua casa se transforma na sede da primeira igreja da Europa (At 16.40).

A libertação da jovem possessa (16.16-18). Ela era possuída por um espírito de pitonisa e adivinhação. Era escrava tanto do diabo quanto dos homens. É Deus também quem toma a iniciativa na sua libertação e conversão.

A conversão do carcereiro (At 16.27-34). Três milagres aconteceram na conversão desse oficial romano: 1) Milagre físico – Terremoto; 2) Milagre moral – "Todos nós estamos aqui"; 3) Milagre espiritual – Deus mudou a vida dele. A conversão do carcereiro desembocou na salvação de toda a sua família (At 16.33). O evangelho começa não apenas alcançando pessoas, mas famílias inteiras.

Em segundo lugar, *o evangelho vem a todo tipo de pessoa*. Destacamos aqui alguns pontos importantes:

Deus salva na cidade de Filipos três raças diferentes. Lídia era asiática, da cidade de Tiatira; a jovem escrava era grega; o carcereiro era cidadão romano. A igreja de Filipos era multicultural e multirracial.

---

[8] MOTYER, J. A. *The message of Philippians*, p. 15,16.

Deus salva na cidade de Filipos três classes sociais. Na igreja de Filipos, temos não apenas três diferentes nacionalidades, mas também três classes sociais: Lídia era uma empresária bem-sucedida, uma mercadora, comerciante de púrpura, uma das mercadorias mais caras do mundo antigo; a jovem possessa era uma escrava e, perante a lei, não era uma pessoa, mas uma ferramenta viva; o carcereiro era um cidadão romano, um membro da forte classe média romana que se ocupava dos serviços civis. Nessas três pessoas, estavam representadas a classe alta, a classe média e a classe pobre da sociedade de Filipos. William Barclay diz que não há nenhum capítulo na Bíblia que mostre tão bem o caráter universal da fé que Jesus trouxe aos homens.[9]

Deus salva na cidade de Filipos pessoas de culturas religiosas diferentes. 1) Lídia era prosélita, uma gentia que vivia a cultura religiosa piedosa dos judeus. 2) A escrava vivia no misticismo mais tosco, comprometida com os demônios, possessa. 3) O carcereiro acreditava que César era o Senhor.

A salvação alcança todos os tipos de pessoas. Deus salva pessoas de lugares diferentes, de raças diferentes, de culturas diferentes e religiões diferentes. As paredes que dividem as pessoas são quebradas. Pobres e ricos, religiosos e místicos, ateus e possessos podem ser alcançados com o evangelho. Jesus é o único Salvador.

Em terceiro lugar, **o evangelho vem a nós com diferentes experiências transformadoras.** Destacamos três pontos importantes:

Lídia já era uma mulher piedosa. O evangelho a alcança de forma calma e serena. Enquanto ela estava numa reunião de oração, ouvindo a Palavra, Deus abriu o seu coração.

A jovem escrava era prisioneira de satanás. O evangelho a alcançou enquanto ela estava nas garras do diabo. Ela era um capacho nas mãos dos demônios. Era explorada por demônios e pelos homens. Foi uma experiência dramática, bombástica. O diabo escravizava essa jovem. O diabo é assassino, ladrão, venenoso como uma serpente, traiçoeiro como uma víbora, feroz como um leão, perigoso como um dragão. O diabo é o pai da mentira. Ele é estelionatário: promete liberdade, escraviza. Promete prazer, mas, dá desgosto. Promete vida, mas paga com a morte.

---

[9] BARCLAY, William. *Filipenses, Colosenses, I y II Tesalonicenses*, p. 11.

O diabo veio roubar, matar e destruir. Ele é sujo, cruel. Ele escraviza pessoas. Ele destrói famílias. Ele aterroriza e atormenta as suas vítimas. Ele atacou Jó, tirando-lhe os bens, os filhos e a saúde. Ele atacou Davi, pondo o orgulho em seu coração para recensear o povo de Israel. Ele atacou Judas com a ganância. Ele atacou Ananias e Safira com a avareza. Ele atacou o gadareno com a loucura.

O diabo dominou essa jovem, dando-lhe a clarividência, espírito de adivinhação. Ela adivinhava pelo poder dos demônios. O diabo falava pela boca dessa moça. As coisas do diabo parecem funcionar. Ela adivinhava mesmo. Os donos dela ganhavam dinheiro mesmo. Muita gente teve lucro com o misticismo dessa escrava. O diabo enriquece, mas rouba a alma. O diabo oferece prazeres, mas depois destrói a pessoa.

Paulo não aceitou o testemunho dos demônios nem conversou com os demônios. Ele libertou essa escrava do poder demoníaco. O diabo mantém muitas pessoas no cativeiro hoje também. Todavia, quando o evangelho chega, os cativos são libertos.

O carcereiro era adepto da religião do Estado. O evangelho o alcançou em meio a um terremoto, à beira do suicídio. Deus nos salva de formas diferentes. Por isso, não podemos transformar a nossa experiência em modelo para os outros. Embora todas essas três pessoas tivessem experiências genuínas, cada uma teve uma experiência distinta. Todas se arrependeram. Todas foram transformadas.

Martyn Lloyd Jones elabora uma parábola interessante de dois cegos curados por Jesus contando um para o outro a sua experiência de cura: Um disse que Jesus passou cuspe no seu olho. O outro disse: "Não, então não foi Jesus. Ele não fez nada disso comigo". O resultado é que surgiram duas denominações: a religião da cura com cuspe e a religião da cura sem cuspe.

Em quarto lugar, *o evangelho é poderoso para salvar aqueles que se arrependem*. Jesus salvou uma mulher e um homem. Uma mulher e um homem de classe média. Uma mulher piedosa e um homem carrasco. Uma frequentadora da reunião de oração e um carrasco que açoitava os prisioneiros.

Vejamos a conversão de Lídia. A conversão dessa comerciante de Tiatira nos ensina três coisas:

Primeiro, ela era temente a Deus, uma mulher de oração, mas não era convertida. Não basta frequentar a igreja, ler a Bíblia e orar. É preciso nascer de novo.

Segundo, Deus abriu o coração de Lídia. Ela ouviu. Ela atendeu. A parte de Deus é abrir o seu coração. A sua parte é ouvir e atender!

Terceiro, a conversão de Lídia aconteceu num lugar favorável. Ela buscava a Deus. O carcereiro não o procurava. Ela estava orando; o carcereiro estava à beira do suicídio.

Vejamos a conversão do carcereiro. A conversão desse funcionário público de Roma nos mostra alguns pontos importantes:

Primeiro, há pessoas que somente se convertem após um terremoto. Só depois de um abalo sísmico. Há aqueles que não ouvem a voz suave. Não buscam uma reunião de oração. Não procuram ouvir a Palavra de Deus. Para esses, Deus produz um terremoto, um acidente, uma enfermidade, algo radical!

Segundo, o mesmo Deus que abriu o coração de Lídia abriu as portas da prisão. O carcereiro à beira do suicídio reconhece quatro coisas: 1) Que está perdido – "Que farei para ser salvo?" Não há esperança para você, a menos que reconheça que está perdido. Sem Cristo, você cambaleia sobre um abismo de trevas eternas. Se você não se converter, sua vida será vã, sua fé será vã, sua religião será vã, sua esperança será falsa. 2) Que é preciso crer no Senhor Jesus – "Crê no Senhor Jesus e serás salvo, tu e a tua casa". Não há outro caminho. Não basta ser religioso. Não é suficiente ter pais crentes. Não importa também quão longe você esteja. Se você crê, é salvo. 3) É preciso obediência – "Crê no Senhor Jesus". Se Jesus não é o dono da sua vida, Ele ainda não é o Seu Salvador. Ele não nos salva no pecado, mas do pecado. 4) É preciso dar provas de transformação. Conversão implica mudança no ponto nevrálgico da nossa vida. Esse homem rude deixa de ser carrasco, para ser hospitaleiro. Deixa de açoitar, para lavar os vergões de Paulo. Deixa de agir com crueldade, para agir com urbanidade.

Em quinto lugar, *o evangelho é poderoso para nos sustentar nas provas da vida*. Paulo e Silas são presos, açoitados e trancados no cárcere. Mas eles não praguejam, não se desesperam, não se revoltam contra Deus. Eles têm paz no vale. Em vez de clamar por vingança contra os seus inimigos, eles clamam pelo nome de Deus para adorá-Lo.

Eles fazem um culto na cadeia. Cantam e oram a despeito das circunstâncias. O evangelho que pregam aos outros funciona também para eles. Na verdade, eles sabem que Deus está no controle da situação.

Eles experimentam um poderoso livramento. Deus não apenas liberta os cativos das mãos do diabo, mas também liberta os Seus filhos das prisões. Ele tirou José da cadeia e o levou ao trono do Egito. Tirou os três jovens hebreus da fornalha acesa e os honrou diante da nação. Tirou Daniel da cova dos leões e O exaltou diante dos seus inimigos. Tirou os apóstolos das grades deixando as portas fechadas. Tirou Pedro da prisão de segurança máxima de Herodes. Agora tira Paulo e Silas do cárcere interior da prisão de Filipos. Assim, Deus pode dar livramento a você nas circunstâncias mais adversas.

As peculiaridades da carta enviada à igreja de Filipos

A carta à igreja de Filipos é considerada a mais bela do Novo Testamento. Ela transborda de alegria, generosidade e entusiasmo. Destacamos alguns pontos:

Em primeiro lugar, *o autor da carta*. O apóstolo Paulo, corajoso missionário, ilustrado mestre, articulado apologista, estadista cristão e fundador da igreja de Filipos, é o remetente da carta.

Há abundantes evidências internas e externas que provam conclusivamente que Paulo foi o autor dessa carta. Os pais da igreja primitiva Policarpo, Irineu, Clemente de Alexandria, Eusébio e outros afirmam a autoria paulina dessa carta.[10]

Paulo recebeu uma refinada educação secular e religiosa (At 22.3). Ele era um líder do judaísmo na cidade de Jerusalém. Era um fariseu, ilustre membro do Sinédrio, que deu seu voto para matar alguns seguidores de Cristo (At 26.5,10). Convertido a Cristo, foi destinado como apóstolo aos gentios. Foi enviado pela igreja de Antioquia como missionário transcultural, e, na sua segunda viagem missionária, esteve em Filipos, onde plantou a igreja. Dez anos depois, quando preso em Roma, escreveu a carta à igreja de Filipos.

---

[10]BARTON, Bruce B. et all. *Life application Bible commentary on Philippians*, 1905, p. 4.

Em segundo lugar, ***onde e quando a carta foi escrita***. Essa é uma carta da prisão. Paulo esteve preso três vezes: em Filipos (At 16.23), em Jerusalém e Cesareia (At 21.27–23.31) e finalmente em Roma (At 28.30,31), nesta última em duas etapas. Há evidências abundantes de que Paulo escreveu de Roma, essa carta no final da sua primeira prisão. Três fatores parecem provar essa tese: Primeiro, as demais cartas da prisão foram escritas de Roma (Efésios, Colossenses, Filemom), onde Paulo passou mais tempo em cativeiro. Segundo, em Filipenses 1.13 Paulo menciona a guarda pretoriana (o pretório). Terceiro, em Filipenses 4.22 Paulo envia saudações dos "da casa de César", todos os que faziam parte das lides domésticas do imperador. Werner de Boor afirma que quando essas três coisas – prisão, pretorianos, casa de César – convergem, não faltam muitos argumentos para tomar a decisão a favor de "Roma".[11]

Essa carta foi escrita no final da primeira prisão em Roma, e não durante a segunda prisão, visto que Paulo tem vívida esperança de rever os filipenses (1.19,25) e ainda desfrutava certa liberdade a ponto de receber livremente seus visitantes (At 28.17-30). Paulo ficou preso em Roma, nessa primeira reclusão, cerca de dois anos, aproximadamente nos anos 60 a 62 d.C. Ele escreveu a Carta aos Filipenses já no final de 61 d.C. Evidentemente essa foi a última carta escrita no período dessa primeira prisão, argumenta Bruce B. Barton.[12] Na segunda prisão em Roma, entretanto, de onde escreveu sua última carta, 2Timóteo, Paulo estava sofrendo cadeias como um criminoso (2Tm 2.9). Ele fora abandonado (2Tm 4.10,16), sentia frio (2Tm 4.13) e esperava o martírio (2Tm 4.6,7,18).

Em terceiro lugar, ***por que Paulo escreveu esta carta?*** Paulo escreveu a Carta aos Filipenses com dois propósitos em mente:

Para agradecer à igreja de Filipos sua generosidade. Essa é uma carta de gratidão à igreja pelo seu envolvimento com o velho apóstolo em suas necessidades. Essa igreja foi a única que se associou a Paulo desde

---

[11] BOOR, Wener de. *Carta aos Efésios, Filipenses e Colossenses*. Curitiba, PR: Editora Esperança, 2006, p. 164.
[12] BARTON, Bruce B. et all. *Life application Bible Commentary on Philippians*, 1995, p. 6.

o início para sustentá-lo (4.15). Enquanto Paulo esteve em Tessalônica, eles enviaram sustento para ele duas vezes (4.16). Enquanto Paulo esteve em Corinto, a igreja de Filipos o socorreu financeiramente (2Co 11.8,9). Quando Paulo foi para Jerusalém depois da sua terceira viagem missionária, aquela igreja levantou ofertas generosas e sacrificais para atender os pobres da Judeia (2Co 8.1-5). Quando Paulo esteve preso em Roma, a igreja de Filipos enviou a ele Epafrodito com donativos e para lhe prestar assistência na prisão (4.18).

Para alertar a igreja sobre os perigos que estava enfrentando. A igreja de Filipos enfrentava dois sérios problemas: um interno e outro externo.

Primeiro, a quebra da comunhão. A desunião dos crentes era um pecado que atacava o coração da igreja. Era uma arma destruidora que estava roubando a eficácia da igreja diante do mundo. Ralph Martin diz que a igreja filipense sofria com problemas de presunção (2.3), de vaidosa superioridade (2.3), que induziam ao egoísmo (2.4), quebrando a *koinonia*, espírito de boa vontade para com a comunidade. Isso gerava pequenas disputas (4.2) e espírito de reclamação (2.14).[13] Havia um espírito individualista e elitista em alguns membros da igreja de Filipos que colocava em risco a harmonia na igreja. Havia partidarismo e vanglória. Havia falta de comunhão entre os crentes. Problemas pessoais interferiam na unidade espiritual da igreja. Até mesmo duas irmãs, líderes da igreja, estavam em desacordo dentro dela (4.2). J. A. Motyer descreve com vivacidade a gravidade desse problema:

> Nas duas principais ocasiões quando Paulo chama os crentes de Filipos à unidade (2.2; 4.2), ele introduz seu mandamento alertando os crentes sobre dois fatos ou verdades sobre a igreja. Em Filipenses 2.1, Paulo os relembra de que eles estão em Cristo, que o amor do Pai foi derramado sobre eles e que, pelo Espírito, a eles foi dado o dom da comunhão. É essa obra trinitariana que fez deles o que são. Viver em desarmonia, em vez de em união, é um pecado contra a obra e a Pessoa de Deus. Em Filipenses 4.1, não é acidentalmente que Paulo se dirige a eles

---

[13] MARTIN, Ralph P. *Filipenses*, 1985, p. 44.

duas vezes, chamando-os de "amados" e uma vez de "irmãos". Antes de exortá-los à unidade, ele os relembra de sua posição: eles pertencem à mesma família (irmãos) em que o espírito vivificador é o verdadeiro amor (amados). À luz desses fatos, a desunião é uma ofensa abominável.[14]

Segundo, a heresia doutrinária. A igreja estava sob ataque também pelo perigo dos falsos mestres (3.2). O judaísmo e o perfeccionismo atacavam a igreja. Paulo os chama de adversários (1.28), inimigos da cruz de Cristo (3.17). Ralph Martin diz que os mestres discutidos em Filipenses 3.12-14 são judeus. Eles se vangloriavam da circuncisão (3.2), a que Paulo replica com uma afirmação de que a igreja é o verdadeiro Israel (3.3). Eles se gloriavam na "carne", cortada na execução do rito; ele se gloria apenas em Cristo. Eles se orgulhavam de suas vantagens, especialmente de seu conhecimento de Deus; ele só encontra verdadeiro conhecimento de Deus em Cristo. A justiça deles era baseada na lei (3.9); a confiança de Paulo descansa na dádiva de Deus. Os judeus buscavam e esperavam obter justiça; Paulo fixa os seus olhos em alvos diferentes e anseia por ganhar a Cristo.[15] Esses falsos mestres viviam como inimigos da cruz – em seu comportamento, deificando seus apetites, honrando valores vergonhosos, só pensando nas coisas deste mundo (3.19).

Paulo tem de lidar também com os missionários gnósticos perfeccionistas. Eles alardeavam seu *conhecimento* (3.8) e professavam ter alcançado uma ressurreição, já experimentada, dentre os mortos (3.10). São *perfeitos* (3.12). Esses gnósticos são, de fato, inimigos da cruz de Cristo (3.18), libertinos e condenados (3.19).

Em quarto lugar, *as principais ênfases da carta*. A Carta aos Filipenses não é um tratado teológico como Romanos, Efésios e Colossenses. É uma carta pessoal, que trata de assuntos pessoais, mas esses temas são abordados teologicamente. Vamos destacar aqui alguns pontos principais:

---

[14]MOTYER, J. A. *The message of Philippians*, p. 19.
[15]MARTIN, Ralph P. *Filipenses*. São Paulo: Editora Mundo Cristão, 1985, p. 37.

- *A alegria*. Filipenses é a carta da alegria. Transborda de seu texto uma alegria indizível e cheia de glória. O tom da alegria no Senhor perpassa toda a carta. O conceito de "regozijai-vos" e "alegria" aparece dezesseis vezes nela (1.4; 1.18; 1.25; 2.2; 2.28; 3.1; 4.1; 4.4; 4.11). Bruce B. Barton diz que as páginas dessa carta irradiam a positiva e triunfante mensagem que em razão da obra de Cristo por nós (2.6-11; 3.12), da ação do Espírito Santo em nós e por nosso intermédio (1.6; 1.12-14; 1.18-26; 2.12,13; 4.4-7; 4.10-13), e por causa do plano de Deus para nós (1.6,9,10; 3.7-14; 3.20,21; 4.19), podemos e devemos nos regozijar.[16] Ainda que preso, oprimido por circunstâncias adversas, Paulo irrompe em brados de alegria, revelando que a alegria verdadeira é imperativa, ultracircunstancial e cristocêntrica (Fp 4.4).
- *A unidade cristã*. Depois de dar primazia a Cristo no capítulo 1, Paulo revela que o *outro* deve vir antes do *eu*. O amor não é egocentralizado, mas outrocentralizado. O segredo da unidade é sempre pôr o interesse dos outros na frente do nosso. No capítulo 2, Paulo cita quatro exemplos daqueles que pensam no *outro* antes de pensar no *eu*: Cristo, ele próprio, Timóteo e Epafrodito.
- *A Pessoa de Cristo*. Cristo é a figura central dessa carta. Ele é o elo entre todas as outras partes. É o Senhor plenamente divino (Fp 2.6), exaltado (2.9-11). É o Jesus da cruz (2.8; 3.18; 1.29), mas, também, Aquele que virá em glória para nos transformar (3.21; 1.11).
- *A segunda vinda de Cristo*. Há seis referências à segunda vinda de Cristo nesta carta (1.6,10; 2.16; 2.9-11; 3.20,21; 4.5). Para esse dia, Deus Pai está trabalhando, a fim de que toda criatura, sem exceção, se dobre aos pés do Senhor Jesus (2.9-11) e todo aquele em quem Ele começou a Sua obra esteja pronto para aquele grande dia (1.6). Para aquele dia, os cristãos também devem trabalhar. Precisamos viver como Ele viveu (1.10), produzindo frutos de justiça (1.11), esforçando-nos para trazer outros à fé para que nos alegremos juntos ante o Seu trono (2.16,17; 4.5). Para esse dia, também, o próprio

---

[16] BARTON, Bruce B. et all. *Life application Bible commentary on Philippians*, p. 3.

Cristo está trabalhando. Quando Ele manifestar a Sua glória, todo inimigo irá se curvar (Fp 2.9-11). Então seremos transformados à Sua semelhança (3.20,21).[17] A alegria e a unidade cristã têm como fundamento Cristo e a expectativa da Sua vinda gloriosa.

---

[17]MOTYER, J. A. *The message of Philippians*, p. 22.

2

A **saudação** do apóstolo **Paulo** à igreja de Filipos

Filipenses 1.1,2

A CARTA DE PAULO AOS FILIPENSES É UMA JOIA de rara beleza. É o grande estandarte da alegria que transborda no meio da dor. Dois fatos podem ser destacados à guisa de introdução:

Em primeiro lugar, *essa carta é um recado de amor mais do que uma exposição teológica*. A Carta de Paulo aos Filipenses é um bilhete de amor, em que Paulo abre o coração e deixa transbordar a sua alegria, a sua gratidão e o seu profundo apreço por essa igreja que foi ao longo do seu ministério sua parceira em seu sustento e encorajamento (4.15,16,18). Não obstante Paulo tratar de grandes temas teológicos nessa epístola, seu escopo principal foi agradecer a essa igreja as primícias do evangelho na Europa, por sua generosidade.

Em segundo lugar, *essa carta tem particularidades dignas de serem observadas*. Destacamos alguns pontos:

- *Reflete o sucesso do propósito divino*. Paulo entrou na Europa por expressa orientação divina. Foi Deus quem abriu as portas da Europa para o evangelho. Essa igreja nasceu no coração de Deus antes de nascer da estratégia missionária de Paulo. Agora, essa igreja plantada por direção divina torna-se um exemplo de amor, serviço e abnegação (4.15,16,20; 2Co 8.1-4).

- *Reflete que o sofrimento pelo evangelho pode ser transformado em alegria no evangelho.* Paulo plantou a igreja de Filipos debaixo de açoites e prisão. Ele gerou essa igreja regando o solo com lágrimas e sangue. No entanto, exatamente essa igreja tornou-se a coroa da sua alegria e o motivo maior da sua consolação e sustento (4.1).
- *Reflete que nenhuma circunstância pode frustrar os soberanos propósitos de Deus.* Paulo escreve essa carta de Roma, onde está preso e algemado. Contudo, as circunstâncias adversas, em vez de oprimir Paulo e colocar barreiras ao evangelho, abrem ainda mais avenidas para a sua proclamação (1.12-18). O plano de Deus é invencível.
- *Reflete a verdade gloriosa de que a alegria do cristão é ultracircunstancial.* Nos quatro capítulos dessa carta, Paulo lida com quatro ladrões da alegria: circunstâncias (1.12), pessoas (2.1-4), coisas materiais (3.19) e ansiedade (4.6,7). A alegria do cristão não é ausência de problemas nem está colocada em coisas; ela procede de Deus, é sustentada por Deus e consumada por Ele. O evangelho que nos alcançou é a boa-nova de grande alegria. O Reino de Deus que está dentro de nós é alegria no Espírito Santo. O fruto do Espírito é alegria. A ordem de Deus para nós é: "Alegrai-vos". O mundo não pode dar nem tirar essa alegria. Ela vem do céu, é de Deus. Essa é a alegria ultracircunstancial.

O remetente da carta

A carta começa com a apresentação do remetente. Esse era o método usado naquela época. A autoria paulina de Filipenses é um fato incontroverso. Há testemunhos abundantes, tanto internos quanto externos, que atestam que Paulo escreveu essa carta no final de sua primeira prisão em Roma, por volta do ano 61 ou 62 d.C. Bruce B. Barton enumera três razões pelas quais Filipenses foi a última das cartas da prisão (Efésios, Filipenses, Colossenses e Filemom).[1]

Em primeiro lugar, *Paulo expressou a expectativa de rever sua condição como prisioneiro* (2.23). Ele queria enviar Timóteo à igreja de Filipos,

---

[1] BARTON, Bruce B. *Life application Bible commentary on Philippians, Colossians, & Philemon*, p. 17.

mas, antes, precisava tomar algumas medidas em Roma acerca da sua situação. A necessidade de revisão revela que isso aconteceu após um longo tempo de prisão.

Em segundo lugar, *houve tempo suficiente para que os crentes de Filipos tomassem conhecimento da sua prisão, enviassem a ele Epafrodito e ouvissem sobre a doença de Epafrodito em Roma*. Esses fatos evidenciam que a carta não foi escrita logo no começo da prisão de Paulo em Roma, mas no final dela.

Em terceiro lugar, *Filipenses deve ter sido escrita depois de Colossenses, Efésios e Filemom, pois Paulo diz em Filipenses que Lucas não está mais com ele* (2.20), *ao passo que Lucas estava com Paulo quando ele escreveu Colossenses* (Cl 4.14) *e Filemom* (Fm 24).

A presença de Timóteo na saudação inicial não significa que este tenha sido coautor da carta, pois ao longo do texto Paulo apresenta-se sempre como o único autor. Ralph Martin diz que Timóteo compartilha a dignidade do título, visto que Paulo tenciona enviá-lo a Filipos, como seu representante pessoal (2.23). No entanto, não há qualquer indicação de que o nome de Timóteo aparece porque ele era o amanuense, ao lado de Paulo, nem mesmo para dar um caráter coletivo, como se Paulo estive abrindo mão da autoridade de uma revelação particular.[2] Essa era uma forma carinhosa de Paulo dizer que Timóteo estava com ele em Roma e também enviava à igreja a mesma mensagem. Timóteo vinha da Licaônia e era filho de um grego e de uma judia que se tornou cristã. Timóteo se fez companheiro de Paulo nas viagens ainda muito jovem. Partilha o cárcere de Paulo. Em seis cartas, ele aparece como "colaborador".

Vamos conhecer um pouco mais sobre Paulo, esse personagem que escreveu a maior parte do Novo Testamento e é considerado o maior teólogo, o maior evangelista e o maior plantador de igrejas do primeiro século.

Em primeiro lugar, **Paulo era um grande homem**. Paulo é a versão grega do nome hebraico Saulo (At 13.9). Da tribo de Benjamim (3.5), Paulo nasceu em Tarso, foi educado como fariseu zeloso da

---

[2]MARTIN, Ralph P. *Filipenses: Introdução e comentário*, p. 72,73.

lei, e instruído em Jerusalém aos pés do erudito Gamaliel (At 22.3). Embora nascesse de pais judeus, Paulo era também cidadão romano (At 22.27,28). Homem de cultura invulgar, de personalidade carismática e de liderança inequívoca, era, também, um importante membro do Sinédrio, o mais conspícuo concílio do povo judeu.

Em segundo lugar, **Paulo foi um grande perseguidor**. Criado na mais estrita e ortodoxa corrente teológica de Israel, o farisaísmo, Paulo viu o cristianismo nascente como uma ameaça à religião do Seu povo. Cheio de zelo e fervor, tomou em suas mãos o propósito de extinguir no nascedouro a religião do Caminho. Perseguiu cruelmente os cristãos, açoitando, prendendo e matando alguns deles. Liderou a turba que apedrejou o diácono Estêvão em Jerusalém e saiu respirando ameaça contra os cristãos que se refugiaram em Damasco, para os trazer presos a Jerusalém.

Nessa empreitada inglória e ensandecida, não se apercebeu de que lutava não apenas contra a Igreja, mas contra o próprio Filho de Deus, pois quem persegue a Igreja, persegue o próprio Cristo. Quem persegue o corpo, persegue a cabeça. Quem toca na Igreja de Deus, toca na menina dos olhos do Senhor.

Em terceiro lugar, **Paulo era um grande convertido**. A conversão de Paulo realça com cores vivas a soberania de Deus na salvação. Destacamos alguns pontos:

Não foi ele quem buscou a Cristo, mas Cristo quem o buscou. Paulo estava engajado numa luta contra o próprio Filho de Deus, perseguindo a Sua Igreja, quando no caminho de Damasco, Cristo o transformou. Não é o homem quem busca a Deus; é Deus quem o busca. Não é o homem quem ama a Deus primeiro; é Deus quem o ama e o atrai com cordas de amor. A salvação é uma obra soberana e exclusiva de Deus. Tudo provém dEle.

Não foi ele quem se rendeu a Cristo, mas foi rendido por Cristo. Diante da manifestação gloriosa da luz que brilhou em seu caminho, Saulo caiu por terra. Ele não se prostrou; foi prostrado. Ele não se rendeu; foi rendido. Ele não abriu seus olhos; seus olhos foram abertos. Ele não descobriu Cristo; foi descoberto. Ele não achou Cristo; foi achado.

Não foi ele quem gritou da terra ao céu, mas foi Cristo quem lhe bradou do céu à terra. A voz de Cristo precedeu a voz de Paulo. A salvação é uma iniciativa divina, e não um expediente humano. Primeiro Deus nos chama, depois respondemos ao Seu chamado. Primeiro Deus nos escolhe, depois respondemos a essa escolha. Primeiro Deus nos ama, depois respondemos a esse amor. Primeiro Deus muda as disposições íntimas da nossa alma, depois nós respondemos à Sua oferta graciosa. Primeiro Deus nos arranca das entranhas da morte, depois somos assentados com Ele nos lugares celestiais.

Não foi ele quem entrou para o evangelho, mas foi o evangelho que entrou nele. Paulo, caído e atordoado pela gloriosa visão, olha para Jesus não como alguém a quem deve perseguir, mas como o Senhor da sua vida a quem deve obedecer. Agora, em vez de entrar em Damasco com a chibata na mão, empavonado em seu orgulho para prender e arrastar os cristãos, ele entra humilde, guiado pelas mãos de outrem. Em vez de respirar ameaça contra os cristãos, de joelhos ele ora ao Deus dos cristãos. Em vez de ser um tormento para os cristãos, foi chamado de "irmão" por um deles. Em vez de ser um embaixador da morte, é transformado no embaixador da reconciliação.

Em quarto lugar, **Paulo, era um grande missionário**. O Senhor disse acerca de Paulo: ... *este é para mim um instrumento escolhido para levar o meu nome perante os gentios e reis, bem como perante os filhos de Israel* (At 9.15). Deus reverte completamente a situação. Aquele que era o maior problema, torna-se a maior bênção. Aquele que era a maior ameaça para a Igreja, torna-se o maior instrumento para plantar igrejas. Aquele que era o maior opositor do cristianismo, torna-se o seu maior teólogo e defensor. Aquele que considerava os gentios indignos da salvação, é enviado aos gentios como missionário. Aquele que perseguia cruelmente os cristãos por causa do evangelho, agora se torna perseguido por causa do evangelho (At 9.16). Aquele que trazia cartas da parte do Sinédrio para prender e matar, agora escreve cartas para abençoar, edificar e salvar.

Paulo fez três viagens missionárias. Plantou e fortaleceu igrejas na Ásia e na Europa. Viajou, pregou, escreveu e aconselhou. Suportou prisões, açoites, apedrejamento e naufrágio. Cruzou mares, rios, desertos e pregou nos lares, nas sinagogas, nas escolas, nas praças, na prisão. Ele foi o maior teólogo e o maior missionário da igreja primitiva. Foi ele quem mais plantou igrejas e quem mais viajou. Foi ele quem mais influenciou com a sua vida e ensinamentos a história da humanidade.

Em quinto lugar, **Paulo, era um grande amigo**. Paulo escreve aos filipenses usando um tom fraternal. Ele não se apresentou a esses irmãos como apóstolo, da mesma forma que costumava fazer nas outras cartas, mas como servo de Cristo Jesus. De todas as cartas de Paulo, somente nas duas dirigidas às igrejas da Macedônia (Filipos e Tessalônica) e em sua carta pessoal a Filemom ele não se apresenta como apóstolo. Por quê? Porque ele não vê nenhuma necessidade de defender seu apostolado. Ele não precisa apresentar as suas credenciais nem mesmo relembrá-los de sua autoridade apostólica. Ele sabe que será ouvido com toda a atenção e com todo o afeto. A igreja de Filipos sempre reconheceu seu apostolado e ao longo dos anos foi um braço de sustentação do velho apóstolo. William Barclay diz que, de todas as igrejas, a de Filipos era aquela à qual Paulo se sentia mais ligado. Por isso, escreve não como um apóstolo aos membros da igreja, mas como um amigo a seus amigos.[3]

Paulo escreve aos filipenses como um amigo. Ele tem intimidade e confiança para dirigir-se aos irmãos e exortá-los sem precisar lembrar a eles que é um apóstolo.

Em sexto lugar, **Paulo, era servo de um grande Senhor**. Em vez de Paulo apresentar-se como apóstolo, ele se apresenta como "servo de Cristo Jesus". A palavra grega *doulos* que Paulo usou é mais do que servo; significa escravo. Um servo tem a liberdade de ir e vir, de ligar-se a outro amo, mas um escravo é propriedade de seu amo para sempre. William Barclay diz que, quando Paulo se chama escravo de Cristo Jesus, o faz por três motivos:[4]

1. *Ele deixa claro que é propriedade absoluta de Cristo*. Jesus o amou e o comprou mediante um alto preço (1Co 6.20). Por isso, não pode pertencer a ninguém mais além de Jesus Cristo.
2. *Ele deixa claro que deve a Cristo obediência absoluta*. O escravo não tem vontade própria; sua vontade é fazer a vontade do seu senhor.

---
[3] BARCLAY, William. *Filipenses, Colosenses, I y II Tesalonicenses*, p. 15.
[4] BARCLAY, William. *Filipenses, Colosenses, I y II Tesalonicenses*, p. 15,16.

As decisões do seu senhor são as que regem a sua vida. Paulo não tem outra vontade senão a de Cristo. Seu projeto de vida é obedecer-Lhe.
3. *Ele deixa claro que ser servo de Cristo é a maior honra.* Esse é o mais elevado dos títulos. A escravidão cristã não é uma sujeição humilhante e degradante; ao contrário, como disse Agostinho, quanto mais servos de Cristo somos, tanto mais livres nos sentimos. Ser escravo de Cristo é ser rei. Ser escravo de Cristo é o caminho para a liberdade perfeita. Porque somos escravos de Cristo, somos livres da penalidade, da escravidão e da degradação do pecado.

Os destinatários da carta

Há alguns pontos que devem ser destacados aqui:

Em primeiro *lugar, os destinatários identificados*. Paulo escreve não apenas para um grupo seleto da igreja, mas para "*todos* os santos". Paulo não faz acepção de pessoas. Ele ama todos e destaca todos de igual modo. Na Igreja de Deus, todos são iguais. Não pode existir complexo de inferioridade nem de superioridade. Todos somos membros do corpo.

J. A. Motyer diz:

> Um dos aspectos mais ricos desta vida para a qual fomos chamados e separados é que agora vivemo-la em comunhão com todos os santos. O mesmo Senhor que nos uniu a Ele mesmo, agora também nos une à comunhão de todo o Seu povo.[5]

Somos um com todos os que pertencem à família de Deus. A Igreja de Cristo é suprarracial, supracultural e supradenominacional. Somos um só povo, um só rebanho, uma só igreja, uma só noiva do Cordeiro. Devemos trabalhar juntos pela fé evangélica e nos esforçarmos para a unidade do Espírito no vínculo da paz.

Em segundo lugar, *os destinatários definidos*. Paulo, agora, define seus destinatários como "todos *os santos*". J. A. Motyer diz que parece estranho Paulo dirigir essa carta não aos filipenses, mas aos santos que

---

[5] MOTYER, J. A. *The message of Philippians*, p. 32.

vivem em Filipos. Essa estranheza decorre do fato de que, se fosse hoje, provavelmente esperaríamos essa introdução assim: "O santo Paulo aos cristãos de Filipos, em vez de o escravo Paulo aos santos de Filipos".[6]

O que essa saudação significa? A palavra grega usada por Paulo para santos é *hágios*. Esta era a palavra mais comum para designar um cristão no Novo Testamento. Ela aparece mais de sessenta vezes no Novo Testamento, enquanto a palavra "cristão" aparece apenas três vezes.[7] William Barclay diz:

> Para os ouvidos modernos, a palavra descreve uma piedade quase extramundana; relacionando-se mais com esplêndidos vitrais do que com o mercado. A palavra "santos" não significa pessoas sem pecado, ou perfeitas, mas separadas do mundo para Deus.[8]

Não se trata de pessoas que foram canonizadas, mas se refere a todas aquelas pessoas que, eleitas por Deus, amadas por Ele, foram chamadas pelo evangelho, transformadas pelo Espírito Santo para fazerem parte da família de Deus. Essa separação não é geográfica. Não saímos do mundo geograficamente. Estamos nele, mas não somos dele. Jesus orou não para que fôssemos tirados do mundo, mas guardados no mundo. A santidade na Bíblia não é isolamento nos mosteiros ou templos evangélicos. Nessa mesma linha de pensamento, Werner de Boor explica:

> Diante da difundida má compreensão moral da palavra "santo" como "bom", "puro", "devoto", foi enfatizado que "santo" significa simplesmente "pertencente a Deus", "confiscado como propriedade de Deus".[9]

A santidade na Bíblia tem dois aspectos: um posicional e outro experimental. Ser santo é ser separado por Cristo para uma nova vida.

---

[6]MOTYER, J. A. *The message of Philippians*, p. 24.
[7]MOTYER, J. A. *The message of Philippians*, p. 24.
[8]PIDGE, J. B. Gough. *Comentario sobre la Epistola a los Filipenses*. Casa Bautista de Publicaciones, 1973, p. 355.
[9]BOOR, Werner de. *Carta aos Efésios, Filipenses e Colossenses*, p. 174.

Por um lado, ser santo aponta para o que Cristo fez por nós (Rm 1.7; Cl 3.12,13); por outro lado, aponta para o que fazemos por Cristo, ou seja, a obrigação que temos de viver conforme essa nova posição em Cristo (Cl 3.12).

A palavra grega *hágios* e o seu equivalente hebraico *kadosh* se traduzem com muita frequência por "santo". Para a mentalidade hebraica, se algo se descreve como "santo", fundamentalmente significa que é *diferente de outras coisas;* algo que em certo sentido *é separado dos demais*.[10] A ideia fundamental de *hágios* não é apenas ser separado, mas, sobretudo, pertencer a uma diferente ordem de coisas ou viver em uma diferente esfera.[11]

Ralph Martin corretamente comenta:

> No Antigo Testamento, Israel era o povo santo de Deus, separado das demais nações por ter sido chamado como posse de Iavé (Nm 23.9; Sl 147.20), e dedicado à adoração e culto do único Deus (Êx 19.5,6; Lv 19.1,2; Dt 7.6; 14.2). A igreja do Novo Testamento estava bem ciente de seu lugar como sucessora dessa comunidade sagrada de Israel (1Pe 2.9,10) e, mui ousadamente, apropriou-se do título de "santos de Deus" como marca desse destino.[12]

J. A. Motyer sintetiza, de forma brilhante, essa ideia de os cristãos como santos:

> Paulo não está aqui preocupado com o que os cristãos são por natureza neste mundo, mas com o que eles são pela graça aos olhos de Deus. Politicamente eles são filipenses, e não há nisso tão grande honra. Mas a graça fez deles portadores da natureza divina, conferindo-lhes a honra das honras, oferecendo-lhes o próprio título e o caráter de Deus, chamando-os de santos.[13]

---

[10] BARCLAY, William. *Filipenses, Colosenses, I y II Tesalonicenses*, p. 16.
[11] MOTYER, J. A. *The message of Philippians*, p. 25.
[12] MARTIN, Ralph P. *Filipenses: Introdução e comentário*, p. 73.
[13] MOTYER, J. A. *The message of Philippians*, p. 26.

Em terceiro lugar, *os destinatários detalhados*. Paulo escreve aos liderados e também aos líderes. Na igreja local, há comunhão (todos os santos) e liderança (bispos e diáconos). Paulo se dirige aos bispos e diáconos entre os santos, e não acima deles. Paulo escreve para os crentes e para os líderes, e não para os líderes e os crentes. Os crentes vêm primeiro. Não são os crentes que existem para os líderes, mas os líderes, para os crentes. Os líderes não estão acima dos crentes, mas entre eles (1Pe 5.1-4). George Barlow corretamente afirma que os ministros existem para a igreja, e não a igreja, para os ministros. Os líderes não são a igreja, mas, sob a autoridade de Deus, eles servem e guiam o povo.[14] No Reino de Deus, a pirâmide está de ponta-cabeça: maior é o que serve. Quem quiser ser o maior, deve ser servo de todos. Nessa mesma trilha de pensamento, J. B. Gough Pidge diz:

> A menção dos oficiais da igreja depois dos membros da igreja mostra como a ideia de Paulo acerca dos postos oficiais na igreja eram tão diferentes das ideias acerca do sacerdócio suscitadas em tempos posteriores, e seguem ainda dominando uma grande parte da cristandade. Para Paulo, os oficiais eram apenas uma parte da igreja, e não uma ordem separada dela e sobre os leigos.[15]

Permanece, porém, a questão: por que somente nessa carta Paulo se dirige também aos bispos e diáconos? Ralph Martin sugere que a explicação para essa menção, logo no introito da carta, é que, de alguma maneira, eles desempenharam um papel importante na coleta da oferta enviada a Paulo (4.15,16; 2Co 11.9; 8.1-4; 4.18).[16] Que líderes são esses?

Em primeiro lugar, *os bispos*. A palavra *episcopos* significa aquele que supervisiona. B. C. Caffin corretamente afirma que no Novo Testamento a palavra *episkopos* é sinônima da palavra *presbyteros* (At 20.17,28; 1Pe 5.1,2; 1Tm 3.1-7; Tt 1.5-7). Dessa maneira, os bispos não eram uma classe elevada de líderes sobre outros líderes. Essa

---

[14] BARLOW, George. *The preacher's complete homiletic commentary on Philippians*. Vol. 28. Grand Rapids, Michigan: Baker Books, 1996, p.305.
[15] PIDGE, J. B. Gough. *Comentario sobre a Epistola a los Filipenses*, p. 356.
[16] MARTIN, Ralph P. *Filipenses: Introdução e comentário*, p. 73.

ideia é estranha ao Novo Testamento.[17] Bruce B. Barton diz que os bispos são aqueles que supervisionam, alimentam e protegem a vida espiritual dos crentes.[18] No Novo Testamento, as palavras para pastor, presbítero e bispo são termos correlatos, descrevem a mesma pessoa (At 20.17,28). Os bispos cuidam dos de dentro, pastoreando a igreja e protegendo o rebanho (At 20.28-30), enquanto os diáconos cuidam também dos de fora, daqueles que carecem de assistência.

Em segundo lugar, *os diáconos*. Os diáconos são aqueles que cuidam especialmente dos necessitados. O ministério diaconal foi instituído para atender a uma demanda na igreja primitiva, a assistência aos santos (At 6.1-3). Enquanto o ministério dos bispos é de pastoreio para com os de dentro, o ministério dos diáconos é especialmente voltado para socorrer os necessitados dentro e fora da igreja.

Em quarto lugar, **os destinatários posicionados**. Paulo diz que "os santos" têm dois endereços. Eles vivem em uma dupla dimensão. São cidadãos do céu e também da terra. Vivem neste mundo e também nas regiões celestes. Vejamos esses dois pontos:

Os santos estão em Cristo. Eles habitam em Cristo antes de habitarem em Filipos. São cidadãos dos céus antes de serem cidadãos do mundo. Estão identificados com um reino espiritual antes de estarem vinculados a um reino terreno.

A igreja é um povo separado não para viver em um gueto espiritual, isolada e escondida. A nossa suprema vocação é um chamado não apenas para sermos separados do mundo, mas, sobretudo, para vivermos em Cristo. Os crentes são santos *em Cristo Jesus*, isto é, mediante sua união com Ele, que os reivindicou como o Seu povo, e que Se tornou a base de sua nova vida. Os santos não têm essa posição perante Deus e essas qualidades a partir de si mesmos. Na verdade, é isso que diferencia o "ser santo" de todas as aquisições morais. São santos "em Cristo Jesus".

Ralph Martin, citando Karl Barth, elucida esse ponto, dizendo:

---

[17]CAFFIN, B. C. *The pulpit commentary on Philippians*. Vol. 20. Grand Rapids, Michigan: Eerdmans Publishing Company, 1978, p. 2.
[18]BARTON, Bruce B. *Life application Bible commentary on Philippians, Colossians, & Philemon*, p. 20,21.

Pessoas "santas" são pessoas não-santas que, mesmo sendo não-santas, foram, entretanto, separadas, reivindicadas e requisitadas por Deus, para o Seu controle, para o Seu uso, para Si mesmo, que é santo.[19]

Werner de Boor interpreta corretamente esse ponto, quando diz:

> Exatamente esse relacionamento com Jesus é o cristianismo em sua totalidade. Trata-se não apenas de saber a respeito de Jesus, nem mesmo de crer nEle, mas de ser em Cristo Jesus, de viver toda a vida nesse ambiente, de estar enraizado nesse chão.[20]

William Barclay, nessa mesma linha de pensamento, escreve:

> Ninguém que leia as cartas de Paulo passará por alto a frequência das frases *em Cristo, em Cristo Jesus, no Senhor*. *Em Cristo Jesus* aparece 48 vezes, *em Cristo*, 34 vezes, e *no Senhor*, 50 vezes. Evidentemente, estar *em Cristo* constituía para Paulo a essência do cristianismo.

Citando Marvin Vincent, Barclay continua a dizer:

> Quando Paulo fala que o cristão está em Cristo, quer dizer que vive em Cristo como o pássaro no ar, o peixe na água, as raízes de uma árvore na terra. Estar *em Cristo* é viver continuamente na atmosfera e no espírito de Cristo; é viver em um mundo em que cada coisa nos fala dEle; é viver uma vida na qual nunca nos sentimos separados dEle nem por um só momento e de onde sempre nos sentimos rodeados e favorecidos por Sua presença, por Sua força e Seu poder. O cristão é diferente porque sempre e em todas as partes é consciente da presença de Cristo que o circunda.[21]

"Em Cristo" é o novo relacionamento em que o cristão vive. É em Cristo que recebemos a nossa salvação (3.14). Em Cristo, estamos seguros e temos todas as coisas de que precisamos (4.7,19). Em Cristo,

---

[19] MARTIN, Ralph P. *Filipenses: Introdução e comentário*, p. 73.
[20] BOOR, Werner de. *Carta aos Efésios, Filipenses e Colossenses*, p. 175.
[21] BARCLAY, William. *Filipenses, Colosenses, I y II Tesalonicenses*, p. 17.

nos tornamos um novo povo com novos sentimentos (1.8); recebemos uma nova mente ou uma nova maneira de ver as coisas (2.5). Em Cristo, recebemos um novo encorajamento para viver como cristãos (2.1) e novas habilidades para trazer esses incentivos à fruição (4.13). Estar em Cristo é tomar posse da plena salvação. Mas não apenas os benefícios que temos estão em Cristo, como também nós mesmos estamos nEle.[22]

Os santos estão em Filipos. A igreja pertence a dois mundos: o terreno e o celestial. Ela está em Cristo, mas também está em Filipos. Somos cidadãos de dois mundos. Pertencemos concomitantemente a dois reinos. Aqueles crentes tinham seus nomes arrolados no livro da vida (Fp 4.3) no céu, mas também seus nomes estavam arrolados na cidade de Filipos. Werner de Boor diz que é simultaneamente secundário e importante que esses "santos em Cristo Jesus", aos quais aqui se escreve, estejam "em Filipos". É secundário, pois o lugar e o ambiente de vida desses santos não é Filipos nem qualquer outra cidade, e muito menos este mundo, mas Cristo Jesus! Se mudassem para Roma ou Atenas, nada se alteraria em sua condição essencial de vida, continuariam sendo os mesmos "santos em Cristo Jesus".[23]

Paulo está dizendo que a igreja tem um endereço espiritual e outro geográfico. Ao mesmo tempo que a igreja está em Cristo, ela está em Filipos. Aqui a igreja enfrenta lutas, crises, dores, perseguição. Aqui há dor e lágrimas. Aqui o diabo fustiga e ataca os crentes. Aqui alguns tropeçam e caem. Aqui cruzamos vales sombrios, andamos por caminhos juncados de espinhos e atravessamos desertos causticantes. Entretanto, ao mesmo tempo estamos imperturbavelmente seguros em Cristo. Estamos assentados com Ele nas regiões celestes.

As bênçãos da carta

Destacamos três preciosas verdades aqui:

Em primeiro lugar, *a natureza da bênção*. Paulo saúda a igreja com a graça e a paz. O que essa saudação significa? O que Paulo está desejando

---

[22] MOTYER, J. A. *The message of Philippians*, p. 27.
[23] BOOR, Werner de. *Carta aos Efésios, Filipenses e Colossenses*, p. 175.

à igreja? Qual é o conteúdo dessa bênção? Qual é a natureza da bênção solicitada pelo apóstolo? William Barclay diz que, quando Paulo adota e une estes dois grandes termos *graça* e *paz* (*caris* e *eirene*), realiza uma síntese maravilhosa. Toma a saudação de duas grandes nações e as refunde em uma. *Caris* é a saudação normal grega, com a qual começam todas as cartas. *Eirene* é a saudação normal dos hebreus, a expressão de cumprimento dos judeus quando se encontram. Cada uma dessas palavras tem seu próprio sabor e cada uma se faz mais intensa, mais profunda e infinitamente preciosa pelo novo significado que o cristianismo lhe confere.[24]

Graça e paz em uma única frase resultam em "salvação para o homem integral, tanto do corpo quanto da alma", e não apenas "prosperidade espiritual".[25]

O que é a graça? Caris é uma bela palavra que inclui as ideias básicas de alegria e deleite; de brilho e beleza.[26] Com Cristo, a vida se faz encantadora, pois o homem já não é escravo da lei, mas filho do amor de Deus. Pela graça, temos o encanto supremo de descobrir Deus como o nosso Pai. Assim, a graça é um dom imerecido. É o favor de Deus a pecadores. É a disposição de Deus dar o Seu melhor àqueles que merecem o pior. J. A. Motyer diz que graça é Deus sendo misericordioso a ponto de estender Seu favor imerecido àqueles que estão desesperançados e desamparados; amando-os livre e soberanamente, oferecendo-lhes gratuitamente o contrário do que merecem.[27]

O que é a paz? Eirene é uma palavra de enorme alcance. Ela nunca significa uma paz negativa; nunca implica a simples ausência de dificuldades. Paulo estava preso e ele saúda a igreja com a paz. Paulo fala da paz que excede todo o entendimento (4.7) e também do Deus da paz (4.9). Nós temos paz com Deus, paz de Deus e o Deus da paz. Nessa mesma linha de pensamento, J. A. Motyer diz que *eirene* ou *shalom* é mais do que paz com Deus. No Antigo Testamento, paz, *shalom*, combina "harmonia", ou seja, paz com Deus e paz de Deus. De modo semelhante, no Novo Testamento, *eirene* fala de paz com Deus (Rm 5.1;

---

[24] BARCLAY, William. *Filipenses, Colosenses, I y II Tesalonicenses*, p. 18.
[25] FOERSTER, W. *Theological Dictionary of the New Testament*, p. 414.
[26] BARCLAY, William. *Filipenses, Colosenses, I y II Tesalonicenses*, p. 18.
[27] MOTYER, J. A. *The message of Philippians*, p. 29.

Cl 1.20) e também de paz de Deus (Mt 5.34; Rm 8.6; Gl 5.22; Cl 3.15). Assim, essa paz é tanto nossa experiência quanto nossa força em tempos difíceis (4.7; 2Ts 3.16).[28] Kent corretamente define "paz" aqui em Filipenses como a segurança e a tranquilidade íntimas que Deus ministra ao coração dos crentes e os guarda espiritualmente confiantes e contentes no meio da tempestade.[29]

Eirene significa bem-estar total, algo que faz o bem-estar supremo do homem. Essa paz sempre tem que ver com as relações pessoais: a relação do homem com ele mesmo, com o próximo e com Deus. Essa é a paz que nasce da reconciliação.[30] A paz é uma bênção espiritual, física e material. É uma bênção temporal e eterna. Ela fala de um bem-estar completo.

Em segundo lugar, *o alvo da bênção*. Essas bênçãos mencionadas, *graça* e *paz*, são endereçadas aos membros da igreja de Filipos, quer líderes quer liderados. Todos os crentes podem e devem se apropriar da graça e da paz. Isso é mais do que uma saudação. Essas dádivas devem estar não apenas na nossa boca, mas no nosso coração. "Graça e paz" não deve ser apenas um cumprimento no início de uma carta ou na abertura de um culto, mas uma experiência gloriosa na jornada da vida.

Em terceiro lugar, ***a fonte da bênção***. A graça e a paz vêm da parte de Deus, nosso Pai, e do Senhor Jesus Cristo. Somente Deus pode dar graça e paz. A atitude de Paulo a respeito de Jesus Cristo não é meramente a atitude de um homem para com outro homem, ou de um erudito para com outro mestre; mas a atitude de um homem para com Deus.[31] A preposição "de" governa ambos os nomes, revelando que Deus Pai e Jesus Cristo têm a mesma substância, a mesma natureza, o mesmo poder. Só Deus pode reconciliar o homem Consigo mesmo. Apenas Ele pode oferecer ao homem salvação. Essa bênção não provém de Paulo nem de qualquer líder ou concílio, mas de Deus Pai e do Senhor Jesus. A bênção não procede da igreja nem dos líderes da igreja, mas do Deus bendito que salvou a Igreja.

---

[28] MOTYER, J. A. *The message of Philippians*, p. 30.
[29] KENT, H. A. *Expositor's Bible*. Ed. F. A. Gaeblin. Vol. 11. Pickering and Inglis, 1978, p. 104.
[30] BARCLAY, William. *Filipenses, Colosenses, I y II Tesalonicenses*, p. 18,19.
[31] MACHEN, J. G. *The origin of Paul's Religion*. Graand Rapids, Michigan: Eerdmans, 1925, p. 198.

3

Uma oração transbordante de amor

Filipenses 1.3-11

PAULO ESTÁ IMPEDIDO DE VISITAR AS IGREJAS, mas pode orar por elas. Ele não pode falar de Deus a todos os homens, mas pode falar livremente com Deus a favor dos homens. Destacamos dois pontos iniciais:

Em primeiro lugar, ***Paulo está preso, mas a Palavra não está algemada***. Paulo é prisioneiro de Cristo, e não de César. Sua agenda é dirigida por Deus, e não pelos homens. As circunstâncias podem estar fora do seu controle, mas jamais fora do controle de Deus. Os homens podem colocar algemas nele, mas jamais aprisionar a Palavra de Deus. Paulo está preso, mas a Palavra está livre. Paulo tem limitações geográficas, mas a Palavra tem livre curso nos corações.

Em segundo lugar, ***Paulo está impedido de ter comunhão com os irmãos, mas não de orar por eles***. A oração toca o mundo. A oração desconhece limites geográficos, barreiras étnicas ou culturais. Um crente de joelhos pode influenciar o mundo inteiro. Na Sua soberania, Deus estabeleceu agir na história em resposta às orações do Seu povo.

Paulo está impedido de viajar até Filipos, mas as suas orações sobem aos céus a favor dos crentes de Filipos. Pela oração, Paulo influencia e abençoa os crentes de Filipos.

Warren Wiersbe, sintetizando esse parágrafo, diz que em Filipenses 1.1-11 Paulo usa três ideias que descrevem a verdadeira comunhão cristã: A presença na memória (1.3-6), a presença no coração (1.7,8) e a presença nas orações (1.9-11).[1] Vamos examinar este texto e extrair algumas lições importantes.

Uma recordação cheia de gratidão (1.3)

Destacamos dois pontos:

Em primeiro lugar, *recordações que trazem gratidão* (1.3). Há recordações que ferem o coração, abatem o espírito e provocam grande dor. Há reminiscências amargas e lembranças dolorosas. Há memórias que só trazem à tona a desesperança. No entanto, quando Paulo volta ao passado e se lembra da igreja de Filipos, seu peito enche-se de doçura, e a sua alma é inundada de grande gratidão.

Na cidade de Filipo Paulo foi preso, açoitado ilegalmente com varas, jogado num calabouço, colocado no tronco e humilhado diante do povo. Contudo, nessa mesma cidade, Paulo plantou uma igreja que foi a coroa da sua alegria (4.1). Nessa cidade, Paulo organizou uma igreja que se tornou a maior parceira do seu ministério. A igreja de Filipos sustentou Paulo em Tessalônica (4.15,16), em Corinto (2Co 11.9) e em Roma (4.18).

Bruce B. Barton diz que a igreja de Filipos trouxe a Paulo muita alegria e pouca dor.[2]

Em segundo lugar, *recordações que produzem glória ao nome de Deus* (1.3). Paulo não está grato apenas pelo que recorda, mas glorifica a Deus por tudo aquilo que vem à sua memória. Ele dá graças a Deus. A experiência horizontal desemboca em uma doxologia vertical. Não há nenhum fato vivido na igreja que arranque lágrimas de tristeza no apóstolo; ao contrário, tudo que ele traz à sua memória; o conduz a um efusivo cântico de louvor a Deus. Certamente Paulo lembra-se de como Deus abriu o coração de Lídia para ela crer e como depois abriu o seu lar para acolher os obreiros. Certamente vem à mente de Paulo como Deus abriu as portas da prisão de Filipos, onde ele e Silas

---

[1] WIERSBE, Warren W. *Comentário bíblico expositivo*. Vol. 6, 2006, p. 81.
[2] BARTON, Bruce B. et all. *Life application Bible commentary on Philippians, Colossians, & Philemon*, p. 23.

estavam encarcerados, e como o carcereiro abriu as portas da sua casa para cuidar dele e de Silas. Em Filipos, Paulo viu a mão poderosa de Deus trabalhando na igreja e por intermédio dela.

Uma **intercessão** cheia de **alegria** (1.4)

Destacamos quatro características dessa intercessão:

Em primeiro lugar, ***uma intercessão contínua*** (1.4). Paulo é um obreiro incansável. Ele vive intensamente tudo quanto faz. Está preso, mas o seu coração está focado não em si ou em suas necessidades, mas na vida e necessidades de outras pessoas. Ele não ora esporadicamente, mas sem cessar, sempre, em todo tempo. Esse veterano anda antenado com o céu. Ele tem seu coração voltado para Deus e para a igreja.

As palavras "fazendo sempre [...] súplicas" estão no tempo presente, significando que Paulo orava por eles continuamente. Paulo plantou igrejas e continuou a orar por elas durante todo o seu ministério. Ralph Martin diz que enquanto os filipenses lembraram-se de Paulo em suas necessidades, Paulo se lembrou deles em suas orações.[3]

Em segundo lugar, ***uma intercessão abrangente*** (1.4). Ele ora por todos os crentes da igreja. Não se envolve apenas com uma parcela. Seu carinho não é dirigido apenas a uma elite da igreja, mas ele derrama a sua alma a favor de todos os membros da igreja. Ele não faz acepção de pessoas. Paulo usa a expressão "todos vós", referindo-se diretamente a todos os seus leitores em pelo menos nove ocasiões. Ele não deixa ninguém de fora.

Em terceiro lugar, ***uma intercessão humilde*** (1.4). Paulo se aproxima de Deus em todas as suas orações fazendo súplicas. Ele pede. Expõe as causas do povo na presença de Deus. Apresenta as necessidades do povo diante do trono da graça. Humildemente, chega como um suplicante diante do Pai para rogar pela igreja. Quanto mais intimidade com Deus, tanto mais humildade diante dele. Quanto mais ousadia na oração, tanto mais dependência da graça. Nenhum homem pode conhecer a Deus e ainda permanecer altivo e soberbo. Paulo levantou-se diante de reis, pois primeiro aprendeu a curvar-se diante do Rei dos reis.

---

[3] MARTIN, Ralph P. *Filipenses: Introdução e comentário*, p. 76.

Em quarto lugar, *uma intercessão alegre* (1.4). A Carta aos Filipenses é chamada "a carta da alegria". A alegria reflete um correto relacionamento com Deus. Podemos sentir alegria nas provas, pois sabemos que Deus está no controle. Essa epístola pode ser sintetizada em duas expressões: "eu me regozijo" e "alegrai-vos". William Barclay alista dez razões para a alegria nessa carta:[4]

1. *A alegria da oração cristã* (1.4). Essa é a alegria de levar as pessoas que amamos ante ao trono da graça de Deus.
2. *A alegria de ver Jesus sendo proclamado* (1.18). Há grande deleite em saber que o evangelho está sendo pregado em todo o mundo.
3. *A alegria da fé* (1.25). Se a fé cristã não é capaz de fazer um homem feliz, não há nada mais que possa fazê-lo.
4. *A alegria de ver os cristãos unidos* (2.2). Não há paz na igreja quando as relações humanas se rompem e o crente está em litígio com o seu irmão.
5. *A alegria do sofrimento por Cristo* (2.17). Paulo se alegra em sofrer por Cristo, se esse sofrimento traz bênção para outras pessoas. No momento do seu martírio, ao ser queimado na estaca, Policarpo orou, dizendo: "Dou-te graças, Pai, porque me consideras digno desta hora".
6. *A alegria do encontro com a pessoa amada* (2.28). A vida está cheia de separações, e sempre há contentamento quando temos notícias de pessoas que amamos. Os crentes de Filipos seriam banhados pelo óleo da alegria ao receberem de volta Epafrodito.
7. *A alegria da hospitalidade cristã* (2.29). Há lares de portas fechadas e lares de portas abertas. É maravilhoso ter uma porta aberta, onde você sabe que jamais será rechaçado.
8. *A alegria de estar em Cristo* (3.1). Estar em Cristo é viver em Sua presença como o pássaro no ar, como o peixe na água e como as raízes da árvore na terra.
9. *A alegria de ter ganhado uma alma para Cristo* (4.1). Para o cristão, a evangelização não é um dever, mas uma alegria.

---

[4] BARCLAY, William. *Filipenses, Colosenses, I y II Tesalonicenses*, p. 20-22.

10. *A alegria na dádiva recebida* (4.10). Ser alvo da generosidade de outrem é um motivo de grande alegria.

Um **agradecimento** cheio de **entusiasmo** (1.5-8)

Paulo manifesta o seu agradecimento da seguinte maneira:

Em primeiro lugar, ***pela cooperação no evangelho*** (1.5). Os cristãos são participantes na obra do evangelho. Não só participam de um dom (graça), mas também de uma tarefa que é a promoção do evangelho. Algumas verdades podem ser aqui destacadas:

O que é ser um cooperador no evangelho? Embora Deus seja Aquele que realiza todas as coisas com respeito à salvação do pecador, somos os Seus cooperadores nessa bendita obra. É Deus quem abre o coração, mas é a igreja que prega a Palavra. É Deus quem levanta os obreiros, mas é a igreja que os sustenta. É Deus quem dirige a agenda missionária da igreja, mas é a igreja que dá suporte aos missionários.

A palavra usada por Paulo aqui é *koinonia*, dando a ideia de que os filipenses eram cooperadores no evangelho por meio das generosas e importantes contribuições ao ministério de Paulo a fim de que a mensagem do evangelho fosse espalhada. Os filipenses não apenas aplaudiram os esforços de Paulo na divulgação do evangelho; eles se envolveram em seu ministério por intermédio da comunhão com ele e pelo suporte financeiro a ele.[5]

Ralph Martin esclarece que *koinonia*, em Paulo, nunca se refere a um jugo que une os crentes, mas à participação em um assunto, isenta de experiência subjetiva; uma "realidade objetiva", como ele a denomina. Os filipenses repetidamente mostraram interesse pelo evangelho, por meio de sua contínua ajuda a Paulo.[6]

Como a igreja tornou-se cooperadora no evangelho? A igreja de Filipos não apenas permaneceu firme e fiel, apesar da pobreza e da perseguição, mas jamais perdeu a doçura nem o amor pelos obreiros e pelos demais irmãos, mesmo por aqueles que jamais viram (2Co 8.1-4).

---

[5] BARTON, Bruce B. et all. *Life application Bible commentary on Philippians, Colossians, & Philemon*, p. 25.
[6] MARTIN, Ralph P. *Filipenses: Introdução e comentário*, p. 77.

Quando a igreja tornou-se cooperadora no evangelho? Paulo diz: *... desde o primeiro dia até agora*. A igreja acolheu Paulo no seu início, por intermédio da casa de Lídia. A igreja socorreu Paulo no começo do seu ministério em Tessalônica (4.15,16). A igreja sustentou Paulo em Corinto (2Co 11.9). A igreja sustentou Paulo em Roma (4.18).

Em segundo lugar, **pela segurança da salvação** (1.6). J. A. Motyer entende que a segurança da salvação é o tema central de toda essa passagem, desde o versículo 3.[7] Destacamos cinco verdades importantes:

A convicção da salvação. Paulo diz: *Estou plenamente certo...* Esta não é uma questão da possibilidade hipotética, mas da certeza experimental. Paulo não tem uma vaga sugestão acerca da segurança da salvação, mas uma convicção inabalável. Nada nesta vida nem depois da morte pode interromper ou frustrar a obra de Deus em nós (Rm 8.26-39).

O agente da salvação. O apóstolo afirma: *Aquele que começou boa obra em vós...* Ele aponta Deus como o agente da salvação. A salvação é uma obra exclusiva de Deus. Foi Deus quem planejou a salvação. É Ele quem escolhe, quem abre o coração, quem chama, quem regenera, quem dá o arrependimento para a vida, quem dá a fé salvadora, quem justifica, quem santifica e quem glorifica.

A natureza da salvação. Paulo define a salvação como "boa obra" de Deus em nós. A salvação não é apenas algo que Deus realiza por nós, mas, sobretudo, em nós. Antes de nos levar para a glória, Ele nos transforma à imagem do Rei da glória.

A dinâmica da salvação. O mesmo Deus que começou essa boa obra em nós vai completá-la. Deus jamais deixou uma obra inacabada. Ele jamais deixou um projeto no meio do caminho. Nossa salvação ainda não está acabada, pois Deus ainda está trabalhando em nós. Há três tempos distintos na salvação: Quanto à justificação, já fomos salvos. Com respeito à santificação, estamos sendo salvos. Contudo, com respeito à glorificação, seremos salvos.

William Barclay diz que há aqui na linguagem grega uma figura que não é possível reproduzir na tradução. O problema está nas palavras que Paulo usa para *começar* (*enarquesthai*) e para *completar* (*epitelein*);

---

[7] MOTYER, J. A. *The message of Philippians*, p. 43.

ambas são termos técnicos para indicar o começo e o final de um sacrifício. Assim, Paulo considera a vida de cada cristão como um sacrifício preparado para oferecer-se a Jesus Cristo na Sua gloriosa vinda.[8] Esse verbo grego usado aqui tem a ideia de "inaugurar", e o tempo verbal usado acentua um ato decisivo e deliberado, mostrando que a nossa salvação foi planejada e executada por Deus com vistas à perfeição. Isso pode ser ilustrado por meio da conversão de Lídia. Não foi ela quem simplesmente pôs sua confiança em Cristo, mas foi Deus quem lhe abriu o coração para crer em Cristo. A salvação é uma obra inaugurada pelo próprio Deus.[9]

A consumação da salvação. Essa obra de Deus em nós caminha para uma consumação, que se dará no dia de Cristo Jesus. Deus jamais desiste de nós. Ele jamais deixará essa obra incompleta. Os que Ele conheceu de antemão, os predestinou; aos que predestinou, também chamou; aos que chamou, também justificou; e aos que justificou, também glorificou. A perseverança da salvação depende de Deus. Porque Ele não pode mentir e as Suas promessas são fiéis e verdadeiras, podemos ter a garantia de que a nossa salvação não é apenas uma vaga possibilidade, mas uma certeza inabalável. Na mente e nos decretos de Deus, a nossa salvação já está consumada (Rm 8.30). Aqui ainda gememos sob o peso do pecado. Aqui ainda vivemos em um corpo de fraqueza. Aqui ainda somos um ser ambíguo e contraditório. Aqui ainda tropeçamos em muitas coisas. Contudo, quando Cristo voltar em glória, seremos transformados. A volta de Jesus e a consumação da nossa salvação são uma agenda firmada pelo Pai, e Ele a levará a bom termo. Então, teremos um corpo de glória, semelhante ao corpo de Cristo, e não haverá mais dor, nem pranto, nem morte. Werner de Boor descreve essa consumação da nossa salvação, como segue:

Deus não é alguém que começa uma boa obra e a abandona no meio do caminho. A trajetória não vai rumo a uma história incerta, cujo alvo e desfecho se perdem na névoa. A história do mundo possui um alvo claro: o dia de Deus! A história da Igreja tem um alvo claro:

---

[8] BARCLAY, William. *Filipenses, Colosenses, I y II Tesalonicenses*, p. 22.
[9] MOTYER, J. A. *The message of Philippians*, p. 43.

o dia de Cristo! A Igreja, então, estará ressuscitada, arrebatada, presenteada com um novo corpo, unida para sempre com o Cabeça e vivendo na união de seus membros, ela estará aperfeiçoada.[10]

A segurança de Paulo em relação aos crentes de Filipos deve-se ao fato de que eles são fruto da obra de Deus. Se há alguma coisa digna de louvor neles, Deus é o Seu autor. No versículo 6, Paulo os vê como uma obra de Deus iniciada, continuada e completada. No versículo 7, eles produzem fruto, pois são participantes da graça de Deus. Deus está trabalhando neles, e onde Deus trabalha, Ele certamente completa a obra.[11]

Em terceiro lugar, *pela estreita relação fraternal* (1.7,8). Paulo destaca três coisas aqui:

Paulo os traz no coração (1.7,8). Paulo traz os crentes de Filipos no coração de três maneiras:

Primeiro, no sofrimento pelo evangelho, ou seja, nas algemas. Essa igreja, como nenhuma outra, foi solidária a Paulo em suas prisões. Ela foi um bálsamo para o velho apóstolo nas suas horas mais difíceis.

Segundo, na obra do evangelho, ou seja, na defesa e confirmação do evangelho. Paulo foi tanto um apologeta quanto um missionário. Ele anunciava a verdade e a defendia diante dos ataques dos heréticos. A defesa (*apologia*) do evangelho se refere aos ataques que vêm de fora, procedentes dos argumentos e assaltos dos inimigos do cristianismo. O cristão deve estar disposto a ser um defensor da fé e a dar razões da esperança que possui (2Co 7.11). A confirmação (*bebaiosis*) do evangelho consiste na edificação que se opera por sua força aos que estão dentro da igreja.[12]

Terceiro, na compaixão de Cristo (1.8). William Barclay diz que no versículo 8 Paulo usa uma expressão muito gráfica: "a saudade que tenho de vós, na terna misericórdia de Cristo Jesus". A palavra grega para saudade é *splagcna*. Este termo define as entranhas superiores, o coração, o fígado e os pulmões. Os gregos colocavam aqui o centro das

---

[10] BOOR, Werner de. *Carta aos Efésios, Filipenses e Colossenses*, p. 180.
[11] MOTYER, J. A. *The message of Philippians*, p. 48.
[12] BARCLAY, William. *Filipenses, Colosenses, I y II Tesalonicenses*, p. 24.

emoções e dos afetos. Assim, o que Paulo está dizendo é que suspira pelos crentes de Filipos com a mesma compaixão de Jesus Cristo. Ele os ama como Jesus os ama. O amor que Paulo sente pelos filipenses não é outro senão o mesmo amor de Cristo.[13] O crente não tem outro sentimento que não o de Cristo; seu pulso bate com o pulso de Cristo; seu coração palpita com o coração de Cristo. O amor de Cristo passa por nós aos nossos irmãos. Nessa mesma linha de pensamento, Bruce B. Barton diz que a afeição de Paulo pelos filipenses era tão forte que era mais profunda do que mera emoção humana; era como a própria afeição de Cristo por meio dEle. A palavra "saudade" ou "afeição" usada por Paulo é a tradução literal de "vísceras". Isso fala de fortes sentimentos íntimos, que brotam das entranhas.[14]

Paulo os traz na mente (1.3,8). A recordação é uma faculdade da memória. Esses crentes povoavam a mente de Paulo. Eles moravam na mente do veterano apóstolo. Paulo sente saudade desses irmãos com tamanha intensidade que chega a dizer que os ama com o coração de Cristo. A palavra grega traduzida por "pense" no versículo 7 (*phronein*) é usada por Paulo 23 vezes nessa carta. Essa palavra significa mais do que simplesmente afeição ou reação emocional; ela vai mais fundo, mostrando uma especial preocupação, baseada nos melhores interesses das outras pessoas. Esses crentes de Filipos tinham um lugar especial no coração de Paulo.[15] Nessa mesma linha de pensamento, Ralph Martin diz que *phronein* significa uma combinação de atividades intelectuais e afetivas, que toca tanto a mente quanto o coração, e conduz a uma ação positiva.[16]

Paulo os traz nas orações (1.4,9). Quem ama, ora. A forma mais efusiva de demonstrar amor por alguém é interceder por ele. Paulo jamais esteve tão ocupado a ponto de não poder se dedicar à oração. Ele nunca esteve tão ocupado com a Igreja a ponto de não ter tempo para Deus. Ele jamais esteve tão envolvido com a terra a ponto de não ter tempo

---

[13] BARCLAY, William. *Filipenses, Colosenses, I y II Tesalonicenses*, p. 24.
[14] BARTON, Bruce B. et all. *Life application Bible commentary on Philippians, Colossians, & Philemon*, p. 30.
[15] BARTON, Bruce B. et all. *Life application Bible commentary on Philippians, Colossians, & Philemon*, p. 29.
[16] MARTIN, Ralph P. *Filipenses: Introdução e comentário*, p. 78.

para o céu. Paulo nunca separou o ministério da pregação do ministério da intercessão.

Uma **oração** cheia de **fervor** (1.9-12)

J. A. Motyer diz que essa oração de Paulo é, sobretudo, uma oração por crescimento.[17] Destacamos alguns pontos dessa oração de Paulo:

Em primeiro lugar, *amor, mais amor* (1.9). Paulo não escreve aos filipenses como a um povo que tem falta de amor e precisa rogar por ele, mas como um povo que possui amor e precisa fazê-lo crescer. Tão logo Lídia tornou-se cristã, ela abriu a sua casa para o apóstolo Paulo. Tão logo o carcereiro de Filipos se converteu, ele tratou de Paulo e abriu-lhe sua casa. Quando precisou sair de Filipos, essa igreja logo se envolveu com Paulo no sentido de sustentá-lo, e isso ela o fez ao longo do ministério do veterano apóstolo.[18] Em nossa condição de cristãos, há algo capaz de crescer sem limites: o amor.[19]

É digno observar que Paulo não pede prosperidade, uma vez que eles eram pobres, nem pede livramento, uma vez que eles eram perseguidos, mas pede que eles avancem na escalada do amor. Não há limites para o crescimento do amor.

Em segundo lugar, *de que maneira cresce o amor?* (1.9b). Quando perguntamos em que caminhos o amor pode crescer mais e mais, a resposta é que o crescimento do amor é controlado e dirigido pelo conhecimento e discernimento.[20] Werner de Boor afirma:

> *Ágape*, o amor na afeição de Cristo, interessa-se realmente pelo outro, deseja ajudá-lo, levá-lo ao alvo. Por isso esse amor precisa de "conhecimento", de percepção clara da natureza e da situação do outro, percepção clara dos meios pelos quais de fato se pode ajudá-lo exterior e interiormente.[21]

---

[17] MOTYER, J. A. *The message of Philippians*, p. 51.
[18] MOTYER, J. A. *The message of Philippians*, p. 55.
[19] BOOR, Werner de. *Carta aos Efésios, Filipenses e Colossenses*, p. 181.
[20] MOTYER, J. A. *The message of Philippians*, p. 56.
[21] BOOR, Werner de. *Carta aos Efésios, Filipenses e Colossenses*, p. 183.

J. A. Motyer diz que a palavra traduzida por "conhecimento" (*epignósis*) ocorre 21 vezes no Novo Testamento, sempre se referindo ao conhecimento das coisas de Deus, ou seja, é um conhecimento religioso, espiritual e teológico. Segundo Motyer, esse conhecimento tem quatro aspectos: Primeiro, esse conhecimento é o meio da salvação, pois salvação é descrita como *conhecer a verdade* (1Tm 2.4; 2Tm 2.25; Hb 10.26). Segundo, o conhecimento é uma marca do próprio cristão (1Pe 1.2). Terceiro, o conhecimento é uma das evidências do crescimento cristão (Cl 1.10; 2.2; 3.1-10; 2Pe 1.8). Quarto, o conhecimento é o estado do cristão que atingiu a plena maturidade (Ef 4.13).[22]

O amor não é cego nem apenas um sentimento. Ele deve aumentar em pleno conhecimento e em toda a percepção. William Barclay diz:

> O amor é sempre o caminho do conhecimento. Quando amamos algo, desejamos saber cada vez mais acerca dele; se amarmos uma pessoa, desejaremos saber cada vez mais a respeito dela. Se amarmos Jesus, desejaremos conhecê-Lo mais e mais.[23]

O amor não é um sentimentalismo piegas, mas uma atitude nutrida pelo conhecimento e pela percepção.

J. A. Motyer sintetiza assim esse ponto:

> Crescemos na proporção em que conhecemos. Sem conhecimento da salvação, não haverá progresso rumo à maturidade. Se não conhecermos o Senhor, como poderemos amá-Lo? No entanto, quanto mais o conhecemos, tanto mais o amamos [...] A verdade é um ingrediente essencial na experiência cristã. Sendo assim, todo cristão deve ser um estudante, pois para ser um cristão é preciso conhecer a verdade. Crescer como um cristão é crescer na verdade. Nada impede tanto o crescimento quanto a ignorância.[24]

---

[22] MOTYER, J. A. *The message of Philippians*, p. 56.
[23] BARCLAY, William. *Filipenses, Colosenses, I y II Tesalonicenses*, p. 25.
[24] MOTYER, J. A. *The message of Philippians*, p. 57.

Em terceiro lugar, ***para que o amor deve crescer?*** (1.10). Paulo lista três razões pelas quais o amor deve crescer em todo o conhecimento e em toda a percepção:

Para os crentes aprovarem as coisas excelentes. O discernimento deve levar os crentes a escolherem as coisas boas e a rejeitarem as más. A palavra que Paulo usa para *provar* (*dokimazein*) é um termo para provar o metal ou a moeda, com o fim de verificar se é genuíno, puro, sem mescla nem falsificação.[25] Ralph Martin diz que esse verbo *provar* significa "pôr sob teste" (1Ts 5.21) e depois "aceitar quando testado", ou "aprovar". Como termo comercial, era usado para denotar o teste de moedas. As "aprovadas" eram dinheiro genuíno, não falsificado.[26]

Para os crentes serem sinceros e inculpáveis. Um amor maduro desemboca em sinceridade e inculpabilidade. Se sinceridade tem que ver com a vida íntima, a inculpabilidade tem que ver com a vida pública. Paulo usa um termo grego muito sugestivo aqui para descrever a palavra "sincero". A palavra *eilikrines* usada por Paulo pode significar duas coisas. Pode provir de *eile*, que significa "luz solar", e de *krinein*, que significa "julgar". A combinação dos termos descreve o que é capaz de passar pela prova da luz solar; o que pode ser exposto ao sol, sem que apareça falta alguma. Contudo, *eilikrines* pode derivar-se de *eilein*, que significa "girar rapidamente como quando se move uma peneira para tirar as impurezas". O ato de "girar em uma peneira" sugere a ideia de separar a palha do trigo. Se esse é o significado, então isso significa que o cristão está puro, isento de toda contaminação. Ralph Martin diz que essa palavra *eilikrines* denota pureza moral, e não ritual.[27] Warren Wiersbe diz que o cristão sincero não tem medo de ser exposto à luz.[28] Na língua portuguesa, o adjetivo "sincero" vem do latim *sinceru*, que significa "sem mistura, não adulterado, puro".[29]

A palavra que Paulo usa para "inculpáveis" é *aproskopos*, dando a ideia de que o cristão jamais se converte em causa de tropeço para outra pessoa.

---

[25] Barclay, William. *Filipenses, Colosenses, I y II Tesalonicenses*, p. 25.
[26] Martin, Ralph P. *Filipenses: Introdução e comentário*, p. 81.
[27] Martin, Ralph P. *Filipenses: Introdução e comentário*, p. 82.
[28] Wiersbe, Warren W. *Comentário bíblico expositivo*. Vol. 6, 2006, p. 84.
[29] Wiersbe, Warren W. *Comentário bíblico expositivo*. Vol. 6, 2006, p. 84.

Assim, o cristão é em si mesmo puro, mas com um amor e uma bondade de tal índole que atrai os demais à vida cristã e jamais causa repulsa.[30]

Para os crentes estarem preparados para a segunda vinda de Cristo. Devemos viver hoje como se Cristo fosse voltar amanhã. Vivemos à luz da eternidade. A esperança da segunda vinda de Cristo nos motiva à santidade. Werner de Boor diz:

> No Novo Testamento esse futuro é o elemento decisivo ao qual se volta todo o pensar e agir. A atualidade sempre é apenas "caminho", inteiramente determinado pelo alvo. O esperado "dia de Cristo" virá, e a relevância total então será que a Igreja seja "pura e decorosa". No entanto, para sê-lo então, já precisa sê-lo agora.[31]

Em quarto lugar, *como o amor deve se manifestar?* (1.11). Estamos a caminho do céu para prestarmos contas da nossa vida e não devemos comparecer diante de Cristo de mãos vazias, mas nos apresentar a Ele cheios do fruto de justiça. De forma alguma, Paulo vê, naquele dia, a Igreja pobre e de mãos vazias diante de Cristo, mas "cheia do fruto de justiça". A palavra "justiça" é tomada aqui no sentido de justiça prática, interna, e não no de justificação.[32]

Em quinto lugar, *qual é a fonte do fruto de justiça?* (1.11b). O fruto de justiça é por meio de Jesus Cristo. Não produzimos frutos por nós mesmos. O fruto não é produção própria da Igreja. A seiva que nos faz frutificar é Cristo. Dele vêm a força e o poder. O que existe de bom em nós é obra de Cristo.

Em sexto lugar, *qual é o propósito final da apresentação do fruto de justiça no dia de Cristo?* (1.11c). O propósito final da vida do cristão é a glória e o louvor de Deus. Tudo vem dEle, por meio dEle e para Ele. Deus é o fim último de todas as coisas. O cristão não é bom porque pretende ganhar louvor, crédito, honra e prestígio para si mesmo, senão para Deus.

J. A. Motyer conclui o comentário dessa sublime oração de Paulo dizendo que o Pai (no versículo 6) está incessantemente trabalhando para a glória do Filho; o Filho (no versículo 11) está incessantemente trabalhando para a glória do Pai.[33]

---

[30] BARCLAY, William. *Filipenses, Colosenses, I y II Tesalonicenses*, p. 26.
[31] BOOR, WERNER de. *Carta aos Efésios, Filipenses e Colossenses*, p. 184.
[32] BONNET, L. y SCHROEDER, A. *Comentario del Nuevo Testamento*, p. 542.
[33] MOTYER, J. A. *The message of Philippians*, p. 61.

4

Vivendo na **perspectiva** de Deus

Filipenses 1.12-18

À GUISA DE INTRODUÇÃO, destacamos dois pontos sublimes:

Em primeiro lugar, *vivemos na perspectiva de Deus quando sabemos que o evangelho é mais importante que a nossa liberdade*. Paulo está preso, mas o evangelho está livre. O evangelho é mais importante que o obreiro. A divulgação do evangelho é mais importante que a vida do obreiro. Paulo foca sua atenção não em si, mas na proclamação do evangelho. Todo esse parágrafo gira em torno não de Paulo, de suas cadeias, de seus críticos, mas do evangelho. O evangelho é o oxigênio que Paulo respira. Não importam as circunstâncias, contanto que o evangelho seja anunciado. Não importa se o obreiro vive ou morre, contanto que Cristo seja engrandecido na sua vida ou na sua morte (1.20).

Em segundo lugar, *vivemos na perspectiva de Deus quando sabemos que o evangelho é o maior presente de Deus para a humanidade*. Paulo define o evangelho de três formas:

1. *O evangelho é a boa-nova para a humanidade* (1.12). Neste mundo onde reina violência, corrupção, desespero, confusão filosófica e multiplicidade de conceitos religiosos, o evangelho é a boa-nova de Deus, do Seu amor e propósito eterno de salvar o pecador por meio de Jesus Cristo.

2. *O evangelho é a proclamação da Palavra de Deus* (1.14). A Palavra de Deus é inspirada, inerrante, infalível e suficiente. Não há erros nela, pois o Seu autor não pode falhar. Não há necessidade de acrescentar mais nada a ela, pois ela é suficiente. O missionário brasileiro Ronaldo de Almeida Lidório relata que uma mulher konkomba, em Gana, na África, após passar uma semana aprendendo a Palavra de Deus na igreja de Coni, retornou à sua aldeia. Depois de três dias de viagem a pé, esqueceu-se de um versículo aprendido. Ela retornou para decorar novamente a porção esquecida. Quando o missionário Ronaldo falou para ela que não precisava ter feito tamanho sacrifício de viajar três dias para decorar apenas um versículo, ela respondeu: "A Palavra de Deus é muito importante para se perder pelo caminho".
3. *O evangelho é a revelação da Pessoa de Jesus Cristo* (1.18). O evangelho é a boa-nova acerca da Pessoa de Jesus. Ele é o conteúdo do evangelho. O âmago do evangelho é que Deus amou o mundo de tal maneira que deu o Seu Filho Unigênito para morrer pelos pecadores, para que eles tenham a vida eterna.

Olhando para o **passado com discernimento** (1.12)

Quatro verdades merecem ser destacadas:

Em primeiro lugar, ***Paulo não se concentra no seu sofrimento com autopiedade***. Paulo estava preso, algemado, impedido de viajar, de visitar as igrejas e de abrir novos campos. Ao escrever, porém, à igreja de Filipos, não enfatiza os seus sofrimentos, mas o progresso do evangelho. A Palavra é mais importante que o obreiro. O vaso é de barro, mas o conteúdo do vaso é precioso. O que importa não é o bem-estar do obreiro, mas o avanço do evangelho.

Em segundo lugar, ***Paulo faz uma leitura do passado pela ótica da soberania de Deus***. Paulo passara por muitas lutas até chegar a Roma. Ele foi perseguido, açoitado e preso, mas em momento algum perdeu de vista a direção soberana de Deus em todos esses acontecimentos.

Ele não considerou os seus sofrimentos como fruto do acaso. Paulo não acreditava em casualidade nem no determinismo. Ele sabia que a mão soberana da Providência guiava o seu destino e que os seus sofrimentos estavam incluídos nos planos do Eterno para o cumprimento de propósitos mais elevados.

Ele não considerou os seus sofrimentos meramente como perseguição dos homens. Paulo foi certamente perseguido, odiado, caluniado, açoitado, enclausurado, mas jamais viu os seus adversários como agentes autônomos nessa empreitada. Ele sempre olhou para os acontecimentos na perspectiva da soberania e do propósito de Deus.

Ele não considerou os seus sofrimentos como expressão da fúria de satanás. Embora satanás tenha intentado contra ele, jamais Paulo o considerou como o agente de seus sofrimentos. Quem estava no comando de sua agenda não era o inimigo, mas Deus. Quem determinava o rumo dos acontecimentos na agenda missionária da Igreja era Deus. Ele via os acontecimentos como um plano sábio de Deus para o cumprimento de um propósito glorioso, ou seja, o progresso do evangelho.

Em terceiro lugar, **Paulo olha para o passado e vê um propósito divino em tudo que lhe aconteceu**. O que aconteceu com Paulo, que contribuiu para o progresso do evangelho? Quais foram os fatos que estão incluídos nesses acontecimentos? Podemos fazer uma viagem rumo ao passado na trajetória desse bandeirante do cristianismo e observar alguns pontos:

Primeiro, *ele foi perseguido em Damasco* (At 9.23-25). Após converter-se na capital da Síria, Paulo anunciou Jesus nessa cidade (At 9.20,21). Dali foi para a região da Arábia, onde ficou cerca de três anos, fazendo uma reciclagem em sua teologia (Gl 1.15-17). Voltou a Damasco (Gl 1.17) e, agora, não apenas prega, mas demonstra meticulosamente que Jesus é o Cristo (At 9.22). Então, em vez de ser acolhido, é perseguido. Precisa fugir da cidade para salvar a sua vida (At 9.23-25). Essa perseguição deve ter sido um duro golpe para Paulo.

Segundo, *ele foi rejeitado em Jerusalém* (At 9.26-28). Quando chegou a Jerusalém, na igreja-mãe, os apóstolos não confiaram nele. Paulo, então, sentiu a dor de ser rejeitado. A aceitação é uma necessidade básica da vida humana. Ninguém pode viver saudavelmente sem amor. Não somos uma ilha. Foi então que apareceu Barnabé, o filho da consolação, para abraçá-lo, valorizá-lo e integrá-lo na vida da Igreja (At 9.27).

Terceiro, *ele foi dispensado do campo pelo próprio Deus* (At 22.17-21). No apogeu da sua empolgação, no auge do seu trabalho, Deus mesmo aparece a ele em sonhos e o dispensa da obra. Deus o manda arrumar as malas e sair de Jerusalém. Paulo não entende e discute com Deus. Para ele, Deus estava cometendo um erro estratégico, tirando-o de cena. Deus, porém, não muda; é Paulo quem precisa mudar e mudar-se. Diz o texto sagrado, em Atos 9.31, que, quando Paulo arrumou as malas e foi embora, a igreja passou a ter paz e a crescer. Esse foi um doloroso golpe no orgulho desse homem.

Quarto, *ele foi esquecido em Tarso* (At 9.30). Paulo ficou cerca de dez anos em sua cidade, sem nenhuma projeção, fora dos holofotes, atrás das cortinas, em completo anonimato. Deus o esvazia de todas as suas pretensões, golpeia o seu orgulho e coloca o machado na raiz de seus projetos mais acalentados.

Quinto, *ele foi colocado na sombra de outro líder* (At 13.2). Convocado por Barnabé para estar em Antioquia da Síria, reinicia o seu ministério. Depois de um ano de intenso trabalho nessa igreja, o Espírito Santo disse: *Separai-me a Barnabé e a Saulo para a obra a que os tenho chamado* (At 13.2). Observe que os escolhidos não são Saulo e Barnabé, mas Barnabé e Saulo. Você já foi o segundo alguma vez? Já ficou na sombra de outra pessoa? Já foi reserva de alguém? Antes de ser um grande líder, Paulo precisou aprender a ser submisso. Quem nunca foi liderado, dificilmente saberá como liderar.

Sexto, *ele foi apedrejado e arrastado como morto na cidade de Listra* (At 14.19). Paulo estava fazendo a obra de Deus, no tempo de Deus, dentro da agenda de Deus, e mesmo assim foi apedrejado. Contudo, ele não ficou amargurado nem se decepcionou com o ministério. Ao contrário, prosseguiu fazendo a obra com alegria.

Sétimo, *ele foi barrado por Deus no seu projeto* (At 16.6-10). Paulo queria ir para a Ásia, mas Deus o impediu. Ele tinha uma agenda, e Deus outra. Paulo teve de abrir mão da sua vontade para abraçar a vontade de Deus. Importa ao obreiro obedecer, sempre!

Oitavo, *ele foi preso e açoitado com varas em Filipos* (At 16.19-26). Mesmo estando no centro da vontade de Deus, Paulo foi preso, açoitado com varas e jogado no cárcere. Em vez de ficar revoltado ou amargurado com as circunstâncias, ele orou e cantou à meia-noite, e Deus abriu as portas da prisão e o coração do carcereiro.

Nono, *ele foi escorraçado de Tessalônica e Bereia* (At 17.5,13). Por onde passa, ele deixa o perfume do evangelho, mas os espinhos pontiagudos da perseguição o ferem. Ele foi enxotado dessas duas cidades, em vez de ser recebido com honras.

Décimo, *ele foi chamado de tagarela em Atenas e de impostor em Corinto* (At 17.17.18; 18.12). Na capital da cultura, das artes e da filosofia, Paulo é chamado de tagarela, e na agitada cidade de Corinto, onde trabalhou dezoito meses, Paulo foi considerado um impostor. As circunstâncias lhe parecem absolutamente desfavoráveis. Paulo parece um homem de aço. Suporta açoites, cadeias, frio, desertos, fome, perigos, naufrágios, ameaças, sem perder a alegria (2Co 11.23-28; Gl 6.17).

Décimo primeiro, *ele é preso em Jerusalém e acusado em Cesareia* (At 21.27,28; 23.31; 24.1-9). Paulo estava levando ofertas de amor para os crentes pobres de Jerusalém quando foi preso no templo. Os judeus armaram ciladas para matá-lo, e Paulo, então, foi levado para Cesareia, onde durante dois anos foi acusado injustamente pelos judeus. Usando seu direito de cidadão romano, Paulo apelou para ser julgado em Roma (At 25.11,12). Aliás, não só Paulo desejava ir a Roma (Rm 15.30-33), mas Deus também o queria nessa cidade (At 23.11).

Décimo segundo, *ele enfrenta um naufrágio na viagem para Roma* (At 27.9–28.1-10). Já que Deus o queria em Roma, era de esperar que a viagem fosse tranquila. No entanto, quando Paulo embarcou para Roma, enfrentou uma terrível tempestade. Durante quatorze dias, o navio foi açoitado com rigor desmesurado, e todos os 276 prisioneiros perderam a esperança de salvamento, exceto Paulo (At 27.20-26). O navio foi destruído, mas as pessoas foram salvas.

Décimo terceiro, *ele foi mordido por uma víbora em Malta* (At 28.1-6). A única pessoa atacada por uma víbora peçonhenta foi Paulo. Os malteses, apressadamente, fizeram um juízo errado dele, chamando-o de assassino. Parecia que tudo dava errado para Paulo. No entanto, em vez de cair morto pelo veneno da víbora, ele curou os enfermos da ilha.

Décimo quarto, *ele chegou preso a Roma* (At 28.16). Paulo chegou a Roma não como missionário, mas como prisioneiro, sem pompa, sem comissão de recepção, sem holofotes. Contudo, longe de ficar frustrado, ele diz à igreja de Filipos que todas essas coisas contribuíram para o progresso do evangelho. Ele não se considera prisioneiro de César, mas de Cristo (Ef 4.1).

Em quarto lugar, **Paulo olha para o seu sofrimento como a abertura de novos caminhos para o evangelho** (1.12). Paulo diz que as coisas que lhe aconteceram, em vez de desmotivá-lo, de decepcioná-lo ou atrapalhar o projeto missionário, contribuíram para o progresso do evangelho.

William Barclay diz:

> A palavra que Paulo usa para o "progresso do evangelho" é muito expressiva, *prokope*. Este termo é usado particularmente para designar o avanço de um exército ou uma expedição. O substantivo provém do verbo *prokoptein*, que significa "derrubar de antemão", e se aplica ao corte de árvores e a toda remoção de impedimentos que obstaculizavam a marcha do exército.[1]

Ralph Martin diz que este termo grego *prokope* significa, mais especificamente, "avanço a despeito de obstruções e perigos que bloqueiam o caminho do viandante"[2] Warren Wiersbe, por sua vez, entende que o termo *prokope* significa "avanço pioneiro", ou seja, um termo militar grego que se referia aos engenheiros do exército que avançavam à frente das tropas para abrir caminho em novos territórios.[3] Assim, a prisão de Paulo, longe de fechar as portas, as abre ainda mais; longe de ser uma barreira, desobstrui o caminho a novos campos de trabalho que jamais seriam alcançados de outra forma.

Charles Haddon Spurgeon é o pregador mais conhecido do século XIX. Poucos, porém, conhecem a história de sua esposa, Susannah. Quando eles eram recém-casados, a sra. Spurgeon desenvolveu uma enfermidade crônica e, ao que tudo indicava, seu único ministério seria o de encorajar o marido e orar por seu trabalho. Mas Deus pôs em seu coração o desejo de compartilhar os livros de seu marido com pastores que não tinham recursos para comprar esse material. Em pouco tempo, esse desejo levou à criação do Fundo para Livros. Essa obra de

---

[1] BARCLAY, William. *Filipenses, Colosenses, I y II Tesalonicenses*, p. 27.
[2] MARTIN, Ralph P. *Filipenses: Introdução e comentário*, p. 83.
[3] WIERSBE, Warren W. *Comentário bíblico expositivo*. Vol. 6, 2006, p. 85.

fé equipou milhares de pastores com instrumentos importantes para o seu trabalho. Mesmo sem poder sair de casa, a sra. Spurgeon supervisionou pessoalmente todo esse ministério pioneiro.[4]

Olhando para o presente **com alegria** (1.13-18)

Cinco fatos devem ser destacados:

Em primeiro lugar, ***Paulo viu sua prisão como a abertura de novas frentes de evangelização*** (1.13). Warren Wiersbe diz que o mesmo Deus que usou o bordão de Moisés, os jarros de Gideão e a funda de Davi usou as cadeias de Paulo. Os romanos sequer suspeitavam de que as correntes que colocaram nos punhos do apóstolo o libertariam, em vez de prendê-lo! Em lugar de queixar-se das suas cadeias, Paulo consagrou-as a Deus e pediu que as usasse para o avanço pioneiro do evangelho.[5]

Deus é o Senhor da obra e também dos obreiros. Ele abre portas para a pregação e usa os acontecimentos que atingem os obreiros como instrumentos para ampliar os horizontes da evangelização. Porque Paulo estava preso, ele pôde alcançar grupos que jamais alcançaria em liberdade. As cadeias de Paulo abriram portas para o evangelho. Os homens podem prender você, mas não o evangelho. Paulo não é um malfeitor social, nem um preso político, mas um embaixador de Cristo em cadeias. Sua prisão é uma tribuna. Suas algemas são megafones de Deus.

Paulo não pensava no seu sofrimento, mas em como o seu sofrimento poderia contribuir para o progresso do evangelho. A perseguição jamais obstruiu o evangelho nem impediu o crescimento da Igreja. A Igreja sempre cresceu mais em tempos de perseguição do que em tempos de bonança. Quem semeia com lágrimas, com alegria recolhe os feixes. A igreja primitiva avançou com mais força na era dos mártires do que nos tempos áureos da sua riqueza. Os maiores avivamentos da Igreja aconteceram em tempos de dor e perseguição. O avivamento coreano aconteceu nos anos mais dolorosos de perseguição e martírio. A igreja chinesa cresceu explosivamente nos anos mais dramáticos da

---

[4]Wiersbe, Warren W. *Comentário bíblico expositivo*. Vol. 6, 2006, p. 85.
[5]Wiersbe, Warren W. *Comentário bíblico expositivo*. Vol. 6, 2006, p. 86.

perseguição de Mao Tsé-Tung. A prisão de Paulo abriu espaço para a evangelização em Roma.

A quem Paulo alcançou por causa de suas cadeias?

A guarda pretoriana (1.13). A guarda pretoriana era a guarda de elite do imperador. A palavra grega *praitorion* pode significar tanto um lugar quanto um grupo de pessoas.[6] O termo usado por Paulo aplica-se à guarda do pretório. Essa era a guarda imperial de Roma. Bruce B. Barton diz que a guarda pretoriana era a tropa de elite instalada no palácio do imperador.[7] Foi instituída por Augusto e compreendia um corpo de dez mil soldados escolhidos. Augusto os havia mantido dispersos por toda Roma e aldeias. Tibério os concentrou em Roma em um edifício especial com um campo fortificado. Vitélio aumentou o número dessa guarda para dezesseis mil. Ao final de dezesseis anos de serviço, esses soldados recebiam a cidadania romana. Essa guarda passou a ser quase o corpo de guarda privado do imperador.[8]

Dia e noite, durante dois anos, Paulo era preso a um soldado dessa guarda por uma algema. Visto que cada soldado cumpria um turno de seis horas, a prisão de Paulo abriu caminho para a pregação do evangelho no regimento mais seleto do exército romano, a guarda imperial. Paulo, no mínimo, podia pregar para quatro homens todos os dias. Toda a guarda pretoriana sabia a razão pela qual Paulo estava preso, e muitos desses soldados foram alcançados pelo evangelho (4.22). Assim, as cadeias de Paulo removeram as barreiras e deram a ele a oportunidade de evangelizar os mais altos escalões do exército romano.

Werner de Boor abre uma clareira para uma nova compreensão sobre o pretório romano. Segundo ele, depois de longa pendência de dois anos de prisão domiciliar (At 28.30), o processo de Paulo passou a um estágio crítico (2Tm 4.16). Paulo havia sido trazido ao quartel para os interrogatórios e as tramitações decisivas. Como isso interferia em sua realidade pessoal! Moradia própria alugada ou uma cela certamente não muito amistosa em um quartel – que diferença! Além disso, Paulo era

---

[6] BARCLAY, William. *Filipenses, Colosenses, I y II Tesalonicenses*, p. 27.
[7] BARTON, Bruce B. *Life application Bible commentary on Philippians*, p. 34.
[8] BARCLAY, William. *Filipenses, Colosenses, I y II Tesalonicenses*, p. 28.

uma pessoa idosa! Corte de moradia própria, transferência para o quartel, detenção mais rigorosa – isso não representava um impedimento total para o seu trabalho evangelizador? Ao contrário, isso abriu caminhos para o evangelho na cidade de Roma. A "porta da Palavra" não é aberta por nós, mas por Deus (Cl 4.3). Por isso, Paulo declara que "suas algemas se tornaram conhecidas em Cristo em todo o pretório". O que parecia um estorvo tornou-se um canal para o progresso do evangelho.[9]

Todos os demais membros do palácio (1.13). Além dos soldados, Paulo também evangelizou as demais pessoas que viviam no pretório. Por causa de suas cadeias, Paulo esteve em contato com outro grupo de pessoas: os oficiais do tribunal de César. O apóstolo encontrava-se em Roma como prisioneiro do Estado, e seu caso era importante. Além das pessoas que viviam no pretório, Paulo recebia na prisão domiciliar muitas pessoas, e a todas elas ele influenciou e a muitas delas ganhou para Jesus por meio do evangelho (At 28.23-31).

Em segundo lugar, **Paulo viveu de tal modo que estimulou outros irmãos a falar com mais desassombro a Palavra de Deus** (1.14,16). Quando Paulo entrou em Roma, não era um prisioneiro entrando; era o evangelho entrando na capital do Império. O instrumento da mensagem estava algemado, mas o conteúdo da mensagem estava livre. O fato de Paulo estar em cadeias levou a maioria dos crentes de Roma a um despertamento espiritual e a um engajamento no trabalho da pregação. Os crentes ficaram mais entusiasmados. Os obreiros se mexeram.

Ralph Martin diz que os crentes de Roma descobriram uma nova fonte de energia nas algemas de Paulo.[10] Não somente o evangelho era proclamado por Paulo em seus contatos na prisão, mas os seus esforços multiplicavam-se fora da prisão. As cadeias de Paulo foram um estímulo para a igreja de Roma. Destacamos aqui quatro pontos:

1. *O alcance do estímulo* (1.14). Este estímulo atingiu a maioria dos crentes, mas nem todos. A igreja de Roma estava dividida. A divisão não era doutrinária, mas motivacional. É muito raro você contar

---

[9] BOOR, Werner de. *Carta aos Efésios, Filipenses e Colossenses*, p. 187,188.
[10] MARTIN, Ralph P. *Filipenses: Introdução e comentário*, p. 84.

com unanimidade na igreja quando se trata de fazer a obra de Deus. É importante ressaltar que não são apenas os líderes (1.1) que estão engajados no testemunho do evangelho, mas os crentes. Todos são luzeiros a brilhar (2.15). Esse conceito contemporâneo de que só os obreiros devem anunciar a Palavra de Deus é uma terrível distorção da doutrina do sacerdócio universal dos crentes.
2. *A fonte do estímulo* (1.14). Os irmãos da igreja de Roma estavam sendo estimulados não por Paulo, mas "no Senhor" pelas algemas de Paulo. Só o Senhor Jesus pode motivar pessoas à obra da evangelização.
3. *A razão do estímulo* (1.15,16). Enquanto alguns crentes pregavam o evangelho por inveja e porfia, outros o faziam de "boa vontade e por amor". O verbo "pregar", *keryssein*, significa fazer a obra de um arauto, isto é, transmitir fiel e claramente o que alguém, uma autoridade superior, tem ordenado a proclamar.[11]
4. *O resultado do estímulo* (1.14). O resultado é que a maioria dos irmãos da igreja de Roma "ousam falar com mais desassombro a Palavra de Deus". O que realmente eles falam é a Palavra de Deus (1.14), e isso revela que a mensagem não vem deles mesmos, mas é a verdade de Deus. A substância da mensagem que eles pregavam é Cristo (1.15,17,18).

Em terceiro lugar, **Paulo não azedou o coração por causa da competição de seus críticos** (1.15,17,18). Paulo faz uma transição de suas "cadeias" (1.12-14), para seus "críticos" (1.15-18). Paulo precisa comentar, tristemente, que nem todos estão motivados pelas melhores intenções. Ele não condena a substância da pregação de seus críticos. A triste observação do apóstolo refere-se aos motivos por que pregam a Cristo.[12] Eles têm uma doutrina certa e uma motivação errada. Há três coisas aqui que precisam ser destacadas:

Alguns crentes pregam o evangelho com a motivação errada (1.15). Uns pregam o evangelho por amor ao evangelho; outros, por amor a si mesmos. J. A. Motyer diz que o fato de Paulo não dar nome a esses críticos revela sua grande graça e sabedoria. Ele não quer tornar esse tema um

---

[11] MOTYER, J. A. *The message of Philippians*, p. 70.
[12] MARTIN, Ralph P. *Filipenses: Introdução e comentário*, p. 85.

assunto de maledicência nem desviar a atenção para assuntos laterais.[13] Alguns irmãos, ao verem Paulo preso, se esforçaram para pregar o evangelho, com cinco motivações erradas:

Primeiro, inveja. No grego, temos o vocábulo *phthonos*, que significa "ciúmes", "inveja". A inveja e a contenda andam juntas, da mesma forma que o amor e a unidade são inseparáveis, diz Warren Wiersbe.[14] A inveja se intromete entre pregadores do evangelho. Com quanta profundidade ela está arraigada em nosso coração, mais profundamente do que muitos pecados rudes. Nem mesmo uma conversão autêntica simplesmente arranca a inveja. Possivelmente esses críticos de Paulo fossem pessoas que antes detinham posição de destaque na vida da igreja de Roma e cuja palavra era alvo de atenção especial. Com a chegada de Paulo a Roma, sentiram-se relegados a segundo plano e privados de sua importância anterior. Então surgiu a inveja.[15]

Segundo, *porfia*. É a tradução de *eris*, palavra grega que significa "contenda", "discórdia", "dissensão". Essa foi a palavra que Paulo usou para descrever as facções existentes na igreja de Corinto, e que provocaram traumáticas divisões (1Co 3.3).[16] Da inveja, brota o prazer malicioso. No fundo, essas pessoas se alegraram pelo fato de Paulo ter sido neutralizado pela transferência para o quartel. Elas pensam que nessa situação Paulo já não as estorva, e assim, já podem recuperar a sua posição, diz Werner de Boor.[17] A palavra *eris* também traz a ideia de competição para receber o apoio de outros. Assim, em vez de perguntarem: "Você já aceitou Cristo?", perguntavam: "De que lado você está, do nosso ou do de Paulo?"[18]

Terceiro, discórdia. No original grego é *eritheia*, que significa "disputa", "ambição egoísta", com explosões de egoísmo.[19] Essas pessoas

---

[13] Motyer, J. A. *The message of Philippians*, p. 75.
[14] Wiersbe, Warren W. *Comentário bíblico expositivo*, p. 87.
[15] Boor, Werner de. *Carta aos Efésios, Filipenses e Colossenses*, p. 189.
[16] Champlin, Russell Norman. *O Novo Testamento interpretado versículo por versículo*. Guaratinguetá: A Voz da Bíblia, s/d, p. 15.
[17] Boor, Werner de. *Carta aos Efésios, Filipenses e Colossenses*, p. 189.
[18] Wiersbe, Warren W. *Comentário bíblico expositivo*, p. 87.
[19] Champlin, Russell Norman. *O Novo Testamento interpretado versículo por versículo*, p. 16.

pregavam por interesses pessoais. Pregavam para aumentar a sua própria influência e prestígio. Elas pregavam para engrandecer a si mesmas.[20] Essas pessoas trabalhavam para terem mais influência sobre a igreja. A glória do nome delas, e não a glória do nome de Cristo, é o que buscavam com mais fervor.

Quarto, falta de sinceridade. No grego, temos a forma negativa *agnos*, dando a entender "impuramente", "insinceramente". Aquelas pessoas faziam a coisa mais sublime e mais santa do mundo, pregar o evangelho, com as intenções mais obscuras e nebulosas, a promoção de si mesmas. O culto à personalidade é um pecado que ofende a Deus. Toda a glória dada ao homem é glória vazia (2.3,4).

Quinto, suscitar tribulação a Paulo. A palavra usada por Paulo é *thlipsis*, "pressão, fricção". Deriva da forma verbal que significa "pressionar".[21] Por estarem doentes espiritualmente, pensavam que Paulo também era como eles. Pensavam que estava disputando primazia. Olhavam para Paulo como um competidor e um rival. Trabalhavam apenas para apresentar um relatório com maiores resultados. Esses pregadores interessavam-se mais em sua reputação do que em sua mensagem, diz Bruce B. Barton.[22] Ficavam felizes quando podiam fazer mais do que os outros. As limitações dos outros lhes davam prazer mórbido. As cadeias de Paulo eram a alegria deles.

Estranhamente essas pessoas pregam a mensagem certa (1.17). Essas pessoas estavam fazendo a coisa certa da maneira errada. Elas não estavam pregando heresias, mas o evangelho. O estranho é que os críticos de Paulo não deturparam nem esvaziaram a mensagem do evangelho. Paulo jamais teria se alegrado se esses críticos estivessem pregando alguma heresia (Gl 1.6-9). É somente por ser verdadeiro o evangelho que essas pessoas anunciam que Paulo consegue desconsiderar a motivação insincera.[23]

---

[20]BARCLAY, William. *Filipenses, Colosenses, I y II Tesalonicenses*, p. 30.
[21]CHAMPLIN, Russell Norman. *O Novo Testamento interpretado versículo por versículo*, p. 16.
[22]BARTON, Bruce B. *Life application Bible commentary on Philippians*, p. 37.
[23]BOOR, Werner de. *Carta aos Efésios, Filipenses e Colossenses*, p. 189,190.

A reação de Paulo aos opositores (1.18). Paulo está indiferente a esses ataques contra si próprio, como se fora um homem sem reputação. Sua única preocupação é a pregação de Cristo; esse fato o enche de alegria. Paulo não está alegre com os críticos egoístas, mas com o fato de que pregavam a Cristo! Ele não se importava se alguns eram a favor dele e outros contra. Para ele, o mais importante era a pregação do evangelho de Jesus Cristo.

Paulo não está construindo um reino pessoal. Ele não está lutando para a exaltação do seu nome. O que lhe interessa é a divulgação do evangelho. Por isso, se alegra, pois esses pregadores egoístas estão com a motivação errada, mas estão pregando o evangelho. O foco de Paulo não está nele mesmo, mas em Cristo. O foco do apóstolo está no conteúdo do evangelho, e não na motivação dos pregadores. Sua atenção não está no que as pessoas lhe fazem, mas em como o evangelho avança.

William Barclay diz que Paulo não alimentava ciúmes ou ressentimentos pessoais. Se Jesus Cristo era pregado, não lhe importava quem receberia o crédito, a honra e o prestígio. Com muita frequência, nós nos ressentimos, pois outro ganha uma distinção que nós não recebemos. Muitas vezes, olhamos para o outro como inimigo, pois tem expressado alguma crítica sobre nós ou nossos métodos. Com frequência, pensamos que alguém não serve porque não faz as coisas do nosso modo.[24]

Em quarto lugar, **Paulo, em vez de defender a si mesmo, defendeu o evangelho** (1.16). Paulo foi um vigoroso apologeta. Ele não só pregou a verdade, mas denunciou e desmascarou a mentira. Ele não só anunciou o evangelho, mas desbaratou as heresias. Ele não só ergueu a bandeira de Cristo, mas combateu com tenacidade toda sorte de falsos ensinos que tentavam perverter o cristianismo. Paulo enfrentou os judaizantes legalistas, os místicos gnósticos e os ascetas (Cl 2.8-23). Hoje, muitos falsos mestres se levantam disseminando sua heresia: o liberalismo e o misticismo pragmático são heresias que ainda atacam fortemente a Igreja contemporânea. Velhas heresias com novas caras têm surgido,

---

[24]BARCLAY, William. *Filipenses, Colosenses, I y II Tesalonicenses*, p. 30,31.

como o *Teísmo aberto*. Livros insolentes atacam o cristianismo, como *Código da Vinci e o evangelho de Judas*. Precisamos dar a razão da nossa esperança (1Pe 3.15).

J. A. Motyer diz que Paulo via a si mesmo como um homem sob ordens. Ele escreve: ... *sabendo que estou incumbido da defesa do evangelho* (1.16). O termo usado aqui é militar.[25] Quando os soldados da guarda pretoriana vinham cumprir seu turno, prendendo-se a ele por meio de algemas, Paulo aproveitava a oportunidade para prender os soldados à verdade do evangelho. Ele não questionava seu sofrimento, como se Deus houvesse esquecido dele ou como se seu sofrimento fosse obra de satanás. Ele via cada circunstância como uma oportunidade para pregar ou defender o evangelho.

Em quinto lugar, **Paulo aproveitou a prisão para escrever cartas que se tornaram imortais**. Certamente o que mais contribuiu para o progresso do evangelho foram essas cartas que Paulo escreveu da prisão (Efésios, Filipenses, Colossenses e Filemom). Essas cartas ainda são luzeiros a brilhar. Elas têm sido instrumento para levar milhões de pessoas a Cristo e edificar o povo de Deus ao longo dos séculos.

---

[25] MOTYER, J. A. *The message of Philippians*, p. 71.

5

Vivendo sem medo do futuro

Filipenses 1.19-30

O APÓSTOLO PAULO OLHAVA PARA O FUTURO sob duas perspectivas:
Em primeiro lugar, ***olhava para a vida com os olhos de Deus***. O apóstolo Paulo está preso, aguardando o seu julgamento. Sua absolvição é ansiosamente esperada pelos crentes de Filipos. Todavia, a sua condenação por parte do imperador Nero é uma dolorosa possibilidade, pensavam os crentes macedônios. O veterano apóstolo, porém, mesmo preso, algemado a um soldado da guarda pretoriana, aguardando uma sentença que poderia levá-lo à morte, transborda de alegria e encoraja a igreja de Filipos a viver do mesmo jeito. Sua segurança decorre de três fatos:

1. *Ele olhava para o passado sem amargura* (1.12). Ele sofreu perseguição, açoites, prisões, acusações levianas, privações, naufrágios, fome e frio, mas, ao computar todas essas coisas, disse que elas contribuíram para o progresso do evangelho.
2. *Ele olhava para o presente com alegria* (1.13-18). Sua prisão, longe de interromper ou limitar o seu ministério, abriu-lhe novos horizontes. A igreja de Roma foi revitalizada por suas algemas, a guarda de elite do imperador passou a conhecer a Cristo por seu intermédio, e as cartas da prisão romperam os séculos e, como sempre foram e são, ainda serão verdades consoladoras de Deus para o Seu povo.

3. *Ele olhava para o futuro com gloriosa certeza* (1.19-26). O futuro não amedrontava Paulo. O fim da linha não é o martírio, mas a glória. A última cena não é a guilhotina romana, mas o paraíso. A morte para ele não era um fim trágico, mas uma recompensa gloriosa. Morrer não é ir para um sepulcro escuro e gelado, mas é partir para estar com Cristo.

Warren Wiersbe diz que, por causa das cadeias de Paulo, Cristo tornou-se conhecido (1.13). Por causa de seus críticos, Cristo foi pregado (1.18). No entanto, por causa de seu sofrimento, Cristo foi engrandecido (1.20).[1]

Em segundo lugar, **olhava para a vida pela ótica dos irmãos**. Paulo jamais centralizou a sua vida em si mesmo, em seus desejos e necessidades. Ele sempre colocou os *outros* na frente do *eu*. Ele sempre abriu mão de seus direitos a favor dos outros. Ele preferia morrer e estar com Cristo, mas por amor à Igreja estava disposto a ficar. Se para ele o viver é Cristo, o motivo para continuar vivo é abençoar os irmãos (1.24,25). Ele não pensava em aposentadoria, em enfiar-se num pijama e comprar uma cadeira de balanço. Paulo não pensava em sair de cena e buscar um tempo de recolhimento para cuidar de si mesmo. Paulo é como uma vela; ele quer brilhar com a mesma intensidade enquanto viver.

No texto em apreço, Paulo abre as cortinas da sua alma e nos oferece sua visão confiante quanto ao futuro.

A certeza (1.19)

Paulo não é um estoico, mas um cristão. Ele não tem prazer no sofrimento. Ele não acredita que o seu sofrimento é meritório. Está preso, mas o seu desejo é sair da prisão. O apóstolo afirma: *Porque estou certo de que isto mesmo, pela vossa súplica e pela provisão do Espírito de Jesus Cristo, me redundará em libertação* (1.19). A palavra usada por Paulo para "libertação", *soteria*, pode significar aqui segurança, salvação ou bem-estar.[2]

---

[1] WIERSBE, Warren W. *Comentário bíblico expositivo*. Vol. 6, 2006, p. 88.
[2] BARCLAY, William. *Filipenses, Colosenses, I y II Tesalonicenses*, p. 31,32.

Paulo demonstra confiança nessa libertação por duas razões básicas: uma humana e outra divina.

Em primeiro lugar, *pela oração da igreja* (1.19). Paulo foi o maior teólogo do cristianismo. Ele foi o maior intérprete das verdades cristãs. De outro lado, ninguém expressa tanta confiança na oração quanto ele. Paulo ora pela igreja (1.4-11) e pede orações da igreja (1.19; 1Ts 5.25; 2Ts 3.1,2; 2Co 1.11; Fm 22; Rm 15.30-32). Ele está preso e tem certeza de sua libertação por causa das orações da igreja a seu favor. A Bíblia diz que muito pode por sua eficácia a súplica do justo (Tg 5.16). Ralph Martin diz que a súplica dos filipenses é a resposta à sua súplica a favor deles (1.4).[3]

Em segundo lugar, *pela provisão do Espírito de Jesus Cristo* (1.19). A ação de Deus não anula a intervenção divina nem a soberania de Deus isenta a responsabilidade humana. Pela provisão do Espírito Santo, Paulo será colocado em liberdade, mas essa ação do Espírito vem como resposta da oração da igreja. A provisão do Espírito sugere um revestimento, e fortalecimento de sua vida, de tal forma que a sua coragem não lhe falhará; nem seu testemunho será prejudicado (1.20), seja qual for o resultado do processo contra ele. A ajuda do Espírito é nada menos que o poder de Cristo disponível para o Seu povo.[4]

A expectativa (1.20)

Paulo é um homem que está olhando para o futuro erguido na ponta dos pés, com a visão do farol alto, subindo nos ombros dos gigantes. Em toda essa situação, Paulo tem uma esperança. A palavra que usa para "esperança" é muito gráfica; é um termo inusitado. Trata-se de *apokaradokia*. *Apo* significa "fora de"; *kara*, "cabeça"; *dokein*, "mirar". Assim, *apokaradokia* significa a mirada ardente, concentrada e persistente que se aparta de qualquer outra coisa, para fixar-se somente no objeto do seu desejo.[5]

Ralph Martin corrobora afirmando que essa palavra é bastante pitoresca, denotando um estado de antecipação viva do futuro, o esticar do

---

[3]MARTIN, Ralph P. *Filipenses: Introdução e comentário*, p. 87.
[4]MARTIN, Ralph P. *Filipenses: Introdução e comentário*, p. 87.
[5]BARCLAY, William. *Filipenses, Colosenses, I y II Tesalonicenses*, p. 33.

pescoço para captar um vislumbre daquilo que jaz à frente, "a esperança intensa, concentrada, que ignora outros interesses (*apo*), e se força para a frente, como que esticando a cabeça (*kara, dokein*). Dessa forma, *apokaradokia* é uma atitude positiva para com aquilo que o futuro possa trazer.[6] A expectativa de Paulo é demonstrada de duas formas:

Em primeiro lugar, **não ser envergonhado** (1.20). Paulo está em uma prisão, e não numa cátedra. Ele está algemado, e não em um púlpito. Sobre ele pesam acusações. Sua vida está sendo devassada e vasculhada. Seus inimigos são ardilosos e implacáveis. As acusações contra ele são fortes e levianas. Paulo reconhece que precisa das orações da igreja e do socorro do Espírito Santo para não sucumbir. Os cristãos no primeiro século foram acusados de canibais, de incendiários e de licenciosos. Paulo era o líder desse grupo. Apesar de todas essas adversidades, Paulo tem expectativa de não ser envergonhado em seu julgamento.

Em segundo lugar, ***glorificar a Cristo no corpo*** (1.20). As metas mais cobiçadas por Paulo não eram ser um homem famoso e rico, mas glorificar a Cristo em seu corpo. Ele não estava construindo seu próprio Império e reino pessoal, mas buscava a glória do Rei Jesus. Ele não estava atrás de glórias humanas ou prestígio político em Roma, mas procurava com todas as forças da sua vida glorificar a Cristo em seu corpo. Paulo não era um obreiro fraudulento, charlatão, comerciante do evangelho. Ele não estava construindo um patrimônio financeiro como, infelizmente, ocorre com tantos obreiros inescrupulosos, usando seu prestígio para abastecer-se. Paulo compreendia que fora comprado por alto preço e, agora, queria glorificar a Cristo em seu corpo (1Co 6.20). Ellicott expressa belamente as palavras de Paulo: "Meu corpo será o teatro no qual se manifestará a glória de Cristo".

Werner de Boor diz que Paulo não era um platônico, que somente valorizava "a alma" e desprezava o corpo como insignificante ou até mesmo mau. Paulo entendia que precisava manter o corpo com rédeas curtas (1Co 9.27). Ele sabia que as práticas do corpo precisavam ser mortificadas por meio do Espírito (Rm 8.13). Esse corpo

---

[6] MARTIN, Ralph P. *Filipenses: Introdução e comentário*, p. 88.

"insignificante", muitas vezes tão precário e maltratado, é o meio da glorificação de Jesus![7]

Paulo diz à igreja de Filipos que a glorificação do nome de Cristo em seu corpo ocorrerá independentemente do desfecho do processo, tanto no caso de soltura quanto no caso de execução, ou seja, quer pela vida, quer pela morte.

Warren Wiersbe compara o nosso corpo com um telescópio e um microscópio. Enquanto o telescópio aproxima o que está distante, o microscópio amplia o que é pequeno. Para o incrédulo, Jesus não é grande. Outras pessoas e coisas são muito mais importantes do que Ele. No entanto, ao observar o cristão passar por uma experiência de crise, o incrédulo deve ser capaz de enxergar a verdadeira grandeza de Jesus Cristo. O corpo do cristão é uma lente que torna o "Cristo pequeno" dos incrédulos extremamente grande, e o "Cristo distante", extremamente próximo.[8] Como Paulo deseja glorificar a Cristo em seu corpo?

Glorificar a Cristo pela vida. A glória de Deus é o fim último da existência humana. Nosso viver será em vão se Cristo não for glorificado em nosso corpo. Nosso corpo é a habitação de Deus, pertence a Cristo e deve glorificar a Cristo. Mesmo já idoso, trazendo no corpo as marcas de Cristo, fustigado pelo espinho na carne, tendo passado por açoites, prisões e escassez de pão, Paulo quer glorificar a Cristo em seu corpo pela sua vida.

Glorificar a Cristo pela morte. Não basta viver bem; é preciso morrer bem. Não morre bem quem não vive para glorificar a Cristo. Paulo deseja ardentemente glorificar a Cristo em sua morte, como o glorificou em sua vida. Não pode ter a morte de um justo quem viveu como um ímpio. Não pode glorificar a Cristo na morte quem não o glorificou na vida. Miguel Gonçalves Torres, pastor presbiteriano que viveu no século XIX, disse na hora da morte: "Eu pensei que iria para o céu na hora da morte, mas foi o céu que veio me buscar". Dwight Moody, o grande avivalista do século XIX, disse na hora da sua partida: "Afasta-se a terra, aproxima-se o céu, estou entrando na glória".

---

[7] BOOR, Werner de. *Carta aos Efésios, Filipenses e Colossenses*, p. 193.
[8] WIERSBE, Warren W. *Comentário bíblico expositivo*. Vol. 6, 2006, p. 88.

Martyn Lloyd-Jones, o ilustre pregador galês, considerado o pastor mais influente do século XX, ao morrer, disse à sua família: "Não orem mais por minha cura, não me detenham da glória".

A explicação (1.21)

O apóstolo Paulo não tem apenas expectativa; ele tem razões sobejas e convincentes, pois deseja glorificar a Cristo tanto pela vida quanto pela morte. Exatamente porque ele está pronto para morrer, é que está pronto para viver, diz Bruce Barton.[9] No versículo 21, ele explica por que tem a expectativa de glorificar a Cristo na vida e na morte.

Em primeiro lugar, *a vida é Cristo* (1.21). Para aqueles que não creem em Deus, a vida sobre a terra é tudo o que existe. Então, é natural que essas pessoas lutem desesperadamente pelos valores deste mundo como o dinheiro, a popularidade, o poder, o prazer e o prestígio. O homem está em busca de sentido. Os filósofos, apressados na sua busca pela verdade, vasculham os densos volumes da história do pensamento humano, procurando encontrar o sentido último da existência humana. Os psicólogos mergulham no oceano dos sentimentos mais profundos da alma, desejando uma razão para a vida. Muitos tentam encontrar o sentido da vida no dinheiro, no prazer, no sucesso e no poder. Essa, porém, é uma busca inglória. É como buscar água em cisternas rotas. É como lavrar uma rocha. Deus pôs a eternidade no coração do homem, e as coisas temporais e terrenas não podem satisfazê-lo.

O grande paladino do cristianismo, o idoso e surrado apóstolo, diz que Cristo é a razão da vida. Para Paulo, Cristo marcava o começo, a continuação, o fim, a inspiração e a recompensa da sua vida.[10]

Em segundo lugar, *a morte é lucro* (1.21). A morte para o cristão não é o final da linha. A morte não é a cessação da existência. A morte não é um fracasso nem uma derrota. Para o cristão, a morte é lucro, e isso por algumas razões:

---

[9]BARTON, Bruce B. et all. *Life application Bible commentary on Philippians*, p. 41.
[10]BARCLAY, William. *Filipenses, Colosenses, I y II Tesalonicenses*, p. 34.

- *A morte é lucro porque é o descanso das fadigas* (Ap 14.13). A vida está crivada de muito sofrimento. Aqui há choro e dor. Aqui há vales sombrios e trabalhos extenuantes. Contudo, a morte é o descanso das fadigas.
- *A morte é lucro porque morrer é ser aperfeiçoado para entrar na glória* (Hb 12.23). A morte para o cristão não é decadência, mas aperfeiçoamento para entrar na glória, na cidade santa, na Jerusalém celeste.
- *A morte é lucro porque morrer é ir para o seio de Abraão* (Lc 16.22). Quando um cristão morre, seu corpo desce ao pó, mas o seu espírito volta para Deus (Ec 12.7). Morrer é ir para a casa do Pai, para o seio de Abraão, para o paraíso. Jesus disse ao ladrão arrependido na cruz: *Em verdade te digo que hoje estarás comigo no paraíso* (Lc 23.43).
- *A morte é lucro porque a morte de um justo é algo belo aos olhos de Deus* (Sl 116.15). Porque Cristo venceu a morte, tirou o seu aguilhão e triunfou sobre ela, a morte não mais nos separa de Deus (Rm 8.38). Agora, a morte dos santos é preciosa a Deus porque, por ela, entramos no gozo do Senhor (Mt 25.34).

A tensão (1.22-26)

Paulo está vivendo uma grande tensão. Ele está dividido entre a vida e a morte. O que escolher? O que é melhor? J. A. Motyer diz que Paulo coloca na balança essa tensão e percebe que tanto a vida quanto a morte são desejáveis. Entretanto, ele tem uma preferência pela morte, embora aliste razões para continuar vivendo.[11]

Em primeiro lugar, *o desejo semelhante de viver e morrer* (1.22,23). No versículo 22, Paulo expressa o seu dilema e a sua tensão: *Entretanto, se o viver na carne traz fruto para o meu trabalho, já não sei o que hei de escolher.*

No versículo 23, ele aponta o seu constrangimento de desejar partir: *Ora, de um e outro lado, estou constrangido, tendo o desejo de partir e estar com Cristo, o que é incomparavelmente melhor.* Todos os cristãos vivem esse conflito e essa tensão. Nossa Pátria está no céu (3.20). Nosso nome

---

[11] MOTYER, J. A. *The message of Philippians*, p. 87-91.

está escrito no livro da vida (4.2). A morte para nós é lucro (1.21). No entanto, ainda temos um trabalho a fazer aqui (1.22). Estamos no mundo como embaixadores de Deus, como ministros da reconciliação, como cooperadores de Deus. Andar com Deus e fazer a Sua obra é a razão de ainda continuarmos neste mundo.

O cristão não foge da vida nem teme a morte. Ele abraça a vida e a morte com a mesma empolgação. Na vida, Cristo está com ele; na morte, ele está com Cristo. Na vida, ele realiza a obra de Cristo; na morte, ele desfruta a glória de Cristo.

Em segundo lugar, *a preferência da morte* (1.23). Paulo, após afirmar que morrer é lucro, agora afirma que ele prefere a morte à vida. No versículo 23, Paulo nos fala sobre três aspectos importantes da morte do cristão:

A natureza da morte. Paulo fala da morte como uma *partida*. Ralph Martin diz que essa palavra "partir" não deve ser interpretada como um anseio por imortalidade, a qual os gregos procuravam atingir mediante o derramamento do corpo físico, permitindo, assim, que o espírito escapasse de sua prisão. A metáfora do verbo poderia ter sido emprestada da terminologia militar (retirar-se do campo) ou da linguagem náutica (libertar o barco de suas amarras). O pano de fundo geral, mais imediato, não é o debate filosófico, grego, a respeito da imortalidade da alma, que procura libertar-se do corpo, na hora da morte, mas a esperança de uma união mais íntima com Cristo.[12] Essa palavra grega *analyein* é muito sugestiva. Ela tem um rico significado.

Primeiro, *ela significa ficar livre de um fardo*. Esse era um termo usado pelos agricultores em referência ao ato de remover o jugo dos bois. Paulo havia levado o jugo de Cristo, que era suave (Mt 11.28-30), mas também carregou inúmeros fardos em seu ministério (1Co 11.22–12.10). Partir e estar com Cristo significa colocar de lado todos os fardos, pois o seu trabalho na terra estaria consumado.[13] A morte é o alívio de toda fadiga (Ap 14.13). A morte é descanso (Hb 4.9). A morte é entrar na posse do reino e no gozo do Senhor (Mt 25.34).

---

[12] MARTIN, Ralph P. *Filipenses: Introdução e comentário*, p. 90.
[13] WIERSBE, Warren W. *Comentário bíblico expositivo*. Vol. 6, 2006, p. 89.

Segundo, *ela significa levantar acampamento*. A ideia central aqui é a de desatar as cordas da tenda, remover as estacas e prosseguir a marcha. A morte é colocar-se em marcha. Cada dia dessa marcha é uma jornada que nos aproxima mais do nosso lar. Até que enfim se levantará pela última vez o acampamento neste mundo e se transferirá para a residência permanente na glória.[14] A tenda em que vivemos é desarmada pela morte. A morte é uma mudança de endereço. Deixamos uma tenda frágil e mudamos para uma casa feita não por mãos, eterna no céu (2Co 5.1). Deixamos um corpo de humilhação e nos revestimos de um corpo de glória (3.21). Deixamos este mundo onde passamos por aflição e entramos na casa do Pai, onde Deus enxugará dos nossos olhos toda lágrima.

Terceiro, *ela significa desatar as amarras do barco, levantar a âncora e lançar-se ao mar*. Morrer é empreender essa viagem para o porto eterno e para Deus, diz William Barclay.[15] A morte é uma viagem rumo à eternidade. É uma jornada para a casa do Pai, para o paraíso, para o seio de Abraão, para a Jerusalém celeste.

Em terceiro lugar, *a bênção da morte*. Paulo diz que morrer é partir para estar não no purgatório, nem no túmulo, ou em sucessivas reencarnações, mas estar com Cristo. Morrer é deixar o corpo e habitar imediatamente com o Senhor (2Co 5.8). Morrer não é partir para o além, mas partir para estar com Cristo no céu. A morte não é uma viagem rumo às trevas, ao desconhecido, ao tormento ou à solidão. A morte é uma partida para estar com Cristo, para se ter íntima, perfeita e eterna comunhão com Ele.

Em quarto lugar, *a superioridade da morte*. Paulo diz que morrer é estar com Cristo, o que é incomparavelmente melhor. O advérbio triplo em grego (literalmente: "antes muito melhor") significa "sem comparação, o melhor", isto é, um superlativo superenfático.[16] O céu é melhor. A glorificação é melhor. Estar com Cristo com um corpo de glória é melhor. Ver a Jesus glorificado e desfrutar a Sua companhia

---

[14] BARCLAY, William. *Filipenses, Colosenses, I y II Tesalonicenses*, p. 35.
[15] BARCLAY, William. *Filipenses, Colosenses, I y II Tesalonicenses*, p. 35.
[16] MARTIN, Ralph P. *Filipenses: Introdução e comentário*, p. 91.

eternamente é melhor. Estar na casa do Pai, onde não há mais dor, lágrima nem luto, é melhor.

Em quinto lugar, *o motivo para continuar vivendo* (1.24,25). Paulo não tem medo da morte e até deseja a morte, porque morrer é partir para estar com Cristo, mas por causa dos crentes (1.24) é mais necessário permanecer vivendo. O motivo da sua necessidade de permanecer vivo é o progresso e deleite na fé de seus filhos espirituais (1.25,26).

No versículo 25, Paulo diz: *E, convencido disto, estou certo de que ficarei e permanecerei com todos vós, para o vosso progresso e gozo da fé.* Paulo tem a convicção de que ficará e permanecerá. Ele usa aqui um jogo de palavras. "Ficarei", *menein*, que significa "permanecer com", enquanto "permanecerei", *paramenein*, significa "aguardar ao lado de uma pessoa, estando pronto para ajudá-la em todo o momento". Paulo deseja viver não para si mesmo, mas para os seus irmãos.[17]

Bruce Barton diz que a respeito dessa matéria devemos evitar dois erros: primeiro, trabalhar a ponto de perder de vista nossa gloriosa morada com Cristo; segundo, desejar somente estar com Cristo e negligenciar a obra que Ele nos chamou para fazer.[18] O cristão ama a vida sem ter medo da morte. Ele é cidadão de dois mundos. Ao mesmo tempo que luta para a implantação do Reino de Cristo na terra, sabe que sua Pátria está no céu. Pensar somente na terra sem voltar-se para o céu produziu uma geração racionalista e estéril. Pensar somente no céu sem envolver-se com a agenda de Deus na terra produziu um bando de místicos vazios e inconsequentes.

A exortação (1.27-30)

Ralph Martin diz que a seção que compreende os versículos 27 a 30 é rica de termos militares: *estais firmes* (resolutos como soldados plantados em seus postos); *lutando* (associa-se com campanha militar, em batalha, ou com arena, onde os gladiadores lutavam em combate de vida ou morte); *pelos adversários* (humanos ou demoníacos); *o mesmo*

---

[17] BARCLAY, William. *Filipenses, Colosenses, I y II Tesalonicenses*, p. 35.
[18] BARTON, Bruce B. et all. *Life application Bible commentary on Philippians*, p. 42.

combate (proveniente do grego *agon*, como o que Paulo havia conhecido na época de sua primeira visita à cidade deles [1Ts 2.2]).[19]

Warren Wiersbe resume esse parágrafo assim: coerência (1.27a), cooperação (1.27b) e confiança (1.28-30).[20] A maior arma contra o inimigo é uma vida piedosa, coerente, digna. No entanto, a igreja é mais do que a vida particular de cada um de seus membros. A igreja é uma equipe, é um time que precisa trabalhar unido. Contudo, não basta aos membros da igreja estarem juntos; eles precisam ter confiança e não viver assustados diante do sofrimento.

Podemos sintetizar esse parágrafo, destacando três coisas:

Em primeiro lugar, *a necessidade de viver de modo digno do evangelho* (1.27). A teologia precisa produzir vida. A doutrina precisa desembocar em ética. Aqui é o evangelho que estabelece a norma ética. Os crentes de Filipos deviam viver como pessoas convertidas tanto dentro da igreja quanto fora, no mundo. A fé que abraçamos precisa moldar o nosso caráter.

A vida do cristão, segundo Juan Carlos Ortiz, é o quinto evangelho, a página da Bíblia que o povo mais lê. Precisamos viver de modo digno para não sermos causa de tropeço para os fracos. Precisamos viver de modo digno para não baratearmos o evangelho que abraçamos. Precisamos viver de modo digno para ganharmos outros com o nosso testemunho.

A palavra usada por Paulo aqui é muito sugestiva. A ordem "vivei", *politeuesthai*, significa "ser cidadão".[21] Paulo escrevia de Roma, o centro do Império Romano. Foi o fato de ser cidadão romano que o conduziu à capital do Império. Filipos era uma colônia romana, uma espécie de miniatura de Roma. Nas colônias romanas, os cidadãos jamais esqueciam que eram romanos: falavam o latim, usavam vestimentas latinas, davam a seus magistrados os títulos latinos. Desse modo, Paulo está dizendo aos crentes de Filipos que assim como eles valorizavam a cidadania romana, deveriam também valorizar, e ainda mais, a honrada posição que ocupavam como cidadãos do céu (3.20).

---

[19] MARTIN, Ralph P. *Filipenses: Introdução e comentário*, p. 95.
[20] WIERSBE, Warren W. *Comentário bíblico expositivo*. Vol. 6, 2006, p. 91,92.
[21] BARCLAY, William. *Filipenses, Colosenses, I y II Tesalonicenses*, p. 36.

Em segundo lugar, *a necessidade de unidade no trabalho* (1.27). A igreja de Filipos estava sendo atacada numa área vital, a quebra da comunhão (2.1-4; 4.1-3). Seus membros estavam fazendo a obra de Deus, mas divididos. Paulo os exorta a estarem firmes em um só espírito, como uma só alma, lutando juntos pela fé evangélica. A unidade da igreja deve ser expressa em várias áreas, segundo J. A. Motyer.[22]

- *Unidade de coração e de mente* (1.27). Isso fala das afeições, de como nos sentimos diante das pessoas e reagimos a elas. Isso fala acerca das coisas que realmente são importantes para nós.
- *Unidade no trabalho* (1.27). Devemos, outrossim, lutar juntos pela fé evangélica. A igreja não é apenas um amontoado de gente vivendo num parque de diversão, mas um grupo de atletas trabalhando juntos pelo mesmo objetivo. Paulo diz que os crentes devem trabalhar como atletas de um time, todos com a mente focada no mesmo alvo, o avanço do evangelho.[23]
- *Unidade na fé* (1.27). A igreja precisa ter unidade doutrinária. Precisamos lutar não por modismos, doutrinas de homens, mas pela fé evangélica. Fora da verdade, não há unidade (Ef 4.1-6).

Muitos cristãos fraquejam, ensarilham as armas e fogem do combate na hora da tribulação. Outros se distanciam não da obra, mas dos irmãos, e rompem a comunhão fraternal. Paulo os exorta a estarem juntos e firmes, lutando pela fé evangélica.

Em terceiro lugar, *a necessidade de coragem em meio à perseguição* (1.28-30). A igreja de Filipos estava enfrentando uma ameaça interna (a quebra da comunhão) e uma ameaça externa (a perseguição). Paulo os exorta a trabalharem unidos e também a enfrentarem os adversários sem temor, sabendo que o padecimento por Cristo é uma graça (1.29), pois até mesmo a perseguição à igreja vem da parte de Deus. É bem verdade que somente pela fé, que vem pela graça, pode o sofrimento ser considerado um privilégio.

---

[22] MOTYER, J. A. *The message of Philippians*, p. 95,96.
[23] BARTON, Bruce B. et all. *Life application Bible commentary on Philippians*, p. 47.

A expressão "em nada estais intimidados" contém um verbo expressivo, que sugere o tropel de cavalos assustados. Paulo tem certeza de que seus amigos não explodirão em desordem, sob a pressão da perseguição.[24] Paulo diz, ainda, à igreja que, embora separados geograficamente, estão alistados na mesma batalha (1.30).

Ralph Martin diz que os planos de Deus incluem o sofrimento das igrejas (1.29), visto que a natureza da vocação cristã recebeu o seu modelo do próprio Senhor encarnado que sofreu e foi humilhado até à morte e morte de cruz (2.6-11). A vida da igreja deriva daquele que exemplificou o padrão do "morrer para viver". Dessa forma, não há absolutamente nada incoerente, nem inconsistente, no "destino dos cristãos como comunidade perseguida, inserida em um mundo hostil" (2.15).[25] Enquanto muitos pregam que a glória é a insígnia de todo cristão, Paulo afirma que a marca distintiva do crente é a cruz.[26] O sofrimento por causa do evangelho não é acidental, mas um alto privilégio, nada menos do que um dom da graça de Deus![27]

---

[24] MARTIN, Ralph P. *Filipenses: Introdução e comentário*, p. 97.
[25] MARTIN, Ralph P. *Filipenses: Introdução e comentário*, p. 94.
[26] MARTIN, Ralph P. *Filipenses: Introdução e comentário*, p. 98.
[27] BARTON, Bruce B. et all. *Life application Bible commentary on Philippians*, p. 50.

6

A importância vital da unidade cristã

Filipenses 2.1-5

DUAS VERDADES SÃO VITAIS com respeito à unidade da igreja:

Em primeiro lugar, *a unidade espiritual da igreja é produzida por Deus*. A unidade espiritual da igreja é uma obra exclusiva de Deus. Não podemos produzir unidade, mas apenas mantê-la. Todos aqueles que creem em Cristo, em qualquer lugar, em qualquer tempo, fazem parte da família de Deus e estão ligados ao corpo de Cristo pelo Espírito.

Essa unidade não é externa, mas interna. Ela não é unidade denominacional, mas espiritual. Só existe um corpo de Cristo, uma Igreja, um rebanho, uma noiva. Todos aqueles que nasceram de novo e foram lavados no sangue do Cordeiro fazem parte dessa bendita família de Deus.

Essa unidade é construída sobre o fundamento da verdade (Ef 4.1-6). Por isso, a tendência ecumênica de unir todas as religiões, afirmando que a doutrina divide enquanto o amor une, é uma falácia. Não há unidade cristã fora da verdade.

Em segundo lugar, *a unidade espiritual da igreja precisa ser preservada com diligência*. William Barclay diz que o perigo que ameaçava a igreja de Filipos e ainda ameaça todas as igrejas saudáveis é a desunião.[1] Os negócios internos da igreja não iam tão bem quanto os negócios

---

[1] BARCLAY, William. *Filipenses, Colosenses, I y II Tesalonicenses*, p. 38.

externos. Havia alguns transtornos em casa, diz William Hendriksen.[2] Paulo exorta a igreja de Filipos a tapar as brechas que estavam comprometendo a unidade da igreja, como já exortara a igreja de Éfeso (Ef 4.3).

Paulo recorre a esse tema, depois de o abordar no capítulo anterior (1.27). Ninguém pode destruir o fato de que pessoas que creram em Cristo, foram adotadas na família de Deus, nasceram do Espírito, foram seladas pelo Espírito e batizadas no corpo de Cristo pelo Espírito são um em Cristo Jesus. No entanto, essas mesmas pessoas podem quebrar essa comunhão como os membros de uma família que, em vez de viver em amor, vivem brigando entre si, deixando de desfrutar a alegria de uma convivência harmoniosa. Quando os crentes vivem brigando e falando mal uns dos outros, isso é um espetáculo lamentável e vergonhoso diante do mundo. Essa atitude desonra a Cristo e a própria igreja.

Paulo faz uma transição dos inimigos externos (1.28) para os perigos internos (2.1-4). Ralph Martin diz que essa transição que a palavra grega *oun*, "pois", demarca, presume que Paulo está deixando a ameaça de um mundo hostil, para tratar de um problema igualmente ameaçador, o da comunidade dividida.[3] Paulo alerta para o fato de que uma igreja dividida é uma presa fácil no caso de um ataque frontal da sociedade externa. Assim, não basta apenas ficar firme contra os perigos que vêm de fora; é preciso acautelar-se contra o perigo de esboroar-se por causa das divisões intestinas. Werner de Boor diz que, para Paulo, "uma santa e una igreja" não era apenas um artigo de fé.[4]

A palavra inicial usada por Paulo é traduzida melhor por "visto que", em vez de "se".[5] Esta conjunção grega *ei*, "se", implica a inexistência de qualquer dúvida quanto à realidade dessas bênçãos, quer na mente de Paulo, quer na experiência dos filipenses. Poderia ser traduzida assim: "Tão certo quanto...".[6]

---

[2]HENDRIKSEN, William. *Efésios e Filipenses*. São Paulo, SP: Editora Cultura Cristã, 2005, p.466.
[3]MARTIN, Ralph P. *Filipenses: Introdução e comentário*, p. 98.
[4]BOOR, WERNER de. *Carta aos Efésios, Filipenses e Colossenses*, p. 2002.
[5]MARTIN, Ralph P. *Filipenses: Introdução e comentário*, p. 99.
[6]BRUCE, F. F. *Filipenses*, p. 74.

Acompanhemos o ensino de Paulo sobre esse tema fundamental para a Igreja de Cristo em todos os tempos.

Os alicerces da unidade (2.1)

O apóstolo Paulo, antes de exortar a igreja sobre a questão da unidade cristã, dá a base doutrinária. Há quatro pilares que sustentam a unidade cristã. Esses pilares não são criados pela igreja, mas são dádivas de Deus à igreja. Robertson diz que há quatro fundamentos dados por Paulo para justificar o seu apelo à unidade. Ele coloca esses fundamentos em forma de cláusulas condicionais, ele assume em cada uma que a condição é verdadeira.[7] Esses pilares já existem, e eles precisam ser o alicerce da unidade.

J. A. Motyer destaca que podemos ver a obra da própria Trindade na construção da unidade da igreja. Os crentes estão em Cristo, experimentando a realidade do amor de Deus, pela ação do Espírito Santo.[8] J. B. Lightfoot diz que o apóstolo Paulo apela aos filipenses por meio de sua mais profunda experiência como cristãos para preservarem a paz e a concórdia. Dos quatro fundamentos da unidade, o primeiro e o terceiro são objetivos (exortação em Cristo e comunhão do Espírito), os princípios externos do amor e harmonia; enquanto o segundo e o quarto (consolação de amor e entranhados afetos e misericórdias) são subjetivos, os sentimentos interiores que nos inspiram.[9]

Em primeiro lugar, *exortação em Cristo* (2.1). A palavra grega *paraklesis* sugere que há uma obrigação colocada sobre os filipenses, oriunda diretamente de sua vida comum "em Cristo", para trabalharem juntos e em harmonia. Paulo está convidando os filipenses a lembrar-se de seu *status* de comunidade amada por Cristo.[10] Bruce Barton diz que todo crente tem recebido encorajamento, exortação e conforto de Cristo. Essa experiência comum deveria unir os crentes

---

[7]ROBERTSON, A. T. *Paul's joy in Christ: Studies in Philippians*. London: Fleming H. Revell Company, 1917, p. 111.
[8]MOTYER, J. A. *The message of Philippians*, p. 103.
[9]LIGHTFOOT, J. B. *St Paul's Epistle to the Philippians*. London: Macmillan and Co., 1873, p.105.
[10]MARTIN, Ralph P. *Filipenses: Introdução e comentário*, p. 99.

de Filipos.[11] William Barclay alerta para o fato de que ninguém pode caminhar desunido com o seu semelhante e ao mesmo tempo estar unido a Cristo. Ninguém pode viver a atmosfera de Cristo e viver ao mesmo tempo odiando os seus semelhantes.[12]

Em segundo lugar, *consolação de amor* (2.1). Robertson afirma que a palavra "consolação" aqui deveria ser traduzida por encorajamento e consolação, pois a ideia é terna persuasão do amor.[13] Aqui é o amor de Cristo pela igreja que Paulo tem em vista. Ao conclamá-los para que vivam juntos em harmonia, Paulo apela para os mais altos motivos: o amor que o Senhor da Igreja nutre por Seu povo deve impeli-los a viver dignamente.[14] O amor nos leva a amar como Cristo nos amou (1Jo 3.16). O amor nos leva a suportar uns aos outros. O amor nos leva a perdoar uns aos outros. O inferno é a condição eterna dos que fizeram da relação com Deus e seus semelhantes algo impossível porque destruíram em suas vidas o amor.

William Barclay alerta para o fato de que não significa só amar aos que nos amam, aos que nos agradam ou aos que são dignos de ser amados. Significa uma boa vontade invencível para aqueles que nos odeiam. É o poder de amar aos que não nos agradam, é a capacidade semelhante à capacidade de Jesus Cristo de amar o que não é amável nem digno de amor.[15]

Em terceiro lugar, *comunhão do Espírito* (2.1). A participação comum no Espírito, pela qual os crentes são batizados em um só corpo, deveria determinar a morte de toda desavença e espírito de partidarismo.[16] F. F. Bruce diz que o Espírito trouxe os cristãos de Filipos à comunhão uns com os outros. Aquele que os uniu em Cristo, também os uniu uns aos outros.[17] É o Espírito Santo quem produz a nossa comunhão com Deus e a nossa comunhão com o próximo. É o Espírito quem

---

[11] BARTON, Bruce B. et all. *Life application Bible commentary on Philippians*, p. 51.
[12] BARCLAY, William. *Filipenses, Colosenses, I y II Tesalonicenses*, p. 40.
[13] ROBERTSON, A. T. *Paul's joy in Christ: Studies in Philippians*, p. 112,113.
[14] MARTIN, Ralph P. *Filipenses: Introdução e comentário*, p. 99.
[15] BARCLAY, William. *Filipenses, Colosenses, I y II Tesalonicenses*, p. 40.
[16] MARTIN, Ralph P. *Filipenses: Introdução e comentário*, p. 100.
[17] BRUCE, F. F. *Filipenses*, p. 74.

nos une a Deus e ao próximo de tal maneira que todo aquele que vive em desunião com seus semelhantes dá provas de não possuir o dom do Espírito.[18] Bruce Barton afirma: "Porque só há um Espírito, há um só corpo (Ef 4.4); facções ou divisões não têm lugar no corpo de Cristo".[19]

O Espírito Santo é o princípio unificador na igreja local (1Co 12.4-11). Somente Ele pode dar ordem ao caos e preservar a harmonia no corpo de Cristo. A não ser que o Espírito Santo reine, haverá confusão na igreja. Sem o Espírito Santo, não há vida nem poder na igreja, diz Robertson.[20] Onde reina o Espírito Santo, existe amor, porque o amor é fruto do Espírito.

Em quarto lugar, **entranhados afetos e misericórdias** (2.1). A palavra grega *splanchna*, "afetos", significa literalmente "as entranhas humanas", consideradas como a sede da vida emocional (1.8).[21] Enquanto no primeiro capítulo a palavra está se referindo ao amor de Paulo pelos filipenses, aqui ela se refere ao amor de Cristo por eles e por intermédio deles. Já a palavra grega *oiktirmoi*, "misericórdias", é a palavra que descreve a emoção humana da piedade terna, ou simpatia. A irmandade em uma igreja não se limita a "sentimentos" nem se resume em atividades de ajuda e frias ações. Certamente nossas "entranhas" precisam ser movidas, e as aflições do irmão precisam despertar em nós uma viva compaixão.[22]

Quando o Espírito Santo trabalha na vida do crente, o fruto do Espírito é produzido (Gl 5.22,23). Paulo destaca dois desses frutos que acentuam o verdadeiro cuidado de um para com o outro, o que pavimenta a unidade entre os crentes. "Afeto" refere-se à sensibilidade para com as necessidades e os sentimentos dos outros, enquanto "compaixão" significa o sentimento de dor que alguém sente ao ver o outro sofrer e o desejo de aliviá-lo desse sofrimento. Tal preocupação fortalece a unidade entre os crentes.[23] Toda desarmonia na igreja de Deus é falta dos entranhados afetos. É ausência de misericórdia.

---

[18]BARCLAY, William. *Filipenses, Colosenses, I y II Tesalonicenses*, p. 41.
[19]BARTON, Bruce B. *Life application Bible commentary on Philippians*, p. 51.
[20]ROBERTSON, A. T. *Paul's joy in Christ: Studies in Philippians*, p. 114.
[21]MARTIN, Ralph P. *Filipenses: Introdução e comentário*, p. 101.
[22]BOOR, Werner de. *Carta aos Efésios, Filipenses e Colossenses*, p. 203.
[23]BARTON, Bruce B. *Life application Bible commentary on Philippians*, p. 51.

Os perigos contra a unidade (2.3,4)

O apóstolo Paulo já havia mencionado o exemplo negativo de alguns crentes de Roma que estavam trabalhando com a motivação errada (1.15,17). Esse comportamento fere a comunhão entre os irmãos e perturba a unidade da igreja. Agora, Paulo fala sobre dois perigos que conspiram contra a unidade da igreja.

Em primeiro lugar, *partidarismo* (2.3). A igreja de Filipos tinha muitas virtudes, a ponto de Paulo considerá-la sua alegria e coroa (4.1). Mas essa igreja estava ameaçada por alguns sérios perigos na área da unidade. Havia tensões dentro da igreja. A comunhão estava sendo atacada. A palavra grega *eritheia*, traduzida por "partidarismo", é o resultado do egoísmo. Depois de Paulo mencionar a atitude mesquinha de alguns crentes de Roma que, movidos por inveja, pregavam a Cristo para despertar nele ciúmes, pensando que o seu trabalho apostólico era uma espécie de campeonato em busca de prestígio, o apóstolo volta, agora, suas baterias para apontar os perigos que estavam afetando, também, a unidade na igreja de Filipos.

O perigo de trabalhar sem unidade (1.27). Nada debilita mais a unidade do que os crentes estarem engajados no serviço de Deus sem unidade. A obra de Deus não pode avançar quando cada um puxa para um lado, quando cada um busca mais seus interesses do que a glória de Cristo. Na igreja de Filipos, havia ações desordenadas. Eles estavam todos lutando pelo evangelho, mas não juntos.[24]

O perigo de líderes buscarem seus próprios interesses (2.21). Paulo, ao enviar Timóteo à igreja de Filipos e dar bom testemunho acerca dele, denuncia, ao mesmo tempo, alguns líderes que buscavam seus próprios interesses. Esses líderes eram amantes dos holofotes; eles não buscavam a glória de Deus nem a edificação da igreja, mas a construção de monumentos aos seus próprios nomes.

O perigo de falsos mestres infiltrando-se na igreja (3.2). Os falsos mestres, maus obreiros e a heresia são sempre uma ameaça à igreja. Os lobos sempre buscarão uma brecha para entrarem no meio do rebanho

---

[24]LOCKMANN, Paulo. *Filipenses*. São Paulo, SP: Imprensa Metodista, 1995, p. 39.

(At 20.29). Paulo está alertando a igreja de Filipos sobre os judaizantes. Estes tentavam desacreditar seu apostolado, ensinando que os gentios precisavam ser circuncidados caso desejassem ser salvos. Assim, eles negavam a suficiência da fé em Cristo e acrescentavam ritos judaicos como condição indispensável para a salvação.

O perigo do mundanismo na igreja (3.17-19). A unidade da igreja de Filipos estava sendo ameaçada por homens mundanos, libertinos e imorais. Essas pessoas fizeram Paulo sofrer de tal modo que o levaram às lágrimas (3.18). Paulo os chama de inimigos da cruz de Cristo (3.18). Essas pessoas eram mundanas, pois só se preocupavam com as coisas terrenas (3.19). Eram comilões, beberrões e imorais, com uma visão muito liberal da fé cristã, do tipo que está sempre dizendo: "isso não é pecado, não tem problema".[25] Em vez de a igreja seguir a vida escandalosa desses libertinos, deveria imitar o exemplo de Paulo (2.17).

O perigo de os crentes viverem em conflito dentro da igreja (4.2). Aqui o apóstolo está trabalhando com a questão do conflito entre lideranças da igreja local, pessoas que disputam entre si a atenção e os espaços de atuação na igreja. Paulo Lockmann, comentando esse texto, diz que, quando o trabalho era dirigido pela família de Evódia, o pessoal de Síntique não participava, e, quando era promovido por Síntique, quem não participava era o pessoal de Evódia.

Em segundo lugar, **vanglória ou egoísmo** (2.3). Vanglória é buscar glória para si mesmo. A palavra grega *kenodoxia*, traduzida por "vanglória", só aparece aqui em todo o Novo Testamento.[26] Ela denota uma inclinação orgulhosa que busca tomar o lugar de Deus e a estabelecer um *status* autoassertivo que rapidamente induz ao desprezo do próximo (Gl 5.26). A vanglória destrói a verdadeira vida comunitária. Paulo colocou seu "dedo investigativo" bem na ferida dos filipenses.[27] Os membros da igreja de Filipos estavam causando discórdia por causa de suas atitudes ou ações. Eles desejavam reconhecimento ou distinção, não por puros motivos, mas meramente por ambição pessoal. Eles

---

[25] LOCKMANN, Paulo. *Filipenses*, p. 41,42.
[26] PIDGE, J. B. G. *Comentario expositivo sobre el Nuevo Testamento*, p. 372.
[27] MARTIN, Ralph P. *Filipenses: Introdução e comentário*, p. 102.

estavam criando partidos baseados em prestígio pessoal, ao mesmo tempo que desprezavam os outros.²⁸

O imperativo da unidade (2.2)

O apóstolo Paulo está preso, algemado, na antessala do martírio, mas sua atenção não está voltada para si mesmo. Havia alegria no coração do apóstolo (4.4,10), mas sua medida ainda não estava cheia. Um grau mais elevado de unidade, de humildade e de solicitude em família podia completar o que ainda faltava no cálice da alegria de Paulo. Seu principal anseio não era a rápida libertação da prisão, mas o progresso espiritual dos filipenses.²⁹ Sua alegria não vem de suas condições pessoais, mas da condição da Igreja de Deus. Mesmo preso, Paulo diz que a igreja de Filipos era sua alegria e coroa (4.1). Suas orações em prol dos cristãos filipenses eram orações alegres (1.4). Todavia, agora, o apóstolo deseja que o cálice da sua alegria transborde e por isso ordena: *Completai a minha alegria, de modo que penseis a mesma cousa, tenhais o mesmo amor, sejais unidos de alma, tendo o mesmo sentimento* (2.2). Paulo não pode estar alegre enquanto o espírito de facção existir nessa generosa igreja de Filipos.

F. F. Bruce diz que Paulo exorta, na verdade, para que tenham unanimidade de coração. Não se trata da unanimidade formal que se consegue manter mediante o exercício do poder de veto; trata-se daquela unanimidade sincera de propósitos, pela qual ninguém deseja impor um veto sobre as pessoas.³⁰

Essa mesma igreja que estava comprometida com Paulo no apoio missionário, dando-lhe conforto e sustento financeiro, estava sendo ameaçada por divisões internas, e isso toldava a alegria no coração do velho apóstolo.

Como a igreja poderia completar a alegria de Paulo?

Em primeiro lugar, **demonstrando unidade de pensamento** (2.2). A unidade de pensamento não é uma coisa fácil de alcançar, especialmente

---

[28] BARTON, Bruce B. et all. *Life application Bible commentary on Philippians*, p. 53.
[29] HENDRIKSEN, William. *Efésios e Filipenses*, p. 468.
[30] BRUCE, F. F. *Filipenses*. Florida, EUA: Editora Vida, 1992, p. 71.

onde as pessoas têm uma mente ativa e um espírito independente.[31] O verbo grego *phronein*, usado aqui para definir "o pensar a mesma coisa", é muito importante nessa epístola, uma vez que aparece nela dez vezes, enquanto apenas mais treze vezes em todas as demais epístolas. Werner de Boor corretamente afirma que *phronein* não tem em vista o "pensamento" teórico do teólogo, mas o pensar prático, subordinado ao querer. Trata-se do *phronein* de Jesus Cristo, que neste caso não é o raciocínio doutrinário, com o qual o eterno Filho de Deus, sem dúvida, poderia ter apresentado uma imagem condizente de todas as coisas. Aqui se trata do "pensamento" que conduziu o Filho de Deus do trono da glória para a vergonha da morte na cruz! Se todos "pensarem" da maneira que Jesus Cristo também pensou, como Ele morreu por pecadores, não poderão se separar; hão de apegar-se aos irmãos.[32] Nessa mesma linha de pensamento, Moule diz que a palavra *phronein*, traduzida aqui por "mente", denota não uma capacidade intelectual, mas uma ação e uma atitude moral.[33]

Bruce Barton está correto quando diz que "ter uma só mente" não significa que os crentes têm de concordar em tudo; em vez disso, cada crente deve ter a mesma atitude de Cristo, que Paulo descreve em Filipenses 2.5-11.[34]

Em segundo lugar, **demonstrando unidade nos relacionamentos** (2.2). Os irmãos da igreja de Filipos precisam ter o mesmo amor uns pelos outros, igual ao que Cristo tem por eles. Bruce Barton diz que o amor de Cristo o trouxe do céu para a humilde condição da natureza humana, para morrer na cruz a favor dos pecadores. Muito embora os crentes não possam fazer o que Cristo fez, eles podem seguir Seu exemplo, quando expressam o mesmo amor na maneira de lidar uns com os outros.[35]

Em terceiro lugar, **demonstrando unidade espiritual** (2.2). A igreja precisa ser unida de alma. Jesus orou para que todos aqueles que creem

---

[31] ROBERTSON, A. T. *Paul's joy in Christ: Studies in Philippians*, p. 116.
[32] BOOR, WERNER de. *Carta aos Efésios, Filipenses e Colossenses*, p. 202,203.
[33] MOULE, H. C. G. *Studies in Philippians*. Grand Rapids, Michigan: Kregel Publications, 1977, p. 62.
[34] BARTON, Bruce B. et all. *Life application Bible commentary on Philippians*, p. 52.
[35] BARTON, Bruce B. et all. *Life application Bible commentary on Philippians*, p. 52.

possam ser um como Ele e o Pai são um (Jo 17.22-24). Robertson diz que essa frase significa dois corações batendo como um só.³⁶ Na Igreja de Deus, não há espaço para disputas pessoais. A igreja não é um concurso de projeção pessoal nem um campeonato de desempenhos pessoais. A igreja é um corpo onde cada membro coopera com o outro, visando à edificação de todos.

Em quarto lugar, **demonstrando unidade de sentimento** (2.2). A igreja precisa ter o mesmo sentimento. A igreja é como um coro que deve cantar no mesmo tom. Os crentes não são competidores, mas cooperadores. Eles não são rivais, mas parceiros. Eles não estão lutando por causas pessoais, mas todos buscam a glória de Deus. Na Igreja de Deus, não devem existir disputas políticas, briga por cargos, ciúmes e invejas. O espírito de Diótrefes, que buscava primazia e desprezava os outros, não deve ser cultivado na Igreja de Deus (3Jo 9-11).

A virtude que promove a unidade (2.3-5)

A humildade é a virtude que promove a unidade. A humildade é o remédio para os males que atacam a unidade da igreja. A palavra grega *tapeinophrosyne* é um termo cunhado pelo cristianismo. Ralph Martin diz que "humildade" era uma expressão de opróbrio no pensamento clássico grego, tendo conotações de "servilismo", como nas atitudes de um homem vil, ou de um escravo.³⁷ Lightfoot diz que quase sempre entre os escritores gregos "humildade" tem um significado negativo.³⁸ Entre o povo de Deus, a humildade é um imperativo, pois *Deus escarnece dos escarnecedores, mas dá graça aos humildes* (Pv 3.34). Tiago diz que Deus resiste aos soberbos, mas dá graça aos humildes (Tg 4.6), e o apóstolo Pedro ordena: *Humilhai-vos, portanto, sob a poderosa mão de Deus, para que ele, em tempo oportuno, vos exalte* (1Pe 5.6). A humildade deve ser a marca do cristão, pois seu Senhor e Mestre foi ... *manso e humilde de coração* (Mt 11.29). Os discípulos de Cristo demoraram a entender essa lição e muitas vezes discutiram sobre quem deveria

---

[36] ROBERTSON, A. T. *Paul's joy in Christ: Studies in Philippians*, p. 116.
[37] MARTIN, Ralph P. *Filipenses: Introdução e comentário*, p. 102.
[38] LIGHTFOOT, J. B. *St Paul's Epistle to the Philippians*, p. 107.

ocupar a primazia entre eles. Nessas ocasiões, Jesus lhes dizia que maior é o que serve e que Ele mesmo veio não para ser servido, mas para servir (Mc 10.45). Vejamos três fatos importantes para o entendimento deste tema:

Em primeiro lugar, *o que é humildade?* (2.3). A humildade provém do conhecimento de Deus e de um correto conhecimento de si mesmo. Enquanto a ambição e o preconceito arruínam a unidade da igreja, a genuína humildade a edifica. Ser humilde envolve ter uma correta perspectiva sobre nós mesmos em relação a Deus (Rm 12.3), que por sua vez nos coloca numa correta perspectiva em relação ao próximo. O apóstolo Paulo deu o seu próprio testemunho em suas cartas. Durante a sua terceira viagem missionária, se qualificou de ... *o menor dos apóstolos* (1Co 15.9), durante sua primeira prisão em Roma se intitulou de o menor dos menores de todos os santos (Ef 3.8), e um pouco mais tarde, durante o período que se estendeu da primeira à segunda prisão em Roma, levou essas descrições humildes de sua pessoa ao apogeu, designando-se de o principal dos pecadores (1Tm 1.15).[39] Jamais o orgulho prevalece no coração de alguém que conhece a Deus e a si mesmo. F. F. Bruce, citando James Montgomery, lança luz sobre o que é humildade:

> O pássaro que alça as asas nos céus,
> Constrói seu ninho lá embaixo, na terra.
> E o que trina maviosamente,
> Canta de noite quando tudo repousa.
> Na cotovia e no rouxinol vemos
> Quanta honra cabe à humildade.
> O santo que usa a coroa mais brilhante do céu,
> Curva-se em humilde adoração.
> O peso da glória faz que se prostre,
> Quanto mais se prostra mais sua alma ascende;
> O escabelo da humildade deve estar
> Bem perto do trono de Deus.[40]

---

[39] HENDRIKSEN, William. *Efésios e Filipenses*, p. 470.
[40] BRUCE, F. F. *Filipenses*, p. 72.

Em segundo lugar, *como a humildade se manifesta?* (2.3,4). O apóstolo Paulo menciona duas manifestações da humildade:

A humildade olha para o outro com honra (2.3). No capítulo 1, Paulo colocou Cristo em primeiro lugar (1.21). Agora, coloca o outro acima do eu (2.3).⁴¹ Uma pessoa humilde não tem sede de fama, projeção e aplausos. Ela não se embriaga com o poder. Não busca os holofotes do palco nem corre atrás das luzes da ribalta. Uma pessoa humilde não canta "quão grande és tu" diante do espelho. Werner de Boor diz que uma pessoa humilde tem prazer de realizar o serviço que quase não aparece, o trabalho que permanece nos bastidores, a obra insignificante, deixando com alegria aos outros aquilo que parece mais importante e obtém maior reconhecimento.⁴²

A humildade busca o interesse do outro com solicitude (2.4). A igreja de Filipos era multirracial: Lídia era uma judia rica, a jovem liberta era uma escrava grega, e o carcereiro era um oficial romano da classe média. Nessas condições, não era fácil manter a unidade da igreja. Ter interesse em proteger os interesses alheios, porém, faz parte dos alicerces da ética cristã.⁴³ No mundo, cada um cuida primeiro de si, pensa somente em si, e seu olhar está atento apenas aos próprios interesses. Os interesses dos outros estão fora de seu verdadeiro campo de visão. Por isso, tampouco existe no mundo verdadeira comunhão, mas somente o medo recíproco e a ciumenta autodefesa contra o outro. Na irmandade da Igreja de Jesus, pode e deve ser diferente, diz Werner de Boor.⁴⁴

É importante ressaltar que Paulo não exige que eu negligencie as minhas coisas e somente me engaje a favor dos outros. Contudo, Paulo espera que o meu olhar de amor e preocupação também caia sobre as necessidades, dificuldades e aflições do irmão, e presume que ainda restem tempo, energia e capacidade em quantidade suficiente.⁴⁵

Em terceiro lugar, *o supremo exemplo da humildade* (2.5). No capítulo 2, Paulo cita quatro exemplos de humildade, ou seja, colocar

---

⁴¹WIERSBE, Warren W. *Comentário bíblico expositivo*. Vol. 6, 2006, p. 94.
⁴²BOOR, WERNER de. *Carta aos Efésios, Filipenses e Colossenses*, p. 204.
⁴³BRUCE, F. F. *Filipenses*, p. 72.
⁴⁴BOOR, Werner de. *Carta aos Efésios, Filipenses e Colossenses*, p. 205.
⁴⁵BOOR, WERNER de. *Carta aos Efésios, Filipenses e Colossenses*, p. 205.

o "outro" na frente do "eu" (2.5; 2.17; 2.20; 2.30). Entretanto, o argumento decisivo de Paulo é o exemplo de Cristo (2.5). F. F. Bruce diz que o exemplo de Cristo é sempre o argumento supremo de Paulo na exortação ética, principalmente quando trata do interesse altruísta pelo bem-estar do próximo. Se o exemplo de Cristo deve ser seguido, é melhor, então, manter maior interesse pelos direitos dos outros e pelos nossos deveres do que cuidar principalmente de nossos direitos e dos deveres dos outros.[46]

O texto que registra a encarnação, o esvaziamento, a humilhação, a obediência, a morte e a exaltação de Cristo não é uma peça doutrinária escrita por um teólogo de gabinete que está traçando reluzentes verdades doutrinárias contra o nevoeiro denso das heresias, mas foi escrito por um homem que, com humildade e amor, lutava pela verdadeira concórdia de seus irmãos. Essas frases, com todo o seu teor dogmático, são parte dessa luta. A leitura correta desse magno texto cristológico não é apenas aquela que trata da humilhação e exaltação do Filho de Deus, mas a que abala nosso coração egoísta e vaidoso por meio da trajetória seguida por Jesus.[47]

---

[46] BRUCE, F. F. *Filipenses*, p. 73.
[47] BOOR, Werner de. *Carta aos Efésios, Filipenses e Colossenses*, p. 205,206.

7

A humilhação e a exaltação de Cristo

Filipenses 2.6-11

MEU CARO LEITOR, chamo a sua atenção para duas verdades:

Em primeiro lugar, *a doutrina sempre deve estar conectada com a vida*. Este é o texto clássico da cristologia na Bíblia. William Barclay diz que esta é a passagem mais importante e mais emocionante que Paulo escreveu sobre Jesus.[1] Aqui Paulo alcança as alturas mais excelsas da sua reflexão teológica acerca do Filho de Deus. O contexto, porém, revela-nos que Paulo está tratando de um problema prático na vida da igreja, exortando os crentes à unidade. Ou seja, Paulo está expondo seu pensamento teológico mais profundo para resolver um problema de desunião dentro da igreja. A teologia deve sempre estar conectada com a vida. A teologia determina a ética. A doutrina é a base para a solução dos problemas que atacam a igreja. A igreja precisa pensar teologicamente. Nessa mesma linha de pensamento, William Barclay comenta:

Em Paulo, sempre se unem teologia e ação. Para ele, todo sistema de pensamento deve necessariamente converter-se em um caminho de vida. Em muitos aspectos, esta passagem é uma daquelas que têm o maior alcance teológico do Novo Testamento, mas toda a sua intenção

---

[1] BARCLAY, William. *Filipenses, Colosenses, I y II Tesalonicenses*, p. 42.

está em persuadir e impulsionar os filipenses a viverem uma vida livre de desunião, desarmonia e ambição pessoal.[2]

Em segundo lugar, *a vida de Cristo é o exemplo máximo para a igreja*. Paulo corrige os problemas internos da igreja de Filipos não apenas lhes oferecendo conceitos doutrinários, mas lhes mostrando o exemplo de Cristo. O melhor remédio para curar os males da igreja é olhar para Jesus, seguir os Seus passos e imitar o Seu exemplo (2.5). A igreja de Filipos estava sendo atacada por inimigos externos e por intrigas internas. Para corrigir os dois males, ela deveria olhar para Jesus.

William Hendriksen corretamente afirma que há uma área em que Cristo não pode ser nosso exemplo. Não podemos imitar os Seus atos redentivos nem sofrer e morrer vicariamente. Contudo, com o auxílio de Deus, podemos e devemos imitar o espírito que serviu de base para esses atos. A atitude de autorrenúncia, com vistas a auxiliar outros, deveria estar presente e se expandir na vida de cada discípulo (Mt 11.29; Jo 13.12-17; 13.34; 21.19; 1Co 11.1; 1Ts 1.6; 1Pe 2.21-23; 1Jo 2.6).[3] O mesmo autor ainda afirma que, se Jesus não é nosso exemplo, então nossa fé é estéril, e nossa ortodoxia, morta.[4]

A humilhação de Cristo (2.6-8)

Há cinco verdades que precisamos destacar sobre a humilhação de Cristo:

Em primeiro lugar, **Ele voluntariamente abriu mão de Seus direitos** (2.6). Jesus antes da Sua encarnação sempre foi coigual a Deus, coeterno e consubstancial com o Pai e com o Espírito Santo. Ele sempre foi revestido de glória e majestade (Jo 17.5). Ele é o criador de todas as coisas, visíveis e invisíveis (Cl 1.16). Ele sempre foi adorado pelos anjos nas coortes celestiais.

A expressão ... *subsistindo em forma de Deus* (2.6) é muito importante para entendermos a divindade de Cristo. William Barclay diz que a palavra "subsistindo", *hyparquein*, descreve aquilo que é essencial e que não pode ser mudado; aquilo que possui uma forma inalienável. Descreve

---

[2]BARCLAY, William. *Filipenses, Colosenses, I y II Tesalonicenses*, p. 45.
[3]HENDRIKSEN, William. *Efésios e Filipenses*, p. 472.
[4]HENDRIKSEN, William. *Efésios e Filipenses*, p. 273.

características inatas, imutáveis e inalteráveis. Assim, pois, Paulo começa dizendo que Jesus é Deus em forma essencial, inalterável e imutável.[5]

Logo Paulo continua dizendo que Jesus "subsistia em forma de Deus". Há duas palavras gregas para forma: *morphe* e *schema*. Elas podem ser traduzidas por "forma". Todavia, elas não têm o mesmo significado. *Morphe* é a forma essencial de algo que jamais se altera; *schema* é a forma externa que muda de tempo em tempo e de circunstância em circunstância. A palavra que Paulo usa com referência a Jesus é *morphe*. Jesus está de maneira inalterável na forma de Deus; a Sua essência e o Seu ser imutável são divinos.[6] Werner de Boor faz referência à bela formulação de Lutero: "O Filho do Pai, Deus por natureza...".[7] Nessa mesma linha de pensamento, Ralph Martin diz que *morphe* é "natureza essencial" em oposição à "forma exterior" *schema*.[8] O erudito Lightfoot diz que *morphe* não implica características externas, mas atributos essenciais.[9]

Há uma profunda conexão entre *morphe* e *schema*. A primeira se refere àquilo que é anterior, essencial e permanente na natureza de uma pessoa ou coisa; enquanto a segunda aponta para o seu aspecto externo, acidental ou aparente.[10] O que Paulo está dizendo, pois, em Filipenses 2.6 é que Cristo Jesus sempre foi (e continuará sempre a ser) Deus por natureza, a expressa imagem da divindade. O caráter específico da divindade, segundo se manifesta em todos os atributos divinos, foi e é a sua eternidade, diz William Hendriksen.[11] Jesus sempre foi Deus (Jo 1.1; Cl 1.15; Hb 1.3). Ele sempre possuiu toda a glória e louvor no céu. Com o Pai e o Espírito Santo, Ele sempre reinou sobre o universo.

Há outra verdade gloriosa exposta no versículo 6. O apóstolo Paulo diz que Jesus ... *não julgou como usurpação o ser igual a Deus*, ou seja, não considerou a sua igualdade com Deus como "algo que deveria reter egoisticamente". A palavra grega aqui traduzida por "usurpação" é

---

[5]BARCLAY, William. *Filipenses, Colosenses, I y II Tesalonicenses*, p. 43.
[6]BARCLAY, William. *Filipenses, Colosenses, I y II Tesalonicenses*, p. 43.
[7]BOOR, Werner de. *Carta aos Efésios, Filipenses e Colossenses*, p. 206.
[8]MARTIN, Ralph P. *Filipenses: Introdução e Comentário*, p. 107
[9]LIGHTFOOT, J. B. *St. Paul's Epistle to the Philippians*, p. 108.
[10]HENDRIKSEN, William. *Efésios e Filipenses*, p. 473.
[11]HENDRIKSEN, William. *Efésios e Filipenses*, p. 474.

harpagmos. Essa palavra só aparece aqui em toda a Bíblia.[12] Ela provém de um verbo que significa arrebatar ou aferrar-se. Jesus não se agarrou aos privilégios de Sua igualdade com Deus; antes, abriu mão dela por amor aos homens.[13] Ralph Martin afirma que para o Cristo pré-encarnado, em vez de imaginar que igualdade com Deus significa *obter*, ao contrário Ele *deu* – deu até tornar-se vazio.[14]

F. F. Bruce interpreta corretamente essa questão, quando escreve:

> Não existe a questão de Cristo tentar arrebatar, ou apoderar-se da igualdade com Deus: Ele é igual a Deus, porque o fato de Ele *ser igual a Deus* não é *usurpação*; Cristo é Deus em Sua natureza. Tampouco existe a questão de Cristo procurar reter essa igualdade pela força. A questão fundamental é, antes, que Cristo não usou a Sua igualdade com Deus como desculpa para autoafirmação, ou autopromoção; ao contrário, Ele a usou como ocasião para renunciar a todas as vantagens ou privilégios que a divindade lhe proporcionava, como oportunidade para autoempobrecimento e autossacrifício sem reservas.[15]

Jesus não pensou em si mesmo; Ele pensou nos outros. Ele abriu mão de Sua glória, desceu das alturas e usou os Seus privilégios para abençoar os outros.

Certa feita, um repórter entrevistou um próspero orientador profissional.

– Qual é o segredo do seu sucesso? – perguntou o repórter.

– Se quiser descobrir o que vale realmente um trabalhador, não lhe dê responsabilidades; dê-lhe privilégios – respondeu o orientador.

Muitas pessoas são capazes de cumprir responsabilidades, mas só um líder sabe lidar com privilégios, usando-os para ajudar os outros. Um homem inescrupuloso se servirá dos privilégios para autopromoção.[16] Jesus usou os Seus privilégios celestes para o bem dos outros.

---

[12] Moule, H. C. G. *Studies in Philippians*, p. 64.
[13] Barclay, William. *Filipenses, Colosenses, I y II Tesalonicenses*, p. 44.
[14] Martin, Ralph P. *Filipenses: Introdução e comentário*, p. 110.
[15] Bruce, F. F. *Filipenses*, p. 78.
[16] Wiersbe, Warren W. *Comentário bíblico expositivo*, p. 95.

A Bíblia diz que Ele andou por toda parte, fazendo o bem e curando a todos os oprimidos do diabo (At 10.38).

Vale a pena contrastar a atitude de Cristo com a atitude de Lúcifer (Is 14.12-15) e com a de Adão (Gn 3.1-7). Lúcifer foi o mais elevado dos seres angélicos, assistindo junto ao trono de Deus (Ez 28.11-19), mas desejou ser igual a Deus e sentar-se sobre o seu trono. Lúcifer declarou: "Eu farei", mas Jesus disse: "Faça-se a tua vontade". Lúcifer não se contentou em ser uma criatura, queria ser o criador; Jesus era o criador e, voluntariamente, fez-se homem. A humildade de Jesus constitui uma reprovação ao orgulho de satanás. Lúcifer não se contentou apenas em ser rebelde, mas invadiu o Éden e tentou o homem à rebeldia. Adão tinha tudo, era o rei da criação, mas satanás lhe disse: "Sereis como Deus". O homem, então, tentou agarrar algo que estava para além do seu alcance e assim precipitou toda a raça humana no pecado e na morte. Adão pensou unicamente em si; Jesus Cristo pensou nos outros.[17] F. F. Bruce coloca essa questão assim:

> Adão, criado homem, à imagem de Deus, tentou arrebatar para si uma falsa e ilusória igualdade com Deus. Cristo alcançou o senhorio universal mediante a Sua renúncia, enquanto Adão perdeu o seu senhorio mediante o roubo do fruto proibido.[18]

Robertson corretamente afirma que Paulo não está aqui nos oferecendo apenas um debate teológico técnico acerca da Pessoa de Cristo; em vez disso, ele está fazendo um uso prático da encarnação de Cristo para enfatizar a grande lição da humildade como fator essencial para a unidade. Cristo se humilhou, e nós também devemos fazê-lo.[19]

Em segundo lugar, ***Ele se esvaziou*** (2.6,7). O Filho de Deus deixou o céu, a glória, o Seu trono, e se fez carne, fez-Se homem, Se encarnou. Aquele que em seu estado pré-encarnado é igual a Deus é a mesma Pessoa que Se esvaziou. O verbo grego *kenou*, "se esvaziou", literalmente

---

[17] WIERSBE, Warren W. *Comentário bíblico expositivo*, p. 95.
[18] BRUCE, F. F. *Filipenses*, p. 78.
[19] ROBERTSON, A. T. *Paul's joy in Christ: Studies in Philippians*, p. 123.

significa "tirar algo de um recipiente até que fique vazio" ou "derramar algo até que não fique nada". Paulo usa aqui a palavra mais gráfica possível para que se faça patente o sacrifício da encarnação.[20]

Do que Cristo se esvaziou? Certamente não foi da existência "na forma de Deus". Isso seria impossível. Ele continuou sendo o Filho de Deus. Indubitavelmente, Cristo renunciou ao Seu ambiente de glória. Ele pôs de lado Sua majestade e glória (Jo 17.5), mas permaneceu Deus. Ele jamais deixou de ser possuidor da natureza divina. Mesmo em Seu estado de humilhação, jamais se despojou de Sua divindade.

F. F. Bruce diz que, em vez de explorar a Sua igualdade com Deus, e dela auferir vantagens, Jesus despojou a Si próprio, não de Sua natureza divina, visto que isso seria impossível, mas das glórias e das prerrogativas da divindade. Isso não significa que Ele *trocou* a Sua natureza (ou forma) divina pela natureza (ou forma) de um escravo: significa que Ele demonstrou a natureza (ou forma) de Deus na natureza (ou forma) de um escravo.[21] No cenáculo, Jesus pegou uma bacia, cingiu-se com uma toalha, lavou os pés dos discípulos e, depois, disse-lhes: *Vós me chamais Mestre e Senhor; e dizeis bem, porque eu o sou. Ora, se eu, o Senhor e Mestre, vos lavei os pés, também vós deveis lavar os pés uns aos outros.*[22]

William Hendriksen, abrindo uma janela para o nosso entendimento dessa gloriosa verdade, diz que a inferência é que Cristo se esvaziou de Sua existência-na-forma-de-igualdade-a-Deus e ilustra com alguns pontos.[23]

- *Ele renunciou Sua relação favorável à lei divina.* Enquanto permanecia no céu, nenhuma carga de culpa pesava sobre Ele. Entretanto, ao encarnar-Se, Ele que não conheceu pecado, se fez pecado por nós (Jo 1.29; 2Co 5.1); Ele que era bendito eternamente, se fez maldição por nós (Gl 3.13) e levou sobre o Seu corpo, no madeiro, todos os nossos pecados (1Pe 2.24).

---

[20] BARCLAY, William. *Filipenses, Colosenses, I y II Tesalonicenses*, p. 44.
[21] BRUCE, F. F. *Filipenses*, p. 78,79.
[22] João 13.13,14.
[23] HENDRIKSEN, William. *Efésios e Filipenses*, p. 477,478.

- *Ele renunciou às Suas riquezas.* O apóstolo Paulo diz: "Pois conheceis a graça de nosso Senhor Jesus Cristo, que sendo rico, se fez pobre por amor de vós, para que, pela Sua pobreza, vos tornásseis ricos" (2Co 8.9). Jesus renunciou a tudo, até mesmo à Sua própria vida (Jo 10.11). Tão pobre Ele era que tomou emprestado um lugar para nascer, uma casa para pernoitar, um barco de onde pregar, um animal para cavalgar, uma sala para reunião e um túmulo para ser sepultado.
- *Ele renunciou à Sua glória celestial.* Ele tinha glória com o Pai antes que houvesse mundo (Jo 17.5). No entanto, voluntariamente deixou a companhia dos anjos e veio para ser perseguido e cuspido pelos homens. Do infinito sideral de eterno deleite, na própria presença do Pai, voluntariamente Ele desceu a este reino de miséria a fim de armar a Sua tenda com os pecadores. Ele, em cuja presença os serafins cobriam o rosto, o objeto da mais solene adoração, voluntariamente desceu a este mundo, onde foi ... *desprezado e o mais rejeitado entre os homens; homem de dores e que sabe o que é padecer* (Is 53.3).
- *Ele renunciou ao livre exercício de Sua autoridade.* Ele voluntariamente submeteu-se ao Pai e diz: *Eu não procuro a minha própria vontade, e, sim, a dAquele que me enviou* (Jo 5.30).

Bruce Barton, comentando este texto, diz que Jesus não era parte homem e parte Deus; Ele era completamente humano e completamente divino. Antes de Jesus vir ao mundo, as pessoas só podiam conhecer a Deus parcialmente. Depois, puderam conhecê-Lo plenamente, porque Ele se tornou visível e tangível. Cristo é a perfeita expressão de Deus em forma humana. Ele é a exegese de Deus. nEle habita corporalmente toda a plenitude da divindade. Como homem, porém, Jesus estava limitado a lugar, tempo e outras limitações humanas. Contudo, Ele não deixou de ser plenamente Deus ao tornar-se humano, embora abdicasse de Sua glória e de Seus direitos.[24]

É estonteante refletir que Paulo tenha escrito sobre esse sublime mistério da humilhação de Cristo para ensinar a igreja de Filipos acerca da humildade nos relacionamentos. Werner de Boor corrobora, dizendo:

---

[24] BARTON, Bruce B. et all. *Life application Bible commentary on Philippians*, p. 58.

Será que haveria pessoas em Filipos que deveriam doar, ceder, tornarem-se humildes, mas que declarariam: "Não se pode exigir isso de mim. Isso é demais para minha boa vontade!"? Será que qualquer um deles, Paulo ou os filipenses, ainda poderia reivindicar quaisquer direitos no serviço a esse Jesus? "Esvaziar-se", renunciar, tornar-se pequeno – será que ainda seria difícil agir assim após ouvir acerca desse Jesus e da forma que Ele abriu mão do que tinha: passando da forma divina para a figura de escravo? Será que esse incrível salto para as profundezas poderia ser comparável ao salto de um pecador perdido e condenado para se tornar escravo desse Jesus? Se em algum momento houver problemas com a concórdia e a comunhão dos irmãos porque alguma coisa ainda está sendo retida, então Jesus ainda não foi corretamente apreendido. É justamente por isso, não para escrever capítulos de uma obra doutrinária, que Paulo mostra Jesus aos filipenses.[25]

Em terceiro lugar, *Ele serviu* (2.7). O eterno Filho de Deus não nasceu em um palácio. O Rei dos reis não nasceu num berço de ouro nem entrou no mundo por intermédio de uma família rica e opulenta; ao contrário, nasceu num berço pobre, numa família pobre, numa cidade pobre. Jesus nasceu numa manjedoura, cresceu numa carpintaria e morreu numa cruz. Ele não veio ao mundo para ser servido, mas para servir (Mc 10.45).

Jesus não pensou nos outros apenas de forma abstrata; Ele assumiu a forma de servo, Ele serviu. A palavra "forma" aqui é novamente *morphe*, uma forma absoluta. Jesus não fingiu ser um servo. Ele não foi um ator no desempenho de um papel. Ele, de fato, foi servo! A única pessoa no mundo que tinha razão de fazer valer os Seus direitos, os renunciou. E foi Cristo Jesus mesmo que disse: *Pois, no meio de vós, eu sou como quem serve* (Lc 22.27). Jamais algum servo serviu com mais imutável lealdade, abnegada devoção e irrepreensível obediência do que Jesus.[26] O Senhor de todos tornou-se servo de todos (Mt 20.27; Mc 10.45). Jesus assumiu a forma de servo como Ele era antes em toda a eternidade em forma de Deus.[27]

---

[25] BOOR, Werner de. *Carta aos Efésios, Filipenses e Colossenses*, p. 210.
[26] HENDRIKSEN, William. *Efésios e Filipenses*, p. 480.
[27] ROBERTSON, A. T. *Paul's joy in Christ: Studies in Philippians*, p. 130.

Jesus serviu aos pecadores, às meretrizes, aos cobradores de impostos, aos doentes, aos famintos, aos tristes e enlutados. Quando os Seus discípulos, no cenáculo, ainda alimentavam pensamentos soberbos, Ele pegou uma toalha e uma bacia e lavou os seus pés (Jo 13.1-13).

Em quarto lugar, *Ele se tornou em semelhança de homens* (2.7). O que Paulo quer dizer quando afirmou que Cristo Jesus se tornou em semelhança de homens e foi reconhecido em figura humana? Aquele que era em forma de Deus e era igual a Deus desde toda a eternidade tomou a forma de um homem num particular momento da história. Robertson corretamente afirma que a humanidade, embora completamente real e não meramente aparente como diziam os docéticos gnósticos, não podia expressar tudo o que Cristo verdadeiramente era. Ele continuou subsistindo em forma de Deus em Sua natureza essencial a despeito de Sua encarnação. Ele conservou a natureza essencial de Deus mesmo depois de se tornar à semelhança de homens.[28]

William Hendriksen diz que, embora os homens estivessem certos em reconhecer a humanidade de Cristo, estavam errados em dois aspectos: rejeitaram a Sua *humanidade impecável* e a Sua *divindade*. E ainda que toda a Sua vida e, particularmente, as Suas palavras e os Seus atos poderosos manifestassem "a divindade velada na carne", todavia, de um modo geral, rejeitaram as Suas reivindicações e O odiaram ainda mais por causa delas (Jo 1.11; 5.18; 12.37). Cumularam-No de escárnio, de forma que *Era desprezado e o mais rejeitado entre os homens...* (Is 53.3).[29]

Neste versículo 7, o apóstolo Paulo usa três palavras gregas que nos ajudam a entender o que significa para o eterno Filho de Deus se tornar em semelhança de homens. A primeira palavra é *morphe*, a mesma palavra usada no versículo 6 para expressar "forma de Deus". Essa palavra foi utilizada para falar de Jesus em forma de Deus, e, agora, é usada para falar dEle em forma de servo. A palavra *morphe*, segundo James Montgomery Boyce, tem diferentes significados na língua grega; ela se refere tanto ao caráter interno de uma pessoa ou coisa quanto à forma externa que expressa esse caráter interno. Desta maneira, quando

---

[28] ROBERTSON, A. T. *Paul's joy in Christ: Studies in Philippians*, p. 131.
[29] HENDRIKSEN, William. *Efésios e Filipenses*, p. 483.

Paulo diz que Cristo tomou a forma de servo, ele quer dizer que Cristo se tornou homem tanto interna quanto externamente. Já temos visto que Cristo possuía internamente a natureza de Deus e a apresentou externamente. Nesse mesmo sentido, Jesus também tinha a natureza de homem tanto interna quanto externamente. Exceto no pecado, qualquer coisa que pode ser dita acerca do homem, pode ser dita também sobre o Senhor Jesus Cristo.[30] Jesus, assim, tornou-se semelhante ao primeiro Adão, que foi sem pecado, mas, como segundo Adão, fez-Se pecado por nós, para vencer o pecado e nos remir dele.

A segunda palavra é *homoioma*, traduzida por Paulo por "semelhança". Se a palavra *morphe* refere-se à natureza do homem, a palavra *homoioma* fala dessa externa aparência. Jesus não tem apenas sentimentos e intelecto humanos, Ele tem também a aparência humana. Ele nasceu como um bebê judeu e cresceu como os outros meninos da sua raça. Do ponto de vista físico, Ele foi perfeitamente homem.

A terceira palavra é *schema*, traduzida por Paulo por "figura". O pensamento aqui é de conformidade com a experiência humana. Paulo diz que Cristo não era apenas um homem internamente em Seus sentimentos e emoções; não apenas um homem externamente em Seu aspecto físico, mas também Ele era um homem no sentido de que suportou tudo o que nós suportamos neste mundo: tentação (Hb 4.15), sofrimento (1Pe 2.21) e desapontamento (Mt 23.37). Tudo o que diz respeito à experiência humana, Jesus também vivenciou.

Em quinto lugar, **Ele se sacrificou** (2.8). Muitas pessoas estão prontas a servir outros, se isso não lhes custar nada. Mas, se há um preço a pagar, então perdem o interesse. Jesus Cristo serviu sacrificialmente e foi obediente até à morte e morte de cruz. Cristo se esvaziou e se humilhou quando Se fez homem. Depois desceu mais um degrau nessa escalada da humilhação, quando Se fez servo; mas desceu às profundezas da humilhação quando suportou a morte e morte de cruz. Por Seu sacrifício, Ele transformou esse horrendo patíbulo de morte no símbolo mais glorioso do cristianismo (Gl 6.14).

---

[30] BOYCE, James Montgomery. *Philippians: An expositional commentary*. Grand Rapids, Michigan: Ministry Resources Library, 1971, p. 138.

James Boyce diz que a cruz de Cristo é a grande ênfase de toda a Bíblia, tanto do Antigo quanto do Novo Testamento (Lc 24.25-27). Dois quintos do evangelho de Mateus são dedicados à última semana de Jesus em Jerusalém. Mais de três quintos do evangelho de Marcos, um terço do evangelho de Lucas e quase a metade do evangelho de João dão a mesma ênfase. O apóstolo João fala da crucificação de Cristo como "a hora" vital para a qual Cristo veio ao mundo e o Seu ministério foi exercido (Jo 2.4; 7.30; 8.20; 12.23; 12.27; 13.1; 17.1).[31] O mesmo autor diz que Cristo morreu para remover o pecado (1Pe 2.24; 2Co 5.21), satisfazer a justiça divina (Rm 3.24-26) e revelar o amor de Deus (Jo 3.16; 1Jo 4.10).[32]

A morte de cruz tinha três características:

1. *Ela foi dolorosíssima.* Era a pena de morte aplicada apenas aos escravos e delinquentes. Havia um adágio que dizia que uma pessoa crucificada morria mil mortes. Muitas vezes, o crucificado passava vários dias pregado na cruz e morria lentamente com câimbras, asfixia e dores atrozes.

2. *Ela foi ultrajante.* A pessoa condenada era açoitada, ultrajada e cuspida e, depois, tinha de carregar a cruz debaixo do escárnio da multidão até o lugar da sua execução.

3. *Ela foi maldita.* Uma pessoa que era dependurada na cruz era considerada maldita (Dt 21.23; Gl 3.13). Assim, enquanto Jesus estava pendente na cruz, embaixo satanás e suas hostes O assaltavam; em volta, os homens O escarneciam; de cima, Deus o cobria com um manto de trevas, símbolo de maldição; e, de dentro, prorrompia o amargo grito: *Deus meu, Deus meu, por que me desamparaste?*. De fato, Cristo desceu a este inferno, o inferno do Calvário.[33] Ralph Martin diz que o Senhor da Igreja consentiu em terminar Sua vida num patíbulo romano e, do ponto de vista judeu, morrer sob condenação divina. Assim, Jesus nos conduz como em um imenso mergulho, dos

---

[31] BOYCE, James Montgomery. *Philippians: An expositional commentary*, p. 143.
[32] BOYCE, James Montgomery. *Philippians: An expositional commentary*, p. 145-148.
[33] HENDRIKSEN, William. *Efésios e Filipenses*, p. 483,484.

mais elevados píncaros aos mais profundos vales, da luz de Deus para a escuridão da morte.³⁴

Todavia, não devemos olhar a morte de Cristo na cruz apenas sob a perspectiva do sofrimento físico. A grande questão é: por que Ele morreu na cruz? Cristo não foi para a cruz porque Judas O traiu por ganância, porque os sacerdotes O entregaram por inveja ou porque Pilatos O condenou por covardia. Ele foi para a cruz porque o Pai O entregou por amor e porque Ele a si mesmo Se entregou por nós. Ele morreu pelos nossos pecados (1Co 15.3). Nós O crucificamos. Nós estávamos lá no Calvário não como plateia, mas como agentes da Sua crucificação.

A cruz de Cristo é a maior expressão do amor de Deus por nós e a mais intensa expressão da ira de Deus sobre o pecado. O pecado é horrendo aos olhos de Deus. A santa justiça de Deus exige a punição do pecado. O salário do pecado é a morte. Então, Deus num ato incompreensível de eterno amor, puniu o nosso pecado em Seu próprio Filho, para poupar-nos da morte eterna. Na cruz, Jesus bebeu sozinho o cálice amargo da ira de Deus contra o pecado. Na cruz, Jesus foi desamparado para sermos aceitos. Ele não desceu da cruz para podermos subir ao céu. Ele se fez maldição na cruz para sermos benditos de Deus. Ele morreu a nossa morte para vivermos a Sua vida.

A exaltação de Cristo (2.9-11)

Cinco verdades devem ser também declaradas sobre a exaltação de Cristo:

Em primeiro lugar, *a exaltação de Cristo é obra de Deus* (2.9). O apóstolo Paulo faz uma transição daquilo que Cristo fez para aquilo que Deus fez para Ele e por Ele.³⁵ O mesmo que se humilhou foi exaltado, e essa exaltação lhe foi dada pelo Pai. O caminho da exaltação passa pelo vale da humilhação; a estrada para a coroação passa pela cruz. Deus exalta aqueles que se humilham (Mt 23.13; Lc 14.11; 18.14; Tg 4.10;

---

³⁴MARTIN, Ralph P. *Filipenses: Introdução e comentário*, p. 113.
³⁵MARTIN, Ralph P. *Filipenses: Introdução e comentário*, p. 114.

1Pe 5.6). Foi por causa do sofrimento da morte que essa recompensa lhe foi dada (Hb 1.3; 2.9; 12.2), diz William Hendriksen.[36]

Deus não deixou Cristo na sepultura, mas O levantou da morte, O levou de volta ao céu e O glorificou (At 2.33; Hb 1.3). Deus deu a Jesus "toda autoridade no céu e na terra" (Mt 28.18). Deu a Ele autoridade para julgar (Jo 5.27) e O fez Senhor de vivos e de mortos (Rm 14.9), fazendo-O assentar à Sua destra, acima de todo principado e potestade, constituindo-O cabeça de toda a Igreja (Ef 1.20-22).[37] Fica claro que essa elevação de Jesus não foi a restituição da natureza divina, porque Ele jamais a perdeu, mas foi a restituição da glória eterna que tinha com o Pai antes que houvesse mundo, da qual voluntariamente havia se despojado (Jo 17.5,24).[38]

Porque Jesus se humilhou, Ele foi exaltado. Jesus mesmo é a suprema ilustração de Sua própria afirmação: ... *todo o que se exalta será humilhado; mas o que se humilha será exaltado* (Lc 18.14b). Os homens cuspiram nEle, mas Deus O exaltou. Os homens Lhe deram nomes insultuosos, mas o Pai Lhe deu o nome que está acima de todo nome.

Em segundo lugar, ***a exaltação de Cristo é uma exaltação incomparável*** (2.9). A expressão "O exaltou sobremaneira" é a tradução do verbo grego *hyperhypsoun*, que só aparece aqui em todo o Novo Testamento e apenas pode ser aplicado a Cristo. O significado desse versículo é "superexaltado". Deus, o Pai, enalteceu o Filho de uma forma transcendentemente gloriosa. Soergueu-O à mais elevada excelsitude. Se os salvos vão para o céu, Cristo ultrapassou os céus (Hb 4.14), foi feito mais alto que os céus (Hb 7.26) e subiu acima de todos os céus (Ef 4.10).[39]

A exaltação incomparável de Cristo consistiu no fato de Ele ter recebido um nome que está acima de todo nome (2.9). Ele recebeu esse nome por herança (Hb 1.4) e por doação (2.9). O nome de Jesus, agora, é posse da Igreja. Por meio desse nome, os enfermos são curados (At 3.6), os perdidos são salvos (At 4.12), os crentes são perdoados

---

[36] HENDRIKSEN, William. *Efésios e Filipenses*, p. 485.
[37] BARTON, Bruce B. et all. *Life application Bible commentary on Philippians*, p. 63.
[38] BONNET, L. y SCHROEDER, A. *Comentario del Nuevo Testamento*, p. 553.
[39] HENDRIKSEN, William. *Efésios e Filipenses*, p. 485.

(1Jo 2.12), os cativos são libertos (Lc 10.17), as orações são respondidas (Jo 16.23). O apóstolo Paulo diz que devemos fazer tudo em nome de Jesus (Cl 3.17).

O grande título pelo qual Jesus chegou a ser conhecido na igreja primitiva foi *Kyrios*. A palavra *Kyrios* tem uma história luminosa. 1) Começou significando amo ou proprietário. 2) Chegou a ser o título oficial dos imperadores romanos. 3) Passou a ser o título dos deuses pagãos. 4) *Kyrios* era o termo grego que traduzia Jeová na versão grega das Escrituras, a Septuaginta. Dessa maneira, quando Jesus era chamado *Kyrios*, Senhor, significava que era o Senhor e o Dono de toda vida, o Rei dos reis e Senhor de imperadores; o Senhor de uma maneira em que os deuses pagãos e os ídolos mudos jamais poderiam ser. Jesus era nada menos que divino.[40]

A grande ênfase do Novo Testamento é sobre o senhorio de Cristo. O Filho de Deus é chamado de Senhor mais de seiscentas vezes no Novo Testamento. Somente os que confessam que Jesus é Senhor podem ser salvos. A Bíblia diz que quem tem o Filho tem a vida.

Podemos ilustrar esse ponto como segue:

Havia um homem muito rico que investira grande fortuna em quadros famosos. Tinha orgulho de ter uma das mais requintadas coleções dos maiores e mais consagrados pintores do mundo. Um dia, seu filho único foi ferido numa viagem e morreu. O amigo do seu filho, que o acompanhara em seus últimos suspiros, buscando consolar o pai aflito, enviou-lhe um quadro que ele mesmo pintara do rosto do seu amado filho. Ao receber o quadro, o pai colocou-o numa bela moldura e o pendurou junto a seus quadros mais seletos. Ao perceber que sua morte também se avizinhava, o homem rico chamou seu mordomo e lhe fez as suas últimas recomendações. Determinou que os quadros fossem leiloados e que o dinheiro arrecadado fosse entregue a uma instituição filantrópica. Em dia determinado, o leilão aconteceu. Para surpresa de todos, o mordomo começou leiloando o quadro do filho. Ninguém demonstrou interesse pelo quadro, pois ele não tinha nenhum atrativo nem valor artístico. Alguém, porém, resolveu fazer uma oferta e

---

[40]BARCLAY, William. *Filipenses, Colosenses, I y II Tesalonicenses*, p. 47.

comprou o quadro. Para maior surpresa ainda, o mordomo anunciou o término do leilão. Quando todos estavam inconformados e buscando uma explicação, o mordomo leu o testamento do seu patrão: "Aquele que comprar o quadro do meu filho, tem todos os outros, pois quem tem o meu filho tem tudo". Podemos, de igual forma, afirmar: "Quem tem o Filho, tem a vida", e quem tem Jesus, tem tudo!

Em terceiro lugar, *a exaltação de Cristo é uma exaltação que exige rendição de todos* (2.10). William Hendriksen diz que, em Seu regresso em glória, Jesus será adorado por toda a corporação de seres morais, em todos os setores do universo. Os anjos e os seres humanos redimidos farão isso com intenso regozijo, enquanto os condenados o farão com profunda tristeza e profundo remorso (Ap 6.12-17).[41] Ralph Martin diz que a aclamação final do universo é, também, o *slogan* confessional da Igreja de hoje: "Jesus Cristo é Senhor". Tanto o universo quanto a Igreja unem-se num reconhecimento comum e num tributo unânime.[42]

Na segunda vinda de Cristo, os três mundos vão se dobrar aos seus pés: os céus, a terra e o inferno. Todo joelho se curvará diante do poderoso nome de Jesus no céu (os anjos e os remidos), na terra (os homens) e debaixo da terra (demônios e condenados). Com que júbilo se ajoelharão diante de Jesus os que foram salvos por Ele. Com que pavor cairão de joelhos os que passaram orgulhosamente por Ele ou O rejeitaram!

J. A. Motyer corretamente afirma que Jesus foi coroado no dia da Sua ascensão. Embora o dia da Sua coroação já tenha ocorrido, infelizmente poucos têm conhecimento desse fato auspicioso. Aqueles que amam a Jesus sabem disso e se regozijam nesse fato, mas milhões de pessoas no mundo não sabem que Jesus é o Rei coroado e somente se prostrarão aos Seus pés quando Ele se manifestar em glória. Naquele dia, todo joelho vai se dobrar, toda língua vai confessar que Jesus é Senhor, mas nem todos serão salvos.[43]

Em quarto lugar, *a exaltação de Cristo é uma exaltação proclamada universalmente* (2.11). Toda língua vai confessar que Jesus é Senhor.

---

[41] HENDRIKSEN, William. *Efésios e Filipenses*, p. 487.
[42] MARTIN, Ralph P. *Filipenses: Introdução e comentário*, p. 115.
[43] MOTYER, J. A. *The message of Philippians*, p. 122.

Ele é o Rei dos reis, o Senhor dos senhores, o Todo-poderoso Deus, diante de quem os poderosos deste mundo vão ter de se curvar e confessar que Ele é Senhor. Aqueles que zombaram dEle, vão ter de confessar que Ele é Senhor. Aqueles que O negaram e nEle não quiseram crer, vão ter de admitir e confessar que Ele é Senhor. Essa confissão será pública e universal. Todo o universo vai ter de se curvar diante dAquele que se humilhou, mas foi exaltado sobremaneira!

Isso não significa, obviamente, que todas as pessoas serão salvas. Somente os que agora reconhecem que Jesus é Senhor e O confessam como tal serão salvos (Rm 10.9). Entretanto, na segunda vinda de Cristo, nenhuma língua ficará silenciosa, nenhum joelho ficará sem se dobrar. Todas as criaturas e toda a criação reconhecerão que Jesus é Senhor (2.11; Ap 5.13).

Em quinto lugar, *a exaltação de Cristo é uma exaltação que tem um propósito estabelecido* (2.11). A exaltação de Jesus tem dois propósitos claros:

Que todos, em todo o universo reconheçam o senhorio de Jesus Cristo. Deus O exaltou, O fez assentar à Sua destra e O constituiu Senhor absoluto de todo o universo. O senhorio de Cristo foi a grande ênfase da pregação apostólica (At 2.36; Rm 10.9; Ap 17.14; 19.16). Importa que todos, em todos os lugares, em todos os tempos, reconheçam e confessem que Jesus é Senhor. Em virtude do poder e majestade de Jesus Cristo, e pelo reconhecimento de que Ele é Senhor, toda língua O proclamará.[44]

Pense nos termos pelos quais temos o privilégio de darmos glória a Ele. Pense sobre os Seus nomes. Jesus Cristo é o Maravilhoso Conselheiro, o Deus Forte, o Pai da Eternidade, o Príncipe da Paz. Ele é o Messias, o Senhor, o Primeiro e o Último, o Começo e o Fim, o Alfa e o Ômega, o Ancião de Dias, o Rei dos reis e o Senhor dos senhores, o Deus conosco, Aquele que era, que é e que há de vir. Ele é chamado de a Porta das Ovelhas, o Bom Pastor, o Grande Pastor e o Supremo Pastor, o Bispo das nossas almas. Ele é o Cordeiro sem defeito e sem mácula, o Cordeiro imolado antes da fundação do mundo. Ele é a Palavra, a Luz do Mundo, a Luz da Vida, a Árvore da Vida, a Palavra da Vida, o Pão que desceu do céu, a Ressurreição e a Vida, o Caminho, a Verdade e a

---

[44] HENDRIKSEN, William. *Efésios e Filipenses*, p. 489.

Vida. Ele é o Deus Emanuel. Ele é a Rocha, o Noivo, a Sabedoria de Deus, nosso Redentor. Ele é o Cabeça de todas as coisas, o Amado em quem Deus tem todo o Seu prazer. Meu caro amigo, é Jesus Cristo tudo isso para você? Se Jesus representa todas essas gloriosas verdades para você, então os seus joelhos se dobrarão e a sua língua confessará que Ele é Senhor para a glória de Deus Pai.[45]

Que o Pai seja glorificado pela exaltação do Filho. O fim último de todas as coisas é a glória de Deus (1Co 10.31). Paulo já havia advertido contra o pecado da vanglória (2.3). Toda a glória que não é dada a Deus é glória vazia, é vanglória. Cristo se humilhou e suportou a cruz, para a glória de Deus (Jo 17.1). Ele ressuscitou, e foi exaltado para a glória de Deus (2.11). Ralph Martin sintetiza esse glorioso pensamento de forma sublime:

> O senhorio de Cristo não compete com o de Deus, nem a entronização do Filho ameaça a monarquia única do Pai. Cristo rege para a glória de Deus Pai. Sua soberania é dom do Pai (2.9). Aquilo que Ele se recusou a usurpar egoisticamente, num ato de enaltecimento próprio, destituído de sentido, aprouve ao Pai conceder-lhe, agora. A última palavra é *Pai*, como que para enfatizar que, agora, no Cristo preexistente, encarnado, humilhado, exaltado, Deus e o mundo estão unidos, e um novo segmento da humanidade, um microcosmo da nova ordem de Deus para o universo, está nascendo (Ef 1.10).[46]

Toda a vida e obra de Jesus apontam não para a Sua glória pessoal, mas objetiva a glória de Deus. Jesus atrai os homens para si para poder levá-los a Deus. Na igreja de Filipos, havia alguns que tinham o propósito de satisfazer as suas ambições egoístas. No entanto, o único propósito de Jesus era servir a outros, ainda que isso lhe tenha custado a maior de todas as renúncias. Enquanto alguns membros da igreja de Filipos queriam ser o centro das atenções, Jesus queria que o único centro da atenção fosse Deus. Assim, também, o seguidor de Cristo nunca deve pensar em si mesmo, senão nos demais; não deve buscar a sua própria glória, senão a glória de Deus.[47]

---

[45] BOYCE, James Montgomery. *Philippians: An expositional commentary*, p. 160.
[46] MARTIN, Ralph P. *Filipenses: Introdução e comentário*, p. 115.
[47] BARCLAY, William. *Filipenses, Colosenses, I y II Tesalonicenses*, p. 48.

8

A salvação, uma dádiva a ser desenvolvida

Filipenses 2.12-16

A TEOLOGIA NÃO É ESPECULAÇÃO FILOSÓFICA; ela produz vida. James Montgomery Boyce diz que a verdade conduz à ação.[1] Ralph Martin diz que, em seguida ao hino soteriológico (Fp 2.6-11), Paulo prossegue, a fim de fazer uma aplicação penetrante. "Assim, pois" é uma expressão voltada para a conclusão da seção mencionada. Paulo não está começando um novo assunto, mas fazendo uma aplicação do assunto anterior. O chamado é para a obediência.[2]

O conhecimento e a experiência não têm nenhum valor se não nos ajudam a viver nos vales da vida e se não nos capacitam a viver em amor. Depois que Paulo tratou do exemplo de Cristo, falando acerca da Sua humilhação e exaltação, volta a exortar a igreja à obediência e à unidade. Paulo é um pastor e, por isso, antes de exortar os crentes, revela a eles o Seu amor, chamando-os de *amados meus* (1.7,8; 2.12). Paulo tem tato e diplomacia ao lidar com as pessoas, especialmente quando vai exortá-las à obediência (Gl 6.1).

Destacamos três pontos:

---

[1] BOYCE, James Montgomery. *Philippians: An expositional commentary*, p. 161.
[2] MARTIN, Ralph P. *Filipenses: Introdução e comentário*, p. 116.

Em primeiro lugar, *o exemplo de Cristo é o nosso maior estímulo à obediência* (2.12). O problema da igreja de Filipos era a desarmonia entre os crentes produzida pelo egoísmo. Os crentes estavam se atritando a ponto de alguns trabalharem na igreja para a promoção pessoal ou o maior reconhecimento do seu grupo (Fp 2.3). A base dessa atitude mesquinha era o egoísmo (Fp 2.4). Então, Paulo exorta os crentes a olharem o exemplo de Cristo e terem o mesmo sentimento que houve nEle (Fp 2.5). Depois que Paulo detalhou os estágios da humilhação e exaltação de Cristo, cobrou da igreja um posicionamento. Lightfoot diz que Paulo mostrou o exemplo da humilhação de Cristo para guiá-los, e o exemplo da exaltação de Cristo para encorajá-los.[3]

A preposição "pois" no versículo 12 é um elo o entre o que Paulo estava falando e o que agora vai falar. Assim como Jesus obedeceu ao Pai, os cristãos também devem obedecer. Ele diz que o exemplo de Cristo, a Sua humilhação e a recompensa de Sua exaltação são a principal razão para a igreja viver em obediência. O que nós cremos precisa se refletir em nosso modo de vida. Nossa teologia precisa produzir vida.

Em segundo lugar, *a doutrina sempre tem propósitos práticos* (2.12). Essas gloriosas doutrinas expostas em Filipenses 2.5-11 têm um propósito prático. A doutrina tem a finalidade de conduzir a igreja na verdade. Ela é a base da ética e o alicerce da vida. Ainda ecoam em nossos ouvidos a verdade celestial acerca do Filho de Deus que desceu da glória para a vergonha da cruz, e isso por amor de nós, pecadores. Somos exortados a agir à luz desse vasto e insondável amor. O ensino de Paulo nos mostra que a doutrina sempre conduz ao cristianismo prático.[4] Quanto mais estudamos teologia, tanto mais humildes deveremos ser. Quanto mais luz temos na mente, tanto mais amor deveremos ter no coração.

Em terceiro lugar, *a obediência do cristão é ultracircunstancial* (2.12). Alguns crentes estavam muito dependentes da presença física de Paulo em Filipos para viverem de conformidade com a Palavra. Esses crentes sofriam de uma espécie de nostalgia, vivendo um saudosismo dos tempos áureos que Paulo esteve com eles (Fp 1.27). Contudo, Paulo estava

---

[3] LIGHTFOOT, J. B. *St Paul's Epistle to the Philippians*, p. 113.
[4] BOYCE, James Montgomery. *Philippians: An expositional commentary*, p. 162.

preso em Roma, e eles deveriam manter o mesmo compromisso, apesar da sua ausência. Eles deveriam pôr a sua confiança em Deus, e não na presença do apóstolo entre eles.

William Hendriksen diz que a obediência dos filipenses não deveria ser motivada pela presença de Paulo, nem durar só enquanto ele estivesse em seu meio.[5] O cristão obedece não porque o pastor está presente, ou para agradar a esse ou àquele grupo. Sua obediência independe das circunstâncias e das pessoas.

Examinaremos esse texto e extrairemos dele três gloriosas verdades, acerca da nossa salvação.

A salvação **recebida** (2.12)

A salvação não é uma conquista do homem, mas um presente de Deus. Ela é nossa, não por direito de conquista, mas por dádiva imerecida. A salvação não é um prêmio pelas nossas obras, mas um troféu da graça de Deus. Há duas verdades que merecem ser destacadas aqui:

Em primeiro lugar, *a salvação é um presente de Deus a nós, e não uma conquista nossa* (2.12). Quando o apóstolo Paulo diz: ... *desenvolvei a vossa salvação...* (Fp 2.12; grifo do autor), ele não está afirmando que ela nos pertence por direito de conquista. Ela é nossa porque nos foi dada. Ela é nossa porque alguém a comprou por um alto preço e no-la deu gratuitamente. A nossa salvação foi comprada por um alto preço. Ela não foi comprada por prata ou ouro, mas pelo precioso sangue de Cristo (1Pe 1.18,19).

Em segundo lugar, *a salvação verdadeiramente nos pertence* (2.12). Muitos cristãos, por não estarem arraigados nas doutrinas da graça, ficam inseguros acerca desse ponto, pensando que a salvação nos é dada num momento e tomada em outro; que podemos estar salvos num dia e perdidos no outro. Isso é absolutamente impossível. A salvação é um presente que nos foi dado para sempre (Rm 8.1). Uma vez salvo, salvo para sempre (Rm 8.31-39). Uma vez membro da família de Deus, jamais seremos deserdados (Rm 8.17). Uma vez ovelha de Cristo, jamais alguém poderá nos arrancar da mão de Cristo (Jo 10.28).

---

[5] HENDRIKSEN, William. *Efésios e Filipenses*, p. 493.

Paulo diz: ... *desenvolvei a* vossa *salvação*... (Fp 2.12; grifo do autor). O estudioso da língua grega H. C. G. Moule diz que a palavra "vossa" é fortemente enfática.[6]

A salvação **desenvolvida** (2.12,13)

Destacamos aqui cinco pontos:

Em primeiro lugar, *a soberania de Deus não anula a responsabilidade humana* (2.12). Há dois equívocos muito comuns acerca da salvação: o primeiro deles é pensar que a salvação é o resultado do esforço humano. A maioria das religiões prega que o homem abre o seu próprio caminho rumo a Deus. Por conseguinte, a salvação é o resultado de mero esforço humano.

O segundo equívoco é pensar que a salvação é uma parceria do homem com Deus. O sinergismo prega que a salvação é resultado da obra de Deus conjugada com a cooperação humana. O versículo 12 não diz: "trabalhai para a vossa salvação", mas "desenvolvei a vossa salvação". Ninguém pode desenvolver a sua salvação a não ser que Deus já tenha trabalhado nele.[7]

A verdade bíblica insofismável é que a salvação é obra exclusiva de Deus. Contudo, o fato de Deus nos dar graciosamente a salvação, não significa que ficamos passivos nesse processo. A salvação é de Deus e nos é dada por Deus, mas precisamos desenvolvê-la. Corretamente Robertson afirma que a graça de Deus não é uma desculpa para não fazermos nada. Antes, ela é uma forte razão para fazermos tudo. Tanto na religião quanto na natureza, somos cooperadores de Deus (1Co 3.6-9). Nós plantamos e regamos, mas Deus dá-nos a semente, o solo, envia o sol e a chuva e faz a semente crescer e frutificar.[8]

H. C. G. Moule diz que a principal referência à salvação aqui é à glória final.[9] Ela precisa ser "efetuada" na vida prática, à vista da aproximação do "dia de Cristo", que lhes completará a salvação (Rm 13.11).[10]

---

[6] MOULE, H. C. G. *Studies in Philippians*, p. 72.
[7] BOYCE, James Montgomery. *Philippians: An expositional commentary*, p. 162.
[8] ROBERTSON, A. T. *Paul's joy in Christ: Studies in Philippians*, p. 147,148.
[9] MOULE, H. C. G. *Studies in Philippians*, p. 72.
[10] BRUCE, F. F. *Filipenses*, p. 90.

William Hendriksen interpreta corretamente quando diz que a palavra "desenvolvei" traz a ideia de um esforço contínuo, vigoroso, estrênuo: "Continuem a desenvolver". Embora, salvos de uma vez por todas quando cremos em Jesus, os crentes não são salvos de um só golpe (por assim dizer). Sua salvação é um processo (Lc 13.23; At 2.47; 2Co 2.15). É um processo no sentido em que eles mesmos, longe de permanecerem passivos ou inativos, tomam parte ativa. É um prosseguir, um seguir após, um avançar com determinação, uma contenda, uma luta, uma corrida (Rm 14.18; 1Co 9.24-27; 1Tm 6.12).[11]

Warren Wiersbe ainda nos ajuda na compreensão desse verbo "desenvolvei". Ele diz que esse verbo tem o sentido de "trabalhar até a consumação", como quem trabalha em um problema de matemática até chegar ao resultado final. No tempo de Paulo, esse termo também se referia a "trabalhar em uma mina" extraindo dela o máximo possível de minério valioso, ou "trabalhar em um campo" obtendo a melhor colheita possível. O propósito que Deus deseja que alcancemos é a semelhança com Cristo (Rm 8.29).[12]

Recebemos de graça essa gloriosa propriedade; mas, agora, precisamos cultivá-la. Não a cultivamos para possuí-la, mas porque a possuímos. F. F. Bruce está correto quando diz que, neste contexto, Paulo não está exortando cada membro da igreja a empenhar-se na obra de sua salvação pessoal; Paulo está pensando na saúde e no bem-estar geral da igreja como um todo. Cada crente e todos os crentes, num corpo só, precisam prestar atenção a esse fato.[13]

Conforme já analisamos, a palavra traduzida por "desenvolvei" no versículo 12, o verbo grego *katergazesthai*, sempre incorpora a ideia de levar a cabo, de fazer uma coisa em forma plena, completa e perfeita, de modo que seja terminada e concluída.[14] O caminho da salvação foi delineado no hino soteriológico (Fp 2.6-11). Resta aos filipenses aplicá-lo em sua vida coletiva a fim de resolver as rivalidades e as desavenças e crescerem na graça.

---

[11] HENDRIKSEN, William. *Efésios e Filipenses*, p. 493.
[12] WIERSBE, Warren W. *Comentário bíblico expositivo*. Vol. 2, 2006, p. 99.
[13] BRUCE, F. F. *Filipenses*, p. 90.
[14] BARCLAY, William. *Filipenses, Colosenses, I y II Tesalonicenses*, p. 49.

Em segundo lugar, *a posse e o desenvolvimento da salvação produzem reverência, e não relaxamento* (2.12). Quando Paulo fala em "temor e tremor", não está falando de temor servil. Esse não é o temor de um escravo se arrastando aos pés do seu senhor. Não é o temor ante a perspectiva do castigo.[15] Deus não é um policial ou guarda cósmico diante de quem devemos ter medo; nem, também, é um pai bonachão e complacente; ao contrário, Ele é majestoso, santo e misericordioso. Nosso grande temor deve ser em ofendê-Lo e desagradá-Lo, depois de Ele ter nos amado a ponto de nos dar Seu Filho para morrer em nosso lugar.

Nessa mesma linha de pensamento, F. F. Bruce escreve:

> É evidente que a atitude recomendada pelo apóstolo aqui nada tem a ver com o terror servil; o apóstolo tranquiliza os crentes de Roma, dizendo: [...] *não recebestes o espírito de escravidão para outra vez estardes em temor* (Rm 8.15). Trata-se, antes, de uma atitude de reverência e profundo respeito, na presença de Deus, de extrema sensibilidade à Sua vontade, de consciência de nossa responsabilidade à vista de havermos de prestar contas perante o tribunal de Cristo.[16]

Lightfoot diz que esse temor é uma espécie de ansiedade para fazer o que é certo.[17] Robertson corretamente afirma que as pessoas hoje não tremem na presença de Deus e têm um fraco senso de temor. O grande sermão do evangelista Jonathan Edwards "Pecadores nas mãos de um Deus irado" não encontraria eco nos dias de hoje. Vivemos numa geração extremamente complacente. Ficaram para trás os dias em que os Puritanos falavam em agonia de arrependimento.[18]

As pessoas que mais tiveram intimidade com Deus foram as que mais se prostraram reverentes aos Seus pés. Os que tiveram uma visão da Sua glória foram aqueles que caíram prostrados no chão em reverente adoração. Hoje, muitos demonstram intimidade com Deus em palavras, mas uma imensa distância dEle na vida.

---

[15] BARCLAY, William. *Filipenses, Colosenses, I y II Tesalonicenses*, p. 51.
[16] BRUCE, F. F. *Filipenses*, p. 90,91.
[17] LIGHTFOOT, J. B. *St Paul's Epistle to the Philippians*, p. 114.
[18] ROBERTSON, A. T. *Paul's Joy in Christ: Studies in Philippians*, p. 145.

Em terceiro lugar, *o desejo pela salvação é obra de Deus em nós* (2.13). O apóstolo Paulo esclarece: *Porque Deus é quem efetua em vós tanto o querer como o realizar...* Ralph Martin diz que não ficamos entregues a nós mesmos, nesta tarefa, pois Deus é quem efetua em nós tanto o querer quanto o realizar.[19]

William Barclay diz que Deus é quem desperta o desejo dEle em nossos corações. É verdade que "nossos corações estão inquietos até que descansam nEle" e também que "nem sequer podemos começar a buscá-Lo a não ser que Ele já nos tenha encontrado. O começo do processo da salvação não depende de nenhum desejo humano; só Deus é quem pode despertá-lo.[20]

F. F. Bruce corretamente afirma que o Espírito realiza o que a lei não consegue realizar: a lei poderia dizer às pessoas o que deveriam fazer, mas não podia suprir-lhes o poder, nem mesmo a vontade de fazê-lo; o Espírito supre ambas as coisas (Rm 8.3,4; 2Co 3.4-6).[21] Por intermédio do Espírito Santo, Deus "energiza" e "capacita" o Seu povo para as tarefas que Ele deseja que ele faça (1Co 12.4-7). Deus dá o desejo e a habilidade. Deus trabalha nos crentes e os crentes trabalham para Deus. Os crentes se tornam cooperadores de Deus.[22]

Não há nenhum desejo em nós por Deus e pela Sua obra que não proceda do próprio Deus. Mesmo quando estamos desenvolvendo a nossa salvação, temos consciência de que é Deus quem está operando em nós mediante o Seu Espírito. Em última instância, não somos nós quem trabalhamos, mas Deus trabalha em nós e por nosso intermédio.

O trabalho de Deus começa com a nossa vontade, e a vontade precede a ação. À parte da obra de Deus em nosso coração, jamais teremos a vontade livre quando se trata de realidades espirituais. Na verdade, não temos vontade livre em nenhuma coisa que envolva nossa capacidade física, intelectual e espiritual. Não temos capacidade de decidir por nós mesmos ter 50% a mais de quociente de inteligência. Não

---

[19] MARTIN, Ralph P. *Filipenses: Introdução e comentário*, p. 117.
[20] BARCLAY, William. *Filipenses, Colosenses, I y II Tesalonicenses*, p. 50.
[21] BRUCE, F. F. *Filipenses*, p. 91.
[22] BARTON, Bruce B. et all. *Life application Bible commentary on Philippians*, p. 67.

temos capacidade de decidir ter um centímetro a mais em nosso tamanho. De igual modo, não temos capacidade de escolher Deus. Somente Adão antes da Queda teve livre-arbítrio. Somos como um homem à beira de um profundo abismo. Enquanto estivermos à beira do abismo, temos livre vontade. Entretanto, se cairmos nele, não teremos condições de, por nosso próprio esforço, sairmos de lá. Desde a queda de Adão, todos nós nascemos com a total incapacidade de escolhermos a Deus. Ninguém jamais pode desejar a Deus sem que primeiro Deus predisponha a Sua vontade. Ninguém pode fazer a vontade de Deus a não ser que o próprio Deus venha e o tire do abismo e lhe diga: "Este é o caminho, andai por ele".[23]

Werner de Boor apresenta essa sublime verdade de forma esclarecedora, como segue:

> Realmente, nenhum de nós poderá ter no coração o menor anseio por salvação se Deus não nos despertar previamente da condição de *mortos em delitos e pecados* (Ef 2.1) e nos atrair para a salvação. A cada um, porém, em quem Deus realizou isso, cumpre dizer agora com máxima seriedade: não brinque com essa salvação, siga-a realmente, não deixe escapar essa hora da graça, justamente porque ela não é apenas o seu próprio "estado de ânimo", a sua própria 'ideia', mas a atuação decididamente divina em seu coração. O querer gerado por Deus – que responsabilidade isso traz para nós! Realmente só podemos aproveitar esse querer "com temor e tremor, em sagrada seriedade!"[24]

Em quarto lugar, *a continuação do processo da salvação também é obra de Deus em nós* (2.13). William Barclay diz que a continuação desse processo depende de Deus: sem a Sua ajuda, não se pode fazer nenhum progresso no bem; sem a Sua ajuda, nenhum pecado pode ser vencido. Somente por meio da ação de Deus em nós, podemos superar o mal e praticar o bem.[25] A verdadeira vida cristã não pode permanecer no mesmo lugar; deve estar em contínuo progresso.

---

[23] BOYCE, James Montgomery. *Philippians: An expositional commentary*, p. 165.
[24] BOOR, Werner de. *Carta aos Efésios, Filipenses e Colossenses*, p. 218.
[25] BARCLAY, William. *Filipenses, Colosenses, I y II Tesalonicenses*, p. 50.

O apóstolo Paulo diz que Deus é quem efetua em nós tanto o querer como *o realizar* (Fp 2.13). Não apenas o desejo, mas também toda obra realizada em nós é ação divina.

A palavra grega usada por Paulo aqui é *energein*. William Barclay diz que sobre esse verbo precisamos observar duas coisas importantes: sempre é usado com respeito à ação de Deus; e sempre é aplicado a uma ação eficaz. Todo o processo da salvação é uma ação de Deus, e essa ação é eficaz porque é a Sua ação. A ação de Deus não pode ser frustrada nem ficar inconclusa; deve ser plenamente concluída.[26]

William Hendriksen diz que, se não fosse o fato de Deus estar agindo em nós, jamais poderíamos desenvolver a nossa salvação. Ele ilustra essa verdade assim:

> O ferro elétrico é inútil a menos que seu plugue esteja acoplado à tomada. À noite não haverá luz na sala a menos que a eletricidade flua pelos fios de tungstênio para dentro da lâmpada, cada filamento mantendo contato com os cabos que vêm da fonte de energia. As rosas do jardim não podem alegrar o coração humano com a sua beleza e fragrância a menos que extraiam sua virtude dos raios solares. Melhor ainda: "Como pode o ramo produzir fruto de si mesmo, se não permanecer na videira; assim, nem vós podeis dar, se não permanecerdes em mim" (Jo 15.4). Assim também os filipenses só poderão operar sua própria salvação permanecendo num vivo e ativo contato com seu Deus.[27]

Em quinto lugar, *a obra da salvação é resultado da vontade de Deus* (2.13). A salvação é realizada por Deus em nós não contra a Sua vontade, mas em consonância com ela. A nossa salvação é o resultado da expressa vontade soberana de Deus. Tudo provém de Deus. Nossa salvação tem início e consumação na boa, perfeita e agradável vontade de Deus.

A salvação **demonstrada** (2.14-16)

O apóstolo Paulo esteve falando na necessidade de obediência na tarefa de "desenvolver" a salvação (Fp 2.12). A obediência, porém,

---

[26] BARCLAY, William. *Filipenses, Colosenses, I y II Tesalonicenses*, p. 49.
[27] HENDRIKSEN, William. *Efésios e Filipenses*, p. 495.

pode ser de bom grado ou de má vontade. Esta última é uma espécie de obediência que equivale à desobediência. Pedro fala da prática da hospitalidade enquanto se lastima (1Pe 4.9). Agora, Paulo exorta: *Fazei tudo sem murmurações nem contendas* (Fp 2.14).[28] Destacamos aqui quatro pontos:

Em primeiro lugar, ***a salvação é demonstrada por intermédio de relacionamentos transformados*** (2.14). Paulo retorna ao problema básico descrito nos versículos 1 a 4. Os crentes da igreja de Filipos estavam fazendo as coisas com a motivação errada (Fp 2.3,4). Eles estavam trabalhando, mas sem sintonia uns com os outros. Havia partidarismo e discordância entre eles. A igreja estava dividida. Paulo, então, exorta os crentes, dando-lhes duas ordens. Os dois pecados mencionados são exatamente aqueles que macularam o povo judeu em sua travessia do deserto (Êx 16.7; Nm 11.1).[29]

J. A. Motyer diz que contenda refere-se a uma atitude interna, ou seja, uma atitude e atividade da mente e do coração, enquanto murmuração é algo externo, aquilo que manifestamos proveniente do coração e da mente. Assim, esses dois pecados cobrem todos os nossos pensamentos e ações em relação às outras pessoas.[30] Nessa mesma trilha de pensamento, Lightfoot diz que murmuração é um pecado moral, e contenda é um pecado de rebelião intelectual contra Deus.[31] Como a igreja deveria demonstrar a sua salvação por intermédio de seus relacionamentos?

Eles deveriam fazer tudo sem murmurações (Fp 2.14). A palavra que Paulo usa para "murmuração" é *goggysmos*. Ela evoca o murmúrio de rebelião e infidelidade dos filhos de Israel em sua peregrinação pelo deserto (1Co 10.10).[32] Os israelitas murmuraram contra Deus e contra Moisés. Eles reclamavam reiteradamente das privações, dizendo que jamais deveriam ter deixado o Egito (Nm 11.1-6; 14.1-4; 20.2; 21.4,5). Moisés os descreveu como ... *geração perversa e depravada* (Dt 32.5). Quando o povo estava no Egito, eles murmuravam porque estavam no

---

[28] HENDRIKSEN, William. *Efésios e Filipenses*, p. 497.
[29] MARTIN, Ralph P. *Filipenses: Introdução e comentário*, p. 118.
[30] MOTYER, J. A. *The message of Philippians*, p. 132.
[31] LIGHTFOOT, J. A. *St Paul's Epistle to the Philippians*, p. 115.
[32] BARCLAY, William. *Filipenses, Colosenses, I y II Tesalonicenses*, p. 52.

Egito. Quando saíram do Egito, murmuravam porque saíram do Egito. Eles murmuraram porque não tinham nada para comer. E, quando Deus providenciou o maná para eles comerem, eles murmuraram porque não tinham carne. Eles murmuraram durante quarenta anos no deserto e, quando chegaram à Terra Prometida, ainda continuaram a murmurar. Muitos de nós somos como eles. Deus nos abençoa, mas há algumas coisas de que nós não gostamos. Deus então nos abençoa mais, e nós ainda continuamos a murmurar.[33]

Eles deveriam fazer tudo sem contendas (Fp 2.14). A palavra "contendas" no grego é *dialogismoi*. Esta palavra descreve as disputas e debates inúteis e até mal-intencionados que engendram dúvidas e vacilações.[34] Essa palavra tem uma conotação legal de "dissensões", "litígios" e indica que os filipenses estavam apelando até para tribunais pagãos a fim de resolver as suas diferenças (1Co 6.1-11).[35]

Por que murmurações e contendas são atitudes tão reprováveis? Primeiro, essas atitudes são completamente opostas à atitude de Cristo (Fp 2.5). Segundo, essas atitudes obstaculizam a causa de Cristo entre os descrentes. Se tudo que as pessoas conhecem sobre a igreja é que seus membros vivem constantemente murmurando e contendendo, eles terão uma impressão negativa de Cristo e do evangelho. Terceiro, provavelmente mais igrejas se dividiram, e ainda hoje se dividem, por causa de contendas do que por causa de heresias.[36]

Em segundo lugar, *a salvação é demonstrada por meio de uma conduta irrepreensível* (2.15a). O apóstolo Paulo detalha sobre a conduta irrepreensível, abordando três pontos:

Os crentes devem se tornar irrepreensíveis. A palavra grega usada por Paulo para "irrepreensíveis" é *amemptos* e expressa o que o cristão é no mundo. Sua vida é de tal pureza que ninguém encontra algo nele que se constitua uma falta. O cristão deve ser não apenas puro, mas viver uma pureza que seja vista por todos.[37] O cristão deve refletir o caráter de seu

---

[33] BOYCE, James Montgomery. *Philippians: An expositional commentary*, p. 170.
[34] BARCLAY, William. *Filipenses, Colosenses, I y II Tesalonicenses*, p. 52.
[35] MARTIN, Ralph P. *Filipenses: Introdução e comentário*, p. 118.
[36] BARTON, Bruce B. et all. *Life application Bible commentary on Philippians*, p. 68.
[37] BARCLAY, William. *Filipenses, Colosenses, I y II Tesalonicenses*, p. 52.

Pai, a ponto de viver de tal maneira que ninguém possa lhe apontar um dedo acusador (Mt 5.13,45,48).

Os crentes devem se tornar sinceros. A palavra grega para "sinceros" é *akeraios*. Ela expressa o que o cristão é em si mesmo. Essa palavra significa literalmente "sem mescla", "não adulterado". Essa palavra era usada para referir-se ao vinho ou leite puros ou sem mistura de água.[38] Essa palavra era usada também no vocabulário da primitiva metalurgia para falar do ouro puro, do bronze puro ou qualquer metal sem impureza. Essa palavra era usada também para o barro puro utilizado na confecção de vasos.[39] Nos tempos antigos, alguns oleiros cobriam de cera as trincas dos vasos e enganavam os compradores. Quando esses vasos eram expostos à luz do sol, a cera derretia, e logo apareciam os defeitos. Então, os compradores passaram a exigir vasos sem cera. Daí foram cunhadas as palavras: sincero e sinceridade, ou seja, sem cera.

Jesus usou essa palavra quando disse que os Seus discípulos deveriam ser inocentes como as pombas (Mt 10.16), e Paulo a usou quando disse que devemos ser símplices para o mal (Rm 16.19). O apóstolo Paulo diz que devemos viver assim no meio de uma geração pervertida e corrupta (Fp 2.15). Devemos viver no mundo como Daniel viveu na Babilônia cheia de deuses pagãos e numa cultura pagã, sem se misturar e sem se contaminar.

Os crentes devem se tornar filhos de Deus inculpáveis no meio de uma geração pervertida. A palavra grega para "inculpáveis" é *amomos*. Ela descreve o que o cristão é na presença de Deus. O termo se vincula particularmente com os sacrifícios. Aplicado a um sacrifício significa "imaculado". A pureza do cristão deve ser tal que suporte o juízo de Deus. A vida do cristão deve ser tal que possa ser oferecida a Deus como um sacrifício sem mácula.[40]

É importante ressaltar que a vida cristã não é vivida em uma estufa espiritual, numa redoma de vidro, mas no meio de uma geração

---

[38] BARCLAY, William. *Filipenses, Colosenses, I y II Tesalonicenses*, p. 52.
[39] BOYCE, James Montgomery. *Philippians: An expositional commentary*, p. 171.
[40] BARCLAY, William. *Filipenses, Colosenses, I y II Tesalonicenses*, p. 52,53.

pervertida. Não é ser sal no saleiro nem luz debaixo do alqueire. Bruce Barton corretamente interpreta esse fato, quando escreve:

> Enquanto crentes, somos desarraigados deste mundo perverso (Gl 1.4). Porque na verdade nós não somos do mundo (Jo 17.16). Ao mesmo tempo, não somos removidos fisicamente do mundo (Jo 17.15). Estamos no mundo com a missão de no mundo anunciar as boas--novas do evangelho (Jo 17.18). Assim, também, a igreja de Filipos precisava completar a sua missão no mundo, vivendo como filhos de Deus inculpáveis no meio de uma cultura depravada e pervertida.[41]

Em terceiro lugar, *a salvação é demonstrada por intermédio de um testemunho notável* (2.15b). Os crentes são exortados a brilhar como astros celestes neste mundo tenebroso (Mt 5.14-16). A palavra grega que Paulo usa para "luzeiros" é *phosteres*. Lightfoot diz que essa palavra é utilizada quase que exclusivamente para os astros celestes, exceto quando seu uso é metafórico, como neste texto.[42] Essa é a palavra usada na versão grega de Gênesis 1.14-19 para referir-se ao sol, à lua e às estrelas que o Criador espalhou pela abóbada celeste no quarto dia. Tais luminárias não brilham para si mesmas; brilham para prover luz ao mundo todo. O mesmo deveria ser verdade a respeito do crente: ele vive para os outros. A igreja tem sido chamada de clube que existe para o benefício dos que não são sócios.[43]

A vida da igreja no mundo é comparada à influência da luz num lugar escuro. Robertson diz que toda igreja é uma casa de luz em um lugar de trevas. Quanto mais escuro é um lugar, mais a luz é necessária.[44]

Bruce Barton diz que o nome dado à estrela mais brilhante da noite é *Sirius*, da constelação de *Canis Major*, e o mais brilhante astro do dia é o sol. Paulo tira uma lição dos astros celestes quando compara os crentes com as estrelas e a sociedade com a escuridão do universo. Na única outra passagem que esta palavra aparece no Novo Testamento, há a descrição da cidade santa, que reflete a glória de Deus como a luz de uma joia (Ap 21.11).[45]

---

[41] BARTON, Bruce B. et all. *Life application Bible commentary on Philippians*, p. 69.
[42] LIGHTFOOT, J. B. *St Paul's Epistle to the Philippians*, p. 115.
[43] BRUCE, F. F. *Filipenses*, p. 95.
[44] ROBERTSON, A. T. *Paul's joy in Christ: Studies in Philippians*, p. 153.
[45] MARTIN, Ralph P. *Filipenses: Introdução e comentário*, p. 119.

É digno de nota que Paulo não admoesta os cristãos a se isolarem do mundo nem a viverem em "quarentena espiritual". Os fariseus eram tão alienados e isolados da realidade que desenvolveram uma justiça própria artificial, inteiramente distinta da justiça que Deus desejava que cultivassem em sua vida. Em decorrência disso, sujeitaram o povo a uma religião de medo e de servidão e crucificaram Cristo, pois Ele ousou opor-se a esse tipo de religião.[46]

Em quarto lugar, *a salvação é demonstrada por meio de uma fidelidade inegociável* (2.16). O apóstolo Paulo enfatiza aqui dois pontos:

1. *A necessidade de a igreja preservar a palavra da vida.* A Palavra de Deus é singular. Ela não se assemelha aos demais livros. Ela é viva (Hb 4.12). Ela é a palavra da vida (Fp 2.16). Ela é espírito e vida (Jo 6.63). Ela é a palavra da vida porque proclama a verdadeira vida que se encontra em Cristo. A palavra grega usada para "preservar", *epechein*, foi usada na cultura secular para oferecer vinho a um hóspede. Os filipenses deveriam oferecer o evangelho ao mundo moribundo, pois somente o evangelho oferece vida abundante e eterna. A palavra da vida não é para ser retida, mas compartilhada.[47] O ensino de Paulo não é para a igreja se refugiar entre quatro paredes, isolando-se do mundo; ao contrário, o projeto de Deus é que a igreja brilhe como estrelas numa noite trevosa e leve ao mundo a palavra da vida.
2. *A necessidade de a igreja trabalhar enquanto é tempo.* Paulo deixa bem claro que ele enfrentará "o dia de Cristo" com muita confiança, desde que seus convertidos permaneçam firmes e vivam de modo que tragam crédito ao evangelho que lhes pregou.[48] Meu querido amigo e irmão, tem você investido na vida de outras pessoas? No dia de Cristo, você terá a alegria de apresentar a Deus os frutos do seu trabalho? Ou você comparecerá diante dEle de mãos vazias?

---

[46]WIERSBE, Warren W. *Comentário bíblico expositivo*. Vol. 2, 2006, p. 100.
[47]BARTON, Bruce B. et all. *Life application Bible commentary on Philippians*, p. 70.
[48]BRUCE, F. F. *Filipenses*, p. 96.

9

Homens imitadores de Cristo

Filipenses 2.17-30

JESUS CRISTO DEVE TER A SUPREMACIA EM NOSSA VIDA (Fp 1.21). A grande ênfase do capítulo 1 de Filipenses é mostrar que Cristo ocupa o lugar mais alto da nossa vida. Ele tem a supremacia. Para mim, o viver é Cristo, diz o apóstolo Paulo (Fp 1.21). O capítulo 2 de Filipenses nos revela que o próprio Pai exaltou a Cristo sobremaneira e Lhe deu o nome que está acima de todo nome (Fp 2.9-11).

O *outro* deve ter a primazia em nossos relacionamentos (2.4,5,17, 20,30). Se a ênfase do capítulo 1 de Filipenses é Cristo primeiro, a ênfase do capítulo 2 é o *outro* na frente do *eu*. Neste capítulo 2, Paulo dá quatro exemplos de abnegação e autossacrifício. Ele menciona o exemplo de Cristo (Fp 2.5-11), o seu próprio (Fp 2.17,18), o de Timóteo (Fp 2.19-24) e o de Epafrodito (Fp 2.25-30).

Já examinamos o exemplo de Cristo; agora, veremos os outros três exemplos.

Paulo, o prisioneiro de Cristo (2.17,18)

O apóstolo Paulo usa três exemplos de altruísmo. Ele começa consigo. Quando trata de si mesmo, usa apenas um versículo (Fp 2.17), mas quando fala de Timóteo e Epafrodito usa seis versículos para cada um. Destacamos três verdades a seu respeito:

Em primeiro lugar, **Paulo era um homem pronto a morrer pela causa do evangelho** (2.17). O apóstolo Paulo estava preso em Roma, sob algemas, com esperança de ser absolvido em seu julgamento por meio das orações da igreja (Fp 1.19; Fm 22). Paulo era um homem que nutria a sua alma de esperança (Fp 2.24). Ele se considerava prisioneiro de Cristo, e não de César. Não eram os homens maus que estavam no controle da sua vida, mas a providência divina. Ele não estava travando uma luta pessoal, mas estava pronto a morrer pelo evangelho.

Em segundo lugar, **Paulo era um homem pronto a dar sua vida como libação a favor de outros** (2.17). O apóstolo Paulo usa a figura da libação, um rito comum tanto no paganismo quanto na religião judaica (Nm 15.1-10), para expressar sua disposição de dar sua vida pelo evangelho e pela igreja (2Tm 4.6).

William Barclay diz que uma libação no paganismo consistia em derramar um cálice de vinho como oferenda aos deuses. Cada comida pagã começava e terminava com a dita libação como uma espécie de ação de graças.[1] No judaísmo, a libação era o derramamento de vinho ou azeite sobre a oferta do holocausto (Nm 15.5,7,10). A vida e o trabalho dos cristãos poderiam ser descritos como um sacrifício (Rm 12.1). A oferta dos filipenses a Paulo foi considerada como oferta agradável a Deus (Fp 4.18).

Paulo olhava para a vida em uma perspectiva espiritual. Ele não pensava numa libação dos cultos pagãos, mas na entrega fervorosa de sua vida a Deus.[2] Ele via a prática cristã dos crentes de Filipos como um sacrifício para Deus e via sua morte a favor do evangelho como uma oferta de libação sobre o sacrifício daqueles irmãos.

Nessa mesma trilha de pensamento, H. C. G. Moule diz que Paulo via os crentes de Filipos como um altar de sacrifício, onde a vida e o serviço deles eram como uma oferta a Deus; e sobre esse altar de sacrifício, ele via o Seu sangue que seria em breve derramado como uma oferta de libação.[3]

---

[1] BARCLAY, William. *Filipenses, Colosenses, I y II Tesalonicenses*, p. 55.
[2] BRUCE, F. F. *Filipenses*, p. 98.
[3] MOULE, H. C. G. *Studies in Philippians*, p. 76.

Ralph Martin diz que "sacrifício" e "serviço" é combinação de duas palavras, uma das quais é *leitougia*. Os dois termos formam uma única ideia. *Leitourgia* é uma palavra de culto, associada a *thysia* (sacrifício), e juntas referem-se a um culto sacrificial, realizado pela fé dos filipenses, ao sustentar ativamente o apóstolo, mesmo sendo pobres (2Co 8.2). As dádivas deles eram como oferta fragrante a Deus (Fp 4.18).[4]

Em terceiro lugar, **Paulo era um homem pronto a dar sua vida por outros não por constrangimento, mas com grande alegria** (2.17,18). O apóstolo Paulo demonstra uma alegria imensa mesmo estando na antessala da morte e no corredor do martírio. Suas palavras não são de revolta nem de lamento. Ele foi perseguido, apedrejado, preso e açoitado com varas. Ele enfrentou frio, fome e passou privações. Ele enfrentou inimigos de fora e perseguidores de dentro. Ele, agora, está em Roma, sendo acusado pelos judeus diante de César, aguardando uma sentença que pode levá-lo à morte; mas, a despeito dessa situação, sua alma está em festa, e seu coração está exultante de alegria.

Paulo está usando a figura da libação para mostrar que a morte dele completaria o sacrifício dos filipenses. O martírio coroaria sua vida e seu apostolado. Contudo, Paulo deseja que esse sacrifício seja colocado como crédito aos filipenses, e não a seu próprio favor. Sendo assim, não haveria motivo para lágrimas.

Essa perspectiva levou Paulo a dizer: ... *alegro-me e, com todos vós, me congratulo. Assim, vós também, pela mesma razão, alegrai-vos e congratulai-vos comigo* (Fp 2.17,18).[5] Nessa mesma linha de pensamento, William Hendriksen escreve:

> O derramamento do sangue de Paulo é motivo de alegria para ele, sempre que seja considerado como uma libação que coroará a oferenda sacrificial apresentada pelos filipenses.[6]

Paulo está dizendo à igreja que, sendo ele absolvido (Fp 1.25) ou morrendo (Fp 2.17), ela deveria alegrar-se. Plutarco usa essa mesma

---

[4]Martin, Ralph P. *Filipenses: Introdução e comentário*, p. 121.
[5]Bruce, F. F. *Filipenses*, p. 99.
[6]Hendriksen, William. *Efésios e Filipenses*, p. 500.

expressão utilizada por Paulo para falar do mensageiro da batalha de Maratona que, depois de uma longa corrida chegou a Atenas e deu a notícia da vitória do Seu povo na batalha: "Alegrai-vos e congratulai-vos comigo". E caiu morto.[7]

Timóteo, o filho fiel (2.19-24)

Há seis verdades preciosas, listadas neste texto, que vamos considerar acerca de Timóteo.

Em primeiro lugar, **Timóteo, o enviado de Paulo** (2.19,23). Quem era esse mensageiro de Paulo chamado Timóteo? Sua mãe e sua avó eram crentes (2Tm 1.5), e seu pai grego (At 16.1). Ele conhecia a Palavra de Deus desde a infância (2Tm 3.15). Converteu-se na primeira viagem missionária de Paulo e cresceu espiritualmente, pois passou a ter bom testemunho em sua cidade antes de unir-se ao apóstolo em sua segunda viagem missionária (At 16.1,2). Timóteo era filho de Paulo na fé (1Tm 1.2), cooperador de Paulo (Rm 16.21), e mensageiro de Paulo às igrejas (1Ts 3.6; 1Co 4.17; 16.10,11; Fp 2.19). Ele esteve preso com Paulo em Roma (Fp 1.1; Hb 13.23). Era jovem (1Tm 4.12), tímido (2Tm 1.7,8) e doente (1Tm 5.23). Ele tinha um caráter provado (Fp 2.22) e cuidava dos interesses de Cristo (Fp 2.21) e dos interesses da Igreja de Cristo (Fp 2.20).

É ainda digno de nota que Timóteo esteve presente quando a igreja de Filipos foi estabelecida (At 16.11-40; 1Ts 2.2) e, ainda, subsequentemente também os visitou, mais de uma vez (At 19.21,22; 20.3-6; 1Co 1.1). Portanto, ele era a pessoa indicada para ser enviada novamente à igreja de Filipos.[8]

Longe de proceder de forma egoística, procurando manter perto de si o maior contingente possível de amigos, Paulo enviou Tíquico a Éfeso, Crescente à Galácia e Tito à Dalmácia (2Tm 4.10-12). Werner de Boor diz que é maravilhoso saber que Paulo pretende, agora, enviar Timóteo a Filipos, o melhor colaborar de que dispõe.[9]

---

[7] ROBERTSON, A. T. *Paul's joy in Christ: Studies in Phillipians*, p. 157.
[8] HENDRIKSEN, William. *Efésios e Filipenses*, p. 508.
[9] BOOR, Werner de. *Carta aos Efésios, Filipenses e Colossenses*, p. 225.

Em segundo lugar, **Timóteo, um homem singular** (2.20a). Havia muitos cooperadores de Paulo, mas Timóteo ocupava um lugar especial no coração do veterano apóstolo. Ele era um homem singular pela sua obediência e submissão a Cristo e ao apóstolo como um filho a um pai. A palavra grega que Paulo usa para "igual sentimento" só aparece aqui em todo o Novo Testamento.[10] É a palavra *isopsychos*, que significa "da mesma alma". Esse termo foi usado no Antigo Testamento como "meu igual" e "meu íntimo amigo" (LXX Sl 55.13). F. F. Bruce, citando Erasmo, diz que ele parafraseia esta passagem assim: "Eu o enviarei como o meu *alter ego*".[11]

Em terceiro lugar, **Timóteo, um homem que cuida dos interesses dos outros** (2.20b). Timóteo aprendeu o princípio ensinado por Paulo de buscar os interesses dos outros (2.4), princípio esse exemplificado por Cristo (2.5) e pelo próprio apóstolo (2.17).

Timóteo, de igual modo, vive de forma altruísta, pois o centro da sua atenção não está em si mesmo, mas na Igreja de Deus. Ele não busca riqueza, nem promoção pessoal. Ele não está no ministério em busca de vantagens; ele tem um alvo: cuidar dos interesses da Igreja.

É uma pena que os cristãos de Roma estivessem tão envolvidos com os próprios problemas e desavenças (1.15,16) a ponto de não ter tempo para a obra importante do Senhor. Warren Wiersbe diz que essa é uma das grandes tragédias causadas pelos problemas internos das igrejas; eles consomem tempo, energia e preocupação que deveriam estar sendo dedicados a coisas mais essenciais.[12]

Jacó, depois de converter-se, passou a ter uma grande sensibilidade para lidar com os outros (Gn 33.13,14). Timóteo era assim também. Meu querido amigo, você se preocupa com o povo de Deus? Você trata as pessoas de forma gentil? Você conduz sua família, seus filhos, sua classe de escola dominical, seus irmãos em Cristo de forma gentil? Concordo com Robertson, quando afirma: "O melhor caminho para ser feliz é fazer os outros felizes".[13]

---

[10] MOTYER, J. A. *The message of Philippians*, p. 139.
[11] BRUCE, F. F. *Filipenses*, p.103
[12] WIERSBE, Warren W. *Comentário bíblico expositivo*. Vol. 6, 2006, p. 105.
[13] ROBERTSON, A. T. *Paul's joy in Christ: Studies in Philippians*, p. 170.

Em quarto lugar, *Timóteo, um homem que cuida dos interesses de Cristo* (2.21). Só existem dois estilos de vida: daqueles que vivem para si mesmos (2.21) e daqueles que vivem para Cristo (1.21). Estamos em Filipenses 1.21 ou, então, estaremos em Filipenses 2.21. Timóteo queria cuidar dos interesses de Cristo, e não dos seus próprios. Sua vida estava centrada em Cristo (2.21) e nos irmãos (2.20b), e não no seu próprio eu (2.21).

Corretamente Werner de Boor afirma:

> Quem busca o que é seu, sua própria fama, seu próprio conforto, esquiva-se do esforço e da dor de ir a fundo nas questões em uma igreja e solucionar as mazelas com mão paciente, afetuosa, e por isso também firme.[14]

James Montgomery Boyce diz que é fácil colocarmos outras coisas primeiro em nossa vida. Você pode colocar sua própria reputação em primeiro lugar. Pode colocar seus prazeres em primeiro lugar. Pode colocar em primeiro lugar seus planos, sua família, seu sucesso ou outra coisa. No entanto, se você fizer isso, todas essas coisas ficarão distorcidas, e você perderá a maior de todas as bênçãos da sua vida. Porque Timóteo colocou Cristo em primeiro lugar, as outras coisas se estabeleceram naturalmente.[15]

Havia muitos que colocavam seus interesses acima e antes dos interesses alheios, ou estavam muito preocupados, buscando mais "o que é seu, e não o que é de Cristo Jesus". Embora alguns em Roma pregassem o evangelho *por amor* (1.16), de todos quantos estavam disponíveis perante Paulo, nenhum era tão destituído de egoísmo quanto Timóteo. Para Timóteo, como para Paulo, a causa de Cristo Jesus envolvia o bem-estar de Seu povo.[16]

Em quinto lugar, *Timóteo, um homem de caráter provado* (2.22). Timóteo desfrutava de um bom testemunho antes de ser missionário

---

[14]BOOR, Werner de. *Carta aos Efésios, Filipenses e Colossenses*, p. 226.
[15]BOYCE, James Montgomery. *Philippians: An expositional commentary*, p. 178.
[16]BRUCE, F. F. *Filipenses*, p. 101.

(At 16.1,2), e agora, quando Paulo está para lhe passar o bastão, como continuador da Sua obra, dá testemunho de que ele continua tendo um caráter provado (2.22). É lamentável que muitos líderes religiosos que são grandes em fama e riqueza sejam anões no caráter. Vivemos uma crise avassaladora de integridade no meio evangélico brasileiro. Precisamos urgentemente de homens íntegros, provados, que sejam modelo do rebanho.

Em sexto lugar, **Timóteo, um homem disposto a servir** (2.22b). É digno de nota que Timóteo serviu ao evangelho. Ele serviu com Paulo, e não a Paulo. Embora a relação entre Paulo e Timóteo fosse de pai e filho, ambos estavam engajados no mesmo projeto. Hoje, muitos líderes se colocam acima de seus colaboradores. A relação não é de parceria no trabalho, mas de subserviência pessoal.

Epafrodito, o companheiro de milícia (2.25-30)

Paulo, o administrador solícito da obra missionária, agora se volta de Timóteo para Epafrodito. Este valoroso obreiro só é citado na Carta aos Filipenses neste parágrafo e em Filipenses 4.18, mas é o suficiente para compreendermos seu profundo amor por Jesus e pela Igreja.

Paulo era um "hebreu de hebreus"; Timóteo era em parte judeu e em parte gentio (At 16.1). E, tanto quanto sabemos, Epafrodito era inteiramente gentio. Todavia, todos eles tinham a mesma característica: estavam dispostos a viver para Cristo e dar a sua vida pelos irmãos.[17] O nome *Epafrodito* significa "encantador", "amável". Sua vida refletia o seu nome. Destacamos seis marcas desse precioso homem:

Em primeiro lugar, **Epafrodito, um homem pronto a servir, mesmo correndo grandes riscos** (2.25,30). Epafrodito foi o portador da oferta da igreja de Filipos a Paulo e o portador da carta de Paulo à igreja de Filipos. Ele viajou de Filipos a Roma para levar uma oferta da igreja ao apóstolo (2.30; 4.18) e também para assistir o apóstolo na prisão (2.25). Paulo o chama de irmão, cooperador e companheiro de lutas. Como diz Lightfoot, Epafrodito era um com Paulo em afeto, em atividade e

---

[17] WIERSBE, Warren W. *Comentário bíblico expositivo*. Vol. 6, 2006, p. 106.

em perigo.¹⁸ Isso mostra que Epafrodito era um homem equilibrado. Warren Wiersbe apropriadamente comenta:

> O equilíbrio é importante para a vida cristã. Alguns enfatizam tanto a "comunhão" que esquecem do progresso do evangelho. Outros se envolvem de tal modo com a defesa da "fé evangélica" que não desenvolvem a comunhão com outros cristãos. Epafrodito não caiu nessas armadilhas. Era como Neemias, o homem que reconstruiu os muros de Jerusalém segurando a pá em uma das suas mãos e a espada na outra (Ne 4.17). Não podemos construir com uma espada nem combater com uma pá! Precisamos desses dois instrumentos para realizar a obra do Senhor.¹⁹

Vejamos a descrição que Paulo faz de Epafrodito:

- *Ele era um irmão* (2.25). Se nós estamos em Cristo, há um elo de amor fraternal que nos une uns aos outros. Essa é uma palavra que destaca a relação de família.
- *Ele era um cooperador* (2.25). Epafrodito era um trabalhador na obra de Cristo e um ajudador de Paulo. A palavra grega usada por Paulo é *synergos*, denotando que Paulo e Epafrodito estão no mesmo serviço do Reino de Deus.²⁰
- *Ele era um companheiro de milícia* (2.25). A vida cristã não é um parque de diversões, uma colônia de férias, mas um campo de guerra. Epafrodito estava no meio desse campo de lutas com o apóstolo Paulo. O pano de fundo é o de uma metáfora geral, em que ambos são "companheiros no conflito", na guerra contra o mal.²¹ Epafrodito é um companheiro de milícia, um companheiro de armas. William Hendriksen diz que um obreiro deve ser também um guerreiro, porque na obra do evangelho terá de combater contra muitos inimigos: mestres judaizantes, gregos e romanos escarnecedores, adoradores do imperador, sensualistas, governadores deste mundo tenebroso etc.²²

---

[18] LIGHTFOOT, J. B. *St Paul's Epistle to the Philippians*, p. 121.
[19] WIERSBE, Warren W. *Comentário bíblico expositivo*. Vol. 6, 2006, p. 106.
[20] MARTIN, Ralph P. *Filipenses: Introdução e comentário*, p. 133.
[21] MARTIN, Ralph P. *Filipenses: Introdução e Comentário*, p.134.
[22] HENDRIKSEN, William. *Efésios e Filipenses*, p. 513.

Em segundo lugar, **Epafrodito, um homem pronto a servir à Igreja de Cristo** (2.25b). Paulo descreve Epafrodito de duas maneiras em relação ao seu serviço à igreja:

Ele é um mensageiro da igreja (2.25b). A palavra grega que Paulo usa é *apóstolos*. Aqui a palavra "apóstolo" tem o sentido "daquele que é enviado com um recado".[23] A missão de Epafrodito não foi apenas a de trazer a Paulo o donativo da igreja filipense, mas também a de servir a Paulo de qualquer forma que fosse requerida. Portanto, Epafrodito fora enviado tanto para *levar* uma oferta quanto para *ser* uma oferta dos filipenses a Paulo.[24]

Ele é um auxiliar da igreja para ajudar Paulo (2.25b). A palavra grega usada por Paulo é *leitourgos*, de onde vem a nossa palavra "liturgia", que significa serviço ou culto sagrado.[25] Lightfoot diz que essa palavra tem uma vasta história: 1) Era um serviço civil. 2) Depois passou a significar qualquer tipo de função ou ofício. 3) Em seguida, recebeu o significado de uma ministração sacerdotal, especialmente entre os judeus. 4) Também significou os serviços eucarísticos. 5) Finalmente, passou a significar as formas da divina adoração.[26] A ideia, portanto, do apóstolo é que o crente é um sacerdote que ministra um culto a Deus enquanto atende às necessidades dos outros. Epafrodito fazia do seu serviço prestado à igreja uma liturgia e um culto a Deus.

William Barclay ainda traz mais luz para o entendimento dessa palavra. No grego secular, *leitourgia* era uma palavra nobre. Nos dias da Grécia antiga, muitos amavam tanto a sua cidade que com seus próprios recursos e a suas próprias expensas se responsabilizavam por certos deveres cívicos importantes. Podia tratar-se de bancar os gastos de uma embaixada, ou o custo da representação de um importante drama de algum dos famosos poetas, ou o entretenimento dos atletas que representariam a cidade nos jogos, ou o equipamento de um barco de guerra e os gastos de uma tripulação a serviço do Estado. Eram sempre dons generosos para o Estado.

---

[23] BARCLAY, William. *Filipenses, Colosenses, I y II Tesalonicenses*, p. 58.
[24] HENDRIKSEN, William. *Efésios e Filipenses*, p. 514.
[25] BRUCE, F. F. *Filipenses*, p. 99.
[26] LIGHTFOOT, J. B. *St Paul's Epistle to the Philippians*, p. 117.

Esses homens eram conhecidos como *leitourgoi*. Esta é a palavra que Paulo adota e aplica a Epafrodito.[27]

Bruce Barton afirma que Epafrodito tinha vindo a Roma não apenas para trazer recursos financeiros para Paulo, mas também para ministrar às necessidades espirituais de Paulo sem prazo determinado para voltar. Igual a Timóteo, esse homem colocou as necessidades dos outros acima de suas próprias (2.4; 2.20).[28]

Em terceiro lugar, **Epafrodito, um homem sem imunidades especiais** (2.26,27). Destacamos aqui três coisas:

Epafrodito, mesmo fazendo a obra de Deus, ficou doente (2.26). Paulo Lockmann diz que aqui é introduzido um tema em geral muito mal trabalhado na igreja: a enfermidade. Uns dizem que crente não fica doente, outros dizem que não existem mais curas vindas de Deus milagrosamente, e outros afirmam que toda doença é do diabo. Todas essas posições são biblicamente erradas.[29]

Em Roma, Epafrodito caiu enfermo, possivelmente vítima da conhecida febre romana que às vezes varria a cidade como uma epidemia e um açoite. A enfermidade o havia levado às portas da morte.[30] Não estamos livres como cristãos das intempéries naturais da vida. Paulo não disse que ele ficou doente porque isso foi um ataque de satanás nem que ele ficou doente porque tinha uma fé trôpega, nem ainda porque estava em pecado. Aqueles que pregam que um crente não pode ficar doente e que toda doença é obra maligna estão equivocados.

Epafrodito, mesmo fazendo a obra de Deus, adoeceu mortalmente (2.27). Ele não apenas adoeceu, mas adoeceu para morrer. Sua enfermidade foi algo grave. Os crentes não são poupados de enfrentar as mesmas dores, as mesmas tristezas e as mesmas enfermidades. Paulo não considera a doença grave de um irmão como uma falha na vida de fé, diz Werner de Boor.[31] Nessa mesma linha de pensamento, James Montgomery Boyce diz:

---

[27] BARCLAY, William. *Filipenses, Colosenses, I y II Tesalonicenses*, p. 58.
[28] BARTON, Bruce B. et all. *Life application Bible commentary on Philippians*, p. 76.
[29] LOCKMANN, Paulo. *Filipenses*, p. 69,70.
[30] BARCLAY, William. *Filipenses, Colosenses, I y II Tesalonicenses*, p. 57.
[31] BOOR, Werner de. *Carta aos Efésios, Filipenses e Colossenses*, p. 228.

Algumas pessoas têm ensinado que a saúde é um direito inalienável do cristão e que a doença é resultado do pecado ou da falta de uma fé robusta. Outros, como os falsos consoladores de Jó, dizem que a doença é sempre um sinal do castigo e da disciplina de Deus. Esses pensamentos não são verdadeiros, e o caso de Epafrodito os refuta. Epafrodito era um homem que devia receber as maiores honras na igreja (2.29). No entanto, ele caiu enfermo no meio do trabalho abnegado do serviço cristão. Ainda mais, ele ficou doente por um longo período. Filipos ficava a 1.080 quilômetros de Roma. Naquele tempo, gastava-se pelo menos seis semanas para se viajar de Roma a Filipos. Ele ficou doente o tempo suficiente para que os crentes de Filipos soubessem disso e a notícia de volta acerca da tristeza da igreja chegasse a ele em Roma. Assim, ele esteve doente pelo menos por uns três meses. E mais: ele estava na companhia de Paulo, porém o apóstolo não tinha indicações do Senhor para curá-lo.[32]

Epafrodito, mesmo sendo um servo de Deus, sofreu profunda angústia (2.26). Paulo descreve a angústia de Epafrodito usando a mesma palavra que os evangelistas utilizaram para a angústia de Cristo no Getsêmani (Mt 26.36). Essa palavra no grego, *ademonein*, denota uma grande angústia mental e espiritual (Mc 14.33), a angústia que se segue a um grande choque.[33] A saudade dos irmãos, a apreensão acerca da sua condição e a impossibilidade de cumprir plenamente o seu trabalho em relação ao apóstolo Paulo afligiram-lhe a alma sobremaneira.

Em quarto lugar, **Epafrodito, um homem curado pela intervenção de Deus** (2.27). A cura de Epafrodito foi um ato da misericórdia de Deus. Não há aqui qualquer palavra de Paulo acerca da cura pela fé. Simplesmente o apóstolo afirma que Deus teve misericórdia dele e de Epafrodito. Em última instância, toda cura é divina (Sl 103.3). Deus cura por intermédio dos meios, sem os meios e apesar dos meios. Deus curou Epafrodito por amor a ele, a Paulo e à igreja de Filipos (2.27,28). Deus ainda tem todo o poder de curar. Ele, ainda, tira muitos das portas da morte. Contudo, precisamos nos acautelar acerca dos embusteiros que enganam os incautos com falsos milagres e se enriquecem com promessas vazias.

---

[32] BOYCE, James Montgomery. *Philippians: An expositional commentary*, p. 184.
[33] MARTIN, Ralph P. *Filipenses: Introdução e comentário*, p. 135.

Em quinto lugar, ***Epafrodito, um homem que merece ser honrado pela igreja*** (2.29). Paulo estava preocupado que algumas pessoas pudessem criticar Epafrodito pela sua volta prematura à igreja sem cumprir plenamente seu papel em relação à assistência a Paulo na prisão. O apóstolo, então, com seu senso pastoral, antecipa a situação e instrui a igreja a receber esse valoroso irmão com alegria e com honra.

Não há nada de errado em um servo receber honra. Aliás, esse é um princípio bíblico que precisamos obedecer. Escrevendo aos crentes de Tessalônica, Paulo diz: *Agora, vos rogamos, irmãos, que acateis com apreço os que trabalham entre vós e os que vos presidem no Senhor e vos admoestam; e que os tenhais com amor em máxima consideração, por causa do trabalho que realizam. Vivei em paz uns com os outros* (1Ts 5.12,13).

O mundo honra aqueles que são inteligentes, belos, ricos e poderosos. Que tipo de pessoa a igreja deve honrar? Epafrodito foi chamado de irmão, cooperador, companheiro de lutas, mensageiro e auxiliar. Esses são os emblemas da honra. Paulo nos encoraja a honrar aqueles que arriscam a própria vida por amor de Cristo e o cuidado dos outros, indo onde não podemos ir por nós mesmos.[34]

Em sexto lugar, ***Epafrodito, um homem que se dispôs a dar sua vida pela obra de Cristo*** (2.30). A viagem de Filipos a Roma era uma longa e árdua jornada de mais de mil quilômetros. Associar-se a um homem acusado, preso e na iminência de ser condenado também constituía um risco sério. Entretanto, Epafrodito se dispôs a enfrentar todas essas dificuldades pela obra de Cristo a favor da assistência material e espiritual a Paulo na prisão.

A palavra grega que Paulo usa neste versículo 30 para: ... *dispôs-se a dar a própria vida...* é *paraboleuesthai*. Essa palavra se aplica ao jogador que aposta tudo em uma jogada de dados. William Barclay diz que o que Paulo está dizendo é que Epafrodito jogou sua própria vida pela causa de Jesus Cristo arriscando-a temerariamente.[35]

O mesmo escritor ainda ilustra:

---

[34] BARTON, Bruce B. et all. *Life application Bible commentary on Philippians*, p. 79.
[35] BARCLAY, William. *Filipenses, Colosenses, I y II Tesalonicenses*, p. 59.

Nos dias da igreja primitiva, existia uma associação de homens e mulheres chamados *parabolani*: os jogadores. Tinham como propósito e objetivo visitar os prisioneiros e enfermos, particularmente os que estavam prostrados por uma enfermidade perigosa e infecciosa. Em 252 d.C., explodiu uma peste em Cartago; os pagãos lançavam os corpos de seus mortos nas ruas e fugiam aterrorizados. O bispo cristão Cipriano reuniu seus fiéis em uma assembleia e os encorajou a enterrar os mortos e cuidar dos enfermos na cidade açoitada pela praga. Agindo dessa maneira, arriscando a própria vida, eles salvaram a cidade da destruição e da desolação. A igreja sempre necessita dos *parabolani*: os que entregam sua vida para o serviço de Cristo e dos outros.[36]

Paulo, assim, apresentou três exemplos da mesma atitude de autorrenúncia, o mesmo ... *sentimento que houve em Cristo Jesus* (2.5). Ele escreveu sobre sua própria prontidão para sofrer o martírio (2.17). Ele menciona o trabalho altruísta de Timóteo a favor de Cristo e da Igreja (2.18-23) e, finalmente, ele fala sobre a devoção de Epafrodito à missão que lhe fora confiada de ir a Roma para levar-lhe uma oferta da igreja e assisti-lo em sua prisão (2.30).[37]

O julgamento de Paulo se aproximava. Alguns já o haviam abandonado. Estavam ainda com ele Timóteo e Epafrodito. O que ele está pensando fazer? O que Paulo está pensando acerca dos dias sombrios que precederão a sua execução? Sobre si mesmo? Sobre seu futuro? Não! Ele está pensando nas necessidades de seus irmãos e está pronto a sacrificar seus próprios interesses para enviar a eles seus dois grandes colaboradores. Paulo era um imitador de Cristo. E Cristo deixou a glória para vir ao mundo morrer em nosso lugar. Cristo viveu para os outros, deu a Sua vida pelos outros (Jo 3.16) e nos ensinou a fazer o mesmo (1Jo 3.16), como o fizeram Paulo, Timóteo e Epafrodito.[38]

---

[36] BARCLAY, William. *Filipenses, Colosenses, I y II Tesalonicenses*, p. 59.
[37] BRUCE, F. F. *Filipenses*, p. 107.
[38] BOYCE, James Montgomery. *Philippians: An expository commentary*, p. 185.

10

A verdade de Deus sob ataque

Filipenses 3.1-11

NO CAPÍTULO 1 DE FILIPENSES, Paulo mostrou a supremacia de Cristo (1.21). No capítulo 2, ele mostrou a primazia do *outro* (2.4). Agora, no capítulo 3, Paulo volta a sua atenção para a questão da verdade que estava sendo atacada pelos falsos mestres.

Mais do que nunca, este texto é atual, oportuno e urgente. Também em nossos dias, a verdade de Deus tem sido atacada. Esses ataques não vêm apenas dos insolentes críticos da fé cristã, mas daqueles que se infiltram na igreja, com falsa piedade e perigosas heresias. Estamos vendo, com profunda dor, a igreja evangélica brasileira deixando o antigo evangelho, o evangelho da cruz, para abraçar um evangelho híbrido, sincrético e místico. Um evangelho centrado no homem, e não na consumada e bendita obra de Cristo. Precisamos também nos acautelar!

Destacamos dois pontos nesta introdução:

Em primeiro lugar, *a alegria cristã é centrada em Cristo* (3.1). J. A. Motyer diz que a ordem de Paulo dada em Filipenses 3.1, ... *alegrai--vos no Senhor*, age como uma ponte entre o que ele ensinou e o que ele está para ensinar. Jesus foi glorificado como Deus, Salvador, Exemplo e Senhor. Portanto, devemos nos regozijar nEle. Ele deve ser nosso prazer, nossa mais preciosa possessão e nossa mais intensa ambição.[1]

---

[1]MOTYER, J. A. *The message of Philippians*, p. 147.

Assim, depois de falar sobre relacionamentos no capítulo 2, e antes de introduzir o novo assunto, Paulo reafirma para a igreja o tema básico dessa carta, a alegria. A alegria cristã não é ausência de problemas nem circunstâncias favoráveis. A alegria cristã está centrada não em coisas ou situações, mas na Pessoa de Cristo. Ele é a nossa alegria. Nossa alegria é cristocêntrica!

Bruce Barton diz que essa verdadeira alegria nos capacita a vencer as ondas revoltas das circunstâncias adversas, porque essa alegria vem de um consistente relacionamento com o Senhor Jesus.[2]

Em segundo lugar, *a repetição é um poderoso recurso pedagógico* (3.1). Paulo não está trazendo ensino novo, mas reafirmando as mesmas verdades. E ele diz que isso não lhe desagrada, pois sabe da necessidade de a igreja ouvir sempre as verdades fundamentais do evangelho. Sabe, também, que isso produz segurança para a igreja. Não devemos correr atrás de novidades, mas nos firmar cada vez mais no antigo evangelho. A verdade deve ser o nosso pão diário.

William Barclay corretamente diz que os alimentos essenciais não nos cansam; esperamos comer pão e beber água cada dia da nossa vida. Por isso, também devemos escutar sempre de novo a verdade que é pão e água para a vida. Que nenhum mestre se inquiete por voltar renovadamente às grandes verdades básicas da fé cristã.[3]

Os falsos mestres desmascarados (3.2)

Destacamos aqui dois pontos:

Em primeiro lugar, *a necessidade de cautela acerca dos falsos mestres* (3.2). Por três vezes, o apóstolo Paulo repetiu o verbo grego *blepete*: "Acautelai-vos". Essa palavra é extremamente forte e sua repetição carrega uma forte ênfase. Ele quer que a igreja mantenha seus olhos abertos e seja vigilante para que esses lobos não entrem no meio do rebanho (At 20.29,30). A heresia tem muitas faces, mas seu veneno é sempre mortal.

---

[2] BARTON, Bruce B. et all. *Life application Bible commentary on Philippians*, p. 83.
[3] BARCLAY, William. *Filipenses, Colosenses, I y II Tesalonicenses*, p. 61.

Em segundo lugar, *a necessidade de identificar os falsos mestres* (3.2). O apóstolo Paulo descreve esses falsos mestres, dando-lhes três adjetivos (cães, falsos obreiros e falsa circuncisão), mas é muito provável que ele esteja falando do mesmo grupo com nuanças diferentes. William Hendriksen chega mesmo a ser categórico: "Paulo tem em mente uma *única* espécie de inimigo, e não três tipos diferentes. Ele se refere apenas a um *único* inimigo: a mutilação em contraste com a circuncisão".[4]

F. F. Bruce diz que as pessoas contra quem os gentios cristãos deveriam permanecer em guarda, e a quem Paulo denuncia em outras passagens, usando o mesmo tipo de palavreado contundente empregado aqui, são as que visitavam as igrejas gentias e insistiam em que a circuncisão era condição essencial e indispensável para serem justificadas perante Deus.[5]

Esses mestres judaizantes queriam inserir na mensagem do evangelho a obrigatoriedade da circuncisão como condição indispensável para a salvação (At 15.1). Assim, a salvação deixava de ser pela fé somente e passava a depender do esforço humano. Os judaizantes atacavam pela base a doutrina da salvação unicamente pela graça e tratavam de substituí-la por um misto de favor divino e mérito humano, com ênfase sobre este último.[6] Paulo, mesmo sob algemas, não cala sua voz. Ele denuncia e desmascara esses mestres com veemência como já fizera outras vezes (Gl 1.6-9; 3.1; 5.1-12; 6.12-15; 2Co 11.13).

Que descrição Paulo faz desses falsos mestres?

Os falsos mestres são cães. Ralph Martin diz que os cães eram considerados animais imundos na sociedade oriental.[7] Werner de Boor ainda diz que no antigo Oriente o cão não era o companheiro fiel e amado do ser humano, mas um animal semisselvagem que vagueava em matilhas, caçando a presa aos latidos. É assim que Paulo vê seus adversários metendo o nariz e latindo suas heresias em todas as regiões.[8]

Cães ainda é o termo que os judeus usavam em relação aos gentios. Eles os consideravam indignos e abomináveis. Eles viam os gentios

---

[4] HENDRIKSEN, William. *Efésios e Filipenses*, p. 526.
[5] BRUCE, F. F. *Filipenses*, p. 113.
[6] HENDRIKSEN, William. *Efésios e Filipenses*, p. 527.
[7] MARTIN, Ralph P. *Filipenses: Introdução e comentário*, p. 138.
[8] BOOR, Werner de. *Carta aos Efésios, Filipenses e Colossenses*, p. 231.

apenas como combustíveis do fogo do inferno. Agora, porém, Paulo inverte os papéis e se refere aos falsos mestres como cães, ou seja, aqueles que viviam perambulando ao redor das igrejas gentias, tentando "abocanhar" prosélitos, ganhar novos adeptos para seu modo de pensar e viver (Mt 23.15).[9]

No tempo de Paulo, esses mestres judaizantes eram como cães, como os animais imundos que vagavam pelas ruas latindo e rosnando a todos que encontravam, revirando o lixo e atacando os transeuntes.[10] Paulo usa essa metáfora para se referir a esses falsos mestres como insolentes, astuciosos e vadios que procuravam se infiltrar nas congregações cristãs para espreitarem a liberdade dos novos crentes (Gl 2.3-8). Warren Wiersbe diz ainda que esses judaizantes mordiam os calcanhares de Paulo e o seguiam de um lugar para outro ladrando suas falsas doutrinas. Eram agitadores e infectavam as vítimas com ideias perigosas.[11]

Os falsos mestres são maus obreiros. Eles são obreiros da iniquidade (Lc 13.27) e obreiros fraudulentos (1Co 11.13). Ralph Martin os chama de emissários gnósticos judeus cristãos, armados com um objetivo propagandístico de arrebanhar os convertidos por intermédio do ministério de Paulo, induzindo-os a crer na necessidade da circuncisão.[12]

William Hendriksen diz que eles eram maus obreiros, pois, em vez de cooperarem para a boa causa, a prejudicavam. Desviavam a atenção de Cristo e de Sua redenção perfeita e a fixavam em rituais ultrapassados e em obras humanas.[13] Eles trabalhavam contra Deus e para desfazerem a obra de Deus. Laboravam para o erro e para desviarem as pessoas da verdade. Para esses mestres judaizantes, agir com justiça era observar a Lei e segui-la em seus múltiplos detalhes e cumprir suas inumeráveis regras e prescrições. Mas Paulo estava seguro de que a única classe de justiça que agrada a Deus consiste em render-se livremente à Sua graça.[14]

---

[9]Bruce, F. F. *Filipenses*, p. 113.
[10]Barclay, William. *Filipenses, Colosenses, I y II Tesalonicenses*, p. 63.
[11]Wiersbe, Warren W. *Comentário bíblico expositivo.* Vol. 6, 2006, p. 109.
[12]Martin, Ralph P. *Filipenses: Introdução e comentário*, p. 139.
[13]Hendriksen, William. *Efésios e Filipenses*, p. 528.
[14]Barclay, William. *Filipenses, Colosenses, I y II Tesalonicenses*, p. 63.

Os falsos mestres são defensores da falsa circuncisão. A palavra grega para circuncisão é *peritome,* mas Paulo se recusou a usá-la aqui; em vez disso, usou a palavra grega *katatome,* utilizada para descrever a mutilação da carne nos ritos pagãos. Muito embora não houvesse nada de errado com a circuncisão em si, Paulo sustentou que era errado ensinar que a circuncisão era uma condição indispensável para a salvação. Nesse sentido, a circuncisão se tornara um rito vazio e sem sentido.[15]

Os mestres judaizantes trocaram a graça de Deus por um rito físico. Eles se vangloriam de uma incisão na carne, em vez de uma mudança no coração. Eles cortavam o prepúcio do órgão sexual masculino, porém não cortavam o prepúcio do coração. Paulo escarnece dessa falsa confiança deles no rito da circuncisão, em vez de confiarem na graça de Deus.

William Barclay diz que esses dois verbos gregos, embora muito semelhantes, *peritemnein,* que significa "circuncidar", e *katatemnein,* que significa "mutilar", descrevem duas coisas bem diferentes. Enquanto o primeiro verbo descreve o sinal sagrado e o resultado da circuncisão, último, *katatemnein,* usado por Paulo para descrever os falsos mestres, descreve a mutilação própria que se proibia, como a castração e coisas semelhantes (Lv 21.5). Assim, Paulo fala para esses arrogantes hereges que eles não estavam circuncidados, mas apenas mutilados (Gl 5.12). Se tudo o que eles tinham para mostrar era a circuncisão da carne, uma marca física, então, realmente, não estavam circuncidados, mas apenas mutilados. Porque a circuncisão real é a consagração a Deus do coração, da mente, do pensamento e da vida.[16]

A circuncisão foi instituída por Deus como símbolo do Seu pacto com Abraão (Gn 17.9,10), e Paulo interpretou a circuncisão como o selo da justiça da fé (Rm 4.11-13) e disse que o sacramento do batismo substituiu esse rito judeu (Cl 2.11-13). O próprio Antigo Testamento já ensinava sobre o princípio espiritual desse rito, falando da circuncisão do coração (Dt 10.16), dos ouvidos (Jr 6.10) e dos lábios (Êx 6.20). O apóstolo Paulo diz que só a circuncisão do coração torna alguém

---

[15] BARTON, Bruce B. et all. *Life application Bible commentary on Phillipians,* p. 85.
[16] BARCLAY, William. *Filipenses, Colosenses, I y II Tesalonicenses,* p. 64,65.

espiritualmente judeu (Rm 2.28,29). Somente aqueles que creem são filhos espirituais de Abraão (Gl 3.29).

William Hendriksen corretamente exorta:

> O conceito de que Deus, ainda hoje, reconhece dois grupos favoritos – de um lado a Igreja e do outro os judeus – é completamente antibíblico.[17]

O povo de Deus identificado (3.3)

Assim como Paulo fez uma tríplice descrição dos falsos mestres, também faz uma tríplice identificação do povo de Deus. Os falsos mestres queriam tornar o cristianismo uma seita judaica. Eles ensinavam que a salvação dependia da circuncisão, anulando, assim, a suficiência do sacrifício de Cristo. Pregavam que a graça de Deus não era suficiente para a salvação e que o homem tinha de concorrer e cooperar com Deus nessa obra, circuncidando-se. Paulo refuta vigorosamente essa heresia, mostrando que a verdadeira circuncisão não é aquela feita na carne, mas a circuncisão do coração, operada pelo Espírito Santo de Deus. A Igreja, e não os falsos mestres, é que possui a verdadeira circuncisão. Paulo diz: *Porque nós é que somos a circuncisão...* (3.3).

Como Paulo descreve o povo de Deus?

Em primeiro lugar, ***o povo de Deus é identificado pela adoração*** (3.3). A questão não é adoração, mas a quem ela é prestada e de que forma. A igreja adora a Deus e o faz mediante a ação do Espírito Santo. Toda adoração que não é prestada a Deus é idolatria; toda adoração oferecida a Deus sem a ação do Espírito não é aceitável por Ele.

A palavra grega para "adoração", *latreia*, bem como o verbo "adorar", *latreuo*, têm um uso exclusivamente religioso no Novo Testamento. Ambos enfatizam que não podemos separar o culto que prestamos no templo daquele que prestamos com a vida, fora do templo.[18]

É perfeitamente possível que alguém seja capaz de observar meticulosamente todas as práticas externas da religião e ao mesmo tempo

---

[17] HENDRIKSEN, William. *Efésios e Filipenses*, p. 529.
[18] MOTYER, J. A. *The message of Philippians*, p. 150.

esteja abrigando em seu coração a amargura, o ódio e o orgulho. Os fariseus estavam na sinagoga reprovando Jesus porque Ele curou o homem da mão ressequida no sábado, mas não atentaram para o fato de que na mesma sinagoga eles estavam cheios de ódio tramando a morte de Jesus (Mc 3.1-6). Eles pensavam que estavam na sinagoga adorando, mas o culto deles não era movido pelo Espírito Santo.

Em segundo lugar, *o povo de Deus é identificado pela centralidade da sua vida em Cristo* (3.3). O povo de Deus aprecia plenamente quem Cristo é o que Cristo fez e nEle tem toda a sua exultação. O povo de Deus não se gloria na carne nem em ritos religiosos; antes, o seu prazer está no Senhor. O seu prazer, a sua vida e a sua confiança estão na Pessoa de Cristo. O bendito Filho de Deus é a nossa vida (1.21), o nosso exemplo (5), o nosso alvo (3.12-14) e a nossa força (4.13).

Gloriar-se em Cristo é ter nEle todo o prazer e deleite. Ele nos é suficiente. Ele nos satisfaz plenamente. O povo de Deus se gloria na cruz de Cristo, isto é, em Sua expiação, como a única base para a sua salvação. O Senhor é o objeto da exultação dos crentes. Aquele que se gloria, glorie-se no Senhor (1Co 1.31; 2Co 10.17).

Em terceiro lugar, *o povo de Deus é identificado pela sua decisão de não confiar na carne* (3.3). Segundo Werner de Boor a palavra "carne" aqui representa toda a religião produzida pessoalmente nas profundezas do coração e do estado de espírito. Essa "carne" pode ser sempre reconhecida no fato de que o ser humano continua voltado para si mesmo, confia em si mesmo e se gloria em si mesmo. "Carne" é a sua natureza centrada em si mesma. Mesmo quando exerce a moral e a religião, o ser humano fica preso a seu eu, cultiva e o gloria, até mesmo quando cita o nome de Deus.[19]

Os falsos mestres estavam confiados na carne, em rituais, em cerimônias externas, em realizações humanas. Contudo, a igreja é um povo que põe a sua confiança em Deus e sua fé na Pessoa bendita de Jesus Cristo. O cristianismo não é aquilo que nós fazemos para Deus, mas o que Deus fez por nós. Não confiamos no que fazemos ou deixamos de fazer, mas no que Deus fez por nós em Cristo Jesus.

---

[19] BOOR, Werner de. *Carta aos Efésios, Filipenses e Colossenses*, p. 233.

O testemunho de Paulo anunciado (3.4-6)

Destacamos dois pontos para a nossa reflexão:

Em primeiro lugar, **os privilégios de Paulo** (3.4,5). O apóstolo está fazendo um contraste entre ele e os falsos mestres que confiavam na carne. Ele está argumentando que ele teria muito mais razões para confiar na carne do que eles. E, então, passa a listar seus privilégios como judeu. Ele mostra a esses falsos mestres de plantão as suas credenciais. Ele não o faz para jactar-se, mas para mostrar que sabia o que era ser judeu e deliberadamente abandonou esses predicados por causa de Jesus Cristo.[20] Que privilégios eram esses?

Privilégio eclesiástico: ele era circuncidado ao oitavo dia (3.5). Ele não era um judeu prosélito; ele nasceu judeu e era um membro da raça que havia recebido o rito da circuncisão no tempo estabelecido pela lei (Gn 17.12; Lv 12.3). Com essa expressão, Paulo diz que não é um descendente de Ismael que foi circuncidado aos 13 anos (Gn 17.25) nem um prosélito que recebia a circuncisão depois de adulto, mas alguém que nasceu na mais pura fé judaica. Nesse sentido, Paulo excedia os judaizantes.

Privilégio de nacionalidade: ele era da linhagem de Israel (3.5). Não era um judeu apenas por adesão religiosa, mas judeu por direito de nascimento. Só os judeus podiam traçar sua descendência até Jacó, a quem Deus dera o nome de Israel. Chamando a si mesmo de israelita, Paulo sublinha a pureza absoluta de sua raça e de sua descendência.[21] Paulo pertencia ao povo eleito, o povo do concerto, o povo exclusivamente privilegiado (Êx 19.5,6; Nm 23.9; Sl 147.19,20; Am 3.2; Rm 3.1,2; 9.4,5). Porventura os judaizantes podiam com justiça reivindicar tal pureza genealógica para cada um de *per si*?[22]

Privilégio ancestral: ele era da tribo de Benjamim (3.5). Benjamim foi o único filho de Jacó que nasceu na Terra Prometida. A tribo de Benjamim é uma das mais importantes, pois foi a única que se manteve leal juntamente com a tribo de Judá, à dinastia de Davi (1Rs 12.21).

---

[20] BARCLAY, William. *Filipenses, Colosenses, I y II Tesalonicenses*, p. 66,67.
[21] BARCLAY, William. *Filipenses, Colosenses, I y II Tesalonicenses*, p. 67.
[22] HENDRIKSEN, William. *Efésios e Filipenses*, p. 534.

Dessa tribo, procedia o primeiro rei de Israel. Assim, Paulo não só está afirmando que era israelita, mas também que pertencia à elite de Israel, pois pertencia, sem sombra de dúvida, à nobilíssima e à mais ilustre de todas as tribos de Israel.

Em segundo lugar, *os méritos de Paulo* (3.5,6). Até então, Paulo listara o que ele tinha por direito de nascimento, agora vai listar o que adquiriu por escolha sua.

Ele era hebreu de hebreus (3.5). Essa expressão, além de enfatizar que tinha puro sangue, denota os judeus que normalmente falavam aramaico entre si e frequentavam sinagogas em que se celebrava o culto em hebraico (bem diferentes dos helenistas, que só falavam o grego).[23] Paulo falava a língua hebraica (At 21.40). Embora tenha nascido na cidade pagã de Tarso, foi para Jerusalém e educou-se aos pés de Gamaliel (At 22.3). Ele não era apenas um judeu helênico, mas um judeu atrelado à mais pura tradição judia. Ralph Martin diz, outrossim, que esse argumento é apresentado como prova de sua estrita ortodoxia, não maculada por nenhuma influência estrangeira (2Co 11.22).

Quanto à lei, ele era fariseu (3.5). Os fariseus constituíam o grupo mais zeloso pela lei e tradição da religião judaica. Ralph Martin diz que a principal característica da vida de um fariseu era a reputação de ser um cuidadoso e fervoroso cumpridor da lei mosaica e de suas tradições.[24] O próprio nome fariseu significa "separado". William Hendriksen diz que essa facção religiosa se originou durante o período intertestamentário em reação aos excessos dos judeus negligentes e indiferentes que se imbuíram do espírito helenista em seus aspectos insípidos. Assim, os fariseus ou separatistas vieram a separar-se dessas pessoas mundanas. Os fariseus não eram patriotas como os zelotes, nem radicais como os saduceus, nem políticos como os herodianos. Sua alta consideração pela lei de Deus é digna de admiração.[25] Essa seita do judaísmo tinha se separado da vida comum e das tarefas comuns para consagrar suas vidas à observância minuciosa dos detalhes da lei. William Barclay diz que,

---

[23] BRUCE, F. F. *Filipenses*, p. 117.
[24] MARTIN, Ralph P. *Filipenses: Introdução e comentário*, p. 142.
[25] HENDRIKSEN, William. *Efésios e Filipenses*, p. 538.

embora eles não fossem muitos, eram os corifeus espirituais do judaísmo.[26] Paulo escolheu ser fariseu (At 23.6). Tornou-se extremamente zeloso da tradição de seus pais (Gl 1.14). Como fariseu, pertenceu ao segmento mais severo da religião judaica (At 26.5).

O maior equívoco dos fariseus foi dar excessivo valor ao sistema legalista de interpretação que os escribas impuseram à lei, sepultando-a sob o peso de suas tradições (Mc 7.13).[27] Essa falsa interpretação dos fariseus levou-os a se colocarem como inimigos de Cristo. Jesus os chamou de hipócritas e presunçosos (Mt 6.2,16; 23.5-7), néscios e cegos (Mt 23.16-22), serpentes e raça de víboras (Mt 23.33), sepulcros caiados (Mt 23.13,15,23,25,27,29).

Quanto ao zelo, ele era perseguidor da igreja (3.6). Paulo era um judeu no seu sentido pleno, pela hereditariedade, pela cultura e pela religião. No entanto, mais do que isso, ele se levantou com todas as forças da sua alma para combater a Igreja de Cristo. Para um judeu, a maior qualidade religiosa era o zelo (Nm 25.11-13). Um zelo ardente por Deus era o emblema de honra e o distintivo da religião judaica. Paulo usou esse zelo para perseguir a Igreja (At 9.1,2; 22.1-5; 26.9-15; 1Co 15.9; Gl 1.13).

Quanto à justiça que há na lei, ele era irrepreensível (3.6). Essa irrepreensibilidade não era moral, mas religiosa. A palavra grega usada por Paulo, *amemptos*, traz a ideia de "culpar por pecados de omissão". Assim, o que ele afirma é que não existe nenhuma exigência da lei que não tenha cumprido.[28] Ele perseguia implacavelmente a Igreja por zelo às convicções da sua fé.

A sublimidade do evangelho estabelecida (3.7-11)

Destacamos três pontos importantes para o nosso ensino:

Em primeiro lugar, *o valor do evangelho* (3.7,8). O apóstolo Paulo, contrastando sua vida no judaísmo com sua experiência com Cristo, considerou como perda o que antes lhe parecia lucro. Ele era um genuíno israelita, de nobre nascimento, ortodoxo em sua crença e escrupuloso

---

[26] BARCLAY, William. *Filipenses, Colosenses, I y II Tesalonicenses*, p. 69.
[27] HENDRIKSEN, William. *Efésios e Filipenses*, p. 538.
[28] BARCLAY, William. *Filipenses, Colosenses, I y II Tesalonicenses*, p. 69,70.

em sua conduta. Estava pronto a dar o Seu sangue e derramar o sangue dos cristãos para agradar a Deus e chegar até Ele. Essas coisas, porém, que foram anotadas, uma a uma, na coluna do *crédito*, agora passaram para a coluna do *débito*, e se converteram numa gigantesca perda.[29] William Hendriksen ilustra essa verdade assim:

> A palavra perda, a qual Paulo usa nos versículos 7 e 8, e em nenhuma outra parte de suas epístolas, ocorre em apenas outra passagem do Novo Testamento (At 27.10,21), na narrativa da viagem perigosa. E é exatamente essa mesma passagem que também indica como o lucro pode se reverter em perda. A mercadoria daquele navio, que navegava para a Itália, representava lucro potencial para os mercadores, para o proprietário e para os faminots do navio. Todavia, não fosse esse trigo lançado ao mar (At 27.38), muito provavelmente não só o navio, mas também todos os tripulantes acabariam perecendo. Assim também a vantagem de se ter nascido num lar cristão e de se receber uma maravilhosa e cristã educação doméstica torna-se desvantagem quando é considerada como base sobre a qual se constrói a esperança de vida eterna. O mesmo se pode dizer com respeito ao dinheiro, ao atrativo pessoal, à cultura, ao vigor físico etc. Tais benefícios podem se reverter em obstáculos. Os degraus se transformarão em objetos de tropeço se forem usados de modo errado.[30]

Quatro verdades devem ser destacadas a respeito do valor do evangelho:

A Pessoa de Cristo é mais importante do que os rituais religiosos (3.7). Os judaizantes se gloriavam na carne e centralizavam a confiança deles para a salvação em um rito físico. Mas tudo isso não tem nenhum valor para a salvação. Nossa confiança deve estar em Cristo, e não nos rituais. Se Paulo não tivesse renunciado ao demasiado valor que atribuía a esses privilégios e empreendimentos, eles o teriam privado de Cristo, o único lucro real (3.8).

O conhecimento de Cristo não é apenas teórico, mas, sobretudo, um relacionamento íntimo e pessoal (3.8). Paulo considera seus privilégios e méritos

---

[29] HENDRIKSEN, William. *Efésios e Filipenses*, 541.
[30] HENDRIKSEN, William. *Efésios e Filipenses*, p. 541.

na religião judaica como pura perda em virtude do seu relacionamento pessoal com Cristo, o Senhor da sua vida. William Hendriksen diz:

> Assim como o nascer do sol apaga a luz das estrelas, e assim como a presença de uma pérola de grande valor apaga o brilho das demais gemas, assim também a comunhão com Cristo eclipsa o brilho de todas as coisas.[31]

O amor a Cristo corrige as nossas prioridades (3.8). Paulo não apenas abre mão de suas prerrogativas e vantagens, mas as considera como perda por amor a Cristo. O amor de Cristo o constrangeu, e Seu amor por Cristo o levou a renunciar a tudo o que antes lhe parecia vantajoso.

Ter a Cristo nos leva a ver as vantagens pessoais e religiosas como refugo (3.8). A palavra grega *skybala* usada por Paulo para "refugo" tem dois significados: Em linguagem comum, significa "aquilo que era lançado aos cães"; na linguagem médica, significa "excremento, esterco".[32] Ralph Martin chega a dizer que o termo *skybala* é vulgar para descrever o excremento humano, ou restos de alimento destinados à lata de lixo. Dessa forma, os termos "esterco" e "refugo" não expressam toda a sua repugnância. Assim, todos os privilégios cerimoniais, religiosos, do passado, são desdenhosamente jogados de lado, como lixo.[33] O que os judaizantes têm em tão alta conta, o apóstolo considera ser de nenhum préstimo, senão refugo, algo que só servia para lançar-se aos cães.[34]

Em segundo lugar, ***o conteúdo do evangelho*** (3.9). O conteúdo do evangelho não é o que fazemos para Deus, mas o que Deus fez por nós em Cristo. A palavra-chave aqui é *justiça*. A Igreja é um povo que foi justificado por Deus, por causa do sacrifício perfeito e cabal de Cristo na cruz. Destacamos aqui alguns pontos:

A justificação é uma obra de Deus (3.9). Todas as nossas justiças são como trapos de imundícia aos olhos de Deus (Is 64.6). Deus é justo e não pode contemplar o mal. Ele não inocentará o culpado. A alma

---

[31] HENDRIKSEN, William. *Efésios e Filipenses*, p. 543.
[32] BARCLAY, William. *Filipenses, Colosenses, I y II Tesalonicenses*, p. 71.
[33] MARTIN, Ralph P. *Filipenses: Introdução e comentário*, p. 145.
[34] HENDRIKSEN, William. *Efésios e Filipenses*, p. 543.

que pecar, essa morrerá. A Bíblia diz que todos pecaram. Não há justo, nem um sequer. Todavia, Deus enviou Seu Filho como nosso substituto e fiador. Ele foi à cruz em nosso lugar. Quando estava pregado no madeiro, Deus fez cair sobre Ele a iniquidade de todos nós. Ele foi ferido de Deus e traspassado pelas nossas iniquidades. Antes de render o Seu espírito, Jesus deu um brado: "Está consumado". Isso significa: Está pago! Nossa dívida foi paga. A justiça perfeita de Cristo foi imputada a nós, ou seja, depositada em nossa conta. Em razão dos méritos do sacrifício de Cristo, Deus nos declara justos. Agora, portanto, não há mais nenhuma condenação para aqueles que estão em Cristo. Essa é a justiça de Deus imputada a nós.

William Hendriksen está coberto de razão quando afirma que, enquanto uma pessoa se conserva apegada à sua própria justiça, mesmo num grau ínfimo, ela jamais desfrutará a plena justiça de Cristo. As duas não podem, de modo algum, andar juntas. É necessário que uma seja plenamente renunciada antes que a outra seja plenamente possuída.[35]

A justificação é por meio de Cristo (3.9). Deus justifica todo aquele que está em Cristo sem justiça própria, que procede da lei. Somos justificados pelos méritos de Cristo. Sua obra na cruz, e não os nossos esforços, nos garante a justificação. "Ser achado nEle e ser justificado são uma e a mesma coisa".[36] Warren Wiersbe corretamente diz que há somente uma "boa obra" que pode levar o pecador para o céu: a obra que Cristo consumou na cruz (Jo 7.1-4; 19.30; Hb 10.11-14).[37]

A justificação é recebida pela fé (3.9). A justificação é mediante a fé em Cristo. A fé não é a sua causa, mas o seu instrumento de apropriação. A relação justa com Deus não se baseia na lei, mas na fé em Cristo Jesus. Ninguém a conquista, Deus a dá; ninguém a ganha por obras, mas a aceita com confiança. Assim, o caminho da paz com Deus não é o caminho das obras, mas o caminho da graça.

Em terceiro lugar, *a comunhão do evangelho* (3.10,11). O evangelho é mais do que um punhado de verdades e dogmas; é uma pessoa. Ser

---

[35] HENDRIKSEN, William. *Efésios e Filipenses*, p. 544.
[36] MARTIN, Ralph P. *Filipenses: Introdução e comentário*, p. 146.
[37] WIERSBE, Warren W. *Comentário bíblico expositivo*. Vol. 6, 2006, p. 110.

cristão não é apenas ter na mente as doutrinas do cristianismo, mas ter um íntimo relacionamento com Cristo. Esse conhecimento não é apenas intelectual, mas, sobretudo, uma experiência pessoal. O verbo grego *kinoskein*, "conhecer", usado por Paulo é o mesmo verbo hebraico *yadá*, utilizado para o relacionamento conjugal entre Adão e Eva (Gn 4.1). O nosso relacionamento com Cristo tem pelo menos três implicações:

Implica a apropriação do poder da vida sobre a morte (3.10). Se o amor de Deus é demonstrado de modo supremo na morte de Cristo (Rm 5.8), o poder de Deus é demonstrado de modo supremo na ressurreição de Cristo.[38] Paulo diz que o mesmo poder que ressuscitou Jesus dentre os mortos está à nossa disposição. Não apenas com gloriosas verdades antigas, mas também com um poder sempre vivo, dinâmico e atual. William Barclay diz que a ressurreição de Cristo é garantia de que esta vida é digna de ser vivida e de que para Deus o corpo físico é sagrado; que a morte não é o fim; e que nada na vida ou na morte pode nos separar de Cristo.[39]

Implica a capacitação para enfrentar o sofrimento e a morte (3.10). Se, em certo plano, Paulo partilhou o poder do Cristo ressurreto, em outro plano o apóstolo partilhou os Seus sofrimentos. Sofrer por Cristo é um privilégio (1.29). Paulo estava na prisão, aguardando a sua sentença. Ele não era um masoquista que gostava de sofrer nem um eremita que via o sofrimento como meritório. Ao contrário, por causa de sua comunhão com Cristo, ele conhecia o poder da vida e também estava pronto a enfrentar o sofrimento da morte. Sofrer pela fé não é motivo de tristeza, mas de deleite inefável.

Implica a gloriosa expectativa da vida futura (3.11). Essa palavra de Paulo não deve ser vista como uma dúvida ou tímida esperança. O que Paulo está dizendo é que antes da ressurreição vem a morte; antes da alegria vem o choro; antes dos montes alcantilados vêm os vales.

---

[38]BRUCE, F. F. *Filipenses*, p. 124.
[39]BARCLAY, William. *Filipenses, Colosenses, I y II Tesalonicenses*, p. 73.

11

O testemunho do apóstolo Paulo

Filipenses 3.12-21

O APÓSTOLO PAULO FALOU SOBRE A SUPREMACIA DE CRISTO no capítulo 1, a primazia do outro no capítulo 2, e, agora, nos dá um esboço da sua própria biografia no capítulo 3. Paulo descortinou o seu passado nos versículos 1 a 11; lançou luz sobre o seu presente nos versículos 12 a 16 e apontou para o seu futuro nos versículos 17 a 21.

No passado, Paulo abriu mão de seus valores. No presente, Paulo se via como um atleta que corre celeremente para a linha de chegada, a meta final da carreira cristã, e no futuro, Paulo se apresentou como "estrangeiro", cuja cidadania está no céu, de onde aguarda a segunda vinda de Cristo.

Paulo, **o atleta** (3.12-16)

O apóstolo usa neste parágrafo a figura do atletismo para descrever a sua vida cristã. Ele é um homem que tem olhos abertos para ver o mundo ao seu redor e tirar ricas lições espirituais. Para um atleta participar dos jogos olímpicos em Atenas, precisava primeiro ser cidadão grego. Ele não competia para ganhar a cidadania. Assim, também, nós não corremos a carreira cristã para ganhar o céu, mas porque já somos cidadãos do céu (3.20).

Warren Wiersbe compreendeu bem o ensino de Paulo neste texto e nos fala sobre os elementos essenciais para se ganhar a corrida e receber a recompensa.[1]

Em primeiro lugar, *insatisfação* (3.12-13a). O apóstolo veterano e prisioneiro de Cristo afirma: ... *não julgo havê-lo alcançado* (3.13). Em matéria de progresso rumo à perfeição, Paulo é um irmão entre irmãos, diz J. A. Motyer. Por ser líder, não deixa de ser um cristão que luta como os demais para alcançar o que Deus preparou para os Seus filhos.[2] Paulo participa de uma corrida; ainda que não envergue a faixa de campeão e tampouco empunhe a taça, mas deve continuar correndo, até que esses prêmios lhe sejam atribuídos.[3]

Embora tenha sido um homem de Deus, um vaso de honra, um servo fiel, um instrumento valoroso na pregação do evangelho e no plantio de igrejas, Paulo nunca ficou satisfeito com suas vitórias espirituais. À semelhança de Moisés, ele sempre queria mais (Êx 33.18). Uma "insatisfação santa" é o primeiro elemento essencial para avançar na corrida cristã.[4]

Muitos cristãos estão satisfeitos consigo mesmos ao se compararem àqueles que já estão trôpegos e parados. Paulo não se comparava com outros, mas com Cristo. Ele ainda não chegou à perfeição (3.12), muito embora seja perfeito, ou seja, amadurecido na fé (3.15). Uma das características dessa maturidade é a consciência da própria imperfeição! O cristão maduro faz uma autoavaliação honesta e se esforça para melhorar.[5] A luta contra o pecado ainda não terminou, pois essa perfeição não se alcança na presente vida (Rm 7.14-24; Tg 3.2; 1Jo 1.8).

William Barclay nos ajuda a entender esta palavra grega *teleios*, "perfeito". Ela era empregada não apenas para a absoluta perfeição, mas também para certo tipo de perfeição, por exemplo: 1) significa desenvolvido plenamente em contraposição ao não desenvolvido; um homem maduro em contraposição a um jovem; 2) usa-se para descrever

---

[1] WIERSBE, Warren W. *Comentário bíblico expositivo*. Vol. 6, 2006, p. 115-118.
[2] MOTYER, J. A. *The message of Philippians*: p. 174,175.
[3] BRUCE, F. F. *Filipenses*, p. 130.
[4] WIERSBE, Warren W. *Comentário bíblico expositivo*. Vol. 6, 2006, p. 115.
[5] WIERSBE, Warren W. *Comentário bíblico expositivo*. Vol. 6, 2006, p. 115.

o homem de mente madura em oposição a um principiante em algum estudo; 3) quando se trata de oferendas, significa sem mácula e adequado para o sacrifício a Deus; 4) aplicado aos cristãos, com frequência designa os batizados como membros plenos da igreja em oposição aos que estão sendo instruídos para serem recebidos na igreja.[6] J. A. Motyer, citando Bengel, diz que o termo "maduro" foi tirado dos jogos atléticos, cujo significado é "coroado como vencedor".[7]

Ralph Martin diz que esse termo "perfeição" era muito usado pelos falsos mestres. Os judaizantes se vangloriavam de sua "perfeição", quer fosse como judeus que professavam guardar a lei em sua inteireza, quer como judeus cristãos que se "gloriavam" da circuncisão. Os cristãos gnósticos, por sua vez, reivindicavam serem iluminados, como homens do Espírito. Paulo, porém, explicitamente negou aquilo que eles afirmavam ter obtido, isto é, a "perfeição".[8]

A presunção espiritual é um engano e um sinal evidente de imaturidade espiritual. A igreja de Sardes julgava a si mesma uma igreja viva, mas na avaliação de Jesus estava morta (Ap 3.1). A igreja de Laodiceia se considerava rica e abastada, mas Jesus a considerou uma igreja pobre, cega e nua (Ap 3.17). Sansão pensou que ainda tinha força quando, na realidade, a perdera (Jz 16.20). O despertamento espiritual de uma igreja começa não pela empáfia espiritual, mas pela humildade e o reconhecimento de que ainda precisa buscar mais a Deus (Sl 42.1,2).

Em segundo lugar, *dedicação* (3.13b). O apóstolo Paulo diz: ... *uma coisa faço...* O apóstolo Paulo tinha seus olhos fixos na meta e não se desviava de seu objetivo. Ele era um homem dedicado exclusivamente à causa do evangelho. Não se deixava distrair por outros interesses. Sua mente estava voltada inteira e exclusivamente para fazer a vontade de Deus.

A Bíblia diz que aquele que põe a mão no arado e olha para trás não é apto para o Reino de Deus (Lc 9.62). Marta ficou distraída com muitas coisas, mas Jesus lhe disse que uma só era necessária (Lc 10.42).

---

[6] BARCLAY, William. *Filipenses, Colosenses, I y II Tesalonicenses*, p. 75.
[7] MOTYER, J. A. *The message of Philippians*, p. 179.
[8] MARTIN, Ralph P. *Filipenses: Introdução e comentário*, p. 154.

Há crentes que dividem a sua atenção com muitas coisas. São como a semente lançada no espinheiro. Há muitos concorrentes que sufocam a semente, e ela não frutifica (Mc 4.7,18,19).

Antes do incêndio trágico de Chicago, em 1871, Dwight L. Moody estava envolvido com a divulgação da escola bíblica dominical, com a Associação Cristã de Moços, com encontros evangelísticos e com várias atividades, mas, depois do incêndio, tomou o propósito de se dedicar exclusivamente ao evangelismo.[39] O princípio ensinado por Paulo de "... uma coisa faço..." tornou-se realidade para ele. O resultado foi que centenas de milhares de pessoas se renderam a Cristo.

Devemos nos concentrar na obra de Deus como Neemias, o governador que restaurou a cidade de Jerusalém depois do cativeiro babilônico. Quando seus opositores tentaram desviar sua atenção da obra de reconstrução, ele respondeu: *Estou fazendo grande obra, de modo que não poderei descer...* (Ne 6.3).

Em terceiro lugar, **direção** (3.13c). O apóstolo Paulo mostra a necessidade imperativa de termos direção clara e segura nessa corrida da carreira cristã, quando diz: *... esquecendo-me das coisas que para trás ficam e avançando para as que diante de mim estão* (3.13). Quem corre em uma competição, não olha para trás, por cima do ombro, a fim de calcular que distância já percorreu, nem como vão os concorrentes: quem corre, fixa os olhos na meta de chegada.[10]

O cristão não pode ser distraído pela preocupação quanto ao passado (3.13) nem quanto ao futuro (4.6,7). Se Paulo não esquecesse o passado, sua vida seria um inferno (1Tm 1.12-17). Se Paulo não abandonasse os seus pretensos méritos, não descansaria na graça de Deus (3.7). O corredor que olha para trás perde a velocidade, a direção e a corrida. Aquele que lança a mão no arado e olha para trás, não é apto para o reino (Lc 9.62).

Olhar para trás num saudosismo do passado é perigoso. A mulher de Ló, por ter olhado para trás quando a cidade de Sodoma estava sendo destruída, desobedecendo, assim, à orientação divina, foi transformada

---

[9]Wiersbe, Warren W. *Comentário bíblico expositivo*. Vol. 6, 2006, p. 116.
[10]Bruce, F. F. *Filipenses*, p. 131.

numa estátua de sal (Gn 19.26). O povo de Israel, por influência dos dez espias incrédulos, quis voltar para o Egito e pereceu no deserto. José do Egito, maltratado pelos seus irmãos, não guardou ressentimento; antes, quando lhe nasceu o filho primogênito, deu-lhe o nome de Manassés, que significa "perdão" (Gn 41.51).[11]

Em quarto lugar, ***determinação*** (3.14). O apóstolo Paulo ensina outro princípio para o sucesso nessa corrida, quando diz: ... *prossigo para o alvo...* (3.14). Esse verbo usado aqui e no versículo 12 tem o sentido de esforço intenso. Os gregos costumavam usar esse termo para descrever um caçador perseguindo avidamente a presa. Um indivíduo não se torna um atleta vencedor ouvindo palestras, lendo livros ou torcendo nos jogos. Antes, o atleta bem-sucedido entra no jogo e se mostra determinado a vencer![12]

Ralph Martin diz que antigamente Paulo perseguia os crentes; agora, ele persegue (como caçador) a vocação de uma vida em Cristo. Paulo diz: ... *prossigo para o alvo...* A palavra grega *skopos*, "alvo", é encontrada somente aqui em todas as cartas paulinas. Significa a fita diante da meta, no final da pista, à qual o atleta dirige seu olhar.[13] Werner de Boor diz que, embora Paulo esteja nessa corrida de forma voluntária, ele empenha toda a sua força. Ele não é instigado nem atiçado por trás, com ordens; mas atraído pelo alvo, pelo prêmio da vitória. Assim é o cristão![14]

Paulo era um homem determinado no que fazia: na perseguição à Igreja, antes de conhecer a Cristo (3.6); agora, em seguir a Cristo (3.14). Se os crentes tivessem a mesma determinação para lutar pela Igreja e pelo Reino de Deus que têm pelos estudos, trabalho, esporte, dinheiro, haveria uma revolução no mundo.

O que Paulo busca com tanta determinação? O prêmio da soberana vocação de Deus em Cristo Jesus. William Hendriksen diz que, no final da corrida, o vencedor era convocado, da pista ao estádio, a comparecer diante do banco do juiz a fim de receber o prêmio. Esse prêmio consistia em uma coroa de louros. Em Atenas, desde o tempo de Sólon,

---

[11] MARTIN, Ralph P. *Filipenses: Introdução e comentário*, p. 151.
[12] WIERSBE, Warren W. *Comentário bíblico expositivo*. Vol. 6, 2006, p. 117.
[13] MARTIN, Ralph P. *Filipenses: Introdução e comentário*, p. 153.
[14] BOOR, Werner de. *Carta aos Efésios, Filipenses e Colossenses*, p. 244.

o vencedor olímpico recebia também a soma de 500 *drachmai*. Além de tudo, era-lhe permitido comer a expensas do erário público, e era-lhe concedido sentar-se no teatro em lugares de primeira classe.[15] Na corrida terrena, o prêmio é perecível; na celestial, o prêmio é imperecível (1Co 9.25). Na primeira, apenas um pode vencer (1Co 9.24); na última, todos os que amam a vinda de Cristo são vencedores (2Tm 4.8).[16] Paulo não corre por causa de prosperidade, saúde, sucesso ou fama. Sua ardente aspiração é Jesus. Os atletas olímpicos corriam por uma coroa de louros, mas os cristãos correm por uma coroa imarcescível.

Muito embora a salvação seja gratuita, somente aqueles que se esforçam entram no reino. Werner de Boor afirma acertadamente que o prêmio da vitória é pura dádiva. Nenhum de nós se coloca por si mesmo em movimento rumo a Deus. Ninguém confecciona pessoalmente o prêmio da vitória. Contudo, não obteremos esse prêmio da vitória se permanecermos sentados à beira do estádio e refletirmos sobre ele, nem se fizermos declarações corretas acerca dele. Tampouco somos levados até ele em um automóvel da graça. Temos de "caçá-lo" com o empenho de todas as nossas forças.[17]

Em quinto lugar, *disciplina* (3.15,16). Paulo conclui seu pensamento, dizendo: *Todos, pois, que somos perfeitos, tenhamos este sentimento; e, se, porventura, pensais doutro modo, também isto Deus vos esclarecerá. Todavia, andemos de acordo com o que já alcançamos* (3.15,16). Ralph Martin corretamente diz que Paulo não está dizendo que a concordância com, ou a discordância do, seu ensino seria assunto indiferente, e que aqueles que discutiam seu ensino teriam direito às suas opiniões próprias.[18] Paulo está ainda utilizando a figura da corrida. A palavra grega *stochein*, "andemos" (3.16), é um termo militar que significa "permanecer em linha".[19]

Não basta correr com disposição e vencer a corrida; o corredor também deve obedecer às regras. Nos jogos gregos, os juízes eram

---

[15] HENDRIKSEN, William. *Efésios e Filipenses*, p. 557.
[16] HENDRIKSEN, William. *Efésios e Filipenses*, p. 558.
[17] BOOR, Werner de. *Carta aos Efésios, Filipenses e Colossenses*, p. 246.
[18] MARTIN, Ralph P. *Filipenses: Introdução e comentário*, p. 155.
[19] BARTON, Bruce B. et all. *Life application Bible commentary on Philippians*, p. 102.

extremamente rígidos com respeito aos regulamentos, e o atleta que cometesse qualquer infração era desqualificado. Não perdia a cidadania (apesar de desonrá-la), mas perdia o privilégio de participar e de ganhar um prêmio. Em Filipenses 3.15,16, Paulo enfatiza a importância de os cristãos lembrarem as "regras espirituais" que se encontram na Palavra, diz Warren Wiersbe.[20]

Mais tarde, o apóstolo Paulo ensinou esse mesmo princípio a Timóteo: *Igualmente, o atleta não é coroado se não lutar segundo as normas* (2Tm 2.5). Um dia, todo cristão vai se encontrar diante do tribunal de Cristo (Rm 14.10-12). O termo grego para "tribunal" é *bema*, a mesma palavra usada para descrever o lugar onde os juízes olímpicos entregavam os prêmios. Se nos disciplinarmos a obedecer às regras, receberemos o prêmio.[21] Cada atleta é julgado pelo júri. Um dia compareceremos diante do tribunal de Cristo para sermos julgados.

Ben Johnson, na Olimpíada de Barcelona, perdeu a medalha de ouro na corrida dos cem metros após constatarem que ele violara as regras. Teve de devolver a medalha e perdeu a posição.

A Bíblia está cheia de exemplos de pessoas que começaram bem a corrida, mas não chegaram ao fim por não levarem as regras de Deus a sério. Devemos correr sem carregar pesos inúteis do pecado e olhar firmemente para Jesus, o nosso alvo.

Paulo, o pastor (3.17-19)

Destacamos quatro verdades acerca de Paulo como pastor:

Em primeiro lugar, **Paulo é aquele que dá o exemplo de doutrina e de vida** (3.17). O apóstolo Paulo era um paradigma para os crentes tanto na questão da doutrina quanto na questão da ética. Ele era modelo tanto na teologia quanto na vida. Seu ensino e seu caráter eram aprovados. Sua vida confirmava sua doutrina, e sua doutrina norteava a sua vida. Ele recomendou a Timóteo, seu filho na fé: *Tem cuidado de ti mesmo e da doutrina...* (1Tm 4.16).

---

[20] WIERSBE, Warren W. *Comentário bíblico expositivo*. Vol. 6, 2006, p. 117.
[21] WIERSBE, Warren W. *Comentário bíblico expositivo*. Vol. 6, 2006, p. 118.

Ralph Martin diz que Paulo chama a atenção para si mesmo, em face de sua profunda percepção apostólica como homem do Espírito (1Co 2.16; 7.40; 14.37), opondo-se àqueles que afirmavam ter conhecimento superior dos caminhos de Deus. Assim, Paulo chamava os crentes à obediência à autoridade apostólica, algo mais do que um convite a que se imite o modo de vida do apóstolo.[22]

Nessa mesma linha de pensamento, J. A. Motyer diz que, quando Paulo nos ordena a seguir o seu exemplo (3.17), ele acrescenta uma explicação: *Pois...* (3.18). O elo entre estes dois versículos é o seguinte: Paulo ordena os crentes a imitá-lo porque, fazendo assim, eles estariam vivendo de acordo com a verdade da cruz (3.18) e da segunda vinda de Cristo (3.20). Em outras palavras, quando as verdades sobre a cruz e a segunda vinda de Cristo são assimiladas, certamente um caminho de vida segue naturalmente.[23]

Em segundo lugar, **o pastor é aquele que protege, dos falsos mestres o rebanho** (3.18). Paulo pregou a verdade e denunciou o erro. Ele promoveu o evangelho e combateu a heresia. Não fazia relações públicas acerca da verdade para agradar às pessoas. Ele chamou esses falsos mestres de inimigos da cruz de Cristo.

Quem eram esses inimigos da cruz de Cristo? Warren Wiersbe acredita que Paulo está falando dos mesmos judaizantes já descritos em Filipenses 3.2, uma vez que eles acrescentavam a Lei de Moisés à obra da redenção que Cristo havia realizado na cruz. Também, por causa de sua obediência às leis alimentares do Antigo Testamento, *... o deus deles é o ventre* (Fp 3.19) e sua ênfase sobre a circuncisão corresponderiam a gloriar-se em algo que deveria ser motivo de vergonha (Gl 6.12-15).[24] Os judaizantes eram inimigos da cruz de Cristo porque esta deu cabo da religião do ritualismo como meio de chegar até Deus. Com a morte de Cristo, o véu do templo foi rasgado, e agora o homem tem livre acesso a Deus por meio de Cristo, o novo e vivo caminho (Hb 10.19-25). O que eles consideravam uma linha divisória

---

[22] MARTIN, Ralph P. *Filipenses: Introdução e comentário*, p. 156.
[23] MOTYER, J. A. *The message of Philippians*, p. 183.
[24] WIERSBE, Warren W. *Comentário bíblico expositivo*. Vol. 6, 2006, p. 119.

entre os homens, a circuncisão, Cristo derrubou por meio da sua morte (Ef 2.14-16).

William Hendriksen, entretanto, de forma diferente, pensa que Paulo não está aqui falando dos judaizantes, mas dos libertinos e sensualistas glutões e grosseiramente imorais.[25] A natureza pecaminosa é propensa a saltar de um extremo a outro, ou seja, do legalismo à libertinagem. Assim, esses falsos mestres eram aqueles que transformaram a liberdade cristã em libertinagem (Gl 5.13; 1Pe 2.11). Na Carta aos Romanos, Paulo apresenta advertência contra aqueles que dizem: *Pratiquemos males para que venham bens* (Rm 3.8b); *Permaneceremos no pecado, para que seja a graça mais abundante* (Rm 6.1b). ... *porque esses tais não servem a Cristo, nosso Senhor, e sim a seu próprio ventre; e, com suas palavras e lisonjas, enganam o coração dos incautos* (Rm 16.18).

Na igreja de Corinto, Paulo enfrentou tanto os ascetas que proibiam o casamento (1Co 7.1) quanto os libertinos que diziam que tudo é permissível (1Co 6.12). De modo idêntico, ainda hoje, a graça de Deus é recebida em vão por aqueles que continuam a viver sob a lei e pelos que pensam que devem permanecer no pecado, para que a graça aumente.[26]

Em terceiro lugar, *o pastor é aquele que exorta com firmeza e com lágrimas* (3.18). Paulo tem firmeza e doçura. Ele exorta com a clareza da sua mente e com a profundidade do seu coração. Ele tem argumentos irresistíveis que emanam da sua cabeça e convencimento pelas lágrimas grossas que rolam da sua face. Paulo não é um apologeta ferino e frio, mas argumenta com irresistível clareza e com a eloquência das lágrimas. Paulo chora sobre aqueles a quem ele ensinou e sobre aqueles a quem repreendeu (At 20.19,31; 2Co 2.4). Em Paulo, havia uma sincera união de verdade e amor. Ele advertiu sobre o erro e chorou sobre aqueles que permaneceram nele.[27]

O zelo pastoral de Paulo o levava às lágrimas na defesa de suas ovelhas. Ele se comovia ao perceber que algum perigo os ameaçava. O apóstolo era não só um homem de agudo discernimento e inquebrantável

---

[25] HENDRIKSEN, William. *Efésios e Filipenses*, p. 561.
[26] BRUCE, F. F. *Filipenses*, p. 139.
[27] MOTYER, J. A. *The message of Philippians*, p. 184.

decisão, mas também de emoção ardente.²⁸ É bem provável que esses mestres estivessem posando como "modelos" de liderança cristã e, como consequência, minando a autoridade de Paulo. O apóstolo está emocionalmente comovido, enquanto escreve, até chorando, talvez muito mais por causa de crentes que abandonaram suas igrejas (2Co 2.4) do que pelos mestres que os desencaminharam.²⁹

Em quarto lugar, *o pastor é aquele que não se engana acerca dos falsos mestres* (3.19). O apóstolo Paulo destaca quatro características dos falsos mestres:

Eles adoram a si mesmos. Paulo diz: ... *o deus deles é o ventre...* (3.19). Eles vivem encurvados para o próprio umbigo. Visto que a palavra *koilia*, "ventre", pode significar "útero" ou "umbigo", Paulo pode estar simplesmente comentando o egocentrismo deles. Assim, tudo quanto fazem é fixar os olhos no próprio umbigo. O deus deles são eles mesmos.³⁰ A vida deles é centrada neles mesmos. São adoradores de si mesmos. Em vez de procurar manter seus apetites físicos sob controle (Rm 8.13; 1Co 9.27), compreendendo que nosso corpo é o templo do Espírito Santo, no qual Deus deve ser glorificado (1Co 6.20), essas pessoas se entregam à glutonaria e à licenciosidade.³¹

Paulo está rechaçando a ideia de que o homem vive para comer, em vez de comer para viver. Jesus rejeitou a proposta do diabo em transformar pedra em pão, dizendo que não só de pão vive o homem, mas de toda a palavra que procede da boca de Deus (Mt 4.4). A glutonaria é obra da carne, assim como a prostituição, a idolatria e a feitiçaria (Gl 5.19-21).

Eles invertem os padrões morais. Paulo continua: ... *e a glória deles está na sua infâmia...* (3.19). Eles deveriam ter vergonha daquilo em que se gloriavam. Eles escarneciam da virtude e exaltavam o opróbrio. Ao mal, chamavam bem, e ao bem, mal; faziam das trevas luz, e da luz, trevas; colocavam o amargo por doce, e o doce, por amargo (Is 5.20). Eles não

---

²⁸HENDRIKSEN, William. *Efésios e Filipenses*, p. 564.
²⁹MARTIN, Ralph P. *Filipenses: Introdução e comentário*, p. 158.
³⁰MARTIN, Ralph P. *Filipenses: Introdução e comentário*, p. 160.
³¹HENDRIKSEN, William. *Efésios e Filipenses*, p. 566.

apenas levavam a bom termo seus maus desígnios, mas ainda se vangloriavam disso (Rm 1.32). A glória desses falsos mestres é a infâmia. A recompensa deles é fugaz. A decepção deles é certa. A ruína deles é veloz.

Eles têm suas mentes voltadas apenas para as coisas materiais, em vez das espirituais. O apóstolo é enfático, quando diz: *...visto que só se preocupam com as coisas terrenas* (3.19). Eles vivem sem a dimensão do eterno. O coração deles está sedento de coisas materiais, em vez de buscarem as riquezas espirituais.

Essa história se repete hoje. Muitos líderes religiosos, sem temor, têm-se empoleirado no púlpito, usando artifícios e malabarismos, com a Bíblia na mão, arrancando dinheiro das pessoas, fazendo promessas que Deus não faz em Sua Palavra. Esses obreiros fraudulentos, sem nenhum escrúpulo, mercadejam o evangelho da graça, para alimentar a sua ganância insaciável. Hoje, a religião, para muitos, tem sido um bom negócio, uma fonte de lucro, um caminho fácil de enriquecimento. O mercado da fé tem produto para todos os gostos. A oferta é abundante. A procura é imensa. A causa é a ganância. A consequência é o engano. O resultado é a decepção. O fim da linha é o inferno.

Eles caminham inexoravelmente para a perdição. O apóstolo é claro em afirmar: *O destino deles é a perdição...* Não há salvação fora da verdade. O caminho da heresia desemboca no abismo. O destino dos hereges é a perdição. William Hendriksen corretamente afirma que "perdição" não é o mesmo que *aniquilamento*. Não significa que cessarão de existir. Ao contrário, significa *punição eterna* (2Ts 1.9).[32]

Paulo, o cidadão do céu (3.20,21)

O apóstolo Paulo, depois de descrever o presente, falando da sua corrida rumo ao prêmio e após demonstrar o seu zelo pastoral, alertando acerca dos falsos mestres, lança o seu olhar rumo ao futuro e destaca três gloriosas verdades que são as âncoras da nossa esperança:

Em primeiro lugar, *o céu é a nossa Pátria* (3.20). O apóstolo Paulo diz: *Pois a nossa Pátria está nos céus...* (3.20). Paulo utiliza o substantivo

---

[32] HENDRIKSEN, William. *Efésios e Filipenses*, p. 565,566.

politeuma, "pátria", que não se encontra em parte alguma do Novo Testamento. Essa palavra descreve, sobretudo, a conduta dos crentes filipenses no mundo. Se a pátria deles está nos céus, a conduta deles também deveria ser compatível com essa cidadania.[33]

Assim como Filipos era uma colônia de Roma em território estrangeiro, também a Igreja é uma "colônia do céu" na terra.[34] Somos peregrinos neste mundo. Não somos daqui. Nascemos de cima, do alto, de Deus. O céu é a nossa origem e também o nosso destino. O nosso nome está arrolado no céu (Lc 10.20), está registrado no livro da vida (4.3). É isso que determina nossa entrada final no país celestial (Ap 20.15).

Por causa da expectativa de habitar em uma cidade superior, Abraão contentou-se em viver em uma tenda (Hb 11.13-16). Por causa da expectativa da recompensa do céu, Moisés dispôs-se a abrir mão dos tesouros do Egito (Hb 11.24-26). Por causa da esperança de vivermos com Cristo no céu, devemos buscar uma vida de santidade hoje (1Jo 3.3).

A cidadania é importante. Quando viajamos para outro país é essencial ter um passaporte que comprove a nossa cidadania. Ninguém quer ter a mesma sina que Philip Nolan no conto clássico *O homem sem país*. Nolan amaldiçoou o nome do seu país e, por isso, foi condenado a viver a bordo de um navio e nunca mais ver a sua terra natal, sem sequer ouvir o seu nome ou receber notícias acerca do seu progresso. Passou cinquenta e seis anos em uma viagem interminável de navio em navio, de mar em mar e, por fim, foi sepultado nas águas do oceano. Nolan foi um "homem sem pátria".[35]

O céu é um lugar e um estado. É o lugar da morada de Deus e da sua Igreja resgatada e um estado de bem-aventurança eterna, onde jamais entrarão a dor, a lágrima, o luto e a morte.

Em segundo lugar, *a segunda vinda de Jesus é a nossa esperança* (3.20). O apóstolo ainda afirma: ... *de onde também aguardamos o Salvador, o Senhor Jesus Cristo*. Três verdades devem ser aqui destacadas:

---

[33] BRUCE, F. F. *Filipenses*, p. 143.
[34] WIERSBE, Warren W. *Comentário bíblico expositivo*. Vol. 6, 2006, p. 119.
[35] WIERSBE, Warren W. *Comentário bíblico expositivo*. Vol. 6, 2006, p. 120.

1. *Aquele que vem é o Salvador, o Senhor Jesus Cristo.* Ele é o Salvador e o Senhor. nEle nossa salvação foi realizada e consumada. Ele venceu a morte, ressuscitou, ascendeu ao céu e voltará.
2. *Aquele que vem está no céu, assentado à destra do Pai.* Jesus está no céu em uma posição de honra. Ele está no trono e tem o livro da história em suas mãos. Ele governa e reina soberanamente sobre a Igreja e todo o universo.
3. *Aquele que vem é o conteúdo da nossa esperança.* A Igreja é a comunidade da esperança. Somos um povo que vive com os pés no presente, mas com os olhos no futuro. Vivemos cada dia na expectativa da iminente volta de Jesus. F. F. Bruce diz que cada geração sucessiva da Igreja desfruta o privilégio de viver como se fosse a geração que haverá de saudar o retorno de Cristo.[36] A esperança do regresso de Cristo tem poder santificador: *E a si mesmo se purifica todo aquele que nEle tem esta esperança, assim como Ele é puro* (1Jo 3.3).

Em terceiro lugar, **a glorificação é a nossa certeza inequívoca** (3.21). O apóstolo Paulo destaca alguns pontos:

- *O nosso corpo será glorificado na segunda vinda de Cristo* (3.21). Quando a trombeta de Deus soar, e Cristo vier com o Seu séquito de anjos, acompanhado dos santos glorificados, os mortos em Cristo ressuscitarão com corpos imortais, incorruptíveis, gloriosos, poderosos e celestiais (1Co 15.43-56). Os vivos, nessa ocasião, serão transformados e arrebatados para encontrar o Senhor nos ares, e, assim, estaremos para sempre com o Senhor (1Ts 4.13-18).
- *O nosso corpo será semelhante ao corpo da glória de Cristo.* Nosso corpo de humilhação, sujeito à fraqueza, à enfermidade e ao pecado, será revestido da imortalidade e brilhará como o sol no seu fulgor, brilhará como as estrelas no firmamento, e será um corpo tão glorioso quanto o corpo da glória de Cristo. Seremos ... *conformes à imagem de Seu Filho* (Rm 8.29). ... *devemos trazer também a imagem do*

---

[36]BRUCE, F. F. *Filipenses*, p. 145.

celestial (1Co 15.49). *Sabemos que, quando ele se manifestar, seremos semelhantes a ele, porque haveremos de vê-lo como ele é* (1Jo 3.2b).

- *A glorificação do nosso corpo se dará pelo poder infinito de Deus*. Paulo afirma: ... *segundo a eficácia do poder que Ele tem de até subordinar a Si todas as coisas* (3.21). William Hendriksen diz que maravilhosa é a energia da dinamite de Cristo, isto é, de Seu poder. Essa energia é Seu poder em ação, o exercício de Seu poder.[37] O termo "subordinar" significa "organizar em ordem de dependência, do inferior ao superior". Warren Wiersbe aplica:

> Esse é o problema hoje em dia: não colocar as coisas na devida ordem de prioridade. Uma vez que nossos valores encontram-se distorcidos, desperdiçamos nosso vigor em atividades inúteis, e nossa visão está de tal modo obscura que a volta de Cristo não parece ter qualquer poder para motivar nossa vida.[38]

Não há nada impossível para Deus. Ele pode tudo quanto Ele quer. Ele tomará nosso corpo de fraqueza e fará dele um corpo de glória. Aqui há continuidade e descontinuidade. Será outro a partir do que existe, mas outro totalmente novo.

Paulo conclui este capítulo de Filipenses atingindo o grau mais alto da escada. Desde a conversão, com o seu repúdio a todos os méritos humanos (3.7), a justificação e a santificação, como alvo da perfeição sempre em mira (3.8-19), atinge a grande consumação, quando alma e corpo, a pessoa por inteiro, em união com todos os santos, glorificará a Deus em Cristo nos novos céus e nova terra, pelos séculos dos séculos. E tudo isso pela soberana graça e poder de Deus e para a Sua eterna glória, diz William Hendriksen.[39]

---

[37]HENDRIKSEN, William. *Efésios e Filipenses*, p. 569.
[38]WIERSBE, Warren W. *Comentário bíblico expositivo*. Vol. 6, 2006, p. 122.
[39]HENDRIKSEN, William. *Efésios e Filipenses*, p. 569.

12

As recomendações apostólicas a uma igreja amada

Filipenses 4.1-9

A IGREJA DE FILIPOS ERA A ALEGRIA E A COROA do ministério de Paulo. Essa igreja nasceu num parto de dor, mas lhe trouxe muitas alegrias. Essa igreja associou-se a Paulo desde o início para socorrê-lo em suas necessidades. Era uma igreja sempre presente e solidária.

Paulo agora está fazendo suas últimas recomendações a essa igreja querida, a quem ele chama de "minha alegria e coroa". Na língua grega, há dois tipos diferentes de coroa: *diadema* significa "coroa real", e *stefanos*, "a coroa do atleta" que saía vitorioso dos jogos gregos. Essa era uma coroa de louros que o atleta recebia sob os aplausos da multidão que lotava o estádio. Ganhar essa coroa era a ambição suprema do atleta. No entanto, também, *stefanos* era a coroa com a qual se coroava os hóspedes quando participavam de um banquete nas grandes celebrações. Esta última palavra é a que Paulo usa neste texto.

É como se Paulo dissesse que os filipenses são a coroa de todas as suas fadigas, esforços e empenhos. Ele era o atleta de Cristo, e eles, a sua coroa. É como se dissesse que, no banquete final de Deus, os filipenses seriam a sua coroa festiva.[1] Ralph Martin, nessa mesma linha

---
[1] BARCLAY, William. *Filipenses, Colosenses, I y II Tesalonicenses*, p. 80.

de pensamento, diz que o ambiente escatológico de Filipenses 3.20,21 contribui para a bela metáfora de um prêmio celestial a ser concedido a Paulo por seu trabalho pastoral.[2] Vejamos as recomendações do apóstolo à igreja de Filipos:

A firmeza no Senhor, uma necessidade imperativa (4.1)

O apóstolo Paulo ainda continua com o mesmo raciocínio. Porque os crentes são cidadãos do céu, eles devem ter coragem na terra para serem firmes.[3] Na igreja de Filipos, havia perigos internos e externos. A igreja estava sendo atacada por falsos mestres e por falta de comunhão. A heresia e a desarmonia atacavam a igreja. Existiam problemas que vinham de dentro e problemas que vinham de fora; problemas doutrinários e relacionais. A igreja estava sendo atacada por fora e por dentro. Diante desses perigos, Paulo exorta a igreja a permanecer firme no Senhor.

A palavra grega que Paulo usa para "estar firmes" é *stekete*. Essa palavra era aplicada ao soldado que permanecia firme em seu ímpeto na batalha ante a um inimigo que queria superá-lo.[4] Em vez de dar atenção aos falsos mestres ou se entregar às desavenças internas, a igreja deveria pôr a sua confiança no Senhor Jesus.

A igreja deve permanecer firme no Senhor por causa de Sua herança (1.6) e vocação celestial (3.20,21). Ela deve permanecer firme, a despeito da hostilidade dos legalistas (3.2) e dos libertinos (3.18,19). Deve permanecer firme diante dos sinais de desarmonia nos relacionamentos (2.3,4) e dos desacordos de pensamento (4.2).[5]

A harmonia no relacionamento, uma súplica intensa (4.2,3)

Paulo não somente advertiu os crentes de Filipos acerca de erros doutrinários (3.1-19), mas também acerca dos problemas de relacionamento

---
[2] MARTIN, Ralph P. *Filipenses: Introdução e comentário*, p. 166.
[3] ROBERTSON, A. T. *Paul's joy in Christ: Studies in Philippians*, p. 226.
[4] BARCLAY, William. *Filipenses, Colosenses, I y II Tesalonicenses*, p. 80.
[5] HENDRIKSEN, William. *Efésios e Filipenses*, p. 575.

(4.2,3). A desarmonia entre dois membros da igreja não era um problema de pequena monta para o apóstolo.[6]

Evódia e Síntique eram duas irmãs que ocupavam posição de liderança na igreja, que haviam se esforçado com Paulo no evangelho e cujos nomes estavam escritos no livro da vida, mas, agora, estavam em desacordo na igreja. Elas tinham nomes bonitos (Evódia significa "doce fragrância", e Síntique, "boa sorte"), mas estavam vivendo de maneira repreensível.[7]

Em vez de buscar os interesses de Cristo e da igreja, lutavam por causas pessoais. Punham o *eu* acima do *outro*. Em vez de seguir o exemplo de Cristo e de Seus consagrados servos (2.5,17,20,30), imitavam aqueles que trabalhavam por vanglória e partidarismo (2.3,4). F. F. Bruce diz que o desacordo entre essas duas irmãs, não importando a sua natureza, representava uma ameaça à unidade da igreja, como um todo.[8]

Paulo solicita ajuda de um líder da igreja, que ele não nomeia, para auxiliá-las a fim de construírem pontes, em vez de cavar abismos. Precisamos exercer na igreja o ministério da reconciliação, em vez de jogar uma pessoa contra a outra. Precisamos aproximar as pessoas, em vez de afastá-las. A igreja é um corpo, e cada membro desse corpo deve trabalhar em harmonia com os demais para a edificação de todos.

Paulo exorta essas duas irmãs a pensarem concordemente no Senhor. Não podemos estar unidos a Cristo e desunidos com os irmãos. Não há comunhão vertical sem comunhão horizontal. A lealdade mútua é fruto da lealdade a Cristo. A irmandade humana é impossível sem o senhorio de Cristo. Ninguém pode estar em paz com Deus e em desavença com os seus irmãos. Por isso, a desunião dos crentes num mundo fragmentado é um escândalo.

J. A. Motyer, comentando esta passagem bíblica, enumera algumas razões pelas quais os crentes devem viver unidos.[9]

---

[6]BARTON, Bruce B. et all. *Life application Bible commentary on Philippians*, p. 109.
[7]ROBERTSON, A. T. *Paul's joy in Christ: Studies in Philippians*, p. 228.
[8]BRUCE, F. F. *Filipenses*, p. 148.
[9]MOTYER, J. A. *The message of Philippians*, p. 199-203.

- *A desarmonia é contrária ao sentimento do apóstolo* (4.1). Paulo se dirige a toda a igreja, dizendo que os crentes eram a sua alegria e coroa. Ele chama os irmãos de "amados" e "mui saudosos". A divisão na igreja ergue muros onde se deveria construir pontes; separa aqueles que devem permanecer sempre juntos.
- *A desarmonia é contrária à fraternidade cristã* (4.1). Paulo dirige-se à igreja total, chamando os crentes de "irmãos". Eles pertenciam a uma só família, a um só rebanho, a um só corpo. Portanto, deveriam viver como tal.
- *A desarmonia é contrária à natureza da igreja* (4.3). A igreja deve ser marcada pelo trabalho conjunto, pelo auxílio recíproco e pela esperança futura. Há uma realidade celestial acerca da igreja. O nome dos crentes está escrito no livro da vida, e lá no céu não há divisão. A igreja na terra deve ser uma réplica da igreja do céu. A igreja que seremos deve ensinar a igreja que somos. É contrária à natureza da igreja confessar a unidade no céu e praticar a desunião na terra.[10] Todos os crentes, lavados no sangue do Cordeiro, têm seus nomes escritos no livro da vida e serão introduzidos na cidade santa (Lc 10.17-20; Hb 12.22,23; Ap 3.5; 20.11-15). O fato de irmos morar juntos no céu deveria nos ensinar a viver em harmonia na terra.

A alegria, a marca distintiva do povo de Deus (4.4)

O apóstolo Paulo fala sobre três características da alegria:

Em primeiro lugar, *a alegria é uma ordenança, e não uma opção*. Ser alegre é um mandamento, e não uma recomendação. Deixar de ser alegre é uma desobediência a uma expressa ordem de Deus. O evangelho trouxe alegria, o Reino de Deus é alegria, o fruto do Espírito é alegria, e a ordem de Deus é "alegrai-vos".

Em segundo lugar, *a alegria é ultracircunstancial*. Paulo diz que devemos nos alegrar sempre. Como a vida é um mosaico em que não

---

[10]MOTYER, J. A. *The message of Philippians*, p. 202.

faltam as cores escuras do sofrimento, nossa alegria não pode depender das circunstâncias. Na verdade, nossa alegria não é ausência de problemas. Não é algo que depende do que está fora de nós. Neste mundo, passamos por muitas aflições, cruzamos vales escuros, atravessamos desertos esbraseados, singramos águas profundas, mas a alegria verdadeira jamais nos falta.

Em terceiro lugar, *a alegria é cristocêntrica*. Nossa alegria é uma pessoa, e não ausência de problemas. Nossa alegria está centrada em Cristo. Quem tem Jesus, experimenta essa verdadeira alegria. Quem não tem Jesus, pode ter momentos de alegria, mas não a alegria verdadeira. Quem tem Jesus, tem a alegria; quem não O tem, jamais a experimentou.

A moderação, a doce razoabilidade a ser demonstrada (4.5)

O apóstolo Paulo fala à igreja sobre a necessidade de cuidarmos das nossas atitudes internas e das nossas reações externas. A moderação tem que ver com o controle do temperamento. Um crente não pode ser uma pessoa explosiva, destemperada e sem domínio próprio. Suas palavras precisam ser temperadas com sal, as suas atitudes precisam edificar as pessoas, e a sua moderação precisa refletir o caráter de Cristo.

A palavra grega para moderação é *epieikeia*. William Hendriksen diz que não há em nossa língua uma única palavra que expresse toda a riqueza contida nesse vocábulo grego.[11] Essa palavra foi usada por Aristóteles para descrever aquilo que não apenas é justo, mas melhor ainda do que a justiça.[12] William Barclay diz que o homem que tem "moderação" é aquele que sabe quando não deve aplicar a letra estrita da lei, quando deve deixar a justiça e introduzir a misericórdia.[13]

Epieikeia é a qualidade do homem que sabe que as leis e prescrições não são a última palavra. Jesus não aplicou a letra da lei em relação à mulher apanhada em flagrante adultério. Ele foi além da justiça. Ele exerceu a misericórdia (Jo 8.1-11). Ralph Martin, nessa mesma trilha de pensamento, escreve:

---

[11] HENDRIKSEN, William. *Efésios e Filipenses*, p. 579.
[12] BRUCE, F. F. *Filipenses*, p. 154.
[13] BARCLAY, William. *Filipenses, Colosenses, I y II Tesalonicenses*, p. 85.

Moderação é uma disposição amável e honesta para com outras pessoas, a despeito de suas faltas, disposição essa inspirada na confiança que os crentes têm em que após o sofrimento terreno virá a glória celeste.[14]

Ser uma pessoa moderada é ter o espírito pronto para abrir mão da retaliação quando você é ameaçado ou provado por causa da sua fé. William Hendriksen corretamente afirma:

> A verdadeira bem-aventurança não pode ser alcançada pela pessoa que rigorosamente insiste em seus direitos pessoais. O cristão é aquele que crê ser preferível sofrer a injustiça a cometer a injustiça (1Co 6.7).[15]

Paulo diz que devemos ser moderados porque o Senhor está perto. O advérbio grego *engys* pode significar "perto" quanto a lugar ou quanto a tempo.[16] O Senhor está a nosso lado nas lutas e também em breve virá para defender a nossa causa e nos recompensar. A razão desse espírito pacífico, não abrasivo, portanto, não é fraqueza, ou o desinteresse em defender a posição legítima de alguém. Essa atitude covarde é condenada (1.27,28). Ao contrário, devemos ser moderados, pois o Senhor virá para defender a nossa causa. Paulo diz: *Perto está o Senhor* (4.5).[17]

A ansiedade, uma doença perigosa (4.6)

A ansiedade é a maior doença do século. De acordo com a Organização Mundial de Saúde, mais de 50% das pessoas que passam pelos hospitais são vítimas da ansiedade. A ansiedade atinge adultos e crianças, doutores e analfabetos, religiosos e ateus. Warren Wiersbe diz que a ansiedade é um pensamento errado e um sentimento errado a respeito das circunstâncias, das pessoas e das coisas.[18] Ralph Martin diz que ansiedade é falta de confiança na proteção e cuidado de Deus.[19]

---

[14] MARTIN, Ralph P. *Filipenses: Introdução e comentário*, p. 169.
[15] HENDRIKSEN, William. *Efésios e Filipenses*, p. 579.
[16] BRUCE, F. F. *Filipenses*, p. 154.
[17] MARTIN, Ralph P. *Filipenses: Introdução e comentário*, p. 169.
[18] WIERSBE, Warren W. *Comentário bíblico expositivo*. Vol. 6, 2006, p. 123.
[19] MARTIN, Ralph P. *Filipenses: Introdução e comentário*, p. 170.

Várias são as causas da ansiedade:

Em primeiro lugar, *a ansiedade é o resultado de olharmos para os problemas, em vez de olharmos para Deus*. Os crentes de Filipos não estavam vivendo em um paraíso existencial, mas num mundo cercado de perseguições (1.28). O próprio Paulo estava preso, na antessala do martírio, com os pés na sepultura. Nuvens pardacentas se formavam sobre sua cabeça. Quando olhamos as circunstâncias e os perigos à nossa volta, em vez de olharmos para o Deus que governa as circunstâncias, ficamos ansiosos.

Em segundo lugar, *a ansiedade é o resultado de relacionamentos quebrados*. As pessoas nos fazem sofrer mais do que as circunstâncias. Nós desapontamos as pessoas, e elas nos desapontam. As pessoas têm a capacidade de roubar a nossa alegria. Há pessoas que carregam uma alma ferida e são prisioneiras da amargura, pois os relacionamentos estão estremecidos (2.1-4; 4.2).

Em terceiro lugar, *a ansiedade é o resultado de uma exagerada preocupação com as coisas materiais* (3.19). Aqueles que só se preocupam com as coisas materiais vivem inquietos e desassossegados. Aqueles que põem a sua confiança no dinheiro, em vez de pô-la em Deus, descobrem que a ansiedade, e não a segurança, é a sua parceira.

Três são os resultados da ansiedade:

- Em primeiro lugar, *a ansiedade produz uma estrangulação íntima*. A palavra "ansiedade" traz ideia de estrangulamento. Ficar ansioso é como ser sufocado. É como cortar o oxigênio de uma pessoa e tirar dela a possibilidade de respirar. A ansiedade produz uma fragmentação existencial. A pessoa é rasgada ao meio. Ela produz uma esquizofrenia emocional. A pessoa ansiosa perde o equilíbrio. Warren Wiersbe diz que a palavra "ansiedade" significa ser "puxado em diferentes direções".[20] As nossas esperanças nos puxam em uma direção; os nossos temores nos puxam em direção oposta; assim, ficamos rasgados!
- Em segundo lugar, *a ansiedade rouba nossas forças*. Uma pessoa ansiosa normalmente antecipa os problemas. Ela sofre antecipadamente.

---

[20]WIERSBE, Warren W. *Comentário bíblico expositivo*. Vol. 6, 2006, p. 123.

O problema ainda não aconteceu e ela já está sofrendo. A ansiedade esgota a energia antes de o problema chegar. E quando o problema chega, se chegar, a pessoa já está fragilizada.
- Em terceiro lugar, *a ansiedade é uma eloquente voz da incredulidade*. A ansiedade é a incapacidade de crer que Deus está no controle. A ansiedade ocupa o nosso coração quando tiramos os olhos da majestade de Deus para fixá-los na grandeza dos nossos problemas.

A oração, o remédio divino para a cura da ansiedade (4.6)

Deus não apenas dá uma ordem: "Não andeis ansiosos", mas oferece a solução. Não apenas diagnostica a doença, mas também oferece o remédio. Se a ansiedade é uma doença, a oração é o remédio. William Hendriksen diz que o antídoto adequado para a ansiedade é abrir efusivamente o coração a Deus.[21]

Lidamos com a ansiedade não com livros de autoajuda, mas com a ajuda do alto. Triunfamos sobre ela não batendo no peito em uma arrogância ufanista, mas caindo de joelhos e lançando sobre Cristo a nossa ansiedade. Onde a oração prevalece, a ansiedade desaparece. William Barclay corretamente afirma: "Não existe nada demasiadamente grande para o poder de Deus nem demasiadamente pequeno para o Seu cuidado paternal".[22]

O remédio de Deus deve ser usado de acordo com a prescrição divina. Paulo fala sobre três palavras para descrever a oração: oração, súplica e ações de graças. A oração envolve esses três elementos:

Em primeiro lugar, ***Paulo diz que precisamos adorar a Deus quando oramos***. A palavra grega *proseuche* é o termo genérico para oração. Essa palavra é um termo geral usado para se referir às petições que fazemos ao Senhor. Tem a conotação de reverência, devoção e adoração. Sempre que nos vemos ansiosos, a primeira coisa a fazer é ficar sozinhos com Deus e adorá-Lo. Precisamos saber que Deus é grande o suficiente para resolver os nossos problemas.[23] A oração começa quando focamos

---

[21] HENDRIKSEN, William. *Efésios e Filipenses*, p. 581.
[22] BARCLAY, William. *Filipenses, Colosenses, I y II Tesalonicenses*, p. 87.
[23] WIERSBE, Warren W. *Comentário bíblico expositivo*. Vol. 6, 2006, p. 124.

a nossa atenção em Deus, e não em nós mesmos. O ponto culminante da oração é o relacionamento com Deus, mais do que pedir coisas a Deus. Orar é estar em comunhão com o Rei do universo. Adoramos a Deus por quem Ele é. Em vez de ficarmos ansiosos, devemos meditar na majestade de Deus e descansar nos Seus braços. Se Deus é quem Ele é, e se Ele é o nosso Pai, não precisamos ficar ansiosos.

Em segundo lugar, **Paulo diz que podemos apresentar a Ele as nossas necessidades quando oramos**. A palavra grega *deesis* enfatiza o elemento de petição, a súplica em oração.[24] Devemos apresentar todas as nossas necessidades a Deus em oração, em vez de acumular o peso da ansiedade em nosso coração. O próprio Senhor Jesus nos ensinou: *Pedi, e dar-se-vos-á...* (Mt 7.7) e *... tudo quanto pedirdes em meu nome, eu o farei* (Jo 14.13). Tiago escreveu: *Nada tendes, porque não pedis* (Tg 4.2).

Em terceiro lugar, **Paulo diz que devemos agradecer a Deus quando oramos**. Devemos olhar para o que Deus já fez por nós para não ficarmos ansiosos (Sl 116.7). Todavia, devemos agradecer também o que Deus vai fazer. Deus desbarata os nossos inimigos quando nos voltamos para Ele com ações de graças (2Cr 20.21). O próprio Paulo, quando plantou a igreja em Filipos, foi açoitado e preso. Não obstante a dolorosa circunstância, agradeceu a Deus, cantando louvores na prisão (At 16.25). Quando o profeta Daniel foi vítima de uma orquestração na Babilônia, longe de ficar ansioso, orou a Deus com súplicas e ações de graças (Dn 6.10,11). Daniel foi capaz de passar a noite, em perfeita paz, com os leões, enquanto o rei no seu palácio não conseguiu dormir (Dn 6.18).

A paz de Deus, uma bênção a ser recebida (4.7)

Pela oração, a paz de Deus ocupa o lugar que antes a ansiedade tomava conta. A oração aquieta o nosso interior e muda o mundo ao nosso redor. Por meio dela, nos elevamos a Deus e trazemos o céu à terra. A ansiedade é um pensamento errado e um sentimento errado, por isso a paz de Deus guarda mente e coração. O mesmo coração que estava cheio de ansiedade, pela oração agora está cheio de paz. F. F. Bruce diz

---

[24]BRUCE, F. F. *Filipenses*, p. 154.

que a paz de Deus pode significar não apenas a paz que Ele mesmo concede, mas a serenidade em que o próprio Deus vive: Deus não está sujeito à ansiedade.[25]

O apóstolo destaca três verdades importantes sobre a paz:

Em primeiro lugar, *a paz que recebemos é uma paz divina, e não humana* (4.7). É a paz de Deus. A paz de Deus não é paz de cemitério. Não é ausência de problemas. Essa paz não é produzida por circunstâncias. O mundo não conhece essa paz nem pode dá-la (Jo 14.27). Governos humanos não podem gerar essa paz. Essa paz vem de Deus. Bruce Barton afirma: "A verdadeira paz não é encontrada no pensamento positivo, na ausência de conflito, ou em bons sentimentos; ela procede do fato de saber que Deus está no controle".[26]

Em segundo lugar, *a paz de Deus transcende a compreensão humana* (4.7). Essa paz é transcendente. Ela vai além da compreensão humana. A despeito da tempestade do lado de fora, podemos desfrutar bonança do lado dentro. Ela coexiste com a dor, com as lágrimas, com o luto e com a própria morte. Essa é a paz que os mártires sentiram diante do suplício e da morte. Essa é a paz que Paulo sentiu ao caminhar para a guilhotina, dizendo: *A hora da minha partida é chegada. Combati o bom combate, completei a carreira e guardei a fé. Agora, a coroa da justiça me está guardada...* (2Tm 4.6-8).

Em terceiro lugar, *a paz de Deus é uma sentinela celestial ao nosso redor* (4.7). A palavra grega *frourein* é um termo militar para estar em guarda.[27] Assim, "guardar" traz a ideia de uma sentinela, um soldado na torre de vigia, protegendo a cidade. A paz de Deus é como um exército protegendo-nos dos problemas externos e dos temores internos. Paulo diz que essa paz guarda os nossos corações (sentimentos errados) e nossas mentes (pensamentos errados), as nossas emoções e a nossa razão. William Hendriksen, comentando este texto, escreve:

> Os filipenses estavam acostumados a ver as sentinelas romanas montarem guarda. Assim também, se bem que em um sentido muitíssimo

---

[25] BRUCE, F. F. *Filipenses*, p. 154.
[26] BARTON, Bruce B. et all. *Life application Bible commentary on Philippians*, p. 116.
[27] BARCLAY, William. *Filipenses, Colosenses, I y II Tesalonicenses*, p. 88.

mais profundo, a paz de Deus montará guarda à porta do coração e da mente. Ela impedirá que a torturante angústia corroa o coração, que é o manancial da vida (Pv 4.23), a fonte do pensamento (Rm 1.21), da vontade (1Co 7.37) e do sentimento (1.7). O homem de fé e oração tem-se refugiado naquela inexpugnável cidadela da qual ninguém jamais poderá arrancá-lo; e o nome dessa fortaleza é Jesus Cristo.[28]

Ralph Martin comenta que o uso que Paulo faz de um verbo militar demonstra que ele está pensando na segurança da igreja, e seus membros, num ambiente hostil, cercados de inimigos.[29]

O pensamento, uma área estratégica a ser guardada (4.8)

Pensamentos errados levam a comportamento errado, e comportamento errado leva a sentimento errado. Por isso, devemos levar todo pensamento cativo à obediência de Cristo (2Co 10.5). As nossas maiores batalhas são travadas no campo da mente. Nessa trincheira, a guerra é ganha ou perdida. O homem é aquilo que ele pensa. Precisamos fechar os portais da nossa mente para o que é vil e abrir as suas janelas para o que é verdadeiro, justo, amável e de boa fama. Precisamos jogar para o sacrário da nossa mente o que é elevado e esvaziar todos os porões da nossa mente de tudo aquilo que é impróprio.

Somos aquilo que registramos em nossa mente. Se arquivarmos em nossa mente coisas boas, de lá tiraremos tesouros preciosos, mas se tudo o que depositamos são coisas malsãs, não poderemos tirar dela o que é proveitoso. Paulo faz uma lista do que deve ocupar os nossos pensamentos:

Em primeiro lugar, **tudo o que é verdadeiro**. A palavra grega *alethe* pode significar "verdade" em oposição àquilo que é irreal, insubstancial, ou "verdade" em oposição à falsidade.[30] Noventa e dois por cento de tudo aquilo que ocupa a mente das pessoas, levando-as à ansiedade, são coisas imaginárias que nunca aconteceram ou envolvem questões fora

---

[28]HENDRIKSEN, William. *Efésios e Filipenses*, p. 584.
[29]MARTIN, Ralph P. *Filipenses: Introdução e comentário*, p. 171.
[30]MARTIN, Ralph P. *Filipenses: Introdução e comentário*, p. 173.

do controle das pessoas.³¹ F. F. Bruce diz que a ordem de Paulo poderia tratar-se de uma advertência contra a indulgência mental em fantasias ou difamações infundadas. Tudo o que é verdadeiro, aqui, possui as qualidades morais de retidão e confiança, de realidade em contraposição à mera aparência.³²

Em segundo lugar, *tudo o que é respeitável*. A palavra grega é *semnos* e traz a ideia de alguém que vive neste mundo com uma profunda consciência de que o universo inteiro é um santuário e tudo o que ele faz deve ser um culto a Deus. A mente que se concentra em assuntos desonestos corre o perigo de tornar-se desonesta. Honestidade é o contrário da duplicidade de caráter que avilta a moral, sendo incompatível com a mente de Cristo.³³ Os crentes devem ser dignos e sinceros tanto em suas palavras quanto em seu comportamento. O decoro nas conversações, nos costumes e na moral é muito importante, diz William Hendriksen.³⁴

Em terceiro lugar, *tudo o que é justo*. A palavra grega *dikaios* enfatiza aqui uma correta relação com Deus e com os homens. Tendo recebido de Deus tanto a justiça imputada quanto a comunicada, os crentes devem pensar com retidão, diz Hendriksen.³⁵ William Barclay diz que essa é a palavra do dever assumido e do dever cumprido.³⁶ O reverso disso encontramos no homem iníquo que "maquina o mal na sua cama", a fim de executá-lo depois, à luz do dia (Am 8.4-6).

Em quarto lugar, *tudo o que é puro*. A palavra grega *hagnos* descreve o que é moralmente puro e livre de manchas. Ritualmente descreve algo purificado de tal maneira que se faz apto para ser oferecido a Deus e usado em seu serviço.³⁷ Pureza de pensamento e de propósito é condição preliminar indispensável para a pureza na palavra e na ação, diz F. F. Bruce.³⁸

---

³¹Wiersbe, Warren W. *Comentário bíblico expositivo*. Vol. 6, 2006, p. 125.
³²Bruce, F. F. *Filipenses*, p. 155.
³³Bruce, F. F. *Filipenses*, p. 155.
³⁴Hendriksen, William. *Efésios e Filipenses*, p. 585.
³⁵Hendriksen, William. *Efésios e Filipenses*, p. 586.
³⁶Barclay, William. *Filipenses, Colosenses, I y II Tesalonicenses*, p. 89.
³⁷Barclay, William. *Filipenses, Colosenses, I y II Tesalonicenses*, p. 89.
³⁸Bruce, F. F. *Filipenses*, p. 155.

Em quinto lugar, *tudo o que é amável*. A palavra grega *prosphiles* traz o significado de agradável, aquilo que suscita amor. Trata-se de algo que se autorrecomenda pela atração e encanto intrínsecos. São aquelas coisas que proporcionam prazer a todos, não causando dissabor a ninguém, à semelhança de uma fragrância preciosa, diz F. F. Bruce.[39]

Em sexto lugar, *tudo o que é de boa fama*. A palavra grega *euphemos* significa literalmente "falar favoravelmente". No mundo, há demasiadas palavras torpes, falsas e impuras. Nos lábios do cristão e em sua mente, devem existir somente palavras que são adequadas para ser ouvidas por Deus.[40]

Em sétimo lugar, *se alguma virtude há e se algum louvor existe, seja isso que ocupe o vosso pensamento*. Ao invés de continuar sua seleção, Paulo resume, agora: "se alguma virtude há", do grego *arete*, cujo significado é "virtude moral", e "se algum louvor existe", do grego *epainos*, "aquilo que merece louvor ou que inspira a aprovação divina". Ambos os termos descrevem as qualidades que devem marcar as atitudes e ações dos crentes.[41]

A prática, a evidência de uma vida autêntica (4.9)

Warren Wiersbe diz que não é possível separar atos exteriores de atitudes interiores.[42] Há uma íntima conexão entre *Seja isso que ocupe o vosso pensamento* (4.8) e *praticai* (4.9). A dinâmica do cristianismo deriva-se da união desses dois imperativos. Tais imperativos estão corporificados na coleção de qualidades éticas (4.8), nas tradições apostólicas (4.9a) e nos ensinos exemplificados na própria vida de Paulo (4.9b).[43]

Paulo considera quatro atividades: aprender, receber, ouvir e ver. Uma coisa é aprender a verdade, e outra, bem diferente, é recebê-la e assimilá-la. Não basta ter fatos na cabeça; é preciso ter verdade no coração. Ao longo do seu ministério, Paulo não apenas ensinou a Palavra,

---

[39]Bruce, F. F. *Filipenses*, p. 156.
[40]Barclay, William. *Filipenses, Colosenses, I y II Tesalonicenses*, p. 90.
[41]Martin, Ralph P. *Filipenses: Introdução e comentário*, p. 173.
[42]Wiersbe, Warren W. *Comentário bíblico expositivo*. Vol. 6, 2006, p. 125.
[43]Martin, Ralph P. *Filipenses: Introdução e comentário*, p. 172.

mas também a viveu na prática para que os seus ouvintes pudessem vê-la em sua vida.[44] Há uma íntima relação entre a palavra e a pessoa que a pronuncia.

O apóstolo Paulo conclui esse parágrafo falando da necessidade de praticar o que se aprendeu. Acumular conhecimento sem o exercício da vida cristã não nos torna crentes maduros. Precisamos ter olhos abertos para ver, ouvidos atentos para aprender e disposição para praticar o que aprendemos.

Paulo, igualmente, mostra que devemos ser criteriosos acerca dos nossos modelos. Não devemos imitar os falsos mestres. Não devemos seguir as pegadas dos que vivem desregradamente nem seguir o exemplo dos que vivem buscando os seus próprios interesses. Ao contrário, Paulo se apresenta como exemplo para os crentes de Filipos (3.17; 4.9). Paulo entende que o exemplo pessoal é parte essencial do ensino. O mestre deve praticar a doutrina que professa e demonstrar em ação a verdade que expressa em palavras.[45]

A conclusão do apóstolo Paulo é majestosa. Além de termos a paz de Deus para nos guardar, agora temos o Deus da paz para nos guiar. Não apenas temos uma harmonia bendita em lugar da ansiedade, mas temos também a companhia divina na caminhada.

Corretamente Bruce Barton diz que muitas pessoas hoje procuram ter paz com Deus sem ter um relacionamento com Deus, que é o autor da verdadeira paz. Isso, porém, é impossível. Para experimentar a paz, precisamos primeiro conhecer o Deus da paz.[46]

---

[44] WIERSBE, Warren W. *Comentário bíblico expositivo*. Vol. 6, 2006, p. 125.
[45] BARCLAY, William. *Filipenses, Colosenses, I y II Tesalonicenses*, p. 91.
[46] BARTON, Bruce B. et all. *Life application Bible commentary on Philippians*, p. 119.

13

A obra missionária
precisa de parceria

Filipenses 4.10-23

O PROPÓSITO DESTA SEÇÃO É CLARO: agradecer a dádiva que Epafrodito (2.25-30) trouxe ao apóstolo Paulo em Roma (4.18).[1] É nesta parte da carta que Paulo chega a uma das principais razões por que está escrevendo: expressar sua gratidão pela oferta que Epafrodito lhe trouxera da igreja de Filipos. O apóstolo a reservou para o fim com o objetivo de dar-lhe ênfase.[2]

Nesse tributo de gratidão, Paulo dá um belo testemunho de sua relação com a igreja de Filipos na realização da obra missionária. Destacamos, aqui, dois pontos:

Em primeiro lugar, ***a cooperação é o melhor caminho para a realização da obra missionária*** (4.14). Paulo não poderia levar a cabo tudo o que fez sem o apoio e a ajuda da igreja de Filipos. Essa igreja deu-lhe suporte financeiro e sustentação espiritual. Aqueles que estão na linha de frente precisam ser encorajados pelos que ficam na retaguarda: *... porque qual é a parte dos que desceram à peleja, tal será a parte dos que ficaram com a bagagem; receberão partes iguais* (1Sm 30.24). Deus chama

---
[1] MARTIN, Ralph P. *Filipenses: Introdução e comentário*, p. 175.
[2] BRUCE, F. F. *Filipenses*, p. 158.

uns para irem ao campo missionário e aos demais para sustentar aqueles que vão.

A obra missionária é um trabalho que exige um esforço conjunto da igreja e dos missionários. Neste texto, vemos claramente como essa parceria funciona.

Em segundo lugar, *o missionário precisa estar vinculado a uma igreja, e a igreja precisa estar comprometida com o missionário*. A relação de Paulo com a igreja de Filipos era de parceria. Paulo estava ligado à igreja, e a igreja o apoiava. Havia uma troca abençoadora entre o obreiro no campo e os crentes na base. A igreja não apenas enviava ofertas ao missionário, mas estava efetivamente envolvida com ele.

A falta de vínculo entre o missionário e a igreja local é um dos grandes problemas da missiologia moderna. As agências missionárias precisaram assumir o papel das igrejas. Os missionários vão para os campos, mas perdem o contato com as igrejas. As igrejas enviam ofertas aos missionários, mas não se envolvem com eles no sentido de dar e receber. Assim, os missionários ficam solitários nos campos, e as igrejas, alheias aos resultados que acontecem nos campos. Falta aos missionários o encorajamento das igrejas, e, às igrejas, as informações dos missionários.

A **responsabilidade** da igreja com os missionários

Há cinco áreas importantes acerca da responsabilidade da igreja em relação aos missionários:

Em primeiro lugar, **sustento financeiro sistemático** (4.10,17). A igreja precisa cuidar do obreiro, e não apenas da obra. A igreja demonstra cuidado com o obreiro à medida que lhe dá suporte financeiro para realizar a obra. Todos os recursos para a realização da obra de Deus já foram providenciados; estão nas mãos dos crentes.

Paulo não recebeu salário de algumas igrejas para proteger-se dos críticos de plantão que tentavam distorcer suas motivações e atacar o seu apostolado. De outro lado, algumas igrejas, como a igreja de Corinto, deixaram de pagar o que lhe era devido, precisando das igrejas da Macedônia, inclusive da igreja de Filipos, para enviar-lhe sustento enquanto ele trabalhava em Corinto (2Co 8.8,9; 12.13). De forma particular, a igreja de Filipos deu suporte financeiro a Paulo, mesmo quando estava ainda na região da Macedônia, no início do processo de evangelização da Europa (4.16).

A igreja de Filipos jamais teve falta de interesse em ajudar o apóstolo; teve, sim, circunstâncias desfavoráveis para fazê-lo. Hoje, muitas igrejas têm oportunidade para ajudar os missionários, mas lhes falta interesse.

A sustentação financeira aos missionários precisa ser sistemática, pois as necessidades dos obreiros são diárias. Não é suficiente enviar ofertas esporádicas. A contribuição precisa ser metódica, suficiente e contínua.

Em segundo lugar, *sustento espiritual nas tribulações* (4.14). A igreja de Filipos não apenas enviava dinheiro para Paulo, mas também consolo. Ela não apenas supria as suas necessidades físicas, mas também emocionais e espirituais. Os filipenses renovaram sua bondade de dois modos: ajudando o apóstolo financeiramente e partilhando sua aflição.[3] Era uma igreja que contribuía para a obra missionária não apenas por um desencargo de consciência, mas, sobretudo, por um profundo gesto de amor ao missionário. A igreja de Filipos enviou Epafrodito não apenas com uma oferta, mas como a oferta para Paulo.

A expressão grega *synkoinoneim*, "associando-se", significa associar-se não somente a Paulo como indivíduo, mas, sobretudo, associar-se em Sua obra apostólica.[4] A igreja era parceira do apóstolo e também da obra. A igreja se importava com o obreiro e também com a obra.

Em terceiro lugar, *reciprocidade na relação com o obreiro* (4.15). A igreja de Filipos tinha um lugar especial na vida de Paulo. Desde o início, ela se tornou parceria do apóstolo e continuou assim até o final. Era uma igreja constante no seu compromisso com Deus e com o apóstolo. Há igrejas que têm picos de entusiasmo pela obra missionária por um tempo, fazem conferências especiais, enviam o pastor para congressos missionários e fazem levantamento de provisão para os obreiros que estão no campo, mas depois abandonam essa trincheira e abraçam outras prioridades. A igreja de Filipos era uma igreja fiel no seu envolvimento e engajamento com o missionário e com a obra missionária.

---

[3]Bruce, F. F. *Filipenses*, p. 162.
[4]Martin, Ralph P. *Filipenses: Introdução e comentário*, p. 179.

A relação da igreja com o apóstolo era uma avenida de mão dupla. Ela dava e recebia. Ela investia bens financeiros e recebia benefícios espirituais (1Co 9.11; Rm 15.27). Ela investia riquezas materiais e recebia riquezas espirituais. De Paulo, a igreja recebia bênçãos espirituais; da igreja, Paulo recebia bênçãos materiais. Ela ministrava amor ao apóstolo e recebia dele gratidão.

Em quarto lugar, *faz das ofertas ao missionário um sacrifício vivo a Deus* (4.18). A igreja de Filipos não ofertava com pesar nem por constrangimento. Ela fazia da oferta ao apóstolo um culto a Deus. Ela enviava o sustento de Paulo com alegria tal como se estivesse oferecendo a Deus um sacrifício aceitável e aprazível. A contribuição missionária era um ritual de consagração, um tributo de louvor a Deus feito com efusiva alegria e uma liturgia que subia ao céu como um aroma suave e agradável a Deus.

William Barclay diz que o apóstolo usa palavras que fazem do dom dos filipenses não um presente para Paulo, mas um sacrifício para Deus. A alegria de Paulo em receber oferta não está no que esta significava para ele, mas no que significava para eles. Não que Paulo deixasse de apreciar o valor do dom a seu favor, nem que ele desestimulasse o que eles faziam por ele; mas o que mais o alegrava é que esse mesmo dom era uma oferta agradável a Deus.[5]

William Hendriksen, comentando esta passagem, escreve:

> Paulo não poderia ter tributado melhor louvor aos doadores. Os donativos são "aroma de suave perfume", uma oferenda apresentada a Deus, grata e muito agradável a ele. São comparáveis à oferta de gratidão de Abel (Gn 4.4), de Noé (Gn 8.21), dos israelitas quando no estado de ânimo correto apresentavam seus holocaustos (Lv 1.9,13,17) e dos crentes em geral ao dedicar suas vidas a Deus (2Co 2.15,16), como fez Cristo, ainda que de uma maneira única (Ef 5.2).[6]

Em quinto lugar, *faz ofertas não das sobras, mas apesar das necessidades* (4.19). A igreja de Filipos tinha o coração maior do que o bolso.

---

[5] BARCLAY, William. *Filipenses, Colosenses, I y II Tesalonicenses*, p. 96.
[6] HENDRIKSEN, William. *Efésios e Filipenses*, p. 598.

Eles davam não do que sobejava, mas das suas próprias necessidades. Ofertavam sacrificialmente. Eram pobres, mas enriqueciam muitos. Nada tinham, mas possuíam tudo. Olhavam a contribuição não como um peso, mas como uma graça, como um dom imerecido de Deus (2Co 8.1). Não apenas davam com generosidade, mas também com sacrifício (2Co 8.2), pois ofertavam não apenas segundo suas posses, mas voluntariamente ofertavam acima delas (2Co 8.3). Eles ofertavam não apenas para Paulo, o plantador da igreja, mas também para irmãos pobres que eles jamais tinham visto (2Co 8.4). Eles deram não apenas dinheiro, mas eles mesmos (2Co 8.5).

William Barclay corretamente afirma que nenhuma dádiva faz o doador mais pobre. A riqueza divina está aberta para os que amam a Deus e ao próximo. O doador não se faz mais pobre, senão mais rico, pois seu próprio dom é a chave que lhe abre os dons e as riquezas de Deus.[7]

A **atitude** dos missionários em relação à igreja

Há sete atitudes dos missionários em relação à igreja que queremos destacar no texto:

Em primeiro lugar, ***gratidão pelo sustento recebido da igreja*** (4.10). O missionário precisa aprender a depender de Deus e demonstrar gratidão por aqueles que Deus levanta para cuidar de suas necessidades. Paulo escreve esta carta para registrar o seu tributo de gratidão a essa igreja que foi sua parceira no ministério até o final da sua vida.

É importante destacar que Paulo põe toda a ênfase de sua alegria *no Senhor*, e não na generosidade dos filipenses.[8] Ele sabia que os crentes de Filipos eram apenas os instrumentos, mas que o Senhor era o inspirador. Paulo tinha profunda consciência de que a providência de Deus, às vezes, opera por meio das pessoas. Assim, Deus supriu suas necessidades por intermédio da igreja. Ele agradece à igreja a provisão, mas sua alegria está no provedor.

A gratidão é uma atitude que traz alegria para quem a manifesta e para quem a recebe. Paulo era um homem pródigo em elogios. Ele

---

[7] BARCLAY, William. *Filipenses, Colosenses, I y II Tesalonicenses*, p. 96.
[8] MARTIN, Ralph P. *Filipenses: Introdução e comentário*, p. 176.

sabia reconhecer o valor das pessoas, o trabalho delas e, sobretudo, a generosidade com que era tratado por elas. Ele tornava isso conhecido diante de Deus e dos homens. Precisamos desenvolver essa atitude no seio da igreja.

Em segundo lugar, **contentamento ultracircunstancial** (4.11,12). Muito embora Paulo julgasse legítimo receber sustento das igrejas (1Co 9.4-10), decidiu não usufruir esse direito (1Co 9.12; 2Ts 3.9). Desta forma, em alguns lugares, precisou trabalhar para suprir as suas próprias necessidades (1Ts 2.7-9). Com isso, aprendeu a viver contente em toda e qualquer situação. A vida de Paulo não floresceu num paraíso de arrebatadoras venturas. Ele passou por grandes necessidades. Sabia o que era fome, sede, frio, nudez, prisão, açoites, tortura mental e perseguições.

William Hendriksen corretamente comenta que Paulo não é nenhum presunçoso para proclamar: "Eu sou o capitão de minha alma". Tampouco é um estoico que, confiando em seus próprios recursos, e supostamente imperturbável ante o prazer e a dor, busque suportar sem queixa sua irremediável necessidade. O apóstolo não é uma estátua. Ele é um homem de carne e osso. Já teve experiências de alegrias e aflições, mas na urdidura dessa luta aprendeu a viver contente. Seu contentamento, porém, não emanava dele mesmo, mas de outro, além de si mesmo. Seu contentamento vinha de Deus![9]

O contentamento é um aprendizado, e não algo automático, diz o apóstolo. A palavra grega que Paulo usa, *memyemai*, "ter experiência" (4.12), era usada para a iniciação dos cultos de mistério. F. F. Bruce diz que da raiz *my* e deste verbo *myein* deriva-se *mysterion*, "mistério".[10] O aprendizado do contentamento cristão, porém, não se dá por meio de um ritual místico, mas pelo exercício da confiança na providência divina.

Bruce Barton afirma que os bens materiais devem ser vistos sempre como dons de Deus e nunca como substitutos de Deus.[11] Nosso contentamento deve estar em Deus mais do que nas dádivas de Deus. O

---

[9] HENDRIKSEN, William. *Efésios e Filipenses*, p. 593.
[10] BRUCE, F. F. *Filipenses*, p. 161.
[11] BARTON, Bruce B. et all. *Life application Bible commentary on Philippians*, p. 122.

contentamento de Paulo não está em coisas ou circunstâncias. A base do seu contentamento é Cristo, e não o dinheiro. Para ele, o *ser* é mais importante do que o *ter*. Humilhação ou honra, fartura ou fome, abundância ou escassez eram situações vividas por ele, mas no meio delas, e apesar delas, aprendeu a viver contente, pois a razão do seu contentamento estava em Deus, e não nas circunstâncias.

A palavra grega *autarkes*, "contente" (4.11), é uma das mais importantes da ética pagã. Esta *autarkeia* (autossuficiência) era a maior aspiração da ética estoica. Para os estoicos, *autarkeia* significava uma situação espiritual em que o homem era absoluta e inteiramente independente de tudo e de todos; um estado em que o homem aprendia por si mesmo a não necessitar de nada nem de ninguém. Os estoicos propunham alcançar essa autossuficiência eliminando todo desejo e toda emoção. Paulo, porém, não era um estoico, mas um cristão. Para o estoico, o contentamento era uma conquista humana; para Paulo, um dom divino. O estoico era autossuficiente; Paulo encontrava a sua suficiência em Deus.[12]

Nessa mesma linha de pensamento, Ralph Martin diz que *autarkeia* descrevia a independência de uma pessoa quanto a coisas materiais. Era uma asserção de autossuficiência. Era a virtude fundamental, na vida moral dos estoicos. Paulo tomou emprestada essa palavra e a transformou em algo totalmente diferente, pois o homem "autossuficiente" estoico enfrenta a vida e a morte com recursos encontrados dentro de si mesmo. Paulo, porém, encontra o segredo da vida em Cristo (1.21; 4.13).[13] F. F. Bruce diz que Paulo empregou a palavra *autarkeia* a fim de expressar a sua independência das circunstâncias externas. Estava sempre consciente de sua total dependência de Deus. O apóstolo era mais "suficiente em Deus" que autossuficiente. O próprio apóstolo escreveu: *... a nossa suficiência vem de Deus* (2Co 3.5).[14]

Warren Wiersbe, expondo este texto, diz que Paulo era um termostato, e não um termômetro. Um termômetro não muda coisa alguma,

---

[12]BARCLAY, William. *Filipenses, Colosenses, I y II Tesalonicenses*, p. 94,95.
[13]MARTIN, Ralph P. *Filipenses: Introdução e comentário*, p. 177.
[14]BRUCE, F. F. *Filipenses*, p. 160.

apenas registra a temperatura. Um termômetro não tem o poder de mudar as coisas, ele se deixa afetar por elas. Está sempre descendo ou subindo de acordo com a temperatura. Mas um termostato regula a temperatura do ambiente em que se encontra e faz as alterações necessárias. Paulo era um termostato, pois, em vez de ter altos e baixos espirituais de acordo com a mudança das situações, ele aprendera a viver contente apesar das situações. Ele não era uma vítima das circunstâncias, mas um vitorioso sobre elas.[15]

Em terceiro lugar, *confiança inabalável em Cristo* (4.13). Paulo está preso, na sala de espera do martírio, com um pé na sepultura, caminhando para uma condenação inexorável, mas, longe de ser um caniço agitado pelo vento, ergue-se como uma rocha que, mesmo fustigada pelo vendaval da adversidade, permanece firme e imperturbável. *Tudo posso naquele que me fortalece* (4.13). H. C. Moule está certo quando diz que a expressão "eu tenho forças para fazer todas as coisas", obviamente, não significa todas as coisas no sentido pleno; Paulo não se tornara Onipotente. Paulo não pode tudo; ele pode todas as coisas dentro da vontade de Deus. Ele pode todas as coisas em Cristo, e não à parte de Cristo.[16]

J. A. Motyer diz que o versículo 13 refere-se a dois tipos de poder. De um lado, há o poder que Paulo experimenta nas circunstâncias adversas da vida. Esse é o poder da vitória sobre as demandas de cada dia. Contudo, esse poder ergue-se de outra fonte, não inerente em Paulo, mas derivado de alguém. Paulo tem esse poder diário para enfrentar as necessidades diárias, pois Jesus infundiu nele Seu poder (*dynamis*). Paulo somente está habilitado a enfrentar todas as circunstâncias porque Jesus é quem o fortalece.[17]

A razão da fortaleza do apóstolo Paulo não é a sua idade, a sua força, o seu conhecimento, a sua influência ou os seus ricos dons e talentos, mas Cristo. Ele tudo pode porque o Todo-poderoso Filho de Deus é quem o fortalece. Ele é como uma máquina ligada na fonte de energia, a força do seu trabalho vem não dele mesmo, mas do poder que vem de Cristo.

---

[15] WIERSBE, Warren W. *Comentário bíblico expositivo*. Vol. 6, 2006, p. 127.
[16] MOULE, H. C. G. *Studies in Philippians*, p. 118.
[17] MOTYER, J. A. *The message of Philippians*, p. 220.

Em quarto lugar, *maior interesse no bem espiritual dos crentes do que no dinheiro deles* (4.17). A maior alegria de Paulo não era receber o donativo enviado pela igreja, mas saber que os dividendos espirituais da igreja aumentaram por conta da sua generosidade. Paulo manteve a tônica dessa carta: os interesses do *outro* vêm antes dos interesses do *eu*.

F. F. Bruce corretamente afirma que o apóstolo enfatiza que sente gratidão não apenas porque eles lhe enviaram uma oferta, mas, também, porque esse enviar serviu de sinal da graça celestial na vida deles. Usando uma figura de linguagem, seria um depósito que efetuaram no banco celeste, que se multiplicaria a juros compostos, para benefício deles mesmos. O objetivo dos filipenses fora que sua generosidade tivesse Paulo como alvo, e isso, de fato, aconteceu; todavia, no âmbito espiritual, o lucro permanente pertence aos filipenses.[18]

Ralph Martin, na mesma linha de raciocínio, diz que esse versículo está cheio de termos comerciais. "...procure o donativo" talvez seja um termo técnico para a exigência de pagamento de juros. Já a palavra "fruto" é lucro ou juros. A expressão grega *pleonazein*, "que aumente", é um termo bancário regular para crescimento financeiro; "vosso crédito" significa conta. Assim, a sentença toda é um jogo de palavras que procura exprimir a esperança de Paulo, num jargão comercial: "aguardo os juros que serão creditados em vossa conta", de tal forma que Paulo, no último dia, estará satisfeito com os seus investimentos em Filipos.[19]

Quando ofertamos, nos beneficiamos a nós mesmos na mesma medida em que socorremos os necessitados (2Co 9.10-15). Quem dá ao pobre, a Deus empresta. Quem semeia com abundância, com abundância também ceifará (2Co 9.7). O texto bíblico de Hebreus 6.10 diz: *Porque Deus não é injusto para ficar esquecido do vosso trabalho e do amor que evidenciastes para com o Seu nome, pois servistes e ainda servis aos santos*. O doador enriquece as duas pessoas: a que recebe e a si próprio. Nessa mesma trilha de pensamento, William Hendriksen diz que o donativo era realmente um investimento que entrava como crédito na conta dos filipenses, um investimento que lhes acresce

---

[18] Bruce, F. F. *Filipenses*, p. 164.
[19] Martin, Ralph P. *Filipenses: Introdução e comentário*, p. 182.

paulatinamente ricos dividendos.[20] A Palavra de Deus é enfática em afirmar que um donativo feito de modo correto sempre enriquece o doador. *A alma generosa prosperará* (Pv 11.25). *Quem se compadece do pobre ao Senhor empresta* (Pv 19.17). *Mais bem-aventurado é dar que receber* (At 20.35).

Hoje, muitos obreiros, pastores e missionários estão atrás do dinheiro do povo, e não interessados na alma do povo (2Co 12.14-18). São obreiros fraudulentos e gananciosos que usam toda sorte de esperteza para explorar o povo, em vez de apascentar o povo. São pastores de si mesmos, e não do rebanho de Deus. São exploradores das ovelhas, e não pastores das ovelhas. São mercenários, e não missionários.

Em quinto lugar, *recebe os donativos da igreja com reverência cúltica* (4.18). Agora, o apóstolo Paulo deixa de lado a linguagem da contabilidade e apela para as expressões do culto.[21] Paulo recebe o donativo da igreja com tal reverência que ele vê nessas ofertas da igreja um sacrifício agradável e suave a Deus. Ele entende que, antes de os irmãos filipenses lhe terem enviado esse sustento a Roma, essas ofertas subiram como aroma suave aos céus; antes de elas serem dadas a ele, foram consagradas a Deus. As palavras "aceitável e aprazível a Deus" são termos cúlticos, associados ao sistema sacrificial veterotestamentário.[22]

Werner de Boor nesse mesmo raciocínio diz que Paulo está profundamente imbuído de que o donativo que o "preenche" na realidade foi feito a Deus. Afinal, um "sacrifício" nunca é ofertado a pessoas, mas somente a Deus.[23]

Warren Wiersbe, comentando sobre o significado espiritual da oferta enviada pela igreja de Filipos, diz que Paulo faz três comparações: Primeiro, a compara a uma árvore brotando (4.10). O termo traduzido "renovar" refere-se a uma flor abrindo-se ou a uma árvore brotando ou florescendo. Muitas vezes, passamos por invernos espirituais, mas, quando chega a primavera, as bênçãos e a vida se renovam.

---

[20] HENDRIKSEN, William. *Efésios e Filipenses*, p. 597.
[21] BRUCE, F. F. *Filipenses*, p. 165.
[22] MARTIN, Ralph P. *Filipenses: Introdução e comentário*, p. 182.
[23] BOOR, Werner de. *Carta aos Efésios, Filipenses e Colossenses*, p. 268.

Segundo, Paulo a compara a um investimento (4.14-17). Esse investimento era muito lucrativo para a igreja. A igreja associou-se a Paulo e, nesse acordo, deu riquezas materiais a Paulo e recebeu riquezas espirituais do Senhor. É o Senhor quem cuida da contabilidade e jamais sonegará dividendos espirituais. Terceiro, Paulo a compara a um sacrifício (4.18). É um sacrifício espiritual colocado no altar para a glória de Deus.[24]

Em sexto lugar, *retribui o socorro financeiro da igreja em fervorosa intercessão* (4.19). Um missionário não é apenas alguém que prega, mas, sobretudo, alguém que ora. Paulo sabe que a igreja lhe enviou uma oferta da sua pobreza, mas Deus recompensará a igreja com sua riqueza em glória. A igreja supriu a necessidade financeira e emocional do apóstolo, mas Deus há de suprir todas as necessidades da igreja.

É importante enfatizar que Deus supre não a nossa ganância nem mesmo os nossos desejos, mas as nossas necessidades. James Hunter, em seu livro *O monge e o executivo*, diz que precisamos distinguir desejos de necessidades. A provisão divina contempla as nossas necessidades, e não os nossos desejos. Bruce Barton escreve:

> Nós precisamos lembrar a diferença entre desejos e necessidades. A maioria das pessoas deseja sentir-se bem e evitar a todo custo o desconforto e a dor. Poderemos não conseguir tudo o que desejamos, mas Deus proverá para nós tudo aquilo de que necessitamos. Confiando em Cristo, as nossas atitudes e desejos podem mudar. E, em vez de desejarmos todas as coisas, aceitaremos a Sua provisão e poder para viver para Ele.[25]

Hudson Taylor costumava dizer: "Quando a obra de Deus é realizada à maneira de Deus e para a glória de Deus, nunca faltará a provisão de Deus".

Em sétimo lugar, *reconhece que o fim último da vida é a glória de Deus* (4.20). Para Paulo, a doutrina nunca é uma matéria árida. Sempre que ocupa a sua mente, também enche o seu coração de

---

[24] WIERSBE, Warren W. *Comentário bíblico expositivo*. Vol. 6, 2006, p. 129.
[25] BARTON, Bruce B. et all. *Life application Bible commentary on Philippians*, p. 128.

louvor.[26] Paulo é um homem que faz da vida uma doxologia constante. A sua teologia governa as suas atitudes. Ele prega o que vive e vive o que prega. A sua vida está centrada em Deus, e não nele mesmo. Não busca glória pessoal. Não constrói monumentos a si mesmo. Não busca as luzes da ribalta nem procura os holofotes do sucesso. Vive com os pés na terra, mas com o coração no céu. Fecha as cortinas da sua vida proclamando a verdade central das Escrituras: a glória de Deus é o grande vetor da vida humana.

Paulo conclui essa carta magna da alegria, esse monumento formoso da providência divina, como um pastor que se lembra de cada uma das suas ovelhas (4.21) e invoca sobre elas a graça do Senhor Jesus (4.23). E, também, como um evangelista que dá relatórios dos milagres da pregação do evangelho, cujos frutos são vistos até mesmo na casa de César (4.22). Essa expressão não se refere necessariamente aos familiares ou parentes do imperador, mas a todas as pessoas que estavam a seu serviço nos departamentos domésticos e administrativos da casa imperial.[27] Esses membros da casa de César eram pessoas convertidas, possivelmente, por intermédio do apóstolo durante a sua prisão em Roma. Assim, Paulo transformou a sua prisão em um campo missionário, e os frutos apareceram mesmo entre algemas. Esse fato nos ensina que não é o lugar que faz a pessoa, mas é a pessoa que faz o lugar. Ensina-nos, outrossim, que no Reino de Deus não existe lata de lixo, ou seja, não há vida irrecuperável. Há santos até mesmo na casa de César. Esse era um lugar de traições, opressão e violência. Muitos poderiam pensar que o evangelho jamais entraria nessa casa. Todavia, Paulo teve o privilégio de ganhar pessoas para Cristo ali, mesmo estando preso e algemado. Finalmente, nos ensina que as oportunidades estão ao nosso redor. Paulo poderia esperar a sua liberdade para depois continuar seu trabalho missionário. Entretanto, ele entendeu que a prisão também era um campo missionário. Ele aproveitou as oportunidades, e os frutos surgiram mesmo na cadeia.

---

[26] HENDRIKSEN, William. *Efésios e Filipenses*, p. 600.
[27] HENDRIKSEN, William. *Efésios e Filipenses*, p. 602.

William Hendriksen apresenta esta bendita verdade assim:

> Ainda mais importante é o fato de que o cristianismo penetrara até mesmo nos círculos desses servidores palacianos. Sua posição no ambiente completamente pagão, onde muitos adoravam o imperador como se fosse deus, não os impedia de permanecer fiéis a seu único Senhor e Salvador, de anunciar as boas-novas a outros e de reanimar a igreja de Filipos com suas saudações. A eternidade revelará quão grandes bênçãos devem ter emanado das vidas daqueles que se dedicaram a Cristo no seio de ambientes tão mundanos![28]

Deus abre as portas, mas nós devemos entrar por elas. Deus aponta o caminho, mas nós devemos seguir por ele. Deus põe diante de nós oportunidades, mas nós devemos aproveitá-las.

---

[28] HENDRIKSEN, William. *Efésios e Filipenses*, p. 603.

Colossenses

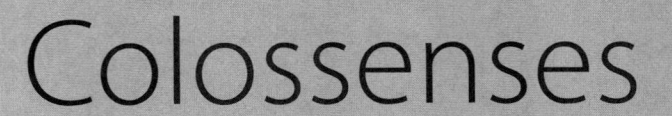

*A suprema grandeza de Cristo,
o cabeça da igreja*

Introdução

A CARTA DE PAULO AOS COLOSSENSES É O MAIOR TRATADO cristológico do Novo Testamento. Warren Wiersbe chega a dizer que alguns estudiosos da Bíblia acreditam que Colossenses seja a epístola mais profunda que Paulo escreveu.[1]

A mensagem de Colossenses é desesperadoramente necessária para a Igreja contemporânea. Vivemos num tempo de tolerância com o erro e de intolerância com a verdade. Ao mesmo tempo em que as heresias se aninham confortavelmente na Igreja, embaladas nos braços da tolerância e do sincretismo religioso, a verdade é atacada com rigor excessivo.

Mais do que nunca, estudar Colossenses é oportuno e necessário, uma vez que testemunhamos um ressurgimento vigoroso de obras insolentes atacando o nosso bendito Deus e Salvador Jesus Cristo. Homens pervertidos, réprobos quanto à fé, com empáfia e arrogância drapejam suas bandeiras e disparam suas armas de grosso calibre tentando desacreditar e até ridicularizar o nascimento virginal de Cristo, Sua morte vicária, Sua ressurreição corporal e Sua santidade imaculada. A doutrina de Cristo sempre agitou o inferno e muitos opositores têm se levantado contra ela. Porém, todo aquele que se levanta contra o Filho de Deus será reduzido a pó, pois ninguém pode lutar contra o Eterno e prevalecer. Esta carta é uma resposta a esses críticos de plantão.

A Igreja vive num mundo hostil. Muitas vezes, ela é influenciada e até seduzida pela cultura secular que a circunda. Filosofias anticristãs surgem todos os dias conspirando contra o cristianismo. Homens arrogantes, arrotando uma falaciosa sapiência, escarnecem das Sagradas Escrituras e rotulam os cristãos de pré-históricos. Constantemente, os inimigos da fé evangélica fazem troar sua voz arrogante, dizendo que agora descobriram um fato novo que irá desacreditar a Palavra de Deus.

---

[1] WIERSBE, Warren W. *Comentário bíblico expositivo*. Vol. 6, 2006, p. 137.

Ela, porém, marcha resoluta e sobranceira, vitoriosa e impávida, contra todos esses ataques. A Bíblia tem saído vitoriosa dos ataques mais perversos, das fogueiras mais intolerantes. A voz dos críticos se cala. Suas obras cobrem-se de poeira, mas a Palavra de Deus prospera gloriosamente. Na verdade, a Bíblia é a bigorna de Deus que tem quebrado todos os martelos dos críticos.

Como a Igreja deve se posicionar nesse mundo tão virulento? Como enfrentar as antigas e novas heresias que surgem no mercado da fé? Como dar respostas aos lobos com dentes afiados e aos lobos disfarçados com peles de cordeiro? O estudo desta carta nos oferece a resposta!

Estou convencido de que esta carta é absolutamente pertinente e necessária para a Igreja contemporânea por algumas razões:

Porque a doutrina de Cristo tem sido atacada ao longo dos séculos. Nos primeiros séculos da era cristã, muitos e acirrados debates foram feitos em torno da doutrina de Cristo. Por acreditarem que a matéria era essencialmente má, os gnósticos diziam: se Jesus Cristo é Deus não pode ser humano; se Ele é humano não pode ser Deus. O arianismo pregava que Jesus não era coigual, coeterno e consubstancial com o Pai. Hoje, a doutrina de Cristo está sendo bombardeada com rigor desmesurado. Livros e mais livros são despejados no mercado literário tentando desacreditar o bendito Filho de Deus. Uns negam Sua divindade; outros negam Sua humanidade. Há aqueles que atacam Sua impecabilidade.

Porque a doutrina da criação tem sido atacada com grande virulência. A carta de Paulo aos Colossenses acentua a verdade primária do cristianismo, de que o universo não é resultado de uma geração espontânea, nem de uma explosão cósmica, muito menos de uma evolução de bilhões e bilhões de anos. Antes, o mundo visível e invisível é obra da criação de Deus, por meio de Cristo. Richard Dawkins, o patrono do ateísmo, escreveu um livro abusado, intitulado *Deus, um delírio*. Esse autor insolente tenta reduzir o Deus soberano, Criador e Sustentador da vida, a apenas um delírio de mentes fracas. Mas Dawkins é quem delira! A ordem não pode ser produto da desordem. Uma explosão cósmica jamais poderia produzir códigos de vida, assim como as areias de um oceano jamais poderiam construir por si mesmas um relógio.

O criacionismo não é apenas um artigo de fé (Hb 11.6), mas também uma verdade científica! Francis Collins, no seu livro, *A linguagem de Deus*, tenta conciliar o cristianismo com o darwinismo evolucionista. Esses teóricos que se abastecem nas fontes rotas dos teólogos liberais negam a literalidade do relato da criação conforme registrada em Gênesis 1 e 2. O relato da criação no livro de Gênesis não é mitológico, mas literal. Negar essa verdade incontroversa é desprezar a inerrância e a infalibilidade das Escrituras. A doutrina da criação está presente em toda a Escritura. E Paulo a reafirma de modo eloquente nesta carta aos Colossenses (1.16).

Porque a doutrina da redenção tem sido atacada com incansável persistência. Os falsos mestres, como lobos vorazes, sempre se infiltraram na Igreja e outras serpentes peçonhentas permanecem do lado de fora destilando seu veneno mortal. A ideia de que o homem pode chegar a Deus pelos seus esforços, méritos, esoterismo e sincretismo, sem o sacrifício expiatório de Cristo, não é apenas enganosa, mas também satânica. É uma falsa humildade acreditar que o homem pode chegar até Deus por meio de seus esforços. O príncipe dos pregadores no século XIX, Charles Haddon Spurgeon, dizia que é mais fácil ensinar um leão a ser vegetariano do que um homem ser salvo pelos seus próprios esforços.

Porque a doutrina da santificação tem sido atacada por várias ideias equivocadas. Não faltam ideias erradas e falsas acerca do estilo de vida que pode agradar a Deus. Paulo escreve a carta aos Colossenses para corrigir esses desvios como o gnosticismo, o misticismo, o legalismo e o ascetismo.

Vamos, agora, considerar alguns pontos na introdução do estudo desta carta.

A cidade de Colossos

William Hendriksen diz que ninguém sabe exatamente quando foi fundada a cidade de Colossos. O que sabemos é que no tempo de Xerxes essa cidade já era uma comunidade florescente. Heródoto, considerado o pai da história, por volta do ano 480 a.C., a descreve como uma grande cidade.² A cidade de Colossos, porém, caminhou da glória para o esquecimento. Fez uma viagem descendente da riqueza à pobreza, da grandeza à insignificância.

É maravilhoso o fato de que uma epístola tão importante como Colossenses fosse enviada a uma igreja tão pequena, situada numa cidade tão insignificante. O que pode parecer pequeno aos olhos dos homens, com frequência, é grande e importante aos olhos de Deus.³

Vamos destacar cinco aspectos dessa cidade.

Em primeiro lugar, **Colossos era uma cidade que vivia das glórias do passado**. A cidade de Colossos ficava a 160 km de Éfeso, a capital da província da Ásia Menor. Colossos era uma das mais importantes cidades frígias do passado. Era uma cidade famosa e opulenta. Como dissemos, Heródoto e Xenofonte já conheciam Colossos como cidade grande e rica.⁴ Plínio a cita entre as "mais afamadas cidades" da Ásia Menor.⁵

Situada no vale do rio Lico, Colossos ficava numa das regiões mais férteis do mundo, onde pastagens luxuriantes hospedavam muitos rebanhos. Era um grande centro de tecelagem, no qual se fabricavam as melhores lãs do mundo. Werner de Boor diz que a fertilidade do vale dos rios Lico e Meandro, o tráfego comercial muito ativo e uma florescente tecelagem geravam prosperidade e despertavam o espírito comercial e empresarial.⁶ Sua população consistia de nativos locais (frígios), gregos e judeus.

Em segundo lugar, **Colossos era uma cidade abalada por tragédias naturais**. A fértil região da bacia do rio Lico era uma região vulcânica, abalada frequentemente por intensos terremotos.

O historiador Estrabo, já no começo da era cristã, a descreveu como uma pequena cidade⁷ e também a definiu com o adjetivo *euseistos*, que

---

²HENDRIKSEN, William. *Colosenses y Filemon*, Grand Rapids, MI: TELL, 1982, p. 20.
³HENDRIKSEN, William. *Colosenses y Filemon*, p. 23.
⁴MARTIN, Ralph P. *Colossenses e Filemom: introdução e comentário*. São Paulo: Vida Nova, 1984, p. 13.
⁵BOOR, Werner de. *Carta aos Efésios, Filipenses e Colossenses*, p. 273.
⁶BOOR, Werner de *Carta aos Efésios, Filipenses e Colossenses*, p. 273.
⁷MARTIN, Ralph P. *Colossenses e Filemom*, p. 14.

significa "bom para terremotos".⁸ Esses abalos sísmicos eram devastadores. A cidade foi sacudida várias vezes por terremotos e não conseguiu recompor-se. Sua glória foi abalada, e suas riquezas foram arrastadas pelas correntezas dessas tragédias naturais.

O forte e enorme terremoto da época do imperador romano Nero, por volta de 60 d.C., deixou em ruínas as cidades de Colossos, Laodiceia e Hierápolis. Enquanto as outras duas cidades foram reconstruídas, Colossos não se recuperou mais dessa catástrofe. Quando Paulo escreveu esta carta, a importância comercial e social de Colossos já estava em declínio. Aos poucos, Colossos desapareceu da história.⁹ William Hendriksen descreve bem essa decadência de Colossos:

> O vale do Lico pertenceu ao Império Romano desde 133 a.C. Porém, durante os séculos VII e VIII d.C., foi invadido pelos sarracenos. Por esse tempo também, a cidade ficou deserta. Um terremoto foi provavelmente um dos outros contribuintes. Os habitantes se mudaram para Chonas (mais tarde a cidade de Honaz), um pouco ao sul, ao sopé do monte Cadmus. No século XII, a cidade de Colossos desapareceu completamente.¹⁰

Em terceiro lugar, *Colossos era uma cidade que perdera sua importância pela projeção das outras cidades do vale do Lico*. A região onde estava plantada a grande cidade de Colossos (1.2) abrigava mais duas importantes cidades: Laodiceia (2.1; 4.13-16) e Hierápolis (4.13). Originalmente cidades frígias, agora faziam parte da província romana da Ásia Menor. Hoje, essa região fica situada na Turquia asiática.¹¹ Essas três cidades encontravam-se quase à vista uma da outra. Hierápolis e Laodiceia estavam cada uma do lado do vale, com o rio Lico passando pelo meio; só distavam uma da outra uns 10 km. Colossos, a terceira cidade, se estendia dos dois lados do rio, a uns 16 km rio acima.¹²

---

⁸BARCLAY, William. *Filipenses, Colosenses, I y II Tesalonicenses*, 1973, p. 99.
⁹BOOR, Werner de. *Carta aos Efésios, Filipenses e Colossenses*, p. 273.
¹⁰HENDRIKSEN, William. *Colosenses y Filemon*, p. 24.
¹¹HENDRIKSEN, William. *Colosenses y Filemon*, p. 14.
¹²BARCLAY, William. *Filipenses, Colosenses, I y II Tesalonicenses*, p. 99.

Laodiceia era um grande centro médico e bancário, uma região riquíssima em ouro e também um dos mais importantes polos da indústria têxtil daquela época. Laodiceia era o lar dos milionários. Na cidade havia teatros, um estádio e um ginásio equipado com banhos. Era a cidade dos banqueiros e de transações comerciais.[13] Essa cidade jactava-se de ser rica e de não ter necessidade alguma (Ap 3.17). Após ter sido devastada pelo terremoto no ano 60 d.C., foi reconstruída sem nenhuma ajuda externa. Hierápolis, por sua vez, era a cidade-saúde, com suas fontes termais, onde pessoas do mundo inteiro vinham buscar fontes quentes para banhos terapêuticos.

Essas duas cidades cresciam na mesma proporção em que Colossos recuava em sua importância. Donald Guthrie diz que Colossos ficou apagada pela importância das cidades vizinhas de Laodiceia e Hierápolis.[14] Tanto Laodiceia quanto Hierápolis reergueram-se das cinzas após o avassalador terremoto do ano 60 d.C., porém Colossos não se recuperou. Ainda hoje, é possível ver os sinais da riqueza de Laodiceia e Hierápolis, através das ruínas de seus grandes monumentos, mas não existe nenhum vestígio da cidade de Colossos. Sua glória ficou enterrada num passado distante. Lightfoot diz que Colossos era a igreja menos importante à qual qualquer epístola de Paulo é endereçada.[15]

Em quarto lugar, *Colossos era uma cidade povoada por uma grande colônia de judeus*. A região frígia do vale do rio Lico foi densamente povoada pelos judeus. Cerca de duas mil famílias judias haviam sido deportadas da Babilônia e Mesopotâmia para essa região, por decreto de Antíoco, o grande, no século IV a.C. Esses judeus floresceram financeiramente nessa região e cresceram em número. William Barclay diz que nesse tempo deviam existir cerca de cinquenta mil judeus nessa região.[16]

O legalismo judeu, associado à filosofia grega, foi um dos graves problemas que se infiltraram na igreja de Colossos. Ralph Martin diz

---

[13] HENDRIKSEN, William. *Más que Vencedores*. Grand Rapids, MI: Baker Book House, 1965, p. 86.
[14] GUTHRIE, Donald. *New Testament Introduction*, p. 564.
[15] LIGHTFOOT, J. B. *St Paul's Epistles to the Colossians and Philemon*. Londres: Logos Research Systems, 1879, p. 16.
[16] BARCLAY, William. *Filipenses, Colosenses, I y II Tesalonicenses*, p. 101.

que as sinagogas daquela região do vale do Lico tinham uma reputação de frouxidão e abertura para a especulação que vinha do mundo helenista. O judaísmo de livre pensamento associou-se às ideias especulativas das religiões de mistério e produziram uma heresia perniciosa que estava atacando a Igreja.[17]

Em quinto lugar, **Colossos era um canteiro fértil para o paganismo sincrético**. Ralph Martin diz que o cenário religioso na Frígia era eminentemente pagão. Florescia ali o culto a Cibele, a grande deusa-mãe da Ásia. Todos os frígios a adoravam. A Frígia era o centro do culto a Cibele. Esse culto era originalmente um rito da natureza vinculado com costumes da fertilidade e levava a alegria e êxtase excessivos. Essa deusa recebia sacrifícios oferecidos com alegria barulhenta e extática.

Práticas ascéticas também faziam parte desta religião. As referências paulinas ao rigor ascético (2.23) e à circuncisão (2.11) podem ser também uma referência aos ritos de iniciação e às práticas da mutilação, familiares nesse culto. Colossos era um centro cultural e um canteiro fértil no qual esse sincretismo pagão facilmente floresceu.[18]

A igreja de Colossos

Os colossenses podem ter ouvido sobre o evangelho pela primeira vez durante o ministério de Paulo em Éfeso (At 19.10), embora os judeus frígios devam ter levado o evangelho para lá logo após o Pentecoste (At 2.10).[19]

Destacamos alguns pontos sobre a igreja de Colossos:

Em primeiro lugar, *o fundador da igreja de Colossos*. A igreja de Colossos não foi fundada pelo apóstolo Paulo. Ele nem sequer chegou a visitar aquela igreja (1.4; 2.1). Esta é a única igreja que recebeu uma carta de Paulo sem o ter conhecido pessoalmente. Não obstante, o plantio da igreja se fez sob a direção do apóstolo por volta do ano 54 a 56 d.C.

---

[17]MARTIN, Ralph P. *Colossenses e Filemom*, p. 29,30.
[18]MARTIN, Ralph P. *Colossenses e Filemom*, p. 15,16.
[19]ELWELL, Walter A. e YARBROUGH. Robert W. *Descobrindo o Novo Testamento*, p. 316,317.

Paulo passou três anos na cidade de Éfeso, a capital da Ásia Menor. Desse grande centro, o evangelho espalhou-se por toda a província da Ásia, e a Palavra de Deus alcançou horizontes mais amplos do que aqueles percorridos pelo apóstolo dos gentios. Paulo não foi a Colossos, mas a Palavra de Deus chegou até lá através de Epafras, que fundou a igreja.

Há consenso entre os estudiosos de que Epafras foi o fundador e o pastor da igreja (1.6; 4.12). Ele era natural da cidade (4.12), servo de Cristo (4.12) e companheiro de prisão do apóstolo Paulo (Fm 23). Era, igualmente, obreiro dedicado nas outras congregações do vale do Lico (4.13). Talvez Epafras se tenha convertido ao cristianismo em Éfeso, por meio do apóstolo. Paulo o chama de "amado conservo" (1.7). As igrejas das cidades vizinhas de Colossos, a saber, Laodiceia e Hierápolis, provavelmente também foram fundadas e pastoreadas por Epafras (4.13).

Quando Paulo estava na prisão, em Roma, Epafras levou notícias ao apóstolo acerca do amor dos colossenses por ele, dando-lhe um relatório sobre o excelente estado da igreja (1.3). Depois, Epafras também o avisou a respeito das graves ameaças à igreja por meio de heresias que haviam penetrado no grupo de cristãos de Colossos.[20]

Em segundo lugar, *os amigos de Paulo na igreja de Colossos*. Paulo não foi à cidade, mas tinha grande influência sobre a igreja de Colossos. Havia naquela igreja algumas pessoas estratégicas que mantinham profunda ligação com o apóstolo Paulo. Que pessoas eram essas?

- *Filemom*. Este era um homem rico, filho na fé do apóstolo Paulo, em cuja casa se reunia a igreja (4.9; 4.12; 4.17; Fm 2,10,16,23). Os estudiosos defendem a tese de que Filemom era casado com Ápia e pai de Arquipo.[21] Nesse tempo Arquipo era o pastor da igreja (4.17). Sua família era piedosa e comprometida com a causa de Cristo. Sua casa era um santuário no qual os cristãos se reuniam para adorar a Deus.
- *Onésimo*. Este era um escravo de Filemom que fugiu para Roma e lá foi preso (4.9; Fm 11). Na cadeia encontrou Paulo, que o levou a

---
[20] BOOR, Werner de. *Efésios, Filipenses e Colossenses*, p. 273.
[21] HENDRIKSEN, William. *Colosenses y Filemon*, p. 26.

Cristo. Tornou-se um filho amado e cooperador do apóstolo Paulo. Paulo o devolveu a Filemom, recomendando a este que o recebesse não mais como um escravo, mas como um irmão amado e um novo membro da igreja (Fm 16,17).

Em terceiro lugar, *a vitalidade espiritual da igreja de Colossos*. Quando Paulo enviou esta carta à igreja, a cidade de Colossos já não era um grande centro urbano. Suas glórias tinham ficado no passado. Colossos era uma cidade pequena, pobre e sem relevância no contexto econômico.

Paulo, como missionário estrategista, concentrava-se nos grandes centros, mas jamais se esquecia das regiões menores. O evangelho deve ser levado aos grandes centros urbanos e também às pequenas cidades, vilas e regiões rurais.

Aquela igreja, mesmo não tendo sido plantada pelo apóstolo, mesmo situada numa cidade pequena e pobre, possuía uma fé robusta, um amor profundo e uma esperança viva (1.3-8). A grandeza de uma igreja não está na beleza do seu templo, na quantidade de seus membros nem mesmo na robustez do seu orçamento financeiro, mas no seu profundo compromisso com Deus e com os homens.

Em quarto lugar, *a igreja estava sendo ameaçada pela chamada "heresia de Colossos"*. A igreja de Colossos era formada, na sua maioria, de pessoas egressas do paganismo (1.21). Também faziam parte dessa igreja aqueles que procediam do judaísmo. Dessa mistura surgiu uma heresia, que ficou conhecida como "a heresia de Colossos". Descobrir a natureza dessa heresia é um dos grandes problemas na investigação do Novo Testamento, diz William Barclay.[22]

Ralph Martin afirma que a igreja de Colossos estava sendo exposta a um falso ensino que Paulo considerava uma negação do evangelho que Epafras lhes trouxera. Esta carta é uma resposta vigorosa de Paulo diante da notícia do ensino estranho que estava sendo inculcado em Colossos. Esta é uma carta eminentemente apologética.[23]

---

[22]BARCLAY, William. *Filipenses, Colosenses, I y II Tesalonicenses*, p. 103.
[23]MARTIN, Ralph P. *Colossenses e Filemom*, p. 19.

Segundo Donald Guthrie, a heresia de Colossos era um sincretismo judaico-gnóstico.[24] Nessa mesma trilha, Russell Shedd explica que essa heresia era uma mistura ou apanhado de elementos judaicos e gnósticos.[25] Tal heresia era uma espécie de mistura do legalismo judaico com o gnosticismo, uma filosofia pagã. Bruce Barton corretamente aponta que o sistema filosófico do gnosticismo ensinava que a salvação podia ser obtida através do conhecimento, em vez da fé. Esse "conhecimento" era esotérico e somente poderia ser adquirido por aqueles que tinham sido iniciados nos mistérios do sistema gnóstico.[26] Warren Wiersbe destaca que os gnósticos se viam como "conhecedores" das verdades profundas de Deus. Eles se consideravam uma espécie de aristocracia espiritual, que por meio do conhecimento esotérico alcançavam a perfeição.[27]

Os gnósticos vangloriavam-se de possuir uma sabedoria muito mais profunda do que aquela revelada nas Sagradas Escrituras, uma sabedoria que era propriedade de alguns favorecidos.

O ponto nevrálgico da heresia gnóstica é que eles pensavam que a matéria em si fosse essencialmente má, razão pela qual Deus sendo santo, não poderia criar o universo. Os anjos, diziam eles, eram os criadores da matéria. Um Deus puro não tinha comunicação direta com o homem pecador, mas se comunicava com ele por meio de uma cadeia de anjos intermediários, que formavam quase uma escada da terra ao céu.

Os gnósticos diziam que é impossível que aquele que é essencialmente santo possa ter comunhão com aquele que é essencialmente mau. Há um abismo infinito entre os dois, e um não pode ter intimidade nem contato com o outro. A heresia então teve de inventar meios pelos quais este abismo fosse suplantado, e o Deus essencialmente santo pudesse entrar em comunhão com o estado essencialmente mau do homem. O que se podia fazer? A heresia diz que do Deus essencialmente santo emanou um ser um pouco menos santo, e que deste segundo ser santo

---

[24] GUTHRIE, Donald. *New Testament Introduction*, p. 569.
[25] SHEDD, Russell. *Andai nele*. São Paulo: ABU, 1979, p. 8.
[26] BARTON, Bruce B. et al. *Life application bible commentary on Philippians, Colossians and Philemon*, p. 133.
[27] WIERSBE, Warren W. *Comentário bíblico expositivo*. Vol. 6, 2006, p. 134.

emanou um terceiro ainda menos santo, e deste terceiro um quarto e assim por diante, com um enfraquecimento cada vez maior, até que apareceu um (Jesus) que estava tão despojado de divindade e tão semelhante ao homem, que podia entrar em contato com ele.[28]

Russell Shedd corretamente afirma que, enquanto o gnosticismo colocou a matéria em oposição a Deus, a encarnação traz o Deus transcendente para dentro da nossa humanidade. Não é a matéria, em oposição a Deus, o antagonismo fundamental; mas ela é o meio pelo qual Deus se revela no corpo de Cristo. Não é a matéria o obstáculo ao progresso, mas o veículo pelo qual Deus nos salva por meio da cruz e do túmulo vazio.[29]

A heresia de Colossos tinha também elementos da astrologia. A palavra "rudimentos" em Colossenses 2.8 é o termo grego *stoiqueia*, que significa "ensinos elementares", bem como "espíritos elementares",[30] especialmente os espíritos dos astros e planetas. O mundo antigo estava dominado pelo pensamento da influência dos astros sobre os homens. Eles acreditavam que os homens estavam sob o poder e a influência desses astros. Na filosofia helenista, os anjos ou seres celestiais estavam estreitamente associados às estrelas ou a forças demoníacas e irracionais que controlam a vida humana na terra.

É nesse contexto que Paulo fala do culto aos anjos como parte de um aparato da veneração prestada a estes poderes astrais. Havia a necessidade de aplacar tais espíritos e vencê-los ao procurar a proteção de uma divindade mais forte. A astrologia oferecia aos homens um conhecimento secreto que os livraria de sua escravidão a esses espíritos elementares do mundo. Eles, assim, ensinavam a necessidade de algo mais além de Jesus. Essa heresia atacava a suficiência plena e a supremacia única de Cristo, diz William Barclay.[31]

Nessa mesma linha de raciocínio, Silas Alves Falcão destaca que, entre os erros que se espalhavam entre os colossenses, estava o

---

[28] PEARLMAN, Myer. *Através da Bíblia*, p. 281,282.
[29] SHEDD, Russell. *Andai nele*, p. 10.
[30] GUTHRIE, Donald. *New Testament Introduction*, p. 568.
[31] BARCLAY, William. *Filipenses, Colosenses, I y II Tesalonicenses*, p. 103,104.

particularmente supersticioso culto aos anjos, pelos quais os adeptos esperavam alcançar uma ciência mais profunda e uma perfeição mais alta que aquelas prometidas pelo evangelho. Entravam em contato com os espíritos celestes por meio de visões e se dispunham para isso, por meio de certos ritos de penitências corporais, jejuns e abstinências.[32]

Paulo escreve a carta aos Colossenses para repelir todas as sugestões no sentido de que esses "anjos" seriam dignos de reverência porque, como forças demoníacas, foram derrotadas e neutralizadas por Cristo na Sua cruz (2.15).[33]

Ralph Martin nesse mesmo viés afirma que no entendimento desses falsos mestres a plenitude de Deus era distribuída por uma série de emanações do divino, estendendo-se do céu até a terra. Estes "eões" ou rebentos da divindade deviam ser venerados e homenageados como "espíritos elementares", anjos ou deuses, que habitavam as estrelas. No entendimento desses falsos mestres, esses "eões" regiam o destino dos homens e controlavam a vida humana, detendo em Seu poder a entrada no reino divino. Eles entendiam que Cristo era apenas um deles, mas apenas um entre muitos.[34]

De igual forma, essa heresia dava muita importância ao poder dos espíritos demoníacos. O mundo antigo cria nesses poderes. Para eles, o ar estava impregnado de tais poderes malignos. Cada força natural – o vento, o trovão, o raio, a chuva – tinha seus diretores demoníacos. Cada lugar, cada árvore, cada rio, cada lago, tinha seu espírito. O mundo antigo estava obcecado pela ideia dos demônios. Evidentemente, os falsos mestres colossenses diziam que se requeria algo mais que Cristo para derrotar o poder demoníaco; que Jesus Cristo não era suficiente para tratar com eles e que precisava da ajuda de outro conhecimento e poder.[35]

A heresia de Colossos tinha um viés filosófico (2.8). Estava infiltrada pelo legalismo (2.16), pelo ascetismo (2.16, 21), pelo antinomismo

---

[32]FALCÃO. Silas Alves. *Meditações em Colossenses*. Rio de Janeiro: Casa Publicadora Batista, 1957, p. 14,15.
[33]MARTIN, Ralph P. *Colossenses e Filemom*, p. 26.
[34]MARTIN, Ralph P. *Colossenses e Filemom*, p. 20.
[35]BARCLAY, William. *Filipenses, Colosenses, I y II Tesalonicenses*, p. 104.

(3.5-8) e pelo culto aos anjos (2.18). Segundo Werner de Boor, o gnosticismo se definia como filosofia (Cl 2.8). Dizia-se que o cristão estaria cada vez mais perto da perfeição pelo cumprimento de preceitos ascéticos, pela obtenção de visões e intuições divinas, pela audição de "vozes interiores" (1.9,28; 2.10,16,18,21,23; 3.5,14; 4.12).[36]

O gnosticismo não pretendia de forma alguma romper com Cristo. Ele tentava unir a filosofia pagã com a fé cristã para oferecer uma santidade superior através de um conhecimento superior. O gnosticismo era uma semente híbrida, uma mistura perigosa, uma heresia mortal. Eles negavam a suficiência de Cristo. Para eles, a morte de Cristo deveria ser complementada com algo mais. De acordo com Warren Wiersbe, esses falsos mestres declaram não estar negando a fé cristã, mas sim elevando o seu nível.[37] Russell Champlin diz que essa heresia foi tão devastadora que oito livros do Novo Testamento foram escritos para combatê-la: Colossenses, 1 e 2Timóteo, Tito, 1, 2, 3João e Judas.[38]

O apóstolo Paulo refuta essa heresia, afirmando que Jesus é o Criador do mundo visível e invisível, inclusive dos anjos. Sem perder Sua santidade, Ele se encarnou, e nEle habita corporalmente toda a plenitude da divindade. Ele é o Sustentador do universo e o Redentor da humanidade. De maneira magistral, o apóstolo Paulo refuta a heresia de Colossos e reafirma a preeminência de Cristo. Ele é o primeiro na natureza, na Igreja, na ressurreição, na ascensão e na glorificação. Ele é o único Mediador, Salvador e Fonte da Vida.[39] O apóstolo Paulo ensina que aquele que crê em Cristo e vive nEle não precisa de sabedoria mundana nem de filosofia falaciosa. Porque em Cristo *estão ocultos todos os tesouros da sabedoria e do conhecimento* (2.3). Paulo afirma peremptoriamente que todos os poderes cósmicos dependem do Cristo preexistente que enche totalmente o universo e não deixa lugar para agentes concorrentes, visto terem sido derrotados por Ele e

---

[36] BOOR, Werner de. *Efésios, Filipenses e Colossenses*, p. 274.
[37] WIERSBE, Warren W. *Comentário bíblico expositivo*. Vol. 6, 2006, p. 135.
[38] CHAMPLIN, Russell Norman. *O Novo Testamento interpretado versículo por versículo*. Vol. 5, p. 72.
[39] PEARLMAN, Myer. *Através da Bíblia*, p. 282.

serem subservientes a Ele. Somente Cristo dá significado ao universo. Nele tudo subsiste (1.17); portanto, somente Ele dá relevância e propósito à vida (2.10).[40]

A carta à igreja de Colossos

Destacamos alguns pontos:

Em primeiro lugar, *o remetente da carta*. A maioria dos eruditos aceita a autoria paulina desta carta.[41] A autoridade externa é ampla e satisfatória. Os testemunhos externos são unânimes a favor da origem paulina. Ditos testemunhos remontam até Justino, o Mártir, Policarpo e Inácio.[42] Depois de passar três anos em Éfeso, Paulo foi preso em Jerusalém e ficou mais dois anos detido em Cesareia. De lá, navegou para Roma, onde ficou preso numa casa alugada, sob custódia do imperador Nero. Dessa primeira prisão em Roma, Paulo escreveu várias cartas como Efésios, Filipenses, Colossenses e Filemom.

Nesse tempo, Aristarco, Onésimo e o evangelista Marcos também estavam presos com Paulo. Em Roma, encontrava-se nessa ocasião Lucas, o médico amado. Tíquico também estava com Paulo na prisão e era seu amanuense. Foi nesse tempo que Paulo recebeu a visita de Epafras, o evangelista que fundou as três igrejas do vale do Lico, relatando a ele a firmeza da igreja e ao mesmo tempo o surgimento da heresia judaico-gnóstica que ameaçava a sua saúde espiritual.[43]

Em segundo lugar, *o destinatário da carta*. Esta carta foi endereçada à igreja de Colossos. Essa igreja, mesmo não tendo sido fundada pelo apóstolo, mantinha uma profunda ligação com ele. Ela reconhecia a autoridade apostólica de Paulo e acolhia seus ensinos.

Em terceiro lugar, *o portador da carta*. Tíquico era um antigo e leal companheiro de Paulo, natural da Ásia Menor, mencionado várias

---

[40] MARTIN, Ralph P. *Colossenses e Filemom*, p. 25, GUTHRIE, Donald. *New Testament introduction*, p. 572.
[41] GUTHRIE, Donald. *New Testament introduction*, p. 572.
[42] DARGAN, Edwin C. *Comentário expositivo sobre El Nuevo Testamento*. Editado por Alvah Rovey. El Paso, TX: Casa Bautista de Publicaciones, 1973, p. 404.
[43] SHEDD, Russell. *Andai nele*, p. 7.

vezes em todo o Novo Testamento (At 20.4; Ef 6.21; Cl 4.7; 2Tm 4.12; Tt 3.12). Tíquico foi incumbido pelo apóstolo de conduzir Onésimo até o lar de Filemom em Colossos (4.9) e também de levar esta carta aos cristãos de Colossos (4.7,8). Tíquico é comissionado para levar também as notícias da experiência do apóstolo na prisão e para trazer algum encorajamento à igreja de Colossos acerca da detenção do seu líder, Epafras.

Em quarto lugar, *a singularidade da carta*. Henrietta Mears diz que as cartas de Efésios e Colossenses foram escritas mais ou menos na mesma época, enquanto Paulo era prisioneiro em Roma. As duas cartas contêm grandes doutrinas do evangelho e foram escritas para serem lidas em voz alta nas igrejas. São muito parecidas em seu estilo, mas bastante diferentes em sua ênfase. Efésios fala de todos os cristãos, chamando-os de "o corpo de Cristo"; Colossenses fala do "cabeça" do corpo, Jesus Cristo. Em Efésios, a Igreja de Cristo é o tema central; em Colossenses, salienta-se o Cristo da Igreja. Ambos os temas são necessários. Não pode haver corpo sem cabeça, nem cabeça sem corpo. Note que por todo o livro de Colossenses é Cristo, Cristo, Cristo.[44] G. G. Findlay nessa mesma linha de pensamento diz que essas duas cartas, Efésios e Colossenses, são gêmeas, pois nasceram juntas na mente do mesmo escritor.[45]

Em quinto lugar, *o propósito da carta*. A carta de Paulo aos Colossenses tinha dois propósitos fundamentais:

Elogiar os cristãos pelo crescimento espiritual (1.3-8). Paulo era um pastor com profunda sensibilidade. Ele conhecia a importância do encorajamento. Ele não desperdiçava oportunidades de elogiar as pessoas e encorajá-las a prosseguir firmes na fé.

Alertar os cristãos sobre o perigo das heresias (2.8-23). Paulo escreve para prevenir a Igreja sobre o perigo da heresia. O misticismo sincrético, o legalismo e o ascetismo estavam sendo introduzidos na Igreja e pervertendo a sã doutrina. Os falsos mestres diziam que apenas a fé em Cristo não era suficiente para a salvação. Essa heresia atacava a

---

[44]MEARS. Henrietta C. *Estudo panorâmico da Bíblia*. São Paulo: Vida, 1982, p. 449.
[45]FINDLAY. G. G. *The pulpit commentary*. Vol. 20. Grand Rapids, MI: Wm. B. Eerdmans Publishing Company, 1978, p. IV.

fé a partir de seus fundamentos. Ainda hoje, a suficiência da obra de Cristo e a das Escrituras é negada até mesmo em círculos chamados evangélicos.

A heresia de Colossos afetava seriamente tanto a doutrina como a ética cristã.[46] A heresia sempre tem um poder mortal. Aonde ela chega, destrói a igreja. Que doutrinas foram atingidas pela heresia de Colossos?

1. *A doutrina da criação* – Se Deus é espírito e eternamente bom, não poderia ter criado a matéria essencialmente má. Consequentemente, Deus não é o Criador do mundo, diziam os gnósticos. As emanações de Deus é que criaram o mundo, segundo esses falsos mestres.
2. *A doutrina da encarnação de Cristo* – Se a matéria é essencialmente má e Jesus Cristo é o Filho de Deus, então este não teve um corpo de carne e ossos, diziam esses hereges. Para os gnósticos, Jesus Cristo era uma espécie de fantasma espiritual. Eles chegavam a afirmar que, quando Jesus caminhava por uma praia, não deixava rastro na areia. Desta forma, os gnósticos negavam tanto a divindade quanto a humanidade de Cristo.
3. *A doutrina da santificação* – A teologia sempre desemboca na ética. Os que dizem: "Não me importo com o que você acredita, desde que viva corretamente" não raciocinam com lógica. As convicções determinam o comportamento. Doutrinas erradas geram um modo de vida errado, afirma Warren Wiersbe.[47] A heresia sempre leva à perversão. Os gnósticos diziam: Se a matéria é má, logo nosso corpo é mau. E se nosso corpo é mau, devemos adotar uma de duas atitudes: afligi-lo, caindo nas malhas do ascetismo, ou ignorá-lo, caindo na teia da licenciosidade.

---

[46]BARCLAY, William. *Filipenses, Colosenses, I y II Tesalonicenses*, p. 106.
[47]WIERSBE, Warren W. *Comentário bíblico expositivo*. Vol. 6, 2006, p. 137.

1

O **poder** transformador do evangelho

Colossenses 1.1-8

NENHUMA FORÇA NO MUNDO é mais poderosa do que o evangelho.

O evangelho nasceu no coração de Deus, e não no coração do homem; procede do céu, e não da terra; foi concebido na eternidade, e não no tempo. O evangelho é o poder de Deus para a salvação de todo aquele que crê (Rm 1.16). O evangelho é a dinamite de Deus que explode as pedreiras mais rígidas e abre os corações mais duros. Aonde chega, vidas são transformadas, famílias são salvas, cidades são reerguidas das cinzas. Nenhuma força pode resistir ao evangelho. Nenhum exército pode deter o seu avanço. Nenhuma arma pode destruir o seu efeito. Nenhuma ideologia pode apagar sua influência. Em 1917, o comunismo entrou no mundo como uma das forças mais hostis ao cristianismo. Até a queda do muro de Berlim, em 1989, o comunismo abocanhou um terço da terra e matou mais cristãos do que em qualquer outro tempo da história. Apenas na China Mao Tse Tung liderou o massacre de sessenta milhões de pessoas. Mas o comunismo ateu está quase morto, e o cristianismo permanece mais vivo do que nunca. Com respeito ao cristianismo, podemos somar nossa voz ao cântico evangélico: "Ninguém detém, é obra santa!"

À guisa de introdução, destacamos três verdades gloriosas acerca do evangelho:

O evangelho não depende de homens; os homens é que dependem do evangelho. A igreja de Colossos não foi plantada por Paulo (1.4,7). O evangelho chegou ao vale do Lico sem a presença do grande apóstolo. O trabalho prosperou e cresceu, mesmo sem a presença do grande bandeirante do cristianismo. A obra de Deus não depende de homens; os homens é que dependem da obra de Deus. Hoje, estamos vendo com tristeza uma espécie de culto à personalidade, em que determinados figurões querem mais destaque do que o próprio evangelho. São obreiros cheios de vaidade, que amam os holofotes e gostam das luzes da ribalta. É preciso dizer em alto e bom som que Deus não precisa de estrelas para fazer Sua obra. Ele não divide Sua glória com ninguém.

O evangelho é que dá significado ao lugar, e não o lugar ao evangelho. A cidade de Colossos estava em franco declínio no tempo de Paulo. Laodiceia e Hierápolis, cidades vizinhas do vale do rio Lico, lançavam sombras nessa cidade, cujas glórias estavam plantadas num passado remoto. Não foi a cidade de Colossos que deu projeção ao evangelho, mas o evangelho que deu projeção a Colossos. O mundo inteiro conhece essa pequena cidade às margens do rio Lico por causa do evangelho.

O evangelho tem poder em si mesmo e não depende de nenhum elemento externo a ele. O evangelho é como uma semente que tem vida em si mesma (Mc 4.26-29). Aonde o evangelho chega, ele produz frutos. Aonde a Palavra de Deus é anunciada com fidelidade e poder, vidas são salvas e o Reino de Deus se estabelece. O evangelho não precisa de nenhuma ajuda externa para produzir frutos. O próprio Espírito de Deus opera através dele para transformar vidas.

Destacaremos três pontos na análise do texto supracitado.

As credenciais de Paulo (1.1)

Paulo foi o maior evangelista, o maior missionário, o maior plantador de igrejas e o maior teólogo da igreja primitiva. Ele escreveu treze dos 27 livros do Novo Testamento. Nenhum escritor do mundo é mais lido do que o apóstolo Paulo. Suas obras não são apenas belas e profundas, mas também inspiradas. Paulo não foi um alfaiate do efêmero, mas um escultor do eterno.

Tratando de suas credenciais, Paulo cita três fatos dignos de destaque.

Em primeiro lugar, **Paulo é um enviado de Cristo Jesus** (1.1). Paulo se apresenta à igreja de Colossos como apóstolo de Cristo Jesus. Mesmo não tendo sido o plantador daquela igreja nem o seu pastor, demonstra autoridade para orientá-la espiritualmente. Sua autoridade não procedia de títulos conquistados aos pés de Gamaliel, na monumental cidade de Jerusalém. Sua autoridade não decorria de seu vasto conhecimento nem mesmo de sua larga experiência como missionário nas províncias da Ásia, Acaia e Macedônia.

A palavra *apostolos* significa "aquele que é enviado".[1] O próprio Jesus apareceu para Paulo no caminho de Damasco e o convocou para essa sublime missão. Ele era um embaixador que falava e agia em nome de Deus. O direito que Paulo tem para falar está no fato de ter sido enviado por Jesus para ser embaixador entre os gentios.

Werner de Boor diz que a ideia principal do termo "apóstolo" é de autoridade atribuída. Não é apenas pensar e falar, mas agir com poder. Assim não nos deparamos com o ser humano Paulo e suas opiniões teológicas, mas com o procurador do Senhor Jesus e, portanto, em última análise, com o próprio Jesus. É o próprio Cristo quem fala à Igreja através de Paulo. O apostolado não é uma escolha pessoal, mas uma vocação divina. Consequentemente, alguém não pode "tornar-se" apóstolo da mesma maneira pela qual nos "tornamos" médicos, comerciantes ou engenheiros.[2]

Bruce Barton salienta que, pelo fato de Paulo não ter sido um dos doze apóstolos chamados por Cristo no começo do Seu ministério, algumas pessoas duvidavam de suas credenciais, ainda que o próprio Jesus tenha aparecido para ele e o comissionado (At 9.1-6; 26.12-18). Jesus o comissionou para um trabalho especial: ... *este é para mim um instrumento escolhido para levar o meu nome perante os gentios e reis, bem como perante os filhos de Israel* (At 9.15). Paulo não escolheu o apostolado; ele foi escolhido.[3]

---

[1]BARCLAY, William. *Filipenses, Colosenses, I y II Tesalonicenses*, p. 110.
[2]BOOR, Werner de. *Carta aos Efésios, Filipenses e Colossenses*, p. 277, 278.
[3]BARTON, Bruce B. *et al. Life application bible commentary on Philippians, Colossians and Philemon*, p. 143.

Russel Shedd diz que "apóstolo" é um mensageiro, um agente autorizado, com os direitos de um procurador. Um homem enviado é equivalente àquele que o enviou. Falsos apóstolos, condenados por Paulo (2Co 11.3) e por Cristo (Ap 2.2), são homens que agem por conta própria, sem essa autorização.[4] Aqueles que hoje se autointitulam apóstolos estão agindo em desacordo com o ensino das Escrituras. Não temos hoje mais apóstolos como aqueles do Novo Testamento. Hoje Deus não revela mais mensagens novas para a Igreja. Hoje temos a Palavra de Deus, e ela está completa. Ela é inerrante, infalível e suficiente.

Em segundo lugar, **Paulo trabalha em sintonia com Deus** (1.1). Paulo é apóstolo "por vontade de Deus". William Hendriksen diz que Paulo alcançou seu apostolado não por aspiração (At 9.11), nem por usurpação, tampouco por nomeação da parte de homens (Gl 1.1,16,17), mas por divina vocação (Gl 1.15,16).[5] Muitos falsos obreiros se levantavam e arrogavam para si o título de apóstolo, pervertendo, assim, a sã doutrina e desencaminhando as ovelhas de Cristo. Eram lobos devoradores, obreiros fraudulentos, pastores de si mesmos e não do rebanho (At 20.29,30). O ofício de apóstolo não é algo que se ganha por mérito ou se conquista, mas algo que se recebe de Deus; não se assume, é algo de que se é investido.[6]

Em terceiro lugar, **Paulo trabalha em sintonia com os irmãos** (1.1). Paulo não seguia uma carreira solo. Ele sempre foi acompanhado por colaboradores. O apóstolo escreve: *Paulo, apóstolo de Cristo Jesus, por vontade de Deus, e o irmão Timóteo* (1.1). Timóteo é cooperador de Paulo e está junto dele quando esta carta é remetida à igreja de Colossos. Embora Paulo fosse o único escritor da carta, faz questão de citar Timóteo como um irmão que participa dos seus mesmos propósitos. É importante ressaltar que Timóteo não é citado como o pregador, o mestre, o teólogo, o administrador, mas como o irmão.[7] Somente nas cartas aos Romanos e aos Efésios é que Paulo se coloca sozinho diante

---

[4]SHEDD, Russell. *Andai nele*, p. 13.
[5]HENDRIKSEN, William. *Colosenses y Filemon*, p. 55.
[6]BARCLAY, William. *Filipenses, Colosenses, I y II Tesalonicenses*, p. 110.
[7]BARCLAY, William. *Filipenses, Colosenses, I y II Tesalonicenses*, p. 111.

da igreja. Em todas as demais cartas ele anuncia pelo menos mais um irmão a seu lado.⁸

Quem era Timóteo? Era jovem, tímido e doente. Nascido em Listra, era filho de pai grego e mãe judia. Aprendeu as sagradas letras desde a infância por intermédio de sua mãe Eunice e de sua avó Lóide. Conheceu a Paulo na sua primeira viagem missionária, quando o apóstolo o ganhou para Cristo. Na segunda viagem missionária, Timóteo já tinha bom testemunho em Listra e nas cidades vizinhas. A partir daí, esse jovem passou a acompanhar Paulo em suas viagens e tornou-se seu cooperador. Paulo menciona Timóteo em outras cartas do Novo Testamento, como 1 e 2Coríntios, Filipenses, 1 e 2Tessalonicenses e Filemom. Paulo também escreveu duas cartas a Timóteo.⁹

Há muitos tipos de relacionamentos na vida. Há relacionamentos entre membros da família, empregadores e empregados, professores e estudantes, médicos e pacientes, comerciantes e consumidores, ministros e paroquianos. Todos os relacionamentos são importantes, mas nenhum é tão essencial como o relacionamento da fraternidade cristã. Quando nos relacionamos como irmãos em Cristo, não há espaço para sentimento de superioridade, orgulho, arrogância, criticismo, murmuração, julgamento, censura, inveja ou divisões.

As credenciais da igreja de Colossos (1.2-5)

A igreja de Colossos, embora plantada numa cidade sem projeção e sendo provavelmente uma congregação pequena, experimentou grandes milagres e exerceu notória influência na região. Destacaremos alguns pontos.

Em primeiro lugar, *os cristãos deixaram o paganismo e se consagraram exclusivamente a Deus* (1.2). Paulo os chama de "santos". A palavra grega *hagioi* significa "diferente", "separado", "dedicado exclusivamente a Deus". O termo *santo* passou a significar possessão e uso exclusivos de Deus.¹⁰ Os santos são aqueles que foram separados por Deus para

---

⁸Boor, Werner de. *Carta aos Efésios, Filipenses e Colossenses*, p. 278.
⁹Barton, Bruce B. et al. *Life application bible commentary on Philippians, Colossians and Philemon*, p. 144.
¹⁰Shedd, Russell. *Andai nele*, p. 14.

glorificá-Lo.[11] Essa palavra de forma alguma sugere um grupo especial de pessoas que são canonizadas e beatificadas. A canonização não tem poder de transformar uma pessoa em alguém santo. Essa concepção romana é estranha ao ensino do Novo Testamento.

Os colossenses foram arrancados das entranhas de um tosco paganismo. Viviam na mais repugnante idolatria. Eles eram politeístas e serviam a muitos deuses. Porém, quando se converteram a Cristo, tornaram-se santos. Foram separados por Deus e para Deus, a fim de viverem em novidade de vida.

Em segundo lugar, *os cristãos deixaram os ídolos e creram unicamente em Cristo Jesus* (1.2). Os cristãos de Colossos eram não apenas santos, mas também fiéis em Cristo. Todos os santos são fiéis, e os fiéis são santos. Russell Shedd diz que a palavra *fiéis* se refere aos que creem; não há, no grego, distinção entre quem crê e quem é fiel.[12] Eles foram separados por Deus para crer em Cristo e, porque creram em Cristo, foram separados para Deus. Eles deixaram seus ídolos e depositaram sua confiança exclusivamente na Pessoa e na obra de Cristo.

Werner de Boor diz que apesar do deserto de idolatria, superstição, incredulidade e insensatez também existem em Colossos pessoas com fé clara em Jesus. Isso era motivo de gratidão para Paulo toda vez que ele orava pela igreja.[13]

Silas Falcão declara que o evangelho que não produz fé em Jesus Cristo é espúrio, "é outro evangelho". Jesus Cristo é o centro do evangelho. Sua encarnação, Sua vida, Sua morte, Sua ressurreição, Sua ascensão e Sua segunda vinda constituem a essência do evangelho (1Co 15.1-8).[14]

Em terceiro lugar, *os cristãos deixaram a total falência espiritual e receberam as ricas bênçãos divinas* (1.2). Os colossenses viviam mergulhados no pântano profundo do desespero e da condenação. Marchavam céleres para uma inexorável condenação eterna. Porém, ao se converter a Cristo, receberam da parte de Deus *graça* e *paz*. A graça é um dom

---

[11] HENDRIKSEN, William. *Colosenses y Filemon*, p. 56.
[12] SHEDD, Russell. *Andai nele*, p. 14.
[13] BOOR, Werner de. *Carta aos Efésios, Filipenses e Colossenses*, p. 282.
[14] FALCÃO, Silas Alves. *Meditações em Colossenses*, p. 19,20.

imerecido, e a paz é o fruto da reconciliação com Deus por meio do sangue da cruz. Quando do coração paterno do Deus vivo jorra sobre nós o fluxo vivo da Sua graça, bebemos a largos sorvos também da Sua paz.

O homem pecador não pode atrair o favor de Deus nem merecer Sua aprovação. Deus é muito elevado e santo, e o homem é muito decadente e depravado. O homem é imperfeito e Deus é perfeito, portanto o homem não pode esperar nada de Deus além do justo castigo que seus pecados merecem. O homem tem se posicionado contra Deus de muitas maneiras: tem rejeitado, rebelado, ignorado, negligenciado, amaldiçoado, desobedecido, negado e questionado a Deus. O homem não merece nada da parte de Deus, exceto julgamento e condenação. Mas Deus, de forma incompreensível, surpreendente e graciosa, dá ao homem Seu favor, perdoando seus pecados e oferecendo-lhe vida eterna. Isso é graça!

Em quarto lugar, *os cristãos passaram a ter dois endereços distintos* (1.2). Os cristãos a quem Paulo envia esta carta eram santos e fiéis irmãos *em Cristo* que se encontravam *em Colossos*. Eles estavam *em* Cristo e *em* Colossos. Tinham dois endereços: uma morada celestial e outra terrena. Era uma igreja terrena formada de gente que tem nome, endereço, sonhos, problemas, aflições, ataques, perseguições e perigos. E também era uma igreja espiritual que vivia assentada com Cristo nas regiões celestiais, acima de todo principado e potestade. Eram cidadãos tanto do céu como da terra. Eles habitavam em Colossos, mas também estavam enxertados em Cristo.

William Barclay corrobora esse pensamento, declarando:

> Os cristãos estão em Colossos e em Cristo. O cristão se move sempre em duas esferas. Encontra-se em um lugar: é um povo, uma sociedade que se estabelece neste mundo; mas também está em Cristo. O cristão vive em duas dimensões. Porque vive neste mundo envolve-se nos negócios daqui. Porém, por outro lado, e, sobretudo, vive em Cristo. Neste mundo pode mover-se de um lugar para outro, estar aqui hoje e amanhã ali, mas, não importa onde esteja, sempre estará em Cristo.[15]

---

[15] BARCLAY, William. *Filipenses, Colosenses, I y II Tesalonicenses*, p. 111.

Werner de Boor, na mesma linha de pensamento, afirma que os destinatários desta carta se encontravam "em Colossos" e "em Cristo". Um é seu lugar de residência terreno, que poderia mudar facilmente em vista da frequente migração no Império mundial daquele tempo. O outro é seu "lugar" fundamental e permanente, que determina toda a sua existência. Porque assim como o mundo jaz basicamente "no maligno" (1Jo 5.19), toda igreja verdadeira jaz "em Cristo", independentemente de sua localização geográfica.[16]

Em quinto lugar, *os cristãos tinham relacionamentos certos com Deus e com os homens* (1.3,4). Paulo dá graças a Deus pelos cristãos de Colossos por causa de sua fé em Cristo e Seu amor para com todos os santos. A fé os ligava a Deus; o amor os ligava aos homens.

Segundo Ralph Martin, a fé comprova sua realidade ao atuar pelo amor (Gl 5.6).[17] A fé e o amor são a essência do grande mandamento de Deus ao Seu povo: *Ora, o Seu mandamento é este: que creiamos em o nome de Seu Filho, Jesus Cristo, e nos amemos uns aos outros, segundo o mandamento que nos ordenou* (1Jo 3.23).

O cristão é salvo pela fé, vive pela fé, vence pela fé e caminha de fé em fé. A fé em Cristo fala de um relacionamento vertical correto e o amor para com todos os santos fala de um relacionamento horizontal correto. Eles tinham relacionamento certo com Deus e com os homens.

Fé e amor são os dois aspectos da vida cristã. Ninguém pode considerar-se um cristão se não crer em Cristo e se não amar os irmãos. O cristão deve manifestar lealdade a Cristo e amor aos homens. A fé sem amor é ortodoxia morta; o amor sem a fé é sentimentalismo piegas. O cristão tem uma dupla lealdade: lealdade a Deus e lealdade aos homens.

William Barclay diz que a fé cristã não é só uma convicção da mente, mas também uma efusão do coração; não é só um pensamento correto, mas também uma conduta correta. A fé cristã e o amor aos homens são os dois grandes pilares da vida cristã.[18]

---

[16] BOOR, Werner de. *Carta aos Efésios, Filipenses e Colossenses*, p. 279.
[17] MARTIN, Ralph P. *Colossenses e Filemom*, p. 58.
[18] BARCLAY, William. *Filipenses, Colosenses, I y II Tesalonicenses*, p. 113.

Em sexto lugar, *os cristãos deixaram a desesperança do paganismo para abraçar a esperança do evangelho* (1.5). Os que vivem sem Deus no mundo não têm esperança. Caminham para um abismo lôbrego e para a perdição eterna. Aqueles, porém, que se convertem a Cristo, recebem o penhor da herança agora e a promessa da posse plena e definitiva da herança na segunda vinda de Cristo.

A esperança cristã não é uma conjectura hipotética, mas uma certeza experimental. Sabemos que o nosso tesouro está no céu. A nossa herança está no céu. O nosso Salvador virá do céu e nós iremos morar com Ele eternamente no céu. Lá está a nossa esperança!

George Barlow fala de três aspectos desta esperança: seu caráter – ela está preservada no *céu*. Ela é celestial e aponta para uma felicidade futura nos céus. Sua segurança – ela está *preservada* no céu. Essa herança imarcescível está guardada no cofre de Deus e esse tesouro não pode ser saqueado por ladrões nem comido por traças. Sua fonte – essa esperança é gerada pelo *evangelho*, a Palavra da verdade. Não se trata de palavras vazias, ou promessas vãs, nem de sonhos alucinados. Essa esperança tem um sólido fundamento.[19]

O fato de essa esperança estar preservada no mundo celestial somente pretende nos deixar seguros de que jamais poderemos perder esse bem da esperança, e que ele também não pode ser roubado de nós. Lá permanece mais seguro que joias terrenas no mais seguro cofre do mundo (Mt 6.20; 1Pe 1.4).[20]

A esperança cristã é a certeza de que, apesar de cruzarmos aqui os vales sombrios, os desertos esbraseantes, os pântanos lodacentos, os caminhos estreitos e juncados de espinhos, o caminho de Deus é melhor e somente nele andamos em segurança e por meio dEle chegamos à bem-aventurança eterna!

Paulo fala de uma esperança que está reservada no céu (1.5). Escrevendo aos coríntios, declara: *Se a nossa esperança em Cristo se limita apenas a esta vida, somos os mais infelizes de todos os homens*

---

[19] BARLOW, George. *The preacher's complete homiletic commentaries*. Vol. 28. Grand Rapids, MI: Baker Books, 1996, p. 379.
[20] BOOR, Werner de. *Carta aos Efésios, Filipenses e Colossenses*, p. 283.

(1Co 15.19). O evangelho produz na alma do cristão a doce esperança do porvir, que o anima a lutar e a renunciar às aparentes vantagens deste mundo. Que esperança é essa? Paulo responde: ... *Cristo Jesus é a nossa esperança* (1Tm 1.1); *Cristo em vós, a esperança da glória* (1.27). Cristo é a nossa esperança. Na Sua volta haverá a ressurreição do nosso corpo. A morte do nosso corpo não nos aniquila. Para o cristão, morrer é lucro, é bem-aventurança, é deixar o corpo e habitar com o Senhor, é partir para estar com Cristo, o que é incomparavelmente melhor. O cristão sabe que o seu lar não é aqui, que a sua pátria não está aqui, que a Sua herança não é daqui e que o seu tesouro não está aqui.

Em sétimo lugar, **os cristãos deixaram a estagnação do pecado para cresceram na fé evangélica** (1.4-8). Os cristãos de Colossos não só creram, mas cresceram na fé. Warren Wiersbe fala sobre quatro estágios desse crescimento.[21]

Eles ouviram o evangelho (1.5b,7). Epafras era um cidadão de Colossos que foi evangelizado por Paulo. Epafras, agora, os evangeliza (1.7; 4.12,13). Epafras cumpriu o que Jesus disse para o gadareno: *Vai para os teus e anuncia-lhes quantas coisas o Senhor fez por ti* (Mc 5.19). O evangelho está centrado na pessoa de Cristo. O tema desta carta é a preeminência de Cristo. Os falsos mestres que invadiram a igreja de Colossos tentaram tirar Jesus Cristo de Seu lugar de preeminência; porém, colocar Cristo em outro lugar é o mesmo que destruir o evangelho. Foi Cristo quem morreu por nós e ressuscitou. A mensagem do evangelho não está centrada em uma filosofia, doutrina ou sistema religioso, mas sim em Jesus Cristo, o Filho de Deus.[22]

Eles creram em Cristo (1.4). Milhões de pessoas ouvem o evangelho, mas não creem. Os que creem, porém, recebem a vida eterna (Jo 3.14-18). Outros creem em outro evangelho para a sua própria perdição. Outros ainda creem na fé. Dizem: o importante é ter fé, o importante é crer. Mas não somos salvos pela fé na fé. Também não somos salvos por crer apenas numa fé de segunda mão. Warren Wiersbe narra

---

[21] WIERSBE, Warren W. *Comentário bíblico expositivo*. Vol. 6, 2006, p. 138-143.
[22] WIERSBE, Warren W. *Comentário bíblico expositivo*. Vol. 6, 2006, p. 138.

a experiência do grande evangelista George Whitefield, quando certa feita evangelizava um homem.²³ Whitefield lhe perguntou:

– Em que você crê?

E o homem respondeu:

– Creio naquilo que minha igreja crê.

– E em que Sua igreja crê? – perguntou o evangelista.

– Naquilo em que eu creio – respondeu o homem.

Whitefield fez outra tentativa e perguntou:

– E em que você e Sua igreja creem?

– Ora, cremos na mesma coisa! – replicou o homem de modo evasivo.

Eles foram instruídos e discipulados (1.7). Epafras não apenas levou aqueles cristãos a Cristo, mas também os instruiu. Hoje há cristãos que permanecem ignorantes das verdades elementares da fé. São cristãos imaturos, como bebês espirituais. Os recém-convertidos precisam ser discipulados. Da mesma forma que bebês recém-nascidos precisam de cuidado, carinho e proteção até serem capazes de cuidar de si mesmos, também o cristão recém-convertido precisa de discipulado.²⁴

Eles se tornaram cristãos frutíferos (1.6,8). A Palavra de Deus é semente (Lc 8.11). Isso significa que ela tem vida em si mesma (Hb 4.12). Quando ela é semeada no coração das pessoas, produz fruto (Cl 1.6). Eles creram em Cristo e amaram os irmãos (1.4). Não podemos separar fé de amor. Não podemos separar a prova doutrinária da prova social, o lado vertical do lado horizontal da vida cristã. A igreja de Colossos manifestava em sua vida as três virtudes cardeais do cristianismo: amor, fé e esperança.

As credenciais do evangelho (1.5-8)

Nos versículos 5 a 8 encontra-se um sumário do evangelho.²⁵ Segundo William Barclay, o apóstolo nos fala sobre seis distintivos do evangelho aqui.²⁶

---

²³Wiersbe, Warren W. *Comentário bíblico expositivo*. Vol. 6, 2006, p. 140.
²⁴Wiersbe, Warren W. *Comentário bíblico expositivo*. Vol. 6, 2006, p. 140.
²⁵Barclay, William. *Filipenses, Colosenses, I y II Tesalonicenses*, p. 114.
²⁶Barclay, William. *Filipenses, Colosenses, I y II Tesalonicenses*, p. 114,115.

Em primeiro lugar, *o evangelho é a boa notícia de Deus ao homem* (1.5). A melhor definição de *evangelho* é "a boa notícia de Deus ao homem". Apesar de o homem ser pecador, Deus o amou com amor eterno. Apesar de o homem ser rebelde, Deus tomou a iniciativa de reconciliar-se com Ele. Apesar de o homem merecer a condenação eterna, Deus lhe ofereceu a vida eterna. O evangelho são as melhores notícias, procedentes da pessoa mais importante, acerca do assunto mais urgente, ele é dirigido às pessoas mais carentes.

Em segundo lugar, *o evangelho é a verdade* (1.5). Todas as religiões precedentes poderiam intitular-se "conjecturas sobre Deus". O evangelho de Cristo, porém, traz ao homem não conjecturas, mas a verdade absoluta sobre Deus. O evangelho não é uma lucubração da mente humana. Não é uma ponte construída da terra ao céu. Não é o homem buscando a Deus, mas Deus buscando o homem. Não é um plano engendrado pelo homem para chegar a Deus, mas o caminho seguro de Deus buscando o homem.

Warren Wiersbe afirma que muitas mensagens e ideias podem ser consideradas verdadeiras, mas somente a Palavra de Deus pode ser chamada de *verdade*.[27] Jesus é a verdade (Jo 14.6). Sua Palavra é a verdade (Jo 17.17). O evangelho é a verdade absoluta e invencível. O evangelho é indestrutível. Muitos pensadores levantam-se com empáfia, trovejando suas heresias, dizendo que suas ideias matariam o evangelho. Mas todas essas pretensas e tolas teorias caem no esquecimento, cobrem-se de pó, e a Palavra da Verdade caminha viva, sobranceira e vitoriosa.

Em terceiro lugar, *o evangelho é universal* (1.6). O evangelho é para todo o mundo (1.23). Não está limitado a alguma raça ou nação, nem a alguma classe ou condição social. O evangelho não é para um grupo de pessoas, nação, religião, denominação ou igreja particular. O evangelho é universal. Diferente do gnosticismo, o evangelho é para pobres e ricos, doutores e analfabetos, grandes e pequenos, homens e mulheres. A mensagem do evangelho não é elitista; está ao

---

[27] WIERSBE, Warren W. *Comentário bíblico expositivo*. Vol. 6, 2006, p. 139.

alcance de todos, sem exceção. O evangelho é supracultural, multirracial e intercontinental.

O evangelho saiu de Jerusalém para a Judeia e a Samaria, chegou a Antioquia, foi com Paulo para Chipre e a Galácia, a Macedônia, Atenas, Corinto, Éfeso, mas também alcançou terras às quais o próprio Paulo não o conseguiu levar: a capital do Império, Roma, e a cidadezinha de Colossos. Na verdade, onde o evangelho está, demonstra uma força irresistível, traz fruto e cresce gloriosamente.[28]

Em quarto lugar, *o evangelho está centrado na graça de Deus* (1.6b). O evangelho não é aquilo que o homem faz para Deus, mas aquilo que Deus fez pelo homem. O evangelho não está centrado na obra do homem para Deus, mas na obra de Deus para o homem. O evangelho não é a mensagem que Deus pede, mas que Deus oferece; não fala do que Deus exige do homem, mas do que Deus dá ao homem.[29]

A graça é manifestada quando Deus me dá o que eu não mereço. Não alcanço o favor de Deus por quem eu sou ou pelo que eu faço, mas por aquilo que Cristo fez por mim. A graça é um favor imerecido. Não a merecemos, mas precisamos dela!

Em quinto lugar, *o evangelho é produtivo* (1.6). O evangelho é uma força viva. Ele tem vida em si mesmo. Aonde chega, vidas são transformadas, famílias são salvas, cidades são restauradas e nações são impactadas. O evangelho transforma o pecador recalcitrante em santo e fiel em Cristo. Seu poder é irresistível. Sua obra é eficaz. A voz média do verbo grego *karpoforéo*, "dar fruto, frutificar", enfatiza que o evangelho produz fruto por si mesmo.[30]

Em sexto lugar, *o evangelho é para ser pregado e crido* (1.7,8). Foi Epafras quem levou o evangelho aos colossenses. Deve haver um canal humano por meio do qual o evangelho possa chegar aos homens. Os que recebem o evangelho devem ser canais para levar o evangelho a outros. A mensagem do evangelho precisa ser pregada

---

[28] BOOR, Werner de. *Carta aos Efésios, Filipenses e Colossenses*, p. 284.
[29] BARCLAY, William. *Filipenses, Colosenses, I y II Tesalonicenses*, p. 115.
[30] RIENECKER, Fritz e ROGERS, Cleon. *Chave linguística do Novo Testamento Grego*, p. 418.

e crida. O método de Deus alcançar o mundo com o evangelho é a igreja. O propósito de Deus é o evangelho todo, por toda a igreja, a todo o mundo. William Barclay diz que nós, que recebemos o privilégio do evangelho, recebemos também a responsabilidade de transmiti-lo a outros.[31]

---

[31]BARCLAY, William. *Filipenses, Colosenses, I y II Tesalonicenses*, p. 115.

2

O **poder** através da oração

Colossenses 1.9-12

PAULO ALCANÇOU O PONTO MAIS ALTO de sua teologia nas orações. Quando nos ajoelhamos, entendemos a majestade de Deus e a limitação humana. Um santo de joelhos enxerga mais longe do que um filósofo na ponta dos pés.

William Barclay diz que nesta passagem Paulo nos ensina mais sobre a essência da oração de petição que qualquer outra do Novo Testamento.[1] Destacamos, à guisa de introdução, quatro fatos:

A oração deve expressar nossas prioridades. Embora Paulo estivesse preso, algemado, no corredor da morte, na antessala do martírio, com o pé na sepultura e a cabeça próxima à guilhotina de Roma, ele não concentra sua oração nas urgentes necessidades físicas e materiais. Embora os cristãos de Colossos vivessem em pobreza e a escravidão estivesse em voga, Paulo não pede a Deus saúde, nem libertação nem mesmo prosperidade financeira. Ele concentra sua petição nas bênçãos espirituais, e não nas bênçãos materiais. Os assuntos da eternidade empolgam mais sua alma do que os assuntos terrenos e temporais. Concordamos com Warren Wiersbe: "As necessidades espirituais são imensamente mais

---

[1] BARCLAY, William. *Filipenses, Colosenses, I y II Tesalonicenses*, p. 115.

importantes do que as necessidades materiais".² A jovem igreja em Colossos não devia ficar parada naquilo que já possuía.

D. A. Carson levanta uma questão solene, quando escreve:

> Devemos nos perguntar quanto as petições que normalmente apresentamos a Deus distam dos pedidos que Paulo faz nas suas orações. Suponha, por exemplo, que 80 a 90% das nossas petições pedem a Deus boa saúde, recuperação depois de uma doença, segurança nas estradas, um bom emprego, sucesso em exames, as necessidades emocionais dos nossos filhos, sucesso na nossa solicitação de financiamento e muito mais coisas desse tipo. Quanto das orações de Paulo gira em torno de questões equivalentes? Se o centro das nossas orações estiver distante do centro das orações de Paulo, então até mesmo a nossa própria vida de oração pode servir como um testemunho infeliz do notável sucesso dos processos de paganização na nossa vida e no nosso pensamento.³

A oração deve incluir aqueles que não conhecemos. As orações de Paulo não eram egoístas. Ele ora pelos cristãos de Colossos, cristãos que ele não conhecia nem jamais vira face a face. Podemos amar, chorar e erguer o nosso clamor aos céus por aqueles que nossos olhos ainda não viram. Pela oração podemos tocar o mundo inteiro. Pela oração podemos influenciar pessoas em todo o mundo. Pela oração podemos ser uma bênção para as pessoas que jamais nos viram face a face. D. A. Carson ainda alerta para o fato de que, se as nossas orações giram apenas em torno da nossa família e da igreja que frequentamos, então nos tornamos muito limitados e o nosso mundo fica muito pequeno e egocêntrico.⁴ Na mesma trilha, Silas Falcão diz que há muita fraqueza em nossas orações, porque, na maioria das vezes, somos egoístas. Pedimos muito a Deus por nós mesmos, pelos nossos interesses e problemas, pelos nossos queridos, e oramos pouco ou mesmo não oramos pelos outros.⁵

---

²WIERSBE, Warren W. *Comentário bíblico expositivo.* Vol. 6, 2006, p. 144.
³CARSON, D. A. *Um chamado à reforma espiritual.* São Paulo: Cultura Cristã, 2007, p. 98.
⁴CARSON, D. A. *Um chamado à reforma espiritual,* p. 100.
⁵FALCÃO, Silas Alves. *Meditações em Colossenses,* p. 25.

A oração deve ser regida por uma atitude perseverante. Paulo não conhecia face a face a igreja de Colossos, mas orou por ela sem cessar. A oração é o oxigênio que alimenta a alma. Embora Paulo tivesse muitos assuntos pessoais a preocupar-lhe a mente, seu foco estava em rogar a Deus em favor de outras pessoas, e isso de forma intensa e perseverante. Muitos de nós não cessamos de orar porque nunca começamos a fazê-lo. Quando perguntaram a Aunt Vertie sobre o significado de orar sem cessar, ela respondeu:[6]

- Quando coloco minha roupa de manhã, agradeço a Deus por vestir-me com a justiça de Cristo.
- Quando tomo banho pela manhã, peço a Deus para me limpar de meus pecados.
- Quando tomo o meu café da manhã, agradeço a Cristo por ser Ele o Pão da Vida.
- Quando limpo a minha casa, peço a Deus para ser misericordioso e limpar as casas do mundo inteiro da impureza do pecado.
- Quando falo com as pessoas durante o dia, peço a Deus para salvá-las, edificá-las em Cristo e suprir suas necessidades pessoais.
- Quando vejo uma multidão de pessoas andando pelas ruas, oro pela salvação dessas pessoas e de outras que perambulam pelas ruas em todo o mundo.

A oração deve ser ousada na busca de plenitude. Para William Hendriksen, o Senhor não deseja que Seu povo peça demasiadamente pouco. Ele não deseja que Seu povo viva pobremente; com mesquinhez na esfera espiritual.[7] Werner de Boor diz que Deus tem para nós a plenitude, por isso Paulo busca confiantemente essa plenitude para Colossos: "*plenos* de conhecimento" – "*toda* sabedoria" – "*todo* conhecimento" – "*inteiro* agrado" – "*toda* boa obra" – "*todo* poder" – esse é o modo "perfeccionista" com que Paulo ora![8]

---

[6] Autor desconhecido. *The teacher's outline and study bible on Colossians.* Chattanooga, TN: Leadership Ministries Worldwide. 1994, p. 34.
[7] HENDRIKSEN, William. *Colosenses y Filemon*, p. 70.
[8] BOOR, Werner de. *Carta aos Efésios, Filipenses e Colossenses*, p. 286.

O conteúdo da oração (1.9)

Paulo orou por conhecimento e poder. Orou para que os cristãos conheçam a vontade de Deus e tenham poder para realizá-la. D. A. Carson diz que oração é o meio apontado por Deus para nos apropriarmos das bênçãos que são nossas em Cristo Jesus.[9] Hendriksen esclarece que este conhecimento não é do gênero da gnose misteriosa que os mestres gnósticos pretendiam ter para seus "iniciados". Ao contrário, é uma compreensão profunda da natureza da revelação de Deus em Jesus Cristo, uma revelação maravilhosa e redentora.[10] Vamos destacar dois pontos:

Em primeiro lugar, *a necessidade de o cristão conhecer a vontade de Deus* (1.9). Paulo não pede apenas que os cristãos conheçam a vontade de Deus, mas que transbordem desse conhecimento. Russell Norman Champlin diz que o original grego não tem uma palavra separada para "pleno", no tocante ao conhecimento; mas a forma *epignósis* é a forma intensificada, em contraste com o conhecimento do gnosticismo.[11]

John Peter Lange afirma que *epignósis* é mais do que *gnosis;* trata-se de um dom e uma graça do Espírito Santo.[12] Esta palavra ocorre mais na carta aos Colossenses do que em qualquer outra epístola de Paulo. A vida cristã não pode ser vivida na dimensão da mediocridade. Ela fala de plenitude, de algo grande, profundo, caudaloso.

William Barclay diz que o grande objeto da oração é conhecer plenamente a vontade de Deus. Na oração não objetivamos tanto que Deus nos escute como escutar nós mesmos a Deus; não se trata de persuadir a Deus para que Ele faça o que nós queremos, mas de descobrir o que Ele quer que realizemos. Em vez de pedir para Deus mudar Sua vontade, devemos rogar que a vontade de Deus seja feita. O primeiro propósito da oração não é tanto falar com Deus, mas escutá-lo.[13]

---

[9]CARSON, D. A. *Um chamado à reforma espiritual*, p. 101.
[10]HENDRIKSEN, William. *Colosenses y Filemon*, p. 71.
[11]CHAMPLIN, Russell Norman. *O Novo Testamento interpretado versículo por versículo*, p. 87.
[12]LANGE, John Peter. *Commentary on the Holy Scriptures*. Vol. 11. Grand Rapids, MI: Zondervan Publishing House, 1980, p. 17.
[13]BARCLAY, William. *Filipenses, Colosenses, I y II Tesalonicenses*, p. 116.

Conhecer a vontade de Deus é vital para o crescimento espiritual. A ênfase de Paulo está no conhecimento e não no sentimento. Vivemos numa época em que as pessoas querem sentir e não pensar. Elas querem experiências e não conhecimento. Elas buscam o sensório e não o racional. Concordo com John Stott quando ele diz que "crer é também pensar".

Conhecemos a vontade geral de Deus através das Sagradas Escrituras. Tudo quanto o homem deve saber está registrado na Palavra. Não devemos buscar a vontade de Deus fora das Escrituras, consultando "pessoas iluminadas". A vontade de Deus não nos é revelada por sonhos, visões e revelações forâneas às Escrituras.

É importante enfatizar que Paulo pede a Deus o transbordamento do pleno conhecimento da vontade de Deus. Há intensidade nas suas palavras. Seu pedido é em grau superlativo. Warren Wiersbe esclarece que na linguagem do Novo Testamento, *cheio* significa "controlado por". Portanto, Paulo ora para que esses cristãos sejam controlados pelo pleno conhecimento da vontade de Deus.[14]

A plenitude que os gnósticos prometiam pelo conhecimento esotérico nos é oferecida na Palavra, pois dela transborda o pleno conhecimento da vontade de Deus. Não conhecemos a Deus e Sua vontade pelos atalhos do misticismo; não O conhecemos pelos labirintos das religiões de mistério, nem pelo conhecimento esotérico, como ensinavam os gnósticos. A plenitude do conhecimento de Deus não é para uma elite composta dos iniciados nos mistérios das ciências ocultas, mas está disponível para todos aqueles que examinam piedosamente as Escrituras. A *gnosis* herética era especulativa e teórica. Paulo se opõe a ela dizendo que é o conhecimento de Deus que nos leva à obediência de modo realista e equilibrado.[15]

Em segundo lugar, **como o cristão pode conhecer a plenitude da vontade de Deus** (1.9). Depois de falar da necessidade de conhecer a plenitude da vontade de Deus, Paulo ensina à igreja o processo e o meio de chegar a esse conhecimento. Sabedoria e entendimento espiritual são

---

[14] WIERSBE, Warren W. *Comentário bíblico expositivo*. Vol. 6, 2006, p. 145.
[15] MARTIN, Ralph P. *Colossenses e Filemom*, p. 61.

os critérios pelos quais distinguimos essa vontade das atraentes "vontades" contrárias àquilo que Deus quer.[16]

Dois instrumentos são mencionados na busca da vontade de Deus: sabedoria e entendimento espiritual. Muitos e hediondos crimes têm sido praticados em nome da vontade de Deus. Aviões lotados de passageiros são jogados como mísseis mortíferos em prédios em nome de Deus. Terroristas explodem bombas matando inocentes todos os dias em nome de Deus. Guerras encarniçadas têm sido travadas, destruindo cidades, soterrando pessoas indefesas e matando milhares de pessoas em nome de Deus. Crimes bárbaros têm sido praticados em nome de Deus. Por isso, o conhecimento da vontade de Deus precisa ser regido pela verdade das Escrituras, e não pelo radicalismo ensandecido dos religiosos fanáticos. Vamos destacar esses dois instrumentos.

Em toda sabedoria (1.9). A sabedoria segundo William Hendriksen é a habilidade de usar os melhores meios para os melhores fins.[17] A sabedoria, *Sophia*, era a bandeira principal do gnosticismo. Eles entendiam que essa sabedoria só seria alcançada através da iniciação em seus mistérios. Paulo os refuta dizendo que os cristãos em Cristo é que conhecem essa sabedoria, e não os místicos. Sabedoria é olhar para a vida com os olhos de Deus. É ver a vida como Deus a vê. É ter as prioridades que Deus tem. Fritz Rienecker diz que *Sophia* é a capacidade de aplicar o conhecimento da vontade de Deus às situações variadas da vida.[18]

A sabedoria do mundo é loucura diante de Deus (1Co 1.20) e se reduz a nada (1Co 2.6). Ela afasta, em vez de aproximar, o homem de Deus. A sabedoria do mundo exalta o homem, em vez de glorificar a Deus. Ela conduz à perdição e não à salvação. A verdadeira sabedoria, *Sophia*, está em Cristo. Nele estão ocultos todos os tesouros da sabedoria. A sabedoria cristã é o conhecimento dos princípios de Deus exarados em Sua Palavra.[19] Paulo não incentiva os colossenses a

---

[16] SHEDD, Russell. *Andai nele*, p. 22.
[17] HENDRIKSEN, William. *Colosenses y Filemon*, p. 71.
[18] RIENECKER, Fritz e ROGERS, Cleon. *Chave linguística do Novo Testamento Grego*, p. 419.
[19] BARCLAY, William. *Filipenses, Colossenses, I y II Tesalonicenses*, p. 116.

buscar visões ou vozes. Antes, ora para que eles possam aprofundar-se na Palavra de Deus e, desse modo, ter mais sabedoria e discernimento.[20]

Em todo entendimento espiritual (1.9). Se a sabedoria fala da revelação de Deus, o entendimento espiritual fala da aplicação pormenorizada dessa revelação, diz Russell Shedd.[21] Nessa mesma linha de pensamento, L. Bonnet diz que sabedoria se refere ao discernimento da verdade enquanto o entendimento espiritual trata da aplicação da verdade.[22]

O entendimento espiritual, *synesis*, é o "conhecimento crítico", relacionado à capacidade de aplicar os princípios da Palavra de Deus a cada situação da vida. *Synesis* é a faculdade de unir por parelhas. A palavra refere-se à reunião de fatos e informações para tirar conclusões e identificar os relacionamentos.[23] É a habilidade de provar, distinguir, avaliar e formar juízos. Na linguagem do erudito Lightfoot, é a capacidade de ver a índole das coisas. É a capacidade de distinguir o bem do mal, a palha do grão, o vil do precioso.

Assim, pois, quando Paulo pede a Deus sabedoria e entendimento espiritual para os cristãos, pede que entendam as grandes verdades do cristianismo e sejam capazes de aplicar essas verdades às tarefas e decisões da vida cotidiana. É possível que alguém seja um perito em teologia e ao mesmo tempo um fracasso na vida.[24] Conhecimento e prática precisam andar juntos.

O propósito da oração (1.10,11)

Paulo ensina por meio da oração. Suas orações são teologia pura. Nesta oração, alguns propósitos são contemplados pelo apóstolo.

Em primeiro lugar, **combater o engano da heresia gnóstica**. O gnosticismo estava ameaçando a Igreja no primeiro século. Como um dilúvio, essa heresia invadiu a Igreja no século segundo. No princípio

---

[20] WIERSBE, Warren W. *Comentário bíblico expositivo*. Vol. 6, 2006, p. 145.
[21] SHEDD, Russell. *Andai nele*, p. 22.
[22] BONNET, L. e SCHROEDER, A. *Comentario del Nuevo Testamento*, p. 580.
[23] RIENECKER, Fritz e ROGERS, Cleon. *Chave linguística do Novo Testamento Grego*, p. 419.
[24] BARCLAY, William. *Filipenses, Colosenses, I y II Tesalonicenses*, p. 116.

do século terceiro, quase todas as congregações mais intelectuais do Império Romano estavam notadamente afetadas por ele. O propósito do gnosticismo era reduzir o cristianismo a uma filosofia e relacioná-la com ensinos pagãos. O gnosticismo foi uma aguda helenização do cristianismo. Era produto da combinação entre a filosofia grega e o cristianismo. Os gnósticos pretendiam um conhecimento esotérico ou secreto especial. Só alcançavam esse conhecimento os *pneumatikoi*, ou seja, os espirituais. Assim, o gnosticismo tinha uma aura de espiritual. Mantinha uma aversão pelas coisas materiais e terrenas. O gnosticismo com seu misticismo heterodoxo oferecia outro caminho para o homem chegar à perfeição, à parte do sacrifício expiatório de Cristo. Muitas pessoas foram seduzidas por suas crenças heréticas e se afastaram da verdade. A heresia do gnosticismo estava presente nas igrejas do Novo Testamento: 1) O deleite na *gnose*, ou seja, no conhecimento (1Co 8.1); 2) o liberalismo sexual (1Co 6.13-20); 3) a negação da encarnação de Cristo (1Jo 4.1-3); 4) a negação da ressurreição (1Co 15.12).[25]

Paulo revela que a plenitude do conhecimento da vontade de Deus não está no gnosticismo, mas no evangelho.

Em segundo lugar, **mostrar que a plenitude está em Deus e não no conhecimento esotérico**. A palavra grega *pleroma*, "plenitude", era a espinha dorsal do ensino gnóstico. Os falsos mestres ensinavam que só os iniciados em seus mistérios alcançavam a plenitude do conhecimento. O que os gnósticos prometiam, mas só o evangelho podia oferecer. Concordamos com João Calvino quando disse que só conhecemos a Deus porque Ele Se revelou a nós. O conhecimento de Deus é encontrado nas Escrituras e não nas ciências ocultas. O conhecimento de Deus é objetivo e não subjetivo. Ele nos vem pela Palavra e não pela lucubração subjetiva.

Em terceiro lugar, **mostrar ao cristão a necessidade de uma vida digna de Deus** (1.10). O conhecimento deve nos levar à prática. Não basta ter informação certa na mente, precisamos ter vida certa com Deus. Viver de modo digno de Deus é o mesmo que imitar a Deus. É andar como Jesus andou. É ser santo como Deus é santo (Ef 4.1; Fp 1.27; 1Ts 2.12).

---

[25] Lopes, Hernandes Dias. *Morte na panela*. São Paulo: Hagnos, 2007, p. 28,29.

Russell Shedd diz que a expressão "modo digno" traduz uma palavra relacionada com a balança. Imaginemos as atitudes, palavras e ações de Deus colocadas num dos pratos de uma balança e as nossas atitudes, ações e palavras empilhadas no outro prato. Se a nossa vida como cristãos deixar de corresponder à vida do Senhor, estaremos andando indignamente.[26]

Em quarto lugar, *mostrar ao cristão como viver uma vida digna de Deus* (1.10,11). Paulo menciona quatro maneiras de vivermos uma vida digna de Deus.

Vivendo para o Seu inteiro agrado (1.10). William Barclay diz que não há nada mais prático no mundo do que a oração.[27] A oração não é um escape da realidade. Não é apenas uma solitária meditação em Deus, mas também uma caminhada com Deus. Oração e ação caminham de mãos dadas. Oramos não para escapar da vida, mas para enfrentá-la. "Viver para o Seu inteiro agrado" é, em síntese, o único propósito para o qual vivemos. Deve ser um esforço consciente para agradar a Deus em tudo. Os teólogos de Westminster entenderam à luz da Palavra que o fim principal do homem é glorificar a Deus e gozá-lo para sempre.

No grego clássico a palavra *areskeia*, "agrado", tinha uma conotação negativa de portar-se de maneira insincera perante outros, a fim de obter algo. Russell Champlin diz que toda vida que deseja buscar o louvor e a boa opinião dos homens se vê maculada. Trata-se de um câncer, de uma lepra galopante, que corrói a sinceridade, a nobreza e a força de caráter. Tenhamos o cuidado de não ajustar nossas velas para apanhar os ventos mutantes do favor e dos elogios humanos, porém olhemos mais para cima e digamos: Deus, o verdadeiro Comandante e Imperador, tem a nossa sorte em Suas mãos; precisamos agradar a Ele, e a Ele somente.[28]

Frutificando em toda boa obra (1.10). Boas intenções e belas palavras não bastam. O cristão deve dar bons frutos. Sua união com Cristo é patenteada em frutos (Jo 15.8). A presença do Espírito no seu coração

---

[26] SHEDD, Russell. *Andai nele*, p. 22,23.
[27] BARCLAY, William. *Filipenses, Colosenses, I y II Tesalonicenses*, p. 116.
[28] CHAMPLIN, Russell Norman. *O Novo Testamento interpretado versículo por versículo*, p. 89.

se evidencia em fruto (Gl 5.22). William Hendriksen diz que Paulo atribui às boas obras um imenso valor quando elas são consideradas como o fruto e não a raiz da graça.[29] Não se trata de ação ou obra alguma que o homem possa efetuar para conseguir mérito aos olhos de Deus, mas, sim, de atos tão cheios de amor que quem os observa não pode explicá-los sem recorrer à operação de Deus na vida do cristão.[30]

Crescendo no pleno conhecimento de Deus (1.10). Esse conhecimento não é teórico, mas experimental. É levar Deus a sério. É ter um relacionamento íntimo com Deus em vez de especulá-lo. É andar face a face com Deus. Às vezes, somos como Absalão, estamos na cidade de Jerusalém, mas não vemos a face do Rei. Esse conhecimento de Deus é dinâmico e progressivo. O profeta Oseias diz que devemos conhecer e prosseguir em conhecer a Deus (Os 6.3). D. A. Carson diz que os cristãos são organismos que crescem, e não máquinas que simplesmente desempenham a função para a qual foram projetadas.[31]

Sendo fortalecidos com todo o poder, segundo a força da Sua glória (1.11). Você não é o que fala, mas o que faz. O grande problema da vida não é saber o que fazer, mas fazer o que você sabe. Por que não fazemos o que sabemos ser certo? É porque nos falta poder! Se Deus só nos dissesse qual é a Sua vontade, ficaríamos frustrados e até esmagados; mas Deus não apenas revela a Sua vontade, mas também nos capacita com poder para a cumprirmos. Por meio da oração alcançamos não apenas conhecimento da vontade de Deus, mas também poder para realizá-la.[32] Ralph Martin diz que o alvo desta oração é que a igreja não fracasse diante do ataque ou do desencorajamento, não deixando de cumprir seu mandato missionário.[33] Warren Wiersbe comenta este texto da seguinte maneira:

> Paulo usa dois termos gregos diferentes para se referir à energia de Deus: *dynamis* (de onde temos a palavra "dinamite"), que significa

---

[29] HENDRIKSEN, William. *Colosenses y Filemon*, p. 72.
[30] SHEDD, Russell. *Andai nele*, p. 23.
[31] CARSON, D. A. *Um chamado à reforma espiritual*, p. 110.
[32] BARCLAY, William. *Filipenses, Colosenses, I y II Tesalonicenses*, p. 117.
[33] MARTIN, Ralph P. *Colossenses e Filemom*, p. 63.

"poder inerente"; e *kratos*, que significa "poder manifesto" colocado em ação. A virtude da vida cristã é apenas resultado do poder de Deus operando em nossa vida.[34]

Paulo pede nesta oração poder sobre poder. Ele fala de *dynamis*, a dinamite que atravessa rocha granítica e quebra as resistências mais severas. Esse é o poder ilimitado de Deus que criou o universo e ressuscitou Jesus dentre os mortos. Esse mesmo poder está à disposição da Igreja. Paulo fala também de *Kratos*, o poder daquele que governa o universo. Aquele que está assentado no trono e dirige as nações é o mesmo que nos capacita a viver de forma vitoriosa. "A força da Sua glória" é o reflexo de todos os atributos de Deus. É o esplendor máximo de Deus na Sua manifestação gloriosa.

Mas que poder é esse? Como ele se manifesta? Werner de Boor diz que esse poder se mostra bem diferente da força que o mundo admira. Caracterizam-no não a valentia, a bordoada, os punhos batendo na mesa, mas, ao contrário, a "paciência" e a "longanimidade".[35] É isso o que veremos a seguir.

A capacitação por meio da oração (1.11,12)

Paulo ensina que, por meio da oração, somos capacitados por Deus a enfrentarmos os grandes desafios da vida cristã.

Em primeiro lugar, **aprendendo a lidar com as circunstâncias difíceis** (1.11). A palavra grega *hupomone*, "perseverança", significa paciência para suportar circunstâncias difíceis. Perseverança é paciência em ação. Não é sentar-se em uma cadeira de balanço e esperar que Deus faça alguma coisa. É o soldado no campo de batalha, permanecendo em combate mesmo quando as circunstâncias se mostram desfavoráveis. É o corredor na pista, recusando-se a parar, pois deseja vencer a corrida (Hb 12.1).[36]

---

[34]Wiersbe, Warren W. *Comentário bíblico expositivo*. Vol. 6, 2006, p. 147.
[35]Boor, Werner de. *Carta aos Efésios, Filipenses e Colossenses*, p. 288.
[36]Wiersbe, Warren W. *Comentário bíblico expositivo*. Vol. 6, 2006, p. 147.

Hupomone é uma das palavras mais ricas do Novo Testamento. Ela fala da paciência com circunstâncias difíceis. O cristianismo é diferente do estoicismo. Essa filosofia grega dizia que o homem não pode mudar as coisas. Existe um determinismo cego e implacável, e o segredo da felicidade é submeter-se a este destino sem reclamar. Um estoico trinca os dentes e atravessa as crises de forma determinada, mas sem alegria. O cristão, porém, não crê em destino cego. Ele não crê em determinismo. Ele entende que Deus é soberano e governa todas as coisas. Quando passa por circunstâncias difíceis, não lamenta, não murmura, mas triunfantemente suporta as adversidades, sabendo que Deus está no controle de todas as coisas e realiza todas as coisas para o seu bem.

João Crisóstomo, o ilustre pregador do Oriente, dizia que *hupomone* é a fortaleza inexpugnável, o porto que não se abala com as tormentas. É essa paciência que produz paz na guerra, calma na tempestade e segurança contra os complôs. George Matheson, o compositor cristão que ficou cego ainda jovem, escreveu uma oração, dizendo: "Não com muda resignação, mas com santo gozo, não só sem murmurar, mas com um cântico de louvor, aceito a vontade de Deus".

William Barclay esclarece que *hupomone* não só significa capacidade para suportar as coisas, mas também habilidade para transformar essa situação adversa em triunfo. Trata-se de uma paciência triunfadora. É aquele espírito que não pode ser vencido por nenhuma circunstância da vida. É a capacidade de sair triunfante de qualquer situação que possa acontecer.[37] Muitas pessoas são como os soldados de Saul; quando veem os gigantes ficam desanimados e desistem da luta (1Sm 17.10,11,24). Para o cristão, todavia, é sempre cedo demais para desistir.

Em segundo lugar, ***aprendendo a lidar com pessoas difíceis*** (1.11). A palavra grega *makrothymia*, "longanimidade", fala da paciência com pessoas difíceis. Se *hupomone* trata de paciência com as circunstâncias, *makrothymia* trata de paciência com as pessoas. *Hupomone* é a paciência que não pode ser vencida por nenhuma circunstância; *makrothymia* é a paciência que não pode ser vencida por nenhuma pessoa. Corroborando esse pensamento, Ralph Martin afirma que *hupomone* é

---

[37] BARCLAY, William. *Filipenses, Colosenses, I y II Tesalonicenses*, p. 117.

usada em relação a circunstâncias adversas, ao passo que *makrothymia* é a virtude necessária quando pessoas difíceis de ser suportadas atentam contra nosso autocontrole.

Longanimidade, *makrothymia* é um ânimo espichado ao máximo. É a capacidade de perdoar em vez de revidar. É a atitude de abençoar em vez de amaldiçoar. É a decisão de acolher em vez de escorraçar. É pagar o mal com o bem. É orar pelos inimigos e abençoar os que nos perseguem. Warren Wiersbe diz que *makrothymia* é o oposto de vingança.[38] Vale lembrar que, para os gregos, *makrothymia* não era uma virtude. A virtude para eles era a vingança.

William Barclay diz que *makrothymia* é a qualidade da mente e coração que faz que sejamos capazes de suportar as pessoas de tal maneira que a sua antipatia, malícia e crueldade não nos arrastem para a amargura; que a sua indocilidade e loucura não nos forcem ao desespero; que a sua insensatez não nos arraste à exasperação, nem sua indiferença altere nosso amor. *Makrothymia* é o espírito que jamais perde a paciência.[39]

Em terceiro lugar, **aprendendo a cantar nas noites escuras** (1.11). Muitas pessoas podem até suportar circunstâncias adversas e lidar com pessoas difíceis, mas perdem a alegria no meio desse mar revolto. A maneira de lidar com situações adversas e pessoas difíceis não é travando uma luta triste, mas agindo com uma atitude radiante e luminosa. A alegria cristã está presente em todas as circunstâncias e diante de todas as pessoas.[40]

Warren Wiersbe diz que há um tipo de perseverança que "suporta sem prazer algum". Paulo ora pedindo que os cristãos de Colossos tenham perseverança e longanimidade com alegria.[41] É conhecida a expressão usada por C. F. D. Moule: "Se o gozo cristão não se arraiga na terra do sofrimento, é frívolo". O cristão em Cristo passa por esse deserto cantando. Ele atravessa esse vale de lágrimas exultando em Deus. Ele canta na prisão como Paulo e Silas cantaram em Filipos.

---

[38] WIERSBE, Warren W. *Comentário bíblico expositivo*. Vol. 6, 2006, p. 147.
[39] BARCLAY, William. *Filipenses, Colosenses, I y II Tesalonicenses*, p. 118.
[40] BARCLAY, William. *Filipenses, Colosenses, I y II Tesalonicenses*, p. 118.
[41] WIERSBE, Warren W. *Comentário bíblico expositivo*. Vol. 6, 2006, p. 148.

Como Jó, ele sabe que Deus inspira canções de louvor até nas noites escuras. É importante ressaltar que essa alegria ultracircunstancial não é um sentimento natural que nós mesmos criamos, mas algo que o Espírito Santo produz em nós. A alegria é fruto do Espírito!

A oração cristã, pois, é: "Faça-me, senhor, vitorioso sobre toda circunstância; faça-me paciente com cada pessoa e dá-me um gozo do qual nenhuma circunstância nem pessoa possa privar-me".[42]

Em quarto lugar, **aprendendo a agradecer pela gloriosa herança futura em meio à pobreza do presente** (1.12). Gratidão é voltar os olhos ao passado e esperança direcionar os olhos para o futuro. Nossa vida deve ser um eterno hino de gratidão a Deus, por aquilo que Ele fez, faz e fará por nós (Ef 5.20; 1Ts 5.18).

Os cristãos de Colossos eram pobres e estavam sob forte ataque dos inimigos. Preso e desprovido das riquezas da terra, Paulo passava por privações. Prestes a ser sentenciado à morte, o apóstolo dava graças a Deus pela herança guardada no céu. Os cristãos de Colossos eram "idôneos", ou seja, "qualificados" para esse reino. Deus nos qualificou para o céu! E, enquanto esperamos pela volta de Cristo, desfrutamos a parte que nos cabe da herança espiritual que temos nEle.[43] A herança está "na luz" porque Ele, que é a luz, habita lá e enche o céu com Sua maravilhosa luz.[44]

Esse reino é presente ou futuro? A princípio os colossenses já estavam nele. Eles já tinham sido *transferidos do reino das trevas para o Reino do Filho de Seu amor* (1.13). O Reino de Deus já chegou e está dentro de nós. A possessão plena, entretanto, pertence ao futuro. Trata-se da esperança que nos está reservada nos céus (1.5). Do Senhor receberemos a recompensa, a saber, a herança (3.24).[45] Mesmo pobres neste mundo, somos ricos, muito ricos. Somos herdeiros de Deus e coerdeiros com Cristo!

---

[42]BARCLAY, William. *Filipenses, Colosenses, I y II Tesalonicenses*, p. 118.
[43]WIERSBE, Warren W. *Comentário bíblico expositivo*. Vol. 6, 2006, p. 149.
[44]RIENECKER, Fritz e ROGERS, Cleon. *Chave linguística do Novo Testamento Grego*, p. 420.
[45]HENDRIKSEN, William. *Colosenses y Filemon*, p. 76.

3

A magnífica **obra** de Cristo

Colossenses 1.13-17

PAULO COLOCA O MACHADO DA VERDADE na raiz da heresia.

Ele refuta com argumentos irresistíveis a tese mentirosa dos falsos mestres gnósticos. Eles afirmavam que a matéria era essencialmente má. Consequentemente, Cristo, sendo Deus, não poderia ter sido o Criador do universo, nem mesmo ter encarnado para a nossa redenção. Os gnósticos desta maneira atacaram as duas verdades essenciais do cristianismo: as doutrinas da criação e da redenção.

Paulo deita por terra as heresias gnósticas, mostrando que Cristo não é uma emanação de Deus, mas a própria imagem do Deus invisível; Cristo não é um ser intermediário por meio do qual o mundo material veio a existir, mas o próprio Criador do mundo visível e invisível; Cristo não é um espírito iluminado que veio conduzir o homem a Deus pelos atalhos do conhecimento místico e esotérico, mas o Redentor que veio ao mundo para resgatar o homem pelo sangue da Sua cruz.

Os falsos mestres de Colossos bem como os falsos mestres dos nossos dias nãO negam a importância de Cristo, mas não lhe dão a preeminência.[1] Para os gnósticos, Cristo era apenas uma emanação de

---

[1] WIERSBE, Warren W. *Comentário bíblico expositivo*. Vol. 6, 2006, p. 150.

Deus. Hoje, os muçulmanos pregam que Cristo foi apenas um grande profeta. Os espíritas ensinam que Cristo é apenas um espírito iluminado. Os romanistas dizem que Jesus é apenas um dos muitos mediadores entre Deus e os homens. As Testemunhas de Jeová dizem que Jesus foi o primeiro ser criado e não o Criador.

Quem afinal é Jesus? No texto em questão, Paulo fala sobre a preeminência de Cristo na obra da redenção (1.13,14) e na obra da criação (1.15-17). Vamos examinar esses dois pontos culminantes da fé cristã.

A preeminência de Cristo na obra da **redenção** (1.13,14)

Os mestres do engano, os emissários da heresia, os paladinos da mentira haviam chegado a Colossos disseminando seu veneno. Eles atacaram as doutrinas da criação e da redenção. Eles negavam tanto o fato de Cristo ser o Criador quanto o fato de Cristo ser o Redentor.

Refutando as teses dos falsos mestres, Paulo destaca quatro grandes verdades a respeito da salvação que temos em Cristo.

Em primeiro lugar, **Deus nos libertou do Império das trevas** (1.13). Precisamos destacar alguns pontos aqui:

Existe um Império do mal em ação no mundo (1.13). O mal é uma realidade concreta. Existe um ser maligno, de todo corrompido, que governa esse reino de trevas. O deus desse reino é satanás. Ele é chamado de diabo, maligno, tentador, destruidor, pai da mentira, assassino, príncipe das trevas, deus deste século, dragão, antiga serpente. Esse reino é das trevas porque é o reino da escravidão, do pecado, da devassidão, da mentira, do engano, da condenação eterna. O reino das trevas é um reino em rebelião contra Deus. Ele amaldiçoa a Deus, nega a Deus, rejeita a Deus e fere as pessoas.[2]

O homem não pode libertar a si mesmo desse Império de trevas (1.13). Satanás é o valente que tem uma casa, onde guarda em segurança todos os seus bens (Mt 12.28,29). O homem não pode escapar das garras desse valente por si mesmo. O conhecimento esotérico não pode quebrar as algemas dessa escravidão. O homem natural é prisioneiro nesse

---

[2] Autor desconhecido. *The teacher's outline and study bible on Colossians*, p. 41.

Império (1.13), está cativo na casa do valente (12.29), está sob a jurisdição da potestade de satanás (At 26.18), é escravo do pecado (Jo 8.34), anda segundo o curso deste mundo, segundo o príncipe da potestade do ar, do espírito que agora atua nos filhos da desobediência (Ef 2.1-3). Ele é absolutamente impotente para libertar a si mesmo. Werner de Boor diz que o homem não é libertado por resolução humana e luta própria, não por desesperados esforços, nem por lágrimas amargas e bons propósitos. Ele é libertado por Cristo. Consequentemente não precisa mais servir ao cruel inimigo.[3]

Deus é o único que pode nos libertar desse Império das trevas (1.13). A libertação vem de Cristo e não do homem. O poder das trevas não pode ser quebrado pela força humana, mas somente pela ação divina. Jesus é o libertador e resgatador que invade a casa do valente, amarra-o, saqueia-lhe a casa e liberta os cativos de suas garras (Mt 12.28,29). O homem que outrora estava na potestade de satanás é transferido agora para outro reino, o Reino de Cristo (At 26.18). O verbo "libertou" está no tempo passado, significando que a obra de libertação foi absolutamente consumada. Estamos livres; somos verdadeiramente livres!

Em segundo lugar, **Deus nos transportou para o Reino do Seu Filho Amado** (1.13). Russell Shedd diz que Deus montou uma "operação de resgate" para libertar os pecadores do poder das trevas.[4] Estávamos no Império das trevas, na casa do valente, guardado em segurança, presos pelas grossas correntes do pecado, cegos e oprimidos. Mas Jesus invadiu a casa do valente, saqueou o seu Império e nos libertou. Deus abriu nossos olhos, tirou as correntes que nos prendiam, abriu os portões de ferro que nos trancavam nesse reino de escravidão e nos fez sair para uma nova vida.

Deus não apenas nos tirou da região da morte, como também nos transportou para dentro do Reino da luz, o Reino do Filho do Seu amor. Houve um traslado, uma transferência imediata do Império de trevas para o Reino da luz. A palavra grega *methistemi*, traduzida pelo verbo

---

[3] BOOR, Werner de. *Carta aos Efésios, Filipenses e Colossenses*, p. 289.
[4] SHEDD, Russell. *Andai nele*, p. 27.

"transportou", significa remover de um lugar para outro, transferir.⁵ Essa expressão era muito comum nos dias de Paulo. Era usada no mundo antigo para descrever o costume de trasladar a população vencida por um reino a outro país.⁶ A palavra foi usada por Josefo para descrever o transporte de milhares de judeus para a Ásia Menor na primeira parte do segundo século, por ordem de Antíoco III.⁷

William Hendriksen diz que Deus nos tirou do reino obscuro das ideias falsas e imaginárias para introduzir-nos na terra banhada pelo sol do conhecimento claro. Tirou-nos da esfera dos desejos pervertidos ao bem-aventurado reino dos anelos santos. Arrancou-nos da miserável masmorra de cadeias intoleráveis e dolorosos lamentos ao palácio de uma liberdade gloriosa e belas canções.⁸

William Barclay destaca que foi um traslado das trevas para a luz, da escravidão para a liberdade, da condenação para o perdão, do poder de satanás para o poder de Deus.⁹ Na mesma linha de pensamento, Fritz Rienecker afirma que o Reino de Cristo é o domínio cósmico de Cristo, adquirido por Ele mediante Sua morte na cruz e Sua ressurreição pelo poder de Deus.¹⁰

Duas implicações podem ser observadas a partir desse auspicioso acontecimento.

A salvação implica uma mudança radical de domínio sobre a nossa vida. Antes estávamos no Império de trevas, sob o domínio cruel e opressor de satanás. Antes estávamos no cativeiro do diabo, acorrentados pelo pecado. Agora, estamos livres e salvos. Fomos não apenas libertados do Império das trevas, mas também transportados para o Reino da luz. Agora Cristo, e não satanás, domina sobre nós. Agora temos outro dono, outro senhor, outra vida, dentro de outro reino. Fomos transladados de uma vez por todas. Já estamos no Reino da luz (1Pe 2.9). Isso é escatologia realizada. Já estamos no antegozo da glória.

---

⁵Rienecker, Fritz e Rogers, Cleon. *Chave linguística do Novo Testamento Grego*, p. 420.
⁶Barclay, William. *Filipenses, Colosenses, I y II Tesalonicenses*, p. 119.
⁷Martin, Ralph P. *Colossenses e Filemom*, p. 64.
⁸Hendriksen, William. *Colosenses y Filemon*, p. 78.
⁹Barclay, William. *Filipenses, Colosenses, I y II Tesalonicenses*, p. 119,120.
¹⁰Rienecker, Fritz e Rogers, Cleon. *Chave linguística do Novo Testamento Grego*, p. 420.

A salvação implica uma mudança radical de devoção do nosso coração. No reino das trevas servíamos a um príncipe carrasco. Ele nos oprimia, nos escravizava e nos mantinha prisioneiros para a morte eterna. Mas agora vivemos no Reino da luz, do amor, da paz e da vida eterna. No antigo Império reinava o ódio; no Reino da luz domina o amor. No antigo Império estávamos debaixo de cruel escravidão; no Reino da luz somos livres. No reino das trevas, satanás queria a nossa morte; no Reino da luz, Cristo morreu por nós para nos dar vida.

Em terceiro lugar, **Deus nos redimiu por meio do Seu Filho** (1.14). Destacamos três pontos aqui.

Deus nos redimiu para sermos Sua propriedade exclusiva. A redenção significa libertar um prisioneiro ou um escravo mediante o pagamento de um resgate.[11] Deus nos comprou e agora somos Sua propriedade particular. Somos de Deus por direito de criação, porque Ele nos criou à Sua imagem e semelhança. Também somos dEle por direito de redenção, pois Ele nos comprou com o sangue do Seu Filho. Não pertencemos mais ao Império das trevas, nem somos de nós mesmos. Somos propriedade exclusiva de Deus. O resgate pago por Cristo no Calvário nos redimiu e agora estamos quites com a Lei de Deus (Rm 8.33,34) e com a justiça de Deus (Rm 5.1; 8.1). Essa redenção implica libertação da maldição (Gl 3.13) e da escravidão do pecado (Jo 8.34,36; Rm 7.14).

Deus pagou um altíssimo preço pela nossa redenção. Deus nos comprou não com prata e ouro, mas com o sangue precioso do Seu Filho amado (At 20.28; 1Pe 1.18,19). Deus não poupou Seu próprio Filho, antes por todos nós O entregou para que pelo Seu sangue fôssemos resgatados da morte para a vida, da escravidão para a liberdade, da potestade de satanás para o Seu glorioso reino.

Deus pagou esse alto preço não a satanás, mas a si mesmo. É um ledo engano e uma crassa heresia afirmar que Deus pagou o preço da nossa redenção a satanás. O príncipe das trevas não é dono de nada, nunca foi e jamais será. Ele é um usurpador. Deus quebrou o cativeiro no qual estávamos presos e nos transportou de lá para o Seu glorioso reino. Como Deus é justo e nós somos pecadores, não podíamos ser

---

[11] WIERSBE, Warren W. *Comentário bíblico expositivo*. Vol. 6, 2006, p. 150.

justificados sem que a lei fosse cumprida e a justiça fosse satisfeita. Então, Deus providenciou um substituto perfeito, o Seu próprio Filho, para morrer em nosso lugar e em nosso favor. Deus propiciou a Si mesmo pela morte de Cristo. Assim, Ele pôde ser justo e o justificador do pecador que crê em Seu Filho.

Em quarto lugar, **Deus nos perdoou por intermédio do Seu Filho** (1.14b). Além do resgate, do transporte para o Reino de Cristo, e da redenção realizados no passado e no presente, temos ainda o perdão dos pecados. Destacamos quatro verdades preciosas para nossa reflexão:

O perdão removeu a barreira entre o Deus santo e o homem pecador. A igreja é a comunidade dos perdoados. Só gente perdoada pode entrar no céu. O pecado faz separação entre nós e Deus (Is 59.2), pois Deus é luz, e não há nEle treva nenhuma (1Jo 1.5). Deus, porém, nos perdoou de todos os pecados presentes, passados e futuros. Nossa dívida foi paga, nossa culpa foi cancelada e nossa justificação, declarada. A palavra "perdão" significa "mandar embora" ou "cancelar uma dívida".[12] Nossa dívida como escravos do pecado foi cancelada. Nossos débitos não podem mais nos escravizar. Satanás não encontra mais nada nos nossos arquivos para nos acusar (Rm 8.33,34). A barreira entre o pecador e o Deus santo foi para sempre removida. O que aconteceu com Lady Macbeth, na peça de Shakespeare, não ocorre com o cristão verdadeiro: a mancha do pecado não lhe fica nas mãos. Ainda que ele peque, o sangue remidor de Jesus Cristo combate eficazmente o poder contagioso e febril da maldade. Nem mesmo satanás resiste ao sangue do Cordeiro de Deus (Ap 12.10,11).[13]

O perdão pavimenta o caminho de um novo relacionamento com Deus. Por meio da remissão dos pecados, somos transferidos da posição de réus condenados, para o *status* de filhos amados. Continuamos pecadores, mas agora pecadores redimidos. Quando um filho peca contra o pai, não deixa de ser filho. Ele perde a comunhão, mas não a filiação. Por meio de Cristo, através da confissão, podemos receber constantemente o perdão e a restauração.

---

[12] WIERSBE, Warren W. *Comentário bíblico expositivo*. Vol. 6, 2006, p. 150,151.
[13] SHEDD, Russell. *Andai nele*, p. 28.

O perdão alivia a alma do peso da culpa. O perdão de Deus remove de sobre o pecador o peso esmagador da culpa. Pergunte aos mais famosos cientistas do mundo se eles conhecem um medicamento para libertar da culpa; pergunte aos grandes artistas se eles são capazes de eliminar da consciência a culpa através da música, ou da pintura, ou da poesia; pergunte aos ricos e poderosos desta terra se o peso da culpa desaparece diante de tesouros de ouro ou de exércitos blindados – a pergunta será em vão. Em Jesus, todavia, você encontrará aquilo que seu coração anseia, não apenas como possibilidade ou consolação difusa, mas como realidade total e ditosa, aqui e agora, diz Werner de Boor.[14] O apóstolo Paulo afirma: ... *Nele temos a redenção, a remissão dos pecados* (1.14).

O perdão que recebemos de Deus é o padrão do perdão que devemos oferecer ao nosso ofensor. Os perdoados devem perdoar e perdoar com o mesmo tipo de perdão que receberam de Deus (3.13). Aqueles que foram objetos do perdão de Deus devem ser instrumentos desse perdão a outrem (Mt 18.21-35).

A preeminência de Cristo na obra da **criação** (1.15-17)

William Hendriksen diz que a glória de Cristo na criação é igualada por Sua majestade na redenção.[15] A passagem em tela lida com várias questões a respeito da criação como: qual é a origem do universo? Que poder trouxe o universo à existência? Existe mais do que um mundo no universo? Existe a dimensão física e espiritual no universo? Qual é o propósito da criação? O que mantém o universo harmoniosamente funcionando? O apóstolo Paulo responde a todas essas perguntas neste texto[16] e também refuta algumas teorias velhas e novas disseminadas com grande estardalhaço.

Paulo *refuta a teoria da evolução natural*. A teoria de que a vida surgiu espontaneamente e que daí evoluiu em processos constantes, através de bilhões de anos, até chegar ao universo que hoje conhecemos, carece de provas. O livro *Origem das Espécies*, de Charles Darwin, publicado

---

[14] BOOR, Werner de. *Carta aos Efésios, Filipenses e Colossenses*, p. 290.
[15] HENDRIKSEN, William. *Colosenses y Filemon*, p. 82.
[16] Autor desconhecido. *The preacher's outline and study bible on Colossians*, p. 52.

em Londres, em 1859, contém nada menos que oitocentos verbos no futuro do subjuntivo, "suponhamos". A evolução é uma suposição improvável, uma hipótese que procura ficar em pé escorada num frágil bordão; é uma teoria falaz. A evolução não é uma verdade científica. Ela não possui a evidência das provas. Tanto o macrocosmo quanto o microcosmo denunciam as muitas incongruências da famigerada teoria da evolução. Mesmo que essa malfadada teoria fosse verossímil, ela ainda se chocaria com o máximo problema: como explicar a origem da vida? De onde surgiu o primeiro ser vivo? Surgiu espontaneamente? Proveio de algum mineral? E esse mineral, de onde veio? O célebre cientista Louis Pasteur pôs à mostra a fragilidade da teoria da geração espontânea, demonstrando que vida só pode vir de vida.[17]

O apóstolo também *refuta a teoria da evolução teísta*. Alguns cientistas tentam conciliar o cristianismo com o darwinismo, a criação com a evolução. Mas isso é impossível. Francis Collins, diretor do Projeto Genoma, em seu livro *A linguagem de Deus*, conta como abandonou o ateísmo para adotar o cristianismo teísta. Ele se confessa um cristão, mas tenta conciliar o cristianismo com o evolucionismo darwinista. O caminho que encontrou para juntar essas duas vertentes irreconciliáveis foi negar a historicidade de Gênesis 1 e 2. A tese de Collins ataca os fundamentos do cristianismo, pois a fé cristã tem como base primeira a verdade de que a Bíblia é a Palavra de Deus inerrante, infalível e suficiente. Não é possível negar a criação como registrada nas Escrituras e ainda ser um cristão verdadeiro. Essa vertente liberal que tenta minar a autoridade da Escritura para flertar com a teoria da evolução não possui amparo na Escritura nem na ciência. A ciência corretamente interpretada sempre estará afinada com a verdade da Escritura, pois ambas têm o mesmo autor: Deus![18]

Finalmente, ele *refuta a perenidade da matéria*. A matéria foi criada, portanto não é eterna. Só Deus é autoexistente e autossuficiente. Tudo o que existe é contingente, temporal e dependente.

---

[17]WALDVOGEL, Luiz. *Vencedor em todas as batalhas*. São Paulo: Casa Publicadora Brasileira, 1968, p, 82,83.
[18]LOPES, Hernandes Dias. *Morte na panela*, p. 54.

Dando continuidade a essa análise da preeminência de Cristo na obra da criação, destacamos cinco verdades importantíssimas.

Em primeiro lugar, **Jesus Cristo é a exegese de Deus, a expressão visível do Deus invisível** (1.15a). O apóstolo Paulo afirma: *Ele é a imagem do Deus invisível* (1.15a). Deus como Espírito é invisível e sempre será (1Tm 6.16). Mas Jesus é a Sua visível expressão. Ele não apenas reflete Deus, porém como Deus Ele revela Deus para nós (Jo 1.18; 14.9).[19]

Jesus é a imagem, não a imitação, de Deus. A palavra "imagem" significa uma representação e uma revelação exata.[20] Ralph Martin diz que Cristo não é uma cópia de Deus, mas a encarnação do divino no mundo dos homens.[21] Tudo que Deus é, o é igualmente Jesus, declara Silas Falcão.[22] *Quem me vê a mim vê o Pai*, disse Jesus (Jo 14.9). *Eu e o Pai somos um* (Jo 10.30). O autor aos Hebreus diz: *Ele é a expressão exata do Seu ser* (Hb 1.3). O apóstolo Paulo é categórico: *Porquanto, nEle, habita, corporalmente, toda a plenitude da Divindade* (2.9).

Werner de Boor diz que a invisibilidade de Deus é que constitui o apuro religioso. Por causa dela, pode-se duvidar de Deus e até negá-lo. Por causa dela, todas as religiões do mundo têm incontáveis "imagens" de Deus, pintadas e talhadas, fundidas e esculpidas em mármore, ajeitadas com ideias e conceitos, rudes e nobres. Nenhuma, porém, satisfaz o ser humano que busca e indaga. *Mostra-nos o Pai, e isso nos basta!* (Jo 14.8) – esse é o clamor do coração humano. Deus, porém, não deixou essa busca e esse clamor sem resposta. Há uma imagem que lhe corresponde inteiramente, "o Filho do Seu amor". Jesus disse: *Quem me vê a mim vê o Pai* (Jo 14.9).[23]

Jesus Cristo é a exegese de Deus. Ele é o verdadeiro Deus de verdadeiro Deus. Em Cristo, o Deus invisível tornou-se visível e palpável

---

[19] BARTON, Bruce B. et al. *Life application bible commentary on Phillipians, Colossians and Philemon*, p. 161.
[20] WIERSBE, Warren W. *Comentário bíblico expositivo*. Vol. 6, 2006, p. 151.
[21] MARTIN, Ralph P. *Colossenses e Filemom*, p. 68.
[22] FALCÃO, Silas Alves. *Meditações em Colossenses*, p. 39.
[23] BOOR, Werner de. *Carta aos Efésios, Filipenses e Colossenses*, p. 292.

(Jo 1.14; 1Jo 1.1-4). Ele é o espelho por meio do qual contemplamos a face de Deus. O Deus invisível tornou-se visível a nós por meio de Cristo. O Deus transcendente tornou-se carne e habitou entre nós por meio de Cristo. Aquele que habita na luz inacessível entrou na nossa história e nos revelou o coração do Pai. Quem quiser saber quem é Deus, olhe para Jesus:

- João 1.18 – *Ninguém jamais viu a Deus; o Deus unigênito que está no seio do Pai é quem o revelou.*
- Hebreus 1.3 – *Ele, que é o resplendor da glória e a expressão exata do seu ser.*
- Colossenses 1.15 – *Ele é a imagem do Deus invisível.*
- Colossenses 2.9 – *Porquanto, nEle, habita, corporalmente, toda a plenitude da divindade.*
- João 14.9 – *Quem me vê a mim vê o Pai.*
- João 10.30 – *Eu e o Pai somos um.*

Quem quer saber como é Deus, considere atentamente a pessoa de Jesus Cristo: Seu amor e Sua indignação; Sua misericórdia e Sua denúncia dos hipócritas; Sua humildade e Sua majestade; Sua atitude de servo e Seu senhorio.[24]

O fato de Cristo ter vindo do céu à terra mostra-nos que Ele é o único que pode nos levar da terra ao céu; o fato de Ele ter encarnado mostra-nos que Deus não está longe de nós; o fato de Ele ter vivido como homem, ministrando ajuda e socorro aos necessitados, mostra que Deus se importa com o homem; o fato de Ele ter morrido na cruz pela mão dos homens pecadores mostra-nos que Deus ama infinitamente a humanidade a ponto de dar Seu Filho para salvá-la.[25]

Em segundo lugar, **Jesus Cristo tem a mais alta honra na criação** (1.15b). A expressão "primogênito da criação", *prototokos*, não se refere à natureza temporal, ao tempo de nascimento; antes, é um título de

---

[24]SHEDD, Russell. *Andai nele*, p. 29.
[25]Autor desconhecido. *The teacher's outline and study bible on Colossians*, p. 47.

honra.[26] Significa que Jesus é o primeiro em importância.[27] Carrega a ideia de prioridade, superioridade, preeminência e supremacia.[28] A palavra enfatiza a preexistência e singularidade de Cristo, bem como a Sua superioridade sobre a criação. William Hendriksen é enfático ao dizer que o fato de Jesus ser o "primogênito da criação" não significa que Ele mesmo é uma criatura (o primeiro de uma grande linhagem); ao contrário, Ele é anterior a, distinto de, e exaltado muito acima de toda criatura. Como primogênito, Ele é o herdeiro e governante de tudo.[29]

Como já dissemos, o texto não significa que Jesus é o primeiro ser criado; ao contrário, refere-se a Jesus como cabeça e soberano da criação.[30] Cristo recebe a mais alta honra na criação: Ele tem autoridade sobre toda a criação; é o herdeiro de toda a criação e é o mais exaltado por meio da criação. Ralph Martin diz que Cristo é o Senhor da criação e não tem rival na ordem criada.[31]

Em terceiro lugar, *Jesus Cristo é o autor da criação* (1.16). Jesus Cristo não é uma emanação de Deus, como ensinavam os gnósticos. Não é um espírito iluminado como ensinam os espíritas. Não é o primeiro ser criado como ensinavam os arianos e ainda ensinam os testemunhas de Jeová. Ele é o Criador do universo.

Três verdades importantes são destacadas por Paulo.

Jesus Cristo é a fonte da criação. Paulo diz: *Pois, nEle, foram criadas todas as coisas, nos céus e sobre a terra, as visíveis e as invisíveis, sejam tronos, sejam soberanias, quer principados, quer potestades...* (1.16a). A criação é um fato histórico, pois aconteceu num tempo definido, que a Bíblia chama de "o princípio". Diz a Escritura: *No princípio criou Deus os céus e a terra* (Gn 1.1). Cristo, o verbo dinâmico da criação, trouxe à existência o que não existia. Tudo foi feito por Ele, e nada do que foi feito sem Ele se fez (Jo 1.3). O coração de Cristo desejou o mundo;

---

[26] BARCLAY, William. *Filipenses, Colosenses, I y II Tesalonicenses*, p. 128.
[27] WIERSBE, Warren W. *Comentário bíblico expositivo*. Vol. 6, 2006, p. 151.
[28] Autor desconhecido. *The preacher's outline and study bible on Colossians*, p. 50.
[29] HENDRIKSEN, William. *Colosenses y Filemon*, p. 88.
[30] RIENECKER, Fritz e ROGERS, Cleon. *Chave linguística do Novo Testamento Grego*, p. 420.
[31] MARTIN, Ralph P. *Colossenses e Filemom*, p. 68.

a mente de Cristo planejou o mundo; a vontade de Cristo concebeu o mundo e a palavra de Cristo trouxe o mundo à existência.[32]

A expressão "nEle", *en autou*, denota Cristo como a esfera dentro da qual a obra da criação ocorreu. Todas as leis e propósitos que guiam a criação, bem como o governo do universo, residem nEle.[33] Jesus é a fonte originária de tudo o que existe no céu e na terra. As galáxias do vasto universo foram obras das Suas mãos. O mundo visível e o invisível são obras de Cristo. Tudo o que o olho humano é capaz de perceber, assim como o invisível ou que está fora do alcance dos sentidos humanos, tudo se originou no plano e no poder do Senhor.[34]

O mundo físico foi criado por Ele e também o mundo espiritual. Os anjos não são emanações de Deus, como ensinavam os gnósticos. Eles também foram criados por Cristo. Não é de admirar, diz Warren Wiersbe, que os ventos e as ondas lhe obedecessem e que as enfermidades e a morte desaparecessem diante dEle.[35] Werner de Boor, na mesma linha de raciocínio, escreve:

> Aquele por meio de quem o corpo humano foi criado toca corpos enfermos e deformados. Aquele por meio de quem Deus chamou à existência o cereal e o vinho multiplica o pão e transforma a água. O mar carrega prontamente o primogênito de toda a criação, o vento e as ondas silenciam diante daquele que é o Senhor deles! E o serviço solícito dos anjos evidencia que os grandes poderes espirituais do cosmos de fato jazem aos pés de sua extraordinária sublimidade.[36]

Jesus Cristo é o agente da criação. Paulo prossegue: *Tudo foi criado por meio dEle* (1.16b). A expressão "por meio dEle", *di autou*, descreve Cristo como o instrumento imediato da criação.[37] Cristo é o agente do poder Criador de Deus. Ele é o verbo Criador (Gn 1.3; Jo 1.3).

---

[32] Autor desconhecido. *The preacher's outline and study bible on Colossians*, p. 53.
[33] RIENECKER, Fritz e ROGERS, Cleon. *Chave linguística do Novo Testamento Grego*, p. 420.
[34] SHEDD, Russell. *Andai nele*, p. 30.
[35] WIERSBE, Warren W. *Comentário bíblico expositivo*. Vol. 6, 2006, p. 151.
[36] BOOR, Werner de. *Carta aos Efésios, Filipenses e Colossenses*, p. 294.
[37] RIENECKER, Fritz e ROGERS, Cleon. *Chave linguística do Novo Testamento Grego*, p. 421.

As galáxias, os mundos estelares, os anjos, os homens e todo o universo foram criados por meio dEle. Ele trouxe tudo à existência.

Jesus Cristo é o alvo da criação. Paulo conclui: ... *tudo foi criado* [...] *para Ele* (1.16c). A expressão "para Ele", *eis auton*, indica que Cristo é o alvo da criação. O mundo foi criado para o Messias.[38] O universo tem uma grande finalidade: render a Jesus todo o louvor e glória. Desde os bilhões de sóis que compõem as galáxias espalhadas pelo firmamento, até os microorganismos que não podem ser vistos a olho nu, tudo rende glória ao Criador. Diante dEle todo o joelho deve prostrar-se no céu, na terra e debaixo da terra e confessar que Jesus Cristo é o Senhor para a glória de Deus Pai. O universo inteiro deve celebrar a glória de Jesus (Sl 19.1-6; Ap 5.13). Quando contemplamos o universo à noite e vemos oceanos de estrelas acima de nós – é por meio de Jesus e para Jesus que essas imensas esferas ardentes seguem Sua trajetória. Mas também a pequena flor silvestre que ninguém vê e considera – é por meio de Jesus e para Jesus que ela floresce![39]

Todas as coisas existem em Cristo, por Cristo e para Cristo. Ele é a esfera, o agente e o alvo para quem todas as coisas foram feitas. Warren Wiersbe diz que Jesus Cristo é o âmbito da existência de todas as coisas, o agente por meio do qual tudo veio a existir e aquele para o qual tudo foi criado.[40] Paulo usa três preposições para descrever a preeminência de Cristo na criação: nEle, por meio dEle e para Ele (1.16). Os filósofos gregos ensinavam que todas as coisas precisavam de uma causa primária, de uma causa instrumental e de uma causa final. A causa primária é o plano; a causa instrumental é o poder; e a causa final é o propósito. Quando olhamos para a criação, podemos ver que Jesus é a causa primária (foi Ele quem a planejou). Ele é também a causa instrumental (foi Ele quem a realizou). Ele é ainda a causa final (foi Ele quem a fez para o Seu próprio prazer e glória).[41] A criação existe, portanto, para dar glória a Cristo.

---

[38] RIENECKER, Fritz e ROGERS, Cleon. *Chave linguística do Novo Testamento Grego*, p. 421.
[39] BOOR, Werner de. *Carta aos Efésios, Filipenses e Colossenses*, p. 293.
[40] WIERSBE, Warren W. *Comentário bíblico expositivo*. Vol. 6, 2006, p. 151.
[41] WIERSBE, Warren W. *Comentário bíblico expositivo*. Vol. 6, 2006, p. 151,152.

Em quarto lugar, *Jesus Cristo preexiste à criação, é independente da criação e maior do que toda a criação* (1.17a). Paulo diz: "Ele é antes de todas as coisas". Jesus é antes de todas as coisas tanto em tempo como em importância.[42] Jesus não foi criado, é o Criador. Ele não teve origem, é a origem de todas as coisas. Foi Ele quem lançou os fundamentos da terra. Foi Ele quem espalhou as estrelas no firmamento. Ele preexiste a todas as coisas. Antes de tudo começar, Ele existia eternamente em sintonia perfeita e feliz com o Pai e o Espírito Santo. Jesus é eterno e o Pai da Eternidade. Ele habita a eternidade e de eternidade a eternidade Ele é Deus. Ele é autoexistente e autossuficiente. Ele não depende da criação; não deriva Sua glória da criação, nem dela depende. Ele é eternamente o mesmo. Ele é imutável (Hb 13.8). Ele é o Alfa e o Ômega, Aquele que está antes, acima e além da criação!

Em quinto lugar, *Jesus Cristo é o Sustentador da criação* (1.17b). Paulo conclui: "nEle, tudo subsiste". A palavra grega *sunesteken*, "sustentar, manter", revela o princípio de coesão do universo. Deus mesmo é a fonte unificadora que mantém todo o universo em funcionamento harmônico. Isto se aplica às grandes coisas no universo e também às menores.[43] Jesus é o centro de coerência e coesão do universo. É Jesus quem interliga e dá simetria a todas as leis da física, da química, da biologia e da astronomia.[44] William Hendriksen diz que as assim chamadas "leis da natureza" não têm uma existência *independente*. Elas são a expressão da vontade de Deus. E só é possível falar de leis porque Deus se deleita na ordem e não na confusão.[45] nEle vivemos, nos movemos e existimos (At 17.28). Pois Ele mesmo é quem a todos dá vida, respiração e tudo mais (At 17.25).

Todas as leis pelas quais o universo é uma ordem, e não um caos, refletem a mente de Cristo. A lei da gravidade e as assim chamadas leis científicas não são apenas leis científicas, mas também e sobretudo

---

[42] BARTON, Bruce B. et al. *Life application bible commentary on Philippians, Colossians and Philemon*, p. 164.
[43] RIENECKER, Fritz e ROGERS, Cleon. *Chave linguística do Novo Testamento Grego*, p. 421.
[44] SHEDD, Russell. *Andai nele*, p. 31.
[45] HENDRIKSEN, William. *Colosenses y Filemon*, p. 86.

leis divinas. São as leis que dão sentido ao universo. Essas leis fazem que esse mundo seja digno de confiança e seja seguro. Toda lei da ciência é de fato uma expressão do pensamento divino. É por essas leis e, portanto, pela mente de Deus, que o universo tem consistência e não se desintegra em um caos.[46] O mundo tem leis, e essas leis científicas são estabelecidas por Cristo e são leis divinas. Cristo é o centro de coesão de todo o universo físico e espiritual (Ef 1.10).

---

[46]BARCLAY, William. *Filipenses, Colosenses, I y II Tesalonicenses*, p. 128,129.

4

As excelências da pessoa e da obra de Cristo

Colossenses 1.18-23

NENHUMA DOUTRINA FOI MAIS ATACADA ao longo dos séculos do que a doutrina de Cristo. Os primeiros concílios gerais da Igreja em Niceia, Constantinopla e Calcedônia trataram quase exclusivamente da cristologia. Ainda hoje, muitos se levantam com infâmia para atacar o eterno Filho de Deus, tentando despojá-lo de Sua divindade ou de Sua perfeita humanidade. Colossenses é o grande tratado cristológico do Novo Testamento. Daí a relevância desta carta.

Já no capítulo primeiro desta epístola, o apóstolo Paulo apresenta quatro relações básicas de Jesus:

1. *Sua relação com a divindade.* Ele é a imagem do Deus invisível, em quem habita toda a plenitude da divindade. Ele é a segunda Pessoa da Trindade, Aquele que se esvaziou, deixou a glória e desceu até nós para nos salvar.
2. *Sua relação com a criação.* Ele é o Criador e o Sustentador de todas as coisas criadas, quer visíveis, quer invisíveis. Ele é a fonte, o agente e o propósito da criação.
3. *Sua relação com a salvação.* Ele é o Redentor, o agente da reconciliação. Por meio do Seu sangue temos paz com Deus. Por Sua morte temos vida eterna.

4. *Sua relação com a Igreja.* Ele é o cabeça da Igreja, o dono da Igreja, o Senhor da Igreja, aquele que sustenta, dirige e protege a Igreja.
A relação de Jesus com a Igreja (1.18,19).

Destacaremos alguns pontos importantes sobre a relação de Cristo com a Igreja.

Em primeiro lugar, ***Cristo é a cabeça da Igreja*** (1.18). William Hendriksen diz que, nas primeiras cartas de Paulo, ele não escreveu acerca de Cristo como a cabeça da Igreja, mas da Igreja como o corpo de Cristo. Seu propósito naquelas cartas era mostrar que um único corpo tem muitos membros; seu objetivo em Colossenses, entretanto, é mostrar que Cristo governa toda a Igreja. Em Colossenses vemos a preeminência de Cristo.[1]

Assim como um corpo não tem vida sem a cabeça, uma Igreja não existe à parte de Cristo. Se Cristo não é a cabeça da Igreja, ela está morta. A cabeça da Igreja não é o papa, mas Cristo. Jesus é o fundamento, o dono, o edificador e o protetor da Igreja (Mt 16.18). Warren Wiersbe diz que nenhum cristão na terra é cabeça da Igreja. Vários líderes religiosos podem ter fundado congregações ou denominações, mas somente Jesus Cristo é o fundador da Igreja.[2]

Abordando esse mesmo texto, William Hendriksen fala que Cristo é cabeça da Igreja em dois aspectos: no sentido orgânico e como governante.[3]

Cristo é a cabeça orgânica da Igreja. A palavra "cabeça" significa fonte e origem. A Igreja tem sua origem em Cristo. A Igreja só tem vida em Cristo. Estávamos mortos e Ele nos deu vida. Cristo é a fonte de poder, alegria e vida da Igreja. Assim como o corpo não existe sem a cabeça, a Igreja não tem vida sem Cristo. Fomos escolhidos em Cristo, remidos por Cristo, estamos escondidos com Cristo, seguros nas mãos de Cristo, assentados com Ele nas regiões celestes. Morremos com Ele, ressuscitamos com Ele e com Ele viveremos eternamente.

---

[1] HENDRIKSEN, William. *Colosenses y Filemon*, p. 93.
[2] WIERSBE, Warren. *Comentário bíblico expositivo*. Vol. 6, 2006, p. 152.
[3] HENDRIKSEN, William. *Colosenses y Filemon*, p. 93.

Cristo é a cabeça governante da Igreja. A palavra "cabeça" significa também aquele que governa, controla e dirige. Só Cristo tem autoridade e poder para controlar e comandar a Igreja. O corpo age, mas é a cabeça que comanda o corpo. É a cabeça que planeja para o corpo, dirige o corpo, guia o corpo, inspira o corpo, ergue o corpo, energiza o corpo e controla o corpo.[4] Todos os movimentos e ações do corpo procedem da cabeça. Se o corpo não segue a orientação que emana da cabeça, entra em colapso e age para sua própria destruição. A Igreja deve estar sujeita a Cristo. A glória da Igreja é ser submissa a Ele. Quanto mais a Igreja está sujeita a Cristo, mais livre, saudável e feliz ela é.

Em segundo lugar, **Cristo é a fonte da Igreja** (1.18b). A palavra grega *arque* significa "começo, princípio, origem". Refere-se à prioridade temporal e ao poder originador, revelando que Cristo é a fonte da Igreja.[5] A Igreja tem sua origem nEle. O catolicismo romano diz: *Ubi Petros, ibi eclesia*, "onde está Pedro, aí está a Igreja", mas a Palavra de Deus diz: *Ubi Cristos, ibi eclesia*, "onde está Cristo, aí está a Igreja". Jesus é quem supre a Igreja através dos dons e através do poder do Seu Espírito e da Sua Palavra. A posição que o pontífice romano ocupa é uma usurpação. A Igreja está edificada sobre Cristo e não sobre o papa.

William Barclay diz que a palavra *arque* tem duplo sentido. Significa "primeiro" no sentido temporal, por exemplo, *A* é o princípio do alfabeto, e *1* é o princípio dos números. Também significa "primeiro" no sentido de poder ordenador, de fonte de onde provém algo. É o poder que coloca algo em movimento.[6] Cristo tem a primazia no céu e na terra. Ele tem primazia na Igreja e em todo o universo.

A palavra *arque* tem ainda o significado de "poder Criador".[7] A Igreja é a ideia da Sua mente, o plano do Seu coração, o desejo da Sua vontade, a obra do Seu penoso trabalho, o resultado do Seu amor e o objeto do Seu cuidado.

Em terceiro lugar, **Cristo é o vencedor da morte** (1.18c). A ressurreição de Cristo é a razão de existir da Igreja. Se Cristo não tivesse ressuscitado

---

[4] Autor desconhecido. *The teacher's outline and study bible on Colossians*, p. 59.
[5] RIENECKER, Fritz e ROGERS, Cleon. *Chave linguística do Novo Testamento Grego*, p. 421.
[6] BARCLAY, William. *Filipenses, Colosenses, I y II Tesalonicenses*, p. 130.
[7] Autor desconhecido. *The teacher's outline and study bible on Colossians*, p. 60.

dentre os mortos, não haveria Igreja. O sepulcro vazio é o berço onde nasceu a Igreja. Embora a Igreja seja una e Deus só tenha uma Igreja, a noiva de Cristo, composta por todos os remidos, salvos desde Abel até a última pessoa a ser alcançada pela graça, podemos dizer que, sem a ressurreição de Cristo, não haveria redenção para os pecadores.

A ressurreição de Cristo prova que existe uma nova vida disponível para Seu povo. A ressurreição de Cristo é também o poder pelo qual a Igreja vive.[8] Cristo é o primogênito dentre os mortos. Ele não apenas ressuscitou como aconteceu a outras pessoas; Ele ressuscitou para nunca mais morrer. Ele arrancou o aguilhão da morte, matou a morte e triunfou sobre ela. A morte agora não tem mais a última palavra. Ela não pode mais infundir terror naqueles que receberam vida em Cristo. Ele abriu o caminho como o primeiro da fila de muitos filhos de Deus que serão conduzidos à glória eterna. Jesus afirmou: *Eu sou a ressurreição e a vida. Quem crê em mim, ainda que morra viverá* (Jo 11.25). Quando Ele se apresenta ao apóstolo amado, no exílio, exclama: *Não temas; eu sou o primeiro e o último. E aquele que vive; estive morto, mas eis que estou vivo pelos séculos dos séculos, e tenho as chaves da morte e do inferno* (Ap 1.18).

Cristo não é um herói morto ou um fundador do passado, mas uma presença viva, o autor da vida e o conquistador da morte.[9] Quem nEle crê não morre eternamente.

Em quarto lugar, **Cristo é aquele que tem total preeminência em todo o universo** (1.18d). William Barclay diz que a ressurreição de Cristo lhe deu o título de Senhor supremo. Pela ressurreição, Cristo venceu a todo inimigo e a todo poder adverso, e não há nada na vida ou na morte que possa sujeitá-Lo ou contê-Lo.[10] Pela ressurreição, o Pai exaltou Jesus e Lhe deu o nome que está acima de todos os nomes, para que ao nome de Jesus se dobre todo joelho, nos céus, na terra e debaixo da terra (Fp 2.9,10). Em todo o universo somente Cristo foi achado digno de abrir o Livro e lhe desatar os selos (Ap 5.5). E, quando Ele recebeu

---

[8] Autor desconhecido. *The teacher's outline and study bible on Colossians*, p. 61,62.
[9] BARCLAY, William. *Filipenses, Colosenses, I y II Tesalonicenses*, p. 130.
[10] BARCLAY, William. *Filipenses, Colosenses, I y II Tesalonicenses*, p. 130.

o livro, todo o céu se prorrompeu em louvor ao Cordeiro preeminente (Ap 5.12,13). Ele é preeminente na criação, na salvação, na Igreja e em todo o universo.

Jesus foi exaltado à mão direita de Deus Pai (Mt 16.19). Ele recebeu o nome que está acima de todo nome (Fp 2.9). Foi feito Senhor e Cristo (At 2.36) e exaltado sobre todos (Jo 3.31). Ele é o Senhor de vivos e de mortos (Rm 14.9). Tem mais glória do que os maiores homens (Hb 3.3). Seu nome é mais glorioso do que o dos anjos (Hb 1.5). Ele é o Alfa e o Ômega (Ap 1.11). Tem todas as coisas debaixo dos Seus pés (Ef 1.22). Todas as coisas estão sujeitas a Ele (1Pe 3.22).

Em quinto lugar, **Cristo é aquele em quem reside toda a plenitude** (1.19). Tudo quanto Deus é habita em Cristo. A palavra grega *pleroma*, "plenitude", neste contexto, descreve a soma de todos os atributos e poderes divinos.[11] Toda a plenitude da divindade e todos os atributos divinos residem em Cristo. Essa plenitude "não consistia em algo acrescentado a Seu ser como algum elemento não natural, mas sim algo que era parte permanente de Sua essência".[12]

Russell Shedd diz que o termo *pleroma* denominava, para os gnósticos, todas as emanações que ocupavam o espaço entre o deus espiritual e o mundo material. Provavelmente, é neste sentido que Paulo deseja que seus leitores concebam Cristo, como aquele que preencheria totalmente qualquer necessidade que eles tivessem de alcançar o Deus verdadeiro.[13]

A palavra grega *katoikesai*, "residir", não significa uma residência temporária, mas uma habitação necessária e permanente. É estar em casa permanentemente.[14] Warren Wiersbe, a respeito do mesmo tema, diz que essa palavra significa "estar no lar em caráter permanente".[15] A plenitude não foi alguma coisa acrescentada a Cristo, mas algo que Ele sempre possuiu. A plenitude sempre foi parte do Seu ser. O evangelista João registra: *Porque todos nós temos recebido da sua plenitude e graça*

---

[11] RIENECKER, Fritz e ROGERS, Cleon. *Chave linguística do Novo Testamento Grego*, p. 421.
[12] WUEST, Kenneth S. *Ephesians and Colossians in the Greek New Testament*. Grand Rapids, MI: Eerdmans Publishing House, s/d, p. 187.
[13] SHEDD, Russell. *Andai nele*, p. 33.
[14] RIENECKER, Fritz e ROGERS, Cleon. *Chave linguística do Novo Testamento Grego*, p. 421.
[15] WIERSBE, Warren W. *Comentário bíblico expositivo*. Vol. 6, 2006, p. 153.

sobre graça (Jo 1.16). O apóstolo Paulo afirma: *Porquanto, nEle, habita, corporalmente, toda a plenitude da Divindade* (2.9). Aqui está um dos mais sublimes mistérios da revelação divina, a pessoa teantrópica de Cristo. Ele é perfeitamente Deus e perfeitamente homem. Ele é eternamente gerado do Pai. Luz de luz, coigual, coeterno e consubstancial com o Pai. Aquele que criou os mundos estelares e as hostes incontáveis de anjos, aquele que lançou as colunas do universo e conhece cada estrela pelo Seu nome, esvaziou-Se, fez-Se carne, fez-Se homem, fez-Se pobre, nasceu numa manjedoura, cresceu numa carpintaria e morreu numa cruz, mas nEle habitava corporalmente toda a plenitude da divindade.

A relação de Jesus com a **reconciliação** (1.20-23)

A palavra grega *apokatalassein*, "reconciliação", é muito sugestiva. Significa mudar da inimizade para amizade. A preposição prefixada tem o significado de "volta" e implica a restituição de um estado do qual a pessoa se separou. O significado é efetuar uma completa reviravolta.[16] Werner de Boor diz que *apokatalassein* é "colocar algo de volta em sua devida ordem".[17] Destacaremos quatro pontos essenciais sobre a relação de Cristo com a reconciliação.

Em primeiro lugar, *a fonte da reconciliação* (1.20). Alguns pontos precisam ser aqui ressaltados:

Há uma profunda necessidade de reconciliação entre Deus e o homem. O homem não está em paz com Deus. O pecado o afastou de Deus. O homem tornou-se inimigo de Deus e rebelde contra o Seu Criador. Sua alma está sem descanso, perturbada, solitária e vazia. O homem está sem direção e sem propósito. O homem não está em paz com Deus, não experimenta a paz de Deus, nem conhece o Deus da paz.

Foi Deus, e não o homem, quem tomou a iniciativa da reconciliação. O Novo Testamento jamais fala de Deus reconciliado com os homens, mas dos homens reconciliados com Deus. A atitude de Deus para os

---

[16] RIENECKER, Fritz e ROGERS, Cleon. *Chave linguística do Novo Testamento Grego*, p. 421.
[17] BOOR, Werner de. *Carta aos Efésios, Filipenses e Colossenses*, p. 302.

homens foi sempre e incessantemente de amor.[18] Deus tomou a iniciativa de nos reconciliar consigo mesmo. Não é o homem quem busca a Deus, é Deus quem busca o homem. Diz o apóstolo Paulo: *Ora, tudo provém de Deus, que nos reconciliou consigo mesmo por meio de Cristo...* (2Co 5.18). Não foi o sacrifício de Cristo que mudou o coração de Deus. Antes, a cruz foi resultado do Seu amor. Na cruz de Cristo, Deus mostrou Seu repúdio ao pecado e Seu amor ao pecador. O amor de Deus é eterno, imutável, incondicional e sacrificial. Ele ama infinitamente os objetos da Sua própria ira. Sendo nós filhos da ira, Ele nos amou com amor eterno. Sendo nós pecadores rebeldes, nos deu Seu Filho. Li algures uma dramática história ocorrida com uma família que vivia numa fazenda no interior do Estado do Espírito Santo. O filho de um fazendeiro tornou-se um jovem rebelde e brigou com o pai, saindo de casa com a disposição de jamais voltar. A mãe desse filho pródigo chorava todos os dias e não conseguia assentar-se à mesa para as refeições ao ver sua cadeira vazia. Aquela mulher chegou a ponto de adoecer e cair de cama, tomada de profunda fraqueza e tristeza. O fazendeiro buscou um médico para examiná-la. Depois que o doutor a examinou, constatou que não havia enfermidade em seu corpo, mas uma profunda tristeza em sua alma. Recomendou, então, ao fazendeiro que trouxesse o filho de volta às pressas, se quisesse ver sua esposa salva. O fazendeiro enviou seus empregados à procura do rapaz. Encontraram-no depois de alguns dias. O jovem retornou a casa. Ao entrar por uma porta, o pai saiu pela outra. A mãe estava prostrada na cama já em adiantado estado de debilidade física e esgotamento emocional. Ao ver o filho entrando no quarto, deu um sorriso e segurou firme em sua mão. Pediu com insistência para ver também o marido. Este, relutando, entrou no quarto. A mulher pegou a mão do marido, uniu-a à mão do filho, cruzou ambas sobre o próprio peito e morreu. Ela deu sua vida para que pai e filho pudessem ser reconciliados. Quando Cristo morreu na cruz, Ele também nos reconciliou com Deus. A diferença daquela história é que o Pai sempre nos buscou e sempre nos amou, e Ele mesmo tomou a iniciativa nos reconciliar consigo por meio do Seu Filho.

---

[18] BARCLAY, William. *Filipenses, Colosenses, I y II Tesalonicenses*, p. 131.

O sangue de Cristo é a fonte da reconciliação. Não fomos reconciliados com Deus por meio da vida de Cristo, de Seus ensinos nem mesmo de Seus milagres. Fomos reconciliados com Deus mediante a morte substitutiva de Cristo e o derramamento de Seu sangue remidor. A fonte da qual dimana a reconciliação é a cruz de Cristo. Na cruz Deus puniu nossos pecados em Seu Filho (2Co 5.21). A cruz ocupa um lugar central no evangelho (1Co 1.21-23; Gl 1.19,20; 6.14). A cruz revela tanto a justiça quanto o amor de Deus. Deus é justo porque puniu nossos pecados, e é amor porque nos deu Seu Filho Unigênito para morrer em nosso lugar. William Barclay afirma que, na morte de Jesus, Deus nos diz: "Eu amo vocês desta maneira. Eu amo vocês até o extremo de ver meu Filho sofrer e morrer por vocês. Eu os amo tanto que levo a cruz em meu coração".[19]

Em segundo lugar, *o alcance da reconciliação* (1.20b,21). A reconciliação realizada por Cristo tem dois alcances:

O universo inteiro (1.20b). A queda dos nossos primeiros pais atingiu não apenas a raça humana, mas também o universo inteiro. Toda a criação ficou sujeita à vaidade (Rm 8.20) e está no cativeiro da corrupção (Rm 8.21). Toda a criação geme (Rm 8.22), aguardando o tempo da Sua redenção. Cristo morreu para trazer restauração ao universo. A criação natural será redimida do seu cativeiro. Tudo convergirá em Cristo (Ef 1.10).

É importante ressaltar que reconciliação universal não significa salvação universal. O universalismo, a crença de que todos os homens serão salvos, é um grave equívoco. William Hendriksen aponta que a interpretação universalista de Colossenses 1.20 é contrária às Escrituras (Sl 1.1-6; Dn 12.2; Mt 7.13,14; 25.46; Jo 5.28,29).[20] Warren Wiersbe, concordando com esse pensamento, declara:

> Não devemos concluir, equivocadamente, que reconciliação universal é a mesma coisa que salvação universal. O "universalismo" ensina que todos os seres, inclusive os que rejeitaram Jesus Cristo, serão salvos algum dia. Não era isso o que Paulo cria. O conceito de "restauração universal" não

---

[19] BARCLAY, William. *Filipenses, Colosenses, I y II Tesalonicenses*, p. 131.
[20] HENDRIKSEN, William. *Colosenses y Filemon*, p. 98.

fazia parte da teologia de Paulo, pois ele ensinava claramente que os pecadores precisavam crer em Jesus a fim de serem salvos.[21]

Ralph Martin ainda afirma que a intenção de Paulo em dizer que "Deus reconciliou consigo mesmo todas as coisas, quer sobre a terra, quer nos céus", é refutar qualquer ideia de que parte do universo está fora do escopo da obra reconciliadora de Cristo; e, especialmente, ressaltar que não há poder estranho ou força espiritual hostil que possa operar a destruição na Igreja. A garantia forma um paralelo distinto com Romanos 8.38,39, e sua base lógica vem mais em 2.15.[22]

Os pecadores perdidos (1.21). Os colossenses, assim como todos os gentios, eram estranhos e inimigos, ou seja, havia uma alienação de Deus e uma hostilidade em relação a Deus. O homem não apenas está distante de Deus; ele é inimigo de Deus. Ele não está apenas cego; é também rebelde. A inimizade é conceitual e moral. O entendimento errado produz obras erradas. O pensamento dirige o comportamento. As obras malignas são fruto de entendimentos errados. Ralph Martin diz que "obras malignas" sugerem, uma combinação de idolatria e de imoralidade, como em Romanos 1.21-32.[23]

Em terceiro lugar, **as bênçãos da reconciliação** (1.20,22,23). Destacamos três bênçãos gloriosas da reconciliação:

Quanto ao passado, temos paz com Deus (1.20). A palavra grega *eirene*, "paz", significa mais do que um fim às hostilidades. Tem um conteúdo positivo e aponta para a presença de bênçãos positivas e espirituais, tanto individual quanto socialmente.[24] Nossa relação com Deus foi restaurada. Não há mais barreira entre nós e Deus (Rm 5.1). Fomos justificados, a inimizade foi tirada, o muro da separação foi quebrado e a condenação, cancelada (Rm 8.1). Estamos quites com a lei e com a justiça de Deus. Toda a justiça de Cristo foi imputada a nós (2Co 5.21). Temos, agora, paz com Deus, a paz de Deus e o Deus da paz.

---

[21] WIERSBE, Warren W. *Comentário bíblico expositivo*. Vol. 6, 2006, p. 154.
[22] MARTIN, Ralph P. *Colossenses e Filemom*, p. 71.
[23] MARTIN, Ralph P. *Colossenses e Filemom*, p. 77.
[24] RIENECKER, Fritz e ROGERS, Cleon. *Chave linguística do Novo Testamento Grego*, p. 421.

Quanto ao presente, temos vida de santidade (1.22). Deus não apenas nos reconciliou consigo por meio de Cristo, mas nos deu nova vida. A finalidade da reconciliação é a santidade. Três termos descrevem essa mudança:

1. Somos *santos*. Russel Shedd diz que esses pecadores, que antes serviam prazerosamente a satanás, são agora santos, inteiramente consagrados e separados para Deus.[25]
2. Somos *inculpáveis*. A palavra grega *amomos* significa "sem mancha". Na Septuaginta, a palavra era usada como um termo técnico para designar a ausência de qualquer coisa errada em um sacrifício, de qualquer coisa que pudesse torná-lo indigno de ser oferecido.[26] Essa mesma palavra é usada por Pedro para comunicar a qualidade de Cristo, o *Cordeiro sem defeito* (1Pe 1.19).
3. Somos *irrepreensíveis*. A palavra grega *anenkletos* significa "sem acusação, livre de qualquer acusação, irrepreensível". É uma palavra legal indicando que não há acusação jurídica que possa ser levantada contra a pessoa".[27] Ralph Martin diz que a reconciliação significa que, doravante, nenhuma acusação será feita contra o cristão, visto ser ele declarado inculpável e inocente aos olhos de Deus.[28] Não haverá cheiro de escândalo nem crítica válida que o inimigo da nossa alma possa lançar contra os convidados das bodas do Cordeiro. Os salvos estarão absolutamente imunes ao castigo que os seus pecados merecem. Toda iniquidade foi lançada sobre o Filho perfeito (Is 53.6).[29]

Quanto ao futuro, temos a esperança do evangelho (1.23). A reconciliação corrige uma alienação passada (1.21), oferece-nos bênçãos presentes (1.22) e garante-nos a glorificação futura (1.23). A esperança do evangelho é a esperança da glória (1.5; 1.27; Jo 17.24). Werner de Boor

---

[25] SHEDD, Russell. *Andai nele*, p. 35.
[26] RIENECKER, Fritz e ROGERS, Cleon. *Chave linguística do Novo Testamento Grego*, p. 422.
[27] RIENECKER, Fritz e ROGERS, Cleon. *Chave linguística do Novo Testamento Grego*, p. 422.
[28] MARTIN, Ralph P. *Colossenses e Filemom*, p. 78.
[29] SHEDD, Russell. *Andai nele*, p. 35.

diz que evangelho sem escatologia não é evangelho.[30] A esperança do evangelho é a "bendita esperança" da volta de nosso Senhor (Tt 2.13). Warren Wiersbe nos ajuda a entender esse ponto ao escrever:

> Houve um tempo em que os gentios de Colossos não tinham esperança (Ef 2.12), pois viviam sem Deus. Porém, quando foram reconciliados com Deus, receberam uma esperança maravilhosa de glória. Um dia, todos os filhos de Deus estarão com Cristo no céu (Jo 17.24). Na realidade, nosso futuro é tão certo que, segundo o apóstolo, já fomos glorificados (Rm 8.30). Estamos apenas aguardando a revelação dessa glória quando Jesus Cristo voltar (Rm 8.17-19).[31]

Em quarto lugar, *as evidências da reconciliação* (1.23). A reconciliação com Deus não é uma licença para pecar, mas um motivo solene para vivermos mais apegados ao evangelho. A reconciliação exige lealdade. Nenhuma pessoa pode ter segurança de que foi reconciliada com Deus se está vivendo na prática do pecado. Deus não nos salva no pecado, mas do pecado. A reconciliação é um traslado do reino das trevas para o Reino da luz, da escravidão para a liberdade, do pecado para a santidade, da morte para a vida.

O apóstolo destaca duas evidências, sem as quais não há garantia de reconciliação com Deus:

A firmeza na fé evangélica (1.23b). O salvo não é como um caniço agitado pelo vento. Ele não é como a palha que o vento dispersa. Suas bases estão plantadas no verdadeiro e único fundamento que é Cristo. Ele é como uma casa construída sobre a rocha. Concordo, entretanto, com Warren Wiersbe, quando ele diz: "Ninguém é salvo pelo fato de permanecer na fé, mas o fato de permanecer na fé prova que é salvo".[32] Os salvos são aqueles que perseveram na fé até o fim (Mt 24.13). Esta perseverança na comunhão de Cristo é a única base válida para a segurança da salvação (Jo 15.2-6).

---

[30] BOOR, Werner de. *Carta aos Efésios, Filipenses e Colossenses*, p. 306.
[31] WIERSBE, Warren W. *Comentário bíblico expositivo*. Vol. 6, 2006, p. 157.
[32] WIERSBE, Warren W. *Comentário bíblico expositivo*. Vol. 6, 2006, p. 157.

A constância na esperança do evangelho (1.23b). Os que se afastam da esperança do evangelho nunca foram reconciliados com Deus. Russell Shedd diz que quem se afasta dAquele que é o único capaz de salvar não deve pensar que a fé efêmera do passado lhe garantirá automaticamente as bênçãos do futuro.[33] No desvio do cristão com relação à esperança do evangelho não só operam os agentes externos, como os falsos mestres, as doutrinas enganosas, satanás etc., mas também a vontade, isto é, a vontade do cristão. Embora as tentações surjam para nos desviar, devemos resistir a elas. Não nos devemos entregar como presas fáceis aos salteadores que procuram penetrar a cidadela de nossa alma para roubar o nosso mais precioso bem, "a esperança do evangelho".[34] Silas Alves Falcão ainda alerta:

> Um cristão vencido pelo erro não vive mais numa esfera de gozo e de certeza, de paz e de vitória, de amor e consagração, mas, ao contrário, vive numa esfera de inquietação, dúvida e egoísmo. As especulações filosóficas e religiosas têm um aparente encanto, mas não satisfazem a alma.[35]

Muitas pessoas, como Demas, fazem parte da Igreja visível, mas amam o presente século e abandam as fileiras de Cristo. Outras, como Judas Iscariotes, ocupam posição de liderança na igreja, porém jamais se converteram e nunca abandonaram a avareza e a cobiça. Há aqueles que parecem ovelhas, mas são lobos. Há joio no meio do trigo; há cabritos no meio das ovelhas; há aqueles que serão lançados nas trevas exteriores porque estão sem vestes nupciais; há aqueles que ficarão de fora das bodas do Cordeiro porque não têm azeite em suas lâmpadas. Há aqueles que profetizaram, expulsaram demônios e até realizaram milagres em nome de Cristo, mas perecerão eternamente porque viveram na iniquidade (Mt 7.21-23).

Com a expressão "não vos deixando afastar da esperança do evangelho", o apóstolo Paulo utiliza, segundo Russell Shedd, a figura dos

---

[33] SHEDD, Russell. *Andai nele*, p. 36.
[34] FALCÃO, Silas Alves. *Meditações em Colossenses*, p. 54,55.
[35] FALCÃO, Silas Alves. *Meditações em Colossenses*, p. 55.

estragos decorrentes de um terremoto, capaz de remover um edifício do seu fundamento, destruindo-o. Durante o reinado do imperador Tibério, doze cidades da Ásia Menor foram arrasadas. No ano 60, segundo Tácito, um fortíssimo terremoto abalou Laodiceia, atingindo também Colossos, cidade vizinha.[36] Deixar-se levar por ensinamentos falsos é como um abalo sísmico, um terremoto avassalador que destrói os fundamentos da esperança no evangelho. Certamente essa linguagem de Paulo deve ter tocado profundamente os colossenses.

O apóstolo termina a exposição do texto em tela revelando-nos duas grandes verdades:

A universalidade do evangelho (1.23). A expressão "... pregado a toda criatura debaixo do céu" não significa que todos os indivíduos ouviram a mensagem. Declara, ao contrário, o escopo universal, sem a exclusão de classe alguma, nem de grupo algum. Esta é obviamente uma expressão de forte oposição à restrição pelos hereges da sua doutrina secreta a uma roda seleta de pessoas.[37]

O evangelho não tem barreiras linguísticas, étnicas, culturais, políticas e geográficas. Está destinado a alcançar todos os povos, raças, línguas e nações (Ap 5.9). O evangelho será pregado a todo o mundo antes do fim (Mt 24.14). Ele deve ser anunciado a todas as nações (Mt 28.19) e até aos confins da terra (At 1.8).

Silas Alves Falcão diz que a esperança do evangelho é universal, pois tem bálsamo para confortar todos os corações, em todos os quadrantes do mundo. Os sofrimentos e os anelos da humanidade são mais ou menos iguais em toda a terra. Onde pulsa um coração humano, aí existe ansiedade de paz e segurança. O evangelho prova sua universalidade por satisfazer cabalmente esses anseios humanos, não levando em conta barreiras raciais, sociais ou culturais. Combate um mal universal – o pecado. Apresenta um Salvador universal – Jesus Cristo. Tem um convite universal – convida todos os cansados e oprimidos.[38]

---

[36] SHEDD, Russell. *Andai nele*, p. 36.
[37] BARTON, Bruce B. et al. *Life application bible commentary on Philippians, Colossians and Philemon*, p. 171; MARTIN, Ralph P. *Colossenses e Filemom*, p. 79.
[38] FALCÃO, Silas Alves. *Meditações em Colossenses*, p. 53.

O privilégio de ser ministro do evangelho (1.23). Paulo tem a alegria de dizer que é um ministro do evangelho. A palavra "ministro" usada aqui é *diáconos*. Paulo é um servo do evangelho. Ele não usa o evangelho para benefício próprio; ele serve ao evangelho. Concordo com William Hendriksen, quando ele afirma: "Um ministro do evangelho é aquele que conhece o evangelho, foi salvo pelo Cristo do evangelho e com alegria proclama a outros o evangelho. Deste modo serve à causa do evangelho".[39]

---

[39] HENDRIKSEN, William. *Colosenses y Filemon*, p. 103.

5

As marcas do ministério de Paulo

Colossenses 1.24 – 2.1-3

DEPOIS DE ENFATIZAR A PREEMINÊNCIA DE CRISTO na obra da criação, providência e redenção; e mostrar ainda a preeminência de Cristo na Igreja, o apóstolo Paulo dá o seu testemunho acerca da excelência do seu ministério.

Ao expor o texto em tela, Russell Shedd destaca quatro marcas do ministério de Paulo: um ministério de alegre sofrimento (1.24), um ministério de serviço (1.25-27), um ministério pastoral (1.28) e um ministério de trabalho (1.29–2.1-4).[1] Vamos seguir esses passos. Acompanhemos, portanto, a trajetória desse gigante do cristianismo e aprendamos com ele ricas lições.

Um ministério de **alegre sofrimento** (1.24)

Sofrimento e alegria parecem ser coisas mutuamente exclusivas. É quase inconcebível para a mente pós-moderna aceitar a ideia de alegria no sofrimento. Paulo é um cristão e não um masoquista. Ele não tem prazer no sofrimento. Então, por que ele se regozija no sofrimento? Por que Paulo está sofrendo e, mesmo assim, ainda é feliz? Por que e por quem Paulo está sofrendo?

---

[1] SHEDD, Russell. *Andai nele*, p. 39-44.

Em primeiro lugar, *o sofrimento de Paulo é por causa de Cristo* (1.24). O apóstolo Paulo escreve: "... e preencho o que resta das aflições de Cristo, na minha carne...". Warren Wiersbe corretamente afirma que o sofrimento de Cristo chegou ao fim, mas Seu corpo, a Igreja, ainda sofre ao permanecer firme na fé. No céu, o cabeça da Igreja sente o sofrimento de Seu povo (At 9.4). Paulo suportava sua parcela de aflições, como outros o fariam depois dele.[2]

O discípulo não é maior do que o seu Mestre (Mt 10.24), nem o servo maior do que o seu senhor (Jo 15.20). Se o mundo perseguiu a Cristo, perseguirá a nós também (Mc 13.13; At 9.4,5; 2Co 4.10; Gl 6.17; Ap 12.13). Os apóstolos se alegravam por serem considerados dignos de sofrer afrontas pelo nome de Jesus (At 5.41). Um cristão não deve sofrer como um ladrão ou malfeitor (1Pe 4.15,16), mas se sofrer por amor a Cristo receberá por isso recompensas especiais (Mt 5.10-12).

Werner de Boor está correto quando afirma que nada mais falta no sofrimento vicário de Cristo e ninguém poderia "completá-lo vicariamente, se Ele, o grande Jesus, o Filho amado, o primogênito de toda a criação, tivesse omitido algo".[3]

Os sofrimentos de Cristo a que Paulo faz menção aqui não correspondem ao Seu sofrimento expiatório.[4] Esse foi completo, cabal e não pode ser completado (2.14; Jo 19.30; Hb 10.11-14). Russell Shedd diz que essas são as aflições relacionadas ao testemunho cristão.[5] Nesse mesmo sentido, Warren Wiersbe afirma que as aflições se referem às pressões da vida, às perseguições que Paulo suportou. Em momento algum esse termo é usado para o sofrimento sacrificial de Jesus Cristo.[6]

Assim como o mundo perseguiu a Cristo, persegue a Igreja por causa de Cristo. Assim, as perseguições aos filhos de Deus são inevitáveis (2Tm 3.12). As aflições de Cristo são a herança dos cristãos.[7] A Igreja não é mais fiel por ser mais perseguida, porém é mais perseguida por ser

---

[2]WIERSBE, Warren W. *Comentário bíblico expositivo*. Vol. 6, 2006, p. 158.
[3]BOOR, Werner de. *Carta aos Efésios, Filipenses e Colossenses*, p. 308.
[4]HENDRIKSEN, William. *Colosenses y Filemon*, p. 104,105.
[5]SHEDD, Russell. *Andai nele*, p. 39.
[6]WIERSBE, Warren W. *Comentário bíblico expositivo*. Vol. 6, 2006, p. 158.
[7]FALCÃO, Silas Alves. *Meditações em Colossenses*, p. 57.

mais fiel. Silas Falcão corretamente afirma que "as aflições de Cristo" são proporcionais à nossa fidelidade. Os cristãos que não experimentam "as aflições de Cristo" talvez estejam cortando as suas cruzes para torná-las mais leves.[8]

William Hendriksen diz que, embora Cristo não esteja mais presente fisicamente no mundo, as aflições, como setas destinadas a Ele, cravam-se em Seus seguidores. Neste sentido é que todo verdadeiro cristão está sofrendo em Seu lugar (Mc 13.13; Jo 15.18-21; At 9.4,5; 2Co 4.10; Gl 6.17; Fp 3.10).[9] "Essas aflições de Cristo" não terminaram com a Sua morte na cruz. Elas continuam através dos séculos, na vida dos Seus fiéis seguidores.[10]

Os apóstolos se alegravam em sofrer por Cristo (At 5.41). O apóstolo Paulo diz que recebemos o privilégio não apenas de crer em Cristo, mas também de sofrer por Ele (Fp 1.29). Quando o cristão sofre por causa de Cristo, deve considerar isso uma honra (1Pe 4.15,16). Cristo disse que aqueles que sofrem por Ele são bem-aventurados (Mt 5.10-12). Desta maneira podemos verificar que Paulo teve três tipos de sofrimento:[11]

1. *Aflições provocadas por inimigos de Cristo* (1.24). Paulo enfrentou acusações falsas, motins, conspiração, açoites, cadeias e prisões. Tanto os judeus como os gentios se voltaram contra ele. Foi colocado no banco dos réus e condenado à morte.
2. *Sofrimento de cansaço* (1.29). Ele diz: *Para isso é que eu me afadigo, esforçando-me o mais possível...* Paulo teve uma agenda congestionada e uma alma atribulada. Enfrentou pressões externas e temores internos. Suas mãos jamais foram remissas no trabalho. Cruzou desertos inóspitos, navegou mares encapelados, percorreu rincões longínquos e pregou a Palavra em liberdade e em prisão, com saúde e também doente, de dia ou de noite. Trabalhou no limite de suas forças e jamais deixou que o cansaço ou o esgotamento físico e mental paralisassem sua ação.

---

[8] FALCÃO, Silas Alves. *Meditações em Colossenses*, p. 58.
[9] HENDRIKSEN, William. *Colosenses y Filemon*, p. 105.
[10] FALCÃO, Silas Alves. *Meditações em Colossenses*, p. 58,59.
[11] SHEDD, Russell. *Andai nele*, p. 39,40.

3. *Sofrimento na luta de oração* (1.29; 2.1). Paulo agonizava em oração em favor da Igreja. Orar para ele era entrar numa batalha agônica (1.29; 2.1). Se ainda houver na igreja líderes dispostos a sofrer na carne, no campo mental e, acima de tudo, na luta espiritual em oração, pode-se ainda esperar grandes investidas contra o território do inimigo.[12]

Em segundo lugar, *o sofrimento de Paulo é por causa dos gentios* (1.24; 2.1). *Agora, me regozijo nos meus sofrimentos por vós...* O apóstolo Paulo foi escolhido apóstolo dos gentios (Ef 3.1-13) e agora estava preso em Roma por causa do seu ministério voltado aos gentios. Em Jerusalém ele foi preso exatamente por causa do seu ministério entre os gentios (At 21.21).

Seu sofrimento pelos gentios não era apenas externo (1.24), mas também interno (2.1). Ele sofria pelos gentios por causa da perseguição e também sofria por causa de sua luta espiritual em favor deles. Paulo sofria até mesmo por aqueles aos quais nunca tinha visto face a face (2.1).

Em terceiro lugar, *o sofrimento de Paulo é pela Igreja* (1.24). Paulo, outrora era motivo de sofrimento para a Igreja, agora, porém, sofre pela Igreja. Antes, ele era perseguidor da Igreja, mas agora é perseguido por causa da Igreja. Antes lutava para destruir a Igreja, agora luta para edificar a Igreja. A Igreja está profunda e inalienavelmente ligada a Cristo. Ela é o Seu corpo, a Sua noiva, a Sua herdeira. O sofrimento por Cristo e pela Sua Igreja, portanto, trouxe-lhe grande alegria. Warren Wiersbe comenta que, ao contrário do que fazem alguns cristãos, o apóstolo não perguntou "O que eu vou ganhar com isso?", mas sim "Quanto Deus permitirá que eu contribua?"[13]

Um ministério de **serviço fiel** (1.25-27)

Como um servo fiel, Paulo se destacou em três aspectos no seu ministério:

Em primeiro lugar, **Paulo, ministro da igreja** (1.25). Paulo não é apenas "servo", *diácono* de Cristo, mas é também servo da Igreja, ou

---

[12] SHEDD, Russell. *Andai nele*, p. 40.
[13] WIERSBE, Warren W. *Comentário bíblico expositivo*. Vol. 6, 2006, p. 158.

seja, servo de servos. Ser ministro não é um posto de honras humanas, mas um campo de serviço aos santos. Ser ministro de Cristo não é ser reverenciado e bajulado pelos homens, mas estar a serviço de Cristo e dos homens. No exercício do seu pastorado, Paulo não busca os seus interesses, mas os interesses de Cristo e do Seu povo. Ele não é um explorador da Igreja, mas um ministro da Igreja. Ele não se abastece do rebanho, mas serve ao rebanho. Ele não faz da Igreja um campo de exploração para o enriquecimento pessoal, mas oferta sua vida como sacrifício para que a Igreja seja edificada.

Em segundo lugar, **Paulo, mordomo** (1.25). O termo dispensação, *oikonomia*, indica uma pessoa encarregada de administrar os bens do seu senhor (Lc 16.1-8). Fritz Rienecker diz que *oikonomia* indica a responsabilidade, autoridade e obrigação dada a um escravo doméstico.[14] O mordomo também era responsável por suprir as necessidades dos outros empregados ou escravos (Lc 12.42-48). As exigências impostas ao mordomo eram fidelidade (1Co 4.2) e prudência (Lc 12.42).[15] Paulo era o mordomo da Palavra de Deus (Rm 1.14,15).

O mordomo não tinha o dever de providenciar o alimento, mas de prepará-lo e servi-Lo. Não lhe cabia colocar o alimento na despensa, mas prepará-lo e levá-lo à mesa. O mordomo não podia acrescentar nem retirar nenhum alimento do cardápio. Cabia, sim, a ele balancear a dieta para que a família recebesse todos os nutrientes necessários. O mordomo não podia sonegar à família nenhum alimento que estava na despensa. O alimento do povo de Deus é a Palavra de Deus. Cabe ao mordomo fiel pregar ao povo todo o conselho de Deus (At 20.27).

Em terceiro lugar, **Paulo, proclamador do mistério de Deus** (1.26,27). Russell Shedd diz que, nas religiões de mistério, o segredo ou "mistério" era o rito de iniciação pelo qual o novato ingressava em união com o deus patrocinador da religião.[16] "Mistério" na literatura clássica era alguma coisa secreta que se tornava conhecida às pessoas iniciadas em determinadas religiões, porém estava fora do alcance de outras

---

[14] RIENECKER, Fritz e ROGERS, Cleon. *Chave linguística do Novo Testamento Grego*, p. 423.
[15] SHEDD, Russell. *Andai nele*, p. 40.
[16] SHEDD, Russell. *Andai nele*, p. 41.

pessoas.¹⁷ William Hendriksen diz que um "mistério" é uma pessoa ou verdade que teria permanecido desconhecida se Deus não a houvesse revelado.¹⁸

A palavra grega *mistérion* não inclui a ideia de doutrina incompreensível, mas é uma verdade anteriormente oculta, que agora foi divinamente revelada. Warren Wiersbe diz: "Um mistério é um segredo santo, oculto no passado, mas revelado no presente pelo Espírito Santo".¹⁹ William Barclay diz que esse mistério estava no fato de que a glória e a esperança do evangelho não eram apenas para os judeus, mas também para todos os homens em todas as partes.²⁰ Nessa mesma linha de pensamento, Ralph Martin diz que no presente contexto, "o mistério" fala da inclusão dos gentios bem como dos judeus no propósito divino da salvação.²¹

Aqui, Cristo, o mistério de Deus, identifica-se com a Palavra de Deus. Temos a Palavra Falada de Deus; a Palavra Escrita de Deus e a Palavra Encarnada de Deus. De todas essas manifestações da Palavra de Deus, Cristo é o Centro e o alvo supremo.²²

Destacaremos à luz do texto em questão cinco aspectos sobre Cristo como o Mistério de Deus:²³

O mistério oculto (1.26a). O mistério da pessoa e da obra de Cristo estava oculto no Antigo Testamento e, para muitos, continua oculto por causa da cegueira espiritual daqueles que ainda não foram iluminados pelo Espírito Santo (1Co 2.14; 2Co 4.4).

O ministério manifesto (1.26b). *O mistério... agora, todavia, se manifestou aos Seus santos*. Só os salvos têm a percepção clara de quem é Jesus e o significado do Seu sacrifício na cruz (1Co 2.14; 2Co 4.3,4). Essa percepção espiritual não é fruto da sabedoria humana nem da iniciação nas ciências e religiões de mistério, mas consequência da revelação

---

¹⁷FALCÃO, Silas Alves. *Meditações em Colossenses*, p. 63.
¹⁸HENDRIKSEN, William. *Colosenses y Filemon*, p. 106.
¹⁹WIERSBE, Warren W. *Comentário bíblico expositivo*. Vol. 6, 2006, p. 159.
²⁰BARCLAY, William. *Filipenses, Colosenses, I y II Tesalonicenses*, p. 135.
²¹MARTIN, Ralph P. *Colossenses e Filemom*, p. 82.
²²FALCÃO, Silas Alves. *Meditações em Colossenses*, p. 64.
²³FALCÃO, Silas Alves. *Meditações em Colossenses*, p. 64-69.

do Espírito Santo. O homem natural não discerne as coisas de Deus. O diabo mantém os incrédulos cegos às verdades espirituais. A não ser que Deus lhes abra os olhos do entendimento, eles não poderão compreender Cristo e Sua gloriosa obra expiatória. O reformador João Calvino, na introdução de suas *Institutas*, afirmou que nós só conhecemos a Deus porque Ele Se revelou a nós.

A habitação do mistério (1.27). *Cristo em vós, a esperança da glória*. O mistério é o próprio Cristo (Ef 3.3,4,9; 1Tm 3.16). William Hendriksen diz que o mistério é Cristo em todas as Suas gloriosas riquezas realmente morando no coração e na vida dos gentios por meio do Seu Espírito.[24]

Antes do pecado, o homem tinha plena comunhão com Deus. O pecado, entretanto, rompeu essa intimidade (Is 59.2). Deus decidiu então fazer morada entre o Seu povo através de um santuário móvel (Êx 25.8). Mais tarde a presença de Deus se fez perceber no templo de Jerusalém (2Cr 7.1-3). Mas foi na plenitude dos tempos que o próprio Deus desceu ao mundo e se fez carne e habitou entre nós (Jo 1.14). Agora, Paulo diz que Cristo não apenas habita entre nós, mas habita em nós (1.27). Essa habitação é pela fé (Ef 3.17). A habitação de Cristo em nós não é uma estada temporária, mas permanente. Cristo não é um inquilino, mas o dono da casa. A habitação de Cristo no cristão é a garantia da glória.

Ao comentar sobre o esplendor bendito dessa habitação de Cristo em nós, que enche nosso peito de esperança da glória, Werner de Boor diz:

> Cabe recordar que *doxa*, "glória" é a palavra bíblica para designar a plenitude de vida divina, o poder milagroso e a glória de luz. Agora "carecemos da glória de Deus" (Rm 3.23); particularmente nosso corpo físico, no qual vivemos a vida, é um "corpo de humilhação". Contudo, não foi reservada para nós apenas "felicidade eterna", mas "glória", participação na própria plenitude de vida e na glória de luz de Deus, e até mesmo nosso corpo há de ser um "corpo semelhante ao corpo de Sua

---

[24] HENDRIKSEN, William. *Colosenses y Filemon*, p. 107.

glória" (Fp 3.21), cheio de radiante incorruptibilidade e força. Isso é "a glória que deve ser revelada em nós", diante da qual todos os sofrimentos desta era se tornam insignificantes (Rm 8.18), e desde já nos gloriamos da esperança dessa glória (Rm 5.2). Foi nisso que se transformou a vida humana desde que o mistério do plano divino oculto há eras mundiais veio à luz: "Cristo em vós, a esperança da glória".[25]

A proclamação do mistério (1.28). *O qual nós anunciamos, admoestando a todo homem e ensinando a todo homem em toda sabedoria, para que apresentemos todo homem perfeito em Cristo.* A pessoa bendita de Cristo deve ser proclamada a todos os homens, em todos os lugares, em todos os tempos. O evangelho não é apenas para uma elite espiritual, como ensinavam os falsos mestres gnósticos. A perfeição não se alcança mediante meditação transcendental nem pela via das lucubrações filosóficas, mas por meio de Cristo.

O pleno conhecimento do mistério (2.2,3). Paulo escreve: ... *para compreenderem plenamente o mistério de Deus, Cristo, em quem todos os tesouros da sabedoria e do conhecimento estão ocultos.* Os falsos mestres induziam os colossenses a procurar conhecimento esotérico, ou seja, conhecimento místico em outras fontes. Conhecer a Cristo é o melhor antídoto contra todos os erros doutrinários que surgem no seio do cristianismo.[26] Em vez de encharcar a mente com os devaneios do conhecimento esotérico, devemos dedicar-nos ao pleno conhecimento de Cristo, mediante a Palavra.

Um ministério de **zelo pastoral** (1.28)

Russell Shedd salienta que o método usado por Paulo para desenvolver a sua tarefa de "administrador do mistério" girava em torno de três atividades pastorais: anunciar, advertir e ensinar.[27]

Em primeiro lugar, *anunciar a Cristo* (1.28). Em 2Coríntios 4.5 Paulo aborda o perigo de o mordomo anunciar a si mesmo, em vez

---

[25] BOOR, Werner de. *Carta aos Efésios, Filipenses e Colossenses*, p. 312,313.
[26] FALCÃO, Silvas Alves. *Meditações sobre Colossenses*. 1957, p. 68,69.
[27] SHEDD, Russell. *Andai nele*, p. 41,42.

de proclamar Jesus Cristo como Senhor, ou seja, reivindicar para si próprio algum direito ou privilégio especial.[28] Paulo tinha uma profunda paixão evangelística. Sua missão era anunciar a Cristo, e não a si mesmo. Por onde Paulo passava, deixava atrás de si uma verdadeira revolução. Ele, na verdade, não considerava a vida preciosa para si mesmo desde que anunciasse o evangelho da graça de Deus (At 20.24).

Em segundo lugar, **advertir a todo homem** (1.28). Não se cumpre a responsabilidade do despenseiro apenas divulgando a verdade do evangelho. Muitas pessoas precisam de advertência, *nouthesia*, sobre os riscos da vida cristã e as mentiras do inimigo (At 20.31). Essa advertência é com lágrimas, de forma afetiva, como fazem uma mãe e um pai (At 20.31; 1Co 4.14-16; 1Ts 2.7).

Ralph Martin, ao comentar sobre o significado da palavra *nouthesia*, "advertência", afirma:

> É uma palavra que pertence à pedagogia do Novo Testamento. Às vezes tem um caráter geral de instrução dada a novos cristãos (At 20.31; 1Co 10.11) e às vezes apresenta uma relação específica como o treinamento de crianças na família cristã (Ef 6.4). Paulo usa o termo principalmente a respeito de um ministério de admoestação, crítica e correção, quer por ele mesmo, como em Corinto (1Co 4.14,15), quer pelos líderes da igreja, como em Tessalônica (1Ts 5.12). Pelo menos uma referência diz respeito à disciplina daqueles que esposaram crenças heterodoxas (Tt 3.10), e é muito provável que este seja o pano de fundo do versículo em Colossenses.[29]

Em terceiro lugar, **ensinar a todo homem em toda sabedoria** (1.28). O verbo grego *didaskein*, "ensinar", desempenha um papel extremamente significativo nesta Epístola. É usado no sentido pastoral e ético como uma função dos cristãos nos seus tratos mútuos (1.28; 3.16).[30] Não basta advertir as pessoas; também devemos ensinar-lhes as verdades

---

[28] SHEDD, Russell. *Andai nele*, p. 41.
[29] MARTIN, Ralph P. *Colossenses e Filemom*, p. 83.
[30] MARTIN, Ralph P. *Colossenses e Filemom*, p. 83.

positivas da Palavra de Deus.³¹ Os cristãos recém-convertidos precisam ser ensinados (Mt 28.19,20). Eles precisam aprender sobre doutrina e vida. Paulo não ensina sobre um sistema, mas sobre uma Pessoa. O ensino de Paulo não era apenas teórico, mas, sobretudo, prático.

Warren Wiersbe diz que os gnósticos pregavam filosofia e tradições humanas vazias (2.8). Os falsos mestres apresentavam listas de regras e preceitos (2.16,20,21), mas Paulo apresentava Cristo.³² William Hendriksen corretamente afirma que para Paulo a doutrina abstrata não existia, tampouco a ética cristã flutuando no ar. Para Paulo o cristianismo era uma vida, mas uma vida baseada na doutrina.³³

O objetivo final de Paulo no desenvolvimento da sua tarefa era apresentar todo homem perfeito em Cristo. A palavra "perfeito", *teleios*, não significa sem pecado (Fp 3.12-15), mas maduro em contraste com imaturo (1Co 3.1,2; Hb 5.12-14). Perfeito em Cristo quer dizer amadurecido em caráter e personalidade, tendo Cristo como supremo modelo.

Um ministério de intenso **trabalho e oração** (1.29; 2.1-3)

Dois pontos são dignos de nota.

Em primeiro lugar, *Paulo agoniza na obra* (1.29). Paulo diz: *Para isso é que eu também me afadigo, esforçando-me o mais possível, segundo a sua eficácia que opera eficientemente em mim*. Paulo não apenas sofre (1.24). Ele não apenas desempenha a sua mordomia de pregar o mistério de Deus (1.25-28); ele também trabalha. *Também me afadigo, esforçando--me*, [agonizo], *o mais possível, segundo a sua eficácia,* [energeia], *que opera eficientemente em mim* (1.29).

As expressões "esforçando-me" (1.29) e "luta" (2.1) fazem parte do vocabulário atlético e se referem ao esforço vigoroso de um corredor para vencer a corrida. O termo "agonia" vem dessa palavra grega.³⁴ Fritz Rienecker diz que a ilustração atlética por trás dessa palavra enfatiza o trabalho missionário de Paulo com todo o seu esforço decorrente, a sua

---

³¹WIERSBE, Warren W. *Comentário bíblico expositivo*. Vol. 6, 2006, p. 160.
³²WIERSBE, Warren W. *Comentário bíblico expositivo*. Vol. 6, 2006, p. 159,160.
³³HENDRIKSEN, William. *Colosenses y Filemon*, p. 110.
³⁴WIERSBE, Warren W. *Comentário bíblico expositivo*. Vol. 6, 2006, p. 159.

exigência incansável e as suas lutas contra todos os tipos de oposição e recuos.[35]

O esforço de Paulo não é realizado na carne, mas na energia e na força do Espírito Santo. Quem realiza a obra de Deus precisa do poder de Deus.

Em segundo lugar, **Paulo agoniza em oração pelos cristãos** (2.1-3). A luta de Paulo pelos cristãos é uma luta de agonia. Fritz Rienecker diz que o retrato é o de uma luta atlética, exaustiva e exigente. A luta aqui não é contra Deus, mas ilustra o intenso esforço de uma pessoa orando, à medida que ela luta consigo mesma e contra aqueles que se opõem ao evangelho.[36] Não é uma oração fria, indiferente, sem senso de paixão e de urgência. Russell Shedd escreve:

À semelhança do conflito de Jesus no Getsêmani, o apóstolo se empenhou na batalha pela salvação das almas que Cristo comprara com o Seu precioso sangue. Essa luta de joelhos, na prisão de Roma, vencia as forças satânicas que avançavam contra os mal protegidos cristãos da Ásia.[37]

Em favor de que Paulo ora?

- *Encorajamento espiritual* (2.2). "Confortado" traduz a palavra grega *parakaleo*, que tem o sentido de exortar, encorajar, animar.[38] Encorajar as pessoas é dar a elas um novo coração. Corações desanimados geram pessimismo na igreja. A depressão espiritual é um campo fértil para o inimigo semear o joio doutrinário.[39] O abatimento de alma produz esfriamento da fé e do amor entre os irmãos.
- *Intenso amor fraternal* (2.2). O amor é o oxigênio da Igreja. O sistema de governo e o ritual religioso não são as coisas mais importantes na Igreja, mas sim o amor. Quando morre o amor, a comunidade cristã entra em colapso. Uma igreja desunida, na qual os irmãos se

---

[35]RIENECKER, Fritz e ROGERS, Cleon. *Chave linguística do Novo Testamento Grego*, p. 423.
[36]RIENECKER, Fritz e ROGERS, Cleon. *Chave linguística do Novo Testamento Grego*, p. 423.
[37]SHEDD, Russell. *Andai nele*. p. 43.
[38]SHEDD, Russell. *Andai nele*. p. 43.
[39]SHEDD, Russell. *Andai nele*. p. 44.

olham como rivais, na qual há partidos e grupos, na qual não há comunhão verdadeira, o nome de Cristo é desonrado e a igreja entra em crise. Um cristão maduro ama os irmãos e dá a sua vida por eles (1Jo 3.16). Um cristão maduro é um pacificador e não um provocador de problemas.

- *Forte entendimento espiritual* (2.2,3). A Igreja precisa ter discernimento espiritual. Ela não pode seguir os ventos de doutrina nem ser vulnerável à sutileza dos falsos mestres. A Igreja precisa ter convicção e entendimento para compreender a Cristo, em quem todos os tesouros da sabedoria e do conhecimento estão escondidos. É preciso buscar e cavar nessa mina, cujas pedras preciosas e cujos mais ricos tesouros só se desenterram com oração, leitura da Palavra e meditação.[40] Fritz Rienecker diz que é em Cristo que os tesouros da sabedoria e do conhecimento divinos estão depositados, antes de forma oculta, mas agora manifestos a todos os que conhecem a Cristo.[41] Os tesouros da sabedoria e do conhecimento estão ocultos em Cristo para que sejam descobertos, explorados e apropriados, diz Werner de Boor.[42]

Nessa mesma linha de pensamento, Hendriksen diz que os colossenses não necessitavam nem deviam buscar outra fonte de felicidade ou santidade fora de Cristo. Jactam-se os falsos mestres de sua sabedoria e conhecimento? Gloriam-se nos anjos? Nem homens, nem anjos, nem outra criatura tem algo a oferecer que não possa ser encontrado em Cristo em um grau infinitamente mais elevado e em uma essência incomparavelmente superior.[43] O mesmo escritor alerta para o fato de que em Cristo o conhecimento jamais está separado da sabedoria, como comumente acontece entre os homens.[44]

---

[40] SHEDD, Russell. *Andai nele*, p. 44.
[41] RIENECKER, Fritz e ROGERS, Cleon. *Chave linguística do Novo Testamento Grego*, p. 424.
[42] BOOR, Werner de. *Carta aos Efésios, Filipenses e Colossenses*, p. 317.
[43] HENDRIKSEN, William. *Colosenses y Filemon*, p. 122,123.
[44] HENDRIKSEN, William. *Colosenses y Filemon*, p. 123.

6

A igreja verdadeira sob ataque

Colossenses 2.4-15

A IGREJA VIVE NUM CAMPO MINADO PELO INIMIGO. A jornada rumo à glória não é uma estrada reta, espaçosa e confortável, mas um caminho estreito, sinuoso e cheio de perigos. Embora, a caminhada seja difícil e os inimigos sejam muitos, a chegada é certa. Não marchamos escorados no bordão da autoconfiança, mas sustentados pelas mãos dAquele que nos guia com o Seu conselho eterno até nos receber na glória.

Algumas verdades sublimes serão aqui destacadas.

Os predicados de uma igreja verdadeira (2.4-7)

Destacaremos à luz do texto em tela cinco predicados da igreja verdadeira:

Em primeiro lugar, ***uma igreja verdadeira demonstra uma vida disciplinada*** (2.5). Paulo manifesta sua alegria ao verificar "a boa ordem e a firmeza da fé" da igreja. Warren Wiersbe diz que as palavras "ordem" e "firmeza" fazem parte do vocabulário militar.[1] De forma semelhante William Barclay diz que esses dois termos apresentam um quadro gráfico, porque pertencem à linguagem militar. A palavra grega *táxis*,

---

[1] WIERSBE, Warren W. *Comentário bíblico expositivo*. Vol. 6, 2006, p. 162.

traduzida por "ordem", significa "fileiras ordeiras de um exército" ou disposição ordenada.² A "ordem" indica a organização hierárquica do exército, com cada soldado no devido posto.³ A igreja deve assemelhar-se a um exército ordenado em fila, onde cada soldado está em seu devido lugar e disposto a fazer o seu trabalho sob a ordem de comando.⁴

O mesmo escritor diz que a palavra "firmeza" é *stereoma*, que significa baluarte sólido, falange inamovível e pronta para receber o impacto do inimigo, sem recuar.⁵ A palavra "firmeza" descreve um exército em posição de combate, colocando-se diante do inimigo como uma frente coesa, disposta a enfrentar com galhardia o inimigo. Os cristãos devem avançar com disciplina e obediência como fazem os soldados no campo de batalha.

Em segundo lugar, ***uma igreja verdadeira manifesta um firme compromisso com o senhorio de Cristo*** (2.6). Ser cristão é receber a Cristo como Senhor. A vida cristã começa com a submissão ao senhorio de Cristo. A conversão desemboca em obediência. A conversão se evidencia pela submissão a Cristo. Jesus não é Salvador daqueles que ainda não se submeteram a Ele como Senhor. Jesus é apresentado como Salvador 22 vezes no Novo Testamento e 650 vezes como Senhor. A grande ênfase do Novo Testamento está no senhorio de Cristo.

Em terceiro lugar, ***uma igreja verdadeira dispõe-se a seguir os passos de Jesus*** (2.6). Ser cristão é andar nos passos de Jesus. É andar como Ele andou (1Jo 3.1-6). Um falso cristão pode enganar por algum tempo. Demas amou o mundo e abandonou a fé. Judas traiu o Mestre. Ananias e Safira mentiram para o Espírito Santo. O cristão verdadeiro é aquele que anda em novidade de vida, vive no Espírito, segue os passos de Jesus e anda como Cristo andou (1.10).

Em quarto lugar, ***uma igreja verdadeira evidencia uma inabalável firmeza em Cristo*** (2.7). Paulo usa algumas metáforas para evidenciar a nossa estabilidade espiritual e a nossa firmeza inabalável em Cristo.

---

²SHEDD, Russell. *Andai nele*, p. 45.
³WIERSBE, Warren W. *Comentário bíblico expositivo*. Vol. 6, 2006, p. 162.
⁴BARCLAY, William. *Filipenses, Colosenses, I y II Tesalonicenses*, p. 141.
⁵SHEDD, Russell. *Andai nele*, p. 45.

Uma figura da agricultura. A expressão "nEle radicados" sugere que o cristão tem a estabilidade de uma árvore frondosa cujas raízes estão plantadas firmemente em Cristo. Longe de ser como a palha que o vento dispersa ou como uma semente que os ventos de doutrina carregam, as raízes do cristão estão plantadas em Cristo. Não podemos perecer porque Aquele que nos sustenta jamais conheceu fracasso ou derrota. William Barclay, corroborando essa ideia, diz que a palavra usada para "arraigados" é a que se toma de uma árvore cujas raízes estão profundamente fixadas na terra. Assim como uma árvore se enraíza profundamente para extrair seu sustento do solo, da mesma forma o cristão deve enraizar-se em Cristo, que é a fonte da vida.[6] Russell Shedd lança mais luz no entendimento desse assunto, quando escreve.

"Nele radicados" está no pretérito perfeito, indicando uma experiência no passado que não mudará. A árvore, uma vez enraizada, só fica mais firme à medida que o tempo passa e ela cresce. Paulo deixa bem claro que, à semelhança da árvore, os cristãos foram plantados em Cristo, de uma vez para sempre. Sendo um verbo passivo, dá para entender que foi Deus quem plantou a Igreja, e não uma decisão meramente humana.[7]

Uma figura da arquitetura. A expressão "nEle edificados" revela que somos como um edifício, cujo fundamento é Cristo. Somos como uma casa edificada sobre a rocha. A chuva pode cair no telhado, os ventos podem fuzilar as paredes, os rios podem solapar os alicerces, mas essa casa não entrará em colapso, porque seu fundamento é inabalável. Estamos edificados sobre Cristo. Ele é a pedra sobre a qual a Igreja está edificada (Mt 16.18), o fundamento da Igreja (1Co 3.11), a pedra de esquina sobre a qual todo o edifício da Igreja se apoia (Ef 2.20). Ele é o nosso Sustentador.

Uma figura da pedagogia. Os verbos "confirmados" e "instruídos" sugerem que a vida cristã é como uma escola. Estamos radicados e edificados em Cristo e somos confirmados e instruídos pela Palavra de Cristo.

---

[6] BARCLAY, William. *Filipenses, Colossenses, I y II Tesalonicenses*, p. 141.
[7] SHEDD, Russell. *Andai nele*, p. 47.

Em quinto lugar, *uma igreja verdadeira manifesta efusiva gratidão a Deus* (2.7). Paulo não ora para que os colossenses comecem a dar graças, mas pede que o oceano de sua gratidão possa constantemente alargar suas fronteiras.[8] A palavra "crescendo" traz a ideia de um rio. Quando cremos em Cristo, uma fonte é aberta dentro de nós (Jo 4.10-14). Depois disso ela se transforma em um rio caudaloso (Jo 7.37-39). O cristão é alguém que se enche não de murmuração, queixumes e lamentos, mas cresce a cada dia em ações de graças. Ele sempre se volta para Deus, a fonte de todo o bem, com a alma em festa de alegria e com o coração embandeirado de gratidão.

Warren Wiersbe, sintetizando o texto estudado, vê seis figuras nos versículos 4 a 7: a figura de um exército (2.5), de um peregrino (2.6), de uma árvore (2.7a), de um edifício (2.7b), de uma escola (2.7c) e de um rio (2.7d).[9]

Os perigos enfrentados pela igreja verdadeira (2.4,8)

Russell Shedd diz que os colossenses estavam sendo atraídos por uma "salvação" mística, intelectual e especulativa e pela busca de contato benéfico com poderes espirituais. Procuravam uma "perfeição", não moral ou espiritual, mas teosófica. Paulo combateu toda essa palha, reconfirmando as principais verdades históricas e teológicas do evangelho.[10]

Paulo fala sobre dois perigos que a Igreja estava enfrentando em relação à falsa religião.

Em primeiro lugar, *ser enganada por raciocínios falsos* (2.4). Os falsos mestres tinham chegado a Colossos, e a igreja estava correndo sérios riscos. Com palavras persuasivas eles estavam disseminando seu veneno letal. O termo usado por Paulo "raciocínio falazes" é a tradução do termo grego *pithanologia*. A palavra era usada pelos escritores clássicos para denotar o raciocínio provável, mas oposto à demonstração. A palavra é usada nos papiros em um caso do tribunal de pessoas que

---

[8]HENDRIKSEN, William. *Colosenses y Filemon*, p. 127.
[9]WIERSBE, Warren W. *Comentário bíblico expositivo*. Vol. 6, 2006, p. 162,163.
[10]SHEDD, Russell. *Andai nele*, p. 53.

procuravam palavras persuasivas a fim de manter as coisas que haviam conseguido por meio de roubo. A terminologia usada aqui é praticamente equivalente à expressão "enrolar alguém".[11]

Nesta mesma linha de pensamento, William Barclay diz que o termo pertence à linguagem dos tribunais de justiça; indicava o poder persuasivo dos argumentos de um advogado, o tipo de argumento que podia fazer que o mal parecesse melhor à razão a fim de livrar o criminoso do justo castigo. Essa palavra era usada para descrever aquele discurso capaz de dissuadir toda uma assembleia a seguir por caminhos sinuosos. A igreja verdadeira deve estar de posse da verdade de tal forma que nunca dê ouvidos a argumentos enganosos e sedutores.[12]

Em segundo lugar, *tornar-se cativa de falsas filosofias* (2.8). As falsas filosofias, especialmente o gnosticismo, proliferavam também na cidade de Colossos. Aquela cultura mística tornou-se um canteiro fértil onde floresceram muitas heresias perniciosas. A palavra grega *sylagogein*, usada por Paulo para "enredar", significa sequestrar. A palavra era usada no sentido de "raptar", e aqui é a figura de desviar alguém da verdade e colocá-la na escravidão do erro.[13] William Barclay diz que esse termo poderia ser aplicado a um mercador de escravos que sequestrava e conduzia o povo de uma nação conquistada para levá-lo à escravidão. Para Paulo, constituía algo estranho e trágico que aqueles que haviam sido resgatados, redimidos e libertados (1.12-14) pudessem retornar novamente a uma miserável escravidão.[14]

O gnosticismo era uma falsa filosofia que estava distorcendo a doutrina de Cristo. Eles não negavam diretamente a pessoa e a obra de Cristo, mas negavam Sua supremacia e suficiência. Eles olhavam para Cristo apenas como um dos muitos mediadores. Na verdade, para eles Jesus não passava de uma das muitas emanações divinas. O gnosticismo era uma filosofia adicional ao cristianismo.

Essas falsas filosofias tinham três características:

---

[11] RIENECKER, Fritz e ROGERS, Cleon. *Chave linguística do Novo Testamento Grego*, p. 424.
[12] BARCLAY, William. *Filipenses, Colosenses, I y II Tesalonicenses*, p. 140.
[13] RIENECKER, Fritz e ROGERS, Cleon. *Chave linguística do Novo Testamento Grego*, p. 425.
[14] BARCLAY, William. *Filipenses, Colosenses, I y II Tesalonicenses*, p. 145.

Eram baseadas em tradição humana (2.8). Essa tradição humana, segundo William Hendriksen, era uma mescla de cristianismo, cerimonialismo judeu, ascetismo e culto dos anjos (2.11-23).[15] Eram ensinos falsos de homens sem a iluminação do Espírito de Deus. Eram ensinos de homens e não de Deus; da terra e não do céu. Esses falsos mestres argumentavam que Jesus jamais havia dito às multidões, senão a um seleto grupo, os mistérios que eles agora estavam repassando. Paulo, porém, os refuta dizendo que o ensino deles é meramente humano e não possui respaldo da Palavra de Deus. Trata-se de um produto da mente humana, e não de uma mensagem revelada por Deus.[16]

Eram baseadas nos rudimentos do mundo (2.8). Esses rudimentos do mundo, *stoicheia*, eram o á-bê-cê de qualquer assunto, mas também eram entendidos como os espíritos elementares do universo, especialmente os astros e planetas que supostamente governavam a vida humana.[17] De acordo com o ensino desses falsos mestres, os homens estavam sob essas influências e poderes e necessitavam de um conhecimento especial, além daquele que Cristo poderia dar, para serem libertos.[18] Ainda hoje, quando as pessoas se agarram à astrologia e consultam o horóscopo para tomar suas decisões, elas se deixam enredar por esse mesmo engano do passado.

Não estavam baseadas na Palavra de Cristo (2.8). Essas filosofias estavam contra Cristo e em desacordo com a Palavra de Cristo. A heresia gnóstica escamoteava a verdade ao afirmar que seus ensinos se originavam do próprio Cristo. Eles mentiam abertamente ao usar o nome de Cristo para disseminar suas ideias heréticas. A filosofia gnóstica baseava-se em raciocínios falazes em vez de calcados na Palavra de Deus.

As armas de defesa da igreja verdadeira (2.9,10)

O apóstolo menciona três armas de defesa da igreja verdadeira.

Em primeiro lugar, **saber quem é Cristo** (2.9). Os mestres gnósticos ensinavam que Cristo não era suficiente para levar o homem a Deus,

---

[15] HENDRIKSEN, William. *Colosenses y Filemon*, p. 129.
[16] BARCLAY, William. *Filipenses, Colosenses, I y II Tesalonicenses*, p. 146.
[17] SHEDD, Russell. *Andai nele*, p. 49.
[18] BARCLAY, William. *Filipenses, Colosenses, I y II Tesalonicenses*, p. 144.

pois era apenas um dos muitos mediadores. Silas Alves Falcão diz que esses falsos mestres concebiam a plenitude da Divindade como distribuída entre anjos, pelos quais o universo material fora criado. Cristo não passava de uma manifestação de Deus, um "éon". A resposta de Paulo é fulminante. Cristo não é uma revelação parcial de Deus, mas é Deus mesmo em toda a Sua plenitude.[19]

Esses falsos mestres tinham uma visão pequena e distorcida da Pessoa e da Obra de Cristo. A palavra grega *katoikéo*, "habitar", significa estar em casa.[20] Não se trata de morar temporariamente como um inquilino, mas de habitar permanentemente como o dono da casa. Jesus era e é o Deus perfeito e absoluto. Nele habita corporalmente toda a plenitude da Divindade. É *nEle* – e não nos intermediários angelicais – que a plenitude divina habita na Sua totalidade.[21]

Paulo usa a palavra *Theotetos*, e não *Theiostes*. A primeira expressa o estado de ser Deus, enquanto a segunda significa "ser semelhante a Deus". Nenhum ser criado pode ser "plenitude". O mais sábio, o mais forte, o mais perfeito, o mais santo dos homens não é plenitude, isto é, não pode encerrar a plenitude em seu ser, pois que isto seria o mesmo que dizer que o finito poderia conter o infinito. Mas em Cristo "habita corporalmente toda a plenitude da Divindade", e não há nenhum absurdo nessa afirmação, visto que Ele é Deus. Vale ressaltar ainda que *somatikos*, "corporalmente", demonstra que não é por figura ou sombra que a plenitude da Divindade habita de modo permanente em Jesus, mas sim em realidade. Jesus não é uma representação de Deus, mas Deus mesmo.[22]

O apóstolo Paulo rechaçou o ensino desses falsos mestres, dizendo que eles não necessitavam de coisa nenhuma fora de Cristo para triunfar sobre qualquer poder do universo, porque nEle se encontra nada menos que toda a plenitude de Deus, e Ele é o cabeça de todo poder e autoridade, pois Ele os criou.[23] William Hendriksen coloca esse pensamento com clareza:

---

[19] FALCÃO, Silas Alves. *Meditações em Colossenses*, p. 95.
[20] RIENECKER, Fritz e ROGERS, Cleon. *Chave linguística do Novo Testamento Grego*, p. 425.
[21] MARTIN, Ralph P. *Colossenses e Filemom*, p. 90.
[22] FALCÃO, Silas Alves. *Meditações em Colossenses*, p. 95-97.
[23] BARCLAY, William. *Filipenses, Colosenses, I y II Tesalonicenses*, p. 147.

Dado que toda a plenitude da essência de Deus está concentrada em Cristo, não existe nada que justifique nenhuma necessidade de buscar em outro lugar ajuda, salvação ou perfeição espiritual. Em Cristo nós possuímos a fonte da qual flui a corrente das bênçãos que podem satisfazer qualquer necessidade que tenhamos, seja nesta vida seja na vindoura.[24]

Em segundo lugar, *saber o lugar que Cristo ocupa* (2.10b). Cristo não é um entre os muitos mediadores, como se Ele fosse uma mera criatura da Divindade. Ele é o próprio Filho de Deus, e também o cabeça, a fonte, o chefe e o Senhor de todas as hostes angelicais, sejam anjos santos ou decaídos. William Hendriksen corretamente afirma que Cristo é o cabeça de todo principado e potestade não no sentido pleno no qual Ele é o cabeça da Igreja (1.18), que é Seu corpo, mas no sentido de que Ele é o governador supremo de todas as coisas (1.16; Ef 1.22), de modo que fora do Seu comando os anjos bons não podem ajudar a ninguém e devido a Ele os anjos maus não podem ferir os cristãos.[25]

Em terceiro lugar, *saber o que temos em Cristo* (2.10a). O aperfeiçoamento não é adquirido por meio de ciências ocultas, religiões de mistério ou iniciação em cultos pagãos. Somos aperfeiçoados em Cristo. Não é a *gnose* que nos leva a Deus, mas Cristo. Não somos transformados de pedras brutas em pedras lapidadas do edifício de Deus pelo esforço humano, mas pela obra de Cristo em nós, aplicada pelo Espírito.

O que Cristo fez pela igreja verdadeira (2.11-15)

O apóstolo Paulo destaca cinco grandiosas obras realizadas por Cristo em benefício da igreja.

Em primeiro lugar, *transformação interior em lugar de incisão exterior* (2.11). Os falsos mestres em Colossos, num concubinato espúrio entre gnosticismo e judaísmo, diziam que a fé em Cristo não era suficiente para a salvação; devíamos agregar a ela a circuncisão.

A circuncisão era um sinal da aliança de Deus com o povo de Israel (Gn 17.9-14). Apesar de ser uma operação física, possuía significado

---

[24] HENDRIKSEN, William. *Colosenses y Filemon*, p. 132.
[25] HENDRIKSEN, William. *Colosenses y Filemon*, p. 133.

espiritual. O problema era que o povo judeu dependia do caráter físico dessa prática, não do espiritual. Uma simples operação física não pode jamais transmitir graça espiritual.[26] A circuncisão que esses falsos mestres exigiam era apenas uma incisão exterior, e não uma transformação interior. Os falsos mestres não fizeram uma leitura correta do Antigo Testamento, pois a essência do ensino veterotestamentário sobre a circuncisão consistia em que essa era a marca externa do homem consagrado internamente a Deus. Por isso a Bíblia fala de lábios circuncidados (Êx 6.12) e coração circuncidado (Lv 26.41). Os falsos mestres só podiam circuncidar o prepúcio do homem, enquanto Cristo podia circuncidar seu coração. Os homens só podem fazer uma incisão na carne, algo externo, mas Cristo, e só Ele, pode fazer uma transformação interna.

A circuncisão de Cristo é diferente da judia. A circuncisão judia era uma cirurgia externa; a de Cristo é no coração; a circuncisão judia era apenas de uma parte do corpo; a de Cristo, de todo o corpo; a circuncisão judia era feita pelas mãos; a de Cristo foi feita pelo Espírito Santo; a circuncisão judia não podia ajudar as pessoas espiritualmente; a de Cristo capacita o homem a vencer o pecado.[27]

Em segundo lugar, *uma vida radicalmente nova* (2.12,13a). Paulo usa aqui a figura do batismo como nossa identificação com Cristo. Tudo o que aconteceu com Cristo, aconteceu conosco. Quando Cristo morreu, nós morremos com Ele. Quando Cristo foi sepultado, nós fomos sepultados com Ele. Quando Cristo ressuscitou, nós ressuscitamos com Ele e deixamos as roupas da velha vida na sepultura. Estávamos mortos e agora renascemos para uma nova vida. Temos vida com Cristo. William Barclay diz que a obra de Cristo é uma obra de poder porque deu vida a homens mortos; é uma obra de graça porque alcançou aqueles que não tinham razão de esperar benefícios divinos.[28]

Em terceiro lugar, *o perdão definitivo dos pecados* (2.13b). Paulo diz: ... *perdoando todos os nossos delitos*. O perdão de Deus é gratuito,

---

[26] WIERSBE, Warren W. *Comentário bíblico expositivo.* Vol. 6, 2006, p. 165.
[27] WIERSBE, Warren W. *Comentário bíblico expositivo.* Vol. 6, 2006, p. 165
[28] BARCLAY, William. *Filipenses, Colosenses, I y II Tesalonicenses*, p. 151.

generoso, certo e fundamental.²⁹ A experiência mais doce do cristão é a certeza do perdão divino. Davi muito bem expressou esta verdade: *Bem-aventurado o homem cuja transgressão é perdoada e cujo pecado é coberto* (Sl 32.1). Uma consciência atormentada pelo peso da culpa e pela inquietação provinda da impossibilidade de pagar a Deus a sua dívida é uma das maiores tragédias espirituais da humanidade.³⁰ Em virtude do sangue derramado de Cristo na cruz, temos perdão completo. Deus mesmo é aquele que apaga as nossas transgressões e não mais se lembra delas (Is 43.45).

Em quarto lugar, *o cancelamento total da dívida* (2.14). Jesus não somente levou nossos pecados sobre a cruz (1Pe 2.24), mas também levou a lei e a encravou na cruz.³¹ A lei que era contra nós, porque era impossível que nós a cumpríssemos, foi também crucificada. Agora, estamos debaixo da graça, e não da lei.

Há quatro pontos neste versículo que queremos destacar:

A admissão da dívida. A palavra grega *queirografon*, "escrito de dívidas", era uma espécie de lista de acusações que continha as dívidas que o próprio devedor admitia. Era uma nota escrita a mão por um devedor que reconhecia sua dívida. Era uma admissão de dívida escrita de próprio punho. Fritz Rienecker diz que essa palavra era usada como um termo técnico para o reconhecimento escrito de um débito. Era como uma nota promissória assinada pessoalmente pelo devedor.³² Os pecados do homem são uma longa lista de dívida para com Deus. Trata-se de uma acusação contra si mesmo; ou seja, de uma lista de acusações que o homem devedor assinou e reconheceu firma.³³

A anulação da dívida. Deus anulou ou apagou a lista de acusações. A palavra grega *exaleifein*, traduzida por "removeu-o", significa apagar, anular, queimar ou inutilizar uma acusação ou dívida escrita.³⁴ Fritz Rienecker diz que essa palavra era usada para apagar uma experiência

---

²⁹HENDRIKSEN, William. *Colosenses y Filemon*, p. 140.
³⁰FALCÃO, Silas Alves. *Meditações em Colossenses*, p. 115.
³¹WIERSBE, Warren W. *Comentário bíblico expositivo*. Vol. 6, 2006, p. 167.
³²RIENECKER, Fritz e ROGERS, Cleon. *Chave linguística do Novo Testamento Grego*, p. 426.
³³BARCLAY, William. *Filipenses, Colosenses, I y II Tesalonicenses*, p. 151.
³⁴BARCLAY, William. *Filipenses, Colosenses, I y II Tesalonicenses*, p. 152.

na memória ou para cancelar um voto, ou, ainda, para anular uma lei ou cancelar um débito.[35] Deus anulou o documento de nossos pecados; Ele apagou o registro das nossas dívidas de forma tão completa como se elas jamais tivessem existido. Russell Shedd diz que a figura de um tribunal está na mente de Paulo. O réu está no banco. A escrita repleta de acusações está sendo preparada e lida. Mas o juiz, que é Deus, inocenta o culpado, tendo satisfeito na morte de Jesus, Seu Filho amado, todas as exigências da lei.[36]

A fixação da dívida na cruz. No mundo antigo, quando se cancelava uma lei, decreto ou prescrição, eles eram fixados em uma tábua com um cravo. Na cruz de Cristo foi crucificada a nossa lista de dívidas. Todas as acusações que pesavam contra nós foram pregadas na cruz de Cristo. Nossas acusações foram executadas. Foram eliminadas como se nunca tivessem existido. Em Sua misericórdia, Deus destruiu, prescreveu e eliminou todos os registros das nossas dívidas.[37] Ralph Martin diz que o pregar deste documento na cruz, agora com todas as suas acusações apagadas, é, pois, uma ação subsequente que sugere um ato de desafio triunfante diante daqueles poderes chantagistas que ameaçavam os colossenses no sistema dos heréticos.[38] Werner de Boor conclui esse ponto dizendo que Paulo tem a resposta que nenhuma filosofia daquela época ou de hoje pode fornecer: olhe para a cruz, e ali você verá a sua nota promissória publicamente destacada e aniquilada.[39]

A legalidade da dívida. Paulo afirma: *tendo cancelado o escrito de dívida, que era contra nós e que constava de ordenança, o qual nos era prejudicial...* (2.14). A lista de acusações estava baseada nas ordenanças da lei. A palavra grega *dogmasin* significa "ordens de tribunal ou juiz".[40] A palavra ainda se refere à obrigação legal em forma de lei ou edito, colocados num local público para que todos os passantes

---

[35] RIENECKER, Fritz e ROGERS, Cleon. *Chave linguística do Novo Testamento Grego*, p. 426.
[36] SHEDD, Russell. *Andai nele*, p. 52.
[37] BARCLAY, William. *Filipenses, Colosenses, I y II Tesalonicenses*, p. 152.
[38] MARTIN, Ralph P. *Colossenses e Filemom*, p. 97.
[39] BOOR, Werner de. *Carta aos Efésios, Filipenses e Colossenses*, p. 334.
[40] SHEDD, Russell. *Andai nele*, p. 52.

pudessem ver.⁴¹ A acusação adquiria a força e o poder das prescrições e decretos da lei. O homem não podia guardar a lei, por ser pecador. Por isso estava debaixo de maldição (Gl 3.13). A lei é perfeita e exigia do homem total perfeição, por isso, ao tropeçar num único ponto, tornava-se culpado de toda a lei (Tg 2.19). Mas aquilo que o homem não podia fazer, Deus fez por ele em Cristo. O Filho de Deus tornou-se nosso representante e fiador. Quando Cristo foi à cruz, Deus lançou sobre Ele a iniquidade de todos nós. Ele foi moído pelos nossos pecados e traspassado pelas nossas iniquidades. Ele pegou o escrito de dívida que era contra nós, anulou-o, rasgou-o e o encravou na cruz. Ele bradou do topo da cruz: *Está consumado!* (Jo 19.30). A palavra grega *tetélestai* significa: Está pago! O homem agora não deve mais nada. A lei que dava legitimidade à nossa acusação foi cumprida e também pregada na cruz!

Por meio do Seu Filho, Deus revogou a lei como meio de salvação e como uma maldição que pendia sobre a nossa cabeça. Em certo sentido, essa lei que trazia a lista das nossas dívidas, as acusações contra nós e a sentença da nossa condenação foi pregada na cruz. Deus anulou a lei, quando Seu Filho satisfez completamente Sua demanda de perfeita obediência. A lei foi cravada com Cristo na cruz. Morreu quando Ele morreu. E, por causa da natureza vicária do sacrifício de Cristo, os cristãos já não estão debaixo da lei, mas da graça (Rm 6.14; 7.4,6; Gl 2.19).⁴² O fim da lei é Cristo (Rm 10.4).

Hendriksen esclarece um ponto importante no trato desta matéria:

> Isto não quer dizer que a lei moral tenha perdido o seu significado para o cristão. Não pode significar que agora deve deixar de amar a Deus sobre todas as coisas e a seu próximo como a si mesmo. Ao contrário, a lei de Deus tem uma validade eterna (Rm 13.8,9; Gl 5.14). O cristão encontra nela seu máximo prazer. O cristão a obedece em gratidão pela salvação que recebeu como uma dádiva da graça soberana de Deus. Todavia, ele foi liberto da lei como um código de regras e prescrições,

---

⁴¹RIENECKER, Fritz e ROGERS, Cleon. *Chave linguística do Novo Testamento Grego*, p. 426.
⁴²HENDRIKSEN, William. *Colosenses y Filemon*, p. 142,143.

como um meio de obter a salvação eterna, e como uma maldição, que ameaçava destruí-lo.⁴³

Em quinto lugar, *o triunfo final sobre os principados e potestades* (2.15). Jesus não somente lidou com o pecado e com a lei na cruz, mas também com satanás. Jesus despojou os principados e potestades e os fez cativos, triunfando sobre esses poderes satânicos.

A palavra grega *apekdusamenos* se aplica ao despojo de armas e armadura de um inimigo derrotado. Jesus quebrou de uma vez para sempre o poder dos principados e potestades. Ele os expôs à vergonha pública e os levou cativos em Sua carreira triunfal. A vitória de Cristo é cósmica. Em Sua marcha triunfal os poderes do mal sofreram um golpe definitivo que todos podem contemplar.⁴⁴

Aqui Paulo finca uma bandeira no território desses falsos mestres e mostra ao mundo inteiro a suficiência total da obra de Cristo. Os cristãos não precisam ter medo desses agentes malignos.

Hendriksen deixa esse ponto claro ao fazer algumas perguntas: acaso Deus não nos resgatou do Império das trevas? (1.13). Não é Seu Filho o cabeça de todo principado e potestade? (2.10). Não é verdade que os principados e autoridades não são mais que meras criaturas, criadas por Ele, através dEle e para Ele? (1.16). Portanto, devem recordar que, por meio deste mesmo Filho, Deus despojou a esses principados e potestades de Seu poder. Desarmou-os totalmente. Não triunfou Cristo sobre eles na tentação do deserto? (Mt 4.1-11). Acaso não amarrou o valente? (Mt 12.29), e não lançou fora os demônios uma e outra vez? Não tirou Cristo, pela Sua morte vicária, toda a possibilidade de satanás levantar contra nós qualquer acusação legal? (Rm 8.34). Não é certo, então, que mediante esses grandiosos atos redentivos, Deus exibiu e envergonhou publicamente esses poderes malignos, triunfando sobre eles e levando-os cativos em seu desfile de triunfo?⁴⁵

Russell Shedd, nesta mesma trilha de pensamento, descreve esse triunfo de Cristo sobre as hostes do mal com as seguintes palavras:

---

⁴³HENDRIKSEN, William. *Colosenses y Filemon*, p. 143.
⁴⁴BARCLAY, William. *Filipenses, Colosenses, I y II Tesalonicenses*, p. 153.
⁴⁵HENDRIKSEN, William. *Colosenses y Filemon*, p. 144.

Cristo venceu os principados e potestades ao vencer todas as tentações satânicas, vivendo uma vida absolutamente sem pecado. Mais ainda, Cristo os venceu pela morte conquistada na ressurreição. Os poderes do mal tentaram destruir Jesus, publicamente, pela rejeição do povo, que gritava: "Crucifica-o!" e pelo poder político dos líderes israelitas, com a concordância de Roma (At 2.23). Justamente na hora da maior vitória das trevas sobre o Senhor da Glória, Ele rompeu os grilhões da morte, demonstrando Sua vitória sobre o poder do pecado na Sua expiação na cruz e sobre a morte pela ressurreição. A palavra grega aqui traduzida por "triunfando" pode indicar o cortejo triunfal do general romano que, após a conquista de território novo, traz os cativos amarrados, com o seu exército vitorioso.[46]

Warren Wiersbe conclui dizendo que Jesus conquistou três vitórias na cruz: Jesus despojou os principados e potestades, tirando de satanás e de seu exército todas as suas armas. Jesus publicamente os expôs à vergonha e à derrota. Jesus triunfou sobre todas as hostes do mal. Sempre que um general romano conquistava uma grande vitória em terras estrangeiras, fazia muitos cativos, tomava muitos espólios e se apossava de novos territórios para Roma, era homenageado com um desfile oficial conhecido como "triunfo romano". Jesus Cristo conquistou vitória absoluta, voltando à glória em um grande cortejo triunfal (Ef 4.8-16).[47]

---

[46]SHEDD, Russell. *Andai nele*, p. 53.
[47]WIERSBE, Warren W. *Comentário bíblico expositivo*. Vol. 6, 2006, p. 167.

7

A ameaça do engano religioso

Colossenses 2.16-23

AS HERESIAS SÃO COMO ERVAS DANINHAS: florescem em todos os lugares. Como ervas venenosas, as heresias matam. As heresias resistem ao tempo, cruzam os séculos e ameaçam a Igreja ainda hoje. A primeira advertência de Jesus no Seu sermão profético foi sobre o engano religioso: *Vede que ninguém vos engane. Porque virão muitos em Meu nome, dizendo: Eu sou o Cristo, e enganarão a muitos* (Mt 24.4,5).

Depois de falar da heresia gnóstica, uma severa helenização do cristianismo, Paulo trata agora de três novas vertentes da heresia que estava atacando as igrejas do vale do Lico: o legalismo, o sincretismo e o ascetismo. William Barclay diz que a heresia central que esses falsos mestres disseminavam era que Jesus Cristo, Sua obra e Sua doutrina não eram suficientes para a salvação.[1]

Vamos examinar essas três heresias que ameaçavam a Igreja do primeiro século. Ao examiná-las, não faremos apenas uma viagem rumo ao passado, pois elas ainda estão vivas e rondando as igrejas contemporâneas.

---

[1] BARCLAY, William. *Filipenses, Colosenses, I y II Tesalonicenses*, p. 145.

A ameaça do **legalismo** (2.16,17)

O legalismo é um caldo mortífero que ameaçou a Igreja no passado e ainda perturba a Igreja hoje. Warren Wiersbe diz que suas doutrinas consistiam em uma estranha mistura de misticismo oriental com legalismo judeu e uma pitada de filosofia e preceitos cristãos.[2]

O apóstolo Pedro classificou o legalismo como um jugo, uma canga no pescoço: *Agora, pois, por que tentais a Deus, pondo sobre a cerviz dos discípulos um jugo que nem nossos pais puderam suportar nem nós?* (At 15.10). O apóstolo Paulo, de igual forma, via o legalismo como um jugo de escravidão: *Para a liberdade foi que Cristo nos libertou. Permanecei, pois, firmes e não vos submetais, de novo, a jugo de escravidão* (Gl 5.1).

Hendriksen diz que o propósito principal dos falsos mestres era atacar a doutrina da suficiência de Cristo. Eles pregavam que ninguém poderia ser salvo e chegar à perfeição senão por meio de seus regulamentos legalistas.[3]

Os falsos mestres queriam transformar a religião numa questão de regras e prescrições sobre comidas e bebidas. Mas Jesus deixou bem claro que a dieta alimentar em si mesma é alguma coisa neutra. Não é o que entra pela boca, mas o que sai do coração é que contamina o homem (Mt 15.11-20). Jesus considerou puros todos os alimentos (Mc 7.19). Paulo diz que são os falsos mestres que exigem abstinências de alimentos, que Deus criou para serem recebidos (1Tm 4.3). Paulo dá o seu veredicto: *Pois tudo que Deus criou é bom, e, recebido com ação de graças, nada é recusável, porque pela Palavra de Deus e pela oração, é santificado* (1Tm 4.4,5). Por isso, o próprio apóstolo Paulo diz: *Não é a comida que nos recomendará a Deus, pois nada perderemos, se não comermos, e nada ganharemos, se comermos* (1Co 8.8).

O legalismo era uma das facetas da heresia que ameaçava a igreja de Colossos. Para esclarecer esse ponto, vamos destacar quatro pontos:

Em primeiro lugar, *a descrição do legalismo* (2.16). Os promotores do legalismo andavam pelas igrejas como assaltantes da liberdade cristã.

---

[2] WIERSBE, Warren W. *Comentário bíblico expositivo*. Vol. 6, 2006, p. 168.
[3] HENDRIKSEN, William. *Colosenses y Filemon*, p. 144.

Eles eram escravos de uma infinidade de regras e queriam colocar essas mesmas algemas nos cristãos. Eram prisioneiros e queriam roubar a liberdade dos salvos. Eles argumentavam com os cristãos, buscando convencê-los de que, a menos que guardassem determinados dias e festas do calendário e observassem determinadas dietas com abstinência de certos alimentos e bebidas, jamais poderiam ser salvos ou viver uma vida santa e vitoriosa.

Os falsos mestres faziam uma leitura errada tanto do Antigo quanto do Novo Testamento. Todas as exigências da Velha Aliança relativas aos alimentos e dias sagrados não passavam de sombras das novas condições na era da Igreja. Diz o autor aos hebreus: *Ora, visto que a lei tem sombra dos bens vindouros, não a imagem real das coisas, jamais pode tornar perfeitos os ofertantes, com os mesmos sacrifícios que, ano após ano, perpetuamente eles oferecem* (Hb 10.1). A lei serviu de pedagogo que nos tomou pela mão e nos conduziu a Cristo (Gl 3.23-25).

Em segundo lugar, **as prescrições do legalismo** (2.16). O apóstolo Paulo diz: *Ninguém, pois, vos julgue por causa de comida e bebida, ou dia de festa, ou lua nova, ou sábados* (2.16). Os falsos mestres legalistas se ocupavam de duas coisas básicas: dietas de comida e bebida e dias sagrados. A Igreja de Cristo, porém, não é prisioneira de calendários nem de dietas. O próprio sábado é uma sombra; a realidade é Cristo. Quais eram as prescrições do legalismo?

Eles estavam preocupados com dietas alimentares (2.16). O apóstolo alerta: "Ninguém vos julgue por causa de comida e bebida". Eles se preocupavam com aquilo que entrava no estômago, e não com o que saía do coração. Eles buscavam uma santidade exterior, e não interior. Cuidavam da forma, e não da essência. Fritz Rienecker diz que a ideia de que o homem pode servir à Divindade ou preparar-se para receber uma revelação mediante uma vida ascética era muito comum no mundo antigo.[4] Russell Shedd destaca que os mestres falsos vinham ensinando que algumas comidas e bebidas contaminavam quem as consumia, impedindo a pessoa de entrar em contato com poderes

---

[4] RIENECKER, Fritz e ROGERS, Cleon. *Chave linguística do Novo Testamento Grego*, p. 426.

sobrenaturais.[5] Questões de comida e de bebida, porém, não têm consequência na prática da piedade cristã. O apóstolo Paulo declara: *Porque o Reino de Deus não é comida nem bebida, mas justiça, paz, e alegria no Espírito Santo* (Rm 14.17). A razão disso está no fato de que, com o uso, comida e bebida se destroem (2.22).

Eles estavam preocupados com dias especiais (2.16). Paulo prossegue: *Ninguém vos julgue por causa [...] de dia de festa, ou lua nova, ou sábados*. Os legalistas pensavam que a observância de certas datas especiais e certas comemorações festivas é que os tornavam aceitáveis a Deus. O principal problema dos falsos mestres não era guardar esses dias especiais, mas ensinar que dessa observância dependia a salvação.

Em terceiro lugar, *o engano do legalismo* (2.17). O apóstolo Paulo derruba o fundamento do legalismo, dizendo: *Porque tudo isso (comida e bebida, ou dia de festa, ou lua nova, ou sábados) tem sido sombra das coisas que haviam de vir; porém o corpo é de Cristo* (2.17). Platão, no seu livro *República*, distingue a sombra (aparência externa) da realidade (a verdade espiritual e interna das coisas). Paulo, porém, usa "sombra" no sentido de prenúncio da realidade.[6] O corpo lança uma sombra, mas o corpo é infinitamente mais real que a sua sombra, além de ser distinto desta.[7]

Paulo refuta os falsos mestres usando a ilustração do "corpo" e da "sombra". Werner de Boor esclarece esse ponto quando escreve:

> Um corpo lança sua sombra e pode ser reconhecido pela sombra, segundo seu contorno. Porém o essencial não é a sombra, mas próprio corpo. Assim o mandamento do sábado de Israel também é "apenas uma sombra do que haveria de vir, o verdadeiro corpo é de Cristo". Os mandamentos e regras dados a Israel eram tão somente a sombra projetada de uma coisa cuja realidade plena pertence somente a Cristo e chegou nEle e com Ele.[8]

---

[5] SHEDD, Russell. *Andai nele*, p. 55.
[6] BARTON, Bruce B. et al. *Life application bible commentary on Philippians, Colossians and Philemon*, p. 197.
[7] CHAMPLIN, Russell Norman. *O Novo Testamento interpretado versículo por versículo*, p. 124.
[8] BOOR, Werner de. *Carta aos Efésios, Filipenses e Colossenses*, p. 338.

Nessa mesma linha de pensamento, Russell Norman Champlin diz que a palavra "sombras" deve levar-nos a pensar nos seguintes pontos: ela fala de 1) inexatidão; 2) natureza incompleta; 3) falta de substancialidade; 4) temporalidade; 5) inferioridade; 6) simbolismo; 7) diferença de natureza; 8) questões cerimoniais contidas em ritos; 9) que são coisas dispensáveis.[9]

Essas coisas às quais os legalistas se agarravam eram a sombra, mas o corpo é de Cristo. Quando a realidade chega, não precisamos mais da sombra. Por que retornar à sombra, quando já temos a realidade?

Corroborando essa posição, Fritz Rienecker diz que a palavra grega *skia*, "sombra", usada aqui por Paulo, indica uma sombra que não tem substância em si mesma, e indica a existência de um corpo que a produz ou indica um esboço, um mero esquema do objeto, em contraste com o objeto em si. Isso significa que o ritual do Antigo Testamento era um mero esquema das verdades redentivas do Novo Testamento.[10]

Ralph Martin afirma que a "sombra" é um presságio daquilo que está por vir; e o tempo da substância já chegou, tornando antiquado, desta maneira, tudo quanto apontava para ela como coisa futura. Aquela "substância" é Cristo. A nova era cristã liberta os homens da escravidão ao medo e ao terror supersticioso. Liberta-os de noções falsas e esperanças insubstanciais, e dá-lhes um gosto da realidade na religião, na medida em que chegam a conhecer em Cristo a verdadeira comunhão com o Deus vivo. Esta realidade é aquilo a que Paulo se refere nas suas alusões anteriores à "esperança do evangelho" (1.5,23).[11]

Hendriksen deixa claro esse ponto, quando escreve:

> Por que ter como indispensável o submeter-se a preceitos sobre comida, quando Aquele que foi anunciado pelo maná de Israel se nos oferece a Si mesmo como o Pão da vida? (Jo 6.35,48). Como pode considerar-se a Páscoa (Êx 12.1-12) uma observância necessária para a perfeição espiritual, se "nossa Páscoa, que é Cristo, já foi sacrificado por nós?" (1Co 5.7).

---

[9] CHAMPLIN, Russell Norman. *O Novo Testamento interpretado versículo por versículo*, p. 124.
[10] RIENECKER, Fritz e ROGERS, Cleon. *Chave linguística do Novo Testamento Grego*, p. 426.
[11] MARTIN, Ralph P. *Colossenses e Filemom*, p. 102.

Que justificativa havia para impor aos que se converteram do mundo gentílico a observância do sábado judeu, quando Aquele que traz o descanso eterno exorta a todos a ir até Ele? (Mt 11.28,29; Hb 4.8,14).[12]

Uma questão intrigante pulsa em nossa mente: Por que o legalismo com sua rigidez fundamentalista é tão popular e tão aceito na maioria das religiões? Warren Wiersbe responde: "É porque dentro desse sistema, é possível medir nossa vida espiritual – e até nos vangloriar dela!"[13]

Em quarto lugar, *a derrota do legalismo* (2.16,17). Em virtude de tudo aquilo que Cristo é e fez por nós, não devemos permitir que ninguém nos julgue pelas regras do legalismo. A preposição "pois" (2.16) nos ensina que a base da nossa liberdade são a pessoa e a obra de Jesus Cristo. Somente depois que Paulo proclamou que Cristo triunfou na cruz sobre os nossos pecados, sobre a lei que nos condenava e sobre as forças espirituais que nos acusavam, é que ele orienta: *Ninguém, pois, vos julgue...* (2.16). A cruz de Cristo é a nossa carta de alforria. Se já morremos e ressuscitamos com Cristo, somos servos dEle e não mais escravos da lei. A lei não exerce mais jurisdição sobre um morto. Agora temos um novo Senhor!

A ameaça do **sincretismo** (2.18,19)

Destacaremos quatro pontos sobre o sincretismo.

Em primeiro lugar, *a natureza do sincretismo* (2.18). O apóstolo Paulo escreve: *Ninguém se faça árbitro contra vós outros, pretextando humildade e culto dos anjos, baseando-se em visões, enfatuado, sem motivo algum, na sua mente carnal* (2.18). Os falsos mestres que estavam assaltando a igreja de Colossos eram não apenas legalistas, mas também sincretistas. A teologia que eles pregavam era uma mistura, um produto híbrido de filosofia grega, judaísmo legalista e cristianismo. O produto final desse concubinato espúrio era uma heresia que fazia forte oposição à fé evangélica.

---

[12] HENDRIKSEN, William. *Colosenses y Filemon*, p. 146.
[13] WIERSBE, Warren W. *Comentário bíblico expositivo*. Vol. 6, 2006, p. 169.

Os falsos mestres de Colossos eram profundamente místicos. Eles reprovavam os cristãos por não terem, como eles, imediata experiência com o mundo espiritual à parte da Palavra de Deus. A teologia deles procedia de suas visões, e não das Escrituras. Eles adoravam a anjos, espíritos intermediários, e não diretamente a Deus por meio de Cristo. Eles davam mais valor à experiência subjetiva do que à verdade objetiva. Mais valor ao sentimento do que à razão.

Em segundo lugar, *a arrogância do sincretismo* (2.18). Paulo exorta: *Ninguém se faça árbitro contra vós outros...* (2.18). Munidos de suas heresias sincretistas, os falsos mestres tentavam desqualificar os cristãos por não terem como eles as mesmas experiências arrebatadoras. Eles se colocavam na posição de árbitros que desqualificam um atleta e o impedem de receber o seu prêmio.[14]

Russell Shedd esclarece que o termo "árbitro" traduz uma palavra extremamente rara: provavelmente quer dizer "agir na capacidade de um juiz ou árbitro que, num jogo, desqualifica o atleta ou lhe nega o prêmio. Claramente, tais "juízes" eram mestres gnósticos que não davam ao Senhor Jesus Cristo o lugar supremo, mas se reservavam superioridade própria.[15]

Em terceiro lugar, *a idolatria do sincretismo* (2.18). Paulo prossegue: ... *pretextando humildade e culto dos anjos...* (2.18). Os falsos mestres estavam enganados quanto à teologia e quanto ao sentimento. Eles não apenas adoravam os anjos, mas diziam que faziam isso por humildade. Paulo já havia ensinado a preeminência de Cristo sobre os anjos (1.16,17,20; 2.9,15). Os anjos são criaturas de Deus e ministros a serviço de Deus (Sl 103.20; Hb 1.14) e não podem ser adorados como Deus, ou no lugar de Deus, ou como intermediários para nos levar a Deus. Os anjos não aceitam adoração humana (Ap 19.10; 22.8,9). Adorar a criatura em lugar do Criador provoca a ira a Deus em vez de representar a Ele qualquer agrado (Rm 1.24,25).

Os falsos mestres estavam ensinando que era arrogância uma pessoa tentar ir direto a Deus. Precisavam, portanto, adorar a Deus

---

[14] WIERSBE, Warren W. *Comentário bíblico expositivo.* Vol. 6, 2006, p. 169.
[15] SHEDD, Russell. *Andai nele,* p. 56.

por meio dos anjos. No entanto, a atitude desses falsos mestres não era de humildade, mas de presunção. Ao desobedecer a um preceito de Deus, eles estavam sendo petulantes, arrogantes e soberbos, e não humildes.

Quando esses falsos mestres acusavam os cristãos de não serem suficientemente humildes e, travestidos de uma falsa humildade, diziam que não eram suficientemente bons para aproximar-se diretamente de Deus, recorrendo antes aos anjos, estavam incorrendo no mesmo engano daqueles que ainda hoje se aproximam de Deus por meio de Maria, de santos ou de outros mediadores. A Bíblia é clara em afirmar que há um só Deus e um só mediador entre Deus e os homens, Jesus Cristo homem (1Tm 2.5).

Werner de Boor está correto quando diz que humildade intencional é forçosamente humildade fabricada e desprezível. A humildade autêntica nunca se aproxima dos outros com exigências e críticas. A falsa humildade sempre se trai pelo orgulho. Os pretensos humildes que interpelavam os cristãos de Colossos estavam ao mesmo tempo ocupando a cátedra de juiz para lhes negar o prêmio da vitória.[16] O homem que pretende ser muito humilde na realidade é insuportavelmente orgulhoso. Sua mente está inflada com o sentido de sua própria importância ao jactar-se das coisas que diz ter visto.[17]

Em quarto lugar, *a base rota do sincretismo* (2.18,19). Paulo conclui:
... baseado em visões, enfatuado, sem motivo algum, na sua mente carnal, e não retendo a cabeça, da qual todo o corpo, suprido e bem vinculado por suas juntas e ligamentos, cresce o crescimento que procede de Deus (2.18,19).

Destacamos aqui quatro pontos importantes:

A religião do sincretismo não é bíblica, mas mística. O sincretismo é uma heresia, uma religião heterodoxa. Ele está baseado em visões, e não na verdade revelada. Está fundamentado na experiência, e não na Escritura. Aquele que cai nesse laço do engano acredita ter visto algo e jacta-se dessa experiência. Faz dela o assunto mais grandioso. Se alguém se atreve a contradizê-lo ou colocar em dúvida suas teorias, ele

---

[16] BOOR, Werner de. *Carta aos Efésios, Filipenses e Colossenses*, p. 340.
[17] HENDRIKSEN, William. *Colosenses y Filemon*, p. 150.

responderá: "Mas eu tive essa ou aquela visão". Ao agir assim, essa pessoa coloca sua experiência mística acima da Palavra de Deus e julga-se possuidora de uma revelação especial de Deus e de um conhecimento superior de Deus além das Escrituras.[18]

Floresce de maneira vigorosa em nossos dias o sincretismo. As pessoas deixam o sincretismo pagão para abraçar outro sincretismo chamado "evangélico". As pessoas entram para a "igreja evangélica", mas continuam prisioneiras de crendices forâneas e estranhas à Palavra de Deus.

A religião do sincretismo não é espiritual, mas carnal. Os falsos mestres arrotavam uma espiritualidade que não possuíam. Eles se diziam humildes, mas eram enfatuados. Diziam-se espirituais, mas eram carnais. Queriam ser juízes dos outros, mas não julgavam a si mesmos. Queriam reprovar os outros, mas não enxergavam quão longe eles mesmos estavam de Deus. William Hendriksen afirma que a mente é carnal quando baseia sua esperança para a salvação em qualquer coisa que não seja Cristo somente (2.19). Não faz nenhuma diferença se o fundamento no qual tenha colocado a sua esperança seja a força física, a habilidade, as boas obras ou, como aqui, visões transcendentais. Tudo é igualmente a mente carnal.[19]

A religião do sincretismo proclama ser de Cristo, mas está desligada dele (2.19). Os falsos mestres estavam desligados de Cristo e da Sua Igreja. Não tinham conexão com a cabeça nem com o corpo. O sincretismo é como um corpo morto desligado da cabeça, que é Cristo. Como as heresias crescem, o sincretismo também cresce numericamente, mas não o crescimento que procede de Deus. Um dos maiores equívocos da nossa geração pragmática e mística é a afirmação de que, onde existe uma multidão, aí está a verdade. O argumento é o seguinte: se a igreja está crescendo, é obra de Deus, porque, se não fosse de Deus, o trabalho jamais prosperaria. Esse raciocínio é enganoso e falaz. Tal conclusão está equivocada. Nem tudo o que cresce é verdadeiro. Nem todo "sucesso" procede de Deus. Nessa sociedade embriagada pelo sucesso, o

---

[18] HENDRIKSEN, William. *Colosenses y Filemon*, p. 149.
[19] HENDRIKSEN, William. *Colosenses y Filemon*, p. 150.

critério na busca da verdade mudou radicalmente. O pragmatismo místico não se interessa pela verdade. Aliás, ele tem aversão por ela. Esse sincretismo pragmático busca o que funciona; não busca o que é certo, mas o que dá certo. Resultado, e não fidelidade, é tudo o que um pregador pragmático almeja. Uma igreja não é automaticamente fiel por estar crescendo numericamente.[20] Paulo diz que a igreja não necessita nem de outra fonte de poder, nem deve buscá-la, para vencer o pecado ou para crescer no conhecimento, virtude e gozo.

A religião do sincretismo proclama ser verdadeira, mas é totalmente falsa (2.19). É falsa toda religião que não segue a orientação da cabeça, que é Cristo. É engodo toda religião que dá mais valor às visões, ensinos e experiências dos homens que ao ensino de Cristo. Toda religião que se isola e pretende ser a única detentora da verdade sem estar suprida pela cabeça e bem vinculada por suas juntas e ligamentos é um câncer no corpo em vez de crescer o crescimento que procede de Deus.

O perigo do ascetismo (2.20-23)

Paulo condenou o gnosticismo, o legalismo, o sincretismo e agora condena o ascetismo, a crença de que podemos crescer espiritualmente simplesmente abstendo-nos de coisas, flagelando o nosso corpo e mortificando-nos fisicamente. Warren Wiersbe diz que essas práticas ascéticas se tornaram comuns durante a Idade Média: usar vestes de pelos, dormir em camas duras, flagelar-se, passar dias ou anos sem falar, fazer longos jejuns ou ficar sem dormir.[21] O ascetismo venceu a barreira do tempo e chegou até nós. Essa heresia ainda ameaça a igreja contemporânea.

O apóstolo Paulo sintetiza o ascetismo em três proibições: "Não manuseies", "não proves" e "não toques" (2.21). Embora devamos cuidar do nosso corpo como templo do Espírito (1Co 6.19) e tratá-lo com disciplina para não sermos desqualificados (1Co 9.27), o ascetismo é uma falácia. Ele é fruto do entendimento errado da filosofia

---

[20] LOPES, Hernandes Dias. *Morte na panela*, p. 22,23.
[21] WIERSBE, Warren W. *Comentário bíblico expositivo*. Vol. 6, 2006, p. 171.

grega. É enganosa a ideia de que a matéria é má e de que, sendo o nosso corpo matéria, ele precisa ser castigado e privado dos prazeres. O nosso corpo não é pecaminoso. Deus ama o nosso corpo, protege-o, sustenta-o, salva-o e o glorificará.

Vamos examinar alguns perigos que a religião asceta pode trazer.

Em primeiro lugar, *o ascetismo produz escravidão* (2.20). O apóstolo Paulo escreve: *Se morrestes com Cristo para os rudimentos do mundo, por que, como se vivêsseis no mundo, vos sujeitais a ordenanças...?* (2.20). O ascetismo é a religião do NÃO. É a crença de que podemos agradar a Deus obedecendo a uma lista de "nãos". Para o ascetismo, a ênfase está nos aspectos negativos, e não nos positivos. Ser cristão é muito mais quem você não é do que quem você é; muito mais aquilo que você não pratica do que aquilo que você pratica. Aqueles que caem na teia do ascetismo tornam-se escravos de regras e mais regras, preceitos e mais preceitos. William Hendriksen diz que, em vez do ascetismo ser um remédio contra a satisfação dos desejos da carne, os fomenta e promove.[22]

Paulo declara que, quando Cristo foi à cruz levou não apenas a lista dos nossos pecados, mas também a lei que nos acusava e nos condenava. A morte de Cristo foi a nossa morte e, pela Sua ressurreição, recebemos uma nova vida. Agora somos livres do pecado e da lei. Não precisamos mais colocar o nosso pescoço debaixo desse jugo. Carregamos numa mão a certidão de óbito da velha vida e na outra a certidão do novo nascimento. Somos verdadeiramente livres!

Werner de Boor coloca essa questão assim:

> Ninguém está tão separado do mundo quanto o morto. O mundo, com tudo o que é contrário a Deus e deteriorado, não é mais minha vida; não atrai mais meu coração nem preenche mais minha mente e meus anseios. Essa é uma separação do mundo bem diferente e muito mais profunda do que evitar permanentemente centenas de coisas com temor, porque a rigor elas ainda são tentadoras e perigosas para mim. Por isso, "se morrestes com Cristo para longe dos elementos do mundo, por que, como se ainda tivésseis a vida no mundo, vos deixais impor

---

[22] HENDRIKSEN, William. *Colosenses y Filemon*, p. 152.

preceitos?" Também nesse caso os colossenses novamente trocariam apenas "corpo" por "sombra", liberdade real por escravidão.[23]

Em segundo lugar, *o ascetismo está preocupado apenas com a aparência e não com a essência das coisas* (2.21,22). O apóstolo Paulo continua: *... não manuseies isto, não proves aquilo, não toques aquiloutro, segundo os preceitos e doutrinas dos homens? Pois que todas estas coisas, com o uso, se destroem* (2.21,22). O ascetismo é uma religião de aparências. Ele se preocupa apenas com a forma, e não com a essência; com o método, e não com o conteúdo; com o exterior, e não com o interior. Seu grande lema é: não manuseies, não proves, não toques (2.21). Paulo, porém, diz que Deus nos dá todas as coisas para vivermos prazerosamente (1Tm 6.17). Podemos comer o melhor desta terra (Is 1.19).

O ascetismo está preocupado com aquilo que desce ao estômago e é lançado fora do corpo, em vez de preocupar-se com o que se aloja e procede do coração. Todos os alimentos foram criados para serem recebidos com ações de graça (1Tm 4.3). Mas as doutrinas de homens tentam substituir a Palavra de Deus (Mc 7.6-9). Jesus disse que a comida vai para o estômago, e não para o coração (Mc 7.18). Paulo diz que não existe nenhuma coisa em si mesma impura (Rm 14.14). Comer ou não comer não nos faz mais ou menos espirituais. As seitas estão preocupadas com as aparências; a fé cristã está preocupada com a essência.

Em terceiro lugar, *o ascetismo proíbe em nome de Deus o que Deus não está proibindo* (2.22). Paulo diz que a religião do ascetismo não está baseada na Palavra de Deus, mas em preceitos e doutrinas de homens. Essa doutrina é invenção humana, e não revelação divina. Procede do enganoso coração humano, e não da santa Palavra de Deus. Novamente podemos ouvir o eco da palavra de Cristo aos fariseus: *Hipócritas! Bem profetizou Isaías a vosso respeito, dizendo: Este povo honra-me com os lábios, mas o seu coração está longe de mim. E em vão me adoram, ensinando doutrinas que são preceitos de homens* (Mt 15.7-9). Há igrejas que relativizam a Palavra de Deus e absolutizam regras e

---

[23] BOOR, Werner de. *Carta aos Efésios, Filipenses e Colossenses*, p. 339,340.

preceitos humanos. Os usos e os costumes tornam-se mais importantes do que as Escrituras.

Em quarto lugar, *o ascetismo é enganador em suas propostas* (2.23). O apóstolo Paulo conclui: *Tais coisas, com efeito, têm aparência de sabedoria, como culto de si mesmo, e de falsa humildade, e de rigor ascético; todavia, não têm valor algum contra a sensualidade* (2.23). O ascetismo tem aparência de sabedoria e humildade, mas não tem valor nenhum diante de Deus. É um sacrifício inútil. É um culto de si mesmo, uma religião feita para si mesmo. Tem uma piedade falsa e fingida. Tratava-se de uma inovação barata, de fabricação própria, de um culto falsificado.[24] Ele não tem valor espiritual nenhum. É um engano. Não torna ninguém mais santo. Paulo diz que as regras rigorosas dos ascetas *não têm valor algum contra a sensualidade* (2.23). Nenhum amontoado de regras religiosas pode mudar o coração do homem. Somente o Espírito Santo pode fazê-lo.

Warren Wiersbe diz que as regras rigorosas dos ascetas no máximo fazem aflorar o que há de pior, em vez de estimular o que há de melhor.[25] A santificação ascética e legalista foi clara e terminantemente rejeitada pelo apóstolo Paulo. Em nenhum lugar a carne é tão bem camuflada e tão perigosa como quando se torna "religiosa", diz Werner de Boor.[26] A religião das obras nada mais é do que a religião do orgulho.[27] Ela professa humildade diante do mundo, mas essa humildade é falsa, pois ensina uma salvação adquirida pelo esforço do homem, rejeitando dessa forma a graça de Deus. A verdadeira humildade reconhece sua total carência da graça de Deus (Mt 5.3). Ela não chega diante de Deus batendo no peito, aplaudindo suas próprias virtudes e exigindo seus direitos, mas chega prostrada, suplicando Sua misericórdia. A verdadeira humildade recebe de bom grado a salvação comprada por Cristo na cruz em vez de querer abrir um novo caminho para o céu mediante as obras.

---

[24] MARTIN, Ralph P. *Colossenses e Filemom*, p. 109.
[25] WIERSBE, Warren W. *Comentário bíblico expositivo*. Vol. 6, 2006, p. 173.
[26] BOOR, Werner de. *Carta aos Efésios, Filipenses e Colossenses*, p. 343.
[27] Autor desconhecido. *The teacher's outline and study bible on Colossians*, p.126.

William Hendriksen corretamente afirma que qualquer sistema religioso que não deseja aceitar a Jesus Cristo como o único e todo suficiente Salvador é uma gratificação da carne e uma entrega ao capricho pecaminoso do homem, como se ele pudesse, mediante seus próprios inventos, aperfeiçoar a já completa e cabal obra de Cristo.[28]

Russell Shedd destaca as romarias que as pessoas fazem até Fátima, em Portugal, ou até Aparecida, no Brasil, andando de joelhos nus e ensanguentados, sofrendo agonias, na esperança de que a severidade no trato do corpo venha a agradar a Deus ou à "santa"; mas isto em nada transforma o coração do sofredor.[29]

Ralph Martin conclui esse ponto nas seguintes palavras:

> Paulo reconhece que o ascetismo possa produzir visões, mas a condenação dele recai sobre o motivo e os resultados. O motivo é o desejo de uma experiência espiritual que passe por cima de Cristo e procure a gratificação numa exaltação sensual. O resultado final é um senso de orgulho espiritual, o que Paulo chama de uma capitulação à sensualidade, à "satisfação da carne", ou seja, da natureza não regenerada do homem.[30]

Bruce Barton exorta que devemos acautelar-nos acerca da religião das obras, sempre fazendo as seguintes perguntas: 1) Esse grupo religioso está enfatizando a graça de Deus ou as regras feitas pelos homens? 2) Esse grupo religioso tem uma vida disciplinada ou é impiedosamente crítico dos outros? 3) Esse grupo religioso coloca sua ênfase na Palavra de Deus ou em fórmulas, conhecimentos secretos e visões especiais? 4) Esse grupo religioso exalta a Cristo e Sua obra ou os observadores de suas regras? 5) Esse grupo religioso reconhece e valoriza a Igreja de Cristo, comprada pelo Seu sangue, ou a negligencia, exaltando apenas o seu grupo?[31]

---

[28] HENDRIKSEN, William. *Colosenses y Filemon*, p. 156.
[29] SHEDD, Russell. *Andai nele*, p. 58.
[30] MARTIN, Ralph P. *Colossenses e Filemom*, p. 109.
[31] BARTON, Bruce B. et al. *Life application bible commentary on Philippians, Colossians and Philemon*, p. 201.

8

As **evidências** de uma verdadeira **conversão**

Colossenses 3.1-11

HÁ ESTREITA CONEXÃO ENTRE O QUE PAULO ENSINOU até aqui e o que ensinará doravante. Paulo passa da falsa religiosidade para as evidências de uma verdadeira conversão. As "ordenanças" de Deus nestes versículos são evidentemente opostas às invenções legalistas de homens.[1]

William Hendriksen está certo quando afirma que a falsa solução dos gnósticos para uma vida santa foi rejeitada por Paulo nos capítulos 1 e 2 de Colossenses. Paulo deixou claro que não existe cura material para um mal espiritual. Deixou claro que maltratar o corpo jamais trará cura para a alma enferma. Cristo, e só Ele, é a resposta. Cristo, em toda a plenitude de Seu amor e poder.[2]

Paulo mostra que há uma estreita conexão entre aquilo em que nós cremos e aquilo que nós praticamos. Não pode existir um abismo entre a fé e a prática, entre o discurso e a vida.

---

[1] SHEDD, Russell. *Andai nele*, p. 58.
[2] HENDRIKSEN, William. *Colosenses y Filemon*, p. 163.

Evidenciamos a verdadeira conversão quando **desejamos as coisas do céu** mais do que as da terra (3.1-4)

A verdadeira conversão pode ser percebida: pela nossa identificação com Cristo e pela nossa aspiração por Cristo. Vamos considerar esses dois pontos.

Em primeiro lugar, *os convertidos se identificam com Cristo* (3.1-4). O apóstolo Paulo menciona os seguintes aspectos da nossa identificação com Cristo.

Nós morremos com Cristo (3.3a). Cristo não apenas morreu por nós (substituição), mas nós também morremos com Ele (identificação).[3] Estávamos mais pertos de Cristo do que os dois malfeitores que foram crucificados com Ele. Estávamos na cruz do centro. Na cruz Cristo não apenas pagou a nossa dívida com Sua morte, mas também quebrou o poder do pecado em nossa vida. O apóstolo pergunta: *Como viveremos ainda no pecado, nós os que para Ele morremos?* (Rm 6.2). Russell Shedd está correto quando diz que a morte inevitavelmente desliga o morto dos interesses deste mundo. De igual forma, na morte com Cristo deve haver uma mudança de 180 graus na ambição do convertido.[4]

Nós vivemos em Cristo (3.4a). Cristo é a nossa vida. Paulo disse aos filipenses: "Para mim o viver é Cristo (Fp 1.21). Aos gálatas, Paulo afirmou: *Não sou eu mais quem vive, mas é Cristo que vive em mim* (Gl 2.20). A vida eterna é Cristo. *Aquele que tem o Filho tem a vida; aquele que não tem o Filho de Deus não tem a vida* (1Jo 5.12). A essência da vida eterna é conhecer a Cristo (Jo 17.3). William Barclay conta que algumas vezes dizemos de alguém: "A música é sua vida. O esporte é sua vida. Fulano vive para trabalhar". Os tais encontram a vida e tudo o que ela significa na música, nos esportes e no trabalho. Para o cristão, porém, Cristo é a vida. Jesus Cristo domina seu pensamento e preenche sua alma.[5]

Nós ressuscitamos com Cristo (3.1a). A expressão grega *ei oun synegerthete* fala de uma ação completada. Ela pode ser traduzida como

---

[3] WIERSBE, Warren. *Comentário bíblico expositivo*. Vol. 6, 2006, p. 174.
[4] SHEDD, Russell. *Andai nele*, p. 60.
[5] BARCLAY, William. *Filipenses, Colosenses, I y II Tesalonicenses*, p. 159.

segue: "Tendo em vista que vocês ressuscitaram".⁶ Os cristãos possuem dentro de si mesmos a vida da ressurreição. Portanto, devem experimentar o poder da ressurreição de Cristo em um grau cada vez mais alto.⁷ O apóstolo Paulo escreve: *Portanto, se fostes ressuscitados juntamente com Cristo, buscai as coisas lá do alto, onde Cristo vive, assentado à direita de Deus* (3.1). A condicional "se" deste primeiro versículo não é uma expressão de dúvida. Todos os que recebem a Cristo estão identificados com Ele na Sua morte, sepultamento, ressurreição e ascensão. Warren Wiersbe diz que o sentido mais exato desse termo seria "uma vez que". Nossa posição exaltada em Cristo não é algo hipotético, tampouco um alvo que devemos esforçar-nos para alcançar. É um fato consumado.⁸

É possível estar vivo e ainda viver na sepultura. Em 1986, visitei o Egito e fiquei surpreso ao ver famílias morando dentro do cemitério, na cidade do Cairo. Durante a Segunda Guerra Mundial, vários refugiados judeus esconderam-se em um cemitério; sabe-se até de um bebê que nasceu em um dos túmulos.⁹ Porém, quando cremos em Cristo, Ele nos tira da sepultura e nos transporta para os lugares celestiais, onde está assentado à destra de Deus.

Nós estamos escondidos com Cristo (3.3b). Nós não mais pertencemos ao mundo, mas a Cristo. As fontes da vida nas quais nos alegramos vêm somente dEle. Russell Shedd está coberto de razão quando declara não haver razão alguma para procurar outras fontes nem meios para o suprimento da vida cristã, como encorajavam os hereges gnósticos.¹⁰ Em Cristo estão escondidos todos os tesouros da sabedoria e do conhecimento (2.3).

William Barclay diz que os falsos mestres achavam que os seus livros guardavam e escondiam a sabedoria. Esses livros, chamados de *apokrifoi*, eram livros escondidos de todos, exceto daqueles que eram iniciados na leitura. Esses *apokrifoi* – livros escondidos – continham para o gnóstico os tesouros da sabedoria. Agora, a palavra que Paulo usa para dizer que estamos escondidos com Cristo em Deus é parte do

---

⁶RIENECKER, Fritz e ROGERS, Cleon. *Chave linguística do Novo Testamento Grego*, p. 428.
⁷HENDRIKSEN, William. *Colosenses y Filemon*, p. 164.
⁸WIERSBE, Warren W. *Comentário bíblico expositivo*. Vol. 6, 2006, p. 175.
⁹WIERSBE, Warren W. *Comentário bíblico expositivo*. Vol. 6, 2006, p. 174.
¹⁰SHEDD, Russell. *Andai nele*, p. 60.

verbo *apokrytein*, de onde procede o adjetivo *apokrytos*. Sem dúvida que uma palavra sugere a outra. É como se Paulo dissesse: "Para vós outros os tesouros da sabedoria estão escondidos em vossos livros secretos; para nós outros, porém, Cristo é o tesouro da sabedoria e nós estamos escondidos nEle".[11] Estar escondido com Cristo significa que nEle nós temos segurança e satisfação.

A nossa esfera de vida não é mais terrena. Nascemos do alto. Buscamos as coisas do alto. Estamos assentados com Cristo nas regiões celestes. Nossa Pátria está no céu. Aspiramos às coisas do céu. Isso não significa irresponsabilidade com as coisas da terra, mas significa que os nossos motivos e a nossa força vêm do céu, e não da terra.[12]

Nós estamos glorificados com Cristo (3.4b). Cristo agora está assentado à direita de Deus Pai no céu, mas um dia Ele virá em glória para nos levar para o lar (1Ts 4.13-18). Quando Ele se manifestar, nós, que estamos escondidos com Ele, também seremos manifestados em glória (1Jo 3.2). É óbvio que Cristo e nós não somos da mesma essência, como o são o Pai e o Filho. Nada obstante, a vida de Cristo é a fonte e modelo de nossa vida.[13] Na mente e nos decretos de Deus nós já estamos glorificados (Rm 8.30). Seguindo o modo de falar hebraico, esse é o tempo passado profético. Essa glória simplesmente ainda não foi revelada. Ela ainda está por vir. Geoffrey Wilson, citando F. F. Bruce, diz que "a santificação é a conformidade progressiva à imagem de Cristo aqui e agora; a glória é a conformidade perfeita à imagem de Cristo lá e então. Santificação é glória começada; glória é santificação completada".[14] O fim do nosso caminho não é o sepulcro coberto de lágrimas, mas o hino triunfal da gloriosa ressurreição. A nossa jornada não terminará com o corpo surrado pela doença, enrugado pelo peso dos anos, coberto de pó na sepultura, mas receberemos um corpo de glória, semelhante ao de Cristo (Fp 3.21). Nosso choro cessará, nossas lágrimas serão estancadas. Não haverá mais luto, nem pranto, nem dor (Ap 21.4).

---

[11] BARCLAY, William. *Filipenses, Colosenses, I y II Tesalonicenses*, p. 158.
[12] WIERSBE, Warren W. *Comentário bíblico expositivo*. Vol. 6, 2006, p. 175.
[13] HENDRIKSEN, William. *Colosenses y Filemon*, p. 166.
[14] WILSON, Geoffrey. *Romanos*. São Paulo: Publicações Evangélicas Selecionadas, 2003, p. 130.

Em segundo lugar, *os convertidos têm aspiração por Cristo* (3.1,2). Essa aspiração por Cristo é descrita pelo apóstolo Paulo de duas maneiras.

Os convertidos buscam mais as glórias de Cristo do que as glórias deste mundo (3.1). O verbo grego *zeteite*, que Paulo usa para "buscar", está no presente e isso demanda uma atividade contínua e habitual.[15] Essa palavra tem também o sentido de "investigar".[16] Na mesma linha de pensamento, William Hendriksen diz que o verbo "buscar" implica uma busca perseverante. Este buscar é mais do que um buscar para encontrar; é um buscar para possuir.[17] Uma pessoa convertida busca em primeiro lugar o Reino de Deus e a Sua justiça. Busca prioritariamente as coisas do céu. Aspira mais pelo Reino dos céus do que por riquezas na terra. Um indivíduo convertido tem saudade do céu. Seus olhos estão postos naquela cidade cujo arquiteto e fundador é Deus. O céu é o seu lar, sua recompensa, seu prazer, sua origem e seu destino.

Os convertidos pensam mais nas coisas do céu do que nas coisas da terra (3.2). Ralph Martin diz que o verbo *phronein*, "pensar" significa muito mais do que um exercício mental, e tem pouco a ver com o estado emocional da pessoa. Sua esfera é mais aquela da motivação na medida em que o motivo determina uma linha de ação e a conduta do indivíduo.[18] As coisas do alto deviam inspirar e controlar a vida dos cristãos. Os nossos pés devem estar sobre a terra, mas a nossa mente deve estar no céu. Hoje vivemos a inversão desses valores. Os cristãos querem um paraíso neste mundo e ajuntar tesouros na terra. Estão agarrados às coisas da terra, por isso não aspiram às coisas do céu.

Evidenciamos a verdadeira conversão quando **mortificamos nossa natureza terrena** (3.5-9)

As reivindicações de um falso ascetismo já haviam sido desmascaradas e refutadas num trecho anterior da carta de Paulo (2.20-23). Agora, o apóstolo volta a defender o que, para ele, era uma linha positiva de

---

[15] RIENECKER, Fritz e ROGERS, Cleon. *Chave linguística do Novo Testamento Grego*, p. 428.
[16] MARTIN, Ralph P. *Colossenses e Filemom*, p. 111.
[17] HENDRIKSEN, William. *Colosenses y Filemon*, p. 164.
[18] MARTIN, Ralph P. *Colossenses e Filemom*, p. 112.

controle próprio, que é tanto oposta à permissividade (3.5-8) quanto afirmadora de um estilo de vida apropriado para o caráter cristão (3.10,11).[19] O apóstolo Paulo aborda três sublimes verdades aqui.

Em primeiro lugar, **devemos andar com a certidão de óbito no bolso** (3.5-7). O apóstolo Paulo dá uma ordem: *Fazei, pois, morrer a vossa natureza terrena...* (3.5). A palavra "pois" indica que a mortificação, na prática, é motivada pelas verdades espirituais que acabamos de ver nos versículos anteriores.[20] A palavra grega *nekrosate*, "fazer morrer", é a mesma da qual vem nossa palavra "necrotério". Precisamos andar com a nossa certidão de óbito no bolso. Porque morremos com Cristo (3.3), temos poder para fazer morrer a nossa natureza terrena (isso não é ascetismo – flagelação do corpo). Devemos considerar-nos mortos para o pecado (Rm 6.11). Jesus disse: *Se o teu olho direito te faz tropeçar, arranca-o e lança-o de ti* (Mt 5.29).

É óbvio que nem Paulo nem Cristo estão falando de uma cirurgia literal. O mal não vem do olho, da mão, do pé, mas sim do coração, que abriga desejos perversos.[21] Li algures sobre duas jovens que se converteram depois de vários anos vivendo na boemia. Suas parceiras de aventuras mundanas, um dia, as convidaram para irem juntas à boate, ao que elas prontamente responderam: "Nós não podemos ir, porque estamos mortas".

Em segundo lugar, **devemos saber para quais coisas estamos mortos** (3.5). Paulo enumera vários pecados. Esses pecados faziam parte da velha vida dos colossenses (3.7) e eles atraem a ira de Deus (3.6). Esses pecados não são mais compatíveis com a nova vida que temos em Cristo.

Que pecados são esses?

Pecados morais. Prostituição, impureza e lascívia estão diretamente ligados a pecados sexuais. Toda sorte de relação sexual antes e fora do casamento está aqui incluída.

- A prostituição, *porneia*, refere-se à imoralidade sexual em geral. Inclui desde as relações sexuais extraconjugais até os casamentos

---

[19] MARTIN, Ralph P. *Colossenses e Filemom*, p. 113.
[20] SHEDD, Russell. *Andai nele*, p. 63.
[21] WIERSBE, Warren W. *Comentário bíblico expositivo*. Vol. 6, 2006, p. 176.

contraídos entre parceiros com graus ilícitos de parentesco.²² A palavra *porneia* vem do verbo *pernumi*, que quer dizer "vender". Fica evidente que, para Deus, este pecado de vender ou comprar um ato do mais profundo amor é um dos pecados mais graves que podem ser cometidos.²³

- A impureza, *akatharsia*, pode ser definida como a impudicícia concupiscente relacionada à luxúria e à vida libertina. Em seu sentido físico, *akatharsia* descrevia a sujeira ou a putrefação de uma chaga infectada; moralmente significava qualquer coisa revoltante e miserável, particularmente perversão sexual.²⁴
- A paixão lasciva, *pathos*, refere-se a um desejo irrestrito, um impulso ou força que não descansa até ser satisfeito.²⁵ Trata-se da pessoa que fica dominada pelo fogo do sexo.²⁶ É a paixão que leva aos excessos sexuais ou até mesmo às perversões.²⁷ Foi por causa desse pecado que Davi adulterou com Bate-Seba e que Amnon violentou sua irmã Tamar.

Paulo condena não apenas o ato pecaminoso, mas também a intenção e o desejo impuro. Fica claro que os desejos e apetites conduzem às ações. A fim de purificar os atos, é preciso antes purificar a mente e o coração.²⁸ No mundo antigo as relações pré-matrimoniais e extraconjugais não eram motivo de vergonha. Ao contrário, o mundo antigo considerava o apetite sexual como algo que devia ser saciado e não controlado.²⁹

Pecados sociais. Desejo maligno e avareza falam de desejar o mal para os outros e de desejar o que é dos outros. O que nós desejamos determina o que nós fazemos. A palavra grega *epithumia*, "desejo", pode descrever tanto um desejo santo (Lc 22.15) como um desejo

---

²²Martin, Ralph P. *Colossenses e Filemom*, p. 114.
²³Shedd, Russell. *Andai nele*, p. 64.
²⁴Shedd, Russell. *Andai nele*, p. 65.
²⁵Rienecker, Fritz e Rogers, Cleon. *Chave linguística do Novo Testamento Grego*, p. 429.
²⁶Shedd, Russell. *Andai nele*, p. 65.
²⁷Martin, Ralph P. *Colossenses e Filemom*, p. 114.
²⁸Wiersbe, Warren W. *Comentário bíblico expositivo*. Vol. 6, 2006, p. 176.
²⁹Barclay, William. *Filipenses, Colosenses, I y II Tesalonicenses*, p. 161.

pecaminoso (Rm 7.7,8; 1Ts 4.5). Paulo, porém, fala de um desejo maligno, *epithumia kaken*. Trata-se de um desejo não só intenso, mas pervertido.

A avareza, *pleonexia*, é o pecado de desejar sempre mais, sem nunca se satisfazer: sejam coisas ou prazeres.[30] Ralph Martin diz que esse é o pecado da possessividade, o desejo insaciável de colocar as mãos nas coisas materiais.[31] Russell Shedd diz que avareza comunica a ideia de tirar uma vantagem egoísta, muitas vezes iludindo e prejudicando a vítima.[32] William Hendriksen entende que todo pecado é basicamente egoísmo, a adoração de si mesmo em vez de Deus.[33]

Segundo William Barclay, a palavra *pleonexia* provém de dois termos gregos. A primeira metade da palavra provém de *pleon*, que significa "mais"; a segunda deriva de *equein*, que significa "ter". *Pleonexia*, portanto, é fundamentalmente o desejo de ter mais. Os gregos a definiam como um desejo insaciável e diziam que satisfazê-lo era como tentar encher d'água um recipiente rachado.

A ideia básica de *pleonexia* é a de um desejo que o homem não tem o direito de alimentar. O desejo de dinheiro, por exemplo, conduz ao roubo; o desejo de poder conduz à tirania, e o desejo sexual conduz à impureza. É o desejo de obter sempre o que não se tem direito de possuir.[34] Isso é idolatria, porque coloca as coisas no lugar de Deus e substitui Deus por coisas ou prazeres. A essência da idolatria é o desejo de obter. O homem que está dominado pelo desejo de possuir coisas coloca-as no lugar de Deus e as adora e lhes presta culto às coisas em vez de adorar a Deus.[35] Nessa mesma linha de pensamento, Ralph Martin diz que a avareza leva uma pessoa para longe de Deus e a encoraja a confiar nas suas possessões materiais. Por isso, a avareza não é melhor do que a idolatria, a devoção a um deus falso.[36]

---

[30]WIERSBE, Warren W. *Comentário bíblico expositivo*. Vol. 6, 2006, p. 176.
[31]MARTIN, Ralph P. *Colossenses e Filemom*, p. 114.
[32]SHEDD, Russell. *Andai nele*, p. 66.
[33]HENDRIKSEN, William. *Colosenses y Filemon*, p. 172.
[34]BARCLAY, William. *Filipenses, Colosenses, I y II Tesalonicenses*, p. 162.
[35]BARCLAY, William. *Filipenses, Colosenses, I y II Tesalonicenses*, p. 162,163.
[36]MARTIN, Ralph P. *Colossenses e Filemom*, p. 115.

Russell Shedd destaca que deve ser muito importante o fato de Paulo definir a "avareza" como "idolatria". Essa palavra grega *eidololatria*, vinda de *latreia*, "serviço ou culto religioso", descreve a principal abominação praticada pelo povo de Deus e pelos pagãos durante quase todo o decurso da história bíblica. A ira de Deus tem de se manifestar com toda força contra o culto àquilo que é criado, em lugar do culto ao Criador (Rm 1.19-23).[37] William Hendriksen afirma que esses pecados atraem a ira de Deus como o ímã atrai o ferro ou como um alto para-raios atrai o raio.[38] Paulo escreve essas coisas para dissuadir os cristãos de pecar. Sendo, assim, a ira de Deus contra o pecado é uma manifestação de misericórdia aos pecadores.

Em terceiro lugar, **devemos despojar-nos das mortalhas da velha vida e deixá-las na sepultura** (3.8,9). O apóstolo Paulo prossegue na lista de pecados que devem ser removidos da nossa vida, uma vez que morremos e ressuscitamos com Cristo. Agora, Paulo fala de mais duas categorias de pecado.

Pecados ligados ao temperamento (3.8). Paulo menciona três pecados: ira (*thumos*), indignação (*orge*) e maldade (*kakian*). Esses três pecados falam de um temperamento não controlado pelo Espírito de Deus. A ira (*thumos*) descreve um temperamento explosivo como fogo de palha. Ela se relaciona com a palavra "ferver".[39] Por outro lado, a indignação (*orge*) é uma ira inveterada, que arde continuamente, que se recusa a ser pacificada e jamais cessa. Ralph Martin diz que essas duas explosões de mau gênio humano destroem a harmonia dos relacionamentos humanos.[40] A maldade (*kakia*) fala de uma depravação mental da qual surgem todos os vícios particulares. É um mal que a tudo invade.[41] Trata-se de um desejo maligno contra uma pessoa a ponto de entristecer-se quando ela é bem-sucedida e de alegrar-se quando ela passa por problemas. O homem de Deus não tem licença da parte do Senhor

---

[37] SHEDD, Russell. *Andai nele*, p. 66,67.
[38] HENDRIKSEN, William. *Colosenses y Filemon*, p. 172.
[39] SHEDD, Russell. *Andai nele*, p. 68.
[40] MARTIN, Ralph P. *Colossenses e Filemom*, p. 116.
[41] BARCLAY, William. *Filipenses, Colosenses, I y II Tesalonicenses*, p. 163,164.

para manifestar indignação fria nem irritação impaciente, pois estas quase sempre excluem o amor que edifica.[42]

Pecados ligados à língua (3.8,9). Aquela lista agora é substituída por um novo catálogo, que consiste nos pecados da língua. Novamente Paulo menciona três pecados: maledicência, linguagem obscena e mentira. Todos esses são termos que descrevem o uso indevido e impróprio da língua.

O termo grego para maledicência é *blasfemia*, que neste contexto se refere mais a uma difamação do caráter humano do que a uma maldição dirigida contra Deus.[43] Aqui blasfêmia é falar mal dos outros.

Linguagem obscena é uma expressão que só aparece aqui em todo o Novo Testamento e sugere uma linguagem abusiva e grosseira.[44] Significa ter a boca suja e refere-se a todo tipo de palavra torpe, de comunicação vulgar e de humor de baixo calão.[45]

Mentira é o falseamento à verdade. Quando um cristão mente, ele está cooperando e aliando-se com satanás, que é o pai da mentira. Espalhar contenda entre os irmãos é o pecado que a alma de Deus mais abomina (Pv 6.16-19).

Russell Shedd alerta:

> As críticas aos nossos irmãos devem ser de tal modo dominadas pelo amor que sempre expressem o desejo de encorajar, e nunca a intenção de destruir maliciosamente. Cuidado com as fofocas e os comentários desnecessários que, ao invés de encorajar e abençoar, amaldiçoam e desestimulam.[46]

Evidenciamos a verdadeira conversão quando nos **revestimos de Cristo** (3.10,11)

O apóstolo menciona quatro verdades benditas aqui.

Em primeiro lugar, *porque o velho homem morreu, o novo homem deve estar no controle* (3.10). Porque vivemos em Cristo, devemos

---

[42] SHEDD, Russell. *Andai nele*, p. 68.
[43] MARTIN, Ralph P. *Colossenses e Filemom*, p. 116.
[44] MARTIN, Ralph P. *Colossenses e Filemom*, p. 116.
[45] WIERSBE, Warren W. *Comentário bíblico expositivo*. Vol. 6, 2006, p. 177.
[46] SHEDD, Russell. *Andai nele*, p. 68,69.

buscar as coisas lá do alto. Porque morremos com Cristo, devemos despojar-nos das coisas que pertenceram à velha vida de pecado. O resultado é que nos tornamos semelhantes a Jesus Cristo. Quando confiamos em Jesus Cristo, removemos a velha vida e colocamos a nova no lugar. O velho homem é sepultado, e o novo homem agora está no controle. O verbo "revestistes" está no particípio presente, significando que nós somos constantemente renovados. O ato da salvação conduz ao processo da santificação.

Em Cristo recebemos um novo coração, uma nova vida, uma nova família, uma nova pátria. O profeta Jeremias falou que Deus faria uma nova aliança em que imprimiria as Suas leis no coração dos Seus servos (Jr 31.31-34). Ezequiel predisse que Deus tiraria o coração de pedra do homem e lhe daria um coração de carne (Ez 11.19; 18.31). Jesus declarou que a maior necessidade do homem é nascer de novo, nascer do alto, do Espírito (Jo 3.3,5). Pedro escreveu que os cristãos são "gerados de novo não da semente corruptível, mas da incorruptível pela Palavra de Deus" (1Pe 1.23).[47]

Em segundo lugar, **porque o velho homem morreu, o novo homem é continuamente renovado em Cristo** (3.10). Essa renovação processa-se de duas maneiras:

Por meio do conhecimento (3.10). Quanto mais conhecemos a Cristo, mais nos tornamos semelhantes a Ele (Fp 3.10). Esse conhecimento não é o conhecimento místico e esotérico dos gnósticos. Não se trata apenas de um conhecimento teórico, mas de um relacionamento pessoal e íntimo com Cristo. Não é apenas conhecer sobre Jesus, mas conhecer a Jesus.

Pela transformação à imagem de Cristo (3.10). O homem foi criado à imagem e semelhança de Deus. Ele é a imagem *criada* (criação), *deformada* (pecado) e *transformada* (redenção).[48] Quando Adão pecou, ele não perdeu totalmente a imagem de Deus, do contrário deixaria de ser homem. Mas aquela imagem foi deformada pelo pecado. É como uma pessoa que se aproxima numa noite enluarada de um riacho cristalino.

---

[47] FALCÃO, Silas Alves. *Meditações em Colossenses*, p. 153.
[48] WIERSBE, Warren W. *Comentário bíblico expositivo*. Vol. 6, 2006, p. 178.

Você olha e vê a lua refletida na água. Porém, se a água estiver suja, a lua continua refletindo, só que você não consegue vê-la. Essa imagem de Deus que foi deformada pelo pecado e restaurada na redenção alcançará sua plenitude na glorificação.

Em terceiro lugar, *porque o velho homem morreu, o novo homem em Cristo desconhece muros de separação* (3.11). O cristianismo derruba todos os muros de separação. Fritz Rienecker diz que este versículo é uma forte condenação de qualquer tipo de discriminação entre os cristãos.[49] Paulo menciona quatro barreiras que são quebradas em Cristo.

Barreiras raciais. Em Cristo não há grego nem judeu. O cristianismo destruiu as barreiras que provêm do nascimento e de nacionalidade. Cristo morreu para comprar com o Seu sangue aqueles que procedem de toda tribo, língua, povo e nação (Ap 5.9). Nações que declaravam guerra umas contra as outras agora se reúnem ao redor da mesa do Senhor.[50]

Barreiras religiosas. Em Cristo não há circuncisão nem incircuncisão. As cerimônias e os ritos religiosos que separavam as pessoas agora já não as separam mais.

Barreiras culturais. Em Cristo não há bárbaro nem cita. Os gregos consideravam todas as pessoas não gregas como bárbaros, e os citas eram os bárbaros mais atrasados. Eles eram os mais reles dos bárbaros. Ralph Martin, citando Flávio Josefo, historiador judeu, diz que o cita era um tipo estranho de bárbaro, bem baixo na escala social e cultural, pouco melhor do que os animais selvagens.[51] William Barclay diz que os citas eram os bárbaros mais ignorantes do mundo antigo, enquanto os gregos eram os aristocratas do pensamento. Os povos incultos e os cultos se congregaram na igreja. O homem mais culto tem comunhão com o mais inculto na igreja.

Barreiras sociais. Em Cristo não há escravos nem livres. O escravo e o livre participavam da mesma igreja. Na presença de Deus as distinções sociais do mundo carecem de importância, diz William Barclay.[52]

---

[49] RIENECKER, Fritz e ROGERS, Cleon. *Chave linguística do Novo Testamento Grego*, p. 430.
[50] BARCLAY, William. *Filipenses, Colosenses, I y II Tesalonicenses*, p. 166.
[51] MARTIN, Ralph P. *Colossenses e Filemom*, p. 119.
[52] BARCLAY, William. *Filipenses, Colosenses, I y II Tesalonicenses*, p. 167.

Concordo com Ralph Martin quando ele diz que todas essas estratificações e hostilidades sociais são removidas na asseveração de que "Cristo é tudo" aquilo de que os homens precisam para entrar num mundo novo, e Ele está "em todos", independentemente da sua condição anterior no mundo antigo.[53]

William Hendriksen sintetiza esse ponto de forma esplêndida, como segue:

> A graça atravessa os abismos. Ainda que os gregos dividissem a humanidade em duas categorias, gregos e bárbaros; e ainda que os romanos (depois de conquistar politicamente os gregos, mas de serem conquistados por estes culturalmente) fizessem um contraste similar entre gregos e romanos por uma parte, e os "bárbaros", por outra; e apesar de os judeus não convertidos a Cristo colocarem o grego em contraste com o judeu, a graça não reconhece tais distinções, já que tanto o gentio como o judeu são reconciliados um com o outro mediante sua reconciliação com Deus através da cruz (Ef 2.13).[54]

Em quarto lugar, *porque o velho homem morreu, Cristo é tudo para nós* (3.11). Silas Alves Falcão diz que Cristo é tudo na Epístola aos Colossenses: 1) Ele é o Filho amado de Deus (1.13); 2) Ele é a imagem do Deus invisível e o Primogênito de toda a criação (1.15); 3) Ele é o eterno, Onipotente Criador (1.16); 4) Ele é o cabeça da Igreja (1.18); 5) Ele é o nosso Redentor (1.14); 6) Ele é a esperança da glória (1.27); 7) Ele é o detentor de todos os tesouros da sabedoria e do conhecimento (2.3); 8) Ele é a plenitude de Deus (2.9); 9) Ele é tudo em todos (3.11)[55] Cristo é o centro da história, da criação, da salvação, do céu. Cristo é tudo em todos: Cristo é tudo na Bíblia. Cristo é tudo no plano Redentor de Deus. Cristo é tudo para a alma redimida. Cristo é tudo na Igreja. Cristo é tudo no porvir. Cristo é tudo na eternidade.

---

[53] MARTIN, Ralph P. *Colossenses e Filemom*. 1984, p. 119.
[54] MARTIN, Ralph P. *Colossenses e Filemom*. 1984, p. 119.
[55] FALCÃO, Silas Alves. *Meditações em Colossenses*, p. 159.

9

Evidências da verdadeira santificação

Colossenses 3.12-17

NO CAPÍTULO ANTERIOR abordamos as evidências da verdadeira conversão. Neste capítulo analisamos as evidências da verdadeira santificação. A conversão precede a santificação, a qual segue inevitavelmente àquela.

A vida cristã é marcada por um lado negativo e outro positivo. É um constante despojar-se de um lado e um revestir-se do outro. Se por um lado devemos fazer morrer a nossa natureza terrena, por outro devemos buscar as coisas lá do alto.

Paulo acabara de ordenar aos cristãos a despojar-se e despir-se das mortalhas do velho homem (3.8,9); agora, ordena-os a revestir-se das roupagens do novo homem (3.12). "Revesti-vos", eis o mandamento! O verbo está no imperativo aoristo, mostrando que, de uma vez e para sempre, os cristãos deviam tomar como vestimenta as virtudes cristãs. O novo homem precisa exibir vestes novas, as vestes dos filhos do Rei.[1]

William Hendriksen diz que a presente seção é insuperável pela beleza de seu estilo e pelo chamado direto ao coração. O mesmo se pode dizer de seu valor prático.[2]

---

[1] FALCÃO, Silas Alves. *Meditações em Colossenses*, p. 167.
[2] HENDRIKSEN, William. *Colosenses y Filemon*, p. 181.

A ênfase neste parágrafo concentra-se na motivação. Por que deveríamos tirar os trapos da velha vida e vestir-nos das roupagens do novo homem? Paulo expõe três motivos que devem encorajar-nos a andar em novidade de vida.

A santificação está fundamentada nas **bênçãos singulares** já recebidas de Deus (3.12,13)

Antes de dizer o que devemos fazer para Deus, Paulo relembra o que Deus fez por nós. Vida cristã não é algo que construímos pelos nossos méritos e esforços, mas o resultado daquilo que Deus fez por nós em Cristo Jesus. Paulo menciona quatro grandes verdades, que passamos a destacar.

Em primeiro lugar, *o povo de Deus foi escolhido na eternidade* (3.12a). O apóstolo Paulo ordena: *Revesti-vos, pois, como eleitos de Deus*. A eleição divina é eterna (2Tm 1.9). Ela é realizada em Cristo (Ef 1.4) e para a salvação (Rm 8.30). Não fomos nós que escolhemos a Deus, mas foi Ele quem nos escolheu (Jo 15.16). A eleição divina não se baseia em mérito humano, mas na graça divina (Dt 7.7,8). Deus não nos escolheu por causa de quem somos ou fazemos, mas apesar disso (Rm 5.8). Deus nos escolheu por Seu propósito soberano e eterno (2Tm 1.9). Ele nos escolheu não porque previu que iríamos crer, mas nós cremos porque fomos eleitos (At 13.48). Ele nos escolheu não porque praticávamos boas obras, mas para fazermos boas obras (Ef 2.10). Ele nos escolheu não porque éramos santos, mas para sermos santos (Ef 1.4). Ele nos escolheu não porque éramos obedientes, mas para a obediência (1Pe 1.2). Fomos eleitos mediante a santificação do Espírito e a fé na verdade (2Ts 2.13).

Concordo com William Hendriksen quando ele diz que a eleição afeta a vida em todas as suas fases, pois não é algo abstrato. Mesmo que pertença ao decreto de Deus desde a eternidade, chega a ser uma força dinâmica no coração e na vida dos filhos de Deus. Ela produz frutos.[3]

Em segundo lugar, *o povo de Deus foi separado como Sua propriedade exclusiva* (3.12b). Nós fomos eleitos para a santidade. E ser santo

---

[3] HENDRIKSEN, William. *Colosenses y Filemon*, p. 181.

é ser separado do mundo para Deus. Agora, tirados do mundo mesmo estando geograficamente no mundo, somos propriedade exclusiva de Deus (1Pe 2.9). Fomos comprados por um alto preço e agora não somos mais de nós mesmos (1Co 6.19,20). Bruce Barton diz corretamente que somos feitos santos aos olhos de Deus por causa do sacrifício de Cristo na cruz, ainda que a santidade seja um alvo progressivo da salvação.[4]

Warren Wiersbe afirma que, assim como a cerimônia de casamento separa um homem e uma mulher um para o outro de modo exclusivo, a salvação separa o cristão exclusivamente para Jesus Cristo.[5] E, da mesma forma que seria escandaloso ver uma mulher casada ou um homem casado correr para os braços de outra pessoa, também é um escândalo um cristão viver para o mundo ou para agradar a carne.

Em terceiro lugar, *o povo de Deus foi profundamente amado* (3.12c). Antes da nossa conversão, estávamos sem esperança e sem Deus no mundo (Ef 2.12). Estávamos perdidos e mortos em nossos delitos e pecados. Éramos escravos do diabo, do mundo e da carne (Ef 2.1-3). Estávamos, ainda, debaixo da ira de Deus (Ef 2.3). Mas agora somos não apenas propriedade exclusiva de Deus, mas amados de Deus. Somos a herança de Deus, o Seu tesouro particular, a menina dos Seus olhos, o Seu prazer. Seu amor por nós é eterno. Suas misericórdias não têm fim. Seu amor é revelado a nós pela obra da criação, da providência e da redenção.

Em quarto lugar, *o povo de Deus foi completamente perdoado* (3.13b). Deus não apenas nos escolheu, nos santificou e nos amou, mas também nos perdoou, cancelando toda a nossa dívida. Agora, estamos quites com a lei de Deus e com Sua justiça. O perdão de Deus é completo e final. Trata-se de um perdão que abrange todos os nossos pecados do passado, presente e futuro. Na verdade, não há mais nenhuma condenação para aqueles que estão em Cristo Jesus (Rm 8.1). Nenhuma acusação pode prosperar contra nós, pois o Deus que nos ama já nos perdoou e nos declarou justos!

---

[4] BARTON, Bruce B. et al. *Life application bible commentary on Philippians, Colossians and Philemon*, p. 214.
[5] WIERSBE, Warren W. *Comentário bíblico expositivo*. Vol. 6, 2006, p. 180.

A santificação é um contínuo uso das **vestimentas espirituais** providenciadas por Deus (3.12-14)

Paulo deixa de falar daquilo que Deus fez por nós para tratar daquilo que devemos fazer uns aos outros. Agora pertencemos à família de Deus e devemos viver nela de modo digno de Deus. O cristianismo é mais do que a mera aceitação de doutrinas ortodoxas; é também um relacionamento correto com Deus e uns com os outros.

William Barclay diz que cristianismo é comunidade.[6] Em contraste com os vícios listados no capítulo anterior (pecados sexuais, sociais e da língua), Paulo oferece agora uma lista de virtudes que devem ornar a vida do cristão.[7] Vamos considerar essas indumentárias que devem fazer parte da nossa vida.

Em primeiro lugar, *ternos afetos de misericórdia* (3.12). Paulo traça um contraste entre a vida antes da conversão, marcada por ira, indignação, maldade, maledicência, obscenidade e mentira (3.8,9), e a nova vida caracterizada por *ternos afetos de misericórdia* (3.12). Ser misericordioso é lançar o coração na miséria do outro. É uma genuína simpatia pelas necessidades dos outros. O cristão deve ter um coração compassivo.

No original, *splanchna oiktirmou* quer dizer entranhas compassivas. A expressão "ternos afetos" pode ser traduzida literalmente por "órgãos internos", do grego *splanchna*. No pensamento antigo, as vísceras eram consideradas a sede da vida emocional. A segunda palavra, *oiktirmos*, significa a expressão externa de profundo sentimento na preocupação e ação compassivas. Sendo assim, o termo composto transmite o senso de uma compaixão profundamente sentida que se estende aos necessitados.[8]

No mundo antigo, os aleijados e os enfermos eram simplesmente eliminados. Não havia provisões sociais para os idosos. O tratamento destinado aos doentes mentais era desumano. As crianças não tinham nenhum direito.[9] A misericórdia é uma dádiva do cristianismo. Russell Shedd

---

[6] BARCLAY, William. *Filipenses, Colosenses, I y II Tesalonicenses*, p. 168.
[7] BARTON, Bruce B. et al. *Life application bible commentary on Philippians, Colossians and Philemon*, p. 215.
[8] MARTIN, Ralph P. *Colossenses e Filemom*. 1984, p. 121.
[9] BARCLAY, William. *Filipenses, Colosenses, I y II Tesalonicenses*, p. 168.

alerta para o fato de que a violência, que atrai tanta atenção na literatura, televisão, revistas e grande parte dos meios de entretenimento, tende a criar sentimentos opostos, imunidade e indiferença emocional frente à miséria e sofrimento terríveis de que há tantas vítimas no mundo.[10]

O povo de Deus deve vestir-se com a indumentária da misericórdia. Esses afetos de misericórdia podem ser vistos na atitude de José do Egito com seus irmãos (Gn 45.1-4). Em vez de vingar-se deles, José lhes ministrou amor e bondade. Também pode ser ilustrado pela atitude do samaritano que se compadeceu do homem ferido à beira do caminho, pensando suas feridas e restaurando sua vida.

A vida de Jesus foi motivada pela compaixão (Mt 9.36). Ele chorou ante o sofrimento que afligiu seus amigos em Betânia (Jo 11.35). Compadeceu-se da viúva que estava indo sepultar seu único filho (Lc 7.13). Ele é o grande sumo sacerdote que se compadece de nós (Hb 4.14-16). Silas Falcão está correto ao dizer que o cristão, quanto mais perto de Jesus estiver, tanto mais será cheio de sua compaixão pelos homens.[11]

Em segundo lugar, *bondade* (3.12). Bondade é exatamente o oposto da malícia ou maldade mencionada no versículo 8. Os antigos escritores definiam a bondade como a virtude do homem para quem o bem do seu próximo é tão caro como o seu próprio.[12] Ser bom é ser benevolente para os outros como Deus tem sido para nós. A bondade toma a iniciativa em responder generosamente às necessidades dos outros.[13]

A palavra grega *chrestoteta* é a bondade expressa em atitudes e atos. Denota o espírito amigável e ajudador que procura suprir as necessidades dos outros mediante atos generosos.[14] Barnabé é chamado de homem bom. Ele estava sempre investindo na vida das pessoas. Investiu na vida de Paulo, dos cristãos pobres de Jerusalém, e mais tarde na vida de João Marcos (At 4.36,37; 15.37).

---

[10] SHEDD, Russell. *Andai nele.* São Paulo: ABU, 1979, p. 71,72.
[11] FALCÃO, Silas Alves. *Meditações em Colossenses,* p. 170.
[12] BARCLAY, William. *Filipenses, Colosenses, I y II Tesalonicenses,* p. 168.
[13] BARTON, Bruce B. et al. *Life application bible commentary on Philippians, Colossians and Philemon,* p. 215.
[14] RIENECKER, Fritz e ROGERS, Cleon. *Chave linguística do Novo Testamento Grego,* p. 430.

William Barclay, citando Flávio Josefo, historiador judeu, aplicou essa mesma palavra para descrever Isaque, o homem que cavava poços e os entregava aos seus contendores, porque não queria litigar com eles (Gn 26.17-25). A palavra também era usada para o vinho que com os anos suavizava e perdia a aspereza.[15]

Em terceiro lugar, **humildade** (3.12). A palavra grega *tapeinofrosynen*, "humildade", é uma virtude criada e introduzida no mundo pelo cristianismo.[16] A humildade não era considerada uma virtude, mas uma fraqueza.[17] Era tratada com desdém e não incentivada como virtude.

Bruce Barton diz que ser humilde é ter uma autoestima adequada, que nem se exalta com orgulho nem se autodeprecia. Trata-se de uma correta compreensão de si mesmo diante de Deus, de si mesmo e dos homens.[18] Ralph Martin diz que a verdadeira humildade é o antídoto ao amor-próprio que envenena os relacionamentos entre os irmãos.[19]

Ser humilde é não ter um elevado conceito de si mesmo (Rm 12.3). O centurião romano disse para Jesus: *Não sou digno de que entres em minha casa* (Lc 7.6). Uma pessoa humilde está pronta a reconhecer o valor dos outros e a reconhecer seus próprios erros. Humildade é honrar os outros mais do que a si mesmo (Fp 2.3,4). Uma pessoa humilde é aquela que reconhece seus erros e está pronta a aceitar admoestação. O publicano humildemente orou: *Senhor, sê propício a mim, pecador* (Lc 18.13).

Em quarto lugar, **mansidão** (3.12). Mansidão não é fraqueza, mas poder sob controle. Os homens mais vigorosos foram mansos. Moisés, o líder de punhos de aço, que tirou o povo de Israel do poderoso Império egípcio, é considerado o homem mais manso da terra (Nm 12.3). Jesus, o homem perfeito, foi manso e humilde de coração (Mt 11.29).

A mansidão é uma disposição de ceder os direitos. É a pessoa que está pronta a sofrer danos em vez de causar danos, diz William

---

[15] BARCLAY, William. *Filipenses, Colosenses, I y II Tesalonicenses*, p. 168.
[16] BARCLAY, William. *Filipenses, Colosenses, I y II Tesalonicenses*, p. 168.
[17] HENDRIKSEN, William. *Colosenses y Filemon*, p. 183.
[18] BARTON, Bruce B. et al. *Life application bible commentary on Philippians, Colossians and Philemon*, p. 216.
[19] MARTIN, Ralph P. *Colossenses e Filemom*, p.122.

Hendriksen.[20] Na mesma linha, Ralph Martin afirma que mansidão é uma disposição para abrir mão de um direito indubitável.[21]

A palavra grega *prauthes* indica uma submissão obediente a Deus e à Sua vontade, com uma fé não vacilante e uma paciência constante que se manifestam em atos gentis e em uma atitude benevolente para com as outras pessoas. É a qualidade de manter os poderes da personalidade sujeitos à vontade de Deus, mediante o poder do Espírito Santo.[22] Uma pessoa mansa conserva o domínio próprio porque é guiada por Deus. Tem ao mesmo tempo a energia e a suavidade da verdadeira gentileza.[23] A Bíblia diz: quem é tardio em irar-se vale mais do que o valente; e quem domina a sua alma vale mais do que quem toma uma cidade (Pv 16.32).

Warren Wiersbe, nessa mesma linha de pensamento, diz que "mansidão" era uma palavra usada para descrever o vento que abrandava o calor, o remédio que curava ou um potro domado. Todos esses casos implicam poder: o vento pode transformar-se em tempestade; uma superdose de remédio pode ser mortal; um cavalo pode soltar-se e fugir. Mas esse poder está sob controle. A pessoa mansa não precisa perder as estribeiras, pois tem tudo sob controle.[24]

Em quinto lugar, **longanimidade** (3.12). A palavra grega *macrothymia* significa o espírito que jamais perde a paciência com o próximo.[25] Essa palavra é específica para falar sobre a paciência com pessoas. Longanimidade é paciência estendida ao máximo. É suportar as ofensas sem retaliar. É sofrer os maus-tratos sem amargurar a alma.

Crisóstomo, o mais eloquente pregador dentre os pais da Igreja, definiu *macrothymia* como o espírito que poderia vingar-se caso quisesse, mas por fim se recusava a fazê-lo. Lightfoot a explicou como o espírito que nunca retalia. Fritz Rienecker diz que *macrothymia* denota a mente que se controla durante um longo tempo antes de agir. Indica

---

[20] HENDRIKSEN, William. *Colosenses y Filemon*, p. 183.
[21] MARTIN, Ralph P. *Colossenses e Filemom*, p. 122.
[22] RIENECKER, Fritz e ROGERS, Cleon. *Chave linguística do Novo Testamento Grego*, p. 430.
[23] BARCLAY, William. *Filipenses, Colosenses, I y II Tesalonicenses*, p. 169.
[24] WIERSBE, Warren W. *Comentário bíblico expositivo*. Vol. 6, 2006, p. 181.
[25] BARCLAY, William. *Filipenses, Colosenses, I y II Tesalonicenses*, p. 169.

a longanimidade em sofrer injustiças ou passar por situações desagradáveis, sem vingança ou retaliação, mas com a visão ou esperança de um alvo final.[26]

William Barclay declara que essa virtude cristã estava em oposição à virtude grega. A grande virtude grega era *megalopsychia*, que Aristóteles definiu como a renúncia a tolerar qualquer insulto ou injúria. Para o grego, ser grande era vingar-se. Para o cristão, ser grande é renunciar à vingança.[27]

Em sexto lugar, **suporte fraternal** (3.13a). Não significa aguentar estoicamente o outro, mas servir para ele de escora, de suporte, levando com prazer a sua carga. Suportar não é simplesmente tolerar, mas amparar o fraco para que ele se levante.

Silas Falcão diz corretamente que, em uma igreja espiritual, os cristãos mais fracos e débeis na fé se tornam fortes; os tristes são consolados, e os que enfrentam problemas e lutas são fortalecidos.[28] O apóstolo Paulo registra: *Nós que somos fortes devemos suportar as debilidades dos fracos e não agradar a nós mesmos* (Rm 15.1). Conta-se que uma menina chinesa estava levando às costas um pequeno de dois anos de idade, quando alguém, compadecido ao vê-la vergada com o peso da carga, perguntou-lhe: "Não acha que é pesado, menina?" A resposta da criança foi admirável: "Não, senhor. Não pesa; é meu irmão".[29]

Em sétimo lugar, **perdão** (3.13b). Não basta apenas deixar de retaliar, é preciso perdoar. Devemos perdoar, porque fomos perdoados. Devemos perdoar como fomos perdoados. Esse perdão deve ser recíproco, completo e restaurador, como o perdão de Deus. Destacamos quatro verdades importantes sobre o perdão:

Devemos perdoar porque fomos perdoados. A igreja é a comunidade dos perdoados. Aqueles que são receptáculos do perdão devem ser também canais do perdão. O perdão que recebemos de Deus é sempre maior do que aquele que concedemos ao próximo. Na parábola

---

[26] RIENECKER, Fritz e ROGERS, Cleon. *Chave linguística do Novo Testamento Grego*, p. 430.
[27] BARCLAY, William. *Palabras griegas del Nuevo Testamento*, p. 150.
[28] FALCÃO, Silas Alves. *Meditações em Colossenses*, p. 173.
[29] FALCÃO, Silas Alves. *Meditações em Colossenses*, p. 174.

do credor incompassivo, a proporção é de dez mil talentos para cem denários. Dez mil talentos são mil vezes mais do que cem denários. Jamais podemos sonegar perdão aos que nos ofendem, pois o perdão que recebemos de Deus é sempre maior do que o perdão que conseguimos oferecer.

Devemos perdoar porque temos queixas uns dos outros. As pessoas nos decepcionam, e nós decepcionamos as pessoas. Ferimos as pessoas, e elas nos ferem. Mais pessoas sofrem por causa de outras pessoas que por causa de circunstâncias. Nós temos queixas uns dos outros, por isso o perdão é uma necessidade vital. Quem não perdoa não pode adorar, ofertar ou mesmo ser perdoado. Quem não perdoa adoece física e espiritualmente. Quem não perdoa é entregue aos flageladores e verdugos da consciência. O perdão é a assepsia da alma, a faxina da mente, a cura das memórias amargas.

Devemos perdoar assim como Deus em Cristo nos perdoou. Deus nos perdoa completamente e esquece os nossos pecados. Ele lança as nossas transgressões nas profundezas do mar e as desfaz como a névoa. Assim também devemos perdoar. Obviamente, quando a Bíblia diz que Deus perdoa e esquece, ela não está dizendo que Deus tem amnésia. Deus se lembra de tudo e de todos. Quando a Bíblia diz que Deus perdoa e esquece, isso significa que Ele não lança em nosso rosto aquilo que Ele mesmo já perdoou. Ele não cobra novamente essa dívida. É assim que devemos perdoar. Perdoar é zerar a conta. É lembrar sem sentir dor.

Devemos perdoar reciprocamente. O perdão não é unilateral, mas bilateral. Devemos perdoar-nos uns aos outros. Quem ofendeu deve pedir perdão, e quem foi ofendido deve perdoar. Mesmo que o ofensor reincida no seu erro várias vezes a ponto de precisar vir sete vezes durante o dia pedir perdão, devemos perdoá-lo. O perdão recíproco não tem limites. Devemos perdoar até setenta vezes sete!

Concordo com C. S. Lewis quando ele diz que é mais fácil falar de perdão do que perdoar. Não é difícil pregar ou escrever sobre perdão; o desafio é perdoar aqueles que nos ferem. A dor mais cruel que já senti foi quando meu irmão foi assassinado. A dor foi tão avassaladora que perdi a voz ao receber a notícia. Porém, quando recobrei as forças, a primeira palavra que Deus colocou nos meus lábios foram essas: "Eu perdoo o assassino". Na verdade, eu não tinha outra opção. Perdoava ou adoecia. Perdoava ou minha vida se transformaria num inferno. O perdão é uma necessidade vital e até mesmo uma questão de bom senso. Quem não perdoa torna-se cativo do seu desafeto. Se você nutrir mágoa no coração por alguém, essa pessoa manterá você no cativeiro do ódio. Você acabará convivendo diariamente com ela. Você se assentará para tomar uma refeição, e essa pessoa tirará seu apetite. Você tentará descansar depois de um dia de trabalho exaustivo, e essa pessoa fará seu sono tornar-se seu pesadelo. Você sairá de férias com sua família, e essa pessoa pegará carona com você para estragar suas férias e azedar sua alma. Perdoar é ficar livre e deixar a outra pessoa livre!

Em oitavo lugar, *amor* (3.14). O apóstolo Paulo orienta: "Acima de tudo isto, porém, esteja o amor, que é o vínculo da perfeição". "Acima de tudo isto" pode transmitir o pensamento de "por cima de todas as demais roupas" a serem vestidas.[30] Warren Wiersbe diz que esta é a mais importante das virtudes cristãs e age como um "cinto" que mantém unidas as outras virtudes.[31] As outras virtudes podem existir sem o amor, mas o amor não pode existir sem as outras virtudes. É o amor que coloca todas as outras virtudes juntas. O amor é cinturão que prende as outras peças do vestuário moral.

William Hendriksen diz que o amor é o lubrificante que permite que as outras virtudes funcionem suavemente. O amor é a graça que liga todas as outras graças.[32] O amor é o mais importante aspecto da vida do cristão. O amor é a evidência cabal do discipulado. O amor é a apologética final.

O que é a ortodoxia sem amor? Legalismo frio e repulsivo! O que é a santidade sem amor? Farisaísmo reprovado por Jesus! O que é a beneficência sem amor? Exibicionismo egoísta! O que é o culto sem amor? Formalismo abominável aos olhos de Deus! O que é a pregação sem amor? Apenas um discurso vazio![33]

---

[30] MARTIN, Ralph P. *Colossenses e Filemom*, p. 123.
[31] WIERSBE, Warren W. *Comentário bíblico expositivo*. Vol. 6, 2006, p. 181.
[32] HENDRIKSEN, William. *Colosenses y Filemon*, p. 185.
[33] FALCÃO, Silas Alves. *Meditações em Colossenses*, p. 179,180.

William Barclay chega a dizer que o *ágape*, o amor cristão, é impossível para o não cristão. Nenhum homem pode praticar a ética cristã até ser um cristão.[34] Esse amor começa no lar (Ef 5.25,28,33), deve ser percebido no meio da igreja (1Pe 2.17), alcança o próximo (Mt 19.19; 22.39) e atinge até mesmo os nossos inimigos (Lc 6.27).

Em nono lugar, **gratidão** (3.15). A gratidão é a rainha das virtudes. O povo de Deus precisa despojar-se de toda amargura e murmuração e encher a alma de profunda gratidão por tudo quanto Deus fez em seu favor. A palavra grega *eucharistos* indica a obrigação de ser grato a alguém por causa de um favor obtido. A gratidão surge da graça de Deus e do que Ele tem feito.[35]

A santificação é possível mediante o uso dos **poderosos recursos** ordenados por Deus (3.15-17)

O apóstolo Paulo menciona três poderosos recursos de Deus para nos conduzir à santificação.

Em primeiro lugar, *a paz de Cristo* (3.15). William Hendriksen diz que esta paz é a condição de descanso e contentamento no coração daqueles que sabem que seu Redentor vive. É a convicção de que os pecados passados já foram perdoados, de que o presente está sendo dirigido para o nosso bem e de que o futuro jamais poderá ameaçar-nos ou afastar-nos de Cristo.[36]

Ralph Martin afirma que o reinado dessa paz ressalta ainda mais a necessidade de ter uma comunidade cristã convivendo em união e tolerância. O chamado aqui é para não permitir que nenhum espírito estranho se infiltre nos relacionamentos dos membros da igreja, destruindo a paz.[37]

Essa paz "é a paz de Cristo" porque foi Ele quem nos deu (Jo 14.27). Essa paz não é paz de cemitério. Não é calmaria nem ausência de lutas.

---

[34] BARCLAY, William. *Palabras griegas del Nuevo Testamento*, p. 18.
[35] RIENECKER, Fritz e ROGERS, Cleon. *Chave linguística do Novo Testamento Grego*, p. 430,431.
[36] HENDRIKSEN, William. *Colosenses y Filemon*, p. 185.
[37] MARTIN, Ralph P. *Colossenses e Filemom*, p. 124.

Essa paz nem mesmo é a presença de coisas boas. Essa paz é uma Pessoa. Essa paz é Jesus! Cristo é a nossa paz (Ef 2.14).

Essa paz não é apenas interna; é também uma paz que reverbera nos relacionamentos. Quando temos a paz de Cristo, também temos paz uns com os outros, uma vez que fomos chamados em um só corpo (3.15b). Não podemos ter a paz de Cristo no coração e ao mesmo tempo estar em guerra com os nossos irmãos. Não podemos ter uma relação verticalmente correta com Deus sem estar também com nossas relações horizontais acertadas. A harmonia da igreja é a expressa vontade de Deus para o Seu povo, diz Ralph Martin.[38]

A paz de Cristo é o árbitro em nosso coração. O termo grego *brabeuto*, traduzido por "árbitro", faz parte do vocabulário esportivo e refere-se "àquele que preside o jogo e distribui os prêmios".[39] Quando cometemos uma falta, o árbitro para o jogo e somos impedidos de continuá-lo. Quando transgredimos as regras, somos desqualificados para o jogo. O caminho para vivermos retamente é designar a Jesus Cristo como o árbitro das nossas emoções. Quando transgredimos, Ele levanta o cartão amarelo ou vermelho e nos adverte. Quando a paz de Cristo vai embora do nosso coração, podemos saber que alguma coisa está errada em nossa vida. Quem obedece à vontade de Deus, tem paz interior, mas, ao sair de Sua vontade, perde essa paz. Assim, sempre que houver um conflito de motivos, a paz de Cristo tem de entrar e decidir o que deve prevalecer.[40]

Obviamente precisamos ter cuidado com o perigo da falsa paz no coração. O profeta Jonas deliberadamente desobedeceu a Deus e refugiou-se no sono da fuga no porão de um navio surrado pela tempestade. Jonas tinha uma falsa paz.

Quando temos paz no coração, temos gratidão nos lábios: Paulo ordenou: "e sede agradecidos" (3.15b). É impossível ver um cristão fora da vontade de Deus louvando sinceramente ao Senhor. Quando o rei

---

[38] MARTIN, Ralph P. *Colossenses e Filemom*, p. 124.
[39] WIERSBE, Warren W. *Comentário bíblico expositivo*. Vol. 6, 2006, p. 182.
[40] ROVEY, Alvah. *Comentário expositivo sobre el Nuevo Testamento: 1Coríntios – 2Tesalonicenses*. El Paso, TX: Casa Bautista de Publicaciones, s/d, p. 441.

Davi encobriu seus pecados, perdeu a paz e a capacidade de louvar (Sl 32 e 51). Quando ele confessou o seu pecado, voltou a entoar os cânticos de louvor.[41]

Em segundo lugar, *a Palavra de Cristo* (3.16). Os falsos mestres estavam tentando introduzir na igreja os falsos ensinos do gnosticismo, do legalismo, do misticismo e do ascetismo. Estavam tentando harmonizar a Palavra de Deus com seus ensinos heréticos. Para eles, a Palavra não era suficiente. Paulo, então, determina: *Habite ricamente em vós a Palavra de Cristo*. Essa ordenança é a mesma de Efésios 3.17: *E, assim, habite Cristo nos vossos corações*. Vamos destacar alguns aspectos:

Ser cheio da Palavra é um mandamento absoluto para todo o povo de Deus (3.16). A palavra grega *enoikeito*, "habite", está no imperativo. Trata-se de uma ordem. Não ser um cristão cheio da Palavra equivale a desobedecer a um mandamento apostólico. A Palavra deve habitar ricamente, e não pobremente, em nosso coração. O analfabetismo bíblico hoje é assustador. Os púlpitos estão ficando vazios da Palavra.

Ser cheio da Palavra significa ser governado por ela (3.16). A palavra "habitar" traz a ideia de habitar como o dono da casa, e não como um inquilino. Significa sentir-se à vontade em casa. Trata-se do morador que possui todas as chaves da casa e tem liberdade de ocupar todos os cômodos. Sendo assim, o que Paulo ordena é: "Que more em vós, não como hóspede que passa um dia ou dois ali, mas como um habitante da casa que jamais sai dela".[42]

Ser cheio da Palavra promove conhecimento bíblico (3.16). A Igreja é uma agência de ensino da Palavra. Os cristãos devem ser cheios da Palavra não para reterem todo esse conhecimento para si, mas para transmiti-lo aos outros. Devemos instruir uns aos outros.

Ser cheio da Palavra desemboca em aconselhamento (3.16). A igreja deve ser uma comunidade terapêutica. Os cristãos devem aconselhar uns aos outros em toda a sabedoria. Devem estar capacitados para esse trabalho do aconselhamento bíblico (Rm 15.14). O abandono desse princípio bíblico tem levado muitas igrejas a desviar-se para o engano de que

---

[41] WIERSBE, Warren W. *Comentário bíblico expositivo*. Vol. 6, 2006, p. 182.
[42] BONNET, L. e SCHROEDER, A. *Comentario del Nuevo Testamento*, p. 607.

o aconselhamento bíblico é insuficiente e ineficaz. É por causa desse fracasso da igreja que vemos tantos cristãos doentes emocionalmente e tantos outros buscando ajuda nas cisternas rotas das psicologias humanistas. John MacArthur Jr. faz o seguinte alerta:

> A igreja está, por assim dizer, ingerindo doses maciças do dogma da psicologia, adotando a "sabedoria" secular e tentando santificá-la, chamando-a de cristã. Os valores mais fundamentais do evangelicalismo, portanto, estão sendo redefinidos. "Saúde mental e emocional" é a nova moda. Não se trata de um conceito bíblico, embora muitos pareçam equalizá-lo com a integridade espiritual. O pecado recebe o nome de doença, de forma que as pessoas acham que precisam de terapia, e não de arrependimento. O pecado habitual recebe o nome de vício ou de comportamento compulsivo, e muitos presumem que a solução está no cuidado médico, e não na correção moral.[43]

Ser cheio da Palavra deságua em música de adoração a Deus (3.16). A vida transformada por Cristo e orientada por Sua Palavra expressa sua felicidade e gratidão através de salmos, hinos e cânticos espirituais. O cristão deve cantar porque o cântico é o transbordamento da felicidade da alma remida. O evangelho produz alegria de viver. O cristão espiritual canta porque tem alegria de sua salvação.[44]

William Hendriksen diz que uma breve investigação mostra rapidamente que não é fácil fazer uma distinção clara entre *salmos, hinos e cânticos espirituais*. É natural, porém, que ao pensar em "salmos" nos venha à mente o saltério do Antigo Testamento. A palavra "hinos" só aparece neste texto e em Efésios 5.19. Agostinho diz que um hino deve ter as seguintes características: deve ser cantado; deve ser em louvor; deve ser dirigido a Deus. Já "cânticos espirituais", *odais pneumatikais*, no sentido de um poema cantado, não só aparece aqui e em Efésios 5.19 como também em Apocalipse 5.9; 14.3 e 15.3. Trata-se necessariamente de uma canção sagrada.[45]

---

[43] MACARTHUR Jr., John. *Nossa suficiência em Cristo*. São Paulo: Fiel, 2007, p. 60,61.
[44] FALCÃO, Silas Alves. *Meditações em Colossenses*, p. 189.
[45] HENDRIKSEN, William. *Colosenses y Filemon*, p. 189.

Há uma inter-relação entre Bíblia e música na igreja. A pobreza do conhecimento da Palavra reflete no imenso número de músicas evangélicas pobres e vazias de conteúdo bíblico. Os compositores evangélicos precisam ser cheios da Palavra, pois música é teologia cantada.

A passagem de Salmo 40.3 é oportuna nessa reflexão: *E me pôs nos lábios um novo cântico, um hino de louvor ao nosso Deus; muitos verão essas coisas, temerão e confiarão no* SENHOR. Este texto mostra-nos que a música tem uma origem. É o Senhor quem nos coloca nos lábios um novo cântico. Essa música vem de Deus; ela procede do céu. Também a música cantada na igreja tem uma natureza distinta; ela é um novo cântico. Não é novo apenas de edição, mas novo em natureza. A música tem um propósito. Ela deve ser um hino de louvor ao nosso Deus. Essa música vem de Deus e volta para Deus. Ela não é composta nem cantada para entreter os ouvintes, menos ainda para agradar os gostos e preferências do compositor ou do auditório. A música é um hino de louvor a Deus ou, então, não passa de barulho aos ouvidos de Deus. Finalmente, essa música tem um resultado. Muitas pessoas verão essas coisas, temerão e confiarão no Senhor. A música tem um profundo impacto evangelístico. Ela é um instrumento poderoso nas mãos de Deus para quebrantar os corações e atraí-los para a verdade de Deus. A música vocalizada deve ser acompanhada pela música do coração, diz Russell Shedd.[46] Quando cantamos apenas pela arte de cantar, a adoração se transforma em ritualismo, e não em realidade.

Em terceiro lugar, *o nome de Cristo* (3.17). O cristão deve viver pelo poder do nome de Cristo e para a glória de Deus. Nossas palavras e ações devem ser realizadas em nome de Cristo. Silas Falcão diz acertadamente que não deve haver na vida do cristão contradição entre suas palavras e ações, entre seu comportamento na igreja e na sociedade em que vive. A vida toda é sagrada. Tudo o que o cristão falar e disser deverá ser digno do seu Senhor e Salvador. Cristo é preeminente em seu viver, e por isso, o cristianismo que ele vive é integral. Todas as coisas são sagradas para ele, visto que ele pode fazer tudo em nome de Jesus Cristo.[47]

---

[46]SHEDD, Russell. *Andai nele*, p. 76.
[47]FALCÃO, Silas Alves. *Meditações em Colossenses*, p. 190.

Concordo com Ralph Martin quando ele diz que a totalidade da vida do cristão fica debaixo do nome de Jesus.[48] Devemos interpretar a expressão "em nome do Senhor Jesus" como o elemento ou a esfera do agir. Nada indigno de Cristo pode ser feito, nada inepto deve ser dito em associação íntima com Ele, mas tudo deve ser feito de tal maneira que a santa presença e caráter de Cristo não sejam ofendidos.[49]

Quando fazemos algo por meio de palavras ou ações em nome de Cristo, estamos com isto reconhecendo Sua autoridade. Quando o presidente assina um documento, aquele documento tem sua autoridade. O nome de um presidente num decreto o transforma em lei. Quando você assina um cheque, o banco reconhece a sua autoridade e paga o valor devido. É por causa do nome de Cristo que temos a autoridade de orar (Jo 14.13,14; 16.23-26).[50]

---

[48] MARTIN, Ralph P. *Colossenses e Filemom*, p. 128.
[49] ROVEY, Alvah. *Comentário expositivo sobre el Nuevo Testamento: 1Corintios-2Tesalonicenses*, p. 442.
[50] WIERSBE, Warren W. *Comentário bíblico expositivo*. Vol. 6, 2006, p. 184.

10

Relações humanas na família e no trabalho

Colossenses 3.18—4.1

WARREN WIERSBE DIZ QUE A FÉ EM CRISTO muda não apenas indivíduos, mas também famílias.[1] Quem não é cristão verdadeiro no lar, dificilmente o será em outra parte.[2] Não teremos igrejas santas nem uma sociedade justa se não tivermos lares bem estruturados. Neste texto, Paulo fala das relações humanas na família e no trabalho. Não é a primeira vez que esse tema é abordado no Novo Testamento. Ele é um tema recorrente (Ef 5.22–6.9; 1Tm 2.8-15; 6.1,2; Tt 2.1-10; 1Pe 2.12.3.7).

Os relacionamentos familiares passam por grande crise em nossos dias. O índice de separação conjugal já chega aos 50% em alguns países. Mais da metade das mães trabalha fora de casa, mesmo na fase das crianças pequenas. A média das crianças de 6 aos 16 anos assiste de 20 a 25 horas de televisão por semana e está grandemente influenciada por aquilo a que assiste.[3] O uso de contraceptivos e preservativos, incentivados por uma ética relativa, empurrou os adolescentes e jovens para uma vida sexualmente promíscua. O sexo está cada vez mais fácil e o casamento cada vez mais frágil. A família está em crise.

---

[1] WIERSBE, Warren W. *Comentário bíblico expositivo.* Vol. 6, 2006, p. 185.
[2] FALCÃO, Silas Alves. *Meditações em Colossenses*, p. 193.
[3] WIERSBE, Warren W. *Comentário bíblico expositivo.* Vol. 6, 2006, p. 185.

A sociedade é um espelho da família. Assim como está a família, está a igreja e a sociedade. Veremos doravante uma análise dos princípios de Deus que devem reger os relacionamentos na família e no trabalho. Esses princípios podem ser esquecidos, rejeitados e até odiados, mas jamais destruídos, pois são os princípios de Deus para uma sociedade saudável e justa.

Os princípios gerais que regem os relacionamentos na **família e no trabalho**

Há cinco princípios que regem os relacionamentos na família e no trabalho, e que vamos aqui destacar. Os três primeiros são sugeridos por William Hendriksen[4] e os dois últimos por William Barclay.[5]

Em primeiro lugar, *Cristo concede-nos um novo poder*. As outras filosofias morais são como trens sem locomotiva, mas o cristianismo é o motor que nos impulsiona e nos capacita a viver de acordo com os princípios estabelecidos por Deus. Cristo dá uma ordem e dá poder para que essa ordem seja cumprida. Esposas e maridos, filhos e pais, servos e senhores podem ter novos relacionamentos fundamentados no poder de Cristo.

Em segundo lugar, *Cristo nos oferece um novo propósito*. O grande propósito da família é viver todos os relacionamentos para a glória de Deus (1Co 10.31), isto é, em nome de Cristo, dando por isso graças a Deus Pai (Cl 3.17). A única maneira correta de explicar Colossenses 3.18–4.1 é à luz de Colossenses 3.17.

Em terceiro lugar, *Cristo nos oferece novo modelo*. Como noivo da Igreja, Cristo é o modelo para os maridos, devotando o Seu amor espontâneo, perseverante, sacrificial, santificador e cuidadoso à Igreja. Como Filho, Jesus submeteu-se ao Pai Celestial (Fp 2.8), bem como aos seus pais terrenos (Lc 2.51). Como Senhor, Jesus serviu aos Seus discípulos, a ponto de lavar-lhes os pés (Jo 13.13-17). Cristo é o supremo exemplo para os nossos relacionamentos na família e no trabalho.

---

[4]HENDRIKSEN, William. *Colosenses y Filemon*, p. 195.
[5]BARCLAY, William. *Filipenses, Colosenses, I y II Tesalonicenses*, p. 171-173.

Em quarto lugar, ***Cristo nos oferece uma nova ética***. A ética cristã não é recíproca. Não tem dois pesos e duas medidas. Não faz acepção de pessoas. Não é a ética de que todos os deveres estão de um lado só. Não há desequilíbrio nem injustiça. Há privilégios e responsabilidades para todos.

Paulo não realça o dever das esposas à custa do dever dos maridos, dos filhos a expensas dos pais, ou dos servos a expensas do dever dos senhores. Fora da Palavra de Deus não havia esse equilíbrio. Esse conceito de Paulo foi revolucionário, visto que no primeiro século as esposas, os filhos e os servos não tinham direitos.

William Barclay diz que, sob as leis e costumes judeus e gregos, todos os privilégios pertenciam ao marido e todos os deveres à mulher; no cristianismo, contudo, temos pela primeira vez uma ética de obrigações mútuas.[6] No mundo antigo, os filhos não tinham direitos. Os pais podiam deserdá-los, escravizá-los e até matá-los. No mundo antigo, um escravo era apenas uma coisa. Não existia um código de leis trabalhistas. O cristianismo revoluciona a vida social mostrando a reciprocidade dos direitos e responsabilidades.

Em quinto lugar, ***Cristo nos oferece uma nova motivação***. A principal motivação da esposa, do filho e do servo é agradar ao Senhor Jesus. As três figuras que indicam submissão apontam para a dependência do Senhor (3.18,20,22-24): esposas, filhos e servos. Se somos servos de Cristo, por causa do Senhor devemos obedecer. Obviamente, essa obediência não é absoluta (At 5.29). O cristianismo ensina que todas as relações são *no Senhor*. William Barclay corretamente afirma que toda a vida cristã se vive em Cristo. Em toda relação pai-filho domina o pensamento da paternidade divina; devemos tratar nossos filhos como Deus trata Seus filhos e filhas. O que estabelece a relação patrão-empregado é que ambos são servos do único dono, o Senhor Jesus Cristo. O novo nas relações pessoais como as vê o cristianismo é que Jesus Cristo se introduz nelas como o fato que transforma e recria.[7]

---

[6] Barclay, William. *Filipenses, Colosenses, I y II Tesalonicenses,* p. 172.
[7] Barclay, William. *Filipenses, Colosenses, I y II Tesalonicenses,* p. 173.

Os princípios de Deus para o relacionamento conjugal (3.18,19)

Deus tem princípios que devem reger a postura da esposa e princípios que devem nortear a postura do marido. Não existe sobrecarga para um e alívio para outro. Não existe apenas ônus para um e bônus para o outro. Ambos, marido e mulher, têm privilégios e responsabilidades. Acompanhemos o ensino de Paulo.

Em primeiro lugar, *a submissão da esposa ao marido* (3.18). A submissão não é uma questão de inferioridade, visto que todos os cristãos precisam submeter-se uns aos outros (Ef 5.21). Tanto o homem como a mulher são um em Cristo (Gl 3.28). A submissão não é uma questão de valor pessoal, mas de função na estrutura familiar. Uma instituição não pode ser acéfala nem bicéfala. Um corpo sem cabeça ou com duas cabeças é anômalo.

Não se pode confundir submissão com "escravidão" ou "subjugação". A autoridade do marido não é um governo ditatorial ou tirano, mas sim uma liderança amorosa.[8] A posição de liderança do homem é apenas funcional. O homem não é melhor do que a mulher, nem a mulher é inferior ao homem. A mulher veio do homem, e o homem vem da mulher. Eles são interdependentes (1Co 11.11,12). Assim como Deus Pai é o cabeça de Cristo e Deus Pai não é maior do que Cristo, o homem não é maior do que a mulher.

Quero destacar três pontos acerca da submissão da esposa:

A submissão da esposa ao seu marido é uma ordem divina (3.18). "Esposas, sede submissas ao próprio marido". As ordenanças divinas não são para nos escravizar, mas para nos libertar. A submissão é a liberdade e a glória da esposa, assim como a submissão da Igreja a Cristo é Sua glória e liberdade. Os preceitos de Deus não nos escravizam, mas nos libertam. Um trem só é livre para correr quando desliza sobre os trilhos. Você só é livre para dirigir o seu carro quando o conduz segundo as leis do trânsito. A mulher só é verdadeiramente livre quando obedece ao princípio estabelecido por Deus da submissão ao

---

[8]WIERSBE, Warren W. *Comentário bíblico expositivo*. Vol. 6, 2006, p. 185.

marido. Essa submissão como já vimos não é escravidão. Ela não se submete a um tirano, mas a quem a ama como Cristo ama a Igreja. Nenhuma esposa tem dificuldade de ser submissa a um marido que a ama como Cristo amou a Igreja.

Fritz Rienecker afirma que a submissão, para Paulo, é voluntária e se baseia no reconhecimento da ordem divina.[9] Russell Shedd entende que a submissão da esposa ao marido é uma atitude de respeito e valorização do marido, que redunda num desejo natural de servi-Lo, apoiá-lo e obedecer-lhe.[10]

A submissão da esposa ao marido é uma atitude espiritual (3.18). "Esposas, sede submissas ao próprio marido, como convém no Senhor". A mulher deve submeter-se ao marido exatamente porque ela está debaixo do senhorio de Cristo. É impossível uma mulher ter uma relação de submissão a Cristo e de insubmissão ao marido. A submissão da esposa ao marido é um desdobramento da sua obediência a Cristo. Porque a mulher é submissa a Cristo, ela se submete ao marido. A versão NVI é mais clara no texto em tela: *Mulheres, sujeite-se cada uma a seu marido, como convém a quem está no Senhor*. A versão King James ainda lança mais luz: *Mulheres, cada uma de vós seja submissa ao próprio marido, pois assim deveis proceder por causa da vossa fé no Senhor*. Ralph Martin diz que a obediência a uma pessoa na sua hierarquia de importância é reflexo de um ato primário de obediência ao Senhor celestial, Cristo.[11]

A submissão da esposa ao marido não é absoluta (3.18). A mulher deve ser submissa ao marido até o ponto em que não seja forçada ou constrangida a transgredir a Palavra de Deus. Sua obediência a Cristo está acima de sua submissão ao marido. Acima da autoridade do marido está a soberania do Senhor. Por isso a esposa deve procurar fazer a vontade do marido quando esta coincidir com a vontade de Deus.[12]

Em segundo lugar, *o amor do marido à esposa* (3.19). Se a mulher deve submeter-se ao marido como a Igreja é submissa a Cristo, o marido

---

[9] RIENECKER, Fritz e ROGERS, Cleon. *Chave linguística do Novo Testamento Grego*, p. 431.
[10] SHEDD, Russell. *Andai nele*, p. 79.
[11] MARTIN, Ralph P. *Colossenses e Filemom*, p. 130.
[12] SHEDD, Russell. *Andai nele*, p. 79.

deve amar a esposa como Cristo ama a Igreja. O padrão deste amor, *ágape*, está claro em Efésios 5.25: *Como Cristo amou a Igreja e Se entregou por ela*. O amor do marido à esposa deve observar dois princípios.

O amor do marido à esposa é um claro mandamento de Deus. "Maridos, amai vossa esposa". O amor do marido à sua mulher é uma ordem divina. É algo imperativo. O marido deve amar a esposa como Cristo ama a Igreja, ou seja, com um amor perseverante, santificador, cuidadoso, romântico e sacrificial. O marido deve amar a esposa com um amor paciente, benigno e livre de ciúme. O amor verdadeiro não se ufana, não se ensoberbece, não se conduz inconvenientemente, não procura seus interesses, não se exaspera, não se ressente do mal; não se alegra com a injustiça, mas regozija-se com a verdade. Esse amor tudo sofre, tudo crê, tudo espera, tudo suporta e jamais acaba (1Co 13.4-8).

O amor do marido à esposa o impede de agredi-la com palavras e atitudes (3.19). "Não as trateis com amargura" refere-se à impaciência e aos resmungos que criam tensão no relacionamento, gerando logo desânimo.[13] Em vez de tratar a esposa com amargura, o marido precisa ser um bálsamo na vida dela, um aliviador de tensões, um amigo presente, um companheiro sensível que vive a vida comum do lar servindo-a e protegendo-a.

O marido não deve criticar a esposa nem agredi-la com palavras, antes deve elogiá-la tanto no recesso do lar (Ct 4.7) quanto publicamente (Pv 31.39). O marido deve buscar meios de agradar a esposa (1Co 7.33,34). Nada fere mais uma mulher do que palavras rudes. A versão King James é mais clara: *Maridos, cada um de vós ame sua esposa e não a trate com grosseria* (3.19). A palavra grega *pikraineste* traz a ideia de amargo, chato, irritante. Fala do atrito causado pela impaciência e "falação" impensada. Se o amor está ausente, a submissão não estará presente por causa dessa perpétua irritação.[14] Ralph Martin sugere que não havia uma causa da parte da esposa que ocasionasse aquele sentimento amargo do marido.[15] Paulo exorta aqui o marido rabugento, irritadiço, que faz tempestade em copo d'água.

---

[13] SHEDD, Russell. *Andai nele*, p. 79.
[14] RIENECKER, Fritz e ROGERS, Cleon. *Chave linguística do Novo Testamento Grego*, p. 431.
[15] MARTIN, Ralph P. *Colossenses e Filemom*, p. 131.

O marido precisa ter palavras amáveis e atitudes generosas. Ele deve ser perdoador em vez de ter um arquivo vivo de lembranças doentias e reminiscências amargas.

Os princípios de Deus para o relacionamento entre filhos e pais (3.20,21)

Deus tem princípios importantíssimos para construir uma relação de harmonia e paz entre pais e filhos. Vamos examinar esses princípios.

Em primeiro lugar, *a obediência dos filhos aos pais* (3.20). *Filhos, em tudo obedecei a vossos pais; pois fazê-lo é grato diante de Deus*. A versão NVI expressa essa ideia de forma mais clara: *Filhos, obedeçam a seus pais em tudo, pois isso agrada ao Senhor*. Destacaremos pontos importantes na relação dos filhos com os pais.

A obediência dos filhos aos pais é imperativa (3.20). A autoridade dos pais é uma autoridade delegada por Deus. Por isso, rejeitar a autoridade deles é rejeitar a autoridade de Deus. A rebeldia ou desobediência aos pais é um grave pecado e traz consequências muito graves aos infratores. É como o pecado da feitiçaria. Os filhos que não aprendem a obedecer aos pais não obedecerão a nenhuma outra autoridade. A desobediência aos pais é um sinal da decadência do mundo (Rm 1.30). Também é um sinal do fim do mundo (2Tm 3.1-5). A força de uma nação deriva da integridade dos seus lares.

Warren Wiersbe está correto quando diz que o filho que não aprende a obedecer aos pais dificilmente se sujeitará a alguma autoridade quando adulto. Afrontará os professores, a polícia, os patrões e qualquer pessoa que tente exercer autoridade sobre ele. O colapso da autoridade em nossa sociedade reflete o colapso da autoridade no lar.[16]

A obediência dos filhos aos pais é abrangente (3.20). A obediência dos filhos aos pais deve ser integral, alegre e voluntária. Obediência parcial pouco difere de desobediência, e desobediência é rebelião.[17] Os filhos precisam obedecer "em tudo", e não apenas naquilo que lhes dá

---

[16] WIERSBE, Warren W. *Comentário bíblico expositivo*. Vol. 6, 2006, p. 187.
[17] FALCÃO, Silas Alves. *Meditações em Colossenses*, p. 199.

prazer. Muitos filhos seriam poupados de dores, lágrimas e perdas irrecuperáveis se tivessem obedecido a seus pais. A obediência pavimenta a estrada da bem-aventurança.

A obediência dos filhos aos pais é agradável a Deus. A obediência é agradável diante de Deus, visto que Ele mesmo já estabeleceu uma recompensa para essa obediência: vida bem-sucedida e longa sobre a terra (Êx 20.12; Dt 5.16; Ef 6.1-3). A relação de um filho não pode estar bem com Deus se tiver truncada com os pais. Antes de construir uma relação de intimidade com Deus, precisamos pavimentar o caminho da nossa relação com os pais. Eu saí de casa para estudar aos 12 anos de idade. Meus pais sempre moraram na região rural. Aos 19 anos, fui para o seminário e aos 23 anos já tinha sido ordenado pastor. No entanto, jamais perdi o princípio da obediência aos meus pais. Essa atitude salvou-me algumas vezes de desastradas decisões. O filho não deve obedecer apenas quando tem vontade ou quando concorda com a decisão dos pais. Ele deve obedecer por princípio, sabendo que Deus honrará sua decisão de obedecer.

Em segundo lugar, *a comunicação dos pais com os filhos* (3.21). *Pais não irriteis os vossos filhos, para que não fiquem desanimados* (3.21). O apóstolo Paulo destaca no texto em apreço:

A forma da irritação (3.21). Os pais são exortados a não irritar os seus filhos. Quando isso acontece? 1) Quando não há coerência nos pais, ou seja, falam uma coisa e vivem outra. 2) Quando não há regras claras na disciplina, ou seja, os filhos são num momento elogiados e noutro disciplinados pela mesma atitude. 3) Quando não há diálogo – Absalão chegou ao ponto de preferir a morte do que o silêncio do pai. 4) Quando há injustiça ou excessiva severidade. 5) Quando os pais não têm tempo para ouvir, orientar e ajudar os filhos em suas necessidades. 6) Quando os pais comparam um filho com outro e despertam entre eles ciúmes, inveja e ódio. 7) Quando pai e mãe entram em conflito acerca da maneira de orientar os filhos. 8) Quando os pais são permissivos ou duros demais com os filhos. 9) Quando os pais brigam o tempo todo ou desfazem os laços do casamento pelo divórcio.

Há pais que, por serem liberais, empurram os filhos para o abismo da permissividade e da licenciosidade. Por outro lado, há pais que são tão rígidos, dogmáticos e severos na disciplina que os filhos estão condenados a conviver com um espírito cheio de apatia e de revolta. Russell Shedd diz que o caminho cristão é disciplinar com amor e perdão, seguindo o modelo de Deus (Ef 6.4; Hb 12.4-12).[18]

A gravidade da irritação (3.21). Os pais que irritam os filhos pecam contra Deus porque se insurgem contra os princípios estabelecidos por Ele; e pecam contra os filhos porque destroem a vida emocional e espiritual deles, em vez de educá-los com amor e sabedoria. Warren Wiersbe diz que os pais que não conseguem disciplinar a si mesmos não são capazes de disciplinar os filhos. Só quando os pais se sujeitam um ao outro e ao Senhor é que podem exercer autoridade espiritual e física apropriada e equilibrada sobre os filhos.[19]

Ralph Martin diz que a palavra grega *erethzein*, "irritar", sugere um desejo de irritar os filhos ou pela implicância, ou, ainda mais sério, por zombar dos seus esforços e ferir seu respeito-próprio.[20] Há pais que agridem os filhos fisicamente e outros que os agridem psicologicamente.

O resultado da irritação (3.21). Filhos irritados são filhos desanimados, e filhos desanimados ficam expostos aos ataques de satanás e do mundo. Quando uma criança não é devidamente encorajada em casa, procura autoafirmação em outros lugares. A palavra grega *anthumosin*, "desanimar, perder a coragem, o ânimo", traz a ideia de desempenhar suas tarefas de modo mecânico, frio, sem atenção e sem prazer em realizá-las.[21]

Os pais precisam dosar disciplina e encorajamento. Há filhos que pensam: "Não importa o que eu faça, jamais conseguirei agradar aos meus pais". Então, eles ficam desanimados. Um exemplo disso é o filho que chega em casa eufórico e diz para o pai: "Consegui tirar 90 na prova de Matemática". E o pai, sem vibrar com sua conquista, diz: "E quando é que você vai tirar 100?" Creio que atitude melhor seria aquela do pai que na mesma circunstância diz ao filho: "Meu filho,

---

[18] SHEDD, Russell. *Andai nele*, p. 80.
[19] WIERSBE, Warren W. *Comentário bíblico expositivo*. Vol. 6, 2006, p. 187.
[20] MARTIN, Ralph P. *Colossenses e Filemom*, p. 131.
[21] RIENECKER, Fritz e ROGERS, Cleon. *Chave linguística do Novo Testamento Grego*, p. 431.

estou vibrando com sua grande nota, mas quero lhe dizer que, se você tivesse tomado bomba na prova, eu ficaria triste, mas o meu amor por você seria o mesmo. Eu amo você não apenas por aquilo que você alcança, mas por quem você é".

Filhos desanimados são presas fáceis na rede de satanás. John Starkey foi um violento criminoso. Ele assassinou a própria esposa. Foi preso e executado. Pediram ao general William Both, fundador do Exército da Salvação, para fazer o ofício fúnebre. Ele, mirando aquela triste multidão, disse: "John Starkey jamais teve uma mãe de oração".[22]

Os princípios de Deus para o relacionamento entre servos e senhores (3.22– 4.1)

Ralph Martin diz que a Igreja nasceu numa sociedade em que a escravidão humana era uma instituição aceita, sancionada pela lei e parte do arcabouço da civilização greco-romana. O problema não era da aceitação da instituição em si, nem de como reagir a uma exigência pela sua abolição, mas, sim, da maneira como os escravos aceitavam sua posição, e do tratamento que os donos cristãos de escravos deviam dar aos escravos sob seu controle. Nenhuma chamada é publicada para derrubar o sistema da escravidão. Paulo não oferece nenhum apoio à violência como meio para terminar a escravidão. Isso seria uma medida suicida e profundamente prejudicial à disseminação do evangelho no primeiro século. O tempo não era propício à solução deste intrincado problema. Tendo isto em mente, podemos compreender melhor o texto em apreço.[23]

Leiamos o que escreveu o apóstolo:

> *Servos, obedecei em tudo ao vosso senhor segundo a carne, não servindo apenas sob vigilância, visando tão somente agradar homens, mas em singeleza de coração, temendo ao Senhor. Tudo quando fizerdes, fazei-o de todo o coração, como para o Senhor e não para homens, cientes de que recebereis do Senhor a recompensa da herança. A Cristo, o Senhor, é que estais servindo;*

---

[22]WIERSBE, Warren W. *Comentário bíblico expositivo*. Vol. 6, 2006, p. 186,187.
[23]MARTIN, Ralph P. *Colossenses e Filemom*, p. 132.

pois aquele que faz injustiça receberá em troco a injustiça feita; e nisto não há acepção de pessoas. Senhores, tratai os servos com justiça e com equidade, certos de que também vós tendes Senhor no céu (3.22–4.1).

Paulo fala aos cristãos escravos e aos senhores de escravos também cristãos. O apóstolo está sendo absolutamente revolucionário ao colocar a responsabilidade dos senhores no mesmo nível da responsabilidade dos escravos. Aos olhos de Deus, empregados e patrões, empresários e trabalhadores, têm o mesmo valor. Deus não faz acepção de pessoas. O conselho do apóstolo Paulo era: *Foste chamado sendo escravo? Não te preocupes com isso; mas se ainda podes tornar-te livre, aproveita a oportunidade. Porque, o que foi chamado no Senhor, sendo escravo, é liberto do Senhor; semelhantemente o que foi chamado sendo livre, é escravo de Cristo* (1Co 7.21,22). Embora Paulo não tenha combatido o regime de escravatura institucional do Império Romano, e isso para não impedir o avanço do evangelho, o germe da liberdade contido no evangelho haveria de aniquilar a instituição da escravatura e estimular a conquista de todas as liberdades humanas.[24]

Veremos alguns princípios fundamentais que devem reger o relacionamento dos servos e dos senhores.

Em primeiro lugar, *a obediência dos servos aos seus senhores* (3.22-25). Havia mais de sessenta milhões de escravos no Império Romano. A maioria da igreja era composta de escravos. William Hendriksen está correto quando diz que em nenhuma parte da Escritura se afirma que a escravidão em si mesma é uma ordenança divina como o matrimônio (Gn 2.18), a família (Gn 1.28), o dia do repouso (Gn 2.3) ou o governo humano (Rm 13.1).[25] E, por isso mesmo, não agrada ao Senhor que um homem seja o dono de outro.

Paulo não aconselhou rebelião aberta dos escravos contra seus senhores, mas tratou de mudar a estrutura social por meios pacíficos (Cl 4.9; Fm 16).[26] A revolução espiritual transformou a tessitura social

---

[24] FALCÃO, Silas Alves. *Meditações em Colossenses*, p. 204.
[25] HENDRIKSEN, William. *Colosenses y Filemon*, p. 201.
[26] HENDRIKSEN, William. *Colosenses y Filemon*, p. 201.

e acabou com a escravidão. Os servos precisam ter espírito de serviço, obediência, fidelidade e sinceridade.

Vamos destacar os aspectos da obediência dos servos aos seus senhores:

- *Ela é um preceito divino* (3.22). A Palavra de Deus estabelece ordem nas estruturas sociais. A anarquia não é própria do mundo criado por Deus, nem da sociedade orientada por Sua Palavra. O nosso Deus é Deus de ordem e decência.
- *Ela deve ser integral e ampla* (3.22). A ordem de Paulo é: "Obedecei em tudo". O servo deve ser íntegro em todas as áreas de seu caráter e do seu trabalho. O empregado cristão precisa ser uma pessoa confiável. Ele não pode "fazer cera" no trabalho nem subtrair do seu patrão coisa alguma. Precisa ser absolutamente honesto.
- *Ela deve ser sincera* (3.22). O apóstolo Paulo acrescenta: ... *não servindo apenas sob vigilância* ... O empregado cristão não pode fazer corpo mole e ser relaxado no trabalho. Ele precisa trabalhar com alegria, com integridade, e dar o melhor do seu tempo, do seu esforço e do seu talento na sua atividade sem precisar ser cobrado ou vigiado. A palavra grega *ofthalmodoulia* significa trabalhar às vistas de, ou seja, só fazer o serviço que pode ser visto. A palavra também pode ter a ideia de "só trabalhar quando o chefe está observando".[27] Ralph Martin diz que a ética na qual Paulo insiste é a da verdadeira motivação. O escravo deve ser diligente em suas tarefas, ainda que ninguém esteja ali para observá-lo e depois recompensá-lo por seu serviço esforçado. O trabalho deve ser feito de modo desinteressado, sem desejo de impressionar e assim galgar favor com o chefe.[28]
- *Ela deve ser espiritual* (3.23). Paulo diz que o servo deve fazer do seu trabalho uma liturgia de adoração a Deus. Diz o apóstolo: *Tudo quanto fizerdes, fazei-o de todo o coração, como para o Senhor e não para homens* [...] *A Cristo, o Senhor, é que estais servindo* (3.23,24). Todo o

---

[27] RIENECKER, Fritz e ROGERS, Cleon. *Chave linguística do Novo Testamento Grego*, p. 431.
[28] MARTIN, Ralph P. *Colossenses e Filemom*, p. 133.

trabalho é digno se o fazemos de forma honesta e todo o trabalho é espiritual se o fazemos para o Senhor.
- *Ela deve ser galardoada* (3.24,25). O empregado que trabalha com zelo e integridade será galardoado. A recompensa pode até não vir do patrão, mas certamente vem do Senhor Jesus. O apóstolo Paulo declara: "Cientes de que recebereis do Senhor, a recompensa da herança. A Cristo, o Senhor, é que estais servindo" (3.24). Russell Shedd diz que o obreiro ou trabalhador deve estar consciente de que quem realmente paga o seu salário, *antapodosin,* "recompensa", não é seu patrão, mas o Senhor. Evidentemente, esse "pagamento" será futuro, na volta de Jesus Cristo. Essa recompensa será "a herança" (3.24), incluindo o direito de gozar plenamente os benefícios da vida celestial.[29]

O empregado cristão deve ser o melhor funcionário de uma empresa. Deve ser modelo e exemplo para os outros trabalhadores. Seu bom nome vale mais do que riquezas. Ele trafega do campo para o templo com a mesma devoção. Toda a sua lida é litúrgica, pois faz do seu trabalho um tributo de glória ao Senhor.

Por outro lado, o empregado infiel assim como o patrão injusto não ficarão impunes. Eles receberão de volta a injustiça feita. O seu mal cairá sobre sua própria cabeça. Eles colherão o que plantaram. O apóstolo Paulo é categórico: *Pois aquele que faz injustiça receberá em troco a injustiça feita; e nisto não há acepção de pessoas* (3.25).

Em segundo lugar, *o dever dos senhores com os seus servos* (4.1). Após falar da dedicação dos servos, Paulo volta sua atenção aos senhores. *Senhores, tratai os servos com justiça e com equidade, certos de quem também vós tendes Senhor no céu* (4.1). Paulo combate aqui a exploração dos servos e empregados pelos seus senhores e patrões. Destacamos três pontos para nossa reflexão:

A exploração desagrada a Deus (4.1). Os senhores precisam tratar os servos com justiça e equidade. Explorar os empregados, sonegar-lhes o salário (Tg 5.4-6), oprimi-los, ameaçá-los (Ef 6.9) ou tratá-los como

---
[29]SHEDD, Russell. *Andai nele,* p. 81.

seres inferiores é um grave pecado contra Deus. Russell Shedd diz corretamente que o maior dentre os homens não passa de um mordomo, administrando o que não lhe pertence.[30] O patrão cristão não é aquele que busca as filigranas da lei para explorar seus empregados, mas aquele que lhes paga um salário justo e lhes dá condições dignas de trabalho. O patrão justo não é aquele que oprime e ameaça seus empregados com palavras duras, mas aquele que elogia e incentiva os seus trabalhadores.

A exploração produz transtornos sociais (4.1). A exploração dos servos e empregados é algo abominável aos olhos de Deus e também dos homens. Deus escuta a voz do salário do trabalhador retido com fraude (Tg 5.1-6). Deus ouve o gemido do trabalhador explorado. Há muitas pessoas vivendo na miséria, na pobreza extrema, porque a força de seus braços foi explorada até o esgotamento, e nunca foi valorizada nem recompensada. Há muito trabalho escravo ainda no mundo contemporâneo. Há muitas empresas que ainda exploram seus trabalhadores de maneira aviltante.

No sistema globalizado, mais de 50% das riquezas do mundo concentram-se nas mãos de pouco mais de cem empresas particulares. Essas empresas querem mais do seu dinheiro e do seu tempo. Elas são gulosas e insaciáveis. Elas exploram e sugam. Deus abomina essa cultura da exploração e da riqueza concentrada (Is 5.8), que explora o trabalhador sem lhe dar a devida recompensa.

Paulo dá uma ordem aos senhores e patrões: *Tratai os servos com justiça e equidade* (4.1). Justiça quer dizer respeitar integralmente os méritos do trabalhador, que tem, garantido pelo Criador, o direito de receber uma justa porcentagem do fruto do seu trabalho (1Co 9.7-9; 1Tm 5.18). Equidade, por sua vez, significa a obrigação de garantia da maior igualdade possível entre todos os que fazem o mesmo serviço ou desempenham uma função de igual responsabilidade. Não é da vontade de Deus que os chefes façam acepção de pessoas ao lidar com seus subordinados, porque o próprio Deus usará de um único padrão para julgar e galardoar os Seus servos.[31]

---

[30] SHEDD, Russell. *Andai nele*, p. 82.
[31] SHEDD, Russell. *Andai nele*, p. 82.

A exploração é um atentado contra o senhorio de Cristo (4.1). Os senhores precisam entender que também estão debaixo do senhorio de Cristo. Eles também prestarão contas de sua administração a Jesus. Eles também são mordomos de Deus e estão sob o Seu justo julgamento. Se senhores e escravos reconhecem que devem obediência ao único Senhor, então ambos têm em mãos o padrão verdadeiro para sua conduta uns para com os outros.[32]

---

[32]MARTIN, Ralph P. *Colossenses e Filemom*, p. 135.

11

Busque as primeiras coisas primeiro

Colossenses 4.2-18

PAULO ESTÁ PRESO, ALGEMADO, no corredor da morte, na antessala do martírio, com o pé na sepultura, com a cabeça perto da guilhotina de Roma, mas não está inativo. Da cadeia ele comanda a obra missionária. Hoje, vemos criminosos e traficantes comandando o crime organizado e o narcotráfico da prisão. Estes são agentes da morte; Paulo era o embaixador da vida.

Paulo fecha as cortinas desta carta e dá suas últimas instruções. Ele fala sobre a necessidade de buscar as primeiras coisas primeiro. Duas verdades são destacadas para a nossa consideração.

Busque as coisas **mais importantes primeiro** (4.2-6)

Vivemos numa sociedade que inverteu os valores. As pessoas se esquecem de Deus, amam as coisas e usam as pessoas. Paulo diz que devemos adorar a Deus, amar as pessoas e usar as coisas. Quais são as coisas mais importantes que devemos buscar?

Em primeiro lugar, *a primazia da oração* (4.2-4). A oração é o oxigênio da alma, o canal aberto de comunicação com Deus, a fonte da vida. William Hendriksen diz que a oração é a expressão mais importante da nova vida. Ela é o meio pelo qual podemos obter para nós e para outros a satisfação das necessidades, tanto físicas como espirituais. Também é a arma divinamente estabelecida para combater os sinistros ataques do diabo e seus anjos, o veículo pelo qual confessamos nossos pecados e o instrumento pelo qual as almas agradecidas expressam espontânea adoração ante o trono de Deus.[1]

Quais são as características dessa oração?

A oração deve ser perseverante (4.2). *Perseverai na oração...* (4.2a). A igreja não pode deixar de orar. O fogo no altar não pode apagar-se. Warren Wiersbe diz que, se não houver fogo no altar, o incenso não subirá a Deus (Sl 141.2).[2] O fogo tem quatro características: ele ilumina, aquece, purifica e alastra. Quando o fogo do Espírito aquece nosso coração, desse altar sobe um suave incenso à presença de Deus. Se não alimentarmos o fogo, o altar de oração da nossa vida cobre-se de cinzas, isso porque ou o fogo se alastra, ou se apaga. A Igreja deve orar sem cessar (1Ts 5.17). A Igreja deve orar sempre sem nunca esmorecer (Lc 18.1). A Igreja apostólica perseverou unânime em oração (At 1.14).

A oração deve ser vigilante (4.2). ... *vigiando...* (4.2b). A vigilância é o contrário de um espírito sonolento, letárgico, desligado dos problemas e perigos que nos cercam.[3] Devemos orar e vigiar como Neemias (Ne 4.9). Jesus alertou para a necessidade de orar e vigiar (Mc 13.33; 14.38). Pedro não vigiou e dormiu no Getsêmani. Porque dormiu usou a arma errada, na luta errada, e obteve um resultado errado. Porque não vigiou, seguiu a Jesus de longe e negou seu Senhor com juramentos e praguejamentos. A oração demanda energia e vigilância. Orações frias e rotineiras não atendem a nossas necessidades. Precisamos vigiar para não descuidarmos da oração e também para que elas não se tornem mecânicas e repetitivas. O diabo lutará para nos afastar da oração ou para nos empurrar a uma rotina de oração fria e inócua. Destacamos o que John Nielson escreveu: "Não temos de vigiar a nós mesmos, o que seria deprimente; não temos de vigiar satanás, o que nos distrairia; não

---

[1] HENDRIKSEN, William. *Colosenses y Filemon*, p. 207.
[2] WIERSBE, Warren W. *Comentário bíblico expositivo*. Vol. 6, 2006, p. 190.
[3] SHEDD, Russell. *Andai nele*, p. 83.

temos de vigiar nossos pecados, o que seria desanimador; mas temos de manter nosso olhar fixo em Cristo".[4]

A oração deve ser gratulatória (4.2). ... *com ações de graças* (4.2c). O agradecimento é uma das marcas do verdadeiro cristão (1.3,12; 2.7; 3.15,17; 4.2). Paulo estava preso, mas com o coração cheio de gratidão. Seus pés estavam no tronco, mas sua mente permanecia no céu. Nada destrói mais a vida de oração do que a murmuração. O deleite na soberana providência divina nos faz descansar e põe nos nossos lábios orações de louvor. O louvor não é resultado da vitória, mas a causa da vitória. Quando louvamos a Deus, Ele desbarata os nossos inimigos (2Cr 20.22)

A oração deve ser intercessória (4.3). *Suplicai, ao mesmo tempo por nós...* (4.3). O apóstolo tinha consciência da necessidade de oração. Ele sabia da importância da oração. A oração é a chave que abre portas grandes e oportunas (1Co 16.9) para divulgar o evangelho.[5] Devemos orar uns pelos outros. Devemos orar pela obra missionária. Devemos orar especificamente pelos missionários a fim de que Deus os use nas diferentes circunstâncias em que se encontram. Podemos tocar o mundo inteiro pela oração. Pela oração tornamo-nos cooperadores com Deus na Sua obra. O altar está conectado com o trono. As orações que sobem do altar para o trono descem do trono para a terra em termos de intervenções soberanas de Deus na história.

William Barclay diz, acertadamente, que havia muitas coisas pelas quais Paulo podia ter pedido oração: pela libertação de sua prisão; por um resultado favorável em seu julgamento; por um pouco de descanso e paz no final dos seus dias. Mas Paulo só pede a igreja para orar para que ele tenha força e oportunidade de realizar a obra que Deus o havia encarregado de fazer.[6]

Em segundo lugar, *a supremacia da Palavra* (4.3,4). Paulo não pede que se abram as portas da prisão, mas que se abram as portas do

---

[4] NIELSON, John B. *Comentário bíblico Beacon*. Vol. 9, Rio de Janeiro: CPAD, 2006, p. 338.
[5] SHEDD, Russell. *Andai nele*, p. 83.
[6] BARCLAY, William. *Filipenses, Colosenses e I y II Tesalonicenses*, 1973, p. 177.

ministério (At 14.27; 1Co 16.9)..... *para que Deus nos abra porta à palavra, a fim de falarmos do mistério de Cristo, pelo qual também estou algemado; para que eu o manifeste, como devo fazer* (4.3,4). Para o apóstolo, era mais importante ser um ministro fiel do que um homem livre.[7] Paulo está preso, mas a Palavra de Deus não está algemada. Em suas orações da prisão, sua preocupação não é ser libertado ou estar em segurança pessoal, mas ser usado por Deus na pregação.

Paulo está na prisão por causa do mistério de Cristo (Ef 3.1-13). Esse mistério envolve o propósito de Deus na salvação dos gentios (At 22.21,22). Paulo deseja que Deus o abençoe exatamente no assunto que o levou à prisão. Ele não tinha nenhuma intenção de desistir do seu ministério ou de mudar sua mensagem. Quando John Bunyan foi preso em Bedford, na Inglaterra, no século XVII, por pregar ilegalmente em praça pública, as autoridades lhe disseram que o libertariam se ele prometesse deixar de pregar. "Se eu sair da prisão hoje", respondeu Bunyan, "amanhã, com a ajuda de Deus, estarei pregando o evangelho novamente".[8]

Paulo fez da cadeia o seu púlpito e disse para a igreja que, quando ela orava em seu favor, estava associando-se a ele no ministério da pregação. Um homem visitava o tabernáculo de Charles Spurgeon, em Londres, acompanhado deste ungido pregador, que lhe mostrava o local.

– Gostaria de ver a casa de força deste ministério? – perguntou Spurgeon, levando o visitante para um auditório no piso inferior.

– É deste lugar que vem nossa energia, pois enquanto estou pregando no andar de cima, centenas de pessoas de minha congregação estão orando nesta sala.[9]

É de se admirar que Deus abençoava Spurgeon quando ele pregava a Palavra?

Temos aproveitado as adversidades da vida para pregar a Palavra? Paulo ganhou os soldados da guarda pretoriana para Cristo enquanto estava na prisão (Fp 4.22).

---

[7]WIERSBE, Warren W. *Comentário bíblico expositivo*. Vol. 6, 2006, p. 191.
[8]WIERSBE, Warren W. *Comentário bíblico expositivo*. Vol. 6, 2006, p. 191.
[9]WIERSBE, Warren W. *Comentário bíblico expositivo*. Vol. 6, 2006, p. 192.

Em terceiro lugar, *a urgência do testemunho* (4.5,6). O testemunho do evangelho aos perdidos deve observar os seguintes critérios:

Devemos portar-nos com sabedoria para com os de fora (4.5a). *Portai-vos com sabedoria para com os que são de fora...* (4.5). Isso diz respeito à nossa conduta diária. As pessoas do mundo nos observam. Não podemos ser tropeço para elas. Nosso viver deve ser irrepreensível: palavras, comportamento, namoro, casamento, negócios, estudo, trabalho, testemunho. O andar e o falar na vida do cristão precisam estar em harmonia. A expressão "os de fora" equivale ao termo rabínico que denotava aqueles que pertenciam a outras religiões, e é usada para aqui para referir-se àqueles que não são cristãos.[10]

Devemos aproveitar as oportunidades (4.5). ... *aproveitai as oportunidades* (4.5b). Devemos aproveitar as oportunidades para anunciar as boas-novas do evangelho para as pessoas. A palavra grega *kairós*, traduzida por "oportunidades", não quer dizer tempo marcado em "minutos", "horas" e "dias", mas uma porta aberta para o serviço do evangelho.[11] Precisamos ter uma palavra boa e certa para cada circunstância. Paulo aproveitou a sua prisão em Roma para evangelizar a guarda pretoriana e para escrever cartas às igrejas. O verbo na frase grega "aproveitai as oportunidades" é tirado diretamente da linguagem comercial do mercado (em grego, *agora*). O grego *exagorazomenoi*, onde o prefixo *ex* denota uma atividade intensa, aponta para o aproveitamento de todas as oportunidades (*kairos*). "Aproveitar" é "fazer pleno uso de". A mordomia do tempo como sendo um bem de Deus, com valor inestimável, é o ensino aqui, com uma chamada a investir nossas energias em ocupações que serão um testemunho positivo e atraente aos que estão fora do convívio da igreja.[12]

Devemos ter a palavra certa na hora certa (4.6). *A vossa palavra seja sempre agradável, temperada com sal, para saberdes como deveis responder a cada um* (4.6). A palavra do cristão precisa ser sempre verdadeira, oportuna, edificante e agradável. O cristão não pode ser rude na palavra.

---

[10] RIENECKER, Fritz e ROGERS, Cleon. *Chave linguística do Novo Testamento Grego*, p. 432.
[11] RIENECKER, Fritz e ROGERS, Cleon. *Chave linguística do Novo Testamento Grego*, p. 432.
[12] MARTIN, Ralph P. *Colossenses e Filemom*, p. 138,139.

Sua palavra precisa ser temperada com sal, ou seja, nem insípida nem muito salgada. A expressão "temperada foge dos dois extremos: ela não pode ser nem insossa nem salgada. Sal demasiado é tão ruim quanto pouco ou nenhum sal.[13] Não basta ganhar uma discussão, precisamos ganhar as pessoas para Cristo.

Cultive relacionamentos importantes (4.7-18)

O apóstolo Paulo não fez uma carreira solo; ele trabalhou em equipe. Paulo tinha muitos colaboradores. Seu *staff* era composto de homens e mulheres que trabalharam com zelo e dedicação para que o ministério de Paulo alcançasse seus propósitos. Paulo elenca um rol de pessoas que estiveram com ele e outros que, mesmo a distância, contribuíram para o seu apostolado. Ele fala de três judeus, Aristarco, Marcos e Jesus Justo, e de três gentios, Epafras, Lucas e Demas. Vamos agora analisar mais detalhadamente alguns traços da biografia desses colaboradores de Paulo.

Em primeiro lugar, *Tíquico, o cristão que serviu outros* (4.7,8). Tíquico foi um dos portadores da carta de Paulo aos efésios (Ef 6.21) e aos colossenses (4.7,8). Por certo Tíquico e Onésimo levaram também a carta de Paulo a Filemom. Ele deveria informar à igreja a situação de Paulo na prisão, trazer informações dos irmãos para Paulo e também fortalecer aqueles cristãos na fé. Posteriormente, Paulo enviou Tíquico a Creta (Tt 3.12) e, em seguida, a Éfeso (2Tm 4.12). Paulo fala de algumas características desse homem.

- *Ele era um homem amável* (4.7). Paulo o chama de "irmão amado". Ele tornava a vida das pessoas melhor. Tinha a disposição de abençoar. Era um aliviador de tensões. As pessoas viviam melhor pelo fato de relacionar-se com ele.
- *Ele era um homem prestativo* (4.7). Ele era um "fiel ministro", um *diácono*, um servidor íntegro. Tíquico ministrou a Paulo e em lugar de Paulo. Sua bandeira era servir, e não ser servido. Sua disposição era ajudar os outros, e não ser servido pelos outros.

---

[13] FALCÃO, Silas Alves. *Meditações em Colossenses*, p. 225.

- *Ele era um homem que trabalhava em equipe* (4.7). Tíquico não era apenas um servo, mas um "conservo no Senhor". Servia não apenas a Cristo, mas também aos irmãos. Tinha a capacidade de servir com outros servos e a outros servos. Warren Wiersbe diz que Tíquico não escolheu o caminho fácil, mas o caminho certo.[14] É bom ter gente de Deus do nosso lado, como Tíquico, quando as coisas ficam difíceis.
- *Ele era um consolador* (4.8). Paulo escreve: *Eu vo-lo envio com o expresso propósito de vos dar conhecimento da nossa situação e de alentar o vosso coração*. Tíquico tinha a capacidade de alentar e consolar as pessoas. Era um encorajador. Suas palavras eram bálsamo. Suas ações terapêuticas. A língua de Tíquico era medicina. Suas palavras traziam cura!

Em segundo lugar, **Onésimo, o cristão que, mesmo sendo escravo, se tornou livre** (4.9). *Em sua companhia, vos envio Onésimo, o fiel e amado irmão, que é do vosso meio. Eles vos farão saber tudo o que por aqui ocorre* (4.9). Onésimo era um escravo de Filemom na cidade de Colossos. Antes de sua conversão, havia fugido da casa do seu senhor e ido parar em Roma. Naquele tempo havia cerca de sessenta milhões de escravos no Império Romano. Um escravo era considerado propriedade do seu senhor. Não era visto como uma pessoa, mas como um instrumento de trabalho. Onésimo foi em busca de liberdade, mas acabou capturado pelo Senhor Jesus. Por providência divina, Onésimo parou na prisão onde está Paulo e ali o veterano apóstolo o gerou entre algemas, ganhando-o para Cristo (Fm 10). Sua vida mudou. Mesmo sendo escravo, conheceu a verdadeira liberdade.

Agora, Paulo o devolvia ao seu senhor, não como escravo, mas como irmão amado. O nome Onésimo significa "útil". Paulo roga que Filemom o receba como alguém que lhe seria útil, como um filho.

Onésimo corrigiu seu passado e se tornou colaborador do apóstolo Paulo e portador de boas notícias. Deixou de ser um escravo rebelde e fugitivo para ser um fiel e amado irmão.

---

[14] WIERSBE, Warren W. *Comentário bíblico expositivo*. Vol. 6, 2006, p. 194.

Em terceiro lugar, ***Aristarco, o cristão amigo na tribulação*** (4.10). *Saúda-vos Aristarco, prisioneiro comigo...* (4.10a). Aristarco era de Tessalônica (At 20.4). Foi companheiro de prisão e de trabalho de Paulo (4.10). Era companheiro de Paulo em suas viagens (At 19.29). Arriscou sua vida voluntariamente na conspiração contra Paulo em Éfeso (At 19.28-41). Acompanhou Paulo na viagem de navio para Roma (At 27.2), o que significa que também passou pela tempestade e naufrágio que Lucas descreve de maneira tão vívida em Atos 27.[15] Ele estava ao lado de Paulo, não importava qual fosse a situação: na revolta em Éfeso, na tempestade para Roma e, agora, na prisão em Roma. Ele era daquilo tipo de amigo que não foge quando as coisas ficam difíceis.

Em quarto lugar, ***Marcos, o cristão que resgatou sua reputação*** (4.10). *... e Marcos, primo de Barnabé* (sobre quem recebestes instruções; se ele for ter convosco, acolhei-o) (4.10b). João Marcos foi o escritor do segundo evangelho. Era judeu, originário de Jerusalém, onde sua mãe, Maria, havia aberto a casa para os cristãos (At 12.12). Era primo de Barnabé e filho na fé de Pedro (1Pe 5.13). Marcos foi uma espécie de auxiliar de Barnabé e Paulo na segunda viagem missionária (At 13.5), mas, quando surgiram dificuldades, abandonou os dois evangelistas no meio do caminho e voltou para casa (At 13.5-13). Paulo se recusou a viajar com ele na segunda viagem missionária (At 13.36-41), mas Barnabé investiu em sua vida (At 15.37-40). Agora, preso em Roma, Paulo reconhece que Marcos lhe é útil (2Tm 4.11).

A vida de Marcos nos ensina que uma pessoa pode superar os seus fracassos. Seu exemplo encoraja aqueles que fracassaram em suas primeiras tentativas. Marcos é um monumento vivo de alguém que superou suas fraquezas e resgatou sua reputação. Warren Wiersbe diz corretamente que João Marcos é um incentivo a todos os que falharam na primeira tentativa de servir a Deus.[16]

Em quinto lugar, ***Jesus Justo, o cristão que é bálsamo na vida dos outros*** (4.11). *E Jesus, conhecido por Justo, os quais são os únicos da circuncisão que cooperam pessoalmente comigo pelo Reino de Deus. Eles têm sido o*

---

[15] WIERSBE, Warren W. *Comentário bíblico expositivo*. Vol. 6, 2006, p. 195.
[16] WIERSBE, Warren W. *Comentário bíblico expositivo*. Vol. 6, 2006, p. 196.

meu lenitivo (4.11). Jesus, chamado Justo, foi um cristão que deixou as fileiras do judaísmo para abraçar o cristianismo. As cerimônias e os ritos judeus não conseguiram preencher os anseios da sua alma. Ele não apenas se tornou um cristão, mas também veio a ser um dos colaboradores da obra missionária. Nada sabemos sobre esse cristão além deste texto. Ele é símbolo de uma multidão de cristãos fiéis que servem a Deus no anonimato. Porém, duas coisas sabemos a seu respeito:

Ele foi um cooperador de Paulo (4.11). Esse judeu convertido cooperou pessoalmente com Paulo, mesmo sabendo que o apóstolo estava preso por causa do seu ministério destinado aos gentios. Como judeu, deve ter recebido resistência e até hostilidade por dar suporte a Paulo em seu trabalho missionário junto aos gentios. Ele não mediu as consequências nem regateou esforços para cooperar pessoalmente com Paulo.

Ele foi um aliviador de tensões (4.11). Esse judeu convertido, com Aristarco e Marcos, foi um lenitivo para o apóstolo Paulo nos anos turbulentos da sua prisão em Roma. Jesus, chamado Justo, era um amigo consolador, uma bálsamo de Deus na vida do apóstolo Paulo. Era o tipo de homem que tornava a vida das pessoas mais amena nas horas da dor. Jesus Justo representa os cristãos fiéis que servem ao Senhor, mas cujas obras não são anunciadas pelo mundo afora. Todavia, o Senhor tem um registro preciso da vida desse homem e o recompensará apropriadamente.[17]

Em sexto lugar, **Epafras, o cristão que orava e agia** (4.12,13). Vejamos o relato de Paulo a seu respeito:

> *Saúda-vos Epafras, que é dentre vós, servo de Cristo Jesus, o qual se esforça sobremaneira, continuamente, por vós nas orações, para que vos conserveis perfeitos e plenamente convictos em toda a vontade de Deus. E dele dou testemunho de que muito se preocupa por vós, pelos de Laodiceia e pelos de Hierápolis* (4.12,13).

Epafras foi o fundador da igreja de Colossos (1.7,8), bem como das igrejas de Laodiceia e Hierápolis (4.13). Ele viajou para Roma para estar com Paulo, mas não cessava de orar pela igreja. Dos colaboradores

---

[17] WIERSBE, Warren W. *Comentário bíblico expositivo*. Vol. 6, 2006, p. 196.

de Paulo mencionados nesta lista, é o único elogiado por seu ministério de oração.[18] Quais eram as marcas de sua oração?

- *Ele orou constantemente* (4.12). Epafras não pôde ministrar à igreja, mas pôde orar pela igreja e o fez sem cessar. Muitos começam a orar, mas não permanecem.
- *Ele orou intensamente* (4.12). A palavra usada "sobremaneira" é agonia. É a mesma palavra usada para descrever a oração de Jesus no Getsêmani. Essa palavra grega era usada para descrever atletas empenhando-se ao máximo em sua modalidade.[19]
- *Ele orou especificamente* (4.12). Seu propósito era que as igrejas (Colossos, Laodiceia e Hierápolis) fossem maduras espiritualmente, conhecendo e vivendo dentro da vontade de Deus.
- *Ele orou sacrificialmente* (4.13). Epafras muito se preocupava com as igrejas. Havia um fardo em seu coração e ele levava essa causa diante de Deus em oração.

Em sétimo lugar, **Lucas, o cristão que cuidava do corpo e da alma** (4.14). *Saúda-vos Lucas, o médico amado* (4.14). Lucas era gentio, médico, historiador e missionário. Possivelmente, foi o único escritor da Bíblia não judeu. Ele escreveu o evangelho de Lucas e o livro de Atos dos apóstolos. Uniu-se a Paulo em suas viagens missionárias em Trôade (At 16.10). Esse fato é verificável, pois Lucas, o autor de Atos, passa a usar os verbos na primeira pessoa do plural ("nós") a partir daquele ponto da narrativa.[20] Viajou com Paulo tanto para Jerusalém (At 20.5-16) como para Roma (At 27.1-8). Lucas permaneceu com Paulo até o fim (2Tm 4.11). Lucas, além de médico amado, era também um lenitivo para o apóstolo Paulo. Ele cuidava do corpo e também da alma. Terapeutizava o corpo e também lancetava os abcessos da alma.

Possivelmente Lucas acompanhou o apóstolo Paulo como seu médico pessoal, uma vez que Paulo tinha um espinho na carne que

---

[18] WIERSBE, Warren W. *Comentário bíblico expositivo*. Vol. 6, 2006, p. 198.
[19] WIERSBE, Warren W. *Comentário bíblico expositivo*. Vol. 6, 2006, p. 197.
[20] NIELSON, John B. *Comentário Bíblico Beacon*, p. 342.

muito o atormentava. Mesmo sendo um homem usado por Deus para curar muitos enfermos, Paulo mantinha um estreito contato com Lucas, a quem chamava de "médico amado".

Em oitavo lugar, **Demas, o cristão que se desviou** (4.14). ... *e também Demas* (4.14b). O único nome dessa longa lista que não recebe nenhum elogio é Demas. Ele é mencionado apenas três vezes nas cartas de Paulo, e essas referências falam de uma triste história: 1) Ele é chamado de "meu cooperador" e associado a três homens de Deus: Marcos, Aristarco e Lucas (Fm 24); 2) Ele é simplesmente chamado de Demas, sem nenhuma palavra de identificação, elogio ou recomendação. É simplesmente Demas e nada mais (4.14b); 3) Ele se transforma num desertor espiritual: *Porque Demas tendo amado o presente século me abandonou* (2Tm 4.10).[21] William Barclay diz que seguramente temos aqui os débeis traços de um processo de degeneração, perda de entusiasmo e naufrágio da fé. Estamos diante de um dos homens que perdeu a maior oportunidade da sua vida.[22]

João Marcos abandonou Paulo na primeira viagem missionária, mas mudou de conduta e tornou-se uma bênção novamente para Paulo e para o Reino de Deus. Mas Demas amou o mundo e se perdeu. Na verdade, Demas não era um homem convertido. Ele saiu do meio do povo de Deus, porque na verdade não pertencia a esse povo (1Jo 2.19).

Em nono lugar, **Ninfa, a crente que abriu as portas da sua casa para a igreja** (4.15,16). *Saudai os irmãos de Laodiceia, e Ninfa, e à igreja que ela hospeda em sua casa* (4.15). Ninfa não apenas abriu o coração para Jesus, mas também sua casa para a igreja. Havia uma igreja que se reunia em sua casa. Ela colocou o seu lar a serviço do Reino de Deus. Esse expediente era vital para a expansão do evangelho e o estabelecimento das igrejas, uma vez que os templos cristãos só começaram a ser construídos no terceiro século depois de Cristo.

Existia a igreja que se reunia na casa de Áquila e Priscila em Roma e em Éfeso (Rm 16.5; 1Co 16.19); existia a igreja que se reunia na casa de

---

[21] WIERSBE, Warren W. *Comentário bíblico expositivo*. Vol. 6, 2006, p. 198.
[22] BARCLAY, William. *Filipenses, Colossenses e I y II Tesalonicenses*, 1973, p. 182.

Filemom (Fm 2). Na igreja primitiva, igreja e casa eram uma mesma coisa. Ainda hoje, cada lar deveria ser também uma igreja de Jesus Cristo.[23]

Paulo recomenda a leitura desta carta à igreja de Laodiceia e que sua carta à igreja de Laodiceia fosse lida à igreja de Colossos: *E, uma vez lida esta epístola perante vós, providenciai por que seja também lida na igreja dos laodicenses; e a dos de Laodiceia, lede-a igualmente perante vós* (4.16). Paulo tenta fomentar unidade e comunhão das igrejas por meio do intercâmbio das epístolas dirigidas às igrejas.[24]

Grandes debates têm-se travado acerca do destino desta carta de Paulo aos laodicenses. Alguns eruditos defendem a tese de que seja a carta aos Efésios ou de Filemom, uma vez que essas três cartas foram escritas da sua primeira prisão e todas elas enviadas pelo mesmo mensageiro. Também há grande similaridade entre as cartas aos efésios e aos colossenses. Elas são consideradas cartas gêmeas.[25] Outros defendem a tese de que esta carta se perdeu, e há aqueles que creem que se tratava de uma carta pessoal do apóstolo, mas não inspirada.

Em décimo lugar, **Arquipo, o cristão que precisava de encorajamento** (4.17). *Também dizei a Arquipo: atenta para o ministério que recebeste no Senhor, para o cumprires* (4.17). Paulo envia um conselho ao jovem Arquipo, possivelmente filho de Filemom e Ápia e pastor da igreja de Colossos. O ministério é recebido de Deus e feito pelo poder de Deus. Paulo lembra Arquipo que seu ministério era uma dádiva de Deus e que ele era um despenseiro de Deus; como tal, um dia teria de prestar contas de seu trabalho. O termo "cumprir" dá a ideia de que Deus tem propósitos claros a serem realizados por Seus servos. Sua obra em nós e por meio de nós completa as boas obras que Ele preparou para nós (Ef 2.10).[26] A glória e a felicidade do pastor residem no cumprimento do seu ministério.[27]

Até aqui Paulo ditou a carta. Agora ele assina de próprio punho com uma saudação e uma súplica. *A saudação é de próprio punho: Paulo.*

---

[23]BARCLAY, William. *Filipenses, Colosenses e I y II Tesalonicenses*, 1973, p. 182.
[24]BOOR, Werner de. *Carta aos Efésios, Filipenses e Colossenses*, p. 382.
[25]FALCÃO, Silas Alves. *Meditações em Colossenses*, p. 236.
[26]WIERSBE, Warren W. *Comentário bíblico expositivo*. Vol. 6, 2006, p. 199.
[27]FALCÃO, Silas Alves. *Meditações em Colossenses*, p. 239.

Lembrai-vos das minhas algemas. A graça seja convosco (4.18). Graça é o favor imerecido do Senhor, é a suma da mensagem do evangelho. É a oração final de Paulo pelos cristãos colossenses.

Essa é a saudação do mártir, diz Werner de Boor.[28] Paulo está preso a Cristo como também preso por Roma.[29] Por que Paulo roga à igreja que eles se lembrem de suas algemas? Porque suas algemas eram a evidência do Seu amor a Cristo e aos perdidos.

Silas Alves Falcão relata o testemunho de um jovem japonês que lança luz ao tema em apreço e com o qual encerramos esta exposição:

> Um jovem japonês estava contemplando o sagrado monte Fuji-Yama, numa atitude de adoração fervorosa. Um viajante cristão que o observava, delicadamente, lhe perguntou por que se sentia desse modo emocionado, olhando para aquele monte. O jovem, então, lhe explicou que o monte era o símbolo do imperador, a quem amam mais do que a própria vida. Narrou para o cristão a história de alguns soldados na guerra que enfrentaram uma cerca de fios elétricos, que impedia a aproximação dos japoneses aos inimigos. O general chamou voluntários, e foi logo dizendo: "Esta chamada é a da morte. Cada homem irá sozinho, aproximando-se da cerca, às escondidas, e cortando um dos fios. A corrente elétrica o matará. A tarefa exige muitos homens, porém, quando este trabalho mortífero for terminado, o exército inteiro marchará sobre os vossos corpos para vencer o inimigo e assegurar a vitória para o vosso imperador". Concluindo a narrativa com um sorriso, o japonês disse: "E cada homem ao alcance da voz do general se oferece para essa tarefa sacrificial. Foi até difícil saber a quem escolher, tão ansiosos estavam para provar que amavam o seu imperador mais do que as próprias vidas. Se vós crentes amásseis o vosso Cristo como nós amamos o nosso imperador, conquistaríeis o mundo inteiro para Ele, embora esse empreendimento custasse o preço de morte.[30]

Paulo foi um dos soldados que deu sua vida para conquistar o mundo para Cristo. Você também está disposto a fazer o mesmo?

---

[28] BOOR, Werner de. *Carta aos Efésios, Filipenses e Colossenses*, p. 382.
[29] NIELSON, John B. *Comentário Bíblico Beacon*, p. 343.
[30] FALCÃO, Silas Alves. *Meditações em Colossenses*, p. 245,246.

1 e 2 Tessalonicenses

Como se preparar para a segunda vinda de Cristo

1

Introdução: A plantação de uma **igreja estratégica**

Atos 17.1-9

ANTES DE COMENTAR AS DUAS CARTAS DE PAULO à igreja de Tessalônica, vamos estudar sobre a plantação dessa igreja. Conhecer a cidade, o tempo, as lutas e os resultados da pregação de Paulo nessa importante capital da Macedônia são de vital importância para compreender o que o apóstolo escreveu. Portanto, realço alguns aspectos:

Em primeiro lugar, *os planos de Deus devem prevalecer sobre a vontade humana*. O apóstolo Paulo queria entrar no continente asiático em sua segunda viagem missionária, mas Deus o direcionou para a Europa. Ele pretendia ir para o Oriente, mas Deus o conduziu para o Ocidente. Campbell Morgan escreveu: "A invasão da Europa certamente não estava na mente de Paulo, mas, evidentemente, estava na mente do Espírito Santo".[1] Por essa razão o mundo ocidental foi alcançado pelo evangelho, e as igrejas do Ocidente se tornaram a base dos grandes avanços missionários. John Stott declara: "Foi da Europa que, no seu devido tempo, o evangelho se espalhou pelos grandes continentes: África, Ásia, América do Norte, América Latina e Oceania, alcançando assim os confins do mundo".[2]

---

[1] MORGAN, G. Campbell. *The Acts of the Apostles*, p. 287.
[2] STOTT, John R. W. *A mensagem de Atos*. São Paulo, SP: ABU Editora, 2005, p. 291.

Em segundo lugar, *a perseguição humana não pode destruir a obra de Deus*. A evangelização da Europa foi o cumprimento da agenda de Deus, porém ocorreu sob dura perseguição. Por onde Paulo passou na Europa, enfrentou implacável perseguição. Foi açoitado em Filipos, expulso de Tessalônica, enxotado de Bereia, chamado de tagarela em Atenas e de impostor em Corinto. Isso nos mostra que a vontade de Deus não é incompatível com o sofrimento. A igreja de Tessalônica foi gerada no útero do sofrimento, nasceu no berço da perseguição e floresceu num ambiente de profunda hostilidade. Os ventos da perseguição jamais destruíram a igreja; apenas aceleraram o processo do seu crescimento.

Em terceiro lugar, *quando Deus se manifesta, a igreja se fortalece com rapidez*. O apóstolo pregou apenas três sábados na sinagoga de Tessalônica e esse tempo foi suficiente para produzir uma verdadeira revolução na cidade. O evangelho chegou ali não apenas em palavra, mas, sobretudo, em poder e demonstração do Espírito e grande convicção (1Ts 1.5). Os corações foram atingidos e as vidas transformadas. Os gentios largaram seus ídolos e se converteram a Cristo (1Ts 1.9), tornando-se crentes modelos para os demais (1Ts 1.7,8). Em um curto espaço de tempo eles se tornaram firmes na fé, sólidos no amor e robustos na esperança (1Ts 1.3). Mesmo sob ameaça e atroz perseguição, aquela igreja plantada às pressas e debaixo de sofrimento tornou-se uma agência de evangelização para todas as demais regiões (1Ts 1.8).

Vamos examinar Atos 17.1-9 e tirar algumas lições:

A estratégia missiológica de Paulo (At 17.1)

Paulo não era apenas um pregador, era também um sábio estrategista. Na sua primeira viagem missionária concentrou-se exclusivamente em Chipre e na Galácia; na segunda, dedicou-se à evangelização das províncias da Macedônia e Acaia. Na terceira viagem missionária concentrou-se em Éfeso, na província da Ásia Menor. É importante ressaltar que em todas elas, Paulo incluiu a capital em seu trajeto – Tessalônica, a capital da Macedônia; Corinto, da Acaia, e Éfeso, da Ásia. Além disso,

Paulo escreveria a cada uma das igrejas nessas capitais, ou seja, suas cartas aos tessalonicenses, aos coríntios e aos efésios.[3]

O apóstolo Paulo entrou na Europa por orientação do Espírito Santo, mas ele tinha também discernimento para fazer as melhores escolhas estratégicas na obra missionária nesse continente. Por essa razão, viajando pela grande via expressa, a Via Egnátia, ele passou por várias cidades macedônias como Anfípolis e Apolônia e concentrou seu trabalho em Tessalônica, a capital da província, onde havia uma sinagoga judia (At 17.1). De todas as cidades desta artéria, a Via Egnátia, Tessalônica era a maior e a mais influente. Situada no atual golfo de Salônica, foi edificada na forma de um anfiteatro nas colinas no fundo da baía.[4]

Não que Paulo julgasse essas duas primeiras cidades indignas do evangelho, mas compreendia que se Tessalônica fosse alcançada, o evangelho poderia irradiar-se dali para as outras regiões. Paulo, assim, não estava sendo preconceituoso nem fazendo acepção de pessoas, estava, sim, sendo estratégico. William Barclay afirma em seu livro que a chegada do cristianismo a Tessalônica foi um fato de suma importância. Paulo sabia que se o cristianismo se firmasse em Tessalônica, ele poderia estender-se a partir dali para o Oriente e para o Ocidente, como de fato aconteceu (1Ts 1.8).[5]

Paulo sabia usar os recursos disponíveis na época para agilizar o processo da evangelização. Howard Marshall, ao comentar essa viagem de Paulo a Tessalônica, ressalta a importância dessa Via Egnátia:

> A grande estrada romana, a Via Egnátia, começava em Neápolis, e passava por Filipos, Anfípolis (At 16.12), Apolônia e Tessalônica, depois passava para o oeste, atravessando a Macedônia até a praia do mar Adriático em Dirraquio, de onde os viajantes podiam atravessar o mar para a Itália. As campanhas missionárias de Paulo foram muito facilitadas onde havia boas estradas, as "rodovias expressas" do mundo

---

[3] STOTT, John R. W. *A mensagem de Atos*, p. 291.
[4] HENDRIKSEN, William. *1 e 2Tessalonicenses*. São Paulo, SP: Editora Cultura Cristã, 1998, p. 11.
[5] BARCLAY, William. *Hectos de los Apostoles*. Buenos Aires: Editorial La Aurora, 1974, p. 137.

antigo, para ajudar seu progresso. Os missionários viajaram 53 km para Anfípolis, 43 km para Apolônia e então, 56 km para Tessalônica.[6]

Warren Wiersbe diz que Paulo costumava ministrar nas cidades maiores e transformá-las em centros de evangelismo a toda a região (At 19.10,26; 1Ts 1.8).[7] Tessalônica era uma cidade estratégica. Ela era a capital da Macedônia. Era também um importante centro comercial, só comparado à cidade de Corinto. Ali ficava um dos mais importantes portos da época. Ela comandava o comércio marítimo pelo mar Egeu e terrestre pela Via Egnátia. Também por Tessalônica passavam diversas rotas comerciais. William MacDonald disse que o Espírito Santo escolheu essa cidade como uma base a partir da qual o evangelho poderia se irradiar para muitas outras direções.[8]

William Barclay relata que o nome original dessa cidade era Thermai, que significa "fontes quentes". Seiscentos anos antes, Heródoto já a descrevia como uma grande cidade. Aqui Xerxes, o persa, estabeleceu sua base naval ao invadir a Europa. Em 315 a.C., Cassandro reedificou a cidade e colocou nela o nome de Tessalônica, em homenagem a sua mulher, filha de Filipe da Macedônia e irmã de Alexandre Magno. Tessalônica, como Filipos, era uma cidade antiga que recebera nova vida na era helenística. Os romanos fizeram dela uma cidade livre em 42 a.C., e ela possuía os direitos garantidos de governo próprio nos padrões gregos mais que romanos.[9]

Jamais as tropas romanas haviam cercado essa importante cidade. Ela mantinha sua própria assembleia popular e seus próprios magistrados. Sua população era estimada em 200 mil habitantes e durante um tempo chegou a rivalizar com Constantinopla como candidata à capital do mundo. Como já dissemos, pela *Via Egnátia*, Tessalônica ligava o Oriente e o Ocidente. Ela ficava na entrada do Império Romano. Em

---

[6]MARSHALL, I. Howard. *Atos: Introdução e comentário*, p. 260,261.
[7]WIERSBE, Warren W. *Comentário bíblico expositivo*, p. 609.
[8]MACDONALD, William. *Believer's Bible commentary*, p. 1637.
[9]SHERWIN-WHITE, A. N. *Romans society and roman law in the New Testament*. Oxford, 1963, p. 95-98.

virtude desses fatos, verdadeiramente, é impossível exagerar a importância da chegada do cristianismo a Tessalônica. Paulo sabia que se o cristianismo conseguisse se estabelecer em Tessalônica, ele se estenderia ao Oriente pela *Via Egnátia* até conquistar toda a Ásia, e pelo Ocidente chegaria certamente à cidade de Roma. O advento do cristianismo em Tessalônica foi um passo crucial na transformação do cristianismo em religião mundial.[10]

A cidade de Tessalônica sobreviveu aos embates do tempo. Foi a segunda maior cidade nos dias do Império Bizantino. Em 390 d.C., foi palco de um grande massacre, quando o imperador Teodósio, o Grande, mandou massacrar mais de sete mil de seus cidadãos. A cidade desempenhou papel importante nas Cruzadas. Passou a um governo otomano em 1430. De 1439 até 1912 ficou com os turcos. Em 1912 foi tomada de volta pelos gregos. Atualmente, com o nome de Salônica, é a segunda maior cidade da Grécia, tendo uma população estimada em 250 mil habitantes.[11]

A ponte de contato para a pregação do evangelho (At 17.2)

O apóstolo Paulo escolheu Tessalônica não apenas por sua localização geográfica e importância econômica e política, mas também por sua conexão religiosa. Naquele grande centro de cultura grega e romana havia uma sinagoga de judeus.

Frank Stagg diz que não é motivo de surpresa a existência de uma sinagoga em Tessalônica, visto que seu forte comércio atrairia a colônia judia.[12] Essa sinagoga era uma ponte de contato para a pregação do evangelho. Antes de Paulo, Jesus já tinha usado a sinagoga como ponte de acesso para o ensino das Escrituras e testemunho do evangelho (Lc 4.16).

Paulo tinha o costume de usar as sinagogas como ponto de partida para atingir as pessoas com o evangelho (At 13.5,14,44). Em Tessalônica

---

[10]BARCLAY, William. *Filipenses, Colosenses, I y II Tesalonicenses*, p. 188.
[11]HENDRIKSEN, William. *1 e 2Tessalonicenses*, p. 12,13.
[12]STAGG, Frank. *O livro de Atos*. Rio de Janeiro, RJ: Casa Publicadora Batista, 1958, p.248.

não foi diferente. Por três sábados, arrazoou com eles acerca das Escrituras. Paulo começa a evangelização da cidade de Tessalônica a partir da sinagoga judia reunida aos sábados.

Na sua estratégia, Paulo usa o lugar certo e o tempo certo. Ele também usou o meio certo, a Escritura; a mensagem certa, a vida, a morte e a ressurreição de Jesus para atingir as pessoas certas, judeus e gentios piedosos. Jesus, Paulo e os missionários ao longo dos séculos souberam usar com sabedoria essas pontes de contato para levarem aos povos a mensagem da graça de Deus.

Ainda hoje precisamos ter discernimento para buscarmos os melhores meios, os melhores recursos, os melhores métodos para anunciarmos a melhor mensagem, o evangelho de Cristo.

A essência da pregação de Paulo (At 17.3)

O apóstolo Paulo prega Cristo a partir das Escrituras. Ele não prega filosofia grega nem política romana. Ele não prega a tradição dos anciãos nem ensina sobre os dogmas dos rabinos fariseus. Ele expõe as Escrituras e a partir delas apresenta Cristo. Joseph Alexander diz que nós aprendemos deste versículo, que as duas grandes doutrinas pregadas por Paulo em Tessalônica foram acerca do Messias sofredor e sua identidade com o Jesus de Nazaré.[13]

Dois pontos nos chamam a atenção neste versículo:

Paulo variou os métodos (At 17.3). A pregação do evangelho deve ser bíblica e racional, afirma Matthew Henry.[14] Paulo não usa expedientes místicos para expor as Escrituras. Ele apela para a razão de seus ouvintes. Ele se dirige à mente deles e desperta o seu entendimento. Paulo identificou o Jesus da história com o Cristo das Escrituras, enquanto, hoje, alguns teólogos liberais tentam criar um abismo entre o Jesus histórico dos evangelhos e um Cristo místico da teologia e da experiência cristã.[15]

---

[13] ALEXANDER, Joseph Addison. *Commentary on the Acts of the Apostles.* Grand Rapids, MI: Zondervan Publishing House, 1956, p. 598.
[14] HENRY, Matthew. *Matthew Henry's commentary in one volume,* p. 1703.
[15] STOTT, John R. W. *A mensagem de Atos,* p. 306.

Quatro verbos descrevem a pregação de Paulo na sinagoga de Tessalônica:

1. *Ele arrazoou* (17.2). Paulo dialogou com eles por meio de perguntas e respostas. A palavra grega aqui empregada nos deu o termo *dialética*, que nada mais era do que ensinar discutindo por meio de perguntas e respostas.[16]
2. *Ele expôs* (17.3), ou seja, explicou para eles o conteúdo do evangelho. Pregar é explicar as Escrituras e aplicá-las. O pregador não cria a mensagem, ele a transmite. A mensagem emana das Escrituras. Deus não tem nenhum compromisso com a palavra do pregador, mas com a Sua Palavra. A Palavra de Deus e não a do pregador tem a garantia de que não volta para Ele vazia. Para explicar a Palavra é preciso ser fiel na interpretação. É preciso fazer uma exegese sadia, ou seja, tirar do texto o que está realmente nele e não impor ao texto o que ele não está afirmando.
3. *Ele demonstrou que Jesus é, de fato, o Messias*. O termo "demonstrar", *paratithemi*, significa "colocar lado a lado ao apresentar evidências" (17.3). Isso se referia à exposição de Paulo que consistia em colocar o cumprimento ao lado das profecias.
4. *Ele anunciou a morte e a ressurreição de Jesus Cristo* (17.3).[17] Paulo se empenhava em anunciar Jesus. Em outras palavras, ele contou a história de Jesus de Nazaré: seu nascimento, sua vida e seu ministério, sua morte e ressurreição, sua exaltação e a dádiva do Espírito, o Seu reino presente e sua volta, a oferta da salvação e o anúncio do julgamento. Não há motivo para duvidar que Paulo tenha dado um relato completo da carreira salvífica de Jesus, do começo ao fim, afirma John Stott.[18]

Paulo não mudou a mensagem (At 17.3). A pregação de Paulo em Tessalônica foi cristocêntrica. Ele falou sobre a morte e a ressurreição

---

[16] STAGG, Frank. *O livro de Atos*, p. 248.
[17] WIERSBE, Warren W. *Comentário bíblico expositivo*. Vol. 5, p. 609.
[18] STOTT, John R. W. *A mensagem de Atos*, p. 305,306.

de Jesus, o Cristo. A morte e a ressurreição de Cristo são o âmago da mensagem cristã. Cristo morreu pelos nossos pecados (1Co 15.3) e ressuscitou para a nossa justificação (Rm 4.25). A mensagem pregada por Paulo na sinagoga de Tessalônica tornou-se a essência do *kerygma* apostólico, que Pedro já havia pregado no dia do Pentecostes (At 2.22-24) e que ele mesmo resumiu posteriormente (At 13.26-31).

Howard Marshall afirma: "Visto que Paulo faz essencialmente as mesmas declarações acerca do Messias em 1Coríntios 15.3-8, passagem esta que se baseia na tradição cristã primitiva, fica claro que não estava publicando uma linha de pensamento inventada por ele, mas simplesmente repetia aquilo que era ensinamento cristão comumente aceito".[19]

Não há evangelho onde a cruz de Cristo é banida. Não há cristianismo onde a morte expiatória de Cristo é relegada a um segundo plano. Não há remissão de pecados sem o derramamento do sangue do Cordeiro de Deus. De igual forma, sem a ressurreição de Cristo, Seu sacrifício não teria eficácia. A ressurreição é o estandarte da vitória, é a consumação triunfante de Sua obra redentora.

Frank Stagg destaca o fato de que era bem difícil para os judeus sob opressão estrangeira aceitar o quadro de um Messias sofredor; eles esperavam um Messias que viesse acabar de vez com os sofrimentos de Seu povo e inaugurar um reinado de triunfo e paz. Por isso, a cruz para eles era "escândalo", e só o fato de haver Jesus ressuscitado poderia levar o judeu a reexaminar a cruz à luz das Escrituras (At 17.2).[20]

Thomas Whitelaw diz que podemos sintetizar a pregação de Paulo em Tessalônica em sete pontos:[21]

1. *O lugar*. Paulo pregou na sinagoga, onde se reuniam judeus, prosélitos, e interessados no aprendizado da Palavra de Deus.
2. *O tempo*. Paulo pregou aos sábados, ou seja, no dia em que as pessoas se reuniam na sinagoga para estudar a Palavra.

---

[19] MARSHALL, I. Howard. *Atos: Introdução e comentário*, p. 262.
[20] STAGG, Frank. *O livro de Atos*, p. 248,249.
[21] WHITELAW, Thomas. *The preacher's complete homiletic commentary: Acts.*, p. 361.

3. *O livro texto*. Paulo usou as Escrituras. Ele não buscou a tradição rabínica nem outra fonte. Ele pregou a Palavra.
4. *A tese*. Paulo proclamou que Jesus de Nazaré era o Messias que tinha sido prometido aos pais.
5. *O método*. Paulo apelou para o entendimento de seus ouvintes na medida em que explicava para eles as Escrituras.
6. *A prova*. Paulo mostrou que era necessário que o Messias sofresse e ressuscitasse dentre os mortos (At 2.24-31; 3.18; 13.27-37; Lc 24.44).
7. *O efeito*. Alguns judeus se converteram e também uma multidão de gregos prosélitos, além de não poucas mulheres distintas.

O impacto da pregação de Paulo (At 17.4)

A pregação de Paulo em Tessalônica foi eficaz (1Ts 1.5). A convicção interna foi seguida pela correspondente profissão de fé externa e pública admissão na igreja.[22] Embora poucos judeus foram convertidos, porém, uma grande multidão de gregos piedosos recebeu a Cristo, bem como muitas distintas mulheres foram persuadidas e agregadas a Paulo e Silas. Os convertidos de Tessalônica afluíam de quatro seções da comunidade: judeus, gregos, tementes a Deus e mulheres distintas.

O evangelho causou grande impacto na vida dos gentios. Em apenas três semanas, ouvimos falar de uma multidão de convertidos. É bem verdade que Paulo deve ter passado mais tempo em Tessalônica. Somos informados que a igreja de Filipos mandou oferta para ele duas vezes enquanto estava em Tessalônica (Fp 4.15,16) e que durante esse tempo precisou trabalhar com suas próprias mãos para complementar o seu sustento (1Ts 2.9).

Por que a pregação de Paulo teve tanto sucesso em Tessalônica? Encontramos essa resposta em sua carta aos tessalonicenses (1Ts 1.5). Paulo diz que sua pregação tinha três características fundamentais:

---

[22] ALEXANDER, Joseph Addison. *Commentary on the Acts of the Apostles*, p. 598.

1. *Foi uma pregação centrada na Palavra.* Paulo pregou o conteúdo do evangelho. Ele apresentou Jesus. Ele não pregou suas opiniões nem os arrazoados dos rabinos. Ele pregou sobre a vida, a morte e a ressurreição de Cristo.
2. *Foi uma pregação revestida de poder.* O apóstolo Paulo tinha palavra e poder. Ele pregava aos ouvidos e também aos olhos. Ele falava e demonstrava. Hoje, os homens escutam belos discursos da igreja, mas não veem vida. Há trovões, mas não existe chuva. Há palavras, mas não existe demonstração do Espírito Santo.
3. *Foi uma pregação marcada por profunda convicção.* A pregação de Paulo era autenticada pela experiência e pela vida. Paulo não era um pregador de banalidades. Ele não era um alfaiate do efêmero, mas um escultor do eterno.

As pessoas convertidas não apenas acreditaram em Cristo, mas entraram para uma comunhão vital com seus fiéis ministros, associando-se com eles. Possivelmente, essas pessoas deixaram a sinagoga e se uniram a Paulo e Silas na casa de Jasom. Não há salvação sem integração na Igreja de Deus. Os que são salvos devem ser batizados e discipulados. Não há crentes isolados. Pertencemos ao corpo de Cristo. Estamos ligados uns aos outros. Somos membros uns dos outros. Uma pessoa salva precisa se unir à igreja. Ela precisa declarar publicamente a sua fé.

A resistência à pregação de Paulo (At 17.5,6)

Não há pregação do evangelho sem oposição. A luz incomoda as trevas. A perseguição em Tessalônica não teve origem política, mas religiosa. A oposição não partiu da religião pagã, mas do judaísmo. A motivação da perseguição foi produzida por sentimento e não por entendimento. Os judeus perseguiram Paulo não pela sua pregação, mas o perseguiram por causa da inveja.

Os judeus invejosos usaram os métodos mais baixos para perturbar o trabalho evangelístico de Paulo em Tessalônica. Eles subornaram homens sem caráter, arrancados das fileiras da malandragem, para perturbarem a ordem social e promoverem turbulência entre o povo, com vistas à prisão do apóstolo Paulo e seus cooperadores.

A inveja é algo tão maligno que leva as pessoas a usarem os métodos mais perversos, a se aliarem às pessoas mais perversas e a tirarem as conclusões mais perversas acerca dos homens mais nobres, os obreiros de Deus. Paulo e seus companheiros não estavam transtornando o mundo, mas transformando o mundo. A mensagem deles não provocava transtorno, mas transformação.

Havia dois cursos de ação para os acusadores: a assembleia popular, *demos*, diante da qual podiam ser levadas acusações e os magistrados, *politarcos*, os oficiais não romanos das cidades da Macedônia.[23] Os politarcos eram uma designação dos magistrados eleitos das cidades livres, distintos dos pretores das colônias romanas.[24] As acusações chegaram a ambos os fóruns. Os missionários foram acusados diante do povo e diante das autoridades. A acusação foi pública e também privada. Foi popular e também política.

A acusação contra Paulo e seus cooperadores (At 17.7-9)

A acusação contra Paulo e Silas era muito séria: *Estes que têm transtornado o mundo chegaram também aqui, aos quais Jasom hospedou. Todos estes procedem contra os decretos de César, afirmando ser Jesus outro rei. Tanto a multidão, como as autoridades ficaram agitadas ao ouvirem estas palavras* (At 17.6-8).

A palavra "mundo" usada pelos acusadores foi *oikoumene*, que significa a terra habitada conhecida, ou seja, o Império Romano. A acusação geral levantada contra os missionários era que eles tinham causado "transtorno" (At 17.6), ou seja, uma sublevação social radical. O verbo *anastatoo* tem uma conotação revolucionária (At 21.23).[25]

Os judeus formalizaram uma acusação política contra Paulo e seus cooperadores. Eles acusaram Paulo de sedição, de alta traição e de conspiração contra o imperador.

John Stott diz que é difícil exagerar o perigo ao qual estavam expostos, pois uma simples sugestão de traição contra os imperadores muitas

---

[23]MARSHALL, I. Howard. *Atos: Introdução e comentário*, p. 263.
[24]ALEXANDER, Joseph Addison. *Commentary on the Acts of the Apostles*, p. 600.
[25]STOTT, John R. W. *A mensagem de Atos*, p. 307.

vezes era fatal para o acusado.²⁶ A acusação dos judeus foi clara: *Todos estes procedem contra os decretos de César, afirmando ser Jesus outro rei* (At 17.7). O termo grego traduzido por "outro" significa "outro de tipo diferente", ou seja, um rei diferente de César. Como a ênfase de Paulo nesta carta foi a segunda vinda de Cristo, os judeus e os pagãos incrédulos não entenderam a pregação da segunda vinda de Cristo e concluíram que Paulo estava pregando sobre um reinado político de Cristo na terra, conspirando, assim, contra os interesses de César.

A pregação de Paulo pode ter sido interpretada como a profecia de uma mudança de imperador. Havia decretos imperiais contra tais predições. Os juramentos de lealdade a César podiam ser considerados como exigências dos seus decretos, e estes seriam impostos pelos magistrados locais.²⁷ Assim, a acusação contra Paulo e Silas era de fato incendiária.

Por ser Tessalônica uma cidade livre, qualquer sedição deixava seus habitantes sobressaltados. Roma lhe tiraria esse direito se houvesse qualquer rebelião ou traição. No ano 49 d.C., o imperador Cláudio expulsara de Roma os judeus por causa de um tumulto a respeito de *Chrestus*. Há dúvidas se esse *Chrestus* era uma grafia errada de Cristo. Se for, como muitos sustentam, então isto constituiria razão bem forte para perturbar os habitantes e as autoridades de Tessalônica, quando dentro da cidade se encontravam seguidores de Cristo. A simples prédica de Jesus como o ungido de Deus era de natureza explosiva.²⁸

O escritor John Stott afirma que a ação dos magistrados cobrando fiança de Jasom provavelmente não se restringiu à simples cobrança de uma fiança. A expressão de Lucas se refere ao oferecimento e concessão de garantia, em processos civis e criminais. Eles obtiveram de Jasom e dos outros a promessa de que Paulo e Silas sairiam da cidade e não retornariam, ameaçando com castigos severos se o acordo fosse quebrado. Provavelmente Paulo se referia a esta proibição legal quando escreveu que satanás não lhe permitiu retornar a Tessalônica. Esse

---

²⁶ STOTT, John R. W. *A mensagem de Atos*, p. 307.
²⁷ MARSHALL, I. Howard. *Atos: Introdução e comentário*, p. 264.
²⁸ STAGG, Frank. *O livro de Atos*, p. 250, 251.

expediente engenhoso colocou um abismo intransponível entre Paulo e os tessalonicenses.[29]

As cartas de Paulo à igreja de Tessalônica

Quando Paulo saiu de Tessalônica sob um clima de intensa perseguição, ficou preocupado com o futuro da igreja. Não descansou sua alma até encontrar-se com Timóteo em Atenas e saber que aqueles irmãos estavam firmes na fé (1Ts 2.1-5). Paulo nutria tal amor por esta igreja que chegou a dizer: *Sim, vós sois realmente a nossa glória e a nossa alegria!* (1Ts 2.20).

As notícias trazidas por Timóteo também sinalizavam alguma inquietação. Paulo, então, escreve duas cartas para corrigir esses problemas. William Barclay sintetiza esses problemas em seis pontos:[30]

1. *A pregação da segunda vinda de Cristo havia produzido uma situação anormal* (4.11). Havia algumas pessoas na igreja que deixaram de trabalhar e abandonaram seus empreendimentos para esperar a segunda vinda de Cristo, numa espécie de histeria expectante. Paulo escreve à igreja para corrigir essa prática equivocada.
2. *Havia confusão acerca do destino dos crentes na hora da morte* (4.13-18). Alguns crentes estavam acreditando que se alguém morresse antes da segunda vinda de Cristo estava em total prejuízo em relação aos vivos. Paulo escreve para afirmar que os crentes que morreram no Senhor não estavam em desvantagem em relação aos que estiverem vivos até à volta do Senhor.
3. *Havia uma tendência de desprezar toda autoridade legal* (5.12-14). Os novos convertidos da igreja de Tessalônica estavam transformando a democracia grega em um risco para a vida cristã, pois tinham dificuldade de acatar e obedecer às autoridades estabelecidas na igreja.
4. *Havia uma tendência à recaída na imoralidade* (4.3-8). O mundo grego estava eivado de sensualidade, a promiscuidade sexual estava

---

[29]STOTT, John R. W. *A mensagem de Atos*, p. 307,308.
[30]BARCLAY, William. *Filipenses, Colosenses, I y II Tesalonicenses*, p. 190.

misturada com a religiosidade grega. Esse ambiente de impureza fazia parte da cultura dos tessalonicenses. Paulo escreve para ensinar a eles que Deus os havia chamado para a santidade e não para a impureza.

5. *Havia um grupo de resistência ao apostolado de Paulo* (2.5-9). Havia algumas pessoas que acusavam Paulo de ganancioso (2.5,9) e outros que acusavam Paulo de ditador (2.6,7,11). Paulo escreve para defender seu apostolado e mostrar a eles que sua postura entre eles fora irrepreensível.
6. *Havia sinais de divisão na igreja* (4.9; 5.13). As disputas internas ameaçam a comunhão da igreja nascente. Havia falta de amor e comunhão entre alguns crentes.

2

As **marcas** de uma igreja verdadeira

1 Tessalonicenses 1.1-10

O APÓSTOLO PAULO ENTROU NA MACEDÔNIA por orientação do Espírito Santo, porém, a escolha de Tessalônica, como capital da província da Macedônia, para plantar uma igreja foi estratégia do apóstolo. Na verdade, é Deus quem escolhe os obreiros e dirige a obra. É Deus quem abre portas para a pregação e os corações para a mensagem. Em apenas três semanas em Tessalônica, o apóstolo plantou uma igreja que floresceu e espalhou sua influência para outras províncias, apesar de amarga perseguição que enfrentou.

Vamos ver as marcas dessa igreja. Seus atributos são luzeiros que devem clarear a caminhada da igreja ainda hoje. A igreja de Tessalônica é uma igreja modelo. Ao examinar o capítulo 1 desta carta tiramos algumas lições.

Uma saudação carinhosa (1.1,2)

Vale a pena ressaltar três aspectos:

Os remetentes da carta (1.1). Paulo, Silvano e Timóteo são os remetentes da carta. Silas e Timóteo eram companheiros de Paulo nessa viagem missionária e por uma questão de fidalguia, o apóstolo insere o nome deles em sua missiva. Os remetentes da carta eram homens fiéis a Deus e fiéis à igreja. Eram pastores e não exploradores do rebanho. Estavam prontos a dar a vida pela igreja em vez de viverem às custas dela.

O sentido do nome romano *Paulo* é "pequeno". Alguns documentos o descreviam como um homem calvo, de pernas tortas, forte na estrutura, pequeno no tamanho, com sobrancelhas que se encontravam, nariz um tanto grande. Cheio de graça, pois às vezes parecia homem e às vezes tinha rosto de anjo.[1]

Paulo não se autointitula apóstolo na introdução desta carta. Isto ocorreu não porque os tessalonicenses fossem neófitos, no entendimento de Crisóstomo, ou porque Paulo não quisesse ferir a sensibilidade de Silas e Timóteo que não eram apóstolos, como acreditava Estius, ou porque sua autoridade apostólica ainda não era reconhecida, como pensava Jowett, ou porque ele estava justamente começando o seu labor apostólico, na visão de Wordsworth, mas porque seu apostolado jamais fora questionado pela igreja de Tessalônica.[2]

Silvano é nome próprio romano. Silas é a versão do nome em grego e Silvanus em latim.[3] Silas é mencionado como um líder entre os irmãos e um profeta (At 15.22,32). Igual a Paulo, ele também era um cidadão romano (At 16.37). Ele acompanhou Paulo na segunda viagem missionária em lugar de Barnabé (At 15.40), foi preso e açoitado com Paulo em Filipos (At 16.19-24) e engajou-se com Paulo na evangelização de Tessalônica, Bereia e Corinto. Seu ministério em Corinto é mencionado com honra por Paulo (2Co 1.19).

Timóteo era nativo de Listra, tendo um pai grego e uma mãe judia (At 16.1). Ele juntou-se a Paulo e Silas na segunda viagem missionária em Listra e também em Filipos, Tessalônica e Corinto. Ele esteve com Paulo em sua terceira viagem missionária e foi enviado por ele com uma missão especial na Macedônia e Corinto (At 19.22; 1Co 16.10). Timóteo acompanhou Paulo na Ásia em sua última viagem para

---

[1]HENDRIKSEN, William. *1 e 2Tessalonicenses*. São Paulo, SP: Editora Cultura Cristã, 1998, p. 56.
[2]GLOAG, P. J. *1 Thessalonians*. In *The pulpit commentary*. Grand Rapids, Michigan: Wm.B. Eeeeerdmans Publishing Company, 1978, p. 1. OWEN Collins. *The classic Bible commentary*. Wheaton, Illinois: Crossway Books, 1971, p.1373.
[3]HENDRIKSEN, William. *1 e 2Tessalonicenses*, p. 56,57.

Jerusalém (At 20.4). Ele estava com Paulo em sua primeira prisão em Roma, quando este escreveu suas cartas aos Filipenses e Colossenses (Fp 1.1; Cl 1.1). Depois Timóteo residiu em Éfeso (1Tm 1.3), de onde foi chamado para acompanhar Paulo em Roma, antes do seu martírio (2Tm 4.9-21).[4]

Os destinatários da carta (1.1). Duas características nos chamam a atenção quanto aos destinatários desta carta:

Era uma igreja do povo. Paulo não se dirige à igreja em Tessalônica, mas à igreja dos tessalonicenses. A igreja não é um prédio ou uma instituição de determinada cidade, mas um povo, o povo que recebe a Cristo como Senhor. Paulo também não se dirige apenas a um grupo dentro da igreja, mas a toda a igreja. Na Igreja de Deus todos são importantes. I. Howard Marshall diz que a frase genitiva descreve a igreja em termos das pessoas que a compunham, ou seja, um grupo local de pessoas.[5]

Era uma igreja estabelecida em Deus. A igreja estava em Deus Pai e no Senhor Jesus Cristo. A igreja não tem vida própria. Ela vive em Deus. Ela depende de Deus e caminha para Deus. Concordo com William Barclay quando ele diz que Deus é a verdadeira atmosfera em que a igreja vive, se move e existe. Assim como o ar está em nós e nós no ar, e não podemos viver sem ele, assim também a igreja verdadeira está em Deus e Deus na igreja verdadeira; para a igreja não há vida sem Deus.[6] Por conseguinte, uma igreja que não está estabelecida em Deus Pai e no Senhor Jesus Cristo não é uma igreja genuína. Uma organização eclesiástica pode parecer igreja, pode agir como igreja, pode falar como igreja, mas se esse fundamento está faltando, então, ela não é igreja.

As bênçãos da carta (1.1). O apóstolo Paulo roga a Deus a graça e a paz para a igreja. Graça é o favor imerecido de Deus, paz é o resultado da graça. Graça é a causa e paz é o efeito, segundo o escritor William MacDonald.[7] Essas duas bênçãos falam da causa e do resultado da

---

[4]Gloag, P. J. *1 Thessalonians*. In *The pulpit commentary*. Vol. 21, p. 1.
[5]Marshall, I. Howard. *I e II Tessalonicenses: Introdução e comentário*. São Paulo, SP: Edições Vida Nova, 1984, p. 69.
[6]Barclay, William. *Filipenses, Colosenses, I y II Tesalonicenses*, p. 193.
[7]MacDonald, William. *Believer's Bible commentary*, p. 2023.

salvação. Quando estamos debaixo da graça de Deus temos paz com Ele. William Hendriksen torna esse conceito cristalino: "a graça é a fonte, e a paz é a corrente de água que emana desta fonte".[8]

I. Howard Marshall diz que para o judeu a paz era o bem-estar espiritual que provinha de um relacionamento certo com Deus. Para o cristão, expressava abrangentemente a reconciliação com Deus e as bênçãos consequentes dadas ao Seu povo por intermédio da Sua ação grandiosa em Cristo.[9]

Uma **gratidão** copiosa (1.3-5)

Vejamos três pontos fundamentais no texto:

Um testemunho formidável (1.3). A igreja de Tessalônica, embora nova na fé, tinha as marcas da maturidade cristã. Ela possuía as três virtudes cardeais da vida cristã: fé, amor e esperança (1Co 13.13). Quanto ao passado estava firmada na verdade, pois tinha colocado sua fé em Deus e agora estava trabalhando para Ele. Quanto ao presente estava envolvida no amor a Deus e ao próximo. Quanto ao futuro estava sendo alimentada pela expectativa da segunda vinda de Cristo. I. Howard Marshall define essas três virtudes assim:

A fé é a aceitação da mensagem do evangelho, a confiança em Deus e Jesus, e a dedicação obediente (1.8; 3.2,5-7,10; 5.8). O amor é a afeição que é expressa no cuidado altruísta dalguém, o tipo de amor que o próprio Deus demonstrou ao enviar Jesus para morrer por nós (Rm 5.8); os cristãos devem demonstrá-lo uns aos outros e para todos os homens (3.12), e sua atitude diante de Deus deve ser da mesma qualidade, expressando-se em completa devoção a Ele (3.6,12; 5.8,13). A esperança é a expectativa confiante de que Deus continuará a cuidar do Seu povo e que o fará vencer as provações e os sofrimentos até chegar à bem-aventurança futura na Sua presença (2.19; 4.13; 5.8).[10]

Vamos analisar essas três virtudes cardeais:

---

[8] HENDRIKSEN, William. *1 e 2Tessalonicenses*, p. 63.
[9] MARSHALL, I. Howard. *I e II Tessalonicenses*, p. 70,71.
[10] MARSHALL, I. Howard. *I e II Tessalonicenses*, p. 72.

A fé produz obras. Quando uma pessoa crê verdadeiramente em Jesus, ela se torna operosa no Reino de Deus. Matthew Henry diz que onde quer que exista uma fé verdadeira, encontraremos obra, pois a fé sem obras é morta (Tg 2.14).[11] Salvação conduz ao serviço. Quanto mais robusta é a fé que um povo tem em Cristo, tanto mais dedicado é o seu trabalho para Ele. A palavra traduzida por "operosidade" é *ergon*, trabalho ativo ou todo o trabalho cristão governado e energizado pela fé.[12] William Hendriksen diz que cuidar dos doentes, consolar os que estão à morte, instruir os incultos, tudo isso e muito mais ocorre à lembrança. Contudo, considerando os versículos 6-10 deste capítulo, parece que o apóstolo se refere, sobretudo, à obra de propagar o evangelho, e de fazer isso até mesmo em meio a terrível perseguição. Isso, sim, foi uma obra resultante da fé.[13]

O amor produz serviço intenso. A palavra usada por Paulo para "abnegação" é *kópos*, trabalho exaustivo, labor. A palavra denota o trabalho árduo e cansativo, que envolve suor e fadiga. Enfatiza o cansaço que decorre da utilização de todas as energias da pessoa.[14] Nós evidenciamos o nosso amor por Cristo por aquilo que fazemos para Ele. Nós demonstramos amor ao próximo não apenas com palavras, mas com atitudes concretas de serviço.

A esperança produz paciência triunfadora. A igreja de Tessalônica estava com os pés na terra, mas com os olhos no céu. Ela servia no mundo, mas aguardava a glória do céu. Sua esperança não era vaga, mas firme. A palavra que Paulo usou para "firmeza" é uma das mais ricas da língua grega. É *hupomone,* que significa paciência triunfadora. Fritz Rienecker diz que *hupomone* é o espírito que suporta as coisas, não com mera resignação, mas com uma viva esperança. É o espírito que suporta as coisas porque sabe que elas estão a caminho de um alvo de glória.[15]

---

[11]HENRY, Matthew. *Matthew Henry's commentary.* Grand Rapids, Michigan: Marshall, Morgan & Scott Ltda, 1960, p.1876.
[12]RIENECKER, Fritz e ROGERS, Cleon. *Chave linguística do Novo Testamento,* p. 434.
[13]HENDRIKSEN, William. *1 e 2Tessalonicenses,* p. 70.
[14]RIENECKER, Fritz e ROGERS, Cleon. *Chave linguística do Novo Testamento,* p. 434.
[15]RIENECKER, Fritz e ROGERS, Cleon. *Chave linguística do Novo Testamento,* p. 434.

Uma prova irrefutável (1.4). A igreja de Tessalônica era a amada e a eleita por Deus. Pelo seu testemunho ela dava provas da sua eleição. A eleição precisa ser confirmada. Por conseguinte, é possível saber se estamos incluídos nesse propósito e decreto eterno da eleição de Deus. Nenhum crente deveria ter garantia da sua eleição sem evidenciar uma nova vida em Cristo. A eleição não é um estímulo ao comodismo, mas uma razão imperativa para a santidade. Somos eleitos para a santidade (Ef 1.4). Somos eleitos para a obediência (1Pe 1.2). Somos eleitos para a fé (At 13.48). Somos eleitos pela fé na verdade e santificação do Espírito (2Ts 2.13).

A eleição é uma verdade revelada nas Escrituras. Sete vezes em João 17, Jesus refere-se aos cristãos como aqueles que o Pai lhe deu (17.2,6,9,11,12,24). Paulo declara sua certeza de que os tessalonicenses haviam sido escolhidos por Deus (1.4).

A eleição é um ato da livre escolha divina, por meio da qual Deus, de forma livre, eterna e soberana nos escolheu em Cristo para a salvação. A eleição desemboca numa vida santa. Ela não é uma desculpa para o pecado, mas um estímulo à obediência. A eleição deve ser evidenciada com humildade e não manifestada com arrogância. William Hendriksen sintetiza essa gloriosa verdade em vários tópicos:

- A eleição é desde a eternidade (Ef 1.4,5).
- A eleição se torna evidente na vida (1.4).
- A eleição é soberana e incondicional (2Tm 1.9).
- A eleição é em Cristo (Ef 1.4).
- A eleição é para a salvação (Cl 3.12-17).
- A eleição é para uma vida santa e irrepreensível (Ef 1.4).
- A eleição é mediante a fé na verdade e santificação do Espírito (2Ts 2.13).
- A eleição é imutável e eficaz (Rm 8.30).
- A eleição tem como fim principal a glória de Deus (Ef 1.4-6).[16]

---

[16] HENDRIKSEN, William. *1 e 2Tessalonicenses*, p. 72,73.

Um impacto inegável (1.5). O apóstolo Paulo denomina o evangelho de Cristo como Seu evangelho. Isso, pela sua identificação e compromisso com ele. Esse evangelho chegou à igreja de Tessalônica de três formas gloriosas:

Em palavras. O apóstolo usou métodos inteligentes de abordagens para apresentar Jesus por meio das Escrituras. Ele arrazoou, expôs, demonstrou e anunciou (At 17.2,3). Todos esses métodos foram endereçados ao entendimento dos tessalonicenses. Porém, Paulo não dependeu de sua própria habilidade, eloquência e sabedoria. A pregação dele não foi meramente uma declamação, uma retórica vazia e sem coração.[17] A pregação de Paulo não era um simples discurso.

Em poder, no Espírito Santo. A palavra utilizada por Paulo para "poder", *dynamis,* é usada geralmente para denotar a energia divina.[18] Pregar em poder, portanto, significa pregar na força e energia do próprio Deus. O evangelho não consiste de meras palavras. Palavras humanas seriam inúteis se a mensagem não fosse dada em poder. O evangelho é o poder de Deus que trabalha no coração do homem. Havia dinamite (*dynamis*) espiritual na mensagem, explosivo suficiente para demolir os ídolos (1.9). William Hendriksen diz que a dinamite do Espírito é diferente da dinamite física, pois onde esta se limita a operações destrutivas, naquela é também construtiva.[19] Paulo estava convencido de que nenhum método era por si suficiente para alcançar os corações. Ele dependia totalmente do poder do Espírito Santo em sua pregação. Paulo não colocava o uso da razão como algo contrário à ação do Espírito. Ele usava os melhores métodos e se esmerava na preparação da mensagem, mas confiava totalmente no poder do Espírito para aplicar a mensagem. Martyn Lloyd-Jones chega a dizer que se não houver poder, também não haverá pregação. A verdadeira pregação, afinal de contas, consiste na atuação de Deus. A pregação é

---

[17] RIENECKER, Fritz e ROGERS, Cleon. *Chave linguística do Novo Testamento*, p. 434.
[18] RIENECKER, Fritz e ROGERS, Cleon. *Chave linguística do Novo Testamento*, p. 434.
[19] HENDRIKSEN, William. *1 e 2 Tessalonicenses*, p. 75.

lógica pegando fogo. É teologia em chamas. Pregação é teologia que extravasa de um homem que está em chamas.[20]

Paulo pregava aos ouvidos e aos olhos. Ele falava e demonstrava. Ele tinha palavra e poder. Por essa razão I. Howard Marshall chega a pensar que o poder que Paulo tem em mente seja o acompanhamento da mensagem falada por ações milagrosas que eram vistas com a confirmação divina da palavra (Gl 3.5; 1Co 1.6,7; 2Co 12.12; Rm 15.18,19; Hb 2.3,4).[21]

Em plena convicção. Paulo tinha plena convicção do poder da mensagem que anunciava. William Hendriksen diz que a convicção é um efeito imediato da presença e do poder do Espírito nos corações dos embaixadores. A referência aqui é à plena convicção dos missionários à medida que pregavam a Palavra.[22] Martyn Lloyd-Jones corrobora que Paulo sabia que algo estava acontecendo, e tinha consciência disso. Ninguém pode ser cheio do Espírito Santo, sem saber o que está acontecendo. Esse príncipe do púlpito evangélico ainda escreve:

> Esse enchimento do Espírito Santo propicia clareza de pensamento, clareza e facilidade de expressão, um profundo senso de autoridade e confiança na pregação, além da certeza de um poder vindo do exterior, que se manifesta ardentemente por todo o nosso ser, com um senso indescritível de alegria. Tornamo-nos homens "possessos", dominados, controlados [...] Nada provém de nosso próprio esforço; somos um mero instrumento, um canal, um veículo; o Espírito nos usa e contemplamos tudo com grande júbilo e admiração. Nada existe que ao menos possa começar a comparar-se a isso.[23]

Uma **imitação** grandiosa (1.6,7)

Destacamos quatro fatos:

Em primeiro lugar, *a igreja imitou o modelo certo* (1.6). A igreja de Tessalônica imitou os missionários e o Senhor Jesus (1Co 11.1).

---

[20]LLOYD-JONES, D. Martyn. *Pregação e pregadores*. São José dos Campos, SP: Editora Fiel, 1991, p.69-71.
[21]MARSHALL, I. Howard. *I e II Tessalonicenses*, p. 75.
[22]HENDRIKSEN, William. *1 e 2Tessalonicenses*, p. 75.
[23]LLOYD-JONES, D. Martyn. *Pregação e pregadores*, p. 238,239.

A palavra "imitadores", *mimetai*, (de onde vem a nossa palavra mímica) descreve alguém que imita outra pessoa, particularmente para seguir seu exemplo ou ensino.[24] A igreja de Tessalônica recebeu não apenas as boas-novas do evangelho, mas também, uma nova vida em Cristo. Ela abraçou não apenas informação, mas também, transformação. Ela possuía não apenas uma boa teologia, mas também, uma nova ética.

Em segundo lugar, *a igreja recebeu a mensagem certa* (1.6b). A igreja de Tessalônica recebeu "a Palavra" mesmo sob um forte clima de hostilidade e perseguição. A igreja nasceu saudável porque sua fé foi estribada numa base certa, a semente cresceu e frutificou porque nasceu de um solo fértil. Hoje, muitas igrejas nascem doentes porque recebem palavras de homens, e não a Palavra de Deus. São alimentadas com o farelo das doutrinas humanas e não com o trigo da verdade divina. Os púlpitos estão pobres e almas estão famintas. Existe pouco de Deus nos púlpitos e muito do homem. O evangelho da graça, como pão nutritivo de Deus, está sendo negado ao povo e, em lugar dele, os pregadores estão dando uma sopa rala à igreja. Muitos púlpitos já abandonaram a pregação fiel e os pregadores já se renderam ao pragmatismo, buscando mais os aplausos dos homens que a glória de Deus; mais o lucro que a salvação; mais a prosperidade que a piedade.

Em terceiro lugar, *a igreja teve a reação certa* (1.6c). A igreja de Tessalônica recebeu a Palavra, em meio a muita tribulação, mas com alegria do Espírito Santo. A igreja de Tessalônica não ficou escandalizada nem decepcionada com Deus por causa das tribulações. Ela não perdeu a alegria devido às perseguições. Atualmente, há muitos obreiros fraudulentos que pregam um falso evangelho, prometendo às pessoas um evangelho sem cruz, sem dor, sem renúncia, sem sofrimento. O poder do evangelho está não apenas em nos livrar das tribulações, mas nos dar poder para enfrentá-las vitoriosamente.

Em quarto lugar, *a igreja tornou-se um modelo certo* (1.7). Os imitadores tornam-se exemplos. William Hendriksen assegura que quem não é imitador não pode se tornar exemplo.[25] A igreja não apenas

---

[24] RIENECKER, Fritz e ROGERS, Cleon. *Chave linguística do Novo Testamento*, p. 435.
[25] HENDRIKSEN, William. *1 e 2 Tessalonicenses*, p. 77,78.

seguiu o exemplo de Cristo e dos missionários, mas também, tornou-se exemplo para os demais crentes. A palavra utilizada por Paulo para "modelo", *typos*, significa marca visível, cópia, imagem, padrão, arquétipo, e, por conseguinte, exemplo. Originalmente a palavra denotava a marca deixada por um golpe. Depois foi usada num sentido ético de um padrão de conduta, mas, mais comumente, como aqui, de um exemplo a ser seguido.[26] Trata-se daquilo que deixa uma impressão desejável. Os crentes tessalonicenses eram a "impressão" de Cristo.[27] I. Howard Marshall por sua vez diz que a palavra "modelo" também significa um molde, ou a impressão feita por um carimbo. No sentido de "exemplo" pode significar não apenas um exemplo que outros devem seguir como também um padrão que os influencia.[28]

A igreja de Tessalônica aprendeu e depois passou a ensinar. Ela se tornou fonte de inspiração para os crentes da sua província, a Macedônia, no norte da Grécia, e também para os crentes da província da Acaia, no sul da Grécia. A igreja de Tessalônica inspirou pessoas da sua região e de lugares mais distantes. Tornou-se um luzeiro perto e também uma luz para os povos mais distantes.

Uma **influência** auspiciosa (1.8,9)

Analisemos três pontos:

Uma repercussão abrangente (1.8). Os crentes de Tessalônica eram tanto receptores (1.5) quanto transmissores (1.8) do evangelho. A vida e o exemplo da igreja de Tessalônica ecoaram e repercutiram não apenas nas províncias de Macedônia e Acaia, mas também, por outras paragens além-fronteiras. Por ser uma cidade comercial e por estar na rota da Via Egnátia, pessoas iam e vinham todos os dias a Tessalônica, a capital da província da Macedônia. A palavra empregada por Paulo para descrever o verbo "repercutiu", *eksechetai*, significa soar como uma

---

[26] RIENECKER, Fritz e ROGERS, Cleon. *Chave linguística do Novo Testamento*, p. 435.
[27] CHAMPLIN, Russell Norman. *O Novo Testamento interpretado versículo por versículo*. Vol. 6, N.d., p. 172.
[28] MARSHALL, I. Howard. *I e II Tessalonicenses: Introdução e comentário*, p. 77.

trombeta.²⁹ Esta palavra deriva-se de *eksecheo*, que significa "fazer ressoar", "repercutir" como um sino que faz todos ouvirem seu sonido forte. O termo grego *eche* significa "som" como o ruído do mar, um barulho tumultuoso, como o de uma multidão. Essa é a palavra de onde vem o vocábulo moderno "eco". Assim, o evangelho ecoou por todo o Império Romano por intermédio da igreja de Tessalônica.³⁰ William Hendriksen assevera que esta palavra encerra a ideia de um arco parabólico ou uma caixa de som que reforça os sons e os transmite em várias direções.³¹ A palavra sugere ainda um ecoar semelhante ao de trovão ou o soar de uma trombeta. A palavra indica que um som é ouvido, a partir de um local central, numa grande área em derredor. Como o verbo está no pretérito perfeito, denota uma atividade continuada do som. Os próprios cristãos tessalonicenses foram uma espécie de caixa acústica por meio da qual espalharam o evangelho pelas áreas em derredor.³²

Uma conversão evidente (1.9a). A conversão é composta de dois elementos: arrependimento e fé. O arrependimento envolve razão, emoção e vontade. O verdadeiro arrependimento é mudança de mente, é tristeza pelo pecado segundo Deus e mudança de conduta. A fé, por sua vez, é uma volta para Deus em total confiança em quem Deus é e no que Deus fez em Cristo. Assim, os crentes de Tessalônica demonstraram arrependimento quando deixaram seus ídolos e revelaram fé quando passaram a servir o Deus vivo. Isso é verdadeira conversão!

A maioria dos membros da igreja de Tessalônica era egressa do paganismo grego. Os gregos e os romanos tinham muitos deuses. O monte Olimpo, cujo famoso pico era considerado a morada dos deuses, localizava-se perto dali, a uns oitenta quilômetros a sudoeste da cidade. E conforme a tradição, quando Zeus sacudia sua divina cabeleira cacheada, aquela grande montanha tremia.³³ Os membros da

---

[29] WIERSBE, Warren W. *Comentário bíblico expositivo*. Vol. 6, p. 209.
[30] CHAMPLIN, Russell Norman. *O Novo Testamento interpretado versículo por versículo*. Vol. 6, p. 172.
[31] HENDRIKSEN, William. *1 e 2Tessalonicenses*, p. 78.
[32] RIENECKER, Fritz e ROGERS, Cleon. *Chave linguística do Novo Testamento*, p. 435; MARSHALL, I. Howard. *I e II Tessalonicenses*, p. 77.
[33] HENDRIKSEN, William. *1 e 2Tessalonicenses*, p. 82.

igreja abandonaram seus ídolos e passaram a adorar e a servir o Deus vivo. Eles romperam com a idolatria e se converteram ao Senhor. Seus olhos foram abertos. Eles deixaram seus ídolos vãos e se voltaram para o Deus real. Seus ídolos eram imagens mortas, mas Deus, a quem se converteram, é a fonte da vida. Seus ídolos eram irreais, mas Deus é real e verdadeiro. Seus ídolos eram impotentes, incapazes de ajudar e socorrer, mas Deus é Todo-poderoso e socorro no dia da angústia.

Quando a Escritura faz referência ao Deus vivo, é importante ressaltar que Deus não apenas está vivo, mas também é Ele quem a todos dá vida, tanto a vida da criação, quanto a nova vida da redenção.

Um serviço diligente (1.9b). Os tessalonicenses abandonaram os ídolos e se converteram a Deus não para viverem livres, mas para servirem o Deus vivo e verdadeiro. Eles abraçaram uma fé operosa. Eles se envolveram desde o começo, tornando-se uma igreja modelo, uma igreja que fez ecoar e reverberar a voz do evangelho por todo o mundo conhecido da época.

Uma expectativa gloriosa (1.10)

O autor Warren Wiersbe, ao fazer uma síntese da ação de Deus na vida da igreja de Tessalônica, escreveu:

> A operosidade de sua fé evidenciava-os como um povo eleito, pois deixaram seus ídolos, voltaram-se para Deus e creram em Jesus Cristo. A abnegação de Seu amor tornava-os um povo exemplar e entusiasmado, que colocava em prática a Palavra de Deus e compartilhava o evangelho. A firmeza de sua esperança fazia deles um povo esperançoso, que aguardava a volta do Senhor.[34]

Antes de Paulo chegar aos tessalonicenses com o evangelho, eles eram pessoas sem esperança [...] *e sem Deus no mundo* (Ef 2.12). Porém, agora, recebem uma viva esperança. Três verdades são destacadas pelo apóstolo Paulo:

---

[34] WIERSBE, Warren W.. *Comentário bíblico expositivo*. Vol. 6, p. 210.

A expectativa da segunda vinda de Cristo (1.10a). William Hendriksen preceitua que não se deve perder de vista o pleno impacto do verbo "aguardar". Significa esperar feliz, com paciência e confiança. Não é apenas crer que Jesus vai voltar. É estar preparado para a Sua volta. Quando aguardamos um visitante, já deixamos tudo pronto para a sua chegada. Preparamos o quarto de hóspedes, a agenda de atividades, nosso horário disponível e outras obrigações, tudo de maneira a deixar a pessoa que nos visita inteiramente à vontade. Assim também, aguardar o Filho de Deus que virá dos céus implica um coração e uma vida santificada.[35] Concordo com Warren Wiersbe quando diz que não esperamos "sinais", mas sim o Salvador.[36]

A doutrina mais enfatizada nesta carta de Paulo aos tessalonicenses é a segunda vinda de Cristo. Eles aguardavam a volta iminente do Senhor Jesus. Eles se alimentavam dessa bendita esperança. Seus olhos estavam nos céus, de onde o Senhor virá. Concordo com William Barclay quando ele afirma: "O cristão é chamado a servir no mundo e a esperar a glória".[37]

A palavra utilizada por Paulo para descrever o verbo "aguardar" é *anamenein,* que significa esperar, aguardar. O pensamento chave aqui parece ser o de esperar por alguém cuja vinda foi anunciada, talvez com a ideia adicional de paciência e confiança. O tempo presente aponta para a espera contínua.[38] A iminente volta do Senhor Jesus é a esperança do cristão. Essa verdade está fartamente documentada no Novo Testamento (Lc 12.36; Rm 8.23; 1Co 11.26; 2Co 5.2; Gl 5.5; Fp 4.5; Tt 2.13; Hb 9.28; Tg 5.7-9; 1Pe 4.7; 1Jo 3.3; Ap 3.11; 22.7,12,20).

A base para a expectativa da segunda vinda de Cristo (1.10b). A igreja de Tessalônica esperava a segunda vinda de Cristo, porque tinha a convicção de que Deus O havia ressuscitado dentre os mortos. A esperança da segunda vinda seria totalmente vazia e desprovida de sentido sem o fato da ressurreição. Cristo morreu, ressuscitou, venceu a morte, retornou ao céu e por isso, vai voltar.

---

[35] HENDRIKSEN, William. *1 e 2 Tessalonicenses*, p. 84.
[36] WIERSBE, Warren W. *Comentário bíblico expositivo*. Vol. 6, p. 211.
[37] BARCLAY, William. *Filipenses, Colosenses, I y II Tesalonicenses*, p. 195.
[38] RIENECKER, Fritz e ROGERS, Cleon. *Chave linguística do Novo Testamento*, p. 435.

Se Deus ressuscitou Jesus dentre os mortos, segue-se que Ele agora está onde Deus está, a saber: nos céus, e o Deus que O ressuscitou pode trazê-Lo de volta à terra para o Seu povo, e o fará.[39]

O livramento que a igreja terá quando da segunda vinda de Cristo (1.10c). Para aqueles que estiverem despreparados, a segunda vinda de Cristo será um dia de trevas e não de luz, de desespero e não de esperança, de juízo e não de salvação. Para a igreja, que se converteu, que abraçou o evangelho, que se tornou modelo e irradiou sua bendita influência não existe mais condenação. A igreja é liberta da ira vindoura quando crê. Não há mais temor quanto ao futuro. Não há mais condenação para os que estão em Cristo (Rm 8.1). A morte de Cristo foi o meio usado por Deus para livrar os homens da ira (4.9,10).

A ira de Deus não é orgulho ferido nem uma explosão de fúria caprichosa. Não é uma emoção descontrolada de uma pessoa zangada. Ao contrário, a ira de Deus é uma justa reação diante da maldade. A ira de Deus sempre é dirigida contra o mal e não é arbitrária e sem princípios.[40]

Minha oração é que as marcas dessa igreja que nasceu num parto de dor, mas cresceu vigorosamente e fez ecoar a mensagem do evangelho em todo o mundo, possam ainda hoje inspirar novas igrejas a se voltarem para Deus e a fazerem a obra de Deus com alegria, na dependência e no poder do Espírito Santo.

---

[39] MARSHALL, I. Howard. *I e II Tessalonicenses*, p. 81.
[40] MARSHALL, I. Howard. *I e II Tessalonicenses*, p. 81.

3

Os atributos de um
líder espiritual

1 Tessalonicenses 2.1-20

PAULO FOI UM LÍDER POR EXCELÊNCIA. Seu legado serve de balizas para os líderes ainda hoje. Evidencio três atributos desse líder servo que devem ornar nossa vida:

Um líder espiritual não busca conforto, mas conversões. O apóstolo Paulo acabara de enfrentar uma prisão ilegal em Filipos. Ele fora preso e torturado, mas em vez de essa situação o desencorajar, deu-lhe ainda mais disposição para viajar para Tessalônica e prosseguir no ministério de pregação do evangelho. Um verdadeiro ministro do evangelho busca conversões em vez de conforto e conveniência. Em vez de ganhar a vida pelo evangelho, ele estava pronto a dar a vida pelo evangelho.

Um líder espiritual não busca lucro, mas trabalho. Paulo não foi para Tessalônica para tirar proveito dos tessalonicenses, mas legar algo a eles. Paulo não foi à capital da província da Macedônia para levar vantagem, mas para doar. Ele não foi para ganhar dinheiro, mas para ganhar almas. Sua motivação não era o lucro, mas a salvação das almas.

Paulo se dispôs a abrir mão de direitos legítimos e trabalhar com as mãos para o seu sustento para manter o privilégio de pregar o evangelho. O ministério não é uma plataforma de lucro, mas um campo de trabalho. É lamentável que alguns obreiros estejam transformando o evangelho num produto, o púlpito num balcão, o templo numa praça de barganha e os crentes em consumidores. O maior bandeirante do cristianismo, o maior plantador de igrejas da história, o maior teólogo e evangelista da igreja primitiva, o apóstolo Paulo, terminou sua vida pobre, sozinho, e condenado à morte. Porém, nenhum rei, aristocrata, pensador ou filósofo é mais conhecido na história do que esse extraordinário apóstolo.

Um líder espiritual não busca aplauso dos homens, mas a aprovação de Deus. Paulo era um pastor e não um bajulador. Ele não pregava para agradar a homens, mas para ser aprovado por Deus. Ele não buscava aplausos e reconhecimentos humanos, mas lutava para ser irrepreensível diante de Deus.

Um bajulador se empenha em tornar a mensagem palatável e atraente para agradar as pessoas. Ele busca a Sua glória pessoal e não a glória de Deus. Ele está mais interessado em promover o seu nome do que exaltar o nome de Cristo. Ele está mais interessado em arrancar os aplausos dos homens do que ser aprovado por Deus. Está mais interessado em ser amado na terra do que ser conhecido no céu.

O capítulo 2 desta carta é uma defesa de Paulo aos vários ataques sofridos dos inimigos quanto à sua pessoa, à sua mensagem, aos seus propósitos e aos seus métodos. William Hendriksen escreve que Paulo se defendeu porque sabia que se os inimigos fossem bem-sucedidos em suscitar desconfiança em relação à pessoa do mensageiro, a mensagem teria sofrido uma morte natural.[1]

Vamos analisar o texto de 1Tessalonicenses 2.1-20 e observar os atributos de um líder espiritual.

Um evangelista **frutífero** (2.1-3)

Paulo foi evangelista de qualidades superlativas. Ele foi um pregador ungido e um profícuo ganhador de almas. Três características despontam nele como um pregador evangelista:

Paulo foi um ganhador de almas prolífico (2.1). Paulo tinha um frutífero ministério. Ele não era um obreiro vazio e estéril, mas um grande

---

[1] HENDRIKSEN, William. *1 e 2Tessalonicenses*, p. 87.

ganhador de almas. Paulo foi o maior teólogo do cristianismo e também o maior evangelista. Ele era um missionário plantador de igrejas e também um zeloso e dedicado pastor. Atualmente, os teólogos não querem ser evangelistas nem os evangelistas teólogos.

Paulo era um ganhador de almas. Por onde passava, deixava muitos frutos do seu trabalho. Sua estada em Tessalônica não foi infrutífera. Em apenas três semanas há registros de multidão de pessoas sendo salvas. Não há outra explicação para esse estupendo resultado senão uma intervenção poderosa do Espírito Santo aplicando a Palavra nos corações.

Paulo foi um pregador abnegado (2.1,2). Paulo e Silas tinham sido espancados e ultrajados em Filipos e mesmo assim foram a Tessalônica e pregaram o evangelho. Muitos poderiam tirar férias ou dar um tempo no ministério depois de tão violenta perseguição, mas Paulo se dispôs a pregar a Palavra de Deus ousadamente em Tessalônica como os outros apóstolos de Jerusalém (At 4.13,29,31). O ministério de pregação em Tessalônica foi também em meio a uma luta agônica.

Os críticos de Paulo queriam desacreditar sua pessoa, assacando contra ele pesadas e levianas acusações. Havia quem dizia em Tessalônica que Paulo tinha ficha policial e que não era mais que um delinquente que estava fugindo da Justiça, e que obviamente não se podia dar ouvidos a um homem dessa índole.[2] Porém, assim como as trevas não podem prevalecer contra a luz e a mentira não pode triunfar sobre a verdade, as acusações mentirosas dos inimigos não puderam destruir a reputação do apóstolo.

Paulo foi um encorajador sincero (2.3). Paulo pregou o evangelho puro, viveu uma vida pura e usou métodos puros. Ele não removeu nada da Palavra nem acrescentou coisa alguma a ela. Não havia contradição entre o que destilava dos seus lábios e o que subia do seu coração.

A palavra "exortação" usada por Paulo, *paraklasis,* indica apelo, tendo como objeto o benefício dos ouvintes, e que pode ser exortativo ou conciliatório, conforme as circunstâncias. A palavra era utilizada para encorajar soldados antes da batalha, e se dizia que o encorajamento era

---

[2] BARCLAY, William. *Filipenses, Colosenses, I y II Tesalonicenses*, p. 196.

necessário para soldados pagos, mas desnecessária para os que lutavam por suas vidas e seus países.[3] Warren Wiersbe afirma que Paulo ensina aqui três importantes verdades: a mensagem do seu ministério, o motivo do seu ministério e o método do seu ministério.[4] Vejamos essas três verdades:

A mensagem do seu ministério (2.3a). Paulo pregava o puro evangelho. A primeira coisa que Paulo faz é reafirmar a veracidade de sua mensagem, quando diz: "Pois a nossa exortação não procede de engano" (2.3a). A mensagem de Paulo não era criada por ele, mas recebida de Deus. Seis vezes nesta carta, ele menciona esse auspicioso fato de que havia recebido o evangelho de Deus e não de homens.

O motivo do seu ministério (2.3b). Paulo vivia uma vida pura. Ele deixa claro o motivo pelo qual realizava seu ministério. A sua exortação não procedia de impureza (2.3b). É geralmente reconhecido que o pensamento aqui não se refere à impureza física ou ritual, mas, sim, à impureza moral.[5] Alguns acusavam Paulo de estar fazendo a obra com a motivação errada. Porém, seus motivos eram puros diante de Deus e dos homens. Uns pregavam a mensagem errada com a motivação errada; outros pregavam a mensagem certa com a motivação errada (Fp 1.14-19), mas Paulo pregava a mensagem certa com a motivação certa.

O método de seu ministério (2.3c). Paulo não enganava as pessoas. Ele não empregava métodos desonestos a fim de que as pessoas acreditassem na sua mensagem, relata I. Howard Marshall.[6] O termo grego traduzido por "dolo" tem o sentido de "colocar a isca no anzol". Em outras palavras, Paulo não pegava as pessoas em armadilhas prometendo a salvação, como um vendedor astuto faz para as pessoas comprarem seus produtos. A salvação não se dá por uma argumentação engenhosa nem por uma apresentação refinada. Antes, é resultado da Palavra de Deus e do poder do Espírito Santo (1.5).[7]

---

[3] RIENECKER, Fritz e ROGERS, Cleon. *Chave linguística do Novo Testamento grego*, p. 436.
[4] WIERSBE, Warren W. *Comentário bíblico expositivo*. Vol. 6, p. 212,213.
[5] MARSHALL, I. Howard. *1 e 2 Tessalonicenses*, p. 87.
[6] MARSHALL, I. Howard. *1 e 2 Tessalonicenses*, p. 88.
[7] WIERSBE, Warren W. *Comentário bíblico expositivo*. Vol. 6, p. 213.

Nos dias de Paulo a religião estava se transformando num meio de se conseguir dinheiro (2.5). Mas Paulo dá seu testemunho de integridade na área financeira (2.9; 2Ts 3.8-10). Ele era um obreiro muito atento quanto à transparência na questão do dinheiro (1Co 9.1-18), e chegou a abrir mão do seu legítimo direito de sustento para não comprometer o progresso do evangelho. William Hendriksen escreve que o mundo daqueles dias estava saturado de "filósofos", ilusionistas, feiticeiros, charlatões e trapaceiros ambulantes. Eles usavam de muita lábia com o fim de impressionar os ouvintes.[8] Paulo não era um charlatão e embusteiro como eles. Ele jamais usou a mensagem de Deus para propósitos gananciosos.

Um mordomo fiel (2.4-6)

Destaco dois aspectos fundamentais de Paulo como um mordomo fiel:

Paulo foi um obreiro aprovado diante de Deus (2.4). Paulo foi aprovado por Deus, por isso Deus lhe confiou o evangelho. O verbo aqui está no aspecto contínuo que sugere que o escrutínio de Deus não é, por assim dizer, um vestibular único, de uma vez para sempre, para seus servos; e, sim, um processo continuamente operativo daquilo que hoje em dia poderia ser chamado de "controle de qualidade".[9]

A palavra grega *dedokimasmetha*, utilizada por Paulo para "aprovado", era usada no grego clássico com o sentido técnico de descrever a pessoa aprovada como alguém passível de eleição para um cargo público.[10] Paulo tinha não apenas a revelação, mas também, aprovação. Ele possuía o conteúdo glorioso do evangelho de Deus e uma vida reta diante do Senhor. Sua pregação era respaldada pela sua vida, e seu ministério foi plantado no solo fértil de uma vida piedosa. Vida com Deus precede ministério para Deus. A vida é a base do ministério e precede ao ministério. A maior prioridade do obreiro não é fazer a obra de Deus, mas ter comunhão com o Deus da obra (Mc 3.14). Vida com Deus é a

---

[8] HENDRIKSEN, William. *1 e 2Tessalonicenses*, p. 91.
[9] MARSHALL, I. Howard. *1 e 2Tessalonicenses*, p. 88.
[10] RIENECKER, Fritz e ROGERS, Cleon. *Chave linguística do Novo Testamento grego*, p. 436.

base do trabalho para Deus. Na verdade, Deus está mais interessado em quem nós somos do que no que nós fazemos.

Paulo pregava para agradar a Deus e não a homens. Ele não pregava o que o povo queria ouvir, mas o que o povo precisava ouvir. Ele não pregava para entreter os bodes, mas para alimentar as ovelhas. A pregação da verdade não é popular, mas é vital para a salvação.

Paulo foi um obreiro irrepreensível diante dos homens (2.5,6). O apóstolo Paulo menciona três fatores da sua irrepreensibilidade diante dos homens:

Ele não era um bajulador (2.5a). A palavra usada por Paulo para "bajulação" é *kolakeia*, que descreve sempre a adulação que pretende ganhar algo, a lisonja por motivos de lucros.[11] Fritz Rienecker, nessa mesma linha de pensamento, afirma que essa palavra grega contém a ideia de enganar com fins egoístas. Não é apenas uma palavra fiada para dar prazer a outras pessoas, mas a fim de ter lucro. É o engano mediante a eloquência, para ganhar os corações das pessoas a fim de explorá-las.[12]

O bajulador é aquele que fala uma coisa e sente outra. Ele tem a voz macia como a manteiga e o coração duro como uma pedra. Ele tem palavras aveludadas e uma motivação ferina como uma espada (Mc 7.6). Havia plena sintonia entre o que Paulo falava e o que ele sentia. Paulo apresenta seu testemunho diante de todos: [...] *como sabeis* (1.5; 2.1,5,11; 3.3,4; 4.2;5.2). E também dá seu testemunho diante de Deus: "Deus disto é testemunha" (2.5).

Ele não era um mercenário (2.5b). A palavra grega *pleonexia*, traduzida por "ganância" indica a cobiça de todos os tipos, e, portanto, o desejo de despojar outras pessoas daquilo que lhes pertence.[13]

Paulo não pregava para arrancar o dinheiro das pessoas, mas para arrancar-lhes do peito o coração de pedra, a fim de receberem um coração de carne. Paulo não buscava lucro, mas salvação. Sua recompensa não era dinheiro, mas vidas salvas. Os motivos de Paulo em fazer a obra

---

[11] BARCLAY, William. *Filipenses, Colosenses, I y II Tesalonicenses*, p. 197.
[12] RIENECKER, Fritz e ROGERS, Cleon. *Chave linguística do Novo Testamento grego*, p. 436.
[13] MARSHALL, I. Howard. *1 e 2Tessalonicenses*, p. 90.

de Deus eram puros. Ele não fazia do ministério uma plataforma para se enriquecer. Ele não estava atrás do dinheiro das pessoas, mas ansiava pela salvação delas.

Ele não era um megalomaníaco (2.6). Paulo não pregava para alcançar glória e prestígio humano, não andava atrás de lisonjas humanas. Ele não buscava prestígio pessoal nem glória de homens. Ele não dependia desse reprovável expediente, pois sabia quem era e o que devia fazer. Ele não precisava bajular nem receber bajulação. Sua realização pessoal não procedia da opinião das pessoas, mas da aprovação de Deus. É digno observar que em 1Tessalonicenses 1.5, Paulo não tenha dito: "Eu cheguei até vós", mas disse: "O nosso evangelho chegou até vós". O foco não estava no homem, mas no evangelho.[14] O culto à personalidade é um pecado. Toda a glória que não é dada a Deus é vanglória, é glória vazia.

Uma **mãe** carinhosa (2.7,8)

Quatro verdades sublimes são aqui sublinhadas:

Como uma mãe, Paulo abriu mão de seus direitos (2.7). A palavra grega usada por Paulo para "ama" é *trófos*, alguém que alimenta, ama, babá, enfermeira. Uma ama no mundo antigo não somente tinha estipulações contratuais estritas, mas com frequência vinha a ser uma pessoa da inteira confiança, cuja influência era duradoura.[15] Concordo, entretanto, com William Hendriksen, quando escreve:

> Com toda probabilidade, o sentido não é "como quando uma nutriz cuida dos filhos de sua patroa", ou seja, os filhos foram postos sob o cuidado dessa nutriz (mãe de leite); mas "como quando uma nutriz é a mãe que aquece, afaga, acaricia os filhos de seu próprio ventre (visto que ela mesma lhes deu à luz).[16]

Uma mãe é aquela que quando tem apenas um pão para repartir fala para o filho que não está com fome. Uma mãe se dispõe a abrir mão

---

[14]BARCLAY, William. *Filipenses, Colosenses, I y II Tesalonicenses*, p. 198.
[15]RIENECKER, Fritz e ROGERS, Cleon. *Chave linguística do Novo Testamento grego*, p. 437.
[16]HENDRIKSEN, William. *1 e 2Tessalonicenses*, p. 94.

dos seus direitos a favor dos filhos. De modo semelhante, Paulo tinha o direito de exigir dos tessalonicenses o seu sustento,[17] mas, ele abnegada e voluntariamente abriu mão desses direitos para suprir as necessidades dos tessalonicenses como uma ama carinhosa que acaricia os próprios filhos. Paulo não era um mercenário, mas um pastor. Ele não apascentava a si mesmo, mas o rebanho de Deus. Ele colocava a necessidade dos outros acima das suas próprias necessidades.

Como uma mãe, Paulo cuidou dos seus filhos espirituais com ternura (2.7). Paulo tratou os crentes de Tessalônica carinhosamente como uma ama que acaricia seus filhos. A ênfase do mordomo é fidelidade. A ênfase da mãe é gentileza e ternura. Como um apóstolo, ele tinha autoridade, mas sempre a exerceu com amor.[18] Paulo era igual a uma mãe afetuosa cuidando de um bebê. Ele demonstrou pelos seus filhos na fé, amor intenso, cuidado constante, dedicação sem reservas, paciência triunfadora, provisão diária, afeto explícito, proteção vigilante e disciplina amorosa.

Muitos obreiros lideram o povo de Deus com truculência e com rigor despótico. São ditadores implacáveis e não pastores amorosos. Esmagam as ovelhas com sua autoridade autoimposta em vez de conduzir o rebanho com a ternura de uma mãe.

Como uma mãe, Paulo cuidou dos seus filhos espirituais com sacrifício cabal (2.8). Paulo estava pronto a dar a própria vida pelos crentes de Tessalônica. O pastor verdadeiro, aquele que imita o supremo pastor, dá a vida pelas suas ovelhas (Jo 10.11). Ele não vive para explorá-las, mas para servi-las. Seu ministério é de doação e não de exploração. Seu sacrifício é cabal, igual a uma mãe que está pronta a dar sua própria vida para proteger o filho. Seu amor é sacrificial. Foi esse fato que permitiu ao rei Salomão descobrir qual mulher era a mãe verdadeira da criança sobrevivente (1Rs 3.16-28).

A mãe que amamenta oferece parte da própria vida ao filho. A mãe que amamenta não pode entregar seu filho aos cuidados de outra pessoa.

---

[17]Tt 1.11; 1Co 6.15; At 20.33; 1Co 11.8; Fp 4.15,16; 1Ts 2.7-9; At 18.13; 2Co 11.7; 2Ts 3.8,10.
[18]WIERSBE, Warren W. *Comentário bíblico expositivo*. Vol. 6, p. 213,214.

O bebê deve ficar em seus braços, próximo a seu coração. A mãe que amamenta ingere os alimentos e os transforma em leite para o filho. O cristão maduro alimenta-se da Palavra de Deus e compartilha esse alimento com os cristãos mais novos, para que possam crescer (1Pe 2.1-3). Uma criança que ainda mama pode ficar doente por causa de algo que a mãe ingeriu. O cristão que está nutrindo outros deve ter cuidado para que ele próprio não se alimente de coisas erradas.[19]

Como uma mãe, Paulo cuidou dos seus filhos espirituais com a melhor provisão (2.8b). Paulo se sacrificou para oferecer aos crentes o evangelho de Deus. Ele não pregou em Tessalônica vãs filosofias, mas expôs as Escrituras. Ele pregou não estribado em sabedoria humana, mas no poder do Espírito Santo. Sua pregação não era uma lisonja para fazer cócegas nos ouvidos nem um instrumento para massagear o ego dos líderes da sinagoga. Ele pregou o evangelho de Deus. Ele ofereceu ao povo o pão nutritivo da verdade. Os púlpitos estão pobres da Palavra. A igreja está faminta da Palavra. A igreja precisa desesperadamente voltar-se para a pregação fiel da Palavra. Se os pastores não derem pão ao seu rebanho, as ovelhas ficarão fracas e vulneráveis às falsas doutrinas que invadem o aprisco da fé.

Um pai exemplar (2.9-12)

Um verdadeiro pai não é apenas o que gera filhos, mas também o que cuida deles. Vamos ver alguns pontos no ministério de Paulo como pai espiritual dos tessalonicenses.

Quatro aspectos definem o ministério de pai exercido por Paulo:

Um trabalho memorável (2.9). Apesar de a igreja de Filipos enviar dinheiro para ajudá-lo em Tessalônica duas vezes (Fp 4.15,16), embora, fosse seu direito exigir sustento da igreja (2.7), Paulo decidiu trabalhar para se sustentar (2Ts 3.6-12). O pai trabalha para sustentar a família. Ninguém podia acusá-lo responsavelmente de ganância financeira (At 20.31; 2Co 12.14). Mesmo tendo o direito legítimo de exigir seu sustento, não dependia dele para fazer a obra de Deus. Paulo

---

[19] WIERSBE, Warren W. *Comentário bíblico expositivo*. Vol. 6, p. 214.

não estava no ministério por causa do salário. Sua motivação nunca foi o dinheiro, mas a glória de Deus, a salvação dos perdidos e a edificação da igreja.

Um procedimento irretocável (2.10). Paulo evoca o testemunho de Deus e da igreja acerca do seu procedimento no meio dos tessalonicenses. Ele tinha uma relação certa com Deus, consigo e com a igreja. I. Howard Marshall expressa que os três adjetivos (que representam advérbios gregos) têm significados próximos entre si, e são colocados juntos visando sua ênfase.[20] Vejamos esses três adjetivos:

Paulo viveu de forma piedosa (2.10). O termo grego *hosios*, "piamente", "santamente" descreve o dever da pessoa para com Deus.[21] Isso fala da correta relação de Paulo com Deus. A piedade tem a ver com uma vida de santidade, pureza e fidelidade a Deus. A piedade trata da verticalidade da vida.

Paulo viveu de forma justa (2.10). O termo grego *dikaios* indica o dever para com os homens.[22] Isso também fala de uma relação correta consigo mesmo. Paulo era um homem íntegro, inteiro, e sem dupla face. Não havia brechas no escudo de sua fé. Não havia áreas escuras no seu caráter. Ele podia viver em paz com sua própria consciência.

Paulo viveu de forma irrepreensível (2.10). A palavra grega *amemptos*, usada para descrever o advérbio "irrepreensivelmente" tem a ver com o reflexo público da vida. Isso fala de uma relação correta com os outros. Seus inimigos podiam odiá-lo, acusá-lo, e até assacar contra ele pesadas e levianas acusações, mas não podiam encontrar nada para envergonhá-lo. Paulo era um obreiro irrepreensível.

Palavras encorajadoras (2.11,12). Um pai não deve apenas sustentar a família com trabalho e ensinar-lhe com seu exemplo, mas também deve ter tempo para conversar com os membros da família, escreve Warren Wiersbe.[23] Paulo sabia da importância de ensinar os novos crentes. Quatro verdades nos chamam a atenção nesse ponto:

---

[20] MARSHALL, I. Howard. *1 e 2 Tessalonicenses*, p. 97.
[21] RIENECKER, Fritz e ROGERS, Cleon. *Chave linguística do Novo Testamento grego*, p. 438.
[22] RIENECKER, Fritz e ROGERS, Cleon. *Chave linguística do Novo Testamento grego*, p. 438.
[23] WIERSBE, Warren W. *Comentário bíblico expositivo*. Vol. 6, p. 215.

Paulo ensinava cada filho espiritual individualmente (2.11). Paulo não era um pregador estrela que só gostava do glamour da multidão. Ele passava tempo com cada pessoa. Paulo não era um *show-man*, um ator, um astro que sobe a um palco sob as luzes da ribalta para entreter uma multidão. Ele era um pai para quem cada filho tinha um valor singular e por quem estava pronto a dar sua própria vida.

Paulo exortava cada filho na fé (2.12a). A palavra "exortar" traz a ideia de estar do lado para encorajar. Um pai responsável equilibra disciplina com encorajamento. Ele usa a vara e também ministra amor. Ele tem firmeza e doçura. Ele faz dos filhos seus verdadeiros discípulos.

Paulo consolava cada filho na fé (2.12b). Esta palavra está ligada à ação. Paulo não apenas os fez sentirem-se melhor, mas os encorajou a fazerem coisas melhores.

Paulo admoestava cada filho na fé (2.12c). Essa palavra "admoestar" vem da palavra grega *nouthesia*, que significa confronto. O papel de um pai não é em todo o tempo agradar os filhos, mas prepará-los para a vida. James Hunter, em seu livro *O monge e o executivo*, escreve que um pai precisa distinguir entre desejo e necessidade. O papel do pai não é atender a todos os desejos dos filhos, mas suprir suas necessidades. Um pai responsável confronta seus filhos, ainda que esse expediente tenha de levá-los às lágrimas.

Propósito sublime (2.12d). O propósito de Paulo ao ensinar os seus filhos na fé era que eles vivessem de modo digno de Deus. O termo "digno" utilizado por Paulo traz a ideia de uma balança, onde nossa vida deve equilibrar-se com a vida de Cristo. O alvo de Paulo era levar os crentes à maturidade espiritual. Os tessalonicenses deveriam atingir a plenitude da estatura de Cristo.

Um **pastor** amoroso (2.13-20)

O pastorado é uma mistura de alegrias e lágrimas, de conquistas e sofrimento. O pastor participa das vitórias e perdas do rebanho. Celebra o nascimento e chora com o luto. Vai de uma festa de núpcias para o momento amargo de um velório num mesmo dia.

Warren Wiersbe fala sobre três recursos divinos que temos nos tempos de sofrimento e perseguição: a Palavra de Deus dentro de nós, o povo de Deus ao redor de nós e a glória de Deus diante de nós.[24] Vamos considerar esses recursos.

A Palavra de Deus dentro de nós (2.13). Da pregação da mensagem, Paulo se volta para o recebimento dela, e encontra razão para dar graças a Deus pela resposta positiva dos tessalonicenses.[25] A igreja de Tessalônica recebeu a Palavra de Deus como Palavra de Deus. Eles a tiveram em alta conta. A Palavra tornou-se de fato para eles a única regra de fé e prática. A mesma Palavra que os salvara (1.6), os capacita a viver vitoriosamente em Cristo mesmo em meio às perseguições. A igreja contemporânea precisa resgatar o glorioso significado e valor da Palavra. Precisamos não apenas conhecê-la, mas também, obedecê-la. Paulo destaca três fatos importantes:

Eles apreciaram a Palavra (2.13). Eles não a receberam apenas como palavras de homens, mas, sobretudo, como Palavra de Deus. A Bíblia é a Palavra revelada e escrita de Deus, infalível, inerrante e suficiente. Ela é melhor do que o melhor dos alimentos (Sl 19.10) e mais preciosa do que a melhor das riquezas (Sl 119.14,72,127,162).

Eles se apropriaram da Palavra (2.13). A palavra "acolheram" usada por Paulo significa mais do que ouvir. Significa ouvir com o coração e internalizar a Palavra. É ouvir e levar a sério. Nesse tempo em que muitas igrejas têm substituído a pregação pelo entretenimento, precisamos nos acautelar (2Tm 4.2,3). Não há esperança para a igreja fora da Palavra. Não há vida abundante para a igreja sem a Palavra. Não precisamos buscar as novidades do mercado da fé, mas buscar as finas iguarias da mesa de Deus. A Bíblia é um banquete com alimento rico, nutritivo e variado. Nela temos tudo que precisamos para crescer na graça e no conhecimento de Cristo.

Eles aplicaram a Palavra (2.13). A Palavra de Deus estava operando eficazmente nos crentes. Houve aplicação da Palavra e a Palavra aplicada gerou mudança e transformação de vida. A Palavra de Deus em nós é uma grande fonte de poder nos tempos de prova.

---

[24] WIERSBE, Warren W. *Comentário bíblico expositivo*. Vol. 6, p. 217-221.
[25] MARSHALL, I. Howard. *1 e 2Tessalonicenses*, p. 100.

O povo de Deus ao redor de nós (2.14-16). A prova de que os tessalonicenses tinham recebido verdadeiramente a Palavra podia ser vista na sua disposição de passar por aflições em prol da sua fé, resposta esta que os colocou lado a lado com outros cristãos e, na realidade, com o próprio Jesus, relata I. Howard Marshall.[26]

Quando estamos passando por uma tribulação somos levados a pensar que estamos sozinhos e que o nosso sofrimento é o maior do mundo. Mas precisamos levantar os olhos e saber que há outras pessoas passando pelos mesmos sofrimentos e que assim como Deus os sustenta, nos sustentará também. Paulo encoraja os tessalonicenses em meio à perseguição dizendo-lhes que eles estavam pisando no mesmo terreno onde os santos pisaram.

Os crentes de Tessalônica imitaram não apenas a Paulo e o Senhor Jesus, mas também os crentes de Jerusalém. Paulo compara os crentes de Tessalônica aos crentes da Judeia porque ambos eram objetos da perseguição dos judeus. Paulo encoraja os crentes, dizendo que o sofrimento deles não era uma experiência isolada. Outros já tinham sofrido antes deles e ainda outros estavam sofrendo com eles. Porém, assim como o sofrimento não destruiu a igreja da Judeia, antes a purificou enquanto seus perseguidores estavam enchendo a medida dos seus pecados, assim Deus nos livrará e derramará sobre os que nos perseguem o Seu justo juízo.

A glória de Deus diante de nós (2.17-20). A escatologia para Paulo nunca foi tema de especulação acadêmica, mas um assunto prático que o encorajava a viver em santidade e a trabalhar com ardor. No que concerne ao seu zelo pastoral, Paulo apresenta aqui três importantes verdades:

Paulo gostava de cheiro de ovelha (2.17,18). Paulo estava ausente da igreja apenas fisicamente, mas conservava o rebanho no coração. Ele não tinha pressa para deixá-los, mas ânsia para estar com eles. Embora não pudesse haver nenhum encontro face a face com seus filhos na fé, não deixavam de estar bem perto dele nos seus pensamentos e

---

[26]MARSHALL, I. Howard. *1 e 2Tessalonicenses*, p. 102.

sentimentos: longe da vista, mas não longe do coração.²⁷ Os crentes eram considerados como sua coroa e alegria.

Paulo via o pastorado como um campo de batalha espiritual (2.18). Enfrentamos não apenas perseguição visível, mas também resistência invisível. Satanás está em ação para impedir o avanço missionário da igreja. A palavra que Paulo usou, *enékoptein*, significa cortar e impedir. É a palavra técnica que expressa o bloqueio de uma estrada para frear a marcha de uma expedição.²⁸ Nessa mesma linha de pensamento, Fritz Rienecker afirma que a palavra era usada originalmente para a obstrução de uma estrada para torná-la intransitável e, mais tarde, foi utilizada para indicar uma ruptura nas linhas do inimigo, numa metáfora militar. Também era empregada no sentido atlético de cortar alguém durante uma corrida.²⁹ satanás sempre tenta colocar obstáculos no caminho do cristão. Ele resiste à obra de Deus e aos obreiros de Deus. É sugestivo o que escreve William Hendriksen sobre este ponto:

> satanás impedia que os missionários levassem a bom termo o seu regresso a Tessalônica. Exatamente como é que satanás fez isso? Porventura influenciando as mentes dos politarcas de Tessalônica, de modo que levassem Jasom a perder sua fiança (At 17.9) caso os missionários voltassem? Ou trazendo de outra parte um contingente suficiente de dificuldades de modo que nem Paulo sozinho nem todos os três tivessem como regressar? Realmente não sabemos. Além do mais, isso não tem importância. O fato, por si só, que satanás exerce poderosa influência nas atividades dos homens, especialmente quando se esforçam para promover os interesses do Reino de Deus, é suficientemente claro à luz de outras passagens (Jó 2.6-12; Zc 3.1; Dn 10.10-21). Nada obstante, Deus reina sempre de forma suprema, soberanamente transformando o mal em bem (1Co 12.7-9). Ainda quando o diabo tenta desfazer o caminho, estabelecendo mentira, bloqueando assim, aparentemente, nosso avanço, o plano secreto de Deus jamais é frustrado. Satanás pode interromper-nos, impedindo-nos de realizar o que, por

---

²⁷MARSHALL, I. Howard. *1 e 2Tessalonicenses*, p. 110.
²⁸BARCLAY, William. *Filipenses, Colosenses, I y II Tesalonicenses*, p. 200, 201.
²⁹RIENECKER, Fritz e ROGERS, Cleon. *Chave linguística do Novo Testamento grego*, p. 439.

um momento, nos parece o melhor; os caminhos de Deus, porém, são sempre melhores que os nossos.[30]

Paulo olhava para cada filho na fé como uma coroa a receber de Cristo na sua volta (2.19,20). Paulo não apenas declara Seu amor público pelos crentes, mas também se alegra por pensar no dia de Cristo e lembrar que cada crente que ele ganhou será como uma coroa de um vencedor.

Precisamos não apenas aguardar a segunda vinda de Cristo (1.10), mas também, ganhar outras pessoas para apresentarmos ao Senhor na Sua volta (2.19,20). No grego existem dois termos distintos para descrever "coroa". Um, *diadema*, usa-se quase exclusivamente para a coroa real. O outro, *stefanos*, quase exclusivamente para a coroa de um vencedor em alguma lide ou competição atlética. Aqui, Paulo utiliza *stefanos*. Paulo via os crentes de Tessalônica como sua coroa. A maior glória de um crente não é conquistar riquezas, mas ganhar almas.[31] A Bíblia diz que quem ganha almas é sábio (Pv 11.30).

---

[30]HENDRIKSEN, William. *1 e 2 Tessalonicenses*, p. 112.
[31]BARCLAY, William. *Filipenses, Colosenses, I y II Tesalonicenses*, p. 201.

4

As marcas de um
pastor de almas

1 Tessalonicenses 3.1-13

WARREN WIERSBE ESCREVE QUE NOS DOIS PRIMEIROS capítulos desta carta o apóstolo Paulo mostrou como a Igreja nasceu e como ele a pastoreou. Agora, trata do passo seguinte no processo do amadurecimento: como a Igreja deve se manter firme em sua posição em meio às tribulações.[1]

A firmeza na fé dos crentes tessalonicenses é o grande foco deste capítulo. Cinco vezes nos dez primeiros versículos, Paulo fala sobre a fé dos tessalonicenses (3.2,5,6,7,10). A palavra-chave é *confirmar* (3.2,13). O pensamento chave pode ser encontrado nessa explosão de alívio de Paulo: [...] *porque, agora, vivemos, se é que estais firmados no Senhor* (3.8).

O autor William Hendriksen ensina que este capítulo constitui-se uma só unidade, em que os cinco primeiros versículos, tanto quanto os restantes, se ocupam de Timóteo: o que levou Paulo a enviá-lo (v. 1-5) e o conforto produzido pelo seu relatório (v. 6-10), concluindo com um fervoroso desejo que quase chega a ser uma oração (v. 11-13).[2]

Russell Norman Champlin acrescenta que estes versículos de 1 a 5 também têm um tom apologético, como quase toda a porção anterior

---

[1] WIERSBE, Warren W. *Comentário bíblico expositivo*. Vol. 6, p. 222.
[2] HENDRIKSEN, William. *1 e 2 Tessalonicenses*, p. 120.

desta epístola. Paulo fora criticado por sua aparente falta de interesse pelos crentes tessalonicenses, por não tê-los visitado de novo. Neste capítulo, Paulo refuta seus críticos e demonstra Seu amor pela igreja.

Destacamos dois pontos acerca da alma do apóstolo Paulo como pastor:

Em primeiro lugar, *o pastor é aquele que tem uma grande preocupação com o estado espiritual da igreja* (3.1a). Paulo saiu de Tessalônica às pressas por causa da implacável perseguição e agitação social provocada por judeus e gentios e foi para Bereia. Porém, seu coração de pastor ficou em Tessalônica. Ele saiu fisicamente da cidade, mas continuou velando pelas ovelhas de Cristo. Seu cuidado pastoral pelo rebanho não o deixou inativo nem acomodado. Suas emoções não o paralisaram. Ele sentiu e agiu. Ele ansiava ardentemente estar com aqueles irmãos (2.17), mas como foi impedido (2.18), ele enviou à igreja perseguida um obreiro para fortalecê-los na fé (3.2).

Em segundo lugar, *o pastor é aquele que pensa mais no bem-estar das ovelhas do que em si mesmo* (3.1b). Paulo se considerava mãe e pai da igreja de Tessalônica (2.7,11). Ele já havia demonstrado grande amor pela igreja e um profundo desejo de estar com ela (2.17-20). Agora, Paulo acrescenta que não aguenta mais ficar sem lhes enviar uma ajuda. A preocupação com o estado da igreja era semelhante a um fardo para Paulo, que ele não podia suportar mais (3.1).

Paulo não era um mercenário, mas um pastor de almas. Ele prefere o bem dos outros a seu próprio bem-estar. A palavra *sozinho* no versículo 1 significa "abandonado". Em vez de abandonar as ovelhas igual a um pastor mercenário (Jo 10.12,13), Paulo prefere sofrer a solidão e enviar ajuda à igreja de Tessalônica. Ele sempre pensou mais na igreja do que em si mesmo. Mais tarde ele escreveu aos crentes de Corinto e, disse: *Eu de boa vontade me gastarei e ainda me deixarei gastar em prol da vossa alma* (2Co 12.15). Paulo era como uma vela, ele brilhou com a mesma intensidade enquanto viveu. Além das pressões exteriores, a preocupação com todas as igrejas pesava diariamente em seu coração (2Co 11.28).

Três fatos neste capítulo ressaltam o coração de Paulo como pastor de almas:

Paulo enviou à igreja um **consolador** (3.1-5)

Três verdades são aqui apresentadas:

O zelo de Paulo (3.1). Paulo não era apenas um evangelista, que ganha pessoas para Cristo, porém, muitas vezes, as deixa sem assistência espiritual, pois ele vai em busca de novos campos. Ele era também um pastor que velava pelas ovelhas, uma mãe que nutria e acariciava seus filhos e um pai que gostava de estar perto dos filhos para ensiná-los. Ele preferia ficar só a deixar as ovelhas sozinhas. Ele preferia ficar abandonado a abandonar as ovelhas. Ele pensava mais no bem-estar do rebanho do que no seu próprio bem-estar. Ele estava pronto não apenas a dar às pessoas o evangelho, mas também a sua própria vida (2.8).

O caráter de Timóteo (3.2). O apóstolo aponta três características de Timóteo, antes de enviá-lo a Tessalônica.

Ele era um obreiro crente (3.2). Paulo o chama de "nosso irmão". Timóteo é denominado *irmão* (1Co 1.1; Cl 1.1), ou seja, um companheiro crente, alguém que, pela graça soberana, pertence à família de Deus, em Cristo. Timóteo não era um obreiro profissional, mas um crente fiel ao Senhor Jesus. Antes de falar de seus dons e habilidades, Paulo acentua que ele é crente, membro da família de Deus. Com isto, Paulo está dizendo que não podemos compartilhar com os outros aquilo que não temos. Não podemos conduzir o povo de Deus a uma experiência profunda com Deus se nós mesmos não temos intimidade com o Senhor. A vida do ministro é a base do seu ministério.

A igreja evangélica vive hoje uma grande crise de liderança pastoral. Há pastores não convertidos no ministério, que pregam aos outros a salvação, mas nunca foram transformados pelo evangelho. Há pastores não vocacionados no ministério. Gente que entrou para o pastorado com a motivação errada, está no lugar errado e fazendo a obra de Deus de forma errada. Há pastores doentes emocionalmente no ministério. Precisavam ser cuidados, mas estão cuidando dos outros. Há pastores preguiçosos, avarentos, apáticos e até na prática de pecados escandalosos no ministério. Timóteo era crente (3.2). Ele tinha caráter provado (Fp 2.22).

Ele era um obreiro servo (3.2b). Timóteo tinha a mentalidade de servo. A palavra "ministro", utilizada por Paulo, vem do grego *diáconos*, que significa "servo". Timóteo sempre se colocou como um servo

usou para tentar derrubar Jó. Precisamos nos acautelar tanto do ataque de satanás quanto de sua sedução. A blandícia do diabo é pior do que o seu rugido. William Hendriksen ensina que a arma do inimigo da fé nem sempre é só a espada. Às vezes ele surge, *com chifres como de cordeiro* (Ap 13.11), com suas palavras e lisonjas, como um cão que *abana sua cauda*.[8] O mesmo escritor ainda assevera que indubitavelmente, para Paulo o diabo era real, verdadeiramente existente, um oponente muito poderoso e terribilíssimo. Os que negam a existência real e pessoal de satanás deveriam ser consistentemente honestos, a ponto de confessar que tampouco creem na Bíblia![9]

Os inimigos do evangelho estavam tentando seduzir os neófitos tessalonicenses, dizendo-lhes que Paulo não se importava com eles. Que o velho apóstolo os havia abandonado e o que o melhor que eles fariam era retroceder e abraçar novamente o paganismo. Timóteo, porém, foi enviado a Tessalônica exatamente para impedir que tal bajulação em meio à angústia da perseguição tivesse êxito.[10]

O inimigo atacou a igreja de Tessalônica de várias maneiras, como podemos observar a seguir:

- Atacou a igreja espalhando mentiras e boatos acerca de Paulo (2.3-6). Os inimigos da igreja tentaram macular a imagem de Paulo, colocando-o como um aproveitador e um mercenário. Paulo se defende por saber que se os acusadores lograssem êxito quanto ao mensageiro, desacreditariam a mensagem.
- Atacou a igreja através do vergonhoso tratamento dado ao apóstolo e aos novos crentes (2.2).
- Atacou a igreja confrontando face a face os crentes e opondo-se à sua fé, ameaçando-os se eles falassem do nome de Cristo (2.16).
- Atacou a igreja por meio de agressão física (At 17.5,6).
- Atacou a igreja usando a lei e a autoridade civil contra a igreja caso ela continuasse a adorar e a falar sobre Cristo (At 17.6-9).

---

[8] HENDRIKSEN, William. *1 e 2Tessalonicenses*, p. 124.
[9] HENDRIKSEN, William. *1 e 2Tessalonicenses*, p. 124.
[10] HENDRIKSEN, William. *1 e 2Tessalonicenses*, p. 124.

Porém, apesar de todos esses ataques e perseguições, a igreja permaneceu firme na fé.

As tribulações trazem sérios riscos à causa do evangelho (3.5b). Paulo envia Timóteo para fortalecer a igreja por causa do seu temor de que [...] *o tentador vos provasse, e se tornasse inútil o nosso labor* (3.5b). O ministério é um combate contínuo e sem intermitência. Há uma interferência sem trégua das forças espirituais do mal contra a igreja e não podemos fechar os olhos a essa realidade. O tentador não tira férias, não descansa nem dorme. Ele está a todo tempo, em todo lugar, com seus agentes malignos tramando, tentando, perseguindo e colocando ciladas no caminho do povo de Deus para derrubá-lo. Muitas pessoas abandonam a fé no meio do espinheiro das provações, escandalizando-se com o evangelho. Precisamos estar atentos!

Paulo recebeu da igreja **notícias consoladoras** (3.6-8)

Destacamos três verdades consoladoras:

Boas notícias da relação dos crentes com Deus e com o apóstolo (3.6). O mesmo Timóteo que fora representante de Paulo perante a igreja de Tessalônica, agora é representante dessa igreja perante Paulo. Timóteo regressou de Tessalônica trazendo notícias alvissareiras acerca da fé e do amor dos crentes tessalonicenses. Aqueles irmãos estavam firmados na fé e arraigados no amor uns pelos outros no meio da mais terrível tempestade de perseguição. As provações, em vez de destruí-los, os fortaleceram; em vez de separá-los, os uniram ainda mais.

Não há maior alegria do que saber que os nossos filhos na fé andam na verdade ainda que sofrendo provações. I. Howard Marshall preceitua que essas boas notícias trouxeram consolo a Paulo, a ponto de ele expressar seus sentimentos numa explosão de alegria.[11] O coração do apóstolo está em chamas pelo Senhor e transbordando de amor pelos crentes de Tessalônica.

Os crentes de Tessalônica estavam não apenas com uma correta relação com Deus, mas também com o seu pai na fé. Eles tinham uma

---

[11] MARSHALL, I. Howard. *I e II Tessalonicenses: Introdução e comentário*, p. 119.

relação vertical e horizontal certa. A campanha difamatória dos inimigos não pôde destruir a reputação do apóstolo na igreja tessalonicense. Eles guardavam grata memória de Paulo.

O apóstolo era um homem de mente brilhante, mas de um coração sensível. Ele valorizava os sentimentos e cultivava profundos relacionamentos.

Boas notícias que consolam a Paulo em meio às suas lutas (3.7). Paulo estava em Corinto enfrentando grandes privações e tribulação, mas ao receber a notícia de que seus filhos na fé em Tessalônica estavam firmes na fé, ele foi consolado. Paulo abre as cortinas da sua alma e escancara sem rodeios as suas carências emocionais. Ele não é um super-homem nem um supercrente. Ele tem sentimentos. Ele tem necessidade de consolação. Ele precisa também ser encorajado.

Os líderes também precisam ser encorajados. Eles podem sofrer todo tipo de ataque externo e todo tipo de privação, mas se forem consolados e encorajados pela igreja enfrentam com galhardia qualquer situação.

Boas notícias que revitalizam o coração para continuar a obra (3.8). O apóstolo ao receber as boas-novas dos crentes tessalonicenses, escreve: [...] *porque, agora, vivemos, se é que estais firmados no Senhor* (3.8). O coração de Paulo está em chamas para o Senhor e ao mesmo tempo está transbordando de terna afeição pelos crentes de Tessalônica.[12] A firmeza na fé daqueles crentes novos e perseguidos traz um novo alento para o coração do velho apóstolo. Relacionamentos contam muito. Isso era uma espécie de oxigênio que dava maior fôlego ao apóstolo para continuar seu trabalho.

O que desgasta um obreiro não são os problemas externos, mas as intrigas internas. Privação e tribulação não o desencorajam. Circunstâncias adversas não podem tirar-lhe a alegria e o entusiasmo de prosseguir. Porém, ele precisa ver a igreja caminhando firme em amor e firmada na fé.

Paulo **orou pela igreja** (3.9-13)

Paulo não pôde ir a Tessalônica, mas pôde orar pelos tessalonicenses. A oração não está limitada ao tempo nem ao espaço. Você pode tocar o

---

[12] HENDRIKSEN, William. *1 e 2Tessalonicenses*, p. 130.

mundo através da oração. Você pode fazer mais por uma pessoa de joelhos, orando por ela, do que trabalhando para ela. William Barclay lembra que nunca saberemos de quantos pecados temos sido salvos e quantas tentações temos superado pelo fato de alguém ter orado por nós.[13]

A oração de Paulo é dirigida não apenas ao soberano e supremo Criador do universo, mas a Deus como Pai. Ele tem uma visão da majestade de Deus e também da intimidade de Deus. Ele vê Deus como transcendente e também como imanente. De igual forma, Paulo se dirige ao Senhor Jesus. Ele deseja que ambos, Deus Pai e o Senhor Jesus, trabalhem abrindo-lhe a porta para retornar aos seus queridos filhos na fé em Tessalônica.

A oração de Paulo pelos tessalonicenses tinha três características fundamentais: era uma oração marcada por profunda gratidão (3.9); era uma oração perseverante (3.10a) e uma oração intensa (3.10b).

A oração de Paulo, outrossim, abrangia os problemas ordinários da vida diária (3.11). Ele desejava viajar e pedia a Deus para abrir o caminho (3.11), pois sabia que satanás podia barrar esse caminho (2.18). Olhava as coisas comuns com os olhos espirituais. Você ora pelas coisas comuns da vida?

Paulo orou por três motivos específicos: uma fé madura, um amor profundo e para que eles pudessem ser santos na presença de Deus.[14]

Paulo orou para que eles pudessem ter uma fé madura (3.9,10). A nossa fé ainda não é perfeita e precisa de reparos continuamente. A palavra grega *katartidzo*, "reparar" é a mesma utilizada para consertar as redes ou tapar os buracos (Mc 1.19). Essa palavra era empregada para reconciliar facções políticas; um termo cirúrgico para "juntar ossos quebrados".[15] Precisamos remendar os buracos e tapar as brechas no escudo da nossa fé. Havia deficiência na fé daqueles irmãos, por exemplo, uma compreensão equivocada acerca da doutrina da segunda vinda de Cristo. Havia membros da igreja vivendo de forma desordenada e

---

[13] BARCLAY, William. *Filipenses, Colosenses, I y II Tesalonicenses*, p. 203.
[14] WIERSBE, Warren W. *Comentário bíblico expositivo*. Vol. 6, p. 225, 226.
[15] RIENECKER, Fritz e ROGERS, Cleon. *Chave linguística do Novo Testamento grego*, p. 441.

outros que estavam desanimados (5.14). Precisamos ser trabalhados continuamente.

A fé é como um músculo do nosso corpo; só se fortalece com exercício.[16] Deus nos testa para provar a nossa fé. Uma fé que não é testada não pode ser confiável. A oração de Paulo foi atendida (2Ts 1.3).

Paulo orou para que eles pudessem ter um amor profundo uns pelos outros (3.12). As tribulações podem tornar as pessoas egoístas. O sofrimento pode quebrantar e também endurecer. O mesmo sol que amolece a cera, endurece o barro. Por isso, Paulo orou pela igreja para que o Senhor fizesse crescer e aumentar o amor dos crentes uns para com os outros. A oração de Paulo é que os crentes possam transbordar de amor e abundar de tal maneira que esse oceano de amor, uma vez cheio, alcance os limites de suas bordas e venha derramar de tal forma que ele alcance não só os irmãos em Cristo, mas até mesmo os de fora.[17]

A igreja é uma família onde devemos construir pontes de amizades e não muralhas de separação. A igreja é a comunidade do amor, da aceitação, do perdão, da restauração. Seremos conhecidos como discípulos de Cristo pelo amor (Jo 13.34,35). O amor é a apologética final. Uma igreja sem amor está em trevas. Aquele que diz que ama a Deus, mas não demonstra amor pelo seu irmão nunca viu a Deus. O maior de todos os mandamentos é o amor. Os dons espirituais sem amor de nada valem (1Co 13.1-3). O zelo doutrinário sem o amor não agrada a Jesus (Ap 2.4). O amor não deve ser apenas de palavras, mas de fato e de verdade, ou seja, de forma prática.

Contudo, Paulo ora a Deus para que a igreja cresça em amor também para com todos, ou seja, até para com seus perseguidores. Amar os iguais é coisa simples. O desafio é amar os inimigos, amar aqueles que nos perseguem, amar aqueles que não são dignos de amor. A Bíblia diz que devemos orar pelos nossos inimigos, abençoar os que nos perseguem e pagar o mal com o bem. O verdadeiro amor perdoa as ofensas sem registrar mágoas.

---

[16] WIERSBE, Warren W. *Comentário bíblico expositivo*. Vol. 6, p. 226.
[17] HENDRIKSEN, William. *1 e 2Tessalonicenses*, p. 135.

As maiores lições sobre o amor são aprendidas na escola do sofrimento. José do Egito sofreu treze anos até ser guindado ao alto posto de governador do Egito. Ele foi vítima do ódio de seus irmãos, mas jamais alimentou o desejo de vingança em seu coração. Ao contrário, ele amou, perdoou e serviu àqueles que lhe fizeram mal. Os judeus perseguiram Paulo de cidade em cidade, mas Paulo continuou amando-os a tal ponto de estar disposto a morrer por eles (Rm 9.1-3).

Paulo orou para que eles pudessem ser santos na presença de Deus até a volta de Jesus (3.13). Três verdades devem ser destacadas neste versículo:

A segunda vinda de Cristo motiva os crentes a uma vida de santidade (3.13). Se nós cremos que Jesus vai voltar; se cremos que Ele vai julgar os vivos e os mortos; se cremos que vamos comparecer perante o Seu tribunal para dar contas da nossa vida, então, precisamos viver em santidade de vida. Quem aguarda a segunda vinda de Cristo purifica-se a si mesmo (1Jo 3.3). A palavra grega *hagiosyne*, traduzida como "santidade", era usada para referir-se a uma qualidade de objetos e pessoas que são separados do uso comum para o serviço de Deus. Porém, quando o conceito é utilizado para pessoas santas, o pensamento é que aqueles que estão separados para servir a Deus devem demonstrar a mesma retidão e pureza que O caracterizam.[18]

A santidade de vida não é uma formalidade externa, mas uma vida vivida na presença de Deus (3.13). A santidade não é medida por gestos, ritos ou cerimônias externas. Ela é medida por uma vida sem culpa na presença de Deus que tudo vê, tudo sonda e tudo conhece. Os fariseus eram meticulosos em ritos externos, mas viviam na impureza. Deus procura a verdade no íntimo. Aqueles que gostam de observar os pecados dos outros, normalmente, escondem os seus próprios.

A segunda vinda de Cristo nos mostra que o melhor ainda está por vir (3.13). O cristianismo não caminha para um ocaso, mas para um glorioso amanhecer. A história não é cíclica nem marcha célebre para um desastre, mas é conduzida por Deus para a vitória triunfante de Cristo e da Sua Igreja. Jesus vai voltar fisicamente, visivelmente, poderosamente,

---

[18] MARSHALL, I. Howard. *I e II Tessalonicenses: Introdução e comentário*, p. 127.

gloriosamente. Aqueles que morreram em Cristo e foram habitar com Ele (2Co 5.8; Fp 1.23) voltarão com Ele em glória. A vinda de Cristo será como um glorioso cortejo, onde os anjos e os santos remidos descerão com Ele entre nuvens. William Hendriksen coloca esse acontecimento, assim:

> O pensamento aqui é que quando o Senhor Jesus voltar, Deus trará com Ele aqueles que, através dos tempos viveram a vida de separação cristã do mundo e de devoção a Deus. Foram "postos à parte" por Deus para sua adoração e serviço, de modo que, pelo poder santificador do Espírito Santo, se tornaram santos "tanto em experiência quanto em posição", e pela morte entraram no reino lá de cima. Nem sequer um deles será deixado no céu: todos aqueles que ao morrer foram para o céu – e que, portanto, estão agora com Ele no céu – deixarão seu *habitat* celestial no exato momento em que o Senhor começar Sua descida. Num piscar de olhos se reunirão aos seus corpos, os quais agora se convertem em corpos gloriosamente ressurretos, e então, imediatamente (com os filhos de Deus que ainda sobrevivem na terra, e que serão transformados) subirão para o encontro do Senhor.[19]

A condição espiritual dos crentes gera peso no seu coração a ponto de você fazer sacrifícios pessoais para ajudá-los a crescerem na fé?

Você tem orado pela igreja, para que os crentes sejam mais firmes na fé e mais arraigados em amor?

Você está vivendo em santidade? Você está preparado para a segunda vinda de Cristo? A única maneira de nos prepararmos para nos encontrarmos com Deus é vivermos diariamente com Deus.[20]

---

[19] HENDRIKSEN, William. *1 e 2Tessalonicenses*, p. 139.
[20] BARCLAY, William. *Filipenses, Colosenses, I y II Tesalonicenses*, p. 205.

5

Uma vida que **agrada** a Deus

1 Tessalonicenses 4.1-12

NO TEXTO EM TELA O APÓSTOLO PAULO VAI TANGER sobre dois solenes temas, a santidade do sexo e a santidade do amor fraternal. Para introduzir esse magno assunto, ele faz três importantes considerações:

Em primeiro lugar, **um clamor veemente** (4.1). O apóstolo Paulo diz: *Finalmente, irmãos, nós vos rogamos e exortamos no Senhor Jesus...* (4.1). A palavra grega *Loipon*, "finalmente", traz a ideia de que Paulo está apresentando seu último assunto.[1] Embora pareça estranho que Paulo tenha usado esse advérbio quando ainda há uma porção substancial da carta à frente, na realidade, Paulo já chegou à última seção principal da carta.

I. Howard Marshall pondera que os dois primeiros versículos se constituem em introdução à seção, mas também constam como um prefácio para a totalidade do restante da carta com seu tom predominantemente ético e exortativo.[2] Paulo coloca grande solenidade em sua linguagem. Ele pede, roga e exorta a igreja para que busque uma vida que agrade a Deus por meio da santificação.

---

[1] RIENECKER, Fritz e ROGERS, Cleon. *Chave linguística do Novo Testamento grego*, p. 442.
[2] MARSHALL, I. Howard. *I e II Tessalonicenses: Introdução e comentário*, p. 129.

Em segundo lugar, ***um progresso evidente*** (4.1b). O apóstolo Paulo acrescenta: [...] *que, como de nós recebestes, quanto à maneira por que deveis viver e agradar a Deus, e efetivamente estais fazendo, continueis progredindo cada vez mais* (4.1b). Havia progresso na vida espiritual dos crentes tessalonicenses, mas Paulo estava certo de que eles deveriam continuar progredindo de forma mais expressiva na busca de agradarem a Deus.

Concordo com Warren Wiersbe quando diz que agradar a Deus significa muito mais do que simplesmente fazer a vontade de Deus. É possível obedecer a Deus e, ainda assim, não agradá-Lo. Jonas é um exemplo disso. Ele obedeceu às ordens de Deus, mas não o fez de coração. Deus abençoou Sua Palavra, mas não pôde abençoar seu servo. Assim, Jonas assentou-se do lado de fora de Nínive, zangado com todos, inclusive com o Senhor.[3] O irmão mais velho do filho pródigo obedecia em tudo a seu pai, mas não se agradava dele, não se deleitava em sua comunhão. Vivia como um escravo na casa do pai.

Em terceiro lugar, ***uma razão eloquente*** (4.2). Os crentes tessalonicenses deveriam viver do modo agradável a Deus porque eles já haviam sido instruídos na verdade. Paulo declara: *Porque estais inteirados de quantas instruções vos demos da parte do Senhor Jesus* (4.2). A palavra grega *paraggelia*, "instrução", denota uma palavra de ordem recebida de um superior, que deve ser passada a outras pessoas.[4] Warren Wiersbe na mesma linha de pensamento diz que este termo faz parte do vocabulário militar e se refere a ordens dadas por oficiais superiores. Somos soldados do exército de Deus e devemos obedecer às Suas ordens.[5] O pecado de um crente é pior do que o pecado de um incrédulo, pois seu pecado é consciente. Seu pecado é uma rebelião deliberada contra um mandamento recebido.

Com respeito à vida que agrada a Deus, dois pontos fundamentais são tratados por Paulo: a santificação do corpo e o amor fraternal. Vamos considerá-los.

---

[3] WIERSBE, Warren W. *Comentário bíblico expositivo*. Vol. 6, p. 227.
[4] RIENECKER, Fritz e ROGERS, Cleon. *Chave linguística do Novo Testamento grego*, p. 442.
[5] WIERSBE, Warren W. *Comentário bíblico expositivo*. Vol. 6, p. 228.

A santificação do corpo (4.3-8)

Antes de entrar propriamente dito na exposição deste texto, precisamos entender o contexto em que ele foi inserido. A vida sexual no mundo greco-romano nos tempos do Novo Testamento era um caos, sem lei. Naquele tempo a vergonha parecia ter sumido da terra.

É quase impossível mencionar um grande personagem grego que não tivesse a sua *hetaira*, ou seja, a sua amante. Alexandre Magno tinha sua Taís, que depois da morte de Alexandre aos 33 anos, casou-se com Ptolomeu do Egito e tornou-se mãe de reis. Aristóteles tinha a sua Herpília; Platão, sua Arquenessa; Péricles, sua Aspásia, que escrevia seus discursos; Sófocles, sua Arquipe. A atitude grega dificilmente pode ser melhor demonstrada do que pelo fato de que, quando Sólon foi o primeiro a legalizar a prostituição e a abrir os prostíbulos do Estado, os lucros destes eram usados para erigir templos aos deuses.

Quando a frouxidão moral grega invadiu Roma, tornou-se tristemente grosseira. Os laços matrimoniais foram menosprezados. O divórcio desastradamente fácil. A moral entrou em colapso. A ética era flácida e permissiva. Em Roma Sêneca escreveu: "As mulheres casam para se divorciar e se divorciam para casar".[6] A moralidade estava morta. O mesmo Sêneca ainda escreveu: "A inocência não é rara, é inexistente".

A chamada classe alta da sociedade romana havia se tornado grandemente promíscua. Juvenal chegou a dizer que até mesmo Messalina, a imperatriz, esposa de Cláudio, saía às escondidas do palácio real à noite, a fim de servir num prostíbulo público. Ela era a última a sair de lá e "voltava ao travesseiro imperial com todos os odores dos seus próprios pecados".

Pior ainda era a imoralidade desnaturada que grassava nas altas cortes. Calígula vivia em incesto habitual com sua irmã Drusila. A concupiscência de Nero não poupou sequer sua própria mãe Agripina, a quem depois assassinou. A homossexualidade em Roma era algo escandaloso. O historiador Gibbon afirma que dos quinze imperadores, Cláudio, o traído pela mulher, foi o único imperador que não foi homossexual.

---

[6] BARCLAY, William. *Filipenses, Colosenses, I y II Tesalonicenses*, p. 206.

Na Grécia a imoralidade estava tão acentuada que Demóstenes, o maior orador grego, disse: "Os gregos têm prostitutas para o prazer; concubinas para as necessidades diárias do corpo e esposas para procriar filhos".[7]

Paulo coloca-se contra essa imoralidade sexual ao escrever esta carta para a igreja de Tessalônica, uma importante cidade grega. Ele enfrenta, porém, três dificuldades nesse seu propósito:

1. *Não havia forte frente de opinião contra a imoralidade.* Para o mundo greco-romano, a imoralidade nas questões sexuais era um costume normal da sociedade. A sociedade era permissiva e promíscua. Em 1Tessalonicenses 4.1-8 Paulo descreve a imoralidade na sociedade grega e em Romanos 1.18-28 Paulo descreve a imoralidade na sociedade romana.

2. *O prevalecimento das ideias gnósticas.* Para os gnósticos, o espírito era totalmente bom e a matéria essencialmente má. Se o corpo é matéria e, portanto, mau, então, não importa o que você faz com ele, diziam os gnósticos. Pode-se, então, saciar seus desejos e apetites sem qualquer constrangimento. O gnosticismo estava, assim, na defesa da imoralidade.

3. *A prostituição era vinculada com a religião.* Havia muitos templos com sacerdotisas que eram chamadas de "prostitutas sagradas". O templo de Afrodite em Corinto, cidade grega, tinha milhares de prostitutas. Existia na Grécia o deus *Eros*, o deus do sexo. Em Atenas, até hoje, há estatuetas escandalosas com cenas eróticas, sendo vendidas nas lojas alimentando essa crendice pagã. Tessalônica como cidade grega estava encharcada com toda essa avalanche de imoralidade. A igreja tinha saído do meio dessa sociedade promíscua e vivia ainda nesse contexto. Por isso, Paulo escreveu este capítulo para orientar a igreja acerca da santidade do sexo.

Os tempos mudaram e hoje se fala em uma *nova moralidade*. Ela não é nova: é a velha moralidade de Roma e da Grécia. Atualmente,

---

[7] BARCLAY, William. *Filipenses, Colosenses, I y II Tesalonicenses*, p. 206.

escasseiam os absolutos morais. Vivemos numa sociedade que idolatra o corpo, numa cultura sexólatra e pansexual. Este é o século do prazer barato e o reino do hedonismo. O sexo santo, puro, bom e deleitoso criado por Deus está sendo banalizado, comercializado e vilipendiado.

Nossa sociedade perdeu o pudor, o respeito e a vergonha. O nudismo tornou-se apenas uma questão de arte. A indústria pornográfica é uma das mais rentáveis do mundo. A televisão brasileira é uma das mais nocivas para a formação do caráter em todo o planeta. O adultério é estimulado. O homossexualismo é aplaudido. Faz-se apologia da traição, da infidelidade conjugal, da defraudação, do homossexualismo, do vício, e do desbarrancamento da virtude. Os marcos que sinalizam os limites e os absolutos foram arrancados. Os fundamentos da nossa sociedade estão abalados (Sl 11.3). Vivemos a relativização dos valores. Estamos nos tornando iguais ou piores que Sodoma e Gomorra.

Neste contexto, é imperativo estudarmos este texto de Paulo. Dois pontos são destacados pelo apóstolo: a ordenança divina para uma vida de pureza e as razões para vivermos uma vida pura.

A ordenança divina para uma **vida de pureza** [santificação do corpo] (4.3-6)

A vontade de Deus para a igreja é a santificação. Essa santidade tem um aspecto negativo: a abstenção da impureza sexual e um aspecto positivo: a prática do amor. Pode-se argumentar que são dois lados da mesma moeda, porque "O amor não pratica o mal contra o próximo" (Rm 13.10).[8] Como podemos alcançar a pureza moral? Se a santificação é a vontade de Deus, como podemos viver dentro dessa vontade? Quais são, então, as marcas de um verdadeiro cristão?

O cristão é aquele que se abstém da impureza sexual (4.3b). A palavra grega *porneia*, traduzida por "prostituição", significa pecado sexual, relações sexuais ilícitas, atividade sexual ilícita.[9] Howard Marshall ensina que o termo *porneia* refere-se a todas as relações sexuais fora daquelas

---

[8] MARSHALL, I. Howard. *I e II Tessalonicenses: Introdução e comentário*, p. 133.
[9] RIENECKER, Fritz e ROGERS, Cleon. *Chave linguística do Novo Testamento grego*, p. 442.

que ocorrem dentro do relacionamento do casamento.[10] Paulo tem em vista tanto o sexo antes do casamento quanto o sexo fora do casamento, tanto a fornicação quanto o adultério. A palavra *porneia* engloba também o homossexualismo bem como todas as outras formas aviltantes da prática sexual. De igual modo *porneia* inclui a impureza da mente, os desejos ilícitos, a pornografia.

Warren Wiersbe enfatiza que as instruções de Deus com referência ao sexo não têm como objetivo privar as pessoas da alegria, mas sim protegê-las de modo a que não percam a alegria. "Não adulterarás" é um mandamento que levanta um muro ao redor do casamento, não para torná-lo uma prisão, mas sim um jardim belo e seguro.[11] A palavra grega *apechomai*, "abster-se", parece ter sido comum no ensinamento ético cristão primitivo (At 15.20,29; 1Ts 5.22; 1Pe 2.11). Subentende a total abstinência do mal, e vale a pena comentar que onde as coisas são más a atitude cristã é necessariamente de abstinência de todos os tipos de imoralidade sexual.[12]

O cristão é aquele que sabe controlar seu próprio corpo (4.4). A palavra grega *skeuos*, traduzida por "corpo", tem um duplo significado. Ela pode significar corpo ou vaso. Essa palavra foi usada literalmente para descrever utensílios e vasos domésticos (Mc 11.16; Lc 8.16; At 2.27; 18.12). Pode, então, ser empregada metaforicamente para pessoas que são instrumentos para o propósito dalguém (At 9.15). Pode-se pensar no corpo humano como sendo um artigo de cerâmica, um vasilhame frágil (2Co 4.7); esta metáfora está presente em 1Pedro 3.7, onde a esposa é "o vaso mais frágil".[13] Assim, saber possuir o próprio corpo pode ter dois significados básicos:

Primeiro, controlar o corpo. O cristão é alguém que sabe controlar o seu corpo. A Bíblia diz que o nosso corpo é um vaso (2Co 4.7; 2Tm 2.20,21). O nosso corpo é o *naós*, o santo dos santos, o santuário do Espírito Santo de Deus. O corpo do cristão foi criado por Deus e remido por Ele; é habitado por Deus, deve ser cheio do Espírito de Deus

---

[10] MARSHALL, I. Howard. *I e II Tessalonicenses: Introdução e comentário*, p. 133.
[11] WIERSBE, Warren W. *Comentário bíblico expositivo*. Vol. 6, p. 228.
[12] MARSHALL, I. Howard. *I e II Tessalonicenses: Introdução e comentário*, p. 133.
[13] MARSHALL, I. Howard. *I e II Tessalonicenses: Introdução e comentário*, p. 134.

e glorificar a Deus. O apóstolo Paulo preconizou: *Porque fostes comprados por preço. Agora, pois, glorificai a Deus no vosso corpo* (1Co 6.20). O mesmo apóstolo ainda escreve: [...] *o corpo não é para a impureza, mas, para o Senhor, e o Senhor, para o corpo* (1Co 6.13). Na carta aos Romanos, Paulo exorta: *Não reine, portanto, o pecado em vosso corpo mortal, de maneira que obedeçais às suas paixões* (Rm 6.12) e ainda acrescenta: *Assim como oferecestes os vossos membros para a escravidão da impureza e da maldade para a maldade, assim oferecei, agora, os vossos membros para servirem à justiça, para a santificação* (Rm 6.19).

O corpo deve ser usado em santificação e honra. O corpo é para o Senhor e não para a imoralidade. É para ser palco de santidade e não de obscenidade; é para ser honrado e não mercadejado ou desonrado pela sensualidade inflamada.

Segundo, obter a esposa. A palavra "vaso", também, era usada para descrever a mulher (1Pe 3.7). Assim, Paulo estaria orientando os homens acerca da maneira santa de buscar um casamento, tendo um namoro e um noivado puros. O sexo no casamento é uma bênção, mas antes e fora dele, uma maldição (4.3-8; Pv 6.32).

O cristão é aquele que resiste aos desejos lascivos (4.5). O apóstolo Paulo escreve: [...] *não com o desejo de lascívia, como os gentios que não conhecem a Deus* (4.5). A palavra grega *epithimia*, traduzida por "lascívia", significa desejo, concupiscência. Paulo não proíbe o desejo, como um impulso natural, e, sim, o desejo pecaminoso, isto é, uma condição em que o desejo tenha se convertido no princípio dominante da vida da pessoa, ou numa paixão incontrolável.[14] O desejo impuro escraviza as pessoas. Há pessoas prisioneiras da pornografia. Há pessoas cativas de pensamentos e desejos impuros. Esse caminho da lascívia é o caminho do mundo e não o caminho de Deus. É o caminho daqueles que não conhecem a Deus. Às vezes, essas pessoas conhecem os mandamentos de Deus e, mesmo assim, elas rejeitam Deus e Seus mandamentos. O chamado cristão, porém, é para agradar-se de Deus e obedecer a Ele (Sl 37.4).

---

[14] RIENECKER, Fritz e ROGERS, Cleon. *Chave linguística do Novo Testamento grego*, p. 442.

Os gentios usam seus corpos com lascívia, desejo impuro, paixão inflamada porque eles não conhecem a Deus. Eles são impuros, fornicadores, adúlteros e promíscuos porque são vazios e não têm um relacionamento com Deus. Para aqueles que não conhecem a Deus o sexo pré-marital não é pecaminoso, mas uma "prova de amor". A perda da virgindade antes do casamento é vista como um tabu retrógrado e a infidelidade conjugal uma prática normal. O apóstolo Paulo afirma que esse é o *modus vivendi* daquelas pessoas que não conhecem a Deus. Como cristãos não podemos imitar essas pessoas nem suas práticas.

O cristão é aquele que não ofende nem defrauda a seu irmão (4.6a). O apóstolo exorta: [...] *e que, nesta matéria, ninguém ofenda nem defraude a seu irmão* (4.6a). A palavra grega *pleonektein*, "defraudar", significa despertar um sentimento ou desejo no outro que não pode ser licitamente satisfeito. É ir além, ultrapassar os limites. Significa tirar o melhor proveito que puder da situação. É tentar ganhar egoisticamente mais, a qualquer custo e por todos os meios, independentemente dos outros e dos seus direitos.[15] Defraudar é tirar vantagem de outra pessoa mediante comportamento sensual, libidinoso, provocativo.

William Hendriksen afirma que a maldade de defraudar um irmão (pela prática da imoralidade com sua esposa ou sua filha), em vez de tomar honestamente uma esposa para si, é aqui condenada.[16]

Vivemos na cultura da sedução. O cinema, a televisão, as revistas e a moda promovem e fazem apologia da sensualidade provocativa. As roupas sumárias, os flertes, a onda do "ficar", onde um rapaz ou uma moça "fica" com duas ou três pessoas diferentes numa mesma festa é uma afronta à santidade do corpo e uma desobediência à exortação de Paulo.

As razões para vivermos uma **vida pura** [buscarmos a santificação do corpo] (4.6b-8)

Por que devemos buscar a santidade do corpo e a pureza do sexo?

Porque o Senhor contra todas estas coisas é o vingador (4.6b). Paulo é expressamente claro: [...] *porque o Senhor, contra todas estas coisas, como*

---

[15] RIENECKER, Fritz e ROGERS, Cleon. *Chave linguística do Novo Testamento grego*, p. 442.
[16] HENDRIKSEN, William. *1 e 2 Tessalonicenses*, p. 151.

antes vos avisamos e testificamos claramente, é o vingador (4.6b). A palavra grega *ekdikos*, "vingador" era usada nos papiros para o ofício de um representante legal, ou seja, a pessoa que executa a sentença.[17] Howard Marshall acredita que o pensamento é mais que Deus toma o partido das vítimas do crime e da iniquidade e obtém justiça para elas, e que age como o sustentador da ordem moral contra aqueles que pensam que podem quebrá-la impunemente.[18]

William Hendriksen corrobora dizendo que esses pecados são comumente praticados em secreto: o pai ou o esposo não sabe o que está acontecendo, e seus direitos estão sendo negados; ele está sendo defraudado. Deus, porém, sabe, e revelará ser o vingador. Ainda que o irmão, que assim foi enganado e defraudado jamais descubra a iniquidade de que foi vítima, não obstante existe um vingador, que é Deus.[19] Essa verdade precisa ser enfatizada, especialmente na promíscua sociedade contemporânea, onde a imoralidade não tem sido não apenas aceita, mas também é estimulada.

Nossa geração tem brincado muito com Deus. Tem pensado que Deus é bonachão. Eles esquecem deliberadamente que Deus é santo, justo e revela Sua ira contra toda impiedade e perversão dos homens (Rm 1.18). Os que vivem à cata de prazeres sensuais, defraudando os outros e desonrando seus corpos, vão esbarrar no dia do juízo diante do Deus irado, diante do vingador!

Contudo, Deus vinga o homem já, entregando-o aos verdugos de uma consciência pesada, de uma vida cheia de culpa e desassossego. Davi, depois que cometeu adultério com Bate-Seba, sentiu a mão de Deus pesar sobre ele. O seu vigor tornou-se sequidão de estio a ponto de os seus ossos secarem e seus gemidos o atormentarem durante as noites. O apóstolo Paulo diz: *Não vos enganeis: de Deus não se zomba; pois aquilo que o homem semear, isso também ceifará* (Gl 6.7). Deus é um fogo consumidor e horrível coisa é cair em Suas mãos!

---

[17] RIENECKER, Fritz e ROGERS, Cleon. *Chave linguística do Novo Testamento grego*, p. 443.
[18] MARSHALL, I. Howard. *I e II Tessalonicenses: Introdução e comentário*, p. 139.
[19] HENDRIKSEN, William. *1 e 2 Tessalonicenses*, p. 149, 151.

Aquele que permanece no pecado da impureza e não o confessa nem o deixa, não encontrará misericórdia (Pv 28.13), pois a Palavra diz: *Não vos enganeis: nem impuros, nem idólatras, nem adúlteros, nem efeminados, nem sodomitas [...] herdarão o Reino de Deus* (1Co 6.9,10). O apóstolo Paulo é claro: *Sabei, pois, isto: nenhum incontinente, ou impuro, ou avarento, que é idólatra, tem herança no Reino de Cristo e de Deus. Ninguém vos engane com palavras vãs; porque, por essas coisas, vem a ira de Deus sobre os filhos de desobediência* (Ef 5.5,6). Ainda o apóstolo João escreve: *Quanto, porém, aos impuros [...] a parte que lhes cabe será no lago que arde com fogo e enxofre, a saber, a segunda morte* (Ap 21.8).

Porque Deus não nos chamou para a impureza e sim para a santificação (4.7). Não podemos inverter o propósito de Deus em nossa vida. Fomos eleitos em Cristo desde a fundação do mundo para sermos santos e irrepreensíveis (Ef 1.4). Deus nos escolheu desde o princípio pela santificação do Espírito e fé na verdade (2Ts 2.13). Nós fomos salvos do pecado e não no pecado; fomos salvos da impureza para a santidade. Nós somos cartas vivas de Cristo, o sal da terra, a luz do mundo, o perfume de Jesus. Aquele que anda na prática do pecado nunca viu a Deus nem é nascido de Deus. Aquele que vive em pecado ainda está nas trevas.

Porque quem despreza a santificação do corpo despreza o próprio Deus (4.8a). Se Deus é quem nos chamou de modo que possamos ser santificados segue-se que considerar de somenos valor aquilo que foi dito não é desrespeitar ao homem, mas, sim, ao próprio Deus.[20] Quem pratica a impureza rechaça Deus da sua vida. Não se trata apenas da rejeição de um código de ética, de preceitos da igreja e ou regulamentos morais da família. Quem é prisioneiro da impureza, da pornografia, no sexo ilícito se insurge contra o próprio Deus, o verdadeiro autor das instruções que expressam Seu propósito de santidade para o Seu povo. A situação daqueles que praticam esses pecados não é: "Como eu vou ficar agora diante dos meus irmãos, da minha família, da minha igreja? Como eu vou me justificar diante dos amigos?" Aqueles que andam na impureza estão desprezando a Deus e terão de dar contas a Ele. Infeliz é o homem que rejeita Deus em sua vida!

---

[20]MARSHALL, I. Howard. *I e II Tessalonicenses: Introdução e comentário*, p. 140.

Porque quem pratica a impureza menospreza o recurso que Deus oferece para uma vida santa (4.8b). O apóstolo Paulo conclui: [...] *que também vos dá o Seu Espírito Santo* (4.8b). O Espírito Santo nos foi dado como santificador. Diz a Escritura: [...] *andai no Espírito e jamais satisfareis à concupiscência da carne* (Gl 5.16). Andar em impureza é entristecer o Espírito (Ef 4.30), é apagar o Espírito (1Ts 5.19), é resistir o Espírito (At 7.51), é ultrajar o Espírito. Deus não apenas nos chama para a santidade, mas Ele também nos dá poder para viver uma vida santa.

O amor fraternal (4.9-12)

A transição da *santidade* para o *amor fraternal* é natural, ensina Warren Wiersbe.[21] Assim como o amor de Deus é santo, o nosso amor por Deus e o nosso amor de uns pelos outros devem também ser motivados por um viver santo. Quanto mais nós vivemos com Deus, tanto mais vamos amar uns aos outros. Se um cristão realmente ama a seu irmão, ele não vai pecar contra ele (4.6).

Deus Pai nos ensinou a amar quando Ele nos deu Seu Filho para morrer por nós (Jo 3.16). Deus Filho nos ensinou a amar quando nos deu um novo mandamento, dizendo que devemos amar como Ele nos amou (Jo 13.34,35). Deus Espírito Santo nos ensinou a amar quando Ele derramou o amor de Deus em nossos corações (Rm 5.5).

Paulo destaca quatro grandes verdades acerca do amor fraternal:

O amor fraternal é um dever (4.9). A igreja já havia sido instruída que o amor é uma das marcas da vida cristã (1.3). Porém, a palavra que Paulo usa aqui só aparece neste texto. Paulo emprega a palavra grega *philadelphia*, o amor que existe entre irmãos de sangue. Há quatro palavras distintas para amor na língua grega: a) *Eros*, refere-se ao amor físico e dá origem ao termo "erótico". O amor *eros* não é necessariamente pecaminoso, mas no tempo de Paulo, a ênfase era sensual. Esse termo não é utilizado em parte alguma do Novo Testamento. b) *Storge*, refere-se ao amor de família, o amor dos pais pelos filhos. Esse termo

---

[21] WIERSBE, Warren W. *Comentário bíblico expositivo*. Vol. 6, p. 229.

também não aparece no Novo Testamento. c) *Philia,* é o amor da profunda afeição, manifesto em uma amizade ou no casamento. A palavra usada por Paulo no texto em tela, *philadelphia,* significa amor entre irmãos de sangue. Devemos amar os nossos irmãos da fé como se fossem nossos irmãos de sangue. Você não faz nada para magoar seu irmão de sangue. Você respeita a mulher do seu irmão de sangue. d) *Ágape,* é o amor que Deus demonstra para conosco. Não é amor baseado apenas em sentimentos, mas sim expresso pela vontade. O amor ágape trata os outros da maneira como Deus os trataria, a despeito dos sentimentos ou das preferências pessoais.[22]

O amor fraternal deve crescer (4.10). A igreja de Tessalônica demonstrava em sua vida a prática do amor (1.3; 4.10), porém, Paulo diz à igreja que ainda havia o desafio de ampliar a intensidade e a extensão desse amor. O amor fraternal é para ser exercido sem fronteiras, a todos, aos de perto e aos de longe. O amor fraternal pode crescer sempre. Paulo orou pedindo: [...] *o Senhor vos faça crescer e aumentar no amor uns para com os outros e para com todos* (3.12); e Deus atendeu o seu pedido (2Ts 1.3).

O amor fraternal é responsável (4.11). Agora, a ênfase não é tanto o amor entre os irmãos, mas o testemunho para com os de fora. O desafio agora não é apenas andar em amor, mas andar em honestidade. O cristão não pode ter uma vida desorganizada, enrolada e confusa. Ele precisa viver tranquilamente, cuidar dos seus próprios negócios e trabalhar para não viver à custa dos outros. *Viver tranquilamente* aqui é o antônimo de "ser um abelhudo" (2Ts 3.11). Alguns crentes tessalonicenses em nome de uma profunda espiritualidade estavam capitulando ao pecado da preguiça. Paulo os corrige dizendo que a iminência da *parousia,* ou seja, da segunda vinda de Cristo, não é uma desculpa para a preguiça, nem para ser uma importunação e um fardo para outras pessoas.[23] Quando estamos envolvidos no nosso trabalho, não temos tempo para nos envolvermos nos negócios alheios. A palavra grega usada por Paulo *ergazesthai* é muito sugestiva. Embora o grego

---

[22] WIERSBE, Warren W. *Comentário bíblico expositivo*. Vol. 6, p. 229.
[23] MARSHALL, I. Howard. *I e II Tessalonicenses: Introdução e comentário*, p. 144.

considere o trabalho manual como o trabalho de escravos, os judeus não tinham essa atitude. A ênfase aqui, porém, não é sobre o trabalho manual em oposição a outros tipos de trabalho, mas sim sobre o trabalho em oposição à vagabundagem.[24]

Aqueles que não cuidam de seus próprios negócios acabam se envolvendo na vida dos outros e causando sérios problemas.

O amor fraternal é irrepreensível (4.12). O cristão não apenas tem o compromisso de amar os irmãos, mas, também, dar um bom testemunho aos de fora da igreja. William Barclay enfatiza que o importante não são as palavras, mas as obras; não a oratória, mas a vida. O mundo que nos observa não entra na igreja para ouvir um sermão, mas nos vê diariamente fora da igreja. Nossa vida deve ser o sermão que "ganha os homens para Cristo".[25]

Os cristãos precisam ter uma vida financeira controlada para não dar um mau testemunho aos de fora (4.11,12). Infelizmente, algumas pessoas não entenderam a doutrina da segunda vinda de Cristo e abandonaram seu trabalho com o propósito de ficar esperando a volta de Cristo. Não tardou que essas pessoas precisassem ser assistidas financeiramente por outros crentes. Isso significou que eles não pagaram suas próprias contas, e isso gerou um mal-estar na igreja e um péssimo testemunho entre os incrédulos.

A Bíblia nos ensina a vivermos com prudência com os que são de fora (Cl 4.5). O cristão deve trabalhar por vários motivos: a) O trabalho é bênção e não maldição; b) O trabalho engrandece o caráter e cria divisas; c) O trabalho provê para nós e nossa família; d) O trabalho nos capacita a ajudar os outros.

De outro lado, devemos ter cuidado com a onda de consumismo. Uma pessoa é consumista quando ela compra o que não precisa, com o dinheiro que não tem, para impressionar as pessoas que não conhece. Há pessoas que são ortodoxas na doutrina, mas não pagam suas contas.

---

[24] RIENECKER, Fritz e ROGERS, Cleon. *Chave linguística do Novo Testamento grego*, p. 443.
[25] BARCLAY, William. *Filipenses, Colosenses, I y II Tesalonicenses*, p. 209.

6

Os fundamentos da
esperança cristã

1 Tessalonicenses 4.13-18

DO FUTURO, ACENDE A LUZ NO PALCO DA HISTÓRIA e nos mostra que o melhor para o povo de Deus está por vir. O futuro não vem envolto em trevas. Ao contrário, ele traz em sua bagagem a garantia de que a morte não tem a última palavra. Não caminhamos para uma noite trevosa, mas para um amanhecer glorioso. Não estamos fazendo uma viagem rumo ao abismo, mas rumo à glória. Não avançamos para um destino desconhecido, mas para um lugar certo e glorioso que nos foi preparado.

A história não é cíclica como ensinavam os gregos nem caminha para o desastre como pregam os existencialistas. A história é linear e teleológica, ou seja, ela caminha para uma consumação final, onde se verá a vitória triunfal de Cristo e da Sua Igreja. Na Sua segunda vinda, Cristo colocará todos os Seus inimigos debaixo dos Seus pés e triunfará sobre todos eles (1Co 15.25).

Consideremos três pontos:

A desesperança daqueles que não conhecem a Deus (4.13). O mundo pagão era completamente desprovido de esperança. O futuro para eles era sombrio e ameaçador. Frente à morte, o mundo pagão reagia com profunda tristeza. A tristeza do pagão é incurável, contínua, e sem intermitência. Seu desespero não tem pausa. O verbo grego *lupesthe*, "entristecer-se", no tempo presente, significa uma tristeza contínua.[1] Uma inscrição típica encontrada em um túmulo demonstra esse fato: "Eu não existia. Vim a existir. Não existo. Não me importa".[2]

O mundo greco-romano dos dias de Paulo era um mundo sem esperança (Ef 2.12). No entendimento deles não havia nenhum futuro para o corpo, pois este não passava de uma prisão da alma. Os epicureus não acreditavam na eternidade. Para eles a morte era o ponto final da existência. Os estoicos diziam que enquanto estamos vivos a morte não existe para nós, e quando ela aparecer, nós já não existirmos.[3] Os pagãos reagiam com desespero diante da morte. William Barclay registra o que alguns pensadores disseram.[4] Esquilo escreveu: "Uma vez que o homem morre não há ressurreição". Teócrito disse: "Há esperança para aqueles que estão vivos, mas os que morrem estão sem esperança". Cátulo afirmou: "Quando nossa breve luz se extingue há uma noite perpétua em que deveremos dormir".

Os crentes de Tessalônica, egressos dessa realidade, e ainda sendo brutalmente perseguidos, estavam se entristecendo, porque julgavam que seus entes queridos, os crentes que dormiam em Cristo haviam perecido. Esta carta foi escrita para abrir-lhes os olhos da alma para a bendita verdade divina acerca da esperança cristã. William Hendriksen afirma com resoluta certeza: "De fato, à parte do cristianismo não existia nenhuma base sólida de esperança em conexão com a vida por vir".[5]

A tristeza dos que vivem sem esperança (4.13). A tristeza é filha da desesperança. O mundo sem Deus é um mundo triste. A morte para aqueles que não conhecem a Deus é um fim trágico. Na verdade, não há esperança fora da fé bíblica e evangélica. Só lhes resta uma profunda tristeza quando olham pelo túnel do tempo para verem o palco do futuro.

Howard Marshall diz que a igreja de Tessalônica enfrentava dois graves problemas que tiravam sua alegria:

---

[1] RIENECKER, Fritz e ROGERS, Cleon. *Chave linguística do Novo Testamento grego*, p. 444.
[2] WIERSBE, Warren W. *Comentário bíblico expositivo*. Vol. 6, p. 232.
[3] HENDRIKSEN, William. *1 e 2Tessalonicenses*, p. 164.
[4] BARCLAY, William. *Filipenses, Colosenses, I y II Tesalonicenses*, p. 210.
[5] HENDRIKSEN, William. *1 e 2Tessalonicenses*, p. 164.

O primeiro dizia respeito aos membros da igreja que tinham morrido antes da segunda vinda de Cristo. A morte deles significava que estariam excluídos dos acontecimentos gloriosos associados com a *parousia* (4.13-18)?

O segundo dizia respeito ao cronograma da segunda vinda. Por trás dele havia o temor de que a *parousia* pudesse pegar os vivos desprevenidos e, portanto, não participariam da salvação (5.1-11).[6]

A revelação de Deus que dá esperança (4.13,15). As religiões têm especulado sobre o destino da alma após a morte. Os filósofos têm discutido sobre a imortalidade. Os espíritas falam na comunicação com os mortos. Os católicos romanos pregam sobre o purgatório, um lugar de tormento e autopurificação. Há aqueles que negam a doutrina da segunda vinda de Cristo (2Pe 3.4).

Agora, Paulo resolve este problema, dizendo que não precisamos especular, pois temos uma revelação específica e clara de Deus acerca do nosso destino após a morte (4.15; 2Tm 1.10).

A Bíblia tem uma clara revelação acerca da morte e da ressurreição (1Co 15.51-54; Jo 5.24-29; 11.21-27), bem como a respeito da segunda vinda de Cristo (4.13-18). A autoridade da Palavra de Deus dá-nos a segurança e o conforto que precisamos, afirma Warren Wiersbe.[7]

Quatro verdades essenciais da fé cristã são tratadas pelo apóstolo Paulo no texto em estudo que servem de fundamento da nossa esperança:

A segunda vinda de Cristo (4.14,15)

A segunda vinda de Cristo é a grande ênfase desta carta.

William Barclay ensina que a palavra grega *parousia* era uma palavra técnica para descrever a vinda do rei. No grego clássico significa apenas presença ou vinda de uma pessoa. Nos papiros e no grego helenista, *parousia* é a palavra técnica que se usava com respeito à vinda de um imperador, de um rei, de um governador, e, em geral, de uma pessoa importante à cidade, à província. Tal visita requeria uma série

---

[6]MARSHALL, I. Howard. *I e II Tessalonicenses: Introdução e comentário*, p. 145.
[7]WIERSBE, Warren W. *Comentário bíblico expositivo*. Vol. 6, p. 232.

de preparativos. Finalmente, *parousia* expressava a visita de um deus. Foi precisamente essa palavra que Paulo usou para descrever a vinda de Jesus Cristo.[8]

Paulo abordou a doutrina da segunda vinda de Cristo em quatro perspectivas diferentes: em relação à salvação (1.9,10), serviço (2.19,20), estabilidade (3.11-13) e consolo (4.18).

Russell Norman Champlin lembra que em relação aos crentes a segunda vinda de Cristo, *a parousia*, se reveste dos seguintes elementos:

Os crentes devem amar a vinda do Senhor (2Tm 4.8); devem esperar por Ele (Fp 3.20; Tt 2.13; devem aguardar a Cristo (1Co 1.7; 1Ts 1.10); devemos apressar a vinda de Cristo (2Pe 3.12); devemos orar para seu desenlace (Ap 22.20); devemos estar preparados para esse dia (Mt 24.44); devemos vigiar a respeito (Mt 24.42).[9]

O texto em apreço trata da segunda vinda de Cristo em conexão com a situação dos crentes que morreram. Paulo nos dá aqui quatro informações preciosas:

Não é a alma que dorme na hora da morte, mas o corpo. A doutrina da aniquilação do ímpio e do sono da alma está em desacordo com o ensino das Escrituras.[10] O homem rico que banqueteava com seus amigos, com vestes engalanadas, ao morrer, não foi aniquilado nem sua alma ficou dormindo. Ele foi para o inferno, onde enfrentou um terrível e intérmino sofrimento (Lc 16.19-31). Ao ladrão arrependido na cruz Jesus disse: *Em verdade te digo que hoje mesmo estarás comigo no paraíso* (Lc 23.43). O paraíso não é a sepultura. Jesus entregou Seu espírito ao Pai. A alma daquele ladrão arrependido não ficou em estado de inconsciência, mas foi imediatamente para o céu, para o paraíso, enquanto seu corpo desceu à sepultura. William Hendriksen, nessa mesma linha de pensamento, acentua que esse dormir não indica um estado intermediário de repouso inconsciente (sono da alma). Ainda que a alma esteja dormindo para o mundo que deixou (Jó 7.9,10; Is 63.16;

---

[8] BARCLAY, William. *Palabras griegas del Nuevo Testamento*, p. 169,170.
[9] CHAMPLIN, Russell Norman. *O Novo Testamento interpretado versículo por versículo*. Vol.5, p. 203.
[10] Sl 16.11; Sl 17.15; Mt 8.11; Lc 16.16-31; Jo 17.24; 2Co 5.8; Fp 1.23; Hb 12.23; Ap 5.9; Ap 6.10; Ap 7.15; Ap 14.3; Ap 20.4.

Ec 9.6), contudo, ela está desperta com respeito ao seu próprio mundo (Lc 16.19-31; 23.43; 2Co 5.8; Fp 1.21-23; Ap 7.15-17; 20.4).[11]

Howard Marshall afirma que a palavra "dormir" era comum no mundo antigo como um eufemismo para a morte, e é encontrada tanto no Antigo quanto no Novo Testamento (Gn 47.30; Dt 31.16; 1Rs 22.40; Jo 11.11-13; At 7.60; 13.36; 1Co 7.39; 11.30).[12]

A Bíblia é clara em afirmar que a morte para o cristão é deixar o corpo e habitar com o Senhor (2Co 5.8). Morrer é partir para estar com Cristo (Fp 1.23).

Na hora da morte, o corpo feito do pó, volta ao pó, mas o espírito volta para Deus (Ec 12.7). A figura do sono, portanto, é usada em relação ao corpo e não em relação ao espírito.

A figura do sono enseja-nos três verdades: Primeira, o sono é símbolo de descanso. A Bíblia diz que aqueles que morrem no Senhor são bem-aventurados, porque descansam das suas fadigas (Ap 14.13). Segunda, o sono pressupõe renovação. O corpo da ressurreição será um corpo incorruptível, imortal, poderoso, glorioso, e celestial; semelhante ao corpo da glória de Cristo. Terceira, o sono implica expectativa de acordar. O mesmo corpo que desceu à tumba sairá dela ao ressoar da trombeta de Deus.

Os mortos em Cristo estão na glória com Ele (4.14). Um indivíduo abordou um pastor cuja esposa havia morrido: "Eu soube que você perdeu a sua esposa. Eu sinto muito". O pastor respondeu: "Não, eu não a perdi. Você não perde uma coisa ou pessoa quando você sabe onde ela está. Eu sei onde ela está. Ela está com Jesus no céu".[13]

As almas dos remidos estão reinando com Cristo no céu (Ap 20.1-4). Os remidos não poderiam vir com Cristo se já não estivessem com Ele. As almas no céu clamam (Ap 7.15-17), descansam das fadigas (Ap 14.13), veem a face de Cristo (Ap 22.4), trabalham (Ap 22.5), e reinam (Ap 20.1-4).

Citando H. Bavinck, William Hendriksen enfatiza que o estado dos bem-aventurados no céu, por mais glorioso que seja, tem um caráter

---

[11] HENDRIKSEN, William. *1 e 2 Tessalonicenses*, p. 162.
[12] MARSHALL, I. Howard. *I e II Tessalonicenses: Introdução e comentário*, p. 146.
[13] WIERSBE, Warren W. *Comentário bíblico expositivo*. Vol. 6, p. 233.

provisório, e isto por diversas razões: 1) Eles estão no céu agora, limitados a esse céu, sem que possuam ainda a terra, a qual, com o céu, lhes foi prometida como herança; 2) Ademais, vivem despojados do corpo; 3) A parte nunca está completa sem o todo. Somente em relação com a comunhão com todos os santos pode-se conhecer a plenitude do amor de Cristo (Ef 3.18).[14] Na segunda vinda o estado intermediário cederá espaço à gloriosa realidade da eternidade: [...] *e, assim, estaremos para sempre com o Senhor* (4.17).

Os mortos em Cristo virão com Cristo em glória (4.14). Cristo virá do céu num grande cortejo. Ele será acompanhado de Seus anjos e remidos. Nenhum deles ficará no céu nessa gloriosa vinda ao som de trombeta. Ele virá com os Seus santos e para os Seus santos. Entre nuvens eles descerão com o Rei dos reis para o maior evento da história, quando os túmulos serão abertos e quando os vivos serão transformados.

William Hendriksen coloca esse glorioso fato assim:

> O mesmo Deus que ressuscitou a Jesus dentre os mortos também ressuscitará dentre os mortos os que pertencem a Jesus. Ele os compelirá a virem com Jesus, do céu, ou seja: Ele trará do céu suas almas, de modo que possam reunir-se rapidamente (num piscar de olhos) com seus corpos, e assim partem para encontrar o Senhor nos ares, a fim de permanecerem com Ele para sempre.[15]

Os mortos em Cristo não terão nenhuma desvantagem em relação aos vivos (4.15). Aqueles que morrem em Cristo não estão de forma alguma em desvantagem em relação aos que estiverem vivos na segunda vinda. E isso por duas razões:

Porque quando o salvo morre sua alma entra imediatamente no gozo do Senhor. As almas dos filhos de Deus vão diretamente para o céu depois da morte (Sl 73.24,25). A Bíblia diz que o espírito dos salvos na hora da morte é imediatamente aperfeiçoado para entrar na glória (Hb 12.23).

---

[14] HENDRIKSEN, William. *A vida futura*. São Paulo, SP: Casa Editora Presbiteriana, 1988, p.56.
[15] HENDRIKSEN, William. *1 e 2Tessalonicenses*, p. 168.

O apóstolo Paulo diz que partir para estar com Cristo é incomparavelmente melhor (Fp 1.23). Por isso, a morte para o crente é lucro (Fp 1.21), é preciosa aos olhos de Deus (Sl 116.15) e é uma profunda felicidade (Ap 14.13). Estêvão, na hora da morte, disse: *Senhor Jesus, recebe o meu espírito!* (At 7.59).

Porque quando Jesus voltar os mortos em Cristo ressuscitarão antes dos vivos serem transformados (4.15). Mesmo que esse fato seja tão repentino quanto um abrir e fechar de olhos (1Co 15.51,52), os corpos dos remidos, que estavam dormindo se levantarão da terra antes de os vivos serem transformados e arrebatados (4.15; 1Co 15.51,52). A ressurreição precederá ao arrebatamento.

Quando o apóstolo Paulo diz que os mortos em Cristo ressuscitarão primeiro, não é em relação aos outros mortos, mas em relação aos que estiverem vivos. Paulo não está ensinando duas ressurreições. O texto em apreço é uma instrução apostólica acerca da esperança cristã. Ele está trazendo uma palavra de consolo para os crentes em relação ao estado dos que morrem em Cristo (4.18). Fica evidente, pois, que ambos os grupos, os mortos e os sobreviventes são crentes. Paulo não está traçando contraste entre crentes e descrentes, dizendo que os crentes ressuscitam primeiro, e os descrentes mil anos depois. Ambos os grupos: mortos ressurretos e vivos transformados sobem para encontrar o Senhor nos ares.

A ressurreição dos mortos (4.15,16)

Destacamos alguns pontos no trato dessa matéria:

A doutrina da ressurreição era rejeitada pelos gregos. Quando Paulo pregou a doutrina da ressurreição aos filósofos atenienses, quase todos zombaram dele (At 17.32). Os gregos eram como os saduceus que rejeitavam a doutrina da ressurreição (At 23.6-8). A grande esperança dos gregos era justamente livrar-se do corpo.[16] Tessalônica era uma cidade grega e os gregos não acreditavam na ressurreição do corpo. Os gregos achavam que o corpo era essencialmente mau. O corpo era considerado

---

[16] WIERSBE, Warren W. *Comentário bíblico expositivo*. Vol. 6, p. 233.

pelos gregos como um claustro, ou a prisão da alma. A destruição do corpo e não Sua ressurreição era desejada pelos gregos.

A ressurreição de Cristo é a garantia da nossa ressurreição (4.14). Alguns crentes de Tessalônica estavam tendo essa confusão de crer na ressurreição de Cristo sem crer ao mesmo tempo na ressurreição dos salvos (1Co 15.12,13). Paulo, então, mostra a eles que não podemos crer numa cousa sem crer na outra. Não podemos crer na ressurreição de Cristo sem crer na ressurreição dos salvos, visto que a ressurreição de Cristo é o penhor e a garantia da nossa ressurreição.

O apóstolo Paulo, tratando da mesma matéria em sua primeira carta aos Coríntios, escreve, mostrando a impossibilidade de crer na ressurreição de Cristo sem crer na ressurreição dos salvos:

> *Ora, se é corrente pregar-se que Cristo ressuscitou dentre os mortos, como, pois, afirmam alguns dentre vós que não há ressurreição de mortos? E, se não há ressurreição de mortos, então, Cristo não ressuscitou. E, se Cristo não ressuscitou, é vã a nossa pregação, e vã, a vossa fé; e somos tidos por falsas testemunhas de Deus, porque temos asseverado contra Deus que Ele ressuscitou a Cristo, ao qual ele não ressuscitou, se é certo que os mortos não ressuscitam. Porque, se os mortos não ressuscitam, também Cristo não ressuscitou. E, se Cristo não ressuscitou, é vã a vossa fé, e ainda permaneceis nos vossos pecados. E ainda mais: os que dormiram em Cristo pereceram. Se a nossa esperança em Cristo se limita apenas a esta vida, somos os mais infelizes de todos os homens. Mas, de fato, Cristo ressuscitou dentre os mortos, sendo ele as primícias dos que dormem.*[17]

Na ressurreição teremos ao mesmo tempo continuidade e descontinuidade. O mesmo corpo que descerá ao túmulo se levantará dele. Porém, esse corpo, mesmo mantendo sua identidade inalienável, não ressuscitará com as mesmas marcas de fraqueza e corruptibilidade. O corpo é uma espécie de semente. No sepultamento lançamos na terra uma semente e dela brotará uma linda flor. O corpo da ressurreição será um corpo novo, imortal, incorruptível, poderoso, glorioso, espiritual, e celestial (1Co 15.35-49).

---

[17] 1Coríntios 15.12-20.

A ressurreição dos mortos se dará na segunda vinda de Cristo (4.16). A segunda vinda de Cristo será pessoal, visível, audível, e gloriosa. Três fatos vão ocorrer, quando da segunda vinda de Cristo, em relação à ressurreição dos mortos:

O Senhor virá mediante a Sua palavra de ordem (4.16). Essa é uma voz de autoridade. Jesus Cristo dará uma palavra de ordem, como fez do lado de fora do túmulo de Lázaro (Jo 11.43). O evangelista João registra: [...] *os que se acham nos túmulos ouvirão a sua voz e sairão* (Jo 5.28). O soberano Senhor do universo erguerá Sua voz e todos os mortos a ouvirão e sairão dos seus túmulos, uns para a ressurreição da vida e outros para a ressurreição do juízo (Jo 5.28,29).

A palavra grega *keleusma*, traduzida por "palavra de ordem", significa comando, sonido. Essa palavra cujo significado traz a ideia de uma ordem gritada para os mortos levantarem de seus túmulos só aparece aqui em todo o Novo Testamento.[18] A palavra era usada de vários modos, por exemplo, o grito dado pelo mestre do navio para seus remadores, ou por um oficial para seus soldados, ou por um caçador para seus cães, ou por um cocheiro para cavalos. Quando usada para pessoal militar ou naval, era um grito de batalha. Na maior parte das vezes denota um grito alto e autoritário, com frequência dado num momento de grande empolgação.[19] Desta forma, Cristo retorna como um grande Vencedor. Sua palavra de ordem é como a ordem que um oficial dá em voz alta à sua tropa. É uma ordem expressa para que os mortos ressuscitem!

O Senhor virá mediante a voz do arcanjo (4.16). O arcanjo era um termo para anjos de grau mais elevado. Essa palavra "arcanjo" só aparece aqui e em Judas 9. Nesta última passagem, o arcanjo é Miguel (Ap 22.7; Dn 10.13,21; 12.1). Ele é representado como líder dos anjos santos e defensor do povo de Deus.[20] Para os crentes essa voz trará plenitude de alegria. Ela soará para proclamar a libertação do povo de Deus. Cristo virá para a libertação da Igreja e o julgamento do mundo.

---

[18] HENDRIKSEN, William. *1 e 2 Tessalonicenses*, p. 171.
[19] RIENECKER, Fritz e ROGERS, Cleon. *Chave linguística do Novo Testamento grego*, p. 444.
[20] HENDRIKSEN, William. *1 e 2 Tessalonicenses*, p. 172.

O Senhor virá mediante o ressoar da trombeta de Deus (4.16). A trombeta era usada pelos judeus em suas festas, e também era associada com as teofanias e com o Fim, e é, também ligada com a ressurreição dos mortos.[21] No Império Romano, as trombetas eram utilizadas para anunciar a chegada de uma pessoa importante.[22] William Hendriksen tece o seguinte comentário acerca do sonido da trombeta:

> O sonido da trombeta aqui é muito apropriado. Na antiga dispensação, quando Deus "descia", por assim dizer, para encontrar-se com Seu povo, este encontro era anunciado por meio do sonido de uma trombeta (Êx 19.16,17). Por isso, quando as bodas do Cordeiro com sua noiva atingir seu apogeu (Ap 19.7), este clangor de trombeta será muitíssimo apropriado. Da mesma forma, a trombeta era usada como sinal da vinda do Senhor para resgatar Seu povo da opressão hostil (Sf 1.6; Zc 9.14). Foi o sinal de seu livramento. Assim também este último sonido de trombeta será o sinal para os mortos ressurgirem, para os vivos se transformarem e para que todos os eleitos de Deus sejam reunidos dos quatro ventos (Mt 24.31) para o encontro do Senhor.[23]

Essa descida do Rei dos reis, acompanhada dos anjos e remidos, entre nuvens será visível, audível, e majestosa. Ele virá para juízo e também para livramento (Mt 25.31-46).

O arrebatamento (4.17)

A palavra "arrebatamento" foi utilizada em vários contextos do Novo Testamento. O uso variado da palavra lança luz sobre esse auspicioso evento por vir.

Não estaremos usando aqui o termo "arrebatamento" no mesmo sentido empregado pelos dispensacionalistas. Os dispensacionalistas pregam um arrebatamento invisível e inaudível.[24] Não subscrevemos

---

[21] RIENECKER, Fritz e ROGERS, Cleon. *Chave linguística do Novo Testamento grego*, p. 444.
[22] WIERSBE, Warren W. *Comentário bíblico expositivo*. Vol. 6, p. 234.
[23] HENDRIKSEN, William. *1 e 2 Tessalonicenses*, p. 173.
[24] HENDRIKSEN, William. *A vida futura*, p. 200.

a doutrina do arrebatamento secreto e distinto da segunda vinda visível. Não entendemos que o ensino dispensacionalista, que afirma que a segunda vinda de Cristo se dará em dois turnos, um secreto e outro visível, tenha amparo nas Escrituras. Cremos, sim, que a segunda vinda será única, visível, audível, e gloriosa.

Como essa palavra "arrebatamento" foi usada no Novo Testamento? Warren Wiersbe sugere quatro formas diferentes dessa palavra que lançam luz sobre o arrebatamento dos salvos.[25]

1. *Foi empregada no sentido de arrebatar rapidamente* (At 8.39). Filipe foi arrebatado rapidamente da presença do eunuco. Quando Cristo vier no ar, entre nuvens, os mortos em Cristo ressuscitarão com corpos gloriosos e nós os que estivermos vivos seremos transformados e arrebatados rapidamente como num piscar de olhos (1Co 15.52).
2. *Foi usada no sentido de arrebatar pela força* (Jo 6.15). A multidão estava com o intuito de arrebatar Jesus para fazê-lo rei. Cristo nos arrebatará e nos tomará da terra. Nada nos deterá aqui. Nada nos prenderá a este mundo. Não hesitaremos como a mulher de Ló. Seremos arrancados como por uma força magnética. Seremos atraídos a Jesus pelo Seu poder para encontrá-Lo nos ares.
3. *Foi utilizada no sentido de arrebatar para um novo lugar* (2Co 12.3). Paulo foi arrebatado da terra para o céu. Jesus foi preparar-nos um lugar (Jo 14.3). Quando Ele vier, Ele vai nos levar para a Casa do Pai. Nós somos peregrinos aqui neste mundo. Nossa casa permanente não é aqui. Nossa Pátria não está aqui. A nossa Pátria está no céu (Fp 3.20,21).
4. *Foi usada no sentido de arrebatar do perigo* (At 23.10). Paulo foi arrebatado da turba de judeus que queriam matá-lo. O mundo está maduro para o juízo. O mundo sofrerá o ardor da ira de Deus no Seu justo julgamento. Porém, nós não entraremos em juízo condenatório. Não estamos destinados para a ira, mas para vivermos em deliciosa comunhão com o Senhor por toda a eternidade.

---

[25] WIERSBE, Warren W. *Comentário bíblico expositivo*. Vol. 6, p. 234, 235.

A eternidade com o Senhor (4.17,18)

Os salvos serão arrebatados para viverem eternamente com o Senhor. A eternidade é mais do que uma duração infinita de tempo; é uma qualidade superlativa de vida. A eternidade é uma reunião, em que os salvos estarão para sempre com o Senhor. A essência da vida eterna é comunhão com Deus e com Seu Filho (Jo 17.3).

A palavra grega *apanthesis*, "reunião", "encontro" tem um sentido técnico no mundo helenístico em relação à visita de dignitários às cidades, onde o visitante seria formalmente encontrado pelos cidadãos, ou uma delegação deles, que teria saído da cidade para esse propósito e, então, seria cerimonialmente escoltado de volta para a cidade.[26] O sentido original era de "encontrar-se com alguém da realeza ou com alguma pessoa importante".[27]

Como será essa reunião com o Senhor?

Esse encontro será a festa apoteótica das bodas do Cordeiro. A eternidade não será uma sucessão de tempo interminável, monótona, e entediante. A eternidade será uma festa que nunca vai acabar. A Bíblia diz que esse será como um dia eterno da celebração das bodas do Cordeiro. As bodas tinham quatro estágios:

1. *O compromisso do noivado*. Cristo se comprometeu em amor com Sua noiva. Ela está se preparando e se ataviando para o Seu noivo.
2. *A preparação para o casamento*. Nesse tempo o noivo paga o dote pela noiva e a noiva se atavia para o noivo. Cristo morreu pela Sua Igreja e a Igreja está se preparando para receber Jesus.
3. *O cortejo do noivo à casa da noiva com seus amigos*. O noivo é acompanhado dos amigos com música até à casa da noiva. Cristo virá com os anjos e os remidos ao som da trombeta de Deus para buscar a Sua noiva, a Igreja. Depois Ele volta com Sua noiva gloriosa para a Casa do Pai.
4. *A festa das bodas, então, tem início*. Este será o encontro íntimo, eterno, e bendito entre o Cordeiro e Sua noiva, quando pela eternidade sem

---

[26] RIENECKER, Fritz e ROGERS, Cleon. *Chave linguística do Novo Testamento grego*, p. 444.
[27] WIERSBE, Warren W. *Comentário bíblico expositivo*. Vol. 6, p. 235.

fim desfrutaremos Sua presença e nos deleitaremos em Sua comunhão. Não apenas teremos total e íntima comunhão com Cristo, mas também vamos nos relacionar intimamente uns com os outros. Seremos uma só família, um só rebanho (1Co 13.12).

Este encontro será glorioso. A vinda de Cristo será um dia de trevas para os inimigos do Cordeiro e um dia de glória para a Igreja. A Babilônia, o falso profeta, o anticristo, o dragão, a morte e aqueles que não tiveram seus nomes inscritos no livro da vida serão lançados no lago de fogo. Porém, os remidos, com corpos luminosos como o sol em seu fulgor, subirão para reinarem com Cristo por toda a eternidade. Entrarão, enfim, naquele lar onde não haverá mais dor, nem lágrimas, nem luto. Então, se cumprirá o desejo de Cristo, que nós possamos um dia ver Sua glória e compartilhar dela (Jo 17.22-24). O apóstolo Paulo diz que essa esperança bendita nos ajuda a enfrentar os sofrimentos do tempo presente (Rm 8.18), pois em comparação com a glória por vir a ser revelada em nós, as nossas tribulações, aqui, são leves e momentâneas (2Co 4.17).

Este encontro será eterno (4.17). O apóstolo Paulo acentua: [...] *e, assim, estaremos para sempre com o Senhor* (4.17). O propósito da redenção não é apenas nos livrar da condenação, mas também nos conduzir à comunhão com Cristo para sempre e sempre. Nesse encontro não haverá despedidas nem adeus. Antonio Hoekema, refutando a tese dispensacionalista de um arrebatamento pré-tribulacional, escreve:

> A ideia que depois de encontrar com o Senhor nos ares estaremos com Ele durante sete anos no céu, e mais tarde durante mil anos sobre a terra, é pura especulação e nada mais. A unidade eterna com Cristo na glória é o claro ensino desta passagem, e não um arrebatamento pré-tribulacional.[28]

Howard Marshall corretamente afirma que a ideia da existência interminável não é especialmente atraente ou consoladora se não é

---

[28] HOEKEMA, Antonio A. *La Bíblia e el futuro*. Grand Rapids, Michigan: Subcomision Literatura Cristiana, 1984, p. 193.

melhor do que a vida atual. Para o cristão, no entanto, a vida aqui e agora é a vida em comunhão com Jesus, e a esperança futura é de uma vida ainda mais estreitamente ligada a Ele.[29]

Duas conclusões devem ser extraídas dessa magnífica passagem:

A segunda vinda de Cristo marcará o fim das oportunidades. Desde o momento em que o Senhor surge nas nuvens do céu e se põe a descer, não haverá mais oportunidade para conversão. Ele não vem para salvar, mas para julgar, frisa William Hendriksen.[30] Ele não vem mais como o servo sofredor, mas como o rei vitorioso. Ele não vem mais com as marcas dos cravos em Suas mãos, mas com o cetro de ferro para subjugar as nações. Quando a trombeta soar não haverá mais tempo para se preparar. A porta estará fechada e, então, será tarde demais para se buscar a salvação. Agora é o tempo aceitável. Hoje é o dia da salvação.

A segunda vinda de Cristo deve encher o coração dos salvos de consolo. O propósito de Paulo ao ensinar sobre a segunda vinda de Cristo e a ressurreição não é alimentar a curiosidade frívola, mas consolar os crentes. Uma vez esclarecido que os que adormecem em Cristo não sofrem nenhuma desvantagem em relação aos sobreviventes, surge, pois, uma sólida base para o encorajamento, lembra William Hendriksen.[31] Aqueles que creem em Cristo e foram perdoados; cujos nomes estão escritos no livro da vida, não têm motivo para se entristecerem. Eles deviam animar uns aos outros uma vez que caminhamos não para uma tumba fria, mas para o alvorecer da ressurreição. Nosso destino é a glória. Nossa Pátria é o céu. Temos uma viva e bendita esperança. Temos uma imarcescível coroa para receber. Temos uma mui linda herança. Temos pela frente o paraíso, a Casa do Pai, o lar celeste, a nova Jerusalém, a bem-aventurança eterna!

---

[29] MARSHALL, I. Howard. *I e II Tessalonicenses: Introdução e comentário*, p. 151.
[30] HENDRIKSEN, William. *1 e 2 Tessalonicenses*, p. 176.
[31] HENDRIKSEN, William. *1 e 2 Tessalonicenses*, p. 177.

7

Que **atitude** a Igreja deve ter em relação à segunda vinda de Cristo?

1 Tessalonicenses 5.1-11

A DOUTRINA DAS ÚLTIMAS COISAS, especialmente a segunda vinda de Cristo, tem despertado grande interesse nos círculos evangélicos nos últimos dois séculos. Inúmeras obras foram escritas com as perspectivas as mais diferentes. Essa revitalização da doutrina trouxe fortalecimento na fé e profundo engajamento missionário por parte de alguns e, infelizmente, sérios desvios por parte de outros.

Atualmente, vemos dois extremos com respeito ao debate desse assunto:

Aqueles que se entregam à curiosidade frívola. Não poucos estudiosos da Bíblia, no afã de mergulhar nas profecias bíblicas, chegam às raias do entusiasmo inconsequente, marcando data para a segunda vinda de Cristo e descrevendo minúcias desse auspicioso acontecimento escatológico.

A grande tese de Paulo é que a Igreja não deve se preocupar com as minúcias da data da segunda vinda de Cristo, mas, sim, estar preparada para a Sua volta. Vigilância e trabalho e não especulação é o que a Bíblia ensina quanto a esse momentoso tema.

A razão por que não foi necessário Paulo escrever para os tessalonicenses acerca dos tempos e épocas da segunda vinda de Cristo (5.1) não era que ele julgasse essas informações irrelevantes ou desnecessárias, mas porque ele já havia ensinado a eles que este tema estava além da esfera de seu ensino. O papel da Igreja não é saber tempos ou épocas que o Pai reservou para a Sua exclusiva autoridade, mas estar engajada na obra e preparada para a *parousia*.[1] O dia da segunda vinda de Cristo não foi revelado aos anjos nem a nós. É da autoridade exclusiva do Pai (Mt 24.36; At 1.7).

Aqueles que se entregam ao ceticismo incrédulo. Se por um lado existem aqueles que deixam de fazer a obra por causa da expectativa iminente da segunda vinda há também, de outro lado, aqueles que vivem despreocupadamente sem dar crédito a ela. Estes são zombadores e escarnecedores, que andam dizendo: *Onde está a promessa da sua vinda? Porque, desde que os pais dormiram, todas as coisas permanecem como desde o princípio da criação* (2Pe 3.4).

No meio desses dois extremos, como a Igreja de Cristo deve se portar? Que atitude deve ter em relação à segunda vinda de Cristo? George Barlow defende a ideia de que a Igreja deve aguardar a segunda vinda de Cristo com uma atitude de expectativa, vigilância, coragem militante e confiança.[2] Consideremos esses pontos:

A Igreja deve **aguardar** a segunda vinda de Cristo com **grande expectativa** (5.1-3)

Em 1Tessalonicenses 4.13-18 o apóstolo Paulo respondeu à pergunta sobre a situação das pessoas que morrem em Cristo, dizendo que elas não estão em nenhuma desvantagem com respeito aos vivos. Agora, Paulo responde a mais uma pergunta da igreja sobre o tempo e a forma da segunda vinda de Cristo.

A segunda vinda de Cristo virá em tempo desconhecido pela igreja (5.1). Paulo já havia ensinado a igreja sobre o *crónos* e o *kairós* de Deus em relação à segunda vinda (5.1). O mesmo fizera Jesus com os apóstolos (At 6.6,7), dizendo-lhes que não lhes competia saber tempos ou épocas. O dia da segunda vinda de Cristo só é conhecido por Deus

---
[1] GLOAG, P. J. *I Thessalonians*. In *The pulpit commentary*. Vol. 21, p. 102.
[2] BARLOW, George. *The preacher's complete homiletic commentary*. Vol. 28, p. 535-537.

(Mt 24.36). Qualquer especulação sobre essa data é perda de tempo e desobediência ao ensino bíblico.

A palavra *crónos* significa o tempo cronológico, os acontecimentos que se seguem um ao outro, enquanto *kairós* é um tempo particular e a natureza dos eventos que acontecem. Fritz Rienecker ensina que a palavra *crónos* denota simplesmente duração de tempo ou o tempo visto em sua extensão, enquanto *kairós* refere-se ao tempo apropriado, o momento certo.[3]

A igreja de Tessalônica queria saber detalhes sobre o tempo da segunda vinda de Cristo e Paulo não tem nada a acrescentar além do que já havia ensinado oralmente aos crentes quando de sua permanência entre eles. Eles queriam saber com precisão o tempo da segunda vinda. Mas Paulo não é um escatologista que se detém em datas. Ele não vive com uma calculadora na mão fazendo contas para marcar datas nem com um mapa profético fazendo conexões entre estes e aqueles acontecimentos históricos. Ele já ensinara à igreja que a ninguém foi dado conhecer com precisão o tempo exato da segunda vinda de Cristo. Somente Deus conhece esse dia!

Muitas igrejas, infelizmente, estão tão preocupadas com os sinais da segunda vinda que esquecem de fazer a obra de Deus.

A segunda vinda de Cristo será repentina (5.2). O apóstolo Paulo afirma: [...] *pois vós mesmos estais inteirados com precisão de que o Dia do Senhor vem como ladrão de noite* (5.2). A palavra traduzida "com precisão" significa "acuradamente" ou "detalhadamente". Howard Marshall diz que muitas pessoas hoje desejam ardentemente informações detalhadas acerca do tempo e do curso dos últimos eventos, e há escritores que estão dispostos a responder às perguntas escatológicas com pormenores minuciosos e com não pouca imaginação. Alguns defensores do ensino "dispensacional" a respeito da segunda vinda de Jesus são especialmente propensos a oferecer cronogramas exaustivos e esmerados dos eventos futuros. Paulo não é assim. Quando lhe pediram informações detalhadas, nada mais tinha para dizer senão aquilo que diz nesta passagem. Os ensinadores cristãos atualmente fariam bem

---

[3] RIENECKER, Fritz e ROGERS, Cleon. *Chave linguística do Novo Testamento grego*, p. 444.

se seguissem seu exemplo e assim evitassem ir além daquilo que está escrito (1Co 4.6).[4]

A segunda vinda de Cristo virá como um ladrão de noite. Essa mesma comparação é usada pelo Senhor Jesus Cristo (Mt 24.43; Lc 12.39), bem como pelo apóstolo Pedro (2Pe 3.10). Jesus virá de forma repentina e rápida. Essa vinda é descrita como um relâmpago que sai do oriente e vai até o ocidente. Ela será tão repentina quanto um abrir e fechar de olhos. Quando se ouvir o grito do noivo, não haverá mais tempo para se preparar. Quando o noivo chegar, a porta será fechada e ninguém mais poderá entrar.

A segunda vinda de Cristo será inesperada (5.2). O ladrão vem quando não é esperado e pega a família de surpresa. Ele sempre chega de surpresa. Ele não envia um telegrama anunciando o dia e a hora da sua chegada.

William Hendriksen observa que um ladrão nunca envia antecipadamente uma carta de advertência sobre o seu plano, dizendo: "Amanhã a tal hora farei uma visita. Esconda em lugar seguro os seus valores". Não! Ele vem repentina e inesperadamente. Por isso, é perda de tempo indagar quanto tempo falta ou quando será.[5] Quando Cristo voltar, as pessoas não vão estar apercebidas. Elas estarão despreparadas e desprevenidas. Jesus alerta para esse fato solene em uma parábola:

> Sabei, porém, isto: se o pai de família soubesse a que hora havia de vir o ladrão, [vigiaria e] não deixaria arrombar a sua casa. Ficai também vós apercebidos, porque, à hora em que não cuidais, o Filho do homem virá (Lc 12.39,40).

Howard Marshall lembra que o ponto de comparação é duplo. Primeiro, expressa a imprevisão do evento. O ladrão vem quando não é esperado, e pega a família de surpresa. Segundo, provavelmente devamos também ver um elemento de uma má acolhida. Paulo está olhando a questão do ponto de vista daqueles que descobrirão que o Dia é de

---

[4]MARSHALL, I. Howard. *I e II Tessalonicenses: Introdução e comentário*, p. 161.
[5]HENDRIKSEN, William. *1 e 2Tessalonicenses*, p. 180.

julgamento, e, portanto, diz que será tão repentino e mal recebido quanto a visita de um arrombador.[6]

O mundo será pego de surpresa, porque se recusa a ouvir a Palavra de Deus e a atentar para a Sua advertência. Deus avisou que o dilúvio estava a caminho e, no entanto, somente oito pessoas creram e foram salvas (1Pe 3.20). Ló avisou sua família de que a cidade seria destruída, mas ninguém lhe deu ouvidos (Gn 19.12-14). Jesus avisou Sua geração de que Jerusalém seria destruída (Lc 21.20-24), mas muitos pereceram durante o cerco.[7]

O Senhor Jesus disse que na Sua segunda vinda o mundo vai estar desatento, pois será como nos dias do dilúvio. As pessoas estarão cuidando dos seus interesses: casando-se, e dando-se em casamento, comendo, bebendo e festejando. Estas coisas não são más em si mesmas. Quando, porém, a alma é totalmente absorvida por elas, como um fim em si mesma, de tal forma que as necessidades espirituais são negligenciadas, então elas se transformam em maldição e não mais são uma bênção.[8]

A segunda vinda de Cristo virá num tempo de aparente paz e segurança no mundo (5.3). O apóstolo Paulo alerta: *Quando andarem dizendo: Paz e segurança, eis que lhes sobrevirá repentina destruição, como vêm as dores de parto à que está para dar à luz; e de nenhum modo escaparão* (5.3). A fraseologia "paz e segurança" ecoa nas passagens do Antigo Testamento (Jr 6.14; 8.11; Ez 13.10; Mq 3.5), que falam da atividade de falsos profetas que asseguravam o povo de que nada tinha a temer a despeito da podridão que caracterizava a sociedade.

Aqui em Paulo, no entanto, o pensamento pode dizer respeito mais ao mundo pecaminoso que se consola pensando que nada lhe pode acontecer (2Pe 3.3,4). Será exatamente quando isto estiver sendo dito que lhes sobrevirá repentina destruição, afirma Howard Marshall.[9] Russel Norman Champlin diz que a palavra grega *eirene*, "paz", alude

---

[6] MARSHALL, I. Howard. *I e II Tessalonicenses: Introdução e comentário*, p. 162.
[7] WIERSBE, Warren W. *Comentário bíblico expositivo*. Vol. 6, p. 238.
[8] HENDRIKSEN, William. *1 e 2Tessalonicenses*, p. 181.
[9] MARSHALL, I. Howard. *I e II Tessalonicenses: Introdução e comentário*, p. 162,163.

ao contentamento no íntimo, à tranquilidade, supostamente baseada na paz estabelecida entre os homens. Já o termo *asphaleia*, "segurança", indica uma segurança sem obstáculos e perturbações.[10]

Quando Cristo voltar, o mundo vai estar pensando que a sociedade estará marcada por paz e segurança. Os homens ímpios terão um grande senso de segurança. "Os incrédulos do mundo são como bêbados vivendo em um paraíso falso e desfrutando uma segurança falsa."[11] Os governos mundiais e órgãos internacionais estarão erguendo monumentos a essa aparente paz e segurança. Os homens pensarão firmemente que estarão no controle da situação. Por isso, podemos afirmar que a segunda vinda não será num tempo óbvio para as nações. Os homens estarão no apogeu da sua autoconfiança. Eles estarão se sentindo na fortaleza da paz interna e da segurança externa. Quando, porém, eles pensarem que estarão mais seguros, então lhes sobrevirá o maior perigo.

Jesus descreveu essa aparente segurança dos homens quando da Sua segunda vinda assim:

> *Assim como foi nos dias de Noé, será também nos dias do Filho do homem: comiam, bebiam, casavam e davam-se em casamento, até o dia em que Noé entrou na arca, e veio o dilúvio e destruiu a todos. O mesmo aconteceu nos dias de Ló: comiam, bebiam, compravam, vendiam, plantavam e edificavam; mas, no dia em que Ló saiu de Sodoma, choveu do céu fogo e enxofre e destruiu todos. Assim será no dia em que o Filho do homem se manifestar* (Lc 17.26-30).

A segunda vinda de Cristo será inescapável (5.3). A repentinidade da *parousia* é enfatizada pela segunda comparação de Paulo: [...] *como vêm as dores de parto à que está para dar à luz; e de nenhum modo escaparão* (5.3). Esta é uma metáfora bíblica comum (Sl 48.6; Is 13.8; 21.17,18; Jr 6.24; 22.23; Mq 4.9) usada para expressar a pura dor e agonia de

---

[10]CHAMPLIN, Russell Norman. *O Novo Testamento interpretado versículo por versículo*. Vol. 5, p. 210.
[11]WIERSBE, Warren W. *Comentário bíblico expositivo*. Vol. 6, p. 239.

experiências desagradáveis. Essa figura enfatiza a inevitabilidade e a inescapabilidade deste julgamento. Para os que estiverem despreparados, o Dia do Senhor terá o caráter de um julgamento certeiro.[12] Russel Normal Champlin enfatiza que o mundo inteiro agonizará como uma mulher que está em trabalho de parto. A mulher grávida traz, em seu próprio ventre, a causa de sua dor eventual. E o mundo, em sua iniquidade, tem o mesmo procedimento, pois nutre aquilo que lhe fará passar por grande dor.[13]

A segunda vinda de Cristo não apenas virá de forma repentina e inesperada, mas também será inescapável. Julgamento e destruição serão absolutamente certos para os ímpios. Todos os seres humanos que não colocaram sua confiança em Cristo irão enfrentar esse terrível Dia do Senhor. Será como a dor de parto que vem inescapavelmente para a mulher grávida. Assim, Paulo está mostrando com essa metáfora a inevitabilidade e a inescapabilidade do julgamento.

Ninguém poderá se esconder dessa manifestação gloriosa nem evitar esse glorioso e terrível dia. Jamais os ímpios escaparão às dores desse mais estupendo evento da história. A desesperada, porém, frustrada tentativa do ímpio para escapar desse dia é vividamente retratada em Apocalipse 6.12-17. Ninguém, porém, escapa!

A segunda vinda de Cristo será um dia de glória e terror ao mesmo tempo (5.3). Se a segunda vinda de Cristo será o dia da recompensa dos salvos (4.13-18), ao mesmo tempo, será um dia de terror e catastrófica destruição para os ímpios (5.3). Exatamente no mesmo instante que o mundo estará se ufanando de sua paz e segurança, uma repentina destruição virá sobre ele. Essa destruição será totalmente inesperada. O profeta Isaías descreve esse terrível dia assim:

> *Uivai, pois está perto o Dia do Senhor; vem do Todo-poderoso como assolação. Pelo que todos os braços se tornarão frouxos, e o coração de todos os homens se derreterá. Assombrar-se-ão, e apoderar-se-ão deles dores e ais,*

---

[12]MARSHALL, I. Howard. *I e II Tessalonicenses: Introdução e comentário*, p. 163.
[13]CHAMPLIN, Russell Norman. *O Novo Testamento interpretado versículo por versículo*. Vol. 5, p. 210.

e terão contorções como a mulher parturiente; olharão atônitos uns para os outros; o seu rosto se tornará rosto flamejante (Is 13.6-8).

Esse dia é descrito como o grande e terrível Dia do Senhor. Será o dia do Juízo. O dia do julgamento. O dia do Senhor, o dia da segunda vinda de Cristo (Mt 24.27,37,39) será o dia de glória para os salvos, mas de pranto, dor e perdição para os ímpios (Am 5.18-20). Os escritores do Novo Testamento identificam "o dia do Senhor" como o dia da segunda vinda de Cristo.

William Barclay ensina que para o judeu todo o tempo estava dividido em duas eras. A era presente que se considerava absoluta e irremediavelmente má. E a era futura que seria a época de ouro de Deus. Mas entre ambas estava o Dia do Senhor. Esse dia seria terrível. Seria como as dores de parto de um mundo novo; um dia em que um mundo se destroçaria e o outro nasceria para a vida.[14]

A igreja deve **aguardar** a segunda vinda de Cristo com **profunda vigilância** (5.4-7)

Warren Wiersbe diz que Paulo está fazendo em todo este parágrafo um contraste entre os salvos que estão preparados para a segunda vinda de Cristo e os ímpios que estão despreparados. O contraste pode ser assim descrito: 1) Conhecimento e ignorância (5.1,2); 2) Expectativa e surpresa (5.3-5); 3) Sobriedade e embriaguez (5.6-8); 4) Salvação e julgamento (5.9-11).[15] Duas verdades merecem destaque:

A vigilância é resultado de uma transformação espiritual (5.4,5). Como dissemos, Paulo, agora, formula um contraste entre os salvos e os ímpios. Ele diz que os salvos são filhos da luz e filhos do dia e não estão mais nas trevas da ignorância e do pecado.

William Hendriksen afirma que esses irmãos se constituem numa nítida antítese com os homens do mundo. Esses últimos estão em trevas, envolvidos por elas, submersos nelas. As trevas entram em seus corações e mentes, em todo o seu ser. Essas são as trevas do pecado e da

---

[14]BARCLAY, William. *Filipenses, Colosenses, I y II Tesalonicenses*, p. 212.
[15]WIERSBE, Warren W. *Comentário bíblico expositivo*. Vol. 6, p. 237-241.

descrença. É em razão dessas trevas que os descrentes não são sóbrios nem vigilantes.[16]

A segunda vinda de Cristo, entrementes, não apanhará os filhos da luz dormindo desprevenidos e despreparados. Embora os salvos não saibam o dia nem a hora da segunda vinda de Cristo, eles têm azeite em suas lâmpadas e estarão esperando o noivo e sairão ao Seu encontro. Os salvos amam a segunda vinda, esperam a segunda vinda, oram pela segunda vinda e apressam a segunda vinda por intermédio de um serviço consagrado. Para estes, a segunda vinda será dia de luz e não de trevas!

Os crentes foram transformados. Eles não vivem apenas de aparência como as cinco virgens néscias. Eles não deixam para se preparar na última hora. Eles não fizeram apenas mudanças externas. Eles foram transformados radicalmente como a luz se diferencia das trevas e o dia da noite. Quando a rainha Maria de Orange estava morrendo, seu capelão tentou prepará-la com uma leitura. Ela respondeu: "Eu não deixei este assunto para esta hora".[17]

A vigilância deve ser constante (5.6,7). Paulo exorta sobre o perigo de o crente imitar o ímpio em vez de influenciá-lo; o perigo de a igreja assimilar o mundo em vez de confrontá-lo. Os filhos da luz não podem dormir como aqueles que vivem nas trevas.

Dormir aqui não tem o sentido natural (descansar) nem o sentido metafórico (morrer), mas o sentido moral (viver como se nunca houvesse de vir o dia do Juízo). Pressupõe-se a existência de relaxamento espiritual e moral. Significa estar despreparado como as cinco virgens loucas (Mt 25.3,8).[18] Howard Marshall nesta mesma linha de pensamento afirma que aqui a referência diz respeito a um sono moral, o estado em que uma pessoa é espiritualmente inconsciente e insensível à chamada de Deus. O sono e a embriaguez estão associados com a noite e não com o dia; são estados que pertencem à situação da qual os cristãos já foram libertos.[19]

---

[16] HENDRIKSEN, William. *1 e 2Tessalonicenses*, p. 182.
[17] BARCLAY, William. *Filipenses, Colosenses, I y II Tesalonicenses*, p. 213.
[18] HENDRIKSEN, William. *1 e 2Tessalonicenses*, p. 184.
[19] MARSHALL, I. Howard. *I e II Tessalonicenses: Introdução e comentário*, p. 166.

Quando uma pessoa está dormindo ela não está alerta nem envolvida no que está acontecendo ao seu redor. Assim, quando um crente está dormindo ele não está vigiando nem está envolvido nas coisas de Deus. Jesus adverte: *Vigiai, pois, porque não sabeis o dia nem a hora* (Mt 25.13).

O apóstolo Paulo fala sobre dois aspectos vitais nessa preparação para a segunda vinda de Cristo:

1. *A necessidade de vigiar* (5.6). Os filhos da luz devem estar atentos e viver de olhos abertos. Eles devem observar os avisos e atentar para as promessas. Devem viver em obediência sabendo que o dia do juízo se aproxima. William Hendriksen diz que ser vigilante significa viver uma vida santificada, consciente da vinda do dia do juízo. Pressupõe-se precaução espiritual e moral.[20]
2. *A necessidade de ser sóbrio* (5.6,7). Ser sóbrio significa estar cheio de ardor moral e espiritual; não é viver superempolgado, por um lado, nem indiferente por outro, porém, calma, firme e racionalmente.[21] A sobriedade é exatamente o oposto da embriaguez.

Howard Marshall escreve que o bêbado é uma pessoa que perde o controle das suas faculdades e está fora de contato com a realidade.[22] Uma pessoa sóbria, porém, tem autocontrole. Uma pessoa embriagada, por sua vez, não apenas perde o autocontrole, mas também não se apercebe dos perigos à sua volta. Ser sóbrio é viver preparado para a segunda vinda de Cristo a todo instante. Devemos ter azeite em nossas lâmpadas todo dia. Devemos vigiar todo dia. Devemos aguardar a vinda do Senhor todo dia. Devemos orar para que Ele venha todo dia. O apóstolo Paulo escreveu:

> *E digo isto a vós outros que conheceis o tempo: já é hora de vos despertardes do sono; porque a nossa salvação está, agora, mais perto do que quando no princípio cremos. Vai alta a noite, e vem chegando o dia. Deixemos, pois, as obras*

---

[20] HENDRIKSEN, William. *1 e 2Tessalonicenses*, p. 184.
[21] HENDRIKSEN, William. *1 e 2Tessalonicenses*, p. 185.
[22] MARSHALL, I. Howard. *I e II Tessalonicenses: Introdução e comentário*, p. 166.

das trevas e revistamo-nos das armas da luz. Andemos dignamente, como em pleno dia, não em orgias e bebedices, não em impudicícias e dissoluções, não em contendas e ciúmes; mas revesti-vos do Senhor Jesus Cristo e nada disponhais para a carne no tocante às suas concupiscências (Rm 13.11-14).

A igreja deve **aguardar** a segunda vinda de Cristo com **corajosa militância** (5.8).

Três verdades são destacadas pelo apóstolo Paulo:

Devemos aguardar a segunda vinda de Cristo não como espectadores passivos, mas como soldados militantes (5.8). Muitas pessoas adotam uma posição escapista e omissa em relação à segunda vinda de Cristo. Trancam-se em seus guetos, vasculhando profecias e sinais ao mesmo tempo em que se escondem dos confrontos sociais. Vivem tão absortas com as profecias que esquecem da missão. Vivem tão ocupadas em identificar tempos e épocas reservados apenas ao Senhor que esquecem de obedecer à grande comissão dada pelo Senhor.

Warren Wiersbe corretamente afirma que viver na expectativa da segunda vinda de Cristo não é vestir um lençol branco e assentar-se no alto de um monte. É justamente esse tipo de atitude que Deus condena (At 1.10,11). Antes, é viver à luz de Sua volta, conscientes de que nossas obras serão julgadas e de que não teremos novas oportunidades de servir. É viver de acordo com os valores da eternidade.[23]

Há aqueles que chegam a pensar e a pregar que quanto pior melhor, pois assim, Cristo está mais perto de voltar para buscar a Sua igreja. Aqueles que subscrevem essa visão míope fogem do mundo, em vez de serem elementos de transformação no mundo. A posição cristã é de enfrentamento e não de fuga. Aguardamos a segunda vinda de Cristo não fugindo dos embates do mundo com vestes ascensionais, mas entrando no campo de combate como soldados de Cristo. Devemos lutar para acordar os que estão dormindo (Ef 5.14). Devemos vigiar para que o inimigo não nos enrede com suas astúcias. Devemos nos preparar para aguardar o nosso grande Deus e Salvador, Jesus Cristo (1Jo 3.3).

---

[23] WIERSBE, Warren W. *Comentário bíblico expositivo*. Vol. 6, p. 238.

Devemos aguardar a vinda de Cristo protegendo nossos corações e mentes em Cristo (5.8). A couraça protege o coração e o capacete protege a cabeça. Mente e coração devem ser protegidos na medida em que entramos nessa renhida peleja. O que pensamos e o que sentimos deve estar debaixo da proteção divina enquanto aguardamos a segunda vinda de Cristo. Razão e emoção precisam estar protegidas.

A fé e o amor são como uma couraça que cobre o coração: a fé em Deus e o amor pelo povo de Deus. A esperança é um capacete resistente que protege os pensamentos. Russel Norman Champlin diz que a armadura aqui aludida é a proteção espiritual para a cabeça e o coração. Com a cabeça e o coração corretos, o homem inteiro andará direito.[24] Os incrédulos enchem sua mente das coisas deste mundo, enquanto os cristãos consagrados voltam sua atenção para as coisas do alto (Cl 3.1-3).[25]

Devemos aguardar a segunda vinda de Cristo revestindo-nos das três virtudes cardeais (5.8). A fé e o amor nos protegem o coração e a esperança da salvação protege nossa mente. Uma fé viva em Cristo e um amor profundo por Deus e pelo próximo nos livram dos dardos inflamados do maligno. Uma esperança firme na gloriosa salvação e recompensa que se consumarão na segunda vinda de Cristo protege nossa mente de qualquer dúvida ou sedução deste mundo.

A fé e o amor são as qualidades essenciais que o cristão deve demonstrar com relação a Deus e os homens, e a esperança da salvação final é a garantia que o capacita a perseverar a despeito de todas as dificuldades, lembra Howard Marshall.[26]

A igreja deve **aguardar** a segunda vinda de Cristo com **sólida confiança** (5.9,10)

O apóstolo Paulo tem a garantia do futuro porque finca os pés no solo firme do passado. Ele tem certeza da glória, porque está estribado na

---

[24]CHAMPLIN, Russell Norman. *O Novo Testamento interpretado versículo por versículo*. Vol. 5, p. 213.
[25]WIERSBE, Warren W. *Comentário bíblico expositivo*. Vol. 6, p. 239.
[26]MARSHALL, I. Howard. *I e II Tessalonicenses: Introdução e comentário*, p. 168.

redenção realizada na cruz. Três verdades benditas são destacadas por Paulo com respeito à nossa salvação:

A eleição divina (5.9). A nossa salvação não nos foi dada como resultado dos nossos méritos ou obras, mas como destinação do próprio Deus. A salvação tem dois aspectos: um negativo e outro positivo. Negativamente, a salvação é o livramento da ira. Deus não nos destinou para a ira (1.10; 5.9). Positivamente, a salvação é a apropriação dos resultados da obra de Cristo na cruz (5.9,10). Deus nos destinou para a salvação: *Porquanto Deus enviou o Seu Filho ao mundo, não para que julgasse o mundo, mas para que o mundo fosse salvo por ele* (Jo 3.17).

A redenção na cruz (5.9,10). A razão por que os crentes podem aguardar a salvação e não a ira encontra-se na Pessoa de Jesus que morreu por eles. Se Jesus não tivesse morrido, teriam sido destinados para a ira. A morte de Cristo teve o efeito de um sacrifício expiador do pecado e que, ao morrer, Ele ficou solidário conosco em nossa pecaminosidade a fim de que sejamos solidários com Ele na Sua justiça.[27]

Alcançamos a salvação mediante nosso Senhor Jesus Cristo. Não é pelos Seus ensinos ou milagres, mas por Sua morte. A eleição divina não anula a cruz de Cristo, mas está centrada nela. Somos salvos pela morte de Cristo. Foi Seu sacrifício vicário e substitutivo que nos livrou da ira e nos deu a vida eterna. Não podemos separar a teologia da cruz da teologia da glória. Jesus morreu a nossa morte para vivermos a Sua vida.

A razão por que os crentes podem aguardar a glória e não a ira é porque o Pai os destinou para a salvação (2Tm 1.9; 2Ts 2.13; Ef 1.4) e porque Cristo morreu por eles. Aqueles a quem Deus predestina, a esses também Deus chama, justifica e glorifica (Rm 8.30).

A comunhão eterna (5.10). Paulo acentua que tanto os que estão vivos (os que vigiam), quanto os que morrem (dormem) estarão em união com Cristo. Estamos unidos com Cristo agora e estaremos unidos com Ele no céu. Estamos em Cristo, enxertados nEle. Já morremos com Ele. Já ressuscitamos com Ele. Já estamos assentados nas regiões celestiais com Ele. Estaremos com Ele para sempre. Reinaremos com

---

[27]MARSHALL, I. Howard. *I e II Tessalonicenses: Introdução e comentário*, p. 169,170.

Ele por toda a eternidade. Nada nem ninguém neste mundo nem no porvir poderá nos separar dEle.

A confiança na herança dessas bênçãos encoraja os crentes ao consolo recíproco e à edificação mútua (5.11). O crente não apenas edifica-se a si mesmo, ele é edificado por outros. O crescimento espiritual da igreja depende da contribuição de cada um dos membros. Grande parte do nosso trabalho até a gloriosa volta do Senhor é confortar e encorajar uns aos outros. Precisamos encorajar uns aos outros com respeito à nossa gloriosa esperança. Nossa Pátria não está aqui. Nosso destino é a glória.

8

Como cultivar relacionamentos saudáveis na igreja

1 Tessalonicenses 5.12-28

A IGREJA É UMA FAMÍLIA EM QUE OS RELACIONAMENTOS devem ser pautados pelo amor. O nome favorito utilizado por Paulo para descrever os crentes é "irmãos". Ele usou esse título pelo menos sessenta vezes em suas cartas e nestas duas cartas aos tessalonicenses, ele o empregou 27 vezes.

Não há família saudável sem relacionamentos saudáveis. Depois de falar sobre a esperança futura dos salvos e a maneira que devemos aguardar dos céus o Senhor Jesus, Paulo conclui sua carta tratando de alguns aspectos práticos acerca da comunhão na família cristã.

Vamos examinar esses princípios dentro de quatro perspectivas: a relação dos crentes com a liderança da igreja, a relação dos crentes entre si, a relação dos crentes com Deus e a relação da liderança da igreja com os crentes.

A relação dos **crentes** com a **liderança** da igreja (5.12,13)

O apóstolo Paulo destaca duas atitudes imprescindíveis que os crentes devem ter em relação aos líderes espirituais da igreja:

Os crentes devem acatar com apreço os líderes (5.12). Paulo, pavimentando o caminho de um relacionamento saudável dentro da igreja, se dirige aos crentes como irmãos e lhes faz um apelo, em vez de dar-lhes uma ordem. Pedir produz resultados melhores do que ordenar. Um líder sábio não esbraveja ordens, mas suplica com doçura.

A razão por que os crentes devem acatar e obedecer aos líderes com apreço é por causa do trabalho que realizam. Não é uma questão de prestígio pessoal, é o trabalho que faz grande a um homem; sua insígnia de honra é o serviço que realiza, preceitua William Barclay.[1]

Os líderes são chamados por Paulo de trabalhadores, superintendentes e admoestadores. Howard Marshall afirma corretamente que estes são três aspectos do trabalho do mesmo grupo de pessoas, e não uma lista de três categorias de pessoas. Esses são aqueles que exercitam a liderança na comunidade.[2] Os líderes são dádivas de Deus à igreja.

Paulo elenca três aspectos do trabalho dos líderes:

A liderança é um posto de trabalho e não de privilégios (5.12). Paulo afirma: [...] *que acateis com apreço os que trabalham entre vós...* Os líderes devem ser obedecidos em razão da natureza do seu trabalho. A palavra grega *kopiao* refere-se tanto ao trabalho corporal quanto ao mental.[3] William Hendriksen diz que Paulo com frequência usava esse verbo *kopiao* ao pensar no trabalho que requeria esforço extremado e que resultava em canseira.[4] O autor aos Hebreus escreve assim:

> *Obedecei aos vossos guias e sede submissos para com eles; pois velam por vossa alma, como quem deve prestar contas, para que façam isto com alegria e não gemendo; porque isto não aproveita a vós outros* (Hb 13.17).

O líder espiritual é um servo, um trabalhador. A liderança na igreja não é um posto de privilégios, mas uma plataforma de serviço. Os líderes trabalham entre os irmãos e não acima deles. Eles não são dominadores do rebanho, mas servos dele. Eles não vivem para explorar as ovelhas, mas para apascentá-las.

---

[1] BARCLAY, William. *Filipenses, Colosenses, I y II Tesalonicenses*, p. 214.
[2] MARSHALL, I. Howard. *I e II Tessalonicenses: Introdução e comentário*, p. 176.
[3] RIENECKER, Fritz e ROGERS, Cleon. *Chave linguística do Novo Testamento grego*, p. 446.
[4] HENDRIKSEN, William. *1 e 2Tessalonicenses*, p. 197.

A liderança é um ministério de presidência dada por Deus (5.12). Paulo diz: [...] *que acateis com apreço* [...] *os que vos presidem no Senhor*... A palavra grega *proistamenous* tem dois significados possíveis: presidir, liderar, dirigir; ou proteger, cuidar, assistir.[5] Howard Marshall entende que Paulo está pensando aqui naqueles cuja tarefa é cuidar da igreja e supervisioná-la e que, como consequência, têm certa medida de jurisdição sobre seus membros e suas atividades.[6] O líder espiritual exerce a função de um pai espiritual na igreja. Sua liderança não é autoimposta, mas delegada por Deus. Ele exerce essa presidência não com truculência, mas no Senhor. Sua liderança é espiritual. Como irmãos, os líderes estão "entre vós"; e como líderes, eles estão "sobre vós no Senhor", ou seja, "vos presidem no Senhor". Estar "entre" e "sobre" ao mesmo tempo não é fácil. A autoridade do líder precisa ser firme e ao mesmo tempo com doçura. Quando um líder deixa de ser ovelha, ele se torna lobo.

A liderança é um trabalho de exortação e encorajamento (5.12). Paulo conclui e diz: [...] *que acateis com apreço os que* [...] *vos admoestam.* Os admoestadores são aqueles que despertam a mente de seus irmãos para obedecer às ordenanças de Deus.[7] A palavra grega *nouthesia* era empregada para a admoestação e correção daqueles que estão errados.[8] Esta palavra é utilizada para advertir aqueles que estão se desviando, ou que estão em perigo de fazê-lo (5.14; 2Ts 3.15; Cl 1.28; 3.16; At 20.31). A implicação é que aqueles que admoestam têm autoridade para admoestar.[9] O líder é aquele que tem o direito e a autoridade para confrontar os membros da igreja, corrigindo-os, encorajando-os e consolando-os.

Os crentes devem amar e considerar profundamente os líderes espirituais (5.13). Uma igreja saudável tem uma liderança bíblica, e crentes que amam e respeitam sua liderança em plena medida. Os crentes

---

[5] RIENECKER, Fritz e ROGERS, Cleon. *Chave linguística do Novo Testamento grego*, p. 446.
[6] MARSHALL, I. Howard. *I e II Tessalonicenses: Introdução e comentário*, p. 177.
[7] HENDRIKSEN, William. *1 e 2Tessalonicenses*, p. 197.
[8] RIENECKER, Fritz e ROGERS, Cleon. *Chave linguística do Novo Testamento grego*, p. 446.
[9] MARSHALL, I. Howard. *I e II Tessalonicenses: Introdução e comentário*, p. 178.

devem tratar essa liderança em máxima consideração. A palavra grega *uperekperissos*, "em máxima", tem o significado de excedentemente, grandemente.[10] O verbo *perissos* já tem um sabor superlativo, pois significa "ser excessivo", "ser mais que suficiente". Com o prefixo intensificador *uper* torna-se um vocábulo que expressa grau máximo, diz Russel Norman Champlin.[11]

Não há nada de errado em honrar servos fiéis de Deus, desde que Deus receba a glória, afirma Warren Wiersbe.[12] A liderança espiritual é uma grande responsabilidade e uma tarefa difícil. As batalhas e os fardos são muitos e, algumas vezes, o encorajamento é pouco. Precisamos ser pródigos no encorajamento e na intercessão a favor dos nossos líderes.

O amor e a consideração aos líderes são novamente em razão do trabalho que desempenham e não por outros privilégios requeridos pelos líderes. Howard Marshall deixa essa verdade meridianamente clara:

> Na igreja do Novo Testamento, honra não é dada às pessoas por causa de quaisquer qualidades que porventura possuem devido ao nascimento ou à posição social, nem aos dons naturais, mas somente com base na tarefa espiritual para a qual são chamadas. O líder cristão deve ser um servo e não procurar glória para si mesmo.[13]

Se os crentes falam mal de seus líderes e não os acatam nem lhes dão a devida honra, a desarmonia e a murmuração tomam conta da igreja. Agora Paulo não dá um conselho, mas uma ordem: *Vivei em paz uns com os outros* (5.13b). William Hendriksen lembra que em conexão com o que precede imediatamente, isso deve significar: "Parem com as reclamações. Em lugar de criticar constantemente os líderes, segui suas instruções, de modo que a paz (nesse caso: ausência de dissensão) venha a reinar".[14]

---

[10] RIENECKER, Fritz e ROGERS, Cleon. *Chave linguística do Novo Testamento grego*, p. 446.
[11] CHAMPLIN, Russel Norman. *O Novo Testamento interpretado versículo por versículo*. Vol. 5, p. 216.
[12] WIERSBE, Warren W. *Comentário bíblico expositivo*. Vol. 6, p. 242.
[13] MARSHALL, I. Howard. *I e II Tessalonicenses: Introdução e comentário*, p. 178.
[14] HENDRIKSEN, William. *1 e 2Tessalonicenses*, p. 199.

Warren Wiersbe exorta:

> Os líderes devem ser respeitados e obedecidos, a menos que estejam claramente fora da vontade de Deus. Quando a família da igreja segue seus líderes espirituais, o resultado é paz e harmonia na congregação. Quando encontramos divisão e dissensão em uma igreja local, normalmente isso se deve ao egoísmo e ao pecado da parte dos líderes, ou dos membros, ou de ambos.[15]

A relação dos crentes **entre si** (5.14,15)

O apóstolo Paulo faz uma transição da maneira que os crentes devem tratar os líderes para o modo que os crentes devem se relacionar entre si. Paulo passa a aconselhar a comunidade a respeito da forma de tratar as pessoas com problemas e necessidades espirituais especiais. O confronto e a exortação não são tarefas exclusivas dos líderes.

William Hendriksen corretamente afirma que a disciplina mútua deve ser exercida por todos os membros. É errôneo deixar isso apenas sob a responsabilidade do pastor e dos anciãos.[16] Somos capacitados por Deus para exortar-nos uns aos outros (Rm 15.14). Os membros da família devem aprender a ministrar uns aos outros. Os membros mais velhos devem ensinar os membros mais novos (Tt 2.3-5) e encorajá-los quando estiverem passando por dificuldades.[17]

O apóstolo Paulo ensinou mais tarde que os líderes equipam os membros para o serviço do ministério (Ef 4.12). Em muitas igrejas, porém, os membros pagam seus pastores para fazerem a obra por eles enquanto ficam apenas observando.

Paulo nomeia alguns membros especiais da família que precisam de ajuda pessoal e destaca seis atitudes que devemos ter uns para com os outros dentro da igreja:

Os insubmissos devem ser admoestados (5.14). A igreja deve ser uma família ordeira. Na igreja de Tessalônica algumas pessoas estavam se

---

[15] WIERSBE, Warren W. *Comentário bíblico expositivo*. Vol. 6, p. 243.
[16] HENDRIKSEN, William. *1 e 2 Tessalonicenses*, p. 200.
[17] WIERSBE, Warren W. *Comentário bíblico expositivo*. Vol. 6, p. 243.

rebelando contra o ensino do apóstolo Paulo (2Ts 3.6,11) e Paulo orienta os crentes a não andarem em comunhão com esses insubmissos. Um membro de igreja insubmisso à Palavra de Deus e à liderança torna-se uma pedra de tropeço para os demais crentes.

A palavra grega *ataktos*, encontrada somente aqui no Novo Testamento, originalmente referia-se àqueles que não mantinham sua posição apropriada, quer no exército, quer na vida civil.[18] Este termo era usado para se referir aos soldados que não se mantinham na devida formação e que insistiam em marchar a seu modo.[19]

Nessa mesma linha de pensamento Fritz Rienecker diz que *ataktos* significa sem ordem, desordenadamente, fora de alinhamento. A palavra era, primeiramente, um termo militar utilizado em relação ao soldado que estava fora de sintonia ou de alinhamento na fileira em marcha, ou acerca do movimento desordenado de um exército. Depois usou-se mais genericamente para qualquer coisa que estivesse fora de ordem. Nessa passagem, a referência especial parece que é à preguiça e negligência do dever, atitudes que caracterizavam certos membros da igreja em Tessalônica, que esperavam a *parousia* para muito breve.[20]

Howard Marshall orienta que os comentaristas mais antigos prefeririam traduzir *ataktos* como "desocupados", ou "preguiçosos". O sentido de vadiar quando se deve estar trabalhando é atestado nos documentos contemporâneos escritos em papiros. O tipo específico de desordem que estava em mira encontrava-se numa recusa em trabalhar e em conformar-se com o estilo de vida normal para empregados. Essas pessoas devem ser admoestadas.[21]

Os desanimados devem ser consolados (5.14). Há crentes que se enfraquecem com as provas e perdem a alegria, o ânimo e o entusiasmo. Esses crentes não devem ser abandonados e esquecidos, mas consolados e reanimados. Provavelmente esses desanimados eram aqueles que estavam preocupados com os seus parentes que haviam morrido.

---

[18]MARSHALL, I. Howard. *I e II Tessalonicenses: Introdução e comentário*, p. 180.
[19]WIERSBE, Warren W. *Comentário bíblico expositivo*. Vol. 6, p. 243.
[20]RIENECKER, Fritz e ROGERS, Cleon. *Chave linguística do Novo Testamento grego*, p. 446.
[21]MARSHALL, I. Howard. *I e II Tessalonicenses: Introdução e comentário*, p. 180.

Em toda comunidade se encontram irmãos pusilânimes que instintivamente temem o pior.

A tradução literal do termo grego *oligopsixous* é "de alma pequena, tímidos". São os desistentes da família da igreja. Sempre veem o lado negativo e, quando as coisas ficam difíceis, jogam tudo para o alto. Essas pessoas precisam ser encorajadas. O termo grego usado por Paulo é constituído de duas palavras: *para*, "próximo"; e *mutho*, "fala". Em vez de repreender os desanimados ao longe, o melhor é aproximar-se deles e lhes falar com ternura. Devemos ensinar aos que têm "alma pequena" que as provações da vida contribuirão para o seu crescimento e fortalecimento na fé.[22]

Os fracos devem ser amparados (5.14). Havia na igreja pessoas fracas espiritualmente. A palavra grega *astheneia* significa "doente, sem forças, fraco". Refere-se provavelmente a pessoas moral ou espiritualmente fracas.[23] Alguns estavam caindo na sedução da impureza sexual (4.3-8); outros estavam caindo nas garras do legalismo e perdendo a alegria da sua liberdade em Cristo.

Warren Wiersbe comenta:

> Normalmente, os cristãos fracos têm medo de sua liberdade em Cristo. Vivem de acordo com regras e normas. Nas congregações em Roma, os cristãos mais fracos observavam os dias santos judeus e não comiam carne. Julgavam com severidade os cristãos maduros que desfrutavam todos os alimentos e dias.[24]

Todos devem ser tratados com longanimidade (5.14). A paciência com todos deve ser o vetor que dirige os relacionamentos dentro da igreja. Precisamos ter paciência com um membro fraco, pois ele poderá ser um líder amanhã. Devemos olhar não apenas para aquilo que as pessoas são, mas, principalmente para o que poderão vir a ser.

---

[22] WIERSBE, Warren W. *Comentário bíblico expositivo*. Vol. 6, p. 244.
[23] RIENECKER, Fritz e ROGERS, Cleon. *Chave linguística do Novo Testamento grego*, p. 446.
[24] WIERSBE, Warren W. *Comentário bíblico expositivo*. Vol. 6, p. 244.

Precisamos ter cuidado para não esmagarmos a cana quebrada ou apagar a torcida que fumega. Há líderes que machucam as pessoas e tripudiam seus liderados. Há líderes possessivos, presunçosos, megalomaníacos, e truculentos. Precisamos exercitar a paciência que vai além, que oferece a outra face, que anda a segunda milha, e abençoa até mesmo aqueles que nos maldizem.

Não se deve pagar o mal com o mal (5.15). Muitas vezes, o líder não é compreendido, não é amado nem encorajado. Paulo sofreu muitas pressões, acusações, ataques e censuras. Foi escorraçado da cidade de Tessalônica, foi chamado de tagarela em Atenas e de impostor em Corinto. Foi vítima de uma trama em Jerusalém e ficou preso em Cesareia. Porém, ele jamais deixou que as pessoas interferissem na sua maneira de agir, nos seus sentimentos e nas suas motivações. Não podemos retaliar quando somos feridos (1Co 4.12; 6.7; 1Pe 3.9). Não podemos alterar o curso da nossa atitude porque as pessoas nos atacam (Rm 12.17-21).

Aqueles que foram objetos da graça precisam ser canais dela na vida de outras pessoas. Os perdoados precisam perdoar. Retribuir o bem com o mal é demoníaco. Retribuir o bem com o bem é humano, mas retribuir o mal com o bem é divino. Devemos imitar o nosso Pai celestial.

Já no Antigo Testamento a vingança tinha sido limitada ao equivalente exato: [...] *olho por olho, dente por dente* (Êx 21.23-25; Lv 24.17-21; Dt 19.21), e este visava a ser o limite. O ensino veterotestamentário posterior avançava na direção de proibir a retaliação (Pv 20.22). Paulo, porém, vai bem além disto com seu mandamento positivo: "segui sempre o bem". Jesus de igual modo mostrou a necessidade de refrear a vingança e amar os próprios inimigos (Mt 5.38-48; Lc 6.27-36).[25]

A prática do bem deve ser exercida na igreja e fora dela (5.15). O apóstolo Paulo conclui: [...] *segui sempre o bem entre vós e para com todos*. O crente deve ser um benfeitor. Ele deve fazer o bem não apenas aos irmãos, mas também aos de fora da igreja. A ética cristã não é apenas intramuros. Devemos ter um bom testemunho dos de fora da igreja.

---

[25] MARSHALL, I. Howard. *I e II Tessalonicenses: Introdução e comentário*, p. 182, 183.

Precisamos ter uma vida irrepreensível. Nossa vida precisa referendar a nossa palavra e a nossa pregação.

A relação dos **crentes com Deus** (5.16-22)

O apóstolo Paulo alista sete pontos importantes da nossa relação com Deus:

O crente deve ter uma alegria ultracircunstancial (5.16). O apóstolo Paulo escreve: *Regozijai-vos sempre* (5.16). A alegria é contagiante. A verdadeira alegria não é apenas a presença de coisas boas nem tampouco a ausência de coisas ruins. A nossa alegria é uma pessoa. A nossa alegria é Jesus. Howard Marshall diz que essa ordem apostólica com frequência é associada à privação e à perseguição: o cristão regozija-se a despeito da aflição e, às vezes, quase por causa dela (1Pe 4.13).[26] Duas verdades são destacadas neste versículo:

A alegria é imperativa. Ser alegre é um mandamento, uma ordem. Não temos opção de sermos uma pessoa triste. Não ser uma pessoa alegre é uma desobediência explícita a um mandamento apostólico. A alegria é a marca do salvo. O evangelho que abraçamos é boa-nova de grande alegria. O Reino de Deus que está dentro de nós é alegria no Espírito Santo. O fruto do Espírito é alegria e a ordem de Deus é "alegrai-vos sempre". A alegria não é uma opção, é um mandamento. Não ser uma pessoa alegre é desobediência a um mandamento apostólico.

A alegria é independente das circunstâncias. Já que o crente não é poupado das vicissitudes da vida, e uma vez que a ordem é para ele regozijar-se sempre, deduzimos que a alegria do crente é ultracircunstancial, ou seja, não depende das circunstâncias. Estar alegre quando tudo está bem, até um ateu consegue. Mas experimentar uma alegria constante e apesar das circunstâncias só um cristão consegue.

O crente deve manter um espírito contínuo de oração (5.17). *Orai sem cessar* não significa estar sempre sussurrando orações. O termo traduzido por "sem cessar" não significa fazer continuamente, mas sim

---

[26] MARSHALL, I. Howard. *I e II Tessalonicenses: Introdução e comentário*, p. 184.

"voltar a fazer constantemente". Devemos manter conexão permanentemente ativa com Deus, de modo que a nossa oração faça parte de uma longa conversa sem interrupções.[27]

Fritz Rienecker deixa essa ideia mais clara quando afirma que a palavra grega *adialeiptos* foi usada para descrever o ininterrupto pagamento de certas taxas necessárias; o serviço ou ministério contínuo de um oficial; uma tosse contínua e ininterrupta; ataques militares repetidos; as contínuas falhas de um esforço militar; a produção regular e constante de frutos.[28] Os crentes devem viver em tal comunhão com Deus que a oração, quer falada, quer silenciosa, sempre seja fácil e natural para ele. O cristão não está confinado a alguns horários fixos de oração, mas pode orar em qualquer tempo e em todos os lugares.

O salvo é alguém que aspira por Deus, mais do que pelas bênçãos de Deus. Ele se deleita em ter comunhão com o Pai. Ele tem fome de Deus.

O crente deve dar graças a Deus em todas as circunstâncias (5.18). "Em tudo, dai graças" não significa dar graças pelo mal moral. Ao contrário, é louvar a Deus sabendo que Ele é poderoso para transformar os vales em mananciais e o mal em bem.

A adoração, a comunhão e a gratidão são evidências de uma vida cheia do Espírito Santo (Ef 5.19,20). Os crentes devem achar razão para louvar e agradecer a Deus em qualquer situação na qual se encontrarem, e, portanto, a todo o tempo. Isso não significa que todas as coisas que acontecem com os crentes são coisas boas em si, mas Deus as trabalha e as transforma em bem para nós (Rm 8.28). O crente não é masoquista. Ele não tem prazer em sofrer. Ele não dá graças pelo sofrimento, mas pela providência generosa de Deus de transformar o sofrimento em fonte de consolo. Concordo com a poeta inglês William Cowper, quando disse: "Por trás de toda providência carrancuda, esconde-se uma face sorridente".

O crente não deve apagar a influência do Espírito Santo em sua vida (5.19). O uso da palavra "apagar" traz a figura do fogo como símbolo

---

[27]WIERSBE, Warren W. *Comentário bíblico expositivo*. Vol. 6, p. 245.
[28]RIENECKER, Fritz e ROGERS, Cleon. *Chave linguística do Novo Testamento grego*, p. 446, 447.

do Espírito Santo (Mt 3.11; Lc 3.16; At 2.3; Rm 12.11; 2Tm 1.6). Fogo fala de pureza, poder, luz e calor. O fogo ilumina, aquece, purifica e alastra. Apagamos o fogo quando removemos o combustível: jogando terra ou tirando o oxigênio. O fogo precisa ser mantido aceso no altar do coração. Apagamos o fogo quando cedemos ao pecado ou quando deixamos de orar e obedecer à Palavra.

Howard Marshall diz que havia uma tendência na igreja de Tessalônica para apagar o fogo do Espírito e ele explica dizendo que uma vez que os dons foram dados para o benefício da igreja, segue-se que onde a igreja fosse hostil ou indiferente para com eles, o exercício deles seria apagado; aqueles que poderiam exercer o dom ficariam reticentes em assim o fazer.[29]

Russel Norman Champlin ensina que no original grego temos o verbo *bennumi*, que significa "extinguir", "apagar", e que figuradamente significa "suprimir". Esse verbo era usado para dar a ideia de "apagar fogo", ou "ressecar coisas molhadas", para se tornarem secas. Também transmitia a ideia de tornar "inativas" muitas coisas.[30] Precisamos nos esforçar para manter a chama do Espírito sempre acesa em nossa alma.

O crente não deve desprezar as profecias (5.20). As mensagens apostólicas eram revelatórias. Atualmente, as mensagens são expositivas. Profecias aqui não são apenas ensinos escatológicos, mas todo o conteúdo das Escrituras. O dom de profecias era o mais importante na igreja primitiva (1Co 14.1). Paulo disse que a profecia fala aos homens edificando, exortando e consolando (1Co 14.3). Paulo ensina que a edificação, a exortação e o consolo que emanam da Palavra não devem ser desprezados na igreja.

William Hendriksen lembra que o dom de profecia era como uma chama ardente. Essa chama não deveria ser apagada ou extinta! Assim, Paulo une os dois assuntos, como se estivesse dizendo: "Ao Espírito não apaguem; aos pronunciamentos proféticos não desprezem". Isto porque ao desprezarem as profecias estavam rejeitando Aquele que é sua fonte, o Espírito Santo.[31] O mesmo escritor ainda esclarece:

---

[29]MARSHALL, I. Howard. *I e II Tesalonicenses: Introdução e comentário*, p. 188.
[30]CHAMPLIN, Russell Norman. *O Novo Testamento interpretado versículo por versículo*. Vol. 5, p. 219.
[31]HENDRIKSEN, William. *1 e 2Tessalonicenses*, p. 206.

A razão para tal descrédito das palavras proféticas pode ser facilmente percebida. Onde quer que Deus planta trigo, satanás semeia o seu joio. Onde quer que Deus estabeleça uma igreja, o diabo erige uma capela. E assim também, sempre que o Espírito Santo capacita determinados homens para operarem curas milagrosas, o diabo semeia suas "maravilhas da mentira". E sempre que o Paracleto coloca em cena um autêntico profeta, o enganador apresenta seu falso profeta. A mais fácil – não, porém, a mais sábia – reação a esse estado de coisas é o desprezo a toda profecia. Acrescente-se a isso o fato de que os fanáticos, os intrometidos e os ociosos de Tessalônica talvez não gostassem de alguns dos pronunciamentos dos legítimos profetas, o que nos fez entender prontamente por que entre alguns membros da congregação a proclamação profética caíra em descrédito.[32]

É preciso deixar claro que não existem hoje novas revelações de Deus forâneas às Escrituras. Como disse, Billy Graham, a Bíblia tem uma capa ulterior. Ainda mesmo que um anjo viesse do céu e pregasse alguma novidade fora da Bíblia deveria ser anátema. A revelação de Deus está contida na Escritura. Ele fala pela Escritura. Por isso, devemos restaurar a supremacia da Palavra e a primazia da pregação na Igreja contemporânea.

O crente precisa exercer discernimento espiritual (5.21). Paulo diz: [...] *julgai todas as coisas, retende o que é bom*. Na igreja primitiva havia mensageiros itinerantes que pregavam doutrinas estranhas. A igreja ao ouvir um pregador precisava estar apercebida e atenta. Paulo disse que enquanto um profeta fala, os ouvintes devem julgar (1Co 14.29). Na igreja de Corinto, algumas pessoas em estado de êxtase chegaram a proferir a blasfema expressão: "anátema Jesus" (1Co 12.3). Não podemos aceitar com verdade absoluta tudo aquilo que as pessoas falam em nome de Deus. O crente não pode ser menino no juízo. Ele precisa ser maduro e exercer pleno discernimento como os crentes bereanos que consultavam sempre a Escritura para conferir o que os pregadores diziam (At 17.11).

---

[32] HENDRIKSEN, William. *1e 2Tessalonicenses*. 1998: p. 2006.

O crente tem a luz da verdade em sua mente. Ele não é uma pessoa de mente estreita. Ele tem discernimento. Ele tem capacidade para avaliar e julgar. Ele sabe distinguir entre o precioso e o vil (Jr 15.19). O crivo para o julgamento é a Palavra de Deus. Quando falta à igreja o conhecimento, a igreja é destruída (Os 4.12). Quando os crentes não examinam as Escrituras nem julgam os profetas, heresias perniciosas crescem no meio do rebanho.

O crente deve fugir de toda a forma do mal (5.22). Paulo escreve: [...] *abstende-vos de toda forma de mal*. O crente é alguém que tem zelo e cuidado com seu testemunho. Ele não se imiscui com coisas duvidosas, com esquemas de corrupção, com leviandades perniciosas. O crente não anda por veredas sinuosas nem se aliança com aqueles que vivem desordenadamente.

O verbo *apechomai* pode ter o sentido de "abster-se de fazer uma coisa má" como em 4.3, mais do que "manter-se longe de" ou "não ter nada a ver com", afirma Howard Marshall.[33]

A relação da **liderança** da igreja com os **crentes** (5.23-28)

Destacamos cinco pontos importantes acerca da relação da liderança espiritual com os crentes:

O líder espiritual deve orar pelos crentes (5.23,24). Paulo encerra o corpo principal da carta com a expressão de uma oração em prol de seus leitores (5.23) e uma garantia de que Deus responderá a ela (5.24). O pedido de Paulo é por santidade. Ele não pede prosperidade nem saúde, mas santidade.

A referência a "espírito", "alma" e "corpo" tem suscitado muito debate, visto ser este o único lugar no Novo Testamento em que parece haver uma descrição tripartite da natureza humana. Em outros trechos, no entanto, parece que Paulo pensa no homem como sendo corpo e alma ou como corpo e espírito sem nenhuma diferenciação muito clara entre a alma e o espírito.[34] Entendo que a posição dicotômica tem maior

---

[33] MARSHALL, I. Howard. *I e II Tessalonicenses: Introdução e comentário*, p. 190.
[34] MARSHALL, I. Howard. *I e II Tessalonicenses: Introdução e comentário*, p. 193.

respaldo no ensino geral das Escrituras. Creio, portanto, que a ênfase de Paulo neste versículo é revelar que a santificação deve abranger a totalidade da nossa personalidade.

O líder espiritual deve pedir as orações dos crentes (5.25). Paulo foi o maior teólogo, o maior missionário, o maior evangelista, o maior apologeta e o maior plantador de igrejas da igreja primitiva. Mas seu vasto conhecimento não fez dele um homem autossuficiente. Ele tinha uma sólida teologia da oração, e ele orava. Ele não só orava, mas pedia oração a seu favor (2Ts 3.1,2; Rm 15.30; Ef 6.18,19; Cl 4.3,4; Fp 1.19; Fm 22). Paulo acreditava que Deus age por meio das orações do Seu povo. Podemos tocar o mundo pela oração. Um crente de joelhos influencia mais o mundo do que um filósofo na ponta dos pés. Não há limitação nem fronteiras à oração. Aqueles que pessoalmente não podem sair para a missão podem compartilhar a obra ao orar pelos missionários.[35]

O líder espiritual deve estimular a comunhão fraternal (5.26). Paulo ordena: "Saudai todos os irmãos com ósculo santo". O beijo era usado no mundo antigo como uma forma de cumprimento. Também o ósculo ou beijo é um gesto de amor e amizade. O ósculo santo define que seu propósito é comunhão fraternal e não despertar outros sentimentos. Paulo está ensinando que o relacionamento entre os crentes deve ser efusivo, sincero e fraternal.

A afetividade na igreja é uma necessidade vital. Precisamos ter relacionamentos estreitos (At 20.36-38). Somos uma família e o amor deve ser o vínculo da perfeição que nos amalgama num só corpo.

O líder deve esforçar-se para que todos os crentes sejam igualmente instruídos (5.27). Paulo é enfático ao escrever: *Conjuro-vos, pelo Senhor, que esta epístola seja lida a todos os irmãos*. Nenhum crente deveria ser esquecido acerca dessa instrução. Todos os membros da igreja deveriam estar presentes para receberem essa doutrina. A frequência à igreja é uma necessidade vital dos membros e a exposição da verdade é um dever imperativo da liderança.

Howard Marshall observa que a ênfase "a todos os irmãos" indica que Paulo está pensando numa reunião com todos os membros da

---

[35] MARSHALL, I. Howard. *I e II Tessalonicenses: Introdução e comentário*, p. 195.

igreja – é interessante que ele simplesmente toma por certo que todos os membros da igreja realmente se reúnem regularmente, ao passo que muitos cristãos modernos são algo menos que regulares na sua frequência à Casa de Deus.[36]

William Hendriksen é da opinião que alguns dos que andavam desordenadamente em Tessalônica, ao ouvirem que chegara uma carta dos missionários, e suspeitando que a mesma continha algumas admoestações dirigidas especialmente a eles, desejassem estar ausentes enquanto a carta fosse lida em voz alta à congregação. Assim Paulo enfatiza que, por todos os meios possíveis, cada pessoa da igreja deveria ouvir a leitura da carta![37]

A liderança espiritual deve invocar a bênção do Senhor sobre os crentes (5.28). A igreja deve caminhar sob a bênção de Deus. A impetração da bênção é um gesto glorioso quando a liderança espiritual da igreja entende que a bênção que deve sustentar o povo não procede dela mesma, mas vem do alto, vem de Deus!

---

[36]MARSHALL, I. Howard. *I e II Tessalonicenses: Introdução e comentário*, p. 196.
[37]HENDRIKSEN, William. *1 e 2Tessalonicenses*, p. 213.

9

Como enfrentar vitoriosamente a **tribulação**

2 Tessalonicenses 1.1-12

DEPOIS DE UM BREVE TEMPO QUE ENVIARA a primeira carta à igreja de Tessalônica, Paulo envia a segunda carta. Essa igreja nascera debaixo de perseguição (At 17.4-6) e a perseguição em vez de acabar estava aumentando (1.4-6).

Na primeira carta Paulo tratou de alguns aspectos da vida futura como a situação dos que morrem em Cristo (4.13-18) e a maneira da segunda vinda de Cristo (5.1-11). Nesta carta, ele encoraja os crentes que ainda estão passando por uma forte tribulação (1.3-12), dizendo-lhes que o consolo dos salvos tem suas raízes no passado e suas esperanças no futuro. Fala, também, especificamente do Dia do Senhor (2.1-8) e a maneira como a igreja deveria tratar os crentes que estavam rejeitando os ensinos da sua primeira carta (3.6-11).

Na saudação, identificamos os três elementos básicos dos nomes dos escritores da carta, do nome dos endereçados, e da expressão dos melhores votos cristãos. Estes três elementos se acham na presente saudação quase sem alteração, porque os mesmos escritores estão escrevendo para os mesmos endereçados não muito tempo após a primeira carta.[1] Vejamos esses três elementos mais detidamente:

---
[1] MARSHALL, I. Howard. *I e II Tessalonicenses: Introdução e comentário*, p. 201.

Em primeiro lugar, *os remetentes da carta* (1.1). Paulo, Silas e Timóteo são os mesmos que enviaram a primeira carta. Eles ainda estão em Corinto e enviam, agora, a segunda carta. Nada obstante Silas e Timóteo constarem como remetentes da carta, eles não foram coautores. Paulo cita seus nomes por uma questão de fidalguia e honra aos seus obreiros colaboradores. Toda a carta reflete o fato de que esta não é uma carta escrita a três mãos, mas uma epístola genuinamente paulina.

Em segundo lugar, *os destinatários da carta* (1.1). A única diferença no registro dos destinatários da primeira para a segunda carta é o acréscimo da palavra "nosso" antes de Pai. A igreja estava radicada em Tessalônica, mas tinha suas raízes plantadas em Deus, nosso Pai e no Senhor Jesus Cristo. A igreja tem dois endereços, um geográfico e outro espiritual. Ela é a igreja dos tessalonicenses, mas ela está em Deus. Ao mesmo tempo em que moramos na terra, estamos escondidos em Deus e assentados com Cristo nas regiões celestes.

Em terceiro lugar, *as bênçãos rogadas por intermédio da carta* (1.2). Mais uma vez, como na primeira carta, o apóstolo Paulo roga a Deus a graça e a paz para a igreja. Porém, nesta carta ele menciona de onde procedem essas duas bênçãos: [...] *da parte de Deus Pai e do Senhor Jesus Cristo*. A graça é o dom imerecido de Deus. Mesmo merecendo o castigo, Deus nos dá a salvação; a paz é o resultado da graça. Não há paz sem a graça. A graça é a fonte; a paz é o rio caudaloso que emana dessa fonte.

Este capítulo encerra algumas sublimes verdades que vamos aqui destacar.

A gratidão que se expressa em **elogios** (1.3,4)

Paulo está praticando o que ele mesmo havia ensinado (1Ts 5.18). Ele estava continuamente agradecendo a Deus pela vida da igreja (1Ts 1.2; 2.13; 3.9; 1.3; 2.13). Destacamos dois pontos na maneira de Paulo agradecer a Deus pela igreja e elogiar a igreja:

O alcance do elogio (1.3,4). O elogio de Paulo tem dois endereçamentos:

O elogio vertical (1.3). Paulo sente-se no dever de agradecer continuamente a Deus pela vida dos tessalonicenses. Ele glorifica a Deus pela vida abundante da igreja. Em vez de perder sua alegria pela atitude rebelde de alguns, ele enche sua alma de alegria pela vida superlativa dos demais que expressam entusiasmo na fé cristã a despeito das provas.

O elogio horizontal (1.4). Paulo elogia os crentes no aspecto vertical, agradecendo a Deus por eles e, agora, ele elogia os crentes no aspecto horizontal, falando bem da igreja entre outras igrejas. Paulo era pródigo nos elogios. Ele não se sentia constrangido ao honrar as pessoas e tecer a elas sinceros elogios. Paulo fala com Deus e com os homens acerca de sua gratidão pela vida dos tessalonicenses.

O conteúdo do elogio (1.3,4). O elogio de Paulo aos tessalonicenses foi focado em três áreas fundamentais: fé, amor e paciência. Na primeira carta, ele já havia destacado a trilogia: fé, amor e esperança como o sólido fundamento da maturidade cristã (1Ts 1.3). Agora, nesta carta, ele volta a destacar os dois primeiros elementos e dá outra nuança ao terceiro. Vamos destacar essas três áreas mencionadas por Paulo:

Uma fé que cresce esplendidamente (1.3). As perseguições e tribulações em vez de destruir a fé dos tessalonicenses a fortaleceram. Uma fé que não é testada não pode ser forte. Warren Wiersbe diz que a fé é como os músculos, ela precisa ser exercitada para se fortalecer.[2] Uma vida fácil pode tornar-se uma vida superficial, assim como uma vida sem provas produz uma fé rasa. A galeria da fé em Hebreus 11 é formada de pessoas que enfrentaram duríssimas provas. Assim como é impossível uma pessoa aprender a nadar sem entrar na água, também é impossível ter uma fé vigorosa sem passar pelos rios caudalosos das provas.

Na primeira carta, Paulo ora para que a fé dos tessalonicenses seja aperfeiçoada (1Ts 3.10). Agora, ele agradece por isso (1.3). A fé dos tessalonicenses estava crescendo além daquilo que Paulo poderia esperar. Eles estavam transcendendo!

Um amor mútuo em pleno crescimento (1.3). Novamente isto é uma resposta à oração de Paulo (1Ts 3.12; 4.9,10). O sofrimento em vez de tornar os crentes de Tessalônica amargos e indiferentes, fê-los ainda mais abundantes no amor recíproco. O amor é a marca do discípulo

---

[2] WIERSBE, Warren W. *Comentário bíblico expositivo*. Vol. 6, p. 249.

verdadeiro (Jo 13.34,35). O amor é o maior dos mandamentos. Ele é a síntese da Lei. Ele é a apologética final. Sem amor não há cristianismo autêntico. O mundo vai nos conhecer como discípulos de Cristo pelo amor. Vivemos numa sociedade doente, solitária. Alguém afirmou algures que "uma cidade é um lugar onde muitas pessoas estão solitárias juntas". Uma pessoa pode estar sofrendo profundamente no apartamento ao seu lado sem você saber. É pelo amor que a igreja vai impactar o mundo. É pelo amor que o mundo verá Jesus em nós e por meio de nós.

Uma paciência triunfadora no sofrimento (1.4). Howard Marshall afirma corretamente que Paulo não passa aqui a falar da esperança, conforme fez em 1Tessalonicenses 1.3, mas o pensamento da perseverança que surge da esperança fica sendo o objeto de menção especial no versículo seguinte e marca o tema principal da seção.[3] Diz o mesmo escritor que é falso, portanto, asseverar que a dimensão da esperança desapareceu completamente da epístola.[4] William Barclay observa que a palavra grega *hupomone*, que Paulo usa para "constância", é uma magnífica palavra. Ela significa uma constância viril na prova. Descreve o espírito que não somente suporta pacientemente as circunstâncias em que se encontra, mas também que as domina e as aproveita para fortalecer sua própria têmpera. Aceita os embates da vida, mas ao aceitá-los, os transforma em umbrais de novas conquistas.[5] Fritz Rienecker nessa mesma trilha de pensamento acrescenta que *hupomone* significa suportar circunstâncias difíceis. É o espírito que pode suportar as coisas, não só com resignação, mas com uma esperança alegre. Não é a paciência que espera tristemente pelo fim, mas aquela que espera radiantemente pela aurora.[6]

As perseguições e tribulações que marcaram o começo da igreja em Tessalônica não haviam cessado. As palavras gregas *diogmos e thlipsis* são traduzidas por "perseguição" e "tribulação" respectivamente. A primeira palavra descreve as perseguições exteriores causadas pelos inimigos do evangelho e a segunda é um termo mais genérico e denota tribulação

---

[3] MARSHALL, I. Howard. *I e II Tessalonicenses: Introdução e comentário*, p. 204.
[4] MARSHALL, I. Howard. *I e II Tessalonicenses: Introdução e comentário*, p. 205.
[5] BARCLAY, William. *Filipenses, Colosenses, I y II Tesalonicenses*, p. 218.
[6] RIENECKER, Fritz e ROGERS, Cleon. *Chave linguística do Novo Testamento grego*, p. 448.

de qualquer tipo.⁷ Ronaldo Lidório, estudioso da língua grega, afirma que *diogmos* era o desenvolvimento de um programa sistemático para a opressão de um povo. Essa palavra tinha a conotação de opressão física, com as prisões, os martírios e os espancamentos.⁸ A igreja floresceu vigorosamente no meio da tempestade. Os crentes sofreram ataques e pressões sem perder a alegria. Um hino cantado em Gana expressa bem essa experiência:

> ... Não vivemos para celebrar o sofrimento;
> Nem também para chorar;
> Mas quando ele vier choraremos...
> No sofrimento há Deus;
> Não cremos na dor sem Deus.
> Não cremos na dor sem Deus.⁹

Os tessalonicenses cresceram por meio do sofrimento e ajudaram por intermédio do seu testemunho outros também a crescerem. Deus nos encoraja para encorajarmos outros (2Co 1.4,5). Nós não somos como o mar Morto, mas como o mar da Galileia. Não vivemos apenas para nós mesmos, mas, sobretudo, para abençoarmos os outros.

A tribulação, um cálice que o povo de Deus precisa beber até o último dia (1.5,6)

Muitos crentes sinceros não creem que os salvos passarão pela grande tribulação. Eles entendem que antes desse tempo terrível, de perseguição implacável do diabo e seus agentes contra a igreja chegar, a Noiva do Cordeiro já terá sido arrebatada da terra.

Os dispensacionalistas pregam que haverá um arrebatamento secreto e uma segunda vinda visível e que no intervalo entre esses dois eventos é que se dará a grande tribulação. Paulo, porém, neste texto

---

⁷RIENECKER, Fritz e ROGERS, Cleon. *Chave linguística do Novo Testamento grego*, p. 448.
⁸LIDÓRIO, Ronaldo de Almeida. *Com a mão no arado*. Belo Horizonte, MG: Editora Betânia, 2007, p.114,115.
⁹LIDÓRIO, Ronaldo de Almeida. *Com a mão no arado*, p. 116.

(1.5,6), mostra que a Igreja não será poupada da tribulação, mas viverá na tribulação. A Igreja será arrancada do fragor da grande tribulação e não antes da grande tribulação.

Concordo com Howard Marshall quando diz que o alvo da fé é a entrada no Reino de Deus. É em prol dessa esperança que os leitores estão sofrendo, não no sentido de que suportam a fim de ganhar a entrada, mas, sim, que seus sofrimentos estão vinculados com o reino ou estão nos interesses dele.[10] O apóstolo Paulo é categórico ao afirmar que importa que por meio de muitas tribulações entremos no Reino de Deus (At 14.22).

A segunda vinda de Cristo, a vitória triunfante de Cristo e da Sua Igreja (1.5-10)

J. P. Gloag diz que o Senhor Jesus virá em pessoa, em poder, em glória e em justiça.[11] Algumas verdades devem ser destacadas sobre a segunda vinda de Cristo no texto em apreço.

A segunda vinda de Cristo será pessoal e visível (1.7). A palavra grega *apocalipses*, "se manifestar", usada por Paulo significa descobrir, tirar o véu, revelar-se claramente. A palavra transmite a ideia do desvendamento daquilo que está oculto no presente, isto é, da manifestação do Senhor Jesus que no presente está oculto da vista, no céu.[12] A vinda de Cristo, portanto, será um evento retumbante, visível, audível, pessoal, glorioso, poderoso, e estupendo. A Bíblia diz que todo o olho o verá, até mesmo aqueles que o traspassaram (Ap 1.7).

A segunda vinda de Cristo revelará Sua absoluta autoridade (1.7). O Senhor Jesus vai se manifestar do céu (1.7). Isso fala não apenas de Sua procedência e origem, mas, também, da Sua absoluta autoridade. Ele vem da morada de Deus com a autoridade de Deus para executar juízo e recompensa.[13] Ele vem montado em Seu cavalo branco

---

[10] MARSHALL, I. Howard. *I e II Tessalonicenses: Introdução e comentário*, p. 207.
[11] GLOAG, J. P. *The pulpit commentary. Second Thessalonians*. Vol. 21, 1978, p. 5.
[12] MARSHALL, I. Howard. *I e II Tessalonicenses: Introdução e comentário*, p. 209.
[13] MARSHALL, I. Howard. *I e II Tessalonicenses: Introdução e comentário*, p. 209.

(Ap 19.11), acompanhado pelos exércitos do céu (Ap 19.14), com Seu manto tinto de sangue (Ap 19.13) e com uma espada afiada em Sua boca (Ap 19.15). Ele vem do céu para executar juízo contra Seus inimigos. Ele matará o anticristo com o sopro da Sua boca (2.8). Os ímpios, desesperados, tentarão fugir da Sua presença, mas não escaparão da ira do Cordeiro (Ap 6.15-17). Jesus, então, se assentará no Seu trono de glória e julgará as nações (Mt 25.31-46).

A segunda vinda de Cristo será acompanhada de um séquito poderoso (1.7). Cristo virá em poder. Ele virá acompanhado dos poderosos anjos que executam as Suas ordens (Mt 13.41,42; 24.29,30; 25.31; Jd 15; Ap 14.19). O apóstolo Paulo escreve: [...] *quando do céu se manifestar o Senhor Jesus com os anjos do Seu poder* (1.7b). Os anjos são a escolta e os agentes poderosos de Cristo, que recolherão dos quatro cantos da terra os ímpios, lançando-os na fornalha como palha e recolherão os salvos como trigo, depositando-os no celeiro de Deus.

A segunda vinda de Cristo será marcada por um esplendor aterrador (1.8). Cristo virá em glória. Ele não virá mais em Sua humildade, mas em Seu esplendor. Ele não descerá mais como Advogado, mas como Juiz. Ele não virá mais para salvar, mas para julgar. Ele não virá montado num jumentinho, mas cavalgando as nuvens. O apóstolo Paulo declara: [...] *quando do céu se manifestar o Senhor Jesus* [...] *em chama de fogo* (1.7,8). William Hendriksen compreende que esta expressão "em chamas de fogo" indica a santidade do Senhor manifestada em juízo.[14] O fogo é um símbolo da presença gloriosa de Deus (Êx 3.2) e também do terrível castigo que Deus impõe aos ímpios (Lc 16.26; Hb 12.27). De outro lado, o fogo é o elemento pelo qual o mundo atual deve perecer (2Pe 3.7-12).

O juízo, o tempo da recompensa e da retribuição (1.5-10)

Os pré-milenaristas dispensacionalistas geralmente falam em três diferentes juízos: um juízo na *primeira* segunda vinda de Cristo (a *Parousia*), outro em sua *segunda* vinda, sete anos mais tarde (a Revelação), e um juízo diante do grande trono branco, mil anos mais tarde (após o Milênio). O primeiro

---

[14] HENDRIKSEN, William. *1 e 2 Tessalonicenses*, p. 234.

destes três, conforme entendem, afeta os santos vivos; o segundo se refere às nações (acerca do trato que deram aos judeus); e o último, aos ímpios. A Escritura, todavia, sempre se refere ao Juízo Final, como um único evento (1.7-10; Jo 5.28,29; At 17.31; 2Pe 3.7; Ap 20.11-15).[15]

O apóstolo Paulo alista seis gloriosas verdades acerca do julgamento de Deus: a) O propósito do julgamento: aplicar a justiça (1.6); b) o executor do julgamento: Jesus Cristo (1.7,8; Jo 5.22; Mt 16.27; At 17.31); c) o povo a ser julgado: os santos e aqueles que não conhecem a Deus e desobedecem ao evangelho (1.5-8); d) A penalidade do julgamento dos ímpios: eterna destruição e banimento para sempre da face do Senhor (1.9); e) o tempo do julgamento: a segunda vinda de Cristo (1.10); f) o escape do julgamento: os santos são dignos e serão glorificados em Cristo (1.11,12).

O juízo será um dia de glória para os salvos e de pavor para os ímpios. A justiça de Deus se manifesta num sentido duplo: de um lado, ela é remunerativa para os salvos (1.5,7,10) e de outro lado, ela é retributiva para os ímpios (1.6,8,9).

Vamos observar esses dois lados da justiça divina:

No dia do juízo a justiça divina se manifestará remunerativa (1.5,7,10). Os salvos passarão pelo juízo para receberem recompensas e galardões. Destacamos três recompensas que os salvos receberão no dia do juízo:

Eles serão considerados dignos do Reino de Deus (1.5). A Igreja perseguida será recompensada na segunda vinda de Cristo e no dia do juízo. Os salvos, que sofrem por causa do Reino de Deus, serão considerados dignos dele. William Hendriksen afirma que Deus é não só Juiz, mas igualmente Juiz justo, que recompensa a fé e a obediência, e que sempre mantém Sua promessa. Aqueles que perseguem o povo de Deus sofrerão punição, e os que sofrem as perseguições por causa de sua fé receberão galardão.[16]

Eles terão alívio da tribulação (1.7). A Igreja não será poupada da tribulação, mas emergirá vitoriosa do meio dela. Quando o Senhor Jesus

---

[15] HENDRIKSEN, William. *A vida futura*. 1988: p. 207,208.
[16] HENDRIKSEN, William. *1 e 2Tessalonicenses*, p. 231,232.

se manifestar em glória em Sua vinda de poder, o jugo do nosso sofrimento será despedaçado. Nossas lágrimas serão enxugadas, nossa dor será extinta e o luto jamais nos alcançará (Ap 21.4). O termo "alívio" significa o relaxamento da tensão e é usado por Paulo com referência ao alívio do sofrimento (2Co 2.13; 7.5; 8.13).[17] Nessa mesma linha, Warren Wiersbe observa que a palavra "alívio" significa "descanso, desopressão" e é o oposto de "tribulação". Descreve o ato de soltar a corda do arco ao atirar uma flecha. Nesta vida, o povo de Deus vive sob pressão (2Co 1.8) e sob o peso das provações e perseguições. Mas quando virmos Cristo em Sua glória seremos aliviados.[18]

Eles resplandecerão a glória de Cristo (1.10a). A glória de Cristo estará sobre os santos e será refletida na Igreja. Uma vida de fé conduz a uma vida de glória. Cristo será glorificado e admirado nos santos. William Hendriksen interpreta esse ponto corretamente quando escreve:

> Na Sua gloriosa vinda Jesus será glorificado *em* (não meramente *entre*) eles; ou seja, eles refletirão a luz dEle, seus atributos, como, em princípio, estão fazendo o mesmo agora (2Co 3.18). Todo vestígio de pecado será então banido de suas almas. Refletirão sua imagem e andarão sob a luz de seu rosto (Sl 89.15-17). Nisso Ele se regozijará. Também os anjos, ao ver isso, se regozijarão. E nisso cada um dos redimidos, ao contemplar o reflexo da imagem de Cristo em todos os demais redimidos, se regozijarão. Além disso, não apenas Cristo se regozijará ante o reflexo de sua própria imagem neles, como também se regozijará no próprio regozijo deles! E o ato de regozijar-se na alegria deles refletirá glória sobre ele mesmo! Assim, seja qual for o sentido que se adote, Ele será glorificado em Seus santos.[19]

No dia do juízo a justiça divina se manifestará retributiva (1.6,8,9). O ímpio nem sempre recebe seu pagamento neste mundo (Sl 73.18-20; Jr 12.1). Deus nem sempre acerta as contas com o pecador no ato do seu pecado.

---

[17] MARSHALL, I. Howard. *I e II Tessalonicenses: Introdução e comentário*, p. 208.
[18] WIERSBE, Warren W. *Comentário bíblico expositivo*. Vol. 6, p. 252,253.
[19] HENDRIKSEN, William. *1 e 2Tessalonicenses*, p. 238.

Destacamos quatro punições que os ímpios sofrerão no dia do juízo:

Eles sofrerão uma tribulação sem alívio (1.6). A tribulação que os ímpios impõem sobre os salvos terá um alívio eterno; a tribulação que os ímpios sofrerão como justa retribuição de Deus será um tormento eterno. Para o ímpio não há paz (Is 57.21). Os ímpios serão atormentados por uma tribulação sem pausa. Enquanto durar a eternidade, durará a tribulação do ímpio.

Eles sofrerão a justa vingança divina (1.8). A Bíblia diz que de Deus não se zomba, pois o que o homem semear, isso ele ceifará (Gl 6.7). No dia que o cálice da ira de Deus transbordar, o ímpio sofrerá a justa vingança de Deus. Ele é o vingador (1Ts 4.6). A Ele pertence a vingança (Rm 12.19). Warren Wiersbe diz que quando Deus retribuir, pagará em espécie ao ímpio. Faraó tentou afogar os bebês hebreus do sexo masculino, e o próprio exército egípcio morreu afogado no mar Vermelho. Hamã tramou o extermínio dos judeus, e ele e seus filhos foram exterminados. Os conselheiros do rei Dario o obrigaram a prender Daniel e jogá-lo na cova dos leões; posteriormente, eles próprios foram atirados aos leões. Os líderes judeus incrédulos crucificaram a Cristo a fim de salvar a nação (Jo 11.49-53); alguns anos depois, viram sua cidade ser destruída, e sua nação, dispersa.[20]

O Senhor Jesus se manifestará com os anjos do Seu poder, em chamas de fogo, contra os que não conhecem a Deus e contra os que nãO obedecem ao evangelho de nosso Senhor Jesus. Quem são esses dois grupos? Alguns estudiosos como Howard Marshall entendem que eles se referem aos gentios e aos judeus, aqueles que não conhecem e os que embora tenham conhecimento, mesmo assim ainda desobedecem ao evangelho.[21] Concordo com William Hendriksen quando diz que essas duas expressões retratam o mesmo grupo.[22] Os que não conhecem a Deus não são aqui as pessoas ignorantes e desinformadas, mas aqueles que desprezam o seu conhecimento enquanto os que desobedecem são os que afrontosamente se insurgem contra Deus. Howard Marshall está correto quando

---

[20]WIERSBE, Warren W. *Comentário bíblico expositivo*. Vol. 6, p. 252.
[21]MARSHALL, I. Howard. *I e II Tessalonicenses: Introdução e comentário*, p. 211.
[22]HENDRIKSEN, William. *1 e 2Tessalonicenses*, p. 236.

afirma que a ignorância da qual escreve Paulo é a ignorância deliberada daqueles que "tendo conhecimento de Deus não O glorificaram como Deus, nem Lhe deram graças", pessoas que "mudaram a verdade de Deus em mentira, adorando e servindo a criatura, em lugar do Criador", e tudo isto a despeito de que "o que de Deus se pode conhecer é manifesto entre eles, porque Deus lhes manifestou" (Rm 1.18-25).[23] William Hendriksen ainda esclarece esse ponto como segue:

> O pecado dos perseguidores não era a ignorância do evangelho, e, sim, desobediência a ele. É verdade que os ímpios são aqui descritos como "aqueles que não conhecem a Deus". Significa que não O conhecem como Seu próprio Deus. Não invocam o seu Nome. Aliás, o odeiam; por conseguinte, odeiam igualmente o Seu evangelho.[24]

Eles sofrerão uma penalidade de eterna destruição (1.9). Enganam-se aqueles que pensam que o apóstolo Paulo esteja falando aqui de aniquilação. Paulo está falando de uma destruição eterna e não de aniquilamento. Jesus falou também de eterna destruição (Mt 5.22; 13.41,42; 18.8; 25.41,46; Mc 9.43; Hb 6.2; Jd 7). Ele ainda enfatizou a realidade do castigo eterno (Mt 5.29,30; 12.32; Lc 16.23-25). O próprio fato de esta "destruição" ser "eterna" mostra que ela não é equivalente a "aniquilação" ou "cessação de existência". Ao contrário disso, ela indica uma existência "longe da face do Senhor e da glória de Seu poder".[25] A palavra grega *olethros*, "destruição", não significa aniquilação, mas a perda de todas as coisas que dão valor à existência.[26]

Eles serão banidos para sempre da face do Senhor e da glória do Seu poder (1.9). Se conhecer a Deus e ter comunhão com Cristo são a própria essência da vida eterna (Jo 17.3), ser banido da presença dEle é a essência da morte eterna. William Hendriksen deixa esse ponto claro, quando diz que enquanto a "vida eterna" se manifesta na bem-aventurada

---

[23] MARSHALL, I. Howard. *I e II Tessalonicenses: Introdução e comentário*, p. 212.
[24] HENDRIKSEN, William. *1 e 2 Tessalonicenses*, p. 236.
[25] HENDRIKSEN, William. *1 e 2 Tessalonicenses*, p. 237.
[26] RIENECKER, Fritz e ROGERS, Cleon. *Chave linguística do Novo Testamento grego*, p. 449.

contemplação da face do Senhor, na doce vivência com Ele (Ap 22.4; Sl 17.15; Mt 5.8), na mais venturosa comunhão (1Ts 4.17), a "destruição eterna" – que é produto da vingança de Deus – é precisamente o oposto.[27]

A intercessão, instrumento de encorajamento dos santos (1.11,12)

Depois de consolar os crentes, elogiando seu crescimento espiritual e falar bem deles entre as outras igrejas, Paulo os conforta falando das gloriosas recompensas que terão na segunda vinda de Cristo e no dia do juízo. Agora, Paulo termina este capítulo orando pelos crentes. Antevendo o grande tribunal de Cristo e Seu glorioso galardão, Paulo jamais deixa passar sequer um dia sem orar pelos leitores de sua carta, para que a obra neles iniciada seja, pela graça de Deus, plenamente realizada.[28] A esperança do amanhã deve nos estimular a sermos fiéis hoje, afirma Warren Wiersbe.[29]

Dois pontos merecem destaque nesta oração de Paulo: o que o apóstolo pede e por que ele pede:

Paulo ora pela dignidade dos crentes (1.11). A igreja estava vivendo no epicentro de uma grande tribulação. Paulo, então, intercede por ela para que os crentes fossem dignos da sua vocação e cumprissem o propósito para o qual haviam sido salvos. É evidente que se no dia do juízo os tessalonicenses serão considerados dignos de entrar no reino (1.5), então, devem aqui e agora se conduzir em harmonia com a vocação do evangelho, ensina William Hendriksen.[30]

Paulo ora pelo testemunho dos crentes (1.12). A súplica de Paulo é que Cristo fosse glorificado nos Seus santos. Graça e glória caminham juntas. Assim como recebemos a graça de Cristo, também receberemos Sua glória. Enquanto aguardamos do céu o nosso Senhor, o nome de Jesus precisa ser glorificado em nós. Warren Wiersbe acrescenta que o

---

[27]HENDRIKSEN, William. *1 e 2Tessalonicenses*, p. 237.
[28]HENDRIKSEN, William. *1 e 2Tessalonicenses*, p. 244.
[29]WIERSBE, Warren W. *Comentário bíblico expositivo*. Vol. 6, p. 253.
[30]HENDRIKSEN, William. *1 e 2Tessalonicenses*, p. 240.

mais impressionante é que o cristão que glorifica a Cristo será glorificado em Cristo.³¹

Concluímos com a esclarecedora palavra de William Barclay:

> Aqui estamos diante de uma verdade que nos tira o fôlego: A verdade de que nossa glória é Cristo e que a glória de Cristo somos nós. A glória de Cristo está naqueles que por Ele aprenderam a sofrer, a conquistar e, brilhar como a luz nas trevas; a irradiar bondade e amor. A glória de um mestre está nos discípulos que forma; a dos pais nos filhos que gera e ensina a viver; e a nós cabe o tremendo privilégio e a gloriosa responsabilidade de Cristo ser glorificado em nós e nós nEle.³²

---

³¹WIERSBE, Warren W. *Comentário bíblico expositivo*. Vol. 6, p. 254.
³²BARCLAY, William. *Filipenses, Colosenses, I y II Tessalonicenses*. 1973, p. 219.

10

o anticristo, o inimigo consumado de Deus e da Igreja

2 Tessalonicenses 2.1-12

A IGREJA DE TESSALÔNICA COMETEU DOIS SÉRIOS EQUÍVOCOS acerca da doutrina da segunda vinda de Cristo. Ambos perigosos e de consequências danosas. Quais foram esses equívocos?

O equívoco de marcar datas quanto à segunda vinda de Cristo (2.1,2). Alguns crentes de Tessalônica estavam sendo enredados pelo engano, pensando que a vinda de Cristo já havia acontecido. Eles fixaram uma data e na mente deles essa data já havia chegado.

Paulo já havia ensinado à igreja sobre a segunda vinda (1Ts 2.19) e a necessidade de estar preparado para ela (1Ts 5.1-11), mas eles confundiram a vinda súbita com uma vinda imediata.[1] O problema dos tessalonicenses não era a questão da demora da *parousia*, mas, sim, sua crença de que estava esmagadoramente iminente.[2]

É bem provável que após a leitura da primeira carta de Paulo à igreja, alguns intérpretes fantasiosos tivessem chegado a essa equivocada interpretação e perturbado a igreja com suas conclusões. O verbo "perturbar" sugere ser agitado num vento tempestuoso, e é usado metaforicamente para ficar tão perturbado a ponto de perder

---

[1] HENDRIKSEN, William. *1 e 2Tessalonicenses*, p. 247.
[2] MARSHALL, I. Howard. *I e II Tessalonicenses: Introdução e comentário*, p. 220.

sua compostura e bom senso normais. É ficar transtornado pela notícia.³ O erro doutrinário traz perturbação em vez de edificação e consolo. Sempre que alguém tenta administrar essa agenda que pertence à economia da soberania de Deus cai em descrédito e colhe decepção. Somente Deus conhece esse Dia.

O equívoco de não observar os sinais da segunda vinda de Cristo (2.3). Se por um lado não podemos marcar datas acerca do dia da segunda vinda de Cristo, por outro, não podemos fechar os olhos aos seus sinais. O apóstolo pontua para a igreja que a segunda vinda de Cristo não acontecerá sem que primeiro venha a apostasia e seja manifestado o homem da iniquidade.

Dois sinais precederão a segunda vinda de Cristo:

A apostasia (2.3). A palavra grega apostasia significa queda, caída, rebelião, revolta.⁴ Trata-se de uma apostasia final que ocorrerá imediatamente antes da *parousia*. Essa apostasia será uma intensificação e culminação de uma rebelião que já começou, pois o mistério da iniquidade já opera no mundo.⁵ O fato de que o Dia do Senhor será precedido pela apostasia também já fora claramente predito pelo Senhor no Seu sermão profético (Mt 24.10-13).

O que é apostasia? Como podemos entendê-la? Concordo com a descrição de Howard Marshall:

> Apostasia é uma palavra utilizada no grego secular para uma revolta política ou militar e era usada na Septuaginta para a rebeldia contra Deus (Js 22.22; 2Cr 22.19; 33.10; Jr 2.19). Em especial, referia-se ao desvio da Lei. Nos últimos dias a oposição dos homens a Deus, bem como a imoralidade e a iniquidade crescerão grandemente (Mt 24.12; 2Tm 3.1-9). Estas coisas estão associadas com um aumento de guerras entre as nações (Mt 13.7,8) e com a atividade de falsos profetas e mestres (Mc 13.22; 1Tm 4.1-3; 2Tm 4,3,4).⁶

---

³Marshall, I. Howard. *I e II Tessalonicenses: Introdução e comentário*, p. 220.
⁴Rienecker, Fritz e Rogers, Cleon. *Chave linguística do Novo Testamento grego*, p. 450.
⁵Hoekema, Antonio A. *La Bíblia y el futuro*, p. 176,177.
⁶Marshall, I. Howard. *I e II Tessalonicenses: Introdução e comentário*, p. 223.

William Hendriksen alerta para o fato de que a apostasia futura de modo algum ensina que os que são genuínos filhos de Deus "cairão da graça". Tal queda não existe (2.13,14). Significa, porém, que a fé dos pais – fé a qual os filhos aderem por algum tempo de uma maneira meramente formal – será afinal e completamente abandonada por muitos dos filhos.[7] O mesmo escritor ainda diz: "O uso do termo *apostasia* aqui em 2Tessalonicenses 2.3, sem um adjetivo adjunto coloca em realce o fato de que, de modo geral, a Igreja visível abandonará a fé genuína".[8]

O aparecimento do homem da iniquidade (2.3). O movimento de apostasia chegará ao seu apogeu quando seu líder maior, o arquioponente de Deus, o homem da iniquidade, for revelado. Esse homem da iniquidade, também chamado de "o filho da perdição" e "o iníquo" é uma designação paulina do anticristo. Assim como Jesus terá Sua revelação, *apocalipse*, também o anticristo terá sua manifestação. Isso enfatiza o caráter "sobre-humano" da pessoa mencionada, pois a coloca como contraparte da revelação do próprio Senhor Jesus Cristo.[9]

O texto que estamos considerando foca sua atenção na pessoa, na atividade e na derrota do anticristo. William Barclay entende que estamos diante de uma das passagens mais difíceis de todo o Novo Testamento.[10] Vamos, agora, examinar mais detidamente esse tema.

Sua **identidade** revelada (2.3)

A palavra *anticristo* significa um cristo substituto ou um cristo rival.[11] O prefixo grego *anti* pode significar duas coisas: "contrário a" e "no lugar de". Antonio Hoekema diz, portanto, que a palavra "anticristo" significa um cristo substituto ou um cristo rival. Assim, o anticristo é ao mesmo tempo um cristo rival e um adversário de Cristo.[12] satanás não apenas se opõe a Cristo, mas também deseja ser adorado e

---

[7] HENDRIKSEN, William. *1 e 2Tessalonicenses*, p. 250.
[8] HENDRIKSEN, William. *1 e 2Tessalonicenses*, p. 251.
[9] RIENECKER, Fritz e ROGERS, Cleon. *Chave linguística do Novo Testamento grego*, p. 450.
[10] BARCLAY, William. *Filipenses, Colosenses, I y II Tesalonicenses*, p. 220.
[11] HOEKEMA, Antonio A. *La Bíblia y el Futuro*, p. 180,181.
[12] HOEKEMA, Antonio A. *La Bíblia y el Futuro*, p. 180,181.

obedecido no lugar de Cristo. Satanás sempre desejou ser adorado e servido como Deus (Is 14.14; Lc 4.5-8). Um dia produzirá Sua obra-prima, o anticristo, que levará o mundo a adorá-lo e acreditar em suas mentiras.[13]

No livro de Daniel o anticristo é representado inicialmente não como uma pessoa, mas como quatro reinos (leão, urso, leopardo e outro animal terrível), numa descrição clara dos Impérios da Babilônia, Medopersa, Grego e Romano (Dn 7.1-6,17,18). Outro símbolo do anticristo no livro de Daniel é Antíoco Epifânio, que profanou o templo, quando o consagrou ao deus grego Zeus e mais tarde sacrificou porcos em seu altar (Dn 7.21,25).

No ensino de Jesus, o anticristo é visto como o imperador romano Tito, que no ano 70 d.C. destruiu a cidade de Jerusalém e o templo (Mt 24.15-20), bem como um personagem escatológico (Mt 24.21,22). A profecia bíblica vai se cumprindo historicamente e avança para a sua consumação final (Mt 24.15-28).

Nas cartas de João o termo *anticristo* é empregado em um sentido impessoal (1Jo 4.2,3). Ele se referiu também ao anticristo de forma pessoal. Mas João vê o anticristo como uma pessoa que já está presente, ou seja, como alguém que representa um grupo de pessoas. Assim, o anticristo é um termo utilizado para descobrir uma quantidade de gente que sustenta uma heresia fatal (1Jo 2.22; 2Jo 7). João fala ainda tanto do anticristo que virá quanto do anticristo que já está presente. Assim, João esperava um anticristo que viria no tempo do fim. Os anticristos são precursores do anticristo (1Jo 2.28). Para João, o anticristo sempre esteve presente nos seus precursores, mas ele se levantará no tempo do fim como expressão máxima da oposição a Cristo e Sua Igreja.

Na teologia do apóstolo Paulo, o anticristo é visto como o homem do pecado (2.3). Ele surgirá da grande apostasia (2.3); será uma pessoa (2.3), será objeto de adoração (2.4), usará falsos milagres (2.9), só pode ser revelado depois que aquilo e aquele que o detêm for removido (2.6,7) e será totalmente derrotado por Cristo (2.8).

---

[13] WIERSBE, Warren W. *Comentário bíblico expositivo*. Vol. 6, p. 256.

Seu **caráter** descrito (2.3,8)

Paulo não usa o termo *anticristo* nesta carta. Essa designação é utilizada no Novo Testamento apenas por João (1Jo 2.18,22; 4.3; 2Jo 7). Mas esse é o nome pelo qual identificamos o último grande ditador mundial que Paulo chama de "homem da iniquidade", "filho da perdição" (2.3), aquele que [...] *se opõe a Deus* (2.4), aquele que se exalta acima de todos os demais (2.4), que se proclama Deus (2.4), também chamado de "iníquo" (2.8).

Vamos examinar três aspectos do caráter do anticristo:

Ele é o homem da iniquidade (2.3). Vale pontuar que o anticristo escatológico não é um sistema nem um grupo, mas um homem. Toda a descrição apresentada por Paulo é de caráter pessoal. O homem da iniquidade "se opõe", "se exalta", "se assenta no templo de Deus", "proclama a si mesmo como Deus", e será "morto".[14] À luz de 2Tessalonicenses 2.3,4,8 e 9 podemos afirmar com sólida convicção que Paulo está fazendo uma predição exata acerca de uma pessoa certa e específica que se manifestará e que receberá sua condenação quando Cristo voltar.

Alguns eminentes teólogos como Benjamim Warfield defenderam a tese de que o homem da iniquidade deveria ser identificado como a linhagem de imperadores romanos, como Calígula, Nero, Vespasiano, Tito e Domiciano.[15] John Wyclif, Martinho Lutero e muitos outros líderes da reforma defenderam a tese de que o papa era o anticristo. A Confissão de Fé de Westminster é categórica neste ponto:

> Não há outro Cabeça da Igreja senão o Senhor Jesus Cristo. Em sentido algum pode ser o papa de Roma o cabeça dela, senão que ele é aquele anticristo, aquele homem do pecado e filho da perdição que se exaltava na Igreja contra Cristo e contra tudo o que chama Deus (XXV.vi).

William Hendriksen, destacado escritor reformado, entretanto, discorda dessa interpretação, dizendo que o papa pode ser chamado

---

[14]HENDRIKSEN, William. *1 e 2Tessalonicenses*, p. 253.
[15]CRAIG, S. C. *Biblical and theological studies*, p. 472.

"um anticristo", um entre muitos dos precursores do anticristo final. Em tal pessoa o mistério da iniquidade já está em operação. Chamar, porém, o papa de *o* anticristo é algo que contraria toda a sã exegese.[16]

O anticristo é o homem sem lei que viverá e agirá na absoluta ilegalidade. Ele será um transgressor consumado da lei de Deus e dos homens. Será um monstro absolutista. A palavra grega *anomia*, iniquidade, descreve a condição de quem vive de modo contrário à lei.[17] Ele é a própria personificação da rebelião contra as ordenanças de Deus.[18] O homem da iniquidade realizará os sonhos de satanás sobre a terra, liderando a mais ampla e mais profunda rebelião contra Deus em toda a história.

William Hendriksen coloca esse fato com clareza:

> É importante observar que assim como a apostasia não será meramente passiva, mas ativa (não meramente negação de Deus, mas também uma rebelião contra Deus e Seu Cristo), assim também o homem da iniquidade será um transgressor ativo e agressivo. Ele não leva o título de "homem sem lei" por jamais ter ouvido a lei de Deus, e, sim, porque publicamente a despreza![19]

Ele é o filho da perdição (2.3). Não apenas seu caráter é sumamente corrompido, mas seu destino é claramente definido. Ele procede do maligno e se destina inexoravelmente à perdição. Ele é um ser completamente perdido e designado para a perdição. Ele será lançado no lago de fogo (Ap 19.20; 20.10). A palavra grega *apoleia*, "perdição", traz a ideia de que o anticristo está destinado a ser destruído.[20]

Ele é o iníquo (2.8). A palavra grega *anomos*, traduzida por "iníquo", significa ilegal, iníquo, aquele que vive ao arrepio da lei. O anticristo

---

[16] HENDRIKSEN, William. *1 e 2Tessalonicenses*, p. 258.
[17] RIENECKER, Fritz e ROGERS, Cleon. *Chave linguística do Novo Testamento grego*, p. 450.
[18] HENDRIKSEN, William. *1 e 2Tessalonicenses*, p. 262.
[19] HENDRIKSEN, William. *1 e 2Tessalonicenses*, p. 251.
[20] RIENECKER, Fritz e ROGERS, Cleon. *Chave linguística do Novo Testamento grego*, p. 450.

será um homem corrompido em grau superlativo. Ele será inspirado pelo poder de satanás e terá um caráter tão perverso quanto o daquele que o inspira.

Podemos afirmar, acompanhado por uma nuvem de testemunhas, que o conceito de Paulo sobre o anticristo procede da profecia de Daniel. Observemos os seguintes pontos: 1) O homem da iniquidade (2.3 – Dn 7.25; 8.25); 2) O filho da perdição (2.3 – Dn 8.26); 3) Aquele que se opõe (2.4 – Dn 7.25); 4) E que se exalta contra tudo [que é] chamado Deus ou é adorado (2.4 – Dn 7.8,20,25; 8.4,10,11); 5) De modo que se assenta no santuário de Deus, proclamando a si mesmo como Deus (2.4 – Dn 8.9-14).

Sua **oposição** e **adoração** definidas (2.4)

Dois fatos precisam ser aqui destacados:

O anticristo se oporá a Deus abertamente e perseguirá implacavelmente a Igreja (2.4). O apóstolo Paulo diz que o anticristo [...] *se opõe e se levanta contra tudo que se chama Deus* [...] *ostentando-se como se fosse o próprio Deus* (2.4). O homem do pecado é o adversário de Deus, da lei de Deus, e do povo de Deus. A palavra grega *antikeimenos*, traduzida por "opor-se", indica uma oposição constante e habitual ou como um estilo de vida enquanto a palavra grega *hiperairomenos*, traduzida por "se levanta", significa exaltar-se sobremaneira ou exaltar-se fora de proporções.[21] O anticristo será uma espécie de encarnação do mal. Esse mal humanizado será a antítese de Deus, diz William Barclay.[22] O anticristo será um opositor consumado de Deus e da Igreja (Dn 7.25; 11.36; 1Jo 2.22; Ap 13.6). Ele será uma pessoa totalmente maligna em seu ser e em suas atitudes. Ele não apenas se oporá, mas também se levantará contra tudo o que é de Deus ou objeto de culto. O profeta Daniel diz que ele *Proferirá palavras contra o Altíssimo* (Dn 7.25) e [...] *contra o Deus dos deuses, falará coisas incríveis* (Dn 11.36). O apóstolo João declara: [...] *e abriu a sua boca em blasfêmias contra Deus, para lhe*

---

[21] RIENECKER, Fritz e ROGERS, Cleon. *Chave linguística do Novo Testamento grego*, p. 450.
[22] BARCLAY, William. *Filipenses, Colosenses, I y II Tesalonicenses*, p. 221.

difamar o nome (Ap 13.6). Diz ainda: *Este é o anticristo, o que nega o Pai e o Filho* (1Jo 2.22).

O anticristo não apenas se oporá a Deus, mas também perseguirá implacavelmente a Igreja (Dn 7.25; 7.21; Ap 12.11; 13.7). O profeta Daniel diz: [...] *magoará os santos do Altíssimo* (Dn 7.25) e [...] *fazia guerra contra os santos e prevalecia contra eles* (Dn 7.21). O apóstolo João registra que lhe foi dado também que pelejasse contra os santos e os vencesse (Ap 13.7). O anticristo perseguirá de forma cruel aqueles que se recusarem a adorá-lo (Ap 13.7,15). Esse será um tempo de grande angústia (Jr 30.7; Dn 12.1; Mt 24.21,22). A Igreja de Cristo nesse tempo será uma Igreja mártir (Ap 13.7,10). Mas os crentes fiéis vão vencer o diabo e o anticristo, preferindo morrer a apostatar (Ap 12.11).

O anticristo será objeto de adoração em toda a terra (2.4). Ele se assentará no santuário de Deus e vai reivindicar ser adorado como Deus. A adoração ao anticristo é o mesmo que adoração a satanás (Ap 13.4). Adoração é um tema central no livro de Apocalipse: a noiva está adorando o Cordeiro, e a igreja apóstata está adorando o dragão e o anticristo. O mundo está ensaiando essa adoração aberta ao anticristo e a satanás. O satanismo e o ocultismo estão em alta. As seitas esotéricas crescem[23] e se espalham como um rastilho de pólvora. A Nova Era proclama a chegada de um novo tempo, em que o homem vai curvar-se diante do "Maitrea", o grande líder mundial.[24] A adoração de ídolos é uma espécie de adoração de demônios (1Co 10.19,20). A necromancia, de igual forma é, também, uma adoração de demônios. O grande e último plano do anticristo é levar seus súditos a adorarem a satanás (Ap 13.3,4). Esse será o período da grande apostasia. Nesse tempo os homens não suportarão a verdade de Deus e obedecerão a ensinos de demônios (1Tm 4.1). O humanismo idolátrico, o endeusamento do homem e sua consequente veneração, é uma prática satânica. Adoração ao homem e adoração a satanás são a mesma cousa.

---

[23] BLOMFIELD, Arthur E. *As profecias do Apocalipse.* Venda Nova, MG: Editora Betânia, 1996, p.192.
[24] LOPES, Hernandes Dias. *Apocalipse, o futuro chegou.* São Paulo, SP: Editora Hagnos, 2005, p.273.

A adoração ao anticristo será universal (Ap 13.8,16). Diz o apóstolo João que o adorarão todos os que habitam sobre a terra, aqueles cujos nomes não foram escritos no livro da vida do Cordeiro (Ap 13.8). Satanás vai tentar imitar Deus também nesse aspecto. Ao saber que Deus tem os Seus selados, ele também selará os seus com a marca da besta (Ap 13.8,16-18). Todas as classes sociais se acotovelarão para entrar nessa igreja apóstata e receber a marca da besta (Ap 13.16).

Seu **cenário** preparado (2.7)

Se o anticristo escatológico ainda não foi revelado, o mistério da iniquidade que prepara o cenário para a sua chegada já está operando. A palavra grega *misterion* traduzida por "mistério" aponta para o que era desconhecido e impossível de ser descoberto pelo homem, exceto por intermédio de uma revelação de Deus.[25] O espírito da nossa época está em aberta oposição a Deus. Vivemos esse tempo de apostasia e rebelião contra Deus. Os valores morais estão sendo tripudiados. Os princípios de Deus estão sendo escarnecidos. Os homens estão indo de mal a pior, rechaçando a verdade e trocando-a pela mentira. O que Deus abomina está sendo aplaudido e o que Deus aprova está sendo pisado como lama nas ruas.

O palco está pronto para a chegada desse líder maligno. É bem conhecido o que disse o historiador Arnold Toynbee: "O mundo está pronto para endeusar qualquer novo César que consiga dar à sociedade caótica unidade e paz". O anticristo surgirá num tempo de profunda desatenção à voz do juízo de Deus (Mt 24.37-39). Esse tempo será como nos dias de Noé.

Sua **manifestação** impedida (2.6,7)

O anticristo escatológico ainda não se manifestou porque sua aparição está sendo impedida por ALGO (2.6) e por ALGUÉM (2.7). O apóstolo Paulo diz: E, agora, sabeis *o que* o detém, para que ele seja revelado

---

[25] RIENECKER, Fritz e ROGERS, Cleon. *Chave linguística do Novo Testamento grego*, p. 451.

somente em ocasião própria. Com efeito, o mistério da iniquidade já opera e aguarda somente que seja afastado *aquele* que agora o detém" (2.6,7; grifos do autor). Convém observar que, em 2Tessalonicenses 2.6, Paulo refere-se ao repressor de modo neutro ("o que o detém"), enquanto em 2Tessalonicenses 2.7, usa o gênero masculino ("aquele que agora o detém").[26]

A palavra grega *kairós*, traduzida por "ocasião oportuna", revela-nos que o anticristo só aparecerá no momento certo, ou seja, no momento determinado por Deus. Warren Wiersbe diz que assim como houve uma "plenitude do tempo" para a vinda de Cristo (Gl 4.4), também haverá uma "plenitude do tempo" para o surgimento do anticristo, e nada acontecerá fora do cronograma divino.[27]

O que é esse ALGO? Quem é esse ALGUÉM? Agostinho de Hipona era da opinião que é impossível definir esses elementos restringidores. Outros escritores, entretanto, pensam que Paulo está se referindo aqui ao Espírito Santo, uma vez que Ele pode ser descrito tanto no gênero masculino quanto no neutro (Jo 14.16,17; 16.13) e também Ele é apontado como Aquele que restringia as forças do mal no Antigo Testamento (Gn 6.3). Howard Marshall, por sua vez, é da opinião que Deus é quem está por trás da ação adiadora da manifestação do homem da iniquidade.[28] A maioria dos estudiosos, entretanto, entende que o ALGO é a lei e que o ALGUÉM é aquele que faz a lei se cumprir. É por isso que o anticristo vai surgir no período da grande apostasia, ou seja, da grande rebelião, quando os homens não suportarão leis, normas nem absolutos. Então, eles facilmente se entregarão ao homem da ilegalidade, o filho da perdição.[29] Enquanto a lei e a ordem prevalecerem, o homem da iniquidade está impossibilitado de aparecer no cenário da história com seu programa de injustiça, blasfêmia e perseguição sem precedentes. O apóstolo via no governo e seus administradores um freio para o mal. De outro lado, quando a estrutura básica da justiça

---

[26]WIERSBE, Warren W. *Comentário bíblico expositivo*. Vol. 6, p. 255.
[27]WIERSBE, Warren W. *Comentário bíblico expositivo*. Vol. 6, p. 256.
[28]MARSHALL, I. Howard. *I e II Tessalonicenses: Introdução e comentário*, p. 233, 234.
[29]HENDRIKSEN, William. *Más que vencedores*. 1988: p. 142.

desaparece, e quando os juízos falsos e as confissões fraudulentas se transformam na ordem do dia, então o cenário se acha preparado para a revelação do homem da iniquidade.[30]

Seu **poder** identificado (2,9,10a)

O anticristo virá no poder de satanás. Ele fará coisas espetaculares e milagres estupendos pela energia de satanás. Ele não será um homem comum nem terá um poder comum. O anticristo vai manifestar-se com um grande milagre (Ap 13.3). Ele vai distinguir-se como uma pessoa sobrenatural, por um ato que será um simulacro da ressurreição. Esse fato é tão importante que o apóstolo João o registra três vezes (Ap 13.3,12,14). Certamente não será uma genuína ressurreição dentre os mortos, mas será o simulacro da ressurreição, produzido por satanás. O propósito dessa misteriosa transação é conceder a satanás um corpo. Ele governará em pessoa. O anticristo será uma espécie de encarnação de satanás.[31]

O anticristo vai realizar grandes milagres. Diz o apóstolo Paulo: *Ora, o aparecimento do iníquo é segundo a eficácia de satanás, com todo poder, e sinais e prodígios da mentira* (2.9,10). A palavra grega *energeia*, traduzida por "eficácia", é empregada com frequência para a operação sobrenatural. Atualmente, vivemos numa sociedade ávida por milagres. As pessoas andam atrás de sinais e serão facilmente enganadas pelo anticristo. Ele vai ditar e disseminar falsos ensinos (2.11). Nesse tempo, os homens não suportarão a sã doutrina (1Tm 4.1). As seitas heréticas, o misticismo e o sincretismo de muitas igrejas pavimentam o caminho para a chegada do anticristo.

Satanás dará poder a seu falso messias para que ele realize "sinais, e prodígios da mentira" (2.9). Trata-se, sem dúvida, de uma imitação de Cristo, que realizou "[...] milagres, prodígios e sinais" (At 2.22). Warren Wiersbe descreve essa incansável tentativa de satanás imitar a Deus, como segue:

---

[30]HENDRIKSEN, William. *1 e 2Tessalonicenses*, p. 269.
[31]LOPES, Hernandes Dias. *Apocalipse, o futuro chegou*. 2005: p. 271.

Satanás sempre foi um imitador. Existem falsos cristãos no mundo que, na verdade, são filhos do diabo (Mt 13.38; 2Co 11.26). Ele tem falsos ministros (2Co 11.13) que pregam um falso evangelho (Gl 1.6-9). Existe até mesmo uma "sinagoga de satanás" (Ap 2.9), ou seja, um grupo de pessoas que pensa estar adorando a Deus, mas, na verdade, adora ao diabo (1Co 10.19-21). Esses cristãos falsos possuem uma justiça falsa que não é a justiça salvadora de Cristo (Rm 10.1-3; Fp 3.4-10). Eles têm uma certeza falsa que se mostrará inútil quando enfrentarem o julgamento (Mt 7.15-29).[32]

O propósito dos milagres de Deus é conduzir as pessoas à verdade; o propósito dos milagres do anticristo será levar as pessoas a crer em mentiras. Paulo os chama de "prodígios da mentira" (2.9), não porque os milagres não sejam reais, mas porque convencem as pessoas a crer nas mentiras de satanás.[33]

O anticristo vai governar na força de satanás: *E deu-lhe o dragão o Seu poder, o seu trono e grande autoridade* (Ap 13.2). Na verdade quem vai mandar é satanás. Os governos subjugados por ele vão estar sujeitos a satanás. Esse vai ser o período da história denominado por João, o "pouco tempo de satanás" (Ap 20.3). Esse será o tempo da grande tribulação. O governo do anticristo vai ser universal, pois satanás é o príncipe deste mundo. O mundo inteiro jaz no maligno (1Jo 5.19). Aquele reino que satanás ofereceu a Cristo, o anticristo o aceitará. Ele vai dominar sobre as nações: *Deu-se-lhe ainda autoridade sobre cada tribo, povo, língua e nação* (Ap 13.7). O governo universal do anticristo será extremamente cruel e controlador (Ap 13.16,17). O Seu poder parecerá irresistível (Ap 13.4).

Seus **seguidores** apontados (2.11,12)

Os seguidores do anticristo podem ser descritos de cinco maneiras bem distintas:

---

[32] WIERSBE, Warren W. *Comentário bíblico expositivo*. Vol. 6, p. 258.
[33] WIERSBE, Warren W. *Comentário bíblico expositivo*. Vol. 6, p. 258.

Eles não acolhem o amor da verdade (2.10). A verdade de Deus não lhes interessa nem lhes apetece. Eles têm repúdio e aversão pela verdade. Veem-na como algo desprezível. Esse será o tempo da apostasia, a grande rebelião.

Eles não dão crédito à verdade (2.12). Eles serão julgados não pelo pecado da ignorância, mas pelo pecado da rejeição consciente da verdade. Eles desprezam a verdade não porque a desconhecem, mas porque a abominam e a transformam em mentira e dão crédito à mentira enquanto repudiam a verdade (2.11).

Eles se deleitam na injustiça (2.12). A razão e a emoção caminham juntas. Eles rejeitam a verdade e por isso se deleitam na injustiça. A impiedade deságua na perversão (Rm 1.18). A apostasia desemboca na corrupção moral. A teologia errada desemboca em vida errada. O prazer do ímpio está naquilo que Deus abomina. Ele se deleita naquilo que provoca náuseas em Deus. Jesus deixa esse ponto claro, quando diz: *O julgamento é este: que a luz veio ao mundo, e os homens amaram mais as trevas do que a luz; porque as suas obras eram más* (Jo 3.19).

Eles são entregues por Deus à operação do erro (2.11). Deus sentencia os seguidores do anticristo dando a eles o que sempre buscaram. Eles não acolheram o amor da verdade nem deram crédito a ela. Então, como julgamento, Deus lhes entrega à operação do erro para darem crédito aos que amam, a mentira. A culpa da condenação do homem é só sua. Quando o homem se perde, é sempre por sua própria culpa, nunca de Deus, acrescenta William Hendriksen.[34] Nessa mesma linha de pensamento Howard Marshall aduz que aqueles que se recusam a crer e a aceitar a verdade descobrem que o julgamento lhes sobrevém na forma de uma incapacidade de aceitar a verdade. O que o versículo ressalta é que esta é uma ação deliberada de Deus.[35]

Quando as pessoas espontânea e reiteradamente rejeitam tanto as promessas quanto as ameaças divinas, rejeitando tanto a Deus quanto Suas mensagens, Deus mesmo as endurece a fim de que fiquem incapacitadas

---

[34] HENDRIKSEN, William. *1 e 2 Tessalonicenses*, p. 274.
[35] MARSHALL, I. Howard. *I e II Tessalonicenses: Introdução e comentário*, p. 239.

para o arrependimento e aptas para crerem na mentira do anticristo. William Hendriksen ilustra este fato assim:

> Quando Faraó endurecia seu coração (Êx 7.14; 8.15,32; 9.7), Deus endurecia o coração de Faraó (Êx 9.12). Quando o rei de Israel odiava os genuínos profetas de Deus, então o Senhor lhe permitia ser enganado, colocando um espírito mentiroso nos lábios de outros profetas (2Cr 18.22). Quando os homens praticam a impureza, Deus os entrega às luxúrias de seus corações para a impureza (Rm 1.24,26). E quando obstinadamente recusam reconhecer a Deus, Ele finalmente os entrega a um estado mental corrompido e a uma conduta imunda (Rm 1.28).[36]

Eles são julgados e condenados (2.10,12). Os seguidores do anticristo serão julgados (2.12) e condenados à perdição. Eles perecem (2.10). O destino daqueles que rejeitam a Cristo e engrossam as fileiras do anticristo será o mesmo do dragão e do anticristo, o lago de fogo (Ap 20.10,15). Quem não anda no Caminho da vida, que é Cristo, caminha numa estrada de morte!

Sua **derrota** consumada (2.8)

O anticristo não será derrotado por nenhuma força da terra. Ele parecerá um inimigo invencível (Ap 13.4). Porém, quando Cristo vier na Sua glória o matará com o sopro da Sua boca e com a manifestação da Sua vinda (2.8). Os verbos "matar" e "destruir" não significam aniquilar, pois Apocalipse 20.10 indica que satanás e seus ajudantes serão atormentados no lago de fogo para sempre.[37] O anticristo será quebrado sem esforço de mãos humanas (Dn 8.25). Jesus vai tirar o domínio do anticristo para o destruir e o consumir até o fim (Dn 7,26). Cristo colocará todos os Seus inimigos debaixo dos Seus pés (1Co 15.24,25). O anticristo será lançado no lago de fogo que arde com enxofre (Ap 19.20). O anticristo será atormentado pelos séculos dos séculos (Ap 20.10).

---

[36] HENDRIKSEN, William. *1 e 2Tessalonicenses*, p. 275
[37] WIERSBE, Warren W. *Comentário bíblico expositivo*. Vol. 6, p. 258.

A Igreja selada por Deus (Ap 9.4) preferirá a morte à apostasia e assim vencerá o dragão e o anticristo (Ap 12.11). Aqueles cujos nomes estão no livro da vida não adorarão o anticristo (Ap 13.8) nem serão condenados com ele, mas reinarão com Cristo para sempre.

William Barclay, conclui a análise do texto em tela, sugerindo três aplicações práticas oportunas:[38]

Há uma força do mal no mundo. O mistério da iniquidade já opera no mundo preparando o cenário para o aparecimento do homem da iniquidade. Muitos caminham despercebidos sem atentar para os perigos. Quando o gigantesco e seguro Titanic chocou-se contra um *iceberg* no começo do século passado, houve uma grande perda de vidas. Antes do acidente, havia um arrogante senso de segurança na inexpugnabilidade do navio. Na estreia do grande transatlântico, quando mais de mil pessoas faziam a viagem dos sonhos para Nova York, não houve quase nenhuma instrução sobre a maneira de sair do navio em caso de acidente. Quase todo o tempo foi utilizado para falar sobre os deleites que o navio oferecia. Quando o navio começou a afundar, o pânico encheu o coração dos passageiros. Então é que foram perceber que não havia botes salva-vidas para todos. Por conseguinte, centenas de pessoas foram engolidas pelas águas geladas do Atlântico Norte. Há muitos que navegam em águas perigosas ainda hoje. Poucos estão preparados para o dia do julgamento. Enquanto o mundo se afunda no abismo do pecado, a igreja é desafiada a alcançar os povos da terra para Cristo, oferecendo-lhes um seguro salva-vidas.

Deus tem o controle. O iníquo, o filho da perdição só aparecerá no tempo que Deus determinar e terá Seu poder limitado, seu tempo limitado e sua derrota lavrada. Até mesmo o mal mais hediondo está sob o controle de Deus.

O triunfo final de Deus é seguro. Ninguém poderá se opor a Deus e prevalecer. O iníquo fará proezas e enganará a muitos, mas chegará o momento em que Deus dirá: "Basta". Então, ele será lançado no lago de fogo e será atormentado pelos séculos dos séculos.

---

[38] BARCLAY, William. *Filipenses, Colosenses, I y II Tesalonicenses*, p. 221, 222.

11

A gloriosa salvação dos eleitos de Deus

2 Tessalonicenses 2.13-17

O TEXTO EM ANÁLISE NOS APONTA UM GRANDE CONTRASTE entre os seguidores do anticristo (2.10-12) e os seguidores de Cristo (2.13,14). Enquanto aqueles perecem, estes são salvos. Enquanto aqueles são enganados e dão crédito à mentira, estes creem na verdade. Enquanto aqueles se deleitam na injustiça, estes são santificados pelo Espírito.

William Hendriksen afirma que Paulo faz aqui um claro contraste entre a condenação que aguarda os seguidores de satanás e a salvação entesourada para os filhos de Deus.[1] Enquanto aqueles são seguidores do anticristo rumo à perdição eterna, estes são escolhidos por Deus, desde toda a eternidade, para alcançarem a glória de Cristo.

Warren Wiersbe esclarece que o apóstolo Paulo passa da profecia para a vida cristã prática; do aspecto negativo (as mentiras de satanás) para o aspecto positivo (a verdade de Deus).[2] Nessa mesma linha de pensamento Howard Marshall acrescenta que a passagem inteira tem a intenção de ser um antídoto aos sentimentos de incerteza despertados

---
[1] HENDRIKSEN, William. *1 e 2Tessalonicenses*, p. 277.
[2] WIERSBE, Warren W. *Comentário bíblico expositivo*. Vol. 6, p. 261.

pelas sugestões de que o último dia já chegara, e renova a confiança dos leitores de que participarão da glória associada com a *parousia*.³

No último dia, o joio será separado do trigo, os bodes serão separados das ovelhas e aqueles que seguiram as pegadas do anticristo sofrerão penalidade de eterna destruição, enquanto os seguidores do Cordeiro entrarão na posse do Reino e reinarão com Cristo para sempre.

Quando Cristo voltar teremos duas igrejas bem distintas: a igreja apóstata, a grande meretriz, chamada a grande Babilônia e a noiva do Cordeiro, a Igreja dos primogênitos, lavada e remida no sangue do Cordeiro. A igreja apóstata receberá a marca da besta e seguirá o anticristo e seu destino é a perdição eterna; porém, aqueles que receberam o selo de Deus e cujos nomes estão escritos no livro da vida, vencerão o dragão e o seu perverso agente pelo sangue do Cordeiro e pala palavra do testemunho (Ap 12.11). Enquanto aqueles serão atormentados de dia e de noite, pelos séculos dos séculos (Ap 20.10), estes viverão eternamente com Cristo na glória.

O contraste no dia final entre os seguidores do anticristo e os seguidores de Cristo não deixará qualquer sombra de dúvida. Ficará meridianamente claro o destino daqueles que são do Senhor e daqueles que foram enganados e seduzidos pelas mentiras do anticristo. Naquele dia só haverá dois destinos: salvação eterna ou condenação eterna.

Depois de traçar com linhas fortes a terrível condenação dos asseclas de satanás, Paulo se volta para descrever a gloriosa salvação dos eleitos de Deus. Vamos, agora, considerar essa bendita doutrina.

A origem da salvação (2.13)

Depois de apresentar a corrupção temporal e a condenação eterna dos seguidores do anticristo, o apóstolo Paulo revela a santificação temporal e a salvação eterna dos eleitos de Deus. Enquanto aqueles que não acolheram a verdade para serem salvos, antes deram crédito à mentira e se deleitaram na injustiça, são destinados à perdição eterna, os eleitos

---

³MARSHALL, I. Howard. *I e II Tessalonicenses: Introdução e comentário*, p. 241.

de Deus, por sua vez, pela fé na verdade e santificação do Espírito são destinados à glória.

A eleição divina é uma doutrina gloriosa. Vamos destacar alguns pontos para nosso ensino:

A eleição é uma verdade revelada e não uma especulação teológica (2.13). A doutrina da eleição não é uma especulação humana, mas uma revelação divina (Mc 13.20,22,27; Lc 18.7; Jo 15.16; 17.8; At 13.48; Rm 8.29,30; 9.11,12; 11.7; Cl 3.12; Tt 1.1; 1Pe 1.2). Podemos rejeitá-la, mas não tirá-la da Bíblia. É perigoso envolver-se em especulações inúteis acerca da soberania de Deus e da responsabilidade humana, uma vez que ambas são ensinadas nas Escrituras. Elas são como duas linhas que caminham paralelas até a eternidade. A verdade incontestável das Escrituras é que Deus nos escolheu a nós e não nós a Ele (Jo 15.16). Não fomos nós que amamos a Deus, mas foi Ele quem nos amou primeiro (1Jo 4.10). Tudo provém de Deus (2Co 5.18). A salvação pertence a Deus (Jn 2.9).

A doutrina da eleição está presente nos pais da Igreja, na doutrina dos reformadores, nos credos e confissões reformadas. Ela foi crida, pregada e defendida pelos pais da Igreja, pelos mártires, pelos missionários e avivalistas. Charles Haddon Spurgeon, falando da veracidade de gloriosa doutrina, escreve:

> Por meio dessa verdade da eleição, faço uma peregrinação ao passado, e, enquanto prossigo, contemplo pai após pai da Igreja, confessor após confessor, mártir após mártir levantarem-se e virem apertar minha mão. Se eu fosse um defensor do pelagianismo, ou acreditasse na doutrina do livre-arbítrio humano, então eu teria de prosseguir sozinho por séculos e mais séculos em minha peregrinação ao passado. Aqui e acolá, algum herege, de caráter não muito honrado, talvez se levantasse e me chamasse de irmão. Entretanto, aceitando como aceito essas realidades espirituais como o padrão de minha fé, contemplo a pátria dos antigos crentes povoada por numerosíssimos irmãos; posso contemplar multidões que confessam as mesmas verdades que defendo, multidões que reconhecem que essa é a religião da própria Igreja de Deus.[4]

---

[4]SPURGEON, Charles Haddon. *Eleição*, p. 7,8.

A eleição é uma decisão eterna de Deus e não uma escolha temporal do homem (2.13). Foi Deus quem nos escolheu para a salvação e isso desde toda a eternidade. Ele nos amou, com amor eterno e nos atraiu para Si com cordas de amor (Jr 31.3). A Bíblia diz que Deus nos escolheu desde o princípio para a salvação (2.13). Charles Spurgeon, o maior pregador do século XIX, afirma que enquanto não recuarmos até o tempo em que o universo inteiro dormia na mente de Deus, como algo que ainda não havia nascido, enquanto não penetrarmos na eternidade, onde Deus, o Criador, vivia solitário, quando tudo ainda dormia dentro dEle, quando a criação inteira repousava em Seu pensamento todo abrangente e gigantesco; não teremos nem começado a sondar o princípio. Podemos ficar retrocedendo, retrocedendo e retrocedendo, eras e mais eras sem fim.[5] O mesmo pregador ainda escreve:

> Deus nos escolheu quando o espaço celeste nunca dantes navegado não era ainda agitado pelo marulhar das asas de um único anjo, quando o espaço não tinha limites, ou melhor, nem havia sido expandido, quando imperava um silêncio universal, e quando nenhuma voz ou murmúrio chocava a solenidade do silêncio total; quando ainda não existia qualquer ser, ou movimento, ou tempo, e quando coisa nenhuma, exceto o próprio Deus, existia, e Ele estava sozinho na eternidade; quando, sem que qualquer anjo levantasse o seu cântico, sem a ajuda do primeiro dos querubins; muitíssimo antes de as criaturas vivas terem vindo à existência, ou de terem sido formadas as rodas da carruagem de Jeová. Sim, quando "no princípio era o Verbo", quando no princípio o povo de Deus era um com o Verbo, foi então que Ele escolheu os Seus eleitos para a vida eterna.[6]

Deus nos escolheu antes dos tempos eternos (2Tm 1.9). Ele nos elegeu em Cristo antes da fundação do mundo (Ef 1.4). Howard Marshall diz que a expressão "desde o princípio" tem o efeito de colocar o ato da eleição em associação com o propósito de Deus para o mundo antes da criação (Ef 1.4). E se Deus fez Seu plano há tanto tempo, é impossível

---

[5] SPURGEON, Charles Haddon. *Eleição*, p. 21,22.
[6] SPURGEON, Charles Haddon. *Eleição*, p. 22.

que esse plano seja alterado. Isso dava aos crentes uma base sólida para a segurança deles.[7]

William Barclay está correto quando declara que ninguém pode jamais eleger-se a si mesmo. Nem sequer podemos jamais começar a buscar a Deus sem que Deus nos haja encontrado. Toda a iniciativa está em Deus; o fundamento e a causa motora de tudo é o amor de Deus que busca.[8]

A eleição é um decreto incondicional de Deus e não um merecimento humano (2.13). Deus não nos escolheu porque merecíamos ser salvos, mas apesar de sermos pecadores. Não fomos salvos por causa da nossa justiça, mas por causa da Sua misericórdia. Deus prova o Seu próprio amor para conosco pelo fato de ter Cristo morrido por nós, sendo nós ainda pecadores (Rm 5.8).

Deus não nos escolheu porque previu que iríamos crer em Cristo. A fé não é a causa da nossa eleição, mas o seu resultado. Não fomos eleitos porque cremos; cremos porque fomos eleitos. A fé não é a mãe da eleição, mas sua filha. A Bíblia diz: [...] *e creram todos os que haviam sido destinados para a vida eterna* (At 13.48). Não diz o texto que os que creram foram eleitos, mas, sim, que os eleitos creram.

Deus não nos escolheu por causa das nossas boas obras, mas para as boas obras. Nós fomos criados em Cristo para as boas obras e não por causa delas (Ef 2.10). As boas obras não são a causa da eleição, mas sua consequência.

Deus não nos escolheu por causa da nossa santidade, mas para sermos santos (Ef 1.4). Deus não nos escolheu por sermos parecidos com Jesus, mas para sermos conformes à imagem dEle (Rm 8.29). A causa da eleição divina está no próprio Deus e nunca em nós. A graça é o solo onde está plantada a semente bendita da eleição, e graça é um dom imerecido!

A eleição divina é pessoal e não coletiva (2.13). A eleição para a salvação não é coletiva, mas individual; não é nacional, mas pessoal. Deus não escolheu nações para a salvação, mas indivíduos. Deus *nos* escolheu

---

[7] MARSHALL, I. Howard. *I e II Tessalonicenses: Introdução e comentário*, p. 242.
[8] BARCLAY, William. *Filipenses, Colosenses, I y II Tesalonicenses*, p. 222.

pessoalmente, individualmente. Não há salvação em grupo nem em massa. A salvação é individual. O pai não pode representar o filho nem o filho o pai. A porta do céu é estreita e o caminho é apertado. Jesus foi enfático: [...] *se alguém não nascer de novo, não pode ver o Reino de Deus* (Jo 3.3) e *Quem não nascer da água e do Espírito não pode entrar no Reino de Deus* (Jo 3.5).

A eleição divina é para a salvação e não apenas para um privilégio especial (2.13). Equivocam-se aqueles que pensam que a eleição divina é apenas para algum privilégio, serviço ou ministério. Concordo com J. P. Gloag quando diz que a eleição divina não é para privilégios eclesiásticos ou nacionais, mas para a salvação.[9] Deus nos escolheu para a salvação (2.13). Somos salvos do pecado e da morte. A finalidade da nossa fé é a salvação da nossa alma (1Pe 1.9). A vida eterna é um presente de Deus e não um merecimento nosso. Entraremos na glória por causa da graça e não por causa do nosso esforço ou trabalho. Não trabalhamos para sermos salvos, mas porque fomos salvos. Não servimos para sermos aceitos, mas porque já fomos aceitos. Não somos salvos por causa da santificação, mas pela santificação e fé na verdade. A santificação não é a causa da salvação, mas, sim, o meio.

A eleição não estimula o relaxamento moral, mas é confirmada pela santificação do Espírito e fé na verdade (2.13). Aqueles que rejeitam a doutrina da eleição porque dizem que ela estimula o relaxamento moral tapam os olhos à verdade revelada de Deus, pois esta diz que *Deus vos escolheu desde o princípio para a salvação, pela santificação do Espírito e fé na verdade* (2.13). Duas verdades são aqui destacadas pelo apóstolo Paulo:

A santificação do Espírito (2.13). Não há salvação sem a santificação do Espírito (1Pe 1.2). A única prova de que uma pessoa é eleita é sua santificação, pois fomos eleitos para sermos santos (Ef 1.4). Deus nos salvou do pecado e não no pecado. Deus nos escolheu para sermos santos e não para vivermos na prática da iniquidade. Charles Spurgeon alerta para o fato de que milhares e milhares de pessoas têm arruinado a si mesmas por haverem compreendido erroneamente a doutrina da eleição. Essas

---
[9] GLOAG, J. P. *The pulpit commentary*. Vol. 21, p. 32.

pessoas se julgam eleitas e salvas, mas ao mesmo tempo vivem na prática da iniquidade. Assim, elas transformam a verdade de Deus em mentira e aquilo que é o mais nutritivo pão do céu no veneno mais letal. Essas pessoas têm dito: "Deus me escolheu para ir para o céu e para receber a vida eterna". E, no entanto, elas têm se esquecido de que está escrito que Deus nos escolheu [...] *pela santificação do Espírito e fé na verdade* (2.13). Essa é a autêntica eleição divina – a eleição para a santificação e para a fé. Deus escolhe o Seu povo para que seja crente e santo.[10]

A fé na verdade (2.13). A verdade, aqui, é naturalmente, a revelação divina contida no evangelho, diz Howard Marshall.[11] Não há salvação sem fé em Cristo. Ele é a verdade (Jo 14.6). Não há outra salvação além daquela revelada na Escritura. A Palavra é a verdade (Jo 17.17). Russell Norman Champlin está correto quando diz que intencionalmente o apóstolo Paulo está fazendo um contraste aqui entre os eleitos de Deus que creem na verdade com os seguidores do homem da iniquidade que deram crédito à mentira. Enquanto aqueles que perecem vão crer nas mentiras de satanás e seguir o anticristo, os crentes vão sempre colocar sua confiança na Palavra de Deus.[12]

Refutando aqueles que gostam de especular sobre a doutrina da eleição, Charles Spurgeon afirma que qualquer pessoa que confia na verdade de Deus e que confia em Jesus Cristo é uma pessoa eleita.[13] Uma pessoa que confia na sua eleição, mas vive na incredulidade, comete um engano fatal.

William MacDonald observa que com respeito "à santificação do Espírito" temos a parte divina na salvação e com respeito "à fé na verdade", a parte humana. Os dois aspectos são necessários. Soberania de Deus na salvação não anula a responsabilidade humana, mesmo quando nós não alcançamos como as duas coisas podem se reconciliar.[14] Concordo com

---

[10] SPURGEON, Charles Haddon. *Eleição*, p. 24,25.
[11] MARSHALL, I. Howard. *I e II Tessalonicenses: Introdução e comentário*, p. 243.
[12] CHAMPLIN, Russel Norman. *O Novo Testamento interpretado versículo por versículo*. Vol. 5, p. 251.
[13] SPURGEON, Charles Haddon. *Eleição*, p. 26.
[14] MACDONALD, William. *Believer's Bible commentary*, p. 2056.

Howard Marshall quando fala que nada em Paulo sugere que a fé tem relacionamento com a responsabilidade humana.[15] Paulo não ensina o sinergismo, ou seja, que o homem pode cooperar com Deus na salvação. A salvação é uma obra exclusiva de Deus, pois até mesmo a fé é um dom de Deus (Ef 2.9) e é o próprio Deus quem opera em nós tanto o querer quanto o realizar (Fp 2.13). Contudo, Deus ordena o homem a arrepender-se e crer. George Barlow diz que ao mesmo tempo em que a fé é um dom de Deus, é também, um ato humano. Sem o dom de Deus não haveria fé e sem o exercício humano do dom não haveria salvação. Não é a fé que salva, mas o Cristo recebido pela fé.[16]

O propósito da salvação (2.14)

Depois de descrever a eleição divina no versículo 13, agora, no versículo 14, Paulo revela o propósito para o qual fomos eleitos: alcançarmos a glória de Cristo. Duas verdades são aqui destacadas:

Deus nos chama para a salvação pelo evangelho (2.14). Deus nos escolhe para a salvação na eternidade, mas nos chama para a salvação pelo evangelho no tempo. Esse chamado eficaz acontece quando a pessoa escuta a Palavra e crê na verdade.[17] Paulo chama o evangelho de Cristo de "meu" evangelho. O apóstolo estava tão comprometido com a verdade de Deus que essa era a sua verdade, o Seu evangelho. Não há outro evangelho além deste que lhe foi revelado (Gl 1.6-9). Qualquer nova revelação ainda que venha da parte de um anjo deve ser rechaçada (Gl 1.8).

Deus chama Seus eleitos pelo evangelho (Jo 17.20). A fé que não é de todos (3.2), mas dos eleitos (Tt 1.1) vem por ouvir a Palavra (Rm 10.17). O evangelho é o poder de Deus para a salvação de todo o que crê (Rm 1.16). O mesmo Deus que determinou o fim (a salvação) também determinou o meio para alcançar esse fim (mediante o evangelho). Todos os que são eleitos na eternidade são eficazmente chamados pelo evangelho (Jo 6.37; Rm 8.30).

---

[15] MARSHALL, I. Howard. *I e II Tessalonicenses: Introdução e comentário*, p. 243.
[16] BARLOW, George. *The preacher's complete homiletic commentary*. Vol. 28, 1996, p. 566.
[17] MACDONALD, William. *Believer's Bible commentary*, p. 2056.

Howard Marshall corretamente afirma que a predestinação por Deus leva à chamada e à glorificação final do Seu povo.[18] Assim, longe da doutrina da eleição ser um desestímulo à evangelização, ela é um encorajamento para a sua realização. Warren Wiersbe diz que o maior estímulo para o evangelismo é saber que Deus preparou certas pessoas para responderem à Sua Palavra.[19] O Senhor encorajou Paulo em Corinto, com essas palavras: [...] *Não temas; pelo contrário, fala e não te cales; porquanto eu estou contigo, e ninguém ousará fazer-te mal, pois tenho muito povo nesta cidade* (At 18.9,10). A eleição e a pregação do evangelho seguem-se de perto (1Ts 1.4,5; 2.13).

Deus nos chama para a salvação para alcançarmos a glória de Cristo (2.14). O propósito final da salvação é que os eleitos de Deus alcancem a glória de Cristo. O que começou na eternidade passada chega a seu apogeu na eternidade futura (Jo 17.24; Rm 8.29,30). O que começa com a graça sempre conduz à glória, acrescenta Warren Wiersbe.[20] Entraremos na glória e teremos um corpo de glória semelhante ao corpo de Cristo (Fp 3.21). Estaremos não apenas no céu, mas assentados em tronos (Ap 4.4). Estaremos não apenas no paraíso, mas na Casa do Pai (Jo 14.1-3). Estaremos não apenas nos deleitando no Jardim restaurado de Deus, onde não haverá lágrimas, nem dor, nem luto, mas também reinando com Cristo pelos séculos dos séculos.

William MacDonald sintetiza os versículos 13 e 14, dizendo que temos aqui um sistema de teologia em miniatura, um maravilhoso sumário do propósito de Deus na vida do Seu povo. A salvação origina-se na escolha divina, é operada pelo poder divino, é conhecida eficazmente pela mensagem divina e irá ser aperfeiçoada na glória divina.[21]

O dever da salvação (2.15)

O apóstolo Paulo falou aos tessalonicenses sobre a rebelião futura contra a verdade (2.3), a grande apostasia liderada pelo homem da ilegalidade,

---

[18]MARSHALL, I. Howard. *I e II Tessalonicenses: Introdução e comentário*, p. 243.
[19]WIERSBE, Warren W. *Comentário bíblico expositivo*. Vol. 6, p. 261.
[20]WIERSBE, Warren W. *Comentário bíblico expositivo*. Vol. 6, p. 262.
[21]MACDONALD, William. *Believer's Bible commentary*, p. 2057.

o anticristo. Agora, mostra a necessidade de os eleitos de Deus ficarem firmes na verdade. Os que foram escolhidos por Deus na eternidade, chamados pelo evangelho para alcançarem a glória de Cristo, devem viver neste mundo sem vacilar. O chamado cristão é uma convocação para a luta. Vida cristã não é um parque de diversões nem uma colônia de férias. Somos chamados não apenas para o maior de todos os privilégios, mas também para a maior de todas as lutas.[22] Duas verdades solenes são destacadas por Paulo:

1. *Os eleitos de Deus devem permanecer firmes até o fim* (2.15). A eleição não é uma licença para pecar, mas um encorajamento para vivermos plantados firmemente no solo da graça. A garantia da salvação não é um desestímulo à santificação, mas um apelo à firmeza. O salvo é alguém que permanece firme. Ele é fiel até à morte (Ap 2.10). Ele não se afasta da verdade do evangelho (1Co 16.13; Cl 1.23). Ele não é como um caniço agitado pelo vento nem como uma criança imatura agitada por todo vento de doutrina.
2. *Os eleitos de Deus devem guardar as tradições recebidas* (2.15). Ao usar o termo "tradições", Paulo não se refere às ideias religiosas criadas por seres humanos e sem fundamento bíblico.[23] Jesus rejeitou as tradições religiosas dos escribas e fariseus (Mc 7.1-13), e Paulo adverte contra essas mesmas tradições humanas (Cl 2.8). É triste ver religiosos se apegarem a tradições humanas ao mesmo tempo em que rejeitam a Palavra de Deus.

Warren Wiersbe esclarece esse ponto, quando escreve:

> O termo "tradição" significa, simplesmente, "o que foi passado de uma pessoa para outra". A verdade do evangelho começou como uma mensagem oral, proclamada por Cristo e pelos apóstolos. Posteriormente, essa verdade foi registrada por escrito, por inspiração do Espírito Santo, transformando-se nas Sagradas Escrituras (2Tm 3.12-17; 2Pe 2.16-21).

---

[22] BARCLAY, William. *Filipenses, Colosenses, I y II Tesalonicenses*, p. 222.
[23] WIERSBE, Warren W. *Comentário bíblico expositivo*. Vol. 6, p. 262.

A verdade de Deus não foi inventada por homens: foi transmitida de Deus para os homens (1Co 15.1-6; Gl 1.11,12), e cada geração de cristãos a guardou e a passou adiante (2Tm 2.2).[24]

Precisamos distinguir tradição de tradicionalismo. A tradição é a fé viva dos pais que morreram enquanto o tradicionalismo é a fé morta dos que estão vivos. Os fariseus consideravam suas interpretações da lei tão sagradas quanto a Palavra de Deus (Mc 7.7-9) e com suas tradições fizeram errar o povo. A Igreja Romana coloca sua tradição, seus escritos eclesiásticos, no mesmo nível e até acima das Escrituras. Isso é um perigoso engano.

É importante destacar que a palavra grega *parádosis*, traduzida por "tradição", refere-se, aqui, ao ensino do apóstolo.[25] Nessa mesma linha de pensamento William Hendriksen revela que "as tradições" aqui são os ensinamentos autorizados que foram transmitidos à Igreja (1Co 11.2; Gl 1.14; Cl 2.8).[26] Paulo exorta seus leitores a se manterem firmes naquilo que realmente dissera e escrevera. A tradição segundo o apóstolo Paulo tinha dois aspectos:

1. *A tradição oral* (2.15). Paulo havia ensinado muitas coisas à igreja de Tessalônica que não estavam escritas em suas duas cartas aos tessalonicenses. Suas pregações aos tessalonicenses, entretanto, foram certamente consoantes ao ensino geral das Escrituras. A tradição oral não é algo contraposto à Escritura, distinto e até em oposição à Escritura, mas o ensino verbal da Escritura. William Hendriksen nessa mesma linha esclarece que a tradição a que Paulo se refere aqui se trata das palavras pregadas por ele, Silas e Timóteo quando estavam entre os tessalonicenses e mais tarde, quando Timóteo os visitou.[27]
2. *A tradição escrita* (2.15). Paulo agora, se refere à tradição escrita, ou seja, sua primeira carta enviada à igreja. Observe que Paulo não está

---

[24]WIERSBE, Warren W. *Comentário bíblico expositivo*. Vol. 6, p. 262.
[25]RIENECKER, Fritz e ROGERS, Cleon. *Chave linguística do Novo Testamento grego*, p. 452.
[26]HENDRIKSEN, William. *1 e 2Tessalonicenses*, p. 279.
[27]HENDRIKSEN, William. *1 e 2Tessalonicenses*, p. 279.

recomendando à igreja qualquer epístola, mas sua epístola. Devemos rejeitar outra regra de fé e prática além da própria Bíblia. Ao mesmo tempo em que não podemos mudar a Palavra, não devemos também embalsamá-la. Essa Palavra é viva. Ela é como uma semente que colocada no solo produz a planta, frutos e mais sementes.

Os frutos da salvação (2.16,17)

Depois de falar sobre a origem da salvação, abordando a eleição divina; depois de destacar o propósito da salvação, ou seja, alcançarmos a glória de Cristo; depois de reafirmar a necessidade dos salvos permanecerem firmes e guardarem a Palavra; finalmente, Paulo ora pelos crentes e trata sobre os frutos da salvação. Quatro verdades benditas são destacadas pelo apóstolo:

Os salvos recebem o amor do Pai e do Filho (2.16). Os eleitos não apenas são destinados à salvação para alcançarem a glória, mas eles são objetos do amor de Deus. A fonte da salvação está no amor eterno, imutável, e insondável de Deus (Jo 3.16; Rm 5.8). Deus não precisava ter nos criado nem mesmo criado o universo para ser completo em si mesmo. Deus deleitava-se na comunhão eterna que desfrutava entre as três Pessoas da Trindade antes que houvesse sequer uma estrela no firmamento. Porém, Deus livre e soberanamente, movido por amor, decretou nos criar à Sua imagem e semelhança e nos escolher em Cristo para a salvação. Isso é um ato de pura graça. Isso é amor inefável!

Os salvos recebem eterna consolação (2.16,17). Os salvos não apenas recebem consolação de suas angústias e tribulações nesta vida, mas também receberão uma consolação eterna, pois dos seus olhos serão enxugadas todas as lágrimas (Ap 21.4). Mesmo que os salvos sejam neste mundo odiados, perseguidos e mortos, o que lhes espera na eternidade é uma eterna consolação.

William Barclay diz que o cristão é alguém que pode considerar a luta e a aflição como algo muito pequeno em comparação com a glória que virá.[28] William Hendriksen entende que o ânimo não visa

---

[28] BARCLAY, William. *Filipenses, Colosenses, I y II Tesalonicenses*, p. 223.

apenas à presente vida. Ele será comunicado igualmente no dia do juízo final. De fato, ainda que o conforto ou consolação para amainar o sofrimento não se faz necessário no céu – o mundo de infindável deleite – nem será outorgado ali, não obstante ainda lá Deus em Cristo injetará nos remidos um ânimo eterno, ao comunicar-lhes glória e mais glória.[29]

Os salvos recebem boa esperança (2.16). A esperança do ímpio é vazia. Para o perverso não tem paz. Sua riqueza não pode lhe dar esperança. Seu poder se tornará inútil no dia final. Sua vida sem Cristo será vã, sua religião sem Cristo será vã e sua esperança vazia. Porém, aqueles que foram escolhidos, chamados e destinados para a glória terão uma esperança boa, viva, e segura. Aqueles que esperam em Deus jamais serão envergonhados. William Hendriksen acrescenta que a boa esperança de que Paulo fala é uma esperança que é bem fundamentada, ou seja, está arraigada nas promessas de Deus e na obra redentora de Cristo. Ela está cheia de deleite, e jamais termina em decepção, visto que tem o Deus trino como seu alvo.[30]

Os salvos são consolados pela graça e confirmados em toda boa obra e boa palavra (2.17). O apóstolo Paulo faz um duplo pedido a Deus a favor dos crentes: que eles sejam encorajados e confirmados em toda boa obra e boa palavra. Encorajamento (1Ts 2.11; 3.2; 4.1,10,18; 5.11,18) e confirmação (1Ts 3.2,13) foram ensinos enfáticos de Paulo à igreja dos tessalonicenses.

Paulo demonstrou preocupação com dois aspectos da vida cristã dos tessalonicenses: sua palavra e suas obras; o que diziam e o que faziam. Se as atitudes não são coerentes com as palavras, o testemunho perde a eficácia. O "agir" e o "falar" devem estar em concordância; as boas obras e as boas palavras devem estar em harmonia.

Não somos salvos pelas obras (Ef 2.8-10; Tt 3.3-7), mas as boas obras dão prova da salvação (Tt 2.11-15). Devemos ser confirmados em nossas palavras e em nossas obras.[31] Matthew Henry diz que Cristo

---

[29]HENDRIKSEN, William. *1 e 2Tessalonicenses*, p. 280.
[30]HENDRIKSEN, William. *1 e 2Tessalonicenses*, p. 280.
[31]WIERSBE, Warren W. *Comentário bíblico expositivo*. Vol. 6, p. 263,264.

deve ser glorificado por nossas boas obras e por nossas boas palavras.[32] William MacDonald escreve que a verdade em nossos lábios não é suficiente, ela deve ser notória também em nossa vida. Assim, devemos mostrar ao mundo tanto as palavras quanto as obras, tanto a doutrina quanto o dever, tanto a pregação quanto a prática.[33]

---
[32] HENRY, Matthew. *Matthew's Henry commentary in one volume*, p. 1885.
[33] MACDONALD, William. *Believer's Bible commentary*, p. 2057.

12

A igreja sob ataque

2 Tessalonicenses 3.1-18

A VIDA CRISTÃ É UM CAMPO DE BATALHA e não um parque de diversões. É luta renhida, combate sem trégua. Nesse campo não há ninguém neutro. Somos guerreiros ou vítimas. Usamos a armadura de Deus, ou então estaremos vulneráveis numa arena de morte.

O apóstolo Paulo, depois de tratar da apostasia final e do aparecimento do homem da iniquidade, retratando com cores vivas a perseguição brutal que assolará a igreja no tempo do fim, ainda precisa alertar a igreja sobre o fato de que ela está sob ataque externo e interno.

A igreja sob ataque externo (3.2,3). O ataque externo à igreja vem de duas fontes específicas:

1. *Os homens maus* (3.2). O diabo tem não apenas o homem da iniquidade como seu agente, mas também homens maus e perversos como seus asseclas. Esses homens maus são opositores hostis e declarados do evangelho. Perseguem os pregadores e tentam desacreditar a pregação.
2. *O maligno* (3.3). O maligno é o patrono maior dos oponentes de Deus. Ele se chama satanás porque se opõe a Deus, à Sua Igreja e à Sua obra. Ele se chama diabo porque é acusador. Ele se chama maligno porque todas as suas obras são más. Ele se chama antiga

serpente porque é venenoso e enganador. Ele se chama dragão porque é devorador. Ele é ladrão, assassino e mentiroso. Ele usa suas armas, seus estratagemas e seus agentes para atacar a igreja.

A igreja sob ataque interno (3.6,11). A igreja não enfrenta apenas ataques de fora para dentro, mas também lutas e conflitos internos. Na igreja de Tessalônica havia irmãos vivendo de modo desordenado (3.6,11).

Quando Paulo escreveu sua primeira carta à igreja de Tessalônica advertiu os crentes ociosos e bisbilhoteiros que eles deveriam trabalhar (1Ts 4.11). Aconselhou os líderes da igreja a admoestar esses insubmissos (1Ts 5.14). Esses rebeldes, porém, não se arrependeram uma vez que Paulo precisou dedicar o restante de sua segunda carta ao mesmo problema.

O que gerou esse problema moral dentro da igreja? Uma visão distorcida da teologia. Doutrina errada desemboca em vida errada. Alguns crentes haviam interpretado incorretamente os ensinamentos de Paulo acerca da segunda vinda de Cristo. Por acreditarem que a volta de Cristo seria avassaladoramente iminente deixaram de trabalhar e passaram a viver à custa da generosidade da igreja. Warren Wiersbe diz que esses crentes imaturos e enganados permaneciam ociosos, enquanto outros trabalhavam, e, ainda, esperavam que a igreja os sustentasse. Além de não trabalhar, eles espalhavam fofocas sobre outros membros da igreja. Enquanto as mãos permaneciam ociosas, a língua ocupava-se fofocando.[1]

Três grandes verdades são destacadas pelo apóstolo Paulo neste capítulo em apreço.

A humildade do apóstolo em **pedir oração** (3.1,2)

Paulo é um homem de oração, que suplica a Deus sem cessar pela igreja e também roga à igreja continuamente que ore a seu favor (1Ts 5.25; Rm 15.30-32; 2Co 1.11; Fp 1.19; Cl 4.2; Fm 22). Paulo mesmo sendo o maior teólogo do cristianismo, o maior evangelista e o maior

---

[1] WIERSBE, Warren W. *Comentário bíblico expositivo*. Vol. 6, p. 266.

plantador de igrejas, jamais perdeu o senso de sua total dependência de Deus. Ele tinha luz na mente e fogo no coração. Ele tinha teologia e piedade. Ele tinha se consagrado à oração e à Palavra. Ele acreditava que Deus responde às orações e que o Eterno intervém na história por intermédio das súplicas do Seu povo. Hoje, temos gigantes no púlpito, mas pigmeus na oração. Temos homens que têm conhecimento, mas não unção; homens que têm a mente cheia de luz, mas o coração vazio de calor. Hoje temos homens que têm fome de livro, mas não fome de Deus. Essa separação entre Palavra e oração é, atualmente, um dos mais graves problemas da Igreja contemporânea.

Quais assuntos levam o veterano apóstolo a pedir orações da igreja? Prosperidade? Cura? Sucesso? Não! O coração do apóstolo arde pela proclamação do evangelho. É nessa direção que estão sua mente, seu coração, e seus projetos. Paulo pede oração à igreja por dois motivos:

Ele pede oração pelo sucesso na evangelização (3.1). O apóstolo Paulo pede oração à igreja pelo êxito da pregação em Corinto, onde estava, quando escreveu esta carta, assim como a Palavra estava se espalhando em Tessalônica (1Ts 1.8,9). Houve momentos de tanta angústia para Paulo em Corinto que o próprio Deus lhe apareceu numa visão, dizendo: *Não temas, pelo contrário, fala e não te cales; porquanto eu estou contigo, e ninguém ousará fazer-te mal, pois tenho muito povo nesta cidade* (At 18.9,10).

Paulo pede oração por duas coisas em relação à evangelização:

Para que a Palavra pudesse correr velozmente (3.1). A palavra grega *treche* usada por Paulo para "propagar" significa correr como um atleta num estádio (1Co 9.24). A palavra era empregada na Septuaginta acerca da corrida de um guerreiro na batalha. Paulo usa a palavra aqui para expressar sua preocupação dominante pelo livre curso do evangelho. O que está na mente de Paulo é o rápido progresso do evangelho.[2] Nessa mesma linha de pensamento Howard Marshall diz que a ideia é da propagação rápida e vitoriosa do evangelho.[3] Ele pede oração para que a

---

[2] RIENECKER, Fritz e ROGERS, Cleon. *Chave linguística do Novo Testamento grego*, p. 452.
[3] MARSHALL, I. Howard. *I e II Tessalonicenses: Introdução e comentário*, p. 249.

Palavra de Deus tenha asas e alcance mais rapidamente horizontes mais largos. Os servos de Deus podem estar presos, mas a Palavra de Deus jamais fica algemada. Ninguém consegue conter a Palavra de Deus (2Tm 2.9). Uma vez semeada, ela jamais volta para Deus vazia (Is 55.11).

Para que a Palavra pudesse ser glorificada (3.1). A Palavra é glorificada quando ela é pregada com fidelidade e poder, quando ela é acolhida com fé e humildade e quando ela frutifica abundantemente para a glória de Deus. Ela é glorificada na vida do mensageiro e na vida do ouvinte. Fritz Rienecker afirma que o curso triunfante do evangelho traz glória a Deus, e em seu sucesso Sua glória é vista porque é Deus quem espalha o evangelho e lhe dá sucesso e glória.[4] A Palavra de Deus é glorificada tanto na vida dos que a compartilham quanto dos que a recebem. Foi o que Paulo experimentou em Antioquia da Pisídia: *Os gentios, ouvindo isto, regozijavam-se e glorificavam a Palavra do Senhor, e creram todos os que haviam sido destinados para a vida eterna. E divulgava-se a Palavra do Senhor por toda aquela região* (At 13.48,49). Concordo com Warren Wiersbe quando diz: "Quando a Palavra de Deus realiza a obra, Deus recebe a glória".[5]

Ele pede oração por proteção espiritual (3.2). Paulo tem discernimento espiritual para saber que o maligno tem os seus agentes de plantão, réprobos quanto à fé, homens perversos e maus, que articulam planos para obstruir a obra e atormentar os obreiros. O apóstolo é enfático ao afirmar que a fé não é de todos (3.2), mas dos eleitos (Tt 1.1). O trabalho cristão é combate sem intermitência. Jerônimo Savonarola certa vez disse: "Se não há inimigo, não há luta; se não há luta, não há vitória; se não há vitória, não há coroa".[6]

Paulo não combate esses homens maus com armas carnais. Ele compreende que essa era uma batalha espiritual e, por isso, pede orações à igreja por livramento. Vejamos o pedido de Paulo: [...] *e para que sejamos livres dos homens perversos e maus; porque a fé não é de todos* (3.2).

---

[4] RIENECKER, Fritz e ROGERS, Cleon. *Chave linguística do Novo Testamento grego*, p. 452.
[5] WIERSBE, Warren W. *Comentário bíblico expositivo*. Vol. 6, p. 264.
[6] BARLOW, George. *The preacher's complete homiletic commentary*. Vol. 28, p. 572.

Aqueles indivíduos tinham desígnios malignos, intuitos maliciosos, e espíritos assassinos e Paulo estava sob constante ameaça, diz Norman Champlin.[7]

Paulo descreve esses homens de duas maneiras:

Eles são perversos (3.2). A palavra grega atopos é utilizada somente aqui em todo o grego bíblico. Essa palavra significa "fora de lugar", "pervertido".[8] A palavra foi usada nos papiros para descrever aqueles que tinham despedaçado as hastes de trigo de um fazendeiro e as lançado aos porcos.[9] Esses homens perversos farão tudo para distorcer a mensagem, perverter os valores e atacar os obreiros de Deus.

Eles são maus (3.2). A palavra grega *poneros* significa "iníquos", "mal-intencionados". É a mesma palavra usada para descrever o maligno (3.3). Esses homens são imitadores do demônio, eles têm o mesmo caráter maligno e as mesmas intenções perversas.

A fidelidade de Deus em **proteger o Seu povo** (3.3-5)

A igreja está sob ataque, mas Deus a cobre debaixo de Suas asas. A igreja é perseguida, mas Deus é a sua cidade refúgio. A igreja é o alvo do ódio consumado do maligno, mas Deus é fiel para guardá-la de todo perigo.

Três verdades podem ser aqui destacadas:

A fidelidade de Deus é o escudo protetor contra o maligno (3.3). O maligno é um anjo caído. Ele é pervertido em seu caráter, astucioso em suas ciladas, e avassalador em suas ações, mas a igreja está guardada e é protegida pela fidelidade de Deus. Aqueles que foram eleitos por Deus e selados pelo Espírito não podem ser tocados por satanás. Aqueles cujos nomes estão no livro da vida não podem ser marcados pela besta. Morremos com Cristo. Ressuscitamos com Ele e com Ele estamos assentados nas regiões celestes, acima de todo principado e potestade.

---

[7]CHAMPLIN, Russell Norman. *O Novo Testamento interpretado versículo por versículo*. Vol. 5, p. 256.
[8]CHAMPLIN, Russell Norman. *O Novo Testamento interpretado versículo por versículo*. Vol. 5, p. 256.
[9]RIENECKER, Fritz e ROGERS, Cleon. *Chave linguística do Novo Testamento grego*, p. 452.

Estamos escondidos com Cristo em Deus e seguros nas mãos de Jesus, de onde ninguém pode nos arrebatar.

Deus é fiel a Ele mesmo, aos Seus atributos, à Sua Palavra, às Suas promessas, bem como aos Seus juízos. Sua fidelidade é o nosso escudo protetor contra o maligno. O Senhor os fortalecerá e os "guardará" (3.3). Esse "guardar" impedirá os crentes tessalonicenses de caírem nas malhas do maligno, como o fanatismo, a ociosidade, a intromissão, a negligência dos deveres, e o derrotismo (3.5-8).[10]

A obediência da igreja traz-lhe segurança no meio das lutas (3.4). O apóstolo se volta do Senhor para a igreja e diz que tem confiança nos crentes porque eles estão praticando a Palavra de Deus e estão com disposição de continuar a caminhada na estrada da obediência. Diz o apóstolo: *Nós também temos confiança em vós no Senhor, de que não só estais praticando as coisas que vos ordenamos, como também continuareis a fazê-las* (3.4). A palavra grega *paraggello* refere-se a "uma ordem militar transmitida por um oficial superior".[11] Os crentes estavam se submetendo às ordens de Deus dadas à igreja por intermédio de Paulo.

O perigo que a igreja enfrenta não é a presença nem a ameaça do inimigo, mas a ausência de Deus e a desobediência à Sua Palavra. Sempre que uma igreja trilha pelas veredas da obediência, ela caminha em triunfo, ainda que pobre ou perseguida. A igreja de Esmirna era pobre e perseguida, mas Jesus disse que ela era rica. Os homens podiam até matar os seus fiéis, mas jamais derrotá-los. Os filhos de Deus que selam seu testemunho com sangue são mais do que vencedores!

É Deus mesmo quem conduz a igreja vitoriosamente no meio das provas (3.5). O apóstolo Paulo diz: *Ora, o Senhor conduza o vosso coração ao amor de Deus e à constância de Cristo* (3.5). Toda a obra da salvação é planejada, aplicada e consumada por Deus. É Ele mesmo quem nos chama e nos conduz não para fora e além dEle, mas para o Seu próprio amor. É Ele mesmo quem nos conduz a enfrentarmos vitoriosamente as lutas por causa de Cristo.

---

[10] HENDRIKSEN, William. *1 e 2 Tessalonicenses*, p. 290.
[11] WIERSBE, Warren W. *Comentário bíblico expositivo*. Vol. 6, p. 265.

William Hendriksen diz que a palavra grega *hupomone*, traduzida por "constância", fala daquela paciência ou graça para suportar o peso. Equivale à firmeza, não importando qual seja o custo. Em quase todos os casos em que Paulo emprega a palavra *hupomone*, ele também usa alguma palavra que indica a hostilidade dirigida contra Cristo e Seus seguidores, ou, por exemplo, as provações e dificuldades que os mesmos têm de suportar:

- Romanos 5.3-5: perseverança em meio à tribulação.
- Romanos 15.4,5: perseverança em meio ao vitupério.
- 2Coríntios 1.6: perseverança em meio ao sofrimento.
- 2Coríntios 6.4: perseverança em meio à aflição.
- 2Coríntios 12.12: perseverança em meio à perseguição, à angústia.[12]

A disciplina na igreja, uma medida terapêutica (3.6-15)

A disciplina é um ato responsável de amor. Segundo o reformador João Calvino, ela é uma das marcas da igreja verdadeira. A disciplina é terapêutica e visa à proteção da igreja e a restauração do faltoso.

O apóstolo Paulo destaca três verdades solenes aqui:

A descrição dos faltosos (3.6,10,11). Alguns crentes de Tessalônica permaneceram no erro, mesmo depois de exortados. Como a igreja deveria tratar essas pessoas? Ignorá-las? Deixá-las como fermento no meio da massa, levedando os demais? Expulsá-las da igreja como inimigos? Não! Paulo orienta a igreja a lidar com essas pessoas de maneira firme, mas amorosa. Vamos observar, então, qual a descrição que o apóstolo Paulo faz desses faltosos.

Eles estavam vivendo de forma desordenada (3.6,11). Alguns crentes de Tessalônica, por abraçarem uma teologia errada, estavam vivendo uma vida errada e por acreditarem que a vinda de Cristo seria imediata deixaram de trabalhar e começaram a viver às custas dos demais. Além de serem parasitas e sanguessugas, usaram o tempo de folga para se intrometer na vida alheia. A palavra grega utilizada por Paulo é *ataktos*

---

[12] HENDRIKSEN, William. *1 e 2Tessalonicenses*, p. 293.

que significa estar fora da fila, estar fora de ordem, ser desordeiro, preguiçoso.[13] Os judeus honravam o trabalho honesto e exigiam que todos os rabinos soubessem um ofício. Os gregos, de outro lado, desprezavam o trabalho manual e o deixavam ao encargo de seus escravos. Essa influência grega, somada às ideias equivocadas acerca da doutrina sobre a volta de Cristo, levaram alguns crentes tessalonicenses a um modo de vida indigno de um cristão.[14]

Eles estavam rendidos à preguiça (3.10,11). Alguns crentes começaram a adotar a vadiagem em vez de diligência no trabalho. Deixaram de trabalhar e queriam ser sustentados pelos demais irmãos. A preguiça é um pecado. Deus criou o homem para o trabalho. O trabalho dignifica e honra o ser humano. É bem conhecida a expressão usada por Benjamim Franklin: "A preguiça caminha tão lentamente que a pobreza não demora a alcançá-la". O rei Salomão adverte: *Vai ter com a formiga, ó preguiçoso, considera os seus caminhos e sê sábio* (Pv 6.6). Russell Norman Champlin, citando Robertson, diz que aqueles parasitas eram piedosos demais para trabalhar; mas estavam perfeitamente dispostos a comer às custas de seus vizinhos, enquanto passavam o seu tempo na indolência.[15] Os romanos diziam: "Quem não aprende a fazer coisa alguma, aprende a fazer o mal". Isaac Watts escreveu: "satanás sempre encontra algum mal a ser feito por mãos desocupadas". Os rabinos diziam: "Aquele que não ensina o filho a trabalhar, ensina-o a roubar".

Eles estavam se envolvendo com fofocas (3.11b). Paulo diz que além de não trabalharem; esses crentes ainda estavam se intrometendo na vida alheia. Em vez de se tornarem trabalhadores ativos, tornaram-se intrometidos ativos. Eles não eram ativos em algo proveitoso, mas ativos em tratar da vida alheia.[16] Eles se tornaram bisbilhoteiros, farejadores da vida alheia. Devemos nos ocupar dos nossos próprios pecados em vez de ficarmos espalhando boatarias. A maneira mais vergonhosa de nos

---

[13] RIENECKER, Fritz e ROGERS, Cleon. *Chave linguística do Novo Testamento grego*, p. 453.
[14] WIERSBE, Warren W. *Comentário bíblico expositivo*. Vol. 6, p. 267.
[15] CHAMPLIN, Russell Norman. *O Novo Testamento interpretado versículo por versículo*. Vol. 5, p. 261.
[16] HENDRIKSEN, William. *1 e 2Tessalonicenses*, p. 301.

exaltarmos é criticar as outras pessoas.

Como a igreja deve lidar com os faltosos (3.6.14,15). A disciplina não é um ato isolado da liderança da igreja, mas uma medida tomada por toda a comunidade. Warren Wiersbe cita seis diferentes situações que exigem disciplina na igreja: 1) Diferenças pessoais entre cristãos (Mt 18.15-17). Nesse caso devemos procurar essa pessoa para uma conversa particular e tentar resolver a questão. Somente se a pessoa se recusar a colocar as coisas em ordem é que devemos tratar do assunto com mais alguém; 2) Erro doutrinário. Esse erro pode ser por falta de conhecimento da Palavra. Nesse caso, devemos ensinar-lhe com paciência (2Tm 2.23-26). Se persistir, deve ser repreendido (Tt 1.10-14). Se continuar no erro, deve-se evitar a pessoa (Rm 16.17,18) e, por fim, é preciso separar-se dela (2Tm 2.18-26; 2Jo 9); 3) Um cristão que caiu em pecado (Gl 6.1-3). Aquele que é surpreendido no pecado deve ser corrigido com espírito de brandura a fim de ser restaurado; 4) Um desordeiro contumaz (Tt 3.10,11). Trata-se daquela pessoa facciosa que toma partido dentro da igreja para provocar divisão. Caso essa pessoa seja corrigida duas vezes e mesmo assim não der prova de arrependimento, Paulo recomenda a exclusão; 5) A imoralidade flagrante (1Co 5.1-7). A igreja deve lamentar profundamente essa situação e procurar levar o faltoso ao arrependimento. Se ele recusar, a congregação deve coletivamente excluí-lo de seu meio (1Co 5.13). Se ele se arrepender, deve ser perdoado e restaurado à comunhão na igreja (2Co 2.6-11); 6) O caso de cristãos preguiçosos e bisbilhoteiros (3.6-15). Paulo diz aos membros da igreja para exortá-los e, se não se arrependerem, para evitar a comunhão íntima com eles.[17]

Três ações são oferecidas pelo apóstolo Paulo no trato deste último caso, que é o nosso assunto:

Uma ação coletiva de afastamento do faltoso (3.6). Paulo diz: *Nós vos ordenamos, irmãos, em nome do Senhor Jesus Cristo, que vos aparteis de todo irmão que ande desordenadamente e não segundo a tradição que de nós recebestes* (3.6). O apelo de Paulo aos crentes é veemente acerca do distanciamento que devem manter daqueles que vivem deliberadamente na

---

[17] WIERSBE, Warren W. *Comentário bíblico expositivo*. Vol. 6, p. 269,270.

prática do pecado. William Hendriksen afirma que quando a admoestação não alcança êxito, deve-se recorrer à segregação, ao menos até certo ponto. Não se trata de um completo ostracismo, mas a igreja não deve ter com ele companheirismo, concordando com suas atitudes e mau testemunho.[18] É preciso deixar claro que esses faltosos não eram ignorantes, mas rebeldes. Eles estavam vivendo desordenadamente por conveniência e rebeldia aos ensinamentos já recebidos. Eles estavam vivendo fora do caminho não por falta de luz, mas por se recusarem a obedecer.

Uma desaprovação coletiva do erro do faltoso (3.14). Paulo agora dá mais um passo e levanta a possibilidade de aqueles que já haviam desobedecido às orientações da primeira carta continuarem na prática do erro mesmo depois da leitura desta segunda carta. Nesse caso, essas pessoas se tornariam contumazes na prática do erro e deveriam ser percebidas pelos membros da igreja. Os crentes, então, recebem a orientação de não se associarem a esses rebeldes recalcitrantes a fim de ficarem envergonhados.

Uma advertência firme, mas amorosa (3.15). É digno observar que em momento algum Paulo se referiu a esses rebeldes como joio, como lobos, como inimigos, ou como filhos do maligno. Ele os descreveu como "irmãos". Por isso, deveriam ser disciplinados. A disciplina é para os filhos. Deus disciplina aqueles a quem Ele ama. Paulo exorta a igreja a não tratar os faltosos como inimigos, mas como a irmãos. Diz o apóstolo: *Todavia, não o considereis por inimigo, mas adverti-o como irmão* (3.15). Na disciplina precisamos ter cuidado para não esmagarmos a cana quebrada nem apagarmos a torcida que fumega. William Barclay diz que a disciplina cristã deve ser administrada de irmão para irmão.[19] William Hendriksen observa que o apóstolo Paulo ainda considera esses faltosos como irmãos, ainda que irmão em erro. Por isso, seu propósito é conduzir essas pessoas ao arrependimento e não destruí-las.[20]

Como agir preventivamente para que não haja esses escândalos na igreja (3.6-14). A prevenção é sempre melhor e mais suave do que a

---

[18]HENDRIKSEN, William. *1 e 2Tessalonicenses*, p. 296.
[19]BARCLAY, William. *Filipenses, Colosenses, I y II Tesalonicenses*, p. 227.
[20]HENDRIKSEN, William. *1 e 2Tessalonicenses*, p. 304,305.

intervenção. Paulo nos aponta quatro formas de evitarmos os problemas na igreja:

Devemos andar segundo a Palavra (3.6,14). No versículo 6 o apóstolo Paulo fala de uma ordem dada à igreja. Essa palavra refere-se a uma "ordem militar transmitida por um oficial superior". Assim, Paulo vê a igreja como um exército, e não pode haver ordem em um exército insubordinado.[21] Também nesse mesmo versículo Paulo fala da "tradição" que os crentes tessalonicenses receberam. Essa tradição é uma referência à mensagem escrita e falada pelo apóstolo e seus companheiros Silas e Timóteo dada à igreja. Howard Marshall nessa mesma linha diz que a tradição diz respeito ao ensino doutrinário, tanto oral quanto escrito. Aqui, o pensamento diz respeito ao ensino acerca do comportamento cristão, transmitido oralmente (3.10) e por escrito (1Ts 4.11,12), como também pelo exemplo de Paulo.[22] Já no versículo 14, Paulo faz referência especificamente à sua segunda carta à igreja, a mesma carta que estamos considerando. A Palavra de Deus deve ser a nossa única regra de fé e prática. A Palavra é a verdade e é ela mesma que testifica de Cristo. Ela é espírito e vida. Ela é mais preciosa do que ouro depurado e mais doce do que o mel e o destilar dos favos. Não há revelação de Deus fora da Palavra. A Palavra é inerrante, infalível e suficiente. Qualquer revelação forânea à Escritura deve ser anátema (Gl 1.6-9). A igreja não é guiada por tradições humanas, dogmas produzidos pelos concílios das igrejas ou mesmo por sonhos, visões e revelações sensacionalistas. Deus Se revelou e Sua revelação está escrita na Palavra e fora dela não podemos conhecer a vontade de Deus.

Devemos seguir os bons exemplos (3.7-9). Para corrigir o desvio dos irmãos preguiçosos e bisbilhoteiros, o apóstolo Paulo cita o seu próprio exemplo, mostrando que ele, mesmo tendo o direito de receber sustento da igreja (1Co 9.6-14), trabalhou com suas próprias mãos para prover seu sustento, a fim de deixar para eles o exemplo. Todo obreiro cristão tem o direito de receber sustento da igreja onde serve ao Senhor (Lc 10.7; Gl 6.6; 1Tm 5.17,18). Por conseguinte, não devemos usar o

---

[21] WIERSBE, Warren W. *Comentário bíblico expositivo*. Vol. 6, p. 267.
[22] MARSHALL, I. Howard. *I e II Tessalonicenses: Introdução e comentário*, p. 257.

exemplo de Paulo como desculpa para não sustentar os servos de Deus (2Co 11.8,9; 12.13). O líder espiritual, porém, está a serviço do rebanho em vez de ser servido por ele. Ele deve ser pastor do rebanho e não explorador dele. Paulo não fez do ministério uma plataforma para se enriquecer. Ele não mercadejava o evangelho (2Co 2.17). Hoje, muitos pregadores transformam a igreja numa empresa particular, o evangelho num produto, o púlpito num balcão, o templo numa praça de negócios e usam os crentes como consumidores. Warren Wiersbe diz que líderes egoístas usam as pessoas para garantir o próprio sustento e estão sempre exigindo seus direitos; um líder verdadeiramente dedicado usa seus direitos para edificar as pessoas e coloca seus privilégios de lado por amor aos outros.[23]

Devemos nos dedicar zelosamente ao trabalho (3.10,12). O trabalho não é consequência do pecado. Adão e Eva trabalharam antes da Queda e nós iremos trabalhar mesmo depois que recebermos um corpo de glória no céu. O trabalho é bênção e não maldição. Em vez de vivermos desordenadamente, bisbilhotando a vida alheia, devemos trabalhar tranquilamente. Em vez de vivermos às custas dos outros, devemos ganhar o nosso próprio pão, pois o axioma universal é este: [...] *se alguém não quer trabalhar, também não coma* (3.10b). Certamente este texto não se aplica aos infantes que ainda não podem trabalhar nem aos doentes e incapacitados.

Devemos continuar fazendo o bem em toda e qualquer circunstância (3.13). O mau exemplo dos insubordinados; a exploração dos que vivem desordenadamente; a boataria dos que vivem se intrometendo na vida alheia não devem nos desencorajar na prática do bem. Alguns crentes de Tessalônica estavam recuando na prática do bem por causa do mau testemunho dos crentes desobedientes. Warren Wiersbe diz que os cristãos fiéis estavam desanimados com a conduta desses convertidos negligentes que se recusavam a trabalhar. Seu argumento era: "Se eles não precisam trabalhar, então por que nós precisamos?" É como se Paulo estivesse dizendo: "Vocês não devem exasperar-se tanto pela conduta lamentável de alguns ociosos, que se sintam cansados de

---

[23]WIERSBE, Warren W. *Comentário bíblico expositivo*. Vol. 6, p. 268.

exercer a caridade para com os que são realmente necessitados". Ou ainda como se afirmasse: "Não se enganem. Não deixem que algumas pessoas, as quais negligenciam seus deveres, lhes impeçam de fazerem os seus. Nunca se cansem de fazer o que é justo, nobre e excelente".[24]

O pecado na vida de um cristão sempre afeta toda a igreja. O péssimo testemunho de alguns cristãos pode abalar a devoção e obstruir o serviço do restante da congregação.[25]

Paulo os exorta a não se cansarem de fazer o bem. A palavra grega *kalopoieo* significa fazer não apenas o que é direito, mas também o que é belo. Há obras que são moralmente boas, mas não são necessariamente belas.

O apóstolo Paulo conclui esta carta, falando sobre três preciosas possessões da igreja:

1. *A paz* (3.16). Jesus é o Senhor da paz. Ele é a nossa paz. Ele nos dá a paz e essa paz o mundo não pode dar nem tirar. Essa paz guarda o nosso coração e a nossa mente de qualquer ansiedade. Essa paz excede a todo o entendimento. Essa paz reina em todas as circunstâncias.
2. *A comunhão* (3.16b). Depois de falar que Jesus é o Senhor da paz. Depois de mencionar que Jesus nos concede continuamente Sua paz em todas as circunstâncias, agora, Paulo fala da comunhão que temos com Ele. Temos não apenas a paz de Cristo em nós, mas o Senhor da paz conosco (Fp 4.9). Não importa se passamos por lutas, vales e aflições, o Senhor da paz está conosco. Ele jamais nos abandona nem em circunstância alguma nos desampara. Nossa comunhão com Ele é plena, abundante e eterna.
3. *A graça* (3.18). A graça de Cristo é o Seu favor imenso dispensado àqueles que não O merecem. Por Sua graça somos salvos. Por Sua graça temos livre acesso a Deus. Por Sua graça entramos na cidade pela porta. Pela Sua graça somos feitos filhos e herdeiros de Deus. Pela Sua graça triunfamos e chegamos à glória!

---

[24] HENDRIKSEN, William. *1 e 2 Tessalonicenses*, p. 303.
[25] WIERSBE, Warren W. *Comentário bíblico expositivo*. Vol. 6, p. 268.

1 Timóteo

O pastor, sua vida e Sua obra

Introdução

AS EPÍSTOLAS DE PAULO A TIMÓTEO E TITO são conhecidas como "cartas pastorais". Essa designação foi dada pela primeira vez por Tomás de Aquino em 1274. Escrevendo acerca de 1Timóteo, o teólogo afirmou: "É como se esta carta fosse uma regra pastoral que o apóstolo deu a Timóteo". Depois, no século XVIII, mais precisamente no ano 1726, o grande erudito Paul Anton, em uma série de palestras, chamou as três cartas de Paulo a Timóteo e Tito de "epístolas pastorais".[1]

William Barclay diz que as cartas pastorais nos dão uma imagem tão vívida da igreja como nenhuma outra carta do Novo Testamento. Nelas podemos ver os problemas de uma igreja que se apresenta como uma pequena ilha de cristianismo cercada por um mar de paganismo.[2] Essas cartas são extremamente úteis aos obreiros contemporâneos, porque os problemas do passado abordados ali são basicamente os mesmos enfrentados hoje. Os tempos mudam, mas o coração humano é o mesmo. Portanto, as soluções oferecidas por Paulo aos problemas antigos lançam luz sobre os problemas atuais. John Kelly diz acertadamente que as cartas pastorais eram tidas em grande estima pelos cristãos desde os tempos mais antigos até o século XIX, quando uma nuvem de críticos começou a atacar a autoria paulina e sua mensagem.[3]

As cartas pastorais distinguem-se das demais epístolas escritas por Pedro, Tiago e João, ao se caracterizarem como missivas gerais dirigidas a todas as igrejas, enquanto as últimas se destinavam a obreiros individuais. Também diferem das demais cartas escritas por Paulo endereçadas às igrejas específicas da Galácia, Macedônia, Acaia, Ásia Menor e Roma. E se distinguem ainda da epístola a Filemom, uma

---

[1] SPAIN, Carl. *Epístolas de Paulo a Timóteo e Tito*. São Paulo: Vida Cristã, 1980, p. 7.
[2] BARCLAY, William. *I y II Timoteo, Tito y Filemon*. Buenos Aires: La Aurora, 1974, p. 6.
[3] KELLY, John N. D. *I e II Timóteo e Tito: introdução e comentário*. São Paulo: Vida Nova, 1999, p. 11-12.

carta eminentemente pessoal, enquanto as epístolas pastorais remetidas a Timóteo e Tito têm o propósito precípuo de orientar esses dois ministros a lidarem corretamente com as diferentes demandas da vida eclesiástica.

Nesta parte introdutória, examinaremos o autor da carta, seu destinatário, a época em que o texto foi escrito, os propósitos de sua redação e as principais ênfases teológicas nela contidas.

O autor da epístola

Há robustas evidências internas e externas acerca da autoria paulina desta epístola. Em primeiro lugar, as epístolas de Paulo a Timóteo reivindicam elas próprias a autoria paulina, fato declarado abertamente na saudação de cada carta. E, desde os primórdios da igreja, essas evidências têm sido confirmadas tanto pelos pais da igreja como pelos escolásticos, reformadores e cristãos contemporâneos. Alfred Plummer corrobora essa ideia, dizendo: "As evidências concernentes à aceitação geral da autoria paulina dessas cartas são abundantes e positivas, e vêm desde os tempos antigos".[4]

O *Cânon muratoriano*, datado por volta do ano 170, incluiu as cartas pastorais e as atribui a Paulo. Irineu, no ano 178, citou nominalmente as três epístolas, diversas vezes, em seu *Contra as heresias*. Tertuliano, por volta do ano 200, extraiu várias citações de 1 e 2Timóteo em seu *Prescrição dos hereges*. Clemente de Alexandria, em 194, menciona repetidas vezes as três epístolas como de autoria do apóstolo Paulo. Eusébio, o mais talentoso historiador da igreja do período patrístico, referiu-se às cartas pastorais, por volta do ano 325, como "manifestas e certas".[5]

No século XIX, entretanto, os teólogos liberais colocaram em dúvida essas evidências. Em 1804, a legitimidade de 1Timóteo foi negada por Schmidt. Em 1807, Schleiermacher rejeitou a autenticidade de 1Timóteo com base em 75 palavras que ele não encontrou em nenhum outro ponto

---

[4]PLUMMER, Alfred. "The Pastoral Epistles". In: *The Expositor's Bible*. New York: A. C. Armstrong & Son, 1889, p. 5.
[5]SPAIN, Carl. *Epístolas de Paulo a Timóteo e Tito*, p. 9.

do Novo Testamento. Em 1885, H. J. Holtzmann apresentou o que se considera a declaração clássica contra a autoria paulina. A última adição notável à evidência antipaulina foi efetuada por P. N. Harrison em 1921.[6] Desde então, uma torrente de livros segue este viés, questionando e até mesmo negando peremptoriamente a autoria paulina.

J. Glenn Gould esclarece que o ataque à autenticidade das epístolas pastorais é efetivado em, pelo menos, quatro frentes: 1) a dificuldade em ajustá-la à carreira de Paulo conforme nos mostra a literatura do Novo Testamento; 2) a incompatibilidade com a avançada organização das igrejas na época; 3) os temas doutrinários que, conforme se diz, diferem radicalmente dos ensinos presentes nas outras epístolas de Paulo; 4) as supostas diferenças de vocabulário existentes entre as epístolas pastorais e as cartas de Paulo às igrejas.[7] Os ataques são, portanto, de natureza histórica, eclesiástica, doutrinária e linguística. Quanto ao ataque histórico, há evidências abundantes de que Paulo saiu da primeira prisão em Roma, portanto não há nenhum embaraço nos registros contidos nas epístolas pastorais. Quanto ao ataque eclesiástico, desde a primeira viagem missionária, Paulo já constituía presbíteros nas igrejas (At 14.23), da mesma forma que na igreja de Filipos havia presbíteros e diáconos (Fp 1.1). A preocupação de Paulo com as diversas ordens ministeriais é evidente em passagens como Efésios 4.11,12. Quanto ao aspecto doutrinário, afirmamos que o propósito de Paulo nas epístolas pastorais diferia da finalidade das demais cartas. Seu objetivo nessas missivas se concentrava mais na estratégia e na direção, enquanto naquelas tinha caráter mais teológico (Romanos), corretivo (1Coríntios) ou exortativo (1 e 2Tessalonicenses). No que diz respeito ao aspecto linguístico, as diferenças de vocabulário existentes entre as epístolas pastorais e as cartas de Paulo às igrejas são suficientes para enfraquecer a tese de que as epístolas pastorais não são de origem paulina.[8]

---

[6]SPAIN, Carl. *Epístolas de Paulo a Timóteo e Tito*, p. 9.
[7]GOULD, J. Glenn. "As epístolas pastorais". In: *Comentário bíblico Beacon*. Vol. 9, Rio de Janeiro: CPAD, 2006, p. 440.
[8]GOULD, J. Glenn. "As epístolas pastorais". In: *Comentário bíblico Beacon*. Vol. 9 p. 440-443.

A área mais contundente dos críticos reside na autoria paulina. Suas tentativas, porém, não lograram êxito. As supostas evidências apresentadas contra a autoria paulina foram amplamente derrubadas por estudiosos sérios das Escrituras, como Donald Guthrie, E. K. Simpson, J. N. D. Kelly, R. C. H. Lenski, William Hendriksen, entre tantos outros ilustres eruditos. Donald Guthrie escreve oportunamente: "Se a base da objeção à autoria paulina é tão forte quanto afirmam seus oponentes, deve haver alguma razão para explicar a falta extraordinária de discernimento por parte dos estudiosos no transcurso de um período tão longo".[9]

Para os críticos, a principal dificuldade de aceitar a autoria paulina das cartas pastorais é fazer a correspondência entre os fatos registrados nessas epístolas e o livro de Atos, o qual termina com o relato da primeira prisão de Paulo em Roma. Daí, os críticos deduzem que o martírio de Paulo teria acontecido durante essa prisão. A ideia de que Paulo foi executado durante a primeira prisão em Roma, entrementes, não encontra amparo bíblico ou histórico. Carl Spain ressalta que não há nenhuma evidência de que Paulo tivesse sido executado no final dos dois anos mencionados em Atos 28.30,31. É perfeitamente razoável concluir que ele foi libertado e que sua vida se prolongou a ponto de incluir os acontecimentos mencionados nessas cartas (1Tm 1.3; 2Tm 1.8,16,17; 4.13,20; Tt 1.5; 3.12). É sabido que Paulo alimentou vividamente a expectativa de ser libertado da primeira prisão (Fm 22; Fp 1.12-14,19,20; 2.24).

Além do mais, Lucas inclui várias declarações apontando a inocência de Paulo e um resultado favorável a seu caso (At 23.29; 26.32; 28.21,30,31). Destacamos, ainda, que Paulo demonstrou seu desejo de ir à Espanha após visitar Roma (Rm 15.24,28); e Clemente de Roma, escrevendo a respeito dessa cidade, por volta do ano 96 d.C., diz que Paulo seguiu para o "extremo ocidente", o que é interpretado pela maioria como sendo a Espanha. Na época em que Clemente escreveu sua carta, ainda viviam em Roma cristãos em número suficiente que

---

[9]GUTHRIE, Donald. *New Testament Introduction: The Pauline Epistles*. Chicago: InterVarsity Press, 1961, p. 202.

podiam ter, por experiência pessoal, conhecimento da libertação e das subsequentes viagens de Paulo.[10] O *Cânon muratoriano* confirma a viagem de Paulo à Espanha. Jerônimo repete o mesmo testemunho.[11]

Eusébio, o mais conhecido historiador da Igreja primitiva, embora nada registre sobre a Espanha, tinha ciência da soltura de Paulo da primeira prisão em Roma. Leiamos seu relato: "Lucas, que escreveu os Atos dos Apóstolos, terminou sua história dizendo que Paulo viveu dois anos completos em Roma como prisioneiro, e que pregou a Palavra de Deus sem impedimentos. Então, depois de haver feito sua defesa, diz que o apóstolo saiu uma vez mais em seu ministério de pregação, e que, ao retornar à mesma cidade pela segunda vez, sofreu o martírio" (*história eclesiástica, 2, 22.2*).[12]

No século V, dois dos grandes pais da Igreja confirmam a existência da viagem de Paulo à Espanha. Crisóstomo, em seu sermão sobre 2Timóteo 4.20, registra: "São Paulo, após sua estada em Roma, partiu para a Espanha". Jerônimo, em seu *Catálogo de escritores*, declara que Paulo "foi solto por Nero para que pregasse o evangelho de Cristo no Ocidente".[13] Fica evidente, portanto, que faltam aos críticos as sandálias da humildade; faltam-lhes os óculos da verdade, pois seus argumentos foram amplamente refutados. Estou de pleno acordo com o que diz John Kelly:

> É extremamente provável que Paulo foi solto da primeira prisão; e, neste caso, temos o direito de inferir que continuou Sua obra evangelística até que fosse interrompida por um segundo aprisionamento, desta vez definitivo, na capital. Tal curso de eventos claramente daria amplo espaço para a composição das pastorais, bem como para as atividades subentendidas nelas.[14]

---

[10] BÜRKI, Hans. "Cartas a Timóteo". In: *Cartas aos Tessalonicenses, Timóteo, Tito e Filemom*. Curitiba: Esperança, 2007, p. 165.
[11] SPAIN, Carl. *Epístolas de Paulo a Timóteo e Tito*, p. 11.
[12] BARCLAY, William. *I y II Timoteo, Tito y Filemon*, p. 19.
[13] BARCLAY, William. *I y II Timoteo, Tito y Filemon*, p. 20.
[14] KELLY, John N. D. *I e II Timóteo e Tito: introdução e comentário*, p. 17.

O destinatário da epístola

Paulo escreveu as duas cartas pastorais a Timóteo, quando este era pastor da igreja de Éfeso, capital da Ásia Menor. Nessa época, Éfeso era uma grande metrópole, centro comercial e rota das principais viagens entre o Oriente e o Ocidente. Éfeso hospedava o templo da grande deusa Diana, um palácio de mármore com colunas colossais, considerado uma das sete maravilhas do mundo antigo. A cidade de Éfeso era marcada pela idolatria, e os nichos do templo de Diana aqueciam o comércio da cidade. Caravanas do mundo inteiro passavam por ali, e miniaturas do monumental templo pagão eram levadas como suvenires para todas as partes do mundo.

E quem era Timóteo, o destinatário dessas epístolas? Vamos responder a essa pergunta analisando alguns aspectos de sua vida.

Em primeiro lugar, *quanto à sua família*. Timóteo era natural de Listra, região montanhosa da Licaônia. Filho de pai grego e mãe judia, Timóteo era fruto de um casamento misto. Embora sua mãe e sua avó houvessem tido maior influência em sua formação religiosa, Timóteo não deve ter frequentado a sinagoga, uma vez que não era circuncidado.

Em segundo lugar, *quanto à sua criação*. Timóteo foi influenciado fortemente por sua mãe, Eunice, e por sua avó, Loide. Essas duas mulheres piedosas ensinaram a Timóteo as Sagradas Letras desde a infância. A mesma fé sem fingimento que habitou no coração delas também habitou no coração de Timóteo. Em virtude de seu pai ser grego, quem assumiu a liderança de sua formação espiritual foi sua mãe, auxiliada por sua avó. O caminho para a conversão de Timóteo estava sendo pavimentado desde sua infância.

Em terceiro lugar, *quanto às suas marcas pessoais*. Timóteo tinha três marcas: era jovem, tímido e doente. Essas condições o tornaram um homem sensível e, por vezes, retraído. Encontramos nas epístolas paulinas reiteradas exortações de Paulo encorajando-o, devido à sua tendência ao desânimo.

Em quarto lugar, *quanto ao seu relacionamento com o apóstolo Paulo*. O primeiro contato de Paulo com Timóteo deu-se quando o apóstolo Paulo e Barnabé estavam realizando a primeira viagem missionária na província da Galácia, por volta do ano 45 d.C. É muito provável que Timóteo tenha sido testemunha do apedrejamento do apóstolo Paulo em Listra (2Tm 3.10,11). Embora tenha bebido desde a infância o leite da piedade, tendo sido instruído nas Sagradas Letras desde o alvorecer de sua vida, sua experiência de conversão deu-se através do ministério de Paulo, pois este o chamou repetidas vezes de *meu filho no Senhor* (1.2,18; 2Tm 1.2; 1Co 4.17). De filho na fé, Timóteo tornou-se cooperador, companheiro de viagens e amigo do apóstolo. Charles Erdman esclarece que, desde o começo da segunda viagem missionária, por volta do ano 50 d.C., até a morte de Paulo, no ano 67 d.C., Timóteo foi seu auxiliar, colaborador, companheiro de viagem, confidente, amigo fiel e verdadeiro filho espiritual.[15]

Em quinto lugar, *quanto ao seu trabalho pastoral*. Timóteo foi um grande companheiro de Paulo. Cooperou com Paulo em várias de suas cartas (1 e 2Tessalonicenses, 2Coríntios, Filipenses, Colossenses e Filemom). Talvez tenha sido o amigo mais próximo do apóstolo. Timóteo conheceu Paulo na primeira viagem missionária (At 16.1-3) e tornou-se seu companheiro na segunda e terceira viagens. Juntos viajaram da Ásia para a Europa. Juntos visitaram Filipos, Tessalônica e Bereia. Por um tempo se separaram, mas Timóteo se reuniu com Paulo em Atenas, de onde regressou com uma mensagem aos tessalonicenses, para logo depois reencontrar-se com o apóstolo em Corinto. Mais adiante seguiram em direção ao oriente, completando a viagem missionária em Jerusalém e Antioquia. Na terceira viagem missionária, nos anos 54-57, Timóteo acompanhou Paulo, e juntos eles passaram três anos em Éfeso. Durante esse período, Timóteo foi enviado em difícil missão a Corinto. Logo depois de seu regresso, visitou a Grécia com Paulo e fez parte do grupo que seguiu com o apóstolo pela última vez a Jerusalém, onde por fim Paulo foi preso. Durante os anos de encarceramento, Timóteo se encontrou com Paulo em Roma; depois da libertação, foi com ele para a Ásia, tendo sido deixado à frente da igreja de Éfeso. Não muito tempo depois,

---

[15] ERDMAN, Charles. *Las epístolas pastorales a Timoteo y a Tito*. Grand Rapids: TELL, 1976, p. 12.

recebeu a primeira carta de Paulo. Quando Paulo já estava preso pela segunda vez em Roma, às vésperas de seu martírio, recebeu a segunda carta do apóstolo com um forte apelo para que fosse vê-lo imediatamente em Roma.[16]

Em sexto lugar, **quanto ao seu compromisso**. Dentre os cooperadores de Paulo, ninguém foi como Timóteo. Ele serviu a Cristo, Sua igreja e ao evangelho.

Em Filipenses 2.19-24, Paulo nos oferece uma descrição do compromisso de Timóteo com o evangelho:

- *Timóteo, o enviado de Paulo* (Fp 2.19,23). Timóteo era filho na fé de Paulo (1Tm 1.2), cooperador do apóstolo (Rm 16.21) e seu mensageiro às igrejas (1Ts 3.6; 1Co 4.17; 16.10,11; Fp 2.19). Esteve preso com Paulo em Roma (Fp 1.1; Hb 13.23). Tinha um caráter provado (Fp 2.22) e cuidava dos interesses de Cristo (Fp 2.21) e da igreja de Cristo (Fp 2.20).

- *Timóteo, um homem singular* (Fp 2.20a). Paulo contava com muitos cooperadores, mas Timóteo ocupava um lugar especial no coração do velho apóstolo. Ele era um homem singular por sua obediência e submissão a Cristo e ao apóstolo, como um filho atende ao chamado de um pai. A palavra grega que Paulo usa para *igual sentimento* só aparece aqui em todo o Novo Testamento.[17] É a palavra *isopsychos*, que significa "da mesma alma". Esse termo foi usado no Antigo Testamento como "meu igual" e "meu íntimo amigo" (LXX Sl 55.13). F. F. Bruce diz que o grande Erasmo parafraseia esta passagem assim: "Eu o enviarei como o meu *alter ego*".[18]

- *Timóteo, um homem que cuida dos interesses dos outros* (Fp 2.20b). Timóteo aprendeu com Paulo a buscar os interesses dos outros (Fp 2.4), princípio exemplificado por Cristo (Fp 2.5) e pelo próprio apóstolo (Fp 2.17). Timóteo de igual modo vive de forma altruísta, pois o centro de sua atenção não está em si mesmo, mas na Igreja

---

[16]ERDMAN, Charles. *Las epístolas pastorales a Timoteo y a Tito*, p. 12.
[17]MOTYER, J. A. *The Message of Philippians*, p. 139.
[18]BRUCE, F. F. *Filipenses*. São Paulo, Vida Nova, 1992, p. 103.

de Deus. Ele não busca riqueza nem promoção pessoal. Não está no ministério em busca de vantagens, mas tem um alvo: cuidar dos interesses da igreja.

- *Timóteo, um homem que cuida dos interesses de Cristo* (Fp 2.21). Só existem dois estilos de vida: viver para si mesmo (Fp 2.21) ou viver para Cristo (Fp 1.21). Ou estamos em Filipenses 1.21 ou em Filipenses 2.21. Timóteo queria cuidar dos interesses de Cristo, e não dos seus. Sua vida estava centrada em Cristo (Fp 2.21) e nos irmãos (Fp 2.20b), e não em seu eu (Fp 2.21).
- *Timóteo, um homem de caráter provado* (Fp 2.22). Timóteo tinha bom testemunho antes de ser missionário (At 16.1,2) e agora, quando Paulo está prestes a lhe passar o bastão de continuador da Sua obra, testemunha que ele continua tendo um caráter provado (Fp 2.22). É lamentável que muitos líderes religiosos que se apresentam grandes em fama e riqueza sejam anões no caráter. Vivemos uma crise avassaladora de integridade no meio evangélico brasileiro. Precisamos urgentemente de homens íntegros, provados, que sejam modelos para o rebanho.
- *Timóteo, um homem disposto a servir* (Fp 2.22b). É digno de nota que Timóteo serviu ao evangelho. Ele serviu com Paulo, e não a Paulo. Embora a relação entre Paulo e Timóteo fosse de pai e filho, ambos estavam engajados no mesmo projeto. Hoje, muitos líderes se colocam acima de seus colaboradores. Esse tipo de relação não é de parceria no trabalho, mas de subserviência pessoal.

Em sétimo lugar, **quanto ao seu ministério**. Paulo fechou as cortinas do seu ministério quando foi executado em Roma, nos idos de 67 d.C. Timóteo, porém, continuou seu trabalho como pastor da igreja de Éfeso. Segundo a tradição eclesiástica, Timóteo foi bispo de Éfeso e sofreu o martírio no ano 97 d.C., sob o imperador Nerva.[19]

---

[19]BÜRKI, Hans. "Cartas a Timóteo". In: *Cartas aos Tessalonicenses, Timóteo, Tito e Filemom*, p. 167.

A época em que a epístola foi escrita

Paulo escreveu a primeira carta a Timóteo no interregno da sua primeira e segunda prisões em Roma, por volta do ano 63 d.C. E escreveu a segunda carta durante sua segunda prisão em Roma, pouco antes de seu martírio em 67 d.C. Os críticos que negam a autoria paulina afirmam que os relatos descritos nessas duas missivas não se encaixam no registro de Atos. Segundo esses críticos, Paulo foi martirizado ao fim da primeira prisão. No entanto, há fortes indícios de que Paulo tenha sido solto depois de dois anos da primeira prisão e, após essa soltura, tenha realizado sua quarta viagem missionária, chegando inclusive à Espanha.

A primeira prisão em Roma foi domiciliar (At 28.30), por volta do ano 61 d.C. a 63 d.C. Nessa ocasião, a acusação contra Paulo, feita pelos judeus, era eminentemente religiosa. As autoridades romanas estavam convencidas da inocência de Paulo, e, logo que o apóstolo foi levado a julgamento, acabou sendo libertado. O próprio Paulo tinha ardente expectativa de ser solto, conforme deixa claro em suas cartas aos filipenses e a Filemom. A segunda prisão, porém, foi motivada por motivos políticos. É sabido que Nero colocou fogo em Roma em julho de 64 d.C. Esse incêndio, que começou no dia 18 de julho, só terminou no dia 24.[20] Nesses seis dias e sete noites de incêndio, a cidade foi devastada. Dos quatorze bairros de Roma, dez foram destruídos pelas chamas. Os quatro bairros restantes eram densamente povoados por judeus e cristãos. Isso deu a Nero um álibi: colocar a culpa do incêndio nos cristãos. A partir dessa data, acusados de incendiários, os cristãos foram perseguidos cruelmente. Nesse tempo, faltou madeira para se fazer cruz, tal a quantidade de crentes crucificados em Roma. Nesse período, Paulo estava solto, visitando as igrejas. Deixou Tito em Creta e Timóteo em Éfeso. Mais tarde, foi capturado, talvez em Trôade, quando estava na casa de Carpo.

A segunda prisão ocorreu num tempo diferente, num local diferente e com uma motivação diferente da primeira prisão. Paulo foi lançado

---

[20]Bürki, Hans. "Cartas a Timóteo". In: *Cartas aos Tessalonicenses, Timóteo, Tito e Filemom*, p. 164.

em uma masmorra úmida, fria e insalubre, na cidade de Roma, da qual as pessoas saíam leprosas ou eram enviadas para o martírio. Se a primeira prisão aconteceu antes do incêndio de Roma, a segunda prisão se deu depois do incêndio. Se na primeira prisão os judeus eram os acusadores, na segunda prisão foram os próprios romanos que acusaram o apóstolo. Se da primeira prisão Paulo saiu para a quarta viagem missionária, da segunda prisão ele saiu para o martírio. Concluímos este relato com as palavras de W. J. Lowstuter: "Não há razão válida para negar a libertação de Paulo da primeira prisão e não existe prova que a conteste. As epístolas pastorais pressupõem uma libertação".[21]

Os propósitos da epístola

Paulo tinha alguns propósitos em vista ao escrever essas duas cartas. Charles Erdman explica que o conteúdo básico das epístolas pastorais consiste no direcionamento aos ministros com respeito à organização, à doutrina e à vida da igreja cristã. Na primeira carta a Timóteo, o tema básico é a organização da igreja; na segunda carta, Paulo insiste na pureza da doutrina; já a carta a Tito trata do desenvolvimento de uma vida cristã responsável. O governo da igreja não é um fim em si mesmo; só vale se for garantia de pureza da doutrina; e a doutrina só vale se afetar a vida.[22]

Destacamos a seguir alguns propósitos específicos da primeira carta a Timóteo, a epístola em apreço.

Combater os falsos mestres e suas falsas doutrinas

O ministro do evangelho deve pregar a verdade e também combater a mentira. Deve anunciar a sã doutrina e também reprovar as falsas doutrinas. Deve eleger presbíteros e diáconos, verdadeiros obreiros para cuidarem da Igreja de Deus, e também combater os falsos mestres. Timóteo precisa combater esses falsos mestres por

---

[21] LOWSTUTER, W. J. *The Pastoral Epistles: First and Second Timothy and Titus*. Nova York: Abingdon-Cokesbury Press, 1929, p. 1275.
[22] ERDMAN, Charles. *Las epístolas pastorales a Timoteo y a Tito*, p. 7.

meio da pureza da doutrina, que seria a garantia de uma vida santa. John Kelly diz com razão que nas três cartas Paulo está grandemente preocupado com os hereges, conforme os considera, os quais mercadejam uma mensagem distinta, oposta ao evangelho verdadeiro, semeando contendas e dissensão e levando uma vida moralmente questionável.[23]

Qual é esta *outra doutrina* (1.3) que Paulo tanto teme e que já causou a queda espiritual de homens como Himeneu e Alexandre (1.19,20)? Seus expoentes professam ser *mestres da lei* (1.7). Um grupo deles era chamado de *os da circuncisão* (Tt 1.10). Dedicavam-se a disputas acerca da lei (Tt 3.9). Estavam muito ocupados com *fábulas e genealogias* (1.4), conhecidas também como *fábulas judaicas* (Tt 1.14). Negavam a criação (4.3-5) e a ressurreição (2Tm 2.18). Jactavam-se de possuírem uma gnose superior (6.20). Provavelmente chegavam a praticar a magia (2Tm 3.8,13). Por causa do seu colorido gnóstico, diz John Kelly, muitos identificam esse falso ensino com o gnosticismo plenamente desenvolvido contra o qual a igreja veio a lutar em meados do século II.[24]

Quais eram as características dessa heresia que estava atacando a igreja? William Barclay nos dá algumas pistas, que comentamos a seguir.[25]

Intelectualismo especulativo. A característica mais óbvia da heresia é sua combinação de ingredientes judaicos e gnósticos.[26] Mesmo em sua fase embrionária, o gnosticismo fazia uma junção espúria da filosofia grega com o judaísmo. O resultado dessa aliança heterodoxa foi um pseudointelectualismo que afirmava ser a salvação privilégio de uns poucos iluminados, que a alcançavam por meio de um conhecimento esotérico (1.4; 6.20; 2Tm 6.4; Tt 3.9). Paulo refuta essas ideias mostrando que a salvação é oferecida a todos (2.4) e que a graça de Deus se manifestou salvadora a todos os homens (Tt 2.11).

Soberba arrogante. Os hereges eram extremamente vaidosos, embora nada entendessem do que pregavam (6.4). A arrogância sempre é uma

---

[23] KELLY, John N. D. *I e II Timóteo e Tito: introdução e comentário*, p. 18.
[24] KELLY, John N. D. *I e II Timóteo e Tito: introdução e comentário*, p. 19.
[25] BARCLAY, William. *I y II Timoteo, Tito y Filemon*, p. 13-14.
[26] KELLY, John N. D. *I e II Timóteo e Tito: introdução e comentário*, p. 18.

marca dos falsos mestres. Eles se colocam acima das outras pessoas e da revelação do próprio Deus.

Ascetismo rigoroso. Os hereges estabeleciam regras pesadas com respeito à comida e ao sexo, a ponto de proibirem o casamento (4.1-5). Enumeravam muitas coisas impuras, esquecendo-se de que todas as coisas são puras para os puros (Tt 1.15).

Imoralidade desbragada. O gnosticismo oscilava entre dois extremos: ascetismo de um lado e licenciosidade de outro. Por considerarem a matéria essencialmente má, negavam a criação, a encarnação e a ressurreição. Ora afirmavam que devemos privar o corpo de qualquer prazer, caindo no ascetismo; ora declaravam que tudo o que fazemos com o corpo não tem nenhum valor ou importância, caindo então nas malhas da imoralidade. Os falsos mestres eram cheios de luxúria (2Tm 4.3), chegando ao extremo de entrarem nas casas para seduzir mulheres débeis na conduta (2Tm 3.6).

Ganância insaciável. Os falsos mestres usavam a religião para se locupletarem. Estavam interessados nos bens materiais das pessoas, e não em seu bem-estar (6.5; Tt 1.11). Ainda hoje, muitos obreiros mercadejam a Palavra. Fazem da igreja uma empresa, do púlpito um balcão, do evangelho um produto, dos crentes meros consumidores, do templo uma praça de negócios, e do ofício sagrado uma fonte de lucro.

Legalismo extremado. Os falsos mestres procediam das alas do judaísmo. Suja heresia estava vinculada ao legalismo judeu. Entre seus devotos encontravam-se os que pertenciam à circuncisão (Tt 1.10). A finalidade dos hereges era a de serem mestres da lei (1.7). Eles procuravam inculcar nas pessoas fábulas judaicas e mandamentos de homens (Tt 1.14).

Oferecer **recomendações práticas** para a vida na igreja

Cabe ao ministro do evangelho pregar a verdade, anunciar a sã doutrina e eleger obreiros para cuidarem da Igreja de Deus. Paulo oferece recomendações relacionadas a essas tarefas ministeriais no que tange às práticas para a vida na igreja. Vejamos alguns pontos destacados por William Barclay a seguir.[27]

Orientar a condução do culto público. Paulo dá a Timóteo prescrições claras acerca do culto público. Orienta como os homens devem orar e como as mulheres devem se portar tanto em termos do vestuário utilizado como das palavras proferidas (2.1-14).

Estabelecer critérios para a eleição de oficiais. Paulo normatiza os critérios para a eleição de oficiais, presbíteros e diáconos, oferecendo uma lista de predicados que essas pessoas deveriam ter para ocupar os ofícios sagrados (3.1-13). Paulo ofereceu instruções especiais acerca da eleição, ordenação e disciplina de cada oficial. Vale destacar que Paulo dá mais ênfase às virtudes morais e familiares como requisitos para o oficialato.

Orientar o relacionamento pastoral com as ovelhas. Paulo ensina a Timóteo como tratar os homens e mulheres mais velhos, como tratar as pessoas da mesma idade e como lidar com as pessoas mais novas dentro da igreja.

Ensinar a forma correta de o pastor agir na igreja. Paulo entendia que a Igreja de Deus é a coluna e o baluarte da verdade num mundo de relativismo. O pastor precisa saber, com clareza, como se comportar na igreja (3.15). Calvino diz, porém, que esta epístola foi escrita mais por causa de outros do que de Timóteo, o líder pastoral, uma vez que muitas coisas precisavam ser ajustadas na igreja de Éfeso e necessitavam de sua orientação apostólica.[28]

Normatizar a assistência social às viúvas. A Igreja de Deus associa a proclamação do evangelho com a ação social. As viúvas precisavam ser assistidas pela igreja, mas deveria haver critérios claros para essa assistência.

Corrigir aqueles que fazem a obra de Deus visando ao lucro. Desde os dias de Paulo, já existiam obreiros que mercadejavam a Palavra de Deus, visando não o bem do rebanho, mas o lucro pessoal. O apóstolo é direto na condenação dessa prática, a ponto de talhar nesta carta a conhecida declaração: *O amor ao dinheiro é a raiz de todos os males* (6.10).

---

[27] BARCLAY, William. *I y II Timoteo, Tito y Filemon*, p. 13-14.
[28] CALVINO, Juan. *Comentarios a las epístolas pastorales de San Pablo*. Grand Rapids: TELL, 1948, p. 19.

As principais ênfases teológicas da epístola

Os críticos acusam as epístolas pastorais de serem deuteropaulinas, ou seja, de terem sido escritas por seguidores de Paulo usando seu nome.

Uma das razões para essa alegação é que algumas das verdades essenciais da fé cristã – como a cruz de Cristo, a união com Cristo e o Espírito Santo –, as quais são enfatizadas por Paulo em suas outras cartas, estão ausentes dessas epístolas.

No entanto, é mister destacar que as grandes verdades da fé cristã ensinadas nas outras cartas paulinas – como a doutrina da criação, do pecado e da redenção, a mediação de Cristo, a santificação, a glorificação – estão presentes também nesta missiva.

1

A importância da **sã doutrina** e o perigo das **heresias**

1 Timóteo 1.1-20

A PRIMEIRA CARTA A TIMÓTEO É A MAIOR CARTA pastoral de Paulo. Após sua primeira prisão em Roma, enquanto percorria as igrejas, o apóstolo deixou Timóteo em Éfeso, onde se havia estabelecido por três anos, durante a terceira viagem missionária.

Éfeso era a maior metrópole e capital da Ásia Menor. Cidade marcada por um forte misticismo e ostensiva idolatria, Éfeso hospedava uma das sete maravilhas do mundo antigo, o templo da deusa Diana. A suntuosidade do templo de Diana atraía pessoas do mundo inteiro que aqueciam o comércio da cidade. Toda a cidade se dedicava à adoração de Diana, deusa dos instintos sexuais. Sua imagem lasciva ajudava a promover os mais variados tipos de imoralidade sexual.[1]

Nessa cidade, Paulo enfrentou feras e lutas maiores do que suas forças, mas experimentou também um poderoso reavivamento espiritual. As pessoas se convertiam em massa e vinham publicamente denunciar suas obras. Queimavam seus livros de ocultismo em praça pública, e dessa forma a Palavra de Deus prevalecia na cidade.

---

[1] WIERSBE, Warren W. *Comentário bíblico expositivo*, p. 273.

A igreja de Éfeso tornou-se estratégica. A partir dali, o evangelho irradiou-se por toda a Ásia. Outras igrejas foram plantadas na região, como Colossos, Hierápolis e Laodiceia, Pérgamo, Tiatira, Sardes e Filadélfia. Durante os anos em que passou na cidade, na companhia de Timóteo, Paulo exortou a liderança noite e dia a permanecer firme na fé. Mesmo com lágrimas por causa da perseguição implacável dos judeus enciumados, o apóstolo permaneceu inabalável em seu pastoreio.

Quando se despedia dos presbíteros da igreja de Éfeso, Paulo os alertou de serem vigilantes a respeito dos falsos mestres. Esses lobos travestidos de ovelhas tentariam penetrar no meio do rebanho para destruí-lo, e pessoas seduzidas pelas falsas doutrinas levantar-se-iam dentro da própria igreja para arrastar as ovelhas de Cristo.

Cerca de cinco anos depois, Paulo volta a Éfeso e deixa ali Timóteo a fim de combater os falsos mestres que já haviam chegado. Ao longo desta epístola, estudaremos as orientações do veterano apóstolo ao jovem pastor Timóteo e como ele deveria portar-se na Igreja de Deus, coluna e baluarte da verdade.

O remetente da carta (1.1)

As cartas antigas apresentavam o nome do remetente, do destinatário e uma saudação, antes do corpo da missiva. Paulo não foge a esse modelo: *Paulo, apóstolo de Cristo Jesus, pelo mandato de Deus, nosso Salvador, e de Cristo Jesus, nossa esperança* (1.1).

Paulo se apresenta como apóstolo de Jesus Cristo, por mandato de Deus, porque esta carta, embora enviada a Timóteo, destinava-se a toda a igreja. Por esse motivo, Paulo faz questão de acentuar a autoridade de seu apostolado. Um apóstolo é alguém chamado e comissionado por Jesus. Paulo não se autointitula apóstolo nem mesmo é escolhido apóstolo pela igreja. Recebe seu chamado e comissionamento direto de Jesus. Hans Bürki tem razão em dizer que Paulo não é apóstolo nem por autorização humana, nem foi instalado como apóstolo por um ser humano, nem houve uma resolução pessoal no começo de sua vocação.

Separado pelo próprio Deus e chamado como os profetas, Paulo foi autorizado por Jesus Cristo e enviado como os Doze.² É apóstolo não por mandato humano, mas por mandato divino. Não é um voluntário, mas um embaixador. Não fala de moto próprio, mas por ordem vinda dos céus. O mesmo Deus que o salvou também o constituiu apóstolo. William Hendriksen explica que um apóstolo é alguém revestido com a autoridade daquele que o enviou, e essa autoridade tem que ver com a doutrina e com a vida.³ Cinco são as características encontradas dos apóstolos nas Escrituras.⁴

- Primeiro, os apóstolos haviam sido escolhidos, chamados e enviados pelo próprio Senhor Jesus. Haviam recebido a comissão diretamente do Mestre (Jo 6.70; 13.18; 15.16,19; Gl 1.6).
- Segundo, Jesus mesmo preparou os apóstolos para a sua tarefa, tendo sido eles testemunhas presenciais de suas palavras e obras; especificamente, foram testemunhas de Sua ressurreição (At 1.8,22; 1Co 9.1; 15.8; Gl 1.12; Ef 3.2-8; 1Jo 1.1-3).
- Terceiro, os apóstolos haviam sido dotados do Espírito Santo com uma medida especial, sendo guiados pelo próprio Espírito a toda a verdade (Mt 10.20; Jo 14.26; 15.26; 16.7-14; 20.22; 1Co 2.10-13; 7.40; 1Ts 4.8).
- Quarto, Deus abençoa a obra dos apóstolos, confirmando-a, por meio de sinais e milagres, dando-lhes muitos frutos do seu labor (Mt 10.1,8; At 2.43; 3.2; 5.12-16; Rm 15.18,19; 1Co 9.2; 2Co 12.12; Gl 2.8).
- Quinto, o ofício não está restrito a uma igreja local nem se estende a um breve período; pelo contrário, destina-se a toda a igreja e é vitalício (At 26.16-18; 2Tm 4.7,8).

Paulo apresenta Deus como nosso Salvador. Embora essa expressão seja mais comumente empregada para descrever Cristo, está plenamente

---

²BÜRKI, Hans. "Cartas a Timóteo". In: *Cartas aos Tessalonicenses, Timóteo, Tito e Filemom*, p. 173.
³HENDRIKSEN, William. *1 y 2 Timoteo y Tito*. Grand Rapids: TELL, 1979, p. 60.
⁴HENDRIKSEN, William. *1 y 2 Timoteo y Tito*, p. 61.

amparada pelo ensino geral das Escrituras (Dt 32.15; Lc 1.46,47). Deus nos amou e nos enviou Seu Filho (Jo 3.16); Deus não poupou Seu Filho e O entregou por nós (Rm 8.32); Deus nos abençoou com toda sorte de bênção espiritual (Ef 1.3). A presciência, a predestinação, o chamamento, a justificação e a glorificação são atribuídos a Deus Pai (Rm 8.29,30).

Paulo também apresenta Jesus como nossa esperança. Jesus é a fonte e o objeto da nossa esperança. A presença de Jesus em nós é a nossa esperança de glória (Cl 1.27). Deus é a fonte da nossa salvação, e Jesus é a consumação da nossa salvação. Quando Paulo fala sobre Deus Pai, olha para trás e vê Deus como aquele que planejou a nossa salvação. Quando fala sobre Deus Filho, olha para a frente como aquele que consumará a nossa redenção.

O destinatário da carta (1.2a)

Paulo chama Timóteo de *verdadeiro filho na fé* (1.2a). Na introdução desta obra, tratamos detalhadamente de Timóteo. Embora esse jovem pastor tivesse bebido o leite da piedade desde a infância, tendo sido instruído por sua mãe e avó materna, converteu-se a Cristo por intermédio do ministério de Paulo, quando de sua primeira viagem missionária.

Todo que recebe Cristo torna-se filho de Deus (Jo 1.12). Os filhos são aqueles que nascem da água e do Espírito. Nascem de novo e tornam-se novas criaturas. Desde a conversão, Timóteo passou a ser reconhecido como um homem de bom testemunho tanto dentro como fora de sua cidade natal. Isso levou Paulo a convidá-lo a fazer parte de sua caravana missionária desde a segunda viagem na Macedônia e Acaia e na terceira viagem na Ásia Menor.

Timóteo tornou-se companheiro de viagem, cooperador e amigo do apóstolo. Um verdadeiro filho na fé, alguém em quem Paulo podia confiar. Concordo com Hendriksen quando ele diz que a designação *filho* atribuída a Timóteo foi muito feliz, porque combina duas ideias: "eu te gerei" e "és muito amado".[5]

---

[5] HENDRIKSEN, William. *1 y 2 Timóteo y Tito*, p. 64.

A saudação apostólica (1.2b)

Somente nas duas cartas a Timóteo o apóstolo Paulo usou a tríade de palavras *graça, misericórdia e paz* em suas saudações. Graça é quando Deus nos dá o que não merecemos; misericórdia é quando Deus não nos dá o que merecemos; e paz é o resultado tanto da graça como da misericórdia.

A graça se opõe à ideia de que Deus tem alguma dívida com o homem. A graça se opõe à ideia de que a salvação é conquistada pelo homem. A graça se opõe à ideia de qualquer merecimento.

Desprovidos de qualquer merecimento, recebemos graça. Merecedores do juízo divino, recebemos misericórdia. Uma vez que recebemos tanto graça quanto misericórdia, temos paz com Deus.

A paz é a antítese de toda espécie de conflito, guerra ou incômodo, seja de inimizade exterior ou confusão interior.[6] A graça e a misericórdia são a fonte, e a paz as águas que fluem dessa fonte. O que foi quebrado e arruinado pelo pecado é restaurado pela graça e misericórdia. A paz é realidade e o sentimento resultante da reconciliação com Deus, da plenitude de alegria e da segurança inabalável.

Hendriksen faz uma oportuna distinção entre graça e misericórdia:

> A maneira geral de distinguir entre graça e misericórdia é dizer que a graça perdoa, enquanto a misericórdia sente compaixão; a graça é o amor de Deus para o culpado, a misericórdia é Seu amor para o infeliz, digno de lástima; a graça tem que ver com o estado, a misericórdia com a condição.[7]

Graça, misericórdia e paz nos vêm da parte de Deus Pai e de Cristo Jesus, nosso Senhor. Diante dos profundos embates que Timóteo enfrentaria em Éfeso, Paulo roga sobre ele essas bênçãos especiais da parte de Deus Pai e de Cristo Jesus.

A ameaça dos falsos mestres (1.3-7)

Os críticos rejeitam a autoria paulina desta carta porque não conseguem encaixar os acontecimentos aqui registrados no livro de Atos,

---

[6]BARCLAY, William. *I y II Timoteo, Tito y Filemon*, p. 30.
[7]HENDRIKSEN, William. *1 y 2 Timoteo y Tito*, p. 65.

supondo que Paulo foi martirizado ao final de sua primeira prisão em Roma. Nossa convicção, entretanto, conforme enfatizamos na introdução desta obra, é que Paulo saiu de sua primeira prisão, como era sua expectativa, e, no interregno da primeira e segunda prisões em Roma, é que Paulo, viajando para a Macedônia, rogou a Timóteo que permanecesse em Éfeso para admoestar certas pessoas que estavam ensinando doutrinas falsas (1.3).

Neste primeiro capítulo, o apóstolo fala sobre três responsabilidades do ministro: ensinar a sã doutrina (1.1-11), proclamar o evangelho (1.12-17) e defender a sã doutrina (1.18-20).[8]

Destacamos a seguir alguns pontos importantes.

Em primeiro lugar, *a missão de Timóteo*. – *Quando eu estava de viagem, rumo da Macedônia, te roguei permanecesses ainda em Éfeso para admoestares a certas pessoas, a fim de que não ensinem outra doutrina* (1.3). A igreja de Éfeso estava ameaçada por falsas doutrinas e corria sérios riscos em virtude da infiltração de perigosas heresias. Timóteo precisava admoestar as pessoas que se haviam infiltrado na igreja para pregar uma mensagem heterodoxa.

A sã doutrina é absoluta e não admite que outro evangelho seja pregado. Nada é mais nocivo para a saúde espiritual da igreja do que as falsas doutrinas. Ninguém é mais perigoso para a igreja do que os falsos mestres. Hendriksen alerta sobre o fato de algumas pessoas estarem sempre ansiosas para receber de bom grado tudo o que é novo e diferente, como os atenienses na época de Paulo (At 17.21). Geralmente, o que eles consideram "novo" é heresia antiga, vestida com roupagens modernas.[9]

Vivemos hoje a época conhecida como pós-modernidade. A pós-modernidade está construída sobre o tripé da pluralização, da privatização e da secularização. John Stott aponta como um dos princípios centrais do "pós-modernismo" a inexistência de uma verdade objetiva, muito menos de uma verdade universal e eterna. Pelo contrário, cada pessoa tem a sua própria verdade; você tem a sua, eu tenho a minha,

---

[8]WIERSBE, Warren W. *Comentário bíblico expositivo*, p. 274-277.
[9]HENDRIKSEN, William. *1 y 2 Timoteo y Tito*, p. 69.

e as nossas verdades podem divergir totalmente umas das outras e até mesmo contradizer-se. Consequentemente, a virtude mais apreciada é a tolerância, uma qualidade que tudo tolera, exceto a intolerância daqueles que defendem que certas ideias são verdadeiras, e outras, falsas; que certas práticas são boas, e outras, más.[10]

Em segundo lugar, *o conteúdo da falsa doutrina*. – ..., *a fim de que não ensinem outra doutrina* (1.3b). Uma falsa doutrina pode ser a negação de uma verdade da fé cristã ou mesmo uma adição a ela.[11]

Que doutrina seria essa que se infiltrava na igreja por intermédio de certas pessoas? O texto deixa claro que havia um pano de fundo judaico, pois Paulo menciona *fábulas e genealogias sem fim* (1.4) e acrescenta que esses falsos mestres pretendiam passar por *mestres da lei* (1.7). A expressão *fábulas e genealogias* é una. Não deve ser dividida, como se Paulo estivesse pensando nos mitos por um lado e nas genealogias por outro. Indubitavelmente, o apóstolo se refere a suplementos à lei de Deus de confecção humana (1.7), meros mitos ou fábulas (2Tm 4.4) e contos de velhas (4.7) que tinham um caráter definitivamente judaico (Tt 1.14).[12]

Mas há fortes indícios de que Paulo também se referisse a uma heresia de cunho gnóstico, pois o texto menciona a "loquacidade frívola" (1.6) e *o abandono da fé e da boa consciência* (1.19).

O gnosticismo era na verdade uma mistura de elementos do judaísmo com a filosofia grega. O resultado desse amálgama produziu uma das mais avassaladoras heresias que atingiu a igreja no século II. Tal heresia, pelo menos de forma embrionária, foi combatida vigorosamente na carta de Paulo aos Colossenses e no evangelho de João.

William Barclay lança luz sobre a questão do gnosticismo ao afirmar que essa heresia era completamente especulativa. O movimento começava abordando os problemas da origem do mal, do pecado e do sofrimento. De onde provém tudo isso? Se Deus é totalmente bom, não poderia ter criado o mal. Como, então, o mal entrou no mundo?

---

[10]STOTT, John. *A mensagem de 1 Timóteo, Tito e Filemom*. São Paulo: ABU, 2004, p. 38.
[11]MACDONALD, William. *Believer's Bible Commentary*, p. 2075.
[12]HENDRIKSEN, William. *1 y 2 Timoteo y Tito*, p. 70.

A resposta gnóstica é que o mundo não surgiu do nada, pois a matéria é eterna. A matéria é também má, imperfeita e maligna, e o mundo foi criado dessa matéria. Com essas ilações é que se explicavam o pecado, o sofrimento e a imperfeição deste mundo. De acordo com o pensamento gnóstico, se Deus é essencialmente bom e a matéria é essencialmente má, então Deus não pode ter tocado nem moldado essa matéria. O que Deus fez então? Lançou uma emanação, *eon*, e esta deu lugar a outra, e esta a mais outra, e assim sucessivamente, até chegar uma emanação que estava tão longe de Deus que pôde tocar a matéria e manipulá-la. Dessa forma, foi essa emanação – e não Deus – que criou o Universo.

De acordo com os gnósticos, essas emanações conheciam cada vez menos Deus e acabaram tornando-se hostis a Ele. A conclusão dos gnósticos é que o deus que havia criado o mundo ignorava o Deus real e verdadeiro e era completamente hostil a Ele. Mais tarde, os gnósticos foram ainda mais longe, ao considerar o Deus do Antigo Testamento o Deus criador, ignorante e hostil, e o Deus do Novo Testamento o Deus verdadeiro e real. Os gnósticos criaram, assim, uma complicada mitologia de deuses e emanações, cada um com sua história, biografia e genealogia. Para os gnósticos, Jesus era a maior das emanações, aquele que estava mais perto de Deus. O gnosticismo tornou-se finalmente esnobe, pois somente uma aristocracia intelectual poderia penetrar nessas muitas lucubrações que derivaram.[13]

O problema do gnosticismo não era apenas intelectual, mas também ético. O movimento desembocou em duas posturas perigosas: 1) *o ascetismo:* se a matéria é má, o corpo também o é. Logo, o corpo deve ser subjugado, desprezado e oprimido. Os gnósticos criaram então leis austeras proibindo alimentos e até mesmo o casamento (4.3). 2) *a licenciosidade:* se o corpo é mau, diziam os gnósticos, o que fazemos com ele não importa; o que importa é o espírito. Assim, é permitido que o homem sacie todos os seus impulsos e apetites. Desta forma, o gnosticismo terminou em imoralidade (2Tm 3.6; Tt 1.16).

Em terceiro lugar, **as características da falsa doutrina**. – *Nem se ocupem com fábulas e genealogias sem fim, que, antes, promovem discussões*

---

[13] BARCLAY, William. *I y II Timoteo, Tito y Filemon*, p. 33-34.

do que o serviço de Deus, na fé [...]. *Desviando-se algumas pessoas destas coisas, perderam-se em loquacidade frívola, pretendendo passar por mestres da lei, não compreendendo, todavia, nem o que dizem, nem os assuntos sobre os quais fazem ousadas asseverações* (1.4,6,7).

Paulo dá algumas pistas sobre as características dessa falsa doutrina. No versículo 4, o apóstolo menciona *fábulas* e *genealogias*. A forma como essa doutrina aborda a lei é oposta ao que o evangelho requer. Ela leva a errar o alvo e conduz as pessoas para longe da verdade do evangelho. Não edifica, não promove, mas destrói. Isso pode, durante muito tempo, passar despercebido tanto a iniciantes quanto a ouvintes e adeptos. O efeito destrutivo é secreto e sorrateiro, expandindo-se lentamente como uma infecção cancerosa. Por isso, é preciso enfrentar essa doutrina abertamente e com a autoridade do Senhor.[14]

Outra característica da falsa doutrina é que ela provoca inúmeras discussões. As pessoas deleitam-se em travar debates e mais debates, provocando discórdias em torno de palavras. John Stott está correto ao afirmar que o critério final pelo qual devemos julgar qualquer ensino é se ele promove a glória de Deus e o bem da igreja. A doutrina dos falsos mestres não faz nada disso. O que ela faz é promover a especulação e a controvérsia.[15]

William Barclay menciona cinco características dos falsos mestres e suas falsas doutrinas: 1) o desejo de buscar novidades – precisamos entender que a verdade não muda; o que muda são os métodos, a forma de apresentar essa verdade; 2) exaltação da mente em detrimento do coração – as falsas doutrinas davam a ideia de um intelectualismo esnobe; 3) mais interesse em discussão que em ação: eles se envolviam em discussões frívolas e abandonavam a prática da fé; 4) mais atenção à arrogância que à humildade – o desejo dos falsos mestres é ensinar em vez de aprender; 5) apego ao dogmatismo sem o conhecimento – eles nada sabem a respeito do que falam.[16]

---

[14] BÜRKI, Hans. "Cartas a Timóteo." In: *Cartas aos Tessalonicenses, Timóteo, Tito e Filemom*, p. 179.
[15] STOTT, John. *A mensagem de 1 Timóteo, Tito e Filemom*, p. 42.
[16] BARCLAY, William. *I y II Timoteo, Tito y Filemon*, p. 38-39.

Paulo é categórico em dizer que os falsos mestres não entendem o que dizem nem os assuntos sobre os quais fazem ousadas asseverações (1.7). Os judaizantes declaram que aqueles que não guardam a lei não podem ser salvos (At 15.1,5). Ainda hoje muitos alegam que quem não for batizado, não guardar o sábado, não frequentar esta ou aquela igreja, não fizer penitência ou boas obras não pode ser salvo. Esse é um terrível engano. As boas obras não são a causa da salvação, mas sua consequência. Não guardamos a lei para sermos salvos, mas porque fomos salvos pela graça. Uma pessoa não se torna cristã por fazer boas obras, mas faz boas obras por ser cristã. Todo que se coloca debaixo da lei está sob a maldição da lei. A lei condena à morte aqueles que falham em observar seus preceitos. Uma vez que nenhum ser humano é capaz de guardar a lei, todos estão condenados à morte. Cristo, porém, redime da maldição da lei aqueles que creem, fazendo-se Ele mesmo maldição em nosso lugar (Gl 3.13).[17]

Em quarto lugar, *a maneira de combater a falsa doutrina*. – *Ora, o intuito da presente admoestação visa ao amor que procede de coração puro, e de consciência boa, e de fé sem hipocrisia* (1.5). Paulo diz a Timóteo que a responsabilidade que lhe está sendo passada não consiste apenas em promover a ortodoxia, mas também no amor que procede de um coração puro, de uma boa consciência e de uma sincera fé. Essas coisas sempre se seguem quando o evangelho da graça de Deus é pregado.[18] Hendriksen diz que, quando um pecador é levado a Cristo, o primeiro que se regenera é o coração. O resultado é que a consciência do homem começa a molestá-lo de tal modo que, sob convicção, ele se sente feliz em abraçar o Redentor por meio de uma fé viva. Daí a sequência *coração*, *consciência* e *fé* ser completamente natural.[19]

Do mesmo modo, Paulo ensina a Timóteo que precisamos combater o erro sem magoar as pessoas. A defesa da verdade não pode ocorrer em prejuízo do amor. A verdade precisa ser dita em amor, e o amor precisa acompanhar a ortodoxia. A admoestação precisa brotar de um coração

---

[17]MacDonald, William. *Believer's Bible Commentary*, p. 2076.
[18]MacDonald, William. *Believer's Bible Commentary*, p. 2076.
[19]Hendriksen, William. *1 y 2 Timoteo y Tito*, p. 73.

puro, ou seja, a motivação precisa ser certa. Também esse amor precisa fluir de uma fé sem hipocrisia e de uma consciência boa, ou seja, sem a contaminação do pecado. Não se trata aqui de uma defesa pessoal, mas da defesa da verdade de Deus.

Concordo com Hans Bürki quando ele diz que o amor não é um sentimento difuso ou uma sensação positiva passageira, mas uma mentalidade que leva à ação, uma orientação da natureza que leva à obediência; é a realidade da vida a partir de Deus que transforma o ser humano.[20]

A consciência é a intuição moral do homem, seu ser moral no ato de julgar seu próprio estado, suas emoções e pensamentos, e também suas palavras e ações, sejam estas passadas, presentes ou futuras. Ela é positiva e negativa: aprova e condena (Rm 2.14,15). A boa consciência é a voz interior do homem no ato de repetir a voz de Deus, Seu juízo pessoal que apoia o juízo de Deus, seu espírito que dá testemunho juntamente com o Espírito de Deus.[21]

O aspecto positivo da uma boa consciência é a fé, porque uma boa consciência não somente aborrece o mal, mas também adota o que é certo. Por isso, essa fé é verdadeira e genuína.

A função da lei (1.8-11)

Os falsos mestres usavam a lei como escudo para se defenderem. Usavam a lei para corromper a sã doutrina. Faziam propaganda de si mesmos como mestres da lei, quando na verdade eram ignorantes. Esses falsos mestres eram como os escribas e fariseus que acrescentavam à lei de Deus uma infinidade de tradições humanas e, assim, a anulavam. Paulo, então, aproveita o ensejo para falar sobre o uso correto da lei. Destacamos aqui alguns pontos.

Em primeiro lugar, *a lei é boa em si mesma*. — *Sabemos, porém, que a lei é boa, se alguém dela se utiliza de modo legítimo* (1.8). A lei nunca esteve em oposição ao evangelho. A lei é boa, santa, justa e espiritual.

---

[20] BÜRKI, Hans. "Cartas a Timóteo." In: *Cartas aos Tessalonicenses, Timóteo, Tito e Filemom*, p. 180.
[21] HENDRIKSEN, William. *1 y 2 Timoteo y Tito*, p. 74.

A lei é como um pedagogo que nos leva a Cristo. O fim da lei é Cristo. Seu propósito não é nos salvar, mas revelar nosso pecado. Seu propósito não é nos levar ao céu, mas nos levar a Cristo. Lutero diz que a lei tinha dois propósitos: político ou civil, e teológico ou espiritual. A lei foi dada tanto para coibir os não civilizados como para ser um martelo a esmagar a retidão própria dos seres humanos. A lei tanto preserva a raça humana da degradação generalizada como produz um forte senso de desespero no pecador, a ponto de desejar a graça. Para Calvino, a lei tinha esses propósitos mencionados por Lutero, mas havia ainda um terceiro propósito, ou seja, seu lugar entre os crentes, em cujo coração o Espírito de Deus já vive e reina. Assim, as três funções da lei, de acordo com Calvino, são: punitiva (condenar os pecadores e levá-los a Cristo); intimidadora (refrear os malfeitores); e, em especial, educativa (ensinar e exortar os crentes).[22]

Em segundo lugar, *a lei não produz justiça pessoal*. – *Tendo em vista que não se promulga lei para quem é justo, mas para transgressores e rebeldes, irreverentes e pecadores, ímpios e profanos, parricidas e matricidas, homicidas* (1.9). A lei não é para os justos, mas para os pecadores. A lei lida com os pecadores. É para os transgressores que a lei é promulgada. Um justo não precisaria da sentença condenatória da lei. Porém, não há nem um justo sequer. Todos os homens são transgressores. Todos pecaram. Por isso, a lei é aplicada a todos, e todos estão debaixo da lei.

O que Paulo está ensinando é o mesmo que Jesus ensinou quando disse que os sãos não precisam de médico, e sim os doentes. E mais: *Eu não vim chamar justos, mas pecadores* (Mt 9.13; Lc 15.7; 18.9). Não é que existem pessoas sãs e outras doentes. Existem, sim, pessoas que se acreditam sãs e outras que se reconhecem doentes. Não existem pessoas justas; existem pessoas que se julgam justas aos próprios olhos. Justo é aquele que foi justificado por Deus com base na justiça de Cristo a ele imputada. Nossa justiça não é inerente, mas justiça do Justo imputada a nós, que somos injustos.

Em terceiro lugar, *a lei desnuda o pecador e revela a gravidade de seus pecados*. – *... impuros, sodomitas, raptores de homens, mentirosos, perjuros e*

---

[22] STOTT, John. *A mensagem de 1Timóteo, Tito e Filemom*, p. 43-44.

para tudo quanto se opõe à sã doutrina (1.10). Um dos maiores propósitos da lei é levar os pecadores ao ponto em que eles se sintam completamente quebrantados sob o peso esmagador de seus pecados. O propósito da lei é revelar o pecado, e não tirá-lo. A lei é como uma lanterna: mostra o obstáculo no caminho, mas não tira o obstáculo. É como uma tomografia computadorizada: mostra o tumor interno, mas não o remove. É como o prumo de um construtor civil: mostra a sinuosidade da parede, mas não a corrige. É como um espelho que revela a sujeira do nosso rosto, mas não a elimina (Rm 3.20; Gl 3.24). Quando nos colocamos diante do espelho da lei, enxergamos a malignidade do nosso pecado.

Paulo traz aqui um catálogo com quinze pecados terríveis, semelhantes aos mencionados em Romanos 1.24-32, Gálatas 5.19-21 e 2Timóteo 3.1-9. Essa lista é um desdobramento das proibições divinas contidas nas tábuas da lei. Os dez mandamentos estão divididos em duas seções: os primeiros quatro mandamentos falam sobre o nosso dever para com Deus (piedade) e os seis últimos tratam do nosso dever em relação ao próximo (justiça).

Transgressores, rebeldes, irreverentes, pecadores, ímpios e profanos cometem pecado diretamente contra Deus, por isso estão ligados à primeira tábua da lei. Já parricidas, matricidas, homicidas, impuros, sodomitas, raptores de homens, mentirosos e perjuros cometem pecados contra o próximo e, portanto, estão ligados à segunda tábua da lei.[23] Vejamos cada um deles a seguir.

- *Transgressores e rebeldes.* Os transgressores, *anomoi*, são aqueles que conhecem as leis e as violam deliberadamente, enquanto os rebeldes, *anhypotaktoi*, são os indivíduos ingovernáveis e insubordinados. Negam-se a aceitar e obedecer a qualquer autoridade.
- *Irreverentes e pecadores.* Os irreverentes, *asebeis*, são aqueles que professam a irreligião absoluta e ativa, cujo espírito desafia Deus. É a natureza declarando guerra contra Deus e seguindo seu próprio caminho mau. Os pecadores, *hamartoloi*, são aqueles que perderam todas as suas referências morais.

---

[23] MacDonald, William. *Believer's Bible Commentary*, p. 2077.

- *Ímpios e profanos.* Os ímpios, *anosioi*, não são apenas transgressores da lei, mas aqueles que violam o mais santo e o mais decente na vida. Os profanos, *bebeloi*, são aqueles que profanam as coisas sagradas e desrespeitam toda forma de adoração a Deus.
- *Parricidas e matricidas.* Esse pecado está relacionado à quebra do quinto mandamento. Tanto os parricidas, *patraloai*, como os matricidas, *metraloai*, são os filhos e as filhas que perderam toda gratidão e respeito pelos pais, a ponto de agredi-los e até matá-los.
- *Homicidas.* Os homicidas, *androfonoi*, são os assassinos de homens. E isso inclui não somente o ato de matar, mas também o de odiar. Esse pecado está relacionado à quebra do sexto mandamento.
- *Impuros e sodomitas.* Os impuros, *pornoi*, são aqueles que se entregam a toda sorte de impureza sexual. Os sodomitas, *arsenokoitai*, referem-se aos homossexuais. Essa palavra só aparece aqui e em 1Coríntios 6.9. É uma combinação de *arsen*, "macho", e *koite*, "cama", ou *keimai*, "deitar-se". Provavelmente, faz referência a Levítico 18.22: *Com homem não te deitarás, como se fosse mulher*. Esse pecado está relacionado à quebra do sétimo mandamento.
- *Raptores de homens.* Os raptores de homens, *andrapodistai*, são aqueles culpados do mais sórdido tipo de roubo. Significa sequestradores de escravos. Esse pecado está relacionado à quebra do oitavo mandamento.
- *Mentirosos e perjuros.* Os mentirosos, *pseustai*, são aqueles que não hesitam em mentir ou tergiversar com a verdade devido a propósitos desonestos. Esse pecado está relacionado à quebra do nono mandamento. Os perjuros, *epiorkoi*, são aqueles que dão falso testemunho contra o próximo.
- *Tudo o que opõe à sã doutrina.* Este pecado engloba a quebra de todos os mandamentos. A expressão inclui os demais pecados, independentemente de serem explícitos ou ocultos, de ação rápida ou lenta em sua destruição, grandes ou pequenos à luz da sociedade.[24] A sã doutrina produz e mantém a saúde da igreja. Quem aceita a sã doutrina é curado e protegido da heresia injuriante e dos pecados resultantes que destroem o ser humano de modo sorrateiro e lento, como

---

[24] BÜRKI, Hans. "Cartas a Timóteo". In: *Cartas aos Tessalonicenses, Timóteo, Tito e Filemom*, p. 183.

uma infecção cancerosa.²⁵ John Stott diz que o décimo mandamento, que proíbe a cobiça, talvez não esteja incluído na lista de Paulo por ser um pecado de pensamentos e desejos, não de palavras e obras.²⁶

Em quarto lugar, *a lei está em harmonia com o ensino do evangelho*. – *... segundo o evangelho da glória do Deus bendito, do qual fui encarregado* (1.11). A lei trata da sã doutrina. Portanto, aqueles que se opõem à sã doutrina estão transgredindo a lei. A sã doutrina que a lei defende é segundo o evangelho da glória do Deus bendito. A lei e o evangelho não estão em conflito, mas se completam. A lei é a preparação; o evangelho é a consumação. A lei revela a ira de Deus como Sua justiça vingativa; o evangelho revela a glória de Deus como Sua justiça reconciliadora, visto que ele concede ao pecador participação em Cristo e, consequentemente, na própria beatitude de Deus.

Concordo com Hans Bürki no fato de que o único antídoto contra as enfermidades produzidas pelas heresias é o remédio da sã doutrina: *o evangelho da glória do Deus bendito*, naquele tempo e hoje.²⁷ John Stott tem razão em argumentar que os padrões morais do evangelho não diferem dos padrões morais da lei. Portanto, não devemos imaginar que, por termos abraçado o evangelho, podemos agora repudiar a lei. É certo que a lei é impotente para salvar-nos (Rm 8.3) e que fomos libertados da condenação da lei, de modo que, nesse sentido, não mais estamos sob a lei. Mas Deus enviou o Seu Filho para morrer por nós e agora coloca o Seu Espírito dentro de nós, para que as justas exigências da lei sejam plenamente satisfeitas em nós.²⁸

O apostolado de Paulo (1.12-17)

Paulo combate os falsos mestres que entravam sorrateiramente nas igrejas, ressaltando seu chamado para o apostolado. Os falsos mestres falavam

---

²⁵Bürki, Hans. "Cartas a Timóteo". In: *Cartas aos Tessalonicenses, Timóteo, Tito e Filemom*, p. 184.
²⁶Stott, John. *A mensagem de 1 Timóteo, Tito e Filemom*, p. 46.
²⁷Bürki, Hans. "Cartas a Timóteo." In: *Cartas aos Tessalonicenses, Timóteo, Tito e Filemom*, p. 184.
²⁸Stott, John. *A mensagem de 1 Timóteo, Tito e Filemom*, p. 46.

de sua própria parte, mas Paulo ensinava da parte de Deus. Eles eram falsos obreiros; Paulo era o ministro autorizado de Deus. Destacamos aqui alguns pontos com relação ao chamado do apóstolo.

Em primeiro lugar, **a gratidão pelo chamado**. – *Sou grato para com Aquele que me fortaleceu, Cristo Jesus, nosso Senhor, que me considerou fiel, designando-me para o ministério* (1.12). Paulo dá graças não por aquilo que ele fez para Jesus, mas por aquilo que Jesus fez por ele. Paulo menciona aqui três bênçãos e por elas dá graças: 1) o Senhor o fortaleceu; 2) o Senhor o considerou fiel; o Senhor o designou para o ministério.

Em segundo lugar, **o testemunho da conversão**. – *A mim, que, noutro tempo, era blasfemo, e perseguidor, e insolente. Mas obtive misericórdia, pois o fiz na ignorância, na incredulidade. Transbordou, porém, a graça de nosso senhor com a fé e o amor que há em Cristo Jesus* (1.13,14). Paulo faz uma digressão para registrar seu passado inglório como implacável perseguidor da igreja. Sendo um fariseu zeloso (Fp 3.5), tornou-se líder destacado do judaísmo (Gl 1.14). Levantou-se como ferrenho perseguidor da igreja. Como uma fera selvagem, respirava ameaças e morte contra a igreja (At 9.1). Assolou e devastou a igreja (At 8.3; Gl 1.13). Exterminou discípulos de Cristo em Jerusalém (At 9.21). Perseguiu o Caminho até a morte (At 22.4). Fez muitas coisas contra o nome de Cristo (At 26.9). Encerrou muitos dos santos em prisão e votava contra eles quando eram condenados à morte (At 26.10). Afligia os crentes nas sinagogas, forçando-os a blasfemar e, enfurecido, os perseguia até por cidades estranhas (At 26.11). Era como um touro indomável que não queria ser amansado (At 26.14). Sua conversão foi uma obra sobrenatural de Deus. Teve de ser jogado ao chão e quebrantado para reconhecer que o Jesus que ele perseguia era de fato o Messias. Seus olhos ficaram cegos ao mesmo tempo que os olhos da sua alma foram abertos.

Paulo usa aqui três palavras para descrever a si mesmo nesse período de incredulidade. A primeira palavra é *blasfemo*. Ele falava mal dos cristãos e de seu Senhor, Jesus Cristo. A segunda palavra é *perseguidor*. Ele prendeu os cristãos, açoitou-os, forçou-os a blasfemar e deu voto para matá-los ao perceber que a religião do Caminho era uma ameaça ao judaísmo. A terceira palavra é *insolente*. Para levar a cabo seu plano opressor, ele sentia um prazer mórbido em afligir de forma violenta os cristãos. Como blasfemo, afligiu os cristãos apenas com palavras insultuosas. Como perseguidor, infligiu sofrimento físico. Como insolente, atacou os cristãos com crueldade e abuso.[29]

Para com esse homem bárbaro a graça de Deus superabundou. Ele foi plenamente alcançado pela misericórdia. A graça transbordou sobre ele como um rio numa enchente: não pode ser detido, extravasa pelas margens e carrega tudo o que vê pela frente, não havendo nada que lhe possa resistir. Mas o que o rio da graça trouxe consigo, entretanto, não foi uma devastação; foram bênçãos.[30]

Em terceiro lugar, *a dignidade do evangelho*. – *Fiel é a palavra e digna de inteira aceitação: que Cristo Jesus veio ao mundo para salvar os pecadores, dos quais eu sou o principal* (1.15).

William MacDonald ajuda-nos a entender alguns pontos importantes aqui.[31]

- Primeiro, *o evangelho é digno de inteira aceitação porque é endereçado a todos*, fala acerca do que Deus fez por todos, oferecendo o presente da salvação a todos.
- Segundo, *o evangelho é digno de inteira aceitação porque enfatiza a pessoa e a obra de Cristo*. Quando Paulo fala sobre Cristo Jesus, está enfatizando tanto Sua divindade (Cristo) quanto sua humanidade (Jesus). Antes de sua encarnação, Ele tinha glória eterna com o Pai. Belém não foi o começo de sua existência. Por amor a nós, Ele desceu do céu, veio ao mundo e vestiu pele e carne humana.
- Terceiro, *o evangelho é digno de inteira aceitação pelo seu glorioso propósito*. Por que Jesus veio ao mundo? Para salvar pecadores. Ele não veio para salvar pessoas boas (não existia ninguém assim em toda a terra). Ele não veio salvar os que guardam completamente a lei (não havia nenhum ser humano desse tipo em toda a terra). Aqui está a diferença essencial entre o cristianismo e as demais religiões. Todas dizem que o homem precisa fazer alguma coisa boa para ganhar o

---

[29] MACDONALD, William. *Believer's Bible Commentary*, p. 2078.
[30] STOTT, John. *A mensagem de 1 Timóteo, Tito e Filemom*, p. 48.
[31] MACDONALD, William. *Believer's Bible Commentary*, p. 2078-2079.

favor de Deus. O evangelho, porém, diz ao homem que ele é pecador, que está perdido, que não é capaz de salvar a si mesmo e que somente a obra substitutiva de Cristo pode salvá-lo e conduzi-lo à glória.

- Quarto, o *evangelho é digno de inteira aceitação porque produz convicção de pecado*. Paulo diz no versículo 15: ... *dos quais eu sou o principal*. Vale destacar que o maior dos pecadores não era um idólatra, imoral ou ateu, mas um ortodoxo zeloso da lei que nasceu num lar extremamente religioso. Seu pecado era essencialmente doutrinário. Ele não aceitou a Palavra de Deus concernente à pessoa e à obra de Jesus Cristo. A rejeição do Filho de Deus é o maior de todos os pecados. Ainda é preciso enfatizar que Paulo não disse que era o maior dos pecadores; ao contrário, declarou: ... *dos quais eu sou o principal*. O mais piedoso santo é aquele que mais se reconhece pecador e que tem a mais apurada convicção de pecado.

Em quarto lugar, **o exemplo para os cristãos**. – *Mas, por esta mesma razão, me foi concedida misericórdia, para que, em mim, o principal, evidenciasse Jesus Cristo a sua completa longanimidade, e servisse eu de modelo a quantos hão de crer nEle para a vida eterna* (1.16). John Stott diz que, embora a conversão de Paulo tenha tido muitas características excepcionais (a luz do céu, a voz audível, a língua hebraica, a queda ao chão e sua cegueira), pode ser considerada também um "protótipo" de todas as conversões subsequentes, pois foi uma demonstração da infinita paciência de Cristo. Também continua sendo uma permanente fonte de esperança para os casos que de outro modo não teriam esperança. É como se Paulo estivesse dizendo: "Não se desesperem. Se Jesus Cristo teve misericórdia até de mim, o pior dos pecadores, ele terá também misericórdia de todos vocês".[32]

Em quinto lugar, **a exaltação a Deus**. – *Assim, ao Rei eterno, imortal, invisível, Deus único, honra e glória pelos séculos dos séculos. Amém!* (1.17). Paulo derrama sua alma num jorro caudaloso de louvor; nessa arrebatadora doxologia, diz que Deus é eterno, Rei único, imortal e invisível. Não o imperador romano, mas o verdadeiro Rei é Deus. Rei

---

[32] STOTT, John. *A mensagem de 1 Timóteo, Tito e Filemom*, p. 51-52.

não apenas do mundo transitório, mas de todas as eras, e é o Criador, o Mantenedor e o Redentor de todos os tempos e de toda a vida.³³

O dever de Timóteo (1.18-20)

Paulo tratou até aqui sobre os falsos mestres que pregavam um falso evangelho; falou sobre sua conversão e seu apostolado para proclamar o verdadeiro evangelho. Agora cabe a Timóteo realizar o ministério. Timóteo permaneceu em Éfeso para pastorear a igreja e combater os falsos mestres. Três verdades devem ser aqui observadas.

Em primeiro lugar, **o combate às falsas doutrinas é um dever da liderança da igreja**. – *Este é o dever de que te encarrego, ó filho Timóteo, segundo as profecias de que antecipadamente foste objeto: combate, firmado nelas, o bom combate* (1.18). A vida cristã é um combate, uma guerra sem trégua, uma luta sem pausa. Não podemos, porém, entrar nessa peleja trajando armas carnais. Precisamos usar armas poderosas em Deus para anular sofismas e destruir fortalezas. As armas de combate na luta contra a heresia são a fé e a boa consciência. Quem não sabe preservar o que lhe foi confiado também não é capaz de conquistar algo novo. Quem não preserva a boa consciência é como um capitão que solta o leme do navio, passando a vagar sem rumo pelas ondas até que o navio se despedace em recifes.³⁴

Em segundo lugar, **o combate às falsas doutrinas exige cautela**. – *Mantendo fé e boa consciência, porquanto alguns, tendo rejeitado a boa consciência, vieram a naufragar na fé* (1.19). Os falsos mestres rejeitaram a boa consciência e, conforme diz Calvino, a má consciência é a mãe de todas as heresias.

Em terceiro lugar, **a disciplina eclesiástica é uma necessidade**. – *E dentre esses se contam Himeneu e Alexandre, os quais entreguei a satanás, para serem castigados, a fim de não mais blasfemarem* (1.20). Alguns eruditos entendem a expressão *entreguei a satanás* como uma simples

---

³³BÜRKI, Hans. "Cartas a Timóteo." In: *Cartas aos Tessalonicenses, Timóteo, Tito e Filemom*, p. 188-189.
³⁴BÜRKI, Hans. "Cartas a Timóteo." In: *Cartas aos Tessalonicenses, Timóteo, Tito e Filemom*, p. 191.

referência à excomunhão, como é o caso do jovem incestuoso de Corinto (1Co 5.1-13). A dificuldade é que a excomunhão era uma função da igreja local, e não do apóstolo. Foi assim que Paulo orientou a igreja de Corinto (1Co 5.4,5,13). A outra interpretação deste texto é que "entregar a satanás" era um poder dado aos apóstolos de infligir sofrimento físico aos impenitentes e hereges (At 13.8-11) ou mesmo, em casos extremos, de impor a própria morte, conforme aconteceu a Ananias e Safira (At 5.1-11; 1Co 11.30). No caso em apreço, parece-nos que se trata de disciplina, e não de condenação, pois o propósito era impedir que tais pessoas continuassem blasfemando.[35] Logo, a expressão *entreguei a satanás* refere-se ao processo disciplinar que era comum tanto na sinagoga como na Igreja de Deus.

Uma das marcas da igreja verdadeira é o uso correto da disciplina. O juízo precisa começar pela Casa de Deus. Se a igreja não julgar a si mesma, será condenada com o mundo. Mas, quando julga a si mesma, é disciplinada pelo Senhor. Hans Bürki diz que toda disciplina – que pode incluir enfermidade, debilitação física ou espiritual e, em caso extremo, morte precoce – tem em vista um efeito de cura. A pessoa disciplinada deve ser salva da perdição definitiva e reconduzida para a vida saudável.[36]

---

[35] MACDONALD, William. *Believer's Bible Commentary*, p. 2080,2081.
[36] BÜRKI, Hans. "Cartas a Timóteo." In: *Cartas aos Tessalonicenses, Timóteo, Tito e Filemom*, p. 191.

2

Princípios divinos sobre o culto público

1 Timóteo 2.1-15

AS CARTAS PASTORAIS TINHAM COMO PROPÓSITO PRIMÁRIO orientar os jovens pastores a procederem corretamente na Igreja de Deus (3.15). Os mesmos princípios antigos são atuais e oportunos para nós hoje. A Palavra de Deus é supracultural e atemporal. Ela permanece para sempre.

Neste segundo capítulo, Paulo orienta Timóteo acerca do culto público e faz recomendações sobre a oração e a postura correta de homens e mulheres nas práticas da igreja.

O alcance universal da oração (2.1-3)

Paulo menciona a importância fundamental da oração no culto público, e a esse respeito destacamos alguns pontos.

Em primeiro lugar, *a primazia da oração*. – *Antes de tudo, pois, exorto que se use a prática de súplicas...* (2.1a). As palavras *"próton panton"*, *antes de tudo*, indicam primazia de importância, e não de tempo.[1] A oração não é um apêndice no culto, mas parte vital do ofício religioso. Os apóstolos

---

[1] RIENECKER, Fritz; ROGERS, Cleon. *Chave linguística do Novo Testamento grego*, p. 458.

entenderam a primazia da oração, quando decidiram: *Quanto a nós, nos consagraremos à oração e ao ministério da palavra* (At 6.4). Hoje, em muitas igrejas, gasta-se mais tempo com avisos que com oração. As orações tornaram-se repetitivas, enfadonhas e mecânicas. Falta primazia, fervor e entusiasmo na oração.

Em segundo lugar, **a variedade da oração**. – *... que se use a prática de súplicas, orações, intercessões, ações de graças...* (2.1b). Embora o objetivo de Paulo seja insistir na centralidade da oração mais que numa análise de seus tipos, o apóstolo usa aqui quatro formas de oração.

Primeiro, as "súplicas". Estão relacionadas à apresentação de um pedido ou de uma necessidade a Deus. A ideia fundamental da palavra grega *deesis* é um sentimento de necessidade. A oração começa com o reconhecimento de nossa total dependência de Deus. A oração é a insuficiência humana aproximando-se da suficiência divina. Quando reconhecemos nosso desamparo e corremos para Deus, cônscios de nossa completa necessidade, despejamos diante dEle nossas súplicas.

Segundo, as "orações". Designam o movimento da alma em direção a Deus. As orações são um ato de adoração a Deus, exaltando-o pela excelência de seus atributos. A palavra grega *proseuche* é a mesma empregada para "adoração". Se *deesis* é uma palavra que pode ser usada para súplicas a outro ser humano, *proseuche* é um termo que só pode ser aplicado a Deus. Há certas necessidades que só Deus pode satisfazer. Só Deus pode outorgar perdão e salvação. Por isso, só Deus merece a honra, a glória e o louvor.

Terceiro, as "intercessões". Estão relacionadas com a súplica em favor de alguém ou de alguma coisa. A palavra grega *enteuxis* traz a ideia de entrar na presença do rei para lhe fazer uma petição. Pela oração entramos na sala do trono e conversamos face a face com o Soberano Senhor, o Deus Onipotente, Aquele que está assentado na sala de comando do Universo e tem as rédeas da história em suas mãos. Nenhum pedido é grande demais para Ele. Para Deus não há impossíveis!

Quarto, as "ações de graças". Referem-se à nossa gratidão a Deus pelo que Ele tem feito. A palavra grega *eucaristia* deixa claro que orar não é apenas aproximar-se de Deus para adorá-Lo por quem Ele é, e para rogar a Ele Suas bênçãos, mas também e sobretudo para agradecer por aquilo que Ele tem feito. Concordo com Hans Bürki quando ele diz que somente quem agradece permanece alerta para Deus, porque não se volta novamente para si e suas necessidades.²

Em terceiro lugar, *o alcance da oração*. – ... *em favor de todos os homens, em favor dos reis e de todos os que se acham investidos de autoridade...* (2.1c,2). A oração tem alcance universal. Tocamos o mundo inteiro com as nossas orações. A oração transpõe todas as barreiras geográficas, culturais e religiosas. Hans Bürki diz que a oração pelos governantes e dignitários baseia-se na convicção consistente da Bíblia de que toda autoridade é derivada de Deus e pode persistir somente em conexão com o poder e a vontade de Deus.³

O apóstolo Paulo destaca três alcances das orações.

Primeiro, "*orar em favor de todos os homens*". Isso significa que nenhuma pessoa está fora da esfera das nossas orações. Devemos orar pelos salvos e pelos não salvos; devemos orar por nossos irmãos e até por nossos inimigos. Concordo com Hendriksen quando ele diz que a expressão *todos os homens* neste contexto significa todos os homens sem distinção de raça, nacionalidade ou posição social, e não todos os homens individualmente, tomados por um.⁴

Segundo, "*orar em favor dos reis*". Mesmo que essas autoridades sejam perversas, como era o caso do imperador Nero, devemos orar por elas. Ainda que pessoalmente sejam pessoas indignas, a posição que ocupam merece o nosso respeito e deve ser objeto das nossas orações.

Terceiro, "*orar em favor dos que se acham investidos de autoridade*". A Bíblia é clara em afirmar que toda autoridade procede de Deus e é ministro de Deus para coibir o mal e promover o bem (Rm 13.1-3). Em vez de falar mal das autoridades, devemos orar por elas.

Em quarto lugar, *os propósitos da oração* (2.2b,3). A Igreja primitiva era alvo constante de oposição e perseguição, de modo que era sábio orarem pelas autoridades. Com que propósito devemos orar? Vejamos alguns motivos.

---

²Bürki, Hans. "Cartas a Timóteo." In: *Cartas aos Tessalonicenses, Timóteo, Tito e Filemom*, p. 194.
³Bürki, Hans. "Cartas a Timóteo." In: *Cartas aos Tessalonicenses, Timóteo, Tito e Filemom*, p. 195.
⁴Hendriksen, William. *1 y 2 Timoteo y Tito*, p. 110.

Primeiro, para vivermos uma vida tranquila e mansa. A vida mansa refere-se às circunstâncias, enquanto a vida tranquila diz respeito a uma atitude interior de calma. Hendriksen explica com propriedade essa ideia: "Vida tranquila refere-se a uma vida livre de inquietudes externas; e vida mansa é uma vida que está livre de perturbações internas".[5]

Segundo, para vivermos com toda piedade e respeito. A palavra grega *eusebeia*, traduzida por "piedade", descreve aquela atitude mental de respeito ao próximo e a si mesmo e de honra a Deus.[6] Já a palavra *semnotes*, traduzida por "respeito", refere-se àquela pessoa que vive uma vida cúltica, em que todos os atos são litúrgicos, e que se move neste mundo como se este fosse o templo do Deus vivente, tendo uma atitude correta tanto em relação a Deus como em relação ao próximo.[7]

Terceiro, porque isto agrada a Deus. Paulo diz que a oração intercessora em favor de todos os homens, em favor dos reis e daqueles que estão investidos de autoridade é algo bom e aceitável diante de Deus. O Pai Se agrada de ver Seus filhos orando e vivendo em Sua dependência. O Pai Se agrada em ver Seus filhos colocando-se na brecha em favor de todos os homens, bem como dos reis e das demais autoridades constituídas.

O alcance universal do propósito salvador de Deus (2.4)

A oração deve ter alcance universal, porque o propósito salvador de Deus também tem propósito universal. O apóstolo Paulo escreve: *O qual deseja que todos os homens sejam salvos e cheguem ao pleno conhecimento da verdade* (2.4). Devemos orar por todos os homens, porque Deus deseja que todos os homens sejam salvos por meio da fé em Jesus (2.4). Deus amou o mundo inteiro (Jo 3.16), e Cristo é a propiciação pelos pecados do mundo todo (1Jo 2.2). Por intermédio de Cristo, Deus reconciliou o mundo consigo (2Co 5.18,19). Isso não significa, porém, que *todos os homens* seja uma referência a todos os homens sem exceção; significa, certamente, *todos os homens* sem acepção. Hendriksen tem razão em dizer que, em um sentido, a salvação é universal, isto é,

---

[5]HENDRIKSEN, William. *1 y 2 Timoteo y Tito*, p. 111.
[6]BARCLAY, William. *I y II Timoteo, Tito y Filemon*, p. 68.
[7]BARCLAY, William. *I y II Timoteo, Tito y Filemon*, p. 69.

não está limitada a um grupo particular. O propósito de Deus é que *todos os homens*, sem distinção de posição social, raça ou nacionalidade, sejam salvos.[8] Calvino corrobora a ideia, acrescentando que este versículo se relaciona a classes de homens, e não a pessoas individualmente.[9]

Concordo com Warren Wiersbe no sentido de que não se trata aqui de uma referência a todas as pessoas sem exceção, pois é certo que nem todo mundo será salvo. Antes, refere-se a todas as pessoas sem distinção – judeus, gentios, ricos, pobres, religiosos e pagãos.[10] Nessa mesma linha de pensamento, William Barclay declara que, dentro do evangelho, não há distinção de classe. O rei e o súdito, o rico e o pobre, o aristocrata e o campesino, o patrão e o empregado, todos estão incluídos no abraço ilimitado de Deus.[11]

Erdman destaca que a salvação é limitada não pela vontade de Deus, mas pela oposição e incredulidade dos homens.[12] A salvação é oferecida a todos, mas depende do *pleno conhecimento da verdade* (2.4). A salvação é inseparável da fé. Portanto, ser salvo implica chegar ao *conhecimento da verdade*. A soberania de Deus na salvação e a responsabilidade humana são verdades que correm paralelamente. Não se excluem mutuamente; pelo contrário, completam-se.

O alcance universal da redenção (2.5,6)

Se as orações têm alcance universal, se o propósito de Deus tem alcance universal, também a redenção tem alcance universal. O apóstolo Paulo faz aqui três importantes declarações.

Em primeiro lugar, **existe um só Deus**. – *Porquanto há um só Deus...* (2.5a). No mundo antigo, havia uma infinidade de deuses. Paulo faz da unicidade de Deus o fundamento da universalidade do evangelho.[13] Os pagãos tinham seus panteões repletos de deuses. Éfeso, a cidade na qual

---

[8]HENDRIKSEN, William. *1 y 2 Timoteo y Tito*, p. 112.
[9]CALVINO, Juan. *Comentarios a las epístolas pastorales de San Pablo*, p. 64.
[10]WIERSBE, Warren W. *Comentário bíblico expositivo*, p. 281.
[11]BARCLAY, William. *I y II Timoteo, Tito y Filemon*, p. 63.
[12]ERDMAN, Charles. *Las epístolas pastorales a Timoteo y Tito*, p. 32.
[13]KELLY, John N. D. *I e II Timóteo e Tito: introdução e comentário*, p. 67.

Timóteo pastoreava, era povoada por muitos deuses. Embora haja muitos deuses, só existe um Deus vivo e verdadeiro. Todos os outros deuses foram criados pela imaginação humana. Nas palavras de Hendriksen, "não há um Deus para esta nação e outro para outra; um Deus para os escravos e um para os livres; um Deus para os reis e outro para os súditos".[14] O apóstolo é meridianamente claro quando escreve: *É Deus somente dos judeus? Não é também Deus dos gentios? Certamente também dos gentios: Porque Deus é um...* (Rm 3.29).

Em segundo lugar, **existe um só Mediador entre Deus e os homens**. – *... e um só Mediador entre Deus e os homens, Cristo Jesus, homem* (2.5b). Um mediador é alguém que atua entre duas partes para reuni-las. Jesus é o Mediador entre Deus e os homens, porque Ele é Deus-homem. Deus estava em Cristo para reconciliar consigo o mundo (2Co 5.19). É Cristo quem restaura os pecadores a uma correta relação legal com Deus. Hendriksen diz que o que Paulo está ensinando aqui é que não há um Deus para este grupo e outro para aquele grupo; não há um Mediador para esta nação e outro para outra nação, mas somente um Deus para todos os homens e somente um Mediador para todos os homens, o *homem* Cristo Jesus.[15] Concordo com Erdman quando ele destaca que não resta, pois, lugar para a mediação dos santos nem de anjos. Jesus é a única pessoa por meio da qual temos acesso ao Pai.[16] O próprio Jesus disse: *Eu sou o Caminho, e a Verdade, e a Vida e ninguém vem ao Pai senão por mim* (Jo 14.6).

Em terceiro lugar, **existe um só Resgatador**. – *O qual a si mesmo se deu em resgate por todos: testemunho que se deve prestar em tempos oportunos* (2.6). A palavra grega *antilutron* significa dar a própria vida por, ou em lugar de, outra pessoa. A ideia é remir de algo, morrer em lugar de, a favor de, ou remir alguém para algo melhor.[17] Cristo morreu em nosso lugar, em nosso favor. Isso significa que a morte de Cristo foi vicária, substitutiva. Foi um resgate, e resgate é o preço pago para libertar um

---

[14]HENDRIKSEN, William. *1 y 2 Timoteo y Tito*, p. 114.
[15]HENDRIKSEN, William. *1 y 2 Timoteo y Tito*, p. 117.
[16]ERDMAN, Charles. *Las epístolas pastorales a Timoteo y Tito*, p. 33.
[17]SPAIN, Carl. *Epístolas de Paulo a Timóteo e Tito*, p. 45.

escravo. Por amor, Cristo entrega sua vida à morte como resgate. Sua imolação sangrenta é preço pelo qual nós, pecadores, fomos comprados para ficarmos livres do pecado, da morte e do diabo.[18]

A morte de Cristo é suficiente para todos, mas eficiente apenas para os que creem. Cristo não morreu apenas para possibilitar a nossa salvação; morreu efetivamente para nos salvar. Jesus morreu como nosso substituto. Ele morreu a nossa morte, levou sobre si o nosso pecado e pagou a nossa dívida. Sofreu o golpe da lei que deveríamos sofrer e satisfez plenamente a justiça de Deus em nosso lugar. *Agora já nenhuma condenação há para aqueles que estão em Cristo Jesus* (Rm 8.1). Devemos, portanto, entender que a expressão *regaste por todos*, no versículo 7, deve ser interpretada da mesma forma que interpretamos os outros versículos: todos os homens sem acepção, e não todos os homens sem exceção, ou seja, todos os homens sem consideração de posição social, raça ou nacionalidade.

O alcance universal do evangelho (2.7)

Assim como existe um só Deus, um só Mediador e um só Resgatador, também existe um só evangelho, uma só mensagem a ser pregada no mundo inteiro. O apóstolo Paulo confessa: *Para isto fui designado pregador e apóstolo (afirmo a verdade, não minto), mestre dos gentios na fé e na verdade* (2.7). Paulo emprega três termos para descrever seu ministério de pregação universal.

Em primeiro lugar, *pregador*. A palavra grega *kerux* significa o mensageiro ou arauto que levava a mensagem do rei ao povo. A qualificação mais importante do arauto era que ele representava ou relatava fielmente a palavra da pessoa que o enviara. Ele não podia ser "original", pois a mensagem não era sua, e sim de outra pessoa.[19] Paulo é um arauto de Deus que proclama as boas-novas do Rei dos reis às nações: *Rogamos, pois, em nome de Cristo, que vos reconcilieis com Deus* (2Co 5.20). Hendriksen diz que esse é o coração da pregação. Os mesmos rebeldes

---

[18] BÜRKI, Hans. "Cartas a Timóteo." In: *Cartas aos Tessalonicenses, Timóteo, Tito e Filemom*, p. 198.
[19] RIENECKER, Fritz; Rogers, Cleon. *Chave linguística do Novo Testamento grego*, p. 459.

que mereciam uma mensagem de juízo e condenação recebem boas-novas de felicidade. Não é a cidade rebelde que envia um embaixador a negociar as condições de paz, mas o Rei dos reis ofendido que envia seu próprio arauto para proclamar paz por meio de um resgate, o sangue de Seu próprio Filho amado.[20]

Em segundo lugar, *apóstolo*. Paulo foi designado não apenas arauto, mas também apóstolo, representando Cristo, plenamente investido com autoridade delegada quanto à doutrina e à conduta, com autoridade estendida a toda a igreja, em toda a face da terra, em todos os tempos. Uma igreja apostólica hoje, portanto, é a aquela que segue fielmente a doutrina dos apóstolos.

Em terceiro lugar, *mestre*. Barclay diz que o pregador é a pessoa que proclama os fatos, o apóstolo é a pessoa que é testemunha ocular dos fatos, e o mestre é a pessoa que leva os homens a compreender o significado dos fatos.[21] Tanto Paulo quanto sua mensagem foram usados por Deus como um instrumento para levar a mente e o coração dos gentios à fé viva na verdade do evangelho.[22]

A atitude correta dos homens com respeito à oração no culto público (2.8)

Do escopo universal da oração, Paulo passa para as disposições e o comportamento apropriados do cristão ao orar.[23] Em virtude do propósito de Deus em salvar todos os homens e da obra de Cristo para consumar essa salvação, Paulo fala agora sobre o desejo de que os homens da igreja se engajem numa abundante e dinâmica vida de oração. O apóstolo trata da atitude correta que os homens devem adotar na oração. Como os homens devem orar? Há três impedimentos à oração, a saber: o pecado, a ira e as contendas; e há três virtudes indispensáveis: a santidade, o amor e a paz.[24] O que conta na oração não é a postura física, mas a atitude

---

[20] HENDRIKSEN, William. *1 y 2 Timoteo y Tito*, p. 119.
[21] BARCLAY, William. *I y II Timoteo, Tito y Filemon*, p. 72.
[22] HENDRIKSEN, William. *1 y 2 Timoteo y Tito*, p. 119.
[23] KELLY, John N. D. *I e II Timóteo e Tito: introdução e comentário*, p. 69.
[24] STOTT, John. *A mensagem de 1 Timóteo, Tito e Filemom*, p. 80.

interior. Kelly chega a dizer que o gesto externo é fútil, até mesmo blasfemo, a não ser que o coração por dentro esteja livre de má vontade.[25] Orar em pé e com as mãos levantadas pode variar de cultura para cultura, mas a santidade, o amor e a paz com que os homens devem orar são princípios eternos. Como os homens devem orar?

Em primeiro lugar, *por meio de uma vida santa*. – *Quero, portanto, que os varões orem em todo lugar, levantando mãos santas...* (2.8a). A oração não deve se limitar a um lugar específico. Como Deus é onipresente, devemos orar em todo lugar. Era costume dos judeus levantar as mãos na hora da oração. As mãos levantadas para Deus, conforme Carl Spain, sugerem as mãos de uma criança dependente levantadas para um pai que tem o poder de conceder o que a criança precisa e deseja.[26] A questão, porém, não é o gesto, mas a vida. Não é a postura do corpo, mas a atitude da alma. O gesto precisa ser acompanhado da motivação certa. Se vamos levantar as mãos, precisam ser mãos santas. A vida santa é a base da oração eficaz. O pecado no coração interrompe as orações (Sl 66.18). Hendriksen chama a atenção para o fato de que a postura não é uma questão indiferente quando se trata de oração. Seria uma abominação adotar uma postura relaxada para estar na presença de Deus. Por outro lado, a Bíblia não sacraliza uma posição física. Encontramos nas Escrituras, por exemplo, pessoas orando em pé, com as mãos estendidas, com a cabeça reclinada, com os olhos levantados aos céus, de joelhos, prostradas com o rosto em terra.[27]

Em segundo lugar, *por meio de sentimentos puros*. – *... sem ira...* (2.8b). Para que os homens orem eficazmente, é necessário que seus relacionamentos estejam em ordem. Não podemos ter comunhão vertical com Deus se não temos comunhão horizontal com as pessoas. Quem guarda mágoa no coração não pode orar (Mc 11.25).

Em terceiro lugar, *por meio de relacionamentos certos*. – *... nem animosidade* (2.8c). Animosidade é uma indisposição com outra pessoa. É abrigar um espírito de contenda. A oração eficaz exige que o nosso

---

[25] KELLY, John N. D. *I e II Timóteo e Tito: introdução e comentário*, p. 69.
[26] SPAIN, Carl. *Epístolas de Paulo a Timóteo e Tito*, p. 48.
[27] HENDRIKSEN, William. *1 y 2 Timoteo y Tito* , p. 121-122.

coração esteja em ordem com Deus (*mãos santas*) e com os nossos irmãos (*sem ira nem animosidade*).[28] Huns Bürki está certo ao dizer que quem não busca reconciliação com o próximo, quem tem ira contra o irmão, quem briga e discute com ele, esse não pode comparecer em oração perante Deus. Autoavaliação e reconciliação precedem a oração.[29]

A atitude adequada das mulheres no culto público (2.9-15)

A palavra *igualmente* no início do versículo 9 mostra que Paulo está continuando suas observações em relação à conduta no culto público. Tanto os homens quanto as mulheres precisam se preparar para participar do culto público. A vida precede o serviço. Primeiro, Deus aceita o adorador; depois, a adoração. Primeiro, Deus se agrada do ofertante; depois, da oferta. Os homens não devem se irar no coração nem se digladiar com palavras; as mulheres não devem ser impuras no coração nem lutar por uma posição com palavras.[30]

Este é um dos textos mais difíceis de interpretar de todas as cartas paulinas. Muitos debates têm sido travados e muitas argumentações têm sido expostas para interpretá-lo. Preliminarmente, precisamos entender o pano de fundo cultural em que o texto foi escrito para compreendermos suas implicações e aplicações. William Barclay aborda o assunto ao tratar do contexto judaico e grego.[31]

Em primeiro lugar, *o contexto judaico*. A posição da mulher no judaísmo era de inferioridade em relação ao homem. Algumas vezes ela era vista como uma coisa, e não como uma pessoa. Pertencia ao pai enquanto solteira e ao marido depois de casada. Um judeu agradecia a Deus todas as manhãs por não o ter feito nascer gentio, escravo ou mulher. Para as mulheres era proibido aprender a lei. Elas também não

---

[28] WIERSBE, Warren W. *Comentário bíblico expositivo*, p. 282.
[29] BÜRKI, Hans. "Cartas a Timóteo." In: *Cartas aos Tessalonicenses, Timóteo, Tito e Filemom*, p. 201.
[30] BÜRKI, Hans. "Cartas a Timóteo." In: *Cartas aos Tessalonicenses, Timóteo, Tito e Filemom*, p. 202.
[31] BARCLAY, William. *I y II Timoteo, Tito y Filemon*, p. 74-77.

participavam dos serviços da sinagoga. Os homens iam à sinagoga para aprender; as mulheres iam apenas para escutar. As mulheres estavam expressamente proibidas de ensinar na escola.

Em segundo lugar, *o contexto grego*. A posição das mulheres na cultura grega era ainda mais aviltante. Uma mulher grega respeitada levava uma vida de reclusão no lar. Nunca andava sozinha na rua ou nos lugares públicos nem participava das assembleias.

John Stott, considerado um dos maiores exegetas do século XX, ressalta que dois princípios hermenêuticos devem ser observados para uma correta compreensão de um texto bíblico: o princípio da harmonia e o princípio histórico.[32] O que significa *o princípio da harmonia*? A Bíblia não se contradiz. O texto em apreço não pode contradizer a verdade de que a mulher é tão imagem de Deus quanto o homem, nem pode negar o fato de que a mulher é remida por Cristo da mesma forma que o homem. Logo, aos olhos de Deus, a mulher tem o mesmo valor e a mesma dignidade do homem. E o que significa *o princípio histórico*? Deus sempre proferiu sua palavra num ambiente cultural e histórico particular, especialmente o do antigo Oriente Próximo (o Antigo Testamento), o do judaísmo palestino (os evangelhos) e o do mundo greco-romano (o restante do Novo Testamento). Nenhuma Palavra de Deus foi proferida num vácuo cultural; toda palavra foi expressa num contexto cultural. As Escrituras são uma mistura, em substância e forma, da verdade eterna (que transcende a cultura), com sua apresentação cultural e mutável. Mas como distingui-las? Três respostas são dadas, segundo John Stott.[33]

Primeiro, o literalismo. Aqueles que seguem a linha literalista entronizam a forma cultural, dando-lhe a mesma autoridade normativa atribuída à verdade por ela expressa. Desta forma, para serem consistentes em sua interpretação de 1Timóteo 2.8-15, tais pessoas terão de insistir que os homens devem sempre levantar as mãos ao orar (2.8), que as mulheres nunca devem fazer tranças no cabelo nem usar joias (2.9), e que em circunstância alguma a mulher pode ensinar aos homens (2.11,12).

---

[32] STOTT, John. *A mensagem de 1 Timóteo, Tito e Filemom*, p. 72-73.
[33] STOTT, John. *A mensagem de 1 Timóteo, Tito e Filemom*, p. 72-79.

Segundo, o liberalismo. Os liberais caem no extremo oposto. Rejeitam a verdade eterna juntamente com a expressão cultural. Ou seja, em vez de elevarem as expressões culturais ao nível de uma verdade eterna (como fazem os literalistas), eles rebaixam a verdade eterna ao nível de suas expressões culturais. Os liberais não têm compromisso com a fidelidade às Escrituras e negam sua inerrância, infalibilidade e suficiência. Para os liberais, a Bíblia tornou-se obsoleta e sua mensagem não mais se aplica à nossa realidade cultural como única regra de fé e prática. William Barclay chegou a escrever: "A igreja cristã não estabeleceu estas normas para que fossem permanentes; são apenas coisas necessárias à situação em que se encontrava a Igreja primitiva".[34]

Terceiro, a transposição cultural. John Stott afirma que a melhor forma de tratar os versículos 8 a 15 é aplicar o princípio da transposição cultural aos três tópicos, a saber, as orações dos homens (2.8), os adornos femininos (2.9,10) e a sujeição das mulheres (2.11-15). Nos dois primeiros casos, a aplicação não é difícil. Sempre e em qualquer lugar, os homens devem orar em santidade e amor (2.8). Mas sua postura corporal ao fazerem isso (permanecendo em pé, de joelhos, sentados, batendo palmas ou levantando os braços) pode variar de acordo com a cultura. Sempre e em qualquer lugar, as mulheres devem adornar-se com modéstia, decência, propriedade e boas obras (2.9,10); mas suas vestes, seu estilo de penteado e seus adornos podem variar de acordo com a cultura. Assim como a transposição cultural foi usada nos dois primeiros casos, deve ser usada também no terceiro (2.11-15).

Há aqui duas proibições (ensinar e ter autoridade, 2.11) e duas ordens (silêncio e sujeição, 2.12). O comportamento da mulher no culto público deve caracterizar-se por uma postura de silêncio, e não de ensino; de sujeição, e não de autoridade. A recomendação, portanto, de John Stott é que o requisito do silêncio (2.11) assim como o do uso do véu (1Co 11.10) eram símbolos culturais do primeiro século que expressavam a liderança masculina, o que não é necessariamente apropriado nos dias de hoje. Isso porque o silêncio não é um ingrediente essencial da submissão; a sujeição manifesta-se de diferentes modos em diferentes

---

[34] BARCLAY, William. *I y II Timoteo, Tito y Filemon*, p. 76.

culturas. Semelhantemente, o fato de uma mulher ensinar homens não significa necessariamente que ela tenha autoridade sobre eles. O ensino pode ser dado sob diversos estilos, com significados diferentes. Assim, a profecia pública feita por mulher não era considerada um exercício indevido de autoridade sobre os homens, presumivelmente por realizar-se sob a direta inspiração e autoridade de Deus (1Co 11.5; At 2.17; 21.9). Também o ensino de Priscila e Áquila a Apolo não foi indevido, por ter sido feito não em público, mas na casa deles (At 18.26).[35]

Com esse pano de fundo em mente, podemos agora entrar na exposição do texto. Warren Wiersbe diz que, em tempos de emancipação da mulher e de movimentos feministas, o termo "submissão" faz ferver o sangue de muitos.[36] A submissão, porém, é um conceito bíblico que deve reger os nossos relacionamentos (Ef 5.21). Os filhos devem ser submissos aos pais, os empregados aos patrões, os cidadãos às autoridades, as esposas ao marido e os irmãos uns aos outros.

O apóstolo Paulo estabelece alguns princípios importantes que devem reger a postura das mulheres cristãs no culto público.

Em primeiro lugar, **usar trajes decentes**. – *Da mesma sorte, que as mulheres, em traje decente, se ataviem com modéstia e bom senso, não com cabeleiras frisadas e com ouro, ou pérolas, ou vestuário dispendioso* (2.9). As mulheres não devem ferir as mais pobres por meio de uma riqueza ostensiva nem provocá-las à inveja. Não há aqui, porém, proibição do uso de joias ou vestuários, mas dos excessos como substitutos à verdadeira beleza de um *espírito manso e tranquilo* (1Pe 3.1-6).[37] Quando uma mulher se adorna, está procurando aumentar sua beleza. Desse modo, Paulo reconhece duas coisas: que as mulheres são bonitas e que devem aumentar sua beleza e exibi-la.[38] O apóstolo Pedro trata do mesmo assunto: *Não seja o adorno da esposa o que é exterior, como frisado de cabelos, adereços de ouro, aparato de vestuários* (1Pe 3.3). As mulheres do primeiro século não tinham participação na vida pública nem acesso

---

[35] STOTT, John. *A mensagem de 1 Timóteo, Tito e Filemom*, p. 78.
[36] WIERSBE, Warren W. *Comentário bíblico expositivo*, p. 282.
[37] WIERSBE, Warren W. *Comentário bíblico expositivo*, p. 283.
[38] STOTT, John. *A mensagem de 1 Timóteo, Tito e Filemom*, p. 81.

ao trabalho fora do lar. As abastadas gastavam seu tempo em coisas fúteis, e muitas delas investiam toda a sua energia em cuidar da beleza exterior, relegando a uma posição de descaso o cultivo da beleza interior. As mulheres crentes não deveriam imitar esse modelo.

É claro que, com isso, não há nenhum incentivo para que mulheres cristãs se tornem relaxadas com sua apresentação pessoal. É preciso existir um equilíbrio entre o cultivo da beleza interior e a manifestação graciosa do exterior. A mulher virtuosa de Provérbios 31 tinha bom gosto para se vestir e cuidava bem do corpo, mas entendia que a beleza interior precisa sobrepujar a beleza física, pois esta passará, enquanto aquela permanece para sempre: *Enganosa é a graça, e vã, a formosura, mas a mulher que teme ao Senhor, essa será louvada* (Pv 31.30). As mulheres cristãs precisam se esforçar para adornar sua alma mais do que seu corpo, pois os enfeites do corpo são destruídos pela traça e deterioram com o uso; a graça de Deus, porém, quanto mais é usada, melhor e mais resplandecente se torna.[39] O perigo não é o uso, mas o abuso; não é o equilíbrio, mas o excesso. A ênfase não está na proibição, mas num senso adequado de valores.

Paulo oferece três exemplos de adornos externos: cabelo, joias e roupas. O apóstolo estabelece um contraste entre o exterior exibicionista e a modéstia. Enquanto penteados entremeados com ouro e pérolas e roupas caras existem para ser exibidos, a modéstia e o bom senso no vestuário chamam mais a atenção para o homem interior do coração.

O que era *o frisado de cabelos* (2.9)? Naquela época, as mulheres usavam penteados extravagantes para chamar a atenção. As mais ricas introduziam em suas tranças joias caras e até pedras preciosas, em evidente ostentação. Com isso, atraíam os olhares dos admiradores. As mulheres romanas gostavam de seguir a última moda e competiam entre si para ver quem tinha as roupas e os penteados mais sofisticados.[40]

O que era *o vestuário dispendioso* (2.9)? As mulheres da nobreza costumavam investir enormes somas de dinheiro em um vestido para

---

[39]HENRY, Matthew. *Comentário bíblico Matthew Henry: Atos a Apocalipse*. Rio de Janeiro: CPAD, 2010, p. 872-873.
[40]WIERSBE, Warren W. *Comentário bíblico expositivo*, p. 528.

ostentarem sua riqueza, seu luxo e seu *glamour* na passarela da moda. Faziam disso a razão da própria vida. Paulo se posiciona contra essa inversão de valores e orienta as mulheres cristãs a serem modestas e decentes quanto ao vestuário. Para John Stott, o que Paulo está enfatizando é que as mulheres cristãs devem adornar-se com vestes, penteados e artigos de joalheria que, em sua *cultura*, não sejam caros nem extravagantes; que sejam modestos, e não ufanosos; decentes, e não sensuais.[41]

Em segundo lugar, **praticar boas obras**. – *Porém com boas obras (como é próprio às mulheres que professam ser piedosas)* (2.10). O que Paulo está ressaltando aqui é que, em vez de existir um dispêndio na apresentação de vestuários e penteados, deve existir um esforço na prática de boas obras. Em vez de buscar apenas a aparência externa, as mulheres cristãs devem se esmerar em praticar boas obras. Paulo está lembrando às mulheres que há dois tipos de beleza feminina, a física e a moral, a beleza do corpo e a beleza do caráter. A igreja deve ser um verdadeiro salão de beleza para encorajar as mulheres a se adornarem com boas obras.[42]

Com respeito à prática das boas obras, vale destacar que as mulheres sempre estiveram na vanguarda. Foram elas que sustentaram o ministério de Cristo (Lc 8.1-3). Foram elas que estavam presentes tanto na crucificação de Cristo como em seu sepultamento. Foi uma mulher a primeira a proclamar a ressurreição de Cristo. As mulheres estavam no Cenáculo, quando o Espírito Santo foi derramado. No livro de Atos encontramos a menção de várias mulheres piedosas, como Dorcas, Lídia, Priscila, bem como as mulheres piedosas das igrejas de Bereia e Tessalônica. Paulo faz referência a Febe, a mulher que levou a carta de Paulo à igreja de Roma (Rm 16.1). Pedro fala acerca das mulheres que ganham o marido sem discurso, mas com exemplo e prática de boas obras (1Pe 3.1-6).

Em terceiro lugar, **aprender em silêncio**. – *A mulher aprenda em silêncio, com toda a submissão. E não permito que a mulher ensine, nem exerça autoridade de homem; esteja, porém, em silêncio* (2.11,12). Depois do vestuário e dos adornos externos, Paulo toca no papel que as mulheres

---

[41] STOTT, John. *A mensagem de 1 Timóteo, Tito e Filemom*, p. 82.
[42] STOTT, John. *A mensagem de 1 Timóteo, Tito e Filemom*, p. 83.

devem desempenhar nas reuniões da igreja.[43] Na igreja não são a discórdia e as brigas, mas a paz e a subordinação, que devem determinar o clima no qual os cristãos celebram a ceia do Senhor, adoram a Deus, profetizam e oram.[44]

Concordo com Warren Wiersbe quando ele diz que o termo *silêncio* é uma tradução infeliz, pois dá a impressão de que as mulheres cristãs não devem jamais abrir a boca dentro da igreja. Trata-se do mesmo termo traduzido por *manso* em 1Timóteo 2.2. Algumas mulheres estavam abusando da liberdade que haviam encontrado em Cristo e tumultuavam os cultos com suas interrupções. É a esse problema que Paulo se refere em sua admoestação.[45] Kelly diz que, como se esperava das mulheres silêncio na sinagoga judaica, há evidências de que um novo espírito de emancipação se espalhava nas novas congregações cristãs. Em 1Coríntios 11.4-15, Paulo requer que as mulheres que oravam em voz alta nas reuniões usassem o véu. Em 1Coríntios 14.33-36, ele proíbe totalmente as mulheres de se dirigirem à congregação. A insistência de Paulo em repetir essa questão talvez seja devido a uma suspeita de que os mestres do erro em Éfeso estavam explorando a disposição das mulheres com tendências religiosas para reivindicarem o que ele considerava ser um destaque impróprio para elas.[46] Os falsos mestres prometem às mulheres uma liberdade superior, que as liberta do matrimônio, da intimidade sexual com o marido e da função de gerar filhos (4.3).

Hans Bürki é enfático em afirmar que não se pode deduzir destas palavras de Paulo que a mulher não deva ensinar em hipótese alguma. Não apenas nas primeiras cartas, mas também nas pastorais, ensinar é evidentemente um direito e um dever da mulher (Tt 2.3-5; 2Tm 1.5; 3.15).[47]

John Stott entende que as instruções de Paulo neste texto focam apenas o princípio universal da submissão feminina à "liderança"

---

[43] KELLY, John N. D. *I e II Timóteo e Tito: introdução e comentário*, p. 71.
[44] BÜRKI, Hans. "Cartas a Timóteo." In: *Cartas aos Tessalonicenses, Timóteo, Tito e Filemom*, p. 204.
[45] WIERSBE, Warren W. *Comentário bíblico expositivo*, p. 283-284.
[46] KELLY, John N. D. *I e II Timóteo e Tito: introdução e comentário*, p. 71.
[47] BÜRKI, Hans. "Cartas a Timóteo." In: *Cartas aos Tessalonicenses, Timóteo, Tito e Filemom*, p. 204.

masculina.⁴⁸ Hendriksen afirma que, nesse sentido, esta palavra de Paulo às mulheres expressa um sentimento de terna simpatia. Quer dizer: que a mulher não entre na esfera de atividade para a qual Deus não a destinou. Assim como a ave não deve viver sob a água nem o peixe sobre a terra seca, também a mulher não deve desejar exercer autoridade sobre o homem ensinando-o no culto público.⁴⁹ Stott ainda explica esse ponto, como segue:

> Assim como os homens devem orar em santidade, amor e paz, mas não necessariamente levantando as mãos ao fazerem isso; e tal como as mulheres devem adornar-se com modéstia, decência e boas obras, mas não necessariamente abstendo-se de todo tipo de penteado com tranças, de ouro e pérolas; assim também as mulheres devem submeter-se à liderança dos homens, não procurando reverter as funções devidas a cada sexo, mas sem que isso necessariamente as impeça de ensinar a eles.⁵⁰

Em quarto lugar, ***respeitar as autoridades***. – *E não permito que a mulher ensine, nem exerça autoridade de homem; esteja, porém, em silêncio...* (2.12-15). É notório nas Escrituras que a mulher pode ensinar. O derramamento do Espírito foi prometido aos filhos e às filhas (Jl 2.18-30). Quando esta profecia se cumpriu no Pentecostes, havia no Cenáculo algumas mulheres. Todos os que estavam no Cenáculo, inclusive as mulheres, passaram a falar das grandezas de Deus (At 1.14; 2.1-3). Havia profetisas na Igreja primitiva (At 21.8,9). As mulheres podiam orar no culto público e também profetizar (1Co 11.5). As mulheres mais velhas devem ensinar as mais jovens (Tt 2.3,4). Timóteo foi ensinado em sua casa por sua mãe, Eunice, e sua avó, Loide (2Tm 1.5; 3.15). Não há nenhuma proibição bíblica de uma mulher piedosa instruir um homem (At 18.24-28). A questão em tela é que a mulher não deve, no culto público, ocupar a posição de liderança do homem e exercer autoridade sobre os homens.

Paulo usa três argumentos para fundamentar sua exortação.

---

⁴⁸STOTT, John. *A mensagem de 1 Timóteo, Tito e Filemom*, p. 84-85.
⁴⁹HENDRIKSEN, William. *1 y 2 Timoteo y Tito*, p. 127.
⁵⁰STOTT, John. *A mensagem de 1 Timóteo, Tito e Filemom*, p. 85.

Em primeiro lugar, *a criação*. – *Porque, primeiro, foi formado Adão, depois, Eva* (2.13). Dos homens e mulheres de seus dias, Paulo se volta para Adão e Eva. Primeiro Adão foi formado, depois Eva. Esse é o mesmo argumento usado em outra epístola (1Co 11.1-10). Não se trata aqui de superioridade, pois tanto o homem como a mulher foram criados à imagem e semelhança de Deus (Gn 2.7) e ambos são redimidos pela fé em Cristo (Gl 3.28). A questão aqui é de autoridade, ou seja, de funcionalidade no corpo: o homem foi criado primeiro; portanto, o homem é o cabeça da mulher.

Em segundo lugar, *a queda*. – *E Adão não foi iludido, mas a mulher, sendo enganada, caiu em transgressão* (2.14). Satanás enganou a mulher e a levou a pecar (Gn 3.1-24; 1Co 11.3); porém, o homem pecou deliberada e conscientemente. Concordo com a alegação de Erdman de que Paulo não quer dizer que a mulher seja mental, moral ou espiritualmente inferior ao homem.[51] Nem Paulo está sugerindo aqui que as mulheres são mais ingênuas que os homens e, portanto, mais susceptíveis à queda.[52] A explicação popular dada a isso é que a mulher se expôs na queda por ser naturalmente propensa ao engano e, por causa disso, ela não deve ensinar os homens. Segundo John Stott, há uma objeção fatal a esse argumento. Se as mulheres são por natureza crédulas, elas deveriam ser desqualificadas para ensinar de maneira geral, e não apenas aos homens, uma vez que Paulo se refere ao papel especial que as mulheres exercem no ensino de crianças (5.10; 2Tm 1.5; 3.15) e de outras mulheres mais jovens (Tt 2.3ss). Concordo com Stott quando ele diz que o mais provável é que o ponto essencial com respeito à participação de Eva na queda não foi o fato de ela ter sido enganada, mas de ter tomado uma iniciativa indevida, usurpando assim a autoridade de Adão e invertendo os papéis atribuídos a cada um deles (Gn 3.6,17).[53]

Em terceiro lugar, *a missão no lar*. – *Todavia, será preservada através de sua missão de mãe, se ela permanecer em fé, e amor, e santificação, com bom senso* (2.15). Carl Spain afirma que a salvação da mulher em 2.15

---

[51] ERDMAN, Charles. *Las epístolas pastorales a Timoteo y Tito*, p. 37.
[52] WIERSBE, Warren W. *Comentário bíblico expositivo*, p. 284.
[53] STOTT, John. *A mensagem de 1 Timóteo, Tito e Filemom*, p. 78-79.

está relacionada ao seu reconhecimento da sã doutrina em seu ministério como esposa e mãe. Sua esperança não está em usurpar a autoridade dos homens como instrutoras públicas na assembleia geral, nem em desprezar a prioridade dada por Deus aos homens no sentido de dirigir os assuntos públicos da igreja.[54]

É provável que este texto esteja relacionado à promessa de que o Salvador seria *nascido de mulher* (Gn 3.15), fato que se cumpriu na plenitude dos tempos (Gl 4.4). Nessa mesma linha de pensamento, John Stott corrobora com as seguintes palavras:

> A melhor maneira de entender o texto é que as mulheres seriam salvas através do nascimento de um Filho. Anteriormente, neste capítulo, o "único mediador entre Deus e os homens" foi identificado como sendo "o homem Cristo Jesus" (2.5), o qual, é claro, tornou-se um ser humano por ter "nascido de mulher". Além disso, no contexto das referências feitas por Paulo à criação e à queda, reportando-se a Gênesis 2 e 3, enquadra-se muito bem uma referência adicional à futura redenção através da semente da mulher, reportando-se a Gênesis 3.15. A serpente tinha enganado a mulher; sua descendência derrotaria a serpente.[55]

Concluímos este capítulo dizendo que, em vez de lutarem para mandar na igreja, as mulheres deveriam cuidar do lar e ter filhos para a glória de Deus (5.14). As mulheres piedosas têm uma congregação dentro do lar que precisa de seu ensino e sua influência.

---

[54] Spain, Carl. *Epístolas de Paulo a Timóteo e Tito*, p. 56.
[55] Stott, John. *A mensagem de 1 Timóteo, Tito e Filemom* 2004, p. 86.

3

Os **atributos** da **liderança** da igreja

1 Timóteo 3.1-16

DEPOIS DE TRATAR DA CORRETA POSTURA de homens e mulheres no culto público, Paulo passa a falar sobre as qualificações da liderança da igreja.

Nos versículos 1-13, o apóstolo aborda os predicados do presbítero e do diácono e, nos versículos 14-16, traz uma profunda definição da igreja, bem como de Jesus, seu Redentor.

O que significa o **episcopado** (3.1)

À guisa de introdução, duas verdades devem ser destacadas com relação ao descrito no primeiro versículo do capítulo: *Fiel é a palavra: se alguém aspira ao episcopado, excelente obra almeja* (3.1).

Em primeiro lugar, *o episcopado é um ministério, e não um cargo*. Do ponto de vista divino, o episcopado é um chamado, uma vocação, um ministério concedido pelo próprio Espírito Santo. Do ponto de vista humano, o episcopado pode ser desejado com legitimidade. O chamado divino, mediante a convicção interna, referendada pelo testemunho externo, atesta a legitimidade do ministério. Ninguém deve exercer a liderança sem ter convicção de que este é um chamado de Deus; por outro lado, ninguém deve fazê-lo sem uma profunda aspiração.

Nenhuma pessoa deve exercer a liderança espiritual da igreja por constrangimento (1Pe 5.2).

Glenn Gould alerta que a palavra *episcopado* é um tanto enganosa para os leitores de hoje, porque para nós tem conotação eclesiástica. Desejar este cargo seria buscar promoção no ministério cristão, enquanto o apóstolo está dizendo que a ambição digna é desejar um lugar de serviço, e não de promoção.[1]

Em segundo lugar, *o episcopado é uma obra, e não um posto de privilégio*. Aspirar ao episcopado é abraçar uma obra excelente. O episcopado não é uma plataforma de privilégios, mas um campo de trabalho árduo. É um chamado para o serviço, e não para o estrelato. O episcopado é mais serviço e menos *status*. É trabalho, mais do que honra. É dedicação da vida, do tempo, dos talentos e dos dons a Deus e Seu povo.

O Novo Testamento usa os termos bispo e presbítero como intercambiáveis (At 20.17,28). O presbítero é o ancião; o bispo é o supervisor. A palavra *presbítero* tem mais que ver com a pessoa, e o termo *bispo* está mais ligado à função. Barclay corrobora: "A erudição moderna é praticamente unânime em sustentar que, na Igreja primitiva, o *presbyteros* e o *episkopos*, o ancião e o bispo, eram uma e a mesma pessoa".[2] O apóstolo Paulo e Barnabé estabeleceram presbíteros nas igrejas fundadas na primeira viagem missionária (At 14.23). Mais tarde, Tito é orientado a eleger presbíteros nas igrejas de Creta (Tt 1.5). Agora Paulo instruirá Timóteo sobre as qualificações dos presbíteros (3.1-7).

As qualificações do **presbítero** (3.2-7)

Das quinze qualificações exigidas para um homem ocupar o presbiterato da igreja, apenas uma se refere à habilidade de ensino. Nas palavras de Erdman, a maioria são qualificações morais e apenas uma está relacionada à habilidade intelectual.[3] Na verdade, os requisitos para ocupar uma posição de liderança na igreja exigem excelência moral mais que intelectual. As qualificações estão relacionadas com a personalidade, o

---

[1] GOULD, J. Glenn. *As epístolas pastorais*, p. 468.
[2] BARCLAY, William. *I y II Timoteo, Tito y Filemon*, p. 79.
[3] ERDMAN, Charles. *Las epístolas pastorales a Timoteo y a Tito*, p. 39.

caráter e o temperamento da pessoa. São uma espécie de catálogo de virtudes em contraposição ao catálogo de vícios descritos em 2Timóteo 3.2-5. Destacaremos algumas áreas importantes que devem ser observadas quando da escolha da liderança espiritual da igreja.

Vida familiar

Com respeito à família do presbítero, dois pontos merecem destaque.

O presbítero precisa ter uma única esposa. – *É necessário, portanto, que o bispo seja* [...] *esposo de uma só mulher*...(3.2). O que essa afirmação significa? Em primeiro lugar, não significa três coisas: 1) não significa que um homem solteiro esteja impedido de exercer o presbiterato; 2) também não significa que um homem que ficou viúvo e se casou novamente esteja impedido de ser presbítero; 3) finalmente, não significa que um homem divorciado, cujo divórcio ocorreu por infidelidade ou abandono do cônjuge, esteja impedido de exercer esse sagrado ministério. Warren Wiersbe é da opinião de que um pastor, presbítero ou bispo (termos sinônimos) não deve ser divorciado e casado segunda vez, pois isso o desqualificaria para o exercício de sua função.[4] Nessa mesma linha, Charles Erdman defende que Paulo está se referindo aqui a um novo casamento após um divórcio. Isso poderia gerar mal-entendidos e suspeitas das quais um oficial da igreja deveria estar livre.[5]

O que significa, então, que o presbítero deve ser esposo de uma só mulher? Significa duas coisas: 1) um presbítero não pode ser polígamo, ou seja, ter mais de uma mulher; 2) um presbítero não pode ser infiel à sua mulher, ou seja, não pode ser um adúltero. Nas palavras de Hendriksen: "O presbítero deve ser um homem de moralidade inquestionável, inteiramente fiel e leal à sua esposa. Não entra, à maneira dos pagãos, em uma relação imoral com outra mulher".[6] Nessa mesma linha de pensamento, para Barclay isto significa que o líder cristão deve ser um marido fiel, que preserve o matrimônio em toda a pureza.[7]

---

[4]WIERSBE, Warren W. *Comentário bíblico expositivo*, p. 285-286.
[5]ERDMAN, Charles. *Las epístolas pastorales a Timoteo y a Tito*, p. 40.
[6]HENDRIKSEN, William. *1 y 2 Timoteo y Tito*, p. 140.
[7]BARCLAY, William. *I y II Timoteo, Tito y Filemon*, p. 85.

O presbítero precisa liderar sua casa. – E que governe bem a sua própria casa, criando os filhos sob disciplina, com todo o respeito (pois, se alguém não sabe governar a própria casa, como cuidará da Igreja de Deus?) (3.4,5). O primeiro rebanho do presbítero é sua família. Se ele fracassa em cuidar de sua casa, está desqualificado para cuidar da Casa de Deus. Se não cria os filhos no temor do Senhor, não é capaz de exortar os filhos dos demais crentes. Se os próprios filhos não lhe obedecem nem o respeitam, dificilmente Sua igreja lhe obedecerá e respeitará sua liderança.[8] John Stott diz corretamente que o pastor é chamado a exercer liderança em duas famílias, a dele e a de Deus, e a primeira é onde ele é treinado para poder atuar na segunda.[9] Hans Bürki alerta que, se as famílias, mesmo as famílias nucleares de nosso tempo, não forem mais centros espirituais e locais de treinamento do amor experimentado de Deus, as igrejas se tornarão desertas, apesar de todo o ativismo. Por isso, cuidar das igrejas significa construir antes de tudo famílias saudáveis na fé.[10]

Área financeira

No que se refere ao trato do dinheiro e bens, o presbítero não pode ser um homem avarento (3.3). Avareza é o apego ao dinheiro. É amar o lucro mais que a Deus. É estar apegado ao dinheiro mais que ao ministério. É lidar com os outros interessado nos bens que eles possuem em vez de lutar pelo bem das outras pessoas.

É triste ver quantos líderes religiosos fazem da igreja uma empresa particular. Transformam o evangelho em um produto, o púlpito em um balcão, os crentes em consumidores e o templo em uma praça de negócio. O vetor desses líderes avarentos é o lucro.

O apóstolo Pedro exortou os presbíteros a não pastorearem o rebanho de Deus por sórdida ganância (1Pe 5.2). Paulo testemunhou aos presbíteros de Éfeso que não cobiçou deles prata, nem ouro, nem vestes

---

[8]Wiersbe, Warren W. *Comentário bíblico expositivo*, p. 287.
[9]Stott, John. *A mensagem de 1 Timóteo, Tito e Filemom*, p. 97.
[10]Bürki, Hans. "Cartas a Timóteo." In: *Cartas aos Tessalonicenses, Timóteo, Tito e Filemom*, p. 213.

(At 20.33). Quem ama o dinheiro não consegue amar a Deus e quem não ama a Deus não pode apascentar suas ovelhas (Jo 21.15-17).

Relacionamentos interpessoais

Quatro coisas devem ser aqui destacadas no que tange ao relacionamento do presbítero com outra pessoas.

O presbítero não pode ser violento (3.3). A palavra grega *plektes*, traduzida por "violento", significa "golpeador". Um presbítero é um pastor que busca as ovelhas para apascentá-las, e não para golpeá-las. Um presbítero não pode agredir as pessoas com palavras e atitudes. Não pode ser rude com as ovelhas. O presbítero é alguém que atrai as pessoas por sua doçura e graça. As pessoas correm para ele na hora da aflição. Uma pessoa violenta agride, humilha e machuca os outros.

O presbítero precisa ser cordato (3.3). A palavra grega *epiekes*, traduzida por "cordato", significa amável. Uma pessoa cordata luta pela paz. É um pacificador. É um construtor de pontes, e não um cavador de abismos. Não espalha boatos, mas promove reconciliação. Não atiça o fogo da contenda, mas apaga as chamas da malquerença. Está sempre pronto a perdoar os erros dos outros e a considerar as melhores intenções, em vez de julgar descaridosamente suas ações.

O presbítero precisa ser inimigo de contendas (3.3). A palavra grega *amachos*, traduzida por *inimigo de contendas*, significa sem inclinação para a luta.[11] Não basta ao presbítero não criar contendas; ele não pode ser passivo diante delas. O líder cristão é inimigo de contendas. É um homem engajado na promoção da paz. Suas palavras e atitudes são cuidadosamente pensadas para não colocar uma pessoa contra a outra. Warren diz que quem tem pavio curto normalmente não tem um ministério longo.[12]

O presbítero precisa ser hospitaleiro (3.2). A palavra grega *filoxenos*, traduzida por *hospitaleiro*, significa literalmente amigo dos estrangeiros. O presbítero deve ter o coração aberto, o bolso aberto e a casa aberta.

---

[11] BARCLAY, William. *I y II Timoteo, Tito y Filemon*, p. 93.
[12] WIERSBE, Warren W. *Comentário bíblico expositivo*, p. 287.

É amigo dos estrangeiros. Tem prazer em receber as pessoas em sua casa e ajudá-las em suas necessidades. É importante ressaltar que no primeiro século não existia um sistema organizado de bem-estar social. Os hotéis e as pensões eram escassos e muito caros. Os missionários itinerantes careciam da hospitalidade dos crentes para realizar Sua obra. A hospitalidade era uma virtude recomendada na Igreja primitiva (Rm 12.12,13; Hb 13.2; 1Pe 4.9; 3Jo 5-8).

Reputação pessoal

Em termos da reputação do presbítero diante da sociedade, duas virtudes são aqui mencionadas.

O presbítero precisa ser irrepreensível (3.2). Kelly diz corretamente que o catálogo de virtudes do presbítero começa com um requisito que a tudo abrange. Uma pessoa irrepreensível é aquela que não apresenta nenhum defeito óbvio de caráter ou de conduta, na vida passada ou presente, que os maliciosos, seja de dentro, seja de fora da igreja, possam explorar para desacreditá-la.[13] A palavra grega *anepileptos*, traduzida por *irrepreensível*, refere-se a uma posição que não está exposta a ataque, a uma vida que não está exposta a censura.[14] Uma pessoa irrepreensível não é a mesma coisa que uma pessoa perfeita; trata-se de alguém que tem uma vida coerente no lar, na igreja, no trabalho, na sociedade. É um homem que não tem duas caras nem duas almas. Não tem vida dupla. É uma pessoa plenamente confiável. De acordo com Hendriksen, a palavra *irrepreensível* pode ser traduzida também por inexpugnável. Os inimigos podem assacar contra o presbítero toda sorte de acusações, mas ele sairá ileso, pois não apenas *tem* uma boa reputação, mas também a *merece*.[15] Nessa mesma linha de pensamento, Warren Wiersbe diz que a palavra *irrepreensível* significa literalmente "sem ter por onde pegar", ou seja, não deve haver em sua vida nada que satanás ou um incrédulo possa usar como um motivo de criticar ou atacar a igreja.[16]

---

[13] KELLY, John N. D. *I e II Timóteo e Tito: introdução e comentário*, p. 77.
[14] BARCLAY, William. *I y II Timoteo, Tito y Filemon*, p. 84.
[15] HENDRIKSEN, William. *1 y 2 Timoteo y Tito*, p. 139.
[16] WIERSBE, Warren W. *Comentário bíblico expositivo*, p. 285.

O presbítero precisa ter bom testemunho dos de fora (3.7). Embora o presbítero exerça seu ministério entre os domésticos da fé, seu testemunho transborda além das fronteiras da igreja. Sua vida fora dos portões não é diferente daquela vivida dentro da família e da igreja.

Domínio próprio

Destacamos aqui quatro virtudes relacionadas ao domínio próprio.

O presbítero precisa ser temperante (3.2). A palavra grega *nefalios*, traduzida por "temperante", significa sóbrio, atento, vigilante. A temperança tem que ver com o domínio dos impulsos, quer na área sexual, quer na da bebida.

O presbítero precisa ser sóbrio (3.2). A palavra grega *sophron*, traduzida por "sóbrio", significa prudente, sensato ou disciplinado. A sobriedade é a virtude em que o homem se coloca acima das paixões e dos desejos e tem completo domínio sobre os desejos sensuais. Refere-se a seus gostos e hábitos físicos, morais e mentais. Seus prazeres não são primariamente os dos sentidos, como acontece com os bêbados, mas os prazeres da alma.[17] Barclay diz que o homem que é *sophron* é aquele em cujo coração Cristo reina de maneira suprema.[18]

O presbítero precisa ser modesto (3.2). A palavra grega *kosmios*, traduzida por "modesto", significa ordenado, honesto, decoroso. É o homem no qual se unem força e beleza. Um homem modesto é despojado de vaidade, avesso à soberba. Concordo com Barclay quando ele diz que o líder da igreja deve ser um homem *sophron*, alguém que controle seus instintos, paixões e desejos; também deve ser *kosmios*, alguém cujo controle interno se transforme em beleza externa; o líder deve ser um homem em cujo coração reine o poder de Cristo e em cuja vida resplandeça a beleza de Cristo.[19]

O presbítero precisa ser controlado quanto à bebida alcoólica (3.3). Um presbítero não pode ser um beberrão. A embriaguez não combina com o ministério do pastoreio. O mesmo apóstolo que orientou Timóteo a

---

[17] HENDRIKSEN, William. *1 y 2 Timoteo y Tito*, p. 141.
[18] BARCLAY, William. *I y II Timoteo, Tito y Filemon*, p. 89.
[19] BARCLAY, William. *I y II Timoteo, Tito y Filemon*, p. 90.

beber um pouco de vinho por motivos terapêuticos (5.23) agora declara que um presbítero dado ao vinho não está apto para a liderança da Igreja de Deus. John Stott tem razão em dizer que o álcool é depressivo. Entorpece e prejudica nossa faculdade de julgamento. Portanto, ensinar e ingerir bebidas alcoólicas são duas coisas que não andam de mãos dadas.[20] Sacerdotes (Lv 10.1ss), reis (Pv 31.4ss), magistrados (Is 5.22,23) e profetas (Is 28.7ss) eram proibidos de beber vinho no exercício de suas funções.

Maturidade espiritual

Falando em termos espirituais, *o presbítero não pode ser novo convertido, imaturo na fé. – Não seja neófito, para não suceder que se ensoberbeça e incorra na condenação do diabo* (3.6). Um presbítero precisa ser alguém sólido na fé, firme na doutrina e experimentado na vida.

A imaturidade espiritual é o portal da soberba, e a soberba é o solo escorregadio onde o diabo derruba muitos líderes.

Área pedagógica

Em termos de sua responsabilidade para com o desenvolvimento de seus liderados, *o presbítero precisa ser apto para ensinar* (3.2). A palavra grega *didaktikos*, traduzida por *apto para ensinar*, significa "com habilidade e aptidão para ensinar". Para isto, o presbítero precisa ter compromisso com a Palavra (At 20.20-27) e afadigar-se na Palavra e no ensino (5.17).

O mestre ensina o significado da verdade cristã. É um estudioso que se esmera tanto no estudo como no ensino. E ensina tanto pela palavra como pelo exemplo. Ensina tanto com palavras como por obras.

As qualificações dos **diáconos** (3.8-13)

Depois de elencar as virtudes que devem ornar a vida do presbítero, Paulo passa a falar sobre os atributos dos diáconos. Muitas das qualificações dos diáconos são as mesmas dos presbíteros.

---

[20]STOTT, John. *A mensagem de 1 Timóteo, Tito e Filemom*, p. 95.

O diácono, *diákonos*, é o servo que coopera com aqueles que se dedicam à oração e ao ministério da Palavra. Os primeiros diáconos foram nomeados assistentes dos apóstolos. Há dois ministérios na igreja: a diaconia das mesas (At 6.2,3) e a diaconia da Palavra (At 6.4), a ação social e a pregação do evangelho.

O ministério das mesas não substitui o ministério da Palavra, nem o ministério da Palavra dispensa o ministério das mesas. Nenhum dos dois ministérios é superior ao outro. Ambos são ministérios cristãos que exigem pessoas espirituais, cheias do Espírito Santo, para exercê-los. A única diferença está na forma que cada ministério assume, exigindo dons e chamados diferentes.

Quais são as qualificações dos diáconos? As quatro qualificações que se seguem tratam do comportamento, da fala, do uso do álcool e da atitude em relação ao dinheiro. Esses quatro atributos revelam que os diáconos devem ter controle de si mesmos.[21]

Respeitáveis (3.8a). Os diáconos precisam ser dignos de respeito, ter caráter impoluto, vida irrepreensível e conduta ilibada.

De uma só palavra (3.8b). Os diáconos precisam ser verdadeiros, íntegros em suas palavras e consistentes em sua vida. Não são boateiros dados a mexericos. Não dizem uma coisa aqui e outra acolá. Não são maledicentes nem jogam uma pessoa contra a outra. Suas palavras têm peso. Eles são absolutamente confiáveis no que dizem.

Não inclinados a muito vinho (3.8c). Os diáconos devem ser cheios do Espírito (At 6.3), e não cheios de vinho (Ef 5.18). Quem é governado pelo álcool não pode administrar a Casa de Deus.

Não cobiçosos de sórdida ganância (3.8d). Os diáconos lidam com as ofertas do povo de Deus e administram os recursos financeiros da igreja na assistência aos necessitados. Não podem ser como um Judas Iscariotes que rouba a bolsa. Não podem cobiçar o que devem repartir. Não podem desejar para si o que devem entregar para os outros. Hendriksen observa oportunamente que a fala de Paulo aqui difere do que ele diz no versículo 3. Um homem que ama o dinheiro não é necessariamente um larápio. A ênfase neste versículo 8 é de alguém que

---

[21] STOTT, John. *A mensagem de 1 Timóteo, Tito e Filemom*, p. 100.

furta, que abraça uma boa causa movido pelo amor à vantagem material. É o homem de espírito mercenário que se entrega por inteiro na busca de riquezas, ansioso por aumentar suas posses sem importar se os métodos são justos ou maus.[22]

Íntegros na teologia e na vida. – Conservando o mistério da fé com consciência limpa (3.9). O termo "mistério" significa "verdades outrora ocultas, mas agora reveladas por Deus".[23] Os diáconos precisam compreender a doutrina cristã, crer na doutrina cristã e viver a doutrina cristã. Sua vida, sua família e seu ministério precisam ser pautados pela Palavra de Deus.

Provados e experimentados (3.10). Os candidatos ao diaconato precisam ser primeiramente experimentados, passando por tempo probatório. O treinamento precede a escolha e a ordenação. Primeiro a prova, depois o exercício do ministério. Warren Wiersbe lança luz sobre este assunto quando escreve:

> Convém notar que vários líderes mencionados nas Escrituras foram provados antes como servos. José foi um servo no Egito durante treze anos antes de se tornar o segundo no poder sobre aquela terra. Moisés cuidou de ovelhas durante quarenta anos antes de ser chamado por Deus. Josué foi servo de Moisés antes de se tornar seu sucessor. Davi cuidava das ovelhas de seu pai quando Samuel o ungiu rei de Israel. Até mesmo Jesus veio como servo e trabalhou como carpinteiro; e o apóstolo Paulo fazia tendas. Primeiro um servo; depois um líder.[24]

Auxiliados por colaboradoras fiéis. – Da mesma sorte, quanto a mulheres, é necessário que sejam elas respeitáveis, não maldizentes, temperantes e fiéis em tudo (3.11). Kelly diz que a expressão *da mesma sorte quanto a mulheres* demonstra, de todos os pontos de vista, que Paulo não pode, numa passagem que se ocupa com grupos especiais, estar injetando uma referência às mulheres da congregação em geral.[25]

---

[22] HENDRIKSEN, William. *1 y 2 Timoteo y Tito*, p. 151.
[23] WIERSBE, Warren W. *Comentário bíblico expositivo*, p. 288.
[24] WIERSBE, Warren W. *Comentário bíblico expositivo*, p. 288.
[25] KELLY, John N. D. *I e II Timóteo e Tito: introdução e comentário*, p. 84.

Há três interpretações deste versículo. 1) Paulo se refere aqui a diaconisas. 2) Paulo se refere às esposas dos diáconos. 3) Paulo se refere a colaboradoras dos diáconos, mas mulheres não ordenadas ao diaconato. Subscrevo essa terceira posição. Nessa mesma linha de pensamento, Hendriksen diz corretamente que a seção a respeito dos diáconos se vê interrompida por uma passagem que apresenta as qualificações no caso das *mulheres*. A sintaxe mostra claramente que estas mulheres não são "as esposas dos diáconos" nem "todas as mulheres adultas da igreja". A construção do texto mostra que são três grupos distintos: O bispo deve ser. Igualmente os diáconos devem ser. Semelhantemente, as mulheres devem ser. Um e o mesmo verbo coordena os três: o bispo, os diáconos e as mulheres. Por isso, considera-se que essas mulheres prestam um serviço especial na igreja, como os presbíteros e os diáconos. Elas compõem um grupo em si, ou seja, não são as esposas dos diáconos nem todas as mulheres que pertencem à igreja.[26] Essas santas mulheres eram ajudantes dos diáconos na assistência aos pobres e necessitados. Elas prestavam um serviço auxiliar. Concordo com Warren Wiersbe quando diz que não é necessário ter um cargo para ter um ministério e exercer um dom.[27]

Essas mulheres auxiliares deviam ter as mesmas qualificações dos diáconos, e o apóstolo Paulo destaca quatro virtudes que devem ornar sua vida: ser respeitáveis, não maldizentes, temperantes e fiéis em tudo. Ou seja, essas mulheres devem ser cuidadosas com respeito à conduta, à língua, ao temperamento e ao testemunho.

Fiéis à esposa e líderes da família. – *O diácono seja marido de uma só mulher e governe bem seus filhos e a própria casa* (3.12). Os diáconos precisam ser fiéis à esposa e ser líderes espirituais de sua casa. Devem ensinar seus filhos e educá-los nos caminhos de Deus. Sua vida e sua família são a base do seu ministério diaconal.

Dedicados ao serviço. – *Pois os que desempenharem bem o diaconato alcançam para si mesmos justa preeminência e muita intrepidez na fé em Cristo Jesus* (3.13). O diaconato não é uma plataforma de privilégios,

---

[26] HENDRIKSEN, William. *1 y 2 Timoteo y Tito*, p. 152.
[27] WIERSBE, Warren W. *Comentário bíblico expositivo*, p. 289.

mas de serviço. Não é um cargo a ser ocupado, mas um ministério de serviço aos outros. Aqueles que se esmeram no ministério de servir aos homens em nome de Deus, recebem de Deus a recompensa.

Concluo com as palavras de Stott:

> Está claro que as qualificações para o episcopado e para o diaconato são muito semelhantes. São as qualificações básicas que todos os líderes cristãos devem ter. Colocando as duas listas lado a lado, podemos notar que há quatro áreas principais a serem investigadas. Com respeito à própria pessoa, o candidato tem de ter domínio próprio e maturidade, inclusive nas áreas da bebida, do dinheiro, do temperamento e da língua; com respeito a seus relacionamentos, ele tem de ser hospitaleiro e amável; com respeito aos de fora, muito respeitado; e com relação à fé, apegar-se firmemente à verdade e ter o dom de poder ensiná-la.[28]

Os atributos da **Igreja de Deus** (3.14,15)

Depois de tratar das qualificações dos presbíteros e dos diáconos, Paulo passa a falar sobre os atributos da Igreja de Deus. O propósito do apóstolo é orientar o jovem pastor Timóteo acerca do correto procedimento na Casa de Deus. Timóteo deve saber supervisionar o culto e a eleição de oficiais. Stott tem razão em dizer que, se as instruções dos apóstolos com respeito a doutrina, ética, unidade e missão da igreja tivessem sido dadas apenas sob a forma oral, a igreja teria ficado como um viajante sem mapa ou como uma embarcação sem leme. Contudo, pelo fato de as instruções apostólicas terem sido dadas por escrito, sabemos algo de que de outro modo não teríamos tido conhecimento; ou seja, qual deve ser a conduta das pessoas na igreja.[29]

Duas verdades importantes acerca da igreja são colocadas em relevo.

Em primeiro lugar, *a igreja é a morada do Deus vivo*. – *Escrevo-te estas coisas, esperando ir ver-te em breve; para que, se eu tardar, fiques ciente de como se deve proceder na Casa de Deus, que é a Igreja do Deus vivo...* (3.14,15a). A igreja é a Casa de Deus, a morada do Altíssimo, o

---

[28] STOTT, John. *A mensagem de 1 Timóteo, Tito e Filemom*, p. 101.
[29] STOTT, John. *A mensagem de 1 Timóteo, Tito e Filemom*, p. 102-103.

santuário do Espírito. Deus habita na igreja. Nós, povo de Deus, somos sua habitação (1Co 3.16; 6.19; 2Co 6.16). Aquele que nem o céu dos céus pode conter habita em nós, frágeis vasos de barro. Deus mandou fazer um santuário para habitar no meio do povo (Êx 25.8). Depois, o templo foi edificado, e Deus habitou no templo. Na plenitude dos tempos, o Verbo se fez carne e habitou entre nós (Jo 1.14). Agora, Deus habita na igreja.

A palavra grega *oikos*, traduzida por *casa*, mostra que a igreja é uma família. Se a igreja não é um grupo de irmãos, então não é uma verdadeira igreja.[30] A palavra *oikos* pode significar tanto o edifício quanto a família que ocupa o edifício. A igreja é a Casa de Deus nos dois sentidos. Ela é tanto a morada de Deus (1Co 3.16) quanto a família de Deus (3.15).[31]

Em segundo lugar, *a igreja é a coluna e baluarte da verdade* (3.15b). – ... *coluna e baluarte da verdade*. A igreja é fundamento da verdade na medida em que se baseia em Cristo, pois Ele é o fundamento da igreja (1Co 3.11). O próprio Cristo é a verdade (Jo 14.6).

William Barclay explica que a palavra *coluna* tinha um significado muito importante na cidade de Éfeso, onde Timóteo era pastor. A maior glória de Éfeso era o templo de Diana (At 19.28). Esse templo era uma das sete maravilhas do mundo antigo. Uma de suas características eram suas colunas. Havia nesse templo 127 colunas jônicas de mais de 18 metros de altura, cada uma das quais havia sido presente de um rei. Todas eram feitas de mármore, e algumas continham pedras preciosas incrustadas ou estavam cobertas de ouro.

A ideia nesta passagem é que o dever da igreja é levantar a verdade de tal forma que todos a vejam.[32] A palavra grega *hedraioma*, traduzida por *baluarte*, significa aquilo que sustenta um edifício. O baluarte mantém o edifício em equilíbrio e intacto. O baluarte é o fundamento.[33]

A igreja é comparada com uma coluna e um fundamento. Como a coluna sustenta o teto e como o fundamento sustenta toda a estrutura da

---

[30] BARCLAY, William. *I y II Timoteo, Tito y Filemon*, p. 97.
[31] STOTT, John. *A mensagem de 1 Timóteo, Tito e Filemom*, p. 103.
[32] BARCLAY, William. *I y II Timoteo, Tito y Filemon*, p. 98.
[33] BARCLAY, William. *I y II Timoteo, Tito y Filemon*, p. 98.

casa, assim a igreja sustenta a gloriosa verdade do evangelho no mundo. A igreja sustenta a verdade por ouvi-la e obedecer-lhe (Mt 13.9), por usá-la corretamente (2Tm 2.15), por guardá-la no coração (Sl 119.11), por defendê-la (Fp 1.16), por proclamá-la (Mt 28.18-20).[34]

Analisando essas duas metáforas, John Stott assevera que a igreja tem dupla responsabilidade em relação à verdade. Primeiro, como fundamento, sua função é sustentar a verdade com firmeza, de tal forma que ela não caia por terra sob o peso de falsos ensinos. Segundo, como coluna, tem a função de mantê-la nas alturas, de modo que não fique escondida do mundo. Sustentar com firmeza a verdade é a defesa e a confirmação do evangelho; mantê-la bem alto é a proclamação do evangelho. A igreja é chamada para esses dois ministérios.[35] Há uma estreita conexão entre a igreja e a verdade. A igreja depende da verdade para sua existência, e a verdade depende da igreja para sua defesa e proclamação.[36]

Os atributos do **Redentor da igreja** (3.16)

Paulo conclui este capítulo com um hino de exaltação a Jesus: *Evidentemente, grande é o mistério da piedade: Aquele que foi manifestado na carne foi justificado em espírito, contemplado por anjos, pregado entre os gentios, crido no mundo, recebido na glória* (3.16). Que todo o sistema da verdade cristã é uma revelação divina, e não uma invenção humana, isso o afirma Paulo ao chamá-lo *mistério da piedade*.[37] Cristo é chamado aqui de *o mistério da piedade* porque só podemos conhecê-lo pelo fato de Ele ter se revelado, e mesmo assim jamais poderemos conhecê-lo plenamente, pois seu caráter e suas obras transcendem nossa capacidade de compreensão.[38] O Redentor da igreja é imensuravelmente grande, e essa grandeza é manifestada neste hino da Igreja primitiva. Hans Bürki destaca que o capítulo não termina com o olhar sobre a igreja, mas

---

[34]HENDRIKSEN, William. *1 y 2 Timoteo y Tito*, p. 157.
[35]STOTT, John. *A mensagem de 1 Timóteo, Tito e Filemom*, p. 105.
[36]STOTT, John. *A mensagem de 1 Timóteo, Tito e Filemom*, p. 105.
[37]ERDMAN, Charles. *Las epístolas pastorales a Timoteo y a Tito*, p. 48.
[38]HENDRIKSEN, William. *1 y 2 Timoteo y Tito*, p. 160.

com um hino para Cristo. É em direção desse hino que tudo aponta; a primeira e a última coisa não é a igreja, mas Cristo; não o corpo, mas o cabeça. No entanto, ambos formam uma unidade da forma que os versículos 15 e 16 os conectam.[39]

Hendriksen diz que as seis linhas deste hino de adoração de Cristo começam com uma linha sobre o humilde nascimento de Cristo e terminam com uma referência à Sua gloriosa ascensão. Há aqui contrastes interessantes. A carne débil é contrastada com o espírito poderoso; os anjos celestiais são contrastados com as nações terrenas; e o mundo inferior é contrastado com a glória de cima. Seis declarações são aqui enfatizadas.

Jesus foi manifestado na carne. Jesus vestiu pele humana. E o Verbo se fez carne. Ele nasceu de mulher na plenitude dos tempos (Gl 4.4). Hendriksen diz que seu autoencobrimento voluntário foi ao mesmo tempo uma autorrevelação.[40] Paulo se refere aqui à perfeita humanidade de Cristo.

Jesus foi justificado em Espírito. Embora nem todos os homens tenham reconhecido Sua glória, pois Ele foi desprezado pelos homens, Jesus foi plenamente vindicado pelo Espírito. Sua perfeita justiça, bem como suas reivindicações acerca de sua pessoa e de Sua obra foram plenamente estabelecidas. O Espírito foi o agente de sua concepção. Jesus foi revestido com o Espírito no seu batismo e, cheio do Espírito, enfrentou vitoriosamente a tentação no deserto. Pelo poder do Espírito Santo, realizou seu ministério e ressuscitou dentre os mortos. Esta frase destaca, portanto, a perfeição espiritual de Jesus.

Jesus foi contemplado por anjos. Os anjos participaram efetivamente da vida e do ministério de Jesus, em seu nascimento, em sua tentação, em seu ministério, em sua agonia, em Sua ressurreição e em sua ascensão. Os anjos precederão sua segunda vinda e rodearão seu trono para glorificá-Lo pelos séculos eternos.

Jesus foi pregado entre os gentios. Antes de sua ascensão, o Cristo ressurreto deu à igreja a Grande Comissão (Mt 28.18-20). Aqui está

---

[39] Bürki, Hans. "Cartas a Timóteo." In: *Cartas aos Tessalonicenses, Timóteo, Tito e Filemom*, p. 224.
[40] Hendriksen, William. *1 y 2 Timoteo y Tito*, p. 161.

a Grande Demanda (v. 18), a Grande Comissão (v. 19) e a Grande Presença (v. 20). O mesmo Cristo que foi rejeitado e desprezado, agora começa a ser proclamado em todas as nações.[41]

Jesus foi crido no mundo. Porque Jesus foi pregado entre os gentios, pessoas de todas as tribos, raças, povos e línguas começaram a adorá-Lo como Seu Senhor e Salvador, como havia sido previsto (Sl 72.8-11,17; Gn 12.3; Am 9.11,12; Mq 4.12).[42] Pessoas de todas as nações são transformadas à Sua imagem e preparadas para Seu serviço.[43]

Jesus foi recebido na glória. O mesmo Jesus que ouviu os gritos ensandecidos da multidão: *Crucifica-o, crucifica-o*, agora vê os céus abrindo seus portais para recebê-Lo. Ao entrar na glória o vitorioso Rei, os céus prorromperam em cânticos efusivos, proclamando: *Digno é o Cordeiro...* (Ap 5.11,12).

---

[41] HENDRIKSEN, William. *1 y 2 Timoteo y Tito*, p. 162.
[42] HENDRIKSEN, William. *1 y 2 Timoteo y Tito*, p. 162.
[43] ERDMAN, Charles. *Las epístolas pastorales a Timoteo y a Tito*, p. 50.

4

Fidelidade às Escrituras em tempos de apostasia

1 Timóteo 4.1-16

O APÓSTOLO PAULO, DEPOIS DE FALAR SOBRE AS QUALIFICAÇÕES dos líderes da igreja, volta sua atenção para o caráter e a obra do próprio ministro num contexto de deletéria influência dos falsos mestres.

O capítulo 3 termina afirmando que a igreja é a coluna e baluarte da verdade, e o capítulo 4 começa dizendo que os falsos mestres estão entregues à sua mentira.

Dois pontos são destacados neste quarto capítulo.

O perigo das falsas doutrinas (4.1-5)

As falsas doutrinas têm um poder mais destrutivo que a perseguição. A sedução da serpente é mais letal que o rugido do leão. Alguns pontos são aqui ressaltados.

Em primeiro lugar, *o tempo em que as falsas doutrinas surgem.* – *Ora, o Espírito afirma expressamente que, nos últimos tempos, alguns apostatarão da fé...* (4.1a). O mesmo Espírito que havia inspirado Paulo a alertar os presbíteros de Éfeso acerca da chegada dos falsos mestres (At 20.29,30), agora leva Paulo a alertar Timóteo, pastor da igreja de Éfeso, de que esse tempo chegaria e o resultado seria a apostasia de alguns. O mesmo Espírito que revela o mistério da beatitude desvenda também o poder opositor dos espíritos aliciadores. O Espírito da profecia revela tanto o mistério de Deus como o poder mentiroso do mal.[1] A expressão *últimos tempos* não se refere apenas a um período escatológico do fim, mas compreende todo o período da era cristã, inaugurado por Jesus em Sua primeira vinda e que se consumará na segunda.[2] Esse tempo do fim será caracterizado pela manifestação de falsos profetas (Mt 24.11) e falsos cristos que enganarão muitos (Mc 13.22), culminando na apostasia e na manifestação do homem da iniquidade (2Ts 2.4).

Em segundo lugar, **a fonte da qual procedem as falsas doutrinas**. – ... *por obedecerem a espíritos enganadores e a ensinos de demônios* (4.1b). Ao único Espírito Santo se contrapõem muitos espíritos não santos; à única doutrina saudável, muitas doutrinas prejudiciais.[3] Quem está por trás das heresias são os espíritos enganadores, os próprios demônios. Os falsos mestres são inspirados por demônios, assim como os apóstolos eram inspirados pelo Espírito de Deus. Satanás tem seus próprios ministros e suas próprias doutrinas. As Escrituras descrevem o diabo não apenas como tentador, atraindo pessoas para o pecado, mas também como enganador, seduzindo as pessoas para o erro.[4] Os falsos mestres são escravizadores dos homens e difamadores de Deus. Eles proíbem o que Deus ordena e escravizam pessoas, impondo a elas restrições que Deus nunca fez.

Em terceiro lugar, **o resultado que as falsas doutrinas promovem**. – ... *alguns apostatarão da fé...* (4.1a). A apostasia corresponde a um período em que a pessoa peca cada vez mais e obedece cada vez menos. Envolve um arrepender-se do arrependimento.[5] É o abandono deliberado da verdade da fé cristã. Hans Bürki diz que o verbo aqui designa a apostasia intencional e consciente.[6] A apostasia não pode

---

[1] BÜRKI, Hans. "Cartas a Timóteo." In: *Cartas aos Tessalonicenses, Timóteo, Tito e Filemom*, p. 230-231.
[2] STOTT, John. *A mensagem de 1 Timóteo, Tito e Filemom*, p. 110.
[3] BÜRKI, Hans. "Cartas a Timóteo." In: *Cartas aos Tessalonicenses, Timóteo, Tito e Filemom*, p. 232.
[4] STOTT, John. *A mensagem de 1 Timóteo, Tito e Filemom*, p. 111.
[5] BEEKE, Joel R. *De volta para os braços do Pai.* São Paulo: Vida Nova, 2013, p. 16-17.
[6] BÜRKI, Hans. "Cartas a Timóteo." In: *Cartas aos Tessalonicenses, Timóteo, Tito e Filemom*, p. 232.

ser confundida com perda da salvação, nem nega a perseverança dos santos. Significa que, por influência dos falsos mestres, muitas pessoas que outrora professaram a fé cristã abandonarão essa confissão. Pessoas que fizeram parte da igreja visível e assumiram um compromisso público deixarão as fileiras da fé cristã. Porém, nem todos os que fazem parte da igreja visível são membros da igreja invisível. Nem todos os que têm seus nomes inscritos no rol de membros da igreja têm seus nomes inscritos no livro da vida. William MacDonald ressalta que uma parte das pessoas que frequentam a igreja é formada por pessoas apenas nominalmente cristãs.[7]

Os falsos mestres que promovem a apostasia engrossam as fileiras das seitas, e muitos estão infiltrados nas igrejas, lecionando nas cátedras dos seminários e subindo aos púlpitos para destilar seu veneno letal.

Em quarto lugar, *a atitude com que os falsos mestres promovem as falsas doutrinas*. – Pela hipocrisia dos que falam mentiras e que têm cauterizada a própria consciência (4.2). Os falsos mestres são como atores: representam um papel diferente da vida real. Falam uma coisa e fazem outra. São hipócritas. Não revelam sua verdadeira identidade; ao contrário, escondem-se atrás de máscaras para enganar as pessoas. Os falsos mestres possuem não apenas um ensino errado, mas também uma motivação errada; não apenas uma teologia falsa, mas também uma vida torta. O problema dos falsos mestres não é apenas teológico, mas também moral. A consciência dos falsos mestres não tem sensibilidade espiritual; está cauterizada, anestesiada, amortecida. Eles perderam o temor de Deus e não sentem mais tristeza pelo pecado. São insensíveis.

A palavra grega *kauteriazo*, traduzida por *cauterizada*, traz a ideia de "marcar com um ferro quente", como era feito no passado com os escravos e hoje com o gado, deixando o lugar queimado insensível. Concordo com Warren Wiersbe, quando diz que "sempre que alguém afirma com os lábios o que nega com a vida, a consciência é amortecida".[8]

Em quinto lugar, *as distorções que as falsas doutrinas provocam*. Que *proíbem o casamento e exigem abstinência de alimentos que Deus criou*

---

[7]MACDONALD, William. *Believer's Bible Commentary*, p. 2091.
[8]WIERSBE, Warren W. *Comentário bíblico expositivo*, p. 292-293.

para serem recebidos, com ações de graças, pelos fiéis e por quantos conhecem plenamente a verdade; pois tudo que Deus criou é bom; nada é recusável, porque, pela Palavra de Deus e pela oração, é santificado (4.3-5). Os falsos mestres fizeram um casamento espúrio do judaísmo radical com a filosofia grega, ou seja, do legalismo judaico com o ascetismo oriental. Desse concubinato surgiu uma perigosa heresia, chamada gnosticismo, que mais tarde devastou a igreja. Os gnósticos consideravam a matéria essencialmente má. Por isso, negavam as doutrinas da criação, encarnação e ressurreição. Oscilavam entre o ascetismo e a libertinagem.

Aqui, os gnósticos estão proibindo o que Deus aprova. Privam as pessoas de privilégios concedidos por Deus. O que eles proíbem? Casamento e consumo de alimentos. Porém, Deus instituiu o casamento para a propagação da vida humana (Gn 1.28) e a comida para o sustento (Gn 9.3).[9] John Stott diz que o casamento e a alimentação se relacionam com os dois apetites básicos do corpo humano: o sexo e a fome. São também naturais, embora sejam passíveis de abuso quando degeneram em lascívia e glutonaria.[10]

Concordo com Hans Bürki quando ele diz que a criação não apenas era boa "antes da queda", mas ainda agora é boa e bela, assim como são bons os alimentos ou frutos da terra que crescem e agora podem ser consumidos com alegre gratidão. O mesmo vale para o ser humano caído que foi criado à imagem de Deus. Quem renega sua origem, quem contesta o direito de autoria de Deus sobre sua vida e a manutenção de sua existência por meio do pão de cada dia, recusa expressar a Deus a gratidão que lhe é devida, dando a si mesmo e à sua laboriosidade a honra subtraída de Deus. Não agradecer ao Criador transforma a criatura em ferramenta do pecado.[11]

A referência aqui à consagração *pela Palavra de Deus e pela oração* não quer dizer que as boas dádivas de Deus precisam ser purificadas. O que Paulo quer dizer é que, ao recebermos "tudo" o que Deus criou

---

[9] MacDonald, William. *Believer's Bible Commentary*, p. 2092.
[10] Stott, John. *A mensagem de 1 Timóteo, Tito e Filemom*, p. 112.
[11] Bürki, Hans. "Cartas a Timóteo." In: *Cartas aos Tessalonicenses, Timóteo, Tito e Filemom*, p. 235.

com fé e com uma atitude de oração, somos capazes de aproveitar suas dádivas com uma consciência limpa.[12]

Vamos detalhar um pouco esses dois itens proibidos pelos falsos mestres.

Primeiro, o casamento. Como pode alguém desprezar o casamento, e ainda proibi-lo, quando ele foi instituído por Deus? O casamento não foi apenas instituído, mas também ordenado por Deus (Gn 2.18; 2.24; Mt 19.3-12; 1Co 7.1-24). O sexo no casamento é legítimo, puro, santo e deleitoso. Uma pessoa não se torna menos espiritual por se casar. Portanto, o celibato compulsório é uma distorção da verdade de Deus e está em desacordo com a vontade de Deus. Quando os falsos mestres ensinam que é errado casar-se, estão abertamente se rebelando contra a Palavra de Deus e atacando o que Deus ordenou.

Segundo, os alimentos. Lawrence Richards diz que, embora a lei do Antigo Testamento exigisse a abstenção de certos alimentos, essa lei não continha nada do espírito do ascetismo exibido pelos falsos mestres que infestavam a Igreja primitiva. Deus já havia ordenado que tudo o que se move e vive, isso seria dado como alimento (Gn 9.3). A proibição de alimentos criados por Deus e ordenados por Deus era uma prática ascética. O ascetismo é uma tentativa de substituir a dependência de Deus pelo esforço humano, e essa tentativa é de inspiração demoníaca.[13] Abster-se de alimentos é privar-se de um prazer e de uma necessidade. A espiritualidade da dieta não tem amparo nas Escrituras. Uma pessoa não se torna menos ou mais espiritual por comer ou deixar de comer.

Não é o que entra pela boca que contamina o homem, mas o que sai do seu coração. Jesus afirmou que todos os alimentos são puros (Mc 7.14-23). Essa mesma verdade foi ensinada a Pedro (At 10) e reafirmada por Paulo (1Co 10.23-33). Um alimento pode até ser rejeitado por motivos clínicos, mas jamais por motivos espirituais. Só os fracos na fé abstêm-se de comer carne e se entregam a uma dieta vegetariana (Rm 14.1,2). Charles Erdman diz que fazer distinção entre classes de

---

[12]RICHARDS, Lawrence O. *Comentário histórico-cultural do Novo Testamento.* Rio de Janeiro: CPAD, 2012, p. 471.

[13]RICHARDS, Lawrence O. *Comentário histórico-cultural do Novo Testamento*, p. 471.

alimentos no sentido de acreditar que usar uma e deixar de usar outra é sinal de graça espiritual, não é apenas absurdo; é também prova de ascetismo espúrio, inclusive de incredulidade demoníaca.[14] Obviamente não podemos usar da nossa liberdade de comer e beber para ferir a consciência dos fracos (Rm 14.13-23). Precisamos transformar nossas refeições numa expressão de culto a Deus (1Co 10.31).

O valor da **sã doutrina** (4.6-16)

Paulo contrasta o falso mestre com o verdadeiro pastor e mostra qual é o papel do pastor que vela pela verdade e cuida do rebanho. Algumas verdades são aqui ressaltadas.

Em primeiro lugar, *a atitude do pastor em relação às falsas doutrinas* (4.6,7). O pastor da igreja precisa se posicionar em relação aos falsos mestres e seus ensinos perigosos. O que ele deve fazer?

Alertar a igreja sobre os enganos das falsas doutrinas. – *Expondo estas coisas aos irmãos, serás bom ministro de Cristo Jesus...* (4.6a). O pastor precisa advertir o povo de Deus do perigo das falsas doutrinas e da apostasia religiosa.[15] Hoje muitos pastores não gostam de combater as heresias. Outros não têm apreço pelo estudo das doutrinas da graça. Alguns dizem que a doutrina divide e que só deveríamos falar sobre aquilo que nos une. Mas o pastor precisa alertar a igreja sobre o perigo das heresias e sobre a influência perigosa dos falsos mestres. Expondo e alertando os irmãos sobre esses perigos é que ele se torna um bom ministro de Cristo. A palavra *ministro* usada por Paulo aqui é *diakonos*, aquele que serve os convidados à mesa como um garçom. Somos mordomos de Deus, e o alimento que servimos a Seu povo é a Palavra.

Seguir a sã doutrina. – *... alimentado com a Palavra da fé e da boa doutrina que tens seguido* (4.6b). Primeiro o pastor se alimenta da Palavra, depois alimenta o rebanho com a Palavra. Primeiro o pastor é um estudante que aprende a Palavra, depois é um mestre que ensina a Palavra. Primeiro ele se debruça sobre os livros, depois se levanta diante da

---

[14] ERDMAN, Charles. *Las epístolas pastorales a Timoteo y a Tito*, p. 54.
[15] WIERSBE, Warren W. *Comentário bíblico expositivo*, p. 293.

congregação para ensinar. Só ensina bem quem aprende bem. Não podemos combater a heresia se não estivermos calçados com a sã doutrina. Não podemos combater o erro se não estivermos comprometidos com a verdade. Não podemos enfrentar as falsas doutrinas se não permanecermos na sã doutrina. Cabe ao ministro do evangelho combater a mentira e promover a verdade; denunciar as heresias e anunciar o evangelho; desmascarar as falsas doutrinas e colocar em relevo a sã doutrina. Concordo com William Barclay quando ele diz que ninguém pode dar sem receber. Aquele que deseja ensinar deve estar continuamente aprendendo. Não é certo que, quando alguém chega a ser mestre, deixe de aprender. O homem deve nutrir sempre sua mente antes de poder nutrir a mente dos demais.[16]

Rejeitar as fábulas. Mas rejeita as fábulas profanas e de velhas caducas... (6.7). A palavra grega *modos*, traduzida aqui por *fábulas*, provavelmente corresponde a histórias míticas que foram forjadas sobre fatos do Antigo Testamento, mormente as genealogias, mais tarde transformadas em intricados sistemas filosóficos gnósticos.[17] Os falsos mestres gostam de introduzir novidades estranhas às Escrituras em seus ensinos. Eles se apartam da verdade e preenchem esse espaço com esquisitices como fábulas profanas alimentadas por pessoas ensandecidas. Essas tradições apóstatas estão em oposição às Escrituras e as contradizem. Essa mesma advertência é feita a Tito (Tt 1.14) e repetida a Timóteo (1.4; 2Tm 4.4).

Em segundo lugar, **o compromisso do pastor em relação à piedade pessoal**. – ... *exercita-te, pessoalmente, na piedade. Pois o exercício físico para pouco é proveitoso, mas a piedade para tudo é proveitosa, porque tem a promessa da vida que agora é e da que há de ser* (4.7b,8). Das quinze ocorrências da palavra grega *eusebeia*, traduzida por "piedade", e *eusebes*, traduzida por *piedoso*, no Novo Testamento, treze se encontram nas cartas pastorais, nove delas em 1Timóteo. Trata-se de um conceito importante nesta epístola. O sentido básico da palavra é "reverência" e "respeito".[18]

---

[16] BARCLAY, William. *I y II Timoteo, Tito y Filemon*, p. 106.
[17] Nota da *Bíblia de Estudo Arqueológico*. São Paulo: Vida, 2013, p. 1956.
[18] STOTT, John. *A mensagem de 1 Timóteo, Tito e Filemom*, p. 117.

O pastor é um homem que precisa ter reverência a Deus. A vida do pastor é a vida de seu ministério. Sua piedade pessoal é o fundamento de sua autoridade espiritual. Mais que o cuidado com o corpo, o pastor precisa cuidar de sua reputação. Concordo com Warren Wiersbe quando ele diz que precisamos cuidar do corpo, e o exercício faz parte desse cuidado. O corpo é o templo do Espírito Santo que deve ser usado para Sua glória (1Co 6.19,20) e também é instrumento para seu serviço (Rm 12.1,2). Contudo, os exercícios beneficiam o corpo apenas nesta vida, ao passo que o exercício da piedade é proveitoso hoje e na eternidade. Paulo não pede que Timóteo escolha entre um e outro. Devemos praticar ambos, mas nos concentrar na piedade.[19]

Em terceiro lugar, *a atitude do pastor em relação à obra de Deus*. – *Fiel é esta palavra e digna de inteira aceitação. Ora, é para esse fim que labutamos e nos esforçamos sobremodo, porquanto temos posto a nossa esperança no Deus vivo, Salvador de todos os homens, especialmente dos fiéis. Ordena e ensina estas coisas* (4.9-11). O pastorado é uma vocação para o trabalho, e não uma plataforma de privilégios. O pastor não pode ser um homem indolente e preguiçoso, mas deve labutar e empenhar-se ao máximo em sua tarefa de levar as pessoas a Cristo, a fim de que recebam a vida eterna, a vida que é agora, mas se projeta para a eternidade. O ministro do evangelho deve esforçar-se como um atleta na Olimpíada, esticando todos os seus músculos na bendita carreira da pregação do evangelho.

Os falsos mestres pregavam uma mensagem seletiva. Somente algumas pessoas tinham acesso à salvação, por meio de um conhecimento esotérico e místico. Paulo refuta os falsos mestres mostrando que Jesus é o Salvador de todos os homens, ou seja, de pessoas procedentes de todos os estratos sociais e de todas as culturas. Nas palavras de William MacDonald, Jesus é o potencial Salvador de todos os homens e o real Salvador de todos aqueles que creem.[20] Obviamente, Paulo não está ensinando aqui o universalismo. Deus é o Salvador de todos os homens sem acepção, e não o Salvador de todos os homens sem exceção. Ralph Earle afirma que Deus é potencialmente o Salvador de

---

[19] WIERSBE, Warren W. *Comentário bíblico expositivo*, p. 294.
[20] MACDONALD, William. *Believer's Bible Commentary*, p. 2093.

todos os homens por causa do Calvário, mas realmente é o Salvador apenas daqueles que creem.[21]

Outra maneira de entendermos o texto é observando que o termo grego *Soter*, traduzido por *Salvador*, não tem aqui a ideia única de Redentor, pois Paulo não subscreve o universalismo. Deus é o Salvador no sentido de provisão e socorro a todos os homens, mas é Salvador no sentido de redenção apenas daqueles que creem.

Em quarto lugar, *o compromisso do pastor de ser exemplo para os fiéis*. – *Ninguém despreze a tua mocidade; pelo contrário, torna-te padrão dos fiéis, na palavra, no procedimento, no amor, na fé, na pureza* (4.12). Timóteo era jovem, tímido e doente. Por isso, algumas pessoas em Éfeso estavam inclinadas a desprezar sua liderança. Paulo, então, desafia o jovem pastor a não ficar desanimado, mas a se erguer como modelo de maturidade espiritual para todos os fiéis.

Há dois tipos de liderança: a imposta e a adquirida. O líder cristão não pode ser um dominador do rebanho, mas seu modelo (1Pe 5.3). Ele lidera não pela força, mas pelo exemplo. Concordo com William MacDonald quando ele diz que esta ordem de Paulo não significa que Timóteo deveria colocar a si mesmo num pedestal e se considerar imune de críticas. Ao contrário, ele não deveria dar nenhum motivo para alguém condená-lo.[22] Matthew Henry acertadamente destaca que a mocidade não será desprezada se as pessoas não se tornarem desprezíveis por meio da vaidade e insensatez.[23] A palavra grega *neotes*, traduzida por *mocidade*, descreve qualquer pessoa que esteja em idade de prestar serviço militar. Ou seja, indica alguém adulto, mas abaixo dos 40 anos. No mundo antigo, não era esperado que uma pessoa com a idade de Timóteo, provavelmente nos seus 30 anos, tivesse obtido o discernimento e a sabedoria requerida para os líderes.[24]

Paulo elenca cinco áreas em que Timóteo deveria ser exemplo.

---

[21] Earle, Ralph. *1 Timothy*. In: *Zondervan NVI Bible Commentary*. Vol. 2, Grand Rapids: Zondervan Publishing House, 1994, p. 902.
[22] MacDonald, William. *Believer's Bible Commentary*, p. 2093.
[23] Henry, Matthew. *Comentário bíblico Matthew Henry: Atos a Apocalipse*, p. 696.
[24] Richards, Lawrence O. *Comentário histórico-cultural do Novo Testamento*, p. 471.

Primeiro, na palavra. O líder espiritual não pode tropeçar na própria língua. Seu linguajar precisa ser puro, e suas palavras precisam ser verdadeiras e oportunas. O líder espiritual não pode ser um homem precipitado no falar. Não pode ser maledicente nem usar linguagem profana. Hans Bürki é da opinião de que *palavra* aqui significa a proclamação missionária do evangelho. Constitui a primeira e mais profunda das áreas de incumbência do pastor.[25]

Segundo, no procedimento. A vida do líder é a vida de sua liderança. A vida do líder precisa ser o avalista de suas palavras. Ele deve ser irrepreensível na conduta, em contraposição aos falsos mestres que professam conhecer Deus, mas O negam com suas obras (Tt 1.16). A vida do líder precisa ser consistente com a grandeza do ministério que ele exerce. Concordo com Hans Bürki quando diz que a conduta sublinhará ou riscará a palavra (da proclamação e do testemunho). Quem confessa Deus somente com os lábios, negando-o com as obras, contribui para que o nome de Deus seja blasfemado.[26]

Terceiro, no amor. O amor é o distintivo do cristão, a marca do líder, a evidência mais eloquente de que ele é nascido de Deus e discípulo de Cristo. O líder cristão precisa ter profundo apego pessoal a seus irmãos e genuína preocupação com o seu próximo. A palavra grega *ágape* usada aqui fala de uma benevolência invencível. Se um homem tem *ágape*, não importa o que se lhe faça ou o que se lhe diga, ele buscará sempre o bem. Nunca será mordaz, nem ressentido, nem vingador; nunca se permitirá odiar; nunca se negará a perdoar. Só buscará o bem de seus semelhantes, não importa o que sejam nem como atuem com respeito a ele.[27]

Quarto, na fé. O líder espiritual precisa ter uma fé sem fingimento. Deve confiar em Deus e ser fiel a Ele. A fé é a indestrutível fidelidade a Cristo, não importa o que isto lhe custe. É uma fidelidade a Cristo que desafia as circunstâncias.[28]

---

[25] Bürki, Hans. "Cartas a Timóteo." In: *Cartas aos Tessalonicenses, Timóteo, Tito e Filemom*, p. 245.
[26] Bürki, Hans. "Cartas a Timóteo." In: *Cartas aos Tessalonicenses, Timóteo, Tito e Filemom*, p. 245.
[27] Barclay, William. *I y II Timoteo, Tito y Filemon*, p. 108.
[28] Barclay, William. *I y II Timoteo, Tito y Filemon*, p. 108-109.

Quinto, na pureza. Éfeso era um centro de impureza sexual, e o jovem Timóteo enfrentava muitas tentações. Seu relacionamento com as mulheres da igreja deveria ser puro (5.2).[29] A palavra grega *hagneia*, traduzida por *pureza*, cobre, além da castidade em matéria de sexo, a inocência e a integridade de coração. Refere-se à pureza de ato e pensamento.[30]

Em quinto lugar, **o compromisso do pastor em relação às Escrituras** (4.13-15). Em relação à Palavra, Timóteo precisa tomar três medidas.

Primeiro, a leitura pública das Escrituras. – *Até à minha chegada, aplica-te à leitura, à exortação, ao ensino* (4.13). A *leitura* aqui refere-se à leitura pública na congregação local. Isso é o que faziam os sacerdotes de Israel (Ne 8.8). Isso é o que Cristo fez na sinagoga de Nazaré (Lc 4.16). Isso é o que Paulo recomendou que fosse feito nas igrejas (1Ts 5.27; Cl 4.16). Essa é a bem-aventurança descrita em Apocalipse (Ap 1.3; 22.18,19). A Palavra de Deus precisa ser lida nos cultos públicos.

O que se segue à leitura das Escrituras é a exortação e o ensino. A palavra *exortação* traz a ideia de encorajamento e sugere a aplicação da Palavra à vida das pessoas. O *ensino* tem que ver com a exposição sistemática das verdades eternas, instruindo o povo na verdade, alertando-o contra as heresias dos falsos mestres. Este texto pode ser comparado a Neemias 8.8, quando a Palavra foi lida, explicada e aplicada ao povo de Israel. Ler, explicar e aplicar o texto das Escrituras é a essência da pregação expositiva.

Segundo, o exercício do seu dom espiritual. – *Não te faças negligente para com o dom que há em ti, o qual te foi concedido mediante profecia, com a imposição das mãos do presbitério* (4.14). A palavra grega *carisma*, traduzida aqui por *dom*, é um dom da graça. Denota um revestimento especial do Espírito, capacitando o recipiente a desempenhar alguma função na comunidade.[31] Deus não apenas chamou Timóteo para o ministério, mas também, em sua ordenação ao sagrado ofício, o capacitou para seu

---

[29] WIERSBE, Warren W. *Comentário bíblico expositivo*, p. 295.
[30] RIENECKER, Fritz; ROGERS, Cleon. *Chave linguística do Novo Testamento grego*, p. 465.
[31] RIENECKER, Fritz; ROGERS, Cleon. *Chave linguística do Novo Testamento grego*, p. 465.

exercício, concedendo-lhe os dons do Espírito. Paulo não menciona qual era esse dom, mas possivelmente se referia ao dom de ensino e governo da igreja.

Vale destacar que não é o presbitério que concede dons espirituais. Somente o Espírito Santo tem a competência e a autoridade para distribuir dons (1Co 12). Quando os presbíteros impuseram as mãos sobre Timóteo, estavam reconhecendo publicamente o que o Espírito Santo já havia concedido a ele. Estou de acordo com John Stott no sentido de que um *carisma* não é algo que seja outorgado por Deus de forma permanente e estática; Seu vaso humano tem de usá-lo e desenvolvê-lo.[32]

Terceiro, o progresso espiritual. – Medita estas coisas e nelas sê diligente, para que o teu progresso a todos seja manifesto (4.15). Não haverá avanço pioneiro nem progresso no ministério sem diligência e total dedicação à obra. A inspiração passa pela transpiração. Fritz Rienecker diz que a mente do obreiro precisa estar imersa no esforço de fazer a obra de Deus como o seu corpo está imerso no ar que respira.[33] Timóteo deveria se concentrar exclusivamente em ser um exemplo para os fiéis, em ensinar publicamente a Palavra de Deus e em exercer seu dom espiritual. As pessoas deveriam ver não apenas sua dedicação, mas também seu constante crescimento.

Em sexto lugar, **o compromisso do pastor de preservar a ortodoxia e a piedade**. – *Tem cuidado de ti mesmo e da doutrina. Continua nestes deveres; porque, fazendo assim, salvarás tanto a ti mesmo como aos teus ouvintes* (4.16). Há duas coisas às quais Timóteo precisa se dedicar: sua vida e a doutrina. Embora a vida decorra da doutrina e a ética cristã seja filha da teologia, Paulo coloca *de ti mesmo* antes *da doutrina*, assim como advertira no passado aos presbíteros de Éfeso em sua mensagem de despedida: *Atendei por vós*; depois *atendei por todo o rebanho* (At 20.28). Se um ministro do evangelho não velar por sua vida, cairá em descrédito. Não podemos separar a ortodoxia da piedade, a doutrina da vida e o credo da conduta. Não basta ser ortodoxo de cabeça e herege de

---

[32] STOTT, John. *A mensagem de 1 Timóteo, Tito e Filemom*, p. 123.
[33] RIENECKER, Fritz; ROGERS, Cleon. *Chave linguística do Novo Testamento grego*, p. 465.

conduta. É uma gritante contradição defender a sã doutrina e viver de forma contrária à sã doutrina. Primeiro, Deus trabalha em nós; depois, através de nós. A prática da Palavra vem antes do progresso na Palavra.

Paulo diz que o cuidado da vida e da doutrina traria a Timóteo salvação, para ele e para seus ouvintes. É importante entender que "salvar" aqui não significa salvação da alma, mas salvar a si mesmo e a seus ouvintes das falsas doutrinas.

5

Cuidando de pessoas na igreja

1 Timóteo 5.1-25

DEPOIS DE EXORTAR TIMÓTEO A TER CUIDADO de si mesmo e da doutrina, Paulo o orienta a lidar de forma sábia com as diferentes pessoas e grupos dentro da igreja. O cristianismo não é apenas uma coletânea de dogmas, mas sobretudo o cultivo de relacionamentos saudáveis. A maioria dos pastores enfrenta tensões na igreja por falta de habilidade de relacionar-se com pessoas. Timóteo é instruído a agir de forma criteriosa com os diferentes membros da comunidade, a fim de que a Igreja de Deus empregue todo o seu potencial na obra, em vez de desperdiçar suas energias em conflitos internos.

Destacamos a seguir alguns pontos importantes para o cuidado das pessoas na igreja.

Tato ao repreender as pessoas (5.1,2)

Uma das tarefas de um pastor é corrigir as faltas de alguns membros da igreja. Para um pastor lograr êxito na repreensão aos membros da igreja, ele necessita de duas coisas: o conteúdo bíblico e a forma amorosa. Não basta exortar de acordo com a verdade; é preciso também exortar com amor. O pastor precisa ter tato e sensibilidade para lidar com gente. Precisa respeitar a idade das pessoas. Três princípios são ensinados aqui.

Em primeiro lugar, *devemos tratar as pessoas idosas com respeito e ternura*. – *Não repreendas ao homem idoso; antes exorta-o como a pai* [...] *às mulheres idosas, como a mães...* (5.1,2). A palavra grega *presbyteros*, traduzida por "ancião", pode significar tanto uma pessoa mais velha, de idade mais avançada, como aquela que ocupa uma posição de liderança, ou seja, que supervisiona o rebanho. Os mais velhos são passíveis de repreensão, mas, mesmo quando repreendidos, precisam ser tratados com dignidade e afeto. Um pastor sábio dirige-se aos mais velhos, tratando-os como pai e mãe. Se o respeito com as pessoas idosas faz parte da cultura de muitos povos, entre o povo de Deus essa distinção deve ser ainda mais observada. A palavra grega *parakaleo* significa "chamar à parte". O chamar à parte pode ser com o propósito de consolar, exortar, rogar, apelar ou admoestar.[1]

Em segundo lugar, *devemos tratar as pessoas da mesma idade com amor e fraternidade*. – *... aos moços, como a irmãos* [...]; *às moças, como a irmãs...* (5.1,2). Timóteo deveria lidar com os jovens da igreja com grande sensibilidade e tato. Nenhum pastor tem o direito de humilhar as pessoas nem de tratá-las com desrespeito por serem mais jovens. A igreja é a família de Deus, e devemos olhar para as pessoas da nossa idade como irmãos e irmãs.

Em terceiro lugar, *devemos tratar as pessoas do sexo oposto com honra e pureza*. – *... às moças, como a irmãs, com toda a pureza* (5.2). O pastor precisa respeitar as jovens da igreja, tratando-as com honra e pureza. Um pastor que olha para as jovens da igreja com lascívia é um desastre. Um líder cujos olhos são cheios de adultério é como um lobo entre as ovelhas. Muitos pastores têm caído na área moral, por se entregarem a desejos lascivos. O conselho de Paulo nunca foi tão urgente, atual e oportuno!

Critérios para assistir as **viúvas necessitadas** (5.3-8)

A Palavra de Deus tem princípios claros acerca do cuidado com as viúvas. A igreja não pode negligenciar a assistência aos domésticos da fé, quando estes são necessitados, e ao mesmo tempo não assumir o papel

---

[1]HENDRIKSEN, William. *1 y 2 Timoteo y Tito*, p. 188.

da família, quando esta pode socorrê-los. Nesse sentido, destacamos aqui alguns critérios importantes apontados pelo apóstolo.

Em primeiro lugar, **a igreja precisa assistir as viúvas que não têm amparo da família**. *Honra as viúvas verdadeiramente viúvas* (5.3). O sustento financeiro pela igreja deve limitar-se às viúvas que são realmente necessitadas (5.3,5,16), ou seja, aquelas que não têm dotes nem parentes para mantê-las.[2] A palavra grega *keras*, traduzida por *viúvas*, significa "despojada, privada (de seu marido; portanto, frequentemente sem meios de sustento)".[3] Havia um grande número de viúvas na igreja de Éfeso. No século III, a igreja em Roma auxiliava 1.500 viúvas carentes. Na época de Crisóstomo, 3.000 viúvas cristãs atuaram no serviço eclesiástico.[4]

Três classes de pessoas eram especialmente cuidadas pelo povo de Deus: as viúvas, os órfãos e os estrangeiros, ou seja, pessoas sem cônjuge, sem pais e sem casa. As Escrituras descrevem Deus como *pai para os órfãos e defensor das viúvas* (Sl 68.5). Dizem ainda que "Ele defende a causa do órfão e da viúva e ama o estrangeiro" (Dt 14.28,29; 26.12,13).

Deus proíbe que Seu povo aflija os órfãos e as viúvas (Êx 22.22). Um magistrado que oprime as viúvas está sob o juízo divino (Dt 27.19). Os agricultores eram instruídos a reservar um décimo da sua produção para as viúvas e os órfãos, deixando a eles ainda uma parte da colheita (Dt 14.28,29). Os profetas de Deus denunciaram a nação por defraudar as viúvas (Is 1.17,23; Jr 7.5; Ez 22.7; Zc 7.10). Jesus demonstrou compaixão com a viúva de Naim (Lc 7.11,12) e enalteceu a oferta da viúva pobre (Mc 12.41,42), ao mesmo tempo que denunciou os escribas que devoravam as casas das viúvas e se escondiam atrás de uma pecaminosa ostentação religiosa (Mc 12.40).[5] A igreja de Jerusalém nomeou sete homens cheios de sabedoria, cheios de fé e cheios do Espírito Santo para supervisionar a distribuição diária às viúvas (At 6.1-6). Mais tarde, Tiago afirma que uma das evidências da verdadeira religião é *visitar os órfãos e as viúvas nas suas tribulações* (Tg 1.27).

---

[2] Stott, John. *A mensagem de 1 Timóteo, Tito e Filemom*, p. 131.
[3] Hendriksen, William. *1 y 2 Timoteo y Tito*, p. 190.
[4] Bürki, Hans. "Cartas a Timóteo." In: *Cartas aos Tessalonicenses, Timóteo, Tito e Filemom*, p. 256.
[5] Stott, John. *A mensagem de 1 Timóteo, Tito e Filemom*, p. 129-130.

Em segundo lugar, *a igreja não deve ocupar o lugar da família no socorro às viúvas*. – *Mas, se alguma viúva tem filhos ou netos, que estes aprendam primeiro a exercer piedade para com a própria casa e a recompensar seus progenitores; pois isto é aceitável diante de Deus. Aquela, porém, que é verdadeiramente viúva e não tem amparo espera em Deus e persevera em súplicas e orações, noite e dia* (5.4,5). Uma profissão de fé religiosa que está aquém das normas reconhecidas pelo mundo nada mais é que uma fraude miserável.[6] A igreja não pode aceitar que sua caridade se converta em desculpa para que os filhos se eximam de sua responsabilidade de cuidar dos pais. Os filhos estão moralmente obrigados a cuidar de seus pais na velhice. Em Marcos 7.10-13, Jesus denuncia a deturpação da oferta de Corbã. A palavra Corbã quer dizer "dedicado a Deus" e era empregada quando um homem queria dedicar seus bens à tesouraria do templo. Contudo, por um acordo com os sacerdotes israelitas, ele podia "dedicar" seu dinheiro ou sua propriedade ao mesmo tempo que os desfrutava durante a vida, deixando-os como um legado a serviço do templo. Caso esse homem, segundo a santa obrigação natural e legal, tivesse o dever de manter os pais idosos ou enfermos, os mesmos sacerdotes o impediam de ajudá-los com esses fundos que eram Corbã, para não subtrair o legado do templo. Esse caso suscitou a justa indignação do Senhor, pois, por um ímpio subterfúgio e sob uma aparência de piedade, se violava o quinto mandamento, um dos principais mandamentos de Deus.[7]

O apóstolo Paulo elenca dois motivos pelos quais os filhos e os netos devem cuidar de seus pais e avós. Primeiro, retribuir a eles o bem recebido. Segundo, agradar a Deus. Esse gesto é aceitável diante de Deus. A demonstração de cuidado aos pais e avós traz glória a Deus, conforto à família e edificação à igreja.

Em terceiro lugar, *a igreja não deve cuidar de pessoas que vivem abertamente em pecado*.– *Entretanto, a que se entrega aos prazeres, mesmo viva, está morta. Prescreve, pois, estas coisas, para que sejam irrepreensíveis*

---

[6]BARCLAY, William. *I y II Timoteo, Tito y Filemon*, p. 116.
[7]TRENCHARD, Ernest. *Una exposición del evangelio según Marcos*. Madrid: ELB, 1971, p. 85-86.

(5.6,7). Algumas viúvas sem amparo da família, sem dotes e sem meios de sustento recorriam à prostituição para sobreviver. Essas mulheres rendidas ao pecado, mesmo vivas, estavam mortas espiritualmente. Assim como Paulo disse que a igreja só deveria amparar as viúvas desassistidas, agora diz que a igreja só deveria amparar as viúvas piedosas. Tanto a condição material, *a necessidade*, como a condição espiritual, *a piedade*, deveriam ser observadas. As viúvas assistidas pela igreja deveriam ser irrepreensíveis (5.7); porém, uma viúva com mentalidade mundana, que satisfaz seus próprios desejos, mesmo viva, está morta, e, por isso, não tem direito às esmolas da igreja.[8]

Em quarto lugar, **a família não deve transferir para a igreja o cuidado de seus familiares**. – Ora, se alguém não tem cuidado dos seus e especialmente dos da própria casa, tem negado a fé e é pior do que o descrente (5.8). Desamparar os membros da família é negar a fé e tornar-se pior do que os incrédulos. O amor aos pais e avós é um sentimento natural, presente em quase todas as culturas. Até mesmo os pagãos, que não conhecem os mandamentos nem a lei de Cristo, reconhecem e estimam as obrigações dos filhos para com os pais.[9] Cuidar dos pais e avós é uma prática universal. Os pagãos, que não têm a luz da verdade bíblica, cuidam de seus pais na velhice. Portanto, deixar de socorrer seus progenitores é um escândalo para o cristão, uma contradição, uma negação do verdadeiro cristianismo.

Hendriksen tem razão em dizer que a negação neste caso não tem sido necessariamente por meio de palavras, senão (o que com frequência é pior) por meio de pecaminosa negligência. A falta de ação positiva, o pecado de omissão, desmente sua profissão de fé (sentido objetivo). Ainda que professe ser um cristão, carece do mais precioso dos frutos que se dá na árvore de uma vida e conduta verdadeira cristã. Carece de amor. Onde falta este bom fruto, não pode haver uma boa árvore.[10]

Paulo utiliza quatro argumentos para destacar que cuidar dos parentes significa aliviar a igreja de uma carga desnecessária. Tratar

---

[8] KELLY, John N. D. *I e II Timóteo e Tito: introdução e comentário*, p. 110.
[9] KELLY, John N. D. *I e II Timóteo e Tito: introdução e comentário*, p. 111.
[10] HENDRIKSEN, William. *1 y 2 Timoteo y Tito*, p. 194.

adequadamente os membros idosos da família significa retribuir a nossos pais (5.4), agradar a Deus (5.4), expressar e não negar a fé (5.8), e não sobrecarregar a igreja (5.16).[11]

A contribuição das **viúvas** para o ministério da igreja (5.9,10)

Havia na igreja duas listas de viúvas. A primeira lista era formada pelas viúvas necessitadas que precisavam ser assistidas pela igreja. A segunda lista era formada pelas viúvas que deveriam prestar serviço de assistência aos santos. John Stott mostra que o enfoque dado nos versículos 3 a 8 é a manutenção financeira das viúvas, o que em primeira instância é dever de seus parentes e somente se torna obrigação da igreja para aqueles que não têm parentes.

A ênfase agora é sobre as viúvas que deveriam ser arroladas para um trabalho especial na igreja. Essas viúvas assumiam o compromisso de não se casarem (5.12). Por isso, as viúvas mais novas não faziam parte desse rol, mas deveriam se casar e criar filhos (5.14). Essa lista, portanto, não se refere a viúvas que necessitem de sustento, mas das que poderiam prestar serviço ao Senhor.[12] Não se trata da lista de viúvas que devem ser assistidas, mas das viúvas que devem assistir.

John Stott destaca que o primeiro grupo de viúvas devia receber sustento financeiro e o segundo, oportunidades no ministério, ao lado dos presbíteros e diáconos.[13] Timóteo deveria honrar as viúvas que precisavam de socorro e arrolar as viúvas que deveriam desempenhar um ministério importante de cooperação na igreja. É provável que esse ministério das viúvas se tenha consolidado na Igreja primitiva como é sugerido em Atos 9.36-41. A partir do segundo e, sobretudo, no século III, as viúvas oficialmente constituídas dedicavam-se à oração, davam assistência aos enfermos, cuidavam dos órfãos, visitavam cristãos na prisão, evangelizavam mulheres pagãs e ensinavam as que se convertiam, preparando-as para o batismo.[14]

---

[11]STOTT, John. *A mensagem de 1 Timóteo, Tito e Filemom*, p. 132.
[12]STOTT, John. *A mensagem de 1 Timóteo, Tito e Filemom*, p. 133.
[13]STOTT, John. *A mensagem de 1 Timóteo, Tito e Filemom*, p. 130.
[14]FERGUSSON, Everett. *Widows in Encyclopedia of Early Christianity*. Nova York: St. James Press, 1990.

Quais são os critérios a serem observados no segundo grupo?

Em primeiro lugar, *as viúvas deveriam ter ao menos sessenta anos*. – *Não seja inscrita senão viúva que conte ao menos sessenta anos de idade...* (5.9a). Na Antiguidade, 60 era a idade em que se reconhecia que alguém se tornava um "velho" ou uma "velha", e as paixões sexuais da mulher podiam ser consideradas esvaziadas de seus perigos.[15]

Em segundo lugar, *deveriam ter um só marido*. – *... tenha sido esposa de um só marido* (5.9b). Numa época marcada pela fragilidade do casamento e pela facilidade do divórcio, essas viúvas eram exemplo de pureza e fidelidade conjugal. Obviamente, isso não significa que elas não tenham se casado novamente, uma vez que o próprio apóstolo orienta as viúvas mais novas a se casarem de novo (5.14).

Em terceiro lugar, *deveriam ter a reputação de boas obras*. – *Seja recomendada pelo testemunho de boas obras...* (5.10). Essas mulheres precisavam ter bom testemunho da igreja. Uma igreja cujos membros ou obreiros desfrutam de boa reputação tem credibilidade; por outro lado, nada depõe mais contra uma igreja que ter em seu meio membros e obreiros indignos.[16]

Em quarto lugar, *deveriam ser boas mães*. – *... tenha criado filhos...* (5.10). A criação dos filhos no temor de Deus é um dos mais esplêndidos testemunhos para a sociedade.

Em quinto lugar, *deveriam ser hospitaleiras*. – *... exercido hospitalidade...* (5.10). No mundo antigo, as pousadas eram notoriamente sujas, notoriamente caras e notoriamente imorais. Portanto, aqueles que abriam seu lar aos pregadores itinerantes prestavam um importante trabalho à causa do evangelho.

Em sexto lugar, *deveriam ser humildes*. – *... lavado os pés aos santos...* (5.10). Lavar os pés dos santos era trabalho dos escravos. Era a mais baixa de todas as tarefas. Só as pessoas verdadeiramente humildes tinham essa disposição. Jesus engrandece essa atitude humilde, quando ele mesmo se cingiu com uma toalha e lavou os pés de Seus discípulos (Jo 13.4).

---

[15] KELLY, John N. D. *I e II Timóteo e Tito: introdução e comentário*, p. 111.
[16] BARCLAY, William. *I y II Timoteo, Tito y Filemon*, p. 120.

Em sétimo lugar, *deveriam prestar auxílio aos necessitados*. – ... *socorrido a atribulados*... (5.10). Numa época de intensa perseguição à igreja, muitas mulheres visitavam e socorriam os crentes que padeciam prisões e aflições por causa da fé.

Em oitavo lugar, *deveriam ser altruístas*. – ... *se viveu na prática zelosa de toda boa obra* (5.10). A prática desses serviços humildes e altruístas é que qualificava uma viúva para assumir essas atividades de assistência aos santos, na condição de uma obreira designada pela igreja.

Riscos enfrentados por **viúvas mais jovens** (5.11-16)

Timóteo deveria ser criterioso quanto aos perigos que as viúvas mais jovens enfrentariam.

Em primeiro lugar, *o perigo da quebra dos compromissos*. – *Mas rejeita viúvas mais novas, porque, quando se tornam levianas contra Cristo, querem casar-se, tornando-se condenáveis por anularem o seu primeiro compromisso* (5.11,12). Uma leitura superficial do texto em apreço pode levar o leitor desatento a imaginar que Paulo estivesse entrando em contradição, ao reprovar as viúvas mais jovens por desejarem se casar novamente, ao mesmo tempo que orienta as viúvas mais novas a se casarem (5.14). A questão era a seguinte: algumas viúvas mais novas eram arroladas na lista de obreiras que deveriam se dedicar exclusivamente ao trabalho de assistência aos santos. Porém, depois de firmarem o compromisso, algumas o quebravam e abandonavam o ministério para se casarem. Paulo, então, aconselha a Timóteo não alistar viúvas mais novas no trabalho de assistência aos santos, mas orientá-las a se casarem novamente para criar filhos e serem boas donas de casa.

Em segundo lugar, *o perigo da vida ociosa*. – *Além do mais, aprendem também a viver ociosas, andando de casa em casa; e não somente ociosas*... (5.13a). No mundo antigo as mulheres solteiras ou viúvas tinham muita dificuldade de ganhar a vida honestamente. Não possuíam um ofício ou uma profissão. Muitas mulheres se entregavam à prostituição para buscar o próprio sustento. Há um ditado popular que diz: "O diabo sempre encontra algo que fazer com as mãos ociosas". Matthew Henry tem razão em dizer que dificilmente pessoas ociosas são apenas ociosas; elas aprendem a ser paroleiras e curiosas, a causar confusão entre os vizinhos e a semear discórdias entre os irmãos.[17] Segundo Kelly, as viúvas jovens, ainda ativas e cheias de energia, provavelmente teriam muito tempo livre, e isso certamente as induziria à ociosidade.[18]

Em terceiro lugar, *o perigo da maledicência.* – *... mas ainda tagarelas e intrigantes, falando o que não devem* (5.13b). A tagarelice é um subproduto da vida ociosa. Quem não ocupa as mãos com o trabalho, ocupará a língua com maledicência e boatarias perniciosas. O pecado de falar mal dos irmãos e jogar uma pessoa contra a outra é o que mais Deus abomina.

Em quarto lugar, *o perigo da incontinência.* – *Quero, portanto, que as viúvas mais novas se casem, criem filhos, sejam boas donas de casa e não deem ao adversário ocasião favorável de maledicência. Pois, com efeito, já algumas se desviaram, seguindo a satanás* (5.14,15). Paulo já havia orientado os solteiros que é melhor casar-se do que viver abrasado (1Co 7.9), e agora orienta as viúvas mais novas a se casarem, para que não sejam tentadas à prática sexual fora do casamento. Há pessoas que têm o dom de permanecerem solteiras (1Co 7.7) e de controle sobre seus impulsos sexuais (1Co 7.1,2,9). Essas pessoas têm mais tempo para se dedicarem à obra de Deus, ao passo que os casados têm seu tempo dividido (1Co 7.32-35). Paulo orienta as viúvas mais jovens a se casarem e terem filhos. De acordo com Kelly, ter filhos satisfará os impulsos instintivos da sua natureza e dirigir um lar absorverá suas energias excedentes.[19]

Em quinto lugar, *o perigo de sobrecarregar a igreja.* – *Se alguma crente tem viúvas em sua família, socorra-as, e não fique sobrecarregada a igreja, para que esta possa socorrer as que são verdadeiramente viúvas* (5.16). Paulo volta a insistir em que somente as viúvas desamparadas devem ser assistidas financeiramente pela igreja (5.3,4,8,16). Aquelas que têm parentes que possam socorrê-las não devem sobrecarregar a igreja. Cada família deve sentir-se responsável por seus parentes. Não é o fato de ser viúva, mas de ser viúva desassistida, que qualifica uma pessoa a receber o auxílio financeiro da igreja. Kelly interpreta a orientação do apóstolo como segue:

---

[17]HENRY, Matthew. *Comentário bíblico Matthew Henry: Mateus a Apocalipse*, p. 698.
[18]KELLY, John N. D. *I e II Timóteo e Tito: introdução e comentário*, p. 113.
[19]KELLY, John N. D. *I e II Timóteo e Tito: introdução e comentário*, p. 114.

Paulo tem em mente o caso de uma senhora na comunidade que tem uma situação financeira confortável, seja ela mesma casada, solteira ou viúva, cuja casa inclui uma ou mais viúvas, não parentes próximas (aquela situação já foi tratada suficientemente), mas, sim, empregadas ou dependentes ou amigas. Essa mulher crente é exortada a tornar-se responsável pelo bem-estar delas ao invés de entregá-las para a caridade da igreja, que já está sujeita a um número grande demais de pedidos. A razão por que Paulo não impõe a mesma obrigação sobre um homem cristão de posição semelhante deve ser óbvia. Se semelhante homem fosse solteiro ou viúvo, seria muito impróprio para ele assumir a responsabilidade por um grupo de viúvas; ao passo que, se ele fosse casado, a responsabilidade, em todos os seus aspectos práticos, naturalmente, recairia sobre a sua esposa.[20]

Honra devida aos presbíteros (5.17-22)

Paulo passa a falar sobre os presbíteros da igreja e tem princípios importantes para ensinar.

Em primeiro lugar, *o sustento dos presbíteros*. – *Devem ser considerados merecedores de dobrados honorários os presbíteros que presidem bem, com especialidade os que se afadigam na palavra e no ensino. Pois a Escritura declara: Não amordaces o boi, quando pisa o trigo. E ainda: O trabalhador é digno do seu salário* (5.17,18).

Paulo destaca três verdades aqui.

Primeiro, a posição dos presbíteros. A função deles é presidir, ou seja, exercer liderança nas igrejas locais.

Segundo, a distinção dos presbíteros. Eles têm o papel de presidir, governar e administrar, mas alguns se dedicam exclusivamente ao ministério do ensino; assim temos presbíteros regentes e presbíteros docentes, presbíteros administrativos e presbíteros mestres.[21]

Terceiro, a sustentabilidade dos presbíteros. Naquela época, os presbíteros tinham dedicação exclusiva ao ministério e deveriam ser remunerados de forma digna para desempenharem seu trabalho. Os que

---

[20] KELLY, John N. D. *I e II Timóteo e Tito: introdução e comentário*, p. 116-117.
[21] STOTT, John. *A mensagem de 1 Timóteo, Tito e Filemom*, p. 137.

presidiam bem e especialmente os que se esmeravam no ensino deviam ser dignos de redobrados honorários.

Tanto a lei do Antigo Testamento como Jesus enfatizam esse princípio do sustento dos obreiros. Aqueles que estão no ministério devem viver do ministério. Embora Paulo tenha preferido não tirar vantagem do direito de ser sustentado (1Co 9.3-18; 1Ts 2.7-9), sempre defendia vigorosamente o direito dos apóstolos e seus assistentes de serem materialmente sustentados pela comunidade (2Co 11.8,9; 12.13).

Os presbíteros fiéis em seu trabalho não deveriam ser apegados ao dinheiro (3.3), mas eram dignos de receber honra e honorários. Com isso, Paulo considera que o pastorado é um ministério remunerado. Da mesma forma que nos dias do Antigo Testamento os sacerdotes eram sustentados a fim de se dedicarem à lei do Senhor (2Cr 31.4), também nos dias do Novo Testamento os pastores devem ser sustentados para que possam devotar-se à obra do evangelho.[22]

Em segundo lugar, *a disciplina dos presbíteros*. – *Não aceites denúncia contra presbítero, senão exclusivamente sob o depoimento de duas ou três testemunhas. Quanto aos que vivem no pecado, repreende-os na presença de todos, para que também os demais temam. Conjuro-te, perante Deus, e Cristo Jesus, e os anjos eleitos, que guardes estes conselhos, sem prevenção, nada fazendo com parcialidade* (5.19-21). A disciplina de um presbítero não pode ser algo leviano, fruto de acusações levianas de bisbilhoteiros inconsequentes ou de descrentes descaridosos.

Calvino diz que não há quem seja mais exposto a calúnias e insultos do que mestres piedosos. Inimigos do evangelho muitas vezes se vingam nos ministros do evangelho. Uma campanha baseada em boatos sujos pode arruinar completamente o ministério de um líder.[23] Somente mediante duas ou três testemunhas uma acusação pode ser formalizada. A disciplina bíblica é uma das marcas da igreja verdadeira. Nesse quesito, a igreja não pode inclinar-se nem para o rigor desmesurado nem para a frouxidão permissiva. Não pode ir além nem ficar aquém. O excesso de disciplina esmaga as pessoas, e a falta as mundaniza. A

---

[22] STOTT, John. *A mensagem de 1 Timóteo, Tito e Filemom*, p. 138.
[23] STOTT, John. *A mensagem de 1 Timóteo, Tito e Filemom*, p. 140.

disciplina é um ato responsável de amor. Tem o propósito de restaurar o caído, e não de destruí-lo. Precisa ser aplicada com temor e imparcialidade, e não com irreverência e partidarismo. Precisa ser feita na luz da verdade, e não sob a penumbra da mentira caluniosa.

A lei já exigia que não se podia condenar ninguém com o testemunho de uma única pessoa (Dt 19.15). Porém, quando uma acusação contra um presbítero procedia de duas ou mais testemunhas e era verdadeira, e além disso o denunciado persistia no pecado, então o faltoso deveria ser corrigido na presença de todos. Pecados públicos devem ser corrigidos publicamente para que haja temor, pois a disciplina visa não apenas a restaurar o faltoso, mas também a prevenir os demais membros do corpo a não caírem no mesmo laço. A igreja nunca pode dar ao mundo a ideia de que está tolerando o pecado. O pecado é maligníssimo. É como um fermento: um pouco leveda a massa toda. Um mau exemplo é devastador na igreja. É como uma laranja podre numa cesta de laranjas saudáveis. Contamina as demais!

Timóteo é exortado a não ter parcialidades na aplicação da disciplina (5.21). A Igreja de Deus não pode ter dois pesos e duas medidas. Não pode tratar alguns membros com rigor e outros com complacência. Não pode aplicar a uns o rigor da lei e a outros, regalias e privilégios. Concordo com Stott quando ele diz que um dos piores pecados é o favoritismo e uma das principais virtudes é a imparcialidade.[24]

A vida do líder é a vida de sua liderança, mas os pecados do líder são os mestres do pecado. Os pecados do líder são mais graves, mais hipócritas e mais danosos que os pecados dos demais membros da igreja. São mais graves, porque o líder peca mesmo tendo maior conhecimento. São mais hipócritas, porque o líder convoca o povo a viver em santidade e, muitas vezes, pratica o pecado em secreto. E são mais danosos, porque, quando um líder cai, mais pessoas são atingidas. Daí, os líderes que têm práticas pecaminosas não devem ser ignorados. Na realidade, a posição que ocupam não é um atenuante, mas um agravante. Eles devem ser tratados com mais severidade, como ensinava a lei (Lv 4.22,27). O caso desses líderes não deve ser tratado na presença

---

[24] STOTT, John. *A mensagem de 1 Timóteo, Tito e Filemom*, p. 141.

de poucos (Mt 18.15-17), mas publicamente, ou seja, diante de todo o consistório, para que os demais presbíteros também possam sentir-se cheios de temor piedoso de fazer o mal.[25]

Em terceiro lugar, *a ordenação dos presbíteros*. – *A ninguém imponhas precipitadamente as mãos. Não te tornes cúmplice de pecados de outrem. Conserva-te a ti mesmo puro* (5.22). Ordenar um presbítero neófito, ou seja, novo na fé, é uma temeridade, tanto para ele como para o rebanho. A quebra desse princípio tem sido devastador em muitas igrejas. Um líder imaturo é um desastre. Um indivíduo ocupar uma posição de liderança na igreja sem maturidade espiritual e sem estabilidade emocional traz graves prejuízos para a Igreja de Deus. Há muitos líderes que deveriam estar sendo cuidados, mas estão cuidando do rebanho. Antes que o presbítero possa cuidar de todo o rebanho, precisa primeiro cuidar de si mesmo (At 20.28). Não está qualificado a pastorear os outros aquele que não cuida de sua própria vida. Não está credenciado a ensinar aos outros aquele que não está firmado na verdade. O presbítero precisa ser um obreiro aprovado. Precisa afadigar-se na Palavra. Precisa estar apto a ensinar. Muitos presbíteros são eleitos sem levar em consideração esses preceitos divinos, e o resultado é assaz nocivo à igreja.

Os cuidados do pastor com a **saúde** (5.23)

O apóstolo Paulo demonstra seu zelo pastoral ao preocupar-se com a saúde de Timóteo. O apóstolo escreve: *Não continues a beber somente água; usa um pouco de vinho, por causa do teu estômago e das tuas frequentes enfermidades* (5.23). É muito comum o obreiro gastar todo o tempo cuidando do rebanho e esquecer-se de si mesmo.

Timóteo era um jovem tímido e doente. Cuidava dos outros, mas estava descuidando de si mesmo. Precisava dar atenção à sua saúde para poder cuidar da igreja. As pressões do ministério são enormes, e Timóteo estava à frente da maior igreja da época, a igreja de Éfeso. Éfeso era a capital da Ásia Menor, uma cidade complexa e com muitos desafios. Os falsos mestres perturbavam a igreja, e Timóteo precisava

---

[25] HENDRIKSEN, William. *1 y 2 Timoteo y Tito*, p. 207.

lidar com essas pressões que vinham de fora e também com as tensões que vinham de dentro da igreja. O desgaste emocional e os reflexos que esse desgaste tinham na saúde de Timóteo levaram Paulo a orientar o jovem pastor a cuidar de sua saúde. O ideal romano era uma mente sã num corpo são.

Kelly afirma que os efeitos benéficos do vinho como remédio contra distúrbios dispépticos, tônico e forma de contrabalançar os efeitos da água impura eram geralmente reconhecidos na Antiguidade.[26] O vinho era usado tanto para doenças físicas como emocionais (Pv 31.6). O pai da medicina, Hipócrates, recomendava doses moderadas de vinho a pacientes para os quais a água sozinha fazia mal ao estômago.[27] Plutarco declara que o vinho é a mais útil das bebidas e o mais agradável dos remédios.[28] Paulo é enfático em dizer que Timóteo, por motivos terapêuticos, deveria usar *um pouco* de vinho, e não *muito* vinho.[29]

É claro que este texto não pode nem deve ser usado para justificar o consumo de álcool. Paulo se refere a cuidados medicinais, e não a uma licença para beber. De acordo com William Barclay, "Paulo simplesmente está dizendo que não há nenhuma virtude em um ascetismo que faz ao corpo mais mal do que bem".[30]

O **discernimento** do pastor ao fazer **julgamentos** (5.24,25)

O pastor precisa ter discernimento espiritual, e Paulo orienta Timóteo com as seguintes palavras: *Os pecados de alguns homens são notórios e levam a juízo, ao passo que os de outros só mais tarde se manifestam. Da mesma sorte também as boas obras, antecipadamente, se evidenciam e, quando assim não seja, não podem ocultar-se* (5.24,25). Há pecadores escandalosos que perderam completamente o pudor. Suas obras são notórias. Há aqueles, porém, que agem disfarçadamente e jeitosamente tentam esconder seus malfeitos. Até os pecados praticados às escondidas, sob o manto

---

[26] KELLY, John N. D. *I e II Timóteo e Tito: introdução e comentário*, p. 123.
[27] De med.". *Antig.* xiii.
[28] De sanit.". *Praec.* xix.
[29] HENDRIKSEN, William. *1 y 2 Timoteo y Tito*, p. 210-211.
[30] BARCLAY, William. *I y II Timoteo, Tito y Filemon*, p. 131.

da escuridão, serão desmascarados e trazidos à luz do dia. Deus não acerta conta com os pecadores todos os dias. Muitas pessoas vivem na prática do pecado e escapam de suas consequências por um tempo. No entanto, até mesmo aqueles pecados cuidadosamente ocultados serão manifestos. A máscara cairá. As trevas não prevalecem sobre a luz. Os ímpios não permanecerão na congregação dos justos. Mesmo que pareçam firmes como carvalhos, serão varridos como a palha.

Na lida pastoral precisamos de discernimento. A maior parte da vida de uma pessoa fica escondida dos nossos olhos. Timóteo deveria dar tempo ao tempo para fazer uma avaliação precisa do caráter das pessoas com quem estava lidando. Aqueles que têm uma personalidade atraente com frequência escondem fraquezas, ao passo que as pessoas que não são atraentes à primeira vista muitas vezes têm pontos fortes escondidos. Timóteo deveria aprender a discernir entre o que se vê e o que não se vê, entre o que está à superfície e o que está escondido, entre o que é aparente e a verdadeira realidade.[31]

Concluo este capítulo com as palavras de John Stott, que afirma que os líderes cristãos precisam ter em seus relacionamentos cinco virtudes: apreciação (reconhecer todo bom desempenho), justiça (não dar ouvidos a acusações sem fundamento), imparcialidade (evitar todo favoritismo), cautela (não tomar decisões precipitadas) e discernimento (ver além do que é aparente e enxergar o coração). Sempre que esses princípios forem observados, erros serão evitados, a igreja será preservada em paz e em amor, e o nome de Deus estará protegido da desonra.[32]

---

[31] STOTT, John. *A mensagem de 1 Timóteo, Tito e Filemom*, p. 143.
[32] STOTT, John. *A mensagem de 1 Timóteo, Tito e Filemom*, p. 143-144.

6

Instruções pastorais à igreja

1 Timóteo 6.1-21

A PALAVRA DE DEUS TEM DIRETRIZES SEGURAS para o pastor lidar com as diversas pessoas na igreja. Pessoas de idades diferentes, de posição social diferente, com problemas diferentes. No capítulo anterior, vimos como Paulo tratou a questão da ação social na igreja, especialmente no cuidado das viúvas que não tinham suporte financeiro da família. Também vimos como Paulo abordou a questão do sustento, disciplina e ordenação dos presbíteros. Agora, veremos os princípios dados pelo apóstolo aos servos e aos ricos. Também veremos como Paulo orienta Timóteo a lidar com os falsos mestres e o cuidado que deve ter como pastor do rebanho.

Paulo instrui Timóteo a ministrar a diversos grupos na igreja, ao mesmo tempo que se mantém no centro da vontade de Deus.

Os servos cristãos (6.1,2)

Estima-se que, na época em que Paulo escreveu esta epístola, havia mais de 60 milhões de escravos no Império Romano. Muitos deles eram instruídos e cultos, mas não livres. Muitos eram servos domésticos e trabalhadores rurais. Outros eram funcionários, artesãos, professores, soldados e gerentes. Todos, porém, eram considerados por seus senhores meros instrumentos laborais. Gould tem razão em dizer que a instituição escravagista era uma das maldições do mundo antigo e, como ferramentas vivas, os escravos carregavam o Império Romano nas costas.[1] A lei romana não proibia aos senhores de escravos que tratassem mal a seus escravos. Eles podiam ser condenados a trabalhos forçados, encarcerados, açoitados, marcados com ferro em brasa e até crucificados.[2]

De acordo com John Stott, são três as características que definem um escravo: 1) a sua pessoa é propriedade de alguém, de modo que ele pode ser comprado e vendido; 2) a sua vontade está sujeita à autoridade de outra pessoa; 3) o seu trabalho é obtido pela força que o outro lhe impõe.[3]

A fé cristã não atacou frontalmente a escravidão a fim de não criar uma insustentável rebelião social. No entanto, a doutrina apostólica minou a escravidão, ao ensinar que os mercadores de escravos estavam quebrando a lei de Deus (1.10). Isso porque tanto os senhores como os escravos têm o mesmo valor aos olhos de Deus, uma vez que Deus não faz acepção de pessoas (Ef 6.9). Embora os escravos não tivessem nada a reivindicar, Paulo ordena que os senhores tratem seus servos com justiça e equidade (Cl 4.1). A doutrina apostólica afirma claramente que senhores e servos são irmãos em Cristo (6.2; Fm 16) e que, em Cristo, não há escravo nem livre, pois todos são um em Cristo (Gl 3.28). Mesmo que um escravo continue debaixo do jugo de seu senhor, ele é livre em Cristo Jesus (1Co 7.22). Nessa mesma linha de pensamento, Charles Erdman escreveu: "Paulo nem condena a escravidão nem incita a revolução. Ensinou, porém, grandes princípios que atuaram pouco a pouco com passo firme, que aboliram a escravidão e contribuíram para a libertação política e a justiça social".[4]

O evangelho alcançou um grande número de escravos naquela época, os quais faziam parte da família de Deus. Alguns servos, entretanto, usavam de sua liberdade em Cristo para desobedecer ou afrontar seus senhores. Isso era um mau testemunho e criava obstáculos ao avanço

---

[1] GOULD, J. Glenn. *As epístolas pastorais*, p. 494.
[2] HENDRIKSEN, William. *1 y 2 Timoteo y Tito*, p. 218.
[3] STOTT, John. *A mensagem de 1 Timóteo, Tito e Filemom*, p. 144.
[4] ERDMAN, Charles. *Las epístolas pastorales a Timoteo y a Tito*. 1976, p. 76.

da fé cristã. Paulo, então, passa a regulamentar a relação de servos e senhores, mostrando como ela poderia abrir portas ao evangelho em vez de ser um entrave ao testemunho cristão.

O apóstolo Paulo fala sobre dois grupos de servos.

Em primeiro lugar, ***servos de senhores incrédulos***. – *Todos os servos que estão debaixo de jugo considerem dignos de toda honra o próprio senhor, para que o nome de Deus e a doutrina não sejam blasfemados* (6.1). A conversão de um servo não muda sua posição social. Mesmo após sua conversão, o servo precisa considerar seu senhor, intimamente, no coração, e também externamente, através de sua postura, como uma pessoa digna de toda honra. Insurgir-se contra seu senhor como um escravo rebelde ou trabalhar de forma negligente é um desserviço ao evangelho e uma mancha no testemunho cristão. Warren Wiersbe aponta que, "ao rebelar-se contra seu senhor incrédulo, o escravo estaria desonrando o evangelho. O nome de Deus e a doutrina seriam blasfemados".[5]

Em segundo lugar, ***servos de senhores cristãos***. – *Também os que têm senhor fiel não o tratem com desrespeito, porque é irmão; pelo contrário, trabalhem ainda mais, pois ele, que partilha do seu bom serviço, é crente e amado. Ensina e recomenda essas coisas* (6.2). Aproveitar-se do fato de que seu patrão é também seu irmão em Cristo para se rebelar contra ele ou ser negligente no trabalho é um péssimo testemunho. Paulo orienta que os servos de senhores crentes os tratem com honra e trabalhem com ainda mais denodo.

Os falsos mestres (6.3-5)

Esta carta inicia com um alerta sobre os falsos mestres e termina com mais uma advertência sobre a ação perniciosa desses arautos da mentira. John Stott diz que, em 1Timóteo 1.3-7, Paulo observa as especulações dos falsos mestres quanto à lei e, em 1Timóteo 4.1-5, a condenação feita por eles a coisas criadas por Deus. Agora, em 1Timóteo 6.3-5, ele os caracteriza como os que se desviam da sã doutrina, dividindo

---

[5] WIERSBE, Warren W. *Comentário bíblico expositivo*, p. 304.

a igreja, motivados pela avareza.⁶ Desta forma, Paulo avalia os falsos mestres em questões relativas à verdade, à unidade e à motivação.⁷ Os falsos mestres são heterodoxos quanto à doutrina, divisionistas quanto à prática e gananciosos quanto à motivação.

Os falsos mestres podem ser identificados. Quais são suas características?

Em primeiro lugar, *os falsos mestres são governados pela mentira*. – *Se alguém ensina outra doutrina e não concorda com as sãs palavras de nosso Senhor Jesus Cristo e com o ensino segundo a piedade* (6.3). Os falsos mestres apartam-se da sã doutrina, abandonam a verdade e desviam-se da fé. Viram as costas para a ortodoxia. Os falsos mestres trocam o evangelho por outro evangelho. Trocam o genuíno pelo espúrio, o verdadeiro pelo falso, o pão nutritivo da verdade pelo caldo mortífero da mentira. Por discordarem da sã doutrina, ensinam suas perniciosas heresias.

John Stott está correto ao afirmar que existe um padrão na crença cristã, que neste capítulo ele chama de *ensino* (6.1,3b), *sã doutrina* (6.3), *verdade* (6.5), *fé* (6.10,12,21), *mandamento* (6.14) e *o que lhe foi confiado* (6.20).⁸ Os falsos mestres discordam da doutrina que vem de Cristo e que promove a piedade, ensinando outra doutrina.

Em segundo lugar, *os falsos mestres são governados pelo orgulho*. – *É enfatuado, nada entende, mas tem mania por questões e contendas de palavras, de que nascem inveja, provocação, difamações, suspeitas malignas, altercações sem fim...* (6.4,5a). Por serem arrogantes e ignorantes, os falsos mestres promovem divisões. São como balões, cheios de vento, gordos de vaidade. Proclamam a si mesmos como os donos da verdade. Gostam de discutir. São obcecados por contendas de palavras. No entanto, são vazios, não entendem nada, são desprovidos da verdade e escravos da mentira.

De acordo com John Stott, discussões e disputas desse tipo não levam a nada, apenas acabam com os relacionamentos humanos. Cinco resultados são apresentados: *inveja* (ressentir-se por causa dos dons dos

---

⁶ STOTT, John. *A mensagem de 1 Timóteo, Tito e Filemom*, p. 148.
⁷ STOTT, John. *A mensagem de 1 Timóteo, Tito e Filemom*, p. 149.
⁸ STOTT, John. *A mensagem de 1 Timóteo, Tito e Filemom*, p. 149.

outros); *provocação* (cultivar espírito de rivalidade e contenda); *difamações* (espalhar mentiras acerca de outras pessoas); *suspeitas malignas* (esquecer-se de que a comunhão se constrói com a confiança, e não com a suspeita); *altercações sem fim* (o fruto da irritação).[9]

Em terceiro lugar, **os falsos mestres são governados pela ganância**. – ... *por homens cuja mente é pervertida e privados da verdade, supondo que a piedade é fonte de lucro* (6.5b). Os falsos mestres são homens depravados e mentirosos. Além do mais, o vetor que governa sua vida é o lucro. Eles não estão interessados na salvação das pessoas, mas no dinheiro que elas possuem. Fazem da religião um negócio. Distorcem o evangelho e fazem dele um artigo comercial. Transformam o templo numa praça de negócio. Usam o púlpito ou a mídia como um balcão, e os crentes como consumidores. Sua ganância insaciável governa suas motivações.

Ainda hoje, muitos obreiros inescrupulosos abrem igrejas como se fossem franquias. Essas empresas religiosas precisam dar lucro. Criam mecanismos sofisticados e sedutores para induzir os incautos a fazerem gordas ofertas, apenas com o intuito de propagar com mais celeridade suas falsas doutrinas e de viver confortavelmente no luxo e no fausto. Quão diferente era a atitude do apóstolo Paulo! Ele chegou até mesmo a recusar o sustento da igreja de Corinto para que ninguém o acusasse de ganância (1Co 9.15-19). Ele nunca mercadejou a Palavra de Deus (2Co 2.17). Nunca cobiçou de ninguém prata e ouro (At 20.33). Em momento algum, usou sua pregação com "intuitos gananciosos" (1Ts 2.5).

Na Idade Média, a venda das indulgências foi uma mácula na vida da igreja. Hoje, porém, muitas igrejas chamadas evangélicas estão desengavetando as indulgências com novas roupagens. Falsos evangelistas, movidos por mera ganância, apelam por "ofertas de amor" e fazem promessas de prosperidade àqueles que lhes dão robustas ofertas como "semente".[10]

John Stott está correto em sua interpretação ao dizer que Paulo nos oferece três testes para identificar um falso ensino. Esse ensino é compatível com a fé apostólica? Tem a característica de unir ou dividir a

---

[9] STOTT, John. *A mensagem de 1 Timóteo, Tito e Filemom*, p. 150.
[10] STOTT, John. *A mensagem de 1 Timóteo, Tito e Filemom*, p. 151.

igreja? E promove a piedade com contentamento, ou pelo contrário promove a cobiça?[11] Se a mensagem pregada não está ancorada na doutrina dos apóstolos, se divide a igreja e estimula a cobiça, então esse é um falso ensino.

Os cristãos **pobres** (6.6-10)

Paulo ergue a voz para advertir sobre os perigos da ganância. Quatro fatos são apresentados.

Em primeiro lugar, *a riqueza não traz em sua bagagem a verdadeira felicidade*. – De fato, *grande fonte de lucro é a piedade com o contentamento* (6.6). O termo grego *autarkeia*, traduzido por "contentamento", significa uma suficiência interior que nos mantém em paz, a despeito das circunstâncias exteriores.[12] A palavra era um termo técnico na filosofia grega usado para indicar a independência do homem sábio com relação às circunstâncias de sua vida.[13]

Gould está certo ao dizer que o contentamento não vem quando todos os nossos desejos e caprichos são satisfeitos, mas quando restringimos nossos desejos às coisas essenciais.[14] Wiersbe tem toda a razão ao declarar: "O verdadeiro contentamento vem da piedade no coração, não do dinheiro na mão".[15] A felicidade não está no dinheiro, mas em Deus. O propósito da vida não está no *ter*, mas no *ser*. John Stott ressalta que o contentamento genuíno "não é a *autossuficiência*, mas a *Cristossuficiência*".[16] Nessa mesma linha de pensamento Carl Spain diz que essa autossuficiência está em Deus, e não no ego.[17] Hendriksen contribui ainda com esse pensamento acrescentando que o indivíduo verdadeiramente piedoso tem paz com Deus, gozo espiritual, segurança de salvação e convicção de que, para aqueles que amam a Deus, todas

---

[11] STOTT, John. *A mensagem de 1 Timóteo, Tito e Filemom*, p. 151.
[12] WIERSBE, Warren W. *Comentário bíblico expositivo*, p. 305.
[13] RIENECKER, Fritz; ROGERS, Cleon. *Chave linguística do Novo Testamento grego*, p. 469.
[14] GOULD, J. Glenn. *As epístolas pastorais*, p. 496.
[15] WIERSBE, Warren W. *Comentário bíblico expositivo*, p. 306.
[16] STOTT, John. *A mensagem de 1 Timóteo, Tito e Filemom*, p. 152.
[17] SPAIN, Carl. *Epístolas de Paulo a Timóteo e Tito*, p. 107.

as coisas contribuem para o bem (Rm 8.28). Por isso, não sente necessidade de "muitos bens terrenos guardados para muitos anos", que não podem satisfazer a alma (Lc 12.19,20). Está contente com o que tem (Fp 4.10-13).[18]

A verdadeira riqueza não é o que você tem, mas quem você é. A grande fonte de lucro não é o dinheiro, mas a piedade com o contentamento. As livrarias estão cheias de livros nos ensinando como ficar ricos. Mas poucos livros nos ensinam que a verdadeira riqueza não é quanto dinheiro carregamos no bolso, mas quanta piedade temos no coração e quanto contentamento cultivamos na alma.

O livro de Provérbios diz que *uns se dizem ricos sem terem nada; outros se dizem pobres, sendo mui ricos* (Pv 13.7). Paulo afirma que ele *era pobre, mas enriquecia a muitos; nada tinha, mas possuía tudo* (2Co 6.10).

Ser rico não é a mesma coisa que ser feliz e contente. Não raro, os ricos são as pessoas que mais se suicidam. São as pessoas mais vazias. John Rockfeller, o primeiro bilionário do mundo, disse: "O homem mais pobre que conheço é aquele que só tem dinheiro". É claro que Paulo não está fazendo apologia da pobreza nem combatendo a riqueza. Paulo não censura a riqueza; ele combate a avareza. Não é pecado ser rico nem é virtude ser pobre. O que Paulo está dizendo é que o contentamento interior é um tesouro maior que a riqueza exterior.

Olavo Bilac retratou essa verdade espiritual num poema imortal à vida de Fernão Dias Paes Leme:

> Foi em março ao findar das chuvas...
> Sete anos! Combatendo índios, febres, paludes,
> Feras, répteis – contendo só sertanejos rudes,
> Dominando o furor da amotinada escoita...
> Sete anos! E ei-los, enfim, com o seu tesouro!
> Com que amor, contra o peito, a sacola de couro
> Aperta, a transbordar de pedras preciosas!... Volta...
> E o delírio começa. A mão, que a febre agita,
> Ergue-se, treme no ar, sobe, descamba aflita,

---

[18] HENDRIKSEN, William. *1 y 2 Timoteo y Tito*, p. 225.

> Crispa os dedos, e sonda a terra e escarva o chão,
> Sangra as unhas, revolve as raízes, acerta,
> Agarra a sacola, e apalpa-a e contra o peito a aperta,
> Como para a enterrar dentro do coração.
> Ah! Mísero demente! O teu tesouro é falso!
> Tu caminhaste em vão, por sete anos, no encalço
> De uma nuvem falaz, de um sonho malfazejo!
> Enganou-te a ambição! Mais pobre que um mendigo.
> Agonizas, sem luz, sem amor, sem amigo
> Sem ter quem te conceda a extrema unção de um beijo.

Em segundo lugar, *a riqueza não dura para sempre*. – Porque nada *temos trazido para o mundo, nem coisa alguma podemos levar dele* (6.7). Entramos no mundo de mãos vazias e dele nos despediremos de mãos vazias. Não podemos levar para a eternidade a riqueza que acumularmos nesta vida. Não há caminhão de mudança em enterro nem gaveta em caixão. Entramos no mundo nus e saímos dele cobertos com uma mortalha sem bolso. John Stott diz que os bens são apenas a bagagem que levamos nessa viagem no tempo; não estarão na eternidade.[19] Gould afirma acertadamente que a nudez final da morte mostra e sublinha a nudez inicial do nascimento. Entre esses dois pontos da história, podemos juntar muito ou pouco, mas na hora final teremos de deixar tudo.[20]

O homem está destinado à eternidade, e o dinheiro é apenas temporal. A riqueza não é duradoura (Ec 5.14,15). Jó entendeu isso quando disse: *Nu saí do ventre de minha mãe e nu voltarei...* (Jó 1.21). Às vezes corremos desesperadamente atrás daquilo que não podemos acumular permanentemente. Passamos a vida atribulados, não tendo tempo para Deus, para a família, para nós mesmos e, quando morrermos, não poderemos levar nada.

Quando o primeiro bilionário do mundo, John Rockfeller, morreu, algumas pessoas perguntaram a seu contador no cemitério: "Quanto o dr. John Rockfeller deixou?" Ele respondeu: "Ele deixou tudo. Não levou nem sequer um centavo". Jesus contou uma parábola acerca de um

---

[19] STOTT, John. *A mensagem de 1 Timóteo, Tito e Filemom*, p. 153.
[20] GOULD, J. Glenn. *As epístolas pastorais*, p. 496.

homem rico que fez uma colheita colossal. Ele construiu novos celeiros e disse à sua alma: *Tens em depósito muitos bens para muitos anos; descansa, come, bebe e regala-te* (Lc 12.19) Então, Deus lhe disse: *Louco, esta noite te pedirão a tua alma; e o que tens preparado, para quem será?* (Lc 12.20).

Em terceiro lugar, **podemos viver satisfeitos com muito pouco**. – *Tendo sustento e com que nos vestir, estejamos contentes* (6.8). João Calvino explica que, quando Paulo menciona alimento e abrigo, exclui os luxos e o excesso de abundância; porque a natureza se conforma com pouco, e tudo o que vai além do uso natural é supérfluo.[21] Precisamos de muito pouco para vivermos contentes. Acumulamos muitas coisas em nossa bagagem, como se essas coisas pudessem nos fazer felizes. Comida, roupa e abrigo é o bastante para nosso contentamento. Wiersbe diz que estamos tão saturados de luxos que nos esquecemos de como desfrutar as coisas mais essenciais.[22] Concordo com John Stott quando ele diz que Paulo não está advogando a austeridade ou o ascetismo, mas o contentamento em lugar do materialismo e da cobiça.[23]

Você não precisa de muito dinheiro para ser feliz aqui e agora. Podemos viver com muito pouco. As pessoas mais felizes são aquelas que voltam para casa cheirando graxa. Um prato de hortaliças é melhor do que um banquete onde há contenda. A Palavra de Deus diz: *Melhor é o pouco, havendo o temor do Senhor, do que grande tesouro onde há inquietação* (Pv 15.16). A riqueza de um homem é diretamente proporcional ao número de coisas sem as quais ele é capaz de viver. Nunca vi uma família unida em torno do dinheiro. As famílias que mais brigam são aquelas que mais têm. O dinheiro divide, separa. O dinheiro não tem liga. Muitas famílias vivem em pé de guerra por causa da distribuição da herança. Os pais trabalham desesperadamente para juntar dinheiro. Não têm tempo para os filhos e, depois que morrem, o dinheiro que acumularam torna-se motivo de brigas e contendas para os filhos.

É tolice pensar que, se morar numa casa mais bonita ou tiver um carro mais novo ou usar roupas de grife, você será mais feliz. Não estou

---

[21] CALVINO, Juan. *Comentarios a las epístolas pastorales de San Pablo*, p. 186.
[22] WIERSBE, Warren W. *Comentário bíblico expositivo*. Vol. 6, p. 306.
[23] STOTT, John. *A mensagem de 1 Timóteo, Tito e Filemom*, p. 153.

dizendo que você não deve ter alvos financeiros nem deve estudar mais, trabalhar mais e ser mais sábio na aplicação do dinheiro para melhorar sua condição de vida. Estou dizendo que a felicidade não está nas coisas, está em Deus.

Em quarto lugar, *o desejo de ficar rico é uma armadilha que conduz ao pecado*. Paulo passa dos pobres contentes para os pobres ambiciosos, que *querem ficar ricos* (6.9) e são movidos pelo *amor ao dinheiro* (6.10). A riqueza não é uma maldição em si nem a pobreza uma bênção em si. Ser rico não é pecado nem ser pobre é uma virtude. O que a Palavra de Deus ensina é a piedade com contentamento, e o que a Palavra de Deus proíbe é a ambição de ficar rico, colocando o dinheiro em primeiro lugar. Jesus foi categórico em afirmar que a vida de um homem não consiste na abundância de bens que ele possui (Lc 12.15).

A riqueza como fruto do trabalho e da providência divina é uma bênção. É Deus quem nos dá força para adquirirmos riqueza. A bênção do Senhor enriquece e com ela não traz desgosto. Há muitas pessoas ricas e piedosas. O problema não é termos dinheiro, mas o dinheiro nos ter. O problema não é ter dinheiro no bolso, mas tê-lo no coração. O dinheiro é um bom servo, mas um péssimo patrão.

O desejo por riqueza pode destruir você. Aqueles que querem ficar ricos são dominados por um imoderado desejo de ajuntar coisas materiais. Esses que fazem da riqueza o sentido da vida, o vetor da sua existência, enfrentam seis grandes problemas.

Primeiro, o ambicioso caminha por uma estrada escorregadia. – *Ora os que querem ficar ricos caem em tentação, e cilada...* (6.9a). João Calvino aponta que a causa dos males enumerados pelo apóstolo não são as riquezas, mas um imoderado desejo de tê-las, mesmo quando a pessoa é pobre.[24] Concordo com Hendriksen quando ele diz que o pecado nunca anda só. A pessoa que cobiça riquezas geralmente também anela honra, popularidade, poder, comodidade, satisfação dos desejos da carne.[25] O desejo de ficar rico leva o indivíduo a muitas tentações e armadilhas. Para alcançar o propósito insaciável de ficar rico, muitos

---

[24] CALVINO, Juan. *Comentarios a las epístolas pastorales de San Pablo*, p. 186.
[25] HENDRIKSEN, William. *1 y 2 Timoteo y Tito*, p. 227.

negociam princípios, transigem com a consciência, relativizam valores absolutos, sonegam, mentem, roubam, corrompem e são corrompidos.

Muitos vendem a alma para o diabo a fim de alcançar riquezas e acumular fortunas. O filme *O advogado do diabo* retrata essa dramática realidade. Que tentação é essa que o desejo da riqueza produz? Esse desejo leva o indivíduo a quebrar os dois principais mandamentos da lei de Deus. Ele deixa de amar a Deus e ao próximo. Que ciladas esse desejo coloca diante da pessoa? A insatisfação permanente! A Bíblia anuncia: *Quem ama o dinheiro jamais dele se farta; e quem ama a abundância nunca se farta da renda* (Ec 5.10).

Segundo, o ambicioso é dominado por desejos tolos e destruidores. – ... *e em muitas concupiscências insensatas e perniciosas...* (6.9b). A cobiça é um desejo insaciável que gera outros desejos. Um indivíduo que tem como alvo de vida ficar rico passa a ter desejos insensatos, irracionais e também perniciosos, ou seja, que escravizam e degradam. A cobiça é como a água do mar: quanto mais se bebe, mais sede se sente.[26] O desejo de ficar rico é um terreno escorregadio que empurra o indivíduo para outros desejos loucos e perigosos, como o sexo e o poder. O desejo de ficar rico engana as pessoas, pois, em vez de dar liberdade, escraviza. Em vez de saciar, cria outros desejos a serem satisfeitos. Muitas paixões carnais, muitas tramas de infidelidade conjugal, muitos esquemas de corrupção são urdidos nesse laboratório da ganância insaciável.

Terceiro, o ambicioso mergulha sua vida na ruína e destruição. – ... *as quais afogam os homens na ruína e perdição* (6.9c). Com o uso da palavra *afogam*, Paulo muda a figura de cilada ou armadilha para os perigos do mar.[27] A ideia do texto é que uma pessoa amante do dinheiro acaba submergindo e afundando como alguém que é jogado ao mar. Essas pessoas sofrem uma perda irrecuperável e acabam sendo destruídas. Aqueles que cobiçam riquezas, mesmo que as alcancem, não encontram nelas prazer. Na busca da riqueza, perdem a paz, a integridade, a vida e a própria alma. Jesus acentua esse ponto quando pergunta: *O que adianta ao homem ganhar o mundo inteiro e perder a sua alma?* (Mc 8.36).

---

[26]STOTT, John. *A mensagem de 1 Timóteo, Tito e Filemom*, p. 155.
[27]SPAIN, Carl. *Epístolas de Paulo a Timóteo e Tito*, p. 108.

O ambicioso cai nas malhas da ruína temporal e da perdição eterna. Essa busca desenfreada pelo lucro ilícito, essa ânsia pela riqueza, destrói a vida aqui e agora, produzindo medo, ansiedade, insatisfação no coração humano. E o fim dessa linha é a perdição eterna, o inferno, o lago de fogo, o choro e o ranger de dentes. Por trás do brilho fascinante das riquezas, podem estar as trevas espessas da condenação eterna.

Quarto, o ambicioso coloca as coisas acima de Deus e das pessoas. – *Porque o amor do dinheiro é raiz de todos os males...* (6.10a). O termo grego *philarguria*, traduzido por *amor ao dinheiro*, só aparece aqui em todo o Novo Testamento. Paulo diz que o amor ao dinheiro é a fonte de todos os males. O amor ao dinheiro é a *high-way*, a estrada principal que conduz a todas as outras que desembocam na ruína.

É preciso destacar que o dinheiro não é raiz de todos os males. O dinheiro em si é uma bênção. Com ele suprimos nossas necessidades e servimos ao próximo. Com ele ajudamos os necessitados e cooperamos com a expansão do Reino de Deus. O problema não é o dinheiro, mas o amor ao dinheiro. O problema não é a riqueza, mas o desejo da riqueza. O problema não é ter dinheiro no bolso, mas ter o dinheiro no coração. O problema não é possuirmos riquezas, mas as riquezas nos possuírem. John Stott diz com razão que a cobiça se acha por trás dos casamentos por conveniência, das perversões da justiça, do tráfico de drogas, do comércio de pornografia, das chantagens, da exploração dos fracos, da negligência às boas causas e da traição aos amigos. Vivemos numa sociedade que se esquece de Deus, ama as coisas e usa as pessoas, quando deveríamos adorar a Deus, amar as pessoas e usar as coisas.

Quinto, o ambicioso desvia-se da fé. – *... e alguns, nessa cobiça, se desviaram da fé...* (6.10b). Ninguém pode amar a Deus e ao dinheiro ao mesmo tempo, pois onde estiver o seu tesouro, aí estará também o seu coração. Há indivíduos que vendem a consciência e apostatam da fé por causa da cobiça. Amam o prêmio da iniquidade como Balaão. Cobiçam bens materiais como Acã. Traem o Senhor como Judas Iscariotes. O amor ao dinheiro leva o homem à apostasia. Uma pessoa que ama o dinheiro transforma uma bênção num ídolo. Substitui o doador pela dádiva. Adora a criatura em lugar do Criador.

Sexto, o ambicioso flagela a si mesmo com muitas dores. – *... e a si mesmos se atormentam com muitas dores* (6.10c). O ambicioso atormenta a si mesmo. O homem que ama o dinheiro é um masoquista. Torna-se seu próprio algoz. Sua cobiça é um chicote impiedoso que o flagela com rigor desmesurado. Isso inclui preocupação, remorso e angústias de uma consciência culpada.[28] Um homem rico disse-me certa feita que os endinheirados têm pelo menos dois problemas: o primeiro é o desejo de ganhar, ganhar, ganhar. O segundo é o medo de perder, perder, perder. O rico passa a vida inteira atormentando-se com esses dois flagelos. Concluo com as palavras de Stott: "Paulo não está a favor da pobreza contra a riqueza, mas a favor do contentamento contra a cobiça".[29]

O comportamento exemplar do pastor (6.11-16)

Se os falsos mestres eram dominados pela cobiça e escravos da ganância, Timóteo, como homem de Deus e pastor da igreja, deveria fugir desse caminho sinuoso. As palavras *Tu, porém* (6.11) indicam um contraste entre Timóteo e os falsos mestres. John Stott realça que Paulo faz três apelos a Timóteo: 1) o apelo ético, ou seja, fugir do mal e buscar a piedade (6.11); 2) o apelo doutrinário, ou seja, deixar o erro e lutar pela verdade (6.12a); e 3) o apelo à apropriação, ou seja, apropriar-se da vida eterna que ele já havia recebido (6.12b). Esses três apelos são colocados num saudável equilíbrio. Há quem lute pela verdade, mas negligencie a piedade. Outros buscam a santidade, mas não se preocupam com a verdade. Outros, ainda, desprezam tanto a doutrina quanto a ética em sua busca por experiências religiosas.[30]

Nos versículos 11 a 16, Paulo mostra de que maneira podemos viver como cristãos, em vez de sermos amantes do dinheiro. Cinco ordens são dadas pelo apóstolo.

Em primeiro lugar, *o **pastor precisa fugir da ganância**. – Tu, porém, ó homem de Deus, foge destas coisas...* (6.11a). Quando Paulo diz *Foge destas coisas*, está querendo dizer: Fuja do orgulho, da vaidade e da avareza dos falsos mestres. Em lugar de servir-se da religião para locupletar-se, Timóteo deve ter uma conduta agradável a Deus e, assim, alcançar a

---

[28] STOTT, John. *A mensagem de 1 Timóteo, Tito e Filemom*, p. 156.
[29] STOTT, John. *A mensagem de 1 Timóteo, Tito e Filemom*, p. 157.
[30] STOTT, John. *A mensagem de 1 Timóteo, Tito e Filemom*, p. 161.

genuína piedade.³¹ Lobos e pastores gostam de ovelhas. O lobo gosta de devorar as ovelhas, enquanto os pastores gostam de apascentar as ovelhas. Os falsos mestres andam atrás dos bens das pessoas; o pastor cuida da alma delas. O pastor precisa fugir dessa sedução do desejo de ficar rico. Precisa apartar-se dessa ganância pecaminosa.

Concordo com Warren Wiersbe quando ele diz que há ocasiões em que fugir é sinal de covardia. *Um homem como eu fugiria?*, perguntou Neemias (Ne 6.11). Mas, em outras ocasiões, fugir é um sinal de sabedoria e um meio de alcançar a vitória. José fugiu quando foi tentado pela mulher de seu senhor (Gn 39.12). Davi fugiu quando o rei Saul tentou matá-lo (1Sm 19.10).³² É sábio o conselho: nem toda união é boa e nem toda divisão é ruim. Há ocasiões em que o servo de Deus deve posicionar-se com respeito a falsas doutrinas e práticas ímpias e se separar de tais coisas.³³ Se você costuma pensar: "Ah, se eu tivesse isso ou aquilo, se eu tivesse uma casa melhor, se eu tivesse um carro mais novo, eu seria mais feliz...", FUJA! Se você se encontrar olhando para a prosperidade do ímpio e dizendo: "Ah, se eu tivesse o que ele tem, eu seria mais feliz...", FUJA! Se, ao vir uma propaganda, você imagina: "Ah se eu pudesse comprar esse produto, eu seria mais feliz...", FUJA! Sua felicidade não está nas coisas, mas em Deus.

Em segundo lugar, **o pastor precisa seguir as virtudes cristãs.** – *... antes, segue a justiça, a piedade, a fé, o amor, a constância, a mansidão* (6.11b). Ao mesmo tempo que Timóteo deve fugir de algumas coisas, deve seguir outras. Um homem feliz é conhecido por aquilo que ele segue. Não basta separar-se do que é errado; é preciso seguir o que é certo.

Há seis virtudes que precisamos buscar mais que o ouro e a prata. Cada uma delas deve ornar sua vida e equipá-lo para o ministério.

Primeiro, a justiça: significa integridade pessoal. Está relacionada com caráter. Hendriksen diz que a justiça aqui é o estado de coração e mente que está em harmonia com a lei de Deus e que conduzirá a pessoa à piedade.³⁴

---

³¹ERDMAN, Charles. *Las epístolas pastorales a Timoteo y a Tito*, p. 82.
³²WIERSBE, Warren W. *Comentário bíblico expositivo*. Vol. 6, p. 306-307.
³³WIERSBE, Warren W. *Comentário bíblico expositivo*. Vol. 6, p. 307.
³⁴HENDRIKSEN, William. *1 y 2 Timoteo y Tito*, p. 230.

Segundo, a piedade: significa devoção prática. Está relacionada com conduta.

Terceiro, a fé: pode ser traduzida por "fidelidade".

Quarto, o amor: é a atitude de sacrificar-se pelos outros em vez de explorar os outros.

Quinto, a constância: dá a ideia de "perseverança", de permanecer firme, mesmo diante das dificuldades. É coragem que prossegue em meio à adversidade.

Sexto, a mansidão: é poder sob controle.

Em terceiro lugar, **o pastor precisa combater o bom combate da fé.** – *Combate o bom combate da fé...* (6.12a). A palavra grega para "combater" é um termo do atletismo que dá origem a nosso verbo *agonizar* e se aplica tanto a atletas quanto a soldados. Era a luta agonizante requerida, caso a pessoa quisesse vencer uma partida de luta romana. Todo cristão é chamado a batalhar a luta pessoal contra o mal em todas as suas formas. Portanto, é digno de nota que o verbo "combater" está no imperativo presente, indicando que a luta é um processo contínuo.[35] Devemos pôr toda a nossa energia em andar com Deus e realizar Sua obra. Devemos aplicar toda a nossa força numa causa de consequências eternas.

Em quarto lugar, **o pastor precisa tomar posse da vida eterna.** – *... toma posse da vida eterna, para a qual também foste chamado e de que fizeste a boa confissão perante muitas testemunhas* (6.12b). O verbo "tomar posse" está no imperativo aoristo, sugerindo que Timóteo deveria tomar posse da vida eterna imediatamente, em um único ato, e de forma definitiva. Um cristão é conhecido por aquilo de que ele se apropria como maior tesouro de sua vida. Paulo diz a Timóteo: Você já tem a vida eterna. Toma posse dela. Usufrua-a. Tudo ao seu redor é temporal e um dia vai acabar. Mas você já tem a vida eterna. Você vive para a eternidade. Você tem uma riqueza e uma herança que nem ferrugem, nem traça, nem ladrão pode roubar. Viva à luz da eternidade! Tome posse da sua verdadeira felicidade. Concordo com Hendriksen quando ele diz que

---

[35] GOULD, J. Glenn. *As epístolas pastorais*, p. 498.

a vida eterna pertence à era futura, à esfera da glória, mas em princípio chega a ser possessão do crente já, aqui e agora.³⁶

Em quinto lugar, *o pastor precisa guardar seu mandato imaculado até a volta de Jesus*. Vejamos o que diz o apóstolo:

> *Exorto-te, perante Deus, que preserva a vida de todas as coisas, e perante Cristo Jesus, que, diante de Pôncio Pilatos, fez a boa confissão, que guardes o mandamento imaculado, irrepreensível, até à manifestação de nosso Senhor Jesus Cristo; a qual, em suas épocas determinadas, há de ser revelada pelo bendito e único Soberano, o Rei dos reis e Senhor dos senhores; o único que possui imortalidade, que habita em luz inacessível, a quem homem algum jamais viu, nem é capaz de ver. A ele honra e poder eterno. Amém!* (6.13-16).

Alguns pontos devem ser aqui destacados:

Primeiro, a exortação é feita diante de Deus e de Cristo Jesus (6.13a). A seriedade da exortação de Paulo é assaz solene. Ele exorta Timóteo perante o Deus da providência, que preserva a vida de todas as coisas, e perante Cristo Jesus, que fez a boa confissão diante de Pilatos. A testemunha da verdade, que se depara com a morte, deve ter diante dos seus olhos aquele que gera e preserva a vida de tudo, para que não tema aqueles que somente podem matar o corpo e não têm poder sobre o ser humano como um todo e sobre seu destino eterno.³⁷

Segundo, o exemplo de Cristo inspira o pastor a guardar o mandamento imaculado (6.13b). Assim como Jesus fez a boa confissão diante de Pilatos, Timóteo deve guardar imaculado o mandato. O exemplo de Cristo, mesmo em face da morte, deve inspirar Timóteo a ser firme e zeloso em seu ministério. Matthew Henry destaca com razão que Cristo morreu não apenas como sacrifício, mas também como mártir; e fez a boa confissão quando foi chamado a juízo diante de Pilatos, declarando: *O meu reino não é deste mundo: Eu vim a fim de dar testemunho da verdade* (Jo 18.36,37). Essa boa confissão de Jesus diante de

---

³⁶HENDRIKSEN, William. *1 y 2 Timoteo y Tito*, p. 232.
³⁷BÜRKI, Hans. "Cartas a Timóteo." In: *Cartas aos Tessalonicenses, Timóteo, Tito e Filemom*, p. 280.

Pilatos deveria ser eficaz para afastar do amor pelo mundo todos os seus seguidores, seus ministros e Seu povo.[38]

Terceiro, o pastor precisa manter-se fiel até a volta de Jesus (6.14,15). A fidelidade do pastor precisa ser firme e permanente. Muitos começam com fé, mas não terminam a carreira. Não basta começar bem; é preciso terminar bem. Timóteo deve guardar o mandato imaculado e irrepreensível até a aparição de Cristo Jesus. O mandato deve ser entendido como a instrução apostólica da carta.

Quarto, o pastor precisa viver na perspectiva da majestade de seu Senhor (6.16). A solene exortação se converte agora na música de uma gloriosa doxologia.[39] Paulo conclui sua exortação a Timóteo com uma exaltação ao soberano Deus, uma das mais belas doxologias registradas nas Escrituras. O Cristo que se manifestará é o Soberano, Rei dos reis e Senhor dos senhores.

O Deus invisível dar-se-á a conhecer na manifestação do Senhor Jesus Cristo, porque quem vê Jesus, vê o Pai. A glória do Pai, o Deus bendito, finalmente levará à glorificação de seus filhos no Filho. Ao contrário dos muitos pequenos e grandes poderosos terrenos, Deus é o único Soberano. Deus, o único poderoso, derruba autoridades dos tronos. Deus é o Rei daqueles que reinam, o Senhor daqueles que exercem domínio.[40]

Deus tem vida em si mesmo e, por isso, é o único que possui imortalidade e habita em luz inacessível. A imortalidade do ser humano não é um potencial inerente a ele. Somente o Deus vivo possui imortalidade singular. Somente Deus é a fonte inesgotável da vida. Deus habita em luz inacessível, pois é transcendente. Sua glória excede toda compreensão humana. Nem mesmo o ser humano glorificado poderá esgotar eternamente o conhecimento de Deus. O Deus inesgotável jamais será conhecido, amado e glorificado até o fim por Suas criaturas. Seu poder é ilimitado tanto no tempo quanto na eternidade.[41] Portanto, a Ele honra e poder eternos!

---

[38] HENRY, Matthew. *Comentário bíblico Matthew Henry: Atos a Apocalipse*, p. 703.
[39] ERDMAN, Charles. *Las epístolas pastorales a Timoteo y a Tito*, p. 84.
[40] BÜRKI, Hans. "Cartas a Timóteo." In: *Cartas aos Tessalonicenses, Timóteo, Tito e Filemom*, p. 281.
[41] BÜRKI, Hans. "Cartas a Timóteo." In: *Cartas aos Tessalonicenses, Timóteo, Tito e Filemom*, p. 281-282.

Os cristãos **ricos** (6.17-19)

Paulo agora não se dirige aos que desejam ficar ricos (6.9), mas aos que já são ricos (6.17). O ensino do apóstolo é claro em demonstrar que o amor ao dinheiro é raiz de todos os males, mas a riqueza é uma bênção. Não é pecado ser rico, nem é virtude ser pobre. A riqueza adquirida com o trabalho honesto e com a bênção de Deus é uma oportunidade para servir ao próximo.

Destacamos aqui algumas verdades importantes.

Em primeiro lugar, *os ricos devem ser despojados de soberba*. – *Exorta aos ricos do presente século que não sejam orgulhosos...* (6.17a). A Palavra de Deus nunca condenou uma pessoa por ser rica, mas por colocar sua confiança nas riquezas e deixar de usá-las para a glória de Deus e para o bem do próximo. A posse do dinheiro pode levar alguém a ser orgulhoso e soberbo. O indivíduo pode pensar que é rico por ser mais competente, mais inteligente, melhor que os outros ou até mesmo mais amado por Deus. A pessoa pode ficar soberba porque tem muitas propriedades, porque conseguiu construir um colossal patrimônio. A soberba, porém, é a antessala da ruína. Um rico soberbo não compreendeu nem a vulnerabilidade da vida nem a instabilidade das riquezas.

Em segundo lugar, *os ricos devem confiar em Deus, e não no dinheiro*. – *... nem depositem a sua esperança na instabilidade da riqueza, mas em Deus...* (6.17b). Confiar na instabilidade da riqueza é a mesma coisa que edificar sua casa na areia. Hoje há muitas pessoas desesperadas. Até ontem estavam confiantes de terem feito os melhores investimentos. Agora, seus investimentos deram para trás. Aquela aplicação antes tão sólida de repente se torna vulnerável. Muitas pessoas perderam seus bens do dia para a noite. A Bíblia diz: *Porventura fitarás os teus olhos naquilo que é nada? Pois certamente a riqueza fará para si asas, como a águia que voa pelos céus* (Pv 23.5). Confiar no dinheiro é uma insanidade.

Em seu livro *Satisfaction*, Joseph Aldrich narra uma história dramática. Suponhamos que você tivesse chegado ao topo, com dez dos mais bem-sucedidos empresários do mundo que se reuniram no *Edgewater Beach*, Hotel de Chicago, em 1923. À guisa de ilustração, imagine-se invisível: o número 11 dessa reunião histórica. Você está ao lado de gigantes do mundo dos negócios. Olhando à sua volta, você vê naquele elegante salão: o presidente de uma grande companhia de aço; 2) o presidente do *National City Bank*; 3) o presidente de uma grande companhia de aparelhos elétricos; 4) o presidente de uma companhia de gás; 5) o presidente do *New York Stock Exchange*; 6) um grande especulador de trigo; 7) um membro do gabinete do presidente; 8) o diretor do maior monopólio do mundo; 9) o líder de *Wall Street*; 10) o presidente do *Bank of International Settlement*... e você!

A conversa casual gira em torno de iates, férias exóticas, casas, propriedades, clubes e assombrosas transações financeiras. Esses homens encontraram o mapa do tesouro! São donos do mundo! Eles não precisam procurar coisa alguma. Têm tudo e muito mais.

O que aconteceu com esses dez homens que chegaram ao topo da carreira, 25 anos mais tarde? O presidente da companhia de aparelhos elétricos morreu como fugitivo da Justiça, sem dinheiro e em terra estrangeira. O presidente da companhia de gás ficou completamente louco. O presidente do *New York Stock Exchange* foi solto da penitenciária de Sing-Sing. O membro do gabinete do presidente teve sua pena comutada para que pudesse morrer em casa. O grande especulador de trigo morreu no exterior, falido. O líder de *Wall Street* suicidou-se. O diretor do maior monopólio do mundo morreu... também por suicídio. O presidente do *Bank of International Settlement* teve o mesmo fim: suicidou-se. Todos esses dados são verídicos. Irônico, não? Jesus disse: *A vida de um homem não consiste na abundância de bens que ele possui* (Lc 12.15).

Em terceiro lugar, **os ricos devem desfrutar daquilo que Deus lhes dá.** – *... mas em Deus, que tudo nos proporciona ricamente para nosso aprazimento* (6.17c). O dinheiro não pode lhe dar segurança, porque não pode oferecer as coisas mais importantes da vida. O dinheiro pode lhe dar roupas bonitas, mas não beleza. Pode lhe dar prazeres, mas não paz. Pode lhe dar aventuras, mas não felicidade. Pode lhe dar um carro blindado e seguranças, mas não proteção real. Pode lhe dar uma casa, mas não uma família. Pode lhe dar remédios, mas não saúde. Pode lhe dar bajuladores, mas não amigos. Pode lhe dar gratificação sexual, mas não amor. Pode lhe dar um rico funeral, mas não vida eterna.

A felicidade que o ser humano procura no dinheiro, ele só pode encontrar em Deus. Ele tudo nos proporciona ricamente para nosso aprazimento. Durante muitos anos, escutei dentro da igreja que o projeto de Deus é nos fazer santos, e não felizes. Mas descobri que os teólogos de Westminster compreenderam corretamente essa questão quando disseram que o fim principal do homem é glorificar a Deus e desfrutar dEle para sempre. John Piper está correto ao declarar que o nosso problema não está em buscarmos a felicidade ou o prazer, mas em nos contentar com um prazer pequeno demais, terreno demais, limitado demais. Deus nos criou e nos salvou para o maior de todos os prazeres: conhecê-Lo, amá-Lo, glorificá-Lo e fruí-Lo por toda a eternidade. Na presença de Deus, há plenitude de alegria e, na sua destra, há delícias perpétuas. A alegria que muitos buscam no dinheiro, só Deus pode conceder. Ele tudo nos proporciona ricamente para nosso aprazimento, para nossa felicidade. Ele nos deu um corpo maravilhoso, nos deu a visão, o paladar. Ele nos deu a família, a salvação, a igreja.

Em quarto lugar, **os ricos devem dar daquilo que recebem de Deus**. – *Que pratiquem o bem, sejam ricos de boas obras, generoso em dar e prontos em repartir* (6.18). Deus nos dá com abundância, não para acumularmos, mas para repartimos. Rick Warren diz que você combate a concupiscência dos olhos com integridade; combate a concupiscência da carne com generosidade; e combate a soberba da vida com humildade. É conhecido o triplo conselho de João Wesley: "Ganhem tudo o que puderem, economizem tudo o que puderem e deem tudo o que puderem".[42]

Os reformadores ensinavam sobre a questão do ministério do pobre e o ministério do rico. Deus nos dá com sobra não para acumularmos, mas para repartirmos. Sempre somos ricos em relação a alguém. Sempre estamos na condição de ajudar alguém. Devemos ser ricos de boas obras. Devemos ser generosos em dar. Devemos estar prontos a repartir.

Concordo com as palavras de Jim Elliot, o mártir do cristianismo no Equador: "Não é tolo aquele que dá o que não pode reter, para ganhar o que não pode perder".

O dinheiro é uma semente. A semente que se multiplica não é a que comemos, mas a que semeamos. Quando semeamos na vida de alguém,

---

[42] GOULD, J. Glenn. *As epístolas pastorais*, p. 500.

Deus multiplica a nossa sementeira. Quem semeia pouco, pouco ceifará; mas quem semeia com fartura, com abundância ceifará (2Co 9.6).

Em quinto lugar, *os ricos devem fazer investimentos para a eternidade*. – *Que acumulem para si mesmos tesouros, sólido fundamento para o futuro, a fim de se apoderarem da verdadeira vida* (6.19). Jesus disse que devemos ajuntar tesouros lá no céu, onde os ladrões, a traça e a ferrugem não podem destruí-los. A bolsa de valores do céu jamais entra em colapso. As riquezas espirituais jamais podem ser roubadas. A Bíblia diz que onde estiver o seu tesouro, aí estará o seu coração. Devemos buscar as coisas lá do alto. Devemos buscar em primeiro lugar o Reino de Deus e a Sua justiça. Devemos buscar tesouros que sejam um sólido fundamento. Devemos nos apoderar da verdadeira vida.

O homem que só pensava em seus banquetes e em suas vestes, e deixou Lázaro faminto e chagado à sua porta, morreu sem ajuntar tesouros no céu. Morreu e foi para o inferno, onde acabou atormentado nas chamas e não recebeu nem mesmo o alívio de uma gota de água.

O homem que se preparou apenas para esta vida e não fez nenhuma provisão para a sua alma foi chamado de louco.

Aquele que ajunta tesouros apenas nesta vida descobrirá que no dia em que sua casa cair, no dia em que estiver atravessando a ponte que liga o tempo à eternidade, o dinheiro não poderá ajudá-lo a se apoderar da verdadeira vida.

O apelo final (6.20,21)

Kelly diz que, neste breve final, o apóstolo Paulo reúne numa só frase toda a sua solicitude para com a integridade do evangelho e todo o seu horror para com o desvio desse caminho.[43]

George Barlow, analisando os versículos em apreço, destaca duas verdades.[44]

Em primeiro lugar, *o evangelho deve ser preservado de modo inviolável*. – *E tu, ó Timóteo, guarda o que te foi confiado...* (6.20a). O evangelho

---

[43] KELLY, John N. D. *I e II Timóteo e Tito: introdução e comentário*, p. 140.
[44] BARLOW, George. *The Preacher's Complete Homiletic Commentary*. Vol. 29. Grand Rapids: Baker Books, 1995, p. 51.

não deve ser guardado no sentido de ser ocultado, mas de ser mantido intacto, íntegro, incontaminado e transmitido com fidelidade (2Tm 2.2). A palavra grega *paratheke*, traduzida por *confiado*, significa literalmente "depósito". Barclay diz que essa palavra descrevia o dinheiro depositado em um banco ou nas mãos de um amigo. Quando se pedia o dinheiro de volta, era dever sagrado entregá-lo em sua totalidade.[45] A fé cristã foi colocada nas mãos de Timóteo. Ele recebeu esse depósito e precisa transmiti-lo com fidelidade. Timóteo deve entregar o que recebeu, e não o que inventou. Deve transmitir o que recebeu, e não o que criou.

O pregador não gera a mensagem; ele transmite a mensagem. Ele não é o dono da mensagem; é o servo da mensagem. O pregador é um despenseiro de Deus, e o que se requer do despenseiro é fidelidade. Ele não pode sonegar ao povo o evangelho que Deus a ele confiou nem acrescentar coisa alguma ao evangelho por ele recebido.

Em segundo lugar, ***o evangelho não pode ser degradado com controvérsias ignorantes***. – ... *evitando os falatórios inúteis e profanos e as contradições do saber, como falsamente lhe chamam, pois alguns, professando-o, se desviaram da fé...* (6.2b,21a). Da mesma forma que os hereges se afastam da verdade, o pastor deve afastar-se da heresia. O evangelho é a verdade de Deus para ser crida, e não para ser criticada. O evangelho não é a infância da razão, mas o guia e o regulador da razão. O evangelho não é contrário à razão, embora esteja acima dela. Timóteo não pode envolver-se com falatórios inúteis e profanos e com as contradições do saber, pois os que assim procedem desviam-se da fé; antes, ele deve manter-se firme e fiel na pregação do evangelho que lhe foi confiado.

Paulo conclui sua carta com uma breve bênção: *A graça seja convosco* (6.21b). A graça de Cristo é a base da salvação, o conteúdo do evangelho, a bênção mais excelente concedida aos filhos de Deus. É o favor de Deus em Cristo para quem não merece, transformando-lhe o coração e a vida para conduzi-lo à glória.[46] A graça é o início e o portal da glória, pois a graça desemboca na glória. Aqueles que recebem graça agora desfrutarão da glória amanhã.

---

[45] BARCLAY, William. *I y II Timoteo, Tito y Filemon*, p. 149.
[46] HENDRIKSEN, William. *1 y 2 Timoteo y Tito*, p. 242.

Concluo com as palavras oportunas de Hans Bürki:

> é unicamente no poder dessa graça que Timóteo e a igreja são capazes de resistir os hereges, afastar-se de sua influência e viver na verdadeira beatitude. Em última análise, nem Paulo nem Timóteo conseguem proteger a si mesmos ou à igreja de descaminhos. Unicamente a graça de Deus é capaz disso. A graça é suficiente. Ela nos basta!

2Timóteo

O testamento de Paulo à igreja

2 Timoteo

Encomium de Paul a Aquila

Introdução

A SEGUNDA CARTA A TIMÓTEO É A ÚLTIMA EPÍSTOLA escrita pelo apóstolo Paulo. É o registro de sua última vontade, o seu testamento à igreja.[1] Charles Erdman diz que essa é a mais pessoal das cartas pastorais.[2] Como as últimas palavras que alguém profere são, em geral, as coisas mais urgentes e importantes que pronuncia, o conteúdo dessa carta está regado de emoção e também vazado por um forte senso de urgência. É um apelo para Timóteo manter-se firme diante da perseguição, preservando intacto o evangelho à vista da ameaça dos falsos mestres e proclamando a salvação com senso de urgência, a despeito das nuvens escuras da perseguição.

Depois de plantar igrejas nas províncias da Galácia, Macedônia, Acaia e Ásia Menor, Paulo foi preso em Jerusalém, transferido para Cesareia e, daí, enviado a Roma, onde ficou encarcerado por dois anos numa espécie de prisão domiciliar (At 28.30). Dessa primeira prisão, escreveu suas cartas aos Efésios, Filipenses, Colossenses e a Filemom. Como cidadão romano e prisioneiro de César, tinha certas regalias nessa primeira prisão. Estava numa casa alugada e podia receber pessoas e a elas ministrar (At 28.16-29). No entanto, na segunda prisão, Paulo foi lançado numa masmorra escura, úmida, fria e insalubre, da qual as pessoas saíam leprosas ou para o martírio (4.13). O que estava por trás de sua primeira prisão era a intermitente oposição dos judeus, mas o que motivou sua segunda prisão foi o próprio Estado, com todo o seu aparelhamento para matar.

Em 17 de julho de 64 d.C., o imperador Nero, com toda a sua megalomania e querendo reconstruir uma capital mais bela e moderna, incendiou a cidade de Roma. Vestiu-se de ator e subiu para o alto de

---

[1] STOTT, John. *Tu, porém: a mensagem de 2Timóteo*. São Paulo: ABU, 1982, p. 8.
[2] ERDMAN, Charles. *Las Epístolas Pastorales a Timoteo y a Tito*, p. 90.

torre de Mecenas, assistindo de lá ao horrendo espetáculo das chamas que devastaram a cidade por dias, até a data conhecida de 24 de julho. Quando o incêndio acabou, a capital do Império estava praticamente destruída. Dos quatorze bairros de Roma, dez foram destruídos pelas chamas. Os quatro bairros restantes, densamente povoados por judeus e cristãos, deram a Nero um álibi: lançar a culpa do incêndio criminoso sobre os cristãos. Doravante, começa uma brutal e sangrenta perseguição contra a igreja. Naquela época, faltou madeira para fazer cruzes, tamanha a quantidade de cristãos que foram crucificados em Roma. Os crentes eram amarrados aos postes, cobertos de piche e incendiados vivos para iluminar as ruas de Roma. Foi nesse tempo de atroz e amarga perseguição aos cristãos que Paulo foi preso novamente e jogado numa prisão imunda como um criminoso comum, ou seja, como um malfeitor.

É matéria de consenso que Paulo foi jogado numa masmorra conhecida como prisão Marmetina, ainda hoje disponível à visitação de turistas. Como cidadão romano, Paulo não poderia ser lançado aos leões nem ser crucificado, mas "merecia" uma execução com a espada, a decapitação. Uma vez que Paulo foi morto no governo de Nero e este morreu em 8 de junho de 68 d.C., a data estimada para a redação de 2Timóteo deve ser entre 65 e 68 d.C.[3]

Desde sua primeira prisão em Roma, Paulo já era considerado um homem idoso (Fm 9). Agora, mesmo com os seus muitos anos de vida, Paulo é algemado e lançado nessa prisão imunda, como se fosse um malfeitor (2.9). Ele tinha plena consciência de que seu trabalho estava encerrado (4.7) e de que seu martírio seria inevitável (4.6). Mesmo abandonado à própria sorte nessa masmorra (1.15; 4.10; 4.16), sofrendo o frio implacável do inverno que se aproximava (4.21), Paulo não está preocupado consigo mesmo, mas com o evangelho. Seu propósito nessa última carta é conscientizar Timóteo quanto à sua responsabilidade de assumir a liderança da igreja, guardar o evangelho (1.14), sofrer pelo evangelho (2.3,8,9), perseverar no evangelho (3.13,14) e pregar o evangelho (4.1,2).[4] Paulo estava passando o bastão para as mãos de Timóteo,

---

[3] MacDonald, William. *Believer's Bible Commentary*, p. 2107.
[4] Stott, John. *Tu, porém: a mensagem de 2Timóteo*, p. 9-10.

e este deveria transmitir com fidelidade o evangelho a homens fiéis, que pudessem passar adiante o mesmo acervo bendito (2.2).

Vamos destacar alguns pontos importantes para a compreensão dessa importante epístola pastoral.

Paulo, o autor da carta

A segunda carta a Timóteo é uma genuína epístola pastoral escrita pelo apóstolo Paulo. Ele reivindica isso logo no início da missiva (1.1). Testemunhos internos e externos comprovam a autoria paulina. Pais da igreja, como Clemente de Roma, Inácio, Policarpo e Tertuliano, dão amplo testemunho nessa direção. O cânon muratoriano, datado do início do século III atribui a Paulo as duas cartas escritas a Timóteo e a carta endereçada a Tito. Apenas Marcião, o herege excomungado em 144 d.C., em Roma, negou a autoria paulina das epístolas pastorais.

Ao longo da história da igreja, desde o período da Patrística, Idade Média e reforma, a tradição da autoria paulina de 2Timóteo manteve-se intacta. No entanto, com o advento da alta crítica, F. C. Bauer, em 1835, rejeitou a autoria de Paulo. Quatro foram as razões levantadas por esse crítico para negar a autoria paulina: histórica, literária, teológica e eclesiástica. Em todas elas, não demonstrou nenhuma solidez. Suas teorias são absolutamente infundadas e não têm as evidências das provas, como veremos a seguir.

A razão histórica levantada por Bauer é que o texto de 2Timóteo não coaduna com o final de Atos, quando Paulo esteve preso em Roma. Respondemos que não pode mesmo coadunar, porque Atos trata da primeira prisão de Paulo, e 2Timóteo, da segunda prisão. As viagens feitas por Paulo depois da primeira prisão não estão, nem poderiam estar, registradas em Atos, mas são mencionadas nas epístolas pastorais. Concordo com Gundry quando ele diz que os informes históricos e geográficos das epístolas pastorais não entram em conflito com o livro de Atos, mas aludem a eventos que ocorreram após o encarceramento citado no livro de Atos.[5] Eusébio, o maior dos historiadores primitivos

---

[5] GUNDRY, Robert G. *Panorama do Novo Testamento*. São Paulo: Vida Nova, 1978, p. 363.

da igreja, corrobora a tese de que Paulo foi solto da primeira prisão e saiu uma vez mais em seu ministério de pregação antes de voltar à cidade de Roma, onde sofreu o martírio.[6]

A alegada razão literária também é frágil, pois denuncia que, nessas epístolas pastorais, há numerosas expressões paulinas ausentes em outras epístolas do apóstolo. Respondemos que há uma abundância de termos exclusivos de Paulo nas cartas pastorais e que a mudança de tempo e de circunstâncias justifica perfeitamente as mudanças de termos.

A terceira razão, chamada de teológica, outrossim, não procede, pois denuncia que Paulo deixa para trás os assuntos que lideraram as outras epístolas, como a salvação pela graça mediante a fé, que desemboca em obras. Esquece-se o crítico de que o propósito das epístolas pastorais não era essencialmente expor a doutrina da salvação, mas dar ferramentas aos jovens pastores Timóteo e Tito para pastorearem a Igreja de Deus. Mesmo assim, os temas centrais da fé cristã estão presentes também nessas cartas.

Finalmente, a referida razão eclesiástica é ainda mais vulnerável. Acusa que as epístolas pastorais mostram uma igreja mais estruturada que a realidade daquele tempo permitia. Ledo engano! Desde a primeira viagem missionária de Paulo, na província da Galácia (At 13-14), as igrejas eram estabelecidas e a liderança era nomeada nessas igrejas.

Encerro esta seção com as palavras de John Stott:

> A conclusão a que chegam muitos teólogos é ainda a de que os argumentos históricos, literários, teológicos e eclesiásticos, que têm sido usados para negar a autoridade paulina das Epístolas Pastorais, não são suficientes para derrubar a evidência, tanto interna como externa, que as autentica como genuínas cartas do apóstolo Paulo, endereçadas a Timóteo e Tito.[7]

---

[6] Eusébio. *História eclesiástica*, 2,22.2.
[7] Stott, John. *Tu, porém: a mensagem de 2Timóteo*, p. 7.

As circunstâncias em que Paulo escreveu a carta

O apóstolo Paulo tinha clara expectativa de deixar sua primeira prisão em Roma (Fp 1.19). Nos dois anos em que ficou preso, aconteceram três coisas maravilhosas, que exploramos a seguir.

Primeiro, *as cadeias de Paulo se tornaram conhecidas de toda a guarda pretoriana, bem como de todos os demais* (1.13). A guarda pretoriana era a vigilância de elite do imperador, composta por soldados da mais alta patente. Dezesseis mil soldados trafegavam com desenvoltura no palácio e tinham grande influência política no Império. Três turnos por dia, um soldado era algemado a Paulo e, no decurso de dois anos, toda essa gente foi evangelizada (4.22). Paulo estava preso, mas a Palavra não estava. O apóstolo jamais se sentiu prisioneiro de César; era prisioneiro de Cristo (Ef 4.1), embaixador em cadeias (Ef. 6.20).

Segundo, *a igreja foi mais encorajada a pregar* (Fp 1.14). Quando os líderes são presos por causa do evangelho, os crentes se levantam para pregar. É bem verdade que nem todos os que pregavam tinham motivações certas. Porém, mesmo que a motivação não seja boa, se é o evangelho que está sendo proclamado, ainda assim devemos nos alegrar (Fp 1.15-18).

Terceiro, *Paulo não podia visitar as igrejas, em virtude de sua prisão*. Então, escreveu cartas (Efésios, Filipenses, Colossenses e Filemom). Se Paulo estivesse solto, talvez não tivéssemos essas joias preciosas em nossa Bíblia. Quando as coisas parecem estar de ponta-cabeça, é aí que Deus está cumprindo seu plano eterno e perfeito.

Conforme esperava, Paulo saiu dessa prisão, mas não para se aposentar nem para vestir um pijama. Saiu para fazer sua quarta viagem missionária. Deixou Tito em Creta (Tt 1.5) e Timóteo em Éfeso (1Tm 1.3,4). Possivelmente, foi a Colossos encontrar-se com Filemom, conforme era seu desejo (Fm 22). Com toda a certeza, foi à província da Macedônia (1Tm 1.3). Era seu propósito ir a Filipos (Fp 2.24). Provavelmente, foi nesse período em que esteve na Macedônia que Paulo escreveu a primeira carta a Timóteo e a epístola a Tito. Em sua carta a Tito, compartilhou seu propósito de passar o inverno em Nicópolis (Tt 3.12), cidade banhada pelo mar Adriático, situada na região costeira da Grécia. Muito provavelmente, Paulo também cumpriu seu sonho de ir à Espanha (Rm 15.24,28).

Clemente de Roma, pai da Igreja primitiva, escreveu que Paulo *atingiu os limites do Ocidente* (1Clemente 5.7), declaração que pode ser interpretada como alusão à Espanha, no extremo ocidental da bacia do Mediterrâneo.[8] Barclay afirma que, no século V, dois dos grandes pais da Igreja fazem alusão à viagem de Paulo à Espanha. Crisóstomo, em seu sermão sobre 2Timóteo 4.20, assevera: "São Paulo, depois de sua estada em Roma, partiu para a Espanha". Jerônimo, em seu *Catálogo de escritores*, esclarece que Paulo "foi despedido por Nero (da primeira prisão) para pregar o evangelho de Cristo no Ocidente".[9]

Na primeira carta a Timóteo, Paulo fala sobre seu desejo de ir vê-lo em Éfeso (1Tm 3.14,15). Nessa viagem, provavelmente, ele chegou ao porto de Mileto, onde deixou Trófimo enfermo (4.20). Em seguida, foi a Trôade, onde recebeu o chamado para entrar na Macedônia (At 16.8-10). Nessa cidade portuária, esteve na casa de Carpo, onde deixou sua capa, seus livros e seus pergaminhos (4.13). Dali foi a Corinto, onde Erasto se separou do grupo (4.20; Rm 16.23). Finalmente, chegou a Roma, onde acabou jogado numa masmorra insalubre. Foi dessa prisão que Paulo escreveu sua segunda e última epístola a Timóteo, "à sombra de sua execução".[10]

Timóteo, o destinatário da carta

Timóteo era natural de Listra, cidade da província da Galácia do Sul. Era filho de uma crente judia e de um pai grego (At 16.1). Sua mãe, Eunice, e sua avó, Loide, o instruíram nas Sagradas Escrituras desde a infância (1.5; 3.15). Timóteo bebeu o leite da piedade desde o alvorecer da vida. Conheceu Paulo na primeira viagem missionária do apóstolo e tornou-se seu companheiro de jornada a partir da viagem missionária seguinte. Embora Timóteo tenha sido criado sob a influência espiritual

---

[8] GUNDRY, Robert G. *Panorama do Novo Testamento*, p. 363.
[9] BARCLAY, William. *I y II Timoteo, Tito y Filemon*, p. 20.
[10] STOTT, John. *Tu, porém: a mensagem de 2Timóteo*, p. 8.

de sua mãe e avó, Paulo foi o instrumento de Deus para levá-lo a Cristo, uma vez que o apóstolo o chama de *verdadeiro filho na fé e amado filho* (1Tm1.2) e *filho amado e fiel no Senhor* (1Co 4.17).

Timóteo tornou-se o companheiro mais próximo de Paulo. O apóstolo o chama de seu *cooperador* (Rm 16.21) e de *irmão e ministro de Deus no evangelho de Cristo* (1Ts 3.2). Timóteo serviu ao evangelho junto com Paulo, *como filho ao pai* (Fp 2.22). Timóteo se distinguia de outros obreiros, a ponto de Paulo dizer que ninguém era como ele no zelo de cuidar dos interesses da igreja e de Cristo (Fp 2.20,21).

Embora Timóteo fosse um jovem tímido e doente, Paulo delegou a ele várias missões importantes, tanto em Tessalônica (1Ts 3.1-5) como em Corinto (1Co 4.17). Timóteo acompanhou Paulo em sua viagem a Jerusalém, quando levaram uma oferta aos pobres da Judeia, ocasião em que o apóstolo foi preso pelos judeus (At 20.1-5). Na primeira prisão de Paulo em Roma, Timóteo estava ao seu lado (Fp 1.1; 2.19-24; Cl 1.1; Fm 1). Agora, em sua segunda prisão, Paulo roga para Timóteo vir depressa ao seu encontro (4.9,21).

Depois que foi solto da primeira prisão em Roma, Paulo deixou Timóteo em Éfeso (1Tm 1.3), como líder da igreja. As responsabilidades eram imensas. Timóteo precisou enfrentar com coragem os falsos mestres que perturbavam a igreja (1Tm 1.1-7), estabelecer critérios claros para a manutenção da ordem no culto (1Tm 2.1-15), escolher e ordenar oficiais para a igreja (1Tm 3.1-13), regular e coordenar a assistência social às viúvas, e ainda orientar o ministério das viúvas na igreja (1Tm 5.1-16), decidir acerca da remuneração e disciplina dos presbíteros (1Tm 5.17-21), assim como outras obrigações morais (1Tm 6.1-19).

Nesse tempo, Timóteo era considerado ainda um homem jovem (2.22; 1Tm 4.12). Além disso, Timóteo era tímido (1.7,8; 2.1,3; 3.12; 4.5; 1Co 16.10,11) e doente (1Tm 5.23), mais propenso a "ser comandado que a comandar".[11] Paulo já estava na antessala de seu martírio, às portas da decapitação. Era urgente passar a Timóteo o bastão

---

[11] FARBAIN, Patrick. *Commentary on the Pastoral Epistles*. Grand Rapids: Zondervan, 1956, p. 314.

da responsabilidade para preservar a sã doutrina e conservar intacto o ensino dos apóstolos. Com as características de Timóteo, parecia impossível que o filho na fé desse conta de tão gigantesca missão.

É importante destacar, outrossim, que essa carta foi endereçada também à igreja de Éfeso (4.22). As mesmas palavras destinadas a Timóteo, o pastor da igreja, deveriam alcançar, de igual modo, toda a comunidade.

O propósito da carta

Desde sua conversão, o apóstolo Paulo se lançou numa intensa jornada de pregação. Depois de longo preparo, três anos na Arábia (Gl 1.15-18), dez anos em Tarso (At 9.30; At 11.25,26; Gl 2.1), o homem convertido em Damasco, rejeitado em Jerusalém e esquecido em Tarso é agora levado para Antioquia, a terceira maior cidade do mundo. Dali é separado pelo Espírito Santo e enviado para a obra missionária. Paulo pregou com zelo e fervor, no poder do Espírito Santo, a tempo e fora de tempo, são ou doente, livre ou preso. O livro de Atos registra três de suas viagens missionárias: a primeira na província da Galácia, a segunda nas províncias da Macedônia e Acaia e a terceira na província da Ásia Menor. As cartas pastorais fazem referência à sua quarta viagem missionária, depois de ter sido solto da primeira prisão em Roma.

Por mais de trinta anos, Paulo pregou fielmente o evangelho, plantou igrejas, defendeu a fé e consolidou a obra. Num breve resumo de seu passado, ele declarou: *Combati o bom combate, completei a carreira, guardei a fé* (4.7).

Agora, o idoso apóstolo está novamente preso e sofrendo dolorosa solidão. Os irmãos da Ásia o abandonaram (1.15). Fígelo e Hermógenes não queriam mais nenhuma ligação com ele (1.15). Demas já o havia deixado à própria sorte (4.10). Diante da atroz perseguição romana, os crentes tinham medo de se associarem a ele. Na sua primeira defesa, ninguém foi a seu favor (4.16). Paulo permaneceu desamparado numa masmorra escura, úmida e insalubre, de localização desconhecida (1.17).

Introdução

O imperador Nero, com toda a sua loucura e violência, estava determinado a esmagar os cristãos com mão de ferro. Em Roma, os crentes eram crucificados, queimados vivos; outros, de cidadania romana, eram decapitados. Ao mesmo tempo que o fogo da perseguição se espalhava, os falsos mestres espalhavam o veneno das heresias, causando grande perturbação às igrejas. A situação era quase desesperadora. Paulo, o grande bandeirante do cristianismo, estava na fila do martírio. Handley Moule chegou a dizer que "o cristianismo estremecia, à beira da aniquilação".[12]

É nesse contexto de angústia e dor, de sombras espessas e tempestades borrascosas, que Paulo escreve sua última carta. Sua preocupação não é prioritariamente com a própria vida. Seu foco não é sua libertação. Sua atenção se volta para o evangelho. Seu grande apelo a Timóteo, nesse tempo de perseguição política e sedução dos falsos mestres, é: *Ó Timóteo, guarda o que te foi confiado* (1Tm 6.20) *e guarda o bom depósito* (1.14). John Stott diz acertadamente que Paulo enfatizou esse ponto em cada capítulo dessa carta: guarda o evangelho (1.14), sofre pelo evangelho (2.2,8,9), persevera no evangelho (3.13,14) e prega o evangelho (4.1,2).[13]

Myer Pearlman explica que essa epístola foi escrita para pedir a presença de Timóteo em Roma, admoestá-lo contra os falsos mestres, animá-lo em seus deveres e fortalecê-lo contras as perseguições vindouras.[14] Na mesma linha de pensamento, Gordon Fee e Douglas Stuart destacam que o propósito da carta é pedir a Timóteo que se junte a Paulo em Roma quanto antes (4.9,21), levando consigo Marcos (4.11) e alguns itens pessoais (4.13). Timóteo deve ser substituído por Tíquico, o portador da carta (4.12). A razão para a pressa é o começo do inverno (4.21) e o fato de que a audiência preliminar já havia ocorrido (4.16). A maior parte da carta, porém, se ocupa com um apelo para que Timóteo se mantenha leal a Paulo e ao evangelho, aceitando

---

[12]Moule, Handley C. G. *The Second Epistle to Timothy*. Londres: Religious Tract Society, 1905, p. 18.
[13]Stott, John. *Tu, porém: a mensagem de 2Timóteo*, p. 9-10.
[14]Pearlman, Myer. *Através da Bíblia*, p. 297.

o sofrimento e a privação.¹⁵ Com essas informações na mente e no coração, podemos agora entrar na exposição da carta.

---

¹⁵FEE, Gordon; STUART, Douglas. *Como ler a Bíblia livro por livro*. São Paulo: Vida Nova, 2013, p. 449.

1

O **evangelho** precisa ser **preservado**

2 Timóteo 1.1-18

O MUNDO ESTAVA EM EBULIÇÃO. O fogo da perseguição crepitava com fúria indômita, e a igreja enfrentava o seu momento mais amargo. Paulo, seu líder mais destacado, está preso novamente, agora numa masmorra insalubre. Os crentes da Ásia tomavam parte em uma espécie de debandada geral. Associar-se a Paulo era correr sérios riscos, e levantar a bandeira do evangelho era colocar a cabeça a prêmio. Não bastasse a sangrenta e impiedosa perseguição política, a igreja também sofria o assédio dos falsos mestres. A sociedade era como um caminhão sem freio ladeira abaixo, correndo celeremente para o desastre (3.1-5).

É nesse ambiente hostil, em que o próprio cristianismo está sendo ameaçado, que Paulo, na antessala do martírio, escreve essa carta a Timóteo. O objetivo é que Timóteo, então pastor da igreja de Éfeso, não se envergonhe do evangelho nem de seu embaixador; antes, mantenha intacto esse bendito depósito, transmitindo-o a homens fiéis, para que estes o transmitam a outros e, assim, o santo evangelho de Cristo prossiga vitorioso em sua marcha.

Vamos examinar o capítulo 1 dessa última epístola de Paulo.

A saudação de Paulo (1.1,2)

As cartas epistolares mantinham sempre o mesmo padrão. Iniciavam com o nome do remetente com suas credenciais e o nome do destinatário com uma afetuosa saudação. Destacamos aqui quatro verdades importantes.

Em primeiro lugar, **Paulo expressa a fonte de seu apostolado**. *Paulo, apóstolo de Cristo Jesus, pela vontade de Deus...* (1.1a). Paulo não é apóstolo por moto próprio nem por vontade humana (Gl 1.11,12). Foi chamado, capacitado e enviado por Cristo às nações, de acordo com a expressa vontade de Deus (At 26.16-18). Paulo fazia parte do seleto grupo dos doze (Rm 11.13; Gl 1.15,16; 2.9). Viu o Senhor ressurreto (1Co 15.8,9) e recebeu a confirmação de seu apostolado por meio de sinais e prodígios (2Co 12.12). Portanto, mesmo à beira do martírio, preso como um malfeitor, Paulo fala não de sua parte, mas da parte daquele que o enviou. John Stott corrobora esse pensamento, quando escreve:

> Paulo sustentou, desde o começo até o final da sua carreira apostólica, a convicção de que a sua indicação como apóstolo não procedia nem da igreja, nem de qualquer homem ou grupo de homens. Tampouco se havia indicado a si mesmo. Pelo contrário, o seu apostolado originara-se no desejo divino e no chamado histórico do Deus Todo-poderoso, através de Jesus Cristo.[1]

Paulo é apóstolo de Cristo Jesus. *Jesus* é o nome pessoal, e *Cristo*, um título oficial. Jesus havia demonstrado ser o Cristo, e o Cristo havia sido conhecido entre os homens como Jesus de Nazaré. Não há nenhum conflito entre o Jesus histórico e o Cristo divino. O Cristo divino que havia levado o nome humano de Jesus é quem constituiu Paulo como apóstolo.[2]

Em segundo lugar, **Paulo mostra o propósito de seu apostolado** ... *de conformidade com a promessa da vida que está em Cristo Jesus* (1.1b). O evangelho é o único instrumento que pode trazer vida e esperança

---

[1] STOTT, John. *Tu, porém: a mensagem de 2Timóteo*, p. 14-15.
[2] ERDMAN, Charles. *Las Epístolas Pastorales a Timoteo y a Tito*, p. 95.

para a humanidade. Onde reina a morte, o evangelho traz vida; onde reina a guerra, o evangelho promove a paz; onde domina o desespero, o evangelho leva a esperança. O evangelho é a boa-nova para os pecadores agonizantes, é a notícia de que Deus lhes promete vida em Jesus Cristo.[3]

Em terceiro lugar, **Paulo reafirma seu profundo amor por Timóteo**. *Ao amado filho Timóteo...*(1.2a). Timóteo era o mais próximo companheiro de Paulo desde sua segunda viagem missionária e também seu fiel cooperador. Como seu filho na fé, era objeto de amor especial por parte de Paulo. Sendo Timóteo assaz introvertido, Paulo reafirmava sempre Seu amor por ele, a fim de encorajá-lo. Timóteo não era um apóstolo como Paulo; era um irmão em Cristo, um ministro cristão, um missionário e um representante do apóstolo (Cl 1.1).[4]

Em quarto lugar, **Paulo invoca bênçãos divinas sobre Timóteo**. *... graça, misericórdia e paz, da parte de Deus Pai e de Cristo Jesus, nosso Senhor* (1.2b). Deus concede graça aos perdidos, misericórdia aos necessitados e paz aos aflitos. Stott diz corretamente que a graça é a bondade de Deus para com os indignos, e a misericórdia é mostrada aos fracos e desamparados, incapazes de ajudarem a si mesmos. Paz, por outro lado, é a restauração da harmonia em vidas arruinadas pela discórdia. Assim, podem-se sintetizar essas três bênçãos do amor de Deus como graça ao indigno, misericórdia ao desamparado e paz ao aflito, permanecendo Deus Pai e Cristo Jesus, nosso Senhor, como a fonte única da qual flui essa tríplice torrente.[5]

A formação espiritual de Timóteo (1.3-8)

Enquanto Paulo ora por Timóteo, relembra sua infância, seu chamado, suas lágrimas, suas lutas, seus desafios. John Stott comenta sobre as quatro maiores influências que contribuíram para a formação de Timóteo. Destacamos a seguir essas contribuições.

Em primeiro lugar, *a formação familiar*. *Pela recordação que guardo de tua fé sem fingimento, a mesma que, primeiramente, habitou em tua avó*

---
[3] STOTT, John. *Tu, porém: a mensagem de 2Timóteo*, p. 15.
[4] STOTT, John. *Tu, porém: a mensagem de 2Timóteo*, p. 17.
[5] STOTT, John. *Tu, porém: a mensagem de 2Timóteo*, p. 17.

Loide e em tua mãe Eunice, e estou certo de que também em ti (1.5). Paulo recorda tanto o seu passado quanto o passado de Timóteo e afirma que ele procedia de um lar piedoso. Embora o pai de Timóteo fosse grego (possivelmente não convertido), sua mãe e sua avó o criaram desde a infância, ensinando-lhe as sagradas letras. E esse ensino foi tão eficaz que Timóteo exibia uma fé sem fingimento. Vale destacar que Paulo menciona uma fé sem fingimento passando por três gerações: Loide, Eunice e Timóteo, ou seja, avó, mãe e filho.

Em segundo lugar, **a amizade espiritual**. *Dou graças a Deus, a quem, desde os meus antepassados, sirvo com consciência pura, porque, sem cessar, me lembro de ti nas minhas orações, noite e dia. Lembrado das tuas lágrimas, estou ansioso por ver-te, para que eu transborde de alegria* (1.3,4). O verbo "servir" usado por Paulo é uma das mais importantes palavras gregas. A palavra *latreuo* era usada especialmente para o desempenho de deveres religiosos, particularmente de natureza cúltica, e era empregada no sentido de adorar. A declaração deve ser usada no sentido de que Paulo pensava no judaísmo em estreita conexão com o cristianismo, e sua presente adoração a Deus era, em certo sentido, continuação de sua adoração judaica.[6] A fé do apóstolo Paulo tinha suas raízes na religião de seus antepassados. Era similar à deles. Nessa mesma linha de pensamento, Charles Erdman diz que o cristianismo e o judaísmo não eram para Paulo religiões distintas; aquele era fruto deste. Era seu cumprimento, sua culminação, Sua glória. A fé aceita o que Deus revela, e a revelação por meio dos profetas encontra sua plenitude em Jesus Cristo.[7] John N. D. Kelly ainda diz que, embora em certo sentido sua aceitação de Cristo como seu Salvador representasse um rompimento total com sua piedade ancestral, em outro sentido era seu desenvolvimento e florescimento apropriado. A lei cumpriu seu propósito ao levar o apóstolo a Cristo.[8] Concordo com Hendriksen quando ele escreve:

> O que Paulo enfatiza é que ele não está introduzindo uma nova religião. Essencialmente o que agora crê é o que Abraão, Isaque, Jacó,

---

[6] RIENECKER, Fritz; ROGERS, Cleon. *Chave linguística do Novo Testamento Grego*, p. 472.
[7] ERDMAN, Charles. *Las Epístolas Pastorales a Timoteo y a Tito*, p. 98.
[8] KELLY, John N. D. *I e II Timóteo e Tito: introdução e comentário*, p. 147.

Moisés, Isaías e todos os antepassados piedosos também creram. Há continuidade entre a antiga e a nova dispensação. Os antepassados criam na ressurreição; Paulo também. Esperavam a vinda do Messias; Paulo proclama o mesmo Messias que em forma real havia feito sua aparição. É Roma que mudou sua atitude. É o governo que, depois do incêndio da capital no ano 64, começou a perseguir os cristãos. A consciência de Paulo é pura. O prisioneiro goza de paz no coração e na mente.⁹

Depois da família, ninguém nos influencia mais do que os amigos. Paulo foi o pai na fé de Timóteo e seu grande mentor espiritual. Como intercessor incansável, Paulo mantinha Timóteo em seu coração e em suas orações noite e dia.

Em terceiro lugar, *o dom espiritual*. *Por esta razão, pois, te admoesto que reavives o dom de Deus que há em ti pela imposição das minhas mãos* (1.6). Paulo deixa agora os meios usados por Deus para moldar o caráter cristão de Timóteo (seus pais e amigos) para enfocar um dom diretamente dado por Deus a ele.¹⁰ Embora o texto não explicite qual era esse dom, tudo nos faz crer que fora concedido a ele em sua ordenação. Portanto, era um dom espiritual ligado ao exercício do seu ministério. Alford sugere que era "o dom de ensinar e presidir a igreja".¹¹ Alfred Plummer entendia esse dom como "a autoridade e o poder para ser um ministro de Cristo".¹² Hendriksen é da opinião que se tratava do dom da graça de Deus que capacitava o jovem Timóteo a ser o representante escolhido do apóstolo Paulo.¹³

O vento da perseguição era uma ameaça à chama do dom concedido a Timóteo em sua ordenação. Paulo, portanto, encoraja seu discípulo a remover as cinzas e a reacender esse fogo. No mundo antigo, nunca se

---

⁹HENDRIKSEN, William. *1 y 2 Timoteo y Tito*, p. 256.
¹⁰STOTT, John. *Tu, porém: a mensagem de 2Timóteo*, p. 19.
¹¹ALFORD, Henry. *The Greek Testament: A Critical and Exegetical Commentary*. Londres: Rivington, p. 342.
¹²PLUMMER, Alfred. The Pastoral Epistles. In: *The Expositor's Bible*. Nova York: A. C. Armstrong & Son, 1889, p. 314.
¹³HENDRIKSEN, William. *1 y 2 Timoteo y Tito*, p. 259.

mantinha o fogo constante. O fogo era mantido vivo mediante brasas que eram recolocadas em chamas, sempre que a situação o exigisse.[14]

Concordo com Warren Wiersbe quando ele diz que Timóteo não carecia de novos ingredientes espirituais em sua vida; precisava apenas "reavivar" o que já possuía. Na primeira carta a Timóteo, Paulo instruiu seu filho espiritual a não ser negligente com o dom (1Tm 4.14). Agora acrescenta: ... *te admoesto que reavives o dom de Deus que há em ti*.[15] De acordo com Hendriksen, o pano de fundo para essa exortação sugere que o fogo do carisma de Timóteo estava baixo, por algumas razões: 1) Timóteo estava limitado por frequentes enfermidades físicas (1Tm 5.23); 2) Timóteo era naturalmente tímido (1Co 16.10); 3) Timóteo era relativamente jovem (1Tm 4.12; 2Tm 2.22); 4) Os efésios que se opunham a Timóteo eram tenazes no erro (1Tm 1.3-7,19,20; 4.6,7; 6.3-10; 2Tm 2.14-19,23); 5) Os crentes eram perseguidos pelo Estado.[16]

Em quarto lugar, **a disciplina pessoal**. *Porque Deus não nos tem dado espírito de covardia, mas de poder, de amor e de moderação. Não te envergonhes, portanto, do testemunho de nosso Senhor, nem do seu encarcerado, que sou eu; pelo contrário, participa comigo dos sofrimentos, a favor do evangelho, segundo o poder de Deus* (1.7,8). Paulo relembra a Timóteo as qualificações que devem caracterizar um mestre cristão: coragem, poder, amor e domínio próprio. Um pastor não pode ser covarde. Um ministro do evangelho deve ser revestido com o poder de Deus. Um líder cristão precisa ser governado pelo amor. Aqueles que lidam com outras pessoas precisam, sobretudo, ter domínio próprio. A moderação ou domínio próprio é a sanidade da santidade. Nenhum homem pode governar outros se não tem domínio sobre si mesmo.[17]

John N. D. Kelly diz que o evangelho de um Salvador crucificado (1Co 1.23) impressionava os judeus como sendo blasfemo, e os pagãos como sendo puro contrassenso. É compreensível, portanto, que, em uma situação de extrema tensão como aquela vivida pela igreja, uma

---

[14] RIENECKER, Fritz; ROGERS, Cleon. *Chave linguística do Novo Testamento Grego*, p. 472.
[15] WIERSBE, Warren W. *Comentário bíblico expositivo*. Vol.6, p. 313-314.
[16] HENDRIKSEN, William. *1 y 2 Timoteo y Tito*, p. 259.
[17] BARCLAY, William. *I y II Timoteo, Tito y Filemon*, p. 154.

pessoa tímida como Timóteo (1Co 16.10) sentisse temor diante do inevitável desprezo e ódio suportado por causa do evangelho. Longe de ter vergonha das humilhações e dos sofrimentos de Paulo, Timóteo deveria criar coragem e deles participar. Se assim fizesse, redundaria em lucro para o evangelho.[18]

John Stott diz que o dom é comparado ao fogo. Do verbo grego *anazopureo*, que não aparece em nenhuma outra passagem do Novo Testamento, não se pode deduzir que Timóteo tenha deixado o fogo extinguir-se e deva agora soprar as brasas quase apagadas até que o fogo ressurja. O prefixo *ana* pode indicar tanto aumentar o fogo quanto tornar a acendê-lo. A exortação de Paulo, portanto, é para continuar soprando, a fim de "atiçar aquele fogo interior" e conservá-lo vivo.[19] Deus nos dá dons, mas estes precisam ser reavivados. Deus nos dá desafios e também o poder para levá-los a cabo. O medo e a covardia não combinam na vida cristã. O Espírito Santo é Espírito de poder, por isso não precisamos temer a perseguição nem a morte. O Espírito Santo é Espírito de amor; portanto, precisamos servir ao próximo, mesmo correndo sérios riscos. O Espírito Santo é Espírito de moderação, por isso devemos demonstrar domínio próprio, ainda que outros à nossa volta se dispersem em uma debandada geral.

Paulo passa dos fatores que contribuíram na formação de Timóteo para a autenticidade do evangelho. Porém, antes de falar da singularidade do evangelho, exorta Timóteo a não se envergonhar dos ensinos de Cristo (1.8). Embora Timóteo fosse um jovem tímido, não deveria se envergonhar do evangelho. Embora muitos na Ásia não quisessem mais nenhuma associação com Paulo (1.15), em virtude de estar preso, acusado de malfeitor (2.9), Timóteo não deveria se envergonhar de Cristo nem de seu enviado. Envergonhar-se do evangelho (Rm 1.16) é envergonhar-se de Cristo, e aqueles que se envergonham de Cristo, o próprio Cristo se envergonhará deles (Mc 8.38). O Paulo que não se envergonhava (1.12), admoestou Timóteo a não se envergonhar (1.8) e relatou que Onesíforo não tinha vergonha das algemas do apóstolo (1.16).

---

[18]KELLY, John N. D. *I e II Timóteo e Tito: introdução e comentário*, p. 151-152.
[19]STOTT, John. *Tu, porém: a mensagem de 2Timóteo*, p. 20-21.

A singularidade do evangelho (1.9,10)

Paulo passa agora a falar com mais detalhes desse evangelho do qual Timóteo não deveria se envergonhar e pelo qual deveria estar pronto a sofrer. O evangelho é a boa notícia da salvação em Jesus. O nome de Jesus já revela esse fato auspicioso, por significar que *ele salvará o Seu povo dos seus pecados* (Mt 1.21). Em seu nascimento, na cidade de Belém, essa verdade foi proclamada pelos anjos (Lc 2.11). O evangelho é chamado por Paulo de *o evangelho da nossa salvação* (Ef 1.13).

O evangelho não é uma invenção do homem, mas uma revelação de Deus. Não tem sua origem no tempo, mas na eternidade. Não vem da terra, mas do céu. No evangelho, devemos crer. O evangelho devemos guardar. O evangelho, devemos proclamar. Do evangelho não podemos nos envergonhar. Algumas verdades devem ser aqui destacadas.

Em primeiro lugar, **o propósito do evangelho**. *Que nos salvou...* (1.9). O evangelho é o único instrumento capaz de dar salvação ao ser humano, pois é a boa-nova acerca de Cristo, sua vida, morte e ressurreição. Nenhuma religião ou credo religioso pode salvar o pecador. Nenhuma obra é suficiente para salvar a humanidade. Só no evangelho a justiça de Deus é revelada. Só no evangelho há salvação. Mas o que é salvação? Concordo com John Stott quando ele diz que salvação é um termo majestoso, que evidencia todo o amplo propósito de Deus, pelo qual ele justifica, santifica e glorifica Seu povo. Primeiramente, Deus perdoa suas ofensas e os aceita como justos ao olhá-los através de Cristo; depois os transforma progressivamente, por intermédio de Seu Espírito, para serem conformes à imagem do Seu Filho; até que finalmente eles se tornem iguais a Cristo no céu, com um novo corpo, num mundo novo.[20] Nas palavras de Hendriksen, "Deus nos livrou de todos os males e nos colocou na possessão da maior de todas as bênçãos".[21]

Em segundo lugar, **a eficácia do evangelho**. *... e nos chamou com santa vocação...* (1.9). O mesmo Deus que nos salva por intermédio do sacrifício de Cristo, nos chama eficazmente pela Palavra, pelo poder do

---

[20] STOTT, John. *Tu, porém: a mensagem de 2Timóteo*, p. 26.
[21] HENDRIKSEN, William. *1 y 2 Timoteo y Tito*, p. 263.

Espírito, para a santidade. As Escrituras afirmam que *Deus nos escolheu em Cristo, antes da fundação do mundo, para sermos santos e irrepreensíveis* (Ef 1.4). E dizem ainda: *Deus não nos chamou para a impureza, e sim para a santificação* (1Ts 4.7).

Em terceiro lugar, **a graça soberana do evangelho**. *... não segundo as nossas obras, mas conforme a sua própria determinação e graça...* (1.9). A salvação não é medalha de honra ao mérito. Não é um troféu que conquistamos, mas uma dádiva divina que recebemos. John N. D. Kelly diz que, se dependesse dos nossos méritos, nossa posição seria na melhor das hipóteses precária e, mediante uma estimativa realista, desesperadora; contudo, visto que depende inteiramente de Deus, nossa confiança pode ser inabalável.[22] A salvação é uma obra soberana de Deus. Ele nos escolhe não pelo critério das obras, mas conforme sua determinação e graça. Ele nos escolhe não com base em nossa fé, mas para a fé. Não pelo critério dos méritos, mas conforme Sua graça. Stott tem razão em dizer que a salvação é devida exclusivamente à graça de Deus, e não aos méritos humanos; não às nossas obras realizadas no tempo, mas à determinação que Deus concebeu na eternidade.[23]

Em quarto lugar, **a graça eterna do evangelho**. *... que nos foi dada em Cristo Jesus, antes dos tempos eternos* (1.9). A graça, o favor imerecido de Deus, não é uma decisão de última hora; é uma dádiva feita desde a eternidade. Deus nos escolheu em Cristo antes dos tempos eternos (1.9), antes da fundação do mundo (Ef 1.4), desde o princípio (2Ts 2.13). A eleição divina tem sua origem na eternidade, e não no tempo. Deus nos escolheu não porque previu que iríamos crer, mas cremos porque ele nos elegeu. A fé não é a causa, mas a consequência da eleição. A eleição é a mãe da fé (At 13.48).

A eleição não tem sua causa no homem, mas em Deus. Ao mesmo tempo que essa doutrina desperta em nós profunda humildade e gratidão, por excluir todo orgulho próprio, traz também paz e segurança, as quais não dependem de nós mesmos, mas da própria determinação e graça de Deus. Hendriksen tem toda a razão ao dizer que a graça, em

---

[22] KELLY, John N. D. *I e II Timóteo e Tito: introdução e comentário*, p. 153.
[23] STOTT, John. *Tu, porém: a mensagem de 2Timóteo*, p. 27.

virtude de sua natureza, é algo que nos é dado, e não algo que merecemos, embora tenha sido merecida para nós. Também a graça precede as nossas obras, porque já éramos objeto dela antes que o tempo começasse a existir.[24]

Em quinto lugar, **a manifestação do evangelho**. *E manifestada, agora, pelo aparecimento de nosso Salvador Cristo Jesus, o qual não só destruiu a morte, como trouxe à luz a vida e a imortalidade, mediante o evangelho* (1.10). A graça dada antes dos tempos eternos é agora manifestada no tempo. "Os dois estágios divinos foram em e através de Jesus Cristo; a dádiva foi eterna e secreta, mas a manifestação foi histórica e pública".[25] Cristo, o nosso Salvador, em sua aparição, destruiu a morte (Hb 2.14,15) e trouxe à luz a vida e a imortalidade. Ele derrotou a morte por Sua ressurreição e trouxe a vida e a imortalidade pelo evangelho.

Vamos analisar com mais vagar essas duas gloriosas verdades.

Jesus destruiu a morte (1.10). A Palavra de Deus fala sobre três tipos de morte: física, espiritual e eterna. Na morte física, a alma se separa do corpo; na morte espiritual, a alma está separada de Deus; e, na morte eterna, corpo e alma são separados de Deus para sempre. Quando Paulo declara que Jesus destruiu a morte, certamente não está dizendo que a morte já foi eliminada. Pois os homens sem Cristo estão mortos em seus delitos e pecados; todos os homens enfrentarão a morte física, exceto aqueles que estiverem vivos na segunda vinda de Cristo; e muitos experimentarão a segunda morte, ou seja, o inferno. Na verdade, a morte é o último inimigo a ser vencido (1Co 15.26). Só depois da segunda vinda de Cristo é que poderemos dizer: *e a morte já não mais existirá* (Ap 21.4).

O que significa, então, que Jesus destruiu a morte? O verbo grego *katargeo*, traduzido por "destruir", significa tornar ineficiente, sem poder, inútil. John Stott ilustra: "Paulo compara a morte a um escorpião, do qual se arrancou o ferrão; e também a um comandante, cujas tropas foram vencidas".[26] Jesus destruiu a morte no sentido de que, com sua morte, ele matou a morte. Agora, a morte não tem mais poder de

---

[24] HENDRIKSEN, William. *1 y 2 Timoteo y Tito*, p. 264.
[25] STOTT, John. *Tu, porém: a mensagem de 2Timóteo*, p. 28.
[26] STOTT, John. *Tu, porém: a mensagem de 2Timóteo*, p. 29.

nos aterrorizar. Para um cristão, a morte não é mais uma tragédia. Não tem mais a última palavra. Morrer para um cristão é lucro (Fp 1.21). É partir para estar com Cristo, o que é incomparavelmente melhor (Fp 1.23). É deixar o corpo e habitar com o Senhor (2Co 5.8). Os crentes que morrem no Senhor são bem-aventurados (Ap 14.13). A morte tornou-se inofensiva, pois aquele que crê em Cristo, ainda que morra, viverá (Jo 11.25,26). E mais: aquele cujo nome está escrito no livro da vida jamais passará pela segunda morte (Ap 2.11).

Jesus trouxe à luz a vida e a imortalidade (1.10). Esta é a contrapartida positiva. Foi por meio de sua morte e ressurreição que Cristo destruiu a morte. É através do evangelho que ele agora revela o que fez, e oferece aos homens a vida e a imortalidade.[27] Embora só Deus possua vida e imortalidade em si mesmo, Cristo oferece tanto a vida quanto a imortalidade a todos aqueles que nele creem. Teremos um corpo imortal, incorruptível, glorioso, poderoso, espiritual e celestial (1Co 15.42-44), semelhante ao corpo de glória de Cristo (Fp 3.21).

De acordo com John Stott, essas grandes verdades sobre a salvação podem ser resumidas em cinco etapas: a) o dom eterno da graça; b) o aparecimento histórico de Cristo para destruir a morte; c) o convite pessoal que Deus faz ao pecador, por meio da pregação do evangelho; d) a santificação moral dos crentes pelo Espírito Santo; e) a perfeição celestial final, na qual o santo chamamento é consumado.[28] Estou de pleno acordo com o que escreveu Hendriksen:

> É claro que, ainda que aqui e agora o crente receba esta bênção da imortalidade em princípio, e no céu em maior plenitude, não a recebe completamente até o dia da segunda vinda de Cristo. Até que chegue esse dia, os corpos de todos os crentes estarão sujeitos às leis da decadência e da morte. A vida incorruptível, a glorificação, no sentido pleno, forma parte do novo céu e da nova terra. É uma herança reservada para nós.[29]

---

[27] STOTT, John. *Tu, porém: a mensagem de 2Timóteo*, p. 29-30.
[28] STOTT, John. *Tu, porém: a mensagem de 2Timóteo*, p. 31.
[29] HENDRIKSEN, William. *1 y 2 Timoteo y Tito*, p. 265.

A responsabilidade de Paulo com o evangelho (1.11,12)

Depois de exaltar a sublimidade do evangelho, Paulo passa a falar sobre sua responsabilidade em relação ao evangelho. Dois pontos merecem destaque aqui.

Em primeiro lugar, *a responsabilidade de anunciar o evangelho. Para o qual eu fui designado pregador, apóstolo e mestre* (1.11). Uma vez que a vida e a imortalidade são concedidas por intermédio do evangelho, é absolutamente necessário proclamar esse evangelho. Não há esperança de salvação para o pecador fora do evangelho. Só existe um evangelho, o evangelho de Cristo, proclamado pelos apóstolos.

Paulo foi designado soberanamente. Seu chamado veio do próprio Cristo. Paulo foi chamado para receber o conteúdo do evangelho como apóstolo, para proclamar o evangelho como pregador, e para ensinar as riquezas do evangelho como mestre. Concordo com o argumento de John Stott de que hoje não temos mais apóstolos. A igreja apostólica é aquela que segue o ensinamento dos apóstolos. Hoje, temos pregadores e mestres, aqueles que proclamam e aqueles que ensinam o evangelho anunciado pelos apóstolos.[30] Na antiguidade, *okerux*, "arauto" ou pregador, era o mensageiro oficial do rei ou imperador que levava a mensagem do rei, e sua mensagem era tratada com grande respeito.[31] O arauto não podia alterar a mensagem. Não representava a si mesmo, mas quem o comissionava. O mestre é aquele que torna clara e compreensível a mensagem do arauto.

Em segundo lugar, *a responsabilidade de sofrer pelo evangelho. E, por isso, estou sofrendo estas coisas; todavia, não me envergonho, porque sei em quem tenho crido e estou certo de que ele é poderoso para guardar o meu depósito até aquele dia* (1.12). Deus nos dá a graça não apenas de crermos e pregar o evangelho, mas também de sofrer pelo evangelho (Fp 1.29). O mundo sempre será hostil ao evangelho. O homem natural repudia o evangelho, pois este é um golpe em seu orgulho. O evangelho revela à humanidade sua total falência espiritual. Mostra que ela está perdida. O

---

[30] STOTT, John. *Tu, porém: a mensagem de 2Timóteo*, p. 33.
[31] BARCLAY, William. *I y II Timoteo, Tito y Filemon*, p. 158.

ser humano é escravo do diabo, do mundo e da carne. É depravado, pois faz a vontade da carne e dos pensamentos e anda segundo o príncipe da potestade do ar. Está condenado, pois é filho da ira. O evangelho é odiado porque mostra que a salvação não é conquistada por mérito humano, mas resultado da escolha soberana de Deus. O evangelho exige o arrependimento do pecador e a necessidade absoluta de ele colocar sua confiança exclusivamente em Cristo, e este crucificado. O evangelho humilha o ser humano e exalta Deus.

Num tempo de amarga perseguição, quando os crentes estavam sendo acusados de crimes horrendos e eram queimados vivos ou decapitados, o próprio Paulo, jogado numa masmorra imunda, fria, escura e insalubre, diz que não se envergonha do evangelho. Hendriksen destaca que, ainda que Paulo estivesse enfrentando ignomínia, não se sentia envergonhado. Junto com outros como José, Jeremias, Daniel, João Batista e Pedro, engrossou a fileira dos prisioneiros da melhor de todas as causas. Além de tudo, o lugar de desonra pode ser o lugar da maior honra, pois não foi Jesus crucificado entre dois malfeitores (1Pe 4.16)?[32]

Paulo tem a convicção de que Deus guardará o seu depósito até o dia final. Que depósito é esse? Os comentaristas estão divididos e sem esperança de consenso quanto a essa resposta. Trata-se do depósito que Deus nos tem confiado? Ou é o depósito que nós confiamos a Deus? Em outras palavras, é o evangelho ou a nossa vida e a nossa completa salvação?[33] Matthew Henry, William Hendriksen, Charles Erdman e Warren Wiersbe dizem que se trata da salvação da nossa alma e de sua preservação para o reino celestial. No entanto, para outros autores como Lawrence Richards, John N. D. Kelly e John Stott, o contexto mostra que Paulo está falando sobre o evangelho, sobre a fé apostólica. Assim, Paulo tem a convicção de que Deus guardará intacto esse glorioso depósito da verdade para as gerações pósteras. Richards diz que a palavra *paratheke*, *depósito*, só é encontrada aqui e em 1Timóteo 6.20. A imagem é a de uma pessoa que deve realizar uma longa jornada e deixa seus pertences guardados com um amigo até sua volta. Paulo

---

[32]HENDRIKSEN, William. *1 y 2 Timoteo y Tito*, p. 266.
[33]HENDRIKSEN, William. *1 y 2 Timoteo y Tito*, p. 266.

nos lembra de que nossa vida na terra é verdadeiramente uma jornada. Como é bom sabermos que tudo o que é valioso e duradouro está depositado nas mãos do Senhor, que conserva tudo em absoluta segurança até a nossa chegada.[34] Nessa mesma linha de pensamento, John N. D. Kelly explica que *paratheke* é um termo jurídico que evoca alguma coisa que uma pessoa entrega em confiança para salvaguarda de outra pessoa. Esse depósito não é a vida de Paulo nem sua recompensa eterna, mas a mensagem do evangelho. A passagem como um todo expressa assim sua certeza suprema de que, sejam quais forem os infortúnios que possam sobrevir aos seus ministros, o próprio Deus conservará a fé a eles confiada, isenta de corrupção.[35]

John Stott elucida essa posição quando escreve:

> Em última análise, é Deus mesmo quem preserva o evangelho. Ele se responsabiliza por sua conservação. Podemos ver a fé evangélica encontrando oposição em toda parte, e a mensagem apostólica sendo ridicularizada. Talvez vejamos uma crescente apostasia crescer na igreja, muitos de nossa geração abandonando a fé de seus pais. Mas não temos nada a temer! Deus nunca permitirá que a luz do evangelho se apague. Ele mesmo é o seu melhor vigia; ele saberá preservar a verdade que confiou à Igreja. Isso nós sabemos, porque sabemos em quem depositamos a nossa confiança, e em quem continuamos a confiar.[36]

Não obstante os importantes arrazoados desses ilustres comentaristas, penso que Hendriksen tem razão em defender a posição de que *paratheke*, depósito, aqui, não é o evangelho, mas sua vida e sua salvação. Vejamos os argumentos de Hendriksen:[37]

- Quando se trata do evangelho, é Timóteo quem deve guardá-lo (1.14; 1Tm 6.20); aqui, porém, o guardador é o próprio Deus (1.12).

---

[34] RICHARDS, Lawrence O. *Comentário histórico-cultural do Novo Testamento*. Rio de Janeiro: CPAD, 2012, p. 475.
[35] KELLY, John N. D. *I e II Timóteo e Tito: introdução e comentário*, p. 155-156.
[36] STOTT, John. *Tu, porém: a mensagem de 2Timóteo*, p. 38-39.
[37] HENDRIKSEN, William. *1 y 2 Timoteo y Tito*, p. 267-268.

O foco não está no depósito que Deus confiou a Paulo e Timóteo, mas no depósito que Paulo confiou a Deus.
- O contexto imediato favorece essa interpretação. Paulo acabara de dizer: ... *porque eu sei em quem tenho crido* (1.12a) e agora conclui: ... *e estou certo de que ele é poderoso para guardar o meu depósito até aquele Dia* (1.12b). Portanto, o depósito aqui é o que Paulo confia a Deus, e não o que Deus confia a ele.
- As palavras anteriores (1.10) também apoiam esse ponto de vista. Paulo acabara de falar a respeito da vida incorruptível. Porém, o crente não recebe a plenitude desta vida agora, senão na segunda vinda de Cristo, quando seremos revestidos da imortalidade e da incorruptibilidade. Daí, a ideia do versículo 12 é de que esta vida verdadeiramente imortal, possuída já *em princípio*, e depositada nas mãos de Deus para ser guardada, lhe será devolvida, *gloriosamente*, *naquele Dia*, o dia da grande consumação (4.18).
- A ideia de uma herança, ou um tesouro, guardada por Deus se encontra também em outros lugares, às vezes com um sentido ligeiramente diferente (1Pe 1.4).
- Conforme as palavras de Jesus quando morreu na cruz (Lc 23.46), seu espírito fora *encomendado* ao Pai e é reunido ao terceiro dia com o corpo, agora gloriosamente ressuscitado.

A **responsabilidade** de Timóteo com o evangelho (1.13,14)

Depois de dar seu exemplo, Paulo mostra a Timóteo que ele também estava sob a mesma responsabilidade em relação ao evangelho. Chamo sua atenção para três verdades no texto.

Em primeiro lugar, **o evangelho precisa ser claramente compreendido**. *Mantém o padrão das sãs palavras que de mim ouviste com fé e com o amor que está em Cristo Jesus* (1.13). As *sãs palavras* e o *bom depósito* que Timóteo ouviu de Paulo são o conteúdo do evangelho, a fé apostólica. Esse evangelho precisa ser claramente entendido, totalmente assimilado, para ser fielmente anunciado. Nenhum pregador tem o direito de alterar a mensagem do evangelho. Acrescentar ou tirar alguma coisa do evangelho é desfigurá-lo.

Em segundo lugar, *o evangelho precisa ser zelosamente preservado*. *Guarda o bom depósito...*(1.14a). Num tempo em que muitos crentes estavam abandonando a carreira cristã, com medo da perseguição ou vitimados pela sedução dos falsos mestres, Timóteo deveria guardar intacto o conteúdo da fé apostólica. A fé apostólica, *o bom depósito*, é um tesouro depositado em custódia na igreja. Cristo o confiou a Paulo; e Paulo, por sua vez, o confiou a Timóteo.[38] O verbo grego *phylasso*, traduzido por "guardar", tem o sentido de guardar algo "para que não se perca nem se danifique". Fora há falsos mestres prontos a corromper o evangelho e deste modo roubar da igreja o inestimável tesouro que lhe foi confiado.[39] Deus havia entregue a Paulo o depósito da verdade (1Tm 1.11), e o apóstolo passara esse depósito adiante para Timóteo (1Tm 6.20). Agora, cabia a Timóteo a responsabilidade solene de mantê-lo (1.13), guardá-lo (1.14) e transmiti-lo a outros (2.2).[40]

Em terceiro lugar, *o evangelho só pode ser preservado pela ajuda do Espírito que habita em nós. ... mediante o Espírito Santo que habita em nós* (1.14b). O Espírito Santo é o Espírito da verdade. Portanto, é ele quem nos guia a toda a verdade e nos dá poder para enfrentarmos tanto a perseguição do mundo quanto a sedução do erro.

Decepções e alegrias por causa do evangelho (1.15-18)

Depois de exortar Timóteo a guardar o evangelho, Paulo mostra que, diante da perseguição, muitos crentes abandonarão as fileiras do evangelho. Ao longo da carta, Paulo encoraja Timóteo a não se envergonhar do evangelho nesse tempo de prova (1.8, 12; 2.3,9; 3.12; 4.6,18).

É durante a provação que conhecemos os verdadeiros amigos e os verdadeiros crentes. Há aqui um clássico exemplo dessa verdade. Vamos explorá-lo com mais vagar.

Em primeiro lugar, *a deserção nos tempos de prova*. *Estás ciente de que todos os da Ásia me abandonaram; dentre eles cito Fígelo e Hermógenes*

---

[38] STOTT, John. *Tu, porém: a mensagem de 2Timóteo*, p. 36.
[39] STOTT, John. *Tu, porém: a mensagem de 2Timóteo*, p.36.
[40] WIERSBE, Warren W. *Comentário bíblico expositivo*, p. 316.

(1.15). Warren Wiersbe diz que, naquele tempo, a província da Ásia era constituída pelos territórios romanos de Lídia, Mísia, Cária e Frígia. Em sua segunda viagem missionária, Paulo foi proibido de ministrar nessa região (At 16.6); mas, em sua terceira viagem, permaneceu por quase três anos em Éfeso, capital da Ásia (At 20.31), e evangelizou a província inteira. As sete igrejas da Ásia eram todas dessa região.[41] Houve um grande reavivamento espiritual em Éfeso e o fogo desse reavivamento espalhou-se por toda a província. Nesse tempo é que foram plantadas as igrejas de Esmirna, Pérgamo, Tiatira, Sardes, Filadélfia, Laodiceia, Hierápolis e Colossos.

Em virtude do incêndio de Roma entre 17 e 24 de julho de 64 d.C., e da imputação desse crime hediondo aos cristãos, e, ainda, em virtude da prisão de Paulo, o grande líder do cristianismo, especialmente na Ásia, e de seu iminente martírio, todos os amigos e companheiros de Paulo da Ásia o abandonaram. Fígelo e Hermógenes talvez tenham sido os líderes dessa deserção. Muitos crentes da Ásia poderiam ter ido a Roma testemunhar a favor de Paulo, mas não o fizeram. Sentiram vergonha. Na primeira defesa de Paulo, ninguém se manifestou a seu favor (4.16). Aquele era um tempo em que a fé apostólica corria sérios riscos. A ameaça vinha de dois flancos: da perseguição política e da invasão dos falsos mestres. Depois do grande despertamento ocorrido em Éfeso, quando as pessoas denunciaram publicamente suas obras e abandonaram a idolatria, rompendo com a feitiçaria, seguiu-se grande deserção. Moule chega a dizer que "a todos os olhos, menos aos da fé, deve ter parecido que o evangelho estava às vésperas da extinção".[42]

Em segundo lugar, *a lealdade nos tempos de prova* (1.16-18). No meio dessa debandada geral, Onesíforo, cujo nome significa "portador de préstimos", é como um lírio que floresce no lodo. É um solo de lealdade no meio de um coral de abandono. Hendriksen diz que "a beleza de seu caráter e a nobreza de suas ações se destacam claramente no obscuro transfundo da triste conduta de todos os que estão na Ásia".[43]

---

[41]WIERSBE, Warren W. *Comentário bíblico expositivo*, p. 316.
[42]MOULE, Handley C. G. *The Second Epistle to Timothy*, p. 16.
[43]HENDRIKSEN, William. *1 y 2 Timoteo y Tito*, p. 270.

A fidelidade de Onesíforo constitui-se num estímulo para Timóteo permanecer firme em seu ministério, sem se envergonhar do evangelho e de seu embaixador em cadeias. Destacamos aqui quatro fatos acerca desse precioso amigo e Paulo.

1. *Onesíforo, um amigo abençoador. ... e tu sabes, melhor do que eu, quantos serviços me prestou ele em Éfeso* (1.18b). Durante os três anos que Paulo passou em Éfeso, ele se desdobrou para servir a Paulo em diversas circunstâncias e ocasiões, uma vez que ali possuía residência (4.19). Onesíforo era um homem prestativo. Estava sempre buscando formas e meios para ajudar Paulo em sua missão de pregar o evangelho.

2. *Onesíforo, um amigo consolador. ... porque, muitas vezes, me deu ânimo e nunca se envergonhou das minhas algemas* (1.16). Onesíforo não apenas serviu de forma multiforme a Paulo em Éfeso, mas também o animou muitas vezes, quando o apóstolo estava vivendo os dias cinzentos da prisão na antessala de seu martírio. Onesíforo, diferentemente de outras pessoas da Ásia, não fugiu de Paulo por causa de sua prisão, mas o incentivou várias vezes e não se envergonhou de suas algemas. O termo grego para ânimo significa "refrescar", e a frase pode também ser traduzida por "envolveu-me como ar fresco". Onesíforo foi uma espécie de "brisa fresca" para Paulo em seus momentos de provação.[44]

3. *Onesíforo, um amigo encorajador. Antes, tendo ele chegado a Roma, me procurou solicitamente até me encontrar* (1.17). Onesíforo fez uma longa viagem de Éfeso a Roma, num tempo em que os crentes eram queimados vivos ou decapitados. Desconhecendo o paradeiro de Paulo, ou seja, em que masmorra se encontrava, procurou-o perseverantemente até encontrá-lo. Ele poderia ter desistido após várias buscas inglórias. Mas não desistiu até encontrar Paulo, para estar a seu lado nos momentos mais difíceis de sua vida. De fato, Onesíforo era um amigo encorajador!

4. *Onesíforo, um amigo que colhe o que semeou. Conceda o Senhor misericórdia à casa de Onesíforo [...]. O Senhor lhe conceda, naquele Dia, achar misericórdia da parte do Senhor* (1.16a,18a). Onesíforo semeou misericórdia, e Paulo roga a Deus misericórdia para ele e sua casa. Os misericordiosos alcançarão misericórdia (Mt 5.7).

---

[44] WIERSBE, Warren W. *Comentário bíblico expositivo*. Vol.6, p. 317.

Concluímos este capítulo destacando que Paulo fez dois grandes apelos a Timóteo: primeiro, Timóteo deveria se unir a ele no sofrimento pelo evangelho (1.8); e, segundo, Timóteo deveria guardar o bom depósito que lhe fora confiado (1.13,14). A base para o apelo são a obra do Espírito (1.6,7,14), Cristo e o evangelho (1.9,10), e o exemplo de Paulo (1.11,12) e Onesíforo (1.16-18).[45]

---

[45] FEE, Gordon; STUART, Douglas. *Como ler a Bíblia livro por livro*, p. 451.

2

Os desafios do pregador do evangelho

2 Timóteo 2.1-26

DEPOIS DE MENCIONAR A DEBANDADA GERAL dos crentes da Ásia e destacar o exemplo de Onesíforo e de sua casa, Paulo exorta Timóteo a fortificar-se na graça. A vida cristã é uma luta sem trégua. Desenrola-se num campo de batalha. Não podemos entrar nessa peleja fiados em nossa força nem estribados em nosso entendimento. Somos fracos demais para arrostar inimigos tão medonhos. Precisamos de poder, e esse poder não está no braço da carne, mas na graça que está em Cristo Jesus. Concordo com John Stott quando ele diz que não dependemos da graça para a salvação somente (1.9), mas também para o serviço (2.1).[1]

Timóteo, como filho na fé do apóstolo Paulo, deve guardar o evangelho intacto e comunicá-lo com fidelidade. O veterano apóstolo, então, lança mão de várias figuras para fixar em nossa mente a importância do ministério da Palavra. Vejamos quais são essas figuras.

O mordomo (2.1,2)

Não somos os donos da mensagem; somos mordomos dela. Não criamos a mensagem; apenas a transmitimos. Devemos fazê-lo com integridade e senso de urgência.

---

[1] STOTT, John. *Tu, porém: a mensagem de 2 Timóteo*, p. 41.

Destacamos aqui alguns pontos importantes para a nossa reflexão.

Em primeiro lugar, *o exercício do ministério exige uma força sobrenatural*. *Tu, pois, filho meu, fortifica-te na graça que está em Cristo Jesus* (2.1). Os tempos eram difíceis. Havia uma crudelíssima perseguição política, uma invasora perturbação dos falsos mestres e uma debandada geral dos crentes. Num cenário tão cinzento, Timóteo, que era jovem, tímido e doente, não poderia permanecer firme sem uma capacitação da graça. A graça não está em Paulo nem na igreja, está em Cristo Jesus. Não há vida cristã vitoriosa sem poder sobrenatural. Esse poder não vem da terra, mas do céu; não vem dos talentos humanos, mas da graça de Cristo Jesus. Embora o vaso humano seja de barro, o poder que está nele é divino.

Em segundo lugar, *a força para a realização do ministério vem do próprio Senhor Jesus* (2.1). Jesus já havia deixado isso claro: *Sem mim, nada podeis fazer* (Jo 15.5). Paulo também já havia escrito: *A nossa suficiência vem de Deus* (2Co 3.5). A capacitação não vem do conhecimento intelectual nem da influência eclesiástica; vem da graça que está em Cristo Jesus. Os recursos para a realização do ministério não estão em nós mesmos; estão em Cristo. Dele emana todo o poder. Ele é a fonte de toda capacitação.

Em terceiro lugar, *o mordomo não apenas preserva, mas também transmite o evangelho*. *E o que de minha parte ouviste através de muitas testemunhas, isso mesmo transmite a homens fiéis e também idôneos para instruir a outros* (2.2). Não basta preservar o evangelho intacto, sem a contaminação das heresias disseminadas pelos falsos mestres; o evangelho precisa também ser transmitido com fidelidade. Concordo com Hans Burki quando ele diz: "A melhor maneira de preservar o evangelho é transmiti-lo".[2] O evangelho deve ser transmitido sem acréscimo nem subtração. É fato que a mensagem cristã por vezes se torna diluída ou poluída, requerendo que em toda geração haja a restauração da glória e do poder primitivos do evangelho.[3]

---

[2] BURKI, Hans. Segunda carta a Timóteo. In: *Carta aos Tessalonicenses, Timóteo, Tito e Filemom*. Curitiba: Esperança, 2007, p. 328.
[3] GOULD, J. Glenn. As epístolas pastorais. In: *Comentário bíblico Beacon*. Vol. 9, Rio de Janeiro: CPAD, 2006, p. 518.

O que Timóteo recebeu de Paulo, isso ele deve transmitir a homens fiéis e idôneos, os quais devem instruir outros indivíduos fiéis e idôneos, numa cadeia constante. Essa é a verdadeira sucessão apostólica. Não é sucessão de ofício, mas continuidade de mensagem apostólica. Duas coisas são exigidas aqui: fidelidade e capacidade de ensinar. Alguns são fiéis, porém não são capazes de transmitir o que receberam para favorecerem os destinatários. Outros têm aptidão pedagógica, mas não são fiéis na fé e no serviço.[4]

William Barclay diz acertadamente que "todo cristão deve ver em si mesmo um vínculo entre duas gerações. Ele não somente recebe a fé, mas também deve transmiti-la a outros. Receber a fé é um privilégio; transmiti-la é uma responsabilidade. A tocha do evangelho precisa ser passada de geração a geração sem se apagar".[5] Nessa transmissão da verdade de mão em mão, Paulo divisa quatro estágios.[6]

1. *A fé fora confiada a Paulo por Cristo*. Paulo chama essa fé de *meu evangelho* (1.12). Paulo não a recebeu nem a aprendeu de homem algum, mas mediante revelação de Jesus Cristo (Gl 1.11,12).
2. *O que por Cristo fora confiado a Paulo, este por sua vez o confiou a Timóteo*. Assim, *o meu depósito* (1.12) passa a ser *o bom depósito* (1.14). A mesma verdade confiada a Paulo é, agora, confiada a Timóteo. Esta verdade corresponde às *sãs palavras* que Timóteo ouvira de Paulo por intermédio de muitas testemunhas.
3. *O que Timóteo ouviu de Paulo, ele deve agora confiá-lo a homens fiéis*. Os despenseiros de Deus devem ser fiéis (1Co 4.1,2). Devem ser homens confiáveis, leais e íntegros tanto no caráter quanto na mensagem.
4. *Tais homens devem ser idôneos para instruir os outros*. A verdadeira sucessão apostólica, diz Stott, percorre os quatro estágios na transmissão da verdade até atingir este último: de Cristo a Paulo, de Paulo a Timóteo, de Timóteo a *homens fiéis*, e *de homens fiéis* a *outros*. Ou seja, é uma

---

[4] BURKI, Hans. Segunda carta a Timóteo. In: *Cartas aos Tessalonicenses, Timóteo, Tito e Filemom*, p. 328.
[5] BARCLAY, William. *I y II Timoteo, Tito y Filemon*, p. 167-168.
[6] STOTT, John. *Tu, porém: a mensagem de 2Timóteo*, p. 41.

sucessão de tradição apostólica em vez de uma sucessão de autoridade, sequência ou ministério apostólico. Deve ser uma transmissão da doutrina dos apóstolos, deles recebida sem distorções pelas gerações posteriores, passada de mão em mão como a tocha olímpica.[7]

Em quarto lugar, *a mensagem e o mensageiro precisam estar em harmonia* (2.2). O evangelho apostólico precisa ser transmitido a homens fiéis e idôneos. A igreja cristã depende dessa cadeia ininterrupta de mestres.[8] A vida de quem prega precisa estar em sintonia com a mensagem pregada. A vida do pregador é a vida da sua mensagem. Homens infiéis e inidôneos estão desqualificados para instruir outras pessoas. A vida do pregador é a vida da sua mensagem.

O soldado (2.3,4)

O apóstolo Paulo passa da figura do mordomo para a figura do soldado. Ele já havia ensinado que a vida cristã é um luta sem trégua contra os principados e potestades e que, por essa razão, todo cristão deve estar revestido com a armadura de Deus, equipado com as armas espirituais.[9] O ministério tem certas semelhanças com a carreira militar. Epíteto afirmou: "A vida de todo homem é uma espécie de militância, uma militância ampla e variada".[10] E Sêneca sintetizou: "Viver é ser um soldado".[11] Nesse sentido, há quatro verdades que destacamos a seguir.

Em primeiro lugar, *o obreiro cristão precisa ser um bom soldado*. *Participa dos meus sofrimentos, como bom soldado de Cristo Jesus* (2.3). Não basta ser um soldado; é preciso ser um bom soldado. Não basta ser um obreiro; é preciso ser um bom obreiro. Há muitos obreiros que fazem a obra do Senhor relaxadamente. Aquele que exerce o ministério deve fazê-lo com excelência, e isso precisa ser demonstrado tanto no caráter pessoal quanto no exercício de sua função.

---

[7] STOTT, John. *Tu, porém: a mensagem de 2Timóteo*, p. 43.
[8] BARCLAY, William. *I y II Timoteo, Tito y Filemon*, p. 168.
[9] Efésios 6.10-20; 1Timóteo 1.18; 6.12; 2Coríntios 6.7; 10.3-5; Romanos 6.13, 14.
[10] EPÍTETO. *Discursos* 3,24,34.
[11] SÊNECA. *Epístolas*, 96,5.

Em segundo lugar, *o obreiro cristão precisa estar disposto a sofrer* (2.3). A vida cristã não é um parque de diversões, mas um campo de batalha. O obreiro não é um turista, mas um soldado. Não vive buscando deleites e prazeres, mas está pronto a sofrer. Muitas vezes, o papel do soldado é colocar seu corpo como parede viva entre o inimigo e aqueles a quem ele ama. É sacrificar-se por aqueles a quem defende. Não há ministério indolor. Não há vida cristã sem sofrimento. Não há cristianismo genuíno sem dor. A cruz precede a coroa. "Nenhum soldado vai à guerra cercado de luxúrias, nem vai à batalha deixando um quarto confortável, mas sim uma tenda estreita e provisória, em que há muita dureza, severidade e desconforto. De igual modo, o cristão não deve esperar dias fáceis. Sua fidelidade a Cristo certamente lhe acarretará oposição e escárnio".[12]

Em terceiro lugar, *o obreiro cristão precisa ser focado no que faz*. *Nenhum soldado em serviço se envolve em negócios desta vida...*(2.4a). A palavra grega *empleketai*, traduzida por "envolver-se", retrata a arma de um soldado embaraçada em sua armadura.[13] O ministro de Deus não pode ser uma pessoa distraída com muitos afazeres. Não pode ter a mente dividida com muitos interesses. Seu coração não pode ser um solo cheio de espinhos, no qual a fascinação do mundo, as riquezas e os prazeres da vida concorram e disputem espaço. O obreiro precisa ser um indivíduo focado. Precisa dedicar-se integralmente, de corpo e alma, ao que está fazendo. A disciplina deve ser uma prova de seu comprometimento. Barclay cita o Código Romano de Teodósio: "Proibimos que os homens arrolados no serviço militar se comprometam com ocupações civis".[14] Requer-se deles devoção integral a seu trabalho.

Um soldado não vai à guerra a suas expensas. Sua dedicação deve ser exclusiva, e sua atenção inteiramente precisa estar voltada ao seu trabalho. Esse deve ser, também, o ideal para os obreiros que se dedicam à causa do evangelho. A ordenança bíblica é que aqueles que pregam o evangelho devem, da mesma forma, viver do evangelho (1Co 9.14).

---

[12] STOTT, John. *Tu, porém: a mensagem de 2Timóteo*, p. 44.
[13] RIENECKER, Fritz; ROGERS, Cleon. *Chave linguística do Novo Testamento Grego*, p. 474.
[14] BARCLAY, William. *I y II Timoteo, Tito y Filemon*, p. 169.

Em quarto lugar, *o obreiro cristão precisa ser fiel ao seu comandante... porque o seu objetivo é satisfazer àquele que o arregimentou* (2.4b). Nenhum soldado vai à guerra para agradar a si mesmo ou fazer a própria vontade. Ele está sob comando. Trabalha debaixo de ordens. Seu papel é fazer o que o comandante lhe ordena. Seu propósito é agradar aquele que o arregimentou. Não trabalhamos para nós mesmos. Não fazemos o que nós mesmos desejamos nem queremos agradar aos homens. Somos soldados de Cristo. Fomos alistados por ele. Devemos obedecer-lhe e honrá-lo com uma pronta e humildade submissão.

Barclay tem razão em dizer que o soldado, envolto no *front* da batalha, não pode ver a totalidade de situação. Deve deixar as decisões para o comandante, que vê todo o campo de batalha. O primeiro dever de um cristão é obedecer à voz de Deus e aceitá-la ainda que não possa compreendê-la plenamente.[15]

O atleta (2.5)

Da figura do soldado, Paulo passa a outra de suas figuras favoritas, a do atleta. Nenhum atleta se prepara para a derrota; prepara-se para a vitória. Três verdades devem ser aqui destacadas.

Em primeiro lugar, *o atleta prepara-se antes de entrar no estádio. Igualmente, o atleta não é coroado se não lutar segundo as normas* (2.5). Um atleta é uma pessoa disciplinada. Cuida de seu corpo, saúde, descanso, exercício e alimentação. Sua autodisciplina é fundamental para o sucesso da competição. O que o atleta é e faz fora de campo é determinante para seu bom desempenho dentro de campo. Gould tem razão em afirmar que é a preparação para a competição, e não a competição em si, que está em foco aqui. O atleta não tem chance de vitória, a menos que obedeça a certas condições prévias; ele tem de passar pelo treinamento necessário e limitar-se a determinada dieta.[16]

Muitos atletas de talento destroem sua carreira porque são desregrados em sua vida pessoal. Entregam-se aos prazeres da vida e

---

[15] BARCLAY, William. *I y II Timoteo, Tito y Filemon*, p. 169.
[16] GOULD, J. Glenn. A segunda epístola a Timóteo. In: *Comentário bíblico Beacon*. Vol. 9, 2005, p. 519.

envolvem-se com práticas nocivas à sua saúde física e emocional. Por isso, quando entram em campo, não têm força física nem concentração emocional suficientes para os grandes embates. O mesmo se aplica ao atleta de Cristo. Sua preparação física, emocional e espiritual são determinantes para o seu êxito em sua atividade. Um corredor, ao entrar no estádio, precisa se desvencilhar de todo peso (Hb 12.1,2). Um atleta precisa esmurrar seu corpo através de severa disciplina e pesado treinamento, para não ser desqualificado na competição (1Co 9.24-27). Há momentos em que não desejamos orar; há outros em que é muito atrativo o caminho fácil; há ocasiões em que o correto é difícil; e outras em que nosso desejo é afrouxar nossas normas. Mas o cristão é um indivíduo disciplinado.[17]

Em segundo lugar, *o atleta entra no estádio para vencer* (2.5). Um atleta convencional pode entrar numa competição e ganhar ou perder, mas o ministro de Deus já entra em campo como vencedor. Embora nossa luta seja contra seres malignos, nossa vitória é garantida. Estamos organicamente unidos ao vencedor. Cristo é o cabeça, e nós somos o corpo. Cristo é a Videira verdadeira, e nós somos os ramos. A seiva que nos dá vida emana de Cristo. O poder que nos capacita vem de Cristo. Morremos com ele, ressuscitamos nele e vivemos para ele.

Em terceiro lugar, *o atleta só recebe a recompensa se competir segundo as normas* (2.5). Um atleta deve seguir as leis da disputa e jamais pode tornar mais leve seu trabalho quebrando as regras.[18] O atleta pode ter um desempenho superior aos demais competidores, mas, se não correr segundo as normas, será inevitavelmente desqualificado. Tentar burlar as normas para alcançar alguma vantagem é uma atitude indigna de um atleta.

Muitos conquistam medalhas em competições olímpicas e depois as perdem, por se descobrir, mais tarde, que alguma norma da competição foi quebrada. O obreiro, de igual forma, precisa ser íntegro. Sua vida é a base de seu ministério. Seu caráter é o alicerce de sua liderança. Sua integridade, o fundamento de sua vida. John Stott corretamente diz

---

[17] BARCLAY, William. *I y II Timoteo, Tito y Filemon*, p. 171.
[18] RIENECKER, Fritz; ROGERS, Cleon. *Chave linguística do Novo Testamento Grego*, p. 474.

que nenhum atleta era coroado se não tivesse competido de acordo com as regras, mesmo que o seu desempenho tivesse sido brilhante. Fora do regulamento não há prêmio, essa era a palavra de ordem.[19]

Para passar o evangelho adiante, podemos imaginar a modalidade esportiva do revezamento: o evangelho é a tocha da vida; de cada um se demanda máximo empenho, de todos se espera que estejam entrosados entre si.[20] Se falharmos em transmitir o evangelho todo, por toda a igreja, a toda a criatura, em todo o mundo, em nossa geração, teremos fracassado em nossa missão.

O lavrador (2.6)

O apóstolo deixa uma imagem cheia de emoção, com milhares de espectadores, para o trabalho anônimo e sem emoção de um lavrador. Se o atleta desempenha sua tarefa debaixo dos holofotes, o lavrador faz a Sua obra sob o manto do anonimato. Três fatos devem ser ressaltados aqui.

Em primeiro lugar, **o lavrador precisa trabalhar arduamente**. *O lavrador que trabalha deve ser o primeiro a participar dos frutos* (2.6). Nenhum lavrador preguiçoso consegue resultados abundantes na lavoura. Dizem as Escrituras: *O preguiçoso não lavra por causa do inverno, pelo que, na sega, procura e nada encontra* (Pv 20.4). Ainda diz a Palavra de Deus: *Passei pelo campo do preguiçoso e junto à vinha do homem falto de entendimento; eis que tudo estava cheio de espinhos, a sua superfície, coberta de urtigas, e o seu muro de pedra, em ruínas* (Pv 24.30,31). O lavrador é um indivíduo que acorda cedo, entrega-se à lide e trabalha incansavelmente para lutar contra a pobreza do solo, a hostilidade do tempo, a força das ervas daninhas e o ataque das pragas. Ele põe a mão no arado e não olha para trás. Seu trabalho é extenuante e desprovido de emoção. Não existem espectadores nas arquibancadas nem aplausos dos homens ao suor do seu rosto e lágrimas, as quais, muitas vezes, regam o solo duro de sua semeadura.

Em segundo lugar, **o lavrador não administra o resultado de seu trabalho** (2.6). O lavrador depende do tempo, do solo e da semente.

---

[19]STOTT, John. *Tu, porém: a mensagem de 2Timóteo*, p. 46.
[20]BURKI, Hans. *Segunda carta a Timóteo*, p. 330.

Ele prepara o terreno, semeia e rega, mas não pode dar vida à semente nem controlar o tempo. Seu trabalho depende exclusivamente daquilo sobre o que ele não tem controle. O lavrador precisa ter paciência (Tg 5.7). Deve aprender que não existem resultados rápidos.

Em terceiro lugar, *o lavrador usufrui os frutos do seu trabalho* (2.6). O lavrador não apenas tem o direito aos frutos, mas lhe cabe o privilégio das primícias. Ele não apenas semeia com lágrimas, mas colhe com júbilo. Não apenas depende do provedor, mas usufrui as primícias da provisão. Paulo tem em mente o sustento material que o líder apostólico tem direito de esperar da parte da comunidade na qual tem labutado (1Co 9.10,11; 1Tm 5.17,18).[21]

Paulo se refere a que colheita? Primeiro, pode ser à colheita da santidade. Se semeamos no Espírito, colhemos o fruto do Espírito (Gl 5.6; 6.8). Segundo, à colheita de conversões. Cabe ao agricultor semear e regar e compete ao Senhor dar o crescimento (1Co 3.6,7). Quando o semeador semeia com lágrimas, volta com júbilo, trazendo os seus feixes (Sl 126.5,6).

Antes de entrar no próximo parágrafo, sintetizaremos o que já foi escrito até aqui, com as palavras de Barclay:

> Há uma coisa comum nas imagens mencionadas. O soldado é sustentado pela crença na vitória final. O atleta pela visão da coroa. O lavrador pela esperança da colheita. Cada um deles se submete à disciplina e ao trabalho pela glória que obterão. O mesmo sucede com o cristão. A luta cristã não é uma luta sem fim; não é um esforço sem meta. O cristão está absolutamente seguro de que, depois do esforço na vida cristã, vem o gozo do céu; em quanto mais se luta, maior é a recompensa.[22]

Meditação e iluminação (2.7)

Depois de compartilhar quatro figuras vívidas acerca do ministério, Paulo instrui Timóteo a ponderar sobre as verdades que essas figuras encerram e a rogar a Deus a iluminação para aprofundar seu

---

[21] KELLY, John N. D. *I e II Timóteo e Tito: introdução e comentário*, p. 164.
[22] BARCLAY, William. *I y II Timoteo, Tito y Filemon*, p. 173.

entendimento espiritual. Stott diz que há pelo menos duas importantes implicações na combinação de meditação (humana) e iluminação (divina) para quem queira apossar-se da dádiva da compreensão, prometida pelo Senhor.

Em primeiro lugar, **a meditação humana**. *Pondera o que acabo de dizer...*(2.7a). Paulo nada vê de anormal em sustentar que o seu ensino, como apóstolo, merece um estudo cuidadoso. Está ciente de que o Seu evangelho é a própria Escritura. Equipara *o meu evangelho* (2.8) com *a Palavra de Deus* (2.9). Buscar a iluminação sem o estudo é agir como um agricultor que deseja colher sem semear. Deus não premia os preguiçosos, mas aqueles que se afadigam na Palavra (1Tm 5.17).

Em segundo lugar, **a iluminação divina** ... *porque o Senhor te dará compreensão em todas as coisas* (2.7b). O Espírito Santo é o autor das Escrituras. Toda a Escritura é inspirada por Deus (3.16). E o mesmo Espírito que a inspirou ilumina a nossa mente para a compreendermos. Concordo com John Stott quando ele diz que "não devemos desunir o que Deus uniu, pois para a compreensão das Escrituras é essencial uma combinação equilibrada de meditação e de oração. A nós compete 'ponderar'; e o Senhor providenciará para nós a 'compreensão'".[23]

Lembranças que fortalecem a alma (2.8)

Depois de mostrar a imagem do mordomo, soldado, atleta e lavrador, Paulo mostra o maior de todos os chamados: a recordação de Jesus Cristo. Aqui está o coração do evangelho paulino.[24] O tempo do verbo em grego, chamado presente contínuo, não implica um ato levado a cabo em um momento definido, mas uma afirmação contínua que permanece para sempre. Timóteo deveria recordar não apenas o evento histórico da ressurreição, mas, sobretudo, a Sua presença entre nós, para sempre. Quando nos ameaçam os temores e quando nos assaltam as dúvidas, devemos recordar a presença do Senhor ressuscitado conosco.[25] Numa

---

[23] STOTT, John. *Tu, porém: a mensagem de 2Timóteo*, p. 52.
[24] BARCLAY, William. *I y II Timoteo, Tito y Filemon*, p. 174.
[25] BARCLAY, William. *I y II Timoteo, Tito y Filemon*, p. 174.

época de perseguição e apostasia, Timóteo deveria desviar os olhos dessas circunstâncias desanimadoras e colocar a mente em Cristo. Jesus morreu e ressuscitou. A morte não pôde retê-lo. Porque ele se humilhou até a morte, e morte de cruz, Deus O exaltou sobremaneira e lhe deu o nome que está acima de todo nome. A humilhação é o caminho da glorificação, e a cruz, o prelúdio da coroa. O que Paulo está dizendo a Timóteo é: "Timóteo, quando você estiver tentando evitar sacrifícios, humilhação, sofrimento ou morte em seu ministério, lembre-se de Jesus Cristo, e reconsidere tudo!"[26] Concordo com John N. D. Kelly em que a sugestão provável é que até mesmo Jesus teve de palmilhar o caminho da cruz e provar a morte antes de ser exaltado.[27]

Três fatos devem ser aqui observados.

Em primeiro lugar, **devemos nos lembrar da natureza divino-humana de Jesus**. *Lembra-te de Jesus Cristo...* (2.8a). Ele é o Verbo que se fez carne. O Jesus histórico é o mesmo Cristo divino. As palavras *descendente de Davi* retratam a sua humanidade, enquanto as palavras *ressuscitou de entre os mortos* atestam a Sua divindade.[28]

Em segundo lugar, **devemos nos lembrar de que Jesus venceu a morte**. *... ressuscitado de entre os mortos...* (2.8b). Num tempo em que muitos crentes da Ásia estavam retrocedendo por medo da morte, era vital que Timóteo reavivasse sua memória com o fato de que Jesus já havia quebrado a espinha dorsal da morte e arrancado seu aguilhão. A vitória de Cristo sobre a morte é uma prova inconteste da eficácia de Seu sacrifício expiatório, uma vez que Cristo morreu pelos nossos pecados, segundo as Escrituras (1Co 15.3), e ressuscitou para nossa justificação (Rm 4.25).

Em terceiro lugar, **devemos nos lembrar de que o evangelho está centralizado na pessoa de Jesus**. *... descendente de Davi, segundo o meu evangelho* (2.8c). Jesus é o descendente de Davi, o Messias prometido. Há uma conexão entre o Antigo e o Novo Testamentos, entre a promessa e o cumprimento, entre o Cristo prometido e o Cristo encarnado. O evangelho de Paulo está focado na promessa do Cristo, no

---

[26] STOTT, John. *Tu, porém: a mensagem de 2Timóteo*, p. 54.
[27] KELLY, John N. D. *I e II Timóteo e Tito: introdução e comentário*, p. 164.
[28] STOTT, John. *Tu, porém: a mensagem de 2Timóteo*, p. 53.

nascimento, na vida, morte e ressurreição daquele cuja origem é desde a eternidade, mas que se manifestou para consumar nossa redenção.

Sofrimentos que abençoam (2.9,10)

Paulo passa do sofrimento e da vitória sobre a morte de Cristo para os sofrimentos que ele próprio, apóstolo de Cristo, está sofrendo por causa do evangelho: *Pelo qual [evangelho] estou sofrendo até algemas, como malfeitor; contudo, a Palavra de Deus não está algemada. Por esta razão, tudo suporto por causa dos eleitos, para que também eles obtenham a salvação que está em Cristo Jesus, com eterna glória* (2.9,10). Destacamos alguns pontos importantes aqui.

Em primeiro lugar, **a segunda prisão de Paulo em Roma**. *Pelo qual estou sofrendo até algemas...*(2.9a). Desde que o imperador Nero ateou fogo em Roma em 17 de julho de 64 d.C. e depois colocou a culpa desse crime hediondo nos cristãos, é que Paulo, como líder do cristianismo, passou a ser perseguido. Os altares mais sagrados e os edifícios mais famosos arderam em chamas e pereceram sob o fogo. A grande maioria da população vivia em edifícios de madeira e, dos quatorze bairros de Roma, dez foram destruídos. Os quatro bairros restantes, densamente povoados por judeus e cristãos, deram a Nero um álibi para lançar sobre os cristãos a culpa pelo incêndio. A partir daí, uma brutal e sangrenta perseguição desabou sobre os seguidores de Cristo. Faltou madeira na época para fazer cruz, tamanha a quantidade de cristãos que foram crucificados. Os crentes eram amarrados em postes, cobertos de piche e incendiados vivos para iluminar as noites de Roma. Como Paulo era o maior líder dos cristãos naquele tempo, ele foi meticulosamente procurado. Ele, que já estivera preso em Roma nos idos de 60-62 d.C., agora é novamente capturado e jogado numa masmorra úmida, fria, escura e insalubre. Nesse calabouço, de onde as pessoas saíam leprosas ou para o martírio, o velho apóstolo está algemado, padecendo as agruras de uma prisão desumana, acusado de ser um dos líderes de uma odiada seita de incendiários.

Em segundo lugar, **a acusação contra Paulo em Roma**... *como malfeitor...*(2.9b). Paulo não está preso por acusações religiosas, como por ocasião do seu primeiro encarceramento. Quem está por trás desse aprisionamento não são mais os judeus radicais, mas o próprio imperador

Nero. Pesa contra Paulo a pesada acusação de ser o líder dos criminosos incendiários de Roma. O apóstolo está preso como um criminoso comum, como um bandido perigoso para o Estado. A palavra *malfeitor* só aparece mais uma vez no Novo Testamento e é usada para descrever os malfeitores que foram crucificados ao lado de Jesus (Lc 23.32,33).

Em terceiro lugar, *o pregador preso, a Palavra de Deus livre. ... contudo, a Palavra de Deus não está algemada* (2.9c). Paulo está convencido de que, mesmo estando preso, a Palavra de Deus não pode ser encarcerada. Mesmo em circunstâncias tão adversas, com limitações tão gritantes, Paulo confessa que, não obstante estar ele algemado, a Palavra de Deus está livre. Não há prisão para a Palavra de Deus. Ninguém pode algemar a Palavra de Deus. Ninguém pode acorrentar a verdade. Os pregadores podem ser presos e torturados, mas a Palavra de Deus segue seu curso sobranceira e vitoriosamente. Ela triunfa sobre todas as fogueiras da intolerância. Tem saído vitoriosa de todas as batalhas. A Palavra de Deus é a bigorna que quebra todos os martelos dos críticos.

Concordo com William Barclay quando ele diz que ninguém tem poder para exilar a verdade. É possível exilar um homem, mas não a verdade. É possível encarcerar um pregador, mas não a Palavra que ele prega. A mensagem é sempre maior que o mensageiro. A verdade é sempre mais poderosa que aquele que a leva. Paulo está seguro de que o governo romano poderia encarcerá-lo, mas jamais encontraria uma prisão cujas grades e cadeias pudessem conter ou restringir a Palavra de Deus.[29] Hans Burki tem razão em dizer que Paulo evidencia aqui uma incrível liberdade de si mesmo, justamente no instante em que ele permite que o evangelho o amarre até a morte de martírio.[30]

Em quarto lugar, *o sofrimento por causa dos eleitos. Por esta razão, tudo suporto por causa dos eleitos...* (2.10a). Depois de achar consolo no fato de que a Palavra de Deus não estava algemada, Paulo encontra lenitivo em saber que seu sofrimento ajudaria os eleitos de Deus a receberem a salvação. Aqui os eleitos de Deus correspondem àqueles a quem a eterna

---

[29] BARCLAY, William. *I y II Timoteo, Tito y Filemon*, p. 178.
[30] BURKI, Hans. Segunda carta a Timóteo. In: *Cartas aos Tessalonicenses, Timóteo, Tito e Filemom*, p. 32.

predestinação de Deus escolheu para receberem a salvação (Rm 8.33; Cl 3.12; Tt 1.1), mas que ainda não corresponderam ao seu chamado.[31]

Nessa mesma linha de pensamento, Hendriksen declara que os eleitos são as pessoas em quem Deus pôs Seu amor particular desde a eternidade. Eles são objeto de seu soberano beneplácito, eleitos não por causa de uma bondade ou fé prevista, mas porque Deus assim o quis. Não foi a bondade do homem que provocou a eleição; a eleição é que provocou a fé do homem.[32] O sofrimento de Paulo não é vicário, mas ele tudo sofre por causa dos eleitos. Hans Burki assegura que "os eleitos não alcançam a salvação em Paulo nem por causa dos sofrimentos dele, mas em Jesus e por meio da morte dele na cruz".[33] O sangue dos mártires tem sido o adubo que fertiliza a semente. As lágrimas dos mártires têm sido como uma chuvarada que umedece o solo e prepara a semente para brotar. O fogo das piras queimando os mártires tem sido a faísca para alastrar um fogo poderoso cujas chamas jamais apagam. Foi desta forma que Ridley disse a Cramner, quando ambos estavam sendo queimados vivos na Inglaterra, por ordem de Maria Tudor: "Coragem, meu irmão. Hoje nós estamos acendendo uma chama na Inglaterra que jamais poderá ser apagada".

Paulo sabe que seus sofrimentos pelo evangelho e pelos eleitos não são em vão. Deus tem um povo a quem amou desde a eternidade. Esse povo foi escolhido eterna, soberana e graciosamente e dado a Jesus. Jesus veio ao mundo para salvar o povo de seus pecados (Mt 1.21), veio para dar a vida pelas suas ovelhas (Jo 10.11). Veio para morrer pela igreja (Ef 5.24,25). É por esses eleitos de Deus que Paulo está sofrendo. Estou de pleno acordo com o que diz Stott:

A doutrina da eleição não dispensa a necessidade da pregação; pelo contrário, ela a torna essencial. Por causa mesmo da eleição é que Paulo prega e sofre. O eleito obtém a salvação em Cristo não à parte da pregação de Cristo, mas por meio dela.[34]

---

[31] KELLY, John N. D. *I e II Timóteo e Tito: introdução e comentário*, p. 165.
[32] HENDRIKSEN, William. *1 y 2 Timoteo y Tito*, p. 286.
[33] BURKI, Hans. Segunda carta a Timóteo. In: *Cartas aos Tessalonicenses, Timóteo, Tito e Filemom*, p. 332.
[34] STOTT, John. *Tu, porém: a mensagem de 2Timóteo*, p. 54.

Em quinto lugar, *o propósito do sofrimento pelos eleitos ... para que também eles obtenham a salvação que está em Cristo Jesus, com eterna glória* (2.10b). Paulo sofre para que os eleitos de Deus alcancem a salvação que está em Cristo Jesus. Os eleitos precisam ouvir o evangelho, a voz do divino pastor. Aqueles que Deus conheceu de antemão, que foram predestinados para a salvação desde o princípio, são também chamados eficazmente. Longe de a doutrina da eleição ser um desestímulo à evangelização, é a garantia do seu êxito.

A fidelidade de Deus à Sua Palavra (2.11-13)

Paulo passa a falar sobre a fidelidade da Palavra de Deus e da confiabilidade de Suas promessas: *Fiel é esta palavra: Se já morremos com Ele, também viveremos com Ele; se perseveramos, também com Ele reinaremos; se O negamos, Ele, por sua vez, nos negará; se somos infiéis, Ele permanece fiel, pois de maneira nenhuma pode negar-se a si mesmo* (2.11-13). Algumas verdades importantes devem ser aqui ressaltadas.

Em primeiro lugar, *a Palavra de Deus é absolutamente confiável. Fiel é esta palavra...* (2.11a). A Palavra de Deus tem a marca de seu caráter. Deus é fiel e por isso Sua Palavra também o é. As Escrituras não podem falhar. Deus tem zelo por cumprir Sua Palavra. Nenhuma de Suas palavras cai por terra. Em todas as Suas promessas, nós temos o sim de Deus, pois Sua Palavra é fiel.

Em segundo lugar, *estamos identificados com Cristo tanto em sua morte como em sua vida. ... se já morremos com Ele, também viveremos com Ele* (2.11b). Uma das doutrinas mais profundas e consoladoras das Escrituras é nossa união mística com Cristo. Morremos com Cristo em sua morte e ressuscitamos com Cristo para uma nova vida em Sua ressurreição. Como diz John Stott, "somente teremos parte na vida de Cristo no céu se, anteriormente, tivermos participação de sua morte na terra. A estrada para a vida é a morte, e a estrada para a glória é o sofrimento".[35]

Em terceiro lugar, *Deus é consistente tanto em Suas promessas como em Seu juízo. Se perseveramos, também com Ele reinaremos; se O negamos, Ele,*

---

[35]Ibid.

por sua vez, nos negará; se somos infiéis, Ele permanece fiel, pois de maneira nenhuma pode negar-se a si mesmo (2.12,13). John N. D. Kelly entende o significado desta passagem da seguinte maneira: por mais inconstantes e infiéis que sejam os seres humanos, o amor de Deus continua inalterável. Assim, o propósito da afirmação não é abrir a porta para o desvio e a apostasia, mas sim fornecer um bálsamo para as consciências perturbadas.[36]

Entendo, porém, que não é essa a correta interpretação. Aqueles que usam esse texto para justificar seus pecados, imaginando poderem transgredir os preceitos de Deus e ainda assim escapar, por causa da fidelidade de Deus, estão equivocados. Deus é fiel tanto na dádiva de Suas promessas como na execução de seus juízos. Essa passagem é um eco das próprias palavras de Cristo: *Qualquer, pois, que nesta geração perversa me confessar diante dos homens, eu o confessarei diante do Pai, que está nos céus. E a qualquer que me negar diante dos homens, eu também o negarei diante de meu Pai que está nos céus* (Mt 10.32,33). Quem nega Jesus em juízo perante os seres humanos e se declara definitivamente separado dele, também será negado por Jesus no juízo perante o Pai.[37] John Stott corrobora essa ideia:

> A fidelidade da parte de Cristo significa que ele executa as suas ameaças, bem como as Suas promessas, pois se ele não nos negasse (em fidelidade às suas claras advertências), ele teria de negar a si mesmo. Contudo uma coisa a respeito de Deus é certa, fora de toda dúvida, que de maneira nenhuma Deus pode negar-se a si mesmo.[38]

O obreiro (2.14-19)

Paulo volta, agora, a falar sobre as figuras que ilustram o ministro do evangelho. Depois de abordar as imagens do mordomo, soldado, atleta e lavrador, agora aborda a figura do obreiro. Warren Wiersbe diz corretamente que o pastor é um obreiro da Palavra de Deus. A Palavra é um

---

[36] KELLY, John N. D. *I e II Timóteo e Tito: introdução e comentário*, p. 168.
[37] BURKI, Hans. Segunda carta a Timóteo. In: *Cartas aos Tessalonicenses, Timóteo, Tito e Filemom*, p. 335.
[38] STOTT, John. *Tu, porém: a mensagem de 2Timóteo*, p. 56.

tesouro que o despenseiro deve guardar e investir. É a espada do soldado e a semente do agricultor. Mas também é a ferramenta do obreiro para construir, medir e reparar o povo de Deus.³⁹ Destacamos alguns pontos importantes a respeito.

Em primeiro lugar, **o testemunho do obreiro**. *Recomenda estas coisas. Dá testemunho solene a todos perante Deus, para que evitem contendas de palavras que para nada aproveitam, exceto para a subversão dos ouvintes* (2.14). O obreiro precisa guardar a Palavra intacta, transmiti-la com fidelidade e recomendá-la com esmero. O obreiro deve se esmerar tanto na proclamação quanto na aplicação da mensagem. O cristão deve evitar as contendas de palavras. Isso não é proveitoso nem traz edificação para os ouvintes. A Palavra de Deus deve ser ensinada com mansidão, no poder do Espírito Santo.

Em segundo lugar, **o preparo do obreiro**. *Procura apresentar-te a Deus aprovado, como obreiro que não tem de que se envergonhar, que maneja bem a palavra da verdade* (2.15). Não podemos fazer a obra de Deus relaxadamente. Aquele que ensina deve esmerar-se no fazê-lo. Quem prega a Palavra precisa ser um mestre da Palavra. Aquele que cessa de aprender cessa de ensinar. Quem não abastece sua própria alma com a Palavra não pode alimentar os outros com a Palavra. Não podemos ensinar os outros a partir da plenitude das nossas emoções e do vazio da nossa mente.

A palavra grega *parastesai*, traduzida por *apresentar-te*, significa apresentar-se para o serviço. Dá a ideia de utilidade para e no serviço. Já a palavra *dokimos*, traduzida por *aprovado*, era usada para indicar o ouro e a prata purificados de toda a escória. Fazia referência ao dinheiro genuíno e não adulterado. Também era empregada para aludir a uma pedra lavrada, cortada e provada a fim de ser usada adequadamente na construção de um edifício. Uma pedra com alguma imperfeição era marcada com um *A* maiúsculo, representando a palavra grega *adokimastos*, que significa "provada e encontrada deficiente".⁴⁰

O obreiro precisa apresentar-se primeiro a Deus como aprovado, para depois apresentar-se diante dos homens com eficácia. Seu papel não é

---

³⁹Wiersbe, Warren W. *Comentário bíblico expositivo*. Vol.6, p. 320.
⁴⁰Barclay, William. *I y II Timoteo, Tito y Filemon*, p. 182-183.

torcer as Escrituras, mas manejá-la bem. A palavra grega *horthotomeo*, traduzida por "manejar bem", significa "cortar em linha reta". Calvino relacionou essa palavra com um pai que divide os alimentos durante a refeição, cortando-os de tal maneira que cada membro da família receba a sua porção adequada.[41] Essa palavra era utilizada na engenharia civil no sentido de "cortar um caminho em linha reta", ou na agricultura no sentido de "conduzir o sulco em linha reta". O significado espiritual é claro: o obreiro não pode torcer a Palavra. Precisa expô-la integralmente, fielmente, corretamente. Enquanto os falsos mestres desvirtuam as Escrituras (2.18; 1Tm 1.6; 6.21), o obreiro fiel deve manejá-la bem, ou seja, pregá-la com fidelidade. Outra interpretação possível, segundo John N. D. Kelly, é que Paulo está admoestando Timóteo a, quando pregar o evangelho, seguir um caminho estreito, sem se desviar por disputas acerca de meras palavras ou por conversas ímpias.[42]

Em terceiro lugar, **os perigos ao obreiro**. *Evita, igualmente, os falatórios inúteis e profanos, pois os que deles usam passarão a impiedade ainda maior* (2.16). Na mesma medida que o obreiro precisa ser proativo para pregar a Palavra, deve ser decidido a evitar falatórios inúteis e profanos. Sua boca deve estar cheia da verdade e vazia de palavras vãs. Enquanto a Palavra de Deus santifica, aqueles que se entregam aos falatórios inúteis e profanos tornam-se piores e se degradam ainda mais.

Em quarto lugar, **a apostasia dos falsos obreiros**. *Além disso, a linguagem deles corrói como câncer; entre os quais se incluem Himeneu e Fileto. Estes se desviaram da verdade, asseverando que a ressurreição já se realizou, e estão pervertendo a fé a alguns* (2.17,18). Paulo alerta Timóteo acerca da onda de apostasia que estava tomando conta da igreja, ora por influência da perseguição, ora pela infiltração dos falsos mestres. Dentre os heréticos que perturbavam a igreja, encontravam-se Himeneu e Fileto. Esses homens não eram obreiros aprovados, mas contraventores da Palavra. Esses paladinos do engano, prófugos da verdade, negavam a integridade das Escrituras, esvaziando a fé cristã de sua máxima esperança,

---

[41] CALVINO, Juan. *Comentarios a las Epístolas Pastorales de San Pablo*, p. 259.
[42] KELLY, John N. D. *I e II Timóteo e Tito: introdução e comentário*, p. 170.

afirmando que a ressurreição era um fato passado, e não uma realidade futura (At 17.32; 1Co 15.12). Diz John Stott que, em vez de pregar o evangelho de Paulo, que incluía Jesus Cristo, *ressuscitado de entre os mortos* (2.8), modelo e penhor da ressurreição do Seu povo (1Co 15.12-20), os falsos mestres ensinavam *que a ressurreição já se realizou* (2.18).[43] Sem o Senhor vivo, porém, a mensagem, a doutrina e a fé não podem continuar vivas nem gerar vida. Tudo se torna vazio e nulo.[44]

Naquele tempo duas ideias heréticas circulavam na igreja a respeito da ressurreição. A primeira delas é que a ressurreição é espiritual, e não física, e ocorre no batismo, não na consumação dos séculos. A segunda é que a ressurreição acontece quando uma pessoa continua vivendo em seus filhos. Vale destacar que a doutrina da ressurreição era negada pelos saduceus. Os gregos, por sua vez, acreditavam na imortalidade da alma, mas não na ressurreição do corpo. Assim, os gregos diziam que o corpo é a tumba da alma. Um grego aspirava à morte, mas não à ressurreição do corpo. Consideravam essa ideia ridícula. O ambiente mostra que as pessoas naquele tempo estavam dispostas a receber qualquer mensagem sobre a ressurreição que fortalecesse suas ideias errôneas sobre o tema.[45]

A mensagem dos falsos mestres, como um câncer, corrói e mata, mas a mensagem do evangelho restaura e dá vida. O termo médico expressa que o câncer "encontra pasto". Inicialmente a pústula é inofensiva, mas logo se alastra com rapidez e devastação. A falsa doutrina é como um câncer no corpo: consome a substância viva e contamina as células saudáveis. A mentira nutre-se de parcelas da verdade que ela acolhe, cinde e absolutiza como um elemento parcial. Quanto mais verdade existir em uma mentira, tanto mais poderosa e perigosa ela será.[46] A pregação dos falsos mestres perverte a fé; a pregação apostólica produz fé e alimenta a fé. O ensino dos falsos mestres desonra Deus e causa dano

---

[43] STOTT, John. *Tu, porém: a mensagem de 2Timóteo*, p. 61.
[44] BURKI, Hans. Segunda carta a Timóteo. In: *Cartas aos Tessalonicenses, Timóteo, Tito e Filemom*, p. 339.
[45] BARCLAY, William. *I y II Timoteo, Tito y Filemon*, p. 184-185.
[46] BURKI, Hans. Segunda carta a Timóteo. In: *Carta aos Tessalonicenses, Timóteo, Tito e Filemom*, p. 338.

aos seres humanos; a pregação do evangelho promove a glória de Deus, conduz os perdidos à salvação e resulta na edificação da igreja.

Em quinto lugar, *a preservação dos filhos de Deus*. *Entretanto, o firme fundamento de Deus permanece, tendo este selo: O Senhor conhece os que lhe pertencem. E mais: Aparte-se da injustiça todo aquele que professa o nome do Senhor* (2.19). No meio de tanta confusão doutrinária, de tantas vozes dissonantes dentro da igreja, é consolador saber que Deus distingue os que são seus daqueles que não o são. Ele separa o trigo do joio, e as ovelhas, dos cabritos. Ele conhece os que são seus, e estes são exatamente aqueles que professam o nome do Senhor e se apartam da injustiça. Jesus conhece suas ovelhas, dá a elas a vida eterna, e ninguém as arrebatará de suas mãos (Jo 10.28). Nossa salvação é garantida por Deus. Embora os falsos mestres possam enganar muitos, jamais desviarão do caminho da salvação aqueles que foram predestinados na eternidade, chamados no tempo, selados com o Espírito Santo, justificados pelo sangue de Jesus diante do tribunal divino e santificados pela verdade. Hans Burki tem razão em dizer que, para o apóstolo Paulo, eleição e santificação constituem uma unidade. Consequentemente, a sã doutrina está ligada à sã vivência. Não pode haver dicotomia entre doutrina e vida.[47]

A palavra grega *themelios*, traduzida por *fundamento*, significa tanto a base sobre a qual se constrói um edifício quanto uma associação, sociedade, escola, cidade fundada sobre a influência de alguém. John N. D. Kelly diz que várias interpretações têm sido propostas para o firme fundamento: Cristo e seus apóstolos (Ef 2.19,20), a verdade do evangelho, a igreja como um todo (1Tm 3.15) ou o âmago inabalável de cristãos genuínos em Éfeso.[48] Entendo que o fundamento de Deus aqui é a igreja. A igreja é a fundação de Deus. A igreja tem sobre si uma inscrição. A palavra grega *sfragis*, traduzida por selo, é a marca que prova o direito de propriedade e a genuinidade de um produto. Essa palavra era usada também em referência à placa que um arquiteto colocava sobre um edifício por ele edificado.[49]

---

[47]BURKI, Hans. Segunda carta a Timóteo. In: *Carta aos Tessalonicenses, Timóteo, Tito e Filemom*, p. 340.
[48]KELLY, John N. D. *I e II Timóteo e Tito: introdução e comentário*, p. 172.
[49]BARCLAY, William. *I y II Timóteo, Tito y Filemon*, p. 186.

John Stott diz corretamente que a Igreja de Deus tem um duplo selo. O primeiro é secreto e invisível (*Deus conhece os que lhe pertencem*); o segundo é público e visível (*Aparte-se da injustiça todo aquele que professa o nome do Senhor*). Os dois selos são essenciais: o divino e o humano, o visível e o invisível. Juntos, eles dão testemunho do *firme fundamento de Deus*, Sua verdadeira igreja.[50] Hendriksen destaca corretamente que o selo leva duas inscrições intimamente relacionadas: o decreto de Deus e a responsabilidade humana. A primeira inscrição dá um golpe de morte no "pelagianismo"; a segunda, no "fatalismo". A primeira está fechada na *eternidade*; a segunda, no *tempo*. A primeira é uma declaração daquilo em que devemos *crer*; a segunda, uma exortação à qual devemos *obedecer*. A primeira exalta *a misericórdia de Deus que predestina*; a segunda enfatiza *o dever indubitável do ser humano*. A primeira se refere à *segurança*; a segunda, à *pureza* da igreja.[51]

O utensílio (2.20-23)

O apóstolo Paulo usa mais uma figura para ilustrar o papel do ministro. Nesse sentido, destacamos aqui alguns pontos.

Em primeiro lugar, **os vasos de honra e os vasos de desonra**. *Ora, numa grande casa não há somente utensílios de ouro e de prata; há também de madeira e de barro. Alguns, para honra; outros, porém, para desonra* (2.20). O texto em tela tem sido interpretado de duas maneiras. A primeira é que Paulo está falando sobre diferentes tipos de crentes. A segunda é que está tratando de mestres verdadeiros e mestres falsos, crentes fiéis e réprobos. Calvino entende que os vasos de desonra fazem referência aos réprobos que se misturam com os salvos na igreja.[52] John Stott considera que Paulo ainda está aludindo aos dois grupos de mestres por ele contrastados no parágrafo anterior: os autênticos, como Timóteo; e os falsos, como Himeneu e Fileto. A única diferença é que ele transforma a metáfora de bons e maus obreiros em vasos nobres e indignos.[53]

---

[50] STOTT, John. *Tu, porém: a mensagem de 2Timóteo*, p. 63.
[51] HENDRIKSEN, William. *1 y 2 Timoteo y Tito*, p. 303.
[52] CALVINO, Juan. *Comentarios a las Epístolas Pastorales de San Pablo*, p. 266.
[53] STOTT, John. *Tu, porém: a mensagem de 2Timóteo*, p. 64.

Hendriksen entende que Paulo está comparando os crentes fiéis com os hipócritas dentro da igreja. A igreja visível abriga tanto os verdadeiros crentes (alguns muito fiéis, comparáveis ao ouro; outros menos fiéis, comparados à prata) quanto os hipócritas (Mt 13.24-30). Esses seriam os vasos de desonra.[54]

Em segundo lugar, **os vasos de honra**. *Assim, pois, se alguém a si mesmo se purificar destes erros, será utensílio para honra, santificado para toda boa obra* (2.21). O vaso de honra é alguém que se aparta do erro doutrinário e moral dos falsos mestres. Ou seja, devemos evitar não apenas os falsos mestres, mas também seus erros e maldades, expurgando da nossa mente a falsidade de seus ensinos e do nosso coração suas perversidades morais. Os vasos de honra precisam buscar a pureza doutrinária, bem como a pureza moral. Aqueles que assim procedem são santificados para toda boa obra.

A vida do ministro é a vida de seu ministério. A vida do pregador é a vida de sua pregação. A vida do líder é a vida de sua liderança. Não se podem separar o ministério da vida, a teologia da ética, a doutrina da moral, o credo da conduta. Concordo com Stott quando ele diz que não se pode imaginar honra mais alta que a de ser um instrumento na mão de Jesus Cristo, estando à disposição para o cumprimento de seus propósitos, achando-se pronto para seu serviço sempre que solicitado.[55]

Em terceiro lugar, ***foge, segue e repele***. *Foge, outrossim, das paixões da mocidade. Segue a justiça, a fé, o amor e a paz com os que, de coração puro, invocam o Senhor. E repele as questões insensatas e absurdas, pois sabes que só engendram contendas* (2.22,23). Hans Burki diz que o versículo 22 constitui o centro, a síntese e a coesão dos blocos dos versículos 14-21 e 23-26: quem cita o nome do Senhor, que largue a injustiça (2.19c) e corra atrás da justiça (2.22b); purifique-se (2.21) da impureza alheia e própria, distanciando-se da peste ímpia da heresia destrutiva (2.16-18) e negue decididamente as paixões da mocidade (2.22a). Assim poderá invocar o Senhor de coração limpo com todos os que também vivem

---

[54] HENDRIKSEN, William. *1 y 2 Timoteo y Tito*, p. 305.
[55] STOTT, John. *Tu, porém: a mensagem de 2Timóteo*, p. 64-65.

dessa maneira (2.22c). Assim, prevenirá ou afastará outros da discórdia destrutiva (2.14,23-26).[56]

Timóteo era ainda jovem (1Tm 4.12), e as paixões da mocidade não devem ser tratadas da mesma forma que resistimos ao diabo (1Pe 5.9). Quanto às paixões da mocidade, a estratégia certa é fugir. Forte não é aquele que enfrenta, mas aquele que foge. Mas a vida cristã não é apenas negativa; é também positiva. Além de fugir das paixões, Timóteo deve seguir a justiça, a fé, o amor e a paz. Tanto o verbo "fugir" como o verbo "seguir" são muito sugestivos. O verbo *pheugo*, "fugir", significa "buscar segurança na fuga ou escapar". Pode referir-se a fugir tanto de perigos físicos quanto de perigos espirituais.[57] O pecado é maligníssimo e assaz perigoso. Flertar com ele ou nele deleitar-se é tornar-se seu escravo. Em vez de demorarmos a escapar dele como Ló demorou a sair de Sodoma (Gn 19.15,16), devemos ter pressa em nos afastar dele como José teve pressa em correr da mulher de Potifar (Gn 39.12).[58]

O verbo *dioko*, "seguir", é o oposto de *pheugo*. Significa correr após algo, perseguir, ir no encalço de, como na guerra ou numa caçada.[59] Devemos buscar com diligência a justiça, a fé, o amor e a paz como o alvo da nossa vida. Devemos empregar toda a nossa energia e atenção na busca dessa meta. A justiça é a forma piedosa de viver; implica dar aos homens e a Deus o que lhes corresponde. A fé significa ser fiel e digno de confiança. O amor está comprometido em dar ao próximo nada menos que o melhor. E a paz é a relação correta que deve marcar a comunidade cristã. Todas essas coisas devem ser buscadas juntamente com aqueles que, de coração puro, invocam o Senhor. Um cristão jamais deve viver isolado da comunidade cristã. Não há cristão isolado do corpo. O cristão deve encontrar sua força, seu gozo e seu apoio na comunidade cristã.[60]

---

[56]BURKI, Hans. Segunda carta a Timóteo. In: *Cartas aos Tessalonicenses, Timóteo, Tito e Filemom*, p. 343.
[57]Veja como o verbo foi usado em Mateus 2.13; Mateus 3.7; Lucas 21.21; Atos 7.29; 1Coríntios 10.14; 1Timóteo 6.11.
[58]STOTT, John. *Tu, porém: a mensagem de 2Timóteo*, p. 67.
[59]Veja como o verbo foi usado em Atos 26.11; Gálatas 1.13; Filipenses 3.12-14.
[60]BARCLAY, William. *I y II Timoteo, Tito y Filemon*, p. 191.

Stott é oportuno quando escreve:

> Devemos escapar do perigo espiritual, e correr após o bem espiritual; devemos fugir de um, escapando de suas garras, e correr após o outro, até alcançá-lo. Esta dupla responsabilidade dos cristãos, a negativa e a positiva, é o consistente e reiterado ensino da Escritura. Assim, temos que negar a nós mesmos e seguir a Cristo. Temos que nos despir de tudo o que pertence à nossa velha vida e nos vestir do que pertence à nova vida. Temos que crucificar a carne e andar no Espírito. É essa implacável rejeição, por um lado, combinada com essa inflexível perseguição, pelo outro, que a Escritura nos impõe como sendo o segredo da santificação.[61]

Cabe, a Timóteo, outrossim, repelir as questões insensatas, as discussões infrutíferas, as contendas de palavras que para mais nada prestam, senão criar contendas.

O servo (2.24-26)

Paulo conclui as figuras de linguagem. O *skeous* (vaso) é transformado em *doulos* (servo).[62] O pastor é um servo de Deus e também um servo da mensagem. No pastoreio do rebanho, precisa tomar três medidas.

Em primeiro lugar, **não cavar abismos nos relacionamentos**. Ora, é necessário que o servo do Senhor não viva a contender...(2.24a). O servo de Deus é um indivíduo que edifica vidas, em vez de destruir relacionamentos. A contenda abre feridas, em vez de cicatrizá-las. Concordo, porém, com Stott quando ele diz que Paulo não está aqui proibindo todo tipo de controvérsia. Quando a verdade do evangelho estava sendo cruelmente atacada, o próprio Paulo se tornou um ardoroso apologista (4.7; Gl 2.11-14) e ordenou que Timóteo fizesse o mesmo (1Tm 6.12). Porém, a combinação de especulações não bíblicas com polêmicas despidas de amor tem causado grandes danos à causa de Cristo.[63]

---

[61] STOTT, John. *Tu, porém: a mensagem de 2Timóteo*, p. 68.
[62] STOTT, John. *Tu, porém: a mensagem de 2Timóteo*, p. 68.
[63] STOTT, John. *Tu, porém: a mensagem de 2Timóteo*, p. 70.

Em segundo lugar, ***construir pontes de contatos nos relacionamentos***. *... e sim deve ser brando para com todos, apto para instruir, paciente* (2.24b). O ministro do evangelho deve instruir com brandura o povo, orientando todos com paciência e mansidão. O ministro de Cristo precisa ser *didaktikos*, ou seja, um homem com aptidão para ensinar. Ao mesmo tempo que condena o erro, promove a verdade; na mesma medida em que denuncia as falsas doutrinas, transmite a sã doutrina. Esse ensino da verdade, tanto no aspecto negativo quanto no aspecto positivo, deve ser feito da forma certa, com a motivação adequada. O ministro não pode ser arrogante. Uma coisa é amar a pregação; outra coisa é amar as pessoas a quem se prega. O ministro cuida não apenas de um conceito doutrinário; cuida de vidas. Por isso, precisa falar a verdade em amor. A palavra grega *epios*, traduzida por brando, é a mesma usada para uma ama que acaricia os próprios filhos (1Ts 2.7). Já a palavra *anexikakos*, traduzida por paciente, significa literalmente suportar a dureza das pessoas, sendo paciente diante de suas tolices e tolerante quanto a suas fraquezas.[64]

Em terceiro lugar, ***restaurar as brechas nos relacionamentos***. *Disciplinando com mansidão os que se opõem, na expectativa de que Deus lhes conceda não só o arrependimento para conhecerem plenamente a verdade, mas também o retorno à sensatez, livrando-se eles dos laços do diabo, tendo sido feitos cativos por ele, para cumprirem a sua vontade* (2.25,26). Faz parte do ministério não apenas instruir, mas também disciplinar os faltosos. É de conhecimento geral que Calvino entendia que a igreja verdadeira possui três marcas: o ensino fiel das Escrituras, a administração correta dos sacramentos; e o exercício correto da disciplina. A disciplina, porém, não pode ser feita com arrogância e dureza, mas com espírito de brandura (Gl 6.1). Não se pode esmagar a cana quebrada nem apagar a torcida que fumega. A disciplina tem dois propósitos: preventivo e curativo. Ela previne a igreja e restaura o faltoso. Aqueles que tropeçam e caem precisam se arrepender, uma vez que o pecado priva as pessoas da verdade e as desvia da sensatez. Paulo é categórico ao dizer que tanto o erro doutrinário quanto o mal moral são *laços do*

---

[64]STOTT, John. *Tu, porém: a mensagem de 2Timóteo*, p. 70.

diabo, dos quais as pessoas precisam ser libertadas. Por outro lado, tanto o arrependimento, que leva as pessoas de volta à sensatez, quanto a libertação do poder de satanás são obra de Deus.

Paulo diz que o diabo é uma espécie de caçador que captura suas presas com laços engenhosos e armadilhas mortais e depois as entorpece. A palavra grega usada aqui, *ananepho*, significa literalmente "tornar sóbrio ou voltar novamente aos sentidos", após um período de intoxicação diabólica. Estou de pleno acordo com o que escreve Stott:

Somente Deus pode libertar de um tal cativeiro, em que homens são tanto apanhados em armadilhas como drogados pelo diabo; e Deus o faz, dando-lhes arrependimento para o pleno conhecimento da verdade. Contudo, ele efetua o resgate através do ministério humano de um de seus servos, o qual evita as questões loucas e ensina com amabilidade, paciência e mansidão.[65]

---

[65]STOTT, John. *Tu, porém: a mensagem de 2Timóteo*, p. 73.

3

Como enfrentar o fim dos tempos vitoriosamente

2 Timóteo 3.1-17

O APÓSTOLO PAULO ESTÁ PRESO num calabouço romano, na sala de espera do martírio. A fornalha da perseguição contra a igreja está acesa. Paulo dá suas últimas recomendações a Timóteo, um pastor jovem, doente e tímido, sobre como enfrentar vitoriosamente o tempo do fim.

Os últimos dias (3.1a)

Sabe, porém, isto: nos últimos dias...(3.1a).

Os últimos dias, segundo a opinião de John N. D. Kelly, denotam o período pouco antes da parousia e do fim da era presente.[1] Nosso entendimento, porém, é que os últimos dias não são apenas uma referência escatológica aos últimos dias que precederão imediatamente a segunda vinda de Cristo, mas também uma referência a todo o período compreendido entre a primeira e a segunda vindas de Cristo. A nova era chegou com Jesus Cristo e, por sua vinda, a era antiga passou, sendo agora o amanhecer dos últimos dias (At 2.14-17; Hb 1.1,2).[2]

---

[1] KELLY, John N. D. *I e II Timóteo e Tito: introdução e comentário*, p. 178.
[2] STOTT, John. *Tu, porém: a mensagem de 2Timóteo*, p. 76.

De acordo com Calvino, os últimos dias são uma referência à condição universal da igreja cristã.³ Trata-se de uma descrição do presente, e não apenas do futuro. A história da igreja confirma que tem sido assim. Diz Stott que, quando o navio da igreja cristã foi posto no mar, não lhe foi dito que esperasse uma travessia serena e calma; ele tem sido golpeado por tormentas e tempestades e até por furacões.⁴

Barclay é esclarecedor quando escreve:

> Os judeus dividiam todo o tempo entre esta era presente e a era por vir. Esta era presente era totalmente má; e a era por vir era a idade de ouro de Deus. Entre ambas as eras, estava o Dia do Senhor. Esse dia seria aquele no qual Deus definiria e pessoalmente interviria para destruir este mundo a fim de refazê-lo. Esse Dia do Senhor seria precedido por uma época de terror; uma época na qual o mal se uniria para seu assalto final; uma época em que o mundo seria sacudido até seus fundamentos morais e físicos.⁵

Tempos difíceis (3.1b)

O apóstolo é enfático quando escreve: *Sabe, porém, isto: nos últimos dias sobrevirão tempos difíceis; pois os homens serão...* (3.1,2a).

Paulo diz que precisamos saber duas coisas acerca desse tempo do fim.

Em primeiro lugar, **esse tempo não é fácil para ser vivido**. *Sabe, porém, isto: nos últimos dias, sobrevirão tempos difíceis* (3.1). Esses dias são duros, difíceis, furiosos e violentos. Paulo emprega o termo grego *chalepos*, o mesmo usado para descrever os endemoninhados gadarenos que estavam furiosos (Mt 8.28). Nas palavras de Warren Wiersbe, isso indica que a violência dos últimos dias será incitada pelos demônios (1Tm 4.1).⁶ No grego clássico, o termo foi empregado em referência a perigosos animais selvagens e também ao mar violento.⁷ Ainda se

---

³Calvino, John. *Calvin's Commentaries*. Vol. XXI. 2009, p. 236.
⁴Stott, John. *Tu, porém: a mensagem de 2Timóteo*, p. 77.
⁵Barclay, William. *I y II Timoteo, Tito y Filemon*, p. 192.
⁶Wiersbe, Warren W. *Comentário bíblico expositivo*. Vol.6, p. 324.
⁷Stott, John. *Tu, porém: a mensagem de 2Timóteo*, p. 77.

aplica à conjunção ameaçadora dos corpos celestes.⁸ Esse tempo do fim é uma época de terrível florescimento do mal, em que todos os alicerces morais são sacudidos. É uma confrontação com as forças do mal. É como se o mundo se tornasse ainda mais mundano. Stott diz que esse tempo é marcado por uma ativa oposição ao evangelho.⁹

O próprio Paulo tinha sido detido, algemado e colocado na prisão, como um prisioneiro comum, por causa de sua lealdade ao evangelho (1.11,12; 2.9). Na Ásia, todos o tinham abandonado, como Timóteo bem o sabia (1.15). Mas por que Paulo ordena a Timóteo saber aquilo que ele já sabe? É que ele quer enfatizar que a oposição à verdade não é uma situação passageira, mas uma característica permanente da presente era.¹⁰ Hendriksen está correto em dizer que esses serão tempos de impiedade crescente (Mt 24.12; Lc 18.8), que culminarão no clímax da maldade, a revelação do *homem do pecado* (2Ts 2.1-12).¹¹

Em segundo lugar, **o caos da sociedade é resultado daquilo que os homens são**. *Pois os homens serão egoístas...*(3.2a). O mal não está fora, mas dentro do homem. Equivocou-se Jean-Jacques Rousseau quando declarou que o ser humano é essencialmente bom. Errou John Locke quando afirmou que o homem é uma tábula rasa, uma folha em branco, produto do meio. Não é o meio que corrompe o homem; é o homem que corrompe o meio. O ser humano não está corrompido por causa do mundo ao redor; o mundo ao redor está corrompido por causa do ser humano. O mal não vem de fora; vem de dentro do próprio homem. É do coração humano que procedem todos os maus desígnios. A sociedade rendida ao pecado é apenas um reflexo do próprio homem pecador.

A decadência da sociedade está relacionada com o que os homens são e consequentemente com o que os homens fazem. Vejamos a descrição do apóstolo: a sociedade está decadente porque os homens estão invertendo os valores de Deus. Paulo diz que as pessoas direcionam Seu amor para si mesmas, para o dinheiro e para o prazer: poder, dinheiro e

---

⁸BARCLAY, William. *I y II Timoteo, Tito y Filemon*, p. 193.
⁹STOTT, John. *Tu, porém: a mensagem de 2Timóteo*, p. 75.
¹⁰STOTT, John. *Tu, porém: a mensagem de 2Timóteo*, p. 76.
¹¹HENDRIKSEN, William. *1 y 2 Timoteo y Tito*, p. 319.

sexo. O que está essencialmente errado com essas pessoas é que o Seu amor está mal dirigido. Em vez de serem em primeiro lugar amigos de Deus, são amantes de si mesmos, do dinheiro e do prazer. Concordo com Warren Wiersbe quando ele diz que o cerne do problema é o coração. Deus ordena que o amemos acima de todas as coisas e que amemos ao próximo como a nós mesmos (Mt 22.34-40), mas, se amarmos a nós mesmos acima de tudo, não amaremos a Deus nem ao próximo.[12]

No universo há Deus, pessoas e coisas. Nós devemos adorar a Deus, amar as pessoas e usar as coisas. Mas, se começamos adorando a nós mesmos, acabaremos ignorando Deus, amando as coisas e usando as pessoas. Este é o triste diagnóstico da sociedade.

Conduta moral **corrompida** (3.2-4)

O diagnóstico que Paulo dá da sociedade é sombrio:

> *Pois os homens serão egoístas, avarentos, jactanciosos, arrogantes, blasfemadores, desobedientes aos pais, ingratos, irreverentes, desafeiçoados, implacáveis, caluniadores, sem domínio de si, cruéis, inimigos do bem, traidores, atrevidos, enfatuados, mais amigos dos prazeres que amigos de Deus* (2Tm 3.2-4).

Qual é a descrição que Paulo faz da sociedade? Como vivem os seres humanos? Quais são suas marcas? John N. D. Kelly diz que esse tempo é marcado por um repúdio geral à lei, à decência e à afeição natural.[13] O presente "catálogo de vícios" deve ser comparado a Romanos 1.29-32. Embora não possamos afirmar que Paulo tinha uma divisão clara em sua mente, vamos analisar algumas categorias apenas para nos ajudar no entendimento do assunto.

Em primeiro lugar, *a conduta moral em relação a nós mesmos*. Quatro pecados mencionados estão relacionados à relação do ser humano consigo mesmo.

1. *Os homens serão egoístas*. A palavra grega *filautós*, traduzida por *egoístas*, significa literalmente "amantes de si mesmos". As pessoas são

---

[12] WIERSBE, Warren W. *Comentário bíblico expositivo*. Vol.6, p. 324.
[13] KELLY, John N. D. *I e II Timóteo e Tito: introdução e comentário*, p. 178.

narcisistas: amam a si mesmas e só se importam com o próprio bem-estar. São como o "ouriço": têm veludo por dentro e espinhos por fora. Essa tendência à idolatria do eu tem arrebentado com os relacionamentos na família, na igreja e na sociedade. Concordo com Barclay quando ele diz que o egoísmo é o pecado básico do qual provêm os demais pecados. No momento em que a pessoa torna sua vontade e seu desejo o centro de sua vida, destrói as relações com Deus e com o próximo. Uma vez que a pessoa se erige como Deus, a obediência a Deus e o amor ao próximo se tornam impossíveis. A essência do cristianismo não é o egoísmo, mas o amor ao próximo.[14]

2. *Os homens serão jactanciosos*. A palavra grega *alazon* significa "fanfarrões, gabolas". Refere-se às pessoas que tocam trombeta proclamando virtudes que não têm, que se apresentam mais fortes, mais sábias, mais ricas do que na verdade são. São como o albatroz, que tem o papo muito grande. São como restolho que, embora chocho, jamais se curva. Plutarco usou esse termo grego para descrever o médico charlatão. Aristóteles o utilizou para a pessoa que se apresenta como melhor do que na verdade é. Xenofonte diz que essa palavra era usada em alusão àqueles que pretendem ser mais ricos do que são, mais valentes do que são, e que prometem fazer o que não podem cumprir.[15] John N. D. Kelly diz que a descrição *jactanciosos* tem que ver com palavras, gestos e o comportamento externo; e *arrogantes*, que veremos a seguir, com sentimentos interiores.[16]

3. *Os homens serão arrogantes*. A palavra grega *huperefanos* significa "soberbo". É aquele que se mostra por sobre os demais, que olha para os outros empoleirado no palco da vaidade, e vive de nariz empinado e andando de tamanco alto. Arrogantes são aqueles que têm mania de grandeza e veem a si mesmos como superiores aos demais, nutrindo certo desprezo por todos, exceto por si próprios. Essas pessoas soberbas, na igreja, vestem as roupagens de Diótrefes (3Jo 9) e veem as demais como concorrentes. A essas pessoas Deus resiste (1Pe 5.5).

---

[14] KELLY, John N. D. *I e II Timóteo e Tito: introdução e comentário*, p. 179.
[15] BARCLAY, William. *I y II Timoteo, Tito y Filemon*, p. 195.
[16] KELLY, John N. D. *I e II Timóteo e Tito: introdução e comentário*, p. 179.

4. *Os homens não terão domínio de si.* A palavra grega *akrates* significa "sem domínio próprio". São os indivíduos escravos de si mesmos. Dominados por suas paixões, desejos e vícios, são escravos da ira, da língua, do sexo, das drogas. O verbo *kratein* significa "controlar, ter poder sobre algo". O homem pode chegar a um grau em que, longe de autocontrolar-se, se converte em escravo de um hábito ou de um desejo. Esse caminho é inevitavelmente o caminho da ruína, porque ninguém pode dominar nada, a não ser que em primeiro lugar domine a si mesmo.[17]

Em segundo lugar, **a conduta moral em relação ao próximo.** Seis pecados são mencionados pelo apóstolo Paulo.

1. *Os homens serão implacáveis.* A palavra grega *aspondos* significa "sem trégua, sem acordo, sem perdão". Logo, *aspondos* refere-se à pessoa irreconciliável, cujo ódio arde como fogo. Um indivíduo *aspondos* age como os moabitas que, não satisfeitos em nutrir ódio consumado pelos edomitas, exumaram o corpo do rei de Edom, apenas para queimar seus ossos (Am 2.1). Trata-se de uma ira que não cessa de arder. Barclay esclarece que *aspondos* pode significar duas coisas. Pode referir-se ao homem que abriga um ódio tão profundo e implacável que nunca chegará a um acordo com quem tem discutido. Ou pode significar que o homem tem tão pouca honra que chegará a romper e desconsiderar os termos de um acordo.[18]

2. *Os homens serão caluniadores.* A palavra grega *diabolos* significa "caluniador". O diabo é o padroeiro dos caluniadores e o senhor de todos eles.[19] É o pecado de espalhar contendas, disseminar intrigas, jogar uma pessoa contra a outra, destruir pontes de contato e cavar abismos nos relacionamentos. Esse é o pecado que Deus mais abomina (Pv 6.16,19). Um caluniador destrói o maior patrimônio que uma pessoa tem: seu nome.

3. *Os homens serão cruéis.* A palavra grega *anemeros* era aplicada mais apropriadamente a uma fera selvagem que a um ser humano. Portanto, seu significado aqui é o de um indivíduo tão selvagem que não tem

---

[17] BARCLAY, William. *I y II Timoteo, Tito y Filemon*, p. 197.
[18] BARCLAY, William. *I y II Timoteo, Tito y Filemon*, p. 200.
[19] BARCLAY, William. *I y II Timoteo, Tito y Filemon*, p. 199.

nenhuma sensibilidade nem simpatia.[20] Suas palavras machucam, suas ações ferem e suas reações são intempestivas e avassaladoras.

4. *Os homens serão traidores*. A palavra grega *prodotes* significa "delator". É a pessoa entreguista, em quem não se pode confiar. São os informantes traiçoeiros. Agem como Alexandre, o latoeiro (2Tm 4.14), que delatou o apóstolo Paulo, culminando em sua segunda prisão e consequente martírio. Os traidores comportam-se traiçoeiramente como Judas Iscariotes. São víboras peçonhentas, lobos vorazes, rochas submersas, perigos implacáveis.

5. *Os homens serão atrevidos*. A palavra grega *propetes* significa "uma pessoa levada pela paixão". É usada para descrever aquele indivíduo que não para de falar ou agir movido completamente por sua paixão, incapaz de pensar de forma prudente e sensível.[21] É o ser humano que não se detém diante de nada para obter seus propósitos.[22]

6. *Os homens serão inimigos do bem*. A palavra grega *afilagathos* significa "aquele que não gosta de boas amizades". Esses são como urubus, preferem a podridão. Seu paladar moral perdeu completamente a sensibilidade. Essas pessoas têm uma atração mórbida por aquilo que está podre.

Em terceiro lugar, **a conduta moral em relação a Deus**. Quatro pecados são descritos na relação do homem com Deus.

1. *Os homens serão blasfemadores*. A palavra grega *blasfemia* significa "insulto a Deus e aos homens". Descreve aqueles indivíduos que desandam a boca para falar contra Deus e contra o próximo, zombam de Deus e escarnecem do próximo com suas palavras carregadas de veneno. É a crítica cruel a Deus e aos homens.

2. *Os homens serão ingratos*. A palavra grega *akaristos* significa "sem graça, sem gratidão". Refere-se às pessoas que se negam a reconhecer sua dívida com Deus e com o próximo. Barclay diz que esse é o pecado que mais fere porque é o mais cego de todos.[23] O termo se refere às

---

[20]Barclay, William. *I y II Timoteo, Tito y Filemon*, p. 200.
[21]Barclay, William. *I y II Timoteo, Tito y Filemon*, p. 201.
[22]Barclay, William. *I y II Timoteo, Tito y Filemon*, p. 202.
[23]Barclay, William. *I y II Timoteo, Tito y Filemon*, p. 199.

pessoas que, mesmo recebendo tudo, não retribuem nada. São como os nove leprosos curados que não voltaram para agradecer. São como Brutus, que, mesmo arrancado da sarjeta pelo imperador Júlio César, foi o algoz que o apunhalou pelas costas.

3. *Os homens serão irreverentes.* A palavra grega *anosios* significa "indecente", ou seja, o indivíduo que vive abertamente no pecado sem qualquer recato ou pudor. Trata-se daquela pessoa que já perdeu a vergonha e cujo único objetivo de vida é satisfazer seus desejos pervertidos.

4. *Os homens serão mais amigos dos prazeres que de Deus.* Essas pessoas adoram a si mesmas em vez de adorar a Deus. Sãoególatras e narcisistas. Estão embriagadas de amor por si mesmas. Vivem para satisfazer os próprios desejos. Fazem da vida uma corrida desenfreada em busca do prazer imediato. São consumados hedonistas.

O lazer, a diversão, o culto ao corpo e o culto ao estômago estão tomando o lugar de Deus na sociedade contemporânea. A televisão, o cinema, o futebol, os salões de jogos, os jogos de internet estão ocupando a mente e o tempo dos crentes. Em média, os cristãos passam 25 horas/semana diante da televisão e apenas 1 hora/semana estudando a Bíblia na escola dominical. Muitas pessoas que frequentam a igreja ainda vão a boates, clubes noturnos e casas de *shows*. O mundo as está apanhando em sua rede. Hans Burki diz que a raiz do problema dessas pessoas é que elas colocam a si mesmas e seus deleites acima de Deus. Buscar ser igual a Deus significa colocar a si mesmo no lugar de Deus, transformando-se em Deus e destituindo o Senhor.[24]

Em quarto lugar, **a conduta moral em relação à família**. Dois pecados são mencionados.

1. *Os homens serão desobedientes aos pais.* Este é o maior sinal de decadência de um povo. Quando os filhos não respeitam mais os pais, perderam por completo qualquer respeito à autoridade. E o que se espera daí é a anarquia e a confusão.

2. *Os homens serão desafeiçoados.* A palavra *astorgos* significa "sem amor familiar". Sem o amor entre pais e filhos e sem a afeição no lar,

---

[24]BURKI, Hans. Segunda carta a Timóteo. In: *Carta aos Tessalonicenses, Timóteo, Tito e Filemom*, p. 350.

não podem existir famílias saudáveis. Os filhos precisam se converter aos pais, e os pais, aos filhos.

Em quinto lugar, *a conduta moral em relação ao dinheiro*.

Isso porque *os homens serão avarentos*. A palavra grega *filarguros*, traduzida por *avarentos*, significa literalmente "amantes da prata". Éfeso era a casa do tesouro da Ásia Menor. Muitas pessoas ali se perderam não por causa da pobreza, mas da riqueza. Mais pessoas perdem sua alma na fartura do que na escassez. O dinheiro é o deus mais adorado deste século. As pessoas matam, morrem, casam-se e divorciam-se por amor ao dinheiro.

Espiritualidade **divorciada da vida** (3.5)

O texto em apreço trata de duas questões importantes relacionadas à espiritualidade.

Em primeiro lugar, *a necessidade de fazer um diagnóstico da falsa religião*. *Tendo forma de piedade, negando-lhe, entretanto, o poder...* (3.5a). Todos os problemas relatados anteriormente não estão descrevendo apenas um mundo ímpio, mas pessoas religiosas. As pessoas frequentam a igreja, mas não mudam a vida. O mundo está arruinado porque a espiritualidade está divorciada da vida. Essas pessoas têm forma de piedade, mas nenhum poder. Hans Burki destaca acertadamente que aqueles que trazem a aparência de uma natureza temente a Deus, mas negam Seu poder, apegar-se-ão à forma da religião, mas se distanciarão do Senhor. É bem verdade que ainda preservam os costumes formais da religiosidade, mas não lhe concedem nenhuma influência sobre sua vida.[25]

John Stott diz que, na história da humanidade, a religião e a moralidade têm estado mais distantes entre si do que juntas. As próprias Escrituras testificam esse fato de forma inconteste. Os grandes profetas éticos dos séculos VIII e VII a.C. apontaram os pecados de Israel e Judá nesse particular. Amós denunciou o crescimento da religião e da injustiça simultaneamente (Am 2.8). Isaías fez um diagnóstico parecido em Judá (Is 1.14-17). Jesus, em seu tempo, trouxe a lume a hipocrisia dos

---

[25]Burki, Hans. Segunda carta a Timóteo. In: *Carta aos Tessalonicenses, Timóteo, Tito e Filemom*, p. 350.

fariseus (Mt 23.25). A mesma epidemia ainda grassava entre as pessoas que Paulo está aqui descrevendo (3.5). Evidentemente essas pessoas frequentavam a igreja, cantavam hinos, diziam "amém" às orações e deitavam dinheiro no gazofilácio. Tinham aparência e palavras piedosas, mas nada mais eram que forma sem poder, aparência externa sem realidade interna, religião sem moral, fé sem obras.[26]

Quando olhamos para alguns segmentos da igreja evangélica brasileira, constatamos o mesmo problema: crescem em número, mas não em compromisso. Têm carisma, mas não caráter. Mostram números, mas não vida. Há iniquidade associada ao ajuntamento solene. As pessoas entram para a igreja, mas não são transformadas pelo evangelho.

Em segundo lugar, *a necessidade de se afastar da falsa religião. Foge também destes* (3.5b). Paulo não está ordenando que Timóteo se afaste de todos os pecadores, porque, se assim fosse, precisaria sair do mundo (1Co 5.9-12). Paulo está dizendo que Timóteo não deve ter comunhão com aqueles que se dizem crentes, mas vivem de forma desordenada ou hipócrita. É como se Paulo estivesse descrevendo uma espécie de cristianismo pagão.[27]

Zelo proselista (3.6-9)

Destacaremos cinco pontos importantes na análise do zelo dos prosélitos.

Em primeiro lugar, **seus métodos nada ortodoxos**. *Pois entre estes se encontram os que penetram sorrateiramente nas casas...*(3.6a). As pessoas amantes de si mesmas, do dinheiro e dos prazeres, totalmente corrompidas, além de religiosas, ainda são proselitistas, ou seja, ativas propagadoras da religião. O verbo grego *aichmalotizo*, traduzido por "cativar", retrata uma operação militar, e seu significado é "fazer prisioneiro de guerra". Paulo diz que o método empregado por esses mascates da heresia não era direto e aberto, mas furtivo, secreto, manhoso. Eles agiam como ladrões. Não entravam pela porta da frente. Escolhiam uma hora

---

[26]STOTT, John. *Tu, porém: a mensagem de 2Timóteo*, p. 81-82.
[27]ELLICOTT, C. J. *The Pastoral Epistles of St. Paul.* Londres e Nova Iorque: MacMillan & Co., 1895. p.144

em que os homens não estavam em casa para seduzir as mulheres com mensagens falsas.[28]

Em segundo lugar, **suas presas vulneráveis** ... *e conseguem cativar mulherinhas sobrecarregadas de pecados, conduzidas de várias paixões, que aprendem sempre e jamais podem chegar ao conhecimento da verdade* (3.6b,7). Assim como a serpente aproveitou um momento em que Adão estava distante de Eva, também esses falsos mestres aproveitavam a ausência do marido para apanhar em sua rede essas mulheres sem envergadura moral e desprovidas de capacidade intelectual. A palavra usada por Paulo, *gynaikaria*, traduzida por *mulherinhas*, é um termo técnico de desprezo para descrever mulheres ociosas, tolas e sem firmeza.[29] Hendriksen diz que essas mulheres provavelmente temem as consequências de seus pecados, mas não se sentem necessariamente envergonhadas por eles.[30] Hans Burki é da opinião que essas mulheres são atormentadas por constantes dores de consciência e sobrecarregadas de autoacusações, ávidas por conhecimento e experiências que em última análise são irrealizáveis.[31] Essas mulherinhas são descritas como pessoas moralmente vulneráveis e intelectualmente limitadas. Em tal estado de confusão mental, é fácil dar ouvidos a qualquer mestre, até mesmo a um trapaceiro. Ellicott diz que "não era o amor à verdade que as impelia a aprender, mas somente um mórbido amor às novidades".[32] Stott acrescenta que essas mulheres fracas de caráter e de intelecto são uma presa fácil aos vendedores religiosos ambulantes.[33] Concordo com Warren Wiersbe que o termo *gynaikaria* não indica que todas as mulheres sejam assim, nem que os homens não sejam vulneráveis aos ardis dos falsos mestres.[34]

Em terceiro lugar, **sua aversão à verdade**. *E, do modo por que Janes e Jambres resistiram a Moisés, também estes resistem à verdade...*(3.8a). Janes

---

[28] STOTT, John. *Tu, porém: a mensagem de 2Timóteo*, p. 83.
[29] STOTT, John. *Tu, porém: a mensagem de 2Timóteo*, p. 83.
[30] HENDRIKSEN, William. *1 y 2 Timoteo y Tito*, p. 324.
[31] BURKI, Hans. Segunda carta a Timóteo. In: *Cartas aos Tessalonicenses, Timóteo, Tito e Filemom*, p. 352.
[32] ELLICOTT, C. J., p. 146.
[33] STOTT, John. *Tu, porém: a mensagem de 2Timóteo*, p. 84.
[34] WIERSBE, Warren W. *Comentário bíblico expositivo*, p. 325.

e Jambres eram os nomes dos magos da corte do faraó que resistiram a Moisés quando este tirava o povo de Israel da escravidão do Egito. Embora o Antigo Testamento não os cite nominalmente, podemos deduzir que o livro de Êxodo está descrevendo a atividade deles. Esses magos queriam fazer os mesmos milagres operados por Deus por intermédio de Moisés, mas Seu poder se revelou limitado (Êx 7.11; 8.7), e eles foram atingidos pelos juízos de Deus da mesma forma que o restante do povo do Egito (Êx 9.11). Esses dois magos egípcios acabaram se tornando emblemáticos e simbolizando todos aqueles que tentam frustrar os propósitos de Deus e resistir à Sua Palavra. Warren Wiersbe tem razão em dizer que satanás é imitador e falsifica o que Deus faz. Os líderes religiosos dos últimos dias têm uma fé falsa, e seu objetivo é promover mentiras e resistir à verdade da Palavra de Deus. Eles negam a autoridade das Escrituras e colocam a sabedoria humana em seu lugar.[35]

Em quarto lugar, **sua inconsistência moral** ... *são homens de todo corrompidos na mente, réprobos quanto à fé* (3.8b). Os falsos mestres têm não apenas a teologia errada, mas também a vida errada. Aquilo em que eles creem determina o que eles fazem. Porque resistem à verdade, vivem no engano de sua mente corrompida. De fato, são réprobos quanto à fé, ou seja, foram testados e considerados falsos.

Em quinto lugar, **seu fracasso inevitável**. *Eles, todavia, não irão avante; porque a sua insensatez será a todos evidente, como também aconteceu com a daqueles* (3.9). Paulo afirma categoricamente que os falsos mestres não terão sucesso permanente. A falsidade de sua doutrina e a depravação de sua conduta serão desmascaradas. John Stott tem razão em dizer que há algo de espúrio na heresia que salta aos olhos. Talvez o erro se alastre e se popularize por algum tempo, mas não irá avante. Por fim, terá de vir à luz, e a verdade será certamente restabelecida. Deus preserva a sua verdade na igreja![36] A falsidade não pode sobreviver. A luz prevalece sobre as trevas!

---

[35] WIERSBE, Warren W. *Comentário bíblico expositivo*, p. 326.
[36] STOTT, John. *Tu, porém: a mensagem de 2Timóteo*, p. 85.

Ande com Deus (3.10-12)

Em evidente contraste à situação daquela época de declínio dos costumes morais, religião inautêntica e propagação de falsas doutrinas, Timóteo é chamado a ser diferente e, se necessário, a permanecer sozinho.[37] Timóteo estava rodeado de falsos mestres. Por isso, deveria seguir o exemplo fiel de Paulo. Precisamos de líderes que sirvam de modelo para os mais jovens. Precisamos de pessoas que falem a verdade e vivam a verdade. Quais são as marcas desses líderes?

Em primeiro lugar, *sua vida é um modelo digno de ser imitado*. *Tu, porém, tens seguido, de perto, o meu ensino...* (3.10a). Em vez de adotar a falsa doutrina dos mascates da heresia e imitar sua conduta pervertida, Timóteo subscrevia o ensino de Paulo e seguia de perto seu exemplo. Paulo não era um teórico da fé. Ele praticava o que ensinava. O verbo *parakolouthein* significa seguir o raciocínio, compreender, aceitar a ideia ou seguir fielmente sem contestar.[38] Essa é a palavra correta para o discípulo, porque inclui a fidelidade inabalável do verdadeiro companheiro, a compreensão plena do verdadeiro aluno e a completa obediência de um servo dedicado.[39]

Em segundo lugar, *sua doutrina é confirmada pelo testemunho*. ... *procedimento, propósito, fé, longanimidade, amor, perseverança* (3.10b). Timóteo seguiu não apenas o ensino de Paulo, mas também sua conduta. O procedimento de Paulo era irrepreensível. Seu propósito era testemunhar o evangelho da graça, ainda que isso lhe custasse a própria vida (At 20.24). Sua fé estava ancorada em Cristo Jesus. Sua paciência diante das reações hostis sofridas por todos os recantos por onde passava era notória. Seu amor desvelado ao povo, bem como aos eleitos de Deus, era inegável. Sua paciência triunfadora diante das circunstâncias adversas era assaz eloquente.

Em terceiro lugar, *Sua fidelidade é demonstrada pela disposição de sofrer por Cristo*. *As minhas perseguições e os meus sofrimentos, quais me aconteceram em Antioquia, Icônio e Listra – que variadas perseguições*

---

[37] WIERSBE, Warren W. *Comentário bíblico expositivo*, p. 87.
[38] WIERSBE, Warren W. *Comentário bíblico expositivo*, p. 88.
[39] BARCLAY, William. *I y II Timoteo, Tito y Filemon*, p. 207.

tenho suportado! De todas, entretanto, me livrou o Senhor. Ora, todos quantos quiserem viver piedosamente em Cristo serão perseguidos (3.11,12). O próprio Jesus disse acerca de Paulo: *Pois eu lhe mostrarei quanto lhe importa sofrer pelo meu nome* (At 9.16). Por onde passou, Paulo sofreu: foi perseguido em Damasco, rejeitado em Jerusalém, esquecido em Tarso e apedrejado em Listra. Foi preso e açoitado em Filipos, escorraçado de Tessalônica, enxotado de Bereia e chamado de tagarela em Atenas. Foi chamado de impostor em Corinto e enfrentou feras em Éfeso. Foi preso em Jerusalém e acusado em Cesareia. Enfrentou um naufrágio na viagem para Roma e foi picado por uma cobra em Malta. Foi preso duas vezes na cidade de Roma e agora estava numa masmorra, aguardando sua inevitável execução.

Paulo destaca apenas as agruras sofridas na primeira viagem missionária, na província da Galácia (expulso de Antioquia da Pisídia,[40] teve de fugir de Icônio para não ser linchado,[41] mas em Listra foi apedrejado e arrastado da cidade como morto).[42] Foi nesse tempo que Timóteo se converteu a Cristo e a partir daí se tornou companheiro do apóstolo. Assim como o martírio de Estêvão influenciou a conversão de Paulo, os sofrimentos de Paulo devem ter influenciado a conversão de Timóteo.

Paulo é enfático ao afirmar que, de todas essas perseguições, Deus o livrou. Concordo com Hendriksen quando ele diz: "O Senhor sempre resgata Seu povo *da* morte e às vezes *por meio da* morte. De todo modo, nada nos separa de Seu amor".[43]

Depois de relatar suas variadas perseguições, Paulo afirma, categórica e insofismavelmente, que todos aqueles que querem viver piedosamente em Cristo serão perseguidos (3.12). O próprio Jesus já havia alertado sobre essa realidade:

> *Se o mundo vos odeia, sabei que, primeiro do que a vós outros, me odiou a mim. Se vós fôsseis do mundo, o mundo amaria o que era seu; como, todavia, não sois do mundo, pelo contrário, dele vos escolhi, por isso, o mundo vos*

---

[40] Atos 13.50.
[41] Atos 14.5,6.
[42] Atos 14.19.
[43] HENDRIKSEN, William. *1 y 2 Timoteo y Tito*, p. 330.

odeia. Lembrai-vos da palavra que eu vos disse: não é o servo maior do que seu senhor. Se me perseguiram a mim, também perseguirão a vós outros; se guardaram a minha palavra, também guardarão a vossa (Jo 15.18-20).

A piedade sempre provoca o antagonismo do mundo (3.12). Paulo já havia deixado isso claro (At 14.22; 1Ts 3.4). Os impostores querem glórias, e não sofrimento; holofotes, e não abnegação; aplausos, e não dor (3.13). Hoje os líderes religiosos buscam os holofotes. Eles promovem a si mesmos. Buscam as glórias do mundo. São heróis, e não mártires. Concordo, porém, com a declaração de Barclay: "É melhor sofrer com Deus e com a verdade do que prosperar com os homens e com a mentira, pois a perseguição é transitória, mas a glória final dos fiéis é segura".[44] As cicatrizes são o preço que todo crente paga por sua lealdade a Cristo. A perseguição é um cálice que todo crente fiel a Cristo precisa beber.

Certa feita perguntaram a um professor:

– Se a igreja for mais perseguida, será mais fiel?

– Não! Se a igreja for mais fiel, será mais perseguida! respondeu ele.

John Stott diz corretamente que aqueles que estão em Cristo, mas não no mundo, não são perseguidos, porque não entram em contato e, portanto, em conflito com os seus perseguidores potenciais. Aqueles que estão no mundo, mas não em Cristo, também não são perseguidos, porque o mundo nada vê neles digno de perseguição. Os primeiros escapam da perseguição recuando-se do mundo; os últimos, pela assimilação das coisas do mundo. A perseguição é inevitável somente para aqueles que estão simultaneamente no mundo e em Cristo Jesus.[45] Calvino corrobora essa ideia dizendo que "é inútil tentar separar Cristo de Sua cruz, e é muito natural que o mundo odeie a Cristo, incluindo seus membros".[46]

Fidelidade à Palavra de Deus (3.13-17)

Não obstante as centenas de livros evangélicos, as dezenas de Bíblias de estudo, estamos vendo uma geração analfabeta de Bíblia. Os crentes

---

[44] BARCLAY, William. *I y II Timoteo, Tito y Filemon*, p. 210.
[45] STOTT, John. *Tu, porém: a mensagem de 2Timóteo*, p. 91.
[46] CALVIN, John. *Calvin's Commentaries*, p. 244.

não têm firmeza. Eles correm atrás das últimas novidades do mercado da fé. Não examinam mais a Palavra de Deus. Não têm raízes nem compromisso. A luz interior é mais importante que a Palavra revelada. A experiência é mais importante que a verdade. As emoções estão no trono, e a razão está destronada. As pessoas buscam salvação, mas não o Salvador. Querem as bênçãos, mas não o abençoador. Querem as dádivas, mas não o compromisso.

Destacamos dois pontos importantes a respeito da fidelidade à Palavra.

Em primeiro lugar, *a instabilidade dos impostores e a firmeza dos que permanecem na Palavra*. *Mas os homens perversos e impostores irão de mal a pior, enganando e sendo enganados. Tu, porém, permanece naquilo que aprendeste e de que foste inteirado, sabendo de quem o aprendeste* (3.13,14). Nesse sentido, Paulo enfatiza duas realidades:

1. *A instabilidade dos impostores* (3.13). As pessoas que abandonam a Palavra para buscar as novidades do mercado da fé seguem enganando e sendo enganadas. A vida é uma ciranda. Todo dia há coisa nova. Há uma leveza, uma mutação constante. Nada é permanente. A cada dia é preciso inventar uma novidade: uma nova doutrina, uma nova prática, uma nova experiência. A cada geração, precisamos estar atentos aos perigos das inovações: 1) misticismo pragmático; 2) liberalismo teológico; 3) ortodoxia morta; 4) experiencialismo intimista. Vivemos hoje a realidade de uma igreja pós-denominacional. Os líderes estão fundando igrejas como se fossem franquias empresariais. Veem a igreja como uma empresa familiar, uma fonte de lucro. Hendriksen diz acertadamente que o castigo recebido pelos que querem enganar outros é serem vítimas de um poder enganador. Aqueles que usam a arma do engano serão degolados pelo engano. Eles tentam iludir, mas eles mesmos serão iludidos.[47]

2. *A firmeza dos fiéis* (3.14). A ordem de Paulo a Timóteo para permanecer firme nas Escrituras nunca foi tão oportuna quanto em nossa geração, pois, como diz Stott, "os homens se orgulham de inventar

---
[47]HENDRIKSEN, William. *1 y 2 Timoteo y Tito*, p. 332.

um novo cristianismo com uma *nova teologia* e uma *nova moral*, tudo isso dando sinais de uma *nova reforma*".[48] Paulo ordena que Timóteo permaneça firme nas Escrituras, e isso porque ele não as aprendeu de nenhum aventureiro espiritual, mas, desde a infância, de sua avó e de sua mãe (1.15; 3.15) e mais tarde do próprio apóstolo Paulo, a quem Jesus confiara esse sagrado depósito (1.2; 1.6; 1.11,12; 3.10).

Em segundo lugar, **a superioridade da Palavra de Deus em relação ao engano dos impostores** (3.15-17). As Escrituras são sagradas, confiáveis e úteis. A Bíblia é o Livro dos livros: inspirada por Deus, escrita por homens santos, concebida no céu, nascida na terra, odiada pelo inferno, pregada pela igreja, perseguida pelo mundo e crida pelos fiéis. A Palavra de Deus é infalível, inerrante e suficiente. É vencedora invicta em todas as batalhas. Tem saído ilesa do ataque implacável dos críticos e das fogueiras da intolerância. A Palavra de Deus é a bigorna que tem quebrado todos os martelos dos céticos. Homens perversos se esforçam para destruí-la, queimá-la, escondê-la ou atacá-la, mas ela tem saído incólume de todas essas investidas. É viva e poderosa. É atual e oportuna. É a divina semente. Por meio dela somos gerados de novo. Por meio dela cremos em Cristo. Por meio dela somos fortalecidos. A Palavra de Deus é água para os sedentos, pão para os famintos e luz para os errantes. Por meio dela somos santificados e através dela recebemos poder. Ela é a arma de combate e o escudo que nos protege. É mais preciosa que o ouro e mais doce que o mel.

Duas verdades devem ser aqui destacadas em relação à Palavra.

Primeiro, **a origem das Escrituras**. *Toda a Escritura é inspirada por Deus...* (3.16a). As Escrituras não são fruto da lucubração humana, mas da revelação divina. Elas não provêm da descoberta humana, mas do sopro divino. Toda a autoridade das Escrituras depende exclusivamente da sua origem divina. A palavra grega *theopneustos* significa literalmente "soprada por Deus". Isso não quer dizer, porém, que Deus anulou a personalidade, o estilo ou a preparação de seus escritores, uma vez que esses homens santos *falaram movidos pelo Espírito Santo* (2Pe 1.21). Significa, porém, que as Escrituras surgiram na mente de

---

[48] STOTT, John. *Tu, porém: a mensagem de 2Timóteo*, p. 93.

Deus e foram comunicadas pela boca de Deus, pelo sopro de Deus ou pelo Seu Espírito. As Escrituras são, pois, no verdadeiro sentido do termo, *a Palavra de Deus*, porque Deus as disse. É como os profetas costumavam anunciar: *a boca do SENHOR o disse*.[49]

É importante destacar que toda a Escritura, e não apenas parte dela, é inspirada por Deus. Tanto o Antigo quanto o Novo Testamentos compõem as Escrituras (3.14; 2Tm 5.18; 1Co 2.13; 2Co 2.17; 13.3; Gl 4.14; Cl 4.16; 1Ts 2.13; 5.27; 2Pe 3.16). Muitos liberais aproximam-se das Escrituras carregados de ceticismo e contestando toda inspiração, inerrância e infalibilidade. Há aqueles que, enganosamente, afirmam que as Escrituras apenas contêm a Palavra de Deus, mas não são a Palavra de Deus. Outros negam sua historicidade e tentam, jeitosamente, explicar seus registros históricos e seus milagres de forma metafórica. Permanece a verdade inabalável de que toda a Escritura é inspirada por Deus. Sobre esse sólido fundamento, devemos erigir nossa fé. João Wesley usou uma forte lógica para provar a origem divina das Escrituras:

> A Bíblia foi concebida por uma das três fontes: 1) por homens bons ou anjos; 2) por homens maus ou demônios; 3) ou por Deus. Primeiro, a Bíblia não poderia ter sido concebida por homens bons nem por anjos, porque ambos não poderiam escrever um livro em que mentissem em cada página escrita em que houvesse as palavras: Assim diz o SENHOR, sabendo perfeitamente que o Senhor nada dissera e que todas as coisas tivessem sido inventadas por eles. Segundo, a Bíblia não poderia ter sido concebida por homens maus ou demônios, porque não poderiam escrever um livro que ordena a prática de todos os bons conselhos, proíbe pecados e descreve o castigo eterno de todos os incrédulos. Portanto, concluo que a Bíblia foi concebida por Deus e revelada aos homens.[50]

Segundo, *o propósito das Escrituras* (3.15-17). Se a origem das Escrituras nos fala de onde ela provém, seu propósito trata do que ela pretende. Vejamos três faces desse propósito.

---

[49]STOTT, John. *Tu, porém: a mensagem de 2Timóteo*, p. 97.
[50]WALDVOGEL, Luiz. *Vencedor em todas as batalhas*. Santo André: Casa Publicadora Brasileira, s.d., p. 53.

1. *As Escrituras conduzem as pessoas à salvação. E que, desde a infância, sabes as sagradas letras, que podem tornar-te sábio para a salvação...* (3.15). A Bíblia é essencialmente um manual de salvação. Seu propósito mais alto não é ensinar fatos da ciência que o homem pode descobrir por sua investigação experimental, mas ensinar fatos da salvação que nenhuma exploração humana pode descobrir e somente Deus pode revelar.[51] As Escrituras falam sobre a criação e a queda. Ensinam sobre o juízo de Deus e também de Seu amor redentor.

2. *As Escrituras anunciam a salvação por intermédio de Cristo. ... pela fé em Cristo Jesus* (3.15b). A salvação é por meio de Cristo. No Antigo Testamento, as pessoas eram salvas pelo Cristo da promessa; no Novo Testamento, elas são salvas pelo Cristo da história. No Antigo Testamento, as pessoas olhavam para a frente, para o Cristo que haveria de vir; no Novo Testamento, elas olham para trás, para o Cristo que já veio. No Antigo Testamento, as pessoas creram no Cristo da promessa; no Novo Testamento, as pessoas creram no Cristo da história. O Antigo Testamento anuncia a promessa e a preparação para a chegada de Cristo. Os evangelhos expõem o nascimento, a vida, o ensino, os milagres, a morte, a ressurreição e a ascensão de Cristo. O livro de Atos relata a propagação do evangelho de Cristo desde Jerusalém até Roma. As epístolas apresentam a ilimitada glória da pessoa e da obra de Cristo, aplicando-a à vida do cristão e da Igreja. O Apocalipse traz a consumada vitória de Cristo e da Sua igreja. Cristo é o centro da eternidade, da história e das Escrituras. Ele é o Salvador do mundo, o único nome dado entre os homens pelo qual importa que sejamos salvos (At 4.12).

3. *As Escrituras tratam tanto da doutrina quanto da conduta ... e útil para o ensino, para a repreensão, para a correção, para a educação na justiça, a fim de que o homem de Deus seja perfeito e perfeitamente habilitado para toda boa obra* (3.16b,17). Pressupõe-se ensino ou doutrina (o que é certo); repreensão (o que não é certo); correção (como se tornar certo); educação na justiça (como permanecer certo). John N. D. Kelly explica essa passagem da seguinte forma:

---

[51] STOTT, John. *Tu, porém: a mensagem de 2Timóteo*, p. 97.

A Escritura é pastoralmente útil para o ensino, isto é, como fonte positiva de doutrina cristã; para repreensão, isto é, para refutar o erro e para repreender o pecado; para a correção, isto é, para convencer os mal-orientados dos seus erros e colocá-los no caminho certo outra vez; e para a educação na justiça, isto é, para a educação construtiva na vida cristã.[52]

---

[52]KELLY, John N. D. *I e II Timóteo e Tito: introdução e comentário*, p. 187.

4

A pregação da Palavra num mundo de relativismo

2 Timóteo 4.1-5

O APÓSTOLO PAULO FALOU SOBRE TRÊS COMPROMISSOS que Timóteo deveria abraçar em seu ministério: não se envergonhar do evangelho, sofrer pelo evangelho e preservar o evangelho; agora, fala acerca do último compromisso: pregar o evangelho.

O texto em apreço trata acerca da sublime missão do pregador. George Barlow afirma que o pregador precisa: a) cumprir sua missão na presença do Divino Juiz a quem prestará contas (4.1); b) usar todos os métodos legítimos para realizar Sua obra com eficácia (4.2); c) ser fiel às Escrituras em tempos de apostasia e erro (4.3,4); e d) exercer contínua vigilância e corajosa devoção no cumprimento do seu dever (4.5).

Destacamos alguns pontos importantes para nossa reflexão.

A motivação para pregar o evangelho (4.1)

Antes de dar a ordem a Timóteo para pregar a Palavra, Paulo lhe oferece três poderosas motivações.

Em primeiro lugar, **eles prestarão contas ao Juiz de vivos e mortos**. *Conjuro-te, perante Deus e Cristo Jesus, que há de julgar vivos e mortos...* (4.1a). O veterano apóstolo Paulo está fechando as cortinas da vida, no corredor da morte, caminhando para o martírio. Antes de partir, porém, passa às mãos de Timóteo o bastão do evangelho. Transfere para ele essa solene incumbência. O verbo grego *diamartyromai*, traduzido por *conjuro-te*, tem conotações legais e pode significar "testificar sob juramento" numa corte de justiça[1] ou "dar testemunho solene".

O momento é sério, e Paulo deseja que Timóteo reconheça sua importância. É sério não apenas porque o apóstolo está diante da morte, mas, principalmente, porque tanto Paulo quanto Timóteo serão julgados no dia em que Jesus Cristo vier.[2] John N. D. Kelly diz que a referência ao julgamento é especialmente apropriada, pois é Cristo quem, na segunda vinda, julgará até que ponto Timóteo, e qualquer outro ministro do evangelho, desempenhou suas obrigações momentosas.[3] Paulo diz a Timóteo: Você está diante de Deus e do Messias, o Juiz de todos, devendo prestação de contas a Ele. O que pessoas dizem sobre você não terá importância no dia do juízo final, motivo pelo qual você deve libertar-se disso desde já, a fim de poder cumprir livremente sua tarefa, inclusive quando ela acarretar sofrimento e perseguição.[4]

Paulo conhecia bem a personalidade de Timóteo. Ele era um jovem tímido. Além disso, lidava com frequentes enfermidades. Esse jovem pastor estava à frente da igreja de Éfeso, a maior da época. Era um tempo de atroz perseguição política e incansável ataque dos falsos mestres. Os crentes da Ásia entraram numa debandada geral. As pressões externas e os temores internos eram gigantescos. Timóteo não podia fraquejar. Precisava saber que o mais importante nessa empreitada de consequências eternas era ouvir do supremo Juiz as doces palavras: *Bem feito. Porque foste fiel no pouco, agora sobre o muito te colocarei. Entra no gozo do teu Senhor* (cf. Mt 25.21).

Paulo dá essa ordem a Timóteo perante Deus e Cristo Jesus. Concordo com Stott quando ele diz que o mais forte de todos os incentivos à fidelidade é saber que a ordem foi dada por Deus.

---

[1] BARLOW, George. The Second Epistle to Timothy. In: *The Preacher's Homiletic Commentary*. Vol. 29. Grand Rapids: Baker Books, 1995, p. 79.
[2] STOTT, John. *Tu, porém: a mensagem de 2Timóteo*, p. 100.
[3] WIERSBE, Warren W. *Comentário bíblico expositivo*. Vol.6, p. 330
[4] KELLY, John N. D. *I e II Timóteo e Tito: introdução e comentário*, p. 188.

Basta a Timóteo saber que ele é servo do Altíssimo e embaixador de Cristo Jesus.[5]

Não apenas os incrédulos estarão diante do tribunal de Deus para dar conta de sua vida, mas também os crentes, sobretudo os pregadores. Timóteo recebe essa incumbência do apóstolo Paulo, mas prestará contas de seu ministério àquele que julga vivos e mortos. O pregador é um arauto. Não pode mudar a mensagem que lhe foi confiada. É um embaixador. Não fala em seu nome, mas no nome e na autoridade daquele que o enviou. Não representa a si mesmo, mas a seu soberano. O pregador infiel que acrescenta algo à mensagem ou dela subtrai será reprovado no dia do acerto de contas.

Em segundo lugar, *ele prestará contas ao Vencedor que virá em glória*. ... *pela sua manifestação*... (4.1b). John Stott esclarece que a ênfase maior desse primeiro versículo não recai tanto na presença de Deus, mas na volta de Cristo.[6] Devemos viver à luz dessa esperança. Devemos viver como que na ponta dos pés, aguardando e apressando o dia da vinda de Deus. Somos o povo que não apenas aguarda ansiosamente a volta de Cristo, mas o povo que ama a vinda do Senhor (4.8). Jesus voltará pessoalmente, visivelmente, audivelmente, repentinamente, inesperadamente, poderosamente, gloriosamente, vitoriosamente. A palavra *epifania* era usada para a manifestação dos imperadores romanos quando eles visitavam as províncias do Império. Jesus, o Rei dos reis, virá em glória para julgar as nações e é perante Ele que Timóteo prestará contas de seu ministério.

Em terceiro lugar, *ele prestará contas ao Rei que vem para estabelecer Seu reino de glória*. ... *e pelo Seu reino* (4.1c). A segunda vinda de Cristo será absolutamente distinta da primeira. Na primeira vinda, Ele Se esvaziou e Se humilhou; nasceu num berço pobre, foi educado numa família pobre e cresceu numa cidade pobre. Não tinha sequer onde reclinar a cabeça. Entrou em Jerusalém num jumentinho emprestado e foi sepultado num túmulo emprestado. Mas, em Sua segunda vinda,

---

[5]Burki, Hans. Segunda carta a Timóteo. In: *Cartas aos Tessalonicenses, Timóteo, Tito e Filemom*, p. 368.
[6]Stott, John. *Tu, porém: a mensagem de 2Timóteo*, p. 104.

virá em majestade e glória. Assentar-se-á no Seu trono para julgar as nações. Julgará vivos e mortos, grandes e pequenos, reis e vassalos. Virá com grande poder para esmagar debaixo de seus pés todos os seus inimigos. Virá para estabelecer Seu reino de glória. Então, todo joelho se dobrará e toda língua confessará que Ele é Senhor. Anjos, homens e demônios precisarão se prostrar diante do Rei dos reis. Jesus é o Rei que vem estabelecer Seu reino de glória, e Ele reinará com Sua igreja pelos séculos dos séculos. Essa verdade gloriosa e insofismável deve ser um tônico para encorajar os pregadores a permanecerem firmes na proclamação do evangelho a um mundo rendido por falsas doutrinas.

A ordem para pregar o evangelho (4.2)

Paulo passa da motivação de pregar o evangelho para o imperativo de sua proclamação: *Prega a Palavra...* (4.2a).Pregar a Palavra é a principal missão de um ministro. A Palavra tem supremacia, e a pregação, primazia. O que Timóteo deve pregar? A Palavra de Deus! Essa Palavra é idêntica ao *depósito*, à *Escritura*, às *sagradas letras*, à *sã doutrina*, à *verdade* e à *fé*. O pregador não pode pregar as próprias palavras. Não pode, também, torcer as palavras de Deus. Não pode subtrair nem acrescentar nada à Palavra. Seu papel não é ser popular, mas fiel. Seu chamado é para pregar a Palavra, e não sobre a Palavra. A Palavra é o conteúdo da mensagem e autoridade do mensageiro. O pregador não cria a mensagem; ele a proclama.

Concordo com Pierre Marcel, que escreve: "Pregar a Palavra de Deus não é uma invenção da igreja, mas uma comissão por ela recebida".[7] A Palavra de Deus escrita foi dada para tornar-se a Palavra pregada. A Palavra de Deus é revelada aos seres humanos na forma escrita (Escrituras), na forma humana (Cristo) e na forma falada (pregação).

Warren Wiersbe explica que o verbo grego *kerux* significa pregar como um arauto. Nos tempos de Paulo, o governante possuía um arauto especial que fazia as proclamações ao povo. Era comissionado

---

[7]MARCEL, Pierre. *The Relevance of Preaching*. Nova York: Westminster Publishing House, 2000, p. 18.

pelo governante para proclamar sua mensagem em voz alta e claramente, de modo que todos ouvissem. Não era um embaixador com o privilégio de negociar; era um mensageiro com uma proclamação a ser ouvida e cumprida. Deixar de atender ao mensageiro era uma falta grave, e maltratar o mensageiro era mais grave ainda.[8]

Essa mensagem do Rei não pode ser proclamada sem entusiasmo e convicção. Hendriksen ressalta que a proclamação é viva, e não seca; oportuna, e não obsoleta.[9] Concordo com Martyn Lloyd-Jones quando ele diz que a pregação é a lógica em fogo. A pregação é a razão eloquente. A pregação é a teologia em fogo, é a teologia vinda de um homem que está em fogo.[10] É conhecida a expressão de John Wesley: "Ponha fogo no seu sermão ou ponha seu sermão no fogo". A pregação é vital para a igreja e o mundo. A fé vem pela pregação da Palavra. Uma igreja pode existir sem prédios, sem liturgia e até sem credo, porém não pode existir sem a pregação da Palavra.

Mas o que é pregação? É a comunicação oral da verdade bíblica pelo Espírito Santo, por intermédio de uma personalidade humana, a determinado público, com a intenção de salvar os perdidos e fortalecer os salvos.[11]

Uma coisa é pregar a Palavra. Outra coisa é pregar sobre a Palavra. A Palavra é o conteúdo da pregação e a autoridade do pregador. O pregador não gera a mensagem; ele a proclama. A mensagem não é fruto da subjetividade do pregador, mas da exposição fiel da Palavra. John Stott tem plena razão em dizer que não temos nenhuma liberdade para inventar a nossa mensagem, mas somente para comunicar *a palavra proferida por Deus e agora entregue à igreja, em sagrada custódia*.[12]

Até aqui Paulo ordenou a Timóteo guardar a Palavra, sofrer pela Palavra e permanecer na Palavra. Agora, o apóstolo ordena que Timóteo

---

[8]Wiersbe, Warren W. *Comentário bíblico expositivo.* Vol.6, p. 330.
[9]Hendriksen, William. *1 y 2 Timoteo y Tito*, p. 350.
[10]Lloyd-Jones, Martyn. *Preaching and Preachers.* Grand Rapids: Zondervan Publishing House, p. 97.
[11]Vines & Shaddix, Jim. *Power in the Pulpit: How to Prepare and Deliver Expository Sermons.* Chicago: Moddy Press, 1999, p. 27.
[12]Stott, John. *Tu, porém: a mensagem de 2Timóteo*, p. 101.

pregue a Palavra. Não basta conservar intacta a verdade, livre dos laivos de heresia. Não é suficiente apenas preservar a sã doutrina. A Palavra precisa ser proclamada com fidelidade, senso de urgência e no poder do Espírito Santo. Foi isso o que Paulo fez ao longo de sua vida. Ele cruzou desertos, navegou por mares bravios, pregou a Palavra de Deus em muitas cidades, povoados, templos, sinagogas, praças, ilhas, praias, escolas, tribunais e prisões. Pregou a grandes multidões, a pessoas livres e escravas, a vassalos e reis, a sábios e iletrados, a judeus e gentios. Pregou sempre com grande entusiasmo, estivesse são ou enfermo, prisioneiro ou liberto, fosse amado ou odiado, aplaudido ou apedrejado, vivendo na abundância ou pobreza. Agora, ele ordena a Timóteo que faça o mesmo.

Os pregadores não são chamados para pregar as palavras de homens, as filosofias do mundo, as decisões dos concílios, os dogmas da igreja, os sonhos, as visões e revelações forâneas dos profetas modernos, mas a infalível e poderosa Palavra de Deus.

Stott diz que quatro sinais devem caracterizar a proclamação da Palavra. Vejamos a seguir.

Em primeiro lugar, ***deve ser uma proclamação urgente***. ... *insta, quer seja oportuno, quer não...* (4.2b). O verbo grego *ephistemi*, traduzido por "instar", significa literalmente "estar de prontidão".[13] O pregador precisa ter um profundo senso de urgência. Nas palavras do puritano Richard Baxter, o pregador deve pregar como se fosse um homem que está às portas da morte, pregando a pessoas que estão prestes a morrer. Martyn Lloyd-Jones cita suas palavras literalmente: "Preguei como se nunca mais fosse pregar novamente, como um moribundo a outro moribundo".[14] Concordo com Martyn Lloyd-Jones quando ele diz:

> A tarefa de pregar é o chamado mais alto, maior e mais glorioso que alguém pode receber. Se você quiser adicionar algo a essa tarefa, eu diria, sem hesitação, que a necessidade mais urgente na igreja cristã hoje é a

---

[13] STOTT, John. *Tu, porém: a mensagem de 2Timóteo*, p. 102.
[14] LLOYD-JONES, Martyn. *The Puritans: Their Origins and Successors*. Pennsylvania: The Banner of Truth Trust, 1987, p. 387.

pregação autêntica; por ser a necessidade maior e mais urgente da igreja, é também evidentemente a maior necessidade do mundo. Não há nada como a pregação. Ela é a mais elevada tarefa deste mundo, a mais emocionante, a mais empolgante, a mais compensadora e a mais maravilhosa.[15]

Estou de pleno acordo com Stott no sentido de que a expressão *quer seja oportuno, quer não* não deve ser tomada como desculpa para a falta de tato com as pessoas, o que muitas vezes tem caracterizado a evangelização. Essa expressão aplica-se não tanto aos ouvintes, mas principalmente a quem fala. Assim, o que temos aqui não é uma base bíblica para a grosseria, mas sim apelo contra a preguiça.[16] Hans Burki explica que o sentido dessas palavras de Paulo a Timóteo é: Agarra todas as oportunidades, pareçam elas propícias ou não, pois o *kairós* (tempo oportuno) precisa ser percebido e agarrado, remido e aproveitado, não no sentido do bordão "tempo é dinheiro", mas tempo é salvação, tempo é salvífico para a decisão. O dia da salvação é oferta suprema e última antes do dia do juízo.[17]

Em segundo lugar, **deve ser uma proclamação contextualizada**. *... corrige, repreende, exorta...* (4.2c). Paulo se dirige a Timóteo como um comandante militar, dando ordens expressas: Prega! Corrige! Repreende! Exorta! *Pregar* é exercer o papel de um arauto que comunica a urgente mensagem do Rei. *Corrigir* significa convencer os que contradizem; trazer à luz os pecados; revelar um erro. *Repreender* é o confronto direto. *Quando teu irmão pecar, corrige-o, quando se arrepender, perdoa-lhe* (Mt 18.15). Como fez Paulo com o impuro de Corinto (1Co 5.1-8,13) e como fez Natã com Davi (2Sm 13.1-15). *Exortar* significa chamar para estar perto, buscar para auxílio, consolar.[18]

A Palavra fala a homens diferentes, em situações diferentes. O pregador deve ser fiel e ao mesmo tempo relevante. Deve usar "argumentos,

---

[15] LLOYD-JONES, Martyn. *Preaching and Preachers*, p. 297.
[16] STOTT, John. *Tu, porém: a mensagem de 2Timóteo*, p. 102.
[17] BURKI, Hans. Segunda carta a Timóteo. In: *Cartas aos Tessalonicenses, Timóteo, Tito e Filemom*, p. 369.
[18] BURKI, Hans. Segunda carta a Timóteo. In: *Cartas aos Tessalonicenses, Timóteo, Tito e Filemom*, p. 369-370.

repreensão e apelo", o que vem a ser quase uma classificação de três abordagens: a intelectual, a moral e a emocional. John N. D. Kelly diz que esse deve ser o tríplice apelo do pregador à razão, à consciência e à vontade.[19] Porque muitas pessoas se encontram atormentadas por dúvidas e precisam ser repreendidas; outras são perseguidas pelas dúvidas e precisam ser encorajadas. É dever do pregador aplicá-la contextualmente.[20] O sermão é uma ponte entre dois mundos, ligando o texto antigo ao ouvinte contemporâneo. A pregação é a exposição e a aplicação da Palavra. Sem explicação, não é expositiva; sem aplicação, não é pregação. A aplicação é a vida da pregação.

Em terceiro lugar, *deve ser uma proclamação paciente. ... com toda a longanimidade...* (4.2d). A Palavra precisa ser pregada com toda a longanimidade. A palavra grega *makrothumia* significa o tipo de espírito que nunca se irrita, nunca se cansa, nunca se desespera. É uma espécie de paciência triunfadora no trato com as pessoas. O pregador deve ser firme na Palavra e sensível com as pessoas. Não é seu papel forçar os ouvintes. Ao contrário, deve ser brando para com todos e fugir das contendas (2.24,25). Stott tem razão em dizer que, mesmo sendo solene o nosso comissionamento e urgente a nossa mensagem, não se justifica uma conduta rude ou impaciente.[21]

Em quarto lugar, *deve ser uma proclamação fiel às Escrituras. ... e doutrina* (4.2e). A Palavra precisa ser pregada com toda doutrina. A proclamação precisa ser repleta de ensino, ou seja, o *kerygma* precisa vir acompanhado do *didaquê*. O teólogo precisa ser um evangelista, e o evangelista precisa ser um teólogo. O pregador precisa ser mestre, e o mestre precisa ser evangelista. As duas coisas (pregação e doutrina) andam juntas, e não separadas. Essa foi a maneira como Paulo agiu em seus três anos de ministério na igreja de Éfeso (At 20.20,21). Tanto ensinou as grandes doutrinas da graça como testificou a judeus e a gregos o arrependimento para com Deus e a fé em nosso Senhor Jesus Cristo. Calvino está coberto de razão quando afirma que tanto

---

[19] KELLY, John N. D. *I e II Timóteo e Tito: introdução e comentário*, p. 189.
[20] STOTT, John. *Tu, porém: a mensagem de 2Timóteo*, p. 103.
[21] STOTT, John. *Tu, porém: a mensagem de 2Timóteo*, p. 103.

a correção quanto a repreensão e a exortação são meros auxiliares da doutrina e, por conseguinte, têm pouco peso sem ela.[22]

A indisposição para ouvir o evangelho (4.3,4)

Paulo não ilude Timóteo com promessas vazias. Ele sabe que o tempo do fim é marcado por uma forte oposição ao evangelho. Quais são as atitudes das pessoas?

Em primeiro lugar, *as pessoas se sentirão ofendidas com a sã doutrina. Pois haverá tempo em que não suportarão a sã doutrina...*(4.3a). O evangelho, as Escrituras, a Palavra, a sã doutrina nunca foram populares. A verdade sempre fere mortalmente o orgulho do homem e denuncia a malignidade do seu pecado. O homem natural não discerne as coisas de Deus, nem os mortos espirituais têm apetite pela Palavra. Somente o Espírito de Deus pode inclinar nossos ouvidos para ouvir a Palavra. Somente as ovelhas de Cristo ouvirão a voz do divino pastor. Naturalmente, a resposta do homem ao evangelho será hostil. Certamente, os homens não suportarão a verdade, chamada pelo apóstolo Paulo de sã doutrina, em contraste com as heresias dos falsos mestres. Calvino tem total razão ao afirmar que, quanto mais extraordinária for a avidez dos homens perversos por desprezar a doutrina de Cristo, mais zelosos devem ser os ministros em defendê-la e mais enérgicos seus esforços em preservá-la íntegra e proclamá-la com fidelidade.[23]

Em segundo lugar, *as pessoas se sentirão atraídas pelas novidades. ... pelo contrário, cercar-se-ão de mestres segundo as suas próprias cobiças, como que sentindo coceira nos ouvidos* (4.3b). Além de repudiar a verdade, sentirão uma atração enorme pelas novidades e darão todo crédito aos falsos mestres. As pessoas querem mestres que falem o que elas querem ouvir. Acercam-se daqueles que lhes darão exatamente o que desejam. Preferem os pregadores da conveniência. Procuram não a verdade, mas o que lhes acalme o coração, enquanto permanecem em seus pecados. Os próprios profetas do Antigo Testamento já falavam sobre essa atitude consumista dos ouvintes:

---

[22] CALVINO, Juan. *Comentarios a las Epístolas Pastorales de San Pablo*, p. 295.
[23] CALVINO, Juan. *Comentarios a las Epístolas Pastorales de San Pablo*, p. 297.

Quanto a ti, ó filho do homem, os filhos do teu povo falam de ti junto aos muros e nas portas das casas; fala um com o outro, cada um a seu irmão, dizendo: Vinde, peço-vos, e ouvi qual é a palavra que procede do SENHOR. *Eles vêm a ti, como o povo costuma vir, e se assentam diante de ti como meu povo, e ouvem as tuas palavras, mas não as põem por obra; pois, com a boca, professam muito amor, mas o coração só ambiciona lucro. Eis que tu és para eles como quem canta canções de amor, que tem voz suave e tange bem; porque ouvem as tuas palavras, mas não as põem por obra. Mas, quando vier isto e aí vem, então, saberão que houve no meio deles um profeta* (Ez 33.30-33).

A expressão *coceira nos ouvidos* demonstra que essas pessoas terão fome de novidades.[24] Nessa mesma linha de pensamento, Rienecker realça que essa expressão figurada é usada para denotar a curiosidade que busca informações interessantes e inconvenientes.[25] Assim, Paulo está descrevendo pessoas movidas por uma curiosidade mórbida para qualquer novidade vendida no mercado da fé. Obviamente, o que essas pessoas procuram não é o evangelho, mas uma panaceia, um calmante que lhes aquiete o coração. A mensagem dos falsos mestres lhes dá certo "conforto", aplacando a coceira que sentem nos ouvidos. Nas palavras de Stott: "Na prática, o que tais pessoas fazem é fechar os ouvidos à verdade (At 7.57) e abri-los a qualquer mestre que alivie a sua coceira".[26]

Em terceiro lugar, *as pessoas taparão os ouvidos à verdade e se lançarão no colo das fábulas. E se recusarão a dar ouvidos à verdade, entregando-se às fábulas* (4.4). John Stott tem razão em dizer que essas pessoas rejeitam a sã doutrina (4.3) ou a verdade (4.4) e preferem as próprias cobiças (4.3) ou fábulas (4.4). Assim, substituem a revelação divina por suas fantasias.[27]

A obrigação de **seguir em frente** com o evangelho (4.5)

O desinteresse das pessoas em relação ao evangelho não deve determinar a atitude dos ministros de Deus. Longe de desistir de pregar porque

---

[24] STOTT, John. *Tu, porém: a mensagem de 2Timóteo*, p. 106.
[25] RIENECKER, Fritz; ROGERS, Cleon. *Chave linguística do Novo Testamento Grego*, p. 480.
[26] STOTT, John. *Tu, porém: a mensagem de 2Timóteo*, p. 106.
[27] STOTT, John. *Tu, porém: a mensagem de 2Timóteo*, p. 106.

as pessoas estão mais interessadas em novidades que na verdade, Paulo ordena que Timóteo cumpra cabalmente o seu ministério de evangelista. Nesse sentido, quatro atitudes devem ser tomadas pelos servos de Deus.

Em primeiro lugar, **seja sóbrio em meio à volubilidade reinante**. *Tu, porém, sê sóbrio em todas as coisas...*(4.5a). Em vez de entrar no sistema e seguir a onda da maioria, Timóteo deveria manter-se íntegro na sua missão, pregando a verdade. Não importa se os falsos mestres parecem mais atraentes e populares. Não importa se eles ajuntam multidões mais numerosas. Não importa se o que eles pregam tem aceitação maior. Timóteo precisa ser diferente. Ele não pode se deixar influenciar pela moda prevalecente.

No meio de uma geração embriagada e entorpecida pelo sucesso, pelo prazer e pela cobiça, Timóteo deve manter-se sóbrio em todas as coisas. No meio de uma geração instável de mente e conduta, Timóteo deve permanecer inabalável. A palavra grega *nepho*, traduzida por *sóbrio*, significa "livre de qualquer forma de embriaguez mental e espiritual". Ou seja, equivale a estar alerta, vigilante, com aquela atitude firme e persistente da mente, que observa tudo o que acontece ao redor e permanece inabalável em direção a seu objetivo.[28] Stott diz que, quando homens e mulheres se intoxicam com heresias inebriantes e novidades reluzentes, os ministros devem conservar-se calmos e sensatos."[29]

Em segundo lugar, **suporte as aflições em meio à oposição**. *... suporta as aflições...* (4.5b). Paulo já havia dito que aqueles que quisessem viver piedosamente em Cristo seriam perseguidos (3.12). Agora, declara que, diante da oposição, o ministro do evangelho não deve afrouxar suas convicções nem se tornar um pragmático, pregando o que as pessoas querem ouvir. Ao contrário, deve dispor-se a suportar as aflições por causa de Sua fidelidade à verdade. É vero o dito: "Quanto mais fiel a igreja for, mas perseguida ela será". John Stott tem razão em afirmar: "Sempre que a fé bíblica se torna impopular, os ministros são altamente tentados a mudar aqueles elementos que promovem a maior ofensa".[30]

---

[28] RIENECKER, Fritz; ROGERS, Cleon. *Chave linguística do Novo Testamento Grego*, p. 480.
[29] STOTT, John. *Tu, porém: a mensagem de 2Timóteo*, p. 107.
[30] STOTT, John. *Tu, porém: a mensagem de 2Timóteo*, p. 107.

Em terceiro lugar, ***pregue as boas-novas de salvação em meio às distorções***. ... *faze o trabalho de um evangelista*...(4.5c). Há uma gritante e perturbadora ignorância das pessoas acerca do verdadeiro evangelho. O diabo tem falsos ministros, falso evangelho e falsos crentes. Nesse cenário eivado de tantos enganos, os ministros de Cristo precisam pregar incansavelmente o verdadeiro evangelho. Concordo com Stott quando ele diz que as boas-novas do evangelho não devem somente ser preservadas da distorção, mas propagadas com devoção.[31]

Em quarto lugar, ***complete seu ministério em meio aos que retrocedem***. ... *cumpre cabalmente o teu ministério* (4.5d). O fim dos tempos é marcado por um processo de esfriamento do amor, abandono da verdadeira fé e consumada apostasia. O engano religioso floresce como cogumelo e se espalha como fogo em palha seca. Nesse cenário de debandada geral (1.15), Timóteo deve cumprir cabalmente o seu ministério. Não basta ao ministro apenas começar bem a carreira; é preciso terminá-la bem (4.7).

As palavras de Stott são oportunas:

> As quatro ordens de Paulo a Timóteo, ainda que diferentes nos detalhes, transmitem a mesma mensagem geral. Aqueles dias, em que era difícil conquistar ouvidos para o evangelho, não deveriam desencorajar Timóteo; nem detê-lo em seu ministério; nem induzi-lo a adaptar a sua mensagem ao gosto de seus ouvintes; nem, menos ainda, silenciá-lo de uma vez; mas antes deveriam estimulá-lo a pregar ainda mais.[32]

Nessa mesma linha de pensamento, Calvino diz que, quanto mais grave for a doença do engano religioso que atinge as pessoas, mais eficaz e mais determinado deve ser o trabalho do ministro de Deus para curá-la; quanto mais perto e ameaçador for o problema, mais diligente o ministro de Deus deve manter-se em guarda.[33]

---

[31] STOTT, John. *Tu, porém: a mensagem de 2Timóteo*, p. 107.
[32] STOTT, John. *Tu, porém: a mensagem de 2Timóteo*, p. 107-108.
[33] CALVIN, John. *Calvin's Commentaries*, p. 257.

5

A segunda **prisão** de Paulo em Roma e seu **martírio**

2 Timóteo 4.6-22

A PRIMEIRA PRISÃO DE PAULO FOI POR MOTIVAÇÃO RELIGIOSA; a segunda, por motivos políticos. A primeira prisão estava ligada à perseguição judaica; a segunda, vinculada ao decreto do imperador. Da primeira prisão, Paulo saiu para dar continuidade à obra missionária; da segunda, Paulo saiu para o martírio.

Em 49 d.C., o imperador Cláudio expulsou de Roma todos os judeus (At 18.2). Muitos deles, a essa altura, já eram cristãos. Mas, em 64 d.C., houve um terrível incêndio em Roma, e o imperador Nero lançou a culpa dessa tragédia sobre os judeus e os cristãos.

Nero chegou ao poder em outubro de 54 d.C. Insano, pervertido e mau, era filho de Agripina, mulher promíscua e perversa. Na noite de 17 de julho de 1964, um catastrófico incêndio estourou em Roma. O fogo durou seis dias e sete noites. Dez dos quatorze bairros da cidade foram destruídos pelas chamas vorazes.

Segundo alguns historiadores, o incêndio foi provocado pelo próprio Nero, que assistiu ao horrendo espetáculo do topo da torre Mecenas, no cume do Paladino, vestido como um ator de teatro, tocando sua lira e cantando versos acerca da destruição de Troia. Pelo fato de dois bairros em que havia grande concentração de judeus e cristãos não terem sido atingidos pelo incêndio, Nero encontrou uma boa razão para culpar os cristãos pela tragédia.

A partir daí, a perseguição contra os cristãos tornou-se insana e sangrenta. Faltou madeira na época para fazer cruz, tamanha a quantidade de cristãos crucificados. Os crentes eram amarrados em postes e incendiados vivos para iluminar as praças e os jardins de Roma. Outros, segundo o historiador Tácito, foram jogados nas arenas enrolados em peles de animais, para que cães famintos os matassem a dentadas. Outros ainda foram lançados no picadeiro para que touros enfurecidos os pisoteassem e esmagassem. A loucura de Nero só não foi mais longe porque, em 68 d.C., boa parte do Império se rebelou contra ele, e o senado romano o depôs. Desesperado, sem ter para onde ir, Nero se suicidou.

No tempo em que explodiu essa brutal perseguição, Paulo estava fora de Roma, visitando as igrejas. Por ser o líder maior do cristianismo, tornou-se alvo dessa ensandecida cruzada de morte. Possivelmente quando estava em Trôade, na casa de Carpo, foi preso pelos agentes de Nero e levado a Roma para ser jogado numa masmorra úmida, fria e insalubre. Foi dessa prisão que Paulo escreveu essa carta a Timóteo. É digno de destaque que nessa carta Paulo não pede oração para sair da prisão nem expressa expectativa de prosseguir em seu trabalho missionário. O idoso apóstolo está convencido de que a hora de seu martírio havia chegado.

Como Paulo encerra a sua carreira? Que avaliação faz de sua vida? Se esse veterano apóstolo fosse examinado pelas lentes da teologia da prosperidade, seria um fracasso. O maior pregador, missionário, teólogo e plantador de igrejas da história do cristianismo está velho, jogado numa masmorra, pobre, cheio de cicatrizes, abandonado no corredor da morte. O grande apóstolo dos gentios está sozinho num calabouço romano, sem dinheiro, sem amigos, sem roupas para enfrentar o inverno, sofrendo as mais amargas privações. Como esse homem se sente? Como ele avalia seu passado, seu presente e seu futuro?

Destacamos a seguir alguns pontos fundamentais acerca da atitude desse bandeirante da fé no momento em que se viu no corredor da morte.

A vida não é simplesmente viver;
a morte não é simplesmente morrer (4.6-8)

Em 2Timóteo 4.6-8, Paulo faz uma profunda análise do seu ministério e, antes de fechar as cortinas da sua vida, abre-nos uma luminosa clareira com respeito a seu passado, presente e futuro. Acompanhemos sua análise.

Em primeiro lugar, **Paulo olhou para o passado com gratidão**. *Combati o bom combate, completei a carreira, guardei a fé* (4.7). O que fora um propósito, ou seja, completar a carreira (At 20.24), era agora um retrospecto.[1] Paulo está passando o bastão para o seu filho Timóteo, mas, antes de enfrentar o martírio, relembra, como havia sido sua vida: um duro combate.[2] A vida para Paulo não foi uma feira de vaidades nem um parque de diversões, mas um combate renhido. Hans Burki diz que Paulo lutou contra poderes sombrios da maldade; contra satanás; contra vícios judaicos, cristãos e gentílicos; contra hipocrisia, violência, conflitos e imoralidades em Corinto; contra fanáticos e desleixados em Tessalônica; contra gnósticos e judaizantes em Éfeso e Colossos; e, não por último – no poder do Espírito Santo –, contra o velho ser humano dentro de si mesmo, tribulações externas e temores internos. Acima de tudo e em todas as coisas, porém, lutou em prol do evangelho, a grande luta de sua vida, seu bom combate. O apóstolo poderia morrer tranquilo porque havia concluído sua carreira, e isso era tudo o que lhe importava (At 20.24). Mas ele também deixa claro que nessa peleja jamais abandonou a verdade nem negou a fé. Não morre bem quem não vive bem. A vida é mais do que viver, e a morte é mais do que morrer.

Em segundo lugar, **Paulo olhou para o presente com serenidade**. *Quanto a mim, estou sendo oferecido por libação, e o tempo da minha partida é chegado* (4.6) O veterano apóstolo sabe que vai morrer. Mas não é Roma que tirará a vida; é ele quem vai oferecê-la. E ele não vai oferecê-la a Roma, mas a Deus. Stott diz que Paulo compara sua vida com um sacrifício e uma oferta para Deus.[3] John N. D. Kelly explica que essa metáfora vívida é tirada do costume litúrgico judaico de derramar, como o ritual preliminar da oferenda diária no templo e de

---

[1] STOTT, John. *Tu, porém: a mensagem de 2Timóteo*, p. 109.
[2] BURKI, Hans. Segunda carta a Timóteo. In: *Cartas aos Tessalonicenses, Timóteo, Tito e Filemom*, p. 373.
[3] STOTT, John. *Tu, porém: a mensagem de 2Timóteo*, p. 108.

certos sacrifícios, uma libação (oferta de bebida) de vinho ao pé do altar (Êx 29.40; Nm 28.7).[4] Hans Burki acrescenta que a libação, feita de vinho forte, não era o sacrifício propriamente dito. Pelo contrário, era derramada sobre o animal a ser sacrificado (Nm 15.1-10). Paulo, portanto, entendia sua morte como oferenda derramada sobre o sacrifício da igreja (Fp 2.17) e derramada no mais verdadeiro sentido sobre o holocausto [sacrifício total] do Messias Jesus (Rm 8.32).[5]

Paulo se refere à sua morte como uma partida. John N. D. Kelly diz corretamente que Paulo usa a palavra *partida* como um eufemismo para a morte, evocando o quadro de um navio levantando âncora ou de um soldado ou viajante levantando acampamento.[6] Para Calvino, a palavra *partida* contém um testemunho da imortalidade da alma, pois a morte é apenas uma separação da alma do corpo. Assim, a morte não é outra coisa senão a partida da alma quando se separa do corpo.[7] Para o apóstolo Paulo, a morte dos crentes equivale a partir para estar com Cristo, o que é incomparavelmente melhor (Fp 1.23); é deixar o corpo e habitar com o Senhor (2Co 5.8); é lucro (Fp 1.21). A Bíblia diz que a morte dos santos é preciosa aos olhos do Senhor (Sl 116.15); é bem-aventurança (Ap 14.13), pois é ser levado para o seio de Abraão (Lc 16.22), ir ao paraíso (Lc 23.43) e ir para a casa do Pai (Jo 14.2).

A palavra grega *analysis*, *partida*,[8] era usada em quatro circunstâncias. O primeiro significado se relaciona a aliviar alguém de uma carga. A morte é descansar das fadigas (Ap 14.13). O segundo refere-se a soltar um prisioneiro. Paulo vislumbrava sua libertação, não sua execução. Matthew Henry diz que a morte para um homem justo é sua libertação da prisão deste mundo e sua partida para o gozo do outro mundo: ele não deixa de existir, mas é apenas removido de um mundo para outro.[9]

---

[4]KELLY, John N. D. *I e II Timóteo e Tito: introdução e comentário*, p. 190.
[5]BURKI, Hans. Segunda carta a Timóteo. In: *Cartas aos Tessalonicenses, Timóteo, Tito e Filemom*, p. 372.
[6]KELLY, John N. D. *I e II Timóteo e Tito: introdução e comentário*, p. 191.
[7]CALVINO, Juan. *Comentarios a las Epístolas Pastorales de San Pablo*, p. 302.
[8]BARCLAY, William. *I y II Timoteo, Tito y Filemon*, p. 221.
[9]HENRY, Matthew. *Comentário bíblico Matthew Henry: Atos a Apocalipse*, p. 719.

O terceiro significado é levantar acampamento e deixar a tenda temporária para voltar para o lar. A morte para Paulo significava mudar de endereço. Era deixar este mundo e ir para a casa do Pai. Era deixar o corpo e habitar com o Senhor (2Co 5.8). Era partir e estar com Cristo, o que é incomparavelmente melhor (Fp 1.23). E o quarto significado é desatar o barco e singrar as águas do rio e atravessar para o outro lado. A morte para Paulo significava fazer a última viagem da vida, rumo à Pátria celestial. A morte não o intimidava. Ele sabia em quem havia crido e para onde estava indo. Ele mesmo chegou a afirmar: *Para mim o viver é Cristo e o morrer é lucro* (Fp 1.21).

Em terceiro lugar, **Paulo olhou para o futuro com esperança**. *Já agora a coroa da justiça me está guardada, a qual o Senhor, reto juiz, me dará naquele Dia; e não somente a mim, mas também a todos quantos amam a sua vinda* (4.8). A gratidão do dever cumprido, associada à serenidade de saber que estava indo para a presença de Jesus, dava a Paulo uma agradável expectativa do futuro. Mesmo que o imperador o condenasse à morte e o tribunal de Roma o considerasse culpado, o reto e justo Juiz revogaria o veredito de Nero, considerando-o sem culpa e dando-lhe a coroa da justiça. Como num brado de triunfo diante do martírio, Paulo proclama: *Já agora a coroa da justiça me está guardada, a qual o Senhor, reto juiz me dará naquele Dia!* Carl Spain destaca que a coroa de Paulo não era um símbolo de Sua justiça, nem uma recompensa por ele merecida. Cristo era a sua recompensa (Fp3.8,13,14).[10] Concordo com Stott quando ele escreve:

> Nosso Deus é o Deus da história. Deus está executando o seu propósito ano após ano. Um obreiro pode cair, mas a obra de Deus continua. A tocha do evangelho é transmitida de geração em geração. Ao morrerem líderes da geração anterior, é da maior urgência que se levantem aqueles da geração seguinte e com coragem tomem os seus lugares. O coração de Timóteo deve ter sido profundamente tocado por essa exortação do velho guerreiro Paulo, que o levara a Cristo.[11]

---

[10] Spain, Carl. *Epístolas de Paulo a Timóteo e Tito*. São Paulo: Vida Cristã, 1980, p. 173.
[11] Stott, John. *Tu, porém: a mensagem de 2Timóteo*, p. 111.

A vitória não é ausência de lutas, **mas triunfo a despeito das adversidades** (4.9-16)

O céu não é aqui. Aqui não pisamos tapetes aveludados nem caminhamos em ruas de ouro, mas cruzamos vales de lágrimas. Aqui não recebemos o galardão, mas bebemos o cálice da dor. Paulo certamente foi a maior expressão do cristianismo. Viveu de forma superlativa e maiúscula. Pregador incomum, teólogo incomparável, missionário sem precedentes, evangelista sem igual. Viveu perto do Trono, mas ao mesmo tempo foi açoitado, preso, algemado e degolado. Tombou como mártir na terra, mas foi recebido como príncipe no céu. Não foi poupado dos problemas, mas triunfou no meio deles. Stott tem razão em dizer que, mesmo concluída a sua carreira e aguardando a coroa da justiça, ele é ainda um frágil ser humano, com necessidades humanas comuns.[12]

Que tipo de luta Paulo enfrentou na antessala do seu martírio?

Em primeiro lugar, **Paulo enfrentou a solidão**. *Procura vir ter comigo depressa* [...] *Toma contigo Marcos e traze-o, pois me é útil para o ministério* [...] *Apressa-te a vir antes do inverno...*(4.9,11,21). Essa carta começou com a expressão de anseio ardente: *Quero rever-te* e chega ao fim com este apelo: *Procura vir ter comigo depressa*. Paulo estava numa cela fria, necessitado de um ombro amigo. Sua espiritualidade não anula sua humanidade. Ele roga para que Timóteo vá depressa ao seu encontro. Pede para seu filho na fé vir antes do inverno, pois nesse tempo era impossível navegar. Roga a Timóteo que leve também Marcos. O gigante do cristianismo está precisando de gente amada a seu lado, antes de caminhar para o patíbulo. Sua comunhão com Deus não o tornava um super-homem. Dentro do seu peito, batia um coração sedento por relacionamento.

Marcos morava em Jerusalém, com sua mãe, em cuja casa muitos se reuniam para orar (At 12.12). Era primo de Barnabé (Cl 4.10). Barnabé e Saulo o levaram de Jerusalém para Antioquia (At 12.25), e, mais tarde, esse jovem foi auxiliar dos dois missionários na primeira viagem missionária (At 13.5). Em Perge da Panfília, Marcos abandonou os

---

[12] STOTT, John. *Tu, porém: a mensagem de 2Timóteo*, p. 112.

dois obreiros e voltou a Jerusalém (At 13.13). Quando Marcos desejou retornar com Paulo e Barnabé na segunda viagem missionária, Paulo se recusou a levá-lo (At 15.37-41). Posteriormente, Marcos foi restaurado e reintegrado ao trabalho missionário (Cl 4.10; Fm 24; 1Pe 5.13). Agora, Paulo ordena que Timóteo o leve a Roma, porque este lhe era útil. Nunca é tarde para restaurar relacionamentos quebrados, para construir pontes onde um dia a intolerância cavou abismos. Marcos torna-se um instrumento valoroso nas mãos de Deus. Escreve o evangelho que leva o seu nome, o evangelho de Marcos.

Em segundo lugar, **Paulo enfrentou o abandono**. *Porque Demas, tendo amado o presente século, me abandonou e se foi para Tessalônica; Crescente foi para a Galácia, Tito, para a Dalmácia. Somente Lucas está comigo [...] Quanto a Tíquico, mandei-o até Éfeso* (4.10,11a,12). Paulo passou a vida investindo na vida das pessoas e, na hora em que mais precisou de ajuda, foi abandonado e esquecido na prisão. Caminhou sozinho para o Getsêmani do seu martírio, assistido apenas pela graça de Deus. Demas é mencionado apenas três vezes no Novo Testamento (Cl 4.14; Fm 24; 2Tm 4.10). Na primeira vez, era um cooperador. Na segunda vez, seu nome é apenas mencionado. E, na última vez, ele é apresentado como um desertor. Começou bem a carreira, mas a encerrou mal. Moule é da opinião que Demas foi atacado pela covardia naquele tempo de terror.[13] John Bunyan, em Sua obra *O peregrino*, mostra Demas guardando a mina de prata na Colina do Lucro. Nessa mesma linha de pensamento, Warren Wiersbe é da opinião que Demas foi seduzido de volta ao mundo pelo amor ao dinheiro.[14] Hendriksen é oportuno quando diz que o verbo usado por Paulo implica que Demas não apenas deixou o apóstolo, mas o deixou numa situação difícil, ou seja, o desamparou. A separação não foi somente geográfica, mas, sobretudo, espiritual.[15]

A ausência dos outros irmãos (Crescente, Tito e Tíquico) não foi propriamente um abandono. É legitimada pelos interesses do Senhor.[16]

---

[13] MOULE, Handley C. G. *The Second Epistle to Timothy*, p. 150.
[14] WIERSBE, Warren W. *Comentário bíblico expositivo*. Vol.6, p. 333.
[15] HENDRIKSEN, William. *1 y 2 Timoteo y Tito*, p. 360.
[16] STOTT, John. *Tu, porém: a mensagem de 2Timóteo*, p. 114.

A presença de Lucas com Paulo na sua segunda prisão é um tocante testemunho da lealdade do *médico amado* (Cl 4.14), como defende Stott.[17] Lucas já havia acompanhado Paulo em sua viagem a Roma e em sua primeira prisão (At 27). Paulo o chamara de médico amado (Cl 4.14) e colaborador (Fm 24). Lucas escreveu tanto o evangelho que leva seu nome como o livro de Atos. Tíquico foi companheiro de Paulo em sua última visita a Jerusalém (At 20.4) e portador das cartas de Paulo às igrejas de Colossos (Cl 4.7,8) e Éfeso (Ef 6.21,22). Possivelmente, foi também o portador da segunda carta a Timóteo, talvez ainda com o propósito de substituir Timóteo em Éfeso para tornar possível a almejada visita deste a Paulo na prisão.[18]

Em terceiro lugar, **Paulo enfrentou privações**. *Quando vieres, traze a capa que deixei em Trôade, em casa de Carpo, bem como os livros, especialmente os pergaminhos* (4.13). Paulo precisava de amigos para a alma, livros para a mente e cobertura para o corpo. Ele tinha necessidades físicas, mentais e emocionais. As prisões romanas eram frias, insalubres e escuras. Os prisioneiros morriam de lepra e de outras doenças contagiosas. O inverno se aproximava, e Paulo precisava de uma capa quente para enfrentá-lo. Essa capa, do grego *phailones*, era uma roupa externa grande, sem mangas, feita de uma única peça de tecido pesado, com um buraco ao meio por onde se passava a cabeça. Servia de proteção contra o frio e a chuva.[19] Paulo também precisava de livros (feitos de papiro) e pergaminhos (feitos de peles). Estava no corredor da morte, mas queria aprender mais. Paulo precisava de amigos, de roupas e de livros. Precisava de provisão para a alma, a mente e o corpo. Concordo com as palavras Stott:

> Sem dúvida Paulo desfrutou da companhia e força do Senhor Jesus, em seu calabouço. Todavia, o auxílio que recebeu do seu Senhor foi tanto de modo direto como indireto. Quando nosso espírito está solitário, precisamos de amigos. Quando nosso corpo está sentindo frio, precisamos

---

[17] STOTT, John. *Tu, porém: a mensagem de 2Timóteo*, p. 114.
[18] GOULD, J. Glenn. *As epístolas pastorais*, p. 534.
[19] KELLY, John N. D. *I e II Timóteo e Tito: introdução e comentário*, p. 197.

de roupas. Quando nossa mente está aborrecida, precisamos de livros. Não é falta de espiritualidade admitir isso; é humano. Para sermos cristãos, não precisamos negar nossa humanidade nem nossa fragilidade.[20]

Nessa mesma linha de pensamento, Moule assevera: "O ser humano nunca é desnaturalizado pela graça, nem um momento sequer".[21]

Quem era Carpo e por que Paulo deixou seus pertences em sua casa? Só nos resta conjecturar. Moule é da opinião que foi na casa de Carpo que Paulo celebrou a ceia na qual o jovem Êutico caiu da janela, morreu e foi milagrosamente ressuscitado pela oração do apóstolo (At 20.1-12) e que lá mesmo, anos mais tarde, Paulo foi levado preso, sem ter tido a oportunidade de carregar seus pertences.[22]

Em quarto lugar, **Paulo enfrentou a traição**. *Alexandre, o latoeiro, causou-me muitos males; o Senhor lhe dará a paga segundo as suas obras. Tu, guarda-te também dele, porque resistiu fortemente às nossas palavras* (4.14,15). Paulo não dá nenhuma descrição de Alexandre, senão sua profissão. Ele trabalhava com cobre. O apóstolo também não descreve quais foram esses *muitos males*. William Barclay lança luz sobre o assunto justificando que a expressão *causou-me muitos males* é a tradução do verbo grego *endeiknumi*, que significa literalmente "dar informação contra uma pessoa". Os informantes eram uma das grandes maldições de Roma naquela época. Buscavam obter favores e receber recompensas em troca de informações.[23] Isso levou alguns historiadores a afirmar que foi Alexandre, o latoeiro, quem traiçoeiramente delatou Paulo, resultando em sua segunda prisão e consequente martírio. Alexandre se tornou inimigo do mensageiro e também da mensagem. Perseguiu o pregador e resistiu à pregação. Possivelmente, esse Alexandre morava em Trôade, onde Paulo fora preso, e, por isso, o apóstolo exorta a Timóteo que, ao passar por Trôade para pegar seus pertences, se guardasse desse malfeitor.

---

[20] STOTT, John. *Tu, porém: a mensagem de 2Timóteo*, p. 116.
[21] MOULE, Handley C. G. *The Second Epistle to Timothy*, p. 152.
[22] MOULE, Handley C. G. *The Second Epistle to Timothy*, p. 157.
[23] BARCLAY, William. *I y II Timoteo, Tito y Filemon*, p. 232.

Quando Paulo diz: *O Senhor lhe dará a paga segundo as suas obras*, não está expressando um espírito vingativo, mas apenas entregando seu julgamento nas mãos de Deus, a quem pertence esse direito.[24]

Em quinto lugar, **Paulo enfrentou a ingratidão**. *Na minha primeira defesa, ninguém foi a meu favor; antes, todos me abandonaram. Que isto não lhes seja posto em conta!* (4.16). Os amigos de Paulo o abandonaram e ele orou para que Deus os perdoasse (4.16). Os seus inimigos o julgaram, e ele procurou oportunidades de lhes mostrar como poderiam ser salvos (4.17).[25]

A maioria dos comentaristas entende sua *primeira defesa* como o primeiro interrogatório, "a investigação preliminar, precedendo o julgamento definitivo".[26] Plummer chega a dizer que "entre todos os cristãos de Roma, ninguém queria estar a seu lado na corte, nem para falar uma palavra a seu favor, nem para aconselhá-lo quanto à conduta em seu caso, ou para apoiá-lo com uma demonstração de simpatia".[27]

Que tipo de acusação pesava contra Paulo nesse julgamento? Ele diz que estava preso como um malfeitor (2.9), provavelmente por algum crime ligado ao incêndio de Roma.

Paulo se arriscou pelos outros; mas ninguém compareceu em sua primeira defesa para estar a seu lado ou falar a seu favor. Mais perturbador que o frio gelado que se avizinhava pela chegada do inverno, era a geleira da ingratidão que Paulo tinha de suportar no apagar das luzes de sua jornada na terra. John Stott argumenta que, se Alexandre, o latoeiro, falou com deliberada malícia contra Paulo e o evangelho, os amigos de Paulo, em Roma, deixaram completamente de falar, e seu silêncio não se devia à malícia, mas ao medo.[28] O verdadeiro amigo é aquele que chega quando todos já se foram. É aquele que está ao nosso lado, pelo menos para confortar-nos com o bálsamo do silêncio.

---

[24] GOULD, J. Glenn. *As epístolas pastorais*, p. 535.
[25] WIERSBE, Warren W. *Comentário bíblico expositivo*. Vol.6, p. 334.
[26] GUTHRIE, Donald. *The Pastoral Epistles*. Grand Rapids: Tyndale Press and Eerdmans, 1957, p. 175.
[27] PLUMMER, Alfred. *The Pastoral Epistles*, p. 420.
[28] STOTT, John. *Tu, porém: a mensagem de 2Timóteo*, p. 119.

O verdadeiro amigo não nos abandona na hora da aflição. Jó fez uma dramática descrição desse abandono na hora de necessidade:

> *Pôs longe de mim a meus irmãos, e os que me conhecem, como estranhos, se apartaram de mim. Os meus parentes me desampararam, e os meus conhecidos se esqueceram de mim. Os que se abrigam na minha casa e as minhas servas me têm por estranho, e vim a ser estrangeiro aos seus olhos. Chamo o meu criado, e ele não me responde; tenho de suplicar-lhe, eu mesmo* (Jó 19.13-16).

Essa queixa de Paulo, de ter sido abandonado em sua primeira defesa, não entra em contradição com as saudações enviadas a Timóteo por alguns irmãos da igreja de Roma. É que provavelmente nenhum daqueles aqui mencionados ocupava posição suficiente na ocasião para comparecer ao tribunal e defender o apóstolo.

Abandonado pelos homens, mas assistido por Deus (4.17,18)

Paulo não encerra sua carreira frustrado. Não está com sua alma amargurada. As agruras da terra não empalidecem as glórias do céu. A ingratidão dos homens não enfraquece a assistência abundante de Deus. As algemas não amordaçam a Palavra. A graça de Deus assistiu Paulo na hora da morte para que ele pregasse o evangelho até seu último fôlego de vida. Quatro verdades devem ser aqui destacadas.

Em primeiro lugar, **Paulo foi abandonado pelos homens, mas assistido por Deus**. *Mas o Senhor me assistiu e me revestiu de forças, para que, por meu intermédio, a pregação fosse plenamente cumprida, e todos os gentios a ouvissem...* (4.17a). Paulo foi vítima do abandono dos homens, mas foi acolhido e assistido por Deus. Assim como Jesus foi assistido pelos anjos no Getsêmani enquanto seus discípulos dormiam, Paulo também foi assistido por Deus na hora de sua dor mais profunda. Deus não nos livra do vale, mas caminha conosco no vale. Deus não nos livra da fornalha, mas nos livra na fornalha. Deus não nos livra da cova dos leões, mas nos livra na cova dos leões. Às vezes, Deus nos livra da morte; outras vezes, Deus nos livra através da morte. Em toda e qualquer situação, Deus é o nosso refúgio. Warren Wiersbe escreve oportunamente:

Quando Paulo ficou desanimado com os coríntios, o Senhor foi até ele e o encorajou (At 18.9-11). Depois de ser preso em Jerusalém, Paulo voltou a receber a visita e o estímulo do Senhor (At 23.11). Durante a terrível tempestade em que Paulo estava a bordo de um navio, mais uma vez o Senhor lhe deu forças e coragem (At 27.22-26). Agora, naquela horrível prisão romana, Paulo voltou a experimentar a presença fortalecedora do Senhor, que havia prometido: *De maneira alguma te deixarei, nunca jamais te abandonarei* (Hb 13.5).[29]

Em segundo lugar, **Paulo não foi poupado das provas, mas recebeu poder para suportá-las**. (4.17b) ... *e me revestiu de forças...* Deus revestiu Paulo de forças para que continuasse pregando até o fim. Paulo foi preso, mas a Palavra estava livre e espalhou-se para todos os gentios. Paulo foi levado ao patíbulo e degolado, mas sua voz ainda ecoa nos ouvidos da história. Suas cartas são luzeiros no mundo.

Em terceiro lugar, **Deus não livrou Paulo da morte, mas na morte**. *O Senhor me livrará também de toda obra maligna e me levará salvo para o Seu reino celestial...* (4.18a). Paulo não foi poupado da morte, mas foi libertado através da morte. A morte para ele não foi castigo, perda ou derrota, mas vitória. O aguilhão da morte foi tirado. Morrer é lucro, é bem-aventurança, é ir para a casa do Pai, é entrar no céu e estar com Cristo. Concordo com as palavras de Barclay: "Sempre é melhor correr perigo por um momento e estar salvo para a eternidade, que estar salvo por um momento e exposto a uma eternidade de condenação".[30] Hendriksen reforça esse pensamento:

A expressão *O Senhor* [...] *me levará salvo para o Seu reino celestial* implica que Paulo esperava ir ao céu imediatamente depois de sua morte. Esta é a doutrina através das Escrituras. Assim o salmista espera ser recebido no reino de glória quando a morte chegar (Sl 73.24,25). Lázaro é levado de imediato pelos anjos ao seio de Abraão (Lc 16.22). O ladrão penitente entra no paraíso de imediato, junto com o Senhor (Lc 23.43). Para o apóstolo Paulo, quando este tabernáculo terrestre

---

[29] WIERSBE, Warren W. *Comentário bíblico expositivo*. Vol.6, p. 333.
[30] BARCLAY, William. *I y II Timoteo, Tito y Filemon*, p. 234.

(o corpo) se desfizer, temos da parte de Deus um edifício, feito não por mãos, mas eterno nos céus (2Co 5.1). Para o salvo, a morte é lucro (Fp 1.21). É partir para estar com Deus, o que é incomparavelmente melhor (Fp 1.23). É bem-aventurança (Ap 14.13). O livro de Apocalipse descreve a alma dos mártires como havendo sido trasladada imediatamente para o céu, e estando mui feliz e bem ocupada na bem-aventurança eterna (Ap 7.13-17).[31]

Em quarto lugar, **Paulo não termina a vida com palavras de decepção, mas com um tributo de glória ao Salvador**. ... *A Ele, glória pelos séculos dos séculos. Amém* (4.18b). Paulo foi perseguido, rejeitado, esquecido, apedrejado, fustigado com varas, preso, abandonado, condenado à morte, degolado, mas, em vez de fechar as cortinas da vida com pessimismo, amargura e ressentimento, termina erguendo ao céu um tributo de louvor ao Senhor.

Saudações e bênção (4.19-22)

Paulo encerra sua última carta com algumas saudações e com a bênção apostólica.

Em primeiro lugar, **saudações a crentes da Ásia**. *Saúda Prisca, e Áquila, e a casa de Onesíforo* (4.19). Priscila e Áquila foram grandes cooperadores da obra missionária. Estiveram em Corinto (At 18.1-3) e Éfeso (At 18.18,19,26). Priscila e Áquila eram não apenas cooperadores de Paulo em Cristo Jesus, mas também por ele arriscaram a própria vida (Rm 16.3). Hospedavam uma igreja em sua casa (Rm 16.4). Onesíforo, por sua vez, morava em Éfeso, onde prestou muitos serviços a Paulo (1.16,18). Sabendo de sua segunda prisão em Roma, deixou sua cidade e rumou para a capital do Império à procura do apóstolo. Buscou-o solicitamente até encontrá-lo. Mesmo em circunstâncias tão adversas, esse fiel amigo serviu ao apóstolo Paulo no prelúdio de sua morte (1.17). Paulo envia de Roma saudações à família desse bravo guerreiro, que dispôs-se a sofrer todos os riscos para identificar-se com um homem condenado à morte.

Em segundo lugar, **informes sobre os companheiros de viagem**. *Erasto ficou em Corinto. Quanto a Trófimo, deixei-o doente em Mileto* (4.20).

---

[31]HENDRIKSEN, William. *1 y 2 Timoteo y Tito*, p. 370.

É muito provável que, depois de sua segunda prisão, Erasto tenha acompanhado Paulo até a cidade de Corinto, quando este estava a caminho de Roma. Trófimo era natural de Éfeso e companheiro de Paulo em sua terceira viagem missionária, ao menos na Grécia e em Trôade e na viagem a Jerusalém (At 20.1-5; 21.29). Não temos nenhuma informação acerca da doença de Trófimo, senão que Paulo o deixou doente em Mileto, o porto próximo de Éfeso.

Em terceiro lugar, **saudações de crentes de Roma**. ... *Êubulo te envia saudações; o mesmo fazem Prudente, Lino, Cláudia e os irmãos todos* (4.21b). Agora, Paulo envia as saudações dos irmãos de Roma a Timóteo e à igreja de Éfeso. Quatro irmãos são mencionados: Êubulo, Prudente, Lino e Cláudia. Os historiadores afirmam que Lino se tornou o primeiro bispo de Roma, após o martírio de Pedro e Paulo.[32] Depois de declinar alguns nomes, Paulo envia saudações de toda a igreja de Roma aos irmãos da igreja de Éfeso.

Em quarto lugar, **uma bênção pessoal e coletiva**. *O Senhor seja com o teu espírito. A graça seja convosco* (4.22). Estas são as últimas palavras do apóstolo Paulo registradas nas Escrituras. Numa última oportunidade de encorajar o jovem pastor Timóteo diante de tantas lutas, Paulo diz: *O Senhor seja com o teu espírito*. Matthew Henry está correto ao dizer que nada nos deve deixar mais felizes que ter o Senhor Jesus Cristo com o nosso espírito; porque nEle todas as bênçãos espirituais estão resumidas.[33] Mas essa epístola não foi endereçada apenas ao pastor Timóteo; foi escrita a toda a igreja de Éfeso e consequentemente a nós, hoje.[34] Paulo passa do singular, *O Senhor seja com o teu espírito*, para o plural, *A graça seja convosco*. A presença do Senhor e a graça do Senhor nos bastam. Assim como a graça, que é melhor que a vida, foi suficiente para Paulo e a igreja de Éfeso no passado, seja também nosso alento hoje, para prosseguirmos preservando o evangelho, sofrendo pelo evangelho, permanecendo no evangelho e pregando o evangelho!

---

[32]STOTT, John. *Tu, porém: a mensagem de 2Timóteo*, p. 113.
[33]HENRY, Matthew. *Comentário bíblico Matthew Henry: Atos a Apocalipse*, p. 721.
[34]STOTT, John. *Tu, porém: a mensagem de 2Timóteo*, p. 123.

A Bíblia não registra os últimos dias de Paulo. De acordo com a tradição, porém, ele foi declarado culpado, sentenciado à morte e decapitado. No entanto, Timóteo e outros cristãos deram continuidade à obra. Como João Wesley costumava dizer: "Deus sepulta seus obreiros, mas Sua obra continua".[35]

---
[35] WIERSBE, Warren W. *Comentário bíblico expositivo*. Vol.6, p. 335.

Tito e Filemom

Doutrina e vida, um binômio inseparável

Introdução – Tito

ESSA É UMA DAS CARTAS PASTORAIS escritas pelo apóstolo Paulo. É a mais breve delas. As cartas pastorais são orientações práticas do veterano apóstolo aos seus filhos na fé, Timóteo e Tito, ensinando-lhes a maneira certa de agirem à frente da Igreja de Deus, como representantes do apóstolo e pastores do rebanho. Quanto à epístola de Paulo a Tito, John Stott está correto quando diz que a ênfase dessa carta é a doutrina e o dever nas três esferas que atuamos: a igreja, a família e o mundo.[1] John Stott ainda diz que nesses três estágios de instrução é vital preservar a descontinuidade entre Paulo, de um lado, e Timóteo, Tito, os pastores e as igrejas, de outro.

A verdadeira sucessão apostólica é uma continuidade não de autoridade, mas de doutrina, isto é, o ensino dos apóstolos sendo passado de geração a geração. E o que faz que essa sucessão doutrinária seja possível é que o ensino dos apóstolos foi escrito e deixado para nós no Novo Testamento.[2]

João Calvino faz uma importante e esclarecedora distinção entre os apóstolos e seus sucessores, quando diz que os primeiros eram fiéis e genuínos autores iluminados pelo Espírito Santo, e seus escritos devem ser, portanto, considerados oráculos de Deus; mas a única função dos demais é ensinar o que foi fornecido e selado nas Escrituras Sagradas.[3]

William Hendriksen diz que o termo "cartas pastorais" usado para referir-se a essas cartas endereçadas a Timóteo e Tito data da primeira parte do século XVIII. Entende ainda o erudito escritor que o termo "pastorais" não é adequado, uma vez que Timóteo e Tito não eram

---

[1] STOTT, John. *A mensagem de 1Timóteo e Tito*. São Paulo: ABU, 2004, p. 10.
[2] STOTT, John. *A mensagem de 1Timóteo e Tito*, p. 12.
[3] CALVINO, João. *Institutas da religião cristã*. Collins, 1986, IV.8.9.

pastores de igrejas locais, mas encarregados do apóstolo Paulo para missões especiais nas igrejas.[4]

Essas cartas são absolutamente oportunas e contemporâneas. Elas são totalmente necessárias ainda hoje e isso por várias razões:

Em primeiro lugar, *porque a classe pastoral está em crise*. Há muitos pastores perdidos e confusos no ministério. Alguns estão cansados da obra e na obra (Gl 6.9), enquanto outros vivem na indolência sem se afadigar na Palavra (1Tm 5.17), sem vigiar o rebanho dos aleivosos perigos (At 20.29,30), sem apascentar com conhecimento e inteligência o povo de Deus (Jr 3.15). Em livro anterior, citei uma pesquisa feita, em nosso país, em que se constatou que as três classes mais desacreditadas da nação são os políticos, a polícia e os pastores. A crise espiritual da igreja reflete a crise espiritual de seus líderes. A igreja é um reflexo de sua liderança. Se a vida do líder é a vida da sua liderança, os pecados do líder são os mestres do pecado.

John Maxwell, um dos mais ilustres paladinos da liderança cristã, diz que liderança é, sobretudo, influência. Um líder nunca é neutro. Ele influencia sempre para o bem ou para o mal.

Em segundo lugar, *porque muitas igrejas estão em crise*. As cartas pastorais trazem princípios práticos que orientam a igreja acerca do modo correto de proceder diante dos perigos externos e dos conflitos interiores. Muitas igrejas são assediadas por falsos mestres e assaltadas por falsas doutrinas. Outras têm suas energias drenadas em intérminos conflitos internos, que tiram o foco da igreja de sua verdadeira missão, que é adorar a Deus e fazer a Sua obra.

A igreja evangélica brasileira cresce espantosamente. Esse fenômeno tem sido estudado pelos grandes especialistas de crescimento de igreja. Porém, a igreja tem extensão, mas não profundidade. Tem número, mas não credibilidade. Tem desempenho, mas não piedade. Cresce vertiginosamente o número de igrejas que abandonaram a sã doutrina e abraçaram o pragmatismo com o propósito de crescer numericamente.

---

[4] HENDRIKSEN, William. *1 y 2 Timoteo y Tito*, p. 10.

Muitas igrejas parecem mais um supermercado que disponibilizam seus produtos ao gosto da freguesia. Pregam o que o povo quer ouvir, e não o que precisa ouvir. Falam para entreter, e não para levar ao arrependimento. Pregam palavras de homens, e não a Palavra de Deus.

Em terceiro lugar, *porque há nas igrejas um descompasso entre teologia e vida*. A Igreja de Deus precisa ser zelosa da doutrina e também da vida. Paulo escreveu a Timóteo, dizendo: *Tem cuidado de ti mesmo e da doutrina...* (1Tm 4.16). A igreja de Éfeso era zelosa da doutrina e descuidada no amor (Ap 2.2-4). A igreja de Tiatira era zelosa quanto ao amor, mas desatenta quanto à doutrina (Ap 2.18-20). As duas igrejas foram solenemente exortadas e repreendidas por Cristo. Precisamos subscrever a ortodoxia sem deixar de lado a ortopraxia. Precisamos de teologia boa e de vida santa.

A carta a Tito enfatiza tanto a sã doutrina (2.1) quanto a prática da piedade (1.1) e das boas obras (2.14; 3.14). John Stott alerta para o fato de estarmos vivendo sob a avassaladora influência da pós-modernidade, com seu subjetivismo e pluralismo, em que as pessoas têm aversão pela verdade e rejeitam peremptoriamente a concepção e até mesmo a possibilidade de existir verdade absoluta. Nesse contexto de relativismo doutrinário e moral, é maravilhoso entender que Paulo ordena a Timóteo e a Tito nada menos que dez vezes para ensinar às igrejas a sã doutrina, ou seja, a verdade absoluta (1Tm 3.4; 4.6,11,15; 5.7,21; 6.2,17; Tt 2.15; 3.8).[5]

Em quarto lugar, *porque as heresias sempre se vestem de nova roupagem para se infiltrar na igreja*. As igrejas do primeiro século já estavam ameaçadas desde o seu nascimento pelo fermento da heresia. Os cristãos egressos do paganismo eram tentados a voltar a ele ou ter sua fé contaminada por ensinos enganosos, disseminados pelos falsos mestres itinerantes. Ainda hoje, há muitas heresias no mercado da fé. Muitas delas com sabor de alimento saudável e nutritivo, mas não passam de comida venenosa e mortífera. Essas heresias estão

---

[5] STOTT, John. *A mensagem de 1Timóteo e Tito*, p. 10,11.

presentes nos seminários, nos púlpitos, nos livros, nas músicas. Uma heresia é uma negação da verdade ou uma distorção dela. Precisamos nos acautelar!

Em quinto lugar, *porque a maneira errada de lidar com as pessoas dentro da igreja é a causa de muitas feridas*. A carta de Paulo a Tito é um verdadeiro manual de relacionamento humano. Mostra como os líderes devem lidar com as pessoas mais jovens, mais velhas e as pessoas da sua idade. A liderança da igreja precisa ser firme na sã doutrina, zelosa na disciplina, mas sensível com as pessoas. Se não vivermos em harmonia internamente, não teremos autoridade para pregar a Palavra externamente.

Dito isto, vamos considerar alguns aspectos introdutórios dessa preciosa carta de Paulo a Tito.

O **remetente** da carta

É consenso universal que o autor dessa carta a Tito é o apóstolo Paulo. As evidências são tanto internas quanto externas. Os pais da igreja, como Clemente de Roma, Inácio de Antioquia e Policarpo, os reformadores e todos os fiéis expositores da Palavra deram apoio unânime à autoria paulina.

O *Cânon muratório*, que lista os livros do Novo Testamento, atribui os três livros a Paulo. A única exceção a esse testemunho positivo nos primeiros séculos ocorre com Marcion, que foi excomungado como herege em 144 d.C., em Roma, devido ao fato de ter rejeitado a maior parte do Antigo Testamento e as referências veterotestamentárias feitas no Novo Testamento.[6]

Foi apenas no século XIX que a escola liberal lançou dúvidas sobre esse fato até então incontroverso. Os representantes desse liberalismo do século XIX, como Friedrich Schleirmacher, rejeitaram 1Timóteo, em 1807, e F. C. Baur rejeitou as três cartas pastorais, em 1835.[7] As críticas levantadas contra a autoria paulina das Epístolas Pastorais,

---

[6]STOTT, John. *A mensagem de 1Timóteo e Tito*, p. 18.
[7]STOTT, John. *A mensagem de 1Timóteo e Tito*, p. 18.

com respeito aos aspectos históricos, linguísticos, teológicos e éticos, entrementes, são frágeis e não oferecem provas suficientes para permanecerem em pé.[8]

O destinatário da carta

Essa carta foi enviada a Tito e às igrejas dos cretenses. João Calvino é da opinião que essa epístola foi tanto uma missiva individual de Paulo a Tito, quanto uma epístola aos cretenses.[9] Charles Erdman diz que, embora essa carta seja pastoral, não é puramente pessoal, mas uma missiva oficial dirigida a um representante do apóstolo, com o fim de fazer chegar por meio dEle uma mensagem a toda a igreja.[10]

O livro de Atos não faz nenhuma menção a Tito. Timóteo, entretanto, tem papel proeminente no livro de Atos, assim como em todas as cartas de Paulo, exceto Gálatas, Efésios e Tito. Porém, Tito é mencionado uma vez em Gálatas, nove vezes em 2Coríntios, uma vez em 2Timóteo e novamente na carta que leva o seu nome. Tito esteve com Paulo em Jerusalém, Éfeso, Macedônia, Creta, Nicópolis e Roma.

Quem foi Tito?

Em primeiro lugar, **Tito foi um gentio convertido a Cristo**. Enquanto Timóteo tinha pai grego e mãe judia, Tito era filho de pais gregos (Gl 2.3). Converteu-se a Cristo pelo ministério de Paulo (1.4). Saiu das fileiras do paganismo para abraçar a fé cristã.

Não sabemos ao certo a naturalidade de Tito. Possivelmente residia em Antioquia da Síria, onde Barnabé e Saulo ensinaram a Palavra de Deus.[11] É muito provável que sua conversão tenha se dado nesse tempo, pois somos informados de que quando Paulo subiu de Antioquia a Jerusalém, depois da sua primeira viagem missionária, levou consigo a

---

[8]HENDRIKSEN, William. *1 y 2 Timoteo y Tito*, p. 10; Stott, John. *A mensagem de 1 Timóteo e Tito*, p. 18-25.
[9]CALVINO, Juan. *Comentarios a las epístolas pastorales*. Grand Rapids, MI: TELL, 1968, p.321,322.
[10]ERDMAN, Charles R. *Las epístolas pastorales a Timoteo y Tito*. Grand Rapids, MI: TELL, 1966, p.146.
[11]HENDRIKSEN, William. *1 y 2 Timoteo y Tito*, p. 46.

Tito (Gl 2.3). Essa é a primeira vez que Tito aparece na história sagrada.[12] Albert Barnes, por sua vez, acredita que Tito vivia em alguma parte da Ásia Menor. Sua suposição se fundamenta no fato de que Paulo trabalhou intensamente nessa região e ali muitas pessoas se converteram à fé cristã.[13]

Em segundo lugar, **Tito não foi circuncidado como Timóteo** (Gl 2.1-4). Tito foi com Paulo a Jerusalém quando do concílio convocado pelos apóstolos e presbíteros para resolver a questão da aceitação dos gentios na comunidade da fé cristã (At 15.1-35; Gl 2.1-3). Os judaizantes queriam acrescentar à fé em Cristo a necessidade imperativa de os gentios serem circuncidados para serem salvos (At 15.5).

Paulo e Barnabé, depois da primeira viagem missionária, dirigem-se a Jerusalém, levando consigo Tito como um eloquente exemplo de um gentio salvo que não havia sido circuncidado.

Carl Spain afirma que Tito teve uma posição significativa nessa controvérsia; de fato, ele parece ter sido a prova número 1 na causa de Paulo contra aqueles que faziam da circuncisão um teste de fraternidade.[14] Charles Erdman afirma de modo correto que o nome de Tito está inseparavelmente vinculado "à Carta Magna da Liberdade Cristã".[15]

William Hendriksen, na mesma linha de pensamento, afirma que a importância dessa vitória para a liberdade cristã e para o progresso do cristianismo dificilmente poderá ser superestimada.[16] Àqueles que questionam por que Paulo circuncidou Timóteo (At 16.3) e resistiu fortemente à circuncisão de Tito (Gl 2.3-5), respondemos que o primeiro foi circuncidado por uma questão de estratégia missionária; o segundo não foi circuncidado por uma questão de integridade teológica.

---

[12] ERDMAN, Charles R. *Las epístolas pastorales a Timoteo y Tito*, p. 143.
[13] BARNES, Albert. *Barnes' Notes on the Old & New Testaments (Thessalonians-Philemon)*. Grand Rapids, Ml: Baker Book House, 1981, p. 257.
[14] SPAIN, Carl. *Epístolas de Paulo a Timóteo e Tito*, p. 181.
[15] ERDMAN, Charles R. *Las epístolas pastorales a Timoteo y Tito*, p. 143.
[16] HENDRIKSEN, William. *1 y 2 Timoteo y Tito*, p. 46,47.

Hans Burki diz que o caso de Timóteo era uma questão de prática missionária (1Co 9.20); no caso de Tito estava em jogo uma controvérsia doutrinária fundamental sobre aquilo que é necessário à salvação e o que não é.[17]

Em terceiro lugar, ***Tito foi encarregado por Paulo para levar à igreja de Corinto sua carta dolorosa***. Paulo passou dezoito meses em Corinto, quando fundou uma igreja naquela cidade. Corinto era uma cidade moralmente pervertida. Ali ficava o templo de Afrodite com centenas de prostitutas cultuais. A igreja de Corinto tinha muitos problemas, como divisão, imoralidade, contendas, e muita confusão teológica acerca do casamento, da liberdade cristã, da Ceia do Senhor, do culto, dos dons e da ressurreição dos mortos.

Paulo escreveu àquela igreja uma carta que se perdeu (1Co 5.9). Depois, enviou-lhes a missiva que conhecemos como a primeira epístola canônica. Essa carta não produziu os resultados esperados por Paulo, especialmente na questão da disciplina do membro faltoso que mantivera relação sexual com a mulher do próprio pai (1Co 5.1-7). Paulo, então, fez uma visita à igreja, mas a situação tornou-se ainda mais hostil (2Co 2.1-4). Paulo deixou a cidade e escreveu de Éfeso uma carta pesada e dolorosa e a enviou à igreja por intermédio de Tito. Este não foi apenas o portador da carta, mas também o instrumento de Deus para resolver o problema da disciplina do membro faltoso, restabelecendo a ordem e a pureza da igreja (2Co 2.12).

Paulo saiu de Corinto, mas a igreja de Corinto não saiu do coração de Paulo. Mesmo tendo Deus aberto uma porta para a pregação do evangelho em Trôade, o apóstolo não permaneceu na cidade e partiu para a Macedônia, tamanha era sua ansiedade de estar com Tito e receber notícias da igreja de Corinto (2Co 2.12,13).

Paulo não teve alívio em seu coração enquanto não se encontrou com Tito na Macedônia para saber as notícias da igreja de Corinto (2Co 7.5,6). Os resultados da visita de Tito e da dolorosa carta de Paulo à igreja surtiram um efeito grandioso, pois os crentes de Corinto

---

[17] BURKI, Hans. *Carta a Tito* em *Carta aos Tessalonicenses, Timóteo, Tito e Filemom*, p. 391.

corrigiram o faltoso (2Co 2.5-11) e reafirmaram Seu amor por Paulo (2Co 7.6,7), seu pai espiritual (1Co 4.15).

Em quarto lugar, *Tito foi encarregado por Paulo para levar à igreja de Corinto a segunda carta e completar entre os crentes a graça da contribuição* (2Co 8.6). Paulo tinha assumido um compromisso com Tiago, Pedro e João de que em seu trabalho missionário entre os gentios não se esqueceria dos pobres (Gl 2.10).

A igreja de Corinto dera sinais otimistas de que abraçaria, com fervor, o projeto de levantamento de ofertas para os crentes pobres da Judeia (1Co 16.1; 2Co 8.6,7). Porém, com a saída de Paulo de Corinto, embora a igreja tivesse alcançado progresso em outras áreas espirituais, estava muito acomodada nesse campo de contribuição (2Co 8.7). Foi então que Paulo enviou Tito, agora da Macedônia, novamente à igreja, para que eles passassem do estágio do desejo da contribuição para a prática efetiva (2Co 8.6,7,10,11).

Em quinto lugar, *Tito é companheiro e cooperador de Paulo, homem digno de honra na Igreja de Deus* (2Co 8.23,24). Tito não é apenas filho na fé do apóstolo Paulo, mas também seu companheiro e cooperador. Está sempre obedecendo as ordens do apóstolo, no sentido de cooperar com ele no trabalho do ministério em várias igrejas. Era um homem pronto e sempre disposto a fazer a obra de Deus, onde quer que o apóstolo o enviasse.

Diferentemente de Timóteo que era jovem, tímido e doente, Tito revela-se um varão determinado, emocionalmente granítico, capaz de sanar grandes problemas e conflitos nas igrejas mais difíceis. Paulo diz à igreja de Corinto que obreiros desse estofo devem ser merecedores da mais alta consideração e amor da igreja (2Co 8.23,24).

Em sexto lugar, *Tito, um homem de iniciativa* (2Co 8.16,17). Tito demonstrou amor pela igreja de Corinto a ponto de não apenas ir aos coríntios atendendo ao apelo de Paulo, mas de ir a Corinto voluntariamente. Ele tinha iniciativa própria e disposição de enfrentar grandes desafios no ministério. Tito era proativo e tinha coração de pastor e têmpera de aço para lidar com as tensões da vida pastoral. O ministério de Tito em Corinto foi tão marcante que Paulo o menciona nove vezes em sua segunda carta.

Em sétimo lugar *Tito, era um homem íntegro financeiramente* (2Co 12.17,18). Paulo dá seu testemunho à igreja de Corinto dizendo que, durante os dezoito meses que passou na cidade, jamais os explorou financeiramente. De igual forma, seu filho, cooperador e companheiro Tito não os explorou, uma vez que andou no mesmo espírito e nas mesmas pisadas de seu pai espiritual.

Em oitavo lugar *Tito, era o encarregado de Paulo para corrigir os problemas nas igrejas da ilha de Creta* (1.5). A primeira vez que vemos Paulo em Creta é durante sua turbulenta viagem a Roma (At 27.6-8). Possivelmente durante esse breve período que esteve na ilha ele não teve tempo suficiente para resolver os problemas existentes nas igrejas. Sendo assim, a melhor conclusão é que Paulo esteve nessa ilha na companhia de Tito no intervalo entre suas duas prisões em Roma.

Uma vez que os novos convertidos eram egressos do paganismo, a igreja nascente estava enfrentando muitas dificuldades, tanto externas quanto internas. João Calvino diz que, depois da partida de Paulo, satanás se esforçou não só para derrotar o governo da igreja, mas também para corromper sua doutrina.[18]

Como Paulo era apóstolo aos gentios e não apenas de uma região, deixou Tito em Creta para colocar as coisas em ordem nas igrejas e constituir presbíteros nessas igrejas das várias cidades da ilha (1.5). Tito ainda ajudou Paulo em Nicópolis (3.12), situada na costa oriental do mar Jônico.

Em nono lugar, *Tito esteve com Paulo em Roma, em sua última prisão* (2Tm 4.10). Na última menção que temos de Tito na Bíblia, ele está indo de Roma à Dalmácia (2Tm 4.10). Embora o texto não seja explícito, Tito deve ter ido à Dalmácia por ordem do próprio apóstolo Paulo. Nesse tempo o apóstolo já havia sido capturado e estava novamente preso, não mais com liberdade condicional, mas numa masmorra romana, sabendo que a hora da sua partida havia chegado (2Tm 4.6-8).

Nesse tempo o imperador era Nero, o monstro que assassinou o irmão, a mãe, a esposa Otávia e o tutor Sêneca, além de muitos outros.

---

[18]CALVINO, Juan. *Comentarios a las epístolas pastorales*, p. 321.

Quando pôs fogo na cidade de Roma, no ano 64, o povo o acusou de ser o autor do incêndio. Contudo, ele tratou de desviar a atenção de si e culpou os cristãos pela façanha. O banho de sangue que se seguiu foi terrível.

Paulo foi decapitado na Via Óstia, quase cinco quilômetros fora da capital, por volta do ano 67 d.C. Não sabemos se Timóteo e Marcos chegaram a Roma antes da morte do apóstolo.[19]

A data em que a carta foi escrita

Embora sua posição no Novo Testamento seja depois de 2Timóteo, sua posição cronológica é, provavelmente, entre as duas cartas de Timóteo. Temos certeza de que Tito precede 2Timóteo, porque o apóstolo ainda era homem livre quando escreveu essa epístola sobre o estudo. Mas se Tito precede ou sucede a 1Timóteo, é difícil dizer.[20] É fato incontroverso, porém, que Paulo escreveu essa carta no intervalo entre suas prisões em Roma.[21]

O livro de Atos termina dizendo que Paulo havia sido autorizado a alugar uma casa onde cumpria prisão domiciliar, junto à guarda pretoriana, em Roma. Essa prisão durou dois anos (At 28.30). Colocado em liberdade, Paulo visitou a igreja de Éfeso, onde deixou Timóteo incumbido de supervisionar as igrejas da Ásia Menor, seguindo em direção à Macedônia. Após alcançar o norte da Grécia, possivelmente escreveu sua primeira carta a Timóteo (1Tm 1.3). Quando chegou à ilha de Creta, lá deixou Tito para encorajar e orientar a liderança dos cristãos cretenses (1.5), partindo em seguida para Acaia, região sul da Grécia (3.12).

Na Macedônia, pouco antes de chegar a Nicópolis, Paulo possivelmente decidiu escrever essa carta de encorajamento a Tito. Quando,

---

[19] HENDRIKSEN, William. *1 y 2 Timoteo y Tito*, p. 50.
[20] GOULD, J. Glenn. *As epístolas pastorais* em *Comentário bíblico Beacon*. Vol. 9, 2006, p. 542.
[21] OOSTERZEE, J. J. Van. *The Epistle of Paul to Titus* in *Commentary on the Holy Scriptures*, John Peter Lange. Vol. 11. Grand Rapids, MI: Zondervan Publishing House, 1980, p. 2.

finalmente, alcançou Trôade (2Tm 4.13), é provável que tenha sido inesperadamente preso e novamente levado a Roma, jogado num frio e isolado calabouço e, pouco tempo mais tarde, logo após ter escrito sua segunda carta a Timóteo, terminou decapitado sob as ordens de Nero.[22]

A tradição da igreja noticia que Tito teria se tornado o primeiro bispo da igreja de Creta, permanecendo solteiro e morrendo na ilha, aos 94 anos de idade.[23]

A ilha de Creta

Creta era uma ilha grande e populosa. Havia sido célebre desde os tempos mais remotos por uma civilização avançada, em particular pela sabedoria de suas leis.[24] No ano 141 a.C., os judeus da ilha de Creta tinham se tornado suficientemente fortes para obter o apoio político de Roma, o que os tornou ainda mais prósperos e influentes. Roma anexou Creta em 67 a.C. e a uniu a Cirene, uma parte da Líbia na África do norte, como uma só província.

Política e geograficamente, Creta estava exposta às influências europeias ao norte, e às do Egito, Líbia e Cirene ao sul. Ela se achava situada em um ponto favorável: era a maior de uma cadeia de ilhas que serviam como uma série conveniente de trampolins para o tráfico que se fazia entre a Grécia e a Ásia Menor. Seus portos eram muito importantes para os navios que atravessavam o Mediterrâneo, especialmente no mau tempo (At 27.7-14).[25]

A ilha de Creta, de 260 quilômetros de comprimento, além de ser conhecida na antiguidade, foi também mencionada no Novo Testamento bem como no Antigo Testamento como terra dos filisteus, de nome Caftor (Dt 2.23; Jr 4.7; Am 9.7). Creta situava-se em um ponto de cruzamento entre a Ásia, a África e a Europa.

---

[22] *Introdução à carta de Paulo a Tito* do Novo Testamento King James (Versão de Estudo). São Paulo: Abba Press, 2007, p. 510.
[23] BURKI, Hans. *Carta a Tito. Carta aos Tessalonicenses, Timóteo, Tito e Filemom*, p. 391.
[24] BONNET, L.; Schroeder, A. *Comentario del Nuevo Testamento*. Tomo 3, 1982, p. 740.
[25] SPAIN, Carl. *Epístolas de Paulo a Timóteo e Tito*, p. 183.

A palavra "sincretismo" vem dos cretenses. Em Creta, cada uma das numerosas cidades queria ser a mais autônoma possível em relação às demais. Somente quando estava em jogo a defesa contra um inimigo comum, os cretenses, que preferiam a independência, se uniam, tornando-se assim *syn*-cretenses (*syn*-cretismo). Nessa ilha confluía toda sorte de cultos, religiões, filosofias e linhas de pensamento.[26]

Charles Erdman reafirma que a ilha de Creta, que ocupava uma posição privilegiada no centro do Mediterrâneo, havia alcançado na antiguidade uma civilização brilhante; mas, por alguma razão, essa civilização entrou em declínio (1.12,13), e, no reinado de Augusto, os habitantes de Creta eram bárbaros e toscos, e vistos com aversão e até desprezo.[27]

William Barclay diz que nessa época a igreja era uma ilha de cristianismo cercada por um mar de paganismo. As mais perigosas heresias a ameaçavam por todos os lados. As pessoas que a formavam estavam a um passo de sua origem e antecedentes pagãos.[28]

Como o evangelho é para todos os povos, judeus e gregos, bárbaros e estudiosos, Paulo, ao sair da sua primeira prisão em Roma, retornou à ilha, acompanhado de Tito para consolidar aquele trabalho ainda incipiente. Antes de partir para outras paragens, deixou ali Tito, seu filho na fé, companheiro e cooperador para colocar em ordem as coisas restantes e nomear presbíteros nas igrejas.

Algum tempo depois de sua saída de Creta, Paulo escreveu essa carta a Tito, com vários princípios pastorais que deveriam ser observados nas igrejas.

Albert Barnes diz que nós não temos informações seguras acerca do tempo exato em que o evangelho foi anunciado pela primeira vez na ilha de Creta, nem de quem foram os pioneiros dessa evangelização.[29] Os judeus cretenses tinham laços com os judeus de Jerusalém.

---

[26] BURKI, Hans. *Carta de Paulo a Tito* em *Carta aos Tessalonicenses, Timóteo, Tito e Filemom*. Comentário Esperança. Curitiba: Esperança, 2007, p. 389.
[27] ERDMAN, Charles R. *Las epístolas pastorales a Timoteo y Tito*, p. 144,145.
[28] BARCLAY, William. *I y II Timoteo, Tito y Filemon*, p. 10.
[29] BARNES, Albert. *Barnes' Notes on the Old & New Testaments (Thessalonians-Philemon)*, p. 260.

Por isso, no dia de Pentecostes havia judeus piedosos de Creta que tinham ouvido o evangelho e testemunharam o estabelecimento da igreja (At 2.10,11).

A conversão de alguns desses homens e seu retorno subsequente à ilha de Creta foram provavelmente o começo das igrejas com as quais Paulo e Tito trabalharam mais tarde. Corroborando essa hipótese, Hans Burki afirma que é possível que, muito antes da visita de Paulo a Creta, já tivessem surgido nessa ilha pequenas células domésticas de discípulos de Jesus.[30]

Embora Paulo tivesse como meta pregar o evangelho em regiões ainda não alcançadas (Rm 15.20), também se esforçava para confirmar igrejas estabelecidas por outros (Rm 1.10-15; 15.22-24). Por isso, dispôs-se a visitar a ilha de Creta, onde provavelmente já existiam igrejas em muitas de suas cidades.

O propósito da carta

Destacamos três propósitos do apóstolo Paulo ao escrever essa carta:

Em primeiro lugar, **encaminhar Zenas e Apolo** (3.13). Essa carta de Paulo a Tito serviu como mensagem de recomendação para Zenas, o intérprete da lei, e Apolo, o eloquente evangelista, que foram também os portadores da missiva.

Em segundo lugar, **pedir para Tito encontrar-se com Paulo em Nicópolis** (3.12). Assim que Tito tivesse concluído seu trabalho, deveria deixar Creta para encontrar-se com Paulo em Nicópolis, antes da chegada do inverno. É muito provável que eles tenham se encontrado nessa cidade, uma vez que quando Paulo escreveu sua última carta a Timóteo, da prisão romana, disse que Tito tinha ido à Dalmácia (2Tm 4.10).

Concordo com Charles Erdman quando disse que não deveríamos deduzir que Tito tenha abandonado Paulo na prisão em Roma; antes, deve ter recebido mais uma missão para um lugar difícil e perigoso.[31]

Em terceiro lugar, **dar instruções pastorais acerca do que à igreja deveria fazer**. Tito deveria dar instruções à igreja para a promoção do

---

[30] BURKI, Hans. *Carta a Tito* em *Carta aos Tessalonicenses, Timóteo, Tito e Filemom*, p. 390.
[31] ERDMAN, Charles R. *Las epístolas pastorales a Timoteo y Tito*, p. 145,146.

espírito de santificação nas relações eclesiásticas, individuais, familiares e sociais. Desses três propósitos enunciados, o último é o que cobre a maior parte da carta.[32]

Van Oosterzee acentua o fato de que a moralidade dos cretenses estava longe do que deveria ser (1.12), e, temendo que esses novos convertidos retrocedessem aos seus antigos vícios, Paulo sentiu a necessidade imperativa de orientar Tito sobre como conduzir-se no meio desse povo, especialmente no estabelecimento da ordem na igreja, a fim de que os falsos mestres não a tomassem de assalto.[33]

As principais ênfases da carta

A carta de Paulo a Tito trata de vários temas fundamentais para a igreja.

Em primeiro lugar, *a organização das igrejas* (1.5). Muitas coisas estavam fora de lugar nas igrejas de Creta. Tito foi deixado lá para colocá-las em ordem. Essas coisas incluíam o ensino da sã doutrina, a aplicação da disciplina, o combate aos falsos mestres e a instrução da sã doutrina aos crentes.

Em segundo lugar, *a liderança das igrejas* (1.5-9). Paulo tinha uma solene preocupação com o governo da igreja. Uma igreja bíblica precisa ter líderes sãos na fé e na conduta. Paulo deixa claro que o objetivo supremo do governo da igreja é a preservação da verdade revelada.[34]

O apóstolo também afirma que o conhecimento da verdade desemboca numa vida piedosa (1.1). Os hereges, tanto do gnosticismo incipiente quanto do judaísmo, enfatizavam um conhecimento que não produzia piedade. A doutrina não pode estar separada da vida. A verdadeira doutrina produz vida santa, e vida santa é o resultado da verdadeira doutrina. Uma não existe sem a outra. Uma é causa, a outra é consequência.

Em terceiro lugar, *o combate aos falsos mestres e às falsas doutrinas* (1.10-16). A liderança da igreja precisa vigiar para que os lobos que

---

[32] HENDRIKSEN, William. *1 y 2 Timoteo y Tito*, p. 52.
[33] OOSTERZEE, J. J. Van. *The Epistle of Paul to Titus* in *Commentary on the Holy Scriptures*, p. 2.
[34] ERDMAN, Charles R. *Las epístolas pastorales a Timoteo y Tito*, p. 146.

estão do lado de fora não entrem; nem os lobos vestidos de peles de ovelha, disfarçados dentro da igreja, arrastem após si os discípulos (At 20.29-31). Esses falsos mestres podiam ser identificados por intelectualismo especulativo (3.9), espírito de exclusividade (2.11), ascetismo (1.15), licenciosidade (1.16), ganância (1.11), mitos e fábulas (1.14) e legalismo judeu, que exigia a circuncisão e promovia fábulas judias e mandamentos de homens (1.14).[35]

Meyer Pearlman menciona quatro características desses falsos mestres: 1) quanto a seu caráter, eram insubordinados, enganadores e faladores (1.10); 2) quanto às suas motivações, eram gananciosos (1.11,12); 3) quanto ao seu ensino, eram apegados às tradições judias e lendas (1.14), exigindo abstinência de alimentos (1.15); 4) quanto às suas pretensões, professavam ser verdadeiros mestres do evangelho, mas sua vida pecaminosa desmentia a sua profissão (1.16).[36]

Em quarto lugar, *o ensino da sã doutrina* (2.1). A igreja não deveria ficar apenas na defensiva, combatendo os falsos mestres, mas deveria sobretudo engajar-se no ensino da sã doutrina. Esta palavra "sã" é um termo médico e indica a doutrina que está livre de corrupção e enfermidade. É evidente que a falsa doutrina e o falso ensino ameaçavam a igreja cretense.[37]

Em quinto lugar, *a promoção da ética cristã* (2.2-10). Paulo dá orientações claras para os líderes e para os liderados. As prescrições apostólicas contemplam os idosos, os recém-casados, os jovens e os servos. Não é suficiente ter doutrina sã, é preciso também ter vida santa. A doutrina sempre deve converter-se em vida. Quanto mais conhecemos a verdade, tanto mais deveríamos viver em santidade. Diferentemente dos gnósticos, o conhecimento da verdade não nos conduz à soberba, mas à humildade.

Em sexto lugar, *a prática das boas obras* (2.11-14; 3.8,14). Não somos salvos pelas boas obras, mas demonstramos nossa salvação por meio delas. A salvação é pela fé somente, mas a fé salvadora nunca vem

---

[35] BARCLAY, William. *I y II Timoteo, Tito y Filemon*, p. 13,14.
[36] PEARLMAN, Meyer. *Através da Bíblia*, p. 304.
[37] ERDMAN, Charles R. *Las epístolas pastorales a Timoteo y Tito*, p. 146

só; ela é acompanhada das boas obras. A fé é a causa; as boas obras são o resultado da salvação. As nossas boas obras não nos levam para o céu, mas nos acompanham para o céu (Ap 14.13).

Em sétimo lugar, *a submissão às autoridades* (3.1-11). A Igreja de Deus é um lugar de ordem, e não de anarquia; de obediência, e não de insubmissão. Insurgir-se contra as autoridades instituídas por Deus é desafiar o próprio Deus que as instituiu. Assim, a fonte da autoridade não está nela mesma, mas em Deus.

Resistir à autoridade é resistir a Deus. Dessa forma, Paulo está combatendo dois erros. O primeiro deles é a autocracia. Toda vez que a autoridade atribui a si mesma o poder, age de forma autocrática e truculenta. O poder vem de Deus e deve ser exercido em nome de Deus, de acordo com o caráter e as prescrições de Deus. O segundo erro é a anarquia. A desobediência à autoridade, seja no Estado, seja na igreja ou na família, é um atentado contra a ordem estabelecida pelo próprio Deus.

Se a autoridade não pode exceder-se, atribuindo a si mesma poder, os liderados não podem rebelar-se, sacudindo de si o jugo da obediência.

1

A supremacia da **Palavra** no ministério **apostólico**

Tito 1.1-4

A INTRODUÇÃO À CARTA DE PAULO A TITO É A TERCEIRA MAIS LONGA escrita pelo apóstolo, só superada pela introdução de Gálatas e Romanos. Nessa introdução, Paulo não explica as circunstâncias pessoais nas quais se encontra, nem a dos leitores a quem se dirige.[1]

Qual o propósito dessa longa introdução, uma vez que Paulo está escrevendo para alguém tão próximo como Tito? Hans Burki diz que os versículos 1-3 trazem, em palavras concisas, a mais completa descrição do serviço apostólico, como Paulo o compreendia e praticava.[2] Donald Guthrie destaca o fato de que a introdução dessa carta não é apenas mais longa do que a introdução das outras cartas pastorais, mas também é mais teológica.[3]

William Hendriksen, por sua vez, diz que a introdução de Paulo está em total conformidade com o caráter e o propósito da epístola, uma vez que a sã doutrina caminha de mãos dadas com a vida de santificação e a realização das boas obras.[4]

---

[1] ERDMAN, Carlos R. *Las epístolas pastorales a Timoteo y Tito*, p. 149.
[2] BURKI, Hans. *Carta aos Tessalonicenses, Timóteo, Tito e Filemom*, p. 392.
[3] GUTHRIE, Donald. *Titus* in *New Bible Commentary*, ed. G. J. Wenham et all. Downers Grove, IL: Intervarsity Press, 1994, p.1311.
[4] HENDRIKSEN, William. *1 y 2 Timoteo y Tito*, p. 383,384.

A introdução dessa carta em apreço parece nos provar duas coisas importantes:

Em primeiro lugar, *a legitimidade da autoria paulina*. Paulo se apresenta como o autor dessa epístola (1.1). Jamais um pseudoescritor se passaria pelo apóstolo usando uma introdução tão longa. Concordo com Van Oosterzee quando diz que a extensão e a riqueza dessa introdução comparada à brevidade da carta pode ser considerada uma prova interna de sua genuinidade. Um impostor consideraria essa longa introdução, não encontrada na maioria das cartas paulinas, algo supérfluo e dispensável.[5]

Em segundo lugar, *a amplitude dos destinatários*. A carta não foi dirigida apenas a Tito, mas a toda a igreja cretense. O fato de Paulo fazer uma síntese da mensagem apostólica logo na introdução deixa claro que sua epístola foi dirigida não apenas a Tito, mas também às igrejas da ilha de Creta.

João Calvino diz que essa longa e laboriosa recomendação do seu apostolado demonstra que Paulo pensava em toda a igreja, e não só em Tito; porque seu apostolado não era impugnado por Tito, e Paulo tem o costume de proclamar os títulos de seu chamamento para manter sua autoridade.

Paulo, pois, escreve essa epístola não para que Tito a leia sozinho em seu quarto, mas para que sua mensagem seja publicada abertamente.[6] Essa carta devia ser para Tito não apenas fonte de instruções relativas ao governo das igrejas, mas uma espécie de carta de crédito diante dos crentes a quem ministrava.[7]

Destacaremos algumas verdades preciosas nesse introito da carta.

As credenciais do apóstolo Paulo (1.1)

As cartas antigas começavam com o nome e credenciais do remetente e uma saudação ao destinatário. Paulo se apresenta com duas credenciais

---
[5] OOSTERZEE, J. J. Van. *The Epistle of Paul to Titus*, p. 6.
[6] CALVINO, Juan. *Comentarios a las epístolas pastorales de San Pablo*, p. 323.
[7] BONNET, L. y Schroeder, A. *Comentario del Nuevo Testamento*, p. 743.

da mais alta importância: servo de Deus e apóstolo de Jesus Cristo. William MacDonald corretamente afirma que a primeira expressão descreve Paulo como escravo do Supremo Mestre e a segunda como um mensageiro do Soberano Senhor. A primeira fala de submissão, a segunda de autoridade. Paulo se tornou um servo por uma rendição pessoal e um apóstolo por uma nomeação divina.[8] Vejamos mais detalhadamente esses dois títulos.

Em primeiro lugar, *servo de Deus* (1.1). Esta é a primeira e única vez, em suas cartas, que Paulo refere-se a si mesmo como "servo de Deus". É um termo de grande honraria, uma vez que foi usado no Antigo Testamento para os patriarcas, profetas e reis.

No Antigo Testamento, Abraão, Moisés, os profetas, Davi e os não israelitas que cumprem os propósitos de Deus são designados "servos de Deus".[9]

Hans Burki é da opinião que Paulo tenha usado esse título, posicionando-se ao lado de patriarcas e profetas, em vista dos judeus hereges de Creta (1.10).[10] Denota também que Paulo era propriedade exclusiva de Deus e estava a serviço de Deus. Como servo de Deus, ele faz referência à grande causa que havia abraçado, de anunciar o eterno plano de Deus, a salvação dos eleitos, por meio da pregação da verdade.[11]

A expressão "servo de Deus" aponta, de igual forma, para o fato de que aquele que outrora fora escravo do pecado, agora, livre por Jesus Cristo, está a serviço de Deus.[12] Aqueles que não são servos de Deus, são servos do pecado, escravos das próprias paixões e estão a serviço de suas concupiscências.

Não deveríamos nos envergonhar de sermos chamados servos de Deus, de sermos escravos do Rei dos reis e do Senhor dos senhores, pois essa posição nos coloca em associação não somente com os patriarcas,

---

[8] MacDonald, William. *Believer's Bible commentary*, p. 2.132.
[9] Kelly, J. N. D. *I e II Timóteo e Tito: Introdução e comentário*, p. 205.
[10] Burki, Hans. *Carta aos Tessalonicenses, Timóteo, Tito e Filemom*, p. 392.
[11] Barnes, Albert. *Barnes' Notes on the Old & New Testaments* (*Thessalonians-Philemon*), p. 265.
[12] Hervey, A. C. *Titus* in *The pulpit commentary*. Vol. 21. Grand Rapids, MI: Wm B. Eerdmans Publishing Company, 1978, p. 5.

profetas e apóstolos, mas também com os santos anjos e com o próprio Filho de Deus.[13]

Em segundo lugar, *apóstolo de Jesus Cristo* (1.1). Esta é uma definição mais exata de seu ofício, uma vez que Paulo recebeu sua comissão e sua doutrina de Jesus Cristo, diz Hervey.[14] Esse título explica em que sentido Paulo é servo de Deus, a saber, como emissário de Jesus, o Messias.[15]

John Stott diz que os apóstolos receberam do Senhor Jesus um chamado, uma comissão, uma autorização e uma capacitação sem igual, para ser seus inspirados mensageiros.[16]

Calvino afirma que há diferentes graus entre os servos de Deus. Dessa forma, Paulo passou de uma descrição geral para uma classe particular.[17] Paulo foi salvo de uma maneira extraordinária, quando o próprio Jesus apareceu para ele no caminho de Damasco. Foi escolhido e separado pelo próprio Cristo para ser apóstolo dos gentios. Paulo recebeu Seu evangelho não da parte de homem algum, mas do próprio Cristo (Gl 1.11,12).

George Barlow está correto quando diz que o propósito de Paulo nessa apresentação é confrontar os falsos mestres, contrastando sua vocação divina para o apostolado com a autoridade que esses falsos mestres conferiam a si mesmos.[18]

O propósito do apostolado de Paulo (1.1,2)

O apóstolo enumera quatro propósitos de seu apostolado.

Em primeiro lugar, *promover a fé dos eleitos de Deus* (1.1). Warren Wiersbe diz que o propósito de Paulo era compartilhar a fé, o conjunto de verdades contidas na Palavra de Deus.[19]

---

[13] OOSTERZEE, J. J. Van. *The Epistle of Paul to Titus* in *Lange's commentary on the Holy Scriptures*, p. 7.
[14] HERVEY, A. C. *Titus* in *The pulpit commentary*, p. 6.
[15] BURKI, Hans. *Carta aos Tessalonicenses, Timóteo, Tito e Filemom*, p. 392.
[16] STOTT, John. *A mensagem de 1Timóteo e Tito*, p. 172.
[17] CALVINO, Juan. *Comentarios a las epístolas pastorales de San Pablo*, p. 324.
[18] BARLOW, George. *The preacher's complete homiletic commentary*. Vol. 29. Grand Rapids, MI: Baker Books, 1996, p. 89.
[19] WIERSBE, Warren. *Comentário bíblico expositivo*, p. 337.

Paulo relaciona seu ministério com a salvação dos eleitos de Deus, como se estivesse dizendo que existe um acordo mútuo entre seu apostolado e a fé dos eleitos de Deus; por conseguinte, seu apostolado não seria rechaçado por ninguém, exceto pelos réprobos e pelos que se opõem à verdadeira fé.[20]

Deus tem Seus eleitos e os chama à fé mediante a pregação apostólica. Kelly diz que Paulo prega o evangelho de modo que aqueles que Deus escolheu e está chamando possam vir para a fé ou possam crescer na fé.[21] Paulo tinha sido encarregado de anunciar essa verdade bendita. Algumas verdades sublimes devem ser aqui destacadas:

A eleição é um decreto de Deus. Deus, na sua soberania e graça, escolheu alguns para a salvação. Essa escolha é livre, soberana e eterna (2Tm 1.9). Essa eleição é em Cristo, e não à parte dEle, pois se baseia em Seu sacrifício substitutivo, e não no merecimento humano (Ef 1.4). Essa eleição é fruto da graça, e não resultado das obras.

A eleição está enraizada no solo da graça. Foi Deus quem nos escolheu, e não nós a Ele (Jo 15.16). Deus nos escolheu não porque previu que iríamos crer em Cristo, mas cremos em Cristo porque Deus nos escolheu (At 13.48). A eleição é a mãe da fé. A fé não é a causa da eleição, mas o seu resultado.

Deus nos escolheu não porque viu em nós boas obras, mas porque fomos criados em Cristo para as boas obras (Ef 2.10). As boas obras não são a causa da eleição, mas a sua consequência. Deus nos escolheu não porque viu em nós santidade, mas porque fomos eleitos antes da fundação do mundo para sermos santos (Ef 1.4). Deus nos escolheu não porque viu em nós obediência, mas porque fomos eleitos para a obediência (1Pe 1.2).

Concordo com Van Oosterzee quando diz que a doutrina da graciosa eleição divina não tem o propósito de ser uma pedra de tropeço para o descrente, mas uma fonte de consolo para o crente, uma vez que o crente considera a livre e soberana escolha divina como o fundamento de sua maior glória e consolação, tanto na vida quanto na morte.[22]

---

[20]CALVINO, Juan. *Comentarios a las epístolas pastorales de San Pablo*, p. 325.
[21]KELLY, J. N. D. *I e II Timóteo e Tito: Introdução e comentário*, p. 206.
[22]OOSTERZEE, J. J. Van. *The Epistle of Paul to Titus* in *Lange's commentary on the Holy Scriptures*, p. 6.

A fé é uma dádiva de Deus. Todos os eleitos são chamados eficazmente, justificados e glorificados (Rm 8.30). Todos os que são destinados para a vida eterna creem (At 13.48). Deus chama Seus escolhidos mediante a Palavra (Jo 17.20). A fé vem pelo ouvir a Palavra (Rm 10.17). Quando o eleito escuta a voz do evangelho, ele crê, assim como quando uma ovelha de Cristo escuta a voz do pastor logo a atende (Jo 10.27).

Concordo com Albert Barnes quando diz que é propósito de Deus salvar Seu povo, mas isso não significa salvá-lo na infidelidade e descrença. Primeiro eles devem crer e só então é que são salvos.[23]

Os eleitos creem mediante o ministério da Palavra (1.1). A fé dos eleitos é promovida por meio da pregação da Palavra. Deus escolheu salvar os seus mediante a loucura da pregação (1Co 1.21). Deus chama os Seus eleitos, e os chama eficazmente, mediante a pregação fiel da Sua Palavra. Por essa causa, Van Oosterzee diz que o verdadeiro pregador do evangelho é nada menos, nada mais do que o intérprete da divina revelação da salvação.[24]

Concordo com Matthew Henry quando diz que a fé descansa não sobre os falíveis arrazoados e opiniões humanas, mas sobre a própria verdade divina que conduz à piedade.[25]

Em segundo lugar, ***promover o pleno conhecimento da verdade*** (1.1). O apóstolo Paulo era um embaixador da verdade. Seu ministério tinha como plataforma principal oferecer aos pecadores o pleno conhecimento da verdade. Essa verdade é a verdade revelada. É o evangelho da graça. Erdman diz que essa verdade não é outra senão o evangelho cristão que tem como propósito a promoção da piedade.[26] Para Calvino a fé dos eleitos e o pleno conhecimento da verdade são a mesma coisa. O pleno conhecimento da verdade explica qual é a natureza dessa fé, pois não há fé sem conhecimento.[27]

---

[23] BARNES, Albert. *Barnes' Notes on the Old & New Testaments* (*Thessalonians-Philemon*), p. 265.
[24] OOSTERZEE, J. J. Van. *The Epistle of Paul to Titus* in *Lange's commentary on the Holy Scriptures*, p. 7.
[25] HENRY, Matthew. *Matthew Henry's commentary in one volume*, p. 1.900.
[26] ERDMAN, Carlos R. *Las epístolas pastorales a Timoteo y Tito*, p. 150.
[27] CALVINO, Juan. *Comentarios a las epístolas pastorales de San Pablo*, p. 326.

Concordo com John Stott quando diz que fé e conhecimento são duas características fundamentais do povo de Deus. Longe de ser incompatíveis, a fé e o conhecimento estão lado a lado. Aqueles que conhecem o nome de Deus são os que confiam nEle. A base para terem fé nEle é o conhecimento que têm do nome de Deus e do caráter dEle, que lhes foi revelado.[28]

A fé evangélica não é fé cega nem fé mística, mas fé estribada no pleno conhecimento da verdade. Paulo não fala de qualquer classe de verdade, mas da doutrina celestial que se contrapõe à vaidade do entendimento humano (Jo 16.13; 17.17; Gl 3.1; Cl 1.5; 1Tm 2.4; 3.15). Em suma, essa verdade é o reto e sincero conhecimento de Deus, que nos liberta de todo erro e falsidade.[29]

Os falsos mestres anunciavam outra mensagem, outro evangelho, e pleiteavam arrogantemente serem os legítimos portadores da verdade. Um grupo de falsos mestres tentava misturar a lei judaica com o evangelho da graça (1.10,14), enquanto alguns dos cristãos gentios abusavam da mensagem da graça, transformando-a em licenciosidade (2.11-15). Porém, não existem duas verdades. A verdade é objetiva. Paulo não era um arauto de experiências místicas. Ele não anunciava revelações forâneas às Escrituras. Não pregava a si mesmo; anunciava a Cristo, a verdade encarnada de Deus.

A verdade é a sã doutrina. É a ortodoxia em oposição à heresia dos falsos mestres. É o conteúdo do evangelho.

Em terceiro lugar, *promover a vida piedosa* (1.1). Diferentemente da aparente verdade anunciada pelos gnósticos e judaizantes, a verdade de Deus produz vida santa. Erdman está correto quando diz que a mensagem apostólica diferia das heresias dos falsos mestres, que eram simplesmente especulativas e sem propósitos práticos ou morais.

Ademais, em contraposição ao espírito enganoso e desleal dos cretenses que propagavam seus erros, a esperança da vida eterna era uma promessa fiel do Deus que não pode mentir.[30]

---

[28] STOTT, John. *A mensagem de 1Timóteo e Tito*, p. 173.
[29] CALVINO, Juan. *Comentarios a las epístolas pastorales de San Pablo*, p. 326.
[30] ERDMAN, Carlos R. *Las epístolas pastorales a Timoteo e Tito*, p. 152.

A verdade de Deus não é endereçada apenas ao intelecto, mas ao coração. É uma verdade transformadora. A doutrina bíblica produz transformação de vida. Ela desemboca em piedade. Ela traz luz para a mente e fogo para o coração. Ela informa e transforma.

Hans Burki está correto quando afirma que a verdade forma unidade com a vida, assim como a fé forma unidade com as obras.[31]

Calvino declara que essa cláusula elogia a doutrina de Paulo pelo seu fruto, uma vez que não tem outro objetivo senão que Deus seja adorado da forma correta, e que a religião pura floresça entre os homens. A única recomendação legal da doutrina é que ela nos ensina a temer a Deus e a prostrar-nos ante Ele com reverência.[32]

A verdade do evangelho transforma uma vida de *impiedade* (2.12) em uma vida de santidade. Muitos cretenses, e ainda hoje alguns membros das congregações, professam ser salvos, mas sua vida nega sua profissão de fé (1.16).[33]

Em quarto lugar, ***promover a esperança da vida eterna*** (1.2). A verdadeira religião e a prática da piedade começam com a esperança da vida celestial.[34] Erdman diz que a fé e o conhecimento da verdade são acompanhados da esperança.[35]

A palavra "esperança" aparece 52 vezes no Novo Testamento e sempre está em conexão com Deus, com o Mediador e com os crentes. Deus é o autor dessa esperança, pois Ele é o Deus da esperança (Rm 15.13). O propósito dessa esperança é oferecer aos que creem a vida eterna (Rm 6.23). Essa vida eterna tem a ver com a fruição da comunhão com Deus, desde agora e por toda a eternidade (Jo 17.3,24).

A verdade do evangelho não apenas transforma a vida aqui e agora, mas também aponta para uma esperança gloriosa no futuro. Somos nascidos de Deus para uma viva esperança (1Pe 1.3).

A verdade evangélica tem sua consumação na eternidade. Ela é empírica e também transcendental e escatológica. Ela fala da terra e

---

[31] BURKI, Hans. *Carta aos Tessalonicenses, Timóteo, Tito e Filemom*, p. 393.
[32] CALVINO, Juan. *Comentarios a las epístolas pastorales de San Pablo*, p. 327.
[33] WIERSBE, Warren W. *Comentário bíblico expositivo*, p. 337.
[34] CALVINO, Juan. *Comentarios a las epístolas pastorales de San Pablo*, p. 327.
[35] ERDMAN, Carlos R. *Las epístolas pastorales a Timoteo y Tito*, p. 150.

também do céu. Ela tem sido transformadora para a vida do lado de cá da sepultura e oferece segurança para a vida além-túmulo. Essa verdade não é como uma verdade científica, histórica e política, mas uma verdade espiritual que conduz o homem a uma vida santa e o prepara desde já para o céu absolutamente santo.[36]

A confiança do apóstolo Paulo (1.2,3)

William MacDonald sintetiza o ministério de Paulo em relação ao evangelho em três áreas distintas: 1) evangelismo – [...] *a fé que é dos eleitos de Deus* (1.1); 2) educação – [...] *e o pleno conhecimento da verdade segundo a piedade* (1.1); 3) expectação – [...] *na esperança da vida eterna que o Deus que não pode mentir prometeu* (1.2).[37] O apostolado de Paulo está calçado em confiança inabalável. Duas verdades preciosas são aqui destacadas:

Em primeiro lugar, ***a promessa de Deus*** (1.2). A vida eterna é uma promessa de Deus, e não uma mera expectativa humana. Não é uma vaga possibilidade humana, mas uma garantia divina. Não é apenas uma bênção usufruída na terra, mas um decreto firmado no céu.

Albert Barnes chega a dizer que a única esperança da salvação é a promessa do Deus que não pode mentir.[38] Calvino afirma que a única prova de toda a religião é a imutável verdade de Deus.[39] Para Hans Burki, a vida eterna continuaria sendo um desejo infundado e até mesmo puro devaneio sem a promessa do Deus que não pode mentir.[40] Com respeito a essa promessa, Paulo destaca dois pontos:

Sua perspectiva eterna (1.2). O Deus que não pode mentir prometeu a vida eterna antes dos tempos eternos. O decreto da salvação dos eleitos foi feito na eternidade (Ef 1.4; 2Tm 1.9). A nossa salvação foi planejada e decidida mesmo antes de Deus lançar os fundamentos da

---

[36] BARNES, Albert. *Barnes' Notes on the Old & New Testaments* (*Thessalonians-Philemon*), p. 266.
[37] MACDONALD, William. *Believer's Bible commentary*, p. 2.132.
[38] BARNES, Albert. *Barnes' Notes on the Old & New Testaments* (*Thessalonians-Philemon*), p. 266.
[39] CALVINO, Juan. *Comentarios a las epístolas pastorales de San Pablo*, p. 330.
[40] BURKI, Hans. *Carta aos Tessalonicenses, Timóteo, Tito, Filemom*, p. 393.

terra. Antes mesmo de o sol brilhar no firmamento, Deus já havia destinado Seus escolhidos para a vida eterna.

Sua perspectiva temporal (1.3). A promessa da vida eterna feita na eternidade manifestou-se no tempo devido, ou seja, na plenitude dos tempos (Gl 4.4). No tempo oportuno de Deus, no *kairós* de Deus, essa promessa eterna veio à luz, por meio da pregação do evangelho.

Em segundo lugar, *o comissionamento de Deus* (1.3). Quatro verdades são aqui destacadas acerca do comissionamento de Deus:

Seu conteúdo (1.3). A Palavra de Deus é o conteúdo. Não temos outra mensagem. Hans Burki diz que o conteúdo da proclamação é Jesus, o Redentor. Ele é a palavra da salvação (At 13.26), da graça (At 14.3; 20.32), da vida (Fp 2.15), da reconciliação (2Co 5.19), da verdade (Jo 14.6); em suma, Ele é a Palavra de Deus aos seres humanos (1Co 1.21; Ap 19.13).[41]

Seu veículo (1.3). Deus manifestou Sua Palavra mediante a pregação. A pregação é o meio eficaz de transmitir a Palavra e chamar os escolhidos. Por intermédio do sagrado ofício da pregação, filhos espirituais são gerados de Deus e para Deus (Tg 1.18). O cristianismo não é filosofia nem dramaturgia. A mensagem cristã é proclamada não por sacerdotes, mas por pregadores.

Warren Wiersbe diz que não se trata de uma referência ao ato de proclamar a Palavra, mas ao conteúdo dessa mensagem (1Co 1.21).[42] Kelly nessa mesma linha de pensamento diz que, com relação à pregação, Paulo quer dizer, não ao próprio ato de proclamar o evangelho, porém mais concretamente à mensagem apostólica.[43]

Sua origem (1.3). A Palavra é manifestada mediante a pregação por autorização de Deus, nosso Salvador. Calvino diz que Paulo aplica o mesmo epíteto ao Pai e a Cristo, de sorte que cada um deles é nosso Salvador mas por uma razão diferente: pois o Pai é chamado nosso Salvador porque nos redimiu pela morte de Seu Filho, para que pudesse nos fazer herdeiros da vida eterna; e o Filho, porque derramou Seu sangue para pagar o preço da nossa salvação.

---

[41]BURKI, Hans. *Carta aos Tessalonicenses, Timóteo, Tito, Filemom*, p. 394.
[42]WIERSBE, Warren W. *Comentário bíblico expositivo*, p. 338.
[43]KELLY, J. N. D. *I e II Timóteo e Tito: Introdução e comentário*, p. 208.

Assim, o Filho nos tem trazido à salvação do Pai, e o Pai nos tem outorgado a salvação por meio do Filho.[44] Paulo não se autointitulou apóstolo. Ele não ungiu a si mesmo nem arrogou para si esse ofício. Recebeu seu apostolado, como pregador da Palavra, por incumbência de Deus. É absolutamente estranho ao ensino neotestamentário aqueles que atualmente recebem o título de apóstolos ou que se autodenominam apóstolos.

Seu instrumento (1.3). Paulo diz que a pregação lhe foi confiada por Deus. A verdade tem sua origem em Deus, mas a pregação é feita por homens chamados por Deus.

Concordo com Hans Burki quando diz que Paulo evangeliza por causa de Deus e com vistas a Ele, e não por causa dos homens nem por causa de sua necessidade, miséria e perdição. Justamente por isso, na verdade, Ele evangeliza os homens, porque visa a conquistá-los unicamente a partir da misericórdia divina, que age também nEle.[45]

A saudação apostólica (1.4)

Depois de se apresentar e mostrar suas credenciais, bem como o propósito de seu apostolado, Paulo menciona o destinatário de sua carta.

Em primeiro lugar, *a identificação do destinatário* (1.4). Dois fatos são dignos de nota acerca de Tito.

Ele era filho espiritual de Paulo (1.4). Paulo está se dirigindo a um filho espiritual. Trata-se de alguém que veio a Cristo por intermédio do ministério de Paulo.[46] William Hendriksen diz que a palavra "filho" é muito feliz porque combina duas ideias: "eu te gerei" e "tu és mui amado para mim".[47] Matthew Henry diz que Tito era filho de Paulo não por geração natural, mas por regeneração sobrenatural.[48]

Ele era comprometido com o mesmo evangelho que Paulo pregava (1.4). Paulo era um judeu, e Tito, um gentio. Os dois, porém, abraçaram a

---

[44] CALVINO, Juan. *Comentarios a las epístolas pastorales de San Pablo*, p. 332.
[45] BURKI, Hans. *Carta aos Tessalonicenses, Timóteo, Tito e Filemom*, p. 393.
[46] Veja no capítulo anterior uma descrição completa da vida e ministério de Tito.
[47] HENDRIKSEN, William. *1 y 2 Timoteo y Tito*, p. 388.
[48] HENRY, Matthew. *Matthew Henry's commentary on one volume*, p. 1.900.

mesma fé. A fé comum é a fé que tem todo cristão. A fé aqui é objetiva e não subjetiva. É o próprio conteúdo do evangelho.

Warren Wiersbe está correto ao esclarecer que cristãos de diferentes denominações podem ter características distintas, mas todos os que possuem a mesma fé salvadora compartilham [...] *da nossa comum salvação* (Jd 3). Há um corpo definido de verdades confiado à Igreja, a [...] *fé que uma vez por todas foi entregue aos santos* (Jd 3). Qualquer ensinamento, portanto, que se desvie da "fé comum" é falso e não deve ser tolerado na congregação.[49]

Em segundo lugar, **as bênçãos rogadas ao destinatário** (1.4). Paulo roga a Deus a bênção da graça e da paz para Tito. A graça é a fonte e a paz é fluxo que corre dessa fonte. A graça é a raiz e a paz é o fruto. William Hendriksen diz que a graça é o favor operado por Deus no coração de seu filho sem que ele tenha mérito algum. É seu cristocêntrico amor perdoador e fortalecedor. A paz é a consciência do filho de haver sido reconciliado com Deus por meio de Cristo. Graça é a fonte, e paz é a corrente que flui dessa fonte (Rm 5.1).[50]

Em terceiro lugar, **a fonte das bênçãos rogadas** (1.4). Tanto a graça quanto a paz provêm de Deus Pai e de Cristo Jesus, nosso Salvador. Tanto o Pai quanto o Filho são a origem e a fonte dessas bênçãos. A graça e a paz têm sua origem em Deus, o Pai, e são obtidas para o crente pelos méritos de Cristo Jesus. Eles dois, o Pai e o Filho, são a fonte única da graça e da paz.[51]

---

[49] WIERSBE, Warren W. *Comentário bíblico expositivo*, p. 338.
[50] HENDRIKSEN, William. *1 y 2 Timoteo y Tito*, p. 388.
[51] HENDRIKSEN, William. *1 y 2 Timoteo y Tito*, p. 388.

2

Como distinguir os pastores dos lobos

Tito 1.5-16

A CARTA DE PAULO A TITO EXPÕE de maneira eloquente o binômio: ortodoxia e piedade; teologia e ética; doutrina e dever. No capítulo 1, Paulo aborda esse binômio em relação à igreja; no capítulo 2, em relação à família; e, no capítulo 3, em relação ao mundo.

Paulo deixou Tito em Creta para colocar em ordem as coisas restantes nas igrejas e constituir nessas igrejas presbíteros (1.5). A palavra grega *epidiorthose* significa colocar em linha reta, colocar em ordem, endireitar.[1] Warren Wiersbe escreve que esse é um termo médico e se refere a endireitar um membro torto.[2]

A palavra para "restantes" significa o que está faltando. O texto da carta indica que havia graves faltas na vida individual e conjunta das igrejas de Creta, como: 1) falta de liderança espiritual (1.5); 2) falsos mestres (1.10,11); 3) conduta imoral entre os membros da família de Deus, tanto jovens quanto velhos (2.1-10).[3]

---

[1] RIENECKER, Fritz, Rogers, Cleon. *Chave Linguística do Novo Testamento Grego*, p. 482.
[2] WIERSBE, Warren W. *Comentário bíblico expositivo*, p. 338.
[3] SPAIN, Carl. *Epístolas de Paulo a Timóteo e Tito*, p. 188.

A ilha de Creta era uma região altamente marcada pela devassidão moral e pela disseminação de muitas heresias. As igrejas, ainda incipientes, corriam sérios riscos de ser atacadas por esses dois perigos mortais. Somente sob uma liderança bíblica e moralmente sadia a igreja poderia resistir a esse cerco ameaçador. A maneira mais adequada de combater o erro é espalhar a verdade. Você apaga o fogo falso com o fogo verdadeiro. A forma mais eficaz de combater os falsos mestres é multiplicar os verdadeiros mestres.

John Stott lembra que os versículos 6 a 16 apresentam um forte contraste entre os verdadeiros presbíteros que Tito designaria (1.6-9) e os falsos mestres que os presbíteros teriam de silenciar (1.10-16).[4]

É importante ressaltar aqui quatro verdades, à guisa de introdução.

Em primeiro lugar, *a liderança da igreja deve ser composta de um colegiado*. Paulo determina a Tito que constitua presbíteros em cada igreja. A liderança da igreja local deve ser composta por uma equipe e um colegiado de presbíteros, e não por um líder autocrático. Assim como a igreja de Jerusalém tinha uma pluralidade de presbíteros (At 11.30); Paulo também constituiu presbíteros nas igrejas (At 14.23). Essa mesma prática deveria ser repetida em todas as igrejas da ilha de Creta (1.5).

Em segundo lugar, *a liderança da igreja não é hierárquica*. Paulo usa os termos presbítero (1.5) e bispo (1.7) para se referir à mesma pessoa. O bispo não é um ofício superior ao presbítero. Os dois termos, presbítero e bispo, são usados para descrever o mesmo líder (At 20.17,28). Assim, o presbítero e o bispo são termos correlatos e devem destacar características distintas do mesmo líder. O termo *presbítero* refere-se à maturidade e experiência do líder, enquanto o termo *bispo* diz respeito à sua responsabilidade e função de supervisão pastoral.[5]

William MacDonald diz que o uso contemporâneo do termo *bispo* passou a descrever um prelado que supervisiona uma diocese ou um grupo de igrejas em um distrito. Mas a palavra não tem esse significado no Novo Testamento. O modelo bíblico é de vários bispos em uma igreja, em vez de um bispo supervisionando várias igrejas.[6]

---

[4] STOTT, John. *A mensagem de 1Timóteo e Tito*, p. 177.
[5] STOTT, John. *A mensagem de 1Timóteo e Tito*, p. 178.
[6] MACDONALD, William. *Believer's Bible commentary*, p. 2.134.

Em terceiro lugar, *a liderança da igreja deve ser constituída conforme prescrição bíblica*. Paulo dá orientações claras e absolutamente precisas acerca dos atributos que um presbítero deve ter (1.6-9). As características do presbítero mencionadas pelo apóstolo têm mais a ver com sua vida do que com o seu desempenho. A vida do líder é a vida da sua liderança. A vida precede o ministério e é sua base.

Warren Wiersbe adverte que o fato de esses critérios se aplicarem aos cristãos da ilha de Creta, bem como àqueles da cidade de Éfeso (1Tm 3.1-7), comprova que o padrão de Deus para os líderes não varia. Tanto as igrejas das cidades grandes quanto aquelas das cidades pequenas precisam de pessoas piedosas nos cargos de liderança.[7] Outra coisa importante é que o presbiterato pode ser legitimamente desejado (1Tm 3.1), mas só o Espírito pode constituir alguém como bispo sobre a igreja (At 20.28).

Em quarto lugar, *a principal função da liderança da igreja é alimentar o rebanho com a Palavra*. Paulo diz que o bispo é um despenseiro de Deus (1.7), ou seja, o que fornece o alimento na casa (1Co 4.1,2). Sua função precípua não é cuidar da administração das mesas, mas cuidar da administração da Palavra.

Há duas diaconias fundamentais na igreja: a diaconia das mesas e a diaconia da Palavra. Cabe ao presbítero dedicar-se à diaconia da Palavra. Isso porque o presbítero é também pastor do rebanho (At 20.28), aquele que cuida das ovelhas e as conduz aos pastos verdejantes. John Stott diz que essas são metáforas que bem caracterizam o ministério da Palavra de Deus, que abrange tanto o ensino da verdade quanto a ação de refutar o erro (1.9).[8]

Os atributos dos presbíteros, os pastores que apascentam o rebanho (1.6-9)

O Novo Testamento detalha com grande precisão as funções do presbítero: 1) o presbítero deve pastorear a igreja do Senhor (At 20.28; 1Tm 3.5; 1Pe 5.2); 2) o presbítero deve proteger a igreja tanto dos

---

[7] WIERSBE, Warren W. *Comentário bíblico expositivo*, p. 338.
[8] STOTT, John. *A mensagem de 1Timóteo e Tito*, p. 178.

ataques externos quanto dos internos (At 20.29-31); 3) o presbítero deve dirigir e governar a igreja, servindo-lhe de exemplo (1Ts 5.12; 1Tm 5.17; Hb 13.7,17; 1Pe 5.3); 4) o presbítero deve pregar a Palavra, ensinar a sã doutrina e refutar aqueles que a contradizem (1Tm 5.17; Tt 1.9-11); 5) o presbítero deve orientar a igreja nas questões doutrinárias e éticas (At 15.5,6; 16.4); 6) o presbítero deve viver de tal forma que sua vida seja um exemplo para todo o rebanho (Hb 13.7; 1Pe 5.3); 7) o presbítero deve corrigir com espírito de brandura aqueles que são surpreendidos em alguma falta (Gl 6.1); 8) o presbítero deve velar pela alma daqueles que lhes são confiados, sabendo que prestará contas desse pastoreio ao Supremo Pastor (Hb 13.17); 9) o presbítero deve exercer o ministério da oração, especialmente em relação aos crentes enfermos (Tg 5.14,15); 10) o presbítero deve estar engajado no cuidado dos crentes pobres (At 11.30).[9]

O retrato que Paulo traça do presbítero é emoldurado pela irrepreensibilidade. O presbítero (1.6) ou bispo (1.7) deve ser irrepreensível. John Stott corretamente diz que isso não quer dizer que os candidatos teriam de ser totalmente isentos de falhas e defeitos, pois nesse caso todos seriam desqualificados.

A palavra empregada é *anenkletos*, "sem culpa, não passível de acusação" e não *anômos*, que significa "sem mácula".[10] O presbítero não pode deixar flancos abertos na sua vida nem ter brechas no seu escudo moral. Seu ofício é público e sua reputação pública precisa ser inquestionável. Calvino diz que o presbítero deve ser um homem de reputação ilibada, sem mancha.[11] O presbítero precisa ter doutrina pura e vida pura.

O presbítero precisa ser irrepreensível em três áreas distintas.

Em primeiro lugar, *o presbítero precisa ser irrepreensível como líder de sua família* (1.6). O presbítero precisa ser irrepreensível em dois pontos vitais dentro de sua família:

Ele deve ser irrepreensível como marido (1.6). O presbítero precisa ser um homem íntegro em sua conduta conjugal. Ele precisa ser um

---

[9]MacDonald, William. *Believer's Bible commentary*, p. 2.134, 2.135.
[10]Stott, John. *A mensagem de 1Timóteo e Tito*, p. 179.
[11]Calvino, Juan. *Comentarios a las epístolas pastorales de San Pablo*, p. 337.

marido fiel à sua esposa. Ele não pode ser um homem adúltero, mantendo relacionamentos extraconjugais; nem polígamo, casando-se com várias mulheres. Calvino destaca o fato de que a poligamia era tão comum entre os judeus, que o perverso costume quase se havia convertido em lei.[12] Essa cultura estava em desacordo com o padrão divino para a liderança da igreja.

O que significa o termo "marido de uma só mulher?" Obviamente, Paulo não excluiu do presbiterato o homem solteiro ou o viúvo que se casou novamente. Antes, ele está instruindo a igreja que os polígamos e os que se divorciam e se casam novamente, por razões não amparadas nas Escrituras, estão desqualificados para esse ofício (Mt 19.9; 1Co 7.15).

A interpretação de J. N. D. Kelly me parece exagerada quando entende que "marido de uma só mulher" se refere a um homem que não se casou outra vez depois da morte de sua esposa ou depois do divórcio.[13] Concordo com Erdman quando orienta que "marido de uma só mulher" quer dizer marido fiel, ou seja, um homem livre de qualquer suspeita quanto à sua relação matrimonial.[14]

Ele deve ser irrepreensível como pai (1.6). O presbítero precisa ser o sacerdote do seu lar, o líder espiritual da sua família. Deve criar seus filhos na disciplina e admoestação do Senhor. Precisa orar com seus filhos e por seus filhos. Concordo com William MacDonald quando diz que, embora um pai não possa determinar a salvação de seus filhos, pode preparar o caminho do Senhor por intermédio da positiva instrução da Palavra, da amorosa disciplina, evitando toda forma de hipocrisia e a inconsistência da própria vida (Pv 22.6).[15] Se o presbítero não sabe governar a própria casa, como poderá governar a Igreja de Deus, pergunta o apóstolo Paulo (1Tm 3.4,5).

John Stott diz que os pais que não tiveram sucesso na condução dos próprios filhos não são merecedores de confiança quanto a conduzir a família de Deus.[16] Entretanto, Hans Burki diz que, quando os

---

[12]CALVINO, Juan. *Comentarios a las epístolas pastorales de San Pablo*, p. 337,338.
[13]KELLY, J. N. D. *I e II Timóteo e Tito*, p. 210.
[14]ERDMAN, Carlos R. *Las epístolas pastorales a Timoteo y a Tito*, p. 155.
[15]MACDONALD, William. *Believer's Bible commentary*, p. 2.136.
[16]STOTT, John. *A mensagem de 1Timóteo e Tito*, p. 180.

filhos em uma casa são obedientes e crentes, pode-se concluir que o pai também é apto para presidir a família eclesial.[17] Concluímos, portanto, que os filhos dos presbíteros devem ser cristãos. Eles devem ser não apenas salvos, mas também bons exemplos de obediência e dedicação. Obviamente isso se aplica aos filhos que vivem com a família sob a autoridade do pai.[18]

Paulo continua em seu argumento, dizendo que os filhos dos presbíteros não podem ser dissolutos nem insubordinados. A palavra grega *asotia*, "dissoluto", significa dissolução ou libertinagem. Trata-se da pessoa incapaz de guardar dinheiro, alguém que desperdiça seus bens, especialmente com a implicação de fazê-lo em prazeres, arruinando, desse modo, a si mesmo com uma vida luxuriosa e extravagante.[19] O homem *asotos* é o gastador extravagante que se entrega aos prazeres pessoais. É a palavra utilizada em Lucas 15.13 para referir-se à vida desenfreada do filho pródigo. O homem que é *asotos* destrói sua riqueza e finalmente arruína-se a si mesmo.[20]

Os filhos dos presbíteros, de igual forma, não podem ser insubordinados, ou seja, precisam acatar e obedecer à autoridade dos pais. Hans Burki diz que a convivência em família era de significado essencial para a expansão e o aprofundamento da fé, uma vez que as igrejas ainda eram quase exclusivamente comunidades domiciliares, e porque o entorno muitas vezes hostil observava com atenção máxima o que acontecia nesses lares.[21]

Em segundo lugar, **o presbítero precisa ser irrepreensível como despenseiro de Deus** (1.7,8). Paulo, ao elencar as marcas de um presbítero, aborda o assunto sob duas perspectivas. Ele trata do assunto negativamente, o que um presbítero não deve ser e, positivamente, o que um presbítero deve ser.

Primeiro, *o presbítero deve ser conhecido pelo que ele não é* (1.7). Antes de falar das virtudes do presbítero, Paulo fala dos defeitos que ele não

---

[17] BURKI, Hans. *Carta aos Tessalonicenses, Timóteo, Tito e Filemom*, p. 397.
[18] WIERSBE, Warren W. *Comentário bíblico expositivo*, p. 338.
[19] RIENECKER, Fritz; ROGERS, Cleon. *Chave linguística do Novo Testamento Grego*, p. 482.
[20] BARCLAY, William. *I y II Timoteo, Tito y Filemon*, p. 245.
[21] BURKI, Hans. *Carta aos Tessalonicenses, Timóteo, Tito e Filemom*, p. 397.

deve ter. Paulo apresenta cinco termos negativos, que se relacionam com cinco áreas de grande tentação, ou seja: arrogância, temperamento irascível, não dado ao vinho, violento e ganancioso.[22] Vejamos cada uma dessas descrições.

O presbítero não deve ser arrogante. A palavra grega *authades*, "soberbo, arrogante", significa literalmente satisfazer a si mesmo. Trata-se da pessoa que exalta a si mesma, que só se preocupa consigo mesma e olha para os outros com discriminação e desprezo. É aquela pessoa que obstinadamente mantém a própria opinião, ou assevera os próprios direitos e não considera os direitos, sentimentos e interesses de outras pessoas.[23] Gene Getz diz que o homem arrogante é um homem egocentrista. Ele constitui a própria autoridade.[24] William Barclay descreve ainda o arrogante com as seguintes palavras:

É uma pessoa intolerante, que condena tudo o que não pode compreender; que pensa que não há outra forma de fazer as coisas que não seja a sua, que crê que não existe outro caminho para o céu que não seja o seu, que menospreza os sentimentos e as crenças dos demais.[25]

O presbítero não deve ser irascível. A Bíblia não classifica toda ira como pecado (Ef 4.26); o que ela condena é o homem genioso, esquentado, de estopim curto, que, além de irar-se com facilidade, também fica remoendo por longo tempo a Sua ira.[26] Na língua grega há duas palavras para descrever esse espírito irascível. A palavra *thumos* é aquela ira que surge rapidamente e também com a mesma rapidez vai embora. É a ira "fogo de palha". A segunda palavra é *orge*, que significa uma ira crônica, que se agasalha e se aninha no peito e não cessa de arder.

Um homem que nutre mágoas e ressentimentos em seu coração definitivamente não está preparado para exercer o presbiterato.[27]

---

[22] STOTT, John. *A mensagem de 1Timóteo e Tito*, p. 181.
[23] RIENECKER, Fritz; Rogers, Cleon. *Chave linguística do Novo Testamento Grego*, p. 482.
[24] GETZ, Gene A. *A medida de um homem espiritual*. São Paulo: Editora Literatura Evangélica Internacional, 1977, p. 71.
[25] BARCLAY, William. *I y II Timoteo, Tito y Filemon*, p. 247.
[26] GETZ, Gene A. *A medida de um homem espiritual*, p. 78,79.
[27] BARCLAY, William. *I y II Timoteo, Tito y Filemon*, p. 247.

A palavra grega *orgilos* significa "colérico, apimentado".[28] Hans Burki diz que um valentão colérico ou apimentado em pouco tempo se torna solitário, alguém que tem apenas seguidores submissos, mas não irmãos corresponsáveis.[29]

O presbítero não deve ser dado ao vinho. Nem todos os presbíteros são totalmente abstêmios, mas todos são chamados à temperança e à moderação.[30] A palavra grega *paroinos* significa literalmente ser indulgente com o vinho. A palavra descreve o caráter do homem que, ainda em seus momentos sóbrios, atua com falta de autocontrole como se estivesse bêbado.[31]

Gene Getz nessa mesma linha de pensamento esclarece que *paroinos* descreve um homem que se assenta muito tempo junto ao seu vinho. Em outras palavras, ele bebe demais e, por conseguinte, fica escravizado pelo vinho e perde o controle dos seus sentidos.[32] Embora não ensinem a abstinência total, o Antigo e o Novo Testamento se colocam claramente contra a bebedeira (Pv 23.19-21,29-35; 1Pe 4.2,3).

O apóstolo Paulo é claro quando escreve aos efésios: *E não vos embriagueis com vinho, no qual há dissolução, mas enchei-vos do Espírito* (Ef 5.18). Concordo com William MacDonald quando fala que a Bíblia distingue entre o uso do vinho e seu abuso. Seu uso moderado era uma prática permitida quando Jesus transformou a água em vinho no casamento em Caná da Galileia (Jo 2.1-11). Seu uso com propósitos medicinais foi prescrito por Paulo a Timóteo (1Tm 5.23).

Porém, o abuso do vinho é condenado nas Escrituras (Pv 20.1; 23.29-35; Ef 5.18). Mesmo que a total abstinência não seja exigida nas Escrituras, há uma situação em que Paulo recomenda a abstinência, ou seja, quando o beber vinho se torna motivo de escândalo para o irmão fraco (Rm 14.21). Talvez seja por essa razão que muitos crentes contemporâneos optaram pela abstinência.[33]

---

[28] STOTT, John. *A mensagem de 1Timóteo e Tito*, p. 181.
[29] BURKI, Hans. *Carta aos Tessalonicenses, Timóteo, Tito e Filemom*, p. 398.
[30] STOTT, John. *A mensagem de 1Timóteo e Tito*, p. 181.
[31] BARCLAY, William. *I y II Timoteo, Tito y Filemon*, p. 247.
[32] GETZ, Gene A. *A medida de um homem espiritual*, p. 64.
[33] MACDONALD, William. *Believer's Bible commentary*, p. 2.136.

O presbítero não deve ser violento. A palavra grega *plektes* significa literalmente "golpeador". Trata de violência tanto verbal quanto física. O *plektes* é o homem que ameaça e intimida seu semelhante. Aquele, porém, que abandona o amor e recorre à violência em palavras e ações não está preparado para exercer o presbiterato.[34] A Bíblia faz referência a homens que tiveram ímpetos de violência, como Caim, que matou Abel; Moisés, que matou o egípcio; e Pedro, que decepou a orelha de Malco. Essas atitudes são inadequadas na vida de um presbítero. Aquele que governa os outros precisa governar primeiro suas emoções, ações e reações.

O presbítero não deve ser cobiçoso de torpe ganância. A palavra grega *aischorokerdes* descreve a pessoa que não se preocupa com os meios que utiliza para ganhar dinheiro, conquanto que o faça.[35] Uma pessoa gananciosa subscreve a ética jesuítica, de que os fins justificam os meios. Os cretenses eram conhecidos como indivíduos inveteradamente gananciosos. Plutarco, referindo-se a eles, disse que se apegavam ao dinheiro como as abelhas ao mel. Enquanto os falsos mestres ensinam o que não devem por torpe ganância (1.11), os presbíteros precisam ser homens despojados dessa torpe ganância (1.7).

Segundo, *o presbítero deve ser conhecido pelo que ele é e faz* (1.8). Depois de ter falado dos pecados que o presbítero não deve cometer, Paulo alista uma série de virtudes que devem ornar o seu caráter como despenseiro de Deus. William Barclay diz que essas virtudes se agrupam em três seções: as qualidades que o presbítero deve demonstrar ante as outras pessoas, em relação a si mesmo e em relação à igreja.[36]

Vejamos as qualidades que o presbítero deve mostrar diante de outras pessoas.

O presbítero deve ser hospitaleiro. A palavra grega *philoxenos* significa: "amigo das pessoas estrangeiras".[37] No mundo antigo havia muitas pessoas que viajavam, e as pousadas e estalagens eram caras, sujas e

---

[34] BARCLAY, William. *I y II Timoteo, Tito y Filemon*, p. 248.
[35] BARCLAY, William. *I y II Timoteo, Tito y Filemon*, p. 248.
[36] BARCLAY, William. *I y II Timoteo, Tito y Filemon*, p. 248-250.
[37] BARCLAY, William. *I y II Timoteo, Tito y Filemon*, p. 249.

imorais. A hospitalidade era e é uma marca dos filhos de Deus. O presbítero precisa ter o coração, o bolso e a casa abertos não apenas para os irmãos, mas também para os estrangeiros.

A hospitalidade é um distintivo do povo de Deus desde a antiga dispensação (Lv 19.33,34). Na nova dispensação essa virtude foi destacada repetidas vezes: *Seja constante o amor fraternal. Não negligencieis a hospitalidade* (Hb 13.1,2).

O apóstolo Pedro escreveu: *Sede, mutuamente, hospitaleiros, sem murmuração* (1Pe 4.9). Muitos, sem saber, hospedaram anjos. Não apenas nós devemos estar a serviço do Reino de Deus, mas também a nossa casa.

O presbítero deve ser amigo do bem. A palavra grega *philagathos* significa amante ou amigo do bem, das coisas boas ou das pessoas boas.[38] O presbítero precisa ser um homem amante das boas ações. Precisa ver o que existe de melhor nas pessoas. Ele não tem prazer mórbido de falar mal dos outros, mas tem grande deleite em dizer o bem das pessoas. Ele não apenas chora com os que choram, mas também se alegra com os que se alegram.

Vejamos, agora, as qualidades que o presbítero deve ter em relação a si mesmo.

O presbítero deve ser sóbrio. A palavra grega *sophron* descreve o homem que tem domínio completo sobre suas paixões e desejos, o que o impede de ir além do que a lei e a razão lhe permitem e aprovam. Essa virtude era considerada pelos gregos a pedra fundamental da virtude.[39] Carl Spain diz que essa palavra traz a ideia de uma espécie de sabedoria prática que se reflete na aplicação da ética cristã à vida diária com outros.[40]

O presbítero deve ser justo. A palavra grega *dikaios* descreve o homem que concede a Deus e aos homens o que lhes é devido.[41] O presbítero é um homem que não usa dois pesos e duas medidas. Ele não faz acepção de pessoas nem tolera preconceitos. Ele é justo no falar e no agir.

---

[38] BARCLAY, William. *I y II Timoteo, Tito y Filemon*, p. 249.
[39] BARCLAY, William. *I y II Timoteo, Tito y Filemon*, p. 249.
[40] SPAIN, Carl. *Epístolas de Paulo a Timóteo e Tito*, p. 192.
[41] BARCLAY, William. *I y II Timoteo, Tito y Filemon*, p. 249.

O presbítero deve ser piedoso. A palavra grega *hosios* descreve o homem que reverencia a decência fundamental da vida, as coisas que vão além de qualquer lei ou norma feita pelo homem.[42] Deus não usa grandes talentos, mas homens piedosos. Nós somos o método de Deus. Nós estamos à procura de melhores métodos, e Deus está à procura de melhores homens. Deus não unge métodos, unge homens piedosos.

O presbítero deve ter domínio próprio. A palavra grega *egkrates* significa "dono de si mesmo".[43] Descreve a pessoa que tem completo autocontrole. Ninguém está apto para liderar os outros se não tem domínio de si mesmo. Aquele que domina a si mesmo é mais forte do que aquele que domina uma cidade.

Finalmente, vejamos a relação do presbítero com a igreja. Essa relação se evidencia no seu ministério de ensino da Palavra. Esse ponto será esclarecido no tópico seguinte.

Em terceiro lugar, **o presbítero precisa ser irrepreensível como mestre da Palavra** (1.9). O presbítero precisa ser um homem íntegro na sua relação com a família, com o próximo e com as Escrituras. Deve ser um obreiro aprovado e manejar bem a Palavra da verdade. Paulo menciona aqui três coisas importantes:

O presbítero precisa demonstrar fidelidade doutrinária. O presbítero precisa ser [...] *apegado à palavra fiel, que é segundo a doutrina...* (1.9). O presbítero não pode ser um neófito (1Tm 3.6); deve ser um mestre na Palavra. Ele precisa ser um estudioso das Escrituras. Ele precisa afadigar-se na Palavra (1Tm 5.17). Paulo diz que os presbíteros têm dois ministérios com respeito à Palavra de Deus: 1) edificar a igreja pela sã doutrina; 2) rejeitar os falsos mestres que espalham doutrinas perniciosas.[44]

O presbítero precisa demonstrar capacidade para o ensino. Paulo prossegue: [...] *de modo que tenha poder* [...] *para exortar pelo reto ensino...* (1.9). O poder para exortar não vem da força, das técnicas da psicologia nem mesmo do ofício que o presbítero ocupa, mas do conhecimento da

---

[42]BARCLAY, William. *I y II Timoteo, Tito y Filemon*, p. 249.
[43]BARCLAY, William. *I y II Timoteo, Tito y Filemon*, p. 249.
[44]WIERSBE, Warren W. *Comentário bíblico expositivo*, p. 339.

verdade para aplicar corretamente as Escrituras. A exortação não é fruto de capricho ou opinião pessoal do presbítero, mas do reto ensino das Escrituras. Sua exortação está fundamentada no reto ensino da verdade.

O presbítero precisa demonstrar habilidade na apologética. Paulo diz que o presbítero precisa ter [...] *poder* [...] *para convencer os que o contradizem* (1.9). Somente um indivíduo que tem destreza na verdade pode confrontar os falsos mestres, combater os falsos ensinos e convencer aqueles que contradizem a Palavra de Deus.

John Stott está correto quando diz que refutar não é apenas contradizer os oponentes, mas vencê-los pela argumentação.[45] O presbítero precisa ser um estudioso das Escrituras para distinguir o falso do verdadeiro e o precioso do vil.

As características dos falsos mestres,
os lobos que devoram o rebanho (1.10-16)

Depois de falar dos atributos dos verdadeiros mestres, Paulo passa a descrever as características dos falsos mestres.

John Stott, comentando esse texto, pontua quatro características desses falsos mestres.[46] Vamos aqui considerá-las.

Em primeiro lugar, *a identidade dos falsos mestres* (1.10). Havia muitos falsos mestres, especialmente os da circuncisão, ou seja, os judaizantes. Paulo menciona duas facetas desses falsos mestres.

Eles eram insubordinados (1.10). Os falsos mestres eram rebeldes e falastrões. Enquanto os presbíteros se colocavam debaixo da autoridade das Escrituras, eles se insurgiam contra ela e faziam isso com palavras insolentes e vazias. Essa palavra era usada para descrever soldados infiéis que se negavam a obedecer às ordens de seus comandantes. Os falsos mestres de igual forma se negavam a obedecer à sã doutrina e à liderança constituída da igreja.[47]

Eles eram enganadores (1.10). A vida deles era errada e a doutrina deles era falsa. Sua palavra não apenas deixava de edificar; ela de fato

---

[45] STOTT, John. *A mensagem de 1Timóteo e Tito*, p. 182.
[46] STOTT, John. *A mensagem de 1Timóteo e Tito*, p. 184-189.
[47] BARCLAY, William. *I y II Timoteo, Tito y Filemon*, p. 251.

levava ao erro.⁴⁸ Em vez de levar os homens à verdade, esses falsos mestres os faziam afastar-se dela. Em vez de firmar as pessoas na fé, os desviavam dela. Os judaizantes negavam a eficácia do sacrifício de Cristo na cruz e a suficiência da graça para a salvação e exigiam a necessidade da observância de ritos judaicos para a pessoa ser salva.

Em segundo lugar, *a influência dos falsos mestres* (1.11). Três fatos devem ser aqui destacados:

Eles eram proselitistas quanto ao ensino (1.11). Esses falsos mestres eram itinerantes que saíam de casa em casa espalhando o veneno letal de sua falsa doutrina, tentando enredar os novos convertidos com seu falacioso e enganoso ensino. O ensino desses falsos mestres era fundamentalmente transtornador em vez de ser transformador. Eles não buscavam os pagãos nem queriam fazer discípulos entre os que viviam perdidos na mais tosca imoralidade, mas iam atrás daqueles que haviam abraçado a fé cristã para desviá-los da sã doutrina. Ainda hoje as seitas heréticas seguem a mesma trilha.

Eles eram corruptores quanto à moral (1.11). Pervertiam casas inteiras. Sua influência era corruptora. Eles tinham má influência sobre a vida familiar. Como naquele tempo as igrejas se reuniam nas casas, eles pervertiam não apenas famílias inteiras, mas solapavam as igrejas com seu veneno mortífero. A doutrina deles produzia perversão, e não santidade; escravidão, e não liberdade; morte, e não vida.

Eles eram gananciosos quanto à motivação (1.11). Andavam de casa em casa, ensinando suas heresias, interessados não na vida espiritual das pessoas, mas no seu dinheiro. Esses falsos mestres não ministravam à igreja; usavam a religião para encher o próprio bolso. O vetor desses falsos mestres era o dinheiro e o lucro. Os falsos mestres não eram movidos pelo desejo de servir a Deus ou ao próximo. Eles buscavam avidamente os "lucros sórdidos".⁴⁹ Não eram pastores do rebanho, mas lobos que procuravam devorar as ovelhas.

A ordem de Paulo é que esses falsos mestres precisavam ser silenciados. *É preciso fazê-los calar...* (1.11). Esse era um termo extremamente

---

⁴⁸STOTT, John. *A mensagem de 1Timóteo e Tito*, p. 184.
⁴⁹KELLY, J. N. D. *I e II Timóteo e Tito*, p. 213.

forte, cujo sentido refere-se a um tipo de mordaça usada para manter fechada a boca de cães ferozes.[50]

Corroborando com essa ideia, Kelly afirma que o verbo grego *epistomazein* significa colocar uma mordaça, e não simplesmente um freio, na boca de um animal.[51] Calvino diz que um bom presbítero (pastor) deve estar alerta para não permitir mediante seu silêncio que as doutrinas enganosas e prejudiciais avancem gradualmente, nem que os homens perversos tenham oportunidade de propagá-las.[52]

Em terceiro lugar, *o caráter dos falsos mestres* (1.12,13). Paulo, citando Epimênides[53] de Cnosso, um poeta, mestre religioso e taumaturgo cretense do século 6 a.C., traça um perfil dos falsos mestres, falando sobre três características de seu pervertido caráter.

Eles eram mentirosos (1.12). Não apenas estavam desprovidos da verdade, mas eram embaixadores da mentira. Esse conceito predominava tanto que o verbo "cretizar" era uma palavra da gíria para "mentir" ou "enganar".[54] Como o diabo é o pai da mentira, esses falsos mestres estavam a serviço do diabo, e não a serviço de Deus. Eles eram embaixadores do engano, e não da verdade. Eles eram agentes da morte, e não promotores da vida.

Eles eram violentos (1.12). Os cretenses não eram apenas mentirosos, mas também violentos. Eram "feras terríveis". Eram truculentos em palavras e atitudes.

Eles eram glutões preguiçosos (1.12). Os cretenses não eram dados ao trabalho. Eram glutões e preguiçosos. Viviam para o prazer imediato. Eram hedonistas inveterados. William MacDonald diz que os cretenses eram alérgicos ao trabalho e viciados em glutonaria.[55]

Em quarto lugar, *os erros dos falsos mestres* (1.14-16). Paulo menciona três erros graves que caracterizavam os falsos mestres.

---

[50] *Notas de Tito 1.11 do Novo Testamento King James*. São Caetano do Sul: SRG, 2007, p. 511.
[51] KELLY, J. N. D. *I e II Timóteo e Tito*, p. 212,213.
[52] CALVINO, Juan. *Comentarios a las epístolas pastorales de San Pablo*, p. 344.
[53] RICHARDSON, Don. *O fator Melquisedeque*. São Paulo: Vida Nova, 1986, p. 19.
[54] KELLY, J. N. D. *I e II Timóteo e Tito*, p. 213.
[55] MACDONALD, William. *Believer's Bible commentary*, p. 2.138.

Eles eram legalistas quanto à teologia (1.13b,14). Davam muita importância aos mandamentos, regras e preceitos fabricados por homens em vez de serem fiéis à Palavra de Deus. Kelly diz que é razoavelmente certo que o que Paulo tem em mente são exigências judeu-ascéticas (proibição do casamento e o repúdio a certos alimentos) tais quais estão subentendidos em 1Timóteo 4.3-6.[56]

O profeta Isaías havia alertado para esse pecado (Is 29.13). Jesus também denunciou esse mesmo erro nos fariseus, dizendo que [...] *não é o que entra pela boca o que contamina o homem, mas o que sai da boca, isto, sim, contamina o homem* (Mt 15.11; Mc 7.15). Assim, esses falsos mestres adoravam a Deus em vão, ensinando doutrinas que são preceitos de homens (Mc 7.7,8).

Paulo, igualmente, pontuou esse mesmo pecado em sua carta aos Colossenses (Cl 2.22) e aos romanos (Rm 14.20). Os falsos mestres criavam longas listas de pecados. Era pecado tocar nisto ou naquilo; era pecado comer esta ou aquela comida. As coisas que eram boas em si mesmas eles as transformavam em coisas contaminadas e impuras.

Eles eram corrompidos quanto ao julgamento (1.15). William MacDonald diz que, se nós pegarmos as palavras "para os puros todas as coisas são puras" fora do contexto, como uma verdade absoluta em todas as áreas da vida, estaremos encrencados. Todas as coisas não são essencialmente puras, mesmo para aqueles que têm a mente pura.

Muitas pessoas têm inescrupulosamente usado esse texto para justificar comportamentos reprováveis, vendo, ouvindo e manuseando coisas vergonhosas. Essas pessoas deturpam as Escrituras para a própria ruína (2Pe 3.16).[57]

Nessa mesma linha de pensamento William Hendriksen orienta que a expressão "todas as coisas" deve ser entendida no seu contexto, ou seja, tudo o que Deus criou para ser consumido como alimento (1Tm 4.3-5). Não é a coisa impura que faz o homem ser impuro, como equivocadamente sustentavam os judeus (Jo 18.28), mas são os homens impuros os que fazem com que todo o puro seja impuro (Ag 2.13).[58]

---

[56] KELLY, J. N. D. *I e II Timóteo e Tito*, p. 215.
[57] MACDONALD, William. *Believer's Bible commentary*, p. 2.138.
[58] HENDRIKSEN, William. *1 e 2 Timoteo y Tito*, p. 404.

Os falsos mestres davam mais valor à pureza aparente e ritual do que à pureza interior e moral. Eles proibiam o que Deus aprovava. Porque viviam atolados na impureza, julgavam tudo como impuro. Refletiam a si mesmos em tudo o que viam. William Barclay está correto quando diz que, se alguém é puro em seu coração, todas as coisas são puras para ele. Se o coração é impuro, torna impuro tudo o que pensa, fala ou toca.[59] A pessoa que tem a mente suja faz com que todas as coisas sejam sujas.

Concordo com a advertência de Warren Wiersbe de que o cristão que se entrega a práticas eróticas pecaminosas e diz que são puras porque seu coração é puro usa a Palavra de Deus como desculpa para pecar. Pelo contexto, sabemos que Paulo aplica essa declaração aos alimentos e devemos ter cuidado para não generalizar.[60]

Eles eram inconsistentes quanto ao testemunho (1.16). Visto que os hereges cretenses eram judaizantes, é possível que o apóstolo Paulo esteja criticando a pressuposição complacente de que eles eram uma elite com um conhecimento privilegiado de Deus.[61] Havia separação e dicotomia entre sua teologia e sua vida, entre a doutrina e o dever, entre a confissão e a prática. Seu conhecimento não produzia mudança no seu caráter. Diziam conhecer a Deus, mas negavam a Deus na sua conduta.

John Stott declara acertadamente que não podemos afirmar aquilo que negamos, nem negar o que afirmamos. Fazer isso é, no mínimo, a essência da hipocrisia, porque desse modo professamos Deus com palavras e O negamos com nossos atos. Isso é um ritual desprovido de realidade; é ter aparência sem poder; declarações sem caráter; fé sem obras.[62]

Paulo diz que o resultado dessa inconsistência é a abominação. A palavra grega *bdeluktos*, "abominável", é utilizada particularmente para referir-se aos ídolos e às imagens pagãs. Há algo de repulsivo na pessoa com uma mente hipócrita e obscena.[63] Kelly diz que essa palavra

---

[59] Barclay, William. *I y II Timoteo, Tito y Filemon*, p. 255.
[60] Wiersbe, Warren W. *Comentário bíblico expositivo*, p. 341.
[61] Kelly, J. N. D. *I e II Timóteo e Tito*, p. 215.
[62] Stott, John. *A mensagem de 1Timóteo e Tito*, p. 187.
[63] Barclay, William. *I y II Timoteo, Tito y Filemon*, p. 256.

denota o que causa horror e nojo a Deus.⁶⁴ Essas pessoas hipócritas são abomináveis para Deus. São desobedientes e reprovadas para toda boa obra.

A palavra grega *adokimos*, "reprovado", descreve uma moeda falsificada. É utilizada para descrever um soldado covarde que foge na hora da luta. É usada para descrever um indivíduo inútil e sem valor. É a palavra usada para descrever uma pedra defeituosa que os construtores rejeitavam.

Quando uma pessoa tem uma mente impura e uma vida inconsistente, sua vida não é útil para Deus nem para o seu semelhante.⁶⁵ Sua religião não passa de um embuste. John Stott está coberto de razão quando enfatiza: "A verdadeira religião é divina em sua origem, espiritual em sua essência e moral em seus efeitos".⁶⁶

A mensagem precisa ser uma ponte entre o texto antigo e o leitor contemporâneo. Sendo assim, o que poderíamos aprender com o texto em tela? Destacamos dois pontos axiais.

A igreja não pode ficar na defensiva, mas precisa ser proativa. Diante da multiplicação dos falsos mestres e da disseminação de suas heresias nas igrejas, Paulo não ficou silencioso nem inerte, mas trabalhou no sentido de multiplicar os verdadeiros mestres, elegendo presbíteros sãos na fé e irrepreensíveis na conduta para ensinarem a verdade. Só podemos combater o erro com a verdade. Só podemos neutralizar as trevas com a luz. Aqueles que andam no erro precisam ser convencidos pela verdade (1.9), precisam ser silenciados (1.11) e repreendidos severamente [...] *para que sejam sadios na fé* (1.13).

A igreja precisa velar pelas suas instituições de ensino. Não poderia expressar esse ponto melhor do que John Stott. Acompanhe suas palavras:

A principal instituição da igreja é o seminário ou faculdade teológica. Em cada país, a igreja reflete o que são seus seminários. Todos os futuros pastores e mestres da igreja passam pelo seminário. É ali que

---

⁶⁴Kelly, J. N. D. *I e II Timóteo e Tito*, p. 216.
⁶⁵Barclay, William. *I y II Timoteo, Tito y Filemon*, p. 257.
⁶⁶Stott, John. *A mensagem de 1Timóteo e Tito*, p. 187.

eles se formam ou "se estragam", é ali que recebem toda a sua bagagem para a vida ministerial e são inspirados, ou são afetados negativamente. Portanto, importa que os seminários de todo o mundo se firmem na fé evangélica, tenham um nível acadêmico excelente e se pautem pela piedade pessoal. Não há melhor estratégia do que essa para a reforma e a renovação da igreja.[67]

---

[67] STOTT, John. *A mensagem de 1Timóteo e Tito*, p. 188.

3

Como aplicar a **doutrina** na vida familiar

Tito 2.1-10

PAULO CONTRASTA OS FALSOS MESTRES (1.11-16), com o verdadeiro mestre (2.1). A expressão grega *sy de*, "Tu, porém",[1] destaca que Tito deveria se distinguir dos falsos mestres tanto na doutrina quanto na conduta, tanto na teologia quanto na ética.

Os falsos mestres não viviam o que pregavam. Havia um abismo entre o que eles falavam e o que eles faziam. Tito deveria agir de forma diametralmente oposta aos falsos mestres. John Stott diz que não poderia haver contradição entre a teologia e a ética de Tito. Não poderia existir dicotomia entre o seu ensino e o seu comportamento.[2]

Concordo com Kelly quando diz que Paulo é absolutamente prático nessa passagem, mas não oculta sua convicção de que a base do bom comportamento é a crença correta.[3]

Nesse capítulo 2, Paulo se volta para a supervisão pastoral das comunidades cretenses, direcionando suas exortações a grupos selecionados por idade, sexo e posição social. Ao requerer de cada um dos

---

[1] Esta expressão *tu, porém* ocorre cinco vezes nas cartas pastorais (Tt 2.1; 1Tm 6.11; 2Tm 3.10,14; 4.5).
[2] STOTT, John. *A mensagem de 1Timóteo e Tito*, p. 190.
[3] KELLY, J. N. D. *I e II Timóteo e Tito: Introdução e comentário*, p. 216.

grupos um alto padrão de conduta, demonstra sua preocupação tanto com a boa reputação da igreja quanto com o avanço do evangelho num ambiente de moralidade duvidosa.[4] Em vez de os crentes negarem a fé em Deus agindo como os falsos mestres, deveriam professá-la por meio da conduta.[5]

Destacamos quatro pontos absolutamente relevantes, à guisa de introdução.

Em primeiro lugar, *a melhor maneira de combater a heresia é ensinar a verdade*. *Tu, porém, fala o que convém à sã doutrina* (2.1). A sã doutrina tem a ver com a totalidade dos ensinamentos dados por Deus à igreja, por meio de Sua Palavra revelada.

John Stott diz que a palavra *hygiainouse*, "sã", significa "estar saudável; ser íntegra". Essa palavra é com frequência usada nos evangelhos com respeito a pessoas que, tendo sido curadas de algum defeito físico ou de uma incapacidade, agora estão "totalmente sadias", com todos os seus órgãos e faculdades funcionando normalmente.[6] Stott ainda esclarece:

> A doutrina cristã é saudável do mesmo modo que o corpo humano é saudável, pois a doutrina cristã assemelha-se ao corpo humano. É um bem ordenado sistema contendo diferentes partes que se relacionam entre si e que, juntas, constituem um harmonioso conjunto. Portanto, se a nossa teologia está mutilada (faltando nela algumas partes) ou enferma (com partes contaminadas), então ela não está "sã", não está "saudável". O que Paulo quer dizer com a expressão "sã doutrina" é, então, o que em outra parte ele se referiu como "todo o desígnio de Deus", a plenitude da revelação divina.[7]

Não basta à igreja assumir um papel crítico e denunciar as heresias dos falsos mestres e seu desvio de caráter; é preciso, sobretudo, proclamar a verdade. Combate-se o fogo estranho com o fogo verdadeiro. Combate-se a heterodoxia com a ortodoxia. Combate-se a heresia com

---

[4]KELLY, J. N. D. *I e II Timóteo e Tito: Introdução e comentário*, p. 216.
[5]BURKI, Hans. *Carta aos Tessalonicenses, Timóteo, Tito e Filemom*, p. 404.
[6]STOTT, John. *A mensagem de 1Timóteo e Tito*, p. 190.
[7]STOTT, John. *A mensagem de 1Timóteo e Tito*, p. 191.

a verdade. Em vez de Tito apenas ficar na retranca e na defesa contra os falsos mestres, deveria partir para o ataque, proclamando a sã doutrina.

Muitos mestres da verdade perdem o foco ao gastar todo o tempo e energia combatendo o erro e denunciando as peripécias tresloucadas dos falsos mestres. Porém, são remissos em anunciar a sã doutrina. Certa feita, alguém perguntou a um alto funcionário de um grande banco, especialista em identificar notas falsas, qual era o seu critério para identificá-las. Ele respondeu: "Eu não sou um especialista em notas falsas; sou um especialista em notas verdadeiras. Eu as estudo cuidadosamente. Assim, identifico as falsas". Quando conhecemos, vivemos e anunciamos a sã doutrina, desmascaramos a falsa doutrina ao mesmo tempo que a combatemos.

Em segundo lugar, *a melhor maneira de reprovar a vida desregrada é viver de modo irrepreensível* (2.7). É importante ressaltar que Tito deveria falar o que convém à sã doutrina, ou seja, as práticas que dela decorrem (2.1). John Stott está coberto de razão quando afirma que há um elo indestrutível que liga a doutrina cristã com as práticas cristãs, a teologia com a ética.[8] Calvino chega a afirmar que a "sã doutrina" consiste em duas partes. A primeira é a que magnifica a graça de Deus em Cristo, da qual podemos aprender onde buscar nossa salvação; e a segunda é aquela por meio da qual a vida se exercita no temor de Deus, e na conduta cristã.[9]

Tito estava em Creta não apenas para ensinar a sã doutrina, mas para ser um modelo de vida irrepreensível. As pessoas egressas de um paganismo tosco, imaturas na fé e ainda encurraladas por falsos mestres precisavam de ensino verdadeiro e de exemplo irrepreensível. Tito deveria imprimir na vida das pessoas as marcas de uma vida santa, justa e piedosa.

Em terceiro lugar, *doutrina e vida precisam sempre andar de mãos dadas* (2.7). Tito deveria ser modelo de boas obras e também mostrar integridade no ensino. A verdade produz integridade. Teologia e vida andam juntas. Doutrina e dever caminham lado a lado. Ortodoxia e piedade são

---

[8] STOTT, John. *A mensagem de 1Timóteo e Tito*, p. 191.
[9] CALVINO, Juan. *Comentarios a las epístolas pastorales de San Pablo*, p. 358.

inseparáveis. A doutrina desemboca no dever. A teologia é mãe da ética. A vida é consequência da fé. Assim como um homem crê, assim ele é.

Não é possível ter vida santa sem doutrina pura. Não é possível ter piedade sem ortodoxia. Não é possível desprezar a verdade e viver uma vida agradável a Deus. Sempre que a igreja separou a doutrina da vida, os resultados foram desastrosos. Ortodoxia sem vida é ortodoxia morta, e ortodoxia morta mata. Não há nada mais escandaloso do que alguém professar uma coisa e viver outra; ser exigente com os outros e indulgente consigo mesmo.

Em quarto lugar, *a sã doutrina precisa moldar a vida familiar em todos os seus aspectos* (2.2-10). Paulo ordena a aplicação da doutrina a vários segmentos da família, classificando-a por gênero, idade e posição social. Idosos e jovens, solteiros e casados, líderes e servos, devem viver de acordo com a sã doutrina, ornando assim a doutrina de Deus (2.5,10).

Os preceitos de Deus para os **homens idosos** (2.2)

Os homens idosos são citados primeiro, porque deveriam ser os pioneiros a aplicar a sã doutrina. A vida deles deveria recomendar a doutrina que professavam. Glenn Gould diz corretamente que o evangelho de Cristo tem de mudar a maneira de as pessoas pensar e dar frutos em uma vida transformada. Era essa transformação poderosa que tornava a Igreja primitiva invencível. Como foi que a igreja derrotou o paganismo fortificado do Império Romano? A resposta é que os cristãos sobrepujavam os pagãos na vida, na morte e nos conceitos.[10] Os homens idosos deveriam demonstrar quatro virtudes cardeais:

Em primeiro lugar, *deveriam ter domínio próprio*. *Quanto aos homens idosos, que sejam temperantes...* (2.2). Essa palavra tem a ver com o domínio do vinho. A palavra grega *nephalios* significa literalmente sóbrio em contraposição a ser muito indulgente com o vinho.[11] Trata-se de uma pessoa que tem seus apetites sob controle. A falta de disciplina e de limites em qualquer área da vida e o uso imoderado do vinho causavam

---

[10] GOULD, J. Glenn. *As epístolas pastorais* in *Comentário bíblico Beacon*, p. 552.
[11] BARCLAY, William. *I y II Timoteo, Tito y Filemon*, p. 257,258.

muitos transtornos na comunidade cristã da ilha de Creta. Concordo com William Barclay quando diz que os prazeres desenfreados custam muito mais do que valem.[12]

Em segundo lugar, **deveriam ter reputação aprovada**. *Quanto aos homens idosos que sejam [...] respeitáveis...* (2.2). Trata-se de uma pessoa que tem vida ilibada, caráter impoluto, bom testemunho dos de fora. É uma pessoa que não tem brechas no escudo da sua fé. Alguém que não pode ser acusado de escândalo.

A palavra grega aqui é *semnos*, cujo significado é "comportamento solene e austero". Não se trata daquela pessoa que nunca sorri, mas daquela pessoa que vive à luz da eternidade, sabendo que Deus nos acompanha com o seu olhar.[13] Não podemos confundir seriedade com carranca.

Em terceiro lugar, **deveriam ter equilíbrio nas atitudes**. *Quanto aos homens idosos que sejam [...] sensatos...* (2.2). Trata-se daquela pessoa que mede suas palavras, seus gestos, suas ações e suas reações. A palavra grega aqui é *sophron* e descreve o homem que vive sob controle, que sabe governar cada instinto e paixão.[14]

Em quarto lugar, **deveriam ter maturidade espiritual**. *Quanto aos homens idosos que sejam [...] sadios na fé, no amor e na constância* (2.2). Fé, amor e esperança são a trilogia neotestamentária da maturidade cristã. Hans Burki diz que a tríade de fé, amor e esperança sintetiza o mais íntimo cerne daquilo que o evangelho significa.[15] A maturidade cristã tem a ver com a teologia que abraçamos, com o nosso relacionamento com Deus e com os irmãos e, também, com a maneira que nos comportamos diante das pressões da vida.

Os preceitos de Deus para as **mulheres idosas** (2.3,4)

Quanto às mulheres idosas, semelhantemente... A palavra "semelhantemente" acentua que as virtudes elencadas no versículo anterior devem

---

[12]BARCLAY, William. *I y II Timoteo, Tito y Filemon*, p. 258.
[13]BARCLAY, William. *I y II Timoteo, Tito y Filemon*, p. 258.
[14]BARCLAY, William. *I y II Timoteo, Tito y Filemon*, p. 258.
[15]BURKI, Hans. *Carta aos Tessalonicenses, Timóteo, Tito e Filemom*, p. 405.

ser observadas também pelas mulheres idosas. Paulo destaca duas coisas importantes que devem caracterizar as mulheres idosas.

Em primeiro lugar, **elas devem ser cuidadosas quanto à maneira de viver** (2.3a). Paulo escreve: *Que sejam sérias em seu proceder, não caluniadoras, não escravizadas a muito vinho...* (2.3a). Quanto ao aspecto positivo as mulheres idosas devem ter um procedimento irretocável, exemplar. A idade avançada nos torna mais responsáveis.

Quanto ao aspecto negativo, as mulheres idosas devem evitar dois sérios pecados:

O pecado da maledicência. A palavra grega usada para descrever "caluniadoras" é *diabolos*. O diabo é o patrono das pessoas que se entregam à calúnia, à fofoca e à maledicência. William MacDonald diz que a palavra grega *diabolos* é um termo apropriado, uma vez que a maledicência é diabólica em sua fonte e caráter.[16] As mulheres idosas não devem falar mal pelas costas nem ser boateiras. Nada é mais pernicioso para a vida da igreja do que o pecado da língua. Tiago diz que a língua é fogo e veneno. A língua fere, destrói e mata (Tg 3.1-11). Salomão diz que *a morte e a vida estão no poder da língua* (Pv 18.21). Podemos matar ou dar vida a um relacionamento dependendo da maneira pela qual nos comunicamos.

O pecado da embriaguez. A embriaguez é um vício degradante em todas as pessoas, mas quando mulheres que deveriam ser exemplo de conduta capitulam-se à embriaguez, isso se constitui num terrível escândalo.

Em segundo lugar, **elas devem ser cuidadosas quanto à maneira de ensinar** (2.3b,4). Paulo conclui: [...] *sejam mestras do bem, a fim de instruírem as jovens recém-casadas a amarem seus maridos e a seus filhos* (2.3b,4). As mulheres idosas deveriam não apenas praticar o bem, mas ser mestras do bem. Deveriam não apenas ser exemplo, mas também instruir as jovens recém-casadas a amar seus maridos e filhos. Esse ensino desenrola-se na dinâmica da vida. John Stott tem razão ao alertar que há grande necessidade, em toda congregação, do ministério de mulheres maduras e piedosas.[17] Concordo com Warren Wiersbe

---

[16] MacDonald, William. *Believer's Bible Commentary*, p. 2.139.
[17] Stott, John. *A mensagem de 1Timóteo e Tito*, p. 193.

quando diz que a igreja precisa tanto dos mais velhos quanto dos mais jovens, e uns devem ministrar aos outros.[18]

A palavra grega usada aqui é *kalodidaskalous*, que significa "mestre do bem, professor de boas coisas". A palavra não se refere à instrução formal, mas, sim, ao conselho e encorajamento que elas podem dar em particular, pela palavra e exemplo.[19] Não se trata aqui de um ensino formal, mas de pedagogia que se desenvolve na urdidura da vida.

É importante destacar que a instrução só pode acontecer onde existe comunicação e comunhão. É preciso construir pontes de comunicação entre os idosos e os jovens. O conflito de gerações precisa ser resolvido antes que a instrução logre êxito.

Os preceitos de Deus para as **mulheres jovens** (2.4b,5)

As mulheres jovens recebem seis instruções importantes das mulheres mais idosas. Na igreja deve haver espaço tanto para o ensino formal quanto para o informal. Tanto homens quanto mulheres desempenham esse papel fundamental. Que instruções as jovens recém-casadas deveriam receber?

Em primeiro lugar, ***deveriam amar o marido e os filhos*** (2.4b). Paulo deu várias instruções para o marido amar a esposa da mesma forma que Cristo ama a igreja (Ef 5.25-33; Cl 3.19). Em todas as ocasiões, a palavra grega usada é *ágape*, o amor incondicional, sacrificial. Porém, quando a Bíblia fala que a mulher deve amar o marido e os filhos, usa o amor *philéo*. As palavras *philandros* e *philoteknos* indicam que as mulheres jovens devem ser amorosas com o marido e filhos respectivamente. As jovens recém-casadas não devem negligenciar o marido e os filhos por nenhuma razão.

Albert Barnes está correto quando diz que toda a felicidade conjugal está baseada no amor mútuo. Nenhuma riqueza ou luxo, nenhuma habitação esplendorosa ou conforto, nenhuma posição social ou

---

[18] WIERSBE, Warren W. *Comentário bíblico expositivo*, p. 343.
[19] KELLY, J. N. D. *I e II Timóteo e Tito: Introdução e comentário*, p. 217; Rienecker, Fritz; ROGERS, Cleon. *Chave linguística do Novo Testamento Grego*, p. 484.

prazer especial pode ser compensação pela falta de amor no casamento. Quando esse amor reina, até mesmo o casebre mais humilde pode ser o palco da felicidade mais sublime.[20]

Em segundo lugar, **deveriam ser sensatas** (2.5). A palavra grega *sophronas* descreve uma pessoa que tem domínio próprio, autocontrole. É a pessoa que domina suas paixões em vez de ser dominada por elas. É a pessoa que está com o leme da vida em suas mãos e não alguém desgovernado nos mares revoltos da vida.

Em terceiro lugar, **deveriam ser honestas** (2.5). A palavra grega *hagnos* descreve aqui a pureza moral no matrimônio. As mulheres deveriam ser "puras de mente e coração".[21] Elas deveriam fechar todas as janelas da tentação e do desejo proibido. Deveriam fugir de toda circunstância perigosa. Cresce espantosamente na cultura ocidental a infidelidade conjugal. Muitos cônjuges contemporâneos abrem todas as cortinas da alma para nelas entrar o clarão dos desejos ilícitos. Abastecem a mente com coisas impuras. Navegam nas águas turvas dos *sites* perniciosos. Entabulam longas conversas virtuais com estranhos e fecham os canais de comunicação dentro do próprio lar.

Em quarto lugar, **deveriam ser boas donas de casa** (2.5). A palavra grega *oikourgos*, traduzida por "boas donas de casa", significa literalmente "trabalhando em casa".[22] Paulo está combatendo aqui aquele estilo de vida ocioso de algumas mulheres que viviam andando de casa em casa, adotando um estilo de vida fútil (1Tm 5.13).

John Stott é da opinião que não seria legítimo tomar esse versículo como base para estabelecer a condição de permanecer em casa como um estereótipo para todas as mulheres, ou para proibir as esposas de terem uma atividade profissional. O que de fato é afirmado é que a mulher que aceita a vocação do casamento e tem marido e filhos deve amá-los, e não negligenciá-los. Assim, Paulo está se opondo não a que a mulher tenha uma profissão, mas ao fato tão corriqueiro de se tornar ociosa e ficar indo de casa em casa.[23]

---

[20] BARNES, Albert. *Barnes' Notes on the Old & New Testaments*, p. 275.
[21] WIERSBE, Warren W. *Comentário bíblico expositivo*, p. 345.
[22] KELLY, J. N. D. *I e II Timóteo e Tito: Introdução e comentário*, p. 218.
[23] STOTT, John. *A mensagem de 1Timóteo e Tito*, p. 194.

Hoje, o contexto é outro. Há muitas mulheres que negligenciam o marido, os filhos, a casa e desperdiçam seu precioso tempo andando de loja em loja, comprando o que não precisam, com o dinheiro que não têm, para impressionar pessoas que não conhecem.

Em quinto lugar, ***deveriam ser bondosas*** (2.5). A bondade é atitude de investir o melhor da vida na vida dos outros. O único homem que é chamado de "bom" na Bíblia é Barnabé (At 11.24). A marca desse homem foi investir na vida daqueles que haviam sido rejeitados. Ele investiu na vida de Saulo depois que foi rejeitado em Jerusalém pelos discípulos (At 9.26,27) e na vida de João Marcos, depois que Paulo se recusou a aceitá-lo na caravana da segunda viagem missionária (At 15.36-39).

Em sexto lugar, ***deveriam ser sujeitas ao marido*** (2.5). A submissão é uma palavra extremamente distorcida e desgastada atualmente. Há muitos maridos que se valem dessa ordem paulina para oprimirem sua mulher. Entretanto, há muitas mulheres que sentem urticária ao ouvir que precisam se sujeitar a seu marido. Há aqueles que ainda pensam que a sujeição da mulher a seu marido implica inferioridade daquela a este. Isso é um engano. Assim como Deus, o Filho, não é inferior a Deus, o Pai; assim também, a mulher não é inferior ao marido (1Co 11.3).

Hans Burki está correto quando diz que não se trata aqui de uma subserviente e dócil rendição a tudo o que o marido exige. Ela administrará o lar com bondade e em concordância com a vontade do marido, não sem ele nem contra ele. A liberdade e a igualdade da mulher não contradizem a subordinação ao marido, desde que essa subordinação aconteça de forma espontânea, e não segundo as concepções das fantasias masculinas de superioridade, nem de sua cobiça por dominação.[24]

O marido sábio permite que a esposa administre o lar, pois esse é o ministério dela. Apesar de a esposa ser a "dona da casa", o marido é o líder do lar, de modo que a esposa deve ser obediente. Mas onde existe amor, a obediência não é dolorosa.[25] O projeto de Deus no casamento não é a dominação do superior sobre o inferior, mas igualdade sexual com complementaridade.

---

[24]BURKI, Hans. *Carta aos Tessalonicenses, Timóteo, Tito e Filemom*, p. 407,408.
[25]WIERSBE, Warren W. *Comentário bíblico expositivo*, p. 344.

Qual motivação deveria regular a conduta da mulher crente? O vetor principal a nortear-lhe a postura é "para que a Palavra de Deus não seja difamada". A insubmissão da esposa ao marido seria um escândalo para o evangelho. A nossa vida é uma ponte ou uma muralha; aproxima as pessoas de Deus ou as afasta. Kelly está com a razão quando diz que o mundo imediatamente culpará o próprio evangelho por qualquer conduta da parte dos fiéis que seja chocante às susceptibilidades contemporâneas.[26]

Os preceitos de Deus para os **jovens** (2.6)

Quanto aos moços, de igual modo, exorta-os para que, em todas as coisas, sejam criteriosos (2.6). Os jovens devem ser exortados a serem criteriosos em tudo. O próprio Tito deveria se encarregar desse trabalho de encorajar os jovens a viver um alto padrão. Juventude não é sinônimo de imaturidade. O padrão para os jovens não é inferior nem eles estão isentos da responsabilidade de viver de forma cuidadosa em todas as áreas da vida (1Tm 4.12).

L. Bonnet está correto quando diz que os jovens devem provar pela sua vida que estão debaixo da disciplina do Espírito e que dominam a carne. Se lhes faltar essa virtude, todas as obras cristãs que vierem a realizar serão desprovidas de valor.[27]

A palavra grega usada por Paulo é novamente *sophron*, autodisciplina, autodomínio, autocontrole. Segundo Stott, Paulo está pensando no controle de temperamento e da língua, da ambição e da avareza, e especialmente dos apetites carnais, inclusive compulsões sexuais, de modo que o jovem cristão permaneça dentro do imutável padrão cristão de castidade antes do casamento e de fidelidade depois dele.[28]

José do Egito se manteve puro mesmo quando a mulher de Potifar o abordou, e isso ocorreu várias vezes. Ele preferiu ser preso numa masmorra e manter sua consciência livre e pura a viver em liberdade, mas

---

[26] KELLY, J. N. D. *I e II Timóteo e Tito: Introdução e comentário*, p. 219.
[27] BONNET, L; SCHROEDER, A. *Comentario del Nuevo Testamento*, p. 748.
[28] STOTT, John. *A mensagem de 1Timóteo e Tito*, p. 195.

prisioneiro do pecado. A mais sombria de todas as masmorras é a prisão da culpa. Não há remédio humano que possa aliviar a dor da culpa. José preferiu ser um prisioneiro livre a ser um livre prisioneiro.

O profeta Daniel resolveu firmemente no seu coração não se contaminar, mesmo quando ainda era um adolescente. Os dois, José e Daniel, só puderam liderar eficazmente outras pessoas porque antes dominaram a si mesmos. Ninguém pode servir a outros até que tenha dominado a si mesmo. A Bíblia diz que melhor é [...] *o que domina o seu espírito, do que o que toma uma cidade* (Pv 16.32).

Os preceitos de Deus para **Tito** (2.7,8)

Vejamos as ordenanças de Paulo a Tito:

> *Torna-te, pessoalmente, padrão de boas obras. No ensino, mostra integridade, reverência, linguagem sadia e irrepreensível, para que o adversário seja envergonhado, não tendo indignidade nenhuma que dizer a nosso respeito* (2.7,8).

A melhor maneira de um pastor pregar é por meio da sua vida. Os falsos mestres dizem e não fazem (1.16; Mt 23.3), mas os mestres da verdade devem dizer e fazer. Dizer e não fazer é hipocrisia.[29]

Concordo com John Stott quando diz que nós precisamos de modelos; eles nos dão direção, desafios e inspiração. Paulo se ofereceu como exemplo para a igreja de Corinto (1Co 11.1). Paulo deu ordens a Timóteo a ser padrão dos fiéis (1Tm 4.12). Agora, ordena a Tito a ser padrão para os crentes na prática de boas obras (2.7).[30] Nós precisamos de modelos vivos. Precisamos de líderes que preguem aos ouvidos e aos olhos. Que falem a sã doutrina e também demonstrem a verdade que pregam com o seu modo de viver. O ensino e o exemplo, o verbal e o visual, sempre formam uma combinação poderosa.[31]

---

[29]WIERSBE, Warren W. *Comentário bíblico expositivo*, p. 344,345.
[30]STOTT, John. *A mensagem de 1Timóteo e Tito*, p. 195.
[31]STOTT, John. *A mensagem de 1Timóteo e Tito*, p. 195.

Tito deveria imprimir nos membros da igreja uma impressão forte e indelével. A palavra grega *typos*, "padrão, protótipo", é exatamente a marca que uma máquina de escrever deixa no papel. Warren Wiersbe diz que *typos* significa também "estampa". Tito deveria viver de tal modo a imprimir sua "estampa espiritual" na vida de outros. Isso envolvia boas obras, sã doutrina, seriedade nas atitudes e discurso irrepreensível que ninguém – nem mesmo o inimigo – poderia condenar.[32]

Hans Burki tem razão quando diz que à imagem distorcida dos hereges deve ser contraposto o exemplo de um mestre saudável, porque o poder de imagens negativas somente pode ser superado por imagens poderosas e melhores.[33]

Duas verdades devem ser aqui destacadas:

Em primeiro lugar, **o líder deve ser padrão nas boas obras** (2.7). A vida do líder é a vida da sua liderança. Ele ensina não apenas com palavras, mas, sobretudo, com exemplo. Albert Schweitzer diz que o exemplo não é apenas uma forma de ensinar, mas a única maneira eficaz de fazê-lo. Antes de motivar a igreja à prática de boas obras, Tito deveria ser um padrão de boas obras. O líder não ensina apenas mediante preceitos, mas também pelo exemplo pessoal.

O ensino do apóstolo Paulo é meridianamente claro acerca do lugar das boas obras na vida do cristão. Ele não as pratica para alcançar a salvação, mas porque já recebeu a salvação. Boas obras não são a causa da salvação, mas o resultado dela. Somos criados em Cristo para as boas obras e não por causa delas (Ef 2.10).

Em segundo lugar, **o líder deve ser padrão no ensino da Palavra** (2.7,8). Com respeito ao ensino da Palavra, quatro pontos vitais devem ser observados:

O conteúdo correto. No ensino, mostra integridade... (2.7). A palavra "integridade" é a tradução de *afthoria*, que literalmente significa "incorruptibilidade".[34] A integridade tem a ver tanto com o conteúdo da mensagem quanto com a motivação do mensageiro. O mensageiro não

---

[32] WIERSBE, Warren W. *Comentário bíblico expositivo*, p. 345.
[33] BURKI, Hans. *Carta aos Tessalonicenses, Timóteo, Tito e Filemom*, p. 409.
[34] STOTT, John. *A mensagem de 1Timóteo e Tito*, p. 195.

pode retirar nem acrescentar coisa alguma da mensagem. A Palavra não pode ser adulterada nem mercadejada. O ministro precisa ser íntegro quanto ao seu conteúdo e quanto aos seus motivos. Kelly é da opinião de que por "integridade" Paulo quer dizer pureza de motivo, a ausência de qualquer desejo de lucros.[35]

O método correto. No ensino, mostra [...] *reverência* (2.7). A reverência tem a ver com a forma como a mensagem é transmitida, ou seja, a maneira de ensinar. Reverência denota um alto tom moral na exposição da sã doutrina. Um pregador irreverente é uma contradição. A vida do pregador não pode estar em oposição à sua mensagem.

Richard Baxter, expoente do puritanismo inglês, afirmou:

> Não importa o que você faça, assegure-se de que as pessoas estejam vendo que você está sendo bastante sincero [...]. Não podem se quebrar corações humanos tratando-os com leviandade.[36]

O instrumento correto. Linguagem sadia e irrepreensível... (2.8). O púlpito não pode ser um palco nem um picadeiro em que o pregador usa piadas e gracejos inconvenientes e incompatíveis com a santidade da mensagem. Não apenas a mensagem é santa, mas também a forma de comunicá-la deve ser santa.

O propósito correto. [...] *para que o adversário seja envergonhado, não tendo indignidade nenhuma que dizer a nosso respeito* (2.8). A descrição que Paulo faz do adversário pode incluir os críticos pagãos do cristianismo, bem como os indivíduos indispostos dentro da comunidade. A melhor defesa contra os adversários é a completa integridade na pregação, tanto na forma quanto no conteúdo.[37] Devemos ser zelosos quanto à doutrina e também quanto à forma pela qual ensinamos a doutrina, pois nossos adversários sempre buscarão motivos para nos acusar. Não podemos deixar brechas para o inimigo nos atacar.

---

[35] KELLY, J. N. D. *I e II Timóteo e Tito: Introdução e comentário*, p. 219.
[36] BAXTER, Richard. *The reformed pastor*. London: Epworth, 1950, p. 145.
[37] KELLY, J. N. D. *I e II Timóteo e Tito: Introdução e comentário*, p. 220.

Os preceitos de Deus para os **servos** (2.9,10)

Concordo com William MacDonald quando diz que a simples menção que a Bíblia faz da escravidão no primeiro século não é sinônimo de sua aprovação, assim como a poligamia registrada no Antigo Testamento não é um atestado de aprovação divina àquela prática. Deus jamais aprovou a crueldade e a injustiça da escravatura. Porém, a Igreja primitiva não se engajou num projeto revolucionário contra a escravatura. Antes, condenou-a e removeu seus abusos pelo poder do evangelho. Onde a Palavra de Deus prevaleceu, o mal da escravatura sucumbiu.[38]

Ao contrário de Efésios 6.9 e Colossenses 4.1, os senhores ou proprietários não estão incluídos nessa exortação. Possivelmente ainda não existissem nas igrejas da ilha de Creta esses senhores de escravos.[39] Com respeito aos servos, Paulo alista duas virtudes que deveriam cultivar e dois pecados que deveriam evitar.

Em primeiro lugar, *as virtudes que deveriam cultivar* (2.9,10). A fé cristã, longe de engajar-se numa luta político-social contra a escravatura, deu instruções aos servos e aos senhores sobre como viver de forma a glorificar a Deus. Embora não haja mais escravos hoje, os princípios aplicam-se perfeitamente à relação de patrões-empregados. Que virtudes os servos deveriam cultivar?

Obediência. Quanto aos servos, que sejam, em tudo, obedientes ao seu senhor, dando-lhe motivo de satisfação... (2.9). A obediência deveria ser em tudo. Obviamente "em tudo" restringe-se ao que é lícito. A submissão deveria objetivar a satisfação dos senhores. É possível obedecer sem fazê-lo de coração (Ef 6.6). É possível trabalhar de má vontade.

Fidelidade. [...] *pelo contrário, deem prova de toda fidelidade...* (2.10). Os servos deveriam dar prova de sua honestidade. Não deveriam servir apenas quando eram vigiados nem apenas com medo de serem castigados.

Em segundo lugar, *os pecados que deveriam evitar* (2.9,10). Os servos crentes deveriam estar atentos para não cometerem dois pecados em relação aos seus senhores. Que pecados são esses?

---

[38] MACDONALD, William. *Beliver's Bible commentary*, p. 2.141.
[39] BURKI, Hans. *Carta aos Tessalonicenses, Timóteo, Tito e Filemom*, p. 410.

Rebeldia. [...] *não sejam respondões* (2.9). Uma coisa é servir de coração, outra é fazê-lo com má vontade e murmuração. O servo poderia se queixar do senhor a outros que trabalhavam com ele, o que certamente seria um péssimo testemunho cristão. O irmão mais velho do filho pródigo obedeceu a seu pai em tudo, mas não o honrou. Muitos servos eram rebeldes, respondões e destemperados emocionalmente.

Desonestidade. Não furtem... (2.10). O verbo grego *nesphizesthai*, "furtar", significa literalmente "separar" ou "colocar de lado", e assim fica sendo um eufemismo para o furto em pequena escala ou o quieto aproveitamento de algumas vantagens indevidas.[40]

O furto é expressamente condenado na lei de Deus no oitavo mandamento. Muitos servos, à semelhança de Onésimo, furtavam seus senhores, subtraindo pequenas coisas (Fm 18). Ainda hoje, muitos empregados furtam seus patrões e suas empresas; essa prática é condenada na Palavra de Deus.

Por último, Paulo dá aos servos uma excelente motivação para agirem com obediência e fidelidade: [...] *a fim de ornarem, em todas as coisas, a doutrina de Deus, nosso Salvador* (2.10b). Em outras palavras, seu comportamento obediente ajudará a fazer a mensagem cristã atraente e nobre, e assim a recomendará ao mundo externo.[41]

Nada podemos acrescentar ao conteúdo da doutrina de Deus, mas podemos torná-la mais bela aos olhos dos homens, ou seja, podemos acrescentar brilho à doutrina. A palavra grega usada por Paulo, *kosmosin*, significa "colocar em ordem, enfeitar, adornar". A palavra é usada para o arranjo de joias de modo que elas apresentem sua plena beleza.[42]

Stott diz que o evangelho é uma pedra preciosa, sendo a vida cristã harmoniosa como uma armação em que a gema do evangelho é colocada, contribuindo para lhe "dar mais brilho". Assim, a nossa vida pode dar ornamento ou descrédito ao evangelho.[43]

---

[40] KELLY, J. N. D. *I e II Timóteo e Tito: Introdução e comentário*, p. 220.
[41] KELLY, J. N. D. *I e II Timóteo e Tito: Introdução e comentário*, p. 220.
[42] RIENECKER, Fritz; ROGERS, Cleon. *Chave linguística do Novo Testamento Grego*, p. 484.
[43] STOTT, John. *A mensagem de 1 Timóteo e Tito*, p. 197.

Concluímos nossa exposição do texto em tela com as palavras de Hans Burki:

> "A doutrina" é o termo básico para o começo (2.1), o meio (2.7) e o fim (2.10) da seção de exortação prática. Essa sã doutrina, que mantém a fé saudável, sóbria e ativa nas obras, é desenvolvida na sequência. No Salvador culmina o chamado exortativo, fazendo a transição para a exaltação precisamente dessa graça redentora e educadora de Deus (2.11-14).[44]

---

[44] BURKI, Hans. *Carta aos Tessalonicenses, Timóteo, Tito e Filemom*, p. 411.

4

A graça de Deus, o fundamento de uma vida santa

Tito 2.11-15

O APÓSTOLO PAULO, NESSA EPÍSTOLA A TITO, faz uma inversão em sua costumeira metodologia. Nas cartas aos Romanos, Gálatas, Efésios e Colossenses, ele ensina a doutrina e, depois, estabelece o dever. Em sua costumeira abordagem, primeiro dá o preceito, depois orienta a conduta; primeiro ensina a teologia, depois a ética.

Erdman tem razão ao dizer que o credo afeta a conduta, e esta não pode suster-se sem fé; a doutrina não é mais importante que a conduta, mas a conduta está condicionada pela fé. Por essa razão Paulo fundamenta todas as exortações do capítulo em um sumário do evangelho que, quanto à beleza, profundidade e significado, é possivelmente insuperável.[1]

Conforme o ensino de Paulo, a doutrina determina a ética, a teologia desemboca na conduta e a ortodoxia produz a ortopraxia. Nessa carta, porém, Paulo primeiro abordou o dever (2.1-10) e só depois ofereceu a sustentação doutrinária (2.11-15).

Kelly corretamente diz que a partícula *porquanto* indica que Paulo está para declarar o fundamento teológico do conselho que acabou de dar.[2]

---

[1] ERDMAN, Carlos R. *Las epistolas pastorales a Timoteo y a Tito*, p. 164.
[2] KELLY, J. N. D. *I e II Timóteo e Tito: Introdução e comentário*, p. 221.

Não importa a ordem, o que é absolutamente indispensável é a estreita conexão que deve existir entre doutrina e vida, teologia e ética. Concordo com o comentário de John Stott de que essas duas formas de abordagem são legítimas, desde que o elo indestrutível que existe entre a doutrina e a ética seja colocado e mantido.[3] Sendo assim, destacamos três pontos a título de introdução.

Em primeiro lugar, *a vida pura é consequência direta da teologia pura*. A decadência moral instalada nas igrejas contemporâneas denuncia a fragilidade da sua teologia. Onde a doutrina é ignorada, torcida ou adulterada, não pode haver santidade. A vida pura é resultado da doutrina pura. A teologia é mãe da ética. Assim como o homem crê, assim ele é.

Em segundo lugar, *a transformação nos relacionamentos é resultado direto da transformação da graça*. Depois que Paulo falou dos relacionamentos transformados (2.1-10), deu a fundamentação teológica para essa transformação (2.11-15). Paulo falou do padrão divino para os homens e as mulheres idosos; para as mulheres recém-casadas e para os jovens solteiros; para os líderes e para os servos. Contudo, esperar relacionamentos transformados sem a graça de Deus é impossível. Primeiro o homem é transformado pela graça; só depois ele experimenta relacionamentos transformados.

Em terceiro lugar, *a conexão entre doutrina e vida é absolutamente necessária para uma igreja saudável*. O espírito do pós-modernismo repudia a ideia de verdades absolutas. Prevalece o pluralismo das ideias e o individualismo na escolha das ideias que mais lhes atendam os interesses imediatos. Nesse contexto, falar em doutrina, teologia e conhecimento é remar contra a correnteza.

As pessoas desprezam o conhecimento e correm atrás de experiências subjetivas. Elas não querem pensar; querem sentir. O sensório tomou o lugar do racional. Muitas igrejas abandonaram a sã doutrina e ainda pensam, equivocadamente, que podem viver de forma agradável a Deus. Isso é um absoluto engano.

---

[3] STOTT, John. *A mensagem de 1 Timóteo e Tito*, p. 197.

O Espírito Santo nos guia na verdade, e não à parte dela. Existe uma estreita e inquebrantável conexão entre a doutrina bíblica e a vida que agrada a Deus. Os que desprezam a doutrina acabam caindo na teia do relativismo moral. A impiedade sempre desemboca na perversão.

Hans Burki sintetiza a passagem em tela, dizendo que ela exalta a graça de Deus manifesta no passado (2.11) e educa os discípulos de Jesus no presente (2.12), cuja revelação plena é aguardada no futuro (2.13), e cujo alicerce e força são o amor do Redentor, o qual purifica Seu povo e o leva a viver com zelo sagrado (2.14).[4]

Vamos examinar a fundamentação teológica para uma vida santa, buscando essa conexão entre doutrina e dever.

A manifestação da graça (2.11)

Porquanto a graça de Deus se manifestou salvadora a todos os homens (2.11). Só podemos ter uma vida santa por causa da *epifania*, "manifestação" da graça de Deus. A graça de Deus sempre existiu. Deus sempre foi gracioso. Porém, em Cristo, essa graça despontou majestosa da mesma forma que o romper da alva.

O substantivo *epifaneia* significa a visível aparição de alguma coisa ou de alguém que estava invisível. Essa palavra era usada no grego clássico em relação à alvorada, ao amanhecer, quando o sol transpõe a linha do horizonte e se torna visível. É a mesma palavra que aparece em Atos 27.20, quando Lucas diz que por vários dias nem o sol nem as estrelas apareceram [fizeram epifania]. É claro que as estrelas ainda estavam no céu, mas não apareceram.[5]

A graça de Deus brilhou como sol sobre aqueles que viviam nas regiões da sombra da morte. Essa graça se manifestou quando Jesus nasceu numa estrebaria, cresceu numa carpintaria e morreu numa cruz. Essa graça brilhou quando de seus lábios se ouviam palavras de vida eterna, quando ele curava os enfermos, purificava os leprosos, lançava fora os demônios e ressuscitava os mortos. A graça resplandeceu

---

[4]Burki, Hans. *Carta aos Tessalonicenses, Timóteo, Tito e Filemom*, p. 411.
[5]Stott, John. *A mensagem de 1Timóteo e Tito*, p. 198.

quando o Filho de Deus entregou sua vida na cruz e a reassumiu na gloriosa manhã da ressurreição. A graça se manifestou para resgatar o homem do seu maior mal e oferecer a ele o maior bem.[6]

Destacamos três aspectos da *epifania* da graça:

Em primeiro lugar, **a origem da graça** (2.11). Paulo fala da graça *de Deus*. A graça tem sua origem em Deus. Ela emana de Deus. Embora Deus sempre tenha sido gracioso, pois é o Deus de toda a graça, ela se tornou visível em Jesus Cristo. A graça de Deus foi esplendorosamente mostrada em seu humilde nascimento, em suas graciosas palavras e em seus atos movidos de compaixão; mas, sobretudo, em sua morte expiatória.[7]

A graça de Deus é totalmente imerecida. Não há nada em nós que reivindique o amor de Deus. Não há nenhum merecimento em nós. O amor de Deus tem nele mesmo sua causa. A graça é um favor imerecido. Deus trata de forma benevolente aqueles que merecem Seu juízo.

Em segundo lugar, **a natureza da graça** (2.11). A graça de Deus é *salvadora*. A graça é o favor superabundante de Deus pelos pecadores indignos.[8] Kelly diz que a graça de Deus representa o favor gratuito de Deus, a bondade espontânea mediante a qual Ele intervém para ajudar e livrar os homens.[9] Em Jesus, a graça de Deus desponta como um sol sobre o mundo escurecido pelas sombras da morte.[10]

Gosto da definição de William Hendriksen:

> A graça de Deus é seu favor ativo que outorga o maior de todos os dons a quem merece o maior de todos os castigos.[11]

Por isso, a graça triunfa sobre nossa iniquidade. Ela é maior do que o nosso pecado e melhor do que a nossa vida. Onde abundou o pecado,

---

[6]HENDRIKSEN, William. *1 y 2 Timoteo y Tito*, p. 419,420.
[7]STOTT, John. *A mensagem de 1Timóteo e Tito*, p. 198.
[8]WIERSBE, Warren W. *Comentário bíblico expositivo*, p. 345.
[9]KELLY, J. N. D. *I e II Timóteo e Tito: Introdução e comentário*, p. 221.
[10]BURKI, Hans. *Carta aos Tessalonicenses, Timóteo, Tito e Filemom*, p. 412.
[11]HENDRIKSEN, William. *1 e 2 Timoteo y Tito*, p. 419.

superabundou a graça. Somos salvos pela graça. Vivemos pela graça. Dependemos da graça. Nada somos sem a graça. Por causa da graça, embora perdidos, fomos achados; embora mortos, recebemos vida.

Em terceiro lugar, *a extensão da graça* (2.11). A graça de Deus se manifestou salvadora *a todos os homens*. A *epifania* da graça não alcança todos os homens quantitativamente, mas todos os homens qualitativamente.

A salvação é universal no sentido de que alcança todos aqueles que são comprados para Deus, procedentes de toda tribo, língua, povo e nação (Ap 5.9), mas não no sentido de todos os homens, sem exceção. A salvação é universal porque alcança todos os homens sem acepção, mas não a todos os homens sem exceção. Não há universalismo na salvação.

O que a Bíblia ensina sobre a universalidade da graça de Deus é que ela rompe todas as barreiras, derruba todos os preconceitos e alcança pessoas de todos os gêneros, idades e posições (2.1-10). A graça é acessível a todos: homens e mulheres, idosos e jovens, escravos e senhores, judeus e gentios.[12]

Nessa mesma linha de pensamento João Calvino afirma: "A salvação é comum a todos", e isso fica expressamente claro pelo fato de Paulo mencionar os escravos cristãos. Porém, Paulo não alude aos homens no individual, mas destaca classes individuais, ou seja, diferentes categorias de pessoas.[13]

Concluo esse ponto citando Albert Barnes:

> O plano de Deus tem sido revelado a todas as classes de homens e a todas as raças, inclusive servos e chefes; vassalos e reis; pobres e ricos; ignorantes e sábios.[14]

A pedagogia da graça (2.12,13)

Educando-nos para que, renegadas a impiedade e as paixões mundanas, vivamos no presente século, sensata, justa e piedosamente, aguardando

---

[12]BURKI, Hans. *Carta aos Tessalonicenses, Timóteo, Tito e Filemom*, p. 412.
[13]CALVINO, Juan. *Comentarios a las epístolas pastorales de San Pablo*, p. 367,368.
[14]BARNES, Albert. *Barnes' Notes on the Old & New Testaments*, p. 278.

a bendita esperança e a manifestação da glória do nosso grande Deus e Salvador Cristo Jesus (2.12,13). Paulo enfatiza aqui três grandes verdades.

Em primeiro lugar, **a graça nos educa para renegarmos o mal** (2.12). *Educando-nos para que, renegadas a impiedade e as paixões mundanas, vivamos, no presente século...* (2.12a). A graça de Deus é pedagógica. Ela é educadora. Ela nos ensina a viver. Ser cristão é estar matriculado na escola da graça. O primeiro destaque de Paulo é que a graça nos educa mediante a forte disciplina de renegarmos a impiedade e as paixões mundanas.

Kelly diz que o caráter desse rompimento é ressaltado no original pela palavra grega traduzida "renegadas", que é um particípio passado, indicando uma ação consumada de uma vez por todas.[15] Renegar significa renunciar, abdicar, ser capaz de dizer não.[16]

Antes de falar positivamente acerca do que devemos ser e fazer, Paulo fala sobre o que devemos repudiar e rejeitar. O que a graça de Deus nos ensina a rejeitar?

A graça nos ensina a renegar a falsa teologia (2.12a). A palavra grega *asebeia*, "impiedade", refere-se à rejeição de tudo o que é reverente e de tudo o que tem a ver com Deus.[17] Hans Burki diz que a palavra *asebeia* aponta para o passado, para uma vida sem e contra Deus.[18] A impiedade tem a ver com aquilo que se opõe à verdadeira adoração e devoção a Deus. A impiedade é uma relação errada com Deus. Ela tem a ver com uma teologia errada, ou seja, com a distorção da verdade. O ímpio é aquele que não leva Deus em conta e, por isso, não leva Deus a sério. O ímpio não se deleita em Deus, não tem prazer em Deus. Ao contrário, ele abomina a beatitude.

A graça nos ensina a renegar a falsa ética (2.12a). As paixões mundanas são consequência da impiedade. A perversão é filha da impiedade (Rm 1.18). As paixões mundanas decorrem de um relacionamento errado

---

[15] KELLY, J. N. D. *I e II Timóteo e Tito: Introdução e comentário*, p. 221.
[16] BURKI, Hans. *Carta aos Tessalonicenses, Timóteo, Tito e Filemom*, p. 413.
[17] RIENECKER, Fritz e Rogers, Cleon. *Chave linguística do Novo Testamento Grego*, p. 485.
[18] BURKI, Hans. *Carta aos Tessalonicenses, Timóteo, Tito e Filemom*, p. 414.

com Deus. Essas paixões mundanas têm a ver com uma vida desregrada na área da mente, da língua e do sexo. Essas paixões descrevem um estilo de vida pervertido.

William Hendriksen diz que essas paixões mundanas incluem o desejo sexual desordenado, o alcoolismo, o desejo excessivo por possessões materiais e a agressividade. Em suma, referer-se aos anelos desordenados de prazeres, poder e possessões, ou seja, sexo, poder e dinheiro.[19]

John Stott está coberto de razão quando afirma que a graça de Deus nos disciplina a renunciar à nossa velha vida e a viver uma nova vida, a passar da impiedade para a piedade, do egoísmo ao autocontrole, dos caminhos desonestos a um tratamento justo com todos os demais.[20]

Hans Burki alerta para o fato de que, quando as paixões mundanas não são renegadas, a graça se torna barata e a pessoa se evade da escola da graça. Muitos métodos de evangelização e missão se mostram não bíblicos quando falam apenas da fé no Salvador dos pecadores, mas não igualmente da abdicação ao pecado. Assim, sob a influência da graça educadora de Deus as paixões mundanas não são negadas, mas renegadas.[21]

Em segundo lugar, *a graça nos educa para praticarmos o bem* (2.12b). *Vivamos, no presente século, sensata, justa e piedosamente* (2.12b). Depois de tratar do aspecto negativo, Paulo se volta para o positivo. Agora, ele fala sobre como a graça de Deus nos educa para praticarmos o bem. A salvação não é apenas uma mudança de situação, mas também de atitude. A pedagogia da graça nos educa em nosso relacionamento conosco, com o próximo e com Deus.

Nessa mesma linha de pensamento, Kelly diz que os três advérbios que Paulo emprega definem sucessivamente o relacionamento do cristão consigo, com o próximo e com Deus.[22] A graça nos educa para vivermos relacionamentos certos dentro, fora e para cima.[23]

---

[19]HENDRIKSEN, William. *1 y 2 Timoteo y Tito*, p. 421.
[20]STOTT, John. *A mensagem de 1Timóteo e Tito*, p. 199.
[21]BURKI, Hans. *Carta aos Tessalonicenses, Timóteo, Tito e Filemom*, p. 414,415.
[22]KELLY, J. N. D. *I e II Timóteo e Tito: Introdução e comentário*, p. 222.
[23]HIEBERT, D. Edmond. *Titus* in *Zondervan NIV Bible Commentary*. Vol. 2, Grand Rapids, MI: Zondervan Publishing House, 1994, p. 929.

A graça nos ensina o correto relacionamento com nós mesmos (2.12b). *Vivamos, no presente século, sensata...* A palavra grega *sophronos* traz a ideia de prudência, autocontrole ou moderação.[24] A sensatez tem a ver com o domínio próprio, com a vida controlada. Sensatez é ter seus impulsos, instintos, ações e reações sob controle. É a maneira correta de lidar consigo mesmo.

Na linguagem de William Hendriksen, sensatez é fazer uso adequado dos desejos e impulsos que não são pecaminosos em si mesmos, e vencer os que são pecaminosos.[25] O cristão vive "no presente século", mas não em conformidade com ele nem para ele. Cristo nos remiu [...] *deste mundo perverso* (Gl 1.4), e não devemos nos conformar com ele (Rm 12.1,2).[26]

A graça nos ensina o correto relacionamento com o próximo (2.12b). *Vivamos, no presente século* [...] *justamente...* A justiça fala do nosso correto relacionamento com o próximo. Uma pessoa justa é aquela que não se coloca acima dos outros nem tenta diminuí-los. Ela concede aos outros o que lhes é devido. Viver de forma justa é demonstrar integridade no trato com os demais.[27] Albert Barnes diz corretamente que a fé cristã nos ensina a cumprir nossos deveres, votos, alianças e contratos com fidelidade.[28]

A graça nos ensina o correto relacionamento com Deus (2.12b). *Vivamos, no presente século* [...] *piedosamente*. A piedade está ligada ao nosso correto relacionamento com Deus. É o verdadeiro fervor e reverência para com o único que é objeto da adoração.[29] Somente a graça pode nos tomar pela mão e nos conduzir a um íntimo relacionamento com Deus. Concordo com Warren Wiersbe quando diz que a graça de Deus não apenas nos salva, mas também nos ensina como viver a vida cristã. Aqueles que usam a graça de Deus como desculpa para pecar jamais experimentaram Seu poder salvador (Rm 6.1; Jd 4). A mesma graça de

---

[24] RIENECKER, Fritz e ROGERS, Cleon. *Chave linguística do Novo Testamento Grego*, p. 485.
[25] HENDRIKSEN, William. *1 y 2 Timoteo y Tito*, p. 421.
[26] WIERSBE, Warren W. *Comentário bíblico expositivo*, p. 346.
[27] HENDRIKSEN, William. *1 y 2 Timoteo y Tito*, p. 421.
[28] BARNES, Albert. *Barnes' Notes on the Old & New Testaments*, p. 279.
[29] HENDRIKSEN, William. *1 y 2 Timoteo y Tito*, p. 421.

Deus que nos redime é também a graça que nos renova e nos capacita a obedecer à Sua Palavra (2.14).[30]

Em terceiro lugar, *a graça nos educa para aguardarmos a manifestação da glória do nosso grande Deus e Salvador Cristo Jesus* (2.13). *Aguardando a bendita esperança e a manifestação da glória do nosso grande Deus e Salvador Cristo Jesus* (2.13).

Depois de ter falado da *epifania* da graça (2.11), agora Paulo fala da *epifania da* glória. John Stott diz que aquele que apareceu brevemente no cenário da história, e desapareceu, um dia vai reaparecer. Ele apareceu em graça; ele reaparecerá em glória.[31]

O cristão olha para trás e glorifica a Deus porque a graça o libertou da impiedade e das paixões mundanas. Ele olha para o presente e exalta a Deus porque tem uma correta relação consigo, com o próximo e com o próprio Deus. Ele olha para o futuro e se santifica porque vive na expectativa da *epifania* do seu grande Deus e Salvador Cristo Jesus. A graça de Deus nos libertou de nossas mazelas do passado, restaurou nossa vida no presente e nos mantém na ponta dos pés com uma gloriosa expectativa em relação ao futuro, quando o nosso grande Deus e Salvador Jesus Cristo há de voltar em glória e poder. É impossível que aqueles que mantêm essa gloriosa esperança da volta de Jesus se recusem a entregar-se completamente a Deus.

João Calvino entende que essa manifestação da glória de Jesus Cristo é mais do que a glória com a qual ele é glorioso nele mesmo; é também a glória por meio da qual ele se difundirá por todas as partes, a fim de que todos os Seus eleitos participem dela. Paulo chama Jesus Cristo de grande Deus porque sua grandeza, a qual os homens têm obscurecido com o vão esplendor deste mundo, será plenamente manifestada no último dia. Então, o brilho do mundo que hoje parece grande aos nossos olhos perderá completamente sua pompa.[32]

Paulo chama a *epifania* da glória de "bendita esperança". Na verdade, o que começa com graça termina com glória. Warren Wiersbe

---

[30] WIERSBE, Warren W. *With the word*, p. 807.
[31] STOTT, John. *A mensagem de 1Timóteo e Tito*, p. 199.
[32] CALVINO, Juan. *Comentarios a las epístolas pastorales de San Pablo*, p. 371.

diz corretamente que a volta gloriosa de Cristo é mais do que uma bendita esperança; é uma esperança cheia de alegria (Rm 5.2; 12.12), uma esperança unificadora (Ef 4.4), uma viva esperança (1Pe 1.3), uma firme esperança (Hb 6.19) e uma esperança purificadora (1Jo 3.3).[33]

A dinâmica da nova vida é a expectativa da vinda gloriosa de Jesus Cristo. Quando se espera uma visita real, tudo se limpa, se decora e se arranja para que o olho real o veja. O cristão é uma pessoa que está sempre pronta para receber o Rei dos reis.[34]

A operação da graça (2.14,15)

O qual a si mesmo se deu por nós, a fim de remir-nos de toda iniquidade e purificar, para si mesmo, um povo exclusivamente seu, zeloso de boas obras (2.14). Paulo, que acabara de falar da *epifania* da glória, passa agora naturalmente para a sua primeira *epifania* quando a nossa salvação teve início. Paulo destaca três gloriosas verdades acerca da operação da graça.

Em primeiro lugar, *o presente da graça* (2.14). *O qual a si mesmo se deu por nós...* (2.14a). Não foi a cruz que produziu a graça, mas a graça que produziu a cruz. Cristo é o presente da graça. Ele, sendo Criador do universo, esvaziou-Se e nasceu de mulher. Ele, sendo o Pai da eternidade, entrou no tempo, encarnou-se e fez morada entre os homens. Ele, sendo santo, se fez pecado; sendo bendito, se fez maldição; sendo autor da vida, morreu em nosso lugar numa rude cruz. Essa foi a maior oferta, a maior dádiva, o maior presente.

A entrega voluntária de Cristo por nós, como nosso fiador, representante e substituto, nos fala de sua morte vicária. Aqui está o núcleo da doutrina da expiação. Ele morreu não apenas para possibilitar a nossa salvação, mas para nos salvar. Ele morreu pelas suas ovelhas. Ele deu sua vida pela Sua igreja. Ele morreu a nossa morte. Por sua morte temos vida.

Em segundo lugar, *o propósito da graça* (2.14b). [...] *a fim de remir-nos de toda iniquidade e purificar, para si mesmo, um povo*

---

[33] WIERSBE, Warren W. *With the word*, p. 807,808.
[34] BARCLAY, William. *I y II Timoteo, Tito y Filemon*, p. 269.

exclusivamente seu... (2.14b). A graça tem dois propósitos, um negativo e outro positivo.

O propósito negativo. O propósito negativo é remir-nos de toda iniquidade, ou seja, daquele poder que nos faz pecar. A graça de Deus nos salva do pecado e não no pecado. A graça não se manifestou para que os que vivem no pecado sejam salvos; ela se manifestou para remir-nos de toda iniquidade.

Carl Spain é categórico quando afirma que a definição de graça salvadora dada por Paulo não permite nenhuma sugestão de que Deus salvará o homem em seu pecado (Rm 6.1,2).[35] Cristo nos libertou da penalidade do pecado na justificação. Cristo nos liberta do poder do pecado na santificação. E Cristo nos libertará da presença do pecado na glorificação.

O propósito positivo. O propósito positivo da graça de Deus é que Cristo, por meio de sua morte, purifique para si mesmo um povo exclusivamente seu. O Senhor quer um povo limpo e exclusivo. Ele não aceita um povo maculado pela iniquidade nem um povo de coração dividido. Pelo Seu sacrifício Cristo nos comprou. Agora, somos propriedade exclusiva dele. Somos suas ovelhas, Sua herança, sua habitação.

Em terceiro lugar, **o resultado da graça** (2.14c). [...] *um povo exclusivamente seu, zeloso de boas obras* (2.14c). A expressão: "zeloso de boas obras" traz a ideia de "entusiasmado pelas boas obras".[36] O alvo do cristão não é apenas ter a capacidade de realizar boas obras, mas ter entusiasmo e paixão por fazê-las. Devemos viver intensamente para aquele que morreu vicariamente por nós.

Hans Burki diz que a graça nos educa para um novo gosto, uma nova disposição, um prazer para boas obras. Da consciência de pertencer ao Redentor e a Seu povo resulta um novo devotamento: não mais ser escravo cativo de si mesmo, e, por conseguinte, não precisar mais viver para si mesmo; essa é verdadeira redenção e libertação para a vida.[37]

John Piper afirma que no cerne do cristianismo está a verdade de que somos perdoados e aceitos por Deus não por termos feito boas

---

[35] SPAIN, Carl. *Epístolas de Paulo a Timóteo e Tito*, p. 204.
[36] STOTT, John. *A mensagem de 1Timóteo e Tito*, p. 201.
[37] BURKI, Hans. *Carta aos Tessalonicenses, Timóteo, Tito e Filemom*, p. 419.

obras, mas a fim de que possamos fazê-las. As boas obras não são o fundamento de nossa aceitação, mas o seu fruto.[38] Deus nos salvou para as boas obras, e não por causa delas. Devemos não apenas praticá-las, mas também fazê-lo com fervor, paixão e zelo. Não devemos ser relapsos e remissos nas boas obras, mas zelosos e fervorosos praticando-as.

John Stott afirma com pertinência que nesse pequeno parágrafo (2.11-14) Paulo coloca lado a lado os dois marcos que determinam a era cristã, ou seja, a primeira vinda de Cristo, com a qual ela começa, e a sua segunda vinda, com a qual ela termina. Ele nos convida a olhar uma e outra, pois vivemos no intervalo de tempo que separa os dois fatos, uma situação não muito confortável entre o "já" e o "ainda não".[39]

Embora voltemos o olhar a um passado distante, quando houve a *epifania* da graça, e o fixemos também num futuro desconhecido, quando haverá a *epifania* da glória, devemos viver no presente de forma sensata, justa e piedosa. Quando caminhamos entre essas duas *epifanias*, passada e futura, da graça e da glória, é que podemos viver de modo agradável a Deus. Quando vivemos sob a perspectiva da primeira e da segunda vinda de Cristo, é que encontramos o verdadeiro sentido da vida cristã.

Paulo conclui sua exposição do capítulo 2 de Tito como começou, dando-lhe uma ordem para ensinar. No versículo 1, disse: *Tu, porém, fala o que convém à sã doutrina* (2.1). No último versículo, diz: *Dize estas coisas; exorta e repreende também com toda a autoridade. Ninguém te despreze* (2.15). Paulo repete a primeira ordem "fala" [dize] e acrescenta mais duas: "exorta e repreende". O ensino, a exortação e a repreensão devem ser feitos de forma pessoal e corajosa. Kelly enfatiza que Tito deveria não somente declarar essa mensagem, mas também exortar as pessoas a aceitá-la e repreendê-las por qualquer lassidão em fazê-lo.[40]

Não basta apenas falar e ensinar; é preciso também encorajar. Não é suficiente apenas falar e encorajar; é necessário também repreender. A Palavra de Deus precisa ser dirigida ao intelecto, às emoções e à

---

[38] Piper, John. *A paixão de Cristo*. São Paulo: Cultura Cristã, 2006, p. 99.
[39] Stott, John. *A mensagem de 1Timóteo e Tito*, p. 201.
[40] Kelly, J. N. D. *I e II Timóteo e Tito: Introdução e comentário*, p. 224.

vontade. Precisamos ensinar de forma inteligível o conteúdo da teologia, encorajar o coração e repreender a conduta errada.

Tito não poderia se intimidar diante da petulância dos falsos mestres que ameaçavam a igreja, nem sentir-se desqualificado diante dos membros das igrejas cretenses. Ele deveria falar, exortar e repreender com toda a autoridade. Não deveria nutrir complexo de inferioridade diante das pessoas a quem ministrava. Paulo é enfático: "Ninguém te despreze". Obviamente, essa observação visava mais às igrejas cretenses do que ao próprio Tito.

5

Relacionamentos que glorificam a Deus

Tito 3.1-15

A CARTA DE PAULO A TITO RESSALTA DE MANEIRA ESPLÊNDIDA a profunda conexão que existe entre teologia e vida, doutrina e dever. No capítulo 1, Paulo tratou do dever do cristão em relação à igreja. No capítulo 2, do dever do cristão em relação à família; e, no capítulo 3, ele trata do dever do cristão em relação ao mundo. A doutrina inspira o dever, e o dever adorna a doutrina. A doutrina e o dever estão casados; e que nada os separe![1]

Kelly diz que, até esse capítulo, Paulo havia se ocupado com a ordem interna das igrejas de Creta e com os deveres dos seus membros uns com os outros. Agora, faz um breve comentário sobre seu relacionamento com o poder civil e o ambiente pagão em geral.[2] Concordo com Edmond Hiebert quando diz que a pregação da Igreja primitiva jamais foi limitada à salvação, mas também incluía instruções concernentes às implicações práticas da salvação para a vida diária. Os cristãos deveriam produzir um impacto positivo na vida da sociedade.[3]

---

[1] STOTT, John. *A mensagem de 1Timóteo e Tito*, p. 217.
[2] KELLY, J. N. D. *I e II Timóteo e Tito: Introdução e comentário*, p. 224.
[3] HIEBERT, D. Edmond. *Titus* in *Zondervan NIV Bible Commentary*, p. 930.

A vida cristã trata do nosso correto relacionamento com as autoridades, com o próximo e com Deus. Vamos examinar mais detidamente esses tópicos.

A relação do cristão com as **autoridades** (3.1)

Lembra-lhes que se sujeitem aos que governam, às autoridades; sejam obedientes, estejam prontos para toda boa obra (3.1). As verdades cristãs precisam ser ensinadas e repetidas. Paulo começa o capítulo ordenando que Tito lembre aos cristãos seu compromisso em relação ao Estado e às autoridades constituídas. Paulo já havia falado aos cretenses sobre esse importante assunto quando esteve com Tito naquela ilha. Agora, por meio dessa carta, relembra-os dos mesmos ensinos. Não precisamos ter nenhum constrangimento de repetir as mesmas verdades. Essa era uma prática apostólica.

O cristão tem dupla cidadania: é cidadão do céu e também do mundo. Ele deve obediência a Deus e também às autoridades constituídas. Duas coisas são exigidas do cristão em relação às autoridades.

Em primeiro lugar, *submissão* (3.1). Aqueles que governam são autoridades constituídas pelo próprio Deus e devem ser respeitados e obedecidos. A obediência civil é responsabilidade do cristão. Ele não pode ser anarquista nem agitador social, uma vez que resistir à autoridade é insurgir-se contra o próprio Deus que a constituiu.

Escrevendo aos romanos, Paulo diz que não há autoridade que não tenha sido instituída por Deus (Rm 13.1). Essa ordem de Paulo foi dada em virtude das tensões sociais e políticas que pairavam na ilha de Creta. William Barclay, citando Políbio, historiador grego, diz que os cretenses estavam constantemente envolvidos com "insurreições, assassinatos e guerras destruidoras".[4]

A ilha de Creta havia sido subjugada por Roma em 67 a.C., e desde então permaneceu resistente ao jugo colonial romano.[5] Paulo já havia destacado a atitude insubordinada dos cretenses (1.10,16). Agora, Tito

---

[4] BARCLAY, William. *I y II Timoteo, Tito y Filemon*, p. 270.
[5] STOTT, John. *A mensagem de 1Timóteo e Tito*, p. 204.

deveria orientar os cristãos de Creta a serem submissos aos seus governantes. A obediência dos cristãos como cidadãos deveria ornar a doutrina que pregavam.

A obediência civil, porém, tem limites. O Estado não é dono da consciência dos homens. Sempre que o Estado se torna absolutista e opressor, invertendo e subvertendo a ordem, promovendo o mal e coibindo o bem, os cristãos têm o direito e até o dever de desobedecer. *Antes, importa obedecer a Deus do que aos homens* (At 5.29). A autoridade é constituída por Deus para promover o bem e coibir o mal (Rm 13.4).

John Stott está correto quando diz que não podemos cooperar com o Estado se ele reverter o seu dever dado por Deus, promovendo o mal em vez de puni-lo e opondo-se ao que é bom em vez de recompensá-lo e promovê-lo.[6] Hans Burki nessa mesma linha diz que a oração pelas autoridades (1Tm 2.1,2) e a obediência às suas instruções não significam aceitar passivamente atos condenáveis do governo e muito menos sacramentá-los. Quem ora pelas autoridades coloca-se sob o senhorio e o tribunal de Deus.[7]

Em segundo lugar, *obediência* (3.1). A submissão implica obediência e cumprimento dos deveres. O cristão deve cumprir as leis e instruções das autoridades civis e pagar seus impostos com fidelidade (Rm 13.6). O cristão deve ser um cidadão exemplar, estando pronto para toda boa obra. Ele não é um problema para a sociedade, mas um benfeitor. O cristão deve ser cooperativo nos assuntos que envolvem toda a comunidade, uma vez que a cidadania celestial (Fp 3.20) não o isenta de suas responsabilidades como cidadão da terra.[8]

A relação do cristão com seus **concidadãos** (3.2)

O cristão deve relacionar-se positivamente não apenas com as autoridades, mas também com seus pares, ou seja, com todos os membros da

---

[6]STOTT, John. *A mensagem de 1Timóteo e Tito*, p. 204.
[7]BURKI, Hans. *Carta aos Tessalonicenses, Timóteo, Tito e Filemom*, p. 420.
[8]WIERSBE, Warren W. *Comentário bíblico expositivo*, 347.

comunidade. Devemos ter relacionamentos corretos não apenas dentro da igreja, mas também com os não crentes. O apóstolo Paulo menciona quatro atitudes que um cristão deve cultivar no trato com seus concidadãos.

Em primeiro lugar, **não destruir a reputação das pessoas** (3.2). A ordem apostólica é enfática: *Não difamem a ninguém...* A palavra grega *blasfemia* traduzida por "difamação" traz a ideia de falar mal com o propósito de ferir.[9] A difamação é um assassinato moral. É usar a espada da língua para ferir e destruir a reputação das pessoas. O cristão não deve caluniar ninguém. O pecado da língua é um dos mais devastadores na sociedade. A língua é fogo e veneno. Ela mata e destrói. Aqueles que foram alvos da benignidade de Deus não podem ser instrumentos de maldade para ferir as pessoas. Uma das maneiras mais aviltantes de promover a si mesmo é falar mal dos outros.

Em segundo lugar, **não destruir o relacionamento com as pessoas** (3.2). O apóstolo continua: [...] *nem sejam altercadores...* Altercar é criar confusão, provocar contendas, envolver-se em discussões que ferem as pessoas e destroem os relacionamentos. Devemos pavimentar o caminho do diálogo em vez de sermos geradores de conflitos. Aqueles que foram reconciliados com Deus devem buscar a reconciliação com as pessoas em vez de serem altercadores.

Em terceiro lugar, **não cavar abismos, mas construir pontes de contato com as pessoas** (3.2). Paulo prossegue: [...] *mas cordatos...* O cristão precisa ser uma pessoa polida. Sua língua deve ser medicina e não espada. Precisamos tratar uns aos outros com dignidade e respeito. Precisamos viver em paz uns com os outros.

A palavra grega, *epiekes*, "cordato", descreve a pessoa que não se atém somente à lei. O homem *epiekes* está sempre pronto a temperar a justiça com a misericórdia. Trata-se da consideração indulgente para com as debilidades humanas.[10] O homem *epiekes* é aquele que, mesmo tendo o direito de usar a justiça, opta por agir com misericórdia.

---

[9]BARNES, Albert. *Barnes' Notes on the Old & New Testaments* (*Thessalonians-Philemon*), p. 281.
[10]BARCLAY, William. *I y II Timoteo, Tito y Filemon*, p. 271.

Em quarto lugar, *não lutar pelos próprios direitos, mas entregá-los a Deus* (3.2). Paulo conclui: [...] *dando provas de toda cortesia, para com todos os homens*. A palavra grega *prauteta* usada pelo apóstolo vem de *praus*, "manso". Essa palavra descreve uma pessoa cujo temperamento está sempre sob controle.[11]

A mansidão não é um atributo natural. Não é virtude, é graça. Ser manso não é ser frouxo ou ficar impassível diante dos problemas. Ser manso não é ser tímido ou covarde. Não é manter a paz a qualquer custo.[12] Ser manso é não lutar pelos próprios direitos.

Concordo com Hans Burki quando afirma que mansidão não é sinal de fraqueza, mas de verdadeira força. Os mansos, e não os violentos, é que tomarão posse da terra.[13] Uma pessoa mansa é aquela que entregou seus direitos a Deus.

Fritz Rienecker diz que mansidão é aquela atitude humilde que se expressa na submissão às ofensas, livre de malícia e de desejo de vingança.[14] A palavra *praus* era usada para descrever um cavalo domado e se referia ao poder sob controle.[15]

A relação do cristão com Deus (3.3-8)

O apóstolo Paulo, tendo tratado dos preceitos éticos e sociais nos versículos 1 e 2, agora dá a fundamentação teológica para um comportamento adequado na vida pública. A nossa correta relação com as autoridades e com as demais pessoas é consequência da nossa correta relação com Deus. A obra de Deus por nós e em nós pavimenta o caminho para a obra de Deus por nosso intermédio.

John Stott considera o texto em apreço talvez como a declaração de salvação mais completa que há no Novo Testamento. Paulo elenca seis ingredientes da salvação — sua necessidade (por que é necessária); sua origem (de onde ela provém); a base (onde ela se firma); o meio (pelo

---

[11] BARCLAY, William. *I y II Timoteo, Tito y Filemon*, p. 272.
[12] LOPES, Hernandes Dias. *A felicidade ao seu alcance*. São Paulo: Hagnos, 2008, p. 48,49.
[13] BURKI, Hans. *Carta aos Tessalonicenses, Timóteo, Tito e Filemom*, p. 421.
[14] RIENECKER, Fritz; Rogers, Cleon. *Chave linguística do Novo Testamento Grego*, p. 9.
[15] WIERSBE, Warren W. *Comentário bíblico expositivo*, p. 24.

qual ela chegou até nós); seu propósito (para onde ela leva); e sua evidência (como ela dá provas de si).¹⁶

Paulo faz uma transição acerca do que devemos fazer para aquilo que Deus fez por nós. Ele agora fala de forma clara sobre os elementos da nossa salvação. John Stott esclarece esse ponto, comentando os seis ingredientes da salvação.

Em primeiro lugar, *a necessidade da salvação* (3.3). *Pois nós também, outrora, éramos néscios, desobedientes, desgarrados, escravos de toda sorte de paixões e prazeres, vivendo em malícia e inveja, odiosos e odiando-nos uns aos outros.*

O pecado atingiu todas as nossas faculdades: razão, emoção e volição. Estávamos perdidos e condenados. Os conversos ao cristianismo não eram melhores que seus semelhantes pagãos. A retidão cristã não torna a pessoa orgulhosa, mas agradecida.¹⁷

O grande pregador inglês do século XVIII, George Whitefield, quando via alguém caído na sarjeta, dizia: *Ali estaria eu, não fora a graça de Deus.* Não encontramos a Deus, fomos encontrados por Ele. Não amávamos a Deus, fomos amados por Ele. Não salvamos a nós mesmos, fomos salvos por Ele. Se Deus não tivesse colocado seu coração em nós estaríamos arruinados inexoravelmente. Longe de enumerar pretensas virtudes pelas quais deveríamos ser salvos, Paulo faz um diagnóstico sombrio da nossa condição antes de sermos salvos.

Nós éramos néscios (3.3). Nossa mente estava corrompida pelo pecado. A estultícia e a insensatez eram as marcas registradas da nossa vida. Nossos conceitos estavam errados, nossos valores distorcidos e nossos desejos corrompidos. A palavra encerra o sentido de cegos à realidade de Deus e da Sua lei.¹⁸

William Hendriksen diz que "néscio" é o indivíduo não apenas ignorante, mas também por natureza incapaz de discernir as coisas do Espírito.¹⁹ Hans Burki é absolutamente claro quando diz que o aspecto

---

¹⁶STOTT, John. *A mensagem de 1Timóteo e Tito*, p. 206.
¹⁷BARCLAY, William. *I y II Timoteo, Tito y Filemon*, p. 272.
¹⁸J. N. D. Kelly. *I y II Timóteo e Tito: Introdução e comentário*, p. 226.
¹⁹HENDRIKSEN, William. *1 y 2 Timoteo e Tito*, p. 440.

sedutor desse pecado é que ele amortece a percepção da pecaminosidade do pecado.[20]

Nós éramos desobedientes (3.3). Nosso coração, além de tolo e obtuso, era também rebelde e desobediente à autoridade divina e humana. Nossa inclinação era toda para o mal. Éramos transgressores da lei e rendidos a toda sorte de pecado. Estávamos depravados não só na mente, mas também na moral. Kelly diz que essa desobediência passava também por uma impaciência com a autoridade.[21]

Nós estávamos desgarrados (3.3). Não tínhamos deleite em Deus nem em Sua Palavra; antes, nos desviávamos como ovelhas errantes. Cada passo que dávamos era para nos afastar mais de Deus. Essa palavra sugere que os cretenses tinham deixado o caminho certo e eram simplórios nas mãos de guias falsos.[22]

Nós éramos escravos de toda sorte de paixões e prazeres (3.3). Estávamos com a coleira do diabo no pescoço. Éramos vítimas de forças malignas que não podíamos controlar.[23] Vivíamos presos com grossas cordas, sujeitos a toda sorte de desejos pervertidos e embriagados por todas as taças dos prazeres mais aviltantes. Sentíamos total inapetência pelos banquetes de Deus, mas profunda avidez pelo cardápio do pecado.

Nós vivíamos em malícia e inveja (3.3). Nossa mente era cheia de maldade e sujeira. Vivíamos rendidos à inveja, cobiçando o que não nos pertencia. A malícia ou maldade é o que se faz quando se deseja o mal a alguém, e inveja é ressentir-se e desejar o bem que outros têm. Essas duas atitudes insensatas interrompem todo relacionamento humano.[24]

William Hendriksen diz que "inveja" é olhar com má disposição a outra pessoa devido ao que ela é ou ao que ela tem. A pessoa invejosa sente um profundo desprazer ao ver a felicidade e a prosperidade do outro. Foi exatamente a inveja que induziu Caim a assassinar seu irmão Abel. Foi a inveja que lançou José na cisterna e fez Coré, Datã e Abirão

---

[20] BURKI, Hans. *Carta aos Tessalonicenses, Timóteo, Tito e Filemom*, p. 422.
[21] KELLY, J. N. D. *I e II Timóteo e Tito: Introdução e comentário*, p. 226.
[22] KELLY, J. N. D. *I e II Timóteo e Tito: Introdução e comentário*, p. 226.
[23] STOTT, John. *A mensagem de 1 Timóteo e Tito*, p. 207.
[24] STOTT, John. *A mensagem de 1 Timóteo e Tito*, p. 207.

se rebelar contra Moisés e Arão. Foi a inveja que induziu Saul a perseguir a Davi e fez os sacerdotes e escribas crucificarem a Jesus.[25]

Nós éramos odiosos e vivíamos odiando-nos uns aos outros (3.3). Nosso relacionamento com nós mesmos e com os outros estava em crise. Éramos odiosos e, por isso, odiávamos. Fazíamos o que éramos. Quando o nosso relacionamento com Deus está rompido, não conseguimos conviver conosco nem com as outras pessoas. Longe de Deus somos uma verdadeira guerra civil ambulante.

Em segundo lugar, **a origem da salvação** (3.4). O apóstolo Paulo diz: "Quando, porém, se manifestou a benignidade de Deus, nosso Salvador, e o Seu amor para com todos". A iniciativa da salvação foi de Deus. A salvação é obra de Deus do começo ao fim. A salvação tem sua gênese não em nosso coração, mas no coração amoroso de Deus. A benignidade e o amor de Deus são a fonte e a origem da nossa salvação. Essa benignidade e esse amor de Deus são evidenciados no nascimento, vida, morte e ressurreição de Jesus. No versículo 5, Paulo fala da misericórdia divina e, no versículo 7, da Sua graça que nos justifica. Dessa forma, Paulo elenca quatro palavras benditas (benignidade, amor, misericórdia e graça) que são as colunas de sustentação da nossa salvação. É importante ressaltar que não foi o sacrifício de Cristo na cruz que despertou o coração de Deus para nos amar, mas foi o amor de Deus que levou Jesus à cruz. A cruz de Cristo não é a causa do amor de Deus, mas o seu resultado.

Em terceiro lugar, **a base da salvação** (3.7). Paulo continua: *A fim de que, justificados por graça...* A salvação não é resultado das nossas obras para Deus, mas da obra de Deus por nós em Cristo. Não é algum sacrifício meritório que fazemos para Deus, mas o sacrifício substitutivo e eficaz que Cristo fez por nós na cruz.

A base da nossa salvação é a morte expiatória de Cristo. Cristo morreu em nosso lugar e em nosso favor. Pagou a nossa dívida e satisfez as demandas da lei e da justiça de Deus por nós. Ele morreu a nossa morte e por Seu sacrifício vicário Deus nos declara justos. A base da nossa justificação não são os atos de justiça praticados por nós (3.4).

---

[25] HENDRIKSEN, William. *1 e 2 Timóteo y Tito*, p. 441.

A misericórdia de Deus o constrangeu a entregar Seu Filho e não poupá-lo. Embora a cruz não seja citada aqui pelo apóstolo Paulo, ela está presente, uma vez que Cristo Se entregou para a nossa salvação (2.14). Concordo com John Stott quando diz que a base da nossa salvação não são as nossas obras de justiça, mas a obra de misericórdia na cruz.[26]

Em quarto lugar, *o meio da nossa salvação* (3.5). Paulo prossegue: "Não por obras de justiça praticadas por nós, mas segundo Sua misericórdia, ele nos salvou mediante o lavar regenerador e renovador do Espírito Santo". Nós somos salvos mediante o lavar regenerador e renovador do Espírito Santo.

A palavra grega *paliggenesia* significa "regeneração, novo nascimento". Era comum seu uso no estoicismo para as restaurações periódicas do mundo natural. Também era empregada em sentido escatológico, especialmente pelos judeus, para a renovação do mundo na época do Messias, mas aqui a palavra assume um novo significado, em vista do novo nascimento cristão, que é um fato pessoal.[27]

Pela justificação, Deus nos declara justos; pela regeneração, Deus nos transforma em justos. A justificação acontece fora de nós, no tribunal de Deus; a regeneração acontece dentro de nós, em nosso coração. Pela regeneração, somos transformados e feitos filhos de Deus. Tornamo-nos novas criaturas (2Co 5.17). Recebemos um novo coração, uma nova vida, um novo nome, uma nova família. Tornamo-nos coparticipantes da natureza divina. Nascemos de novo, de Deus, do alto, do Espírito.

Essa regeneração não é batismal. O batismo em si não pode lavar pecados nem regenerar o pecador. O batismo em si não faz de um pagão um cristão. A água do batismo é apenas um símbolo da obra do Espírito Santo. A regeneração é um atributo exclusivo do Espírito Santo. A igreja não administra a salvação mediante os sacramentos. Só o Espírito Santo pode regenerar e lavar o pecador e fazer dele uma nova criatura.

Embora muitos comentaristas considerem esse "lavar regenerador e renovador do Espírito Santo" como uma referência à água do batismo, apoiamos a interpretação de Edmond Hiebert, quando diz que, se a

---

[26] STOTT, John. *A mensagem de 1Timóteo e Tito*, p. 209.
[27] RIENECKER, Fritz; Rogers, Cleon. *Chave linguística do Novo Testamento Grego*, p. 486.

água do batismo produzisse o renascimento espiritual, teríamos de referendar a tese heterodoxa de que uma agência material produziria um resultado espiritual. Esse lavar regenerador e renovador, na verdade, é uma ação interior operada pelo Espírito e simbolizada pela água do batismo. No Novo Testamento, a experiência interna é proclamada pela confissão pública diante do povo no batismo.[28]

Enquanto a regeneração é um ato, a renovação é um processo que dura a vida toda. O ato da regeneração precede e origina o processo da renovação.[29] Concordo com William Hendriksen quando diz que a regeneração é uma obra inteiramente de Deus, mas na renovação ou santificação tomam parte Deus e o homem. Se a regeneração não é percebida em forma direta pelo homem, senão pelos seus efeitos, a renovação exige a rendição consciente e contínua do homem e de toda a sua personalidade à vontade de Deus.[30]

Em quinto lugar, *o propósito da nossa salvação* (3.7b). Paulo ainda diz: *a fim de que [...] nos tornemos Seus herdeiros, segundo a esperança da vida eterna*. Deus não nos salvou no pecado, mas do pecado. Ele não nos justificou para continuarmos vivendo em injustiça, mas para nos tornarmos Seus herdeiros, segundo a esperança da vida eterna.

O propósito da salvação é que Deus seja glorificado por meio da nossa filiação. Éramos escravos das paixões infames; agora somos filhos de Deus, herdeiros de Deus e coerdeiros com Cristo. Estávamos mortos, agora recebemos o dom da vida eterna. Fomos salvos da condenação do pecado na justificação. Somos salvos do poder do pecado na santificação e seremos salvos da presença do pecado na glorificação. Agora já temos o penhor da herança. Então, tomaremos posse definitiva e completa dela.

Em sexto lugar, *a evidência da salvação* (3.8). Paulo conclui:

> *Fiel é esta palavra, e quero que, no tocante a estas coisas, faças afirmação, confiadamente, para que os que têm crido em Deus sejam solícitos na prática de boas obras. Estas coisas são excelentes e proveitosas aos homens.*

---

[28] HIEBERT, D. Edmond. *Titus* in *Zondervan NIV Bible Commentary*, p. 932.
[29] HENDRIKSEN, William. *1 y 2 Timoteo y Tito*, p. 444.
[30] HENDRIKSEN, William. *1 y 2 Timoteo y Tito*, p. 445.

> *Todos aqueles que creem em Deus devem ser solícitos na prática das boas obras. As boas obras não são a causa, mas a evidência da salvação. Não somos salvos pelas boas obras, mas para as boas obras. Não são as nossas boas obras que nos levam para o céu; nós é que as levamos para o céu* (Ap 14.13).

John Stott faz um sumário desses seis ingredientes essenciais para a salvação, nos seguintes termos:

> Sua necessidade é devido ao nosso pecado, à nossa culpa e à nossa escravidão; sua origem é a bondade e o amor gracioso de Deus; sua base não é o nosso mérito, mas a misericórdia de Deus, revelada na cruz; seu significado é a obra de regeneração e de renovação do Espírito Santo, sinalizada no batismo; seu objetivo é a nossa herança final da vida eterna; e sua evidência é a nossa diligente prática de boas obras.[31]

A relação de Tito com as pessoas (3.9-15)

Tendo abordado a questão da nossa relação com as autoridades, com o próximo e com Deus, Paulo agora trata da relação de Tito com as pessoas no contexto das questões eclesiásticas. Havia várias ordens do apóstolo para Tito.

Em primeiro lugar, *evitar discussões sem proveito* (3.9). Paulo diz: *Evita discussões insensatas, genealogias, contendas e debates sobre a lei; porque não têm utilidade e são fúteis.* Paulo não proíbe todo tipo de discussão. Precisamos batalhar pela fé e reprovar toda distorção da verdade. A apologética é uma real necessidade. Precisamos combater a heresia e defender a sã doutrina. Paulo, porém, condena a discussão fútil, sem proveito, sem implicações práticas na vida espiritual. Não podemos perder o foco, desviando-nos da obra para gastarmos nossa energia com conversas inúteis.

Os rabinos judeus passavam seu tempo construindo genealogias imaginárias das personagens do Antigo Testamento. Os escribas passavam intermináveis horas discutindo o que se podia e o que não se

---

[31] STOTT, John. *A mensagem de 1Timóteo e Tito*, p. 212.

podia fazer no sábado.[32] Essas coisas deviam ser evitadas pelos cristãos. William Barclay está correto quando diz que é mais fácil discutir teologia do que praticá-la.[33]

Em segundo lugar, *disciplinar as pessoas facciosas* (3.10,11). O apóstolo Paulo exorta: *Evita o homem faccioso, depois de admoestá-lo primeira e segunda vez, pois sabes que tal pessoa está pervertida, e vive pecando, e por si mesma está condenada*. Desse termo "faccioso", *hairetikos*, deriva nossas palavras herege, herético, sectário. O substantivo subjacente tem o sentido de escola, um grupo de pessoas; depois negativamente: partido, seita. Quem escolhe arbitrária e autocraticamente algo especial para si do todo da verdade, e arrasta "discípulos atrás de si", é um sectário; e um grupo ou igreja assim separados são uma seita.[34]

Tito deveria evitar pessoas que gostavam de criar partidos dentro da igreja e semear a cizânia da heresia e da discórdia. Nada machuca mais a igreja do que aqueles que se apartam da verdade e vivem criando mal-estar, ferindo a comunhão, falando mal das pessoas e maculando sua honra. A palavra grega *hairetikos*, traduzida por "faccioso", é muito sugestiva. William Barclay comenta a respeito:

O verbo grego *hairein* significa "eleger"; e a palavra grega *hairesis* significa "partido, escola ou seita". Originalmente a palavra não tinha nenhum significado negativo. Uma *hairesis* era apenas um partido ao qual uma pessoa desejava pertencer. O significado negativo aparece quando uma pessoa erige sua opinião privada contra todo ensino, acordo e tradição da igreja. Um herege é simplesmente uma pessoa que decidiu que está certa e que todos os demais estão equivocados. O herege é a pessoa que transforma as próprias ideias na prova e na medida de toda a verdade.[35]

Kelly nessa mesma linha de pensamento ainda nos ajuda a compreender o pano de fundo da palavra *hairesis*. Diz ele que a palavra traduzida por "homem faccioso", *hairetikos*, ocorre somente aqui na Bíblia.

---

[32]BARCLAY, William. *I y II Timoteo, Tito y Filemon*, p. 277.
[33]BARCLAY, William. *I y II Timoteo, Tito y Filemon*, p. 277.
[34]BURKI, Hans. *Cartas aos Tessalonicenses, Timóteo, Tito e Filemom*, p. 428.
[35]BARCLAY, William. *I y II Timoteo, Tito y Filemon*, p. 277.

O substantivo cognato *hairesis*, no entanto, é usado em Atos com o significado neutro de "partido" ou "escola de pensamento" (em 5.17, dos saduceus; em 15.5, dos fariseus; em 24.5, dos cristãos), mas por Paulo com o significado pejorativo de "panelinhas partidárias" (1Co 11.19; Gl 5.20). Dessa forma, o sentido de "separatista" ou "sectário" se encaixa admiravelmente na passagem e está de pleno acordo com o uso de *hairesis* feito pelo apóstolo.

O que perturbava as igrejas de Creta era a tendência de os falsos mestres formarem grupos dissidentes, dividindo assim o corpo de Cristo.[36] O erro dessas pessoas estava ligado tanto à doutrina quanto à ética, tanto à teologia quanto à vida.

Paulo diz que devemos ter limites em nossa relação com as pessoas facciosas (3.10,11). Depois de admoestar essas pessoas uma primeira e segunda vez, em caso de contumaz obstinação, a igreja deve discipliná-las e excluí-las da comunhão. Nada pode ser feito com um homem que deliberadamente persiste em dividir a união da igreja, diz Kelly.[37]

John Stott esclarece que era necessário ministrar disciplina em três estágios a tal pessoa, começando com duas claras advertências. Somente então, depois disso – se a pessoa não se arrepender, recusando a oportunidade de ser perdoada e de ser restaurada – é que ela deve ser rejeitada e excluída da filiação da igreja (3.10).[38]

William Hendriksen sintetiza esse ponto de forma clara:

> A disciplina sempre deve brotar do amor, de um desejo de curar, jamais do desejo de desfazer-se de um indivíduo. Todo esforço deve ser feito no sentido de recuperar o faltoso. Se depois de ser admoestado com carinho, o membro recusar arrepender-se e continuar com sua má conduta no meio da congregação, a igreja por meio de seus dirigentes e por intermédio de toda a congregação deve redobrar os seus esforços. Deve haver uma segunda advertência. Contudo, se ainda esse remédio fracassar, o tal deve ser expulso. Mesmo essa medida extrema tem como

---

[36] KELLY, J. N. D. *I e II Timóteo e Tito*, p. 230,231.
[37] KELLY, J. N. D. *I e II Timóteo e Tito*, p. 231.
[38] STOTT, John. *A mensagem de 1Timóteo e Tito*, p. 215.

propósito a recuperação do pecador. Todavia, esse não pode ser o único propósito. Não se deve perder de vista nunca o bem-estar da igreja para a glória de Deus, uma vez que esse é o objeto principal da disciplina.[39]

Em terceiro lugar, *encontrar-se com Paulo em Nicópolis* (3.12). Paulo continua: *Quando te enviar Ártemas ou Tíquico apressa-te a vir até Nicópolis ao meu encontro. Estou resolvido a passar o inverno ali.* Paulo estava fazendo uma troca de obreiros, enviando Ártemas ou Tíquico para ocupar o lugar de Tito em Creta.

As igrejas da ilha de Creta não podiam ficar sem uma sólida liderança espiritual. As condições ainda eram demasiadamente graves para as igrejas ficarem sem uma robusta orientação espiritual. Tito não deveria se ausentar da ilha senão depois que o seu substituto chegasse. Logo, porém, que esse obreiro chegasse, Tito deveria encontrar-se com Paulo em Nicópolis (a cidade da vitória), pois era sua intenção passar ali o inverno.

Nicópolis era a capital de Épiro, na costa ocidental da Grécia. Era o melhor centro de trabalho da província romana de Dalmácia. É muito provável que Tito tenha ido encontrar-se com Paulo nessa cidade, tendo em vista que mais tarde realizou um trabalho de evangelização nessa região da Dalmácia (2Tm 4.10).

Nicópolis foi fundada por Otaviano (mais tarde Augusto César) em 31 a.C. para assinalar seu triunfo sobre Antonio e Cleópatra em Actio.[40]

Em quarto lugar, *encaminhar Zenas e Apolo* (3.13). Paulo prossegue: "Encaminha com diligência Zenas, o intérprete da lei, e Apolo, a fim de que não lhes falte coisa alguma". Tito deveria prover de donativos e recursos esses dois obreiros na obra itinerante que estavam realizando. Possivelmente foram eles os portadores dessa carta de Paulo a Tito. As igrejas de Creta deveriam suprir-lhes as necessidades nessa nova viagem que estavam para iniciar.

Apolo era um mestre bem conhecido na igreja (At 18.24), porém nada sabemos sobre Zenas. Paulo o chama de "o intérprete da lei". A

---

[39] Hendriksen, William. *1 y 2 Timoteo y Tito*, p. 450.
[40] Kelly, J. N. D. *I e II Timóteo e Tito*, p. 232.

palavra grega *nomikos* é a mesma utilizada para descrever o escriba. Talvez ele fosse um rabino judeu convertido a Cristo. A palavra *nomikos* era usada também para "advogado". Assim, Zenas seria o único advogado mencionado no Novo Testamento.[41]

Em quinto lugar, **estimular os crentes à prática das boas obras** (3.14). Paulo ainda diz: "Agora, quanto aos nossos, que aprendam também a distinguir-se nas boas obras a favor dos necessitados, para não se tornarem infrutíferos".

A salvação é de graça, mas é demonstrada pelas obras. Recebemos a salvação de graça, mas a recompensa é recebida pelas obras. Aqueles que foram objetos do amor de Deus devem agora abrir o coração para os necessitados. Aqueles que receberam o derramamento abundante do Espírito devem ser frutíferos na prática de boas obras. É interessante que os cristãos devem trabalhar não apenas para suprir as próprias necessidades, mas também para ter algo que possam dar aos outros.

Em sexto lugar, **ser receptáculo e canal do amor fraternal** (3.15). Paulo conclui: "Todos os que se acham comigo te saúdam; saúda quantos nos amam na fé. A graça seja com todos vós". Tito deveria receber e transmitir as saudações dos irmãos. Não deveria ser apenas um receptáculo, mas também um canal do amor fraternal. A igreja precisa ser um lugar de onde fluem abundantemente as torrentes do amor. Não somos um mar Morto que retém as águas, mas um mar da Galileia que as distribui. Nossa vida deve ter portas abertas para receber amor e janelas abertas para demonstrar amor.

Paulo termina essa pequena carta pastoral rogando a graça de Deus sobre todos os crentes. John Stott está correto quando diz que, ao pronunciar a sua bênção, Paulo olha para além de Tito, para todos os membros das igrejas cretenses, de fato para todos os que posteriormente leriam a sua carta, inclusive nós (3.15b).[42] A graça é a fonte da vida e melhor do que a vida. Por ela somos salvos, por ela vivemos e por ela entraremos nos páramos celestiais.

---

[41] BARCLAY, William. *I y II Timoteo, Tito y Filemon*, p. 278.
[42] STOTT, John. *A mensagem de 1Timóteo e Tito*, p. 217.

Antes de fechar as cortinas dessa preciosa carta, é bom voltar os olhos ao passado, atendendo à exortação de Paulo (3.1), e relembrar algumas coisas. Warren Wiersbe nos sugere quatro lembranças, como veremos em seguida.[43]

Relembre o que devemos fazer (3.1,2). O cristão é cidadão da terra e do céu, e deve ser submisso e obediente. Deve ser bênção onde vive, e não causador de problemas.

Relembre o que nós fomos (3.3). Estávamos mergulhados em densas trevas. Éramos prisioneiros do diabo, do mundo e da carne. Estávamos condenados, perdidos e depravados. Porém, Deus perdoou os nossos pecados e nos amou e nos escolheu não por causa de nós, mas apesar de nós.

Relembre o que Deus fez por nós (3.4-7). A nossa salvação não é fruto do nosso merecimento, mas da generosa graça de Deus. Estávamos perdidos e fomos achados; estávamos mortos e recebemos vida.

Relembre o que Deus espera de nós (3.8-11). Um dos assuntos principais dessa carta é a prática das boas obras (1.16; 2.7; 2.14; 3.1; 3.8; 3.14). As pessoas que estão ocupadas fazendo a obra do Senhor não têm tempo para discussões inúteis.

---

[43]WIERSBE, Warren W. *With the word*, p. 808.

Introdução – Filemom

CARTA DE PAULO A FILEMOM É UM BILHETE regado de profunda emoção. É pequeno no tamanho e imenso no conteúdo. Essa é a mais breve entre as cartas que formam a coletânea paulina e consiste apenas em 335 palavras no grego original.[1] No entanto, aborda temas profundíssimos, que nem toda uma enciclopédia poderia esgotar. Albert Barnes a chama de uma brilhante e bela gema no tesouro dos livros inspirados.[2]

William MacDonald afirma que, embora essa carta não seja doutrinária como as demais do apóstolo, é uma perfeita ilustração da doutrina da "imputação".[3]

Paulo se apresentou como mediador entre Onésimo e Filemom para quitar todo o débito de Onésimo. A dívida de Onésimo foi colocada na conta de Paulo, que se dispôs a pagá-la. Esse fato lança luz sobre a bendita verdade de que nossa dívida impagável não foi colocada em nossa conta (2Co 5.19), mas na conta de Cristo (2Co 5.21), e ele, com sua morte, rasgou o escrito de dívida que era contra nós, quitando completamente nosso débito. Além disso, Sua justiça completa e perfeita foi colocada em nossa conta (2Co 5.21).

Embora alguns estudiosos a considerem a única carta particular de Paulo que temos,[4] o contexto nos deixa claro que Paulo a endereça também a Áfia, Arquipo e à igreja que se reunia na casa de Filemom.

O erudito Lightfoot tem razão quando diz que, conquanto as cartas pastorais também tenham sido endereçadas a indivíduos, elas discutiram importantes matérias da disciplina e governo da igreja.

---

[1] Martin, Ralph P. *Colossenses e Filemom: Introdução e comentário*. São Paulo: Vida Nova, 1984, p. 153.
[2] Barnes, Albert. *Barnes' Notes on the Old & New Testaments*, p. 291.
[3] MacDonald, William. *Believer's Bible commentary*, p. 2.147.
[4] Barclay, William. *I y II Timoteo, Tito y Filemon*, p. 279.

Obviamente, deveriam ser lidas por outras pessoas além daquelas para as quais foram imediatamente escritas. Entretanto, a carta a Filemom não menciona nenhuma questão de interesse público.

Ela é endereçada a um homem leigo. Está completamente ocupada com um incidente da vida doméstica. Talvez tenha sido uma das inumeráveis cartas pessoais do apóstolo escritas a seus amigos e irmãos para resolver questões pessoais. Contudo, para nós, essa carta foi preservada, dentre ampla variedade de outras cartas do apóstolo, como um tesouro precioso. Em nenhum lugar a influência social do evangelho é vista com tanta eloquência. Em nenhum lugar a nobreza do caráter do apóstolo transparece com tanto vigor quanto nesse incidente do veterano apóstolo rogando a favor de um escravo fugitivo.[5]

A epístola a Filemom é correlata à epístola aos Colossenses. Foram escritas do mesmo lugar, enviadas à mesma cidade (Cl 4.8,9) e redigidas pelo mesmo apóstolo. É provável que Filemom tenha sido escrita na mesma época que Colossenses, por volta do ano de 62 d.C. (Cl 4.7-9) e levada pelos mesmos emissários, ou seja, Tíquico e Onésimo.[6] Na verdade, as cartas aos Efésios, Colossenses e Filemom foram levadas pelo mesmo portador, ou seja, Tíquico (Ef 6.21,22; Cl 4.7-9).

Myer Pearlman diz que, pela impressão de cortesia, prudência e técnica de estilo que Paulo nos apresenta, essa carta tornou-se conhecida como a "epístola da cortesia". Não contém instrução alguma direta referente à doutrina ou conduta cristã. O seu valor principal encontra-se no quadro que ela nos oferece do funcionamento prático da doutrina cristã na vida diária e da relação do cristianismo com os problemas sociais.[7]

A autoria da carta

A autoria paulina dessa carta é consenso praticamente unânime entre os estudiosos. Até mesmo os arautos do liberalismo teológico, que

---

[5] LIGHTFOOT, J. B. *Philemon* in *The classic Bible commentary*. Wheaton, IL: Crossway Books, 1999, p. 1.438.
[6] NIELSON, John B. *A epístola a Filemom* em *Comentário bíblico Beacon*. Vol. 9, Rio de Janeiro: CPAD, 2006, p. 575.
[7] PEARLMAN, Myer. *Através da Bíblia livro por livro*, p. 305.

ousaram questionar a legitimidade de autoria paulina de Timóteo e Tito, aceitam sem questionamento o fato de Paulo ser o autor dessa epístola. Alguns eminentes pais da igreja como Tertuliano, Eusébio e Orígenes também deram testemunho da autoria paulina dessa missiva.

John Peter Lange diz que a genuinidade dessa epístola é amplamente confirmada pelas evidências externas. Ela é mencionada no Cânon Muratoriano (do segundo século) e até mesmo o heterodoxo Marcion atribui sua autoria ao apóstolo Paulo.[8]

Por três vezes Paulo afirma que, ao escrever essa carta, é um prisioneiro (v. 1,9,23) e está sob algemas (v. 10,13). Alguns pensam que se trata de sua prisão em Éfeso ou Cesareia. As evidências, porém, favorecem a tese de que Paulo escreveu Filemom quando de sua primeira prisão em Roma.

Nos dois anos em que Paulo ficou preso em Roma, em regime de prisão domiciliar, teve a oportunidade de ministrar a Palavra de Deus a muitas pessoas (At 28.17-31). Nesse tempo escreveu as cartas aos Efésios, Filipenses, Colossenses e Filemom. Foi nesse período que Onésimo, escravo de Filemom, fugiu de Colossos para Roma e nessa fuga acabou preso na capital do Império. Por providência divina foi parar exatamente onde estava o apóstolo Paulo.

Ralph Martin diz que a natureza do delito do escravo não é certa. Usualmente é suposto que tenha furtado dinheiro e depois fugido (v. 18). No entanto, como a lei romana exigia que aquele que oferecesse hospitalidade a um escravo fugitivo fosse devedor ao senhor do escravo do montante de cada dia de trabalho perdido, pode ser que a promessa de Paulo de ser fiador (v. 19) nada mais tenha sido do que a garantia dada a Filemom que ele pagaria o montante incorrido pela ausência de Onésimo do seu serviço.[9]

Tão logo Onésimo foi colocado diante de Paulo na prisão, o apóstolo, não perdendo a oportunidade, ganhou-o para Cristo e o gerou

---

[8] Lange, John Peter. *The Epistle of Paul to Philemon* in *Commentary on the Holy Scriptures*. Vol. 11. Grand Rapids, MI: Zondervan Publishing House, 1980, p. 1.
[9] Martin, Ralph P. *Colossenses e Filemom*, p. 154.

entre algemas (v. 10). O escravo que havia roubado ao seu senhor está pronto a voltar a Colossos e a Filemom. A restituição tornava-se imperativa.

Essa carta mostra de forma eloquente o caráter compassivo de Paulo. Ele é um homem cheio de compaixão por uma pessoa que passa por aflição, e está disposto a fazer tudo que esteja ao seu alcance para ajudar, mesmo que lhe custe alguma coisa (v. 19). A carta reflete as características pessoais do apóstolo, como tato, generosidade, autossacrifício e amabilidade. Cada uma das partes era conclamada a fazer alguma coisa difícil: quanto a Paulo, privar-se do serviço e do convívio de Onésimo; quanto a Onésimo, voltar ao seu senhor e dono a quem fizera uma injustiça; quanto a Filemom, perdoar.[10]

O tempo e o lugar da composição da carta

O tempo e o lugar em que a carta a Filemom foi escrita coincidem com a data e o lugar da composição das cartas aos Colossenses, Filipenses e Efésios. É meridianamente claro que Paulo escreveu da prisão (v. 1). Os estudiosos discutem se essa prisão aconteceu em Éfeso, Cesareia (At 24.27) ou Roma (At 28.30,31). Como já afirmamos, as evidências apontam para a primeira prisão em Roma. Somente dessa prisão Paulo demonstra sua expectativa de sair para continuar proclamando o evangelho (Fp 1.19,20; 2.23,24; Fm 22).[11]

O destinatário da carta

Essa carta é endereçada a Filemom, um rico senhor de escravos, convertido a Cristo pelo ministério de Paulo (v. 1, 19), e também à igreja que se reúne em sua casa (v. 2). Possivelmente Filemom morava na cidade de Colossos, no vale do rio Lico, cidade próxima de Hierápolis e Laodiceia, na Ásia Menor. Filemom era marido de Áfia e pai de Arquipo, o pastor da igreja de Colossos. Assim, a carta nos apresenta uma família comum

---

[10]MARTIN, Ralph P. *Colossenses e Filemom*, p. 162.
[11]LANGE, John Peter. *The Epistle of Paul to Philemon* in *Commentary on the Holy Scripture*, p. 3,4.

de uma pequena cidade da Frígia, no vale do Lico. Quatro membros são mencionados por nome: o pai, a mãe, o filho, e o escravo.[12]

Havia uma igreja que se reunia na própria casa de Filemom (v. 2). Essa família não apenas pertencia a Cristo, mas estava a serviço de Cristo. A casa deles não apenas havia sido transformada pelo poder do evangelho, mas estava a serviço do evangelho. Eles não apenas faziam parte da igreja, mas também abrigavam a igreja em sua própria casa.

Na sua terceira viagem missionária, Paulo trabalhou três anos na cidade de Éfeso, capital da Ásia Menor (At 20.31). Dali o evangelho irradiou-se por toda a Ásia (At 19.10). Foi nesse tempo que Filemom teve a oportunidade de ouvir o evangelho por intermédio de Paulo. O apóstolo tinha um estreito relacionamento com Filemom, cidadão abastado de Colossos. O relacionamento entre Paulo e Filemom é cordial, de confiança e parceria. Paulo o chama de irmão, amado, colaborador e companheiro (v. 1,17).[13]

Embora Paulo não tenha estado em Colossos (Cl 2.1), cultivava um profundo amor pela igreja daquela cidade e orava por ela incessantemente. Epafras, o fundador da igreja, estava agora com Paulo, preso em Roma (Cl 4.12,13; Fm 23). Arquipo, filho de Filemom, havia assumido o pastorado da igreja na ausência de Epafras (Cl 4.17).

A realidade da **escravidão** no Império Romano

A escravidão era parte integral do mundo antigo. Toda sociedade estava edificada sobre ela. No Império Romano havia mais de sessenta milhões de escravos no primeiro século. A sociedade vivia sob forte tensão e medo de uma rebelião desses escravos, por serem eles maioria absoluta. Por essa razão, sobretudo, os escravos eram extremamente oprimidos. Sempre que um escravo se mostrava rebelde, era imediatamente eliminado. Quando conseguia escapar, ao ser capturado, era marcado com ferro em brasa na testa com um *F* de fugitivo, e seu senhor podia castigá-lo até a morte ou crucificá-lo sumariamente.[14]

---

[12]LIGHTFOOT, J. B. *Philemon* in *Classic Bible Commentary*, p. 1.438.
[13]BURKI, Hans. *Carta aos Tessalonicenses, Timóteo, Tito e Filemom*, p. 435.
[14]BARCLAY, William. *I y II Timoteo, Tito y Filemon*, p. 280.

No Império Romano, nos dias de Paulo, era comum escravos fugirem da servidão. Normalmente, eles se juntavam a grupos de ladrões, na tentativa de se esconderem nos cais das grandes cidades.[15]

Na Itália, cerca de 90% da população era de escravos no primeiro século. Não havia leis regulamentares para defender o direito dos escravos. Na verdade, eles não tinham nenhum direito. Podiam ser castigados, presos, torturados e mortos.

William Barclay diz que um escravo não era uma pessoa; era uma ferramenta viva. Qualquer senhor de escravo tinha o direito de vida e de morte sobre seus escravos. Tinha poder absoluto sobre eles. Podia colocar argolas em suas orelhas, condená-los a tarefas pesadas, colocar cadeias em seus pés, castigá-los com golpes de vara, chicoteá-los. Podia colocar marca em sua fronte e, finalmente, se o escravo se mostrasse rebelde, podia até mesmo crucificá-lo.[16]

Como uma ferramenta viva, um escravo não tinha direitos, apenas deveres. Ele não era dono de sua liberdade, nem mesmo de seu corpo. Era apenas um instrumento de trabalho. Um indivíduo podia se tornar escravo naquele tempo ao nascer de uma mulher escrava; ou como punição de um crime; ou ao ser levado para outra terra; ou quando era conquistado por outra nação.

No regime do *Pater Potestas*, um pai podia vender o próprio filho como escravo. Finalmente, alguém podia tornar-se escravo para quitar uma dívida.[17]

Embora a escravidão esteja em completo desacordo com os preceitos e princípios das Escrituras, nem Jesus nem os apóstolos atacaram frontalmente essa prática. Cristo não veio ao mundo para capitanear uma revolução social. Ele não entrou no mundo como um rei político. Veio ao mundo como nosso redentor. Veio para morrer por nossos pecados. Veio para nos reconciliar com Deus.

---

[15] O'BRIEN, Peter T. *Philemon* in *New Bible Commentary*, ed. G. J. Wenham et all. Downers Grove, IL: InterVarsity Press, 1994, p. 1.316.
[16] BARCLAY, William. *I y II Timoteo, Tito & Filemon*, p. 280.
[17] BARTON, Bruce B. et all. *Life application Bible commentary on Philippians, Colossians & Philemon*, p. 244.

É bem verdade que o cristianismo desestabilizou a escravidão e foi o principal instrumento de sua erradicação. O que essa epístola faz é nos levar a uma atmosfera em que a escravidão somente poderia murchar e morrer.[18] Aqueles que se convertem a Cristo passam a fazer parte da família de Deus, do corpo de Cristo. Os cristãos são um só corpo, sejam judeus ou gentios, escravos ou livres. Em Cristo não há judeus nem gregos; nem escravos nem livres; nem homens nem mulheres (Gl 3.28; Cl 3.11). Nessa nova relação os senhores deviam tratar com dignidade os seus servos e os servos deviam honrar os seus senhores (Ef 6.5,6).

John Nielson ainda esclarece esse ponto, assim:

> Paulo não ataca a escravidão diretamente. Ele não aconselha rebelião ou desafio à lei e ordem prevalecentes. Ao contrário, aconselha obediência ao governo (Rm 13.1). O que o apóstolo faz é elevar o assunto a um nível espiritual sublime. Ele soluciona a questão escravista não por compulsão, mas por redenção. Paulo mostra que o escravo crente é tão verdadeiramente irmão cristão e está tão realmente "em Cristo" quanto o senhor crente (Rm 12.4,5). Todos os cristãos estão igualmente em Cristo e, portanto, são membros do corpo de Cristo.[19]

O propósito da carta

Paulo escreve essa carta para enviar Onésimo, o escravo fugitivo, agora convertido a Cristo, de volta ao seu senhor. O evangelho o havia libertado espiritualmente, mas não o dispensava de seus deveres sociais. O evangelho não alforriou os escravos de seus deveres, mas quebrou suas algemas espirituais e os libertou para uma nova vida em Cristo. Não bastava a Onésimo estar arrependido de seu delito. A restituição era o passo seguinte a ser dado. E ambos, Paulo e Onésimo, decidiram por isso.

Possivelmente, Onésimo, além de fugir da casa de seu senhor, também havia subtraído alguns pertences de Filemom. Era duplamente

---

[18] MARTIN, Ralph P. *Colossenses e Filemom*, p. 159.
[19] NIELSON, John B. *A epístola a Filemom* em *Comentário bíblico Beacon*, p. 575,576.

culpado. Segundo a lei romana, ele podia ser preso, torturado e morto. Contudo, Onésimo fugindo da escravidão, encontra sua verdadeira liberdade em Cristo. Torna-se um novo homem. Agora, mesmo sob o jugo da escravidão, está verdadeiramente livre. Mesmo sendo útil a Paulo em Roma, o velho apóstolo resolve devolvê-lo ao seu dono. Antes, porém, roga em nome do amor, para que Filemom receba o escravo como a um irmão. Se antes Onésimo lhe parecia inútil, agora seria útil. Se antes ele era alvo de severa disciplina, agora deveria ser recebido como se fosse o próprio apóstolo Paulo em pessoa.

A tônica dessa carta é o perdão. Filemom deveria perdoar aquele a quem Deus já havia perdoado. Filemom não deveria punir aquele por quem Cristo já havia sido castigado na cruz. Filemom deveria receber como a um filho o escravo que o havia desonrado.

Bruce Barton acentua que Paulo escreve essa carta a favor de Onésimo, rogando a Filemom que veja o jovem [...] *muito acima de escravo, como irmão caríssimo* (v. 16). Assim, a expectativa de Paulo é que Filemom desse a Onésimo boas-vindas (v. 17), o perdoasse (v. 18,19) e talvez até o libertasse (v. 21). O apelo de Paulo foi baseado no amor de Cristo (v. 9), no seu relacionamento com Filemom (v. 17-19) e em sua autoridade apostólica (v. 8).[20]

Ralph Martin está correto quando diz que a petição de Paulo a Filemom para perdoar Onésimo era um pensamento revolucionário em contraste com o tratamento contemporâneo de escravos fugitivos, pelo qual o senhor deles podia tratar de prender e depois castigar com brutalidade. O senhor podia até mesmo mandar crucificar o escravo.[21]

Essa breve carta está repleta de sabedoria. A abordagem de Paulo é cheia de ternura e sensibilidade. Ele não ordena, roga. Ele não critica, elogia. Ele não prevalece pela força da autoridade, mas pela eloquência da brandura.

---

[20]BARTON, Bruce B. et all. *Life application Bible commentary on Philippians, Colossians & Philemon*, p. 245.
[21]MARTIN, Ralph P. *Colossenses e Filemom*, p. 155.

As principais ênfases da carta

A carta de Paulo a Filemom é uma joia de raro valor. Há tesouros inestimáveis que devem ser explorados nessa pequena epístola. Vamos destacar algumas de suas ênfases.

Em primeiro lugar, *o poder do evangelho*. O evangelho de Cristo é o poder de Deus para a salvação de todo o que crê. Ele transforma o rico e o pobre; o escravo e o livre; o patrão e o empregado; o rei e o vassalo. O evangelho rompe todas as barreiras, quebra todos os preconceitos, alcança todas as estratificações sociais e transforma o homem do palácio e também o da choupana, o da casa grande e também o da senzala.

O mundo ergue muralhas entre as pessoas, mas Jesus destrói esses muros. O mundo hoje divide e separa as pessoas pela cor de sua pele, pelo seu *status* social, econômico, cultural e religioso.

Jesus veio ao mundo para derrubar a parede de separação. Ele abraçou aqueles que todos escorraçavam. Ele acolheu aqueles que todos expulsavam. Ele amou aqueles que todos repudiavam. Jesus tocou os leprosos, conversou com as mulheres, abençoou as crianças, recebeu os publicanos e pecadores e abriu a porta do Reino até mesmo para as prostitutas. Jesus estendeu Sua graça aos odiados samaritanos e trouxe esperança para os gentios.

O apóstolo Paulo mostra nessa epístola, seguindo os passos do Mestre, que um rico senhor de escravos e um escravo fugitivo, convertidos a Cristo, são rigorosamente iguais perante os olhos de Deus. São membros da mesma família. Devem ser vistos como irmãos e amar-se como tal.

Arthur Rupprecht coloca essa verdade do poder do evangelho nos seguintes termos:

> Paulo, Filemom e Onésimo são personagens de um profundo significado social no drama da vida real. Cada um deles veio ao cristianismo de diferentes contextos e *background*. Paulo era um rigoroso judeu, da seita dos fariseus, perseguidor implacável da igreja. Filemom era um rico gentio asiático, enquanto Onésimo era um escravo, uma ferramenta viva, um ser desprezado e ainda fugitivo de seu senhor. Eles se encontraram unidos pelo evangelho de Cristo. São um exemplo vivo

daquilo que o próprio Paulo escreveu: *Dessarte, não pode haver judeu nem grego; nem escravo nem liberto; nem homem nem mulher; porque todos vós sois um em Cristo Jesus* (Gl 3.28). Foi com base nessa singularidade do cristianismo que Paulo procurou solução para o problema existente entre Onésimo e Filemom.[22]

Em segundo lugar, *a igualdade do evangelho*. O evangelho de Cristo alcança senhores de escravos e também os escravos. Transforma homens de fina estirpe e também os que procedem das classes sociais mais humildes. Na família de Deus, o senhor de escravos não é melhor do que os escravos. No Reino de Deus todos são iguais. Eles são membros da mesma família, são irmãos. Filemom deveria receber Onésimo não mais como um escravo, mas como um irmão amado.

Paulo agiu como advogado de Onésimo. Ele confiou que Onésimo voltaria ao seu senhor e se submeteria a ele, sujeitando-se às consequências de seus atos. Paulo confiava em Onésimo como um verdadeiro irmão na fé. Paulo não só endossou a volta do seu filho na fé ao seu senhor, mas dispôs-se a pagar quaisquer pendências financeiras do escravo fugitivo (v. 18).

O evangelho de Cristo não apenas torna as pessoas iguais, mas também as aproxima. Num tribunal secular, Filemom seria colocado de um lado e Onésimo do outro. De um lado estaria o patrão espoliado e do outro, o empregado ladrão. Porém, o evangelho transforma os corações, as circunstâncias e aproxima aqueles que as leis humanas só poderiam separar. Por meio da fé comum em Cristo Jesus, Filemom e Onésimo são unidos. Deus ainda reconcilia pessoas apesar de suas diferenças e ofensas.[23]

Em terceiro lugar, *a providência do evangelho*. Aquilo que parecia um desatino na vida de Onésimo, fugindo da casa de seu senhor, colocando-se sob a punição severa da lei, enveredando-se por um caminho de rebelião, acabou se tornando na estrada de seu encontro com Deus.

---

[22]RUPPRECHT, Arthur A. *Philemon* in *Zondervan NIV Bible commentary*. Grand Rapids, MI: Zondervan Publishing House, 1994, p. 936.
[23]BARTON, Bruce B. et all. *Life application Bible commentary on Philippians, Colossians & Philemon*, p. 245.

Onésimo fugia de seu patrão, mas não conseguiu fugir de Deus. Nessa fuga, ele é capturado por Deus e encontra o real sentido da vida. Nessa corrida rumo à liberdade, ele encontra o evangelho de Cristo, que o liberta do pecado, sua escravidão mais opressiva.

Não temos informações precisas acerca do que aconteceu com Onésimo em Roma. Talvez ele tenha usado o dinheiro do seu senhor para fugir para a capital do Império. Naquela época, a maior parte da população era formada de escravos. Onésimo pensou que ficaria incógnito na metrópole romana. Contudo, não tardou para que fosse surpreendido e capturado. Estava agora preso. Tentando escapar da escravidão estava agora diante da carranca da condenação e da morte. Foi então que se deparou na prisão com o apóstolo Paulo. Nesse tempo, Epafras, o fundador da igreja de Colossos, estava preso com Paulo em Roma. Possivelmente, reconheceu Onésimo, e as máscaras do escravo fugitivo caíram.

Porém, nesse momento de desespero, o apóstolo Paulo o evangelizou, falou-lhe das boas-novas de salvação, e aquele escravo fugitivo rendeu-se ao Salvador. Paulo o gerou entre cadeias. O escravo agora tornou-se filho na fé do velho apóstolo. Onésimo servia a Paulo na prisão. Um relacionamento de pai para filho foi desenvolvido entre o apóstolo dos gentios e o escravo convertido. O caminho sinuoso da fuga se transformou na trilha certa do encontro de Onésimo com Cristo. Quando pensou que havia chegado ao fundo do poço, Deus lhe estendeu a mão e ele foi salvo.

Em quarto lugar, *a graça do evangelho*. O evangelho de Cristo é maravilhoso. Não há casos irrecuperáveis para Deus. Não há poço tão fundo que o evangelho não seja mais profundo. A graça é maior do que o nosso pecado. Onésimo roubou, fugiu, escondeu-se, foi capturado e encarcerado, mas quando pensou que havia chegado ao fim da linha Deus lhe abriu a porta da esperança. Não há casos perdidos para Deus. Não há casos irrecuperáveis para o Deus de toda a graça. Deus ainda continua transformando escravos em livres. Deus ainda continua encontrando os fugitivos para lhes trazer de volta ao lar; não como cativos, mas, como livres, filhos e herdeiros.

Lutero disse acertadamente que todos nós somos *Onésimos*.[24] Todos nós éramos escravos do pecado. Todos nós andávamos errantes. Todos nós estávamos perdidos e fomos achados. Estávamos condenados e fomos libertados. Estávamos mortos e recebemos vida. Nossa salvação não é resultado do nosso mérito, mas pura expressão da graça. Nada somos, nada temos, nada merecemos. Porém, Deus, por Sua graça nos amou, nos alcançou, nos libertou, nos transformou e nos adotou como seus filhos amados, membros de sua bendita família.

Em quinto lugar, ***o perdão do evangelho***. A carta de Paulo a Filemom é um grande compêndio acerca do perdão. Aqueles que foram perdoados devem perdoar. Aqueles que foram libertados por Cristo devem despedaçar todo jugo. Aqueles que foram alvos da graça precisam ser canais dela. Aqueles que experimentaram o amor de Deus devem distribuir com generosidade esse amor. Filemom era amigo de Paulo, mas também o senhor de Onésimo. Ele poderia punir Onésimo como um ladrão fugitivo. Porém, Paulo roga a Filemom que o receba não com punição, mas com perdão, como a um verdadeiro irmão na família da fé (v. 17).

O nome "Onésimo" na língua grega significa "útil, proveitoso".[25] Porém, em certo momento Onésimo se tornou inútil a Filemom, mas agora lhe é útil (v. 11). Filemom o havia perdido por um tempo, para tê-lo agora para sempre (v. 15). Filemom deve recebê-lo novamente, ainda que não mais como escravo, mas como um irmão cristão (v. 16). Agora é um filho na fé do apóstolo Paulo e Filemom deve recebê-lo como se recebesse o próprio Paulo.[26]

Estou de pleno acordo com o que escreve Ralph Martin:

> O que percorre o apelo de Paulo é a correnteza da compaixão cristã (v. 12) e a lembrança poderosa de que Filemom já está devendo ao próprio Paulo (v. 19b), pois Filemom deve à pregação do evangelho por Paulo a própria salvação, dentro da soberania de Deus. As notas características são, portanto: [...] *em nome do amor* (v. 9); *Reanima-me*

---

[24]MacDonald, William. *Believer's Bible commentary*, p. 2.147.
[25]Lightfoot, J. B. *Philemon* in *Classic Bible commentary*, p. 1.439.
[26]Barclay, William. *I y II Timoteo, Tito y Filemon*, p. 281.

o coração em Cristo (v. 20) e receba este escravo fugitivo [...] *como se fosse a mim mesmo* (v. 17), no sentido de Filemom ir além do limite do desejo de Paulo; e esse apelo é reforçado pela perspectiva da visita do apóstolo (v. 22).[27]

Em sexto lugar, *a vitória do evangelho*. A carta a Filemom mostra de forma eloquente a vitória do evangelho. O pecado afasta, o evangelho aproxima. O pecado destrói relacionamentos, o evangelho reconcilia. O pecado traz prejuízo, o evangelho faz restituição. O pecado produz tristeza e decepção, o evangelho promove alegria e contentamento. O pecado torna as pessoas prisioneiras, o evangelho as faz livres.

O evangelho de Cristo não lida apenas com meias medidas. O fato de Onésimo estar convertido não o desobriga de suas responsabilidades. Ele havia quebrado a lei, fugido da cidade de Colossos e também furtado ao seu senhor. Onésimo estava arrependido, mas ainda não tinha feito a devida restituição.[28]

A honestidade é uma virtude que deve ornar a vida do cristão. Onésimo não pode seguir seu caminho como um cristão sem voltar ao seu senhor e restituir o que lhe foi lesado. O cristão precisa andar na luz. Não pode empurrar o passado sujo para debaixo do tapete. Não pode deixar nódoas no seu caráter. Não pode viver na ilicitude.

É lamentável que muitos daqueles que professam o nome de Cristo estejam vivendo ao mesmo tempo na contramão da integridade moral. Nada é mais nocivo para o avanço do evangelho do que indivíduos professarem a fé evangélica e ao mesmo tempo viverem acobertando seus pecados em nome dessa fé.

Em sétimo lugar, *o valor do evangelho*. Myer Pearlman, expondo a carta de Paulo a Filemom, elenca cinco fatos magníficos que revelam o valor dessa epístola.[29] Vejamos cada um deles a seguir.

O seu valor pessoal. Essa epístola nos mostra de forma eloquente o caráter do apóstolo Paulo. Transbordam dessa pequena carta Seu amor, humildade, cortesia, altruísmo e tato.

---

[27]MARTIN, Ralph P. *Colossenses e Filemom*, p. 156.
[28]LIGHTFOOT, J. B. *Philemon* in *Classic Bible commentary*, p. 1.439.
[29]PEARLMAN, Myer. *Através da Bíblia livro por livro*, p. 306,307.

O seu valor providencial. Aprendemos nessa carta que Deus pode estar presente nas circunstâncias mais adversas (v. 15). Quando as coisas parecem fora de controle e as rédeas saem das nossas mãos, descobrimos que elas continuam rigorosamente sob o controle divino. Aquilo que nos parecia perda é ganho. Deus reverte situações humanamente impossíveis. Ele transforma vales em mananciais.

O seu valor prático. Se não há causa perdida para Deus, também, não há vida irrecuperável. Onésimo era um escravo rebelde e fugitivo. Nada havia nele que o pudesse recomendar. No entanto, pela graça de Deus ele foi salvo, transformado e voltou à casa de seu senhor não como um criminoso, mas como um amado irmão em Cristo, membro da família de Deus.

O seu valor social. O cristianismo venceu a escravidão não pela revolução das armas, mas pelo poder do amor. Como já mencionamos, na época de Paulo a escravidão era uma dolorosa realidade. Os escravos não tinham direitos legais. Pela mínima ofensa eles podiam ser açoitados, mutilados, crucificados ou entregues às feras. Não lhes era permitido matrimônio permanente, mas somente uniões temporais que podiam ser rompidas segundo a vontade do amo. Porém, a conversão a Cristo uniu na mesma família da fé e na mesma igreja senhores e servos. Amo e escravo foram unidos no Espírito de Cristo e nessa união foram extintas todas as distinções sociais (Gl 3.28).

O seu valor espiritual. A carta de Paulo a Filemom nos apresenta alguns símbolos notáveis da nossa salvação: Onésimo abandonando o seu amo. Paulo encontrando-o, intercedendo em seu favor, identificando-se com ele. O seu oferecimento de pagar a dívida e a recepção de Onésimo por Filemom por causa de Paulo; a restauração do escravo solicitada [...] *em nome do amor* (v. 9). Todas essas figuras lançam luz acerca da nossa grande salvação em Cristo.

1

Vidas transformadas, relacionamentos restaurados

Filemom 1-25

O CRISTIANISMO NÃO É APENAS UM SISTEMA DE DOUTRINAS; é, sobretudo, relacionamento, com Deus e com o próximo. Essa carta é um manual de relacionamento. Trata de amor, perdão, restituição e reconciliação. Embora essa tenha sido escrita há quase vinte séculos, seus ensinos continuam vivos, atuais e absolutamente oportunos.

Paulo estava preso em Roma, quando o escravo Onésimo, depois de furtar a seu senhor (v. 18), fugiu para Roma, "o esgoto comum de toda a miséria e vício do mundo antigo".[1]

Seu propósito possivelmente era esconder-se no meio da multidão. Em vez de ficar incógnito na capital do Império, entrementes, foi parar exatamente na mesma prisão onde estava o veterano apóstolo.

David Stern é da opinião de que Onésimo, o escravo fugitivo, tinha ido procurar refúgio em Paulo, na cidade de Roma, entretanto não se encontrava preso. Caso as autoridades o tivessem capturado, não o teriam encarcerado, mas o devolvido a seu senhor, conforme exigência da lei.[2]

---

[1] PEARLMAN, Myer. *Comentário bíblico: Epístolas paulinas*. 1999, p. 221.
[2] STERN, David H. *Comentário judaico do Novo Testamento*, p. 717.

Entre algemas, Paulo o levou a Cristo (v. 10). Imediatamente, o problema pendente veio à tona. Na mesma prisão com Paulo estava Epafras (v. 23), fundador da igreja de Colossos (Cl 1.7), que se reunia na casa de Filemom (v. 2). Certamente, Epafras conhecia pessoalmente Onésimo e sua situação. Embora Onésimo tenha se tornado uma pessoa muito útil a Paulo na prisão (v. 11), servindo-o em suas algemas por causa do evangelho (v. 13), o apóstolo resolve enviá-lo de volta a seu senhor (v. 12).

Por lei, o senhor tinha permissão de executar um escravo que se rebelasse, mas Filemom era cristão e, como tal, estava diante de um dilema: se perdoasse a Onésimo, o que os outros senhores e escravos pensariam? E, se o castigasse, de que maneira isso afetaria o seu testemunho?[3] Essa carta é escrita para ajudar Filemom a resolver esse dilema.

Paulo expressa seu profundo afeto por Onésimo antes de enviá-lo a Colossos. Diz a Filemom que o escravo, agora convertido, é [...] *o meu próprio coração* (v. 12) e um [...] *irmão caríssimo* (v. 16). Filemom deveria recebê-lo com as mesmas honras que receberia o próprio apóstolo (v. 17).

O remetente da carta (v. 1)

Paulo se apresenta como o autor dessa carta. Há evidências externas e internas que comprovam a sua autoria.[4] Embora mencione Timóteo num gesto de fidalguia e consideração, a carta é pessoal. Timóteo não é coautor da carta. Paulo escreveu toda a carta na primeira pessoa. Timóteo era como um filho para o velho apóstolo. Tornou-se seu assistente e emissário, viajando com ele e algumas vezes para ele.[5] Paulo não precisa se apresentar como apóstolo, uma vez que escreve para um filho na fé e colaborador.

Bem sabemos que no tempo de Paulo o nome do remetente era colocado no começo da carta e não no fim, como fazemos hoje. Paulo

---

[3] WIERSBE, Warren W. *Comentário bíblico expositivo*, p. 350.
[4] Confira esse fato no capítulo anterior.
[5] BARTON, Bruce B. et all. *Life application Bible commentary*, p. 250.

escreveu treze epístolas. Algumas delas foram escritas durante suas viagens e outras ele escreveu da prisão. Algumas cartas foram escritas para resolver problemas existentes nas igrejas, enquanto outras se destinavam a ensinar as doutrinas do glorioso evangelho. Quando sua autoridade apostólica era questionada, Paulo sempre se apresentava como apóstolo. Para seus amigos, Paulo se identificava apenas como servo de Cristo. Nessa carta a Filemom, Paulo apenas se denomina [...] *prisioneiro de Cristo Jesus* (v. 1).

É importante enfatizar que Paulo se identifica como prisioneiro de Cristo Jesus. Ele está preso a Cristo por fé e compromisso, e também preso numa prisão romana por crer em Jesus Cristo e lhe ser leal (At 28.30). "Prisioneiro" indica as condições adversas sob as quais ele trabalha. Levando em conta o propósito da carta — inspirar graça e perdão em Filemom por Onésimo –, as circunstâncias deploráveis de Paulo tornam as dificuldades de Filemom como nada.[6]

Lightfoot é da opinião que Paulo omite a credencial do seu apostolado propositadamente, uma vez que a finalidade dessa carta é solicitar em nome do amor, e não dar ordens (v. 8,9). Como poderia, então, Filemom resistir aos rogos de seu pai espiritual, já velho e encerrado em uma prisão?[7]

Fritz Rienecker diz que a frase "de Cristo Jesus" expressa a quem Paulo pertencia, e indica que a sua carta não deveria ser considerada uma carta particular, mas uma mensagem. Isto obrigaria as pessoas que a recebessem a obedecer-lhe.[8]

João Calvino é da opinião que as cadeias a que Paulo foi atado por causa do evangelho eram os adornos ou insígnias dessa embaixada que ele desempenhava para Cristo. Por conseguinte, o apóstolo as menciona com o fim de afirmar sua autoridade, não porque tivesse medo de ser desprezado, mas porque ia defender a causa de um escravo fugitivo, e a parte principal da carta era uma súplica de perdão.[9]

---

[6] NIELSON, John B. *A epístola a Filemom* em *Comentário bíblico Beacon*, p. 578.
[7] LIGHTFOOT, J. B. *Philemon* in *The classic Bible commentary*, p. 1.440.
[8] RIENECKER, Fritz; ROGERS, Cleon. *Chave linguística do Novo Testamento Grego*, p. 488.
[9] CALVINO, Juan. *Comentarios a las epístolas pastorales de San Pablo*, p. 402.

Vale destacar que Paulo não atribui sua prisão à perseguição dos judeus ou romanos, nem mesmo à orquestração do diabo. O apóstolo entendia que a soberania de Cristo governava plenamente sua vida. Por isso, olhava para a sua prisão como uma agenda divina, e não como uma maquinação dos homens ou ação maligna. Paulo, de fato, era um embaixador em cadeias. Durante algum tempo do seu ministério ficou preso e teve sua liberdade restringida, mas jamais a Palavra de Deus esteve algemada.

Os destinatários da carta (v. 1,2)

Embora essa carta seja pessoal e particular, não é endereçada exclusivamente a Filemom, mas também à irmã Áfia e a Arquipo, bem como à igreja que estava na casa de Filemom (v. 1,2). A menção de Áfia nessa missiva é importante porque naquela época as mulheres cuidavam dos negócios do lar, e era muito importante que ela soubesse o que Paulo tinha a dizer acerca de Onésimo.[10]

É importante destacar que havia uma igreja que se reunia na casa de Filemom. A palavra grega *ekklesia*, "igreja", usada aqui, refere-se a um grupo de crentes que se reuniam na casa de Filemom para adoração, oração, edificação, exortação, comunhão e comemoração da morte de Cristo (a Ceia do Senhor). Dali eles saíam para servir a Cristo e testemunhar aos outros acerca do evangelho.[11] Ao se reunirem na casa de Filemom, os cristãos eram todos *um* em Cristo. Ricos e pobres, homens e mulheres, senhores e servos. Nessa assembleia dos santos, Filemom não tinha preeminência alguma sobre Onésimo.[12]

Uma vez que o principal destinatário dessa carta é Filemom, vamos destacar alguns aspectos da sua vida:

Em primeiro lugar, ***era um dono de escravos***. Filemom era um gentio procedente de Colossos, cidade do vale do Lico, na região da Frígia, na

---

[10] RIENECKER, Fritz e ROGERS, Cleon. *Chave linguística do Novo Testamento Grego*. 1985, p. 488.
[11] BORLAND, James A. *The Epistle to Philemon* in *The complete Bible commentary*. Nashville, TN: Thomas Nelson Pusblishers, 1999, p. 1.666.
[12] MACDONALD, William. *Believer's Bible commentary*, p. 2.149.

província da Ásia Menor. Era dono de escravos. Devia ter uma condição financeira abastada.

Em segundo lugar, *era filho na fé do apóstolo Paulo*. Embora Paulo não tenha estado em Colossos, exerceu grande influência sobre toda a Ásia Menor por ocasião da sua terceira viagem missionária (At 19.10). Durante seus três anos em Éfeso, capital da província da Ásia Menor, muitas pessoas foram alcançadas pelo evangelho naquela região, dentre elas Filemom.

Esse rico senhor de escravos era filho na fé do apóstolo Paulo (v. 19). Filemom era um cristão exemplar. Ele tinha fé em Jesus (v. 5) e amor para com todos os santos (v. 7). Calvino é da opinião de que esse elogio que Paulo faz a Filemom inclui de forma breve toda a perfeição de um cristão. Esta consiste de duas partes: fé em Cristo e amor ao próximo. A essas duas coisas se relacionam todos os atos e obrigações de nossa vida.[13]

Em terceiro lugar, *era um colaborador do apóstolo Paulo*. Filemom era um colaborador do apóstolo Paulo (v. 1). A palavra grega usada por Paulo, *synergos*, "cooperador", era com frequência empregada para indicar seus companheiros na obra do evangelho.[14] O amor de Filemom era demonstrado a todos os santos (v. 5). O próprio Paulo era alvo do seu abnegado amor (v. 7). Filemom era um bálsamo na vida dos crentes. Ele reanimava o coração dos santos (v. 7). Filemom era um homem hospitaleiro (v. 22). Não apenas seu coração estava aberto para amar os irmãos, mas também sua casa estava a serviço das pessoas.

Em quarto lugar, *era um homem que tinha toda a família comprometida com o evangelho*. Paulo dirige-se não somente a ele, mas também a Áfia, sua mulher, e a Arquipo, seu filho. William MacDonald diz que a maioria dos estudiosos afirma que Áfia era esposa de Filemom. O fato de que essa carta foi endereçada também a uma mulher nos relembra que o cristianismo exalta o gênero feminino.[15]

Devido à ausência de Epafras, preso com Paulo em Roma (v. 23), Arquipo desempenhava a função de pastor da igreja de Colossos

---

[13]CALVINO, Juan. *Comentarios a las epístolas pastorales de San Pablo*, p. 403.
[14]RIENECKER, Fritz; ROGERS, Cleon. *Chave linguística do Novo Testamento Grego*, p. 488.
[15]MACDONALD, William. *Believer's Bible commentary*, p. 2.148.

(Cl 4.17). Toda a família de Filemom estava envolvida e engajada na obra de Deus. Arquipo era um cossoldado do apóstolo Paulo, ou seja, uma pessoa engajada nas mesmas lutas e conflitos, que enfrentava os mesmos perigos e buscava os mesmos objetivos.[16]

Em quinto lugar, *era um homem que hospedava a igreja em sua casa*. Filemom entregou seu coração a Jesus e sua casa para a igreja de Jesus. A igreja se reunia em sua casa. As portas do seu lar estavam abertas para outras pessoas conhecerem a Cristo e serem edificadas na Palavra. Até o terceiro século as igrejas não tinham templos e se reuniam nos lares.

Na casa de Filemom os crentes de Colossos se reuniam para adorar a Deus, orar ao Senhor, estudar Sua Palavra e ter comunhão uns com os outros. Dali é que eles saíam para anunciar o evangelho em Colossos e irradiar sua luz por todo o mundo. O próprio apóstolo Paulo dá testemunho da pujança dessa igreja de Colossos:

> *Damos sempre graças a Deus, Pai de nosso Senhor Jesus Cristo, quando oramos por vós, desde que ouvimos da vossa fé em Cristo Jesus e do amor que tendes para com todos os santos; por causa da esperança que vos está preservada nos céus, da qual antes ouvistes pela palavra da verdade do evangelho, que chegou até vós; como também, em todo o mundo, está produzindo fruto e crescendo, tal acontece entre vós, desde o dia em que ouvistes e entendestes a graça de Deus na verdade; segundo fostes instruídos por Epafras, nosso amado conservo e, quanto a vós outros, fiel ministro de Cristo, o qual também nos relatou do vosso amor no Espírito* (Cl 1.3-8).

A saudação apostólica (v. 3)

Usando seu estilo comum, Paulo invoca a graça e a paz para Filemom, sua família e a igreja que se reúne em sua casa. A graça é a causa da salvação. A paz é o resultado. A graça é a raiz, e a paz é o fruto. Matthew Henry diz que a graça é a fonte de todas as bênçãos; e a paz é a síntese dessas bênçãos, concedida a nós como fruto e efeito da graça.[17] A graça

---

[16] RIENECKER, Fritz; ROGERS, Cleon. *Chave linguística do Novo Testamento Grego*, p. 488.
[17] HENRY, Matthew. *Matthew Henry's commentary*, p. 1.907.

é o dom imerecido de Deus. É Seu amor redentor demonstrado a pecadores culpados. A paz se refere tanto à paz que Cristo fez entre pecadores e Deus por meio de sua morte na cruz como àquele profundo sentimento de segurança mesmo no meio das turbulências da vida.[18] Não há paz sem a graça, e não há graça desprovida da paz.

A fonte tanto da graça quanto da paz é o próprio Deus, Pai e Filho. Não produzimos a graça nem a paz; nós a recebemos tanto do Pai quanto do Filho.

Hans Burki faz uma preciosa síntese dessa carta como segue:

> Após a saudação (v. 1-3) Paulo transita para as ações de graças e a intercessão, nas quais já indica o conteúdo da carta (v. 8-20). O bloco principal é estruturado em quatro partes: recordação de uma boa ação de Filemom (v. 7-9); apresentação da condição transformada de Onésimo (v. 10-12); retrospecto e nova interpretação do acontecido (v. 13-16); pedido a Filemom, para que torne a praticar uma boa ação (v. 17-20). A carta encerra com uma perspectiva confiante para o futuro (v. 21,22), bem como com os votos de saudação e bênção (v. 23-25).[19]

Algumas lições de grande importância devem ser extraídas dessa preciosa carta.

Nunca perca uma oportunidade para elogiar sinceramente as pessoas (v. 4-7)

Paulo é pródigo nos elogios. Era um encorajador; ele tinha habilidade no trato com as pessoas. Vamos evidenciar aqui três pontos.

Em primeiro lugar, **Paulo destaca o relacionamento de Filemom com Deus e com os irmãos** (v. 4,5). Paulo agradece a Deus em oração pelo relacionamento de Filemom com Jesus e com os irmãos. Filemom tem fé em Jesus e amor pelos irmãos. Seu relacionamento vertical e horizontal estava correto. Qual foi a última vez que você agradeceu a Deus pela vida de uma pessoa e disse isso para ela? Às vezes, nós só falamos para os irmãos quais são os seus pontos negativos. Devemos ser pródigos no encorajamento!

---

[18] BARTON, Bruce B. et all. *Life application Bible commentary*, p. 252.
[19] BURKI, Hans. *Carta aos Tessalonicenses, Timóteo, Tito e Filemom*, p. 435.

Em segundo lugar, **Paulo destaca que a fé que Filemom tinha era demonstrada pelas obras** (v. 6). Filemom tinha uma fé operante. Sua fé atuava pelo amor (Gl 5.6). Podemos mostrar nossa fé não apenas pela pregação do evangelho, mas também alimentando os famintos, vestindo os nus, confortando os aflitos, libertando os oprimidos. Filemom deveria demonstrar sua fé perdoando ao escravo fugitivo.[20]

Em terceiro lugar, **Paulo enaltece os efeitos do amor de Filemom na vida das pessoas** (v. 7). Paulo não era daquele tipo de crente que acha que é perigoso fazer elogios sinceros. Diga para as pessoas que elas são uma bênção. Diga que você tem sido abençoado por intermédio da vida delas. Diga que muitos são consolados por intermédio do ministério delas. A casa de Filemom era um oásis.

Sua vida tem sido um refrigério para as pessoas que vivem ao seu redor? Quando as pessoas oram por você, podem fazê-lo com alegria ou sempre com lágrimas?

O amor cristão sempre abençoa as pessoas: demonstra gratidão pelos outros (v. 4); procura o bem dos outros (v. 10); lida honestamente com eles (v. 12); leva o fardo dos outros (v. 18) e crê no melhor das outras pessoas (v. 21).[21]

Nunca você é tão **grande** como quando você é **humilde** (v. 1,8,9,14,19)

Dois pontos merecem destaque:

Em primeiro lugar, **Paulo não se apresenta como apóstolo, mas como prisioneiro de Cristo**. Quando Paulo vai interceder por um escravo, coloca-se no nível dele e, em vez de usar sua autoridade de apóstolo, apresenta-se como prisioneiro de Cristo (v. 1) e o velho (v. 9). Quando vai defender a causa de alguém, que o mundo considerava apenas um objeto do seu dono, chama-o de *meu filho* (v. 10), *o meu próprio coração* (v. 12).

Em segundo lugar, **Paulo pede como favor aquilo que poderia ordenar como direito** (v. 8,9). Paulo não usa a autoridade de apóstolo para impor

---
[20] MacDonald, William. *Believer's Bible commentary*, p. 2.149.
[21] *Notas e comentários da Bíblia de Genebra*, versão New King James.

sua vontade a Filemom, mas faz uma solicitação em nome do amor. Se Paulo não tivesse ganhado o coração de Filemom, Onésimo poderia ter tido uma recepção gelada.

Paulo prefere apelar em nome do amor do que ordenar (v. 8,9). Muitas vezes podemos fechar portas em vez de abri-las quando assumimos uma posição autoritária, em vez de uma postura humilde.

Nunca perca a oportunidade de ser um **pacificador** (v. 7-16)

Paulo usou seis fortes argumentos para apelar a Filemom, a fim de que recebesse com bom grado a Onésimo de volta. Paulo foi um intercessor, um mediador e um pacificador. Foi um construtor de pontes. Temos construído pontes ou cavado abismos entre as pessoas? Vejamos os argumentos usados por Paulo.

Em primeiro lugar, *ele começou com a reputação de Filemom como um homem que abençoava as pessoas* (v. 7,8). As palavras "pois bem" conectam-se com o fato de que Filemom era um homem que reanimava o coração dos santos. Agora, Paulo está lhe dando a oportunidade de refrigerar o próprio coração. Filemom tinha sido uma bênção para muitos crentes, agora deveria ser também para um escravo fugitivo que havia se convertido.

Em segundo lugar, *ele usou a linguagem do amor em vez da autoridade apostólica para sensibilizar Filemom* (v. 9). Paulo era apóstolo, idoso e ainda estava preso. Mas, em vez de ordenar, pede e suplica. Não usa sua autoridade, sua condição nem sua idade para pressionar Filemom. A força da súplica é mais eloquente do que o grito da imposição. A humildade abre mais portas do que a arrogância. A sensibilidade é mais eficaz do que a imposição. Um ditado chinês diz que "pegamos mais moscas com uma gota de mel do que com um barril de fel".

Em terceiro lugar, *ele usou o fato da conversão de Onésimo para mover o coração de Filemom* (v. 10). Onésimo era apenas um escravo ladrão e fugitivo; mas, agora, convertido a Cristo, é filho de Paulo na fé e na mesma fé irmão de Filemom. Em Cristo não há escravo nem livre (Gl 3.28). Isso não significa que, quando uma pessoa é convertida, sua condição social muda; ou que suas dívidas não devam mais ser pagas. O argumento de Paulo é que Onésimo tem uma nova posição diante de Deus e do povo de Deus, e Filemom tem de levar isso em consideração.

A vida de Onésimo pode ser dividida em cinco partes: 1) Na casa de Filemom – sua desonestidade; 2) Em Roma – uma grande cidade de liberdades sem limites e muitas tentações; 3) Sob a influência da pregação de Paulo – um ouvinte e um convertido; 4) Na prisão, como um ajudante de Paulo – sua conversão se prova pelo fato de deixar as más companhias, servir a Paulo e estar pronto a voltar ao seu senhor; 5) Na casa do seu senhor novamente – retorno, reconciliação e alegria.

Em quarto lugar, *ele usou o argumento da mudança na vida de Onésimo* (v. 11-14). Onésimo havia se tornado um escravo inútil para o seu senhor. Além de inútil, ainda furtara seu senhor e fugira, deixando um exemplo negativo para os outros servos. Porém, o evangelho chegou à vida desse escravo e seu coração foi transformado. Seu nome significa "útil" e agora Onésimo já estava à altura desse nome. Agora Onésimo é útil de nome e de caráter.[22] O nome Filemom significa *afeiçoado* ou *aquele que é gentil*. Se o escravo que se tornara inútil agora é útil, não deveria o nome do patrão também fazer jus ao seu significado?

Ralph Martin diz que *Onésimo* era um nome comum para escravos, achado muitas vezes nas inscrições, parcialmente porque um escravo sem nome receberia esse nome de identificação, na esperança de que vivesse à altura do seu nome adotivo no serviço do seu dono.[23]

Paulo poderia ter mantido Onésimo consigo em Roma, mas resolveu devolvê-lo ao seu senhor como alguém útil. O dever vem antes do prazer (v. 13,14). Paulo bem que poderia conservar Onésimo consigo, mas resolveu fazer a coisa certa, mandando-o de volta ao seu senhor. Ser leal a Deus pode, às vezes, exigir que resolvamos fazer aquilo que não desejamos e, pela força da vontade, o que não é nossa inclinação.[24]

O evangelho transforma as pessoas: um inútil numa pessoa útil; um escravo, num irmão; um ladrão em uma pessoa honesta; um fugitivo em

---

[22] PEARLMAN, Myer. *Comentário bíblico: Epístolas paulinas*. Rio de Janeiro: CPAD, 1999, p. 224.
[23] MARTIN, Ralph P. *Colossenses e Filemom: Introdução e comentário*. 1984, p. 170.
[24] PEARLMAN, Myer. *Comentário bíblico: Epístolas paulinas*, p. 228.

alguém que volta para pedir perdão. Os escravos frígios tinham a má reputação de serem preguiçosos e imprestáveis. De uma maneira, especialmente, Onésimo fora infiel ao seu nome, mas agora é um homem transformado e útil.[25]

A transformação operada em Onésimo lhe dava agora nova inspiração para as antigas tarefas. Sua conversão não o isentou de suas responsabilidades, mas o ajudou a cumprir suas tarefas com uma nova motivação e um novo espírito.[26]

Em quinto lugar, *ele usou o argumento da providência divina* (v. 15,16). Paulo compreende que as circunstâncias podem estar fora do nosso controle, mas não do controle de Deus. Ele demonstra isso de duas maneiras eloquentes. Primeiro, ele mesmo não se considerava prisioneiro de Roma ou de César, mas de Cristo (v. 1). É Cristo quem está no controle da sua vida. Segundo, a fuga de Onésimo estava fora da previsão de Filemom, mas não fora da agenda de Deus (v. 15,16).

Como crentes, devemos crer que Deus está no controle das situações e circunstâncias mais difíceis (Rm 8.28). A fuga de Onésimo não apanhou Deus de surpresa. Deus o levou a Roma para salvá-lo e devolvê-lo como um irmão ao seu senhor. Onésimo foi para Roma como um escravo, mas voltou para a casa de Filemom como um irmão; ele partiu como um homem desonesto e voltou como um homem salvo. Ele se ausentou por pouco tempo e retornou para estar com Filemom o tempo todo e por toda a eternidade.[27] Os planos de Deus não podem ser frustrados.

Em sexto lugar, *ele usou o argumento de seu profundo afeto por Onésimo* (v. 12). *Eu to envio de volta em pessoa, quero dizer, o meu próprio coração*. Paulo pede que Onésimo seja recebido como se fosse seu filho (v. 10). Paulo não vê Onésimo como um escravo, mas como um irmão caríssimo (v. 16). Receber Onésimo era a mesma coisa que receber o próprio Paulo (v. 17). O termo "receber" (v. 17) significa "receber no seu círculo familiar". Imagine um escravo ser aceito na família de seu

---

[25] MARTIN, Ralph P. *Colossenses e Filemom: Introdução e comentário*, p. 171.
[26] PEARLMAN, Myer. *Comentário bíblico: Epístolas paulinas*, p. 229.
[27] LIGHTFOOT, J. B. *Philemon* in *The classic Bible commentary*, p. 1.441.

senhor! Mais maravilhoso ainda é um pecador perdido ser aceito na família de Deus.[28]

Nunca desista de ver o poder do evangelho prevalecendo na vida das pessoas (v. 17-25)

Neste aspecto, destacamos cinco pontos:

Em primeiro lugar, *precisamos aprender que não existem pessoas mais importantes que outras* (v. 17). Paulo, o apóstolo de Cristo, roga para que Filemom receba o escravo convertido como se fosse ele mesmo. Isso quer dizer que não existe uma pessoa mais importante do que outra na Igreja de Deus. Somos todos iguais. Somos todos companheiros de jornada.

Erlo Stegen, missionário entre os zulus, na África do Sul, relata uma experiência vivida numa cultura marcada pelo preconceito racial. Ao receber algumas autoridades sul-africanas na sede de sua misão, ficou com vergonha de reunir-se àquelas ilustres personalidades perto dos negros zulus.

Furtivamente, fechou a janela para que as autoridades não vissem os negros associados a ele. Imediatamente o Espírito de Deus gerou em seu coração uma profunda convicção de pecado e ele entendeu que, se fechasse aquela janela, o próprio Deus ficaria do lado de fora. Foi somente depois que as barreiras do racismo caíram por terra que a Missão Kwa Sizabantu experimentou um poderoso avivamento espiritual.

Em segundo lugar, *precisamos aprender a nos identificar com as falhas das pessoas* (v. 18,19). Paulo pediu a Filemom para receber a Onésimo como [...] *o meu* [Paulo] *próprio coração* (v. 12).

Onésimo possivelmente havia furtado ou desviado dinheiro ou bens do seu senhor. Paulo estava pronto a colocar a dívida de Onésimo em sua conta (v. 18,19).

Paulo estava assumindo a responsabilidade por tudo quanto Onésimo devia. A suposição subjacente é que Paulo conhecia a lei mediante a qual uma pessoa que dá guarida a um escravo fugitivo ficava devendo

---

[28]WIERSBE, Warren W. *Comentário bíblico expositivo*, p. 352.

ao dono o valor da perda de trabalho envolvida na deserção do escravo.[29]

Isso é profunda identificação. Precisamos ter compaixão pelos que erram. O cristianismo transforma o pior escravo no melhor dos homens livres.

Essa identificação é uma ilustração do que Jesus fez por nós. Lutero disse que todos nós somos *Onésimos*. Jesus se identificou de tal forma conosco que o Pai nos recebe como ao próprio Filho. Somos aceitos no Amado (Ef 2.6). Fomos vestidos com Sua justiça (2Co 5.21). A palavra "recebe-o" no versículo 17 é receber dentro do círculo familiar.

Imagine um escravo entrando dentro do círculo familiar do seu senhor. Imagine um pecador entrando na família de Deus!

Paulo não sugere que Filemom ignore os crimes de Onésimo. Mas se oferece para pagar sua dívida. A linguagem do versículo 19 soa como uma nota promissória legal. Não bastou o amor de Deus para nos salvar. Ele nos salvou por Sua graça. E graça é amor que paga um preço! Ele pagou a nossa dívida. Isso é a doutrina da imputação.

Cristo morreu na cruz e nossos pecados foram lançados sobre Ele (1Pe 2.24). Quando confiamos nEle, Sua justiça é lançada sobre nós. Então, Deus nos recebe como recebe ao Seu Filho.[30]

Em terceiro lugar, *precisamos exercitar tanto a restituição quanto o perdão* (v. 12,17-20). Uma pessoa convertida tem uma profunda transformação no seu caráter. Uma pessoa convertida não pode mais ser caloteira. Ela assume suas responsabilidades. Ela faz restituição. Paulo restitui Onésimo e está pronto a restituir o dinheiro que Onésimo furtou. Concordo com Myer Pearlman quando diz que a conversão é motivo forte para pagar as dívidas, guardar as promessas, ser diligente nas suas ocupações e fazer restituição por quaisquer maus atos praticados antes.[31]

Contudo, embora Paulo esteja pronto a pagar a dívida, encoraja Filemom a perdoar. O perdão é a marca de um verdadeiro cristão.

---

[29]MARTIN, Ralph P. *Colossenses e Filemom: Introdução e comentário*, p. 173.
[30]WIERSBE, Warren W. *Comentário bíblico expositivo*, p. 352.
[31]PEARLMAN, Myer. *Comentário bíblico: Epístolas paulinas*, p. 230.

Perdoar é cancelar a dívida, é não cobrá-la mais. É deixar a outra pessoa livre e ficar livre.

Aqui temos também um exemplo vivo de uma das grandes doutrinas do cristianismo, a doutrina da imputação (v. 18). Nossa dívida não foi colocada em nossa conta (2Co 5.19). Em vez disso, foi colocada na conta de Cristo (2Co 5.21). O Filho de Deus, então, como nosso fiador e representante, pagou nossa dívida com o próprio sangue (Cl 2.14). Imediatamente, foi creditada em nossa conta a infinita justiça de Cristo (2Co 5.21b). Cristo pagou o preço da nossa redenção. Fomos justificados e nenhuma condenação pesa mais sobre nós (Rm 8.1). É como se jamais tivéssemos pecado. Ficamos completamente quites diante da lei e da justiça divina.

Em quarto lugar, *precisamos aprender sobre o glorioso poder de Jesus para salvar* (v. 10). Jesus apanha um escravo fugitivo e faz dele um homem livre, santo, salvo, útil. Não há caso perdido para Jesus. Não devemos desistir de pregar nem de esperar a transformação das pessoas. Jesus ainda continua transformando escravos em homens livres. O evangelho transforma um ladrão em um irmão.

Em quinto lugar, *precisamos compreender que uma pessoa convertida se torna uma pessoa útil nas mãos de Deus* (v. 11). Uma pessoa convertida precisa ser uma bênção. Ela tem uma transformação radical na vida. Ela não é mais a mesma. Suas palavras mudam. Sua conduta muda. Suas atitudes mudam. Antes era um problema, agora é uma bênção. Uma pessoa convertida é uma bênção permanente (v. 15).

Paulo termina a carta com ensinos ainda mui preciosos:

Quando se faz as coisas do jeito de Deus, os resultados sempre transcendem as expectativas (v. 21). Embora Paulo não tenha combatido frontalmente o regime da escravidão, admoestou tanto os servos quanto os seus senhores a serem íntegros (Ef 6.5-9; Cl 3.22–4.1; 1Tm 6.1,2; Tt 2.9,10). Paulo, outrossim, encorajou os escravos cristãos a obter sua liberdade quando possível (1Co 7.21-24). Mesmo não conseguindo a alforria, em Cristo eram livres.

Nessa carta Paulo solicita a Filemom mais do que simplesmente perdoar Onésimo; pede que ele receba Onésimo como um irmão caríssimo. É consenso quase unânime que Paulo rogou a Filemom para alforriar Onésimo. A tradição declara que Onésimo recebeu a sua libertação e mais tarde veio a ser bispo da igreja de Bereia.[32]

Warren Wiersbe diz que, se os primeiros cristãos tivessem começado campanhas contra a escravidão, teriam sido exterminados pela oposição, e a mensagem do evangelho se confundiria com uma plataforma social e política.[33]

Alexander MacLaren nos oferece uma oportuna explicação para essa delicada questão:

> Em primeiro lugar, a mensagem do cristianismo é dirigida, principalmente, a indivíduos e, apenas de modo secundário, à sociedade. Deixa ao encargo das unidades que influenciou o trabalho de influenciar as massas. Em segundo lugar, atua sobre atitudes espirituais e morais e, somente depois disso e em decorrência de tais atitudes, sobre atos ou instituições. Em terceiro lugar, essa mensagem abomina a violência e confia inteiramente na consciência esclarecida. Assim, não se envolve diretamente com nenhuma estrutura política ou social, mas declara princípios que afetam profundamente tais estruturas e instila seus princípios na consciência geral.[34]

Tudo o que Deus faz, o faz por meio da intercessão do Seu povo (v. 22). Paulo entende que só Deus pode libertá-lo da prisão, mas o Senhor fará isso por intermédio das orações da igreja. O altar está conectado com o trono. Quando a igreja ora, ela move o braço daquele que governa o mundo. Quando o homem trabalha, o homem trabalha; mas quando o homem ora, Deus trabalha!

Jamais deixe de valorizar as pessoas que estão ao seu lado (v. 23,24). Paulo destaca na conclusão dessa carta vários irmãos:

- *Epafras*. Paulo envia a Filemom as saudações de Epafras, que estava preso com ele em Roma. O apóstolo destaca esse homem por sua

---

[32]PEARLMAN, Myer. *Comentário bíblico: Epístolas paulinas*, p. 225.
[33]WIERSBE, Warren W. *Comentário bíblico expositivo*, p. 353.
[34]MACLAREN, Alexander. *The expositor's Bible*. Vol. 6. Grand Rapids: Wm. Eerdmans, 1940, p. 301.

dedicação a Cristo, a Paulo e ao evangelho. Nas horas mais difíceis do apóstolo Paulo, Epafras estava do seu lado.
- *Marcos*. João Marcos, que estava com Paulo (Cl 4.10), era o rapaz que o abandonara na primeira viagem missionária (At 12.12,25; 15.36-41). Paulo havia perdoado a Marcos e era grato pelo seu ministério fiel (2Tm 4.11). Esse Marcos é o primo de Barnabé e escritor do segundo evangelho.
- *Aristarco*. Aristarco era de Tessalônica e acompanhou Paulo a Jerusalém e, depois, a Roma (At 19.29; 27.2).
- *Demas*. Demas é mencionado três vezes nas cartas de Paulo: "Demas e Lucas, meus cooperadores" (Fm 24); "Saúda-vos [...] Demas" (Cl 4.14); "Porque Demas, tendo amado o presente século, me abandonou" (2Tm 4.10). João Marcos falhou, mas foi restaurado. Demas parecia ir bem, mas caiu.[35]
- *Lucas*. Certamente é o [...] *médico amado* (Cl 4.14) que acompanhou Paulo, ministrou ao apóstolo e, por fim, escreveu o evangelho de Lucas e o livro de Atos.

A graça deve estar presente desde o começo até o fim da nossa vida (v. 3,25). Paulo termina a carta como começou, com a graça do Senhor Jesus Cristo. Por ela fomos salvos, por ela vivemos e por ela entraremos no céu.

---

[35] WIERSBE, Warren W. *Comentário bíblico expositivo*, p. 354.

Sua opinião é importante para nós.
Por gentileza, envie-nos seus comentários pelo e-mail

editorial@hagnos.com.br

Visite nosso site:

www.hagnos.com.br

Sua opinião é importante para nós.
Por gentiliza, envie-nos seus comentários pelo e-mail:

editorial@hagnos.com.br

Visite nosso site:

www.hagnos.com.br